U0110146

自由人（十七）

自由人總目錄

動盪時代的印記——《自由人》三日刊始末

陳正茂（北台灣科學技術學院通識教育中心教授）

一、前言：《自由人》三日刊創刊之背景

民國三十八年是中國歷史上驚天動地的一年，隨著戡亂戰局的逆轉，中共席捲大陸，國府敗退遷台，真是國命如絲風雨飄搖的危急存亡之秋。處此動盪時代中，除大批軍民同胞隨政府播遷來台外；尚有一部分人士選擇避難香江，南下港九一隅，這些人當中，有不少是失意政客和知識份子。基本上，當年選擇避秦來港的知識份子，其心態上有兩種，一則對國、共兩黨均感不滿；再則係看上香港為自由民主之地，較能有揮灑發展的空間。此情勢考量，誠如雷嘯岑所言：「在一九四九－五〇年之間，因大陸淪陷，香港乃成了反共非共的中國人士望門投止的逋逃之藪」。

這些投奔港九的政治難民，以高級知識份子居多；兼以香港時為英屬自由之地，所以只要不違背港府法令，一般而言從事任何活動是百無禁忌，相當自由的。不僅可以高談政治問題，甚至於從事政治活動亦不加以限制。於是，「從大陸流亡到港九的高級知識份子群，乃相率呼朋引類，常舉行座談會，交換對國事意見，而美國國務院的巡迴大使吉塞普（Philip Jessup），斯時亦在香港鼓勵中國人組織『第三勢力』運動，目的以反共為主。」在此背景下，港九地區的自由民主人士，在美國幕後撐腰下，「各種座談會風起雲湧，熱鬧非凡；而諸多以反共為職志的大小刊物，更是應運而興，琳瑯滿目了。」所以，《自由人》三日刊，就是在此大時代氛圍下孕育而生的。

二、《自由人》三日刊誕生之經過

《自由人》三日刊醞釀誕生之經過，最早鼓吹者，一般而言，說法有二，一為由王雲五號召發起。據其《岫廬八十自述》書中提及：「自民國三十九年開始以來，由於中共匪幫建立偽政權，並先後獲得蘇俄、緬甸、印度、巴基斯坦及英國的承認，於是匪幫的勢力在香港突然大振，不少反共分子漸呈動搖態度。旅港有識之士深感囂風日長，漸使全港華人隨而動搖，乃相與集議挽救之道。我因在港主辦一個小規模出版事業（按：即華國出版社），尤以一貫堅持反共方針，遂由多數參加集議人士推任領導。由臨時的集會，變為固定的座談；其地點經常利用國民黨在銅鑼灣某街所租賃之四樓房屋一層。每次參

[1] 馬五，〈「自由人」之產生與夭折〉，見馬五（雷嘯岑）著，《政海人物面面觀》（香港：風屋書店出版，一九八六年十二月初版），頁二一二。又此種座談會多在週末舉行，也有人稱之為「週末座談會」或「星期六座談會」。見馬五先生著，《我的生活史》（台北：自由太平洋文化事業公司出版，民國五十四年三月一日初版），頁一六一。

加座談者，多至三十餘人，少亦一二十人，皆為文化界人士，或為舊日與政治有關係者，各政黨及無黨派人士皆有之。後來我以香港政府最忌政治性的集會，凡參加人數較多，尤易引起猜疑，動輒干涉。加以如此散漫的座談，亦未必能持久，因於某次座談中提議創辦一小型之定期刊物，每週或半週出版一次，既可藉此刊物益鞏固反共人士之維繫，且刊物一經向港政府註冊，則在刊物辦公處所舉行的座談，皆可諉稱編輯會議，可免港政府之干涉。此議一出，諸人咸表贊同，遂計劃如何組織與籌款。結果決辦三日刊，定名為自由人，其資金由參加坐談人士各自量力提供。我首先代表華國出版社提供港幣一千五百元，此外各發起人分別擔任，或一千，或五百不等；並經決定撰文者一律用真姓名，以明責任。其後，又決定委託香港時報代為印刷發行。因是，籌備進行益力，發起人等每星期至少集會一次，間或二次，一切進行甚為順利。」[2]

二為眾人集議，早有志於此，雷嘯岑即主此說。雷言：「這時候，即有原在大陸上服務新聞界的報人成舍我、陶百川、程滄波，協同青年黨人左舜生、民社黨人金侯成，以及國民黨人阮毅成、無黨無派的王雲五，外加香港時報社長許孝炎、新聞天地雜誌社社長卜少夫一干人等，於每週末午後在香港高士威道某號住宅中，舉行文化座談會。大家談來談去，得到一項結論，要辦一份刊物，以闡揚民主自由思想，在文化上進行反共鬥爭。……適韓戰爆發，預料東亞局勢將有變化，刊物必須及時問世，刊物取名「自由人」，由程滄波書寫報頭兼撰〈發刊詞〉，標題是〈我們要做自由人〉。」[3]

然由當事人之一的阮毅成事後追記，似乎《自由人》三日刊能草創成功，仍是由王雲五一手主導的。阮說：「民國三十九年十二月二十日，雲五先生在香港高士威道約大家茶敘，其中特別提及『今日我約諸位來，是想創辦一份反共的刊物，以正海外的視聽。間接幫助臺灣，說幾句公道話。我們讀書人，今日所能為國家效力的，也只有此途。』」[4]由阮之記載，合理推論，《自由人》三日刊能順利催生問世，王氏為登高呼籲之首倡者，可能性是很高的！

但就在王氏積極創辦《自由人》三日刊之際，突發一件暗殺事件，則頗值得一述；且對後來《自由人》三日刊的發展不無影響。事緣於三十九年十二月下旬，王氏在《自由人》三日刊諸人集會散會後，在香港寓所遭遇暗殺，幸子彈未命中，逃過一劫，這突如其來之舉，使王氏決定立即離港赴台定居。此事來台後，王氏曾將真相告訴繼我而來的成舍我。王氏謂：「到臺以後，除將此次提前來臺的秘密暗中告知兒女外，他人皆不使知。後來事過境遷，才漸漸透露給若干至好的朋友，首先是對於不久繼我而來的成舍我君；因為他覺得我向

---

2 王雲五，《岫廬八十自述》（台北：商務版，民國五十六年七月一日初版），頁一〇四～一〇五。

3 馬五，〈「自由人」之產生與夭折〉，同註一，頁二一二～二一三。又見馬之驌，《雷震與蔣介石》（台北：自立晚報社文化出版部出版，一九九三年十一月一版），頁八一。

4 阮毅成，〈王雲五先生與自由人三日刊〉，見蔣復璁等著，《王雲五先生與近代中國》（台北：商務版，民國七十六年六月初版），頁三〇～三一。有關《自由人》之發起，另有一說為萬麗鵑博士論文所言：「《自由人》為『自由中國協會』成員所辦之三日刊。」見萬麗鵑，〈一九五〇年代的中國第三勢力運動〉（台北：國立政治大學歷史研究所博士論文，民國九十年七月），頁一六四。但根據「自由人」社發起人之一的雷嘯岑回憶說：「自由中國協會」為當時在美國的胡適、蔣廷黻、曾琦等人所發起，胡、蔣、曾諸氏希望以『自由人』全體發起人為主幹，先在香港成立總會，台灣暨歐美各省都設立分會。嗣經提出座談會詳細研討，大家認為總會以設在台灣為妥，香港亦只設分會，庶合體制。結果不知如何，這個會沒有成立，終於流產了。」馬五，〈「自由人」之產生與夭折〉，同註一，頁二一四～二一六。故萬氏此說，恐不確。

來很少患病，在約定聯合宴客之日，我竟稱病缺席，舍我不免將信將疑。其後到我家探病，見我毫無病容，更不免懷疑。及我不別而赴臺，他懷疑益甚，所以在他來臺後，偶爾和我詳談及此，我也就不好意思對朋友有所隱瞞了。」[5]

上述言及之十二月下旬，實際上是民國三十九年十二月三十一日，除夕。阮氏說：是日「王雲五先生約在高士威道午餐，我應約前往，王臨時以腹瀉未到，由成舍我兄代作主人，謂『自由人』籌備事，大致已妥。」而四十年的元月三日，阮氏也說到是日，「應卜少夫、程滄波二兄之約，到高士威道二十二號四樓午膳。據滄波兄言，是日原應由王雲五先生作東，而王於當天上午，離港飛台，臨行前以電話托其代為主人。」[6]

王氏的不告而別倉促離港赴台，也使得後續有不少參與「自由人」社同仁跟進，紛紛來台，這對於原本人力吃緊資金短絀的《自由人》三日刊之發展，當然有不小的影響。至於《自由人》三日刊籌組的經過梗概，雖在王氏離港來台後，仍按部就班的進行。四十年元月十日下午，阮毅成與程滄波及左舜生又約至高士威道聚談。關於創辦刊物事，左舜生主張宜立即出版，卜少夫則以須現款收有相當數目，方能創刊。是月三十一日，雷震自台灣來，亦參加「自由人」社活動。會中大家一致決定《自由人》三日刊，於農曆年後出版。並在職務安排上初步有了規劃，即推程滄波撰〈發刊詞〉，以辦報經驗豐富的成舍我任總編輯，陶百川為副總編輯。又另推編輯委員十四人，分別是劉百閔、雷嘯岑、陶百川、彭昭賢、程滄波、陳石孚、許孝炎、張丕介、吳俊升、金侯城、成舍我、左舜生、王雲五、卜少夫。[7]

四十年二月九日，內定為總編輯的成舍我自香港致函王雲五，說到：「自由人半週刊已將登記手續辦妥，『館主』係由少夫出名，因渠後來未再提出不能兼任之困難，……編輯人經由弟以本名登記。股款雖交者仍不太多，但讀者則頗踴躍。……據弟觀察，維持六個月，在經濟上當可辦到。惟編輯方面，則危機太大，因主力軍如我兄及秋原兄均不在此，其他如滄波兄等不久亦將赴臺，（即弟本身亦恐將於三月間來臺）稿件來源，異常枯涸，然既已決定辦，弟亦只有勉力一試。」[8]尚未正式創刊，但資金人才捉襟見肘的窘境，已被成氏料中，這對好事多磨的《自由人》三日刊日後之發展，已埋下艱困之伏筆。

二月十四日，成舍我向雷震、洪蘭友等人報告，《自由人》三日刊已得港府核准登記，一俟台灣方面准予內銷，即行出版。二十八日，成舍我向「自由人」社同仁報告：台灣內銷事已辦好，《自由人》三日刊即將出版，並出示創刊號大樣。因與會者多係辦報老手，提供不少意見，而成舍我也很有風度，博採眾議，為慎重起見，同意改遲數日出版，以便從容改正，並呼籲社員踴躍撰稿以光篇幅。[9]可見在王氏離港後，《自由人》三日刊真正之台柱角色，已責無旁貸的落到成舍我肩上。

5 王壽南編，《王雲五先生年譜初稿》第二冊（台北：商務版，民國七十六年六月初版），頁七四三。

6 阮毅成，〈「自由人」參加記〉，《傳記文學》第四十三卷第六期（民國七十二年十二月），頁一四～一五。

7 見《自由人》創刊號（民國四十年三月七日）第一版的編輯委員會名單。《自由報二十年合集》（一）（香港：自由報社出版，民國六十年十月十日）。阮毅成說為十六人，疑有誤。見阮毅成，〈「自由人」參加記〉，同上註。

8 〈成舍我致王雲五函〉，同註五，頁七四六。

9 阮毅成，〈「自由人」參加記〉，同註六，頁一五。

三月七日，《自由人》三日刊正式創刊，社址位於香港德輔道中一四九號四樓。目前所知參與的發起人有王雲五、王新衡、王聿修、端木愷、程滄波、胡秋原、吳俊升、黃雪村、閻奉璋、樓桐孫、陳石孚、陳訓悆、陶百川、雷震、阮毅成、劉百閔、左舜生、雷嘯岑、徐道鄰、徐佛觀、陳克文、成舍我、金侯城、張丕界、彭昭賢、許孝炎、卜少夫、卜青茂、范爭波、陳方、張純鷗、張萬里、丁文淵等三十餘人。[10]

發刊後，一紙風行，各方咸予重視，發行之初，每期印八千份。為打開台灣銷路市場，內容安排方面，特別增加一些軟性文字，勿使論文過多，淪為說教。雷嘯岑即言：「『自由人』的作者確實很自由，各人所寫的文字題材雖相同，而見解不必一致，祇要不違背民主憲政與反共抗俄的大前提，儘可各抒己見，言人人殊，真有百家爭鳴，百花齊放的景象，……首任的『自由人』主編是成舍我兄，他包辦大陸通訊版，把大陸上的共報消息，參以陸續從國內逃到香港的難民所述情形，寫成有系統的通訊稿，可謂費苦心。」[11]

誠然如是，由於文章精彩，見解深入，內容多元，析論入理，所以出版後不久，南洋各地僑報即紛紛轉載《自由人》文章。故在香港一隅辦一刊物，無形中等於在數地辦了幾個刊物，影響所及，至為廣大。不僅如此，有關《自由人》所發揮的影響力，可以曾任該刊主編雷嘯岑之回憶為證，雷說：「自由人半週刊，頗受台灣以及海外；尤其是美國一般華僑的注意，原有的每週座談會照常舉行，參加的人亦陸續增多了，風聲所播，國際人士來到香港的，亦來參加我們的座談會，交換政治意見，如美聯社遠東特派員竇定，南韓內閣總理李範，日本工商與新聞界人士前來訪談者尤多，……唯有駐在香港鼓勵華人組織『第三勢力』的美國巡迴大使吉塞普，始終沒有接觸過，大概是他認為『自由人』半週刊這些人，多數係國民黨員，氣味不相投，我們亦以對『第三勢力』之說，不感興趣，因而絕交息游，毫無來往。」[12]

雷氏這段記載很重要，不只說明了《自由人》發刊後之影響力；也道出了《自由人》與「第三勢力」毫無瓜葛，這對坊間有不少人一直以為《自由人》是「第三勢力」刊物有澄清作用。《自由人》三日刊甫發行，負責盡職之成舍我隨即寫信給王雲五提到：「連日為自由人半週刊事，頭昏腦暈，尊函稽答，至為罪歉。現半週刊已於今日出版，附奉一份，即希鑒察。大著分兩期刊佈，並盼源源見賜。今後應如何改進之處，統希指示為荷。」[13]另針對其後外界對《自由人》諸多揣測，如與「自由中國協會」之關係等等，「自由人」社也在三月二十一日的高士威道聚會中也做出決議，大家皆一致表示，「自由人」應獨立組織，以別於其他團體，乃推定董事九人，以左舜生為董事長。監事三人，為金侯城、王雲五、雷儆寰。成舍我為社長兼總編輯，卜少夫為總經理。[14]

---

10 「自由人」社成員，據筆者統計為此三十餘人，且各會員加入時間先後不一，有關會員名單散見於雷嘯岑、阮毅成等人之回憶文章及《雷震日記》中。

11 馬五先生著，《我的生活史》，同註一，頁一六一。

12 馬五，〈「自由人」之產生與夭折〉，見其著，《政海人物面面觀》，同註一，頁二一三～二一四。另萬麗鵑博士論文也提到，為打擊「第三勢力」運動，「國民黨亦透過黨報如《香港時報》、新加坡《中興日報》、美國《美洲日報》，及其所資助的報刊如《自由人》報、《民主評論》等，展開對第三勢力的文宣戰，此即是《香港時報》社長許孝炎所說的以『與論對與論』的鬥爭。」萬麗鵑，〈一九五〇年代的中國第三勢力運動〉，同註四，頁一六四～一六五。又見〈許孝炎意見〉，《總裁批簽》，台（四一）央秘字第〇〇八五號（一九五二年二月二十二日），黨史會藏。

13 〈成舍我致王雲五函〉，同註五，頁七四七。

14 阮毅成，〈「自由人」參加記〉，同註六，頁一五。至於《自由人》與「自由中國協會」之關係，馬五在〈「自由人」之產生與夭折〉已言之甚為了稿源，三月二十二日總編輯成舍我又致函王雲五拉稿，其中說到：「自由人在香港銷路尚好，一般觀感亦不錯。惟共匪刊物正以全力抨擊，弟等亦一反過去自由派刊物置之不理的辦法，強烈反攻。臺灣發行未辦好，少夫兄不日來臺，或能有所改進。同人撰稿，此間仍不太踴躍，盼公能以日撰五千字之精神，多寫數篇，並乞即賜惠寄，無任感幸。又此間稿酬，公議千字港幣十元，前稿之款，已送託香港書局轉交。此數雖微細不足道，然吾輩合力創業，知識勞動之所獲，在道德標準上說，固遠勝於以吃人為業之共匪萬萬矣。盼尊稿如望歲，望即賜寄，以慰饑渴。」[15]除簡略報告社務外，重點仍是稿源問題，而此問題也是《自由人》三日刊以後長期揮之不去的夢魘。

三、《自由人》之命名與經費及發刊宗旨

華路藍縷，創業維艱，有關《自由人》之命名，似乎是由阮毅成所起。原本成舍我欲名為《自由中國》，因與台灣雷震負責的《自由中國》半月刊同名而不獲採納。故阮毅成認為可參考台灣趙君豪所辦之《自由談》，而稍改其為《自由人》，卒獲大家一致同意，名稱問題因此而敲定。[16]其實若從五〇年代的背景去觀察，刊物取名為《自由人》並不足為奇。蓋彼時海外正刮起一陣「自由中國反共運動」浪潮，其中尤以香港地區為最。為壯大「自由中國反共運動」，於是乎，海內外的一些知識份子刻意以「自由」二字為雜誌刊物名稱，以凸顯有別於大陸的獨裁極權。職係之故，各種以「自由」為名之刊物如《自由中國》、《自由陣線》、《自由談》、《自由世界》等雜誌，如雨後春筍般紛紛出籠，《自由人》三日刊之命名，應該是在此時代背景下而正名的，且的確有其時空的特殊意義存在。[17]

至於現實的經費來源問題，早在三十九年十二月二十日的聚會中，王雲五即定調說：「我要先與諸位約定，這是一份自由的刊物，所以，一不能接受外國的幫助，二不能接受政府的支援。同仁不但要寫稿，還要負擔經費。」[18]王氏之所以要如此約法三章，是要避免外界將《自由人》視為拿美國人錢所辦的「第三勢力」之刊物的疑慮或揣測；另外，不接受政府支援，也是想以獨立身分之姿，能在言論上暢所欲言，而不受政府掣肘，更不想貼上政府刊物之標籤。揆之《自由人》草創之初，因經費來源由各會員出資，確實能夠如此。例如在籌備階段，王雲五首捐港幣三千元，各會員至少認捐港幣一千元，所以誠如雷嘯岑言：「大家分途進行，未到一個月，即籌募到港幣一萬七千元了。」[19]

創刊經費有著落，但接下來長期的經費支出，恐怕就不是由會員認捐可解決。到最後仍不得不仰賴台灣國府的金錢支助，在《雷震日記》中即披露不少箇中內幕，茲舉日記一則為證。民國四十年五月二十五日：「雪公（按：指王世杰（字雪艇），時任總統府秘書長）

詳，同註一。

15 〈成舍我致王雲五函〉，同註五，頁七四七～七四八。為稿源及素質起見，成舍我亦曾寫信向阮毅成拉稿，信上提到：「在臺同人寫稿，原約每期供給八千字。希望以兄之熱忱毅力，催請同人，公誼私交，達此標準。」又說：「自由人聲譽，雖日有增進。惟經濟及稿件，均危機太大。現此間已只賸左（舜生）、許（孝炎）、雷（嘯岑），及弟共四人，稿荒萬分。如濫用一般投稿，則水準即無法維持。」阮毅成，〈「自由人」參加記〉，同註六，頁一六。可見身為主編的成舍我，為稿源及《自由人》之內容水準，真是心力交瘁，煞費苦心。

16 同註六，頁一四。

17 馬之驌，《雷震與蔣介石》，同註三。

18 同註六，頁一四。

19 同註一二，頁二一三。

來電話，可助《自由人》三千港幣，但不可明言，因《新聞天地》一再要求援助而未允許也。……《自由人》因經費困難，而負責又無專人，致有停頓之可能，由予（雷震）約集雲五、滄波、孝炎、毅成、端木愷、少夫諸君會商，由予等籌款接濟，每月假定虧二千五百元，至年底約為一萬七千五百港元，改組組織，推定成舍我為社長，左舜生代理董事長，予負臺北催稿及催款之責，總統府之三千元，由予負責，予另外再籌五百元。」[20]由《雷震日記》可知，創刊才二月餘之《自由人》，經費已拮据如此，而不得不靠政府補貼，在此情況下，其日後之文章言論，就頗受台灣國府當局之制約影響了。

另有關《自由人》之創刊宗旨，其實早在刊物出版以前，對於未來言論與編輯方針，「自由人」社同仁即做了幾點規約：（一）、發揚民主自由主義；（二）、發起人按期撰寫頭條論文，且須署出真姓名；（三）、文責各人自負，但須不違背民主自由思想暨反共救國的大原則；同時將全體發起人的姓名亦在報頭下面，表示集體責任。[21]創刊後，首由程滄波撰發刊詞，題為〈我們要做自由人〉，擲地有聲的強調：「我們今天大膽向全世界人類提出一個問題：便是世界人類，現在與將來，要不要做人？如果想做人，從什麼地方去著手奮鬥？……今天世界人類只有兩個壁壘，一個是『人的社會』之壁壘，一個是「非人社會」之壁壘。這兩個社會的磨擦，今天已到了白熱化的程度。『人的社會』中每一個人，是有人性，有人格，根據人性與人格，發揮其個性，以增加社會之幸福與個人之生活水準，從而增進世界的和平與人類的文明。反觀『一個非人社會』中，人除了具備人的形態外，沒有思想與靈魂。『非人社會』中，人只是一群動物，既不許其有人性，亦不讓其有人格，他們是奴隸、是機器。」

程滄波言：很不幸的，今天的中國大陸，全大陸數萬萬同胞一年來，即陷入共匪的非人社會中。因此我們和全世界愛好和平民主的人們，要發動正義的呼聲，救自己，救同胞，救人類。我們要揹著自由的大纛，叫著「做人」的口號，開始「自由人」的運動。爭自由，爭人性，發動全人類自由人性的力量，去打倒與剷除共產帝國主義反人性的非人社會。不殘殺，不掠奪，在不流血革命的原則下，使人人有飯吃。本此目的，以建立新中國新世界。所以，「從今天起，根據以上主張，我們謹以此小小刊物『自由人』，貢獻於全世界凡是不願做奴隸的人們，也就是我們這一群人，決心獻身於這一運動的開始。全世界和平民主的人士：我們要做人，我們要做自由人。每個人爭取了自由，世界才有民主和平，人類才有幸福與光明。」[22]我們要做人，我們要做自由人，起來，不願做奴隸的人們！程滄波這篇發刊詞，簡直是一篇慷慨激昂的宣示詞，代表全世界不願在「非人社會」生活下的自由人，向共產專制極權政權，發出堅決的怒吼。[23]

《自由人》三日刊，每星期出兩次，每次十六開一張。主編人規定由原先的「座談會」同仁輪流擔任，一年一換，為義務職，故內部人事組織極為簡單，只有一主編，一助理員和事務員，共三人而已。

20《雷震日記》（民國四十年五月二十五日），見傅正主編，《雷震全集》（三三）（台北：桂冠版，一九八九年八月初版），頁一〇〇～一〇一。

21 同註一二，頁二一三。吳相湘，〈成舍我為新聞自由奮鬥〉，見其著，《民國百人傳》第四冊（台北：傳記文學出版社印行，民國六十年元月初版），頁二七五。

22 程滄波，〈「自由人」發刊詞〉，見其著，《滄波文存》（台北：傳記文學出版社印行，民國七十二年三月十五日初版），頁一五七～一六〇。

23 阮毅成也說到，這是一篇代表知識份子愛國反共心聲的大文章，義正辭嚴，擲地有聲。同註六，頁一五。

該刊內容，第一版分「專論」、「時局漫談」、「自由談」各欄；第二版刊大陸共區消息；三版則記述港、台的社會新聞；四版是「副刊」。「專論」亦由座談會同仁分別撰寫，或徵用外界志同道合人士之作品；唯「時局漫談」和「自由談」二專欄，係由左舜生與雷嘯岑二氏負責包辦。《自由人》三日刊，因撰寫團隊堅強，且作者大多具有清望，故在海隅香港頗有號召力，銷路亦不壞；又可以銷台灣，雖無廣告收入，仍可勉強維持下去，在五〇年代的香港，可謂雜誌期刊界之奇葩。[24]

四、《自由人》的艱苦經營

平情言，《自由人》三日刊從四十年三月七日發行，到四十八年九月十三日停刊，維持約八年餘。這八年多的歲月，可謂艱辛撐持，多災多難。

首先為組織渙散不健全，於是才有民國四十年下半年的重組之舉。此中最大原因為「自由人」社大多數同仁均已離港在台，分別有：王雲五、王新衡、端木愷、程滄波、胡秋原、吳俊升、黃雪村、閻奉樟、樓桐孫、陳石孚、陶百川、陳訓悆、雷震，及阮毅成，幾乎佔了一半以上；而在港的僅有左舜生、金侯城、許孝炎、成舍我、劉百閔、卜少夫、雷嘯岑等人。其後在台參加的，又增加徐道鄰，共二十二人。為連絡方便起見，在台同仁乃公推王雲五為董事長，但又因刊物在港出版，故推左舜生為在港之代理董事長，就近處理刊物，成舍我則為社長。[25]

24 雷嘯岑：《憂患餘生之自述》（台北：傳記文學出版社印行，民國七十一年十月十五日初版），頁一七六。

25 同註二三，頁一六。

然因「自由人」社未有組織章程，也未在台辦理社團登記，所以才有民國四十一年一月十日，在台同仁在王新衡家為此商議之事。時適值端木愷甫自香港返台，報告港方同仁最近決定取消社長制，亦推左舜生代董事長，成舍我為總經理，劉百閔為總編輯。此事，在台「自由人」社同仁有不同意見，在三月七日及十五日的兩次餐敘商討論中，均決定仍採社長制，並仍推成舍我兄任社長。只是一個三十餘人的「自由人」社，就為了區區的刊物人事組織問題，港、台同仁即不同調，其他之事就可想而知了。所幸意見儘管有異，但同仁感情尚佳，阮毅成即言：「自由人在香港創辦之初，同仁常有餐會，交換意見。在臺同仁，於民國四十年七月十二日起，舉行聚餐或茶會，由同仁輪流作東，平均每兩週一次。除談自由人社各事外，亦泛論時局，交換見聞。」[26]

民國四十一年二月九日，「自由人」社在台同仁餐敘時，有鑒於《自由人》三日刊創刊已近一年，但組織與人事及編輯立論之困擾問題仍在，因此大家有必要提出意見交換，以尋求解決之道。席間程滄波首次提出編輯態度問題，但遭雷震反對。程又謂：「劉百閔不宜任總編輯，上次，此間同仁推成舍我任社長，何以改變？此間皆未知悉。」雷震與陶百川又認為，台方不宜干涉港方人事，雙方爭論甚久。最後由阮毅成提出折衷解決方案為：（一）、自由人本係超黨派立場。只知民主、自由、反共，不知其他。此後仍須守定此項立場。（二）、港方報刊如對台灣中華民國政府，有惡意攻訐，或無理批評，自由人不可自守中立，須起而加以駁斥。（三）、人事問題，另函在港之許孝炎查詢，不作決議。

26 同上註，頁一七。

眾皆贊成阮毅成之方法，並請其起草一函，致在香港之左舜生、許孝炎、成舍我、劉百閔、雷嘯岑諸人。阮函送各人簽名後發出，信中報告：「弟等今午聚餐，談及自由人編輯態度。回溯創辦之初，原屬超於黨派之外。……兄等在港主持，辛勞至佩，自亦必贊同弟等態度也。邇後港方報刊如對於臺灣中華民國政府惡意攻訐，或無理批評，自由人似不便自居中立，宜即加以駁斥。如有中國之聲作者來稿，希勿予以刊登，以嚴立場。再則，此間對第三方面各事，多持私人消息。語多片斷，難窺全貌。斯後尚懇時將各方動態，擇要見示。既可為撰稿時之參考，亦為知彼知己之一道。自由人素以民主反共為宗旨。署名：王雲五、程滄波、黃雪村、王新衡、樓桐孫、吳俊升、陳石孚、陶百川、雷震、阮毅成。」[27]

民國四十一年三月十五日，《自由人》創刊已屆滿一年，留台「自由人」社舉行全體會議。會議主席推王雲五擔任，其中：

（一）報告事項：（甲）、經費小組許孝炎報告——擬募集港幣三萬元（其中成舍我、許孝炎約洪蘭友，被分配擬向各紗廠募台幣一萬元）。（乙）、編輯小組成舍我報告：1、組織擬仍採現制，並請加推一人為必要時接替編務工作之用。2、發行擬請先行籌集基金以期達到日後之自給自足。3、編輯方針方面：積極在倡導民主自由，消極在反共抗俄，至對於台灣態度應仍許有批評，但不可損及自由中國之根本。4、在台同人集體意見推定專人執筆寄港，決登載第一版，並不易一字，如係個人稿件，在編輯方面擬請仍保有斟酌之權。5、每期需要稿件二萬四千字，在港同人無多未能盡任，在台同人時惠稿件。

（二）討論事項：（甲）、《自由人》三日刊社是否仍採社長制案。決議：仍採社長制，成舍我擔任社長。（乙）、《自由人》三日刊社費應如何加募案。決議：1、經費小組在進行籌募之港幣三萬元，於兩個月內籌足，作為基金，備日後擴充發行之用。2、另由經費小組加募港幣一萬元，作為最近數月經常費不足之需，在未募起前由許孝炎、成舍我負責維持現狀。3、加推樓桐孫、程滄波參加經費小組，並以王董事長雲五兼經費小組召集人。（丙）、《自由人》立論態度應如何確定案。決議：1、除積極的主張民主自由，消極的反共抗俄外，並須維護現行憲法倡導議會政治。2、凡外界對台灣有惡意攻擊影響國本時，應予駁斥，立場務須堅定，態度務須明確。3、除專門問題研究外，宜多載通訊及趣味性文字，理論文字及新聞性宜各佔三分之一。[28]此次會議至關重要，它為已紛擾年餘的《自由人》定調，但此為台方同仁之共識，港方同仁只是被動告知，並不見得完全同意，所以日後港、台雙方仍存有歧見。

其次更嚴重的是經費短絀，入不敷出，以至於時有停刊之議。這棘手問題其實打從創刊起即已浮現，只是苦撐待變，能維持多久算多久，但情況並沒改善且持續惡化中。四十一年六月十四日，王雲五、阮毅成與程滄波等聚會，商議如何應付《自由人》三日刊之困難。王雲五謂得左舜生與成舍我二君信，信上，成舍我堅辭社長，又每月不足港幣二千元。如無法解決，則自本月十八日起停刊。劉百閔則說香

27 〈阮毅成致左舜生諸氏函〉，見王壽南編，《王雲五先生年譜初稿》第二冊，同註五，頁七六八。

28 同註五，頁七七〇～七七一。

港紙價日跌，印刷係由《香港時報》代辦，印費可以欠付。以往亦每月虧空，並不自今日始。

對此，王雲五建議是否能改為月刊，移台出版，但眾意覺得移台出版，則《自由人》功用全失，仍宜繼續在港發行。最後決定由王雲五函復，請成舍我維持至七月底止。[29]是年十二月二日，「自由人」社同仁又再行會商，由王雲五主持，會中卜少夫表示願接辦，至少可免招致停刊命運。然未幾（十二月六日），卜少夫以有人表示異議，乃謂其《新聞天地社》同仁不贊成其再兼辦另一刊物，打消原意。王雲五即席宣布仍在港出版，推成舍我兄回港主持，並改為有給職。[30]

成謙辭未果，旋即表示接受。後當場推定王雲五、程滄波、樓桐孫、胡秋原、陶百川、黃雪村為在臺撰述委員，程為召集人。另推成舍我、程滄波、胡秋原三人起草言論方針。王雲五、端木愷、王新衡為財務委員。香港方面撰稿委員，由成到港後約定人員擔任。事後，當事者之一的阮毅成，對是晚之會的結果表示很滿意，還稱為是《自由人》中興之會，同仁莫不興奮。但其後，主要的重點之一，《自由人》未來的言論方針並未草成。[31]四十二年三月十四日下午，「自由人」社同仁聚集在成舍我處，參加茶會。會中，成舍我出示香港許孝炎來信，謂自由人又不能維持。因已積欠《香港時報》印刷費港幣六千元，稿費十一期。且人力亦明顯不足，雷嘯岑將來台灣，左舜生又將赴日本旅行，主持無人，不如停刊。經同仁交換意見，仍認為不能停辦，並催成舍我兄速赴港負責。

因茲事體大，三月二十一日，「自由人」社另一要角阮毅成，也在家中約集在台同仁茶敘。會上，成舍我表示其有困難不願赴港，而港方近日來函，支持為難。眾意乾脆移台編印，仍推成舍我主持。[32]二十五日下午阮氏親訪成舍我，成表示三點立場：（一）、決不去香港。（二）、《自由人》如移台出版，願意主持。（三）、未移台前，可先在台編輯，寄港印行。同月二十八日下午，以《自由人》問

29 同註五，頁七七四。《自由人》經費之窘困，自創刊伊始至結束均如此，阮毅成即言：「我只記得在創刊第一年中，就賠去了港幣參萬參仟元。時歷八年半，為數甚為可觀。這尚是距今三十多年前的幣值，如以現在幣值計算，則更為巨大。」阮毅成，〈王雲五先生與自由人三日刊〉，同註四，頁三四。到《自由人》停刊止，其經費仍入不敷出，茲舉結束前致王雲五等人之二信函為證。四十八年九月十一日許孝炎自港來信王雲五，報告「自由人」結束時經費情況。「雲五先生並轉鑄秋舍我儆寰滄波新衡秋原佩蘭少夫諸兄惠鑒：關於自由人停刊事，前經兄等決定函達克文。兄弟回港後，復經再三磋商，始於前日由在港各有關友人舉行特別會議議決定停刊，並於本月十三日起實行。茲將會議紀錄抄奉敬祈鑒察。」「預計自由人可能收入之款（連登記費在內）約為乙萬四千餘元，支出除舊欠稿費約乙萬三千元；及克文兄之欠薪近九千三百元暫不計入外，此外薪工紙張印刷房租，今年稿費應退報費及空運費等，共計約為二萬乙千餘元，不敷之數約為七千餘元。倘預計可能收入之款有一部分不能收入時則虧欠之數將必更多，如何籌還以資結束頗費周章。而有把握之登記費乙萬元則尚待少夫兄回港簽字後始能提出備用。」又十二日社長陳克文亦致函王雲五。「岫公賜鑒：茲奉上『自由人』在港同人特別會議紀錄一份，請 察閱。『自由人』經濟情形截至本年九月十二日止，共欠債務三萬餘元，除登記費一萬元外，尚可能收回之款二千餘元，結束用費約五百餘元，並此奉告，統請轉知在台各位同人為禱。」見王壽南編，《王雲五先生年譜初稿》第三冊（台北：商務版，民國七十六年六月初版），頁一〇五二～一〇五三。

30 同註五，頁七七九。《自由人》主編是不支薪的，可見其艱困於一般。同為主編的雷嘯岑曾說：「首任主編人成舍我兄苦幹了一年之後，因為準備移家台灣，不能繼續盡義務了——主編人不支薪——大家公推下走承其乏，因係義務職，唯有接受而已。」馬五，〈「自由人」之產生與夭折〉，同註一，頁二一六。

31 同註五，頁七七九。

32 雷震日記當天即記載：「下午三時半至《自由人》座談會，阮毅成提議《自由人》表面在港，實際遷台，無一人反對。我內心不贊成，但不願表示，因《自由人》遷台完全失去效用。今日雲五未到，他們囑我報告。」《雷震日記》（民國四十二年三月二十一日），見傅正主編，《雷震全集》（三五）（台北：桂冠版，一九九〇年七月二十日初版），頁四八。

題緊迫，急待解決。「自由人」社同仁乃在端木愷家中餐敘。對《自由人》前途，共有四種主張：（一）、停刊。（二）、移台出版。（三）、在台編輯，寄港印行。（四）、推成舍我赴港主持。討論結果，決定用第四法，成亦首肯。然成謂：《自由人》除發行收入外，每月須虧四千元，此問題亟需解決。[33]

四月十八日，因港方同仁頻頻催促速做決定，眾議又思移台編印，王雲五亦同意移台出版，但謂須改為半月刊或月刊。三十日下午，成舍我與端木愷、阮毅成、王新衡、程滄波等人，又應王雲五約茶敘。時端木愷甫自港返，謂港方「自由人」社已無現款，勢不能繼續。因以由今日到會者商定：（一）、香港方面自五月十日起停刊。（二）、在台登記改為月刊，推王雲老為發行人，成舍我兄為總編輯。[34]然不久，港方同仁又變掛，五月十一日，阮毅成訪成舍我，成即謂卜少夫前日到台，攜有左舜生致王雲五函，主張《自由人》仍在港出版。

此事經緯，雷震在其日記亦提到：「見到雷嘯岑來函，對我們囑香港停刊，決議移臺辦月刊則大不以為然，來信措詞甚劣，決定去電並去函說明，以免誤會。」[35]雷嘯岑甚至為此來函欲辭去社長職務。

33 雷震日記載：「下午四時，在端木愷處討論《自由人》移台問題，王雲五、徐佛觀、端木愷及我均不贊成，程滄波、阮毅成、成舍我願移台，最後決定請成舍我至港辦至六月再說，因行政院之款發至六月底止，如停刊或移台亦須至六月底再說。」《雷震日記》（民國四十二年三月二十八日），見傅正主編，《雷震全集》（三五），同上註，頁五二。

34 這問題一直延伸至四十三年依舊如此。雷震日記：「《自由人》在港不易維持，決遷台辦週刊，由成舍我任社長，王雲五任發行人。」《雷震日記》（民國四十三年八月七日），見傅正主編，《雷震全集》（三五），同上註，頁三一四。

35 《雷震日記》（民國四十二年五月九日），見傅正主編，《雷震全集》（三五），同上註，頁七四。

《雷震日記》記載：「今日午間約來臺之《自由人》報有關各位來鄉午膳，除端木鑄秋、阮毅成、吳俊升、胡秋原外，到有十五人，即王新衡、樓桐孫、陶百川、張純鷗、陳訓悆、卜少夫、卜青茂、程滄波、范爭波、王雲五、成舍我、黃雪村、閻奉璋等及另約陳方。飯後討論雷嘯岑來函辭去社長職務一事，經決議慰留。」為此事，雷震感慨的說：「《自由人》發起人在臺者，不過十餘人，港方不過數人，兩方意見不合，終會扯垮。民主自由人士之不易合作，於此可見一班。」[36]

由於雷嘯岑堅決辭社長職務，八月一日，《自由人》在台同仁藉由茶敘機會，聽取甫自香港來台之劉百閔報告，劉謂：在港同仁意見為（一）、必須在港繼續出版。（二）、改推陳克文任社長。（三）、每月不足港幣八百元，在港有辦法可以籌得。王雲五說：「左舜生有信來，克文係其物色，本人絕對贊同。」眾亦皆表示贊成。但成舍我認為每月八百元之說，計算必有錯誤，至少每月亦需賠二千五百元，所以決定請王雲五再去函新社長，請重為估計。其實《自由人》經費之短絀，可由總其事的總編輯都不支薪一事更可看出，四十三年七月十日，左舜生自香港致函王雲五即說到：「弟意，自由人編輯者，原規定每月可支三百元，以舍我、百閔兩兄任編輯時，未支此款，後任編輯一年，亦即未支。」[37]如此窘境，要不是有台灣國府當局在幕後經費贊助，《自由人》三日刊能支撐八年餘，根本是不可能的。[38]

36 《雷震日記》（民國四十二年六月二日），見傅正主編，《雷震全集》（三五），同上註，頁八五。

37 〈左舜生致王雲五函〉，同註五，頁八二四。

38 雷震日記：「王雲五約『自由人』社在台同仁晚餐，以「自由人」在港經濟困難，重申移台出版，由成舍我任編輯之議。」《雷震日記》（民國最後為文章之尺度問題，除上述言及《自由人》三日刊甫創刊即面臨稿源不濟的困難外，更麻煩的為自從接受政府補助後，基本上，《自由人》的言論立場在相當程度上已受政府箝制。以至於在很多議題上，不僅不能秉公立論、暢所欲言；且須為政府妝抹門面，極力辯解。稍一不慎，隨即惹禍，遭致抗議。如民國四十一年六月一日，「自由人」社王新衡即訪阮毅成，談話重點就說到，《自由人》最近兩期，刊載左舜生〈論中國未來的政黨〉一文，有人表示不滿。[39]為避免誤會，乃一起同訪王雲五，請其以董事長身份，致函香港總編輯成舍我，請其勿再刊出此類文字。[40]

雖係如此，但言論自由乃是知識份子的普世價值觀，用強制力約束是沒用的。果然到民國四十四年又發生更嚴重的文字賈禍事件，差一點讓《自由人》無法在台銷售。事緣於是年三月二十三日，王雲五即接到司法行政部部長谷鳳翔來函，表示《自由人》三日刊，登載雷嘯岑文章，影響政府信譽，要求王雲五代向該社方面解釋。全函內容為：「頃閱本月二十三日自由人刊載『自由談』及『半週展望』雷嘯岑先生文內謂，揚子公司貪污案牽涉本部，曷勝駭異，此種無稽之詞，殊足影響政府信譽，茲特寄上函稿二份，送請　察閱，並祈賜檢一份轉致雷君查明更正，仍乞代向該報社方面照拂解釋為幸。」[41]

四十三年七月十一日），見傅正主編，《雷震全集》（三五），同註三二，頁三〇二。有關國民黨高層提供《自由人》之經費支援，尚可參閱〈對港澳政治活動之指示〉，見中國國民黨中央改造委員會第一六五次會議紀錄（一九五一年七月四日——附件），黨史會藏。

39 左舜生〈中國未來的政黨〉（上）、〈中國未來的政黨〉（下）二文分別發表在《自由人》第一二九期（民國四十一年五月二十八日）、《自由人》第一三〇期（民國四十一年五月三十一日）。

40 同註五，頁七七三。

41 雷嘯岑，〈半週展望〉，《自由人》第四二三期（民國四十四年三月

由於《自由人》所刊文章得罪當道，引起了國民黨中央黨部對《自由人》言論的不滿。三月二十六日，時任《中央日報》社長，亦是「自由人」社同仁的阮毅成至中央黨部參加宣傳政策指導小組會議時，即受到中央黨部秘書長張厲生的警告：「香港《自由人》三日刊，近日言論記載，愈益離奇，須採取停止進口處分。」幸阮毅成趕快緩頰，除報告《自由人》艱難創辦經過外，並謂：「現在台北各同仁，久未與聞港事。王雲老曾去函港方，請以後勿再刊載不妥文字。又以所載台省情形，與事實相距甚遠，曾通知港方，以後遇有記載台省情形稿件，先行寄台複閱。認為可用者，方予刊布，亦未承照辦。惟自由人參加者，多為各方知名之人。如忽予停止進口，恐反而使海外人士，對政府有所批評。不如一面先採取警告程序，依照出版法，由內政部為之。一面通知在台之董事長王雲五氏，促其改組。如再有違反政府法令之事發生，則採取停止進口處分。」[42]

為此，是晚十時，阮氏尚先訪成舍我，說明會議經過；再與成同訪王雲五，報告此事。王雲五似乎對此頗為不悅，乃決定於三月三十日下午五時，在端木愷家中，約集「自由人」社在台全體同仁會商。在三月三十日的決議中，提到《自由人》的現實問題，「本刊如不能銷台，勢必停刊。為避免使政府蒙受摧殘言論之嫌，希望政府妥慎處理，使其能繼續出版。在台同仁，願意退出。惟在港同仁意見如何，亦盼政府逕與洽商。」並推阮毅成與許孝炎二人將此項決議，轉達黃少谷，另函告在港同仁。[43]

二十三日）。雷文所寫之論揚子公司案，因涉及上海時期之揚子公司，對孔祥熙有所批評，遂奉命查辦。又〈谷鳳翔致王雲五函〉，同註五，頁八四七。

42 同註五，頁八四七～八四八。

43 同上註，頁八四九。

換言之，針對當局對《自由人》的不滿，「自由人」社在台同仁採取了委曲求全的態度，一方面願意退出，此舉可能有兩層深意，一為逼香港「自由人」社同仁，小心謹慎，莫再刊登批評政府之文章，否則與渠無關，二為多少有向政府交心之意，明哲保身，不想惹禍上身；再方面亦有請政府介入之意，希望儘量保留能讓《自由人》繼續在台銷售。[44]果然如此，四月七日，王雲五即致函總統府秘書長張群，說明「自由人」之情形，並建議將「自由人」社改組，由政府指定負責主持言論之人實行接辦。信的內容為：「惟是該刊經費本奇絀，全恃內銷而維持，一旦停止內銷，勢必停止刊行，外間不察，或不免對政府妄加揣測，弟愛護政府，耿耿此心，竊認為消極制裁，不如積極輔導，將該刊改組，由政府指定負責主持言論之人實行接辦，可變無用為有用，弟當力勸原發起各人，本擁護政府之初衷，竭誠合作。」[45]

一週後，以國民黨並無接手之意，在恐不能銷台的情況下，成舍我與王雲五、陶百川、徐道鄰、陳訓悆、程滄波、胡秋原、吳俊升、端木愷、黃雪村、阮毅成等決議：「茲因環境困難，經濟無法支持，決議停刊，由主席（王雲五）根據本決議徵求在港同人意見。」其後，在台同仁復在成舍我宅聚餐，決定在台同仁既已必須退出，而中央黨部又規定不得再與《香港時報》，發生關聯，則無地可以印刷，亦無處可再欠印刷費。外界聞知中央處分，亦必不願再行認指，環境困難如此，只可宣布停刊。並請王雲五函詢港方同仁意見，如港方同仁堅持續辦，在台同仁自不能再行參加。[46]

由於文章得罪當局，以致有禁止銷台之聲，在港負責《自由人》編輯工作之陳克文旋致函阮毅成、王雲五等人，表示「咎衍實無可辭」，「自由人停止出版，唯覺可惜，形勢如此，亦復無可如何，文與左劉兩公對此均無成見，惟此間尚有其他股東，又年來出錢出力者，頗不乏人，此事似不宜由文等三人遽作決定，即為港方同人之全體意見，擬於最近邀集會議，提出報告，徵求多數意見，再作正式答覆。」[47]但不久，事情又有變化，四月二十九日，一向敢言的左舜生，終於自香港來函，明確表示反對《自由人》停刊，並謂在港「自由人」社同人決暫予維持。信中言：

「雲老賜鑒：四月七日阮毅成兄來信，並附有留台同人退出決議一紙，十八日奉　公手書，知同人復有集議，以經濟環境關係，主張停刊；均已誦悉。此間於當地環境，已洞悉無遺；對　公等所採態度，並無不能諒解之處。惟念同本刊宗旨，一面在『堅決反共』，一面在『爭取民主』，四年以來，奉此週旋，雖不無一、二開罪他人之處，但大體上並未

---

44 《自由人》三日刊，國民黨中央當指示「扶助」之，以批判中共，擁護政府並同情國民黨為原則。故該刊早期立場為中間偏右，後來對國民黨的批評言論日益激烈，台灣當局乃禁止其輸入，並停止所有經費資助。故《自由人》能否銷台，對該刊影響至鉅。萬麗鵑，〈一九五〇年代的中國第三勢力運動〉，同註四，頁一六四。

45 〈王雲五致總統府秘書長張群函〉，同註四三。

46 同註五，頁八五〇。有關王雲五在此問題之角色，阮毅成有相當持平之看法，阮說：「雲五先生名為董事長，出錢出力，卻不便範圍各黨及無黨人士，一定均作統一的宣傳，致反而完全成為俗套，失去向海外為政府說話的影響力。於是在發刊期中，常常發生選稿欠當的問題。每次有問題發生，雲五先生首當其衝，常為他人所不諒解，致生煩惱。臺港兩地同仁，為此書信往返，謀求各種補救辦法，效果均不甚彰。」阮毅成，〈王雲五先生與自由人三日刊〉，同註四，頁三六。

47 〈陳克文致王雲五、阮毅成信〉，同註五，頁八五一～八五二。

逾越範圍。今赤燄正復高張，而民主亦勢非實現不可；大約在二、三月內或有變化，前途殊未可知！故此間同人，經過再三考慮，仍決定暫予維持，並囑舜代為奉復，即乞轉達諸友為荷。公等即不得已而必須退出，仍望不遺在遠，隨時予以指導，除宗旨不能犧牲以外，同人無不樂於接受。海天遙望，曷勝悲憤憂念之至！」[48]

從此以後，《自由人》三日刊似乎終於渡過了這段風風雨雨的歲月，儘管港、台大多數「自由人」社同仁情誼依舊，但經費、稿源、立論尺度等問題仍在。《自由人》三日刊即帶此痼疾，跌跌撞撞的支撐八年餘，在民國四十八年九月十三日宣佈停刊。[49]

五、結論——從《自由人》到《自由報》

無論如何，在五〇年代那段風雨飄搖的歲月，《自由人》能以香江一隅之地，在內外環境相當險惡的情況下，擎起「我們要做自由人」的大旗，反抗共產極權，與中共做誓不兩立的言論鬥爭，其勇氣和決心仍另人刮目相看的。另一方面，《自由人》雖義無反顧的支持台灣國府當局，但在恨鐵不成鋼的期待心理下，對台灣當局若干錯誤的舉措，仍一本忠言逆耳之立場，毫不留情的提出批判或建言，即使在經費斷炊的威脅下，亦不為所動，這份苦心孤詣之意，也令吾人感佩。

而此即所以《自由人》在發行的八年餘中，雖屢有遷台之議，但大多數同仁始終仍以在香港立足為佳之看法，因其言論立場較客觀中立，雖稍偏向國府，但非無原則的一面倒，兼以香港為基地，較少政府、政黨色彩之觀感，且因對國、共雙方均有批評，是以其在香港作用較大之故也。當然《自由人》之悲劇，除上文已詳述之經費、稿源、言論立場受到制約等外緣因素外，尚有深一層內緣因素存在，此即中國傳統知識份子屬性使然。知識份子主性強的「書生本色」，誰也不服誰之個性，長落人「秀才造反，三年不成」之譏，因渠主觀意識強，所以容易堅持己見，是其所是，不大能夠為大局著想，且因自視太高，未能屈己就人，所以較乏團隊精神。

這情況在「自由人」社這批高級知識份子間亦是如此，雷嘯岑曾舉一事證明之，在《自由人》是否遷台之際，「王雲五以董事長資格，致函於我，囑將自由人報遷赴臺北發行，且將繳存港府的押金萬元一併匯去。旋由代董事長左舜生召集在港同仁會商，決議仍在香港出版，但在臺北的同仁，亦可刊行臺灣版，然王雲五很不高興，說我不以他為對象，悻悻然嘖有煩言，殊堪詫異。未幾，許孝炎由臺北回港，主張自由人停刊，他怕我不贊成，先囑我莫持異議，我表示無所謂，而自由人三日刊，即於一九五八年九月十二日宣告停刊了。現代中國高級知識份子之沒有團隊精神，於此又得一實驗的證明，曷勝慨嘆！」[50]所以當年左舜生在《自由人》創辦之初，樂觀的夸談「自由人」社同仁可以組織聯合政府，永遠合作無間之見解，雷嘯岑說，實係幼稚幻想。文人相輕，自古而然，《自由人》三日刊的緣起緣滅，依然落得一個「殺雞聚會，打狗散場」的結局，這也是中國現代高級知識份子的悲劇，想來仍不禁令人浩歎！[51]

48 〈左舜生致王雲五函〉，同上註。

49 雷嘯岑說為四十八年九月十二日停刊，恐有誤。雷嘯岑，《憂患餘生之自述》，同註二四，頁一八二。

50 同上註。

51 馬五，〈「自由人」之產生與夭折〉，同註一，頁二二〇。其實雷嘯岑自己亦如是，當《自由人》剛成立時，「大家的情感很融洽，精神上團結

《自由人》雖然走入歷史停刊了，但未及五個月，一份延續《自由人》餘波的《自由報》在民國四十九年二月十七日，另起爐灶又在香港創刊了。《自由報》社址位於香港銅鑼灣高士威道二十號四樓，也是採取半週刊（三日刊）的形式，於每個星期三、六發行。社長為雷嘯岑，督印人黃行奮，出版第一期有由以本社同人署名撰寫的〈我們的志願和立場〉為發刊詞。該文強調「我們是一群崇尚自由主義的文化工作者。對社會生活篤信『人是生而平等的』這項義理，珍重個人的人格尊嚴；對政治生活認定『政府是為人民而存在的』，要求基本人權之確立與保障。……我們膺受著共產極權主義的荼毒，深感國破家亡之痛苦，流落海隅，於茲十載，內心上大家不期然而然地具有強烈的愛國情操和政治理想，要從文化思想方面，努力培育民主自由精神，發揚其潛能，成為救國救民的偉大力量。職是之故，本報的言論方針是國家至上，民生第一，我們的立場是超黨派的。」[52]

簡言之，民主、自由、愛國、反共乃為《自由報》創刊之四大宗旨，嚴格而言，此宗旨仍是延續《自由人》三日刊的精神而來。阮毅成曾說：「後來，雷嘯岑兄在香港出版自由報，乃係另一新刊物，與原來的自由人，完全無關。」[53]此話恐有商榷之餘地。《自由報》在《自由人》的基礎上，發行至民國六十幾年才結束，期間刊布了《香港自由報二十年合集》、《自由報》合訂本、《自由報二十週年年鑑》，影響力不在《自由人》之下。

無間，對任何事體決無爾詐我虞，或以多數箝制少數的作風。我（雷嘯岑）當時曾聲言：假使憑這種精神組織『聯合政府』，擔當國家政務，國事沒有不振興的。」馬五先生著，《我的生活史》，同註一，頁一六一。

52 本社同人，〈我們的志願和立場〉，《自由報二十年合集》（一九）（香港：自由報社出版，民國六十年十月十日）。

53 阮毅成，〈「自由人」參加記〉，同註六，頁一八。

自由報

THE FREE NEWS

第八一九期

中華民國僑務委員會證發
台灣新字第三二三號登記證
內銷證內僑警台報字第031號
中華郵政台字第一二八二號執照
登記爲第一類新聞紙類
（半週刊每星期三、六出版）
每份港幣壹角
台灣零售價新台幣貳元
社長：李運鵬
督印人：黃行奮
社址：香港九龍登打士街91號十樓六座
91 DUNDAS ST, 9th FLOOR, FLAT 6 KOWLOON H. K.
電話：857253　電報掛號：7191
承印者：大同印務公司
地址：香港北角和富道九六號
台灣總管理處
中華民國（台灣）台北市大同街119號
電話：55395、56761
台灣分社：台北市西寧南路110號二樓
電話：三〇三四六
台郵撥儲金戶九二五二

小學「國語」科應正名爲「國文」

十點理由簡述

關於「小學國語科應正名爲國文」，學浚本年在中央日報發表六篇論文和一份啓事（請看附表）討論的對象和焦點是一個正名問題：把小學的「國語」科正名爲「國文」。孔子說：「必也正名乎，名不正則言不順」，足見正名有必要。第六篇反映全國各界人士的意見，重要性最高。

一、國民學校的「國語」科應正名爲國文——四月廿二日。

二、國語應正名爲國文之理由——十月十五日。

三、國語、國文和國學——十月卅一日。

四、論林語堂先生的論言文一致（摘要）——十一月廿二日。

五、國語絕不能包括國文，國文却能包括國語——十二月十四日。

六、小學國文科亟需正名和改造——十二月十七日。

七、啓事（爲國語、國文和國學一文）——十一月三日。

學浚的意見完全根據常識、事實和邏輯；上述正名建議要訴之於良心，訴之於理智，訴之於眞理，其目的是「向社會交代，向歷史交代，並向社會賢達請教」，至於是否被我政府接受當然由政府決定。

十年前我就開始考慮這個十分重要的正名問題；先後提出十個理由：其中前四個，九年前已向中國文字學會年會提出報告，後六個是去年十月中旬到十一月二日這十幾天之間想出的（請注意拙文目次發表的月、日）；茲將十個理由的要點，簡述如下：

國語的意義非常狹小

第一理由　「國語」（講標準國語）的意義非常狹小，不能用以代替意義豐富的「國文」一詞。

第二理由　根據「國民學校國語課程標準」的目標和綱要，「國文」一詞兼包文字、文學和文化三方面，外延和內涵均較「國語」爲廣。

第三理由　「讀書」指閱讀用文字寫成的書。「作文」並不稱爲「作語」……「寫字」即習寫文字，並不稱爲「寫語」。足見「國語」科應正名爲「國文」。

第四理由　大專學校和中等學校都有「國文」一科目，國民學校所授的「國語」，事實上是「國文」……自應一律稱爲「國文」，不容國民學校例外。

第五理由　蔣總統「國文第一」的訓示，此訓示應予奉行，是因爲各級學校學生國文程度普遍低落而提出的，當然包括小學。

第六條理由　初中「國文」科和小學「國語科」，名稱應該一致，才符合行政院去年八月十五日的令：國民中小學「課程採九年一貫之精神」；因而只有把小學「國語」科正名爲「國文」。

中國的文字富麗殊絕

第七理由　中國是文化國家，中國的文字，國父在「孫文學說第三章以作文爲例」裏，曾讚美爲「富麗殊絕」，當然要敎國文。

第八理由　改進小學國文科（即現行所謂的國語科）敎學是復興中華文化的起點，而改進小學國文敎學，必須對「最適於敎國文（中國的文字、文學和文化）的傳統基本原則」有「新認識和應用」，並對其優點和西洋敎學的優點加以綜合，才適合現代中國新敎育的需要。

第九理由　爲了區別一、講標準國語，二、小學國語科和三、白話文，這三者不相混淆，一、小學「國語」科應即早正名爲國文，其實是恢復民國十二年以前的原名，二、「國語」專指「講標準國語」，三、「白話文」也稱「語體文」，不宜稱爲「國語」，因「國語」是「語」，不是「文」。

第十理由　就敎學媒介語和國文科之間的關係言，台灣省光復以前，用閩南語敎國文，稱後者爲國文，不稱爲「閩南語」；同樣，光復以後，用標準國語敎國文，當然要稱後者爲國文，不應稱爲「國語」。

另一方面，學浚積極主張全國同胞和全球僑胞都應努力學講標準國語。

予豈好辯哉不得已也

學浚誠懇歡迎各方賢達，對上述十點理由的每一理由和全部理由，提出批評；令我失望的是現有批評拙文的論文，雖然相當多，並不針對上述理由的主要內容立論，大部分是超出題外，與「正名」無關，又不合邏輯，甚至違反常識，其餘是（一）不符事實（二）自相矛盾（三）斷章取義（四）錯誤解釋（五）牽強傅會等。

學浚在大學任敎連續三十一年，其中十八年在台灣，親眼看到學生國文程度普通低落，很多大學畢業生不能寫通順的文章和信函，萬分痛心疾首。孟子說：「予豈好辯哉，予不得已也」，這是學浚最近一再著文呼籲的原因和動機。

附註：中華民國五十六年十二月十九日在敎育部修訂國民中小學課程標準委員會第三次會議分發，俾向各位與會同仁請敎。

·沙學浚·

窺臣　并引

宋玉答問，有東家處子窺臣三年之諷，蓋緣虛擬爲實事。五十年來，海右淪溺，追原禍始，實自窺臣。乃集定菴成句，倘恍其事，非擬蕭梁宮體，自異玉溪無題；乘桴廿載，聊抒幼眇幽憂之思云爾。

金缸花燼月如烟，小語精微瀝耳圓；爲恐劉郎英氣盡，雲英未嫁損華年。（其一）

嬌小溫柔播六親，耻爲嬌喘與輕顰。十年松竹誰留守，不似雲屏夢裏人。（其二）

撐住東南金粉氣，美人才調信縱橫！忽聞海水迷茫綠，一例春潮汗漫聲。淨土落花深四寸，天鳳鸞鶴怨三生。香蘭自判前因誤，重禮天台七卷經。（其三）

五十六年十二月于台北

（編者按：作者爲台灣師範大學國文系敎授，此篇乃感於中日微妙關係而作也）

·戴培之·

自由談

議員的立言問題

馮五先生

議會政治的中心作用，就是開會說話。議員說話的範疇，不外辯論與質詢，前者是討論議案時，議員們各抒己見，後者係專對行政首長而發的質疑辨難之詞。爲使民意代表克盡言責，無所瞻顧起見，世界各個實行民主憲政的國家，訂有一項共同的規約，即議員在議會發言，對外不負責任。這所謂「不負責任」，當然包含法律責任在內，所以，最近中華民國監察院對於大法官認定議員在議會發表與議案無關的言論，仍須負法律責任這項解釋，表示異議，說是妨碍了民意代表的發言權，似乎頗有道理。

我覺得這問題完全是議員本身的知識和品格修養關係。議會的辯論質詢，原有一定的範圍，必須就事論事，不作人身攻擊，尤其是質詢權之行使，只能以政策性的問題爲依歸，越出了範圍，就不足爲訓，自不宜享有「對外不負責任」的權利，此與爭取自由必以不妨害他人自由爲原則的義理相同，大法官的見解，亦屬不無見地。

議員們的知識水準如其夠格，品格修養亦有素，他在議會發言，便不致毫無所擇的信口開河，乃至於揭人陰私，亂發穢語，而在質詢問題時，亦將有所制約，一是皆以政策上的利弊得失爲本，決不把行政首長視同待罪之囚，而妄逞口舌之威，更不會以惡姑婆對童養媳的姿態，不分靑紅皂白地任意詰責，漫無份際。這些情形固與法制無關，基本原因是國民敎育問題，附帶條件即係民主生活的歷練工夫。

因此之故，大法官的解釋，殊有救弊補偏的效用，在現階段的中國民主生活過程中，頗有間接的裨益，至少至少，可使那些愛說三字經，慣作人身攻擊的民意代表，有所警惕，在議會發言不復瞎鬧胡來，從而奠立議會政治的信譽與權威，詎不懿歟？

我們的話

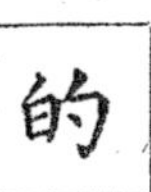

本報同人

在這一元復始萬象更新的良辰，我們又和讀者見了面。

本報從上月十六日起，休刊迄今，進行改組。我們這改組，並非僅僅的換換人事，而是從事整頓，充實內容，要以嶄新的姿態爲讀者服務。

回溯十七年前，許多反共的政治家和學者避地來港，在艱難困苦中，創辦本報（「自由人」——本報以前身），而向世人嚴正的表示反對共產黨徒的立場，大家雖都手無寸鐵，無法與暴力週旋，以致流浪天涯，但人格的尊嚴，自由的意志，却是「富貴不能淫，貧賤不能移，威武不能屈」。尤其智慧的光芒，不僅指出了醜惡的原形，更是照亮了應走的大道。

十七年來大陸的變化，證實了眞理是在我們這一邊，而邪說暴行畢竟不能持久。回想當年本報創刊的時候，毛共的聲勢是如何的囂張。尤其在那裝腔作勢下，使得許多淺見之徒，竟然疑神疑鬼，以爲僞局從此必可大定；而國際間的跳梁小醜，更從而阿諛助虐，甘作虎倀。眞是牛鬼蛇神，像煞有介事。但在眞有識見之士，却深知這全是鏡花水月，一時的魔影。試問豈有違理背義、殘民以逞的暴徒，能夠博得人民的擁護；沒有人民擁護的政權又豈能一再倖存？它這一切表演，不過正是他們那時罵美國人的話：「紙老虎」而已。果然，才幾何時，大鳴大放的出現，便戳穿了這「紙老虎」的眞象。乃使世人淸淸楚楚的知道：大陸上一切人士，「凡有血氣者」，甚至是靠攏的政客，實際都是程度不同的反共志士。他們雖是身在曹營，處於暴力之下，但內心良知自是知善知惡，明辨是非，絕不是邪說謊言所能詐騙。

他們無不在伺機而動，要反抗毛共的倒行逆施，這憤怒的火光，馬上燎原一片，幾乎形成第二個匈牙利事件。後來雖經毛共用血腥的手段鎮壓下去，但鎮壓下去的只是外表，而反抗的心情和意志，却只有愈壓愈烈，愈埋愈深，這一經過壓縮的定時炸彈，誰都知道會要選擇時機，作更有力的爆發。其後再經過三反五反，人民公社……等等暴政，更加強了「與汝偕亡」的悲憤，終於到了前年紅衛兵上場時，便一觸而發，使得整個大陸局面，動盪不安，一片混亂；而造成今日毛共政權搖搖欲墜的情勢。國際上許多自命爲「中國通」的幼稚狂徒，這時也不得不面對事實，自打嘴吧，撤消其「毛共已經站穩」的謬論，局面演變至此，乃使反共的大業進入決定性的高潮。而本報也就正在這一緊要關頭，實行改組。這在客觀上講，自是有其深遠的意義，從主觀上講，實在更加重了我們的責任。

爲了迎接這一大時代，我們勢必要加強陣容，聯合所有港台和海內外的自由學人，發揮橫掃千軍的反共力量。我們的篇幅雖小，却是一切反共人士發表意見的園地，却是一切自由民主思想的櫥窗。我們要以堂堂之陣，正正之旗，向毛共黨徒致其聲討。我們要向大陸同胞伸出援手，使他們嗅到光明的氣氛，使他們感到並非孤立無援。同時我們也要利用這塊園地，向世人揭穿毛共的謊言，控訴血腥的罪行；庶使一些執迷不息的友邦人士，尤其是所謂的「中國通」們不再受其愚弄，爲虎作倀，而能認淸是非正邪，來站在我們這一邊。當然我們更要呼籲世界的政治家們認淸今天世局動亂的癥結，決心撲滅亂源，而與我們攜手共建國際間的正義和平。

（下轉第二版）

台北學術界好戲連台

陳逢源梁容若被人痛揭瘡疤！
師大內鬨方祖燊武鬥魯實先。

沙學浚高舉大旗國文論戰

（台北航訊）台北近有兩宗揭露瘡疤的故事，一涉及地方聞人陳逢源的日據當年風流著述。二爲指責國語文學專家梁容若爲「文化漢奸」，且舉出在敵僞時代曾有出賣民族靈魂之淫哇穢語作品。無獨有偶，妙文相接，事出有證，姑且評述：

經濟世界週報自四十九期起，逐期刊載泰山出版社新書廣告：「前屆台北市長候選人」李源等人節譯台灣新民報社經濟部長陳逢源日文著作「新支那素描」即將問世，內容簡介畧稱：「陳逢源自認爲「讀書人」……值南北僞組織在日人導演下，大唱和平，華北大漢奸齊燮元正在活動吳佩孚下海時，陳某適至北平，在八大胡同滿春院（新支那素描一四三頁）唱道：

「霸氣橫行四百州。蓋棺幾可定千秋。早知抗戰終非策。更唱和平作善謀。杯酒自關天下計。絃歌端爲美人尤。燕京握手紅燈畔。我已疏狂署醉侯。」……凡欲知全貌者，請期待本書的出版日期。」我三次閱到這則廣告，尚未見出書日期，細審內容簡介，曾指出陳逢源當年在日據時代之臉嘴，辱罵一通，極盡挖苦，並指陳爲今日自由中國的「金融界巨子」「證券市場大戶」「華南銀行常董」，於是恍然大悟，這是書商串演的把戲。泰山出版社這一則廣告，我想陳逢源如果能認出一筆相當印刷費，料必不會眞的出書；假如眞的印出，這類的書，銷行是很有限的，恐怕連印刷成本都不會收回來，因爲在廣告上已把內容主題說完了。也或者這則廣告的目的，即僅如此，別無所計。

廖維藩驚人質詢

報載十二月十八日，立法委員廖維藩，向行政院質詢，他指出本年中山文藝獎金得獎人梁容若是「文化漢奸」，沒有資格得此神聖獎金，並舉出梁在民國二十八年九月間，當日本軍閥侵畧中國之際，在北平響應日本特務機關的徵文運動，以三萬元代價，而作「日本文化與支那文化」一文，其中一則曰：「支那的日本化，無寧是當然之勢。」再則曰：「支那人歡迎日本的教師，恰似台灣的蕃人仰慕吳鳳一樣」。廖指責梁「把中華民族比作蕃人，其無恥無識，實爲人類所僅見。」而且梁還說：「若眞以知識技術指導支那人，則支那人必澈底匍匐於日本文化光輝之下」。廖同時要求教育部尅日函知東海大學解除梁容若該校教授兼國文系主任職務，並函知中山學術文化基金會董事長追回梁所獲文藝創作獎金五萬元，「以保國格與學格」。廖對給獎之審議委員會之十名中，有無徇私投票之弊，亦應加以調查。當日該基金委員會主委張道藩即表示：梁以「文學十家評傳」獲得文藝獎一事，是依照合法推薦，一致通過決定給獎。梁是否漢奸，國家自有法度，國法既未判其漢奸罪，自不應私予罪名。中山文藝獎，僅就「文學十家評傳」一書，與梁其他著作，並不相干，亦不擬論列。

孫亢曾作和事佬

廖委員行使立法質詢權時，一則要求教育部函知東海大學解除梁之現職一節，事關人事法制，是否超出質詢權範圍，對行政院是否有約束性，姑當別論。從張道藩之表示上，追回獎金已在不可能之中，足知教育部之函轉解除梁之現職更不可能。但廖對梁之如此重大抨擊，對梁個人淸譽來說，實損害深巨。梁爲國語推行委員會之台柱，又居古今文選編輯之重鎮，在一般依賴古今文選之解釋翻譯的大專講師和中學教員們，亦將引起痛惜甚或影響對梁之崇敬降低，在梁之門下，有在師大任副教授之方祖燊竟然對同事教授魯實先對梁之評論動手打起來，魯未還手，氣得血壓增高，住進醫院，由校長孫亢曾代表校方向魯致歉，方某亦向魯道歉認錯，事件始暫息。

張希文忠實助戰

就當沙學浚正對梁容若因國校國語課本正名爲國文課本，及改編國語教材，大開戰論之際，梁雖說在教材，內容和增加高年級文言教材大開戰論之際，梁雖說在教育部修訂國民中小學課程標準中決定仍保留小學爲「國語」，初中爲「國文」的名稱，這樣一來，梁似乎佔在國語派方面是戰勝了。支持梁方的得力人士有翻譯正氣歌爲白話頗能「膾炙人口」的趙友培，憑其一派斯文人的態度和新文藝詞性的口才，穿插修正課程標準之審議中，是有其助戰之效力的。當在白話詩家鍾鼎文榮獲桂冠詩人寶座，又獲中山文藝獎金六萬元之殊榮，在新文藝聲勢上，也等於助了梁的一臂之力。有人私下推測下屆文藝獎金將屬趙友培。（趙爲國語片列主幹）因爲一般講國故作文言文的人，他們一本傳道精神，也從來不會寄望什麼獎勵。再有專擅國語口才的張希文女士，這次也是梁的忠實助戰者，但張女士爲人本色，她却是以國語小學校長立場，爲國語而國語，沒有別的冀圖啊！再梁容若表示該項日文傑作，曾被人竄改發表，其中經過他曾向徐復觀說過，徐也看過原件，不料遭其拍照翻印，以致被人傳播出來，演成今日事件。他與廖維藩曾因注音符號與六書發生過爭論，廖打擊他這是第二次。徐梁又因此發生爭辯，惹得台北報紙連篇累牘，爭相揭載，煞是熱鬧。

黑松林殺出李逵

廖維藩既然知道梁容若的史料，爲什麼早不揭發，偏在沙學浚國文論戰之爭處於劣勢時，從黑松林中殺出李逵來？雖然他或不是爲助沙而出此，但在維護中華文化，保衞文化復興運動上增强國文教學，擴張文化復興工作上，是有其價值的。用不着我來喝采，歷史自有千秋。

沙學浚以地學專家身份，肩起復興中華文化的大纛，爲加强國文教學，重振士風，樹立民族正氣，一對敵於梁容若，再對敵於林語堂（却或不連趙友培在內）辯駁文字，因報章吝於篇幅，不惜以有限收入的淸苦費用，歲暮天寒把成萬的新台幣，用登廣告，堅持正論，大聲疾呼，不放鬆一步，不氣餒一分。有識人士都不約而同的感到：支援沙的一方，當不僅林景伊等二三人士而已。凡是有民族意識，國家觀念與有中華文化傳統思想的人，必然都是佔在沙的一方面的。孟子說：「仁之勝不仁也，猶水勝火」。又說：「自反而縮，雖千萬人，吾往矣。」沙有這樣的剛强，也必能實踐這項道義。

．張紹文．

司法行政部易長 人事安排費周章

台北航訊

本報記者新曦

司法行政部部長查良鑑博士，自去年十二月六日就任以來，司法界人士對他寄予殷切的希望，因爲他是我國有史以來第一位司法官出身的司法部長，對司法實務有很深的認識與了解，必然能使司法界的弊端有所改進，使國家走向民主法治的坦途。

俗語說事在人爲，查部長今後要想有一番作爲，必須有得力的幫手。因此他在人事上，可能有一番安排。不過在人事的調動上，他目前很難着手。原因是他在司法行政部當政務次長的期間，有十六個年頭之久，司法行政部的上下官員，個個都是他的老部下。他向來待人甚厚，對部屬如同手足，升遷黜陟，左右爲難。

司法革新

他就職的第一天，就特別說明，一切在遵從總統的昭示，以革新司法業務爲目的，今後一切措施，都是向這個方向前進。人事上的更動，當然也以有助於司法的革新爲主。

熟識司法實務，對法律有高深的學問者，是他所延攬的對象。前任大法官王昌華，因爲是國大代表，這次監察院不同意國大代表担任大法官，而本屆大法官提名時，沒有提他的名字。司法院特聘他爲顧問。以王昌華在司法界的地位，在學術上的成就，以及在司法實務上的經驗，都可以說是司法界上上之才，查部長本來有意延攬他爲政務次長。無如現任的政務次長徐世賢，是查部長調爲最高法院院長去後，才由原任常務次長升上來，且徐又是他的老部下，同時徐世賢在司法界地位，也很有份量，對司法實務也很有經驗，在鄭彥棻當部長時，是鄭的得力助手，基於人情上及政治上以及實際上的種種因素，查部長一時不能把徐政次調開。不過，行政院如果能把徐世賢另外安排一個相當於司法行政部政務次長的職位，或是高於次長的職位，查部長於公於私，都會歡迎之至。其遺缺可能由王昌華遞補。

兩面作難

前任常務次長董世芳，是追隨鄭彥棻部長的得力助手。他不是司法官出身，但追隨鄭部長就任常次數年以來，已可說是司法界的行家。查部長原本沒有更動他的意思。理由是：董世芳是鄭彥棻所依畀之人才，追隨鄭彥棻已將近廿年。鄭在僑務委員會委員長兼中央黨部第三組主任時，董就追隨他迄今。鄭彥棻調任總統府副秘書長之職，又是中常委，身負督促司法改革的任務，作爲司法行政部部長的查良鑑正好受，在黨的立場，鄭彥棻的監督，同時他與鄭彥棻之間，過去相處並不算壞，因此他不會主動把鄭的「親信」董世芳隨便調開而開罪鄭彥棻。還是鄭彥棻因爲需要董的幫助，願意把董調到行政院去，讓出常務次長的職位。這件事本來早已協商，只是在查部長的就職典禮中，記者們詢及常務次長的人事安排時，查部長說董世芳已堅辭獲准，那時升張文伯爲常次的命令還未發表，查部長說得早一些，引起外界所謂「常次雙包案」的傳說。後來行政院會終於把這件傳說圓滿解決。

有些發賦

說到張文伯升爲常務司長，也是一件很有趣的事。張文伯從民國卅八年就到司法行政部民事司當司長，他在民事司司長的期間，比查良鑑當司法行政部政次的時間，還要早兩年。也就是說，在司法行政部同事之中，查、張兩人同事最久，感情最好。在查良鑑奉調最高法院院長去後，張文伯覺得當了十八年民事司長之久，有些發賦，已將近七旬高齡，有些漸漸可以退休了，他也有退休的念頭，忽然聽到查良鑑又回來當司法行政部部長，消息一來，張文伯覺得老朋友在一起，和老部長相處也難得。張文伯是一位司法界的老友，以他的聲望及資歷，新部長上任，升爲常務次長，是很順理成章的事。去經驗，張伯應常次之職，便是立即升張常次。

不徇私情

查部長是學術界出身，在國際司法界有極崇高的地位，又著作等身，而又桃李滿天下，在司法工作最高位上，不論担任司法院院長也好，部長也好，都有足夠的「班底」。他的「班底」高足，担任全部司法界的主管職務而有餘。不過，他向來不與記者談司法界人事。在會記者時，對我們這樣地問題，他很誠懇的說：「你許多問題，是我今後一個處理人事的問題，都以是『公』字，不爲『私』。」如果有兩個問題，和我從前說過的話，希望你告訴我，改正幾句。」我們知道他今後對於司法界的人事調動，是不會有私情的。

我們的話

（上接第一版）

上面這心願的實現——摧毀毛共政權，建立正義和平——我們無疑的要有賴於最高領袖蔣總統的領導。蔣總統所領導的政府，是中國唯一合法的政府；而其所在地的台灣，實正是反共的燈塔，摧毀毛共政權的司令台。尤其蔣總統個人的聲望，更是大陸七億同胞仰望的對象。這都是鐵一般的事實，不能以任何藉口而抹殺。本報雖是屬於國門之外，但我們既然是中國人，便當然擁護中國唯一合法的政府；並且要合理的擁護，忠實的愛護，不是徒作婦人之仁式的歌功頌德。因此我們一方面要在國門之外，祛除外人和毛共對蔣總統及其政府的誣蔑，並從而認識其貢獻的重要。同時也一方面要把我們在國外所看到的，聽到的竭誠進言，以使我們的政府，善改敝，精益求精，而有力的負起「討毛救國」的神聖使命。這是我們的重責，也是國人殷切的希望。

今天，我們隔海北望，不勝感慨！面對着大陸動盪混亂的局面，眞是使人一則以喜，一則以憂。憂的是：七億同胞處於水深火熱之中，受盡折磨，誰無父母子女，誰無親朋故舊，怎不鼻酸！喜的是：毛共這違背人性、不合國情的暴政，終於遭受吐棄，走向土崩瓦解的途中，這足見民心向背的潛力，和中國文化傳統精神的偉大。怎麼不喜！我們要在這曙光在望的關頭，把握時機，加緊步伐，來加速毛共政權的崩潰，來開創我們的復興大業。在這一神聖使命中，我們願以本報作衝鋒的號角：振奮每一個人的精神，同心協力，滅此朝食。我們願以本報作復興的旗幟，打在進軍行列的前端，插遍我們大好的河山。（完）

奔向光明　Sabino Weiss攝

紅樓夢話

脂硯齋批語引詩（上）

。俞同文。

自從脂硯齋重評石頭記抄本陸續發現以來，「脂批」已為人所熟知。在不同的場合，脂硯引到某些詩句，當然只因一時的感觸而有不同的理由，不能一概而論；但不妨先說一個例子，作為漫談的冒頭。

晚近好多人論紅樓夢的風格，說紅樓夢之超越其他章回小說，一個特點，是散文部分有詩意。其實這一點脂硯原已指出，單在第二十五回就有三個例子。該回述寶玉抬頭看見「有一個人倚在那裏，很前面有一株海棠花遮着，看不眞切」。庚辰、甲戌與有正戚序本都有批稱：

余所謂此書之妙皆從詩詞句中泣（翻？）出者，皆係此等筆墨，試問觀者，此非「隔花人遠天涯近」乎。

同回述小紅「便倚着房門出一會神」，脂批續稱：

所謂「閒倚綉房吹柳絮」是也。

又同回述黛玉「看階下新迸出的稚筍」，脂批又稱：

好好，妙妙，是翻「筍根稚子無人見」句也。就這三個例子看，不見得就都是脂硯的牽強附會，且不說雪芹原擅詩才，脂硯本人於詩也不是毫無修養可知。

按雪芹善詩，頗為他的友人敦敏、敦誠以及張宜泉所稱許，見三人詩文集，或說他的詩才可比曹植，可能只因二人同姓；或說他的詩近李賀，則從風格上比較。可見他的詩除見於紅樓夢小說外，似乎已經完全散佚。碩果僅存二斷句，見於敦誠四松堂集卷五鷦鷯菴筆塵中的一則，如下：

余昔為白香山琵琶行傳奇一折，諸君題跋不下數十家。曹雪芹詩末云：「白傅詩靈應喜甚，定教蠻素鬼排場。」亦新奇可誦。曹平生為詩，大類如此，竟坎坷以終！余挽詩有「牛鬼遺文悲李賀，鹿車荷鍤葬劉伶」之句，亦驢鳴弔之意也。

題跋數十家而僅引雪芹詩二句，敦誠之推崇雪芹可知。但紅樓夢外雪芹遺詩，似乎只這兩句。

吳昌世氏英文本紅樓夢探源第六章論雪芹詩才，他竟又從脂批中發現雪芹詩九句。但就筆者所見，那只是吳氏無中生有杜撰，因為九句之一，原是王安石詩，其餘八句，來歷也有問題。此間的雜誌往往有詩頁，專刊時人舊體詩者，想作者讀者必有博覽之士，所以於此提出，向各作者以及讀者請教。

吳氏所謂雪芹詩九句，計為：

一、萬境都隨夢境看——甲戌本第一回。
二、舊事淒涼不可聞——甲戌本第一回。
三、世路難行錢作馬——甲戌本第四回。
四、家常愛着舊衣裳——甲戌本第七回。
五、好知青塚骷髏骨，就是紅樓掩面人——庚辰本第十二回
六、葬花亭裏埋花人——庚辰本二十三回。
七、寧使香魂隨土化——庚辰本二十三回。
八、一鳥不鳴山更幽——庚辰本二十七回。

按筆者初讀吳氏書到此，除覺得葬花句「葬花」與「埋花」疊用，並非好詩，吳氏為雪芹爭版權是多事外，一鳥不鳴句尤其耳熟，似乎是前人舊句。檢庚辰本該回，該句引於寶釵詩「淡極始知花更艷」句下，知脂硯引該句寶指雪芹代擬寶釵句乃翻前人一鳥不鳴句。當時因記不起是誰的詩，就寫一封信給友人張昊先生詢問，旋接回信稱該句乃王安石詩，見於宋人魏慶之詩人玉屑卷八沿襲篇不沿襲條所引。從來筆者檢四部叢刊本臨川先生文集，於卷三十頁五上見到那首詩全文，詩云：

澗水無聲繞竹流，竹西花草弄春柔；茅簷相對終日坐，一鳥不鳴山更幽。

按筆者當時未知一鳥不鳴句出於王安石此詩，自是筆者孤陋。但一般稍讀舊詩的人，則已熟知。春間在芝加哥遇及精於詩學的劉若愚先生，他就提到吳氏之誤。後來偶翻錢鍾書氏談藝錄，也曾引到。諒此間舊詩作者讀者中，更多知該句出處之人，但筆者好奇，頗欲知其餘各句出處，故此提出，作為有似「括帖」的遊戲罷了。

歷史人物漫談

西漢開朝立國的劉邦與三傑

—清園—

·引言·

前幾天，張起鈞教授來訪，囑為李運鵬兄等接辦的香港自由報，長期寫點歷史人物的稿子。我直接了當地回說：「這是我很高興做的事」，大家都是痛快人，事情就這樣決定了。

這種稿子的總標題，我想把它叫做「歷史人物漫談」，不知編者以為如何。我們認為漢、唐在中國歷史上都是重要的朝代，也是中國的盛世，這種朝代的人物，必有很多可談的，所以我預備把重點擺在這兩個朝代裏，所以我們要從漢朝的人物開始說起：

漢王劉邦五年二月，（西元二〇二年）他平定了楚地之後，順從諸侯將相的請求，升格為皇帝，在洛陽宮大擺慶功宴。酒席筵前，他吩咐諸將相說：「我所以得有天下是什麼緣故？項羽所以失掉天下又是什麼緣故？你們各位將相，不要隱瞞我，都要說實話！」當時高起和王陵站起來說：「陛下使人攻城畧地，他所攻下的地方，你封給他了，這是和天下共其利。項羽就不是這樣，他對於有功者忌尅他，并害死他。對於賢能的人則懷疑他，這就是項羽所以失掉天下的緣故。」

劉邦說：「公等只知其一，不知其二。你們要曉得：運籌帷幄之中，決勝千里之外，我不如張良；充實國家，撫安百姓，源源不斷運糧餉給軍隊，我不如蕭何；指揮百萬大軍，戰必勝，攻必取，我不如韓信。三者皆人傑，我能夠用他們，這就是我們所以取得天下的緣故。項羽有一個明智的范增，他都不能用，這就是他要被我打敗的緣故。」群臣聽了這番話，都心悅誠服。我以為不但當時那些人聽了心服，就是二千年以後，我們讀歷史到這裏，也深深地佩服他。因為凡是要創建事業，都需要傑出的人才，方能成功。凡是領導人物，都要「過則歸己，功則讓人」，纔能使部屬歸心。劉邦能用這三傑，而且還把得到天下的大功，歸之於三傑及所部的人才，這眞是帝王的風範，同時也是劉邦所以能開朝立國，創建漢室的大道理。

我們再看看三傑，除了蕭何是劉邦的小同鄉，是跟他一起出來打天下的。其餘都和劉邦素昧平生，從不相識。我們曉得張良是韓國（今河南西北部及陝西東部之地）的世家子弟，以韓國被秦始皇滅了，認為是他的恥辱，乃招募一位勇士，去狙擊秦始皇，狙擊未中，逃亡到下邳，遇見異人黃石公，從黃石公處得到了一本太公兵法。後來在路上碰見斬白蛇起義的劉邦，兩人聚談之後，就十分歡洽，張良也就不作他想，就這樣委身劉邦，幫助他策劃去打秦國，平定項羽。後來功成不居，自甘閑散，封留侯，終身不願升遷大邑，同時也因身體素弱，乃信奉道家辟穀修身之術，一直過着恬淡生活，到孝惠帝時才死。

韓信是江蘇淮陰人，家貧，一日三餐都無以為計，因受漂母一碗飯、一番話的刺激，乃決心從軍，投到項羽的部下去。他在項羽那裏，只是持戟侍衛而已。有時候他也想為項羽出謀劃策，可惜項羽都不採用，同時也不重用他。因此他認為項羽不足成大事。他隨項羽到了咸陽之後，聽說劉邦恢宏大度，乃毅然脫離項羽，投到漢王劉邦的麾下，隨劉邦去漢中。再由蕭何力荐，拜為上將軍。從此為劉邦掃平黃河以北的燕、代、趙、齊，使劉邦能專心對付項羽，後來又會師於垓下（今安徽靈璧縣東）圍攻項羽，使項羽兵敗，自刎於烏江。論戰功，他確也是應該第一。他先封齊王，後改楚王，再被貶為淮陰侯，軟禁於長安。又因他與陳豨通謀造反，而被呂后殺了，心中「且喜且憐之。」太史公用這五個字，來形容劉邦這一霎時的心理狀態，實在太好了。

至於蕭何，雖係劉邦的同鄉，確也是宰相之才，除了他能充實國家，撫安百姓，使軍隊糧餉不缺外，同時不但不因為是劉邦的同鄉，而排斥他人，并且還特別注重推荐人才，這樣不自私自利，不把持權位，而只為天下國家着想的人，劉邦的同鄉又何妨？

有劉邦的豁達大度，不講關係，只用人才；有三傑以及三傑以外的許多足智多謀的人才，如陳平之流，都能施展所長，所以漢室纔能建立四百年的王業，以至後來五胡亂華：世事紛紛的時候，人心還是思漢，就是這個原因。漢朝所以成為盛世，原因也在此。總之，一個朝代，人才盛，便可成為盛世，否則，就會是亂世了。

秦少游斬斷塵緣

人物誌

宋代詩人秦少游，有侍兒名朝華，秦納之為妾，嘗為詩云：「天風吹月入欄干，烏雀無聲子夜閑，織女明星來枕上，不知身世在人間。」後少游欲修眞，遣朝華去，朝華泣不已，因又作詩云：「月霧茫茫曉訴怨，玉人揮手斷腸時，不須重向燈前泣，百歲終須一別離。」然終憐而止。後少游至淮上，與道友議論舊歡光景，謂朝華曰：「汝不去，吾不得修眞矣！」呼其父使取去，復作詩云：「玉人前去却重來，此度分離永不回，腸斷龜山離別處，夕陽孤塔自巍巍。」觀上述各詩，知少游素好風月者，快刀亂麻二遣其妾始去，人固未能忘情也。

中國女性文藝春秋（續）

周遊

女校書薛濤的詩妓生活

坊間有薛濤詩一書，不僅遺漏甚多，而且把小說中無稽的東西也扯入，如妄將她和田洙的唱和詩竟載入，妄誕已極。讀者必須加以辨偽，方不致為妄人所誤。清光緒間，有貴陽陳矩者，客居成都，常徘徊於薛濤墳及「吟欄井」畔。陳矩以風雅自命，曾將薛濤的詩編入「靈風草堂」集中，作一種小品，助其流傳。此書蜀外流傳很少，不易獲得。陳矩的題詞說：

綠飲綺，巧麗清奇。本良家女，比竹調脂。剪波來霞，光彩離離。詞壇酒壘，名重當時。夭桃穠李，忽化松枝，證明珠果，青燈古詞。臨流試茗，懷古生悲。遺詩流播，祥雲護持。

從此可知薛濤之所以為薛濤，自有她的知音者生於千載之後，並不是永遠為妄人所污損的了。至所謂薛濤的「十離詩」，更是妄人「故入人汚」的瞎扯。我們只看『十離詩』的名目吧！犬離主、筆離手、馬離廐、鸚鵡離籠、燕離巢、珠離掌、魚離池、鷹離鞲、竹離亭、鏡離台。相傳她以事觸韋皐之怒被逐。一說因元微之使蜀，嚴司空遣她的往事，好以忤已不應，得罪遠去，仍作詩以獻，冀復恩寵之作。於是後人為她此作而惋惜，說她不該自貶自賤如此。其實「青樓小名錄」已經告訴我們了，是另外一個無恥的男士所作。「青樓小名錄」說：「……或云元相公賓府薛書記，醉爭令，擲注子傷相公子，逐出幕，乃作十離詩。」

由於同姓，而又是「書記」與「校書」相似，故無識者妄斷為薛濤所作，沉冤千百年。我另外又找到了證據，證明「十離詩」非薛濤所作。那就是載有「十離詩」和元微之的詩——唐『摭言』。「摭言」說明獻「十離詩」的是薛書記，是微之在浙東的賓府中人。元微之還題詩為證道：

馬上同携今日盃，湖邊還拂去年梅。年年只是人空老，處處何曾花不開？歌詠每添詩酒興，醉酣還命管絃來。樽前百事皆依舊，檢點惟無薛秀才。

據此，則事實昭然：一為男性，一為女性；一在浙東，一在西蜀；決非一人二傳。妄人讀了「摭言」，當亦俯首無詞了吧！讀了「十離詩」，再誦薛濤作品，便知無論作品的格局、氣識、情感和詞藻，件件皆不可企及。我們隨便錄一首薛濤的作品來欣賞，以收束本題吧：

望春詞

花開不同賞，花落不同悲；若問相思處，花開花落時。
攬草結同心，將以遺知音；春愁正斷絕，春鳥復哀吟。
風花日將老，佳期猶渺渺；不結同心人，空結同心草。
那堪花滿枝，翻作兩相思；玉箸垂朝鏡，春風知不知。

女人究竟是女人，她的作品之中，也含有女人的特質，有女性的感觸。無論男士們如何故弄玄虛，作出來的產品，都不是會有女性一樣感觸。這話我在「女性文藝春秋」中開卷便交代過了。如果不信，請將她和他們的作品拿來復按比較吧！

（四十五）

由台北民歌比賽想起了民俗鼓曲

·士林·

台北最近曾由有關方面舉辦過一次民歌比賽，項目中有各地民謠，採茶戲，平劇，崑曲，數來寶等，獨缺大鼓。可見在台灣這種流行於北方的民歌鼓曲，已經近乎失傳了。

大鼓書，是民間俗文藝，就類別分，有京韻、梅花、犂滑、京東、樂亭、西河、八角之別。雖是俗文藝，其中除山調頗足品味之外，歌詞又有極雅的，不過這裏所謂雅，是指其描寫得最好，既可使聽者無人不懂，又不失文學意味，確多難得之佳作。

就曲調言，各種鼓曲皆各有其獨具之風格，如京韻之醇厚，梅花之平和，犂滑之野趣，京東之樸質，樂亭之平易，西河之柔媚，八角之蒼勁，各有其妙味。使聽者歷久難忘。

而詞句之生動，以京韻為第一，試舉其長坂坡一曲，以觀其絕妙：「塵埋翠袖香裙冷，血染弓鞋透襪紅」。實在有些像詩。又其中描寫戰場，更妙，「血水溝邊，烏鴉亂叫；死人的堆裏，亂箭折弓；破帳蓬，鑼鼓旂旗堆滿地，見一匹無鞍的戰馬，亂跳嘶鳴。數句可抵一篇弔古戰場文。閉目一想，宛若置身戰場，這是何等的手筆。

京韻鼓詞據說以韓小窗作的為多，此折或不能例外。

至於八角鼓，尤其岔曲，更無一不好。如八花八典，風雨歸舟，秋聲賦，都妙到巔毫。

試舉風雨歸舟為例，實在好一篇漁隱圖：「卸職入深山，逸雲峯受享清閒。悶來時，撫琴飲酒山崖以前；忽見那，西北乾天風雲起，烏雲滾滾黑漫漫。喚僮兒手執瑤琴至草廳前。忽然風雨驟，遍地起雲烟，拍打打地冰雹把小環兒打，古魯魯地沉雷震山川。風擺角鈴噹啷啷地響，刷拉拉大雨似湧泉。霎時間，雨過風兒寒，天青雨住，風消雲散。抬頭看往東南，雲走山頭，碧亮亮的天。長虹倒掛天邊外，碧綠綠地荷葉襯紅蓮。喚僮兒，駕小船，移到江心鈎魚頭。撲魯魯打來了滴溜溜地金絲鯉，刷拉拉拉扔下了釣魚竿。一半魚兒用河水養，一半兒到長街去換酒錢。」

民間文學如此，實在不能小看它。而在文化復興運動推展之時，這種文藝，更是不該教他失傳，因為它的價值實高於那次民歌比賽獲獎的「十八摸」與「二進宮」這是無可置疑的。

台灣還有一個章翠鳳，可任京韻教師。相信其他各項大鼓，仍有人才藏於草萊或民間，如有關機關有心發掘人才，提倡這些俗藝術的話，仍有可為的。

一年伊始談曆書

○欣父○

中國人，有兩個年可過，過了新年，還有舊年。雖然我們推行陽曆，已有五十六年之久，到現在為止，無論海內外，大多數中國人仍然特別重視舊曆年。中國人過舊年，比過新年熱鬧是事實，而中國人能在異國，對本國文化如此「固執」，實在是可愛的。

現在又是一年之始，為了應景，在這兒依據資料，談一談陰陽曆書源流的問題，以為讀者談助。

曆書習俗稱為時憲書，或通書，有人又稱之為通勝，這是因為書與輸諧音，為了趨吉避凶，乃趨避了「輸」，易之為「勝」，這和「箸」易名為「筷子」，是同一用心。至於時憲書之名，則得自清高宗時，沿用至今。

通書之原稱為通曆，由來已古，起自晉代著作郎瑯玗王之造通曆，以甲子為上元，因其上元為開闢之路，通於古今曆書之故，由此得名。通曆至清雍正十三年，乾隆御極，因避高宗（乾隆廟號）弘曆名諱，乃改名為時憲書。凡有用曆字的地方，一律以別字代替。從此以後，通曆乃稱為通書，曆法也改書歷法。

時憲書之製定，欽天監於每歲歲首，推測明年季候節令，占驗明年日時吉凶，以書式進呈君上，得旨後始定頒發。明年曆書之頒定，欽天監於本年三月底前製就竣事，於四月初一日，由兵部驛遞分發各省，依照印刷，分發各府州遵用。時憲書之種類，據會典云：「仲春之朔，以來歲時憲書式進於上，得旨乃製書。有時憲書，有七政時憲書。時憲書有御覽者，有頒行者」。頒行的時憲書格式，首列月令大小，以及各節氣總目。次列太歲干支，五行納音，歲德，歲德相合。再次各地方日出入晝夜時刻，節氣時刻。再次按月紀日，下註干支、吉凶及宜忌事項。其規模，程式，與今日民間沿用之通書格式，約畧相同，但無陽曆及星期對照。

曆書之有陰曆陽曆星期對照者，始於民國。民國二年政府採用陽曆為國曆之時，其所列星期編次，以星期日為首，按列日月金木水火土編定為星期日一二三四五六，為鼎革後曆書編列概畧。清自光緒季葉，對外事務紛繁，國際往還，有主用陽曆者，有非議陽曆不確切實用者，議論沸騰。當時最為折衷之說者，為山東巡撫袁樹勳，在時憲書上，主張用陰陽曆對照，於光緒三十四年十二月，奏陳宜因勢利導，奏云：

「本年十一月初九日，電傳恩詔，以明年為宣統元年。等因欽此，謹查成案，關於改元後年號之更定，事體至繁，其犖犖大者，為全國人民耳目所濡染，生計所接受，則莫如時憲書及銅幣兩事。現逢憲政肇始，九年預備，經緯萬端，設於人民耳目生計所最切近者，聽其迷信，仍紛紜作偽，是日日言開民智，而有數之學堂，不如家置一編之時憲書入人深也。……查吾國歷代相承，最重正朔，以朔望定月，以寒暑定歲，而歸餘閏。推定曆授時之命意，誠以月之盈虧，為人所共知，時之寒暑，尤人所共被，故取以定曆，使人人易遵。數千年來告朔之存亡，為觀聽所維繫，揆度時勢，未可輕易更換。然今日通行之時憲書，凡為村農課晴問雨之陳編，婦孺趨吉避凶之依據。其稍稍開通之學堂，大抵懸用中西合璧之年表，絕少置備時憲書者，何也。商埠與西賈往來，學堂更有西文教習，非中曆所能拘，而時憲書滿紙所載吉凶宜忌尋常日用，幾於前後瞻顧之俱窮。先儒王夫之曾著論，力闢建除之謬，是舊學開通之儒，已夷然不以為意。況歐化東漸，智識已開，而奉敕頒行的曆書，仍此迷信神權之習慣，欲導民以智，而不破民之愚，臣甚知其不可也。現逢皇上御宇伊始，改元新曆，觀聽繫之。臣愚以為應請敕下欽天監，會同政務處諸王大臣，將新曆重加修訂，務適於國家現在之程度，及國家將來之希望，應否以中曆為綱，以西曆及星期附註為緯。……」奏上留中，曆書依然以會典規定時憲書程式為準。曆書之須用陰陽曆對照，從民國政府之採用陽曆，但亦須以陰陽曆參用可知。是民國政府之成立，不過促其提早實現而已。

禪的火花

○吳經熊著
○吳　怡譯

譯者按：本文為吳經熊博士英文新著「禪學的黃金時代」中的一部份，都是一些短短的故事、公案和詩偈。極有禪味，極為生動。現在蒙吳博士慨允，每期分譯一兩則，願與讀者共享。

（一）時間和永恆

在禪宗的文學裏，有兩句名詩：

「萬古長空；
一朝風月」。

這兩句詩，有如一線初昇的曙光，射入了我們的心扉，使我們在永恆之流的第一個躍動中，震驚於天地的悠悠，萬化的靜寂。也就在這一躍動之間，有了形，有了色，有了生命，有了活動，沒有人知道一切是如何發生的。這是玄之又玄的問題，能夠感觸到這個神秘的存在，將會把我們帶入了一個極度新奇而快樂的世界。

這裏有一首日人芭蕉的最出色的俳句：

「寂寞古池塘，
青蛙躍入水中央，
潑剌一聲響」。

古池塘正像「萬古長空」般的靜寂，青蛙躍入水中央的那一聲潑剌，猶如「一朝風月」。世界上還有比在永恆的沉寂中，突然爆出的那一聲空谷之音，更為優美，更為扣人心弦的嗎？的確，每天都有創造的曙光，每天都是獨一無二的存在。一切都是第一次，也都是最後一次。上帝不是死亡之神，而是生之神。

（二）一朝風月

善能是南宋的一位禪師，他曾發揮「萬古長空，一朝風月」的思想說：

「當然，我們不應執着一朝風月，而不見萬古長空；也不應執着萬古長空，而忽畧一朝風月。那末什麼是所謂一朝風月呢！有些人怕天氣太熱，但我却偏愛夏天，因為夏天日子長，南風送爽，庭院深深，涼得舒暢」。（原文為：「不可以一朝風月，昧却萬古長空；不可以萬古長空，不明一朝風月，且道如何是一朝風月？人皆畏炎熱，我愛夏日長，薰風自南來，殿閣生微涼，會與不會，切忌承當」）

譯者按：善能這段話出自「五燈會元」二十卷。譯者之所以不直引原文，而依照吳博士之英譯，一方面是為了保存吳博士英譯時所下過的工力；一方面是為了通俗起見，除了流行之詩偈外，凡是較長之議論與對話，一律譯成白話。

這一節承上節的意思，要我們把握現在，體悟當前，別錯過宇宙人生的每一事，每一物。正是所謂一花一世界，一葉一菩提。夜夜春宵，日日是好日。（待續）

賽爾墩其人其事
富有民族革命色彩

中國戲劇叢談之一

○田舍○

近年來港台兩地盛行武俠片，這類影片以動作勝，題材多為江湖恩仇故事，使我想起了江湖中的「鬍子」。在平劇裏，多是由淨腳扮演，而且還戴紅髯口，只有辛安驛，是由旦腳扮飾，然在未表露身份以前，也是戴紅髯口，做淨腳打扮。

「鬍子」是我國東北各省稱土匪的代名詞。至於「鬍子」的鬍子，是否都是紅的，這祇是「想當然耳」的結論，却也未必。不過，在我國平劇中，為了一切都「規律化」，善惡，順逆，美醜，都要藉服裝和臉譜予以明白劃分，使聽眾不假思索，一目了然，所以把「鬍子」這一類的人物，也一概予以紅鬍子化，以强調其可怕與可憎。

如單雄信，竇爾墩這些人物都是紅鬍子的土匪。

說到竇爾墩，就教人想起了有關於他的幾齣戲，如李家店，坐寨盜馬，天霸拜山，盜鈎，下山認罪等。戲中的竇爾墩，在李家店那一階段，已是道地的響馬頭子了，哨聚山林，儼然一小朝廷，連環套之所以稱「連環」，稱「套」，可以想見其依險設寨的氣勢，官軍對之也祇好興嘆。

這時的竇爾墩，原應該有躊躇志滿的表現才對，可是由於戲中的介紹可知他並不快樂，因為他對羞離河間的一件事，一直耿耿於懷。

竇爾墩在戲中是一個恃強蠻幹的粗綫條人物，並沒有政治野心與遠大眼光，否則，他在連環套的時節，也不會冒了生命危險，祇是去盜一匹平時一無用處的御馬了。為了與逼他遠離河間府的仇人黃三太做對，想置黃於死地，不用正面的衝突，却採取借刀殺人的辦法，說來，這一手也有欠光明正大，與俠義這兩個字，似屬無分，說起來，祇是一個睚眦必報的傖夫而已。

如果以單雄信和竇爾墩相比，單雄信還不失為一英雄人物。竇爾墩就不配稱英雄了。英雄應該是代表磊落的光明的或追求光明肯予犧牲的人物。然而，竇爾墩就真的是如此卑下的人物嗎？

實不盡然。

根據一段闕名筆記，看竇爾墩之盜御馬，却也有着民族的，政治的，革命色彩呢。

從那上邊看竇爾墩的爾字，原是二字訛傳而來。

這位經戲曲傳播為眾所熟知的河間竇寨主，原是山東籍寄居獻縣的人，而非河間府的人。自幼長於打架滋事，於是一羣惡少年，擁他為首領，儼然成了當時阿飛幫的「大哥」。

現在的阿飛，以保娼護賭為生財之道，竇二墩却並不如此自趨下流，祇是為了好勝，凡是江湖賣藝之流到了獻縣公開表演歛錢之前，必先禮貌的拜會了他之後，才可以得到安全保障。偏巧，有一次，一個七十多歲的白髮虬髯的老漢，帶了兩個約十三四歲的女郎到了竇二墩自己認定的轄區去賣藝，他沒有去拜會這位地頭蛇，便在街頭表演起武技來了，於是惹火了竇二墩，過來干涉。這時竇二墩率領着幾個人走到老叟面前，劈面就問：（上）

自由報

THE FREE NEWS

第八二〇期

中華民國僑務委員會頒發
台教新字第三二三號登記證
內銷證內僑警台報字第031號
中華郵政台字第一二八二號執照
登記為第一類新聞紙類
（半週刊每星期三、六出版）
每份港幣壹角
台灣零售價新台幣貳元
社長：李運鵬
督印人：黃行賓
社址：香港九龍登打士街91號十樓六座
91 DUNDAS ST, 9th FLOOR, FLAT 6 KOWLOON H. K.
電話：857253　電報掛號：7191
承印者：大同印務公司
地址：香港北角和富道九六號
台灣總管理處
中華民國（台灣）台北市大同街119號
電話：55395．56761
台灣分社：台北市西寧南路110號二樓
電話：三〇三四六
台郵劃撥儲金戶九二五二

不能倉促，不容草率！
——寄望延長九年國民義務教育

武侯

最近教育界連續發生幾件丟人現眼的事件，像高教司職員出賣學籍，大專聯考有人槍替，以及高中保送大專制度發生弊端等，使教育界全體蒙羞，也動搖了社會對於教育界的信賴。但是，今天的情勢是誰造成的呢？這個責任應該由誰來負呢？不客氣地說，今天的情勢是由不良的教育行政制度所造成，這個責任應該由教育行政當局來負起的。

關於教育行政權責的劃分，孫中山先生本來確定了一個良好的「均權」的原則，但近十九年來，教育行政機構的權限，特別是中央與省級的，却無限制的擴張，地方教育行政單位及學校行政人員除了奉命而外，根本沒有一點辦事的權力與自由。

本來教育行政制度的優劣，智仁互見，集權制不一定遜於分權制，分權制也不見得一定好過集權制。然而，實行集權制必有一個先決的條件，就是負教育行政責任的人員，不但需有負責任的能力，更應具備負責任的勇氣。附帶的教育行政機構，並應設立諮詢機構，以供決定政策的顧問。但今天我們的教育行政工作，表現實在太差，教育行政主管雖然有極大的權力，但各級教育却辦得江河日下，令人感覺得他們所擁有的權力與他們工作的成績不能相稱。那麼，原因在那裏呢？

據我這個外行的看法，是當前負責教育行政的人員既乏負責任有效運用此項大權的能力，尤其重要的是這些教育行政人員沒有負責任的勇氣。缺乏負責任的能力且不談它，沒有負責任的勇氣怎麼說呢？所謂負責任的勇氣，是指行政主管（特別是政務官）應負起實行政策、貫徹計劃的責任而言。當政策不能實行或執行有偏差的時候，主其事者便當掛冠求去或自請處分。其進退出處，自有一定的分際；而不像今天政壇這種充滿唯諾、洩沓、敷衍與戀棧的風氣。

以這次延長九年國民義務教育而論，多少年來便有此呼聲，而且曾一度試辦免試升學，可見乃是潮流所趨，勢在必行。但由於教育行政人員不負責任，不肯負責辦這一件事，於是假藉經費不足，師資不足夠等等理由，一拖就是數年。及至蔣總統在一次集會中宣布自五十七年度起要延長國民義務教育為九年，突然經費也有着落了，教育行政機關的方案計劃也訂出來了，似乎明年延長國民義務教育，乃是準備已久，水到渠成的事。事實眞是如此嗎？答案絕非如此；不過是因為政治風氣的敗壞，教育行政人員只知被動奉命辦理，而不肯主動負責做事，所以過去儘量推拖，而今天則奉命唯謹。

教育乃百年大計，無論從那方面來說，延長國民義務教育，都是一件大事，絕對不能倉促，不容草率，然而今天的教育行政當局，却以兒戲的態度來辦這麼一件大事，要在毫無計劃、準備與把握的情況下，一年之內一舉而延長三年的國民義務教育。這實在未免把天下的事看得太容易了。假若天下事這麼容易，那麼，法國人準備十年延長一年尚感困難，英國人十五年纔延長一年，以及日本人預定以五年的時間檢討高等學校的制度，豈不是太蠢太笨？既然別人延長一年都要花那麼長的時間去準備，去計劃，那時我們怎可掉以輕心，在如此倉促、草率的情況下一舉而延長三年的國民教育呢？？奉勸教育行政當局，要有「臨事而懼，好謀而成」的精神，並且要有容納建議，接受批評的雅量，周詳計劃，充足準備，來把這件關係國家民族的百年大計，切實辦好。不要存着船到橋頭自然直的僥倖心理，一切到時候再說，那時候恐怕就洋相百出了。我這樣說，絕不是危言聳聽，試問今天的教育行政當局究竟知道辦理這件事又缺少多少間教室？不足多少位教師？升學的學童有多少？以及教室建在那裏？教師從那裏來？學區如何劃分？這一切問題到今天不僅沒有解決，而且紙上作業也未完成，甚至紙上作業所依據的資料都不完備。任何人都可以看得出，也可想得到這件事將來辦理的情形會怎麼樣。

這裏可以預測五十七年度開始實施延長九年國民義務教育，國民學校的畢業生向有關機關（現尚不知是誰）申請入學，這個機關以書面通知學生到一間校長身懷派令，向教育科(局)洽領經費、校舍建地尚未覓妥的學校去報到；半年或十個月後，正式上課。但由於教室不夠，實行二部制，合班上課，每班人數超過一百人，兩個人共用一套課桌椅；下課的時間，除上廁所排隊外，大家在走廊去活動；三年教育受下來，沒有見過標本，沒進過實驗室，也沒聽見過鋼琴的聲音；至於任課的老師，全校只有一位師大的畢業生，其餘的不是國校教師升上來的，便是其他未受專業訓練的留學未成而又失業者。這幅景象，實在慘不忍睹，不說也罷。

最後，希望教育行政當局拿出負責任的勇氣來，面對現實。是即：如果覺得一時間之準備尚不夠，不妨宣布延緩三兩年再辦，即使因此而抗命、丟官，亦在所不惜，因為，誰也不得不承認，這件事關係太過重大了，不是「等因奉此」的一套便可以解決得了的。沒有周密翔實的推行計劃，固然不行，就算有了一個計劃，但如果欠缺切切實實的準備工夫，仍然行不通。而其實，在那樣的情況之下，又豈簡單的「行不通」三個字而已，那時必然是天下騷然，笑話連篇，眞不敢想像將何以能夠收拾的一種亂局面。教育行政當局必須注意：此要政不辦則已，既然要辦，就一定要有充分的準備，完善的計劃，即一定保證能夠把事情辦好！這是一件關係國家民族的前途的大事，實在「不能倉促，不容草率」的。

一年之計在於春！

今日明日

關疑與去私

根據監察院華僑回國投資調查研究小組最近指出：目前華僑回國投資的成績并不理想，其原因是法令及手續太繁複，主管的機關太多，希望政府設立單一負責的權力機構，處理華僑投資業務。其實主管機關多而負責者又太少，因為機關多，才可以推，才可以拖，到時你推我拖誰也不負責任。

僑資也好，外資也好，全向安全而能賺錢的地方流，方便更是重要條件。台灣社會安定治安良好，工資低稅不太重，賺錢機會并不少，僑資何以遲遲不來，來而不如理想，其原因各報早有報導，輿論早有建議，又何待監察院指出。但為何法令手續如許之繁？譬如一件華僑投資案，首先要填申請核備書四份，（每份至少五張）核准後再填投資申請書三十四份（每份至少十張）由申請到批准，要跑多少次僑委會、外貿會、經濟部……是機關就想插一脚，使人懷疑究竟我們有沒有組織，是不是各機關各有各的權責！既歡迎投資，又何必向人家找如此之麻煩。既不敢負責又要管，究其原因不外一、多疑，二、爭權，三、效率太低。

多疑而不相信人，於是定法令，再審核，怕出毛病乃多填表緊開會，一件案子從申請到核准，快者兩三個月慢者一年半載！難道政府不明白投資全看機會，時機一過，誰還再有興趣？況且有錢人最怕麻煩，賺錢還在其次。

再說，不相信人民，不相信會計師律師（有的經手人，常常囑咐投資者不要找會計師律師代辦），其實政府經辦官吏又何嘗可信？華僑既來投資，大多數是相信政府的，否則不來，設立一單一負責的權力機構或交一個主管部去管，是其時矣。

談到爭權，更令人戚戚然！夫權之要爭，即因有權乃有利。因利而爭其無弊者幾希，其不自私者又幾希。中國人不去掉自私，永難使國家現代化，政府更然。多疑、爭權而又怕負責，辦事那能有效率，效率又如何不太低？一切事都壞在效率低，又何僅華僑投資然乎哉。因而我們勸告政府關疑，去私，與人民互信。

患寡勿患不均

「不患寡而患不均」的思想，支配了中國經濟思想兩千多年，在農業社會，土地是唯一生產所賴，而土地面積有限，如果集中起來，必發生問題。但在今日工業社會則大有不同於昔日者。目前政府竭力提倡工業，目的無非要人發財，至少不必怕人發財，蔣夢麟先生在「新潮」裏講到「如果怕人發財，工業是無法建設起來的」（大意如此）。在台灣社會安定工商業繁榮，是不容否認的，因而也產生了不少巨富，這些富翁，固不能比美國的「大王」們，但比之從前大陸上的財主絕無遜色。但很少有人注意到貧富不均的問題。就是因為台灣的人民每人都能生活，都有最低的經濟能力，赤貧者少，只要富者不要不仁，政府大可放心不必去管。而為每個人創造就業機會；使每一個人在法律上地位平等，才是當務之急。

楚材

自由談

國文的教與學

無論你怎樣的雄辯、詭辯，強調着語體文——即言文一致的妥當性和重要性，又能說出幾籮筐的大道理來，但有一項基本條件無法否認，那就是對於本國文字必須具有通曉的修養工夫。這所謂「通曉」的標準，亦非要求大家咬文嚼字，步武韓柳歐蘇的古文作風，祇是詞句通順，敘事說理教大家看得懂，知道意所在而已。否則你就是個世界第一的大科學家和發明家，亦沒法將自己的心得傳播於人間，藏之名山，垂諸後世，縱然寫出來，別人也就莫名其妙。

文詞通順的造詣方法，古今中外都無二致，即是多讀書、多識字，而以從小學到中學這一階段的學習工夫最關重要。現在許多大學畢業生寫出來的語體文，十之七八都是拖沓冗瑣，浪費精力，并且別字連篇，語意晦澀，如「棘手」寫成「辣手」，「以及」寫成「與及」，「管」「菅」不分，「怯」「祛」混淆之類，在報紙上亦屢見不鮮。這毛病就是識字太少，讀書無多，追究本源，中小學階段的教材和師資應司其咎。

近五十年來，由於國人好談科學思想，提倡白話文學，因噎廢食，乃視本國固有的綫裝書有若糞土，指文言文為死文學，不值一顧。殊不知語體文的造句遣詞和建構，必須胎息於文言，庶幾可觀，而對文言有些根柢後，識字即較多，寫起語體文自然運用自如，達到通順整潔的境界。凡是能夠寫文言文的，對於語體文即無師自通，用不着再學習了。胡適之的白話文和詩詞，無一不是得力於舊文學的造詣，連格局亦係從舊文學蛻化而來的。其他的許多語體文著名作家，那一個都對舊文學具有湛深的根底，這是事實。

因此，現有的小學和中學國文教科書，內容多半要不得，非加以甄審改革不可。做國文老師的，必須對綫裝書有相當瞭解，能夠寫成一篇文理通順而沒有別字的文言文，纔算適才適任。我過去在大陸上教過大學生的應用文，每於審閱諸生的應用文習作時，即不禁搖頭太息，而埋怨中小學的國文教材和教師誤人不淺，眞是「人之患」也！如今大家高倡復興中國固有文化，故不辭頑固腐敗之譏，談談國文的教與學問題。

馮玉先生

台灣教育界的風波

台灣通訊

台灣教育界畢竟不凡，近來不甘寂寞，演出不少頗有份量的節目，在報章上佔了相當的篇幅。如醞釀數月的文化局，雖然姍姍來遲，但已婷婷玉立；籌備甚久的九年義務教育，雖然千頭萬緒，問題繁複，但因目前已進行到國民中學的校長人選，總算是開始付諸實施了。這類情景的展出，凡屬炎黃子孫莫不眉開眼笑，額手稱慶。反之，也有令人心痛歎的場面：如多年來神槍手所表現的技術，竟以本身發生贓敗上的破綻而弄到滿城風雨。其成功程度當然談不上十拿九穩，但以年代久，次數多，範圍大，亦可說已相當可觀了。倘這班黑社會活躍者能在保證契約上加以改進使本身不露出馬腳的話，則此種買賣便可成爲專門職業，而於三十六行之外，大可增闢一種新興獨特的一行。惟此一行業已被揭穿，今後難繼續經營，如欲重整旗鼓，再幹一番，那就要改絃更張，大費周章，至少買方應付出更高的代價，而賣方尤須絞出多量的腦汁，且在嚴密的防範下，尚未必得逞。不過道高一尺，魔高一丈，說從此便能斬斷葛籐，不會再有「〇〇七」出現表演絕技，那也未必完全正確。對於此事，由於不止一次一人一校一地或一年，所以偵察調查的範圍，目前也不能即告一個段落；同時社會輿論，正迎着這熱潮加强擴大，有的認爲情屬可原，得從輕發落；有的高喊罪無可逭，應加重處分；有的主張當局取消聯考制度，改變入學試驗方法；也有的主張維持舊制，不可因噎廢食，眞是議論紛紛，大有山陰道上目不暇接之趨勢。然事實上政府已把嫌疑主角投入獄中，學校也將有關學生拋出牆外，教育部也會召集聯招會巨頭開會籌商對策，故此事仍在方興未艾繼續發展中，將來如何？此時還難預料，但無論結局怎樣，總是一場笑劇。

又如塗改學籍一案，顯然是僞造文書罪，應依刑法第十五章各條處罰主辦的公務員，似與主管無甚關連。但竟有人吃了熊心吞了豹膽，敢於公然控告主管，這顯然是在太歲頭上動土，根本起不了作用。萬一司法人員偵查的結果，亦與主管有若干關連時，那犧牲者依然是代罪的羔羊，并不能動彈主管一分半毫。因爲主管牌子硬，來頭大，恍如聯合王國的國王，有不負責和不可侵犯之特權咧。

再如署聞有新任南北兩學院院長均非眞實教授，但全冒充具此資格，攫取院長地位。其中且有一位更大刻名片，謂係某國立大學教授，眞所謂「士大夫之無恥是謂國恥」。然當局不察，竟信以爲眞，予以正式發表，雖輿論譁然，但已成事實。這明顯是犯了刑法第三十二章所規定的詐欺罪，何來蕭少茲（龍門客棧的俠客）好管閒事，挺身而出，橫加干預呢？可歎得很，與論界竟噤若寒蟬。「御史大夫」以不知實情固無法發言，而當局雖徹底明瞭眞相，然以木已成舟，也只有裝聾作啞，聽其自然，樂得做個人情。況且這兩位新貴牌子硬，來頭大，氣勢逼人，炙手可熱，誰也不敢開罪於他們，那祇有以不了了之。

還有，在三四年前，當然這事已不大新鮮，但因仍在演奏着的進行曲，所以還值得提出一談。那是中部某學院原爲某君奔走創立，由於辦理不善，董事會乃敦聘某巨頭名角爲院長，意欲借重一振校風，以資發展。不料竟有代駕平身者出而頂替，假傳聖旨，發號施令，輕輕巧巧地就把該學院溜溜走了。這位創立人像皮球一樣，雖然氣得鼓鼓的，到處散佈小冊傳單，細說經過和眞相，但事實上這一個球，氣打得越足，越被踢得遠，結果儘管咬牙切齒，氣憤填膺，也祇有忍氣吞聲，徒喚奈何了！其實這位創立人的牌子也不軟，來頭也不小，且曾將該院董事長某御史的親筆函件影印出來以資證明。然而別人的牌子更硬，來頭更大，且官運亨通，名登鳳閣，在勢難兼顧之下，復將院座授予故舊，而自立爲太上皇。儘管這個球氣到發脹，那僅可在界外蹦蹦跳跳，怎樣也不得進場，更休想入門得分了。

上列幾件事，實在難使人愉快。但一幕一幕地全演出來，且在繼續上演之中，這在文化復興運動高唱入雲的時際，不能不說是大煞風景的鏡頭，也不能不說是負有文化復興運動特別使命的教育界一個强烈的諷刺。

本報記者　石藤

世界第一大島國
印尼風貌

杜陵

一九四九年十二月二十七日獨立的印尼，據地質學家說，遠在數百萬年以前，是傍近亞洲大陸的邊緣，後來由於地層的變遷，才被太平洋隔斷了。所以它包括三千個島嶼，沿着赤道伸張，由印度洋橫貫太平洋，綿亘三千餘里，總面積爲一、八九九、七五一方公里，因此，印尼是世界第一大島，世界第六大國，人口超過一萬萬。

所屬以婆羅洲島爲最大，約七五萬方公里；蘇門答臘次之，約四二萬方公里；第三是西里伯斯，約一八萬方公里；第四是爪哇，面積約一二．六方公里，統稱爲大巽他羣島。自峇厘至帝汶，爲小巽他羣島。最北爲摩鹿加羣島，又名香料羣島。

婆羅洲島　秋海棠形

婆羅洲舊名慕娘，文名婆利。從地理上看，狀似三角形，又似一張殘缺的秋海棠葉。它是南洋第一大島，世界第三大島。境內多高山池沼河流，僅南部平原較大，但沿海港灣險阻，不宜船泊，且時有颱風。

蘇門答臘形狀像半片芭蕉葉，也像一條海參，西南部多高山，東部多沖積平原，氣候溫和，土地肥沃，活火山也甚多。出產有砂糖，咖啡、茶葉、烟草、胡椒、石油、橡膠、金雞納霜等。人民百分之九十務農爲生，廣東、福建籍的華僑也甚多。

西里伯斯地形像個K字，境內山脈通臨海岸，爲印度東部最大的集散港。有名的安波依那部族，驍勇善戰，昔日荷蘭的一支有名的殖民地精銳軍，就是在這兒招募的。其產品有椰乾，咖啡等。

爪哇爲印尼中央政府所在地，境內多火山，爲世界第一。昔爲荷蘭所侵佔，經過百餘年的經營，已粗具現代化的規模，境內交通發達，公路長達八千餘里，鐵路，也有四、五千里之長，佔印尼全國鐵路百分之七十七。出產有稻米、玉米、樹薯、甘蔗、橡膠、咖啡、香料、茶葉等。

無憂之境　耶加達城

耶加達城爲印尼首都，商業發達，人文薈萃，爲爪哇的最富庶區域。耶加達以南的茂物、萬隆兩地，是歐洲人的避暑勝地，荷人稱爲「無憂之境」！其居民有歐洲人、中國人、馬來亞人，五方雜處。

爪哇有一種毒樹，叫做茵哈波托斯，高達十丈，樹葉尖長，與麵包果的樹葉有點相似。此種樹，其毒無比，它所結的果實，果肉中含有乳汁，當地土著常取此汁滴在箭簇上，製作毒箭。據說，無論任何生物的皮膚，被毒箭一經刺破，馬上即可致命，十分可怕。

說到印尼人的衣著，高貴點的男子，都穿西裝，頭戴黑色土耳其式帽，普通男子則穿薄質的短褲，或穿薄棉布的襯衫。女子都穿紗籠，長及膝踝，拖在地上，十分惹人。有的用黃藍兩色的印花布來做裙子；有的用金綫和綵綢交織起來，五色繽紛，光彩奪目。城市的居民，只有少數環境優厚的，才穿皮鞋，鄉村中的男女，幾乎完全是阿娃嘉娜型的「赤足天使」同志。

招待貴賓　推米飯席

印尼人的招待貴賓，首推「米飯席」。適等於我國的魚翅席，燕窩席一樣珍貴！在盆子裏堆得高高的飯，飯上面敷滿着魚、肉、蔬菜等物，至少有廿五種之多。另外在竹叉上用木炭火烤雞、烤羊肉，吃時澆上椰油，花生醬以及其他的香料等，其味非常雋美。又有煎魚一大尾，魚上撒滿青綠蔬菜，和五顏六色的水果，色香味俱備，頗能引起賓客的食慾。其他還有蝦、蛋、雞等，都是用蔬菜和香料作配料烹調的。

因爲印尼人大部份是馬來亞種族，只有一部份是山打族、爪哇族、巴朋族、黑人、和摩斯人，故他們建築房屋，什九是鐵條或樹幹爲椿，以木板樹皮作牆砌頂，造成長型單層的平房，巧小精緻。在房子周圍再種些熱帶植物和花卉，故環境相當優美，空氣清新。在鄉村間的房子，也往往圍以一個很大的圍牆，形若土城，四面種滿竹木，爲情很是幽靜。

一夫多妻　艷福無邊

印尼人實行一夫多妻制，故有錢的人以及土酋地主，個個都擁有三妻四妾，鬢影釵光，艷福無邊。但印尼女子人人都勤於耕作，賺錢養家，十分能幹。有時三五婦女，身著紗籠，在住宅附近的棚屋裏舂米，兩個人輪流舉起那根六尺長短的粗重木杵，一上一下，此起彼落，發出單調的節奏，徐疾有聲，很是有趣。

印尼人耕種田地絕不下肥的，但他們一年却可獲三次豐收。此因印尼國內火山甚多，火山爆發的時候，所噴出來的岩漿，到雨季裏被冲刮下來，便變成了絕好的天然肥田料了。印尼是一個以農立國的國家，在十個人之中，有七個是以耕爲生的，所以大部的國家財政收入，亦取之於農產品。

司法界一陣動盪
鄭彥棻去後之思

本報記者　新曦

總統府副秘書長鄭彥棻，奉調離去司法行政部部長職務之後，使司法界一陣動盪。同情鄭的人對於鄭氏有作爲，有担當，顧全大局，不爲私己的作風，猶念念不忘；反對鄭的人，認司法部此時作此改組，尚有藥可救。

鄭彥棻在司法行政部部長任內，有七年又六個多月之久，是政府遷台後任期最長的司法部長。在這七年半的漫長期間內，他做了很多事，但也受到許多批評。這裏不擬談論他的功過，只談他耿直的風格。

在司法行政部部長任內，他表現最好的，是對油商行賄案的處理。如果他目的在做官，他很可以藉此機會，在立法院、監察院內大賣交情，則他今後的仕途，必然無往而不利。但他不爲私己，念念不忘國家前途。爲澄清吏治，他甘冒與立監兩院結怨的危險，毅然決然地摒絕一切私情的請託，依法律秉公處理。

在處理油商行賄案的過程中，以及處理之後，鄭氏所遭遇到的尷尬場面，他都能以不抗不卑的態度，泰然處之。例如：

在立法院質詢油商行賄案時，立法院邀請鄭彥棻上台報告。有些立法委員在台下大發噓聲，給予鄭氏以難堪！鄭氏在台上正言地說：「彥棻今天來這裏報告，是各位要我來的。如果各位不要彥棻報告的話，彥棻立刻就下去。請各位保持應有的風度，互相尊重。」

每次立法院會期，司法行政部長照例宴請立法院司法、法制兩委員會的委員。自油商行賄案發生之後，鄭彥棻有一次依往例先與立委們聯絡宴會時日。却被司法、法制兩委員會的召集人婉言拒絕了，不接受他的邀宴。後來，司法官訓練所學員結業典禮，照例由司法行政部函邀立監兩院司法委員會委員參加致訓，但兩院司法委員會委員，沒有一個人出席，其意在於給予鄭氏以難堪。可是，鄭氏不甘屈服，在一次新年司法人員同樂晚會中，特地在中山堂排了三天的同樂節目，大發請柬，邀請立法院、監察院全體委員參觀同樂節目。而節目中有一齣是王子犯法，庶民同罪，不畏強權，不怕暴力的故事。

鄭彥棻與立監兩院相處不愉快之事，早爲有關當局所悉。有關當局覺得有調和他與兩院情感的必要，乃出面邀請立監兩院委員宴會，席間由各部會首長爲招待主人，每一席有一位部會首長。所有行政院所屬各部會首長均是主人的代表人。鄭彥棻也是招待者之一。可是在他所招待的那一桌，開席時沒有一個客人。原來有些前來參加宴會的客人，看到自己的名字排在與鄭彥棻同桌，深恐談話間有不投機的情形，及早退席了。

據說有關當局看到這種情形之後，覺得鄭氏與立監兩院的裂痕，不是短期內所能彌補，這才決心將鄭調離司法部。

鄭彥棻的作風，是人所共知的，上述這些事例，都是他自我的表現。雖然他已離開司法大厦，但司法界談到鄭彥棻之調職，是沒有人不表示惋惜的。

紅樓夢話

脂硯齋批語引詩（下）

。翁同文。

筆者讀敦誠四松堂集，於卷一四頁下，就發現一首詩的起句為「萬事淒涼不可論」，和脂批所引句，只末一字不同。又「家常愛着」字樣，也見於明人王彥泓疑雨集某詩起句，只末三字不是「舊衣裳」罷了。

按脂批引詩，有時即點明原出前人，如第十五回述饅頭菴離鐵檻寺不遠，甲戌本即有雙行夾批稱：

前人詩云：「縱有千年鐵門檻，終須一個土饅頭」，是此意，故不遠二字有文章。

此詩即曾經周春讀紅樓夢隨筆指出是范成大句。吳世昌也曾指出前引「筍根」句為杜甫詩，「閉戶」句為李商隱詩；但他說甲戌本第一回脂批所引「三生石上舊精魂」句是唐代僧人圓觀的詩，則又不無錯誤，因為圓觀只是唐代傳奇中的角色，他的故事及詩見於袁郊傳奇集甘澤謠，亦見太平廣記卷三百八十七所引，既然圓觀只見於傳奇，唐代有無其人，也就不可知了。

甲戌本第十三回，脂批又引「計程今日到梁州」句，吳氏捨而不論，大概他知道雪芹未到過四川，所以不便指為雪芹詩。按此句乃元稹入蜀後，白居易懷念元稹的詩，全詩見居易弟白行簡三夢記，又見孟棨本事詩徵異第五，雖然故事有些離奇，但白行簡述其兄事，則很可能原詩出白居易手，或可於長慶集裏找到。

按脂批所引很是廣泛，除詩句外，尚有出語及俗諺，也有從前代小說中轉引的，如甲戌本第七回批語中有「柳藏鸚鵡語方知」句，不僅見於金瓶梅第二十五回，也見於元明人之擬話本中，宋元以來之通俗小說，不論話本、擬話本以及章回小說，所引詩句大都為前人詩，而且遞相沿襲。紅樓夢中詩，雪芹於第一回楔子曾自謂歪詩可以噴飯，自出作者本人之手，就其反映書中角色性格命運，維妙維肖，亦已在歪詩之上，但酒令籤筒中，也仍多前人成句。筆者並無意追究各詩出處，覺得脂硯引詩可能也多此類，而吳氏之說無稽罷了。

吳詩立論的出發點，似乎是脂硯不能作詩。按脂硯的才情不如雪芹，脂硯本人即曾承認，如甲戌本第二回標題詩「一局輸贏料不眞」旁，脂批即稱：

只此一詩便妙極。此等才情，自是雪芹生平所長。余自謂評書，非關評詩也。

但若說脂硯根本不能作詩，則決非實情。按第七十五回述賈環作詩，庚辰本脂批稱：

……若是賈蘭，連平仄不知，豈榮府是尋常膏粱，不知詩之家哉。

謂於脂硯在曹家的身分，趙岡先生曾考定為曹顒遺腹子即雪芹堂兄，雖然仍有人不相信，但即使如吳氏認為雪芹之叔甚至是史湘雲，就這條批語看，他也一定會作詩。

脂硯能詩與否，與本文主題無涉，且筆者亦無意為脂硯爭取著作權，但若問脂硯有無遺詩，則筆者以為可能有兩首，庚辰本第二十一回前附葉一張的回首總批中，引七律一首，其中一聯將「茜窗公子」與「脂硯先生」對舉，據該條批語，該詩出某客之手，但脂批很是惝恍迷離，連他本人的身分都令後人打筆墨官司，某客云云，可能只是脂硯的花槍，其實就是他本人。又甲戌本的底本，亦曾經趙岡先生考明並非甲戌年定本而是後於庚辰本的丁亥到甲午間最後定本，該本既為雪芹卒後定本，但獨見於該本的凡例，也是脂硯所訂。既然凡例為脂硯所訂，則凡例後的七律一首，也必出於脂硯之手而非出於雪芹之手。

總結一句，吳氏探源一書錯誤極多，此文所論，就只指出其無中生有處，尚不只所謂棠村「小」序一端罷了。

歷史人物漫談

漢高祖劉邦的對手項羽

—清園—

項羽是一個了不起的英雄，可惜他氣度不宏，識見不廣，而又缺乏耐性，所以弄得一朝而滅。

項羽又名籍，下相人。（下相，即現今的宿遷縣。）他自幼由叔父項梁養大。少年時，讀書不成，轉而去學劍法；學劍法未成，而就又不想學。他叔父看見這種情形，便生氣罵他。他對叔父回說：

「書僅僅可以記名姓，劍僅僅可以對抗一個人，都沒有什麼可學的，我願意學學能對抗一萬人的東西。」於是項梁便教他兵法，他也就非常歡喜。可是他略知一二，又不肯深入研究。由這兒看來，他是一個性情躁急，而又沒有恆心的人。

秦始皇巡行到山東病死了，天下即告大亂，項梁也乘機在會稽起兵抗秦。項羽那年，是二十四歲，身軀魁偉，力能扛鼎。他追隨叔父，隨同八千子弟的楚軍，渡過長江，向東進兵，一路勢如破竹，都是打勝仗。到了山東定陶，因項梁的驕情，而吃了一個大敗仗，項梁戰死。項羽乃收集殘部，重振聲威，會同諸侯兵，經過三年的奮鬥，便將秦朝推翻了。

他本來和劉邦有約，先入關的人便做關中的王。劉邦先打進了咸陽，「封府庫，以待將軍。」（將軍指項羽而言。）不敢亂動。項羽一到咸陽，便殺人放火，把秦朝宮殿燒個精光。并收集珍寶及年輕婦女，載往東方，秦民大失所望。有一位姓韓的書生，建議項羽立都關中，而他卻心想東歸，因而說：「富貴不歸故鄉，如衣錦夜行，誰知之者？」這韓生退出來和別人說：「人言楚人沐猴而冠耳，果然。」項羽聽了這話，不知反省，反而把韓生殺了。

項羽違背約言，立劉邦為漢王，要他到南鄭（漢中）去，這是使劉邦積極和他為敵的一大原因。項羽最差勁的地方是用人太私。陳平說：「……事項王，項王不能信人，其所任愛，非諸項，即妻之昆弟，雖有奇士，不能用。」陳平棄項羽歸劉邦，韓信也是如此，還有很多原從項羽的，也投順了劉邦。這是項羽又一失敗的大原因。

項羽自稱西楚霸王，與漢王劉邦相爭四年，心不能耐，於是和劉邦協議，中分天下，劃洪溝（今通稱鴻溝，即河南滎陽東二十里處。）以西歸漢，以東歸楚，即引兵回東方。這時漢王聽從眾人的計議，背約攻楚。到漢王五年十二月，項羽被漢兵重重包圍在垓下（今安徽靈壁縣之東），漢兵并且四面唱起楚歌來。項羽聽到這楚歌聲，不可一世的英雄，也流下兩行熱淚。他面對美人虞姬哀吟道：「力拔山兮氣蓋世，時不利兮騅不逝；騅不逝兮可奈何，虞兮虞兮奈若何！」旋因矢盡糧絕，不得已突圍而走，走到了烏江，（今安徽和縣境，在長江岸邊）又自嘆曰：「此天之亡我，非戰之罪也。」并感無面目見江東父老，乃自刎而死，這時候他纔三十一歲。

太史公司馬遷評論他說：「羽起自隴畝之中，三年遂將諸侯兵滅秦，分裂天下，而封王侯。……近古以來，未嘗有也。及……自矜功伐，奮其私智，而不師古，謂霸王之業，欲以力征，經營天下，五年，卒亡其國。身死東城，尚不覺悟，而不自責，乃引天亡我，非用兵之罪也，豈不謬哉！」太史公這個評論，我認為很恰當，所以我也不再有什麼評論了。（完）

先善後惡的司馬懿

曹操逼宮他很不以為然

晚節不終前後判若兩人

記得小時候看戲，見「空城計」裏有一個司馬懿，「逍遙津」裏也有個司馬懿。一個是由老生扮演，三綹黑鬚，一臉忠厚；一個卻由花臉扮演，也如同曹操一樣，在整個臉上卻塗遍了白粉，使人看了就覺得討厭。於是腦子裏也隨着起了問號，為什麼一個人在兩齣戲裏竟是兩幅不同的嘴臉呢？是編戲的人故意如此造作呢？抑是扮演的人自己弄錯了？

後來讀三國演義才知道原來這是司馬懿前後兩個不同的時代，表現了兩個不同的人格，一個時期是仁慈善良，一個時期卻是奸滑詭詐。「逍遙津」正是前者那個時期，「空城計」卻是屬於後者那一個時期。編戲的先生，所以在編「逍遙津」時把司馬懿變個白面書生，據說只為了司馬懿沒有像華歆那樣無父無君，殺太子，劈伏后，目空一切，只知做曹操走狗，不知做為人應該有的「人性」。本來人異於禽獸者，智慧較一般禽獸為高而已，由於智慧高，不僅是為了自己生存而生活，還能顧慮使自己以外的人能相安於共同的生活。為了使人與人共同相處而安，才創造代表文明的禮教，約束人於禮。古時，舊禮教約束得人很苛刻，使人在這種束縛上不能反抗，一個「人不知禮胡不遄死」的大帽子罩在頭上，使人使不敢不就範；可是由此使人與人之間特別看重尊崇，敬重，克己，愛人，受這種勢力所影響的社會，憑心而論，仍然有一部份可取。今天舊禮教雖然早被罵為「吃人的」而揚棄，可是新的能維繫人於人之間和睦親善東西呢？卻竟一直沒有產生出來。

司馬懿在曹操與之計議處置兩個小太子方法的時候，曾建議曹操：「饒人之福！」這本是人的天性，所謂惻隱之心人皆有之。可是直到「逍遙津」這齣戲裏，曹操統率下的人，何止萬千，然竟祇有司馬懿一個人有此人性，自然編戲先生為了褒善貶惡的宏旨，不得不把司馬懿變成個善良人物，暫時把他那副奸詐臉收拾起來。

可是司馬懿偏偏不肯早點死掉，留下來，到最末奸詐弄權，使人永留了一個像曹操一樣的印象，把他前面的善良、仁慈早忘記乾淨了。這是他自己的悲哀，也是歷史的悲哀。（冰山）

中國女性文藝春秋（續）

周遊

蜀宮詞家花蕊夫人

「十四萬人齊解甲，更無一個是男兒！」

蜀中自古多才子，也多才女，漢有文君，唐有薛濤，五代有賢妃、淑妃、李舜強、李玉簫……以及偽裝男人的黃崇嘏，在後蜀又出一位鼎鼎大名的花蕊夫人。其他女作家都是詩人，只有花蕊夫人以詩人而兼詞家。此姝不但文才雅茂，更專於愛情，不同流俗，終為情而死，頗可欽羨。一般俗士看到「花蕊夫人」四個字，未加詳考，便視之為與張麗華、孔貴妃之流人物，未免太過於武斷。

在中國文學史上，都認為花蕊夫人有二：一是前蜀王建的淑妃，即賢妃的妹妹，兩姝皆徐耕之女，也都是王建的妃子。王衍時代，冊賢妃為順聖太后，淑妃為翊聖太后。咸康元年（公元九二五年）王衍奉太后太妃同禱青城山，凡遊歷所到之地，各賦詩刻石。是年蜀亡，後人因以「坐游宴污亂亡國」之罪加諸二女。亡國之後，二女隨衍入唐，半途遇害。其一為徐匡璋之女，後蜀孟昶之妃，就是著名「宮詞」百首的作者——花蕊夫人。

美麗與聰明成了名女人的必備條件，而且也很奇怪，這二者好似如影隨形，總賦予在一個人身上。除了西施，王嬙之外，花蕊夫人在中國歷史上也算得是一個傑出的女性。她這富於詩情的名號，已把她的眞名掩沒了。這個美名，是孟昶為她題的。自古皆以花來比美女的美麗，但夫人的美麗，花尚不足比擬，故題名為「花蕊」，以比花蕊之輕盈。後又升號慧妃，以表現她聰慧的性格。孟昶非常寵愛她。

是一個夏季的一天，悶熱得煩人，孟昶偕了夫人夜起，避暑摩訶池上，夫人賦「玉樓春」一首云：

冰肌玉骨清無汗，水殿風來暗香滿；簾間明月獨窺人，倚枕釵橫雲鬢亂。起來亭戶啓無聲，時見疎星渡河漢；屈指西風幾時來，只恐流年暗中換。

此詞有說是她所作，亦有人以為是孟昶所作，後來蘇東坡先生把它改作為「洞仙歌」，更流膾人口。

花蕊夫人特別好的作品是她的宮詞。唐人王建的宮詞，也很著名，不過是宮外的模寫，頗多揣測之詞。夫人身居宮中，親歷感染宮中的一切，信筆作來，都成信史，詞文流麗清新，沒有晚唐詩人那種綺麗的氣習。下面引錄幾首較好的作品，讓讀者欣賞：

龍池九曲遠相通，楊柳絲牽兩岸風；長似江南好風景，畫船來往碧波中。

梨園弟子簇池頭，小樂攜來候宴遊；試炙銀簫先按拍，海棠花下合梁州。

月頭支給買花錢，滿殿宮人近數千；遇着唱名多不語，含羞走過御床前。

內人追逐採蓮時，驚起沙鷗兩岸飛；蘭棹把來齊拍水，並船相鬥濕羅衣。

廚盤進食簇時新，侍宴無非列近臣；日午殿頭宣索膾，隔花催喚打漁人。

春風一面曉妝成，偷折花枝傍水行；卻被內監遙覷見，故將紅豆打黃鶯。

（四十六）

選美古今談

古代重內在・今日重皮相

士林

台北於本月初，由廠商與報紙合作，舉辦了一次毛衣皇后與毛衣公主的選拔。在寒冷的季節，這該是一項「熱舉」。

說起選美，台灣已有幾年沒有參與世界性的世界小姐活動了。據說停辦世界小姐選拔，是因社會人士的不贊成，除了以國難理由反對之外，選拔是否絕對公正，也是曾經引起物議的原因，所以後來主辦者，都失掉了「興趣」。這次選毛衣皇后及公主，算是選美的死灰復燃。

美的選拔，確會有見仁見智的問題，人言人殊，但似乎都有它底主觀道理在焉。但美一定要有個客觀標準才行。這個客觀標準，就是依據美學的，而不是依據多數「投票」來決定的，因學理的標準是否爲投票大衆所理解與接受，乃是一個問題，而多數投票人的「主觀」却極易影響了客觀的評定，這是事實。近的如毛衣皇后，是憑「投票」決定的，遠的：如凌波就是因「購票」捧紅的。說凌波美嗎？未必，可是何以數年來波迷之狂熱遠勝對中姐劉秀嫚？

中國人沒有美學，美學是舶來的。但中國人搞選美，却是歷史悠久，而且所選有優異的成績。國父的知難行易學說中的「不知亦能行」確爲千古名言。春秋時代，越國選西施、鄭旦，就是一例。西施不但到現在還被國人列爲四大美人之首，而且當時，還確確實實爲祖國撈過一票，越國人爲睹芳容都願大破其鈔。近年選美時賣票，也是於史有據，古已有之的尋常事。

西施時代，照相術還未發明，是否眞美，我不知她的丰姿如何，但就歷史的傳說推斷，西施三圍絕不會達到如今天所公定的標準，即敢斷言

心。因西子小姐時常捧心，於是東施效顰貽笑至今。東施是否堪比無鹽，嫫母的尊容，甚至還差些勁兒，也不得而知，但東施之貽笑後世，顯然是因爲「不自然」所致。西施捧心，捧得自然，令人有美感；東施捧心，出於摸擬，太不自然，也就教人作三日嘔了。可見美要美得自然，而非造作。這道理，不懂美學的古人已懂了。

無鹽，嫫母之醜，有明文記載，但是史稱其既賢且能，這大概就是今日世俗所謂內在美的典型了吧。然這「既賢且能」是站在太太對於家庭的價值上說的，並非直覺的美。西施與近年世姐及毛衣皇后公主之美，都不是這一類的。現在是外在重於內在，形式決定內容。西子有捧心之美，可見西子之所以美，是表現了「弱者你的名字是女人」的柔弱病容之美。柔能制剛，吳王夫差在她那兒得到了英雄欲望的滿足後，於是吳王夫差的命運也爲她改變了，吳國的歷史也因她改寫了。西子一笑傾人國，再笑傾人城，強大的吳國也垮台了。

吳國之亡，不在西施之美，而在西施的來意不善。吳人罵西施，越人念西施，其實都與西施之美無關，都沒有眞從美的本身去批評她。

我說西施不比世姐美，連毛衣皇后也不如，你信嗎？試想，病懨懨地，瘦骨嶙峋地，既沒有健康的膚色又沒有健康的體格，又有何可言美？如今女子三圍所以被人重視，正因爲這可以反映女子的健康情形，古人不懂這些，所以古人不及今人，美色也今比昔勝。

從西施又想到另數位古代美人，我又生出懷疑來了。趙飛燕能爲掌上舞，風起便有仙去之慮，試想，如果用今天磅秤量量她體重的話，怕她還不及格。是什麼病使然，沒有婦女病我才不信！

再說楊玉環的肥，也一定不是勻稱的線條了，至少她的胸圍容或合格，腰圍却未必敢與今人的尺寸硬碰硬的比較。

談到腰，國人對女人的要求最好是細如楊柳。天啊！果然細如楊柳又如何支持她自己上半身的重量？也無怪洪昇寫長生殿要用「柳含風，花怯露，軟難支，嬌無力，倩人扶起」了。楊玉環的腰圍不可謂細，但洪昇還要如此形容，趙飛燕等瘦美人又何以堪？

希臘時代的維納斯的腰，比現在的公認標準粗些，美學專家以爲那才洽爲合宜。然而我們的春秋時代，却盛行過一次束腰運動，因爲博取一日之寵，褲帶勒緊，形成柳腰，結果搞出了胃病，死者枕藉。爲美而玩命，何苦來哉！

所幸纏足之風已殺，倘若今日中國仍以小脚爲美，那更不知禍害多少女子了。纏足之風原起於南齊的潘妃作金蓮之舞，之後，南唐窅娘又成了大名。宋以後民間乃仿效這種把戲以取悅於男性。清末民初的名學者辜鴻銘，尤其愛之成癖，不但愛看，而且愛嗅，據說他不嗅之不能刺激其靈感，使其下筆若有神。他這種作風雖然不雅，但是因這位名士對小脚的品評，於是小脚的歷史也被他延長了好幾年。

纏足就不美嗎？然而爲什麼又有那麼多人擁護它那麼多年呢？可說羣衆是盲目的，女人也是盲從的，美的標準也隨時隨人調整的。

倒是曹大家爲美女訂下的千古不易之標準，我以爲今後辦選美的人及競選者與評選者，都該拿來研究研究它。在文化復興倡導之時，更有意義。

也許你也把三從四德視爲女人的桎梏，其實我告訴你，如果選美主辦者能注意到這幾個要點，所選的人才能代表中國文化。所謂四德？就是：

一、言——擇辭而說，不道惡語；思然後言，不厭於人。

二、德——清閒貞靜，守節整齊；行己有恥，動靜有法。

三、容——盥浣塵污，服飾修潔；沐浴以時，身不垢辱。

四、工——專心紡績，不好戲笑；潔齊酒食，以奉賓客。

試想：這四樣不正是女子做人的基本條件麼？誰說四德是女性的桎梏，我就以爲不配做中國人。有四德兼備的，才算是標準的完美的中國小姐，祇憑穿着毛衣或旗袍的身材與亮相，就決定給予美的冠冕，未免太重皮相了。

畫與詩

・光合・

蘇東坡讚美王維有云：「味摩詰之詩，詩中有畫；觀摩詰之畫，畫中有詩。」這兩句話可以說是把王維的詩和畫說到家了。也可以說這兩句是人人皆具之感，不過被坡老說出來了，乃能獲得人人之默認，而成爲銘言定論了。本來畫與詩在文藝的範籌中，幾乎就是一個東西，不過表現的方法與形態不同而已。人之思想感情，用文字表達出來的謂之詩文，用筆墨丹青表達出來的謂之繪畫。換句話說，人類的感情透過思維程序，加以組織規律而表現於形態上，在詩則爲詩，在畫則爲畫。詩與畫是同出一源，故此兩者之關係至爲密切。

雖然詩和畫有如此的關係，可是在古代作詩就是作詩，作畫就是作畫，很少把詩和畫連在一起，甚至畫家們在畫上落欵時，都是越簡單越好，爲了不傷畫面，有的只把一名一印題在畫的角落裏，石頭上，樹根下，總要以不傷畫面的意境爲主；到了宋朝以後，畫家們的作風爲之一變，在畫上題跋識，題詩句，以至於題散文跋語，年月日的記載，姓名、年齡、籍貫、齋堂名，別號。用印則名號章，迎首、綠角、吉祥章，以及各種閑章，都可以任自己的意志運用上去。說起來好像是有點踵事增華之嫌，但是在高手們運用起來，不但是不嫌其繁重，反而更增加了畫面的美感，大有「竹疎煙補密，梅瘦雪添肥」，恰到妙處的感覺。同時更可以透過詩的意境，幫助人進入畫境的領域，格外顯示出詩畫和一相得益彰的神趣。

宋代人常以繪畫來描寫詩意，宋徽宗曾經用「深山藏古寺」、「竹鎖橋邊賣酒家」等詩句爲題目，令畫士們描寫以爲測驗，也許就是後來畫中題詩之濫觴。元明以後其發展趨勢已成。例如明代的沈石田，文徵明，清代的惲南田，石濤，近代的溥心畬先生，都是詩畫雙絕，爐火純青，達到極高境界的大師。

禪的火花

。吳經熊著
。吳怡譯

（三）祥瑞

處輝眞寂禪師剛做方丈時，一位和尚問他：「我聽說釋迦牟尼說法時，地上開出金色的蓮花來。今天是你的就職典禮，有什麼祥瑞可見啊！」這位新方丈說：「我只是「掃却門前雪」罷了。」

譯者按：這段故事說明一個眞正得道的人，是無需墊上任何奇異的色彩。釋迦牟尼說法時的地生金蓮，只是宗教上的渲染而已。禪宗却認爲這是不必要的，所以他們反對神通，主張「平常心是道」。慧忠國師曾批評西天大耳三藏的他心通。法融禪師未得道前有「百鳥銜花之異」，證道之後却平易如常人。這些都說明了道不遠人，在「掃却門前雪」的這一簡單平常的行動中，就可證道。

（四）呵呵一笑

白雲守端禪師是楊歧的學生，他非常用功，却缺之幽默感。某次，楊歧問他以前拜誰爲師。守端說：「茶陵郁和尚。」楊歧接着說：「我聽說郁和尚有一次過橋不愼滑倒，因而大悟，寫了一首詩偈，你記得這首偈子嗎？」守端回答：這首偈子是：

我有明珠一顆，
久被塵勞關鎖；
今朝塵盡光生，
照破山河萬朵。

楊歧聽了之後，便笑着走了。守端爲了老師的這一舉動，整夜失眠。第二天一早，便去問楊歧爲什麼聽了郁和尚的偈子要發笑。楊歧回答說：「昨天你有沒有看到那個打耍的小丑」？守端說：「看到了」。楊歧又說：「你在某一方面不如那個小丑」？守端問：「老師指的是什麼」？楊歧回答說：「小丑喜歡別人笑，而你却怕別人笑」。守端因而大悟。

譯者按：這段故事的眞意是勸人求道切忌拘泥不化，把普通人情之常，看得過於嚴肅，過於玄妙。楊歧的笑，是因事之可笑而笑，其笑本身並無意義。可是守端過於認眞，拼命去研究楊歧爲什麼而笑，這便有點緣木求魚了。在禪宗史上，不知有多少的和尚，像守端一樣，爲了一個毫無意義的舉動而失眠整夜。其實，在我們研究禪宗的公案，以及其他歷史事跡，和學術思想上，也不知有多少的學者，像守端一樣，爲了一個寫錯了的字，而挖空心思去替它將錯就錯的解釋。楊歧如果死後有知，眞要在地下大笑不已了。

中國戲劇叢談之一

竇爾墩其人其事

富有民族革命色彩

。田令。

「嘿！你不認得山東的竇爾墩嗎？」

老漢笑了笑，沒有答覆。

竇爾墩光火了，一拳打過去！不想，等打在老叟頭上，老叟連動都未曾動一下，却把他自己的手震痛了。

在這樣的勁敵之前，竇爾墩氣餒了，在觀衆的嘲笑下，他扭頭走了。

晚上，他帶着刀，找到老叟寄居的大廟，跳牆而入，發現老叟已然睡熟，揮刀就向老叟脖子上砍！誰知砍了幾刀，老叟依然熟睡如故。他鼓足了全身氣力，用力狠狠地剁！更想不到連刀也折了。這才把他嚇慌，正準備逃亡，老叟已醒，祇慢條斯理地說了句：

「吵我睡覺幹啥？」

他呆在那裏，不知如何是好。

老叟笑了笑，用手打發他走，他却心輭力疲地跪倒在地，要求老叟允許他執弟子禮。

老叟起初不肯，後來答應了，不過他說：

「我一生祇信從退讓二字，你如能改變氣質，才有學成的希望。」

他悔不當初，接受了老叟的教誨，從此革面洗心，隨了老叟離開了獻縣。

五年之後，他又回到了獻縣，已經結了婚，妻子是老叟的孫女——就是隨着老叟賣藝的二女郎之一。

這一老叟原來是史可法舊部。史閣部爲國殉職之後，他投奔張蒼水；張蒼水被殺之後，他無處可投，祇好帶了兩個孫女浪跡四方，以賣藝來糊口，並且物色人中之傑以報國仇。自從竇二墩拜他爲師之後，他盡心傳授武藝和灌輸愛國思想。竇二墩回到獻縣之後，果然一改舊行，靠着他的武功，到處抱打不平，與民除害，由阿飛一變而成了俠客。

清康熙帝南巡時，他有志學張良之刺秦皇於博浪沙，慷慨誓別其妻，獨身趕到南，夜探行宮，看到守衞森嚴無法下手，性急無奈，折到後邊馬廐，突然有馬長嘶，從聲音中可以分辨出這是一匹異種良馬，於是急切中盜了這匹馬闖出御宮，一夜之間，竟趕了五六百里，進入河南境界。

這匹馬是喀爾喀進貢的良駒，爲康熙帝最爲鍾愛的坐騎。失盜之後，行文各地，追索甚急。這時的山東巡撫錢珏，派人四出追捕，不得消息，康熙帝駕到鄴城時，山東巡撫署內室，忽然出現了一行大字：

「盜御馬者，山東竇爾墩也。」

錢珏心胆俱裂。爲了干係重大，祇有把這件事保守秘密，過了許多年，才被屬下把這件事流傳出來。

後來，竇爾墩雄心未死，却始終不得機緣，接觸到清室帝胄。晚年，妻子去世之後，知道希望渺茫，竟入山出家，索性不問世事了。（中）

自由報
THE FREE NEWS
第八二一期
中華民國僑務委員會證發
台教新字第三二三號登記證
內銷證內僑警台報字第031號
中華郵政台字第一二八二號執照
登記爲第一類新聞紙類
（半週刊每星期三、六出版）
每份港幣壹角
台灣零售價新台幣貳元
社長：李秉鵬
督印人：黃行審
社址：香港九龍登打士街91號十樓六座
91 DUNDAS ST, 9th FLOOR, FLAT 6 KOWLOON H. K.
電話：857253　電報掛號：7191
承印者：大同印務公司
地址：香港北角和富道九六號
台灣總管理處
中華民國（台灣）台北市大同街119號
電話：55395 - 56761
台灣分社：台北市西寧南路110號二樓
電話：三〇三四六
台郵撥儲金戶九二五二

當前教育上急待商榷的幾個問題

·李洛九·

我在去春國民大會第四次會議上，曾向教育當局有過專題建議，在好的方面指出：（一）台灣省縣地方教育經費多已超過了憲法一六四條之規定，使教育發展形成猛進階段。（二）國家正着手準備實施擴大志願升學方案，又超出了憲法一六〇條之規定，事實上將延長義務教育爲九年，大有追蹤先進國家之勢。（三）普及教育的數量上，國民學校正隨人口之增加，已將及每一村里一校，就初中來說，已接近每一鄉鎮一校。進而嚴格執行省辦高中，縣市辦初中之既定政策。免除粗製濫造。（四）公私立大學專科的增加，已快到飽和點；而中級師範之升格爲專科，將提高國校師資水準，更屬難能可貴。（五）五年制工農職業專科學校，將如雨後春筍一般，正迎合工業社會之需要，誰曰不宜。（六）對私立大專之立案有較嚴之限制，並規定收費標準和明令取締超收退回費用，人民對之均表敬佩！

當時同仁中有議論我所指出的問題中，例如：志願升學方案，將爲財經主管所認爲不可，因問題牽涉甚廣，該案勢將「胎死腹中」，豈能直截了當的強調「實行延長九年義務教育呢？」誰也沒料到，在去年的夏初，總統竟然明令實行延長九年義務教育，並限自五十七學年度開始，較原定的「志願升學方案」又提前了一年。

在國人一致擁護此一賢明措施中，仍不免有慮及憲法問題的，一認爲法源有據；一認爲立法上有所顧慮。本來義務教育就是國家的根本大計，也就是政府對人民的最大福利。政府播遷來台，因教育之發達和交通之便利，就提前實施了地方自治。能說「地方自治」沒有憲法上規定的「地方自治通則」這一法律，就能說是不合憲法規定嗎？地方教育經費隨社會經濟之發展，不是早已超過了憲法之規定（已如前述），怎好又照憲法規定把它降低嗎？進一步的提前延長義務教育，與地方自治相較是更切要的，何況總統命令，又係爲戡亂動員需要，而於台灣金門地區延長九年義務教育，正好依照台灣地方自治實施綱要例，由行政院制定特別法令，即可免除一切顧慮。隨教育發展，橫亘在吾人眼前的，倒有幾個急待解決的問題，願試爲一商榷性的論列：

由於大專聯考發生了「槍手」案，隨着對聯考制度引起了多方面的反對。此一制度原爲社會所詬病，但無如此次之激烈。本來教育部對槍手事件，早有覺察，惟其未能當機立斷，嚴予追究以儆效尤，似屬悞於投鼠忌器，疏於民主法治之道，致演成今日之擴大案潮，損害教育威信，曷勝遺憾！民意反映：「考試之有槍手，歷代皆有，原不足怪。但其規模之大，使用金錢數目之多，牽涉之廣，當以此時此地之聯考制度下所發生者最爲嚴重」。「聯考制度之最大害處，厥爲抹殺青年求學的志願和志趣，埋沒了天才，正與作育人才的目的相背謬，尤且與政府以發展科學研究教育爲第一優先，勢非廢止聯考制度不可」。一般輿論如斯，亦且切中時弊，依常理論，教育當局應當以鐵腕手法斷然將此一惡制予以廢除。雖亦承認聯考制度不良，但在目前仍須維持，僅就防弊上決定加強嚴密做去。因此一般認爲其不能即時廢止之苦衷，以公私立大專，若使單獨招考，勢難招架「權要」和「人情」之壓力，迫從後門收納學生。料此係一藉口，以法治政府的力量是不難解決的；否則，不啻自認爲「無能」。再窺其實際癥結，係礙於某一私立大專之過去曾以樂捐巨欵方式，濫收學生之事蹟存在，若再任其恢復單獨招生，不免賡續前轍或效尤之擴大，取締更加困難，腐蝕教育風範損毀民心士氣更大。筆者卻不以爲然。若果廢除聯考制度以後，教育部可個別分派公正大員組成小組駐校監督，嚴厲取締不肖，這可使有志青年能多得應考機會，使各能依其志願與興趣，進入理想科系，因材施教，也纔合教育原理。較諸抹殺人才的「削足適履」的聯考制度，實不可以道里計，而且在維護民族健康上更爲有益，豈能再事顢頇的因噎廢食下去嗎？此不僅難邀社會之諒解，亦何以鼓勵青年之奮發圖強！

據悉台灣省府，爲配合延長義務教育，將增設省立大學一至二所，並增加適當科系，招收碩士博士學位研究生，增設暑期部和夜間部，期能培養大專師資，及造就社會青年。此確係一佳音，甚盼早觀厥成，更期在增設上能夠逐年一校，纔能配合國力之開展。至於開放私立大學，則尚無消息，願其即時訂定嚴格之標準，絕對避免市儈投機以賺錢爲目的創開學店之防堵下，廣開私人興學之門，分在南部北部東部新自創立若干私立大專學院，以應社會急迫需要。世人已公認高等教育之普及，形成現代之趨勢，所有任何限制設立大學之舊觀念，應已不復存在。因教育投資之愈多，即可促國民所得之愈增高，從最近歐洲有識之士，所共同研究美國之生產技術與歐洲之技術鴻溝，一致認爲美國人在生產技術上遙遙領先，歐洲人瞠乎其後。據統計一個美國工人比一個法國工人的生產力多出五倍以上的原因，厥爲美國「人」的教育成功。當第一次歐戰後，美國生產技術尚不足道，曾先後派遣留學生四百餘人去德國研習科學。在二次大戰中美國一躍而爲生產霸主，演至今日，德國人反來到美國留學，而且使整個歐洲在教育上都感到望塵莫及！再美國的大學生佔全國人口百分之四十三，蘇俄百分之二十四，法國百分之十六，德國百分之七．五，義大利百分之六．九，英國最少，大學生幾如鳳毛麟角，只佔百分之四．八。從英鎊之貶值和英國目前國民所得之衰落，不就是大學教育落後所使然嗎？一個國家國力之所寄，全繫於大學教育之開展，依據經濟部長李國鼎十二月二十三日在立法院報告中美基金之運用，作高級人力之分析，包括科學研究工程技術等專業人才，與行政管理人才，其培養與運用，關係整個國家發展。

我現有高級人力（以大專畢業程度以上之人數爲計算之標準）所佔百分數：爲全人口—百分之二．〇三，現有高級人力之教育結構與其他國家比較：①我從事科學研究工作者佔全人口千分之〇．四，美國爲千分之六．二，英國千分之四．六，西德千分之二．六，日本千分之二．五。②我從事工程技術之高級人力佔全人口千分之一．七，其他工業化國家平均爲千分之五至千分之十。③台灣地區近三年來大專及研究所總畢業人數三〇九一一人，出國留學人數七〇四三人，返國服務者僅三四〇人，留學未返者爲自然科學及工程人才，也是我當前之最缺乏者，我們要一致呼籲發起愛國運動，號召海外青年返國服務，這是當前的急務。從上述比較研究下正可作吾人之研討依據，限制設立大學之觀念，已成落後，大可休止。

在大學師資問題上擬就下列各端提出商榷：（一）台省府已計劃增設碩士博士研究所，招收研究生，以培養大專師資，法良意美，惟望對私立者，應嚴加限制，以免粗製濫造。（二）盡量獎掖留學生回國服務，並提高一般大專教師待遇（增收大專學費）以引起留學生回國服務之興趣。（三）修改現行大專師資任用法規：①理工技能科仍須以學歷爲準。②國文及史地英文學科，凡在公私立高中以上學校，執教五年以上，著有教學績效者。

（下轉第四版）

今日·明日

廣開言路不拒諍諫

五中全會閉幕迄今，爲時雖甚短暫，但已有不少跡象，可以看出執政的國民黨，對於此次全會，態度嚴肅，迥異往昔，而且近來的表現，確也步步踏實，一反過去諸多會後決而不行的拖沓之風。據悉：國民黨中央，已從嚴責成從政黨員，務必將此次全會所議決的各類應興應革的事項，徹底付諸實施。眼見國民黨如此銳意革新，殷切求治，我們不禁要額手稱祝蒼生有福了。

此次五中全會的內容，我們不難從報章獲得端倪：除例行報告外，尚討論許多實際問題；揭櫫不少可行方案；內容的豐富，遠駕乎歷次中全會之上。最可喜的還是國民黨在此次全會所表現的敢於面對現實，振衰起弊的勇氣和決心，諸如整頓司法警察風氣，以及台北市交通等問題的檢討，即爲對於目前社會癥結痛下箴砭的一例。但有一點我們必須明白的：治國大事，盤根錯節，經緯萬端，必須羣策羣力，方能有濟。一個執政黨，儘管人才濟濟，但終歸是一個類型，同類的思想作風，同類的政治主張，脫不了主觀，而難突出某一範疇，且易流於因循。再說，任何一個思想學說，也不過是犖犖大端的綱要，原則，施政上的細節，本來就難免有失當或偏差的地方。因此，我們以爲一個執政黨，必須謙沖爲懷，對於黨外人士的意見，理應有所酌納，因爲以在野之身，冷眼旁觀，往往較能洞徹眞相，覓致弊端，而建國大計，也正多賴集思廣益之功啊。

以古鑑今難已於言

我們是一羣書生，於飽覽古今中外興亡的史實，參研歷代政治得失之道，以古鑑今之餘，實有難已於言者。況且抒發議論，共謀國是，亦未嘗不是報國之方。我們不標新立異，阿俗邀寵；亦不憤世嫉俗，妄作危言。我們將以誠摯懇切的態度，對政府提供建設性的意見，略盡國民一份子的責任。

據報載，蔣總統於五中全會時，曾以「不怕人說話，只怕人不說話」來訓示出席的黨員。我們深覺如此「語重心長」的話，只能出諸英明睿智精忠謀國的領袖之口。廣開言路，不拒諍諫，歷代明君都有這種胸襟。須知凡事諾諾者，或專事逢迎之流，就有如烏雲翳日，徒損於明；倒是諤諤之士的言論，有若暮鼓晨鐘，發人深省。國民黨中不乏才智之士，當能瞭然此中精義吧！（長風）

自由說

人生的兩椿壞事

有人說，人生在世，有兩椿事情不宜隨便沾染它，以免招致災禍上身，輕則人格掃地，聲名狼藉，重則身敗名裂，傾家蕩產，甚至於殺頭都有份。是那兩椿事呢？即搞政治與玩女人是也。

這說法自有道理。但人生似乎沒法子完全摒絕此兩種生活情調。政治可以不搞，古先聖人且不諱言「食色，性也」，何況凡民耶？區區愚見，認爲搞政治比較玩女人更無聊，而其作孽亦更深鉅，何以言之呢？

所謂「玩女人」，是指自己正式妻室以外的「累得死」（Ladies）而言，興致所至，棄家花而採野花，玩出了禍事，受害的除卻本身而外，充其量損及少數的親朋罷了。至於幹政治活路，其未得之也，到處夤緣請託，蠅營狗苟，昧廉鮮恥，無所不爲；其既得之也，侍上官如奴，對同寅如妓，還要想方設法以巴結上司的夫人——尤其姨太太——討取她的歡心。平日無端膺受上司或顯貴大員的侮辱斥責，必須表現着「小的該死」的奴才相。職位越是重要，且博得上峯信任的，違法瀆職的勾當即肆行無忌，滿不在乎，禍害遍及全國人民，乃至流毒於後世。這樣，不是比玩女人的罪惡更深重百倍，而其卑鄙無聊的程度亦更厲害嗎？

搞政治的先生們如果又亂玩女人，爲害之烈，乃匪可言喻，歷史上例證孔多，不勝枚舉。人們每諡女人爲「禍水」，這是男人諉罪惡的詖詞，決非眞理。既知其爲禍水，你幹嗎又欣然陷溺於其中呢？不特此也，凡屬以最不道德的行爲玩弄女人者，多係政治人物，此中情形，殆非　墨所能盡。所以，從事政治生活的人，即令規規矩矩的埋頭作官，但求固位晉爵，亦已喪盡人格，罔知廉恥，有意無意之間，造孽不淺了，若再亂玩女人，悍然缺德，那便是無可諒恕的十惡不赦之徒，可謂惡性重大也矣！

搞政治與玩女人，都不是正當的生活行爲，最好一概不沾染。如果二者未能盡棄，那末，必不得已而試採野花，貽患亦較輕些。政治的污穢性超過女色多矣，避之則吉，世間一般熱中功名富貴的士大夫，其念之哉！

馬王先生

台灣通訊

司法界謎底揭曉 陳樸生爆出冷門

本報記者 新曦

最高法院院長一職，自查良鑑博士調任司法行政部部長去後，遺缺已於十二月廿七日經最高當局決定任命最高法院刑三庭庭長陳樸生升任。在陳樸生升任最高法院院長的命令尚未發表之前，即自十一月廿九日查良鑑調司法行政部部長命令發表之後，這一段期間內，最高法院院長人選一職，一直是司法界人士猜測的一個有趣的謎。在這將近一個月之中，沒有人會猜想到陳樸生會當最高法院院長。因此自廿七日發佈他升為院長的消息傳出後，大家都說「爆出冷門」。

在較早時期，司法界人士盛傳大法官金世鼎將出任最高法院院長的消息。金世鼎從前當過最高法院推事，並曾兼任書記官長，對於最高法院審判實務以及其他院務，都瞭若指掌。尤其他具備兩項優越的條件，一是曾在法國留學，二是年富力強，是最高法院院長最理想候選人之一。當查部長的任命發表之後，就立即有人認為他就是查的繼任人。這種傳聞一直傳了將近二十天，最後被一則新聞特寫化成泡影。

十二月中旬的一天，台北有一家報紙，列出金世鼎可能繼任最高法院院長的猜測性的消息。有關當局至為注意，曾派員用電話詢問該報社，何以知道金世鼎要當最高法院院長？該報社負責人說：這是根據資料觀察推測，是否事實不得而知。第二天該報自動刊登更正式地說明。由此可知有關當局對此事之重視。有人說：因為有關當局覺得金世鼎不能保密，也有人說金世鼎的事壞在女人嘴裏，在事未成功之前到處張揚，予人以不良印象。致使最有希望的事落空。

當金世鼎繼任最高法院院長的傳聞落空了後，司法界又猜測何人是最高法院院長的繼任人選？第一個猜到的，就是最高法院刑一庭庭長陳綱。法院裏有一個不成文的規定，就是把資歷最深的庭長，派為第一庭，次深的派為第二庭，餘依此類推。由此可見陳綱在最高法院是資格最深的庭長。且他向來審理案件認眞負責而且嚴格，由他升為最高法院院長，應該是順理成章的事。他樣樣條件都好，只是年紀比較大一些，年逾古稀，不願繁瑣事務的干擾。據說他自己也沒有想當最高法院院長的念頭。

陳綱出任最高法院院長的傳聞過去之後，司法界人士又猜測可能是大法官黃亮出任最高法院院長。黃亮從前也當過最高法院推事，並兼書記官長職務，對於院內審判及事務，都駕輕就熟。他比上述兩人更優越的條件，就是他年紀比金、陳都輕，看上去還不到六十歲。只是他的資格比較前兩人稍為淺一些。但認其出任最高法院院長的希望很大。

正當司法界人士紛紛猜測之中，有關當局忽然於十二月廿七日命令陳樸生升為最高法院院長，完全出人意料之外。原來人們只注意到最高法院院長人選的資格及年齡，而忽畧了其他因素。資格及年齡固然是需要的條件，而其他因素仍然有很大的決定性。

如果選任金世鼎或黃亮兩人之一為最高法院院長，在過程中，相當麻煩。因為大法官須經總統提名，監察院同意。金、黃都是現任大法官，出一缺額，就應設法遞補。便須經過提名及同意的各程序。本屆大法官於十二月卅日才宣誓。廿七日尚未宣誓，如選金、黃之一為院長，他們都是最近才選上的大法官，未宣誓就又離職，諸多不便。同時，金、黃都是由於最高法院推事資格選任為大法官，如出缺必須再由最高法院推事中提名遞補，人事上牽連甚多，動蕩太大，易使人心浮動。最高當局乃自最高法院庭長中選出最高法院院長的繼任人。而陳樸生在所有庭長中，是年紀最輕的，今年纔五十七歲，又一直在法科院系中兼任教授，名震杏壇，為國際知名的法學教授。在年事較高的庭長不願出任院長，大法官也不便調充院長的情形下，陳樸生自然而然地蒙升任為最高法院院長了。

竹簾掀起

大陸教育界已成亂局 青少年學生淪於悲運

「紅衛兵」易發難收復課觸礁

·豈心·

（本港訊）據大陸來客談稱：前年八月十八日自毛澤東及林江之輩挑起「紅衛兵」的暴亂以後，共區所有大、中、小學生全都淪於悲慘的命運，所謂「文化革命」的把戲，使得千萬青年被這根無形的棍子驅出了家庭與學校的大門，他們一鼓作氣參加「大鬥爭」，「大串連」的結果，流血丟命，身填溝壑者，比比皆是。後由於「文化革命」的徹底失敗，社會秩序已被攪得支離破碎，毛共為了挽救危局，又妄想以一紙命令再把這些放蕩成習的青少年一箍腦兒驅回學校，不聽命的不是監禁就是下放。如此一來，這些筋疲力盡的青少年的命運更是不堪聞問了。

可是，毛匪中、小學校三月復課偽令，一紙具文，有名無實；校舍被「紅衛兵」破壞，形同廢墟，教師被鬥垮、鬥倒、鬥臭，師道尊嚴掃地，大多遠走高飛；被迫任教者，亦莫不情緒低劣，無心教學，為我國自有教育以來空前混亂危局；參證上情，毛共中央急亟通令大、中、小學開學招生，即使是原反毛之各校教官、幹部，亦「讓他們站出來工作」，雖是一種懷柔拉攏權宜之計，但顯示毛派在學校之鬥整暴行已至黔驢技窮，尤以最近派軍隊進駐學校監督實行「大聯合」，企圖藉此收拾殘局。

學生荒嬉成習 無視復課命令

毛共中央、偽國務院、中央軍委、中央文革小組，於去年十月十四聯合通令各級學校，要立即開學及積極準備招生事宜。規定六點事項如次：

（一）全國各地大學、中學、小學立即開學。

（二）各學校都必須認眞執行「毛主席」關於鬥私批修的指示。

（三）一切大、中、小學一邊進行教學、一邊進行改革，在教學的實踐中，貫徹「毛主席」的教育革命思想，逐步提出教學制度和教學內容的革命方案。

（四）各學校應該遵照「毛主席」一九六七年三月七日的指示，要在革命的原則下，按照教學班級、系的系統實現「革命的大聯合」，建立「革命三結合」的領導班子。

（五）各學校的教官和幹部大多數都是好的，除了地、富、反、壞、右份子外，有些人過去犯了錯誤，只要他們能認識錯誤，改正錯誤，就應該讓他們站出來工作。

（六）各大、中、小學校都要立即積極籌備招生的事宜。」

大批湧到街頭 增加社會困擾

北平毛共將廿二中、廿五中、女八中、女十二中之若干高初中學生一批，下放至內蒙錫林郭勒盟西烏珠穆沁旗白音寶力格公社，當嘗遍社員和牧民；下放之學生包括各校「軍委會」成員「革命羣衆組織」負責人，學習「毛著」積極份子。已於去年十月啟程前往偽內蒙地區；因該學生等平日偽裝積極，此次身受充軍之苦，惟有敢怒而不敢言。

按：共黨中央、偽國務院、中央軍委、中央文革小組，曾於去年十月頒發關於「下鄉上山的知識青年和其他人員必須堅持在農村抓革命促生產」的通知，該學生等被迫下放，顯係與毛共當前此項政策有關。另悉：青島市共黨前曾多方設法庇護其下放青海子弟逃返家鄉；海南島、佛山等地廣州籍下放青年，近亦乘「文革」混亂，藉機結夥返穗打擊毛派。

天津地區各級學校秩序混亂，近已達到不可收拾局面，目前各校設備續被破壞，課桌椅被人任意搬走；學生反以此為借口不願上課，但亦無人敢於過問；彼輩荒嬉成習，既無書可讀，閒來無事，則大量湧至街頭，鑿事生非，增加社會困擾。該市武鬪流血迄未終止，入夜情況益見緊張，打殺之聲，與搶刦事件日有所聞。

校長回扣風險

張紹文

[illegible]著實施延長義教九年，政府對國民中小學課程標準，業經修訂公佈，固不在話下。過去國校教科書，悉由台灣書局統一供應，書商沒有競爭餘地，倒不發生腐蝕教育風氣之「回扣」問題。將來國中課本，是否依小學例，目前尚不敢斷言。如仍依舊例：初高中國文、公民、史地等規定標準課本，其餘英、數、理、化以及三民主義、文化基本教材等，均任書局編印，申請核准發行。據五十四年中國年鑑載全國中學校為三九六所，學生總數為四二三、八六五人。基此九十餘家書商營業對象，至為廣濶，利潤尤豐。鬪其競爭手法，幾一例以回扣數之高低作營業之比較，而其回扣之運用，係採「暗厚明薄」之策畧，「暗」者為代辦主管之個人優利，「明」者為校方之公共福利，有志一同，毫無顧忌。

據聞逝世不久之某書局董事長，生前曾被人以其支付回扣帳冊（內分別記列受者姓名和明細欵數，惟仍有廉潔校長多人，大名不在此內），向其挾嫌威脅，某即觸發宿疾，竟爾作古。有人作最低估量，若依每一學生分攤回扣十五元計，則一千人為數之校，每一學期主事者即可獨享一萬五千元（其餘經常設備購置建築回扣等，尚不在內），餘可類推。而且這類收入，相當安穩，很少風險，縱有言官亦難察證糾舉。近來社會對之大為詬病，故有人計議將所有教科書一律改編為標準本，統籌供應。消息露塵，書商紛議，奔走駭汗，正醞請願。悉知內幕者則謂：若干有「門徑」之校長，已採「殊途同歸」之保衛攻勢，企圖「奇兵制勝」，使本案「胎死腹中」，以保既得利益。若然，此輩身負教導青年責任者，寡廉鮮恥，敗德喪行，毀損教育尊嚴，枉顧民族大義，竟至如斯，豈僅令人悲憤而已！

在莒春秋

大學生遭歧視 無力仰事俯畜

近悉毛共將大學生一般區分為兩類，一類為「脫離實踐的小資產階級知識份子」，一向不太重視；另一類為「無產階級的知識份子」，均能得到任用。大學畢業生由統一安排工作，初時月支工資偽幣四十八元五角，一年後轉為正式幹部，月支工資五十八元五角，但在八年之內最多不超過六十元。聞毛共自去年底起降低工資。由於目前共區每人按月生活費約需偽幣三十元，一般高等學校（即大專學校）畢業生，僅能維持夫妻兩人生活，對仰事俯畜已感無力負担，如再降低工資（薪給），則更無法維持最低生計，故對毛共至為不滿。

共區高等學校畢業生，因素質一年不如一年，故其工作能力極為低劣；以上海偽同濟大學為例，其土木工程系學生修業期限為五年，內含參加「文革」一年，「社會主義教育運動」半年，學習「九評蘇共公開信」兩個月；且教材內容大量刪減，畢業後需在工作單位學習三年後，始能掌握基本業務；七年後始能担任獨立設計工作，毛共對彼等均不重視，認為大學畢業知識份子，在工人與政治幹部中，都是脫離現實之小資產階級份子。

毛共規定去年高等學校畢業生將再降低工資（薪給），工作一年後始定為正式幹部，月支偽幣五十八元五角，以後八年內不得超過六十元，故共區大學畢業生所得難以糊口，莫不情緒惡劣，無心工作，待機外逃。

旅美散見

·張起鈞·

乙巳仲秋赴美，先後在夏威夷大學及南伊利諾大學執教，遂為「新天地」月刊按期撰寫「旅美作家常」，以向友好報導旅美遊踪，兼述在美見聞。嗣承王雲五先生邀出專冊，而成「旅美漫話」一書，朋輩多有喜之者。今值本報革新之際，乃畧本其旨，別論瑣事，因就美見聞從新陳叙，非云有識，聊供讀者茶餘酒後之談助耳。

許多事，習之既久，相沿成俗，大家便毫不以為有問題了。但從外面突然來個人，冷眼旁觀，使會覺得非常奇怪。而美國的許多大事小事，從我們東方人的眼光看來，就正是如此。

找不到漱口杯

首先說件小事。美國人講衛生，好清潔，盥洗沐浴設備更是極盡豪華。但是你無論走到那裏，絕找不到漱口盂。你不論住在什麼考究的地方，私人的華厦也好，觀光的飯店也好，都不會給你預備漱口盂的。你就是自己要去買，走遍了超級市場也沒有。那末美國人不漱口嗎？當然漱，他們就拿喝水的杯來漱口。你到任何大旅社，都是在盥洗室裏，放兩隻喝水的杯子給你用，眞是不方便極了。但是他們就從來沒想到單獨作一種漱口用的杯子，雖則他們的工商業那末發達。

清末的駐英法大臣

曾紀澤不愧惠敏

·鐵公·

曾惠敏公紀澤，字劼剛。曾文正公長子。文正薨，詔命襲爵，服除入京為京卿。紀澤體質稍弱，但頗聰儁，入京久，迄未得實缺，頗鬱鬱。時李鴻章方主北洋，謀推薦出主上海機器局。紀澤非所願，李與沈葆楨、郭嵩燾等，不時向當道喩揚，對紀澤出處，屢代籌措。李於光緒三年十月間致函沈葆楨云：「劼剛才氣挺邁，京官勢難久居，外省亦難俯就。將來不得已恐仍不免出使耳」。四年正月復函郭嵩燾謂：「其才原可出使，又不急於自售，且體弱累重，不甚相宜，微獨執事不必薦以自代，弟亦未便遽以上陳」。在李、沈、郭等之心目中，紀澤厥為一上選外交人才也。

光緒四年，派充出使英法大臣。未幾俄乘我內亂，據伊犁。使俄大臣崇厚，與俄議定界通商，多損權利。朝旨褫崇厚職，即以紀澤兼任，詔命改前約。紀澤握要力爭，顧全大體，卒能挽回已失權利，初出茅廬，已嶄然露頭角矣。

是時法越衅起，同治十三年法與越南訂第二次西貢條約，法認越為獨立國，同時又規定越南外交由法主持。光緒元年，法公使羅淑亞，照會恭親王，報告法越新約。恭王不諳宗主國與屬國承認之關係，未予抗議，僅聲明越南為中國之藩屬。此聲明間接否認法越新約，法使因法德關係緊張，不敢多事，故亦未多做爭議。

光緒六年，法德關係稍趨緩和，中越關係於法越第二次西貢條約以後，反日趨密切，故法在越南北圻再進一步。

紀澤時在北京，聞訊即向法外部提出抗議謂：「雲南邊陲，非中國所願，從法越立約，中國不認。法如僅整頓商務，中國猶可寬容越私立約之失，全法顏面；若另謀進步，則負中國保全友誼之心」。並同時建議恭親王：「密諭越王，無論有何要務，切不可乞助於法，致成開門揖盜之災。此次發兵前去，必由將帥私帶一約到越，脅令畫押，應囑越王，切勿與法輕立新約」。

光緒七年底，紀澤復上疏清廷稱：「微臣揣度大概情勢，法國除在廷數員之外，能深明東方情形者實無多人。竟有不知越南為中國之屬邦者。……爭以空言，必須視諸實際，實屬至當不移之論。……遵當欽臣諭旨，堅持前議，總以不認法越前訂之約為根，以冀形格勢禁，消弭釁端，仰慰宸廑」。

一介書生出使強敵

紀澤與法人反覆辯難，頗為法人所憚，乃回駐倫敦進用英人以圖影響法國。是時有人勸紀澤勿過分強硬者，紀澤電總署：「邵道（邵友濂）電勸澤勿持剛論。澤確見法黨皆痞徒，讓彼得手則有進無止，挫之則黨言自變，不敢不陳策備采。暗助越以兵與械。試法可敵，我乃益剛。不可敵，亦宜不認所為。似無可再柔」。法人大嫉紀澤，其公使脫科到滬，與李鴻章晤談，竟出示該國外部電報，詭稱紀澤與外部所言三事：一、李處有全權專議越議；二、允中國不明助、暗助越南；三、不阻撓甲戌條約法國應得之權利。經李電詢紀澤，方知盡為法人造謠，以圖破壞。李向總署報告云：「昨將脫使面稱曾侯所允各節詢劼剛，請向外部詰辦。頃接劼剛二十九日電：脫以法所希冀各條，妄稱澤所面允。澤即日具牘詰外部。法紳（法國議員）悔越役者，初七將詰沙相。乞中堂待脫加嚴，或不理。……二十八九日脫請就談，今又請來晤，皆嚴卻之。僅派人往彼知會今晚登輪。（李自返津）脫忽然謂將各行其意。正與劼電相符」。

爭重讓輕不失時機

脫科詭計不行，法更派德理固為使，德更以侮蔑方式加於紀澤，以圖打擊紀澤聲譽。據九年九月與馬建忠會談節略中記載：「德云：余實告爾，本國業已電諭統領古爾貝，飭令添兵到齊，務令將北圻境內凡手持兵械者盡行掃清。古爾貝已電告本國，謂北寧一城駐有中國官兵甚多，如何辦法？本國電答以：凡在北圻內手持兵械，無論係中國官兵與否？皆以土匪論，一概驅逐。故古爾貝俟下月初水陸並進，攻擊北寧；且出奇兵抄襲其後，斷其退路。此計勢在必行，未知曾侯已電告貴國否？建忠云：曾侯電報與否，非余所知。今晚所問各事，實屬私見。德云：吾知曾侯必不能偵探所事。即如德國與英國合謀前往朝鮮，於貴國實有不利。此事已謀八月之久，各國公使無不偵知，曾侯亦曾電告貴國乎？又如巴夏禮（英使）與香港巡撫飽溫在北京電告英國，沙面之事設有他虞，香港戍兵一千餘名，當即調往廣東相機辦理。本大臣現接香港電報，稱英兵業已準備隨時可往。曾侯亦電告貴國乎？總之東京之事，曾侯既不能了了，靜以待時，他自當以不了了之。」觀此，法人以威嚇，造謠，挑撥，侮蔑，各種窮凶惡極之手段，以圖打擊紀澤之聲譽，固無所不用其極也。

然而紀澤在倫敦，仍多方運用，籍英人牽制法國。迨朝鮮事起，李鴻章不欲與法兵連禍結，法人亦不敢多所需索，於津約外，別無所求。雙方勉就和議。此固由鎮南關之捷，然紀澤折衝樽俎之功亦實不可沒。

紀澤一介書生，出使強敵，當交涉之衝，與法人據理抗辯，爭重讓輕，使法人大感狼狽，而尤為難能可貴者，為能針對實事，言中肯綮。而又不能不失時機。留外數年，於英法語言亦能琅琅上口。翁同龢日記即有其與外使啁啁做夷語之記載。世家子而毫無紈袴氣。誠不愧惠敏二字。

現代學人叢談之一

胡適先生二三事（一）

——孫夢庵——

適之先生逝世六週年又快到了，回想此一代學人，眞覺得笑貌猶新，而墓木已拱，實不勝高山景仰之情。胡先生是一代名人，他一生也成就了很多名人，有的人以捧他出名，有的人則以罵他出名。捧的人無論矣，罵他的人，每覺多未能搔到癢處。胡先生非無缺點，只是大醇小疵，缺點不顯著而已，且其原因亦值得原諒，因他十幾歲即貫通經史，二十幾歲已學貫中西，這大半要靠才情，專靠工夫是不行的。因古今中外的書籍浩如烟海，學說派別那麼多，如不靠有天生的敏捷參透力，對這些學問大概有所領悟，聞一知十比類推求，是無法在二十五六歲年紀就能「成家」的。清末民初時代，雖說天下已亂，但元氣尚未盡傷，國家還很像個樣子，舊的文化雖已落伍了，但我們畢竟還有自己的東西在。在這舊根基中陶養出來的青年，氣質自是不同。現在回想起來，自戊戌政變至五四運動這一時期文風之盛，文人之多，眞如傳說所云：「天上文曲星下界」，前後相較，今日眞有沙漠之感了！

如胡適先生民前三年題與友人合影詩七律一首云：「人物江山皆入畫，萬花叢裏見羣賢。銷魂無語思宗國，執手相看盡少年。尚有此中能嘯傲，已無片土不腥膻。哀時詞客知何益，幾度詩成一泫然。」以一十七歲的少年，能作出這樣憂時老到的詩，非有異稟不可。舉此一例以見先生的天賦不同。然胡先生的缺點，就在成名太早，太過年輕，正如熊十力先生說他的短處為：「有感即發，不能愼言。」這正是年輕氣盛的短處。在普通人如此，倒還可以，已成大名的人，這樣往往會予人以口實的。因為存心攻擊你的人，他不管什麼「大醇」，只要抓住「小疵」，就借題發揮了。

現在我也想談談胡先生的一二缺點，但在下并非反胡派，這一二缺點都是我平日讀書隨感而起的。胡先生在時每想面謁請教，惜未及往而先生已謝世了。但在未談「小疵」之前，還是先說「大醇」，以免誤會。胡先生的好處，是在他不拘於古，而能有近代人的精神，接受西方的長處；同時又有中國人傳統精神，而不一味西化。正如總統蔣公挽他的聯語所說「新文化中舊道德的楷模；舊倫理中新思想的師表。」至於他對傳統文化態度，則認為發揚傳統文化必須有新的治學態度，要以科學方法整理國故，對傳統文化與以新的評價，賦以新的精神，深入淺出，深體篤行，才能普及於大眾，收到效果。故步自封，自尊自大，對固有文化并無益處，且也不合於古人的謙虛態度。他只有對極端守舊派才有較激進的言論，一到心平氣和時，他的中庸之道就油然而生了。他對政治上的態度如此，對讀經、尊孔等態度無不如此。我欽佩胡先生的地方在此。且認為中國傳統文化的發展如有前途，必然是胡先生早已指出的那條路子。大處交代清楚，現在讓我來談談親身感到的有關胡先生的一些小疵。

一、胡先生是提倡科學精神的，「拿證據來」是他常引用的一句名言。這是對的。但胡先生一生從未敎人注意，若證據錯了，會使一件事情全盤錯誤的。這是他的過份樂觀的缺點。我在北平讀書時由於年輕喜歡純文學，當時崇拜的人物是劉半農、郁達夫、徐志摩、知堂老人等，那時對胡先生尚不甚關心；但有一次我在胡適文存上讀了他的一篇「論老殘遊記的文學技巧」，談到老殘遊濟南大明湖，在鐵公祠前看見城南的千佛山影倒映入湖中的美景。胡先生說老殘遊記的作者鐵雲記錯了。

獨得美容秘訣

慈禧太后得寵由來

紀曉嵐主持四庫全書未收進的孤本，竟達六七八九一〇本。最可惜的兩本書，一部是「色學」，一部是「財學」，這兩本書是逃過秦始皇的火而留下來的，紀曉嵐却自藏起來了。其中有一部份被紀先生的佣人抄出來賣給許多達官貴人，稱誦一時。而原來的孤本落在什麼人的手裏呢？據說其中一本「色學」落到慈善太后的手裏。西太后為了這本書大得寵愛，書中告訴西太后怎樣美容？用珍珠來擦面，比牛奶、脂粉要高明得多。至於房事一層，更有好文章，語句太傷雅不必說了。西太后得了這種法寶，居然使四十多歲的老太婆，打扮得像十八歲的少女一樣，因此大得皇帝寵愛，不然，西太后這老狐狸，早被被打入冷宮。可惜以後失傳，否則留到今天，則大有用處了。（水如）

公讌胡大使伯玉（拜）

丁未仲冬朔日陝籍中央從政同仁五十餘人假台北僑聯賓館公讌駐越南大使胡伯玉將軍仰見風徽卓犖不減當年議論縱橫悉關世局驚冠裳於四座遣逸興之遄飛爰賦四絕聊表敬意

蹯蹄峻阪履艱危。百戰威名眾口碑。
氣聶冠儕華嶽壯。海濱揞拄賴豪羆。

皇華大旆任張弛。將使崢嶸自逶迤。
的是英雄眞本色。折衝樽俎笑談麾。

銅柱象林遠驛傳。槃敦修好使君賢。
伐謀一體關唇齒。金甲牙旗錦繡連。

一席清談漢賊分。將軍儒雅亦超羣。
沼吳志業堅如鐵。仰企汾陽再造勳。

·李洛九。

中國女性文藝春秋（續）

周遊

蜀宮詞家花蕊夫人

她所作的詞，除前引的亦稱孟昶所作的「玉樓春」外，只有「醜奴兒」半闋。乾德三年，（公元九六五）宋師平蜀，夫人隨孟昶入汴，道經葭萌驛，在驛壁題「醜奴兒」云：

初離蜀道心將碎，離恨綿綿，春日如年。馬上時時聞杜鵑。

……

書未畢，軍騎催行。後有人續之云：

三千宮女皆花貌，妾最嬋娟。此去朝天，只恐君王寵愛偏！

到京後，夫人被召入宮，昶遂遇害。相傳宋太祖曾以蜀亡問夫人，夫人答詩云：「君王城上豎降旗，妾在深宮那得知？十四萬人齊解甲，更無一個是男兒！」

蜀亡時，尚有精兵十四萬，而宋師平蜀，只有三萬人，所以夫人言下尚有不甘。夫人入宮後，太祖也非常寵愛她。但是她並未忘情於孟昶的舊情，她的身子雖遭蹂躪，可是却沒有征服她的芳心。孟昶被殺，使她痛心疾首，惟悒悒於言。孟昶是一個文雅的美丈夫，且解詠吟，平日此唱彼和，十分雅趣。宋太祖是個武夫，不懂什麼溫情，也曾作過什麼不通的詩，粗豪而不雅。他只會提三尺劍，拿不動三寸毛錐。如此的人物，她更加不忘情孟昶了。在百般無聊下，幸虧她善繪畫，畫了一幅孟昶的相，朝夕奉侍，以寄情於無。有一天太祖看見了，她詐稱乃是張仙，祝之可多子孫。太祖却被她瞞過。

入了宋宮，她等於做了一隻花瓶，憑她秀色的誘惑，博得主人的任意愛憐。但是，年華似水般的過去，落花逐水流的時候了，便要被主人視若弊履，她的生命也隨之終結。終結時的情形，正如她心愛的丈夫一樣不幸。為輸入蠶室，尤悲憂抑鬱，不忘故君，卒以罪賜死。（四十七）

人的天年是一百四十歲

生活漫談

・馬騰雲・

奇妙的未來日，
矮子可以變高，
長子可以改短，
醜的可以變美，
瘦的可以變肥，
還可返老還童⋯⋯

第二次世界大戰期間，美國電機聯合公司在芝加哥舉行過一次百年進步展覽會，有十位傑出代表發表高見說：一、將來的飛機由陸地電鈕操縱指揮；二、人類可以控制電子及宇宙光線；三、傳染病絕跡，人的平均壽年以七十歲為標準，（百年以前的平均壽年是三十五歲）；四、未來不僅可以征服病魔，而且有控制腺的功能；五、對於太空的神秘，可以完全揭穿；六、將來的發電可以利用太陽光的熱能；七、化學上有不可思議的發明。他們一共發表了三百餘件預言，其中有些確都兌了現。因而控制腺的功能，相信也會實現。如果，腺的功能可控制時，矮子變高，長子改短，醜變美，瘦變肥，乃至於返老還童都有其可能性，同時，對於人體和腦的關係，也會有極大的貢獻。人類普遍的壽年為一百歲，更不會成為問題。當時集會的，還有七位醫學專家，他們一致指出「疾病」這兩個字，將來祇是辭典中的名詞了。照這樣看來，我們如果再能期待一個時間不死，張岳軍先生認為「人生七十才開始」和蕭伯納說的「三百歲是人的成熟年齡，」可能均為先見之明，依動物學家的統計，每一種動物的成年期，用七去乘，就是它應當得的天年。人是二十歲成年，它的天年是一百四十歲。筆者這樣「大膽假設」，如果讀者們願「小心求證」的話，即利用你們身邊的家畜小動物計算計算，是一件很有趣味的問題。

醫藥的高度發展，使很多的絕症都有了救，即是談虎色變的「癌」，於最短期內也將變為不會致命的東西了。這樣說來我們每個人都有做老壽星的資格了？不！事實與理想往往相反，因為我們在人生旅途的過程中，患絕症的機會，究竟不多，最大多數的死亡率，據統計還是由於積勞成疾。換句話就是預支生命過多。因之我們要想長壽的話，萬不可預支生命，做一些自己所做不到的事。醫藥的功能，固不可抹滅，講衛生，無疑的佔着重要成分。保衛自己生命的三道防線：一、醫藥衛生，二、環境衛生，三、心理衛生。三者不能缺一。醫藥衛生一般人都瞭解；屬環境衛生者，一、浴日光，二、暢空氣，三、慎飲食，四、重整潔，五、勤勞動，六、善休息，七、適環境，八、正思慮，九、調七情，十、節嗜慾；這是有形的，容易做到的，祇要持之以恆，效果自見。心理衛生則比較複雜，非三言兩語，所能盡述。就人為財死這個角度來說，社會上不知產生了多少諸許罪惡傷天害理的事件，兩千幾百年前孔聖人因看到當時搞得太不成話了，才說出：「富貴可求也，雖執鞭之士吾亦為之，否則從吾所好」。以聖人的大智，對富貴都作如是觀，很多愚不可及的朋友，為了求富，為了求貴，為了求功，所招致的苦惱，是可以想像的。凡此皆妨害了心理衛生。一些搶奪和不擇手段的做法，大體上多淵源於「物競天擇，優勝劣敗」的一套，使貪妄的朋友，多一種題目，其實優也未必勝，劣也不見得敗，因為這些傢伙忽略了達爾文到了晚年，痛悔自己失言，也曾告訴過翟浦夫人（Lady Hope）說：「我年輕時思想不成熟，對於一切事物，都愛投以責難、疑問，和自己淺薄的臆斷，未料我的思想竟像野火樣燒開，受許多人崇拜信仰，唉！我真希望收回這些話」。

另一派人認為「人生就是一條淚路。」持這些論調，與遊戲人生的朋友們同屬一種偏差。因為人生既不是淚路，也不是遊戲，人生就是人生。假定要問人生究竟像甚麼，人生倒很像個填不滿的慾海，和攻不破的愁城。最好的辦法是別去做傻瓜，從事那些填慾海攻愁城的艱危任務。（上）

禪的火花（五）

吳經熊著
吳怡譯

巧解難題

禪師們常常故意用進退兩難的方法，把學生們逼得走投無路。如天衣和尚在翠峯明覺門下學道時，明覺會給他一個難題說：「這個不對，那個不對，這個那個都不對」。當天衣正要想回答時，明覺便用棒把他趕了出去。這樣的情形發生了好幾次。後來，天衣充水伕，有次扁担一斷，把整桶水都打翻了，就在這時，他見到自性，解開了這個難題。

香嚴智閑禪師有一次也以同樣的難題考問僧徒說：「求道之事正像一個人用牙齒咬住樹枝，高高的懸空吊着。下面有人突然問他：『什麼是祖師西來意』？假如他不答，便是他的不知；假如他回答，則一開口便掉下來摔死。請問他究竟怎麼辦」？這時，虎頭招上座正好在場，他便站起來說：「我們不必問他在樹上怎麼辦？請你告訴我！他在未爬上樹之前，是怎麼樣的？」智閑聽了哈哈大笑。

義端禪師是南泉普願的大弟子，有一次他對僧徒說：「語是謗，寂是誑，語寂向上有路在。」

法雲禪師是雲門宗的人物，有一次對僧徒說：「假如你進一步，失道；退一步，失物。不進不退，則像一塊石頭般的無知」。當時一位和尚問：「如何才不致於無知啊」？法雲說：「捨偏除執，盡你的可能去做」。這個和尚又問：「我們如何才能不失道，又不離物？」法雲回答：「進一步，同時，又退一步。」

譯者按：以上所舉的四個公案，雖然巧妙各有不同，但都是用進退兩難的問題，逼學生捨執除偏，以達到是非兩忘，善惡雙離的境界。

第一個公案，說明這個不對那個不對，只有扁担折斷，水桶倒翻一切打破，才是最真的事。第二個公案，問未爬樹前是什麼，也就是要捨棄答與不答，而直證本來面目。第三個公案，是不落於言筌，不耽於寂默，而採取向上一路。第四個公案，是進即退，退即進，雙即又雙離，以達到絕對圓融的境界。

當前教育上急待商權的幾個問題

（上接第一版）

（只有檢定合格，而無大學學歷者）得檢送著作以憑審定（為避不實，著作須經報章雜誌發表者為限。）可任講師。③十年以上者可任副教授，十五年以上者可任教授。④未執教而有相當著作者，亦可從講師起送審。如此不僅可補救文史英文教師之缺荒。亦可鼓勵自學風氣，啟發各級教師之研究精神！

職業教育上已有了五十餘所工農商五年制專科專校，惟聞課程標準，尚付闕如，仍令各校自行其是。識者認為首三年教育，須以民族精神教育通材教育為主，如一味技能職業！，必會步入偏差，產生不良後果。應以國文、公民、史地等科培養其氣質根性，從英文數理化學上以奠定工具學識基礎。後二年再加強專科專業訓練，嚴格實施，達成真實造就。再須准予專科畢業生中之才智堪造者，隨時有轉升大學相當科系之機會，以宏造就，藉以促進職業教育與普通教育相輔相成之功效。

九年義教實行後，台省府已預計三年之經費，需二十八億五千五百五十一萬元（不包括台北市在內）。第一年增校建設費為六億八千餘萬元，除由中美基金項下撥款五億九千餘萬元之外，尚不足九千餘萬元，將由地方籌措。在本案實行後，高中以上經費仍須增加來源，就學養學。可以日本為例，明治維新後，公立學校除義務教育外，均收較高之學費，（比私立收費高，但從不限制私校收費）用之於設備之擴充，教師之待遇。但日人均以進公立學校為榮，因其有優良之師資，在造就上和出路上，均與私校大不相同。這一傳統維持到了現在。台省府近有增加高中以上學校學費到四百元之擬議，茲數似可酌量提高，用作幫助提高教師待遇之用。

當在小學惡補時期，每一高年級導師之額外收入，依地區經濟環境之不同，由每人月入五百元高至三千元不等。義教實行後，此項收入當然失去，其家庭溫飽將發生嚴重問題，勢將使學能優異者迫於轉業甚或降低往常之教學情緒。這是事實也是必然情勢。社會人士深慮惡性補習轉移國民初中，實在說來，公私立中學，已早有加強鐘點費和課業輔導費之額外收費，作為補貼任課教師之用，儘管教育當局如何禁止，如何限制，在事實上，是莫可如何的！從好的方面說：近四五年來如非公私立中學之增加校內有計劃補習，那末危害教育整體性之商行性補習班更加利市百倍，其影響教育之深遠，是不可想象的！再如台北市之各初中近年來之進步，升學比率之提高，固出於省辦高中縣市辦初中政策之成功，實際上校內補習之裨益不淺。尤可在訓導上有極大之幫助，由問題少年之減少，可窺一斑。茲事關係重大，應請當局妥籌良策，以應實際，似非一紙禁令，即可濟事！

憲法一六五條明文規定：「國家應保障教育、科學、藝術工作者之生活，並依國民經濟之進展，隨時提高其待遇」。依五十五年國民所得為一百八十九美元之數，雖然基數尚少，但在國民經濟之快速發展上，已有顯著事實，何能任教師之待遇，最低亦不能與勞工生產者比？其收入僅勉可個人糊口，為迫於仰事俯畜，使其不能不自覺的悖義投向惡習補習賺取外快之途，影響教育清白，有傷國譽，至於斯極！基於憲法規定，已沒有理由再以低待遇來對待培養國力發展之教師，至望當局對此問題，迅謀切實解決。

此外尚有教育風氣之改革，教育尊嚴之維護，國民中學校長之年齡限制問題均關係重大，容待另文論列，暫不多贅。（完）

中國戲劇叢談之一

竇爾墩其人其事

富有民族革命色彩

○田令○

這段筆記所記大致如此，究竟真實性如何，却不得而知。如果不假，則今日戲曲中的竇爾墩，實在已被冤枉多年了。

戲曲中的竇爾墩，自私，狹隘，盜馬目的祗為栽贓誣陷。在黃天霸上山道破身分之後，起初還要殺天霸，由於天霸視死如歸，及大頭目的幫忙，使竇爾墩釋放天霸下山，可是却又約期決鬥。因朱光祖的留刀未殺竇爾墩，竇才慚赧，自願到官認罪，洗刷黃家罪名。由於黃天霸的營救，竇終被赦，後來才入山出家。結局雖同，但人格的表現，却大有區別。戲曲中的竇爾墩也是浪子回頭，但回頭的太晚了。

近年因裘派唱片流傳甚廣，迷裘的人多，裘唱的坐寨盜馬，也就不脛而走，然而唱詞却已與老詞不同，把「河間府為寨主坐地分贓」，改為「河間府除暴安良」。我以為這樣改法，實在欠通。如依平劇全部連環套情節言，竇爾墩有坐地分贓的事實，說不上有除暴安良的行為，如果依清人筆記所記來觀察竇爾墩，雖未必「坐地分贓」，然其「行」也不「良」，則是事實，又何安良除暴之有？等到他有了安良之行的時候，已經是深明民族大義國仇家恨的人了。其盜御馬，是他謀刺康熙帝不成的示威行動。與擲污博浪椎之壯士比，尤其出色。可惜，戲曲裏沒有這樣情節，我們祇看到了竇爾墩的劣跡。

記得政論家陶希聖很久以前，曾就中共竄改平劇摧殘藝術事發表過一篇專題演講，就曾以盜馬為例，說他們這種竄改「是要叫聽衆不知不覺的改變一些觀感，並接受一些階級鬥爭的意識」。我以為這齣戲祇竄改了幾個字，就說它寓有階級鬥爭之意識，也嫌失入，然而其竄改之目的，是為改變「聽者」之觀感，則是無可否認之事實。但改的太惡劣了，聽的人反而會生出惡感，硬要給竇爾墩的流氓無賴欺輭怕硬行為，美之為「除暴安良」，誰會相信！

如果想把竇爾墩在人心目中的地位昇高，我想還是有賴新的劇本的創作，可以把竇爾墩的恃強蠻幹的醜惡而給予洗刷清楚。但那已不是中共所想創造的人物了，共產主義裏，根本是不要民族這名詞的。

因此，舊劇在大陸，祇有連根拔掉，因它底存在，很難為他們作政治服務，祇有產生反效果，這也是中共利用舊文化竟會產生「大毒草」的悲劇之所在。（下，完）

自由報
THE FREE NEWS
第八二二期
中華民國僑務委員會頒發
台報新字第三二三號登記證
內銷證內僑警台報字第031號
中華郵政台字第一二八二號執照
登記爲第一類新聞紙類
(半週刊每星期三、六出版)
每份港幣壹角
台灣零售價新台幣貳元
社　長：李運鵬
督印人：黃行耆
社址：香港九龍登打士街91號十樓六座
91 DUNDAS ST, 9th FLOOR,
FLAT 6 KOWLOON H. K.
電話：857253　電報掛號：7191
承印者：大同印務公司
地址：香港北角和富道九六號
台灣總管理處
中華民國(台灣)台北市大同街119號
電話：55395．56701
台灣分社：台北市西寧南路110號二樓
電話：三〇三四六
台郵撥儲金戶九二五二

復興文化，討毛救國！

——我們對大陸動亂情勢的看法和主張

張翰書

面對中國大陸上的動亂情勢，想提出我們的看法和主張。

首先，我們對於大陸上的動亂情勢，應該有一種正確的基本認識。馬克斯的共產主義到了蘇俄，變成了列寧主義、史達林主義；到了中國大陸，就變成了毛澤東思想。毛的思想與馬列主義以及史達林主義都不同，他想以「獨出心裁」的一套來統治中國大陸。他這一套，所遭遇的阻礙，第一就是中國傳統文化的力量。在中國傳統文化中長成的大陸民衆，自然的與毛的思想不相容。在毛看來，這是極大的障礙，於是他要徹底破壞中國傳統文化。

其次許多中共領導人物，本是毛的夥伴，但是在毛的心目中，他們還難免有些「資產階級」的意識，深恐他們要走修正主義的路綫，後果堪虞。他說得很明白，走赫魯曉夫修正主義的路綫是很危險的，因爲那就要爆發匈牙利式的「政變」，而蔣總統將回到中國大陸。毛認爲這些人不但不能與他個人的一套配合，而且反成了阻力，於是對這些人也要展開鬥爭。還有，就連整個共黨的組織，也成了毛的眼中釘，非要把它徹底摧毀不可。毛覺得這一代人已經是「不可救藥」了，他把他的一套如意算盤寄託在下一代上，於是有紅衛兵的組織，叫這些小夥子們去幹野蠻殘暴的破壞工作。目標所在，要把大陸上現存的一切一切，包括共黨本身在內，一齊打垮，然後另外建立毛個人的一套。我們從一年多以來大陸上表面盲目動亂的背後，追根究底，可以看出其由來實在於此。這是毛個人「破罐破摔」，苟延權位的狠毒陰謀，也是一個極權獨裁者的「獨夫」作法！

大陸上什麼都鬥完了！

經過一年零四個多月的鬥爭動亂以後，我們看大陸的局面如何呢？可以說一切都完了。不但固有文化蕩然無存，鬥爭奪權，四分五裂；就連共黨組織的本身，也被打得支離破碎了。共幫這一代的人被鬥得七零八落，下一代的人，由於多成爲兇暴的紅衛兵，也等於被毛犧牲了。毛自然是想建另一套個人的領導，但在如此混亂的局面下，也無從建立起來。所剩下來的，還有什麼呢？祇有一個滿目瘡痍、獨夫困鬥的局面。

在大陸上原有一切已被鬥垮，而毛個人如意算盤的新企圖無法實現之際，我們的救國之道如何呢？關鍵所繫，要在討毛。前面講過，大陸上不但原來的文化已慘遭摧毀，連共黨本身也被鬥垮了，即令尚有零星殘餘，絕對無法恢復爲成形的組織，因爲：

(一)其組織既已被打得稀爛，潰亂之餘，自無法再結合成一個整體。

(二)經過思想鬥爭之後，對馬列主義也不會再有堅強的信仰。

(三)既無整體的組織，蘇俄方面也將無法卵翼它。

首先全力消滅毛共

可以說目前大陸上，實際祇有一個「獨夫」毛澤東在作困獸之鬥。所以，我們現在得要集中力量討毛。在毛幫討平之後，大陸上將是一無所有，可以一切重新作起的局面。既然須集中力量，自然要團結海內外一切反對毛幫的人士，在蔣總統領導之下，組成聯合陣綫，合力赴之。而在推翻毛幫的統治以後，透過所有反毛各民主黨派政團的平等合作方式，舉行選舉，換言之要把憲政之治，在整個大陸施行起來，措國家於長治久安。

在討毛救國的進行過程中，有一個必要的配合，就是復興中華文化。蓋摧毀毛共的最大而無形的力量，還是與之絕不相容的中國傳統文化，所以復興中華文化運動與討毛救國陣綫，必須裏應外合，並駕齊驅。在毛幫敉平之後，更是要以中華文化，來使大陸上的民衆恢復常態。

復興文化注意兩點

不過，在現正推行的復興中華文化運動上，我們要提請大家特別注意兩點。第一，也許有些人把中華文化講得太玄了；太玄了之後，會使一般人對中華文化有高不可攀，可望而不可及之感。所以，我們在推行復興中華文化運動時，最好是平平實實的，而不要講得太玄。從最平實處看，我們把毛所加之於大陸同胞的許多非理性措施，一起剷除，而使他們恢復原來慣常的生活方式，這就是復興中華文化。在政治上，馬列主義、毛澤東思想等都含有外來的毒素；摧毀毛共的統治以後，我們要拿出我們自己的辦法來，這也是復興中華文化。這樣平實的提倡復興中華文化運動，或許能使一般人更易於接受，而得收宏效。

復興文化絕非復古

第二，復興中華文化運動，絕不是復古運動，一般人也許很容易有此誤解，這樣的錯誤觀念，必須予以澄清。歷來世界上的復興運動很少是單純復古的，西方中古之後的文藝復興運動是最顯著的例證。這個運動不僅恢復了希臘、羅馬一脈相傳的古典文化之眞面目，而且更創造了一個光華燦爛、富有活力的新世界。「Renaissance」一詞本來含有「再生」(Re-birth)與「新生」(New-birth)二義，實兼賅古典文化之復活與近代新文化之誕生而言。我們的復興中華文化運動也有類似的情形。我們應使所要恢復的固有傳統文化與現代新的東西滙合，而形成多彩多姿的現代新中國的文化，絕對不是復古。

總之，我們現在的要務是復興中華文化，討毛救國，願海內外一切反毛人士共勉之。

毛共不許越南和平

今日明日

勿爲空言進步所陶醉

台灣政要們，特別是財經方面負責人士慣談台灣經濟飛速進步，在台灣吃美援飯的美國人以及中國人也樂談不疲，因爲如此纔足以表示他們的工作成績。平心而論，近十多年來，台灣經濟建設確有不少進步，可是我們仔細推敲也發現若干事實，譬如(一)個人平均所得還趕不上日本，距離美國差得更遠。以一九六五年爲例，美國民所得爲二千八百多美元，而同年台灣二百美元還不到；(二)青年就業不太容易，八行書比較眞材實料重要得多；(三)租稅結構，間接稅的比重遠大於直接稅，簡直不能同已發展國家如英、美相比；(四)在對外貿易方面，入超還是常態，輸出項目最多的還是農產加工品，打入國際市場上的著名台灣工業品並不多見；(五)主管財經機關的行政效率，仍多爲人所詬病，譬如退稅的緩慢，有關投資法令的繁瑣等等；(六)最值得注意的還是若干負責人士的財經觀念與時代的脫節。我們如果問一句：台灣經濟實力能禁得起多少程度的暴風雨考驗？財經負責當局是否有個確切答案。有進步是事實，但永遠掛在嘴邊豈非自我陶醉，疏於努力！

整飭司法風紀

行政院局部改組，最惹人注目的一件事，應該是司法行政部的易長。風聞在執政黨舉行五中全會時，有人對年來司法風氣大肆抨擊，不僅全場稱快，連極峯也爲之動容。果然，新部長查良鑑氏上台後，第一篇談話便提起，整頓司法風紀問題。以言整頓，顯示原來的風氣必不良。平劇裏丑角有句戲詞：「衙門口向南開，沒錢的別進來」。這個諷刺不知流行了多久。衡量現代國家是否進步，唯一的尺度就是司法是否清明，法治是否澈底。如果法律之前，不能人人平等，有權勢，有財力可以易非爲是，顚倒黑白，那必將導致社會的忿怒，國家的動亂，豈止國家不進步而已。整飭司法風紀，有絕對必要，但望能發生澈底的效果。

國際金融爭霸

多少年前，有位國際著名貨幣學家曾寫一本國際金融爭霸論，分析美元、英鎊和法郎的暗鬭情形。一九六七年十一月十八日的英鎊宣佈貶值，雖然不是當年金融爭霸的重演，却也顯明受了國際力量的壓迫，其中最主要的就是法國對英鎊價值的不予支持以及蘇俄的暗中搗亂，其後戴高樂的聲明，巴黎市場的搶購黃金，都是它的餘波。目前國際最關心的問題是：美元之前途如何？英鎊會不會再度貶值？就國際大局的影響看，金融穩定，對國際都有利，固不僅美國受其惠。所以美國當局堅持維持美元對黃金的現值比率，(每盎斯三十五美元)，而各國央行總裁也表示支持。現在國際金融市行，金價趨穩，美元價值應無問題，其實戴高樂也祇是夢想，縱屬美元不穩，巴黎也不會作爲國際金融的中心，法郎也不足作爲國際性貨幣，不過在國際經濟戰中，作蘇俄一個幫兇而已。(戈篤)

自由談

敵乎？友乎？

美國有個名叫「太平洋學會」的文化團體，是一般自命爲思想前進的左傾知識份子的巢穴，如在我國對日抗戰時期，担任駐華大使館政治顧問的拉鐵摩爾，暨使館新聞處長費正清，即係該學會的中堅人物。他們千方百計詆毀我政府信譽，讀美毛共的一切行爲，終於藉着美國的力量，把中國大陸斷送給毛共竊據了！

拉鐵摩爾嗣經美參議員尼克遜、麥卡錫等人調查檢舉他是國際共產黨的同路人，被法院訊究許久，最後雖未判刑，但已不容於社會與論，祇好躲到英國去教書，而由費正清出面領導「太平洋學會」，依然爲共產主義張目助勢。

費正清以「中國通」自封，却不懂中國語文。他認定中國共產黨之崛起，是對西方帝國主義的報復；又說中共的思想行爲跟中國儒家的傳統思想相脗合。強詞奪理，荒誕不經。一九四三年我國教育部長陳立夫提倡儒學，費正清和美國駐華大使高思竟向華府報告，指述陳部長尊崇儒學的主張，是中國人的「隔代遺傳症」和「沙文主義與排外思想的來源」，希望美政府加以干涉，其狂妄自大，有如此者！

費正清之流，徹頭徹尾是蕭伯納所謂「染紅自己旗幟」的共產黨同路人，即是中華民族的國際敵人，事證昭彰，毫無疑問。然我國高級知識份子中，竟有視之爲好友而對他拉攏唯恐不及、稱讚唯恐不至者，是誠何心，殊難索解也。

據說，費正清假藉「文化合作」的名義，每年以五萬美金送給咱們學術界人士，如果因此即忘却國家民族的生存危機，而以敵爲友，這就是表示我們學術界墮落到了不堪設想的地步，所謂復興中國文化，所謂反共救國云云，不啻是自我諷刺，可哀亦復可哂也矣！

馬五先生

延長國民義務教育九年 有無牴觸憲法激起爭論

（台灣通訊）

本報記者 新曦

在這次行憲廿週年紀念日大會中，有人提出延長國民義務教育為九年的合法性問題。但經有關人士從中疏導，未曾作成提案。

數月之前，在一次某機關邀請國大代表的宴會中，也有人提出這個問題。有的認為延長國民義教為九年，與憲法有所抵觸，有的認為毫無抵觸之處，兩派爭得面紅耳赤，幾乎動武。

這個問題的發生，是憲法第一百六十條有明文規定：「六至十二歲之學齡兒童，一律受基本教育，免納學費。其貧苦者，由政府供給書籍。」這項規定的意思是：六至十二歲，要受國民教育。不受教育者，強迫其受教育。如今將國民義務教育延長到十五歲，故有所謂與憲法抵觸之說。主張另外設法使延長義教合法化。

其實如果依據憲法之精神解釋，把國民義務教育，由原來規定的六年，延長到九年，毫無不法之處。

憲法之精神，載明於憲法總綱之前的前言：「……為鞏固國權，保障民權，奠定社會安寧，增進人民福利，制定本憲法。……」各國國民義務教育，大都延長為九年。我國為應時代潮流的需要，早就應該把國民義務教育的期間延長。現在這項措施，正是富國利民之措施，並無違憲之可言。

至於憲法第一百六十條雖然規定國民義務教育為六年，但並無明文規定不得延長。按國民義務教育，是國家花錢來讓人民讀書，不要人民繳學費，使有錢和沒有錢的人，都可以同樣受教育。人人受教育的機會平等。憲法第一百五十九條有這樣規定：「國民受教育的機會一律平等。」延長義教，正是符合這條條文的規定。現在國家財力不足，不能免費讓國民讀大學，如果國家有充分的財力，能花錢辦理免費大學，使全國國民不分貧富貴賤，個個都可以不花學費受完大學教育，也就是把國民義務教育延長到大學畢業，有何不可？

指延長國民義教為九年是抵觸憲法第一百六十條規定者，在發言之中，也沒有指責延長義教之有何不當。相反地，他們還贊同政府此一措施。只是他們認為既然此一措施與憲法相抵觸，似有尋求法律依據的必要，否則一旦有人提出指責，無以為答。

殊不知法律解釋，有一項重要原則，就是：在發揮立法精神的原則下，任何法令，都可以從寬解釋。延長義教為九年的法律根據，業已載於憲法之中，毋庸另找法律根據。

台灣教育界的隱憂

北一女中偏重死背強記政策 全省中學教學方法引入歧途

（台灣通訊）

目前此間教育界正值多事之秋，大專聯考之槍手代考案，有如晴天霹靂，舉國震驚，各方責難，洶湧而來，教育部長就曾為此引咎辭職，可見其事態之嚴重了。

但我們認為這不過是部份聯考負責人員之失職與無能，予妄圖僥倖者以可乘之機而已；今後只要對症下藥，在技巧細節上，善加防範，即不難彌補此一漏洞。最堪吾人憂懼的，不是槍手而是隱藏在聯考制度下，整個中學教育流於偏差的問題。

升學率達於高峯

就以北一女中來說，該校規模宏大，學生多至六千餘人；且成果輝煌，升學率高達百分之九九。其中甲組百分之九九，乙組百分之九七，丙組百分之百，丁組百分之九八。量多而質精，不僅令聞名全省的建國中學，在相形之下，為之黯然失色；就是比之於各大專院校，亦決不多讓。

該校十九年來在江學珠校長全力領導下，全體師生，學而不厭，教而不倦，德、智、體、羣四育並重，均衡發展。在運動塲上，囊括聯運田徑、游泳及體操的錦標；在課外的活動上，儀隊操槍，金鼓齊鳴。……優良的學行之外，他們表現的是活力與樂羣，決不是一般人想像中只知啃書死氣沉沉的一羣。北一女中之成功可貴處，就在於此。

但所謂的成績優異，只是一般膚淺片面的看法。該校在德、體、羣三方面的成就，誠然極其圓滿，卻少有人知：即在衆所稱道的「智」育上，反而是該校最弱的一環，最失敗的地方了！

北一女中集合全省女青年之菁英於一堂，實負有培育國家英才之責；然而在歷年來升學率百分之九九的輝煌成果下，學生們又逐步走向不重思考，只知記誦的死路上去。

重記誦 不重思攷

他們在背誦國文之餘，對三民主義，生物史地，也是照背不誤；甚至數理化學，亦是一視同仁，毫無例外。情勢發展至此，正是「災情」慘重矣！國文英文是語文科目，背誦雖未必是理所當然，但也無可厚非；三民主義，生物史地，若只知背誦，已是大錯特錯，不可原諒；抑有進者，數理化學，也依樣葫蘆，死背強記，則與為學本意，根本背道而馳了。我們不知道這羣未來的台大學生（考取台大者，占該校畢業生百分之四十，錄取新生之百分之三十，是以台大已有女多於男患），何能成為國家各門科學的人才？

該校可以把「學而不思則罔，思而不學則殆」背在嘴上；卻不知要學思並重，加以融會貫通。他們也了解「盡信書不如無書」的「解釋」，卻寧願固守在教本的小圈子裏，不想廣泛的去閱讀課外讀物。是以所得的，只是片段零碎的記憶，思想貧瘠，缺乏想像，文章千篇一律，毫無內容。試將北一女青年，與建中青年相較，則優劣立見。北一女中向以文科見長，而其代表性之刊物，竟如斯幼稚，豈不可悲！

我們知道中山女中（前北二女中），虎尾女中，與嘉義女中，都曾培育出相當有份量的女作家；而北一女中，對於這一方面，則獨付闕如，交出白卷。他們背上了成績「第一」的包袱，在升學競爭的熱潮下，只有忍痛犧牲在文學藝術或科學上的天才與興趣，而把全副心力集中在背書上，只因為那是考上大學的萬應靈方。

苦用功 我見猶憐

天下為人師者，總難免時有怨言，大嘆苦經，說學生們不用功，不願背書；而我們今天卻碰上了一個適得其反的怪現象：北一女中的學生，則太用功，太喜愛背書了。背書對於天資平庸的學生，不失為一條可行之道；但對於這羣天資聰敏的學生，則反而是莫大損傷了。

我們無意苛責北一女中的老師，因為他們為了批閱學生的考卷，又夠辛勞了；他們為了把學生推進大學之門，已盡了最大的心力。我們更不能責備北一女中的學生，實因為他們唯一的心願，就是跨進大學之門；他們是那種走在路上，口中猶念念有詞，在手一卷，無視於來往車輛的景況，真是「我見猶憐」，不知該喜該悲。

奇怪的是，許多大學教授已有「最不歡迎北一女中學生」的慨嘆（因為他們已養成習慣，把中學的一套，原封不動又搬上大學），何以在聯考制度下，北一女中的學生，仍然是一支「常勝軍」，以其升學率百分之九九絕對優勢，高踞首位。大專聯考為了閱卷「方便」，為了劃一「標準」，為了求「客觀」，不惜大出記誦死背的題目，甚至乾脆以「測驗題」的姿態出現；而有關綜合發揮性的題目，只好慘遭淘汰。反正夏日炎炎，大家樂得輕鬆愉快。當然這羣背書家，在考塲上得以輕易的過關斬將，勢如破竹了。

教育界最大諷刺

大家也別以為北一女中的師生，都是一羣傻子，不願輕鬆；老師就偏愛改卷子，學生只嗜好死背書。其實整個問題的癥結所在，就在聯考試題的難易與方式上。

我們，獨舉北一女中為例，並不是說學生背書，只此一「家」而已，事實上全省各中等學校，莫不朝著這個方向前進。而且在不久的未來，必是只有過之而無不及；因為他們天資不若北一女中的學生，非自暴自棄，則不在「背書」上急起直追，勢必永遠落後，與大學絕緣。

北一女中學校，是目前最好的中等學校，其情況尚且如此，其他學校自是可想而知。教育至此，到底是造就人才，還是殘害人才？就頗費思量了！槍手代考，誠然目無法紀，但還不是根本的大病，中學生「死背」的諷刺，才是教育界最深的隱憂。「不知」與「高唱」「復興」中華文化，發展科學教育的先進們，是否能明察秋毫之末，也能一瞥如斯車薪？

屏東集資台北建校引起風波

·商晉·

（屏東通訊）屏東縣長張豐緒發起集資在台北創建「建華工專」一事，迭起波瀾，不料學未開成，波瀾迭起。民國五十五年四月，張縣長及部份地方人士集資六百萬元，在台北縣湖口鄉興建一學校名曰「建華工專」。屏東地方人士私下多表不滿，認創校地點，應在屏東，不應遠在台北；而張縣長竟在校舍蓋成後，把董事會組成名單，呈報教育部，教部以不符規定為由，再加上董事之間發生歧見，因之校舍雖建，始終不能招生開學。張縣長為避免麻煩，乃將該校以五百九十五萬元售與建華農塲主人蕭靜，呈請教育部變更創辦人及董事。經教育部函覆：指——張豐緒等並無捐資興學之誠意，至請變更創辦人董事一節應毋庸議，並將該部五十五年四月六日准予建華工專籌設一案應予撤銷」。股東聞訊大憤，紛紛請求退股。蕭靜看到這許多糾紛，立即反悔承購。張縣長一計不成又生二計，再以五百八十萬元轉賣與張少輝，議定先交付二百六十萬元現款，餘款續付。並於去年九月三日召開股東大會，追認賣校問題，並把六十萬建校籌款分二成退還股東。其餘八成何時退還，尚在未定之天。聞張少輝明瞭實情後，亦表示不願意承購，要求退款，顯示問題越來越多了。

佛教聖地曼谷

海外見聞　族鳥

曼谷是泰國的首都，面積甚大，估計約有台北四倍大！人口如連衛星都市均計算在內，超過二百萬，也比台北多。但整個曼谷，除了政府官署所在地及一條憲法大道外，其餘的街道，均不甚寬濶，建築也不宏偉，給人以一種大而無當的感覺。不過市內寺廟林立，金壁輝煌，滿街上走着穿黃色袈裟的僧人，頗富東方情調。在曼谷的那一天（廿六日）承育民中學（校長係師大校友李萬春）的柯主任與另一位文小姐陪同，我參觀了曼谷動物園與幾處佛寺。曼谷動物園跟台北圓山動物園差不多，無甚可記；曼谷的佛寺則極具吸引力，我發現所有的寺廟建築都非常巍峨壯麗，佛像更是莊嚴肅穆。尤其特別是，寺院內到處矗立着上尖下方，高低不等的寶塔。這種寶塔與中國的不同，多數是實心的，人不可以進去。由於所有寺廟與寶塔都是用黃色的雲母片裝砌的，所以在日光之下，反射出道道金光，就好像那就是佛家的極樂世界。泰國的僧人衆多，大概是受了這種氣氛的感染。惜乎那天不是佛節或假日，曼谷最有名的佛寺—御佛寺（泰皇禮佛的地方）不開放，以致我沒有機會瞻仰，否則我相信必更可大開眼界。晚上曼谷湯瑪撒（Thmmasat）大學教授蘇萬里（Suwanposri）駕車引導觀光曼谷夜景，湄南河畔，薰風醉人，流連忘返，幾乎誤了班機的時間，可算是旅途中一段驚險的插曲。

中縣選情緊張 林王旗鼓相當

（台中通訊）台中縣第六屆縣長選舉，經辦妥國民黨提名候選人登記的計有：林鶴年、王子癸、丘樹森、楊丁、林有德、李子駿、楊定國、張克敏、黃旗艦、蔡卯生等十人，在這各有長短，互有高下的情勢中，究竟誰能贏得這提名的一局，當有待執政黨的明智抉擇。

據熟悉政情的人士稱：台中縣這次辦妥執政黨候選人提名登記名單分析，林鶴年不僅是佔有現任縣長獲有優先考慮提名的權利，而且他還具備着相當優惠的好條件。就整個選局「觀察」，林在台中縣是「林派」首領，其實力雄厚，票源廣佈，這些條件，又都能符合執政黨提名的原則。同時他已是第一、三、五屆，三選三勝，穩坐縣長寶座達十年之久的老資格。論選戰；從第五屆選戰中的二十一鄉鎮選票，除外埔等四鄉鎮負於對方外，結果，他以壓倒優勢票擊敗縣長何金生，所以他對這場選戰的策劃，地方人士認為他確是老謀深算的人，有「他一手」。論行政經驗，也有他的長處。不經過此次，王子癸放棄現任議員選舉，以陳派實際負責人實力，對下屆縣長可謂志在必得，看起來他似乎有自信，所以對林鶴年輕視的。其他六人中，除楊丁聲望與治績比較上，雖與前議長僅遜一二籌外，其餘則仍在未定是否會爆出黑馬之天。

分析：據地方政壇人士：台中下屆縣長選舉，林鶴年、王子癸二人，在這局棋上，頗有棋逢敵手，殺得難解難分之局。因省議員蔡鴻文不過林鶴年及他黨外人士王地，所以能一般採看聯合陣線，除執政黨提名林鶴年競選連任外，王地當選另立友誼立塲，另一途徑；然不願意自退，在林、王二人中，即爭取上屆選舉，不是照辦法下，仍然時林、王二人，誰持自由競選，相持不下，誰能勝，放棄二屆入選舉的人，皆無怨言，這樣王地可能轉而支持林鶴年，為如由執政黨提名林鶴年，則王地可能轉而支持提拔新人，借助林鶴年的實力，而奪取縣長寶座。

至於楊丁的爭奪提名，唯一能爆出冷門的理由：一、楊丁必須超派系的姿態出現。二、林鶴年與王子癸在「蚌鶴相爭」之下，能有「漁翁得利」的機會。但仍須獲得黨內團結一致對抗黨外人士，否則雖獲提名，在普選的結果，勢必遭遇慘敗。（自由）

學人專訪

錢穆先生談中華文化

沈謙

民國三十八年間，炮聲隆隆中，共產黨徒在大陸上，大肆攻擊中國現代學術文化界的兩位典型代表人物：一位是著重西學的胡適博士，一位是專研中華文化的錢穆先生。

民國五十六年十二月，文化復興聲中，我們却在台北市麗水街一條幽靜的巷子裏，會見了錢穆先生。

錢穆先生是卓越的史學家、國學大師，在香港主持新亞書院多年，可以說是第一個眞正利用國外金錢辦中國教育的學校。錢先生雖未受過正式高等教育，却能由小學教師進而教中學，再進而成為北大等校的名教授。以「先秦諸子繫年」一書奠定了他在學術界的不朽地位。

數月前，錢穆先生由港遷台定居，目的就是要摒除外擾，求得一個安寧的環境，好靜靜地休養，著作。因此，來台後，婉拒了許多外界的邀約集會，專心撰寫「朱子學案」。不過，今天錢先生却走出他的書房，在客廳裏和我們侃侃而談，精神非常好。

首先，我們請教錢先生：中華文化有那些重要的特色？

錢先生啜口清茶，微笑着說：

「不簡單！」

空軍邀請作八次演講

他告訴我們，前些日子，他曾一度出外旅行講學。那是應空軍方面的邀請，到全省各處，為空軍基地官兵作了八次的講演，都是有關中華文化方面的。那八個講題是──

（一）中國文化的中心思想──性道合一。

（二）中國文化的人與人倫。

（三）中國文化中理想人的生活。

（四）中國民族與中國文化。

（五）中國文化之進退升沉。

（六）中國文化與世界人類將來。

（七）中國文化之最高信仰與終極理想

（八）中國文化的中庸之道。

錢先生不厭其煩地為我們解說：前三個題目是從哲學方面來講中國文化思想的。第四第五兩個講題是和歷史方面有關的。至於後三個講題，則是用比較現代的眼光來看中華文化。

這八個講題，可以說是概括了中華文化的特質。正要為無緣的、向隅的廣大羣衆抱屈，可惜聽不到錢先生精闢的講演，却異常欣喜地知道：錢先生這八次演講，都作了詳盡的錄音，再加上另一次「復興文化與反攻復國」，將於近日內整理完竣出書，俾使這些闡述中華文化的見解能傳入所有中國人的心坎裏。

談到文化復興問題，我們覺得，在台灣推行的「中華文化復興運動」，除了在報紙上見到一些文章、報導，以及在學校舉辦舉辦演講之外，似乎並沒有收到太大的顯著效果。

不再有人罵中國文化

錢穆先生聽到這裏，沉不住氣了，他興奮地說：

「怎麼會沒有效果呢？第一點，不再有人罵中國文化了！現在五十歲以上的人，生來就處在一個罵中國文化的時代與社會裏。我為了寫愛好中華文化的文章，一輩子吃虧，現在可不吃虧了。」

錢先生又激動地說：

「推動一堵牆容易，推倒中華文化難。五十年來，有喊打倒孔家店的，結果孔家店沒被打倒。有提議廢除漢字的，結果漢字也無法廢除。最近大陸上搞文化大革命，也沒有革出個什麼名堂出來。」

他表示，談文化，不能只是破壞。這樣不行，那樣又不好，倒底那樣好呢？有些人提倡全盤西化，也沒人提出個完整辦法──如何西化法。最不能令人佩服的是，有許多提倡西化的中國人，沒有西洋人的嚴肅和勤奮，更談不到西洋的運動習慣。錢先生笑着說：

「我們中國六七十歲的老人還會摸摸太極拳哩！」

談復興須從自己做起

談了許多有關中華文化的問題，我們繼續請教錢穆先生：復興中華文化不是喊的，是要作的，像我們青年人應如何去做？

錢先生點燃了烟斗，繼續地說：

「第一、不要罵中國文化！」

「第二，自己從本身做好！」

錢先生表示，現在有許多人不懂中國文化，這還不算什麼，要緊的是，不懂的不要隨便批評，開口閉口「中國人如何如何」。你是中國人，不懂中國文化已經夠糟了，還能再造孽？

他告訴我們，有一次在留學生出國前的訓練班上演說，特別强調一點：就是到國外去，人家問你中華文化如何如何，知道的、好的，可以說；不懂的，不淸楚的最千萬不可以隨便批評。因為這關係着國家地位，每一個在外面的留學生的言行，却會影響國家前途的。

後來，錢先生到故副總統陳辭修先生家中去，辭修先生就非常欣賞錢先生這段話，說是講得最好的。因為陳故副總統的女公子也在聽講之列，回家把錢先生說的話告訴了她父親。

錢先生提到從自己從本身做好時，說中國人自己，對中國社會文化，多少總得懂得一點。不光是今日，三十年、五十年、一百年以前的也要曉得，不能問有沒有用，人活着不是除吃飯之外都問有沒有用的。

中國人到底是中國人

錢先生又說：從前留學生出國，大都兩、三年，至多五年，一定回來。現在出國留學的，一去不回，起初還好，等到時間久了，幾乎沒有人不批評美國的。中國人到底是中國人嘛！

最後，我們提出一個頗耐人尋味的問題

「有人說，跟外地比較起來，台灣是文化沙漠。請問錢先生，以你新近回國定居，比較客觀的眼光看來，覺得怎樣？」

錢先生笑着說：

「並不覺得怎樣嘛！起碼，中國的報紙就遠在美國之上，人民的世界知識也遠比美國高得多。」

他告訴我們，美國報紙除了少數幾份還像話之外，地方性的報紙簡直不成樣。每天登上幾十幅女郎訂婚結婚的照片，再來就是出殯消息，大家看了好去送葬。世界新聞根本沒有地位，只揀比較輕鬆有趣的補白補白罷了。

一代宗師錢穆先生，除了談中華文化之外，留給人的印象，是中國傳統的德高望重寬厚長者的典型。我們該不會忘記，中華文化是推不倒的，中國人自己不能罵中國文化，復興中國文化更要從每一個人自己本身做起。

（完）

現代學人漫談之一

胡適先生二三事（二）

──樵夢庵──

千佛山離城十餘里，山影絕映不到大明湖去。而且說蔡元培的小姐曾親自帶着老殘遊記遊大明湖，特意留心，終未見山影。根據「凡事拿證據來」的原則，於是先生判定劉鶚寫錯了。然山東是我的故鄉，大明湖是我常去玩的地方，我的確不止一次看到過山影。我一想山影之有無事尚小，胡先生提倡的科學方法出了毛病關係却大，一定要找個機會和胡先生談談。那時我還是一個高中學生，平時難得有機會，剛好在一個寒冷的冬天，胡先生在北大二院演講「歷史研究法」，我去聽講。散會時我想去跟胡先生談此事，怎奈人羣包圍，擠不上去。而天寒日暮，肚子又餓了，於是被一個同鄉拉到「東來順」吃羊肉　鍋去了，失去這一次機會。但我對胡先生在那次演講中，曾極力批評郭沫若所提倡研究上古社會史，原始社會史的風氣，則印象甚深。他說「眼前放着近代史的材料不去研究，（他還舉例說例如作曾國藩傳等）而教青年去研究空洞幽遠的上古史和原始社會，不是不切實際嗎？」

二年之後，又有一個夜晚，一位朋友是胡先生的學生，他約我去胡先生寓中拜謁面談，於是我們一同前往。到他家時，門房說先生不在家，外面有「飯局」（北平謂有人請吃飯為飯局）。我們正在失望將返之際，忽見外面來了各大學的學生代表，要見胡先生陳述救國意見，蓋其時九一八事變已發生，日軍强佔我東北，青年學生激於愛國心情，熱血沸騰，羣起遊行，請願，抵制日貨，要求出兵抗日。而胡先生當時的態度則頗為冷靜，他似仍認為學生應在校內讀書，不可為遊行荒廢學業，這態度頗為當時的學生們所不滿。這一羣各校學生會的代表來訪，實隱然含有警告之意。胡先生既不在，他們遂留書而去。當時推一位師大的學生代表執筆，我冷眼從旁觀看，見他坐在門房裏的收發桌前用文言洋洋洒洒寫下數百字的長文。內有警句云：「先生望重全國，一言九鼎，」「救亡運動，端賴噓扶。」眞是情文俱佳。今日在大專肄業的學生中，氣魄與文筆恐均不及矣！在此復興中華文化，提倡青年愛國聲中，想起此事，實不勝今昔之感。

抗戰勝利後，我又回到濟南，决意去考察一下蔡小姐當年遊大明湖時為什麼看不見千佛山的倒影。經我數次在湖上考察之後，發現湖上是在有幾種情形下看不見山的：一是陰天山被雲遮了；一是雖係晴天，但遠處有一層薄霧把山影淡化了，不留心也會看不見水中的山影。

中國女性文藝春秋（續）

周遊

蜀宮詞家花蕊夫人

她的「賜死」罪名是造蠶毒毒太祖。蜀中人善造「金蠶毒」，此法本始於蜀，夫人或嘗為之。她不愛太祖赳赳武夫，更大目的是為孟昶報仇雪恨也。有人說她是被太宗射死，那是因為太宗射死李煜妃之誤耳。

李煜妃是閩人王某之女，後歸南唐李煜。煜降宋，妃亦成為戰利品，為太祖所嬖，號為「小花蕊」。可見此姝也是紅顏薄命。一日遊苑中，太祖使她奉晉王（即太宗），晉王故意不飲，說：「必得夫人摘一朵花來才飲」。太祖命她去摘花，剛到花樹下，晉王便從後一箭射死她。晉王為何要射死她呢？為他哥哥的江山吧！這些政治上的秘密，實不足為外人知，我們不必去深究它。

花蕊夫人的「宮詞」，原只三十二首，後來有好事無聊文人，硬是維奏成一百首，因之不像宮詞的詩也被填入。五代女性文學多出蜀中。前蜀徐太后、徐太妃已見前述，現在也錄出幾首觀賞。

徐太后「元都觀」：

千尋錄嶂夾溪流，登眺因知海岳低；瀑布迸春青石碎，輪囷橫剪翠峯齊。步黏苔蘚龍橋滑，日閉烟蘿鳥徑迷；莫道穹天無路到，此山便是碧雲梯。

徐太妃「三學山夜看佛燈」

聖燈千萬炬，旅向碧宮生；細雨濕不暗，好風吹更明。磬敲金池响，僧唱梵天聲；若說無心法，此光如有情。

徐太妃「禱青城山回」：

翠驛江亭近玉亭，夢魂猶是在青城；比來出看江山景，却被江山看出行。

李舜弦，梓州人，李珣之妹。珣很有文才，尤工詩詞。王衍納舜弦為昭儀，有「隨駕游青城」詩云：

因隨八馬上仙山，頓隔塵埃物象閑；只恐西追王母宴，却憂難得到人間。

李玉簫亦王衍宮人，有宮詞云：「鴛鴦瓦上瞥然聲，晝寢宮娥夢裏驚；原是我王金彈子，海棠花下打流鶯。」

黃崇嘏，臨邛人，自幼愛著男子裝，人不知其為女子。及長，以詩謁蜀相周庠，庠薦攝府椽事，聰明有才幹，庠頗愛重，欲妻以女，她不得已，乃上詩去：「一辭拾翠碧江湄，貧守蓬茅但賦詩；自服藍衫居郡椽，永拋鸞鏡畫蛾眉。立身卓爾青松操，挺志堅然白璧姿；幕府若容為坦腹，願天速變作男兒。」

庠詢甚詳，乃知伊為黃使君之女，尚未適人，深為驚歎。後歸家，與老嫗同居終其身。一代奇女子，就這樣被埋沒故鄉以終，眞覺得十分婉惜。

（四十八）

中國戲劇史的補筆

與老伶工朱殿卿談清末三樂科班

田舍

藝林人物介紹

目前，在台灣能讀到的「中國戲劇史」，以孟瑤（揚宗珍）的那四冊（文星版）比較完善，俞大綱先生說它是「繼王靜安先生的宋元戲曲史，和日本學者青木正兒的中國近世戲曲史後，一部最令人滿意的中國戲曲史」。這話是可以承認的。俞先生除了贊賞她寫的宋元部份，認為她網羅了所有前人的修正和補充的意見，盡了一番搜集和抉擇的功夫，「對王書而言，是不可磨滅的功績」，尤其稱贊她的近代戲曲史部份，說這「是孟瑤此作最精采的一部份」。的確，青木正兒之後，沒有人把近代戲曲史寫的像她那麼豐富。但是對於一部戲曲史的贊詞，也應該受時間影响，孟瑤雖然寫了一部目前最詳盡的戲曲史，將來未必是一部最好戲劇史，因為還有遺漏和錯誤的地方沒有及時改正和補充。比如該書第三冊五四四頁演員訓練——科班與私房徒弟那一節裏，把戲曲學校的創辦人，歸給程硯秋，而漏署了李石曾與焦菊隱二位先生。這是不對的。對清末的幾個科班，也寫的太少，如李蓮英養子李繼良辦的三樂，只說它「後改正樂社……時間較長……人才也較多，所造就的人才……有尚小雲，韋三奎，王三黑……」短短廿多個字，未免太「精簡」了。如果想求得到「詳盡」這兩個字的評價，是不該如此惜墨如金的。而且時間較長也不正確，三樂前後不滿十年，怎麼能夠算長呢？

國劇人才，出身舊式科班，而科班的歷史、創辦人和創辦的目的及教師等，就史而言，都應該寫的詳盡一點。當然，寫戲曲史的人有個共同的困難，目下在台灣，已經沒有齊如山先生當年那個環境，可以去多做訪問老伶的功夫；在台灣，老伶工原本不多，可訪者更少。孟瑤女士在海外寫這本書時，自然比在台灣時更困難，她有她的苦悶是可以想見的。

清末的科班，以富連成最有名，但是和它前後不遠的科班却很多，三樂是其中之一；它誕生於喜連成改為富連成的這個時期。最近我曾訪問過三樂科班當年的大師兄朱殿卿老先生一次。朱殿卿已是七十一高齡的老伶工了，原隸屬南部某基地的龍吟國劇團，工架子花，是在台灣國劇界少數的輩份極高的藝人之一，去冬請准退休，即將充任小陸光總教師。我們且看看他與筆者談出的一段珍貴的戲曲史的資料，堪為戲曲史之補筆。

問：（前略）請您祇就您以往在三樂科班坐科的這段往事談談好不好？（學戲之學生入科班學戲，在科班受訓這一時期，稱坐科）。

答：好的。

問：這個科班當時成立的情形和創辦人，是？

答：創辦人是我的老師孫培亭，藝名叫十三紅，也是慈禧太后時的宮廷教習。他有四位把兄弟，大哥是梆子老先生楊賓珍；二哥是張寶山，一個有名的點心專家——香圓張。我師父行三；四爺就是清朝有名的太監李蓮英的養子（第五子）李繼良。宣統年間李蓮英死了之後，他繼承了一部份財產，成了富翁。當時，這位四叔有兩個兒子，讀書慣好逃學，最迷戲曲，四叔也挺嗜好聽戲，再加上一個隣居的小孩小印子也是個戲迷，拜在他名下為養子，有這幾層關係，在為李蓮英守七七夜的時候，四個結拜兄弟，就商量好，要創辦一間科班，由他出資做財主（等於現在企業機構的董事長），由其餘二個乾弟兄做老闆（等於經理協理）香圓張因為是外行人，就專做外交（等於公共關係主任）。宣統三年開始賃房，請先生，招學生。第一期，錄取有八十多名，都是男生，因為那時還不時興女生。房子是在哈達門外頭大石橋，原是個染房，很大，學生們練功學戲挺寬綽。當時請的先生有：張春潤、丁連生、唐茂、俞得林、孫景泉、金橘子、大李方、李靜山諸先生教戲。整齣有了三四十多齣，就置辦戲箱，托箱倌陳殿元特地往蘇州去辦了份全箱。由於房子太遠，又遷徙到南五老地方，是化了六千銀元購置的新居，那時也算個大數目了。（上）

禪的火花

（六）公開的秘密

吳經熊著　吳怡譯

黃龍祖心禪師和詩人黃山谷相交甚密，有一天，山谷問黃龍入道的秘密法門。黃龍回答：「孔子不是曾說過：『二三子以我為隱乎？吾無隱乎爾』嗎？你對這些話有什麼想法？」當山谷正要回答時，黃龍便揷嘴說：「不是，不是」。弄得山谷莫名其妙。又有一天，山谷陪黃龍遊山，看到遍地開滿桂花，黃龍便問：「你聞到桂花香嗎？」山谷回答：「是的」。黃龍又說：「你看，我一點也沒有隱瞞你吧」！山谷大悟，深深的作了一個揖說：「你眞是老婆心切」。黃龍笑着說：「我只是希望你回家罷了」。

譯者按：黃龍希望山谷回的是什麼「家」？這個家就是本來面目，就是最親切的自然。春花秋月，青山綠水，一切都現成的在眼前，自然之門是洞開的，道就在其中。可是山谷不知，偏要拚命尋求秘密法門。所以黃龍暗喻他一切都是現成的，要他捨高深而歸於平淡，回到那個他會迷失了的「家」去。

多吃便是佛

・吳怡・

四年前，有一次，我到士林看電影，路過一家破舊的小吃館，只見門前有一幅對聯，上聯寫着：「多吃便是佛」。下聯已記不清了。當時我看了上聯後，只覺得這些生意人連佛也要抬出來作招牌，甚為好笑。可是年來由於研究禪宗思想，却發現這句聯語裏面含有極深刻的哲理，絕不是凡夫俗子所能杜撰的。

佛家對於飲食一道本有限制，但只限於吃素，並沒有限制份量。事實上，因為他們只吃素，缺乏動物脂肪，反而食量驚人，所以和尚到處行化，隨身所帶之物，最重要的便是盛飯的鉢盂了。試看釋迦牟尼最初要絕食成仙，差點餓死，幸被牧羊女救起，此後他便帶着鉢盂回到人間，在金剛經開宗明義第一章裏，便這樣的描寫：「爾時世尊，食時，着衣持鉢，入舍衛大城，乞食於其城中。次第乞已，還至本處，飯食訖，收衣鉢，洗足已，敷座而坐。」可見佛祖也重視民生問題，要吃飽了以後，才肯講經。

至於在禪宗裏，有許多公案更是勸人吃飯的，如指月錄裏曾有這段故事：

「僧問師（趙州和尚）：『學人乍入叢林，乞師指示』。師云：『吃粥了也未』？云：『吃粥了也』。師云：『洗鉢盂去』。其僧因此大悟」。

這是一段有名的公案，我們不必把它玄化。因為這個小和尚剛進叢林，當然一切都談不上，所以趙州問他「吃粥也未」。這就同有客自遠方來，我們總要先問人家「吃了飯沒有」。其他的事慢慢再談。

在這裏，已看出「吃」和「佛」是有關係的了，不過所謂多吃，只是象徵的說法，並非要我們大魚大肉，脹破了肚皮的吃；而是形容胃口好，吃得下，能夠安份的吃，安心的吃。

其實今天世界上最大的危機也是吃飯問題。共產國家是沒有飯，拚命搶着吃；民主國家是有飯吃，却未必能好好的吃。記得我在大陸淪陷區的那一段時期，人們的生活非常窮苦。常常以蕃薯乾代米。因為那時家父偶而由香港滙點錢來，所以我們常吃白米飯，有一次被隣居看到了，便大嚷：「啊！你們有飯吃，眞是神仙」。

至於民主國家，經濟富裕，有飯吃，自不在話下。但我們所感覺煩惱的，不是沒有飯吃，而是有飯不能好好的吃。今天我們都在慾海中掙扎，能有幾個人安心的吃。有的人患了胃病，不能多吃；而胃病的產生不是由於貪慾，便是由於憂慮。有的人不專心，一直在想這想那，想功名，想利祿，想下午的約會，想明天的飯錢。有的人拿着皮包到處跑，這裏兼差，那裏兼課，根本沒有功夫悠然自得的吃飯。總之，我們幾乎都是把吃飯當作一種債務，很少有人能仔細的享受。如果我們眞能無憂無慮，安心的吃，而且胃口很好，對什麼菜都有興趣。這種心情不是一天如此，日日都是如此，那麼我們距離佛的境界也就不遠了。

生活漫談

人的天年是一百四十歲

・馬騰雲・

聖人說的對，「從吾所好」就是說自己喜歡甚麼就幹甚麼，懂得享受；並非住有洋房，行有汽車，食有山珍海味，樂有妻妾成羣，相反的，人生眞快樂，眞受用，多在貧家茅屋，鮮出於富貴侯門。一個人祇要看得開識得破，將人生當成一種無法治癒的病，用養疴的心情，雖住一間茅屋，種種菜，讀讀書，也是一所樂窩，天堂不在天上，天堂就在人間，讀書人的腦子裏「有書眞富貴，無事小神仙」，一生能坦蕩蕩，逍遙遊，無牽掛，無憂煩，不是天堂是甚麼呢？

有一位在安徽省傳教的美國牧師敏慕博士，他就是醉心中國茅屋生活的人，在他的園圃裏，自撰了一副對聯：「種菜未能如老圃，築廬聊以效南陽」。顯示了自己的心情，欽慕着諸葛亮未參予政治時早年的耕讀生活。敏氏常向來華訪問的美國人說：「耕是勞力，讀是勞心。」中古以前的中國人就懂得身心運動的大道理，這個民族是世界上最優秀的民族，實在太偉大了。」

如果我們能在日常的生活裏，隨時注意醫藥衛生，環境衛生，心理衛生，保衛生命的三道防線，自然會堅強鞏固。在台灣患時代病的人佔絕大多數，遇到一些非常的事務，是非恩怨，在所難免。果能瞭解人的一生就是害多過利，亂多過治，憂多過喜，任何人既難以免此，祇有退一步想，唐詩尋隱句有：「松下問童子，言師採藥去，只在此山中，雲深不知處」。明乎此，雖居人世上，却已出人間，如果能將自己隱避到「雲深不知處」，無利何來害呢？不強求喜也杜絕了憂，這些很老實的話，相信廣大讀者，都有同感。（下）

國劇脚本

大漢兒女（一名新莽刦）

・田士林・

一、主題，人物與取材

△國內正推展文化復興運動，此劇係為配合此運動，弘揚忠孝，砥礪氣節，以闡揚我國固有道德與民族精神為旨趣。不僅關乎風化，而其中利用劇中人物言行，勉人「見一義不見生死」及「勇者不懼」，並指出涉世立足與智仁勇三達德之重要性，及對文武合一教育之提倡，要皆符合當前國策之要求。而此中並有所諷，所諷者姑名之為四賊，如鄉愿主義，機會主義，投降主義，失敗主義者。鄉愿德之賊也，鄉愿多政治必然老而無功。機會主義者多，必然一片漆黑。他如投降主義失敗主義者，皆大陸赤火橫燒時之助燃劑！懷當年舊事，不勝悲憤，務剷除使盡，毋使其貽害今人。下筆撻伐，既屬伐罪，亦足快人。

△此劇中人物，如呂菁娘，趙終葵，田子文，俱非漢史中人。然王莽亂時，曾有琅玡呂母，殺縣官入海為盜事，此劇變更用之。此中呂菁娘，已非呂母本來面目。而新莽得國非正，視呂母為平民起義之代表，亦所宜也。

△男主人公為趙姓，趙為百姓之首，故用以為正面人物之代表。（此係受老報人前益世報社長范爭波先生影响，因其視馬連良之編演八義圖有隱寓反共之意，趙盾之趙係象徵全民，盾則象徵國民黨，因國民黨提倡新生活運動時曾以盾型為徽章。）

△終葵為「椎」之切音字，古時「椎」係用以辟邪驅祟者，後乃衍變為人格化之鍾馗。此劇用之，有獎正絀邪之意，又有博浪刺秦之意。

△後漢有蔣子文，為地方吏，善擊賊，孫吳以後，至於南朝，南朝君民皆敬禮如神，並且賜爵為侯。劇中用其名，因其能文能武，並寓有書生報國之意。

△王莽之月旦，迄今聚訟，然本乎弘揚正統之旨，其弒君篡漢，偽善欺世，新政之擾民，頗有可議，故此劇以之為反面人物之代表。劇中只採其廢止私田，推行公田制度，且箝制衆口，有以時政為非者，輒加罪名，充戍邊防，以此兩點，強調農民抗暴實種因於此。蓋其時農民政策與中共有相似處，而言論無自由，所謂個人無權利也近似。王田制度於經濟政策言是一開倒車之舉，所謂食古不化，王莽之敗亡，實繫因於此。（一）

自由報
THE FREE NEWS
第八二三期
社長李運鵬
社址：香港九龍91號九樓六座
91 DUNDAS ST, 9th FLOOR, FLAT 6 KOWLOON H. K.
電話：857253　電報掛號：7191
承印者：大風印務公司
台灣總管理處
中華民國（台灣）台北市大同街119號
電話：555395、557474
台灣分社：台北市西寧南路110號二樓

尊重蔣總統正確國文政策　行講理政治才能爭取人心（上）

蔣總統國學根柢堅實見解正確深刻

．沙學浚．

「蔣總統六歲至十五歲在家塾求學，從名師讀完大學、中庸、論語、孟子、詩經、書經、易經、禮記、春秋左傳、孝經等書，並圈點綱鑑，研習古文辭，學作策論，王太夫人則就蔣總統課餘之暇，敎以禮樂。」（錄自唐振楚先生著：「蔣總統的治學」），蔣總統有此良好敎育，故國學根底堅實，書法亦挺秀有力，對中國文字與文化的理解十分正確，他的這段言論便是證明：

「古今中外大政治家與大軍事家，莫不對其祖國文字有甚深的修養，因爲國學有根底者，其思考與理路必極淸晰，其行文流暢，必有助於學理之闡述。故國文好的人，對於其他學科之硏究，亦有極大的裨益，尤其對於人文科學與社會科學之硏究，亦可能發生直接影響。」

幾位大學中文系的名敎授咸認爲蔣總統這種見解不，但十分正確，而且十分深刻，非常値得敬佩。

蔣總統國文第一政策雖正確但未成功

蔣總統依據他對於中國文字文化的正確認識，復鑑於台灣各級學校學生國文程度普遍降低，早在一九五五年宣布了「國文第一」政策。這個政策當然是十分正確，但經過漫長的十三年，此一政策未盡成功。以下特引在台灣求學的香港僑生胡肯霞君的話做證明：

胡君著有「「大學生與國文」讀後」一文，刊載去年五月五日中央日報副刊，其中有下列一段，應令中華民國朝野警惕、羞愧。

「國學根基應在中學時代奠定，台灣目前的中學國文敎科書實在太淺，看文言文的訓練實在不夠。我來自香港，受了十三年所謂殖民地敎育，但是，賣柑者言，醉翁亭記，重耳離齊，介子推不言祿，蹇叔哭師，燭之武退秦師，子產不毀鄉校，伯夷列傳，漁父等，均在小學五六年級的古文課中讀過（我們另有國語課是白話文），竟有許多篇與台灣的大學一年級國文相同！香港的中學是統一課本，由敎育司署審定，由詩經、楚辭、而賦、古文、詩、詞、曲、戲劇傳奇均有涉獵，經、史及儒道、墨、法等名家著述，當然不會缺少；尚書、史記、書藝文志、資治通鑑、典論、詩品、詞選、漢學師承記、文獻通考等均選讀過；順着程度編排，慢慢由淺入深。就當時來說，我們讀來絕對沒有困難，而且不自覺的便吸收了不少國學知識；所以大部份的港澳生都覺得台灣的大學一年級國文太淺」。和台灣相比，香港講標準國語雖然不很進步，仍然通行廣東話，但國文程度遠較台灣爲高。

程本海先生在台灣敎育廳服務已二十年，現任督學，最近寫過兩封信給我，其內容如下。

（一）今天在中央日報拜讀大作「論林語堂先生的論言文一致」摘要，頗有同感，深佩先生有勇氣，有強烈正義感，不啻代表全體家長發出有力的呼聲，確能爲今日兒童請命，令人欽佩非常，特表敬意，並祈將大作全文惠賜兩份尤感。專此順頌先生堅持奮鬥成功。程本海拜啓十二月廿二日。

（二）每於視導中小學時，深感標準國語推行成績特優，而國文程度則日趨低落，深以爲憂。如初高中學生之國文程度，幾使人不敢相信，作文內容錯誤百出，改不勝改。師資素質亦不理想，令人浩歎。因此，國文敎學有亟待改進與加強的必要，故對先生一再的大聲疾呼國文之重要，至爲敬佩。且此亦符合蔣總統主張「國文第一」之昭示。尙希先生爲中華文化復興努力，一本初衷繼續工作，早日獲得更佳效果，實爲大幸。十二月十七日。

可知自由中國國文敎育的失敗是怎樣的嚴重！

蔣總統正確的國文政策爲何未能成功？原因是若干高級幹部，國學根底太薄，輕視中國固有文化，喪失民族自信心，數典忘祖，迷信西洋，盲從西化，對於蔣總統的正確政策，既不了解，而且陽奉陰違。

十一位敎授的合理建議敎育部不敢公開研議

去年十二月十九日，學逡在中央日報第一版刊登廣告一則（在此以前，有三篇論文刊登廣告：一、「論林語堂先生的論言文一致」（摘要），全文刊登最近出版的「新天地」六卷十期。二、「國語」絕不能包括「國文」，「國文」却能包括「國語」。三、「小學國文科」亟需「正名和改造」（副題：「讀者來函呼籲」），拯救我們的兒女」：其內容如下：「爲建議小學「國語」科正名爲「國文」，及改造小學國文敎學，學逡曾於上月二十二日與曾約農、林尹、高明、程發軔、熊公哲、廖維藩、任培道、李漁叔、盧元駿、王忠林十位先生聯名上書蔣總統，影印如下：總統鈞鑒：爲貫徹鈞座復興中華文化之目標及「國文第一」之號召，以實現九年國民敎育課程一貫之精神，謹陳意見二點，敬祈鑒核施行

俄共：「來呀！來呀！」

施漢諾養虎貽患

今日．明日

革故鼎新力爭上游

新年頭，大家都在講求「革故鼎新」力爭上游。所謂「革故鼎新」，語見周易的序卦傳。註曰：「革，去故；鼎，取新。既以去故，則宜制器立法以治新也。鼎所以和齊生物，成新之器也；故取象焉。」意示，欲求布新，必先除舊，所以過去在新年，少不了以新桃換舊符。這是容有實踐湯盤銘所鐫：「苟日新，日日新，又日新」的意思；也就是宇宙萬事萬物「新陳代謝」的自然現象。從來解析「革命」是破壞的建設；便是基於此觀點，而致是觀念。這種辯證邏輯過程的法則，全是一種運動變化程序，而這種法則的創始人黑格爾，宣佈人類思維中的肯定都容有矛盾或否定的成份，一個論斷經過否定，結果就有一個更高的肯定。他認爲否定不僅是破壞舊的，而且也創造新的。新的形式之所以產生，正因爲舊的形式不適於目前發展的內容。內容不斷的發展變化，最後，一方面是運動意識化的結果，另方面是決定新意識的開端；象徵事業否極泰來的轉變，而爲力爭上游的轉戾。

單憑智慧是危險的

其實，事業的上進與倒退，主要是在乎對於自我人格之尊重與蔑視。許多人認爲人類的發明爲眞實文明的象徵；但我們的理想必爲人類的尊敬，而不是人類本能的安適與方便。智慧若不受知指導，本能常有於選擇目標時，賴於善惡不分的歧途；很容易使他順從本能要求，滿足慾望而趨於下流；雖能使他抑制本能要求，拒絕慾望而力爭上游。所以單憑智慧作決定，是很危險的。智慧創製出原子彈，使人類獲得科學的勝利；然而動搖了他們的安全，顯得人類智慧和道德之間起了衝突，成爲生死的大關鍵。很少運用於促進生產，而講究原子能做成炸彈，顯得今日已成爲萬物之「霸」，而不像人爲萬物之靈。

少數造成人類進化

教育原是促進人類進化的手段，可是現代却塞滿了許多無用的細節，而最要緊的道德和眞理，則置若罔聞。這好比敎農夫種花，而不敎他們學習怎樣去耕田，這原因，是由於大部份的人類，經不起野心、慾望在內心作祟，因此都順應本能要求，心爲形役而自然地趨於下流了。進化律是向上的，而且是永遠一樣力爭上游的。不過，要知道進化和力爭上游相似逆水行舟，不進則退；是不成功的，非以極大的毅力和不斷的努力抑制某種本能，能控制慾望時，尤其是在遭遇最大的誘惑或環境不好的時候，便是進化的轉戾。抑制本能企求進化的成功，如柳下惠坐懷不亂，便是抑制性慾打破色情關，而力爭上游以進化；楊震的暮夜拒金，是抑制物慾打破利祿關；文天祥的視死如歸，是抑制求生與謀生之慾打破死關而力爭上游以進化；他們便是人類膜拜以進化的成功明顯例證。在他們個人死了，但他們的人格，死了也不死。追求到了這種境界，我們切莫以爲這是太少數人的造化。我們須知億萬年來，人類之所以能進化，就是靠這極少數者所造成的。尤其中國文化歷史所以歷千古而不磨，也正因有他們凜然的正義在維繫着！（林夏）

自由談

如果不是台灣的若干家民營書局在報紙上刊登廣告，指出敎育部規定敎科書只許少數書商專利售賣，認爲太不合理而表示抗議的話，我們很難想像中華民國的文敎界竟有這種咄咄怪事！

爲政之道，便民第一。政府若要厲行嚴格的統制政策，把各級學校的敎科書亦統歸官府發售，雖不免有與民爭利之嫌，尚可以假藉「非常時期」的口實，聊以自圓其說。似此莫名其妙的措施，除却給人民以官商非法勾結漁利的印象外，究有甚末理由可說呢？

據聞台灣工商業者已能夠仿製現代化的外國語文敎授器材，敎育部亦規定各級學校購買這項器材時，必須事先呈報核准乃可，而且有從中徵取二成代價的傳說，這又是根據甚末法令和理由而然的？我們實在大惑不解，請有以語我來！

敎育事業關係國家民族的命脈所在，職責何等崇高，影響何等重大。當此國運艱屯，危急存亡之秋，端賴發抒敎育的功能，知廉知恥，養成全民向上發展的節操，大家攘利不先，赴義恐後，庶幾民德歸厚，復興可期。主持敎育行政的人，若不激發天良，知恥自愛，楷模人倫，樹之風聲，而以玩法舞弊，徇私好貨是務，國家前途尙堪問乎？「與其有聚斂之臣，寧有盜臣」，聖人之言，信不誣也。

文敎界的恥辱

敎育部最近既有大專學生入學考試的槍替事件被揭發，又有僞造河南大學生學籍的醜聞傳佈於社會，眞是穢聲四播，驚世駭俗，以視轟動中外的民意代表爲黃豆問題受賄判刑案，嚴重倍蓰，政府應該嚴切查究，將一干人犯置之於理，藉以整飭紀綱，轉捩政治風氣；而位居敎育行政主管長官者，尤應引咎自劾，表明心跡。如其笑罵由人，好官自爲，縱使幸免法律制裁，而人格掃地，信譽蕩然，尙何面目對人侈談復興中國文化運動呢？孔子地下有知，一定喟然長歎曰：非吾徒也，小子鳴鼓而攻之！

馬五先生

毛俄思想鬥爭未已 雙方互指爲反革命

俄指斥毛共妄圖統治亞洲

（本報特稿）原期憑十一月布爾雪維克革命紀念盛典大事宣揚半個世紀來蘇俄和世界共產主義進步的蘇維埃社會主義聯邦共和國的金禧年，結果在各派系間的意見紛歧和躊躇不決等習見的氣氛之下，而趨於結束。經過了十二個月與一度是同志的毛共政權間進行了日益激烈的磨擦後，莫斯科的官員們仍在摸索着一個和平的公式，以圖把業已尖銳分裂的國際共產主義運動，恢復其類似於統一的團結。

到了一九六七年年終時，他們的此一希望，似乎幾要完全靦乎黨代表間一次「協商」會議的成果而定了。這會議將於今年二月間在匈牙利的布達佩斯舉行，以期再次討論一個久經爭辯的問題，那就是應否冒進一步紛歧的危險，以預定召開一次全面的「世界會議」。儘管蘇俄的發言人曾經宣稱，世界共黨間的大多數業已贊成召開一次國際會議，但在會議的組織和議程等問題上，甚至在通常親蘇俄的各黨間，也還顯然缺乏一致意見。

羅馬尼亞，古巴和南斯拉夫等三國共黨，業已表示了反對一會議的觀點；而北越和北韓的共黨，似亦極不願因參加這個會議而冒與毛共引起更緊張關係的危險。至於歐亞兩洲其他較小的共黨能否參加，也還是值得懷疑的一個未決問題。

一、匈京會議勢難成功

當然，毛共及其與蘇俄論爭中之唯一的思想盟友阿爾巴尼亞，將對這項會議表示激烈反對。事實上，毛共電台業已立即提出譴責：「蘇聯的修正主義叛變集團」，正「計劃（在布達佩斯）召開一次反革命的黑帮會議，以圖反對中國（中共），阿爾巴尼亞和其他馬列主義者們。」

▲梅心▼

與此同時，多數觀察家都對這次會議的成就，抱懷疑的態度。他們認爲：在這次布達佩斯的會議中，將只能產生一種保存面子的聲明。回憶一九六五年時，莫斯科也會召開了一次同樣的「協商會議」，結果除了達成一項一般性的協議外，別無其他成果；而那協議卻又是這樣說的：一次世界共黨大會雖然頗感需要，但若未經參加一九六〇年上次同一會議之八十一國共黨代表的事先討論，則會議的成功將不可能。

不管怎樣，在一九六七年一整年內，莫斯科和毛共雙方都仍彼此施以尖刻的侮辱。蘇聯對毛共的許多指責中，還指出毛共在發動一項意欲統治整個亞洲的「總計劃」，當然也包括控制越南的計劃在內。同時又表示他們的懷疑說：毛共政權很可能無法逃過毛澤東這次混亂的「文化革命」的厄運。

二、雙方使用惡毒謠言

跟着毛共也反唇斥責說：蘇俄的當前領袖們與已去職的「大修正主義者」赫魯曉夫沒有不同；並責備莫斯科正爲「恢復資本主義」而努力。雙方都使用了共產主義世界中最惡毒的形容詞「反革命」一語：俄共的總書記布里玆涅夫譴責毛澤東及其追隨者犯有反對馬列主義的反革命罪行；而毛共則反駁說：「布里玆涅夫及其同僚們是一羣不折不扣的反革命份子」。

在這個整整一年的時間內，莫斯科特別成了那些拖歧見的作者和其他知識份子們，反對共產主義那種禁止自由表白的傳統之焦點。知名的蘇俄小說家蘇忍尼律曾在一封在一九六七年蘇俄作家大會中的分發函件內，表示了一種流行的態度。他在信中寫道：「我國現在的文學生活，較諸實際上顯得遠爲貧乏、阿諛和卑下得許多；若不受目前這種限制和圍困的話，顯見是不會如此的」。他也提到了蘇俄目前存在的檢查制度，稱之爲「中世紀時代的一種遺風，」並肯定說：「在一種被允許和不被允許的範疇之間，亦即在你可以做這樣但不可做那樣的情形之下，文學是無法發展的。」

三、史維蘭娜引起煩惱

儘管如此，但官方的「列寧共產主義青年團眞理報」上，卻重申了共黨長期以來的政策，在必須維持檢查制度的問題上，表示了當局之無可妥協的立場：亦即是說，任何足以削弱黨對文學控制的主張，都將是不容許的。尤其在莫斯科於舉行其十一月革命紀念前夕所頒的一項命令中，更強調了這個政策的不可妥協性。命令規定了某些非政治性的罪犯可以獲得大赦，但特別指出文學叛徒辛耶夫斯基和丹尼爾二人則例外。這二人係於一九六六年時被判長期「勞動改造」的，當時曾引起了蘇俄國內外一連串的抗議。

史達林的女兒史維蘭娜之出走，及她以後對共產主義的壓迫性質之坦白批評，證明是這一年內一件最令蘇俄官員們感到苦惱的事件。

毛共情急自揭瘡疤 以一敵九身陷重圍

觸及靈魂 對號入座

（本港訊）最近獲悉雲南僞「昆明工學院紅衞兵」組織「紅色爆破手」印發之「你做那一派？觸及靈魂對號入座」宣傳單，內容反映毛林派內部複雜，相互傾軋攻計不休。觀其自揭瘡疤之原文要點，實無異自己供認以一敵九，陷入重圍，日暮途窮，已難自拔矣。

①造反派：這種人「敢」字當頭，敢想、敢說、敢闖、敢造反，天不怕地不怕他們是舊世界的批判者，是一切封建主義資本主義修正主義的死對頭：幾個月來他們打得牛鬼蛇神膽戰心寒，把舊世界打得落花流水。

②頑固派：這派人有錯不知，知而不改，一錯再錯，錯到底。他們固執己見，還稱自己爲「左派」；他們抱得起堅持錯誤，修正眞理是十足的鐵礦石、花崗石腦袋。

③保皇派：這派人「保」字當頭，見什麼保什麼：羣衆揪黑帮黨委，他們保黑帮黨委，羣衆趕工作組，他們保工作組，羣衆砲轟省委一撮黨內走資本主義道路的當權派，他們就保；總之羣衆反對什麼，他們就保什麼。這派先生一個保字，他們與保字結下了不解之緣。

④觀潮派：這派人油頭滑腦，見風駛舵，關鍵時刻不表態度，一見明朗就跳出來大喊大叫，我如何如何，吹得天花亂墜，他們是常有理「常勝將軍」。

⑤調和派：這派人沒有是非觀點，他們專搞折衷主義，實行的是此亦是，彼亦是的政策。在兩派之間他們擺出一幅不偏不斜、公允超然的姿態，似乎祇有他們看問題才是全面的。實際上他們是十足的泥瓦匠。

⑥隨大流派：這派人不前不後，不左不右，那邊人多就向那邊倒，人云亦云，「法不責衆」的投機心理，跟隨大流。這種人的命運不是碰壁就是栽跟斗。

⑦膽小怕事派：這派人前怕狼後怕虎，走路怕踏死螞蟻，抬頭怕掉帽子，態度不鮮明，含含糊糊。他們整天想得是「不求有功，但求無事」。

⑧奴隸派：這種人沒有主見，把腦袋長在別人頸上，看看別人臉色行事；別人說東不敢說西，小心翼翼，低聲下氣，一幅奴隸相。

⑨兩面派：八面討好，八面玲瓏，兩面之刀；當面是人，暗中是鬼，專門拍馬，是造謠生事的專家。

⑩小宗派：拿原則做交易，打擊一些人，討好一些人，搞小集團；以感情代替黨的政策，贊成什麼，反對什麼，都不從黨的利益出發。

旅美散見

·張起鈞·

毛巾擦臉 痛得要命

美國盥洗用的毛巾，一般都是三條一套，一條是八吋見方的小毛巾（就如台北街上所賣的小毛巾），一條是比我們用的洗臉毛巾大些的，再一條就是大的浴巾。這些毛巾眞是花樣繁多，顏色鮮艷，眞使你選不勝選，挑不勝挑。但千篇一律的卻全都是粗紋的，包括小毛巾在內，全是與洗澡毛巾一樣的粗綫條，絕無絲光毛巾等和細紋的製品。我們在國內用細緻的毛巾用慣了，拿這種粗毛巾擦臉，眞是像拿砂紙在臉上擦一樣，痛的要命，簡直不敢用力擦。難道美國人的皮膚就不怕擦，不怕磨嗎？這又不然，只看他們的衛生紙眞是細而又細，軟而又軟，最軟的根本就叫「體蘇」。

台灣通訊

查部長決心整飭風紀 司法黃牛首當其衝

覃符兩冤獄疑案亟待澄清

新曦

司法行政部長查良鑑就任以來，業已一月。人事安排大致已經就緒。司法行政革新工作，立即可以展開。

在新部長新作風開始之際，各界對於這位司法官出身的部長，寄望甚殷。而最迫切的希望，就是對司法風紀的整頓。

司法風紀的予人詬病，由來已久，查部長在任政務次長時也早有所聞。他在好幾次司法人員集會的會議中，都提到整頓司法風紀的事。而且還呼籲律師界特別協助。足見其整頓司法風氣的決心。

惟整頓司法風紀，不是空喊口號就能奏效的。據外界所知，有若干司法黃牛，都是在司法界或其他單位具有相當身份之人物，他們大都與某幾位司法官有很深厚的交情。他們向司法官行賄的方法，並不是「論案計酬」。他們逢年過節，或是在司法官的生日，或是其家屬生日，便送給司法官以厚禮，每次送禮，數萬元乃至十餘萬元不等。等到這些司法黃牛有事相託時，便不談價錢，甚至於根本不談到錢的事， 司法官曲意照辦前後，黃牛反而不送紅包。因此時送紅包，易被查獲，觸犯刑章，其實紅包早已預先送過了。這種情形，縱然明知法官有問題，也無法查出他收受賄賂的證據。對於這樣的司法風紀，要想整頓，不是一件容易的事，必須拿出特別的辦法。

記得在這次行憲廿週年紀念日中，會有若干國大代表醞釀提出調查全國公務人員財產的提案，結果因種種關係，未能及時提出。查部長要想整頓司法風紀，是否也可以制定一種單行法令，將全國司法官員的財產，加以調查登記，並調查其資產增加的來源，當可望對司法風紀，作有效的改善。否則空喊口號，老調重彈，所謂新部長新作風，予人的觀感不過如此而已！查部長是司法官出身，對於所有可能敗壞司法風紀的原因，人物及方法等，瞭如指掌。但願查部長能拿出魄力來，必然有很好的效果。

第二個對查部長迫切希望的，是對於幾件冤獄疑案，加以澄清。並防止今後再有冤獄之發生。

目前有兩件冤獄疑案，足以使司法信譽受到很大的影響，一件是前立法委員覃勤偽造文書妨害兵役案，一件是台北貿易商人符逸冰於十餘年前被判徒刑三年的以欺詐爲常業案。

前立法委員覃勤偽造文書妨害兵役案，據說三級法院在進行審判時，都沒有把各縣市政府所出具與中國醫學學院的證據，作詳細地調查。而那些證據都對覃勤有利。三級法院都把覃勤判處徒刑。聞目前覃勤正準備採取兩項途徑，一是已在監察院醞釀彈劾承辦法官的提案，二是請檢察長趙琛提非常上訴，以資救濟。

符逸冰以詐欺爲常業案，地檢處僅依詐欺及偽造文書等罪起訴，並未引用詐欺爲常業之法條，地方法院且已判符逸冰無罪，檢察官上訴後，高等法院也判符逸冰無罪，且在判決書後面載明「詐欺部份不得上訴」。乃高檢處檢察官竟違法上訴，兩次發回更審後改依地檢處未起訴的以詐欺爲常業之法條， 將符逸冰判處三年徒刑。後來本案經監察院調查，又經大法官會議解釋，且經最高法院民刑庭總會議討論決議，都認爲本案是不能上訴第三審的案件，上訴及以後的判決均爲違法。符逸冰曾三度請求趙琛檢察長提非常上訴，但趙檢察長以「變更之解釋，不能作爲非常上訴的依據。」未予提出非常上訴。也就是承認判其有罪的判決爲違法判決，亦即承認符逸冰受到冤獄。法院既承認判決違法，便應請設法糾正；名譽是人的第二生命，不能使人民蒙冤終身。聞符逸冰已向司法行政部長查良鑑聲請平反；如得不到答覆，可能除了訴請監察院提出彈劾案之外，還要向地檢處控告判他徒刑的法官枉法裁判。

查部長要想維護司法威信，對這兩件冤獄疑案，似有迅速作澄清性的處理的必要。

桃園選情

（桃園航訊）（一）本縣轄市首任市長邱垂周，已辦理黨提名候選登記，中壢地區十六個眷村的自治會長和代表們，在中興樓公開招待各報記者，表示他們將支持邱市長爭取黨內提名，競選連任。

（二）桃園縣下屆省議員候選人吳伯雄，業已正式辦妥黨提名的登記手續，決參加下屆省議員競選。據吳表示：他絕對以守法和節約的精神作公平競選，同時還要做到「競選時不借錢，不花錢，當選後不拿錢」。（冠羣）

現代學人漫談之一

胡適先生二三事（三）

——禚夢庵——

三是遊湖的人只在歷下亭、張公祠一帶轉轉，不登北極閣，不去鐵公祠，也是看不見山的。因千佛山離湖有十幾里路遠，不登高處或不划到湖的最西北方的鐵公祠，是看不到山的。而老殘遊記上明明寫着：「那船划到鐵公祠前，回頭一看，只見城南千佛山倒影映在湖裏……」老殘當年的遊湖，遊得很仔細，普通划船多半嫌路長不到鐵公祠去，只經歷下亭至北極閣一帶遊覽，如不登閣頂，則也許看不到山。胡先生就憑蔡小姐這不完全的證據，判定劉鶚寫錯。此文不僅在台灣版的胡適文存中仍未改正，而且還被選入標準本國文課本之內，劉鶚將永蒙不白之冤了！其實金石學家劉鶚的記載，本身就是極有價值的證據。清儒治學之謹嚴，連胡先生也承認他們都用的是科學方法，爲何獨於大明湖的山影記載而輕信蔡小姐的報告，而不以劉鶚的記載反駁蔡小姐？這恐怕正如林語堂先生所說的，又是「疑古」的心理在作怪。以此推想，胡先生「紅樓夢考證」雖係一篇劃時代的至文，但斷定後四十回爲高鶚所續，證據也不足。如高鶚在程乙本紅樓夢叙文中謂：以前只有八十回本，後來偶於鼓担上得到後四十回大部份稿本。胡先生即據此認爲這是「作僞的鐵證」。此一斷定，似嫌武斷。尤其憑這一句話，更不能算是「鐵證」。這問題近年經林語堂先生提出討論，又由於大陸上紅樓夢新材料的發現，漸漸知道後半部有曹雪芹自己的稿子，高鶚只是整補而已。我想紅樓夢以前只有八十回的原因，可能是因爲古時書賈傳抄求利，只抄前八十回繁華熱鬧的部份，以求容易銷售。因古時抄寫的工夫既難，而後半部家敗人亡的部份又不爲讀者所喜愛，何苦全抄，徒勞工本，反難銷售。這可能是以前只有八十回本的最大原因。質之林語堂先生，以爲然否？

由上二例，可見胡先生的「拿證據來」的治學態度，有些地方只作到一半，只重證據，而對證據的判斷與選擇尚不夠謹嚴。然胡先生當年才二十幾歲，又當才氣縱橫，疑古倡新的時候，這些錯誤，亦在所難免也。至胡先生所提倡的研究學問的方法，遠大的眼光與明暢的白話學術論文的風格，自是永垂不朽的功業。（完）

讀史政略（上）

仲公

前記

先王之世，生齒未繁，國之大事，惟祀與戎。及兼併日興，兵政以起，肆應之間，謀畧生焉。惟徒言政而不知兵，則事難濟；徒言兵而不知政，則用不廣。先賢胡公林翼，嘗有讀史兵畧之彙編，行世以來，兵家寶之。獨於政畧一詞，最爲晚出，史事例證，尚無纂輯之書。因就史冊中有關各代立國之政畧者，選精取宏，系統抄纂，上起於周，下迄清季。第政畧得失雖有定論，但以行事速，見效多，影響遠，而又能符合生民之利益者爲貴；故於各條政畧之後，附以簡評，檢討利弊，期以一得之愚，備謀國者一覽焉。

時代雖殊，而國家永在。先民政畧，往事可徵。有其事不存，而其意常新者。有問題仍在，而其方可廢者，參詳取捨；觸類旁通，斯爲讀史者之責任已。

一、三家分晉

智伯請地於韓康子，康子欲弗與。段規曰：「智伯好利而愎，不與，將伐我，不如與之。彼狃於得地，必請於他人，他人不與，必嚮之以兵。然後我得免於患而待事之變矣。」康子曰「善」，使使者致萬家之邑於智伯。智伯悅。又求地於魏桓子，桓子欲弗與，任章曰：「何故弗與？」桓子曰：「無故索地，故弗與」，任章曰：「無故索地，諸大夫必懼。吾與之地，智伯必驕。彼驕而輕敵，此懼而相親，以相親之兵待輕敵之人，智氏之命必不長矣。主不如與之，以驕智伯，然後可以擇交而圖智氏矣。奈何獨以吾爲智氏質乎？」桓子曰善，復與之萬家之邑。

智伯爲晉卿，掌握晉國政權，力量在韓趙魏三家之上，向有併吞三家之心。韓魏二家，知非其敵，忍痛割地，以驕智伯。智於躊躇滿志之餘，又索地於趙，趙不與。智伯於是動員了韓魏二家的兵力攻趙；三家遂於陣前合擊智伯，滅智氏之族，分智氏之田。未幾，晉室遂亡。

司馬光論智伯之亡，爲「才勝德也」的結果：智果論智伯有五長而一不肖：「美鬢長大則賢，射御足力則賢，伎藝畢給則賢，巧文辯慧則賢，強毅果敢則賢。如是而甚不仁。夫以五賢陵人而以不仁行之，其誰能待之！」智伯之亡，固咎由自取，但三家之能轉敗爲勝，實歸功於驕敵的策畧。兵法：「利而誘之，亂而取之，實而備之，強而避之，怒而撓之，卑而驕之，佚而勞之，親而離之。」老子說：「將欲歙之，必固張之；將欲弱之，必固強之；將欲廢之，必固興之；將欲奪之，必固與之；是謂微明」。三家以退爲進，以柔勝剛，智伯既不能行仁，又不能知微，其亡也固不旋踵矣。

二、趙武靈王胡服騎射

趙武靈王北畧中山之地，至房子，遂至代，北至無窮，而至河，登黃華之上，與肥義謀胡服騎射以教百姓，曰：「愚者所笑，賢者察焉。雖驅世以笑我，胡地中山，吾必有之。」遂胡服。

國人皆不欲，公子成再拜稽首曰：「臣聞中國者，聖賢之所教也，禮樂之所用也，遠方之所觀赴也，蠻夷之所則效也。今王捨此而襲遠方之服，變古之道，逆人之心，臣願王熟圖之也。」王曰：「吾國東有齊、中山，北有燕、東胡，西有樓煩、秦韓之邊，今無騎射之備，則何以守之哉？先是中山負齊之強兵，侵暴吾地，係累吾民，引水圍鄗，微社稷之神靈，則鄗幾於不守也，先君醜之。故寡人變服騎射，欲以備四境之難，報中山之怨」。公子成聽命。乃賜胡服，明日服而朝。於是始出胡服命，而招騎射焉。

自周以來，胡人世爲中國患，有所謂山戎、獫狁、白狄、赤狄等名稱。周伐獫狁，一月三征。詩「昔我往矣，楊柳依依，今我來思，雨雪霏霏」。可以想見當時戍邊將士的辛勞。降至戰國，匈奴崛起北方，史記所謂「冠帶之國七，而三國邊於匈奴」。三國即秦趙燕也，在當時皆築長城以防匈奴。其後秦滅義渠，魏西河上郡入於秦。惟趙三晉之中，邊胡，其所感受的威脅，較秦燕爲更大。趙不創胡，胡必弱趙，故趙武靈王決心將胡人問題，作一次澈底的解決也。

俞曲園講學吳越　偉文夫捉弄名士

···風人···

「詁經精舍」爲俞曲園講學之地。俞老到底是名流學者，雖然做了官，但生活却並不受到什麼影響，寓廬就有三處：蘇州有曲園，杭州有俞樓和右台仙館。他手題一聯懸春在堂云：「越水吳山隨所欲，布衣蔬食了餘生」，後者不得而知，前者倒確是實情。

同是教書匠，也眞有天壤之別。有的可以飛黃騰達，「受海內名公鉅卿之知」；有的則只好在家抱孩子、洗尿片，而還不能求得一飽。這裏面一定有些道理的。據說「當時曲園講學於吳山越水，彭剛直方退居彭庵，互慕聲氣，結爲姻婭，由是曲園名聲益盛。」就可以看出他的「苗頭」來了。

於是，「執贄而求一見者，日幾數十人。閽者按贄書名，納二十金者坐之堂隅，時人比之登龍門」。這樣的辦學，不比那所謂「全國最高學府」還闊嗎？有一天，「有偉丈夫求見，鬚眉浩然，長七尺以外，披大紅斗篷，廣袖直綴，昂然逕入。閽者阻止，例索贄，大怒曰：「汝不識文某耶？吾隨曾左出入百萬軍中，未嘗費一錢，而謂咫尺門牆，乃拒人千里之外耶」？其聲如雷震，曲園出，文某把其臂曰：「吾以若爲天下士，故奔波不遠千里，今知其名，乃銅臭耳！掉首欲去。曲園被握，覺五指鉤距如鐵，不勝趦。忍痛祛其衣曰：「先生止，吾不知其爲君也。受贄，正以範俗士耳，豈爲君設」？文大笑曰：「吾欲止，則止耳，何諱爲」！因共登堂，擲冠几上，目光睒睒如岩下電，四座悉驚。曲園欲爲介見諸士，曰：「毋庸，吾姓名不足驚人，但握刀殺賊耳」！

這偉丈夫眞來得有些突兀，但要是在今日，却恐怕是不足爲怪的。不過可怪的倒是這位偉丈夫，別的地方不去，却獨要到詁經精舍去聽講學！莫非是爲了銅臭薰鼻，代抱不平，才故意來找麻煩的嗎？但曲園到底是聰明人，「吾不知其爲君也，受贄……豈爲君設，」始聞其聲，如見其人，想起來也好笑。

曲園去官從教，自鳴清高，但其實是非常熱中的。春在堂隨筆云：「公（英桂）爲言咸豐九年，自豫入覲，蒙文宗顯皇帝召見，語次及樾，有「俞寫作俱佳，人頗聰明」之諭，是時臣樾去官已一年有餘矣，何意蟣虱微臣，尚在睿注之中。昔蘇軾聞神宗有奇才之歎，痛哭失聲，樾之才，固不足以比蘇軾，而以天涯殘客，重聆先帝玉旨，亦不禁涕淚之橫集也。」這種心存魏闕，受寵若驚的心理，自己刻劃的還不夠深刻嗎？他贈友人詩有「廿載名場同得失」之句，更顯然以不能做大官爲遺憾了。

俞樓（又名曲園樓）依山面湖，有樓台亭閣之勝，儼然一位闊佬的別墅。而今西冷橋畔，還有他的遺蹟，但已是三層洋樓變成「杏花酒家」了！曲園本以「花落春仍在」一詩，並以「春在一曲小園」自詡。大陸淪陷，未知此樓仍在否？春在何處，思之令人不勝感歎之至！

中國女性文藝春秋（續）

周遊

遼國蕭皇后與絕命詞

遼國的文學本無足稱，如蕭皇后、蕭文妃，乃遼國女性文壇之姣姣者。蕭皇后是一個悲慘的女性。因爲她愛文學，結果就死在文學上。因文字而構成冤獄，含冤莫白，她不僅是遼國空前絕後的女文學家，也是遼國宮闈大悲劇的女主角，她自身的一生，就是一篇悲慘悽苦的文學故事。

蕭皇后是欽哀皇后之弟北面官南院樞密使惠的少女。母親耶律氏，夜夢月入懷，後又東升，光耀照燭，不可仰視，升至中天，忽爲天狗所食，大驚而寤，遂生皇后。其時爲崇熙九年（公元一〇四〇年）五月五日。后生姿容端麗，爲蕭氏諸女之冠，能詩歌彈箏，琵琶尤爲當時第一。時人皆以觀音呼之，遂小字觀音。二十二年，道宗在淸宮慕伊賢淑，聘爲妃。道宗即位，於淸寧元年，（公元一〇五五）十二月冊爲皇后，方出閣升座，扇開簾捲，忽有白練一段，自空中吹到后座褥前，上有「三十六」三字，皇后問道：「此是何意？」左右回答道：「這是天書，命可敎（即皇后）領袖三十六宮的意思。」她乃大喜。宮中爲之語云：「孤穩壓帕女古，輦，菩薩喚作耨斡麼」。按「孤穩」，玉也，「壓帕女古輦」，金也，「菩薩喚作耨斡」，后土也。「麼」，母也。

二年八月，道宗獵秋山，皇后率妃嬪同行，到伏虎林，命皇后賦詩。皇后應聲道：「威風萬里壓南邦，東去能翻鴨綠江。靈怪大千都破胆，那敎猛虎不投降。」道宗大喜，出示群臣道：「皇后可謂女中才女。」明日，道宗親射獵，有虎突林而出。道宗自語道：「朕射得此虎，才不媿后詩。」果然一發而殪。羣臣皆呼萬歲。是年十一月，羣臣上皇帝尊號曰「天佑皇帝」，皇后曰「懿德皇后」。

三年秋，道宗作「君臣同志華夷同風」詩，皇后亦應制屬和。明年，生皇子濬，皇太叔重元妃入賀，妃流目送媚，極盡趨奉。皇后對她道：「貴家婦宜莊以臨下，何必如此」！妃歸，罵重元說：「汝若有志，當除此耻，笞撻此婢」。於是重元父子合定謀叛。於九年七月，乘駕在灤水，起兵作亂，但不久兵潰，父子伏誅。討平此次叛亂事是知北密院事趙王耶律乙辛，遂進南院樞密使，威權遂顯赫一時，惟后家不肯相下。（四十九）

藝林人物介紹

伯牙的成功創作

光合

揚名春秋時期的一位古琴大師。

春秋時代有一位古琴聖手，名叫伯牙，使他享盛名於後世，名垂不朽，大概小說、鼓曲和戲曲傳播的關係最大。相傳他與知音好友鍾子期相遇極富傳奇性，至鍾子期死後，伯牙竟碎琴謝知音，終生不復彈。這種知音之交，洵屬少見。在北方的大鼓書裏有一段叫「馬鞍山」，（按馬鞍山在江蘇崑山縣西北長江的南邊，現在被人誤名爲崑山。）曾唱述這個故事，很爲感人。地方劇裏據說也有一齣戲名叫「摔琴」，也是表演伯牙與子期的這段故事。取材大概都是根據小說而來。

伯牙是春秋時代魯國的人，根據呂氏春秋註，姓伯名牙，後來不知在什麼時代，被人加上一個俞姓，於是小說鼓曲戲曲皆稱爲俞伯牙。

伯牙曾給我們遺留下兩操有名的曲子，一個是流傳故事上所載鍾子期所讚美的「高山流水」，一個是伯牙琴道初成的第一個處女作品「水仙操」。這兩操琴曲雖分高下，各有千秋，不過「高山流水」操憑藉着故事的流傳而名氣較爲普遍，而「水仙操」則除了會彈琴的人以外，便很少有人知道了。實際上考據有證信史有徵的還是「水仙操」，在「事類賦樂部」中，「樂府題解」中，和蔡邕著的「琴操」裏面，都有「水仙操」的記載。可見此曲在古代是非常有名的。

名師循循善誘 孤島地獄天堂

古琴曲中有五曲，九引，十二操。在蔡邕著的「琴操」裏，第十一操便是「水仙操」。當初伯牙投師，跟成連先生學琴時，據傳經過整整三年的苦工夫，因爲悉心勤練，已經達到「精神寂靜，情志專一」的程度，但是在他老師成連先生的眼裏，認爲伯牙的造詣，只是到了「心無雜念，精神專一」的境界，止能算是「能手」而已，還未能物我雙忘而入化境。於是成連先生爲了教育弟子成功，便想出了一個新辦法，一天成連先生對伯牙說：「學彈琴要想達到很高明的境界，必須先從精神修養作起，達到變化氣質的時候，才可以有成。我教你彈琴，只能教給你指法節奏，成曲與樂理等而已，但是使你變化氣質而入化境，我就無能爲力。我的老師「子春」先生，能夠有辦法改換人的心境，使人變化氣質。這樣吧，明天我陪你一同去拜見「子春」先生，你再跟他老先生學一個階段，便可以成功了」。於是第二天伯牙便攜着自己的琴，隨着他的老師上了一隻小船，成連先生一直把船搖到蓬萊山中一個小孤島上，師徒二人上了這個孤島，成連命伯牙坐在島上等候，他自己搖着船去迎接「子春」先生去了。

伯牙自從他老師去後，滿懷的希望，盼得非常殷切，恨不得老師馬上陪同子春先生回來才好。可是事與願違，他心裏越急，老師越是不回來，時間一刻一刻的過去了，直等到心裏發煩忍耐不住了，老師還是不回來。光陰一時一時的不停的過去，已經很久很久的時間了，仍舊看不見老師回來。伯牙的情緒由急燥而轉入懷疑，而恐怖，而失望，而絕望。此時他眼所見的是天上白雲悠悠，下面是大海茫茫四望無極，島上寂無一人，連個鬼的影子都沒有，耳所聽到的只有一片海濤打到山石上澎湃作響，和一陣陣水鳥的悲號聲。伯牙本是士大夫中人，平生從未經過這樣的困境，眞是凄凉悲愴到了極點。老師如果再不回來，豈不要餓死在小島上嗎？他想老師爲什麼這樣殘忍的失信於我呢？伯牙究竟是個有智慧的人，想到這裏，他恍然大悟了：老師那裏是去迎接什麼子春先生，他分明是把我陷到一個絕境裏，用來洗刷我以往的士大夫習氣，使我轉移心境變化氣質罷了。此時心境大爲開朗，成了一百八十度的轉變，再看看以前所處愁苦的孤島，已變爲幽靜的仙島，以前死寂的環境，改換爲大自然的美妙。於是他明白了世界上原無所謂苦與樂，也無所謂醜與美妙，完全是心理造成的。音樂不也是心理造成的嗎？於是他拿起琴來，信手而揮彈了一曲。到他把曲子彈完了，成連先生已下了船來到他的面前，笑嘻嘻的說：「伯牙，恭喜你，你的琴道成功了」。這一曲琴，便是「水仙操」。此曲共計有十二段，有的琴譜上名爲「屈子天問」（屈原是戰國末期人，如前說爲是，則此名有問題，否則前說或爲附會之說。——編者按。）有的琴譜上又名爲「秋塞吟」。音調幽遠清淡，非常高雅，但是不適於初學，必須要彈琴的老手才可以摸到個中的趣味，對音樂造詣較深的人，始能領會其中妙處。

流水操指法繁 半髯子繼絕學

「高山流水」曲，是伯牙成名以後的作品，這個曲子分作兩部分；上部是描寫高山在大自然中的大幽雅，下半部是形容流水在自然界的活潑美妙，因爲曲子太長，到了元朝時之操縵家手裏，爲了學習與欣賞都方便，乃分開爲兩個曲子，上半部就名之爲「高山」，下半部就名之爲「流水」。其中高山曲傳流了幾千年，還沒有多大的問題，各家琴譜上都是大同小異，不失本來面目；而「流水操」則不然了，因爲「流水操」中間有兩段，完全是描寫瀑布聲音的，其彈法是兩隻手揮動不停毫無間斷。而且兩隻手的動作不太調和的，在古琴譜中有一百幾十種指法，都是用一個特製的簡字來代表一個彈法，在這一百幾十個字中，沒有一個字可以代表這個指法的。因此各家的琴譜，都把這兩段空白起來。後來到清代咸豐年間，發現四川灌口有一位道士名叫張孔山，號半髯子，能彈流水操，其中有此兩段水聲。可是張孔山又是自幼受學於馮彤雲老先生的口傳手授，並無譜字可循。蜀派琴學家「天聞閣主」學得之後，到咸豐辛酉年間才自己創造了幾個字，並且加以說明，才算把這個名曲傳流下來。然而這兩段曲子論聲音共計有一百五十個之多，只造了幾個字把他完全代表過來，讓學者實在有點丈六金身摸不到頭腦。

傳伯牙遺韻 功在楊時

說起來我們不能不感謝清末民初的大琴學家楊時百老先生，楊老先生把天聞閣的譜，又加以潤色，把每一個動作都用字標識出來，再加以說明，內容充實詳盡，從此水流操，每個人都可以按譜尋聲竟其全功了。伯牙的遺韻從此可以全部流傳於人間，對中華文化之保存，可謂厥功至大。不但我們要感激他，如果伯牙有靈，也要感謝楊時百先生於九泉之下吧！

禪的火花

（七）向上一路

吳經熊著 吳怡譯

禪師們精神高揚，永遠的追求向上一路。但最有趣的是，從另一個觀點來說，他們的向上一路，又是向下的。正如有人問繼成禪師：「如何是向上一路」？繼成回答說：「你還是向下去體會吧」！

這使我想起了聖約翰所說的：「愈向下走，愈爬得高，使我達到了目的」。在這裏，值得注意的是：這種相反相成的道理正觸發了我們的開悟。

聖約翰是這種相反相成論的祖師，如他說：

「不想享受一切，而享受了一切
不想佔有一切，而佔有了一切
不想成就一切，而成就了一切
不想知道一切，而知道了一切」

這種相反相成的理論和老莊思想共鳴，莊子曾說：「至樂無樂」。

老子也說：

「聖人不積，既以爲人，己愈有；既以與人，己愈多」。

又說：

「非以其無私邪，故能成其私」。

其實，老子也正是告訴我們唯有知而不自以爲知才是眞知。

譯者按：作者在這一章中表達禪的精神固然是向上的，但並非是一個空虛的形而上閣架，而是透過了向下的路，有其實實在在的基礎。不僅禪與老莊思想如此，儒家所謂「能近取譬」，「下學而上達」，也莫不如此。

中國戲劇史的補筆

與老伶工朱殿卿談清末三樂科班

田舍

「創辦科班的第二年，正式對外公演。本來，在我進三樂前，已經在小的戲院隨班習藝，演了兩年的戲了，所以入了三樂班，我便成了三樂班裏的大師哥。在三樂班首次出台，李多奎和我搭擋的，那時李多奎還唱老生，後來才改老旦。

「三樂科班當時最出色的，不僅尚小雲，（四大名旦之一，那時也不叫尚小雲，叫尚三錫，他唱二黃青衣。）還有武生是王三黑，老生韋三奎，二武生方鴻壽，梆子青衣任三春（後名任鳳侶），花旦高三存（後名高月霞），小丑小壽山（原名三壽），武旦三仙（後易名七陣風），花臉王三青，二路老生劉三順，梆子老生劉三泰，還有俞三任，石三利等都是同科弟兄。都很受外界歡迎。」

問：當時所學的戲，是平劇和梆子都有？

答：是。當時是梆子二黃兩樣都唱，因爲當時梆子比二黃還興旺。小雲的二黃戲，還要在任三春這梆子青衣前頭唱，於此可見梆子之盛。平劇不能望其項背。

問：當時喜連成及其他科班也是這樣演嗎？

答：當時統通都是如此。宣統年間，梆子一直很盛，二黃是民國以後，漸漸日盛一日的。

問：當時經濟情況如何？

答：很好，因我四叔家裏有錢。當時他家是在黃化門，但住在後門鼓樓後，後馬廠，某次爲一筆支出，特別用轎車去黃化門，一次拉來的是廿個大元寶。一個元寶，那年頭是五十兩，其實是五十四兩重（當時秤重）。可以想見科班對於花費，是沒有問題的。

問：這財富當然也是李蓮英的遺產了？

答：是的。

問：在科班中學生受訓多久？

答：入科時，在契約上，規定是六年，一年効力（服務）。効力時，給的點心費就不少。

問：沒出科時，學生們的福利如何？

答：時常給點心錢。有時候，大廚房還做些好吃的點心，生活蠻不錯的。

問：資金充足，這是必然的。衣食住行娛樂如何？

答：冬天穿的是黑青小棉襖，下面是夾褲、套褲和棉鞋。秋天是夾的長袍，小夾襖。夏天是毛藍大掛，竹布大掛，每人一雙油靴和一把雨傘。演戲時，排隊上戲院去，演完了，也是整隊回來，很有紀律。我在科七年，享了點福，沒受什麼罪。（中）

國劇脚本

大漢兒女（一名新莽刦）

田士林

一、主題，人物與取材

△哀章之無恥，五邑曾典兵，翟義起義，俱見諸史乘。但戲劇以有戲劇性之材料爲取捨，故另作狀劇取捨，請不必以歷史爲據，强指其非是也。

△菁娘之菁字，係爲國菁英之意。其他人物命名，俱信手拈出，無甚深意。

△廬墓三年以盡孝，今社會變遷，已無此必要，然古人如此，非無深意。呂母壞墓遺刼，種因於菁娘廢棄古禮，然移孝作忠，未可厚非。其後，大漢光復，以衣冠爲塚，補行三年廬墓禮，係補過之舉，示孝心之虔也，非所以倡廬墓古禮於今也。

△趙、呂、田雖爲主角，但不以兒女私情而廢對國家匹夫之責，寓「匈奴未滅何以爲家」之意。結局雖團圓而實未團圓，頗有予人回味之地步。趙、田俱於戰後得官，但非封侯拜相，亦力脫俗套，近乎人情之安排。

△時人喜以秦皇暴政，黃巢造反爲素材入戲，本劇以王莽爲素材，較前者似更能影射共黨。一因其土地政策，自大野心，招致天怒人怨，羣起攻之，頗彷彿毛共，且攫政之初，僞詐奸狡，舉世爲之所欺，非明睿之士，有節有守，幾爲之網羅俱盡，以之入戲，亦可懷當年陸沉時爲之一哭也。（二）

自由報
THE FREE NEWS
第八二四期
中華民國僑務委員會登記
台教新字第三三三號登記證
內政部內警台報字第031號
中華郵政台字第一二八二號執照
登記為第一類新聞紙類
（半週刊每星期三、六出版）
每份港幣壹角
台灣零售價新台幣貳元
社長李運鵬　督印黃行審
社址：香港九龍登打士街91號十樓六
91 DUNDAS ST, 9th FLOOR, FLAT 6 KOWLOON H. K.
電話：857253　電報掛號：7191
承印者：大同印務公司
地址：香港北角和富道九六號
台灣總管理處
中華民國（台灣）台北市大同街119號
電話：555395．557474
台灣分社：台北市西寧南路110號二樓
電話：三〇三四六
台郵撥儲金戶九二五二

尊重蔣總統正確國文政策 行講理政治才能爭取人心（下）

·沙學浚·

一、國民小學「國語」科應正名為「國文」與國民中學「國文」科課程制度精神一貫。

二、「國語」不能包括「國文」，「國文」可以包括「國語」。「國語」科正名為「國文」後，國民小學低年級仍教「國語注音符號」，高年級得加授淺近文言，俾養成畢業生有閱讀中國淺易典籍之能力而瞭解中國文化。

右列意見如屬可行，恭懇賜予核交行政院教育部辦理為禱　謹呈

總統蔣

國立台灣師範大學文學院院長　沙學浚
國立台灣大學教授　曾約農
國立台灣師範大學國文研究所主任
私立文化學院中國文學研究所主任　林尹
國立政治大學中國文學研究所主任　高明
國立台灣師範大學文學系主任　程發軔
國立政治大學中國文學系主任　熊公哲
立法委員　廖維藩
立法委員　任培道
國立台灣師範大學國文研究所教授　李漁叔
國立政治大學中國文學研究所教授　盧元駿
私立文化學院中國文學系主任　王忠林

五十六年十一月二十二日

該書早已由總統批交教育部研議。但該部迄未通知學浚等提供意見，似違研議之意。

國語科是否正名為國文，對該科教學能否改進及如何改進，關係十分重大。為慎重遵行總統上項批諭起見，特建議教育部於最近期內舉行辯論會，參加人士有下列三大類：

一、立法院教育委員會委員。二、林語堂、新雨、張希文、梁容若、趙友培、無復觀、包明叔、華徐樹、何容、洪炎秋、王玉川、勞榦諸先生。三、最近上書總統簽名教授十一人。地點以台北市中山堂；及台灣電視公司為宜；時間由教育部決定。

去年十二月上旬，教育部奉蔣總統批論，就這封「書」從事「研議」，為何不邀請我們十一人參加研議？為何不通知我們提供資料或意見？為何不把參加研議諸先生的姓名、研議結果和理由，向社會公開宣佈？教育部違反民主社會的良好傳統，拒絕舉行辯論會的正式建議，而不公開說明理由。教育部不講理殊令人難以折服，更令人疾首痛心。

教育部不尊重自己的施政報告，公然不合法。

去年十二月二十三日學浚致函教育部閻部長，請尊重該部送立法院（等於民主國家的國會）施政報告中有關小學「國語」科正名為「國文」的事實。該函刊登於十二月廿四日中央日報及該報國際航空版，其內容如下：

沙學浚公開信致教部閻部長

振興部長道鑒：

敬啟者，此次大部舉行修訂國民中小學課程標準委員會（以下簡稱修課標會）浚曾建議小學「國語」科應正名為「國文」，除在會場迭次發言力爭外，先後在中央日報發表有關論文六篇和啟事兩則，說明此一建議的目標、理由和重要性，終承大部惠予接受，無任欣慰。上月大部向立法院提出的「教育部施政報告」，十三頁有下列一段，特節錄於下：「2，改編各科教材：……在中小學方面：……至有關學科之教學，如國文科……，三民主義與公民……，史地科……，音樂科……。」此段內「中小學」均有「國文科」，但無「國語科」，足以證明大部已將小學的「國語」科正名為「國文」矣。

本月十九日上午在大部舉行修課標會第三次會議（先生說這是最後一次會議）時，浚曾就「國文組」所提「國民小學國語課程標準修訂說明」第一項「國民小學語文學科之名稱問題」，留由大會討論」一事，詢問是否提交今日大會討論，先生堅持不付討論。當時浚認為大部既已決定「國語」科正名為「國文」，且已在「教育部施政報告」中提及，因而成為定案，故未堅持提付討論。惟當日在會場分發的「國民小學課程標準草案」一書，有關「國語」字樣，仍未照改為「國文」，與「教育部施政報告」所載不同，顯係錯誤，應請從速更正，否則明年元旦正式公佈之「國民小學暫行課程標準」中如仍稱小學「國語」科，即為不合法，後果自極嚴重。特此提請注意。順頌

公綏

沙學浚拜啓

五十六年十二月廿三日

副本分呈行政院嚴院長、立法院黃院長暨教育委員會及監察院李院長暨教育委員會。（本月十七日中央日報拙著「小學國文亟需正名和改造」第十七行「記憶力較弱」，「弱」字應改為「强」字。）

令人十分失望的是今年元旦教育部公佈的國民小學暫行課程標準，仍然保留小學「國語」科舊名。這是不講理，不民主，不合法，既違反行政院的「令」，又違反蔣總統的正確政策。

實行講理政治方能爭取人心

民國三十八年，政府自大陸撤退到台灣，這是一大失敗一大悲劇。十九年來在蔣總統英明領導之下，政府各方面確有不少的進步，但因若干高級幹部口是心非，陽奉陰違，執行不力，以致發生種種偏差和缺失，尤以文化教育界為甚。有人誤認學校和學生數字的增加為「進步」，忽視合格師資，應有設備而俱缺之的嚴重後果。上述教育部不講理，不民主，不合法的行為竟未受到行政當局的制止，因而使蔣總統的正確政策落空。這一點會不會喪失海內外的人心？

亡羊破牢為時未晚。中華民國行政和教育當局如何彌補缺失，如何力行蔣總統的正確政策，有待於立定決心，力圖振作，明是非，辨黑白，擇善固執。成敗得失，只在一念之差！

附註：自從拙著「論林語堂先生的言文一致」摘要，於去年十一月廿二日在中央日報，廿三日在該報國際航空版發表後，來函索閱該文全文者，到十二月下旬為止，已有來函和明信片四千多件，贈送全文四千三百多份，其中海外佔十分之一弱。

今日·明日

不容蠹蟲玷污民主

今年是台灣省的大選年，從一月廿一日選舉縣市議員與鄉鎮長，四月七日選舉省議員與縣市長。所有公職候選人，悉依照地治新法規均須經過考試或檢覈合格。在執政黨提名候選人方面，亦堅採道德聲望，服務績效，社會基礎以及年壯而有適當才識者，更普遍從基層個別反映意見以為取捨標準，這在素質上當可大為提高，值得我們預為祝頌！

在民主實施初期，固不免有些「猪仔」形者混入「代議士」行列，但在我的回憶上，當年民主鬥士傅斯年，竟不幸被暴民性的「大炮」議員轟斃在省議會席上，猶有餘悸！再有一類的縣議員為了在縣長公館拜年沒有討到其岳老太太的好招待，竟在縣政質詢上大肆咆哮一番，更令人嘔心掃興。時代是進步的，這些「阿猫」「阿狗」類形的民主蠹蟲，料將在選民大眾雪亮的眼睛下，遭到排斥，再不容許他們玷污民主了！

犧牲自我獻身教育

第二椿應該注意的事，要算是實施九年義教的擴大舉行中學教師檢定考試，台北市委託省教育廳合併辦理，因此報名人數共達一萬一千五百零九人，按每人報名費八十元，亦有了九十二萬零七百二十元之收入，打破了有史以來的紀錄。這樣多的「人之患」，都爭着獻身教育，為下一代作育人才，培養國力，這真是可喜的現象！

教育工作，無論古今中外，都認為是一種清苦事業，是以利他主義犧牲自我為前提的，所以是崇高的是神聖的，這與普通以賺錢為目的的職業迥然不同。雖然目前教育風氣，因不肖校長之賺回扣，教師之賺惡性補習外快，弄得烏烟瘴氣，但與一般不良社會風氣較，教師中仍尚蘊藏着深厚的潛德幽光，維持着民族正氣，支持着不絕如縷之國脈。萬不可把一些社會庸俗墮落腐化邪念甚或粗鄙暴戾的惡行，再滲入這已經有了污濁的環境裏，而使腐化加深或更為滋長，誠不勝其杞憂！

甚望教育當局，在考驗時務須針對被考者「傳道、授業、解惑」之學養才德，予以嚴格取捨，寧缺母濫！這因為這不是國家為了解決失業問題而開創之職業機會，而是為了扭轉民族危機，變化人民氣質，挽救社會風氣，而求良師以興國運之教育大計，故不可慎也！

張紹文

自由談

莫名其妙

美國的「時代週刊」雜誌，最近將美國大兵在台灣召妓女裸體沐浴的照片刊出，實係對中國人的公然侮辱，至少亦應該禁止這一期的該週刊在台灣發行，並且對於代銷此項刊物的台北商人予以懲罰，因為他喪失了民族自尊心，利令智昏，太豈有此理了。

然而消息傳來，殊出意外，據聞台灣關係方面，竟追究讓該美籍大兵召妓陪浴的旅館老闆，以及該管區的警察派出所首長，認為他們對這種妨害風化的事情，疏於防範，咎無可辭，如果屬實，這真是奇聞，我要提出抗議！

旅客召妓陪浴原不違法，店主東自難過問，警察既依法容許娼妓存在，對她們的營業行為即不能隨便管束。問題並不在應否召妓裸浴，而在該雜誌不應刊登這類公然侮辱中國人的照片。美國社會亦有許多荒淫無恥的生活情況——尤以美軍駐在別國時的荒唐行為更有甚焉。

假使咱們中國的報章雜誌，也刊出美國人那些污穢不堪的照片，公開宣傳，若不引起外交上的麻煩，那纔怪呢！

對於國際友邦，遇事固不必斤斤計較，然關係國格與民族人格的問題，卻不能忍辱含垢，唾面自甘，否則別人並不以為我們是休休有容的大國風度，而視為無足輕重的劣等民族，是可忍也，孰不可忍？

今也不禁止該雜誌在本國境內銷售，以示薄懲，反而對本國的旅館和警察機構加以究問，於情於理於法皆說不過去，我們不能無言也。

過去百年來，中國人流行着崇拜洋人的心理，大家認為可恥，現在一變而為專事崇拜美國人，恬不為怪，這是為的甚末，真是莫名其妙！

自侮而後人侮，美國一般人士都具有濃厚的優越感和幼稚病；我們越是對他們卑以自牧，他們越是瞧不起我們，君不見毛共把美國看成紙老虎，罵得狗血噴頭，他們就對毛共大力獻媚的情形乎？

馮玉先生

毛共赤化東南亞手法

俄共陰謀搗亂不遺餘力

本報特譯

蘇俄發言人近來估計蘇俄共黨五十年來消滅宗教運動的成就時，經常用「差不多」三字。熟悉共黨名詞的觀察家們指出：當蘇俄官員們說宗教信仰「差不多」已被消除時，實際上是說反對信仰宗教運動的目的，無法全部實現，而宗教在全蘇俄仍是一股强大的力量。

一股洪流冲倒無神論　俄人民堅持宗教信仰

阿歷山大·楚卡耶夫作

此點從蘇俄共黨的宣傳人員不斷致力於無神論的鼓吹，可以獲得證明。蘇俄公民僅僅相信無神論或不可知論，共黨仍不認爲滿意，他們必須盡力阻止他們的親戚朋友，不參加宗教儀式，教員們要使學生們成爲無神論者，家長與兒童都要如此。學生們的繼續升學機會，可能要視他們對宗教的態度而定。

若干仍尊重他們的親戚朋友强烈宗教傳統的共黨黨員也受到重大的壓力。蘇俄共黨中央委員會刊物「蘇維埃俄羅斯」，去年七月八日刊出一個黨員的來信，他反對把他的一個黨員朋友開除黨籍，後者因爲允許他的三個小孩，接受洗禮。該刊對投函者加以申斥外，並堅持他的朋友被開除黨藉，乃是完全適當的。

極多的蘇俄公民，不顧共黨宣傳的繼續的鼓吹與威脅，仍保持對宗教的信仰，而且希望他們的兒女也步他們的後塵，信仰宗教。「烏克蘭眞理報」在去年八月十六日透露：烏克蘭的「虔誠的宗教信徒」，有百分之五十六甘冒受懲罰的危險，向其兒女傳道。同時，參加傳播福音的基督浸信會禮拜堂的人數，急劇增加：

在倫敦的「中亞細亞研究中心」工作的喬佛里·惠勒，去年九月時在日內瓦一項專家會議中稱：「儘管蘇俄官員企圖取締，蘇俄回教徒的所有社會習慣，舉止與居住生活，特別是與家庭有關的，仍然全力固守不改。」據估計，蘇俄全國有二千五百萬至三千萬回教徒。

現在身在美國的史達林女兒史維塔拉娜，在她的文章中，承認她對上帝的信仰，至少是她反對共黨教條所產生的精神眞實的動力。她相信這一也是鼓勵更多蘇俄公民堅持宗教信仰原因。

豈心

從寒梅看中國文化

林夏

這幾天是入冬以來比較特別冷的氣候，聽說梨山和谷關等地的梅花已次第怒放；政大的楊卓明教授特地來舍邀我去賞梅。我們在來回的車子裏，從看梅談到中國文化，後來幾乎把這兩回事混爲一談。今憑記憶所及，撮錄如下：

我們首先談起：台灣由於是亞熱地帶氣候，一切草木的生長時序，比較大陸上提早。現在雖是「小寒」氣節，寒意初濃，萬物冬眠方酣之際，而梅花已拆瓣吐艷，令人有若忘記客居寶島，幾疑又是春到人間了。

接着，我們提起梅花於民國鼎興取代牡丹而尊爲國花，相當英國以玫瑰，法國以百合，日本以櫻花……代表國魂。何以故？想必是：取其三蕾五瓣，代表三民五權，象徵五族共和而具有敎五倫（父子、君臣、夫婦、長幼、朋友。）重五常（仁義禮智信）的意義。實則，以她代表民族性的重要觀點，尙不祇此。而以能堅苦卓絕，有敢於冒險犯難，抗兇禦頑的大無畏精神之故，充分表現出孟子所提撕指授：「富貴不能淫，貧賤不能移，威武不能屈」之人格的最高標準。因此我們有理由强調，發揚中國文化，要先彰明中國文化是象徵寒梅這獨有的意識。爲着中國的民族性和文化，是特重氣節的，其所尊崇的那種莊嚴不苟的氣節，也就的寒梅獨特之所有。

梅花之被國人重視讚賞，古來已然，以是歷代詩人詞客吟咏梅花的詩詞也特別的多。如蘇軾的：「羅浮山下梅花村，玉雪爲骨冰爲魂」；陸放翁的：「廣寒宮裏長生藥，醫得冰魂雪魄回」；羅鄴的：「凍香飄處宜春早，素艷開時混月明」就中以冰肌玉骨，冰魂雪魄和凍香吐艷等美妙的詞句來形容梅花高潔的姿態，何等工雅貼切。

至於「梅占花魁」，是取她在厲雪堅冰中，百花凋零，惟見梅花獨秀，綻放那股英雄氣魄的讚美。如朱晦庵詩：「橫出天香第一枝」，便是稱譽這點。就中「天香」，是描述她具有「國色天香」的動人處。基於這點，我常有「歲寒三友」中以梅爲第一的憧憬。爲着際此天寒地凍，梅花不僅具有松竹的耐寒節操，且能駕淩松竹特地開放得更鮮艷而更香。林逋詩所描：「疏影橫斜水淸淺，暗香浮動月黃昏」；署題「山園小梅」，想必當時是黃昏徘徊小梅前，聞此陣陣暗香，沁入肺腑，薰得他感覺飄然若仙之作。其實，我是最欣賞盧梅坡所題的：「梅雪爭春未肯降，雪却輸梅一段香。」不僅說明人生戰鬥的意識，而且表達出不折不撓戰勝者的雄姿。還有我於啓蒙時期熟唸的一首：「一片一片又一片，兩片三片四五片；六片七片八九片，飛入梅花都不見。」至今思之，尤覺刻畫恰切。這不僅顯得戰勝雪花，還有鄙視雪花，不屑與戰，一若如來之對孫悟空不成比例的神情。至於自我詩章中兩句：「雪壓梅花花護雪，花心冷落雪知無」？那是當年我面對幾個不良少年，提示父母之心的含意，描述大人長者的慈懷而作。

我標榜梅花有足夠代表中國文化的資格，主要以她能於衆芳搖落之際而獨芬芳鮮艷，具有衝寒禦雪的勇氣和耐心所致。

從民族性看，記得民國初年鄭孝胥爲「辭源」題封面，譽爲國筆，靡不買不論錢，洛陽紙貴；待他於滿洲僞國，屈膝稱臣之後，日人把他的親筆書屏，販在各處出售，標價低廉，却已少人問津。於此可見。我們中國人始終保持着「餓死事小，失節事大」的觀念。至於中國文化稱敬的人物，無不以視死如歸大義凜然者爲對象。司馬遷於報任少卿書之所稱道的，和文天祥正氣歌中提名的，都是此中典型。他如：伊川不屈於北宋的黨籍，四方學子相從不舍；晦翁不屈於南宋的和議與所謂僞學之勢，致尊大賢；文山不屈於胡元，遂令我國正氣，恢弘宇宙；陽明不屈於劉瑾，黃梨洲、王船山不屈於滿淸，皆我國文化精神之所寄，民族國魂之所在。文人若此，武將猶然。所以岳武穆說：「文官不愛錢，武官不怕死，則天下太平矣！」

最後，我們唱幾句「延平王祠古梅歌」，結束這場閒話：「我聞諸葛廟前古柏柯如銅，堅貞不拔回天工！又聞岳王墳上古檜高摩空，萬枝南向表臣衷！我謂古木不知，何得人推崇？千古見者，猶思二人之精忠！諸葛存漢岳驅戎，繼其武者，惟我延平眞英雄！延平祠宇凌穹隆，中有古梅繽紛開花重，巨幹槎枒葉蒼龍，暗香浮動度春風。謂我古梅無知，何得精神通？……花大如色斗枝如龍，古香古色不與凡花同！」

偽造學籍案的來龍去脈

逢甲學院引起爭論　陳會瑞一怒掣龍泉

目前正在台北地檢處偵查中的增添河南大學于冠英學籍案，是國大代表陳會瑞檢舉教育部長閻振興瀆職案子。據檢方的調查，于冠英的名字，確實是後來增加在河南大學於民國卅二年畢業的學籍名冊最後一名的後面。現在所得到的證據，是教育部前任科長趙冰清有重大嫌疑。不過趙冰清不是于冠英名字塡寫在學籍名冊上的捉刀人。誰是捉刀人？他不肯說出來。將來這件案子，是否會牽涉到教育部長閻振興？這是社會各界所關切的事。

本案的發生，表面上看來，是一件僞造學籍案，但其發生的背景，則是由台灣台中逢甲學院糾紛所演變而來。

本案的檢舉人國大代表陳會瑞，原是逢甲學院的創辦人之一。遠在民國四十七年春天，他和友好發起籌辦「滄海學院」，沒有土地也沒有經費，爲了爭取地方人士的資助，乃將「滄海」改名爲「逢甲」。四十七年十一月成立籌備處，又成立董事會，公推蕭一山爲董事長，又公推陳會瑞爲董事兼籌備主任。

經過三年的努力奮鬥，終於由一片空地上，建立了逢甲補助班，旋改爲逢甲學院。到五十一年，教育部以資金不足，下令改組。但逢甲學院已有相當的規模。

在改組時，蕭一山想到一位前任部長，擬請該前任部長出面主持校務，就由陳會瑞到陽明山拜會該前任部長。未晤；高信代表該前任部長出面接見陳會瑞。陳乃將逢甲學院改組事與高信洽談。由此開始與高信接觸。

經過數度洽談後，高信願意拿出新台幣二百萬元，一半用於償還逢甲學院所欠的舊債，一半用於建築。董事會名單，新舊各半。而陳會瑞仍爲董事兼總務主任代理院務，兼向教育部接洽公文之處理人。

殊不料改組名單送到教育部之後，教育部不知何故，竟將陳會瑞的名字予以删除，不准他担任董事，也不准他以總務主任代理院務接洽公文。因此，使高信在董事會方面，佔了超過半數的優勢。陳會瑞由此就被從逢甲學院中踢了出來，被迫放棄他千辛萬苦所籌辦的逢甲學院。而他因創辦逢甲學院所借下的債務，逢甲學院不承認，要他一人償還。

在這種情形下，陳會瑞於心不甘，向監察院陳情，又向教育部陳情，始終得不到圓滿的答覆。現任教育部長閻振興上台之後，陳會瑞曾數度拜訪閻部長，但閻部長拒不接見，甚至有幾次看到他，也掉頭而去，不與他接談。加之教育部有不准公務人員兼任學校董事或校長的命令，閻振興故意對以僑務委員會委員長身份兼任逢甲學院董事長的高信，不予執行。以及閻振興對於逢甲學院的糾紛，曾奉嚴副總統的批示「教育部應妥善處理」而不予處理，陳會瑞乃遷怒於閻振興。

同時，教育部內部也有人對閻振興不滿，於是暗地裏提供教育部高級官員貪污的資料，給陳會瑞運用。陳會瑞從許多不利於閻振興的資料中，發現增添于冠英學籍案，證據比較確鑿，乃就本案提出檢舉，控告閻振興有瀆職之嫌。

本案之第一被告，即爲閻振興。在本案偵查發展中，首先發現前教育部科長趙冰清涉有重嫌，檢察官乃將趙冰清收押。現在檢察官已在詳查塡寫于冠英在學籍名簿中的捉刀人是誰。因于冠英的名字，字體與原學籍名冊的字體很相像，只是墨瀋甚新，經檢定便知是最近塡寫，而非廿餘年前的筆跡。

本案是否會涉及閻振興部長，就看本案的捉刀人是誰，以及捉刀人如何供認而定。不過目前情況，對閻部長似乎不利。

根據情勢發展，如果閻振興與本案無關，沒有刑事責任，本案檢舉陳會瑞，很可能另外檢舉閻振興別的罪名。陳會瑞因有教育部的內部人士提供不利於閻的資料，看來閻振興眞要傷透腦筋哩！

本報記者　新曦

北縣通訊

台北縣選情趨緊　蘇清波陷於苦戰

台省六屆縣市長選舉，各地正在如火如荼進行中。國民黨內候選人提名，台北縣經辦妥登記者計有：現任縣長蘇清波，縣議員鄭水枝，縣民政局長邵恩新，縣府農會輔導科長楊德壽，三洋企業公司經理徐成龍，議員白金泉，林雪美等七人。按執政黨在台省舉辦歷屆縣市長選舉候選人提名的原則，都是以現任縣市長予以優先考慮。蘇清波藉此先天的權利，對提名的爭奪，當然不會輕易放棄。但鄭水枝，因現任議長李儒聰的檢擧手續有所欠缺而宣告「禮讓」後，行情突告高漲，使一向單純的台北縣黨內環境，進入緊張複雜的局面。至於邵恩新以現任民政局長身份，爭奪提名，雖然環境有利，但到底還是處於坐三望二的態勢上，如欲更上一層，看目前政情，似非要等待蘇、鄭二人相搏到兩敗俱傷的局面，方有機會以黑馬姿態躍進。這種情勢雖然希望很小，但亦並非完全不可能。不過蘇、鄭二人眞到魚死網破的程度，蘇清波可能以全力支持楊德壽；如此一推測正確，則邵恩新勢必敗陣。關於徐成龍、白金泉、林雪美等三人的爭取提名，雖然白金泉有其政治聲望，但由於他在票源上，每屆民意代表選舉的結果，都是每況愈下。這一次也未必能看好。徐成龍屬福建籍，是「外省人」，林雪美是女性，隨夫卜居日本，所以他們在下屆縣長選舉，能被列入考慮提名的機會似乎不多。據熟悉政情的人士分析：現任縣長蘇清波，被提名競選連任，在原則上是屬順理成章的，況他自五十三年六月三日接篆視事以還，他的政績尚有可觀。不過，照目前地方政情分析，蘇清波不僅在提名爭奪戰上遭遇勁敵，縱然在第一回合獲勝，而在未來四月間的普選時，必陷苦戰，恐亦不易求勝。蘇清波獲提名後之所以不易求勝的主因：①於縣長任內，基於個性倔強，開罪不少有權勢的人物，使過去曾支持他競選的人，都紛紛離開。②蘇出身南港鎮，台北市昇格，南港第六鄉鎮劃歸北市治理，因此蘇氏既失基本票源的地盤，且又世居北縣（現仍屬台北縣轄鄉鎮）爲被人攻擊的一項藉口。③黨外人士李秋遠、葉萬順都具有縣長資格，李庭昌、李炳盛二人亦相當值得重視，輕易未可言勝。

讀史政略（中）

仲公

胡服騎射，在當時所謂「冠帶之國」來說，無疑是一項爆炸性的政畧。胡人的長處是騎兵，機動性極大，善於打游擊戰和埋伏戰，史稱匈奴以「馬上戰鬥爲國」，和中國人比較起來，優勢有三：

（一）「上下山坡，出入溪澗，中國之馬弗如。」

（二）「險道傾仄，且馳且射，中國之騎（兵）弗如。」

（三）「風雨疲勞，飢渴不困，中國之人弗如。」

冠帶之國，文質彬彬，要想應付這樣一個全新的敵人，惟有實行反傳統的軍國主義，才能在强胡壓境中自求生存。故其胡服騎射的計劃，雖會遭遇到與論的反抗，最後還是順利的推行了。

這一項革命性的工作，於武靈王即位十九年正月開始，其後十年之間，王親歷戎行，衝冒矢石，完成了許多偉大的事業：

二十年，王畧地中山，至寧葭。西畧胡地，至榆中，林胡王獻馬。歸，使樓緩之秦，仇液之韓，王賁之楚，富丁之魏，趙爵之齊，代相趙固主胡，致其兵。

二十一年，攻中山，王並將之，攻取丘華陽鴟塞。王軍取石，封龍東垣，中山獻四邑請和，王許之，罷兵。

二十三年，沒攻中山。

二十四年，牛贊胡服率騎入胡，出於遺遺之門，踰九限之固，絕五徑之險，至胡中，辟地千里。

二十六年復攻中山，擁地北至燕代，西至雲中九原。

二十九年，王大朝於東宮，傳國，立王子何爲王，是爲惠文王，武靈王自號主父。惠文王二年，主父行新地，遂出代，西遇樓煩王於西河而致其兵。三年，主父滅中山，遷其王於膚施。

總計武靈王在十年之中，剪除了中山、林胡、樓煩等邊患。樓煩在今代州北三十里，即匈奴所居地。林胡在今陝西榆林鎮東北四百五十里。其中以中山最强，武靈王以十餘年全國之兵力，僅乃滅之。今之保定、大同、宣化諸地，於是隸屬於中國，厥功之偉，自係得力於胡服騎射的政畧。

其後，漢受匈奴之禍，文帝亦躬自騎射，積極建設騎兵，漢牧苑有三十六所，分置西北，養馬三十萬頭，並獎勵人民養馬，設八校尉，一半爲騎兵預備隊，使敵人騎射之長，不能專利，因而導致漢武帝開塞出擊匈奴的新勝利。偉人謀國，前後如出一轍，在同一問題上，運用同一政畧，其情同，其勢同，固不可因時代先後而有異趨也。

三、衛鞅强秦

衛鞅欲變法，秦人不悅，衛鞅言於秦孝公曰：「夫民不可與慮始，而可與樂成。論至德者不和於俗，成大功者不謀於衆，是以聖人苟可以强國，不法其故。」甘龍曰：「不然。緣法而治者，吏習而民安之。」衛鞅曰：「常人安於故俗，學者溺於所聞。以此兩者，居官守法可也。非所與論於法之外也，智者作法，愚者治焉，賢者更禮，不肖者拘焉。」公曰，善，以衛鞅爲左庶長，卒定變法之令。

秦自穆公以後，駕業中墮。外攘於晉，不能東出。內遭變亂，廢立紛乘。至秦孝公時，强敵蹙境，國勢危殆，孝公同意衛鞅變法，乃爲國家的最高政畧。新法要點：（一）令民爲什伍，而相收司連坐。（二）告姦者與斬敵首同賞。（三）有軍功者，各以率受上爵，爲私門者，各被刑大小。（四）僇力本業，耕織致粟帛多者復其身（除其賦稅役謂之復）（五）宗室非有軍功論，不得爲屬籍。（六）明尊卑爵秩等級。（七）名田宅臣妾衣服。

新法令行期年，秦國成千成萬的人，都說不便。行之十年，道不拾遺，亦無盜賊，民勇於公戰，怯於私聞，鄉邑大治。八十年後，荀子遊秦，在其强國篇中盛贊秦人爲「古之民也」，秦吏爲「古之吏也」，秦士大夫爲「古之士大夫也」，秦廷爲「古之朝也」，故四世有勝，非幸也，數也。」所謂四世，當係指孝公、惠文王、悼武王，及昭襄王。

衛鞅的政畧，帶來秦國的富强，使其「苟可以强國，不法其故」的豪語，得到了具體的證明。但衛鞅推行他的新法，在手段上頗多可議之處，史載：「商君相秦，用法嚴酷，嘗臨渭論囚，渭水盡赤。爲相十年，人多怨之。」商君曾經問過趙良：「子觀我治秦，孰與五羖大夫賢？」（五羖大夫指百里奚）趙良說五羖大夫爲相：「三置晉君，一救荊禍」，直指商君爲不如。及秦孝公死，惠文王遂誅商君。觀此可知五　大夫相秦的政畧，乃係霸政初期尊王擁夷繼絕扶傾的遺緒，其與衛鞅之推行軍國主義者自不相同。

楚項羽像贊
爲毛澤東寫照

毛澤東無異煞星臨凡，鐵蹄魔掌之下，踐踏河山，宰割人民，橫施種種暴虐，無所不用其極！近年爲挽救其奄奄一息之政治生命，不擇手段又煽起「紅衛兵」之亂，「文革」「奪權」，「文鬥」「武鬥」，陷整個大陸，爲血腥屠場，其心狠手辣之處，數歷史人物，楚霸王項羽，猶望塵莫及，甘拜下風。誠所謂種瓜得瓜，種豆得豆，迷信武力者，終必得惡果，項羽下塲，已爲毛澤東下塲寫照。

民國三十六年夏，余在上海小停，偶讀某報副刊，載有「楚漢人物像贊」詩多首，其中「項羽贊」一則，雖時隔二十年，詩句尚能琅琅上口。以毛澤東今日之多行不義，實難逃於贊中所影射之點，其遭遇可能尤有過之。茲錄全文，如更易數字，即改爲「毛澤東贊」，亦無不可：

「重瞳出世，坑秦卒，屠咸陽起家。破斧沉舟實堪誇，殺人如麻。萬人敵，怎能爲敵於天下！八千子弟送垓下，迷信武力，

分毫不差。

空留得「天亡我也」痴心話！

」

慕容愷

高風亮節的諸葛亮（一）

恩緗

近來偶然的機會，聽一位教授講演，提到劉備與諸葛亮，說前者是出身於市井，後者出身於農夫。市井與農夫並非不好，只是覺得這兩個人的出身，似乎并不如此簡單。又在某雜誌上，看見一篇論諸葛亮的文章，竟借題發揮，說諸葛亮剝削蜀民，建立派系，專權固位。這即使不是厚誣先賢，也是以近代眼光看古人，未必與事實相符的。

我常想論一個古人，要從他的時代背景、抱負、志節等大處着眼，不可吹毛求疵，專挑其短處，這樣不僅有乖考史，且亦大傷名教。因有感於此，遂成此短文，以爲武侯吐氣。近時史論家，每好標奇立異，作翻案文章。其實古人的舊案，有的能翻，有的不能翻。人誰無短？諸葛孔明治國、理民、用兵的得失長短，三國志作者陳壽已有平實扼要的論述。本文只就其抱負大節及時代背景落筆。如從遠處看山，只覩其形勢，至其中的一石一木，那要遊山者自己深入探討了。可惜近來社會動盪，人心浮躁，我們再沒有古人心平氣和的治學工夫了，以致發爲議論，不流於膚淺，即流於偏急，這也許該說是我們的時代病徵吧？

唐杜甫詩云：「諸葛大名垂宇宙，宗臣遺像肅清高；三分割據紆籌策，萬古雲霄一羽毛。」可謂推崇備至。其實不僅杜甫，自魏晉以來，不管是官書野史，或民間傳說，以及入主中夏的夷敵君長，無不崇拜武侯。清乾隆曾謂諸葛亮爲「三代下第一完人」。元郝經讚美劉備與諸葛亮爲「復見三代君臣」。就古論古，堯舜三代之治，本是吾國古聖賢崇高的政治理想。但自戰國經秦漢以至魏晉，君臣之間，求其感情融洽，道義相交，眞能做到「君待臣以禮，臣事君以忠」，「君視臣如手足，臣視君如腹心」的實不多見，有之自當以蜀漢君臣爲代表。故裴松之亦曰：「觀亮君臣相遇，可謂希世一時。」

再就諸葛亮的出處去就來說，也是一個光明磊落的人物。他在出師表中說「臣本布衣，躬耕於南陽，苟全性命於亂世，不求聞達於諸侯。先帝不以臣卑鄙，猥自枉屈，三顧臣於草廬之中，諮臣以當世之事，由是感激，遂許先帝以馳驅。後值傾覆，受任於敗軍之際，奉命於危難之間，邇來二十有一年矣。」從這段文字，我們可以看出諸葛亮初出仕之意。如果他眞想出仕，南陽離許昌、荊州均不遠，他又有一個哥哥在東吳，他何必一定要歸依一個顚沛流離的劉備呢？大概在孔明眼中，劉表不足與有爲，曹操不堪與有爲，孫權則是不屑與有爲的人。但天下那有眞消極的人，愈是隱士，愈是有救世救人的熱情，所以退隱是因爲曲高和寡，不合於流俗，審時度勢，無可奈何罷了！這樣的人物在當時也不止孔明一人，如隱於遼東的管寧，荊襄的龐德公、司馬德操都是。及至他們遇見志同道合，堪與共大事的豪傑，無不全力以赴，死而後已的。

張輔名士優劣論云（見太平御覽引）「諸葛孔明達治知變，王佐之才，玄德無强盛之勢，而令委質。夫明暗不相爲用，臧否不相爲使，武帝（曹操）雖處安强之勢，不爲之用也。況在危急之間，勢弱之地乎？」諸葛孔明確是如此。如果他不遇見劉備，或遇見劉備而備志不在興復漢室，不能枉駕三顧，他也許將終老田畝，步龐德公、司馬德操的後塵了。但他不出山則已，一出山定要大有作爲。他的撥亂反正，與復漢室的觀念，甚至比劉備還强。孫權襲殺關羽取荊州，劉備一意伐吳復仇。諸葛亮則始終主張連吳伐魏，蓋以魏爲國賊，吳爲私仇也。所以他在後出師表上說「先帝以漢賊不兩立，王業不偏安」。所以他出祁山，北伐中原，身死於渭濱軍次，這種氣魄，站在他那個時代，處境是應該如此的。無怪陸放翁詩許他「出師一表眞名士，千載誰堪伯仲間！」想南宋君臣，有名將而不能用，一意屈膝求知，其視諸葛孔明，何相去之遠也！

三國志本傳注司馬德操謂劉備曰：「儒生俗士，豈識時務。識時務」胡三省說：「所謂俊傑者，在俊傑者，量時審勢，規畫定於胸中，儻非其人，未易與之言也。」指這是諸葛亮隆中對策而言。我們看諸葛亮高臥隆中，而對天下大勢瞭如指掌，他這一段話，遂定下三國鼎立之局。通鑑輯覽云：「孔明於備方窮身無所，劉表尚在之時，早識荊州爲起事之地，北向宛洛，西出秦川二言，早爲後日六出祁山張本；眞王佐之才。」又說：「隴中平居籌畫，遇識者而陳之，坐言起行，求志達道，三代下，孔明庶幾不負！」諸葛亮爲何有這樣的器識雅量？他的頭腦已超出東漢儒生的迂闊與清流的偏急；知道從容觀察形勢去實現其主觀的理想。所以司馬德操說他是識時務的俊傑。他與那些只憑主觀不切實際的迂儒不同，也不是毫無理想的功名利祿之士。他已超出東漢末年士大夫的窠臼，所以自比管（仲）樂（毅）。後人對他自己的比擬尚以爲未足，直以三代以上的人物視之。他之有此學養，與其當時的交游師友有關。漢末大亂，中原名士多避居荊襄，劉表又好士，所以荊州遂成爲賢人隱士會萃之地。後漢書載龐德公，即隱居襄陽峴山之南，未嘗入城府，躬耕田里，夫妻相敬如賓。後因劉表請他，遂攜妻子入鹿門山採藥不返。又襄陽記載：「諸葛孔明爲臥龍、龐士元爲鳳雛，司馬德操爲冰鏡（亦作水鏡）（皆龐德公語也。」

吳佩孚與繼光樓

思亮

吳佩孚雄據洛陽時，在直魯豫巡閱使署南端，建有繼光樓，規模狀麗，設備豪華，專作接待外賓之用。繼光樓之命名，吳佩孚述其用意有五：

一、中國先有辛亥之革命，漢族得以光復故土，雖標榜五族一家，然內亂頻仍，尚未有開國之治績，余願繼其後，以完成光大舊邦之偉業。二、我原出身於山東之蓬萊，昔當明代苦於倭寇之跋扈，戚繼光將軍奮起而討平之，吾鄉先進既有戚繼光，余景慕其人而欲繼其餘光。三、離曹則無吳，離洛則無保，吾願以曹吳一家而當國家之難局。保定有曹家之光園，余爲曹家之嫡系，此樓如此定名，取繼續保定光園之義。四、漢高提三尺之劍以平定天下，謀臣如雲，志士如雨，得二百年之太平，然而物換星移，國祚幾滅，幸光武振臂一呼，終存將墮之漢業，余崇拜光武而欲繼光其事業。五、中國之事好人不難辦，而惡人更不能辦，惟體得「光明正大」四字之人，始可與談時務。中國歷史治國之能臣如霍光司馬光，可稱模範的人物而爲余所私淑者。

洪憲瓷在中國陶瓷藝術上的價值

○光合○

中國的瓷器，在全世界上是發明最早的工藝品，不但歷史悠久，而且質料精細，製作高明，無論是式樣，花紋，采色等等，可以說無一不精無一不美。瓷器本來是一種家庭必須的用品，再加上人工的藝術價值，便更提高了瓷器的身價。自從唐朝何稠發明綠瓷以後，使中國的陶瓷藝術跨進了一大步。在當時甚爲盛行，所謂大唐三采，便是那個時代的產品。到了五代後周柴世宗建柴窰於河南鄭州，其出品已至登峯造極，所謂靑如天，明如鏡，薄如紙，聲如磬，爲後世所珍貴，眞是柴窰片瓦値千金。從此我國評瓷器，也就以柴，汝，官，哥，定諸窰之成色爲標準了。到宋代已成爲出口的主要商品，而中國歷代的帝王也都非常提倡陶瓷工藝，除開元朝稍差以外，直到明清，歷代都有進步，而且每一個時代都有每個時代的風格，因此瓷器不只是在中國講究，在西洋更是最受歡迎的商品。

古代瓷器價值之高大得驚人，近代的瓷器價格最高的要算 洪憲瓷了。其價値遠超過明清兩代產品。其原因是第一只燒了一窰，除去燒壞了的殘品以外，所存成品件數無多，物以罕而見珍；第二是因爲洪憲瓷是仿古炮製，用的顏色都是前明遺留的庫存顏色。出品既少而且精，乃形成其特殊之高價了。

當袁項城帝制自爲時，北平有一位很有名的大古玩商，專走大宅門官宦人家買賣古玩，此人外號人稱皮硝李，他的學名，反而無人知曉。袁世凱家也都是這位皮硝李給他搜集古玩。在袁稱帝時，皮硝李就向袁氏建議，於洪憲皇帝登極時要燒一窰御窰瓷器，當經袁氏准許，並且決定要仿古瓷，便派皮硝李主辦這件事情。此君奉命到了江西，召集燒瓷業者研究進行。據燒瓷工人說燒仿古瓷與燒現代瓷不同，第一要用特別的瓷土，第二用古代燒瓷的窰，第三要用古代的色，這些條件都是當時很難辦到的。皮硝李因爲受了袁命非辦到不可，直急得七孔生烟。幸而當時還有兩位七八十歲的老瓷工，他們懂得古窰的建築法，於是優禮聘請出這兩位老工人，如法建造古窰；至於瓷土的問題還容易解決，采色的問題可就難了。這位李君人急智生他給袁世凱建議搜察滿清皇家的倉庫，果然如願以賞，搜出一批前明遺留的古色，那是滿淸接受明朝的東西，經淸朝二百六十年十幾代的皇帝，都沒有捨得用的庫存國寶，袁士凱帝便一下子把牠用了，皮硝李是古玩商出身，對於瓷器的欣賞能力，當然是相當的高明，所以由他來主辦洪憲瓷的藝術價值便不問可知了。再加上前明的古色，與特殊的質料，那麼洪憲瓷的價值高，是有實際理由的了。

禪的火花

（八）啞子

俗語說：「啞子吃黃蓮，有苦說不出」。禪師們也有一個相似的說法，如楊歧慧林曾說：「啞子做夢，說與誰知」。慈受則說得更巧妙，如下面一段對話：

和尚問：「當一個人感覺到而說不出，他像什麼」？

慈受說：「他像啞子吃蜜」。

和尚問：「當一個人並沒有感覺到，却談得有聲有色，他像什麼？」

慈受說：「他像鸚鵡叫人」。

譯者按：啞子吃蜜，啞子做夢，與啞子吃黃蓮一樣，儘管他們嘗到的味道知甜知苦，但都有一種說不出的煩惱。這在世俗的眼光中，當然是一種悲哀。但對於禪宗來說却正要我們學習啞子一樣，無論是苦、是甜，或是夢，都不足與外人道。最犯忌的就是像鸚鵡一樣，心中毫無所得，只在嘴吧上亂說，而流於文字禪，口頭禪。

○吳經熊著
○吳怡譯

中國戲劇史的補筆

與老伶工朱殿卿談清末三樂科班

·田舍·

問：師兄弟中如尙小雲他們，都是滿了七年才離開科班的嗎？

答：當然。如果未曾滿師，外邊是不准他隨便演戲的，所有戲院，都遵守這條不成文的規定。

問：當時最苦的是什麼？

答：當時要算練武功最苦了，如拿鼎，撕腿，壓腿，翻觔斗等。搬腰時腳跟要搬到後腦海那兒去，那種滋味，回想起來，還有點怕呢？

問：這種苦功，是不是都得要受？

答：學武戲的人厲害一點，學文戲的拿鼎，壓腿之外，如走脚步，馬趟子，起覇，小快槍也是文戲的基礎。我是學文戲的，這些我都練過。

問：您的開蒙老師是那一位？

答：二奎官，姓律，叫律岐山。他教我時還年輕，是因爲倒嗓之後，才轉到教戲上來。本來，在他之前，很少有小孩子唱花臉，他是第一個最紅的。倒了嗓之後，舞台上就不像以往那麼受歡迎了，他就受聘來教我和我一位師兄張寶生二黃戲。

問：您的梆子戲，也是學花臉？

答：不，學的是小生。那時候我還有一個親戚一塊進的科班，他學梆子花旦，試嗓之後，因不能持久而被淘汰。後來他又轉入了小玉成科班去學武旦。小玉成就是後來的小吉祥，田際雲辦的。小吉祥的根據地是鮮魚口的天樂戲院。本來，先有個大玉成科班，像李玉奎，張玉峯，李玉鳳，張玉形都是那裏出身。

問：三樂科班首屆畢業生，比如您，都是在民五年畢業的了？

答：是。

問：畢業後，師兄弟有沒有像今天復興劇校似地，合在一起組成一個兄弟劇團？

答：沒有，都分散到各地去了。北京也有，各省也有。

問：三樂有沒有招第二批學生？

答：有，在我們沒出科時，招了一批學生四五十人，比我們那一科人少。但我們畢業時，即民五、六年時，我老師跟財主李繼良鬧了點意見，就離了三樂，帶起一個共和班，即志華移社。三樂後來，經營不善，就停辦了。四叔李繼良亦是大少爺脾氣，後來沒人願意幫他忙。

問：在台灣，三樂科班出身的，除了您之外，沒有第二位了吧？

答：不！還有一個在台北教票界的教師，叫王又林，是我們第二科的師弟。（以下畧）

因這段談話，讓我得到了不少有關戲曲史的部分珍貴資料。我們除了對民初三樂科班的組織，教學，實驗創立與停辦時間與原因有了較深的認識，對田際雲的小玉成科班，也多得了些資料。尤其李蓮英，一代權監，屍骨未寒，却教義子把遺產辦了科班，這一科班是在守靈之夜搜起的，倒也是值得玩味的。（下）

生活漫談

創業哲學

楚狂人

一、知命

從前的社會「萬般皆下品，惟有讀書高。」在今天這句話已經行不通了，最少聽起來已感到落伍。因爲從立國到現在未打過敗仗的美國政府，他們滿朝朱紫貴，都是生意人，可證明不能抹煞一切。

中國有創業維艱守成不易的格言，又兼人間冷暖是緊跟住成敗走的；不以成敗論英雄，乃勸勉人的話，實則成者爲王的觀念，是在每個人的心田裏生了根。生意人執政算盤精，再加以政治全由人民自主，若干國策的決定，即有錯誤，不會產生太大的偏差。美國的富强因素在此，乃舉世所公認。

國與國間交往，常以「國運昌隆」互祝。國既有國家命運，個人自亦有個人命運，讀曾文正公日記云：「古來聖哲名儒之所以彪炳宇宙者，無非由於文學事功。然文學資質居其七分，人力不過三分，事功則運氣居其七分，人力不過三分。」

孔夫子說：「不知命無以爲君子」今日社會人心擾擾攘攘不定者，都是爲不知命。尤其在政治場合及事業圈圈，明爭暗鬥計較得失，幾乎成爲常道，有的利用職權貪贓枉法，有的譎詐巧奪甚至分老朋友的屍。這些糊塗行爲，又率多爲聰明人做出，太悲哀了。

二、機會

人生有很多機會，但多失於躊躇。成功的秘訣，在於隨時準備把握機會。歐美人的觀念，認爲喪失機會，就是喪失勝利與成功。

任何英雄好漢，如果遇不到機會，成大功立大業留大名都是很難的。人一生的富貴貧賤，莫不由機會所造成；乃至於死後，機會並未因人死而消失。

關雲長與中華民族歷史永垂不朽，假定關在曹營的時候，遇害或病死，後人誰能諒其心跡？又怎能發覺他的忠君報國赤肝義膽？人人都唾罵秦檜是奸臣，但秦檜上書二帥千餘言，慷慨激烈，誓欲立趙氏之後，假定秦檜因上書觸怒被殺，能不認爲是宋室忠臣嗎？關雲長不死於曹，機會成其忠，秦檜不死於金，機會成其奸。

機會對於人生太重要了！聰明的人絕對不等待機會，而是抓取機會，運用機會，征服機會，認爲機會是注意力的產品。大陸上的奪權運動，內戰逐漸爆發，帶給我們一個反攻復國的機會。此時此地還不動手，以後好的機會恐不會太多了。

三、自私

一個自私的人，並不是因爲他斤斤計較自己的利益而討人嫌，問題是他忽略了別人的利益。自私的人另一不可饒恕的，因爲他視同情如仇敵，幾如水火之不能相容。

古代名醫扁鵲謂有六種病不治，一、驕恣不論於理，二、輕身重財，三、衣食不能適，四、陰陽並藏氣不足，五、形羸不能服藥，六、信巫不信醫。筆者引伸其說，創業亦有六必敗：一、得意形者必敗，二、謀爲不正當者必敗，三、重財輕義者必敗，四、揮金如土，漫無節制者必敗，五、英雄主義者必敗，六、親小人遠君子者必敗。

扁鵲的六不治，成爲醫生的共同守則，創業的六必敗乃筆者積三十年之經驗所舉出。而這六條必敗，條條與自私有連帶關係。國父 孫中山先生標榜「天下爲公」，天下爲公就是不自私。用不自私做武器，將三百年的王朝大淸帝國都推翻了，孫先生因無私，故被後人譽爲中華民國的國父，這就是老子所說的，「非以其無私也，故能成其私」。太自私的人，創業固說不上，做朋友別人都敬鬼神而遠之，因自私的結果，能將一切美德付諸東流。

國劇脚本 大漢兒女

（一名新莽刦）

·田士林·

一、本事

西漢末，趙終葵與田子文原係同窗學友，又爲姨表兄弟，終葵之父爲邊地胡人刼殺，葵志欲報仇，厭經術迂濶無用，乃棄儒業，改習射術與擊劍，晨必聞鷄起舞，用功甚勤。田子文則文弱書生，對於武事，敬而遠之，然通經術，尚節操。二人情同骨肉。

一日，當終葵起舞時，田子文來訪，邀約同赴大姨母呂母處拜壽，終葵允之偕行。

兩人之大姨母林氏寡居多病，伊夫原爲久居邊塞之武官，因守地胡人叛服靡常，遭人彈劾，被絀退職，歿於林下，林氏與女相依爲命，門雖設而常關。然女菁娘幼承家學，嫺弓馬，通武藝，饒有文風。母以亡夫一生戎馬，爲國盡忠，飲恨以歿，厭惡武事，禁乃女玩弄兵器及入山射獵，菁娘以興趣所在，陽奉陰違。會呂母誕辰，菁娘偷入山林射獵。竟獵得一虎歸來爲母上壽。母且喜且憂，以爲女兒勇武雖與男兒若，喜於冒險終非佳兆，怵然憂心。

呂母壽日，趙終葵與田子文偕來拜壽，席間，各抒所懷。葵頗有以天下爲已任之概。母縱觀時局將變，隱有以女付託之意。然又悅田子文之能文通經，必成大器，遽難決定。

適此時，平帝死，王莽稱攝皇帝，扶立孺子嬰，視同傀儡。知識份子不恥其矯情欺世，且疑平帝之死，或係鴆殺所致。田子文首倡鋤逆，激勵終葵舉義起事，願毀家紓難。因與東郡守有舊，欲望借重。適此時呂母病歿，菁娘悲慟幾絕，親葬於後山，遵禮服孝廬墓。終葵以表妹菁娘孔武有力，武藝精熟，擬有以說之，乃慨然去。終葵費盡唇舌，勸菁娘移孝作忠，服孝起義討莽，菁娘躊躇再四，終於慨諾共逐莽賊，且捐所居爲義師之根據地。未幾，有百數人來附合，因百姓苦於徭役，憤私田充公爲王田，乃努力抗暴，自此，聲勢漸壯，自稱安漢兵。莽爪牙聞風往剿，竟爲所敗，全軍盡覆。（三）

自由報

THE FREE NEWS

第八二五期

中華民國僑務委員會頒發
台教新字第三二三號登記證
內政部內版警台報字第031號
中華郵政台字第一二八二號執照
登記為第一類新聞紙類
（半週刊每星期三、六出版）
每份港幣壹角
台灣零售價新台幣貳元

社長李運鵬　督印黃行奮

社址：香港九龍登打士街91號十樓六座
91 DUNDAS ST, 9th FLOOR,
FLAT 6 KOWLOON H. K.
電話：857253　電報掛號：7191
承印者：大同印務公司
地址：香港北角和富道九六號

台灣總管理處
中華民國（台灣）台北市大同街119號
電話：555395、557474
台灣分社：台北市西寧南路110號二樓
電話：三〇三四六
台郵撥儲金戶九二五二

恭賀新禧

本報同人鞠躬

略評「國文」與「國語」之爭

徐復觀

一

台灣省六年小學教育中的「國語」到了初中便稱「國文」，一向相安無異。近來因為準備實施九年義務教育，把小學和初中，由原來的兩個階段，併合為一個階段；於是在上述課程方面依然在六年前稱為「國語」，後三年稱為「國文」？還是一律稱為「國語」或一律稱為「國文」？首先提出此一問題的是師範大學文學院長沙學浚先生，他主張應該統稱之為「國文」，而將「國語」的名稱，藉此機會廢棄不用。他的文章一出，引出了一連串的反對；反對者舉出了許多理由，連篇累牘的在中央日報副刊上登載。我看了這些文章以後，覺得大家似乎離開了「文學訓話」上的基本立場，及教學的基本目的，在隨意轉換語意情形之下，作「以多為勝」的意氣之爭。

反對沙先生派之所以如此熱烈，首先，以為把「國語」改為「國文」，即是把白話文改為文言文。再由此引伸下來，此一名詞改變，是反對或減輕了普及國語的運動。若果然是如此，沙先生的主張便站不住脚了。但沙先生的答覆，根本沒有上述的意見；他只是想作一番「正名」的工作；認為站在「正名」的立場，只能稱為「國文」而不應稱為「國語」。我現在順在文字訓詁上的正名，及關連到教學內容上的正名來考察此一問題。問題的解決只在現實上求根據。歷史上的根據，對現實而言，有的有意義，有的沒有意義，可以不必去管它。

二

就常識性地文字訓詁來說，「國語」是「國家的語言」，「國文」是「國家的文字」，語言是用口說出來的，文字是用手寫出來的。「語言」可以簡稱為「語」，「文字」也可以簡稱為「文」。一個人，當他獨語或對談的時候，說的是白話，固然是語言；即使滿口的之乎也者，依然是語言，因為他是用口說出的。假定他一旦「見之於文字」，則他寫的是駢文，古文，固然是文字，而可簡稱之為「文」，假使寫的白話，土話，依然是文字，也可簡稱之為「文」。所以初中高中大學的「國文」課程中，有的教材是文言，有的教材是白話文，而皆稱之為「文」。台灣國語日報出的「古今文選」，裏面有古文，有今文，今文都是白話體，但不礙其稱為「文選」。何以故，因為都是用手寫，再經用紙張印出的「文字」。所以「國語」「國文」兩個名詞，根本扯不上文言白話之爭的問題上去。然則以用那一個名詞，較合於正名的原則呢？這便要看所用的教材還是只用的教材還是只用唱片或錄音機呢？還是用的印在紙上的文字。若是用的印在紙上的文字；或者唱片錄音機上的語言，最後還是要用文字記下來，以便保存；則為什麼不可以稱為「國文」，而非稱為「國語」不可呢？現實上，「文」的一詞，可以包括文言文，白話文兩種文體，則用一個合於訓詁上的常識，而又較有概括性的「國文」一詞，我想不出有什麼反對的理由。甚至可以說，「國語」一詞，是名實不符的名詞。

三

許多拼命反對「國文」一詞的人，以為當年採用「國語」一詞，意在普及國語運動，以加強民族的團結力量。將「國語」改為「國文」即是放鬆了此一語言統一工作。這種想法，我覺得有些奇怪。台灣的國語日報，專門是為了推行國語所辦的報。但它的副刊中也有文言文的材料；它所出的古今文選中，還有更多的文言文的材料。若沾上了「文」字，便妨礙了國語運動，則國語日報豈不是幹了許多違反它原有任務的工作？實則國語日報，是以在文字旁邊加上注音符號，使讀者按照注音符號來唸，以實現它的目的；而在小學中訓練國語，除了開始一個月專教注音字母，使兒童能應用發音符號以外，其餘的主要工作，是靠以標準音來唸課本上的文字，及以標準音來解釋課本上的文字。唸的對象，講解的對象，既都是印在課本上的「文字」，則稱之為「國文」，何以會發生阻礙語言的統一工作呢？

（下轉第二版）

賣盡心機

殘民以逞

昨日與明日

油商賄案聯想

春末夏初之交，台灣水泥供應失調，忽由市價每包五十元漲至八十餘元，頓使建築物隨之高漲。甚著事業基礎之某政要，乘機「利用職權」用平價五十元單價，暗中搶購萬包，以貼補生活，被察覺撤去本兼各職，政風為之丕振，貪瀆者為之駭然，固勿多論。有人盤算這一年中，政府掃蕩貪污，已從上層做起，首向「老虎」，次及「蒼蠅」，事實昭彰，豈可置疑！油商賄案公訴提起後，彼時仍不免有人多方從中緩頰，並以樂觀口脗告慰被告家屬：「從案情相似未被收押之數人中，即可預料一審之後，自然同判無罪」。像煞有介事，言之鑿鑿！

後來未被押者，雖果判無罪，但是被押者卻接連一審二審判刑，三審定讞。據悉內情者認為，各級審判，悉合「法律程序」，絕無「非常上訴」之可能，人們竊嘆「有幸不幸」而已！某縣教育科長難洽輿情，控案累積，油案中某一立委，即其後台之一，至此掩護大勢，已被拆去一半，瞻下來的臉涉油案，無辜自清者，恐亦將「愛莫能助」了。抗日名將某，曾持正義對某科長作風頗有指責，旋被調職，將軍語人：「以此調彼，異地皆然，夫何言哉！」聆其語氣，豈止遺憾！

郭紫峻在油案中得詩人張百成之確證，在審判長深具確信心之自由心證下宣判無罪。迄今還有人羨慕張任油商公會名譽顧問，一年薪俸，就有十餘萬元之多，這不是「揩油」而是黑白分明的「義務」「權利」啊！

「臉譜」與「臉嘴」之辨

張紹文

秘辛作家馬雲騰兄以「臉譜」斷定「傳人」，依他假藉某晚報主編口脗「猪尿泡冒充猪肚子的學人」不在討論之列的準則下，把台北知名學人和許多他接觸過的政界聞人，都分別的從「臉譜」上繪聲繪色的加以預斷，指出他們的千秋，謂為「看相經」編印在他底大著「新二十五經」內面，雖然是遊戲文章，但也有他的確信心證確判價值在。

我一向謹守衡門，讀綫裝書打發日子，近來忽然心血來潮，卻不存什麼「枯樹開花」的想頭，也確是受了馬兄的感染，因是我務於以「臉嘴」看貪污，它會經過「實驗」的求證，徐圖一一著於春秋，雖不敢與馬兄較長論短，但「臉譜」與「臉嘴」僅一字之差，究其實質：「臉譜」可辨忠奸，望之儼然，「臉嘴」祇有醜惡，令人嘔心罷了。因此我敢自傲的說：「臉譜」觀察法和「臉嘴」看貪污法，將可後先輝映，如其不信，請看下文：

在下先向讀者聲明：我不是「落井下石」，因為我要寫一段油商賄案中的主角周子洪的掌故。當去春國民大會閻振興報告教育施政後，例須答復質詢時，正「竄紅」的周某抓住了這個機會，混身解數的派出「主席團」身份，特別對閻部長「護航」，公然以時間限制，阻止代表陳會瑞為逢甲學院糾紛事件，提出質詢，不惜張大那副「善柔」的「臉嘴」，「殷勤」的護衛在閻的身傍，頻頻促其離去了事。閻固不知將有怎樣的「風暴」來臨，使他未得從容作適當解決的答復。造成陳會瑞此次向法院控訴閻部長駭然有涉及偽造學籍之嫌。不幸此時正爆出聯考「槍手」驚人弊案，鬧得滿城風雨，一時報紙連篇累牘的揭載，把我們的民主教育司令台轟得「體無完膚」。閻究否與本案有關，固須尚待法律澄清，但因此影響了教育的尊嚴，卻成為鐵的事實。此時在獄中的周子洪，不知作何感想？

據說，周子洪繫獄後，仍然有說有笑，不時回味他「主席團」的殊榮，因是喫得、喝得、睡得，也仍然操持他「善柔」的「臉嘴」，面對現實。但有人分析油案係由周一手串演而成，足見他的「神通廣大」，也正因此有他的「歷史千秋」，恕我不另作批判。

自由談

談三卡制

馬五先生

台灣各行政機構，最近創立所謂「三卡制」，即公務人員每天必須按時簽到上班退值，藉覘勤惰；又須表現工作實況，以資考核；還須注意操守品德，俾作賞罰依據。這三種情形皆用卡片紀錄，隨時檢查。據說這是為要改革政風，提高行政效率而然的，看起來冠冕堂皇，義所應爾，結果恐怕是虛有其表，徒具形式而已。

公務人員按時上班退值，原係不言而喻的當然律，用不着特別提倡的。祇要人事健全，適才適任，機關組織合理化，職務分配得宜，而主管長官亦督導有方，大家自然不得不恪盡職責，以赴事功。如果冗員孔多，人浮於事，許多人雖按時上班，卻無事可做，只好坐在公廨中看報紙、吸香烟、聊閒天，從那兒去表現勤惰呢？尤其是一些顧問、參議、專門委員，乃至於雇員之類，平日連辦公室亦付之缺如，突然教他們按時上班，不許遲到早退，究有甚末固定的職務可以努力呢？

談到公務員的工作實況，除了勤惰以外，還有能力問題。有些人克勤克慎，按時從公，然由於低能的關係，早晚忙碌亦辦不了甚末事，據聞某高級行政機關的秘書長，一件緊要公文放在他的抽屜裏，經過了兩年尚未發出，這和「三卡制」可謂毫不相干。

至於公務人員的操守品德如何，基本是先天的稟賦和後天的修養關係，憑法令規章來約束塑造，未免不切實際。生性有所不為，知恥自愛的人，你教他違法瀆職，他亦不幹；而品德卑下之徒，雖有嚴刑峻法，亦復無所忌憚，反而藉着法令的漏洞，適足以濟其奸，卡片由你紀錄，壞事我自為之，君不見號稱清高的教育界，而非法貪汙事件亦時有所聞乎？

職是之故，所謂「三卡制」的行政新猷，以之作為宣傳資料，聳動社會觀聽於一時，固無所謂；若欲藉此以革新政治，提高行政效率，創進實際功績，而不致徒亂人意，流於形式主義，殊覺未可樂觀也。

爆竹與現代人

季齊

我們中國人，一有什麼喜慶，總是放爆竹慶祝。尤其是過陰曆年，家家戶戶都放爆竹。老式的春聯「爆竹一聲除舊，桃符萬戶更新」，最能表現爆竹除舊更新，慶賀新春新年的意思。

世界上每一個民族都有很多傳統習俗都是相沿成習，只知道有這一回事，不知道為什麼有這一回事。中國的爆竹就是一個例子。中國人相沿成習，只知道有大喜慶就放爆竹，很少人知道它的來由。

爆竹又叫「爆竿」，東京夢華錄說：「蠻牌令數內兩人出陣將舞，凡五七對，忽作一聲如霹，謂之爆仗」。可見爆仗是霹的響聲。

爆竹究竟起於何時，已不可考，詩經上描繪喜慶只有「鐘鼓樂之」的詩句，沒有「鳴爆樂之」的詩句，可以斷定在周朝是沒有爆竹的。

我們研究最早的爆竹，不是如今的火藥爆捲紙，是「火燒竹子」發出霹拍的響聲，據古籍說：「歲旦爆竹于庭」，就是火燒竹子的明證，因此取名「爆竹」。「竹」又是「竿」，所以又名「爆竿」。火藥發明以後，爆竹由火燒竹子蛻變成火藥爆捲紙，但有的仍稱「爆竹」，不過也有人改稱「爆仗」，施宿會稽志說：「除夕爆竹相聞，亦或以硫磺作爆藥，聲尤震，謂之爆仗」。

周秘武林輪事說：「西湖有少年競放爆仗，及設煙花，起輪戲」。可見爆仗在宋代大行。宋初和中葉國泰民安，爆竹大行，是不可怪的。

爆竹為什麼會產生的？據傳說是因為相信爆竹可以驅鬼，這種傳說很早就有，到後來越傳越信以為眞，范成大村田樂府序說：「爆竹他郡所同，而吳中特盛，惡鬼畏此聲」。更明說爆竹聲可以趕鬼。其實不是這樣的。

原來古代和現代的生活情調氣氛完全不同，自從人類的機械工業發達以後，都市的爆音越來越天，人類不勝其嘈雜之苦，但是，在古代，人是長年處在極度寧靜陰寂之中的，加之古代人的知識不如現代人廣博，所以多恐懼，多迷信。古代人長處在寧靜陰寂中，再加心理作用作祟，總覺得暗寂陰靜的屋內和屋外的環境中有什麼邪惡魔鬼，所以有時候用大聲去驅邪趕鬼，現代科學眼光看來，不過是用巨聲去壯壯自己的胆而已。所以爆竹是古代人對暗寂陰靜的環境發生恐懼的一種壯胆的方法，這就是爆竹的眞正來由。

我們知道爆仗不單有巨聲，還有火花；我國人年前年後放爆仗，更是不離花燈燭火。古代的人其所以好愛火花、花燈、燭火，也因為古代一到晚上，各處陰暗，不比今天的現代都市，一到晚上，電火如晝，古代人之燃放爆竹，其眞正緣由是藉巨聲壯胆，同時用火光點綴人世的陰暗，來增熱鬧歡樂的氣氛而已。

丹麥有一句古話說：「鬧聲趕惡鬼」，所以丹麥人在除夕十二句鐘響過後，都在門前放爆竹。印度人在第梵里節的晚上也放爆竹，印度哲學家說是可以辟邪。其實，丹麥人和印度人放爆竹的心理因素跟中國人一樣，無非是長年處在古代陰暗寧靜的環境中，由心理恐懼而疑神疑鬼，藉爆竹聲來壯壯胆而已。

不過，也有些民族是只用別的巨聲壯胆，不用爆竹的。例如古老的斯拉夫民族過年敲大木，荷蘭人鳴汽船的汽笛，日本人在除夕敲鐘一百另八下，還有的丹麥人敲陶器，都有「鬧聲趕惡鬼」的意思。不過，這些國家不盛產竹子，所以在古代沒有發明「爆竹」和「爆仗」一類的東西罷了。

和中國人放爆竹不離花燈燭火一樣，外國放爆竹，發巨響也不離燈火燭光：丹麥人過年放爆竹，敲陶器，同時放射閃光物；印度第梵里節的「第梵里」，原義是「一片燈光」，所以印度人在第梵里節晚上，家家戶戶都點了很多油燈臘燭，宛如天上星星；斯拉夫民族一邊敲大木，一邊大燒大木，發出熊熊的火光；古代的雅典人也同中國人過元宵玩花燈一樣，晚上有大火炬遊行，因為火光可以冲淡環境的陰暗可怕的感覺，所以難怪波斯人把火焰象徵神祇了。

爆竹既然是古代人長年在寧靜陰寂生活中的產物，所以爆竹和爆仗都象徵太平。現代人長年處在囂擾的鬧市裏和燈光如晝的夜市中，不覺得聲響光亮之可貴，有時候反而厭惡噪音電光刺耳刺眼，擾人安寧，非加以約制不可。古代就不同了，古代人長年處在寧靜陰暗中，反而需要音響光亮點綴人生。人原來是矛盾的動物，鬧極思靜，靜極思鬧，是不斷的在反覆着需求的。

現代戰爭更是擾人內心的安寧。現代人聽多了機槍砲聲，對爆竹聲反而有一種不愉快的聯想，所以現代人對爆竹的喜愛是大不如前了。何況科學的發明日新月異，都在吸引着現代人，現代人自然更不會對爆竹具濃厚的興趣，其所以逢年過節歡喜放放，也是沿習慣作作表示而已。

自從科學發達以後，人類的物質生活是改善多了，但是，由科學產的機械工業和戰爭武器，使人內心煩擾不寧。這種時代使人「鬧極思靜」，所以很多人都懷念古代靠爆竹燈火打破寧靜陰寂的太平辰光呢。

縣長夫人炒地皮　蘇清波選運交關

台北縣訊　台北縣居全省衝要，當在臘鼓頻催聲中，大選潮亦隨至密鑼緊鼓階段。從下屆縣長競選方面，國民黨黨內提名，初步辦理的基層意見反映，業經縣級彙報於省。現任縣長蘇清波：品德聲望好者獲一三、〇七〇票，服務績效優者獲一二、八〇七票，社會基礎雄厚者獲一二、三六〇票；次為鄭水枝，三項票數差及蘇百分之七〇；再次為邵恩新和楊德壽僅及蘇百分之三〇，或百分之十。看基層反映，蘇之被提名候選，已佔壓倒優勢，預料當可一帆風順！

蘇係南港鎮人，由鎮民代表而鎮代會主席和兩任鎮長，再由縣議員和兩屆縣議長，迄至做了縣長，有近廿年之從政經驗，襟懷風度，勢將大有作為，平時一本「硬朗」作風，表現抱負。在班底中操持策劃以秘書吳仁全為倚重，主任秘書李文玉樂得清閒自遣。吳固幹勁十足，但位備臨時，蘇始力薦其改任兵役科長，未得省級邀准，於對抗力爭不遂後，派充國宅會執行秘書仍兼機要。再以警察局長周辰，配合不力，乃面呈省峯予以調換。在人事上蘇雖未獲全權亦較一般有力。吳意氣自逞，當迭次對接洽公務人員，故意刁難，不惜衝突打架，是非橫生，在一場抗拒議會質詢火爆的紛爭後，終於道歉息止，在吳的倨傲粗鄙僨事上亦多少為蘇帮了一些倒忙，蘇雖不免為之「惱火」，然亦莫可如何！去夏新店鎮長卓定俊協助行政院興建中央公務員住屋小組購置境內土地，被蘇以「省令限制農田變更」責卓之不當，於是各執一詞，上行下效，相互對抗，引起卓之報復表示：「將出馬競選下屆縣長」。卓定俊出身政治學士，青年佼佼，為全縣鄉鎮長中之唯一較高資格者，且在蘇縣長學歷之上，後經地方年長紳要出面斡旋寢事，此又一問題也，但與蘇之競選連任無傷！

此番黨內提名縣長候選，蘇在聲勢上確已超出鄭、邵、楊三人，已如上述。黨外人士「自詡具有力量」之李秋遠是否將策動李庭昌捲土重來，目前雖無動靜，若然，亦不過對蘇陪選而已。

好事多磨，正如「天有不測風雲」一樣，蘇之選運到此忽臨交關，因已被李柏明向監察院檢舉，蘇有「炒地皮」之嫌，正將進行調查。監院已飭原檢舉人補具理由畧稱：「蘇變賣公地雖引用省有房地產出售辦法第六條之規定，但該條之行使須經公開招標比價，報請審計機關查明批准後始生效力。而蘇並未履行茲項規定，竟直接批准，而且買方之台北運倉公司董事長王旻女士即屬蘇縣長夫人。」又據說：「蘇批准出售之台北市紹興街三十九號土地一批，計五百二十四坪，每坪售價僅為四千餘元；去年二月成交時，每坪值價已為一萬六千元，目前則已漲至每坪二萬五千元。所以這一筆土地案，台北運倉公司已平白賺了一千多萬元。」再聞本案尚牽涉縣農會總幹事王以文在內，縣議會對本案已有質詢，但無具體結果。

蘇出賣公地，係去年二月成交的，李柏明為何早不檢舉，偏在此時競選提名尚未決定時，而忽然出此「絕招」，頗足令人尋味。情勢如何，將以本案之發展為定了！

・董書

偽造學籍案將水落石出

台北航訊　國大代表陳會瑞因逢甲學院糾紛事件，請求教育部解決未遂，憤而控訴閻部長有涉及偽造學籍之嫌案，引起軒然大波。由於檢察官之重視本案，在調查局人員積極查證下，已發現四個可疑的大學學籍，雖然案情尚未揭露，但已使社會為之駭然。第一案既係教育部早經發覺，為何又被擱置，延未處理，以至揣測紛紜？好在主辦本案檢察官莊來成正嚴密進行偵察，從未放鬆，主角于冠英業被傳訊，在偵察庭上受訊一小時有餘，但于冠英並非是以證人身份被傳，却在「關係人」與「被告」之間面臨法律考驗，因為任何一件案子的關係人，隨時都有變成被告之可能，因此學籍案也隨之高潮再起！

于冠英是監察院司法委員會的專員，也是因案繫獄監委于振洲之子姪。據說兩年前于冠英為謀升簡任，曾一面向銓敘部補呈河大學歷，並申明文憑遺失，正向教育部申請補發中，詎部方即以「無案可稽」，予以批駁；旋再申前請，部方再翻底冊，果有于某名列冊籍，經辨字跡有異，且係補行填入，一望瞭然！因此會簽查究，並曾專案研擬，不僅秘而未宣，竟爾積壓下去，遂成目前重大疑案。至於于振洲委員，當時因其令姪補請證明學籍事，曾否代為作有利周旋或予情託，雖被一般認為應行注視者，但此關係法律，事外人却不便有所主張！

自政府播遷來台後，迭經補發大專文憑，悉有檔案可據，隨時辦理，從無疑問發生。惟憶前屆考試委員，在監察院進行資格審查時，曾對某大學畢業之某委員（姑隱其名其校）修滿學位時，年僅十五歲一節，頗表疑慮。載諸報章，傳播社會，但仍獲合法少數同意票通過。往事已矣，固勿多贅。

自偽造學籍案發生後，又有人談及與某委員同一大學出身者，在台補發文憑最多，部方對此是否有案可稽？又是否依照「學位授予法」第三條：「凡曾在公立或立案私立之大學或獨立學院修業期滿考試合格，並經教育部覆核無異者，由大學或獨立學院授予學士學位」之規定辦理？抑或有特別法令之依據行之？在在均被社會疑慮中，此另一事也，併此一提而已。

顧碧天

畧評「國文」與「國語」之爭

（上接第一版）

訓練標準國語這門課程是小學中學教學的目的之一。若以為更有「國語」一課，完全以此為唯一的目的或把它當作主要的目的，那便是一位不很健全的教員。因為這門課的基本主要的目的，是在使兒童能認識本國的文字，並能運用本國的文字。

認識單字，有字音、字形、字義三個因素。以標準音發每一字之音，此即是推行國語。但這在認識一個字的過程中只佔三分之一的份量。進一步認識有組織的字，其內容更非「推行國語」一端所能限制。說到運用文字，「寫字」「讀書」「作文」，只有靠加上注音符號來達到推行國語文目的，而此目的乃是附加上去的，決非寫字、讀書，作文的基本目的。這種情形對用「國語」或用「國文」名詞毫無兩樣。但用「國語」一詞，便抹煞了此一課程的主要意義，用「國文」一詞，則名實相符，概括了各方面的意義，必同樣可以担當推行國語運動的工作。

還有人認為用「國語」一詞，可以表示「言文一致」；而「言文一致」，是文學革命的主要目標。這一點與本問題的討論，實際上並無關係。並且經過近年來實驗性的研究結果，顯示寫出的文字，可以努力和口語接近；但永遠不會「言文一致」的。因為在對話的時候，有語調、表情等，以幫助對方的了解；所以口語總是不太完成的。照口語的原樣寫下來的文字，很多是一種不完全的文字，難使人完全了解，所以必加一番經營修補。否則必是把經營修補的工作，用在開口說話之前。但這只能算是文字的腹稿而不是自己的語言。這一點，在今日已經成為常識。可是在不很肯用頭腦的我國知識分子中，具備這種常識的人太少了。（完）

來函照登

逕啓者：頃閱貴報一月十七日星期三第二版刊載記者新曦報導：「司法界一陣動盪，鄭彥棻去後之思」新聞一則，謂：「司法官訓練所學員結業典禮，照例由司法行政部函邀立監兩院司法委員會委員參加致訓，但兩院司法委員會委員沒有一個人出席，其意在給予鄭氏以難堪。」查本院司法委員會委員並未被邀參加該項典禮。該文又謂：「在一次新年司法人員同樂晚會中，特地在中山堂排了三天的同樂節目，大發請柬，邀請監察院全體委員參觀同樂節目」。查本院委員未被邀請參觀。該文又謂：「鄭彥棻與立監兩院相處不愉快之事，早為有關當局所悉，有關當局覺得有調和他與兩院情感的必要，乃出名邀請立監兩院委員宴會，鄭彥棻也是招待人之一，可是在他招待的那一桌，開席時沒有一個客人。」查本院根本不知有此宴會，所載顯然不確。用函請

貴報惠予更正為荷

監察院秘書長啓

歷史人物漫談

為漢家出六奇計的陳平

清園

漢朝開國的初期，運籌帷幄，固然第一要數張良。但論足智多謀，陳平比張良也差不了多遠。太史公司馬遷在陳平傳裏評論他說：「常出奇計，救紛糾之難，振國家之患。」究竟陳平是怎樣一個人，出過了那些奇計，請容我慢慢道來。

陳平是陽武戶牖人，（今河南省陽武縣）少年時，家貧，好讀書。他的哥哥種田，使平外出求學。平長相很帥，是一個美男子。但因家貧，富人的女兒都不肯嫁他，而貧人的女兒他又不要。同鄉富人張負，有一個孫女，嫁了五次，而五個丈夫都死了，因此無人敢再娶她。但陳平卻想得到她，因為她家有錢。張負也以為美好如陳平的人，不會長久貧賤，決心把這曾經五嫁的孫女兒給他。平既娶張氏女，用錢也就不成問題，交游更廣了。

有一天，里中祭祀幷聚餐，陳平主持切肉，他分肉極為均勻，父老們說：「陳小子做社中宰肉的人，很好！」平回說：「假如讓我去處分天下，也和這肉一樣。」

秦二世元年，（西元前二〇九年）羣雄並起，天下大亂，陳平以為這正是他出頭的日子，於是便告訴他的哥哥，要出外謀發展；他的哥哥當然同意，他就這樣踏上了事業成功之路。

他先投到魏王咎那裏去做事。他向魏王有所建議，魏王不聽，加之別人又說他的壞話，他只好逃走。後來項羽打到黃河流域，他又投到項羽軍中去做事。項羽也不重用人才，他又掛印封金逃往劉邦，那裏去。當渡河時，船工看見他美丈夫一個人獨行，疑他身上有金玉寶器，想謀財害命。他覺察到船工的心思之後，非常害怕，情急智生，便脫光了衣服，赤裸着身體，幫忙去划船。船工看到他身上沒有什麼財可謀，就算了。

陳平到了劉邦那裏，劉邦和他做了一次深談，非常高興，立刻委他做都尉，幷派他參乘，典護軍。即在劉邦左右，掌管護衛部隊事。陳平得劉邦這樣重用，諸將都不服氣，又有人說他在家和嫂子私通，在這兒又接受賄賂，但劉邦都不理會，仍舊重用他。因此他能盡心竭力，六出奇計，為漢家爭天下。

他第一個奇計是「多金間楚」：他勸漢王劉邦拿出幾萬斤金子來，一方面去收買楚霸王項羽的部將，一方面多派反間到楚軍中去，離間他們的團結。因此項羽果然慢慢不信任大將鍾離眜及亞父范增等人。

第二個奇計是「偽裝投降」：當劉邦被項羽包圍在河南滎陽城裏時，陳平在夜晚驅城中二千女子出東門」，紀信扮成漢王模樣，偽稱：「城中糧盡，漢王出降。」楚軍一高興，統統跑到東門去看熱鬧，陳平和漢王等，乘間出西門逃去，因此得入潼關收集散兵，再與楚戰。

第三個奇計是「躡漢封齊」：韓信已攻下齊國，派人來見漢王，請封他為假齊王，以便統御。漢王正與楚霸王對峙河南，無可奈何之際，一聽到韓信想做齊王，非常冒火，當韓信使者的面，便大罵韓信不是，陳平和張良同時踩了一下漢王的腳，並附漢王耳說：「漢方不利，不如因而立之，……不然，變生。」漢王即轉口說：「大丈夫要做就做眞齊王，為什麼要做假齊王？」因此立刻派張良去封韓信為齊王，使得他忠心為漢而攻楚。

第四個奇計是「巡游擒信」：漢王打敗項羽之後，自己升格為皇帝，並改封韓信為楚王。稍後有人告韓信遲早要造反，陳平建議漢高帝劉邦，偽稱出游雲夢，會諸侯於陳，到時韓信到陳郊來歡迎，即出武士將他綁縛起來。高帝照計行事，果然不費什麼力，便把韓信綁回長安，貶為淮陰侯。

第五個奇計是「美女退敵」：陳平隨漢高帝攻討反叛的韓王信，（這不是韓信，而是另一人。）到達平城，（今山西）欲乘機攻討匈奴，反被匈奴王冒頓，以大軍包圍，七日不得食。又是用陳平的秘計，纔得解圍。所謂秘計，相傳是陳平去會見匈奴王冒頓的太太，說漢天子將以美女獻給冒頓，以求匈奴解圍去。冒頓的太太本極悍妒，聽說漢人要送美女來，立刻督促冒頓解圍而去。

陳平此後常以護軍中尉從攻陳豨及黥布，一共出了六個奇計，有些很神秘，當時都沒有人知道，前面我已經數出五個來，這五個計，是不是完全屬於六個奇計中的，我也無法考據。第六個奇計，可能是和張良共同主張背鴻溝之約而攻楚，也可能是攻打陳豨和黥布時所出的，我們現在無法弄得清楚。

後來呂后當權的時候，陳平做左丞相；呂后死後，諸呂氏作亂，也靠陳平和周勃合謀，纔平定了他們。漢文帝時，右丞相周勃辭職，陳平即專任丞相，丞相就沒有左右了。文帝二年，陳平逝世，謚為獻侯。

陳平曾自我批評說：「我多陰謀，是道家之所禁，（少時好道家黃老術。）吾世即廢亦已矣，終不能復起，以吾多陰禍也。」他世襲的爵位，後來傳到他的孫輩，果然因過失被剝除，終漢之世，陳家的爵位就沒有再復起了。太史公以為他有智謀，而能善始終，所以稱他為好宰相。（完）

讀史政略（下）

仲公

四、韓為秦鑿渠

韓欲疲秦人，使無東伐，乃使水工鄭國為間於秦，鑿涇水自仲山為渠，並北山東注洛。中覺而罷，秦人欲殺之，鄭國曰：「臣為韓延數年之命，然渠成，亦秦萬世之利也。」乃使卒為之，注填之水，溉潟鹵之地四萬餘頃，收皆畝一鍾，關中由是益富饒。

六國皆畏強秦，相率籌謀抗拒之道，然多不得其法，韓使鄭國為間，勸秦鑿渠，其目的無非消耗秦國力量，使其無能東出，殊不知渠成水到，雖有小勞，利亦隨之，故秦雖中途發現韓的陰謀，仍繼續為之，奠定了民生建設的基礎。史記河渠書說鄭國所鑿的渠，長達「三百餘里，成，關中為沃野，無凶年。」秦力未疲，國力更強，使敵蒙其利，己受其害。異哉此一政畧也，於韓之無人，一至於此，可為浩嘆。

惟六國當時對秦，其笨拙大率都是如此。秦始伐趙，魏王問於大夫，皆以為秦伐趙，於魏便，孔斌問故，曰：「勝趙，則吾因而服焉；不勝趙，則可承敝而擊之。」子順獨以為秦伐趙，無敵可承。大夫曰：「縱其勝趙，於我何損；隣之羞，國之福也」，子順曰：秦貪暴之國也，勝趙，必復他求，吾恐於時魏受其師也。」當時六國的領袖們，短視低能，眞使人扼腕。故杜牧論六國之亡曰：「滅六國者，六國也，非秦也。」洵為的論。

五、秦伐蜀

巴蜀相攻擊，俱告急於秦，秦惠王欲伐蜀，以為道險陿難至，而韓又來侵。司馬錯請伐蜀，張儀曰：不如伐韓。王曰請聞其說，儀曰：「親魏善楚，下兵三川，攻新城、宜陽，以臨二周之郊，據九鼎，按圖籍，挾天子以令於天下，天下莫敢不聽，此王業也。」司馬錯曰：「不然。臣聞欲富國者務廣其地，欲強兵者務富其民，欲王者務博其德。三資者備而王隨之矣。今王地小民貧，故臣願先從事於易。夫蜀西僻之國，而戎翟之長也，有桀紂之亂，以秦攻之，譬如使豺狼逐羣羊，得其地足以廣國，取其財足以富民；繕兵不傷衆而彼已服焉。今攻韓，刦天子，惡名也，而未必利也。又有不義之名，而攻天下所不欲，危矣。

秦王遂採用了司馬錯的計劃，起兵伐蜀，十月取之，蜀既屬秦，秦益富厚，輕諸侯。張儀「挾天子以令天下」的政策，自霸者而言，有可乘之隙，然無必勝之機。張儀之世，六國合縱以抗秦的大政畧，尚在時分時合的狀態，秦如迫之太急，六國的合作將愈強，名臣猛將，各國尚不乏人，張儀想於旦夕之間，冒着「刦天子」的惡名，以僥倖求逞，親魏，魏有脣亡齒寒之戒，善楚，楚有捷足先登之忌，倘有人焉，於其時重拾尊王攘夷的號召，擁天子以抗逆秦，則張儀之策必敗，而秦亦蹙。

挾天子以令天下，後世有行之而得逞其野心者如曹孟德是，但張儀行之尚非其時，形勢不同也，故秦亡六國，利在蠶食，不在驟勝。

六、樂毅伐齊

燕師乘勝長驅，齊城皆望風奔潰，樂毅修整燕軍，禁侵掠，求齊之逸民，顯而禮之，寬其賦斂，除其暴令，修其舊政，齊民喜悅。

祀桓公管仲於郊，表賢者之閭，封王蠋之墓，齊人食邑於燕者二十餘君，有爵位於薊者百有餘人，六月之間，下齊七十餘城，皆為郡縣。

張三與李四的來源

竹羽

好些人在「擺龍門陣」的時候，總是以「張三」「李四」作為對另外某些人一種代表性的稱呼。其實，這樣的稱呼，只不是泛稱一般毫無關係的人而言，原無深義；至何以必稱「張」「李」二姓，則因這二姓最普通；何以必稱「三」「四」，無非言其閑雜，故更不必深究。

民國十九年秋有事赴杭州時，曾動觀廬之興，特至西溪一走，取道留下鎮，乘船到西溪。操船的是一老嫗。據她告我說，留下之所以稱為「留下」，因當洪楊之刦，其地殺戮至慘，徼幸留存的，只有四姓十八家，所謂「張三」，「李四」，「王五」，「趙六」是；即張姓僅剩三家，李姓四家，王姓五家，趙姓六家，合成四姓十八家之數。友人說她是胡說，「張三李四」早見於五燈會元。我也說便是留下的名稱也是南宋初已有的，但聽聽這種野語也行呀！

五燈會元，手頭無這書，不知作何語，當時亦未詳詢友人。按朱熹語類云：「如這衆人只是一個道理：有張三，有李四，李四可為張三，張三可為李四。」這可證「張三李四」云云在南宋時已有此稱謂了。再推得遠些，則北宋時亦已有此稱人習慣，王安石且以之入詩。王詩有云：「張三袴口窄，李四帽簷長；莫言張三惡，莫愛李四好！」這詩倒頗通俗化。

根據上述，「張三李四」的說法有兩種，杭州留下老嫗所云自有別解。

高風亮節的諸葛亮（二）

恩昶

德公襄陽人，孔明每至其家獨拜於床下，德公初不令止。注通鑑的胡三省說：「孔明獨拜德公於床下。孔明所以事德公者為何如也？德公初不令止，德公所以自居者為何如也？」由此可見龐德公是孔明師事的人物。襄陽記又載德操（司馬徽）嘗造德公，值其渡沔上祀先人墓。德操竟入其室，呼德公妻子使作黍，徐元直向云有客當來就我，與龐公譚……須臾德公還，直入相就，不知何者為客也。從這段記載，我們可以看出兩點；一是名賢相處不拘形跡，一是司馬徽與龐的交誼。司馬德操能賞識人才，劉孝標在世說新語注上說他有「人倫鑒識。」又龐統少時曾去訪他，正值他在採桑，於是就在樹上與龐統交談，稱龐統為「南州士之冠冕。」這些人都是腳踏實地，不尚虛榮，力學篤行的人物。他們一面戮力耕桑，一面潛心經國濟世之學。用一句現代話說，他們都是刻苦耐勞，手腦幷用的學者，他們都有澄清天下之志。無奈東漢末年，昏君闇宦當道，外戚、權臣跋扈。使他們無法着手，所以才歸隱於農桑。這正是賢人君子的自處之道，所謂「邦有道則仕，邦無道則隱。」「窮則獨善其身，達則兼善天下。」世說注引司馬徽別傳載：「徽居荊州，知劉表性暗，必害善人，乃絕口不談議時人。」龐德公與司馬德操對劉表尚且如此，對曹操的看法恐更不堪。所以寧終隱而不出仕。我們如再推想，即使東漢不亡，像桓靈那樣的皇帝，他們也未必願意出仕的。諸葛孔明以他們為師友，其學業與修養必受其薰陶，必有同樣的抱負。其所以出佐劉備，一因劉為宗室，有復興漢室之志。最大原因還是劉備為人寬仁有情義。且曹操即將南侵，荊州不保，諸葛亮如不能出來自己建立一個局面，則躬耕南畝的生活恐亦將成為問題，這也許是他出山的另一原因吧？

除以上所述龐馬二公為孔明所師事者外，魏畧載：「亮建安初與潁川石廣元，徐元直，汝南孟公威俱游學，三人務在精熟，而亮獨觀其大畧；每晨夜從容抱膝長嘯，謂三人曰：卿三人仕進可至刺史郡守也。三人問其所至，但笑而不言。」這可以看出他在朋輩中是傑出的一位。三國演義把諸葛亮寫成一個詭計多端，體弱多病的人，其實他在壯年以前，是很雄偉的。陳壽讚他說「少有逸羣之才，英霸之器，身長八尺，容貌甚偉。」我們想身長八尺是一個高大魁梧的人，諸葛亮的儀表同一般人想像中的樣子大不相同呢！

韶光容易把人拋！

生活漫談

汪祖華

人生七十古來少，除了孩提和年老；中間已無幾多時，還有一半睡掉了！

時序舊曆新正，諺云「一年之計在於春，一日之計在於晨」，春和晨不過是時間的現象，實際，欲有所作為，非妥為安排你的時間不可，一般人不否認時間可貴，卻常浪費時間。

根據心理學家試驗的結果，人類所最易忽視的事物，常為與之接觸最多的事物，人類生息於空氣當中，而常常忽視空氣的道理在此。時間是人類的生命，一個人沒有了時間，就是沒有了生命，時間的疾逝，甚於白駒過隙，「韶光容易把人拋」，又豈僅是「紅了櫻桃、綠了芭蕉」。照理是應該被人類所特別重視了；而亦基於上述原因，常遭忽視，這是多麼危險的事啊！

又有一首古詩，對浪費時間的人，加以諷刺，諷刺得很好。

「人生七十古來少，除了孩提和年老，中間已無幾多時，還有一半睡掉了！」這首無名氏所作的古詩本意，是說明人生的時間有限，一生有用的時間，尤其有限，不能盡量利用，已是遺憾，若予浪費，何等可惜！雄心萬丈的男兒，顧盼自雄，不可一世，轉瞬間，就會有「白髮無羈吾老矣。」的喟嘆，「增一分則太長，減一分則太短，傅粉則太白，施朱則太赤」的美人，儘管她「一笑傾人城，再笑傾人國」，但「宛轉蛾眉能幾時？須臾白髮亂如絲」。不旋踵間，已是朱顏非昔矣！

我們也不必「嘆光陰如奔駿馬，笑玉顏不及寒鴉」，只要我們能夠對於自己的時間，能夠好好的利用，在事業上，應該多少有點成就；縱然是沒有什麼成就，也總算是盡了自己的心力，而無所愧怍了！

但是，我們生於今日，眞是「我口所欲言，已言古人口，我手所欲書，已書古人手，不生古人前，偏生古人後」。有很多事情，古人已經辦過，難道我們就推卸責任？不！我們要繼往開來，不負此生，要想對於社會、民族、國家、人類，多少有些貢獻，不痛下工夫，寸陰是惜，是不行的！佛云：「不是一番寒徹骨，怎得梅花撲鼻香」。是值得我們體驗的。

「韶華不再」，在目前依然是無可如何的鐵則，權力把它無辦法，科學也把它無辦法。一個人覺得他（她）的時光，值得寶貴的時候，他（她）的青春已一定不在手裏了，他（她）的時間已經不多了！老殘遊記的序文裏有幾句話，最足猛省，那是：「棋局將殘，吾人已老，欲不哭泣也，得乎？」

爭取時間，雖是平凡的問題，卻是重要的問題；是常識的問題，也是科學的問題；是綜合的問題，也是專門的問題。若干年來，總有人向我提出意見，希望我把這個問題，寫成較有系統的專書。時逢亂世，心境惡劣，「嘆天涯年光如水，看紅芳幾換綠陰移。」一直沒有了此心願。稍後，乃於病後稍閒，費時兩日，將頻年搜集的有關資料，歷次講演綱要，整理成篇，在秉筆捷書的當兒，尤覺可愛的時光從腕底飛逝，好像時間之神，正在暗地裏監視着，使我不敢絲毫懈怠，放過分秒。「人生光景幾多時」，豈肯「蹉跎負卻平生願」？「秋光荏苒休辜負，相對原宜惜寸陰」，補偏救弊，革故鼎新，今及圖之，已覺其晚，若復不圖，則雖欲為之，而不得者矣！」

糟蹋時光，固不應該，空懷惆悵，也大可不必。我們既幸有此身，即應積極求生，爭取時間，做些有利人羣，有益國家的事體，庶幾無忝所生。

（編者按：汪祖華教授為知名學者，專著有「時間的征服」與「團體學」等。值茲新春，諺云「一年之計在於春」，如欲有所作為，厥在珍重時間與利用時間二點為關鍵。茲經徵得汪教授同意，擷取「時間的征服」一書若干篇，近期中重組後陸續刊出，或為有志珍重時間之讀者所樂聞也。）

長生殿與洪昇

可憐一曲長生殿　斷送功名到白頭

一般人所知梅派太眞外傳係由長恨歌改編而來，不知太眞外傳實是根據崑曲的長生殿改編而來。崑曲長生殿，為清代名傳奇，共五十齣，如架閣，小宴，驚變，聞鈴，哭像，酒樓，彈詞，俱各有可聽。目下，仍盛行於台灣曲壇。能唱者不少，台灣大學學生且會於去年彩排小宴，成績不惡。

長生殿是清康熙期的劇本，作者洪昇（昉思）以這部劇本馳名天下，但也以這一劇本斷送了仕途。

洪昉思是浙江錢塘人，名族之子，為國子監生。初遊京師，學業於王漁洋，後又從施愚山學詩法，兼工戲曲。其妻為相國黃機孫女，也通音樂，當時有人贈詩曰：「丈夫工顧曲，霓裳按圖新，大婦和冰弦，小婦調朱唇。」其風趣可想。

他生平所編之劇本，約有十一種之多，然最為當世注意，為後世稱道的，還是長生殿。

洪昇的長生殿是康熙廿七年寫成的，不料在廿八年就遭到了大禍，被開除了學籍，從此仕途就被阻斷了。

這一劇本原來曾三易其稿：初名「沈香亭」，將李白遇玄宗事插入；後來又刪除李白，加入李泌輔肅宗中興事，名為舞霓裳；再刪楊妃穢事，增其歸蓬萊、玄宗遊月宮事，專寫兩人生死的深情，纔定名為長生殿。其間曾經過九年時間，不能說不是愼思熟慮之作了。

但命運弄人，這一劇本先曾因內廷演出，得到聖祖的賞識，不久竟因發戲票未周得罪了人，為人以演於太后忌辰，大不敬為由，加以彈劾，終於在此罪名下，洪昇被革去功名，而且還株連了多少在場觀劇的士大夫和太學生。

洪昇死於醉後失足墮水，僅五十歲。但因早年失意，一生飽經磨難。他創作了一本成功的悲劇，他自己也從此演起了悲劇。

・田舍・

中國戲劇叢談

藝林人物介紹

文衡山的書和他的人品

光合

明朝藝術界中有四大畫家，文徵明、沈周、唐寅、仇英，俗稱為明代文沈唐仇四大家。文徵明是江蘇長洲人，名璧字徵明，別號衡山。他是生長在世宦家庭裏，祖父名叫文洪，官為水淶縣教諭，學問很好，著有淶水集和括囊詩稿等書。他父親名文林字宗儒，是大明成化年間的進士出身，作過太僕寺丞，溫州太守，學問淵博，尤其是對易經更有研究，著有瑯琊漫鈔，文溫州集等書。文徵明生長在這樣的家庭裏面，他的基本學術修養不問可知了。

世界上有很多不可思議的事，文徵明在兒童時期，非常愚魯，到稍長大一點接近少年時期，他忽然聰明起來，智慧超乎常人。他為了自己的前途，曾投過三個名師，投吳寬先生去學文學，投李應楨先生去學書法，又投沈周先生學畫。學術方面著有甫田集。他的字和畫，直到現在為人所珍視，故宮博物館裏還藏有他很多的作品。他的畫尤為世人所稱讚，他的老師沈南田，在明朝藝術界是第一把交椅，所以文徵明的畫造詣也特別高。有人批評他的畫能集趙子昂、倪雲林、黃公望三人的大成，而得其精華。這並非過譽之詞。

文徵明在正德年間，官作到翰林院待詔。為人很和平，待人謙虛。但很耿介，毫不苟且。見解非常高超。甯王宸濠聽說他的大名，特別派人去禮聘他，文徵明不但拒絕了聘請，並且還寫了幾首詩以表他不就聘的決心。這兩首七言律詩，題目為「病起遣懷」，詩云：「潦倒儒官二十年，業緣仍在利名間。敢言冀北無良馬，深愧淮南賦小山。病起秋風吹白髮，雨中黃葉暗松關。不嫌窮巷頻回轍，消受爐香一味閒。」其二云：「經時臥病斷經過，自擬閒愁對酒歌。意外紛紜知命在，古來憂達患名多。千金逸驥空求骨，萬里冥鴻肯受羅。心事悠悠那復識，白頭辛苦服儒科。」

後來甯王宸濠造反，不久的時間便被王陽明先生平掉了。從前接近宸濠和接受聘請的人們，都連牽在內，唯有文徵明安然無事。當時人們都佩服文徵明的遠見，非常人之所能及。從這些方面看來，文衡山不只是詩文書畫為千百年後的人所稱讚，就是他的智慧見解人品操守各方面，都是高人一籌的。

禪的火花

（九）道樹應付怪物

吳經熊著　吳怡譯

道樹是神秀的門徒，他和幾位學生會住在山上。那裏常常出現一個怪人，穿着簡陋，講起話來卻非常粗野和誇大。並且能隨意化作佛菩薩，羅漢等形像。道樹的學生都非常驚恐，不知這個術士究竟是誰？究竟會變些什麼花樣？這個怪人一直在那裏作祟了十年，有一天終於消失了，不再出現。道樹對他的學生說：「這個術士為了欺騙人心，施出千方百計。但我應付他的方法，只是不見不聞。儘管他的詭計層出不窮，總有完了的一天，而我的不見不聞卻沒有終了。」

有一位和尚曾這樣的評說：「說不到處用無盡。」

譯者註：道樹的這種方法是運用了老子的一個「無」字，以「無」制「有」。因為這個「有」不論如何的廣博，如何的堅固，總有個邊際，總有個竭處。而這個「無」卻是至大無外，至小無內，解粘去執，為用無窮。所以老子主無為，禪宗要倡無心了。

春節雜感

東望王師又一年

父欣

今天是年初五了，海島上過了舊曆年，雖然從氣候方面看，不出五天前會和今天有了什麼絕大改變，但每個中國人，把這五天的心理上，看的可大有不同了。

最明顯的，是孩子們的爸媽，常會向他們孩子發出警告：「舊曆年過了，你又長了一歲啦！還那麼頑皮，人家可要笑你了。」

其實，五天過去了，孩子不可能就長大，身體上的變化大不了多少，但是因為父母的警語，心裏上的確會成熟的快一些。

人，匆匆數十年，從赤條條來到世上，到去時一坯黃土，也不過數十寒暑。儘管有活到一百六十歲的土耳其人，也是最後終難逃死神的召喚。科學儘管發達，至今沒有人發明不死之藥與不老之術，陶宏景煉了一輩子的金丹，最後依然要靈魂仙去，肉身終不得成仙。愚蠢的秦皇漢武，求不死藥沒有結果，[illegible]北平的白雲觀，據說有活幾百歲的道士住在裏邊，眞象如何，沒有科學的調查總難教人置信。即使是實的，這些道士與世隔絕，獨善其身數百年，其有何利於世人？又有何值得稱述？充其量數百年做到了一個自然人的身份，而不是社會人。社會人要對社會負責。

對於「他人」貢獻越多的人，越教「他人」生愛，因愛而生惜，所以才會感到「好人不長壽」，祇謂好人不能長壽，是與壞人比較之下，覺得與其教壞人活下去，毋寧使好人長壽罷了。但畢竟人也要活下去，像毛澤東、江青，周恩來輩，詛咒的人多如恆河沙數，他們卻依然不死。

不過，當櫻花到了該萎謝的時候，也一會像一陣急雨一樣，一夜全然改觀。中共的衰頹之勢，是挽救不了的了。

又逢舊曆新正，大陸親友又該有「東望王師又一年」之嘆了吧！

大漢兒女（一名新莽劫）

國劇腳本

・田士林・

二、本事

時王莽詭託符命，再逼孺子嬰禪位，改建偽朝，漢祚竟斬。又一意孤行，侈言新政，煩苛擾民，民怨沸騰，羣起而為盜，名山大澤，盡成盜賊淵藪。莽連年用兵，對外數改懷柔為壓抑，匈奴又叛。窮兵黷武，軍費浩大，更為擾民，民怨更甚。表兄妹乘勝攻下縣署，旋以孤立無援，又予放棄，專守山區待變。莽軍圍之不解，三年無功。時，各地亂民，以王常、馬武等綠林兵聲勢最大，聚七千人依綠林山為窟，莽軍患之。趙終葵以獨力難支，眾擊易舉，擬往游說各山，揉合眾力以制莽軍。尤其重視綠林兵，擬往說之，傳檄討莽，乃將山區指揮之責，委之菁娘，化裝潛出。詎料，甫離山區，便為莽軍所捕，幸葵巧言善辯，得以無事，但因有圖形緝拿，終為識破，險為所殺。幸盜馬兎脫，莽神將敬其為人，與之同心偕往各山。（四）

自由報
THE FREE NEWS
第八二六期

中華郵政台字第一二八二號執照登記為第一類新聞紙類
（中週刊每星期三、六出版）
每份港幣壹角
台灣零售價新台幣貳元

社長李運鵬　督印黃行奮
社址：香港九龍登打士街91號十樓六座
91 DUNDAS ST, 9th FLOOR, FLAT 6 KOWLOON H.K.
電話：857253　電報掛號：7191
承印者：大同印務公司
地址：香港北角和富道九六號
台灣總管理處
中華民國（台灣）台北市大同街119號
電話：555395・557474
台灣分社：台北市西寧南路110號二樓
電話：三〇三四六
台郵撥儲金戶九二五二

自由消費與計劃生產

胥端甫

經濟學上的消費和生產是一輪的雙軌，缺一不可。不但不能或缺，還要求平衡。那一方面或多或少，不夠平衡，間接在國家經濟上就要發生弊害，直接在人民生活上就要發生問題，而影響到社會之安定與繁榮。所以經濟學講消費，同時即講生產，而尤其是生產在前，消費在後。如果說單談消費，而不講生產，恐怕在世界幾千年來的社會經濟史中，絕無前例。

人類在穴居野處時代，漁網田獵所得就是生產。以漁網田獵所獲得之成果來維持生活，就是消費。像這樣的生產與消費，是直接發生效用的。等到社會改進，生事日繁，人的慾望也就隨之而增多。消費的成份固然是趨向自由，而生產的方針，就不能不採取一種計劃，且企望倍於消費的生產以滿足人類的慾望與需求。這就是說在平衡原則之下，生產多於消費，使社會需求不致感到不夠。可是今天我們自由中國的經濟情形，似乎有一種畸形發展的趨勢，就是消費超過了生產。這是很可憂慮的事情。

由農業社會進步到工業社會，其社會經濟的形態與內容自然都要發生劇烈的變化，而社會經濟的制度與政策也在隨其變化而不斷地在改進之中。在消費這方面不能滿足人民的需要，那末，解決的途徑就不在消極的節約，而在積極的生產。有生產就要消費，要想消費就得生產，一個社會和民族有了這種一輪雙軌的機能來推進經濟的發展，國家才有富強康樂的可能，否則一有畸形，便不是好的現象。試看我們自由中國的社會經濟情形是怎麼樣呢？以都市言：巍峨富麗的觀光旅社飯店和各處酒家，如雨後春筍，風起雲興；看其內容設備，則門艷鏡奇，應有盡有，爭同國際水準平衡。以鄉村言；禾黍油油，道路平直，田夫野老，生活悠然。而一般人民從事於觀光遊覽，更普及於全省每一個名勝地方，陶然自樂。這倒是好現象，只是消耗於拜拜之浪費，仍頗驚人。以農村家庭言：燃料由柴草而進步到用炭，用煤，用煤油，用電，今天更趨向於用煤氣。娛樂之設備，家家都有收音機，電唱機，電視機，為求生活便利，家家都有電冰箱。故這個家庭可說全部電氣化。試問這一切種種，那一樣不屬於消費部門？凡經濟上有形之物和無形之物的創造與增加，發生效用，以滿足我們的慾望與需求，又那一樣不是他人研究科學，發展科學所得來的結論，而從事生產的成果？我們只知享受他人的成果，而自我陶醉，自詡繁榮，而不作各自的生產努力，這是非常危險的事。

更有甚者，有些中國人，不隨社會經濟制度與政策之改進而擁護政府，配合政府，從事生產之努力，而再努力，以求自我社會經濟之發展與繁榮，一方面復興中國文化，俾進一步宏揚於世界，提高民族之自尊，鼓勵個人人格之獨立，而乃甘居於奴隸的地位，一味崇洋，失掉自己。不但只知消費他人的成果，更出賣自己的人格，民族悲哀的事，莫甚於此。所以我們今天要在生活上求得物質的享受，同時就要有精神上之自省，也就是民族人格之自尊。為什麼我們以泱泱大國而偏促海隅？為什麼我們以炎黃之子孫而立國數千年反受各帝國主義者的侵略？為什麼我們今天的反旆之師還不能飛越台灣海峽一步，而收復我們的錦繡河山？言歸本題，我們的科學，切切實實，究竟發展到了什麼程度？我們今天生活上的消費，真正屬於我們自己的努力所生產的究有幾何？一個有歷史，有文化的民族而失掉了自信、自尊、自強、與自立，這是多麼可恥！試問這一類的人又有沒有良知上的自覺？又試問就是這樣只知自我消費，而不從事自我生產，又是否能夠長久地維持與生存？像以上的種種問題，我們在海內外的同胞都應該作深切的反省。

消費是自由的，但生產就必需計劃了。如果真正談到自由的消費，事實上也未必盡然。消費上的不自由，大概有兩種限制：一為自我的限制，一為非自我的限制。「素富貴行乎富貴，素貧賤行乎貧賤，素患難行乎患難」，就是說以自己的環境，自己的能力，應有何種作為，應得何等享受，就作何種作為，就得何種享受。守着「居易以俟命」的原則，決不作「行險以僥倖」的事情，這就是自我的限制。在這種限制中的享受作為，纔能作到無入而不自得的心境，隨處都能得到安慰，也隨處都能受人尊敬，而不會受人奚落與恥笑。至於非自我的限制，那就是屬於行政法令方面的規定了，譬如今天的配給制度，就是一個例子。但是大體說來，消費畢竟是自由的，既然自由，需要就多，因而生產必需計劃，纔能適應。今天的生產部門，一為集體的，一為個人的，前者屬於國營的與民營的各種生產事業，這已經是有計劃的在發展推行，不再有所論述。我這裏要提出的完全屬於後者個體的生產部門。這一個生產部門，就是一個家庭之主體者。在農業經濟時代，一個家庭在民族國家的經濟生產單位上是居於主要地位的，一夫不耕，或受之饑，一女不織，或受之寒，這是必然的事實。可是今天由農業社會進步到工業社會，從前一個家庭的生產地位就逐漸減低，而消費地位卻仍居首位，如果這樣長久發展到極限，必定發生許多不可能解決的問題，所以要建立一個工業社會的家庭經濟生產單位，在此時此地，非常重要而迫切。

（下轉第二版）

自由談

心理學家認定人類對於過去的事，每多留戀，對未來常存幻想，而對現在卻予以忽畧。我亦沒有例外。

就政治上的官僚作風而言，我覺得舊時北洋軍閥時代即比今日號稱為民主世紀的情形，聊勝一籌。民初北洋軍閥政府的達官顯宦們，在對人接物的態度上，遠較今日的新官僚為開明。一個大學生有事去晉謁中樞的總長，決不致嘗到閉門羹。民國十四年我從大學畢業出來，因事到北京去求見在任的國務總理許世英，并無大人先生介紹，亦不需要登記，遞進一張名片，他就藹然接待，臨別還親自給我披上外套，教我隨時來談談。即使他是虛偽的做作，也令人發生好感。反觀今日的院部長之流，能有這種偽善的作風嗎？多見其為官架十足，訑訑拒人而已。

軍閥政府是不講民主憲政的，但人民投郵的書信文件，卻享有自由權利，不加檢查；民間的報紙可以隨便刊行，不受限制。司法獨立精神亦頗能表現，在任的外交總長羅文幹，即因辦理金佛郎案，曾被法院逮捕下獄，迨判明無罪釋放，也無所謂。至於一般行政官吏，當然不免有貪污行為，但他們懍然於法令的尊嚴，猶抱持懍刑的意念，貪瀆之中，尚有分寸，實在不能貪取的金錢，不敢亂要。今之新官僚卻不然，祇要有可貪的機會，即肆行貪取，毫無忌憚。例如價值十餘億元台幣的舶來黃豆，存儲在公家的倉庫中，又向銀行抵押貸款了，竟被盜賣盡淨，顆粒無存。若不是官商勾結，大膽貪污，誰其信之？可是，為着黃豆進口和處置的政策問題說情得賄的民意代表多名，受到法律制裁，而盜豆貪污的官吏，卻逍遙法外，迄無分曉。

憑中華民國的現行法制和政制來觀察，咱們的民主憲政精神，可與歐美先進的民主國家媲美爭輝，并無遜色，大有進步了。夷考其實，似乎倒退了半個世紀，誰實為之，孰令致之，搔首問天，予欲無言矣！

鑑古觀今

馬五先生

昨日與明日

知識份子的冬眠

自聖誕節開始，一直到春節，台北已進入了一連串吃喝玩樂的狂歡日子。觀光飯店、夜總會、舞廳在聖誕夜都通宵營業，並且座位早已預定一空。由每對八百元新台幣，包括火雞大餐的收費，一直到每對只需一二百元的各種舞會，正適合社會各級人士和大中學生的消費能力。猗歟盛哉，好一片歡舞昇平氣象！基督教和天主教近年來固然在台灣有很快的發展，然而本省人仍以信奉佛教的居多，至於外省籍的，特別是知識份子大都什麼教也不信，儒家思想在中國讀書人內心一向根深蒂固，大概韓愈的「闢佛」可以作為擇善固執的代表。聖誕節在台灣的宗教意義很微薄是一項事實，也沒有西化的影子，大家不過借這一日子儘情玩樂，追求感官的享受而已。「暖風吹得遊人醉，錯把杭州作汴州」。這一歷史的殷鑑，早被大多數現代知識份子置諸腦後，此非「冬眠」而何？

有閒與有錢——儘管台灣的經濟建設，年來有長足的進步，社會上真正有錢的畢竟不多。但一到假日，西門町的電影院和咖啡館都是擠得滿滿的。大街上更是摩肩接踵大排「人龍」，這證明有閒的實在不少。據有人非正式估計，在台北市每天麻將總在五千桌以上，即等於每天有兩萬人閒着無聊。本省形形色色的「拜拜」，固足以吸引成千成萬的閒人，經常營業的觀光飯店、夜總會、舞場、酒家、黃色咖啡館，又何嘗不是靠閒人多才能維持。閒人多反映社會就業問題之嚴重，而一個人閒散過久，神經易趨麻木，對於任何事都漠然無動於衷，甚至養成了今朝有酒今朝醉的頹廢人生觀，這與歐美工業社會大家因生活緊張，而致神經失常有同樣壞處。東晉的「清談誤國」是知識份子的詬病。現在大家所羨慕的是有錢的人，否則只要有閒，打幾圈麻將，跳一兩個鐘點的舞，看一場電影，甚至泡半天咖啡館也是好的。時代的進步難道是如此的？值得知識份子自反自省！

語文之辯

當然，並不是所有知識份子都在冬眠狀態中。師大沙學浚教授，最近為了小學的國語課應正名為國文，大聲疾呼引起台北各方面的注意。有些具有若干影響力的知識份子，如林語堂顯然不同意沙學浚的觀點的。但雙方仍然保持學術爭執的風度，並沒有發為激烈的論戰。不過，小學生的國文程度普遍低落是事實，那一般大中學生的國文也有每下愈況之勢，就事論事，國文教材的改革與教學方法的改變似乎已到了刻不容緩的時候。五十歲以上的人，都有學國文的經驗，但卻沒有學國語的經驗，所以，鄉音濃重，國文通順幾乎是中國中年人或老年所共有的特徵。不像現代的青少年，除了熟諳註音符號，能說一口比父母（假使父母不是北方人）更純粹的國語，能要說作文，連一封信也寫得不像樣子。如果那種也叫白話文，則當年大力提倡白話文的胡適地下有知也只有搖頭皺眉了。其實，胡適因舊學根基好，才能寫出精美的白話文。如果只能欣賞紅樓夢的白話文，而不能欣賞裏面的舊詩，那也白讀這部書了。舊學好比是桑葉、春花，蠶吃桑葉吐出的是絲，蜜蜂採花，釀出的是蜜。在新時代的知識份子心目中，根本要想否定一切文言的價值，別的不說，不知道他們有無悟出上述譬喻的道理？他們本身就有吐絲、釀蜜的經驗，難道也是不能薪傳給下一代的枕中之秘？

宇文釆

魯莽滅裂

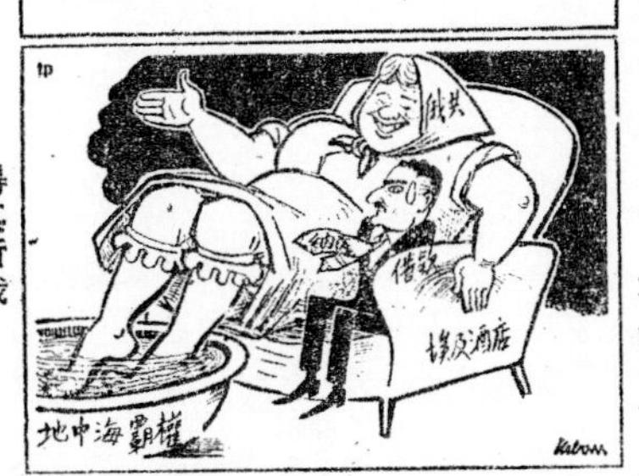

得其所哉

對管制車輛維護交通安全的我見

萬安

△前言▽

本省交通之缺乏安全保障，久為社會人士所詬病；雖經不時舉辦交通安全運動，尤其最近顯成治安政策的中心，但均未見盡如理想的改善。為着近年來汽車機車的激增，隨工業猛晉、經濟繁榮而起飛，由是車禍案件及死亡率，形成直綫上升之勢，關心交通安全人士，莫不咋舌而談虎色變。

車輛混亂與車禍概況

根據交通機構的統計，目前全省現有行駛的甲種車輛共達十八萬七千餘輛，另有甲種機車十萬零五千餘輛，乙種機車（不含脚踏車改裝者），三輪車加馬達及三輪貨車）二十四萬餘輛。在台北市區內甲乙種機車均已超過五萬輛。

至於車禍數字，據治安單位統計記，自民國三十九年至去年九月底總計六萬一千七百六十四次。死亡人數達九千一百零七人，傷害人數達六萬七五千一百四十四人。而歷年來車禍的趨勢，顯示一年比一年增加。研究肇事原因，無分甲乙種車輛，均以駕駛疏忽佔百分之七十五以上。而駕駛疏忽，通常以超速、超載、闖紅燈、搶平交道、爭路爭先、錯行路綫、轉彎不當、過度疲勞、酗酒駕駛等情節居多。

當前車輛管理的漏洞

檢討當前車輛的管理上，約有如下諸般漏洞：

①生產政策上過份鼓勵投資設廠，同時對汽車設廠標準及製造規格，又絕未嚴格管制。

②稽查取締欠嚴密得法，致超速、超載、搶路及任意停車轉彎等違警（規）情事，隨處可見。

③罰則本已太輕，且執行單位僅能以勸導代替處罰，更無效果可言。

④缺乏駕駛教育之機構，駕駛人很多不諳交通規則。

⑤無分佈停車場之設置，致常見汽車機車沿街橫闖直衝或欄路停放，阻塞通路。

⑥人行道及騎樓多為攤販及自行車所佔用，致行人被擠改行車道。

維護交通安全的意見

基於上述汽車、機車激增情勢，應竭力設法改善，以策安全。茲就政策與管理兩方面提供管見，用供參考。

1政策方面：

（一）目前機車製造廠，已達飽和點，殊不宜再准新設機車製造廠；且正在生產各廠，亦應嚴加管制，核減其生產量，提高自製率與品質，輔導外銷。

（二）就現有製造機車工廠中，擇其設備優良，資金充裕者，輔導其改製客貨汽車，以樽節外匯；其規模較小者，輔導其改製農業耕耘機車及機械。

（三）專案研究現行處罰罰則，建議司法部門成立交通法庭。

（四）訂頒市區道路管理規則，嚴禁人行道及騎樓等處所設置攤販及停車等佔用。

（五）積極發展大眾化公共交通工具，首先徹底改善公車，成立交通管理中心指揮所。

2管理方面：分管車與管人雙方面進行：

甲，管車：

（一）於市區有計劃的分別設置停車場。

（二）嚴禁於快車道上之左轉彎、U字形轉彎、倒車與停車搭客。

（三）市區絕對取締超車、闖紅燈及逾齡之車輛行駛，並嚴格執行限制行車速度。

（四）核發行車執照時，應嚴格檢查車輛及駛用年齡，並定期或不定期普查或抽查車輛保養標準。

（五）充實交通管理所需的工具，如吉甫車，摩托車，微波電訊設備，雷達等，使每一值勤交通警察，便利執行任務。

（六）分期淘汰落伍交通工具，拓展道路。

乙，管人：

（一）嚴格考試駕駛車技術，絕對防止槍手代替考試，並取締濫發駕駛執照。

（二）規定行車教育制，設立駕駛技術訓練與交通規則講習機構，凡違犯交通規則及肇禍者，一律發交自費再受駕駛教育，依其情節輕重，核定複訓期限。

（三）規定營業駕駛員，每日工作不得超過十三小時；責成各車行製定行車日記手冊，備作交通警察隨時隨地之抽查。

（四）修訂交通法令，提高罰法。編印駕駛須知，隨考（檢）驗及領（換）執照時附發。

（五）對於機車駕駛人，應限制其年齡，並取締附載一人以上，並不許側坐。

（六）編印有關交通規定及宣傳資料的定期刊物，以公平價格硬性配售有關汽車營業公司及機關，必要時普及凡領有駕駛執照本人。

（七）加強交通警察訓練，務使具有現代都市之交通管理知識、技術與經驗，養成其負責守法精神，成為交通安全的褓母，而不斷職責。

結論

基於目前本省汽車機車激增的趨勢，預料三五年後交通混亂狀況與車禍事件，將更嚴重。甚至將來在市區乘車，因道路被車輛阻塞，可能比較步行更慢。這樣全失以機械化交通工具的意義。尤其車行如梭，殊令行人防不勝防，稍有疏虞，慘禍立至，真令人頓添「行路難」的痛苦。負有交通安全職責的當局，亟宜速謀有效對策，以保障行人安全的必要。

台北航訊

中興巴士公司維護特權 悍然阻撓公車延長路綫

台北市公共汽車管理處，將五路及廿九路公共汽車路綫延長而中興大業巴士公司認為台北市公車處與民爭利，影響該公司營運業務，乃向立法院陳情，請求立法院透過行政院的關係，制止公車處延長公車延長路綫。這件事正由立法院處理中。

中興大業巴士公司向立院請願的理由，在台北市民看來，有喧賓奪主之嫌。蓋台北市道路，是台北市政府所修築，中興大業巴士公司沒有花過築路錢；市政府修築的道路，市營的公共汽車自然有權使用，只要市政當局認為有必要，有權在自已所修築的道路上，延長或縮短行車路綫。中興大業巴士公司的巴士，在市府所築的道路上行駛，載客營業，已屬佔用了市府的道路，爭去公車處的利益，本質上是該公司利用特權，與眾爭利。如今該公司竟反客為主，指公車處與民爭利，豈非惡人先告狀。

從另一方面看，台北市人口急遽增加，再加上改制後的台北市，把附近六鄉鎮劃歸台北市轄之內，現有的公車處所有的車輛，次及行車的路綫，都不能應付實際情形的需要，除了公司機關自已有交通車之外，人們上班下班，都是靠公共汽車來作交通工具。每到上班或下班的時間，公共汽車，車車客滿，有人等候一個鐘頭也擠不上公共汽車。為應付市民的需要，增加公共汽車乃屬當務之急。台北市公共汽車管理處，沒有財力或人力來完成這項急務，就應該由民營的巴士公司來協助公車處解決人們的困難；中興大業巴士公司，如果有這項財力和物力來增加車輛，增加營運量，市民自當鼓掌稱善。但中興大業巴士公司目前不能解決人民的困難。

其最大的原因，是票價太貴了，比市營的公共汽車要貴一倍。根據統計數字所顯示，在我國國民所得每年僅有兩百餘美元的情況下，每人只能拿出百分之五的收入來作交通費，以每年八千元新台幣計算，只能拿出新台幣四百元作一年的交通費。而中興大業巴士公司一張票要新台幣三元，每人每天以最低限度來回各一次計算，一就要花六塊錢；一年以三百天（除去星期日）計算，就要一千八百元。已遠遠超出市民的負擔能力。市民只好擠公車處的公共汽車了。因公共汽車票價僅中興大業巴士票價的一半。

其次原因，是中興大業巴士的路綫不夠普遍，除了幾條幹道之外，還有許多地方沒有中興大業巴士的行走。這是因為該公司車輛太少的緣故。市民即使花得起錢坐中興大業巴士，因路綫不足也感到不方便。

既然中興大業巴士不能解決台北市民的困難，如今台北市公車處為應市民的需要，而把五路及廿九路公共汽車延長行車路綫，被中興大業巴士公司指為與民爭利，未免蠻不講理。台北市民都希望立法院對於中興大業巴士公司的請願，予以駁回。

巴士是市民大眾的交通工具，公平競爭是現代企業發展的原則，中興大業巴士公司如果要想受到市民的歡迎，可從降低票價增加車輛開闢路綫着手。無理請願的行為，無異於想造成特權，以剝奪市民的荷包。

本報記者新曦

自由消費與計劃生產

上接第一版

今天我們自由中國的台灣，自從實施耕者有其田以來，家庭的實質和形態都發生的變化，也就是由農業社會過渡到工業社會。農業家庭形態除極少數仍為農業家庭而外，大多數則為純粹的工業家庭、商業家庭、政治家庭、文教家庭，以之同經濟學的本質來衡量，像這家庭都是消費者多，生產者少，有些甚至全係消費者而非生產者。以和實際從事農業生產活動者來比較，其消費數字卻要佔絕對的大多數了。所以我們今天站在半工業社會的時代來要求生產與消費的平衡，每一個家庭，無論是何種實質和形態的，都要各自計劃，成為一個生產單位，作長期的計劃生產。至於生產的形態和內容的解釋，或因家庭而各別不同。以「開源節流」這一名詞來談，如果說「開源」是生產，那「節流」又未必不可以說是生產。一個家庭的用度，能夠「節流」，減少消費，即節省一份開支，站在消極方面又未嘗不可以作為一份生產來看它。時代的不同，社會形態有萬別千差，人們對於經濟觀念，也應有一種新的認識與修正。而「生產」一詞，又未嘗不可區別為「有形的」和「無形的」兩種。也可說「有形的」就是「物質的生產」，「無形的」就是「精神的生產」。本此理則，那末，無論農業家庭，工業家庭，商業家庭，政治家庭，文教家庭，除其各別之主體者能就所管單位各盡其責，各竭其能，所收效果，都有其有形無形的生產價值外，至各個家庭的組織成員，都能在一種綿密的計劃之中，有的養猪牧牛，有的栽花種樹，有的洗菜縫衣，無論男女老幼，都有其一份正當工作，正當的職業。每天開門七件事，都準照其各個家庭的負擔能力，作正當消費。總而言之，在一個家庭裏面，有一個消費者，原則上就應該是一個生產者。只要家庭中每一成員都有他自我的生產觀念，那末，消費觀念也就能正確地建立起來。消費方面雖偏向自由，也就能在無形中作自我限制，所以「自由消費與計劃生產」在工業社會中是建立家庭經濟所必然採取的途徑。

在農業社會中的家庭經濟，到了工業社會，質和量都有不同，要有新的認識，新的觀念，還要有新的奮鬥精神。現代的美國可說是工業社會發展已到了巔峯的時代，人人都在為工作而奔忙，也就是人人都有其正當的職業，各司其事，各盡其力，各顯其能，權利義務，平衡發展。服役，當兵，納稅等等，上自總統的家庭親屬，下至全國的國民，無論男女老幼，都要各盡其責任；並且以當兵納稅為光榮，而以逃避責任為羞恥。像我們中國過去的農業社會，完全憑祖先的遺產，收租過活的經濟形態，到今天自然也要漸漸歸於淘汰消滅了。

國父孫中山先生在三民主義中民生主義的「平均地權，節制資本」兩項，對於經濟就是消滅舊形態，建立新觀念的良好政策。自從政府遷台，第一步實施三七五減租，第二步實施耕者有其田，造成今天的安定繁榮，可說是民生主義的初步成功。不過有些達官貴人和資本富裕人家的少爺小姐之所以造成太保太妹型，就是由於過去農業社會的家庭經濟觀念，尚未革新，他們的腦筋中尚殘存着只知有驕奢淫佚的消費觀念而無獨立人格、自闢前程的生產觀念所釀造成的後果。所以，民生主義要達到完全實現成功的階段，那末工業社會的新經濟觀念就必需全面的建立起來，新世紀的大同世界纔能如理想達到。這是勢所必至，理所固然。

我不是經濟學家，這完全是我對於新經濟的一種構想，這種構想的來源是根據社會經濟的一個原則，就是「要吃飯得流汗」。也就是要消費就要生產。如果今天人人都能覺醒，站在阿里山頭，展望世界，看清人類社會的新潮流，各自獨立生存下去，消費自由，自然就能夠自我限制，而計劃生產，也就轉為自由生產了。今天凡是崇拜洋人，依靠洋人，而藐棄自已祖先的人，全仗祖宗遺產或倚仗父母權勢而生活的人，在今天這個時代環境裏，都是落伍者，都不夠資格作一個新國民。像我在前面指出農村的繁榮安定現象，這是好的，但是都市的豪奢，家庭的過份求便利，求享受，影響社會人心和家庭子弟，趨向浮華，推至其極，養成非份心理、胡作非為，這是最要不得的。別人的援助，是國際間的道義行為，救災恤隣，在我國古已有之，原不足怪，但是如果不求自力更生，不吃苦耐勞，節儉樸實，而一味的虛誇，依賴人過活，結果是非常危險。

以色列之復興建國，可說是我們絕對的好榜樣。對這個新興國家上上下下的所有設施作為，我們要了解，要認識，要向人家學習，而把反攻復國的動員力量，振作充實起來。這次他們和阿拉伯人的戰爭，就充分說明強敵是不可怕的，可怕的是自己。他們民生社會的經濟政策，絕對是限制消費，計劃生產；當兵納稅等義務，絕對上上下下一律抱定是公平原則。新年開始，萬象更新，希望我們全體同胞都有一個新的覺醒，新的認識。消費和生產是人民生活最基本的問題，我不怕語無倫次，不惜反覆言之者，蓋本「憂勞可以興國，逸豫所以忘身」的教訓，提了出來，藉供商榷。同時也有以自勉。

田橫和他部下的五百壯士。

歷史人物漫談

清園。

田橫和他部下的五百壯士，是中國歷史上一個壯烈故事的主角。因為他們曾經演出過這樣一幕動人的節烈的行為，所以也成為歷史上非常有名的人物。

田橫是狄人，即現今山東臨濟縣人。他是齊王田榮的兄弟。榮被殺，他就代領榮的部眾，并立榮的兒子廣為齊王，他自己則做宰相，主持齊國大政。三年後，田廣被韓信擄去，田橫即自立為齊王。田橫後來被漢軍打敗了，即和部屬五百人逃往海島。

漢高帝（即漢高祖劉邦）聽說他逃往海島上去了，以為他們兄弟三人，從田儋、田榮平定立國以來，齊國賢人義士，多歸附他們，今在海島上，若不收集他們，恐怕以後還會作亂。於是派人到齊國去宣佈赦田橫不降的罪，並召他們到洛陽來。使者到了，田橫只好謝罪，並且說：「我曾經殺過漢使者酈生，現在聽說他的兄弟酈商，在皇帝陛下處做將軍，我怕他要報殺兄之仇，所以不敢奉詔來朝。請准我做百姓，長居這海島中。」使者不得要領而回去，高皇帝即下令給酈商說：「齊王田橫若來了，他本人以及他的隨從賓客，如有人敢去動搖他們的，一定要滅族！」於是再派人前往告訴田橫，說皇帝已經下令給酈商，不准有報仇的行為。並請田橫即來朝。「來了，大的封王，小的封侯；不來，朝廷就派兵去拿辦。」

田橫因高帝一定要他來，只好帶了兩個隨員，經驛站送往洛陽。離洛陽三十里的地方，他忽然發生沒有面目見皇帝的念頭，於是私下告訴他兩個隨從賓客說：「我當初和漢王都是南面稱王，現在他做了天子，而我卻是逃亡的俘擄，且要北面而朝，去向他跪拜，這恥辱已經很大了。加之我殺別人的兄長，而要和他的兄弟併肩為臣，縱然他怕天子的命令，不敢來動我，而我豈能不愧於心嗎？皇帝陛下所以要見我，不過要想看看我的面容，現在陛下在洛陽，希望你們砍下我的頭，把我的頭帶在身邊，快馬跑三十里路，面容還不會腐敗，還可以看得清楚。」說完這些話，他就自刎而死。兩個隨從賓客，即邊嚎捧他的頭去見皇帝。

高皇帝見了田橫的頭，非常讚嘆他們兄弟，也為他們流下幾滴眼淚。並且委派他兩個隨員做都尉。又派二千士卒，以王者的禮埋葬田橫。田橫既葬，兩個隨員，也在墓旁各挖一個洞，鑽入洞中，自殺而死。高帝聽說這事，大大驚奇，以為田橫的部屬都是賢人。又聽說他們還有五百人在海島上，再派人前往勸說來歸。使者到了海島上，那五百人聽說田橫死了，也統統自殺而死。於是大家纔知道田橫兄弟能得人心。

太史公司馬遷非常讚賞說：「田橫高節，賓客慕義，」認為他們是「至賢」。我以為田橫可說是一個知恥有勇的賢人，但五百壯士的死，對田橫而言，確係有忠義，也很壯烈；若對民族國家而言，集體自殺有何益處？現在我們不應鼓勵這種為個人而去集體自殺的行為，想必讀者也以為然吧。

屏縣長爭奪戰

一段政治恩怨

（屏東快訊）屏東縣議員及鄉長競選，到目前可還算平靜無波。惟本屆縣長競選，僅算國民黨黨員出來爭取提名的就有十人之多。這十人中已有七人於去年年底組成聯合陣綫，以對抗現任縣長張豐緒競選連任。這場選戰，一開頭就來勢洶洶，甚引人矚目。

去年十一月底十二月初屏縣縣黨部辦理縣長候選人黨內提名時，先後有李世昌，洪水法，黃道宜，黃宏基，董錦樹，陳清義，康玉湖，陳恒隆，柯文徜，張豐緒等十人登記。其中李世昌，陳恒隆，董錦樹登記競選省議員以期二者必有一得。十二月初李世昌給黨部主任委員一封信，副本分發給各黨員同志，表示他此次競選縣長的決心。十二月十九日董錦樹，黃宏基，康玉湖，黃道宜，陳清義，洪水法等七人在李宅聚餐，由李世昌作東，七人組聯合陣綫，對抗張豐緒競選連任。他們表示：（一）只要黨不提名張豐緒，提名他們七人中任何一人，都要全力支持。（二）如這一案行不通，則要求黨准許自由競選。（三）據一般推測，上兩項目標達不到時，他們可能支持別人出來違紀競選。第二天李世昌便到黨部撤銷申請省議員競選登記，集中力量爭取本屆縣長提名。

至於李世昌為什麼要組織聯合陣綫以對抗張豐緒？為什麼撤銷省議員競選登記而全力競選縣長？其中有一段政治恩怨。原來李世昌和張豐緒是表親，過去彼此相處都很和諧。自四年前雙方爭取屏東縣長競選提名時，便發生了芥蒂。當時黨內競選者有李世昌，董錦樹，黃道宜，張豐緒等。省黨部主任委員薛人仰同時召見李張時，張當薛的面說：「他是我的親戚，他做縣長等於我做一樣，如果他得到提名，我就支持他」。結果屏東縣長提名候選人揭曉竟是張而不是李。李認張暗中搗蛋，心中大為不歡。這次李本想競選省議員的，後來因現任縣議長陳恒隆，與別人爭選縣議員相持不下，張縣長參與調解，陳乃放棄縣議員競選而逐鹿省議員。省議員名額只有四個，除了婦女保障名額一，客家人名額一，實只有二個名額，登記競選的先後就有十二人之多，其中最有影響力者為李世昌，董錦樹，提名的機會很大，如再加上陳恒隆一員大將，李的機會就大為削弱，李認張這次又有意拆他的台，李氏兄弟大為憤激，李為報德計，乃決放棄省議員競選，組成聯合陣綫，破釜沉舟，與張豐緒對抗到底。

今後選局發展只在國民黨方面如何從中調解。但在這種相持的局面中，調解也甚困難。如提名勢必造成混亂，雙方均不甘心，說不定會有人出來違紀競選。如雙方捐棄嫌怨和平解決，則青年黨方面黃振三說不定要出來一試身手。黃的潛力也不小，上次張豐緒與他競選，確實費了很大的勁，票額也相差無幾。這場選局，看來還有熱鬧在後邊哩！

閒話三國

高風亮節的諸葛亮（三）

．恩昶．

夫非常之人，必有非常之志，諸葛亮好為梁父吟，元郝經說他是因為：「傷漢季名士往往失身於賊，為閹監賊臣禁錮，卒至風節委地而漢遂亡！」他又好抱膝長嘯，人問所至，則又笑而不答。他究竟想的什麼？裴松之曰：「蓋以權御已移，漢祚將傾，方將翌贊宗傑，以興微繼絕克復為己任。」這就是諸葛亮的大志，也就是他與劉備志同道合的地方。所以劉備「見孔明，即說如魚之得水。」除此以外，二人性格旨趣的接近也是一因。劉備自從有了孔明後，他的創業才有了具體的計劃。孔明可以說是三國這一局面的導演者。但鼎立之局，只是他初步的計劃，借此作為克復中原，復興漢室的基礎。可惜他的第二步計劃未能實現，就「出師未捷身先死」了！

諸葛亮是有遠大眼光和恢宏志節的人物。他是大政畧家，即古人所謂「王佐之才。」與三國演義所寫好行詭計，聰明外露者不同。陳壽也說：「亮才於治戎為長，奇謀為短」。可見決非小說家所寫的樣子。後人因為過份崇拜他，故意與以添枝添葉描寫，反而有損他的偉大。近日有些史論家，謂孔明排除異己，建立個人派系，致使魏延等人，不得大用。這多少有點以現代政爭的眼光看古人，與孔明當時的動機恐未必合。諸葛亮第一次出兵，不用老將而用馬謖為前鋒，致有街亭之敗，這誠然是一大錯誤。這錯誤他自己也深切追悔，所以才上表自責，並請貶官三級，斬馬謖以謝國人。這是因為他用人不拘資歷，好越級提拔人才所致。此後北伐，即用魏延為前鋒，不再輕用新人。然諸葛亮提拔新人統兵是有其苦衷。他不僅提拔馬謖，而且培植了蔣琬、費禕，董允等為其繼承人，他在出師表上說：「此悉貞良死節之臣，願陛下親之信之。」蓋奸臣竊命，當時已成風氣，他不敢與魏延這樣猛將以大權。他自受託孤之重，又深知劉禪懦弱，無法駕馭武人，弄不好西蜀也出一位司馬昭、孫亮之類的權臣，則蜀漢又將如何？況自董卓、曹操以來，有兵權的武人總想欺君干政，這是孔明要嚴防的。孔明有他自己要建立的制度，他想建立一個文人政府，賢人政治，這在西漢文景、東漢明章時已有規模。在古時無民主政治、議會政治的時代，這已是政治上的最高理想。孔明之所以為大政治家者在此。「達人有作，振此頹風！」（唐習鑿齒諸葛宅銘）自晉以來，歷唐宋明清，史家、詩人幾無不崇敬他。而西南各省以至印緬邊界都廟貌千秋，敬之如神。這豈是偶然的？

陳壽諸葛亮傳後記云：「當其時亮之志進欲龍驤虎視，包括四海，退欲跨陵邊疆，震蕩宇內。」又說「黎庶追思以為口實。至今梁益之民，咨述亮者，言猶在耳。雖甘棠之詠召公，鄭人之歌子產，無以遠譬也。孟軻有云，以逸道使民，雖勞不願，以生道殺人，雖死不忿，信矣。」睹陳壽此言，謂孔明刻剝蜀民，征伐不息者，可以有所省悟了。蓋三國時代，各國都在征伐用兵，不如此即不能立國。武侯伐魏用兵，亦不得已也。

孔明臨終上後主表云：「成都有桑八百株，薄田十五頃，子孫衣食，自有餘饒。至於臣在外任，無別調度，隨身衣食，悉仰於官，不別治生，以長尺寸。若臣死之日，不使內有餘帛，外有贏財，以負陛下。」其高風亮節，視後世為何如！（完）

中國女性文藝春秋（續）

周遊

遼國蕭皇后與絕命詞

至咸雍初，皇太子濬冊為太子，乙辛遂決計圖害。皇后嘗慕唐徐賢妃行事，每於當御之夕，進諫得失。遼國風俗，君臣尚獵，不離游牧民之本性。故有「四時捺鉢」之舉。道宗亦善弓馬，往往以國服先驅，所乘之馬名叫飛電，瞬息百里，常馳入深谷邃林，扈從求之不得。皇后頗以為患，上疏痛諫，道宗表面上嘉納，心中卻很厭煩，故到咸雍之末，便與皇后疏遠，她因作「回心院詞」，被之管樂，以寓望幸之意。詞云：

掃深殿，閉久金鋪暗。游絲羅網塵作堆，積歲青苔厚階面。掃深殿，待君宴。拂象牀，憑夢借高唐。敲壞半邊知妾臥，恰當天處少輝光。拂象牀，待君王。換香枕，一半無雲錦。為是秋來展轉多，更有雙雙淚痕滲。換香枕，待君寢。鋪翠被，羞殺鴛鴦對。猶憶當時叫合歡，而今獨覆相思塊。鋪翠被，待君睡。裝繡帳，金鉤未敢上。解卻四角夜光珠，不教照見愁模樣。裝繡帳，待君貺。疊錦茵，重重空自陳。只願身當白玉體，不願伊當薄命人。疊錦茵，待君臨。展瑤席，花笑三韓碧。笑妾新鋪玉一牀，從來婦歡不終夕。展瑤席，待君息。剔銀燈，須知一樣明。偏是君來生彩暈，對妾故作青熒。剔銀燈，待君行。爇薰爐，能將孤悶蘇。若道妾身多穢賤，自沾御體香徹膚。爇薰爐，待君娛。張鳴箏，恰恰語嬌鶯。一從彈作房中曲，常和窗前風雨聲。張鳴箏，待君聽。

時宮中諸伶工皆不能演奏此曲，只有伶官趙惟一能演奏。有宮女單登，本是重元家婢而選入宮，此婢善彈琵琶，每與惟一爭能，怨皇后不知她的才藝。皇后乃召她來和她對彈四旦四十八調，皆不及皇后。單登始媿服。有時道宗召登彈箏，皇后諫道：「此叛家婢女中猶無豫讓乎？安親近御前！」因移置外別院，登更怨皇后。

單登有妹名清子，嫁為教坊朱頂鶴為妻，時方與耶律乙辛狎昵，登每向清子誣后與惟一淫通，盡為乙辛所知。乙辛正欲害皇后，聞知此事，正中下壞，猶恐不能證實，乃請人作「十香」淫詞，用為誣案。「十香詞」不知出自何人手筆，的確淫艷非常，也可算「淫艷傑作」。詞云：

（五十）

成之凡離台返法前　對藝術界無限感慨

勝吉。

藝林人物介紹

（本報專訪）

成之凡女士是我國旅法藝術家之一，她是名報人成舍我之長女公子，僑居國外近十五年，於去年二月初，首次回國省親，並曾舉辦她個人的綜藝展，於上月六日她又飛回了她的僑居地——法國，繼續其創作生涯。算來，她在台灣居留了整整一年。這一年並未與她父親一直生活在一起，有半年時間應中國文化學院張其昀之聘，在陽明山任客座教授。

成之凡女士返國後，各報都有介紹文字，但有彼此矛盾之處。這篇訪問記是她行前記者向她訪問所得的資料，應該算是時間「最晚」却最正確的一篇報導。

她從小愛繪畫；那是由於在她幼年的時候，不小心跌壞了腿，使她無法像一般小女孩似地在野外遊樂。也就因爲這樣，她走進了自己的世界，在室內尋求藝術的靈感。可以說，環境改變了她的人生，但也給她帶來了消極，寂寞，正如她自己對記者所說的：「我是一個愛創作，不愛說話的人」。至今，她的作品常被人認爲有點兒「怪」」，在她的藝術生活裏，作曲，繪畫，寫詩和蒐集古裝是她的四個方向。因此，她也被目爲多才多藝的藝術家。目前，她在法國的藝壇上，已很有名氣，許多藝術館多有收藏她的作品。

成之凡女士，這次返國，才住了一年，就匆匆的走了，她說她的生活，她的思想已經完全西化，對於祖國的一切，她瞭解的實在太少了，但是在這一段短暫的時間，在國內藝術界裏，她所看到的，所感受的却有很多令她感慨的地方。她向記者表示：「這次回到法國，以後我不打算再回祖國來了」。這是一句叫人聽了多麼傷感的話。到底爲什麼她會講這句話？什麼事情令她感慨？

在陽明山華岡中國文化學院的教授宿舍裏，成女士將離開祖國的前夕，和我談了些她對於國內藝術界的一些感想。

首先，她聲明：「不可說，不可說。我平時不大喜歡發表意見，感想也不願公佈，因爲語言文字往往不能善達人意，而每一個人所感受的都是屬於單方面的，因此不能以此爲憑。況且，因爲我在台北所見太少，所接觸的人也有限。但是，在台北的中國青年，給我印象很好。」

她敘述自己：「我一向生活在自己的世界裏。我是一個很喜歡創作的人，也唯有在這個時候，我的生命最有意義。除此之外，對於其他人事方面以及種種的社交活動，不感興趣。在哲學的觀點上，我很尊重別人的自由，因此很少批評別人的作品」。

藝術家豈能不食烟火

說到這裏，她感慨的說：「回到國內以後，發覺自己說話比創作多，所以感覺很不自在。此外還勉强去做自己不願做的事情。」她指出：「台北藝術界存在着一種很矛盾的現象，一方面是清高得不近情理，另一方面是污濁得令人討厭。在這兩種情形之下，對於藝術本身及藝術家都是不利的。譬如：中國人的社會觀念認爲賣畫是一種打秋風的行爲，但是又不顧廉恥的向藝術家們要畫，好像畫家都是不食人間煙火的神仙。」

她又說：「一般人有的反對抽象藝術，有的欣賞抽象藝術，在這種情況下，他（她）們皆有理，但也無理。因爲我們首先必須瞭解每一個人眼睛的要求是不同的，我們應從生理上和心理上來討論一個問題。然而，一般人都忽略同時也不願承認各人生理與心理的要求不同，以致產生了喜惡。另一方面，由於每個人的教育水準不同，因此我們也不應該站在主觀的立場來反對或贊成某一派的藝術。至於有調音樂與無調音樂也是一樣，不能因爲喜歡有調音樂就反對無調音樂，喜歡無調音樂就反對有調音樂」。成女士認爲：「人生的價值就是有欣賞各種藝術的機會，才不致困於千篇一律的枯燥現象中。」

爲什麼她回到法國後不打算再回台灣呢？固然法國距離此地路程遙遠，是一個理由，但是她說：「因爲在國外，她有許多的工作要做；而且在台北，她個人沒有畫室，沒有鋼琴，電子琴，錄音機，錄音室等等，以致使她無法創作，感覺很不方便，所以精神上非常痛苦。」

說到人才外流

記者又和她談到國內「人才外流」的問題，她說：「關於人才外流，政府早已注意到，並且訂定各種規律，她又說：「任何規律，皆有利亦有弊。人才外流的問題不能勉强，應該先從提高國內水準著手，國外的學者才會回國。如果設備和環境不適合國外學者水準的話，即使他（她）們肯回來也只是「紙上談兵」而已。她認爲中國學者在國外是文化大使，還可以爲國爭光，回國之後，假如是『巧婦難爲無米之炊』的話，還不如留在國外。譬如：音樂部門，在國外已經有了電子音樂的設備，假使我們要開課而缺乏工具的話，就無法研究這門學問。現今一般人不甚瞭解，以爲音樂藝術是技術上的學問，但是在科學發達的今天，藝術家也變成了科學家了。」

禪的火花

（十）奇異的菩薩

吳經熊著　吳怡譯

善慧菩薩即是聞名的傅大士，生於西元四九七年，是一位出色的禪宗的先鋒。有一次，梁武帝請他去講金剛經。他登上台後，拍了一下醒堂木，便下台了。弄得武帝莫名其妙。善慧便問武帝：「你了解嗎？」武帝回答說：「完全不了解」。善慧却說：「但我講的經已說完了。」

另有一次，善慧正在講經，梁武帝來了，聽講的人都站起來，只有善慧仍然坐着不動。近臣們便對善慧說：「君王駕臨，你爲什麼不站起來？」善慧回答說：「法地若動，一切不安」。

又有一天，善慧穿着和尚的袈裟，道士的帽子，和儒家的鞋子來朝見梁武帝，武帝看見他這身奇異的打扮便問：「你是和尚嗎」？善慧指一指帽子。武帝又問：「你是道士嗎？」善慧指一指鞋子。武帝最後說：「那麼，你是方內之人了」？善慧又指一指袈裟。

據說善慧會有一詩：

「道冠儒履佛袈裟，會成三家作一家」。

鈴木大拙說得好：「禪是綜合了儒、道、佛三家，而用之於我們的日常生活」。假如這種說法不錯的話，那麼，善慧早已開了先河。

善慧曾有兩首偈子，常爲禪家所稱引：

「空手把鋤頭，步行騎水牛；
人在橋上過，橋流水不流」。
「有物先天地，無形本寂寥；
能爲萬象主，不逐四時凋」。

譯者按：善慧是那時的一位奇人，但他這種奇異行爲以禪宗思想來看，却毫無奇異可言。他的不講經，只是表明道的不可說；他的見聖駕而不動，只是强調人人之最尊（以今語譯之，就是人人格尊嚴）；他的奇裝異服，只是說明他不拘於一教，而要融三家爲一體。

何滿子與「何滿子歌」

光合。

「故國三千里，深宮二十年，一聲何滿子，雙淚落君前」，這是唐朝大詩人張祜的詩。這首詩描寫的對象不得而知，但是其中「何滿子」調，在唐代宮庭中是很盛行的，並且流行的時間很久，一直到宋詞裏面還保存着這首名歌。不過到了宋朝時代，把唐朝的詩句體裁改變爲長短句的宋詞體裁了。

「何滿子」，是唐玄宗時代開元年間滄州人，他的職業是當時的歌手。根據白樂天的記載，有一首詩云：「世傳滿子是人名，臨就刑時曲始成；一曲四詞歌八疊，從頭便是斷腸聲」。在這首詩的注上說：「開元中滄州歌者姓名，臨刑進此曲以贖死，上竟不免。」這段文字雖未說明何滿子爲什麼犯了死罪，但是他企圖獻樂而免死是沒有受到皇帝的批准的。可是在同時代的「元微之」先生的記述就大不同了。元先生也有一首「何滿子歌」云：「何滿能歌能宛轉，天寶年中世稱罕。嬰刑繫在囹圄間，下調哀音歌憤懣。梨園弟子奏元宗，一唱承恩羈網緩。便將何滿爲曲名，御府新題樂府纂」。這很明白的說明何滿子獻歌請玄宗免死而獲准，並且將「何滿子」的人名爲曲名。我們推測兩段不同的記述，揣情度理，應該是元微之先生的記述爲合理而接近事實，其原因第一玄宗是極精於音樂而且極愛好音樂的皇帝，對於音樂人才是愛護倍至的。第二，如果何滿子被刑而死，宮庭便不會收容他這首歌曲了，縱然採納了他的歌曲，也絕不會把一個殺頭的死因的名字給命爲歌曲名的。更何況「御府新題樂府纂」呢！那就更談不到了。

「樂府雜錄」也有一段記述有關何滿子歌的文字云：「靈武刺史李靈曜，置酒，坐客姓駱，唱何滿子，皆稱妙絕。白秀才者曰，家有聲妓，歌此曲聲調不同。召至，令歌，發聲清越，殆非常音。駱遽問曰，莫是宮中胡二子否？妓熟視曰：『君豈梨園駱供奉邪』？相對泣下，皆明皇時人也」。可見當天寶年間此歌在宮中非常盛行，而且傳流到世間。

距唐玄宗時代後一百年的大詩人「張祜」，還作了一首提到何滿子的詩，題目是「孟才人嘆」。詩云：「偶因歌態詠嬌嚬，傳唱宮中十二春；卻爲一聲何滿子，下泉須弔孟才人」。他在詩序中說：「武宗疾篤，孟才人以笙歌獲寵者，密侍左右，上目之曰：『吾當不諱，爾何爲哉？』指笙囊泣曰：『請以此就縊』。上憫然。復曰：『妾嘗藝歌，願對上歌一曲以泄憤』。許之，乃歌一聲何滿子，氣亟立殞。上令醫候之，曰：『肌尚溫，而腸已絕』。上崩，將徙柩，舉之愈重，議者曰：『非候才人乎』？命其櫬至，乃舉。」唐武宗是唐朝唯一毀難佛教的皇帝，他是殺了他的哥哥太子而奪得帝位的，一共當了六年皇帝，據說是因爲毀佛教遭因果而死。居然也有一位多情的孟才人給他殉死，此君定是一位心狠手辣的酒色之徒。

至於何滿子歌詞的本來面目，唐朝的「薛逢」有一首何滿子詞：「繫馬宮槐老，持杯殿菊黃，故交今不見，流恨滿川光」。可見一斑。到了宋詞時代，便改變得多了，宋代詞家「孫洙」有一首詞「秋怨」，用的是何滿子調，我們把他錄出來供研究音樂變化的參考，詞云：「悵望浮生急景，凄涼寶瑟餘音。楚客多情偏怨別，碧山遠水登臨。目送連天衰草，夜闌幾處疏砧。黃葉無風自落，秋雲不雨長陰。天若有情天亦老，搖搖幽恨難禁。惆悵舊歡如夢，覺來無處追尋」。

小主人翁與「利是」

風俗雜談

收父

春節雖然已經過去了，熱鬧却仍舊繼續着，不論在香港或台灣到處洋溢着一團喜意。中國人仍然對中國年有興趣，這種盛况不是舶來文化的陽曆年所能比及的。

過春節到底忙了些什麼？這個並非如劉鏞所下的結論——名利而已——所能盡括的。春節前，忙着辦年貨，洗刷房屋，爲孩子置新裝，可說都與名利無關。辦年貨爲的是忙口福，洗刷房屋是爲了使眼之所及煥然一新，有除舊迎新之意，致於爲孩子置新裝，那也是爲了博得孩子們的高興，使得年前後全家都沉醉在一團洋洋喜氣之中，不要任何人愁眉苦臉。

年卅晚，北方有兩種值得欣賞的習俗：其一是守歲，其二是吃煑餑餑。守歲有點洋節令聖誕夜的味道，不過，聖誕夜通宵不寐，是慶賀救世主的降生，爲了迎接幸福的來臨，所以必跳而通宵達旦，以表示歡送黑暗迎接光明。我國的守歲，也有深意，它是惜陰，爲了警惕自己和揚勵小輩。「尺璧非寶，寸陰是競」。守歲是一種手段，也是一個最佳的時際。

在農業社會的中國，婆媳、妯娌、姑嫂，是整日相處在一起的，平時難免有些嫌隙，而煑餑餑却正是訓練合作無間的「團體遊戲」，必要全家婦女總動員，在一起幹活兒，既面對面兒，自不能把面孔扳起，做喪門容狀。於是在說說笑笑當中，於把以往的不愉快，也就消弭於無形了。

不過，中國年也有最無意義的一面，那就是打發小孩子的壓歲錢，香港稱之「利是」。實際，是合法的紅包。

平時見了面你理不睬的小毛頭，這兩天見了你却乖極，有說有笑，而且見了你比大人的腿還快，早先跑到你面前鞠躬了。

這種投機的孩子可怕，從小就祇知道利是，因有「利是」而改變其一貫作風，這種「主人翁」的「未來」，可想而知。

曾國藩曾因某縣令未仕之前有一文之貪，鄙其爲人，將之免職。他的意思是從小處可以窺其爲人，一文猶貪，何況其餘？

家長放任孩子們伸手向人索取而不勞而獲的「紅包」，不予理會，視曾國藩所貶的縣令，爲何如人？

自由報
THE FREE NEWS
第二八七期
中華民國郵政局登記認爲第一類新聞紙類
（半週刊每星期三、六出版）
每份港幣壹角
社長李運鵬　督印黃行奮
社址：香港九龍登打士街91號十樓六座
91 DUNDAS ST, 9th FLOOR, FLAT 6 KOWLOON H.K.
電話：857253　電報掛號：7191
承印者：大同印務公司
地址：香港北角和富道九六號
台灣總管理處
中華民國（台灣）台北市大同街119號
電話：55395 · 56761
台灣分社：台北市西寧南路110號二樓
電話：三〇三四六　台郵撥儲金戶九二五二

從海外看中國語文問題

——中華民國五十七年元月十日台灣師範大學文學院講演——

雷嘯岑

主席，各位先生，各位同學：

兄弟最近從香港來台北，承貴校文學院長沙先生的雅囑，教我到貴院講演「從海外看中國語文問題」。我的學殖荒落，不配作專題講演，今天只是向各位談談個人對於本國語文問題的常識觀感而已。

人類在初民社會時期，只有語言而無文字，藉着語言的關係而促成集團生活。嗣後基於智慧的進步纔創立文字書契，逐漸地構成文物制度，孕育文化精神，確立國家組織，而以文字爲團結民族國家的主要元素。因此，文字的功用超過了語言，語言已被包括在文字之內，文字和語言雖無絕對性的區分，在功用上却有主從之別。

中國文字的構造具有博大精深性質，遠非世界上其他任何文字所能企及。每一個字，涵蓋四聲六義的詮釋而靈活運用，多彩多姿。例如文字體裁，世界各國不外是散文與韻文這兩種形式，中國文字却不然，只看一部「昭明文選」中，體裁即有幾十種之多，在文藝創作上增加了豐富的美化性能，創作的領域亦特別廣泛。中國廣土衆民，方言複雜，若不是賴有統一的文字——即所謂「書同文」的作用，便不容易維持國家的統一基礎歷數千年而屹立無恙。中國立國五千年之間，也曾遭受異族侵凌若干次，嘗到過亡國的痛苦，但終於憑藉中國固有文化的潛力，把異族同化過來，得告復興，這決非語言的力量所致，而是文字的功用使然的。中國固有文化思想是以忠孝仁愛信義和平爲中心，在一切書籍文字上都表現着這種思想精神，人人自啓蒙識字到成人教育，經常浸潤涵攝於講究四維八德的書文之中，即不期然而然的養成個人的優良德性和節操，這乃是文字的潛能，非語言所能掠美的。美國人瞧着海外華僑的青年子弟大都明禮知義，在生活行爲上循規蹈矩，安份守己，認爲很奇怪，殊不知這是從中國的書文義理中陶冶而來的情操，也就是中國固有文化的優越性。我國社會上在五十年以前，從未聽說有所謂「太保」「太妹」這項名詞發生過，如今呢，太保太妹成了教育界的嚴重問題，根本原因即是最近五十年來爲着提倡語體文，而因噎廢食，大家蔑視舊有的書籍文字，主張把綫裝書丟到茅廁裏去，要打倒孔家店，要全盤西化——連西洋人的梅毒亦不妨接受沾染，因而一般智識青年的國文程度，表現普遍低落，一個大學畢業生能夠寫出一篇文理通順的文字者，殊不多覯，最常見的毛病便是別字甚多，詞句生硬，甚至根本不通，例如「菅」「管」不分，「冗」「亢」莫辨之類，比比皆是。我過去在大陸上担任過高初中和大學的教師職務，在海外亦作過大學裏的新聞系主任，親眼看見一般青年學生的國文程度實在太低落了。我又在國內和海外担任過幾家報館的總主筆，每閱及一些青壯年主筆先生撰寫的社論稿，思想很進步，見解也不錯，就是文字太差勁，筆劃較多的字即寫不成，而造句每每欠通，如「棘手」誤爲「辣手」，「以及」誤爲「與及」等情形，屢見不鮮。至於運用極通常的成語，亦復錯誤百出，令人見着啼笑皆非。有人在台灣核閱普通公職人員的考試文卷，即發現「稻（道）高一尺，茅（魔）高一丈」的妙句。談到現代青年人的歷史知識，笑話更多，民國十九年我奉行政院命令，到浙江典試縣長考試，試題有「國民革命史」一門，由我出題云：「洪秀全革命軍建都金陵十四載而敗亡，國民革命軍建都南京，未及三年，即能統一全國，蔚成新邦，其故安在，試各抒所見以對」，中有一卷是用語體文寫的，說是「革命成功的要素有三，即天時、地利、人和是也。洪秀全的革命運動未會與孫文黃興切取聯絡，不得人和，所以失敗了。」這不是張飛與岳飛打架的笑話嗎？凡是應縣長考試的，皆須具備大專學校畢業生的資格，而江浙的文風素號優越，在昔科舉時代，江浙智識份子得中狀元進士及第者特多，降及民國，何以古今人之文史程度相差乃至於此呢？原因即係近五十年來各級學校不注重舊有國學修養，青年學生識字無多，相率以能寫出膚淺冗沓的白話文爲滿足了。一個國家的智識份子，對於本國歷史文化不求甚解，乃至蒙昧無知，這國家的生存前途，就一定危機四伏，非趨於沒落景象不可！

爲要挽救這種文化上的流弊，以健全充實立國精神，唯一方法就是教全民從識字讀書入手，而且要從小學時期開始，奠立基礎纔行。所以小學課程的國文一科非常重要，不能改稱「國語」，即現行的中小學國文教材，亦應另行改編。若就識字的作用而言，現行的小學國語教材，還不如過去由書商編印的「人，手，足，刀，尺」課本比較有用些。據我自己的經驗看，六歲在私塾啓蒙，開始讀「三字經」，繼讀「孝經」，一年之後再讀「爾雅」。我的先人是科甲出身的，特別注重識字工夫，他叮囑私塾老師（是家父的門生），對於「爾雅」教讀方法，不僅使兒童明瞭字音，必須懂得字義，如讀第一章「初哉首基，肇祖元胎，俶落權輿，始也」時，教師把前面十二個字的音義講解清楚之後，再說明這十二個字都是「始」字的意義。一本「爾雅」讀了一年纔完畢，因而我瞧着人家廳堂上掛的匾額，有「大厦落成」字句，即恍然領悟「落成」的意義所在了。我十二歲纔進滿清末年科舉制廢罷後的本縣官立小學堂，尚不知文章如何寫法，倘經國文教師循循誘導，由於腦子裏認記的生字還不少，當天在學校讀讀「長沙日報」的文言社論，摹擬學習，經過半年的時間，居然能寫出一篇「論肥（水旁）水之戰」的八百字論文，得到教師嘉許，給以八十分的評價。我敘述這些故事的意思，并非主張現代的兒童識字讀書，都要依照前時的方法，只應說明兒童識字的重要性。

這和大家學習外國文的訣竅相同，多記生字，懂得字義（名詞，動詞，助動詞，前置詞等等）和用法，便能寫出通順的外國文字了。我對小學的「國語」課目改爲「國文」，亦決非反對國語運動，國語與國文的進修可以併行不悖——先生對學生用普通話教學，就是國語統一運動。

（下轉第二版）

破碎支離

師承有自

昨日與明日

沈剛伯諍言

沈剛伯教授在文化復興節日，曾對電視記者發表文化復興運動感想，微言大義，發人猛省，足可筆於春秋：

感想大意說：「當前國家推行的倫理，民主，科學的建設大道，正好是復興文化運動的主流。民主與科學用不着講，單就倫理上却是今不如古，而且相差太遠！中華倫理思想悉載於經典，欲求復興，就非讀古書不可，但照古昔去唸，我却不以爲然」。

又說：「昔人詆議，讀書人之觀念：抱定「升官發財」甚爲不當，今則演變祇賸「發財」二字了。青年人偏向升學主義，專務留學，學得一些基本技能，就戀上美國了「美鈔」，捨不得回國了。眞爲學術而研究的實在很少。升官意識，已被拆除，倒是工商業社會必然現象，但升官希望者，却脫離不了國家觀念，如學富倫理，也會做好官爲人民造福。今竟一味的發財，祇要有錢可賺，都趨之若鶩，弄得無所不爲！從前社會對貪污栽倒了的人，都不屑一齒，現在却改觀了，貪污有錢的人，縱然貪名很大，也一樣的有人逢迎，仍然可以在人前活動。這在是非觀念上已經遭遇到嚴重的打擊，使文化落後，國家蒙羞」！言下不勝扼腕。我當時在電視機前，聽了沈教授沉痛的言論，雖然作了共鳴的鼓掌，但也不禁的潸潸淚落！

不久以前，有一位貪婪無饜的教育界大官人，很多人責備他是教育上「貪缺」的始作俑者，從輿論的憤怒上把他貶下來，他不是一樣的「腰纏萬貫」，撐着「讀書人」的面孔，樂哉悠哉的在人前活動嗎？聽說有人爲私交關係，曾私下在爲之辯「誣」。孔子說：「惟仁者能好人，能惡人」。孟子說：「是非之心，智之端也」。斯人很少體認到這兩章古書的眞諦。「天下老鴉一般黑」，無怪沈教授言之痛心！

張紹文

自由談

傳記文學之益

近人金梁輯錄翁同龢、王闓運、李慈銘、葉昌熾等四家的日記，名爲「近世人物志」，省覽之餘，頗覺有趣，且可以體認到這四位「名人」的品性和福澤迥然有別。

翁氏對人處世，頗示涵容渾厚氣度，月旦當代人物，婉而諷，約而有旨，不失爲帝王師的風格。如接閱康有爲所譔「新學偽經考」後，只言「此說經家野狐禪也」，不作別語。對一班達官學人，亦褒多於貶。

王壬秋自信有縱橫濟世之才，然厄於科第而以名士終其身，一派玩世不恭的心情，流露於字裏行間，無所顧忌。如記其主講成都「尊經書院」時，曾僱用羅姓寡婦來院供洗滌衣裳之役，王竟與狎褻，在日記中註明：「昨夜寢甚酣，有羅媼侍也」。又述曾國藩、彭玉　有大志不得行，曾、彭逝世之際，兩家子弟皆不敢懸掛王氏的輓聯。王對當代名公鉅卿皆少所許可，嬉笑怒罵，滿不在乎，尤其對曾國荃印象惡劣，因國荃指斥王氏的「湘軍志」爲謗書也。光緒十六年十月十三日王氏日記有云：「聞曾九死，今年收拾紅頂不少」。然同日翁同龢的日記：「聞曾制軍星隕，學關東南全局，可慮也」。允屬相國口胳。

李慈銘的「越縵堂日記許」，多述京華冠蓋中的人汁沉，以及詩文寫作情況，掌故孔多。然賦性偏激而自視甚高，恩怨之見亦彌深，以貧故，凡是送過銀錢給他的人，在日記中即稱讚不違，而對其他的朋儕多作貶詞。趙之謙是他的小同鄉，竟視爲生死冤家，謂拍「識字無多」，所藏金石書畫亦多贗品。又指王闓運「略知文墨」。皆未免太過分了。李氏久困場屋，初納貲入京，充戶部郎中，迨進士及第後，仍歸原班供職如故，始終未有超遷，因而憤世疾俗，汲汲無聊焉。

葉昌熾屬於學究式的士大夫，年四十得進士及第，浮沉翰院廿年，自傷「陸沈金馬門」。入民國後，以遺老自居，民五年五月十日日記云：「縣大夫欲來商修蘇志，不佞大清舉洲人也，今大清何在？縣何在？而可爲之秉筆乎？敬謝不敏」。迂濶之態，躍然紙上，可哂也已。

看過了這四位名人的日記，對於滿清末葉的政氣與治亂興亡之迹象，可以得到相當的瞭解，而他們一生的榮枯窮達之所以然，亦可思過半矣。這便是傳記文學的可貴之處。

張啟仲撤職案餘波盪漾

魏惜言惹出了謠言

陶百川建議修改懲戒法

丁淑蓉直言批判李嗣璁

董尚書。

台北航訊　前年十一月下旬，因「國校掛圖案」有「圖利他人」之嫌的台中市長張啟仲，雖經最高法院宣判無罪而又經復職未久，突由公務員懲戒委員會宣佈懲戒處分：「予以撤職，並停止任用一年」。迭被監察機關指責該會工作不力的情形下，竟爾雷厲風行施展「大刀濶斧」的整肅官箴，這在人民心目中對懲治貪邪來說，靡不稱讚「國家尚有綱紀存在」！在當事人張啟仲一方，則曾公然發表聲明，意謂：彼係民選市長，而且法院既判無罪，如或再有不當，亦應甘受罷免規定處理，公懲會何能判其撤職並停止任用一年？又稱：在進行競選蟬聯下屆市長前夕，遭逍此着，顯有「勾串」情事！輿論雖經痲議張有詆毀公懲會之嫌，幸而公懲會却並未理會，似以既已撤職，餘無足論「了之！

針鋒相對各出絕招

張啟仲被撤後，引起立法委員莫萱元、魏惜言之質詢，「認為公懲會祇能懲戒委任官吏之非法，對民選縣市長出此最重懲處，殊有未當」。旋經某委員指駁：「公懲法係立法院所立法律，公懲會依法行使職權，我們立委怎好去加干涉」？惹得魏惜言眞的惱了火，於是再拿出另一「絕招」，由他領銜並有莫萱元、張金鑑等一百三十位委員聯署提案修正現行公懲法，因是引起各方之注意。甚囂塵上的有兩種不同的傳聞，也都不脛而走，姑從重點報導，以饗讀者：

傳說流行風風雨雨

一則說：「魏惜言案提出後，立法院也有不少傳說，其中流行最廣者有為：『國會裏某些活動份子，在油商賄案的暴風雨後，稍為收歛了一個短暫時期，最近又靜極思動，在某一件提案上，爆出了不少風風雨雨的傳說，而且這種飛短流長，大有方興未艾之勢。傳說中的情況是：『最近他設下了一個陷阱，幾乎使二十多位老友上了當。他利用某一事件，寫了一個提案，在立法院爭取聯署……』所謂風風雨雨的傳說，自然不一定跟魏惜言等委員有關，因為魏惜言等委員夠得上是個愛惜羽毛的人。但是立法院有沒有值得懷疑的事呢？這件事情，至少已引起監察院之注意」。

魏案至今胎死腹中

再則說：「魏惜言提案，至今並無下文。魏委員既未公開草案全文，以及聯署委員名單，亦未見立法院將他的提案，列入院會議事日程，此中原因，引起外間頗多揣測……。據說，參與聯署魏案的委員，大多知道他的提案，是受了張啟仲案的影響，……但事後，當他們獲知執政黨中央並不支持魏案，同時又發現魏所擬修正內容，亦多欠妥，加以外界對該案頗多謠諑，於是原先在魏案聯署的委員都紛紛退出。日來先後撤銷聯署的委員已有數十餘人之多」。

另外也有人說，魏委員一向發言，很少「人云亦云」的，總是另闢蹊徑，秦腔噪門，噴沫四濺，奇峯突起，變幻莫測，倫次顛倒，首尾無顧。說了以後，假如有人駁辯，但他也就不知是為他而來，因他的慣性說過就了，并不珍重有所「立言」。魏委員這次為張啟仲案發言，也算是「仗義行事」，不料竟惹起了滿天飛謠言。何以莫萱元發言在先，而又沒有謠言呢？單獨對魏就生出了疑竇？因為魏委員「行權問政」，多是「單槍匹馬」，別人也不好同他合作，而且他平時的生活亦極儉約，雖然他擁有不少的「商事名義」頭銜，但油商賄案却栽不到他的身上。魏嘗語人：他的大名「借言」，係其尊翁所命。或意其側身國會，負有言責，為民喉舌就祇好不再「借言」了。詎料這次為張案發言就惹出了謠言，也正因此「飛短流長，有方興未艾」之勢。「事實是事實」，「謠言是謠言」，魏委員「胸有成竹」，也從來不計較這些！

（下轉第四版）

一張車票的官司！

高院判令公車處敗訴

法界人士表示不同意

台北航訊　台灣高等法院日前將張昭雄訴請判令台北市公共汽車管理處賠償新台幣一元五角案，判決公車處敗訴。高等法院這樣判決，甚多法界人士表示不同意見。這些法界人士，大多數是現任司法官。

案情原委

按張昭雄是政治大學學生，向台北市公共汽車管理處購得學生月票一張，依規定使用期限應到去年八月卅一日止。可是公車處為了配合年度預算，於六月間市議會通過公車票價加價案後，自七月一日起便提高票價。張昭雄的學生月票，到七月一日尚有一格未用完畢，因不能使用，不得不花一元五角購買新車票乘車。使他受到損失。因而向公車處請求賠償損失。地院判決張昭雄敗訴。張昭雄上訴高院，高院判決公車處敗訴。

法界人士說：民法的最大前題，是維護「誠實信用原則」，違反誠信原則者，為法所不許。本案原告張昭雄，持有公車處發售的學生月票，固然規定可使用到八月卅一日，但七月一日公車車票漲價前，他只剩一格沒有用完，應該更換新票不去更換，而故意留下一格來打官司。這種情形，不能謂不與民法的誠信原則相違背。法院應該判決張昭雄敗訴。

舉一個例

他們舉一個判例為依據：有某甲向某乙借兩萬元，過期本利不還，某乙訴請法院判令還債。經法院調解結果，某乙同意某甲只還五千元了事，惟還款方法訂明分五個月五期還清，須於每月一日之上午由某甲將一千元送到某乙家中，否則某乙追還其他欠款本息。

某甲在前四個月，都能按照和解筆錄規定，於每月一日上午將一千元送到某乙家中；惟第五個月還款時，是該月一日的晚上。某乙收到還款後，又向法院請求判令某甲償還其餘欠款之本利。理由是某甲違背和解筆錄規定，最後一期還款時間延到下午而非規定之上午。這件官司，打到最高法院。結果，最高法院判令某乙敗訴，理由是：某乙最後一期還款的時間，未按規定在上午而延到下午，依法固然可以指他不遵守規定履行和解筆錄，構成違約的條件；但某乙的訴請追還其餘欠款之行為，違背民法所定的誠實信用原則。判決某乙敗訴，並將本案著成判例。

違背誠信

依此判例情形，證諸高院將張昭雄控公車處案判決公車處敗訴，違背了民法所定誠信原則。

法界人士又說：高等法院若認公車處提前漲價，是「侵權行為」，即侵害了張昭雄的權利。查侵權行為的賠償，依民法第一百八十四條第一項規定：「因故意或過失，不法侵害他人之權利者負損害賠償責任」換句話說，不是因故意或過失，也並非「不法」侵害他人權利時，就不負損害賠償責任。公車處為配全年度預算，而於七月一日提高票價，有何「不法」之可言？公車車票漲價是經台北市議會通過，又有何「故意」或「過失」可言？張昭雄固然遭受損害，公車處也不應負賠償責任。

法界人士更進一步分析說：民法第一百四十九條又有這樣規定：「對於現時之侵害，為防衛自己或他人之權利所為之行為，不負担損害賠償責任。」公車處為了維持營運業務而提高票價，誠如本條文中所稱「為防衛自己之權利所為之行為」，縱然對少數未用完學生月票的持有人的權利有所損害，也沒有賠償責任。

後果堪虞

法界人士認為學生月票背面規定的使用期限，不能視為契約規定，而是行政命令規定。公車處於期限未滿前提高票價，即行政命令有所更改。公車處曾有通知公諸報端，要月票執有者或普通票持有者，於限期內向公車處補足差額更換新票，張昭雄未依規定前來換取新票，其所受損害不應由公車處負責。

法界人士說：守法是人民應有的義務，但如何使判決適法則是法院的責任。錯誤的判決不僅使不該受損的一方受到損害，而且容易使社會造成一種錯誤的觀念，後果堪虞。

本報記者新[illegible]

從海外看中國語文問題

（自第一版轉來）

雷嘯岑

不過，語言不統一和國文程度太低落，二者對國家民族前途的利害得失關係，後者却嚴重倍蓰，不能相提併論啊！

提倡國語運動的目的，據說是在「掃除文盲」，「統一國語」。實則識字纔是掃除文盲的正規有效方法。人民不識字的，謂之文盲，不會說話的叫作啞巴」。識字和說話是兩囘事，不宜混為一談。為掃除文盲而提倡小學設立國語課程，可謂文不對題。至於語言統一問題，憑藉交通的關係亦可解決大半，例如香港居民在民國卅八年以前，十九都是廣東籍，不會說廣東話的人到了香港即感覺不方便；但從卅八九年起，大陸各省人士為避免共禍而大量地陸續逃至香港後，語言的隔閡即逐漸消除，現在香港的粵籍居民，絕大多數都聽得懂普通話，其中有許多人且能講普通話了。他們並未在小學校受過國語教育呀！可見溝通語言也不一定必須在小學專設「國語」課程。交通發達，人與人之間接觸頻繁後，語言的障礙即自然不存在了。語言的作用是表達意思，只要彼此聽得懂，說得明白，固不需要大家非講標準國語不可。譬如南方的四川、雲南、廣西話，北方的直、魯、豫各省的普通話，大家都懂得，縱然不講標準國語，又有甚末弊害呢？西洋各國是號稱言文一致的，可是，他們的方言依然存在着，文字的寫作格調更不一致。愛爾蘭的語言就和倫敦的標準英語大不相同，却無礙於大英聯邦的生存發展。

談到文言文和語體文的寫作問題，有人認為文言文太難寫，而且詞意艱澀，遠不如語體文之暢達通俗，乃以此為提倡國語的主要理由。這是舍本逐末，甚至本末倒置。文章和書札同樣是表達思想意識的工具，我承認語體文比較文言文通俗，時至今日更不必倡導那種佶倔聱牙的古文作法。但如近代人梁任公所寫的筆下充滿感情的文言文，又何嘗不通俗呢？又如古人白樂天所寫的詩歌，不是婦孺皆能理解嗎？同樣的通俗，在寫作技術上，文言文却比語體文簡練得多，文藝性亦豐富些，簡練即符合科學法則，文藝性豐富乃合乎文學與美學的條件。通俗的語體文可寫，通俗的文言文又何嘗不可寫呢？一定要說文言文是死文學，語體文纔是活文學，邏輯上似乎講不通吧？文言文和語體文的寫作能力，都是以讀書識字的程度如何，為高下優劣之所在，能夠撰寫簡練的文言文，對語體文即無師自通，並不需要良師益友的教導亦優為之。我生平就未曾學過白話文，最近卅年來的文字寫作，却完全是語體文。如果平時讀書識字的工夫較淺，祇能寫語體文的（好壞不談），要他撰寫文言文，就不免感覺困難了，甚且別字錯字皆有，令人不忍卒讀。這證明讀書識字太少的，無論是寫文言文或語體文都不成！

語體文亦不是新的文藝創作，古已有之。例如朱子語錄，王陽明傳習錄，以及古人著名的說部如「水滸傳」等，都是用語體文寫的，因為朱、王和施耐庵等人，國文程度的修養極深，讀書多，識字亦多，他們寫出的語體文亦就很好，決不像現代一般的語體文那樣嚕囌冗沓而缺乏優美性。近人胡適之先生的語體文寫得亦不壞，但他的舊文字根底很深——自幼受着先人講究「漢字」的薰陶——文言文既能寫，語體文自然信手拈來，皆成妙諦。反對文言文的理由，說是使用典故僻字，語意隱晦，太難讀了。實則這是以偏概全，不足為訓的。我現在便舉出幾個例子來印證一下：

「居，吾語汝」，論語的文言，無典故，亦無僻字，既然詞句簡練，明白達意，一看就明白的。一定要寫成「坐下來，聽我慢慢地訴你」，豈不太嚕囌？若謂「居」字的意義過於深奧，不易理解，那祇怪自己對中國文字的修養太差，不懂得六義的字說，也就是自幼識字無多，纔覺得「居」字不易理解罷了。「居」字的意義絕不晦澀，而全句詞意精簡有力，和白話無甚差別，允稱佳作。再看唐詩「去年今日此門中，人面桃花相映紅，人面不知何處去，桃花依舊笑春風」，這可說是白話詩，但意境極高，抒情盡致，讀書識字太少的人，就絕對寫不出來。又看宋人謝直在江邊和女友訣別詞：「雙槳浪花平，夾岸青山鎖，你自歸家我自歸，說着如何過？我自不思量，你莫思量我，將你從前待我心，付與他人可！」這樣十足的白話詞，感情何等豐富，意義何等深刻，現代號稱為語體詩文的大作品，有誰能夠跟它媲美的嗎？最後看清代人袁子才，描寫一個牧童在其母親墳前表示思親心情的詩歌：「叫一聲，兒的聲音娘慣聽，為何不應？」令人讀之，幾為泣下。試問國人能有幾人？這種創作，少讀書，識字程度低下，由於近五十年來，國人鄙視古文，一般人不講究讀書識字，以致語體文愈趨愈下，祇是充滿着「的」，「嗎」，「啦」，「呀」，而廢話連篇，詞句枝蔓；寫出來的白話詩歌，多見其為「一個麻雀鳥子，在樹上吸新鮮空氣」，以及「越開越紅的石榴花」之類，紅得不能再紅。這眞是中國文化的一大厄運。而毛共在大陸上又猛力進行「反四舊」運動，要徹底摧毀中國固有文化，把中國文字弄成拉丁化。中以蔣總統號召復興中國文化運動，與提倡國文第一，是吾國大儒朱舜水所說：「滅虜之策，在事事與虜相反」的宗旨配合，我們應該努力邊行。而以從小學教育就注重識字工夫為根本之計，因此纔可以獲致實效。小學「國語」課程應正名為「國文」課的主張，其正確性即不言而喻了。（完）

海嶠譚薈

毛共當年流竄情況

諸葛文侯

民國廿四年（一九三五年）春間，毛共由江西瑞金突圍流竄，一股由毛酋和彭德懷統率，經粵、湘、桂邊境入黔省，一股由張國燾徐向前率領，從大別山脈經鄂西竄入紫荊關，進至川省的通、南、巴一帶，而以達縣為根據地。

當時中央軍事委員長蔣公，嗣悉毛共在贛已難立足，將突圍遠走，曾密令粵湘桂各省軍事首長，派兵防堵圍剿。然各省皆以自固吾圉為前提，但求共匪不竄進本省境內，於願已足。粵省出動了兩師人防守江西湖南邊區，未與共匪正面接觸過，湘軍一師在湘南名為追擊，實際與共軍距離二十華里，未曾加遺一矢。共匪在長途跋涉，豕突狼奔之中，只遇到兩次打擊：一次在廣西灌陽地區，一次在川黔接壤的土城，大吃敗仗，毛酋所領人馬，損失過半，灌陽一役即被桂省民團俘擄了七千人。

當共匪流竄至湘桂邊境伊始，廣西當道即籌維保境之計，認定共匪不致進擾桂省，理由是此時廣西與中央處於對立態勢中，共匪必不願跟桂軍火拼。根據此項敵情判斷，乃決定只徼調邊境各縣的民團担負防堵使命，而由葉琪，廖磊節制指揮，並未出動正規部隊。迨一經接戰，共匪即告潰敗，除戰死者以外，被俘七千餘人。事後桂省當局曾將此事攝製電影宣傳，實則窮寇長途奔馳，罔知所屆，軍心早已動搖，有些故意落伍，有些乘機逃亡，因而民團乃得奏此膚功也。唯有土城之役，是一塲硬仗，毛酋竄到黔境時，尚未與張國燾內閧，以張氏所率「紅四方面軍」實力較大，擬入川會合，暫事喘息。然劉湘已派有兩旅人扼守川黔交通要道的土城，由獨立旅長郭勛祺任作戰指揮官，毛酋傾巢來犯，激戰三天，慘敗，而紅四方面軍遠處川鄂邊境的通、南、巴一帶，無從應援，毛酋祇好率其殘眾不及萬人退回遵義了。

這時候，貴州本省的兵力很薄弱，中央軍入川者，正在川北各地追剿共匪，毛酋得在遵義負隅，舉行所謂「遵義會議」，改組偽軍委會，把周酋恩來原任的軍委主席職務，改由毛酋兼任，對川境的紅四方面軍發號施令。張國燾徐向前自恃實力雄厚，不欲接受窮蹙莫保的毛酋節制，即在達縣設立「人民自治政府」，徐圖發展。然毛酋以張徐放棄「蘇維埃共和政府」名稱，指為右傾機會主義，利用黨部號令，張氏以「政委」關係，即被開除黨籍。於是，張徐亦在川境成立「中共中央黨部」，而原有共黨的中央委員多在四川，聲勢較遵義的毛酋為優，亦對毛酋予以開除黨籍處分，毛張從此分裂成仇了。

嗣後毛酋率眾遠走延安，得土匪劉子丹、高崗支持，僭制稱尊；張徐亦離川經青海渡過黃河，馳赴甘肅，擬竄往新疆，但被甘肅馬家軍迎頭痛擊，實力損失奇重，深感進退維谷。毛酋在延安乃以軍委會主席名義，命令各路共軍到延安歸隊整理，張徐煢煢靡騁，祇好如命辦理。迨紅四方面軍改編，徐向前解除統帥職務，張國燾的政委即隨之消失，轉任所謂「陝甘寧邊區政府」主席，毛酋即在延安隨時召集中共中央委員會清算張氏的機會主義舊帳，藉報當年一箭之仇，終於迫使張氏脫離毛共，別奔前程，這是張氏始料所不及的。

（完）

歷史人物漫談

匈奴強人冒頓

清園

冒頓雖然比不上後來的成吉思汗，但在匈奴史上，他的確是一個強人，除了成吉思汗，可也沒有一個人比得上他。

匈奴頭曼單于，（單于、匈奴語意為天子）被秦始皇的大將蒙恬，打得大敗，逃往漠北，十幾年不敢近邊。直到蒙恬被秦二世殺了，中國起了叛亂，匈奴才又悄悄度過綏遠境內的黃河，在中國要塞舊界的邊緣上游牧。

頭曼單于的太子名叫冒頓，頭曼想廢了他，好改立所心愛的幼子做太子，於是令冒頓到月氏國去做人質。頭曼攻打月氏，月氏就想殺冒頓，冒頓知道月氏要殺他，便偷了一匹好馬，逃了回來。他父親頭曼，因此以為他很堅強，而且很有辦法，便派他統率一萬騎兵。他急於想做匈奴單于，乃特製一種能發響聲的飛箭，這就是所謂「鳴鏑」。鳴鏑做好之後，即下令部屬說：「我的鳴鏑所射的，你們若不都跟着射，就要被斬首！」隨後他用鳴鏑射他自己的好馬，左右間或有不敢射的，他就將他斬了。以後冒頓又用鳴鏑射他自己的愛妻，左右間或又有害怕而不敢射的，他又將那不敢射的斬了。於是冒頓知道左右都可用了，便帶領他們隨父親頭曼單于出去打獵，他用鳴鏑射他的父親頭曼，左右也都跟隨鳴鏑把頭曼射死，冒頓便自立為單于。

這時候東胡強盛，聽說冒頓弒父自立，便派人向冒頓要頭曼時的千里馬。冒頓問羣臣的意見，羣臣都以為不可把這寶馬給他人。冒頓說：「我們和別人做鄰國，怎麼可以吝惜一匹馬呢？」就把這馬給了東胡。隨後東胡以為冒頓怕他，便又來要冒頓所愛的閼氏，（閼氏即匈奴王后，音燕支。）左右聽說都大怒，而冒頓又將所愛的閼氏給了他。東胡愈驕狂，又想要匈奴邊界無人居住的千餘里的荒地，匈奴羣臣都說那一帶的荒地，可以給他。但冒頓卻大發怒氣，並且說：「土地是國家的根本，怎麼可以給人？」凡說土地可以給人的，都被斬了。冒頓立刻武裝起來，并騎上馬，命令全國跟從他去攻打東胡，有退後的都要斬首，因此大破東胡。然後西攻月氏，併樓煩，侵燕代，完全收復秦朝蒙恬所攻奪的匈奴土地。

中國這時候楚漢相攻，無暇對外，因此匈奴得以坐大，自強，擁有戰卒三十多萬。匈奴成族千餘年來，到冒頓時最強大，北夷完全被他征服，而與中國為敵。後來曾包圍漢高祖於平城的白登，漢高祖因天下初定，只好採和親政策，以宗室劉姓的女子為公主，送給冒頓做妻子，兩國約為兄弟。到漢惠帝時冒頓竟敢致書侮辱呂太后，要求來遊中國，與呂太后同居，呂太后大怒，要發兵去打他，因羣臣相勸總算了；還是繼續採取和親政策。

漢文帝六年，冒頓死了。冒頓強力領導了幾十年之後，土地大大擴充了，實力大大增加了，因此常常侵擾中國邊境。直到漢武帝時，動員全國的兵，出擊匈奴，總使他們慢慢分裂，衰敗。就匈奴而言，冒頓的確是一個強人，他不惜美人、名馬，而以土地為國家的根本，因東胡要他千餘里的荒地，就奮起圖強，造成了一個強大的國家，他也是匈奴空前的人物，是中國漢初的一個強有力的敵人，所以值得我們一談。（完）

讀史政略

（四）

·仲公·

樂毅破齊，在戰區內的一切措施，統屬於政治作戰的範圍，亦可謂政略多於兵略，六個月之中，下齊七十餘城，此豈陣地戰所能辦到？兵法：「攻城之法為不得已，修櫓，具器械三月而後成，距闉，又三月而後已，將不勝其忿而蟻附之，殺士卒三分之一，而城不拔者，此攻之災也」，攻城之難如此。夫血戰城闉，剛硬之法也，不得已而用之。樂毅乘勝長驅，有攻城之力而不用，而敵遂破。老子說：「天下莫柔弱於水，而攻堅強者莫之能先，其無以易之，柔之勝剛，弱之勝強」。又說：「善為士者不武，善戰者不怒，善勝敵者不與，善用人者為之下，是謂不爭之德，是謂用人之力。」樂毅在齊，表賢除暴，以柔道奏功，與老子之旨完全吻合，故其成功甚易。而其後騎劫代將，頓兵堅城之下，抗力愈甚，壓力愈強，終至一戰而潰，為天下笑。此豈天命，蓋人謀之不臧也。

七、秦廢封建

王（秦始皇）初併天下。丞相綰言：「燕齊荊地遠，不為置王，無以鎮之。請立諸子。」始皇下其議，廷尉斯曰：「周文武所封子弟同姓者甚眾，然後屬疏遠，相攻擊如仇讎，周天子弗能禁止，今海內賴陛下神靈一統，皆為郡縣，諸子功臣，以公賦稅重賞賜之，甚是易制。天下無異意，則安寧之術也，置諸侯不便。」始皇曰：「天下共苦戰鬥不休，以有侯王。賴宗廟，天下初定，又復立國，是樹兵也，而求其寧息，豈不難哉！廷尉議是。」分天下為三十六郡，郡置守尉監。

秦始皇滅六國後，廢封建為郡縣，這是中國歷史上最重要的一項政略。顧亭林說：「封建之廢，固自周衰之日。」王船山說：「郡縣之法，已在秦先」。考縣制最早始於晉！「晉襄公以再命，命先茅之縣賞胥臣。」至頃公時，晉之宗室祁傒孫，叔向子相惡於君，六卿欲弱公室，以法盡滅其族，而分其道為十縣。除晉外，楚國亦行縣制。宣公十一年，楚子縣陳，十二年鄭伯逆楚子曰：「使改事君，夷於九縣。」秦武公十年伐邽冀戎，初縣之，十一年，初縣杜鄭。商鞅入秦，併諸小鄉聚集為大縣，縣一令，共四十一縣。」郡名亦始於六國，樂毅下齊七十餘城皆為郡縣，張儀說燕昭王曰：「今時趙之於秦，猶郡縣也。」由此可見郡縣並不是始於秦人統一之後。但將中國正式劃分為三十六郡，則自秦始皇始。

中國女性文藝春秋（續）

遼國蕭皇后與絕命詞

周遊

青絲七尺長，挽出內家妝，不知眠枕上，倍覺綠雲香。
紅綃一幅強，輕闌白玉光，試開胸探取，尤比檀酥香。
芙蓉失新艷，蓮花落故妝，兩般總堪比，可以粉腮香。
蝤蠐那足並，長須學鳳凰，昨宵歡臂上，成惹領邊香。
和美好滋味，送語出宮商，定知郎口內，含有煖甘香。
非關兼酒氣，不是口脂芳，却疑花解語，風送過來香。
既摘上林蕊，還親御苑桑，歸來便攜手，纖纖春筍香。
鳳[illegible]拋合縫，羅襪御輕霜，誰將煖白玉，雕出軟鈎香。
解帶色戰戰，觸手心愈忙，那識羅裙內，消魂別有香。
咳唾千花釀，肌膚百合裝，元非噉沉水，生得滿身香。

「十香詞」成，乙辛乃暗使清子使單登乞皇后手書。其時單登雖外置，仍常得見皇后，乃詭言道：「此乃宋國忒里蹇（皇后）所作，若更得皇后御書，便稱雙絕。」皇后取讀，頗為讚賞，即為手書一紙。紙末復寫己所作「懷古詩」一絕云：「宮中只數趙家妝，敗雨殘雲誤漢王。惟有知情一片月，曾窺飛鳥入昭陽。」

單登既得皇后手書，持出與清子道：「老婢淫案已得，況可汗性忌，早晚可見白練掛她的粉頸了。」乙辛遂構詞命單登與朱頂鶴赴北院，陳首席伶官趙惟一私侍懿德皇后，有「十香詞」為證。是時為太康元年。乙辛遂據以密奏。原奏寫趙惟一與皇后私通情形，備極媟褻。道宗得奏大怒，即召皇后對詰。皇后痛與伸辯，說道：「妾託體國家，以造婦人之極，況誕於儲貳，近且生孫，兒女滿前，何以更作淫奔失行之人？」道宗出「十香詞」道：「此汝親手所書，還有何話說？」后稱：「此乃宋國忒里蹇所作，妾從單登處得來，就寫來賞賜她。且國家無親蠶事，妾作那得親詞？」道宗道：「詩正不妨以無為有，如詞中『合縫靴』，亦非汝所著而為宋國服耶？」道宗怒甚，以鐵骨朵擊后，皇后幾死；遂命張孝傑與乙辛窮治其事。乙辛乃繫械惟一、長命等鞫訊，加以釘灼鑿錯等刑，皆為誣服。獄具奏上，樞密副使蕭惟信馳書請反案，上不聽，遂具案上奏。此時道宗忽躊躇起來，指紙後懷古詩道：「這是皇后罵飛燕的詩，如何再會作十香詞？」孝傑進奏道：「此正乃皇后懷趙惟一所作。」道宗問故。孝傑道：「『宮中只數趙家妝，惟有知情一片月』二句中，正包含着趙惟一三字。」道宗意遂決，即日族誅惟一，併斬長命，敕皇后自盡。時皇太子及齊國諸公主，都披髮流涕，求代母死。道宗道：「朕親臨天下，臣妾億兆，而不能防閑一婦，更有何面目靦然南面乎？」皇后求面見一語而死，亦不可得。后乃作絕命詞云：

嗟薄祜兮多幸，羌作儷兮皇家。承昊穹兮下覆，近日月兮分華。托後鈞兮凝位，忽前星兮啟耀。雖釁累兮黃牀，庶無罪兮宗廟。欲貫魚兮上進，乘陽德兮天飛。豈禍生兮無朕，蒙穢惡兮宮闈。將剖心兮自陳，冀回照兮白日。寧庶女兮多慚，遏飛霜兮下擊。顧子女兮哀頓，對左右兮摧傷。共西曜兮將墜，忽吾去兮椒房。呼天地兮慘悴，恨今古兮安極。知我生兮必死，又焉愛兮旦夕。

詞罷，后遂閉宮以白練自經而死。時年只三十有六。聞者莫不稱寃。道宗怒猶未息，命裸屍以葦席裹還她家。皇太子投地大叫：「殺吾母者，耶律乙辛也。他日不門誅此賊，不為人子！」明年，遂亦為乙辛構辭害死。這一椿宮廷寃案，竟被騙過去了。直到大安二年，（公元一〇八六）皇后第二女兒趙國公主以匡救中央，竟誅乙辛，孝傑剖棺戮屍，以家屬分贈羣臣，人心為之大快。（五十一）

從古詩皆能歌想到盛唐名歌者李八郎

光合

古代的詩，合音樂是一體不分的。詩經三百篇都是可唱的歌詞。到了漢朝初年還保存着原來的風格，如漢高祖的大風歌便是個例子。後來逐漸規律化，至漢末時期，已經很整齊了，經魏晉而至唐朝，達到詩的鼎盛時代。定出嚴整的規格和音律的限制，把古代文聲並茂的詩，轉移重點，偏重於文學方面去了。然而並沒有與音樂分家。例如王維作的渭城曲，直到現在古琴曲陽關三疊還是仍然保存在人間。其實只是一首七言絕句的詩，唱起來作三次的重疊，便名之爲陽關三疊。可見唐代的詩都可以被之於管絃逐拍歌舞。到了宋代才由長短句的體裁興起一代的詞學。不過唐詩是先有詞而後有聲，或是詞與聲同時完成。而宋詞則是先有聲而後有詞，按着聲調填詞句，故名填詞。所謂關西大漢執鐵板唱大江東去，仍然是文學與音樂未分離的。元曲無異乎是宋詞之變體，雖然也是音樂的唱詞，但其中加以科白，使形成戲劇化了。其中的詞句，除西廂記等少數作品文學價值很高，其餘大多不如宋詞之典雅。把音樂文學加以戲曲化，在形式上是一大進步，但是文學方面便逐漸的退步了。也可以說音樂與文學分割，從元曲便是個開始點。至於現在的戲劇，詞粗句俚，便完全與文學脫節了。

古代文聲並茂的作者指不勝屈。唐朝時代這種人才更多，專以音樂歌舞擅長的不乏其人，人才更盛，其中有一個叫李八郎的，是當時馳名全國的歌者，他有一段很滑稽的故事：有一次一羣新及第的進士們，大家在一起宴會，其中有一位姓李的先生。此君善於詼諧，他把李八郎請來，特別給李八郎換上一套破舊的衣冠，打扮得狼狽不堪的樣子，假裝爲一種寒酸慘怛的氣相，帶到了宴會上去，向一羣新進士們介紹着說：「敝表弟很敬慕諸君的才華，願參加我們這個宴會的末坐相陪」，便把李八郎拉入座中。一羣進士們看到李八郎那種寒乞相，從心裏看不起。沒有一個人去理會他的。等到行酒的時候，音樂大作，歌者上來開始歌唱，第一個唱的是念奴嬌。唱完這首歌詞，大家非常讚賞，有的咨嗟嘆詠，有的點首吁氣。這位李先生忽然立起來，指着李八郎對大衆說：「請我表弟也來唱個曲子」。大家都認爲這位李先生殺風景，不識時務，有的唱笑，甚至沒有修養的人發起怒氣來：像他這副德相，怎麼也配在衆人面前唱歌呢？不是倒胃口嗎！此時李八郎便毫不客氣的出來，隨着音樂唱起來了，到他唱出來的歌喉一轉，大家不覺爲之一驚，想不到這個表弟貌不驚人歌喉卻如此甜美！李八郎唱的腔調唱的很悲哀，等到李八郎唱完了，這羣新進士們已經被他的歌聲感動得一個個泣下如雨了。有的從歌聲中聽出來，這位唱歌的寒酸表弟，便是李八郎，於是大家一齊擁上來羅拜道謝。從此，李八郎的大名，更是風行天下了。

生活漫談

吃魚生粥，務必當心！

馬騰雲

本港人喜吃魚生粥，尤以廣州、潮州兩地爲最。我住在廣州一個時期，吃魚生粥竟成了習慣。後來又在曼谷和星加坡住一個時間，那裏住的潮州人和福建人，吃魚生粥的風氣，幾乎勝過廣州。後來因一位好朋友得了肝吸蟲病，從那時起不敢再吃魚生粥了。

製作魚生粥的鯇魚和黑背魚，感染有囊蟲最多。而這種囊蟲進入到人體，是靠魚生粥爲媒介。尤其魚塘裏養的淡水魚，有很多都是用糞便作飼料，用糞便作飼料的魚，可以說是肝吸蟲、囊形蟲的溫床。據廣州中山大學醫學院曾在廣州檢查一百人的大便中，有二十個染有肝吸蟲的。肝吸蟲既有這樣的普遍，淡水魚食下這種肝吸蟲的大便，怎麼能不感染肝吸蟲呢？

肝吸蟲進入人體，起初可以說毫無感覺。不過進入人體的肝吸蟲，並不要人去照料，他自己會在人體內求生存，越繁殖越多。開始有一兩條，最高額可達數百條。因爲蟲數太多，大量吸取人生的營養，初時祇使人體消瘦，到了人體營養不敷蟲數分配的時候，上腹部有輕微的疼痛，漸漸變成嘔吐腹瀉。再嚴重一點的時候，肝部會開始脹大，變成像貧血病樣。故許多人乾萎黃瘦病態，均與這種肝吸蟲有很大關係。肝吸蟲尚能夠使肝硬化，膽囊炎、膽管阻塞，又可能引起生肝癌，這是多麼可怕的事。

在中國湖南、廣東、廣西各省鄉間，都是在魚塘邊上建造廁所，將糞便直接排洩水中，用以飼魚，給肝吸蟲造成了良好的繁殖條件。所以，肝吸虫流行亦最烈。筆者於十年前常往來於印度、緬甸、泰國、越南、馬來亞之間，看到這些國家的農村，不僅將廁所建在魚塘上，他們更是青勝於藍，將遠道挑運來帶有蛆非常髒的糞便，傾澆在魚塘裏，且謂這樣的飼法，魚長的快長大的。筆者再深入打聽，這些養魚的人都是老華僑，據說華僑如果不養魚，不殺猪，不種菜，不製作醬油、醋、豈類加工，本地人會沒有菜吃。華僑固然因一技之長，到南洋羣島常可致富，且對南洋羣島國家的貢獻確實相當偉大。若干國家常發動排華運動，乃恩將仇報的行爲。亦有很多事件是中共煽動製造糾紛，佈署顛覆「革命」環境。越南表面的悲慘，和緬甸骨子裏的悲慘，即其一例。現都漸漸的開始覺悟。

魚生粥固然我們反對再吃，且勸人勿食。就是日本習俗吃的一種生魚片，和上海人吃活蝦，我們都認爲不妥當。生魚片是靠芥末消毒，活蝦靠高粱酒與生薑米，這都是自己對自己敷衍；芥末和些微的高粱酒絕對難將魚蝦身上的虫消滅乾淨。生魚活蝦最好都煮煎熟了吃。病從口入，切記勿貪圖口福。中國人的基本消毒殺菌方法，一切的食品必須煮熟，一切的飲料必須煮滾，生水不入肚，生菜不入口，這種消毒的方法雖古老，就現在科學知識來說，仍公認爲消毒殺菌基本簡單的有效方法，亦就是中華民族數千年民族健康所寄。

兩位老劇人之死

「視劇人爲玩物者淺薄 甘爲玩物的劇人亦同」

田舍

再過五天，就是戲劇節了。台北每年的戲劇節，戲劇界都有慶祝節目，和慶祝自己節日的擴大演出。可是每年演出些什麼戲，慶祝酒會盛況如何，都引不起我的興趣。而當戲劇節將來臨時，有兩位去世的老劇人的影子，卻又在我腦海中浮現出來，歷久難忘。

這兩位老劇人是在窮途潦倒的情況中去世的。其中一位在世時，因演劇不足以養家糊口，曾以賣血自給，身後尤其狼狽。另一位在世時，並未曾獲得多少人情味的溫馨，臨終時，卻把他遺體捐贈給醫院供解剖研究之用。這個人和毛共頭子的「大賢妻」江青還有一層劇院同學之誼，可是行爲上，卻與江青形成涇渭分明：不以害人爲樂，而以助人爲樂。

這兩位劇人，我以爲可敬處有三：

1畢生不改其業。

2窮困不改其樂。

3賣血捐屍之行，頗有宗教家的熱忱。

不改其業，表示其獻身此工作的決心。不改其樂，可看出他們能安貧樂道。甘於賣血而不行邪辟，捐遺體以濟世，可看出他們超俗。如果就這些「表演」言，確可爲社會之師了。

戲劇原本就有二種功用。一種是陶冶性情，一種就是移風易俗。

良師不僅授業解惑，身教也爲重要的手段。劇人不僅藉演戲供人笑樂，易俗才是重要的目標。以上所述這兩位劇人，演戲，不過是他們入世之媒，他們的抱負都是濟世。舞台上，他們有時是君子，有時是小丑；舞台下，他們卻全然是君子，而無一絲小丑的味道。

俗人以職業別貴賤。劇人時常爲俗人忽視其崇高的一面。一般人祇注意舞台上、銀幕上、電視上的劇人表演，卻忽畧了某些劇人舞台下實生活中的超俗的「表演」。

視劇人爲玩物的人淺薄。甘爲玩物的劇人也是淺薄。想及去世的兩位劇人的超俗「表演」，都應該慚愧。戲劇節祇重形式，忽視了實質，也該慚愧！

國劇脚本

大漢兒女（一名新莽刦）

田士林

二、本事

山區久困乏食，菁與衆人殺馬以食，志不少屈。莽軍以失地利，求戰不得，乃以利爲餌，誘之，菁屬幾爲所動，菁則以大義所在，堅持初衷，屬下深受感動。莽軍憤無計破之，乃焚菁舊宅，掘其雙親墳墓以報怨，菁不知也。菁娘因憂成疾，瞻望前途，悼念亡母，日漸瘦損，夢寐不安。幸屬下齊力，稍得安慰，惟渴望兩表兄化險爲夷，早日有功。未幾，果然各路兵馬紛起討莽，莽軍應接不暇，少來搔擾山區，菁娘得以寬心養病。年復一年，葵、文竟一無消息，以爲已爲國殉身，更增哀愁。旋聞京師爲漢宗親劉秀攻下，王莽漸台亡身，沉疴霍然而愈。元兇既滅，天下可立致太平，乃解散屬衆，返擬告慰母墓前，詎料廬舍成灰，雙親墳墓俱爲盜掘，骸骨無存，大慟，頹然病倒。屬下憐女苦兒，聚資助女旅遊寬解。菁娘痛定思痛，失志誅鋤莽之餘孽，爲民除害，乃登舟離境，並有訪求二表兄之意。菁娘甫離境，趙終葵亦遣屬吏來探問消息，致問候意，蓋已出生入死爲光復漢土積功膺命爲奮武將軍，然此時菁娘已飄泊四海，不知去踪矣。（五）

魏惜言惹出了謠言

（上接第二版）

陶百川又提修正案

魏案至此確已「胎死腹中」。但素以直言著稱的監察委員陶百川，卻爲修正公懲法，在前日院會中，集各方意見，提出了修正的報吾，其要點爲：一、公懲法係民國二十年所制定，爲時已久（筆者按：該法係二十年三月二十八日立院制定二十八條，同年六月八日公佈。二十二年六月二十三日修正第十條，同年六月二十七日公佈。二十二年十一月二十四日修正第三十三條，同年十二月一日公佈。三十七年三月十三日修正全文二十七條，同年四月十日公佈，三十七年七月一日施行。）多不合時代需要，所以過去對胡宗南案，俞鴻鈞，以及最近張啓仲案，均引起爭論，故社會要求修正本案。二、修正內容擬分五點：①修正第一條，現役軍人除外。②修正第三條，將政務官刪除，新增總統提名經立法院或監察院同意以及選舉產生有罷免規定之官吏不適用撤職、休職、降級之處分。③修正第四條，新增撤職、休職之最長期間，撤職三年，休職十一個月。④新增覆議，以爲救濟。⑤新增二十條規定，總統得請求覆議，以資制衡。陶委員此一擬議提出報吾後，頗獲社會好評，但能否被當道採擇，目前尚難預料！

禪的火花

（十一）吾喪我

吳經熊著　吳怡譯

莊子所謂「吾喪我」的意思是指這個眞我擺脫了自我。因爲眞我是透過了自我的消失而實現的，這也是一切宗教和智慧的普遍法則。唯有失了，你才能眞有所得；唯有瞎了，你才能眞有所見；唯有聾了，你才能眞有所聞；唯有離了家，你才能眞正的回家。簡而言之，唯有死了，你才能眞活。生命是吾和我之間永恆的對語。

譯者按：偉大的盲女作家海倫凱利在文中曾說：「我常這樣的想，如果人們在早年有一段時期瞎了眼，或聾了耳，那也許是件幸福的事。因爲黑暗將使他更了解光明，無聲將使他更能享受音籟」。這段話可以與作者本節中的見解互相發明。其實老子的「爲道日損」，孟子的「天將降大任於是人也，必先苦其心志」與禪宗的「大死一番，再活現成」，都有相通之處，也都是要消除自我，以求眞我。

監院兩條花邊新聞

這次監院院會中，又傳出兩條花邊新聞：

一爲丁淑蓉委員直言批評：「李院長賞罰不明，權責不分」。她說：「監察院的好職員無獎，壞的無懲，而這個責任，應該由李院長來負」。並說：「外間有人說：監察院現有三個院長，李嗣[illegible]是『名義』院長，陶百川是『精神院長』××是『地下院長』。如果確實如此，李院長應該振奮不可」。

二爲金越光委員，對監院計劃下年度預算中所列八百萬元修建大會場費用，頗表反對，金委員說：「我們不能樂不思蜀。現有大禮堂，已足夠七八十位委員開會議政之用，何須要費八百萬元再修大禮堂」。王委員贊斌等也力持異議。因此監院修建新會堂之議，勢非流產不可，這到是納稅人最喜歡聽的消息。（一月十六日自台北。）

自由報

第八二八期

中華民國僑務委員會頒發台教新字第三二三號登記證
內政部內警台報字第031號
中華郵政台字第一二八二號執照
登記為第一類新聞紙類
（半週刊每星期三、六出版）
每份港幣壹角
台灣零售價新台幣貳元

社長李運鵬·督印黃行奮

社址：香港九龍登打士街91號十樓六座
91 DUNDAS ST. 9th FLOOR,
FLAT 6 KOWLOON H. K.
電話：857253　電報掛號：7191
承印者：大同印務公司
地址：香港北角和富道九六號
台灣總管理處
中華民國（台灣）台北市大同街119號
電話：555395．557474
台灣分社：台北市西寧南路110號二樓
電話：三〇三四六
台郵撥儲金戶九二五二

驛馬秋風冀北·杏花春雨江南

何處是光復大陸的主要目標區？

·沙學浚·

提要

一、國土分為邊疆與內地；內地之存亡即中國之存亡。

二、內地分為中樞區域與環拱區域；欲統治內地，必須統治中樞區域。

三、中樞區域有兩個中心：河北與江南，北平與南京；欲統治中樞區域，必須統治南北兩京。

本文的題目是一個問題，其答案明顯的含在副標題中；試從國防地理學的觀點，說明此一答案的根據。

邊疆和內地的地理差異。

中國的領土，主要分為邊疆和內地。邊疆面積約佔全國一半，人口只佔全國的百分之二，約一千多萬，絕大多數是邊疆民族。邊疆主要分為三部份；蒙古人的漠北高原，維吾兒等民族的新疆，和西藏人的青康藏高原；至於漢人較多而與內地接壤的「湟中」（指青海省東北角西寧一帶）和雅屬、寧屬（指雅安一帶八縣及西昌一帶八縣，原隸四川，抗日戰爭期內劃歸西康）不在此高原之內。

內地指漠南大部份、東北各省、長城以南各省，包括海南和台灣兩大島。這是一片廣大空間，面積約佔全國一半，人口佔全國百分之九十八。其中只有百分之四的人是各種土著民族。他們大多分布於雲南、貴州、廣西三省——這是內地土著民族的退守區域。

五千年的中國歷史以長城以南各省，舊稱「中國本部」為舞台。東北各省除遼東、遼西一角早有中國移民外，原是邊疆，十九世紀中葉以後，華北人民大量移入，使之成為新的「中國本部」，成為內地。

中國之重心在內地，內地之存亡即中國之存亡。

中樞區域與環拱區域及其空間關係

政治地理上，內地分為中樞區域和環拱區域，環拱區域因其位置是環繞中樞區域而獲命名。

中樞區域是古時的「中原」之擴大與延長，北邊擴展到居庸關至榆關（即山海關）之綫，南邊擴展到浙江省與湖南、江西兩省的北半部，自浙東沿海向西，包括南昌、長沙、常德、宜昌、襄樊在內，並包括由榆關到浙東的海岸。由居庸關作一綫，經太行山，到老河口，與南邊綫相接。此一梯形區域可稱為大中原或現代中原，惟仍宜稱為中樞區域 Zentrallandschaft，這是德國地理學家摩爾 Otto Maull 的定名，原可直譯為中央區域，但恐引起某種誤解：一定要在全國的幾何中心，故改為意譯，俾符合實在意義即一國的中央政府一定在中樞區域。中樞區域是政治地理學的專門術語，其範圍與人文地理上所謂核心地帶或精華區域，大致相當，有時不完全符合。

中國的中樞區域面積佔全國十分之一，佔內地五分之一，然量其富什居五、六，人口、耕地、農產亦佔全國之半，有煤、有鐵及其他礦產，工業則佔百分之八十以上，全國十三大都市（包括台北市）有六個在此，包括南北兩京、經濟首都的上海、和天津、青島、武漢。自宋以來，中國的首都在此中樞區域。總之，全國之精華在此，全國之生命力大部在此。宋以前，中樞區域由關中經中原到江淮區，茲不備述。

中樞區域可比為「中國之大廳」（德國地理學家Richthofen語，原指華北平原）被九個「房間」所環繞，這是九個環拱區域：①東北各省②漠南③山西④陝甘⑤四川⑥雲貴⑦五嶺南北（指兩廣、海南島及湘贛兩省之南半部）⑧福建⑨台灣等九區，總面積佔全國十分之四，佔內地五分之四，人口約佔全國或內地二分之一。各個環拱區域除東北外，雖有平原，面積不廣，雖有礦產，開採較少；每一區域的工業總生產量都不及中樞區域多；尤其重要的是九大區域對中樞區域的交通，不但是最重要，而且很方便，有百川分流、朝宗於海之勢；此乃地理位置使然，非人力所能強致。

中國歷史地理上的重要門戶與通過地帶，多數在中樞區域與九大環拱區域之間或其附近：榆關、居庸（古稱軍都）東西並峙，其間關口尚多，不遑枚舉。山西、河北之間有太行八陘，今日惟平型、井陘、天井三關最稱重要。函谷、武關為關中通中原之隘口；三峽、襄樊乃巴蜀和漢中往東南之要津。「鎮遠者雲貴之門戶」（明周瑛語），常德府「……滇黔之咽喉」（顧祖禹語），南嶺亦稱五嶺，以桂林、摺嶺、梅嶺為要隘，衡陽、贛州是其哨站；「仙霞嶺兩浙之襟束，八閩之咽喉」（顧祖禹語）。杉關為浙贛往來的要道，亦稱「重險」。東北、福建、台灣、廣東，又可由海上和中樞區域聯絡。

（下轉第二版）

孤注一擲

如此和平

昨日與明日

三卡制平議

自行政院增設人事局以來，為時僅及半載，對於推行新的人事制度，甚著積極精神。其中以實施三卡制為最。但各方反映，雖不盡相同，惟可斷言「利多弊少」，且僉認此後公務人員之勤惰、績效、品德均有個別紀錄，而且內容明確，事實具體，權責分明，實屬人事行政一大改革。能使向日之泄沓風氣慣習：遲到者，喝杯茶，吸支烟，看看報紙，伸伸懶腰，談談麻將經，和女同事聊聊天，敷敷衍衍，辦上一件半件公事，於是應付過去，就開始早溜了。對這些人來說，現在有了限時簽到，限時簽退，了班又須把應辦事務逐一記載績效卡內，核對認真，不可隨便，因此弄得一些積習已深的「老油條」，不勝眼花，大有「吃勿消」之勢！這是實行三卡制今昔的寫照。

從勤惰、績效二卡看來，確有振衰起敝之效，僅管有人唱反調，可不必顧慮，行之日久，即可成為慣常。至於品德一卡，係屬主管責任，現在還看不出效驗，不可妄自揣測，留待事實印證吧！

有些省議員，往往遇到國家實行某項改革新政，總要來一個辯駁，好像不如此就不合民意一樣。日前某議員在省政質詢上，他「根據年來」本省「輿論」及「大多數公務人員」的「反映」說：「三卡制的本質是機械性，制約性與局限性，把英美管工廠的制度，拿來把人當作機器管，對壞人作形式管制，對好人予精神打擊，僅有消極作用，而無積極啓發功效，有違泰勒科學管理精神……。」這話初聽之下，似乎很有份量，若究其實，其所比擬有如南轅北轍。因為三卡制並未脫離實行已久的「公務人員考績法」範疇，按該法第三條：「公務人員考績，就其工作操行學識才能考核之」。第八條：「各機關長官對所屬公務人員平時成績考核，須嚴密執行，每一工作人員承辦之事務，應具體記載，作為長官考核之參考。各級主管長官應備考核手冊，紀錄所屬人員之事蹟，分層負責，切實考核」。又第九條：「平時考核紀錄及獎懲，為考績評分之重要紀錄……」。試將以上法條，加以分析，現在所行之三卡制，即所以「嚴密執行，操行、事蹟、勤惰之具體記載，分層負責，切實考核」之依法行使，並非新創，也足證明往日之執行考核未臻具體，今以「實事求是」精神行之，吾人正應擁護之不暇；違能認為其不當？試問：所謂「輿論」如何？及「大多數公務人員」之「反映」如何？果何所據而云然？竊以為作一個「代議士」的人，遇事切不可「信口開河」，更須認清民主政治就是法治政治，三卡制之推行，是政府依法行政，還有什麼可說的啊！

惟有應須注意的：乃是在執行態度上不僅要審慎，尤其不可有偏差有苛求；更要針對實際萬不可流於形式。例如準時到公，雖為公務人員應具之起碼條件，假如辦公處所與住宅，並未同在一地，沒有交通工具之員工，勢須擠乘公共汽車，在時間上是免不了有差許的，以及動態人員之適應，不可拘泥一格，都須個別予以瞭解，權宜得計，免除困擾，合乎公允，使人心服。

再省府近又通令公立學校，教職員亦需比照實施，但因其工作與一般公務人員之不同，中等以下學校可以實施三卡制之勤惰與品德紀錄，大專學校祇採品德一項，由主管人員負責考核。此一措施，雖屬不膠柱鼓瑟之明智規定，但大專學校一向即有教員服務規則，職員服務規則，亦悉依本省中等以上學校教職員出勤簽到管理辦法及各該校規定管理辦法辦理。在公務人員考績法第十九條規定：「教育人員之考績，另以法律定之」之下，政府似應祇可令其加強實施，不宜另行增減，徒滋紊亂，不可不附帶說明，慎盼採擇而已！

張紹文

自由談

愚曾談台灣行政機關的「三卡制」，關於公務人員的品德卡問題，意有未盡，特補述一二焉。

古人對從政人員的品德問題，特別重視，司馬溫公認為「德勝才，謂之君子；才勝德，謂之小人；才德兼亡，謂之愚人」。凡是有才而無德的政治人物，大之則為巨奸元惡，禍國殃民，曹操之類是也。小之則為貪官污吏，敗壞紀綱，一般政客官僚皆屬之。近代人曾國藩以知人善任著稱，他鑑衡人才的標準，亦以德性為主，用人注重有「鄉氣」者，而鄙棄有「官氣」之流。他自謂「吾生平短於才，愛我者或以德器相許，實則雖曾任艱鉅，自問僅一愚人，幸不以私智詭譎鑿其愚，尚可告後昆耳」。私智詭譎即是不講品德的小人氣質。

公務與品德

晚近數十年來，政治人物每視品德與公務無關，一個官吏平日立身行己縱然穢迹彰聞，醜聲四播，卻說那是個人的私生活，應毋庸議，甚至寵任異常。於是乎，政治界乃充滿着卑鄙齷齪的景象，大家漠然不以為意，卻又強調忠貞思想，這無異於對娼妓談貞操，向盜賊說仁義。共匪之所以得逞，大陸之所以淪亡，中朝大官投降變節者之多，探究本源，能說不是政治上用人不講品德的結果嗎？

品德的真確性，不是一時一事所能判斷的，更非只看表面言行可以認定的，要在遇事觀察測驗，持之以恆，尤貴乎主官本身的才智和品德皆足以副藻鑑之責。這不是光憑卡片紀錄就能夠見效的事，根本上，許多貴為主管首長的達官顯宦，他的品德即大有問題也。公務員的品德如何，關係整個政治風氣，更影響社會人心，今日若要講究品德，改革政風，應從改變用人的基本觀念着手。明明是小有才而大缺德的聲名狼藉之徒，為着所謂「人事關係」而信任有加，故，蜚黃騰達，但斤斤於一般職員的品德紀錄卡，藉為獎懲升降之資，舍本逐末，決無是處，及其弊也，不是小人得志，君子苛時，便係虛有其表，毋裨實際，可不慎哉！

馮子先生

秦鏡高懸

大陳育幼院被焚案　檢方平反兩婦冤獄

台北航訊　檢察官職司追訴罪犯，安定社會。對於作奸犯科者，搜集其犯罪證據，列舉其犯罪事實，提起公訴，移送刑庭審判。但是，對於轟動社會的台北市和平東路私立大陳幼稚園附設育幼院被焚案，被告吳秀琴、張王俊如兩人，都在檢察官為她們據法力爭之下，平反她們的冤獄，將有罪的判決撤銷，改判無罪，創下檢察官為涉嫌被告平反冤獄的例子。

認為有罪

吳秀琴、張王俊如兩人被認為有罪的原因是這樣的：吳秀琴（四十歲）、張王俊如（五十一歲）兩位婦人，都是台北市和平東路私立大陳幼稚園附設育幼院雇用之褓姆，負責撫養孤兒六十餘人。因見該育幼院房舍破舊，設備簡陋，影響孤兒身心健康，企圖爭取社會同情，募資修建房屋，改善孤兒生活，竟共謀於五十五年一月廿七日清晨三時許，由吳秀琴喚起熟睡中之孤兒胡仕雄，陪同前往該院辦公室縱火，張王俊如則喚起其餘孤兒（時值農曆一月廿七日春節期間，僅有孤兒十九人在育幼院），攜帶衣物離開臥室，俟辦公室及教室全部起火後，復以汽油灌臥室天花板上點火燃燒。經附近鄰人發覺，消防隊趕到火場時，該院辦公室及教室火勢已蔓延無法施救，全部燒燬。臥室僅部分起火，得以及時撲滅。地方法院根據上述事實，將吳秀琴、張王俊如兩婦人依縱火罪判處徒刑。高等法院也以上述事實，仍將兩疑犯判處有期徒刑一年六個月。

有利辯護

但被告等上訴最高法院，經最高法院發回更審後，於高院更審開庭時，高等法院檢察官，却認為被告可能受到冤枉，一反過去追訴罪犯的立場，為兩被告作有利之辯護，為被告鳴冤。

檢察官說：原判決所稱被告等犯罪之動機，是「企圖爭取社會同情，募資修建房屋」而共謀縱火。此種動機，不近情理。從原卷中了解，本縱火案發生在五十五年一月廿七日，但早於廿四天之前的元月三日，該院寢室內早有電綫走火的現象，被告等曾即時搶救撲滅。倘若被告等如原判決書所說因見房舍破舊，設備簡陋，影響孤兒身心健康，企圖爭取社會同情而縱火燒屋，則被告等早於電綫走火時即不予搶救，任其燬燒。豈有搶救於前，縱火於後之理？

撥雲見日

同時，原判決書中所稱「由吳秀琴喚起熟睡中之孤兒胡仕雄，陪同前往該院辦公室縱火」云云，但查證人孤兒胡仕雄的供詞是這樣的：吳阿姨叫醒我，當時已經起火了。我跟在她後面，她到樓上，叫我在樓下等她」。並未說明「陪同吳秀琴前往辦公室縱火」。判決書認定的犯罪事實，毫無根據。

檢察官又說：查大陳幼稚園是一個半公家的團體，政府撥有相當基金，不致無法改善設備。而最重要的，吳秀琴、張王俊如兩被告，貧無立椎之地，以為傭維生，受僱於該幼稚園育幼院，並非該院之負責人。該院設備簡陋，與他們並無絕對切身關係，她們何能想出縱火燒屋博取社會同情之理由？今原判決以此荒謬的理由，入之於罪，實有詳查之必要。

由於檢察官為被告鳴冤，認為台灣高等法院於更審時，認為兩婦人罪證不足，將原判處有期徒刑一年六個月的判決撤消，改判兩婦人無罪，平凡冤獄。

（本報記者新曦）

何處是光復大陸的主要目標區？

（自第一版轉來）

中國歷史上的重要戰爭，一部份發生於中樞區域之內，一部份發生於上述諸門戶的附近。中樞區域的戰爭自然是常具決定性的；而爭門戶的戰爭，目的在於進窺中樞區域，或由中樞區域占取各個環拱區域，亦至為重要。

總之，歷史上、地理上、空間價值上、位置價值上，中樞區域為中國最重要的區域。欲統治中國，必先統治內地，欲統治內地，必先統治中樞區域。

中樞區域有兩個中心──河北和江南

巴黎盆地是法國的中樞區域，只有一個中心，這便是巴黎。倫敦盆地是英國的中樞區域，只有一個中心，這是倫敦。古今中外多數國家的中樞區域，也都只有一個中心。

中國的中樞區域在人文地理上，具有兩部性：分為南、北兩部，以大別山、桐柏山及淮河之綫分界，南北地理環境不同，生活方式亦有不少的差異；更重要的是政治地理上有兩個中心，南京（杭州、鎮江、）與北平。

中國史上常有南北朝之對立，實由此兩部性由來。秦嶺山脈在西面亦隔開陝甘與巴蜀，而其高度寬度與阻礙作用，均大於桐柏山、大別山，却不能構成南北對立，即因陝甘和巴蜀不是中樞區域，而是環拱區域。

中樞區域有兩個中心，是中國政治地理和國防地理的最顯著的特徵。

政治地理上，此中樞區域又具有三部性，分為三區即：河北、中原與江淮區。而中原實為河北與江淮區之間的通過地帶。南朝建都江南，不論是鎮江、南京或杭州，均以江淮為屏障，國防地理上稱之為國唇Glacis，這三個都市都在江南；江南是江淮區的核心區域。

地畧上，凡欲統治中樞區域者，必須能統治河北與江南，而欲統治河北與江南者，又須統治北平與南京。就此點言，中國的歷史可視為一部「雙城記」。換一種說法是：凡能統治南北兩京者，常能統治河北與江南，凡能同時統治河北與江南者，便不難統治整個中樞區域，進而統治環拱區域的大部或全部，以及邊疆的一部或全部。這有近八百年的歷史為證，畧如下述。

金代能統治河北，南以秦嶺、淮河與宋為界，但不能下江南，故不能統一中國。元清兩代於統治河北之後，復能「下江南」而後控制長江流域，統一了全中國。

太平天國由天京（即南京）北伐，由於猛撲天津而失敗，因而不能進攻北京，自然談不到統一中國。反之，民國十六年國民革命軍北伐，進入北平之後，東北各省即宣佈「易幟」，而統一之局乃告完成。

民國元年，辛亥革命雖告速成，但革命力量薄弱、分散，「臨時政府」建都南京，基礎不固。袁世凱掌握了清廷的武力，固足以決定清廷的命運，同時控制北方，尤其河北、河南、山東為根據地（武昌起義後，陝西、山西、奉天（後改稱遼寧）、及南方各省宣佈獨立或舉兵反清，惟上述這三省無反應）；為了自身及根據地的安全，故不肯到南京就總統職；對於長江流域的革命勢力，他更居於優勢，故能接受清廷移交的軍權和政權，「君」臨中國；民國二年，更掃除長江各省的民黨勢力，完成了短期的控制全國局面。

明成祖「靖難」下江南；袁世凱藉「議和」得「民國」。他們重要根據地都在河北，而其權力之空間擴展的方向和方式，大致相同。歷史家每稱明成祖與袁世凱「遷都北京」，意指中央政府由南京遷都北平，這只是形式，並非實際。實際上此二人及其實力，根本沒有「遷」移，祇是將實力從河北或華北擴展到江南，而後分布到全國。

民卅七年底到卅八年初，徐蚌會戰失利後數月，京滬杭區國軍即行撤守到台灣，此後即無重要戰役可述。

以上各例都關於陸權對陸權的戰爭，或武力對立。以下再舉近世海權對陸權的實例，以助說明。

鄭成功自金門廈門北伐，率兵直下南京，借因敵情判斷錯誤，延不攻城，反被清軍突襲而告敗。康熙十二年（一六七三年）三藩之亂，吳三桂希望台灣的鄭經做到「大引舟師，徑取金陵，或抵天津，斷其（清）糧道，絕其咽喉。」金陵即（南京）是江南的政治中心，而天津則是河北的海上門戶。

鴉片戰爭，英人先佔舟山羣島，而後攻取江南，直下南京後，便迫訂城下之盟的江寧（南京）條約。英法聯軍兩次戰爭，與八國聯軍，重心均在平津區。

民國二十一年，上海一二八事變，日軍在金山衛登陸，首先威脅上海；南京深受震動，國民政府宣布遷都洛陽，後因戰事並未擴大，未曾實行。

民國二十六年，抗日戰爭爆發，七月七日先有蘆溝橋事變，二十八日北平便告失守；八月十三日復有上海閘北的戰爭，國民政府不久即宣布全面抗戰，開始遷都重慶。日軍在河北、江南雙管齊下；會師武漢以後，一時控制了中樞區域；以後對於四川、陝甘等環拱區域，保有相持局面，便集中力量而伺機發動太平洋戰爭。

根據上述種種史實，可以推知光復大陸的主要目標區，應該是江南與河北，尤其是京滬區與平津區。這是政畧與地畧所決定的。至於反攻登陸戰一開始，是否首先在這兩個區域或其中的一個登陸，則屬於戰畧的考慮。

不論讀者是否同意筆者的意見，務請切記下列兩句詩：「駿馬秋風冀北，杏花春雨江南。」

更正

上期所刊「從海外看中國語文問題」，其中錯漏字句不少：（一）述胡適之自幼受着先人的「漢學」薰陶句，「學」誤排為「字」。（二）「聽我慢慢地告訴你」句，「告」誤為「語」。（三）「說部」誤為「說都」。（四）語體詩文大作家誤為「大作品」。（五）叫一聲，哭一聲，兒的聲音娘慣聽段，漏去「哭一聲」句。應予更正。

台灣區中央級民意代表　增選補選原則業已決定

實施的時間可能遲至明年

台北航訊：關於增補選中央級民意代表，自國民大會第四次會議增訂了動員戡亂時期臨時條欵第五項規定「中央級民意代表之增選補選，得由總統訂頒辦法實施之」。目前台灣省議員李源棧在質詢省政時，建議局部改選本省中央級民意代表。李指出：「中央級民意代表，是由全國各省選出的，現在大陸淪陷鐵幕，共匪一日不滅，大陸各省自然無法改選。但台灣是完整省份，為符合憲法規定，應該局部改選」。梁許春菊女議員並要求增加台省中央級民意代表名額。黃達雲主席表示亦將併請中央考慮。茲採悉增選補選近情於下：

由於臨時條欵明文規定，中央級民意代表，祇有增選補選。李源棧建議局部改選本省中央級民意代表，顯與規定不合，黃主席即使轉請中央考慮，亦勢難辦到，除非國民大會再對臨時條欵予以修訂，否則絕不可行。

至於本省籍之國大代表如已出缺而無候補者，當可補選，決無疑義。因台灣地區人口（包括台北市）截至去年九月底止，共計一千三百二十一萬八千四百七十九人，較之三十六年大選時，已增一倍有餘，依照憲法第二十六條規定：「每縣市及其同等區域各選出國民大會代表一人，但其人口逾五十萬人者，每增加五十萬人增選代表一人」。又第六十四條規定：「各省各直轄市，對立法委員之選出，其人口在三百萬以下者五人，其人口超過三百萬者，每滿一百萬人增選一人」。再九十一條規定：「監察委員由各省市議會選舉之，一、每省五人。二、每直轄市二人」。基此可知，本省國大代表，立法委員，勢將依照憲法予以增選或補選。而本省監察委員已出缺一名，當可補選一人。而台北直轄市是新成立的，預料將增選國大代表一至二人，立法委員五人，監察委員二人。

這個問題，年來經執政黨中央國家安全會議建設計畫委員會及行政院有關部會等單位縝密研商後，各項原則，已大致確定如下：①中央級三民意機構代表，國代、立委、監委之增選補選同時辦理。②目前先行在台灣地區辦理，海外自由地區因顧及種種困難因素，暫時不辦。③職業團體是否辦理，仍在研究中，依各種跡象顯露，以不辦成分較多。④決定三項增選補選，台灣地區優先辦理。據推斷時間，當在台北直轄市，本年七月一日起將歸併之六鄉鎮劃入建制，改為區公所後，可能三個月以內辦理市議員選舉。各區區長之產生，將由委派，不經選舉，似已成定局。又增選補選中央級民意代表之時期，最早可望於五十八年之春季實行。本年內辦理之說，已勢不可能。⑤候補立法委員不予遞補之原則，將不變更。現尚存在之候補立法委員聯誼會，去年曾迭次向關係機關請願，雖獲得不少當局之同情，但決策機關仍依照國民大會代表出缺仍將以原次多數票之候補人遞補外；而候補立法委員則仍以「不遞補之原則」之，既定決策，不再考慮變更。由此看來，候補立委聯誼會十餘年來之奔走呼籲，面對現實，所有希望，已至不可能實現之境，令人徒滋浩歎而已。⑥將由內政部負責增選補選之監督，台灣省民政廳，台北市民政局負責選舉事務。內政部正將擬定選舉規程，報請行政院核定。

據悉，依照規定：居住本省本市六個月以上之外省籍人士，雖可參加此項競選，但政府一貫政策，却在輔導本省籍人士參加政治活動。此一原則，在中央級民意代表增選補選中，將受到強調。國民黨方面將採取提名競選方式，輔導黨員參加競選。民青兩黨亦將公開提名方式，推舉其黨員作公平之競選。至於以往之「黨讓黨」方式，可能不再重演，亦時代之勢不容許，因民主政治之選舉，是以選票為決定的。但社會各方亦殷盼民青兩黨，從速摒除黨內紛爭，各自團結統一，步上政黨政治之常軌，使中國民主政治劃一新紀元。此時亦係民青兩黨「冬去春回」之大好機會，慎望兩黨碩彥，注意及之！（碧天）

三畏箋真

林夏

論語說：「君子有三畏，畏天命，畏大人，畏聖人之言。」何畏天命？通常是指造物的主宰，是天道之流行而賦予事物當然的法則。所以歷來講究有物必有則。荀子承認天行有常，但又教人「制天命而用之」，這是要人順應天命去發展，並非左右更非悖逆天命而行。至於近世常見以「人定勝天」來冲淡天命的莊嚴，這是把「定」字曲解成「必然」的毛病。其實這是說，須知止而有定，乃可以勝天。這裏我提出一個掌故來說明：袁黃（即了凡）基於歷歷不爽之星相家斷定明年不死的預言，入山修行，經人告以如立宏願可以增壽，袁因誓志編撰綱鑑，終以延年。這該視為「人定勝天」的正解。

大學首章說：「知止而後有定。」足見入定，必先知止。知止即知足。通常講究知足常樂。愛彌兒說：「知足的人永不窮，不知足的人永不會富。」為着既能知足，乃可破除幻想與妄念。人之所以有煩惱，就是由於內心的慾望在作祟所致。如晉史王猛臨終告符堅以「不可圖晉」，在當時符堅不能說不信任王猛，只以他不知止，野心難抑，終於不復顧念王猛的遺言，興師犯晉，致遭　水之戰的慘敗而覆滅。

至於「大人」，是指有德之士，故易曰：「大人者，與天地合其德。」但道德非常抽象，依存實論的「實而不在，在而不是實」的觀點來看，它是「實在」，而不是「存在」，是破時空法則，否定客觀的存在，祇有主觀的動念，而為意識形態的範疇。相當柏拉圖的觀念。至若實踐的法則，主在「利他」。研究利他，還是客有程度上的等差。「利」以質論，「他」以量言；就是說：施惠大，則道德高；授恩多，則道德大。這完全是就對象感受的厚薄和多少而決定道德價值的大小。佛門故以「普渡衆生」為趣旨。禹王治水，澤被九州，故配為明君。孔子以能紹學，敦倫理，故配為至聖。所以說：「中和分位育，義利辨大人」。

關於利他的掌故，在我印象最深的，如唐代孫秦。他的姑母生有二女，長女眇而次女艷麗。他姑母臨終時，以二女託秦，並騙以：「我長女損一目，汝可娶我次女。」後秦娶其長女。有人問他何以不遵姑母遺言？秦說：「人有廢疾，非秦何適？」顯明係秦是個富於道德觀念的大人。

再談「聖人之言」，這是綜積多少經驗的定論。其出處有如易繫辭說的：「仰則觀象於天，俯則觀法於地，觀鳥獸之文與地之宜，近取諸身，遠取諸物，……以類萬物之情。」總之，是人文學的理則：順之則吉，逆之則凶。如孔子說：「道不遠人」，這在現世看，未可離開人性或民生來談主義，顯見今日以唯物論作主義理論的基礎都是有悖人道。中庸說「不誠無物」。大學云：「揜其不善而著其善，人之視己如見其肺肝。」徵諸今日僞裝宣傳為羣衆所鄙棄，可以見得。孟子說：「殺人父者，人亦殺其父。」觀於史實，好殺者鮮有不為人所殺，足為顯證。大學云：「財聚則民散，財散則民聚。」驗於秦、隋及太平天國的聚歛民富，旋踵滅亡，殆為不易定理。王船山云：「擁離散人心，以當大變，欲其不亡，其可得乎？」英國大詩人雪萊詩曰：「暴君兒儀何足畏，血腥迷信豈能久，若輩乃瀕大江邊，巨浪奔來滅其首！」徵諸古今中外暴君的下場，幾乎一無例外。歷史的火把，古往今來的傳達人；誰想不顧歷史的事實，妄想新闢違反歷史與背逆聖人之言的奇跡，誰便是稀世的大傻瓜。

識時務定朝儀的叔孫通

歷史人物漫談

清園

劉邦做了皇帝，還不知皇帝的尊貴，直待叔孫通和魯國許多儒生，「頗采古禮與秦儀」，定出諸侯王及羣臣朝見的禮儀，然後他才知道做皇帝的尊貴。

叔孫通薛人，（薛城在今東滕縣東南）秦始皇時，他因有文學，被徵為待詔博士。幾年之後，陳勝在山東起義，秦二世召諸生討論這件事，諸生都說是反賊，死罪無赦，應發兵去拿辦。二世大怒。叔孫通知道二世大怒的意思，是不願聽說有人造反，所以他走前一步說：「天下合而為一家，…明主在其上，法令具於下，…安敢有反者？此特鼠竊狗盜耳，…何足憂？」二世很高興說：「好！」乃賜給叔孫通帛二十匹，衣一件，並委派他為博士。叔孫通返學舍，諸生都指責他拍馬屁。他說：「我只是為了脫離虎口。」於是逃回家鄉薛城，薛城此時已投降了陳勝。

後來叔孫通輾轉到項羽部下任事，漢王劉邦打進彭城，叔孫通又降了漢王。漢王不久被項羽打敗了，向西逃走。叔孫通以為漢王是一個明主，不再變節，也跟從漢王西走。

叔孫通降漢，隨從他的儒生弟子有一百多人，而他沒有推薦一個人給漢王，所推薦的都是曾經做過盜賊的壯士，因此弟子們都私下罵他。他聽到弟子們私下罵他的話，有一天便告訴諸生弟子說：「漢王正在爭天下，你們能使得動刀矛去打仗嗎？所以我先要推薦斬將奪旗的壯士。你們暫且等待，我不會忘了你們的。」

漢王劉邦五年，（西元前二〇二年）已統一天下，並升格為皇帝，也就是漢高祖。高皇帝令盡去秦朝苛細的禮儀，力求簡易。於是羣臣飲酒爭功，醉了的或大聲亂叫，或拔劍砍宮殿的柱子。高帝深感秩序很亂，心裏很煩。叔孫通知道高帝的心意，乃向高帝建議：「儒生難與進取，可與守成。臣願徵魯諸生與臣弟子，共起朝儀。」高帝說：「可以，但不要弄得太難，一定要容易行才好。」於是他因時世人情，頗采古禮與秦儀，定出了朝見的禮節和儀式。定了之後，還與諸王及弟子，在野外演習了一個月，這才恭請皇帝檢視一番。高帝看了之後說：「這樣的禮儀，我可以做得到。」

漢高帝七年，長樂宮落成，即照叔孫通定的禮儀朝見，羣臣凡不照規定的，都被帶走。自始至終，以至賜羣臣飲酒，沒有人敢讙譁失禮。於是高帝說：「我今天才知道做皇帝的尊貴！」並派叔孫通為太常（太常、官名，九卿之一，掌宗廟禮儀。）叔孫通至是推薦魯國的諸生弟子，高帝盡委派他們的官職。他又將皇帝賜給他的五百斤金子，完全分給諸生，諸生都高興說：「叔孫生誠聖人也，知當世之要務。」

高帝九年，以叔孫通為太子太傅（即太子的老師）。高帝崩，太子即位，是為孝惠帝，對他說：「你仍做我們的太常，為我們定宗廟儀法。」總之，漢代諸儀法，都是叔孫通先後做太常時所擬訂。太史公評論他說：「叔孫通希世度務，制禮進退，與時變化，卒為漢家儒宗。」

叔孫通因時世人情，為之節文，可說是一個識時務的俊傑。古時的歷史家，有些譏笑他「依世諧俗」取寵」，因為他因時世人情，並雜採秦儀，而不完全適照先王的古禮。這種歷史家，不知君子「時中」的道理，是以古非今的腐儒。漢高祖當不喜儒生，我以為他就是不喜歡這種不識時務的腐儒。像叔孫通這樣的儒生，對漢朝不是貢獻很大嗎？沒有他的朝儀，還成什麼朝廷？所以我說他是一個識時務的俊傑。（完）

讀史政略（五）

仲公

秦廢封建，殆屬必然的趨勢，華夷雜處，侯王林立之局，經過長期的兼併侵吞之後，業已逐漸消融，此即顧亭林氏所謂「封建之廢非一日之故也，雖聖人起亦將變而為郡縣」也。然自此以往，封建之名，仍然不斷出現，漢懲秦之孤立，先有異姓封王，繼則同宗裂土，終成七國之亂。晉矯魏孤立，諸王皆鎮雄藩，遂有八王之亂。唐封諸王不出閣，有名號無國邑，空樹官僚而無蒞事。明代封王，亦是分封而不錫土，列爵而不臨民，食祿而不治事。蓋時代愈進步，封建制度，愈難復活，此即王船山氏所謂「勢相激而理隨以易也。」

惟顧亭林氏認為封建變為郡縣，固屬必然，但郡縣亦有其弊，需要再變，他的主張：「寓封建之意於郡縣之中，而天下治矣。」大旨以為縣令改為世襲，必能勤政愛民，庶政成舉。嚴又陵氏亦頗贊成此說。

這使我們想到唐太宗貞觀十一年時、令諸功臣世襲刺史，長孫無忌等十四人辭曰：「違時易務，曲樹私恩，謀及庶僚，義非僉允，方招史冊之誚，有紊聖代之綱，一也。臣等非才，愈彰濫賞，二也。孩童嗣職，寧無傷錦，一掛刑網，自取誅夷，三也。求賢分政，寄在共理，封植兒曹，失於求瘼，百姓不幸，將焉用之，四也。」於是遂止。這一段話正好替顧氏縣令世襲之說作一棒喝。又顧氏倘能及見今日地方自治的氣象，亦必啞然自失矣。

唐連突厥以起兵

劉文靜勸李淵與突厥相結，資其士馬，以益兵勢。淵從之，自為手啟，卑辭厚禮，遺始畢可汗：「欲大舉義兵，遠迎主上，復與突厥和親，如開皇之時。若能與我俱南，願勿侵暴百姓。若但和親，坐受寶貨，亦唯可汗所擇」。始畢得啟，謂其大臣曰：「隋主為人，我所知也，若迎以來，必害唐公而擊我無遺矣。苟唐公自為天子，我當不避盛暑，以兵馬助之。」即命以此意為復書。使者七日而返，將佐皆喜，請從突厥之言，淵不可。裴寂、劉文靜皆曰：「今義兵雖集，而戎馬殊乏。胡兵非所需，而馬不可失。若復稽回，恐有後悔。」淵曰：「諸君宜更思其次。」寂等乃請尊天子為太上皇，立代王為帝，以安隋室，移檄郡縣，改易旗幟，雜用絳白，以示突厥。淵曰：「此可謂掩耳盜鐘，然逼於時事，不得不爾」。乃許之。

突厥為匈奴別種，漢稱丁零，南北朝是為高車。突厥興起，在後魏末年，北齊北周，都向他納貢。隋末，東突厥始畢可汗統一諸部，稱霸塞外，史稱：「控弦百萬，戎狄熾強，古未有也。」當時反隋起兵者，如竇建德、王世充等，都對他稱臣。

高祖李淵，用突厥兵起義的理由是「迫於時事，不得不爾」。然此一政略，關係到義兵的成敗極大，李淵以太原一隅之地，力不足以與河東關中諸雄相抗，結好突厥，其勢大振。然用突厥而不得法，則貽禍更多。其後，康鞘利以突厥兵五百人，馬二千匹來至，淵喜。因為李淵需要的是突厥的馬，以及唐與突厥聯軍的聲勢。馬多則力強，人少則易制。自是下河東、上隴，以至出關作戰，均不用突厥的兵，蓋誠如王船心所說：「非我族類者之不可使入躪中國，以戕民而毀中外之防」也。

王氏這兩句話，確是事實。唐得天下後，突厥恃功而驕，屢寇邊疆，氣勢之盛，一度逼得唐高祖想把長安放火燒了，然後遷都樊鄧。太子建成，齊王元吉，裴寂等皆贊成這個計劃，幸賴秦王世民諫勸，並許下「不出十年，必定漠北」的諾言，才停止遷都；免了長安的一場浩劫。

唐太宗即位之初，突厥頡利可汗，率領胡騎逕逼渭水之北，太宗冒險出城，與頡利盟於便橋之上，才算沒有發生大戰。但太宗積極備戰的行動，日益加緊，日引數百人教射於殿庭，親自臨試，中多者賞以弓、刀、帛等物，將帥亦加上考。他說：「今朕不使汝曹穿池築苑，專習弓矢，居閑無事，則為汝師，突厥入寇，則為汝將，庶幾中國之民，可以少安乎？」

貞觀三年，太宗決定對突厥發動一次雪恥性的攻擊，李靖生擒頡利於鐵山，太宗大喜說：「往者太上皇以百姓之故，稱臣於突厥，朕常痛心。今單于稽顙，庶幾可雪前恥。」高祖也說：「漢高祖困白登，不能報，今我子能滅突厥，吾付托得人，復何憂哉！」因置酒凌烟閣，大會君臣，高祖彈琵琶，太宗跳舞，盡歡而散。

中國女性文藝春秋（續）

周遊

遼國蕭皇后與絕命詞

時有州掾人王鼎，將此案經過詳情，著「焚椒錄」一書，所有一切詩詞奏疏盡收其載。他以為皇后取禍的原因有三：為好音樂，能詩，善書。假令不作「回心院」，則「十香詞」不致被誣為后所作。這種見解非持平之論。難道說女子就不該能詩文了嗎？至於「懷古」一首的巧合，諉之為「天實為之」，此外則更無他辭可道。我們可不必嗤之為迷信了。

北京瓊華島至今尚有皇后妝洗樓舊址，清代大詞人朱彝尊填「台城路」詞詠云：「層闌不賦波光冷、明霞遠梢魚尾。細草含茸，圓荷何蓋，猶與舞衫相似。揉藍片水，曾簇蝶瀨紅，影蛾描翠。錦石秋花，當時穩早羅髻。春幾番女士、縱嬉遊元夕，沙界烟寺。黃面瞿曇，白頭宮監，也說千年遺事。回心院子，問殿腳香泯泥，可留蕭字？懷古深情，焚椒尋蠹紙。」

同時大詞人陳耀崧、納蘭性德等亦有填詞，辭冗不必備錄。總之歷代寃案多多，何必為過往雲烟俯仰悲吟而傷神乎！

（五十二）

元宵偶憶

○欣父○

春節過了之後，元宵是第一大節。昨天又過去了。

中國人不論是過年抑是過節，都是以「吃」來打發。不過，逢節必「吃」，也限於中國舊有的節令，洋節令，還是洋過法；比如，每年過聖誕節，一般人的重點就不在吃，而在跳。他如過靑年節，一般人也很少利用它以爲一快朶頤的藉口。祗是過舊節令，捨吃之外，實在就顯得不夠情調了。

元宵節原來被稱爲上元節，因爲歷代帝王每每喜歡乘過年之便來點綴昇平，上元的燈便成了不可少的點綴。想到「燈明如晝」，「徹夜狂歡」，花燈爭奇鬭勝，花樣翻新，古代上元的盛況，眞稱得起賞心悅目。

在台灣，每年元宵節也都有燈賽，製燈的人，爲了爭取榮譽，各逞巧思來糊製新燈；這種玩法，倒是一種很好的手工藝訓練，至少，這種成果比摸來一條三萬有藝術價値。

元宵節也會被稱爲團圓節，過這個節令，也有求圓滿之意，應節的糯米粉製成的元宵，是元宵夜最好的宵夜點心，吃元宵就是爲博取一年圓滿無缺的「吉利」。說它是事涉迷信，固然可以，說它是爲愉悅自己求取諸事完美的欲望，也無不可。總之，論元宵節的吃，並不比春節的靑餚出色是事實，倘若求「質」的改良，我以爲以鷄蛋來代糖餡元宵，可能更增些營養，雖然鷄蛋並非渾圓，但吃了總不致於鬧得一肚皮糊塗。

說橢圓不及渾圓有圓滿之感，這也是自己不思之過。世界根本就沒有絕對的圓存在，肉眼所見的圓，經不起科學儀器的分析；人間的圓滿，也祇不過是訴諸當事人和直覺而已。父母在，妻賢子孝就算圓滿嗎？未必。在故鄉咱們可還有不少親人算來有幾年沒團聚了吧？自己祇以吃圓滿元宵，便陶醉於圓滿之夢中，而忘記了此身是客，還在「一晌貪歡」，說來也「匪」的夠勁兒了。

戴安道的人品和他的音樂造詣

藝林人物介紹

○光合○

古琴曲子裏面有一操很有名的曲子，叫做「空山憶故人」。那是晉朝的高士戴逵，爲了想念他的知音好友王徽之而作的。這個曲子計有八段，比小令畧長一點，屬於中曲，其中的節奏、旋律、情調、韻味，把如怨如慕的情緒，殷切盼望的心境，想念不置的神態完全描寫出來了。其奔放處如洪流出谷，勢不可遏，奇峯出雲，聳拔不搖，十足的表達了殷切的心情。其轉折處，如流觴之曲水，廻環不止，又如荷上之露珠，不沾不滯。其緩慢處則如春蠶吐絲，似停而非停，又如遠浦之晚煙，似斷而非斷。低沉時則如春雷繼起，響而不厲。緊急處則如鳶飛戾天，可望而不可及。把一個人想念至友的心理動態，那一份眞情的流露，完全從音樂的旋律裏，形容得淋漓盡致。此曲從始至終，全部能夠扣緊人的心絃，不要說王徽之本人聽到會感激而流涕，就是我們在千多年後的人們聽了，同樣能引起你强烈的共鳴。其傳神之處，眞不愧爲一代高手的傑作，絕非現代人所能創作出來的。我們今天還能夠聽一聽這個琴曲，薰沐於前賢的遺澤，眞是又感慨又慚愧。

所謂「名下無虛士，」琴曲之所以高者，是因爲戴逵本人人格之高，音樂造詣之高，再加上他眞正想慕的對像所引起眞正的情感，才能產生出這樣的作品，因緣湊合非偶然也。下面把戴逵與其至友王徽之畧爲介紹一下：

戴逵是晉朝人，字安道。幼從年就很聰明，博學多聞，文章作的非常好。而且工書善畫，其餘巧藝靡不畢綜。尤其是善於鼓琴。戴安道雖然是有如此的才華與成就，但是隱居不仕，不求聞達，一直過着他自由自在的淸淨生活。當時的太宰，武陵王晞，聞到他善於鼓琴的大名，便派了一位使者到他家裏，聘請他去作府上的琴士，這在戴安道看起來，無異是給他一種汚辱，於是非常惱火，便當時把琴打破了，而對使者說：「戴安道不爲王門伶人」。那位派來的使者只好掃興而回。後來戴安道便移居到會稽的剡縣（剡縣就是現在浙江省紹興府附近的嵊縣，宋朝改名嵊縣，漢朝名叫剡縣，位置靠近剡溪，就是現在的曹娥江）。他與王徽之交友最密的一段大概也就在這個時間，「空山憶故人」曲子，也就是在這個階段產生的。

王徽之與戴逵可以說是超乎形跡之外的朋友。戴逵本是位性情高潔，逍遙自在的隱士，而王徽之偏偏是一位朝裏的大官。王徽之字子猷，是鼎鼎大名中國字聖王羲之的公子，是王獻之的哥哥，仕至黃門侍郎。爲人放蕩不羈。有一天夜裏下大雪，他忽然想念起他的朋友戴逵，於是他便黑夜裏冒着大雪，駕着船沿着剡江去拜訪戴安道，但是到了戴逵門前時，連門都不敲一下便回來了。人家問他，你既然冒雪乘夜去訪戴先生，爲甚麼又造門而不入呢？他說：「乘興而來，興盡而返，豈必見安道耶」。這確實是出乎一般人的常情，於是王子猷雪夜訪戴逵便成了千古美談。王子猷平生有愛竹之癖，居住有空隙地方，他都要種上竹子，自己還說：「何可一日無此君」。後來他便辭掉了官職閑居在家裏。他弟弟王獻之死的時候，王子猷趕去奔喪，他不但不哭，一下子坐到王獻之的靈牀上，拿起獻之生前用的琴便彈起來，可是彈了好久琴絃的聲音也不能調和，於是他才哀感着說：「嗚呼子敬（獻之字）人琴俱亡矣」！乃一痛而絕。他本來背上有瘡病，從此瘡告潰裂，月餘的時間便合他弟弟一樣與世長辭了。

現在我們看戴與王兩位密友，可以說都是才華出衆，超塵絕俗之士，而且都是感情濃厚有至性的人。所以才能有那樣非常的行動與表現，他們作的樂曲才能出人一等千古流傳。

文士與美人

林太

杜牧風流，向爲風雅之士所稱道。其事之始末，高彥休誌之甚詳，據云：

杜舍人再捷之後，時譽益淸，物議人情，待以仙格。紫微恃才名，亦頗縱聲色。嘗自言有鑒裁之能。

聞吳興郡有長眉纖腰類神仙者，罷宛陵從事，專往觀焉。使君籍甚其名，迎待頗厚，至郡旬日，繼以洪飲，睨觀官妓曰：善則善矣，未稱所傳也。使君迭曰：美則美矣，未愜所望也。

將離去，使君敬請所欲，曰：願泛彩舟，許人縱觀，得以寓目，愚無恨焉。使君甚悅，擇日大具戲舟謳棹較捷之樂，以鮮華誇尚，得人縱觀，兩岸如堵。紫微則循泛肆目，竟迷所得。及暮將散，俄於曲岸見里婦携幼女，年齡小稔，紫微曰：此奇色也。遽令接至綵舟，欲與之語，母幼惶懼，如不自安。紫微曰：今未必去，第存晚期耳。遂贈羅錦一篋爲質。

婦人辭曰：他人無狀，恐爲所累。紫微曰：不然，余今西航，祈典此郡，汝待我十年，十年不來而後嫁。遂筆於紙，盟而後別。

紫微到京，常意書上，厥後十四載，出刺湖州，至郡三日，即命搜訪。女適人已三載，有子二人矣。紫微召母及嫁者詰之，其夫慮爲所掠，攜子而往。紫微謂曰：且納我賄，何食前言？母即出留翰以示之。復白曰：待十年不至而後嫁，三載有子二人。紫微熟視舊札，俛首逾刻曰：其詞也直，因贈詩以導其志。詩曰：「自是尋春去較遲，不須惆悵怨芳時；狂風落盡深紅色，綠樹成陰子滿枝。」翌日遍聞於好事者。

文士與美人的韻事，歷代皆有。淸初海昌陳相國素庵，繼配徐夫人，名傑，字湘蘋，工詞善畫，吳人也。崇禎中，相國春闈下第，南還，舟泊吳門，遇雨悶甚，覓散步處，聞徐氏餽花石，因獨詣之。先一夕，徐翁夢黑龍碎其金鯽魚缸。是日相國至，方徘徊花竹間，誤觸一盆墮，適碎其缸。相國方踟促不安，擬奉價償之。而徐翁欣然問姓名，因留小酌，備極款曲。酒酣，自言有二女，俱有才色，願奉箕帚。時相國適喪偶，聞之心動，素善子平，遂索其二女干支，歸舟推之，則皆貴，惟長女微帶桃花星，因納其次，即夫人也。抵家後，相國乃翁以其不第娶妾，大怒，欲立遣之。太夫人聞之曰：此女果佳，即當告之家廟以婦禮處之。後與相國偕老云。

國劇脚本

大漢兒女（一名新莽刦）

•田士林•

菁離鄉後，小舟順流而下，目之所接，水秀山明，胸襟爲之一開。一夕，遇風停泊，適遇盜賊欲刦鄰舟，菁娘久病初瘳，義憤所激，夜戰羣賊，一夜間，手刃十餘賊落水，大江爲之變赤。適有官兵過此，以爲盜賊擾害百姓，追而查之，菁正欲辯解，竟是表兄趙終葵。二人驚喜，說及舊事，各有一番沉痛遭遇。言及田子文，迄無消息，以爲歿於戰陣，相對嘆惋。旋有朝使尾踪而來，召葵入京慰問，來者正田子文也。蓋子文投東郡，輾轉從征十數年戎幕，今已入都爲椽屬，請旨來尋終葵。表兄妹重聚叙舊，恍如隔世，共慶平安，又共爲莽軍還怒朽骨切齒。終葵擬表荐菁娘之功，求子文屬稿，遭菁婉拒，願返故居，爲父母設衣冠塚，仍依古禮，廬墓三年以盡子職，以補己過。田子文雖有撮合趙、呂意，然菁以心願未了，拒之，勉二兄爲國盡忠，乘舟道別，灑淚揚帆而去。葵、文以其爲人可敬，現狀可憫，亦爲之欷歔久之。

三、場次

第一本：文武立志

1 聞鷄起舞
2 深山獵虎
3 慶壽言志

第二本：舉義破賊

1 毀家紓難
2 移孝作忠
3 羣起抗暴
4 屠夫出征
5 山民講武
6 紅粉誘敵
7 狹谷亂箭
8 山區殲敵
9 黠婢賺虎
10 奪城失城

第三本：不屈不撓

1. 軟困琅琊
2 採蕨食馬
3 被俘兎脫
4 尾踪投誠

第四本：破盜巧圓

1 煎湯視疾
2 散軍哭墳
3 登舟遠颺
4 水戰遇合

四、劇本

第一本　文武立志

第一場

時：西漢平帝元始五年（公元五年）安漢公王莽輔政。

地：琅琊郡一山庄。

人：趙終葵（武生扮）

田子文（小生扮）

（音樂組先演奏朝元歌曲牌，繼則五更更鼓，鷄啼）

趙終葵：（內唱倒板）鷄聲啼破曚矓天，

（上）（夜深沉）（舞劍，畢）推枕起舞氣壯如山，

匈奴未滅志未展，

爲報國仇身可捐。

俺這裏珍惜寸陰舞雙劍，

怕的是有英雄先我著鞭！

（六）

禪的火花

（十二）出家回家

○吳經熊著○　吳怡譯

和尙們驕傲的自稱「出家」。的確，離開了親愛的家而孤獨的去求道，並非小事。有一次，曹溪崔趙公問徑山道欽他是否可以出家。道欽回答說：「出家乃大丈夫事，非將相之所能爲。」他們常提到陶淵明的「歸去來辭」。許多禪師都說悟就是回家。下面是長慶應圓禪師的一首詩：

「寒氣將殘春日到，無索泥牛皆踍跳；

築著崑崙鼻孔頭，觸倒須彌成糞掃。

牧童兒，鞭棄了，懶吹無孔笛，拍手呵呵笑；

歸去來兮歸去來，煙霞深處和衣倒。」

譯者按：禪師們一致認爲道在自己心中，因此求道覓寶，不必苦苦向外追求，只要返向內心，在自己家中就可享用不盡了。但以譯者來看，也許人在福中不知福，必須浪子回頭，才知家的溫暖；必須出家以後，才能眞正的回家。不過這時的「回家」，已經與「出家」時的那個「家」完全不同，已不是那個塵俗的家，而是自己的本來面目了。

自由報

第八二九期

中華民國僑務委員會頒發台報新字第三二三號登記證
內政部內警台報字第031號
中華郵政台字第一二八二號執照
登記為第一類新聞紙類
（半週刊每星期三、六出版）
每份港幣壹角・台灣零售價新台幣弍元

社長李運鵬・督印黃行奮

社址：香港九龍登打士街91號十樓六座
91 DUNDAS ST, 9th FLOOR,
FLAT 6 KOWLOON H. K.
電話：857253　電報掛號：7191
承印者：大同印務公司
地址：香港北角和富道九六號
台灣總管理處
中華民國（台灣）台北市大同街119號
電話：555395・557474
台灣分社：台北市西寧南路110號二樓
電話：三〇三四六
台郵儲金戶九二五二

確保農民權益 加速農業發展

・冷彭・

確保農民權益，為內政方針之一；加速農業發展，為經建方針之一。農民農業，體用相聯，息息相關。屬於民政之農民政策，與屬於經建之農業政策，自應密切配合；確保農民權益，與加速農業發展，必須相輔相成。誠能如是，乃能事半功倍，相得益彰，農民之福，國家之福也！

自天子以至庶入，莫不知稼穡維艱務農為本，由朝廷以至州縣，莫不知民為邦本本固，邦寧；融合農業政策為一體，重視農民農業為舉國要政之中心，源遠流長由來已久，蔚為光輝燦爛之政蹟，傳為人盡皆知之佳話。近百年來海禁大開，先賢提倡輸入良種，改良農業，農業政策脫穎而出，漸遠農民政策。上項農業政策，至抗戰期間，演進為增加作物種植面積，增加單位面積產量；及至政府播遷台灣，再演進為開發農業資源，增加農業生產；最近三年，由於省府發展小農經濟，中央始及改善農業經營；似此農業政策進步，已嫌其過於緩慢，遑論農業政策與農民政策並重！加速農業發展，已感不逮，遑論兼顧確保農民權益，又遑論確保農民權益加速農業發展相輔相成相互為用耶？抑更有甚者，當農業社會轉向工業社會之初，以農業引發工業，繼而以農業培養工業。茲者工業起飛，農業農民不僅列入次要地位，將更置於無足重輕之地位，此則時值農民佳節，不能不檢討農業政策，以籲請主管當局注意也！

確保農民權益，在中央為內政部主管，在省為民政廳社會處主管；加速農業發展，在中央為經濟部主管，在省為農林廳主管。以職權分明之主管機關，掌理不容割裂之農民農業，自然不免聯繫不密配合不週，難期盡收相輔相成之效！溯自政府遷台以來，在確保農民權益方面，由三七五減租而公地放領而耕者有其田，及至扶植自耕農，則除確保農民權益之外，更須加速發展農業，始能竟全功！在加速農業發展方面，除前述者外，如農產加工，農產外銷，農產加工外銷等，雖有蔗農分糖保價，與平準基金，蕉農五五外銷與蕉農第一，綜觀廣大之農民，繼培養工商業之後，復盡其支持工商業之能事，迄今不能與工商業分享工業時代之實惠，豈非無以復加之恨事！因而蕉農、筍農、菇農、茶農、酪農，不平之聲彼伏此起，請願陳情奔走呼號，新聞廣告不絕於書，斯乃農工商共同利潤之分配，除加速發展農業之外，更須確保農民權益，始能竟全功者！基於以上兩方面事實，農業政策與農民政策，必須密切配合，加速農業發展與確保農民權益，必須相輔相成。主管機關職權分明，並無礙於政策之配合聯繫，扭轉百年來農業、農民政策脫節，則有待於建立現代農政法系。

農業基本國策見憲法第一百四十六條：「國家應運用科學技術，以興修水利，增進地力，改善農業環境，規劃土地利用，開發農業資源，促成農業之工業化」等法。農民基本國策為憲法第一百五十三條：「國家為改良勞工及農民之生活，增進其生產技能，應制定保護農民之法律，實施保護勞工之政策」等。前者為加速發展農業之依據，後者乃確保農民權益之依據。農業向來以農民為本，農民如今以利潤為天，因而必須加速發展以農民為本之農業，加速發展農民利潤最高之農業。欲加速發展以農民為本之農業，加速發展農民利潤最高之農業，則須制定保護農民之法律，實施保護農民之政策。諸如制定農民分享農產加工外銷利潤之法律，實行農民分享農產加工外銷利潤之政策等，以便農民與工商業共享工業時代之實惠，一如往昔士農工商共享農業時代之實惠。以上憲定農業基本國策、農民基本國策，農業法律、農民法律，及農業主管機關所發布之行政命令，農民主管機關所發布之行政命令，三者合成現代農政法系，而以農政法律為主幹。所以建立現代農政法系，須自制頒農政法律始。因此，慶祝民國五十七年農民節之際，謹向經建當局建議：從速制定農業發展條例或農業基本法，以便加速農業發展，兼及確保農民權益！謹向內政當局建議：從速修正農會法漁會法，以利確保農民權益，兼及加速農業發展！更向經建及內政當局建議：從制定修正上項法律起，進一步加强農業政策與農民政策之聯繫配合，相輔相成，相互為用，相順益，不相背謬，庶能逐步建立現代農政法系，不斷加速農業發展，確實保障農民權益，則功在國家，德澤庶民，不勝翹企引領之至也！（民國五十七年二月五日農民節於台北）。

昨日與明日

為商業道德哀

現社會，都市裏的人，多半過的是上下班的生活。如果夫婦兩個人都有工作，都需要上下班，廚房裏的工作，自然能省點事，就省點事，開一個魚罐頭或肉罐頭，可以少弄一道菜，時間經濟，金錢也不見得多開支多少，因為有些罐頭的價格，並不算貴，比如一東公司所出品的鰹魚茄醬罐頭，四元多錢就能買一個，的確比買魚來烹調經濟實惠，所以這種罐頭，市面上售出的情形很不錯。

可是最近經有關機關，把這種罐頭抽樣化驗之後，竟然發現罐頭裏，含有數量極多的極具危險性的細菌。這種有害的細菌，據刑警大隊的法醫說，吃了足可以使人生病而且足可以使人死亡。報紙上宣佈了這件事之後，真教驚心怵目。當然，這一條新聞，對一東公司的業務，打擊很大；可是對吃過這種罐頭的人，也引起了恐懼，開始耽心自己的身體健康，是否受到了影響。這種恐懼，不能說是杞人憂天，因為有些病，是潛伏性的，這些細菌經該公司的大量傳播之後，有些食客被中下了病根，是不容置疑的。

新聞上說，省刑警大隊的法醫室，是去年十二月初，接到陽明山警察所送來這種一東公司出品的鰹魚茄醬罐頭要求化驗的。是否當時已有因食用此種罐頭生病的病人，所以引起警察機關的注意，新聞上沒有說明，只說化驗結果，認為很不妥；為了慎重，又送請省衛生試驗所覆檢，可是結果一樣，罐頭裏的好氣性細菌，生菌及微菌這三種可使人於死的危險性的細菌，並未因覆檢結果而消失，和刑警大隊的法醫的檢驗結果，仍是一樣。

刑警大隊的法醫和衛生當局的細心求證工作，態度可佩。這個結果，當然不是故入人罪，一東公司實在沒法替自己辯護。我們奇怪的是一東公司當局何以對自己的成品，這麼掉以輕心，祇為快點賺錢，最要緊的消毒工作卻做得這麼草率！這件事一鬧出來，真是害了人，又害了自己。因為名譽是商人的第一生命，一旦名譽垮了，這個商人是做不下去的。

當然，人人都有良知，一東公司的老闆未必誠心和大眾過不去，故意製造有毒罐頭危害社會。或許因為想降低售價以求多銷，乃不惜降低成本，因此，製造過程中簡化了手續。可是有些手續卻減少不得，比如消毒，消毒不徹底，大眾的生命與健康可就危險了。如果有人因此而死，除了法律責任之外，一東公司的老闆，良心上也會內疚吧？

是救命的工作

一向我們自詡是禮義之邦，自詡為以信立國。可是近年我們不能否認，我們已商風日下，有些不講信用，不顧後果的事，經常在國際貿易方面出現，說來就教每個中國人臉紅。更甚者，明明醬油裏有防腐劑卻說沒有，而食米中加白砂石，奶粉中摻太白粉，中西藥以偽亂真，偽味精，偽洋酒，都早已見怪不怪。又如雞鴨販子，出售前的灌水塞石子，更是當然。不顧雞鴨生命，還祇教人搖頭嘆息，而竟不顧自己同類生命危險，祇求利於自己荷包，真是殘忍已同於禽獸。生而為人，已如此一無情義，豈不枉披了人皮？

報上時常筆誅這種沒有心肝的商人，說他們不顧商業道德，可是收效不大。現在這些人仍然師徒相傳以售其奸。這次一東公司鰹魚罐頭有毒危及社會，不論其有心或無意造成，只要已經構成了危害社會及市民的健康，就應該不僅筆伐口誅，司法機關還要引據法條繩之於法，以儆戒商人的見利忘義。至於食用過這種罐頭的人，更應該主動地指控而且要求受害賠償。祇要留有一個這種判例，就足可使這些不法商人同心向善。因為他不向善，自己吃的虧更大。

最後，還要期望衛生當局，警政當局，多作防患未然的事，主動選樣抽查各種食用品，以便阻止蔓延。像這次的一東罐頭的化驗，雖然對大眾已有拯救之功，可是從送請化驗到現在為時已一月，也許這一個月已為害不淺了。敬盼衛生與警政法醫當局，以後儘可以動作快些。這是救命的工作，慢不得的。

欣父

孤注一擲

主驕奴諂

自由談

金元王國的悲哀

正在美國朝野人士為着總統大選的競選關係，對越南戰事議論紛紛，喧嚷不歇之際，越共乃大舉襲擊美越軍駐防的各大城市，連西貢的美國大使館亦被攻破了。這真是宋人議論未定而金兵已經渡河的歷史事實之重演。去年以色列戰勝阿拉伯集團軍之後，美國有個參議員，曾主張以四十架新式噴射戰鬥機送給以色列，交換該國的國防部長戴陽將軍，到越南去主持美越軍的戰事，可謂後先媲美，表現着山姆叔叔們的智慧為何如者，嗚乎哀哉！

有人套用孟子書中的語氣以形容美國云：美國天下莫強焉，世之所知也。然北挫於韓，南厄於越，西見侮於法蘭西，寡人恥之，將何以善其後乎？美國當局確有這種苦悶的心情，無可排遣。

把韓戰的痛苦教訓置之度外，又在越南採用「戰不求勝」策略，甚至於不敢追擊逃入柬埔寨邊境的越共游擊隊，這算是甚末戰略戰術呢？派遣了五十多萬陸軍對付越共，加以大量海空軍的支援，曠日持久，愈戰愈糟，不斷地哀求敵人和談，結果是到處吃癟丟人，招來敵軍無情的襲擊，還要聲言決不採取報復行動。這與阿Q被人捏住小辮子打了一頓，說是「兒子打老子」的可哂嘴臉，有何區別嗎？

美國財富甲於全球，武備首屈一指，滿以為金錢萬能，有了優越的物質文明，即屬百無禁忌，必卜「萬國衣冠拜冕旒」，大可左右世界局勢了。卻不想想二次大戰後，美國對全球各國所付出的經濟援助金額，有如天文數字，無可估計，但受援國家的反美情緒乃普遍滋生，其故安在哉？如果沒有智慧和道德的精神文明，光是財富滿身，武器滿庫，不特無法領導世界，創進人類的和平安全幸福，就是自身的生存前途，亦很危險啊！

智慧第一，道德至上，美國今日所缺乏的就是這種文化精神。急起努力，好自為之吧，否則終有噬臍莫及之憂也！

馮玉先生

毛澤東高樓失脚 猛虎變成了病貓

○豈心○

鐵幕管窺

（本港訊）毛澤東的「文化革命」，在一九六七年初時咆哮跳躍，酷似一隻貪食無饜的老虎，但到了年尾之時，它却活像一隻被打敗了的老貓，垂頭喪氣，無路可逃。

毛共在一九六七年元旦時聲稱：文化革命運動是「二十世紀七十年代最偉大的事件」。北平在發出對反毛份子進行堅決掃蕩的號令時，揚言「偉大的舵手」正把本世紀的最重要問題，予以解決，此即如何把共產革命進行到底與防止資本主義的復辟。

從一九六七年中已公開的毛共秘密文件觀察，文化革命的發動，其實是作為黨主席的毛澤東，為了再度奪取他在一九四九年所創立的政權之控制，同時推行他的馬列主義的極端思想。

毛共政權證實了外國分析專家長期以來的一項懷疑，那即是目前的紛爭，遠溯自一九五九年毛澤東發動的「大躍進」之時。黨與政府首腦們，對此一悲慘的經濟方案，深感不滿與失望。彭德懷在一九五九年時，會對毛澤東的領導，發動挑戰。彭被擊敗之後，復遭整肅，彭德懷當時任毛共國防部長。

不顧死活的恐怖戰

在一九六三至六五年期間，毛澤東發出「社會主義教育運動」的號召，企圖使國家重返正軌。毛共行政元首劉少奇與黨中央總書記鄧小平，因經常阻撓毛的此項計劃而受指責，劉與鄧兩人現在俱已失寵。

一九六五年年尾時，毛澤東倡行了他的文化革命，這是一項目的在全面整肅黨與政府特權階級的不顧死活的策略。在一段時期中，它採取了幕後鬥爭的方式展開，直至一九六六年夏季時，由於紅衛兵的出現，此項鬥爭才見公開。紅衛兵是一種好戰的青年組織，目的在向反毛份子進行恐怖活動。

毛澤東原欲於一九六七年時，剷除一個日趨腐化與不忠的政權，再行奠立一個新政權的基礎，那麼他會成為中共與世界馬列主義的救星。毛的大胆進攻計劃，就是一九六七年的「主要政治任務」，他打算把文化革命推行到大陸各地的農村與工廠中去，把學生、教員及知識份子與工農結合，動員廣大羣眾實踐「廣泛民主」，對劉少奇與鄧小平的「資產階級反革命路綫」，展開全面批判。

奪權攻勢全軍盡墨

此舉却觸發了突如其來的大亂，此即事後被渲稱的「一月革命」。紅衛兵、工人、行政幹部等，在工廠中、大學裏與政府機關中，展開了惡鬥。北平驅使忠於毛澤東份子，對此加以「激烈的報復」。工人罷工風潮與社會混亂，蔓延整個大陸。北平因此發出警告，要打擊「職工會主義」與「經濟主義」。

一九六七年一月底時，毛澤東展開了全面總攻，使中國大陸從此蒙受一場浩刦。他號召「無產階級革命者組成大聯合，從走資本主義路綫的當權派手中奪回權力。」中共的「人民日報」謂此舉是「歷史上創舉」。

毛澤東號召徹底推翻自省市到城鄉的整個黨政行政權力，忠於黨的幹部、士兵與民眾組成「三結合」，奪取權力與建立臨時政權機構，稱其為「革命委員會」。

奪權攻勢證明全軍盡墨，結果造成了政治與經濟的混亂。後來迫使毛澤東不得不加收場，或者把文化革命加以取消。

在一九六七年年終時，二十八個省級行政機構中毛派僅掌握了八個。而其奪權的進展，極度遲緩，四月間成立了六個「革命委員會」，遲遲至八月時又組成了一個，至十一月時又有一個始告成立。

毛澤東此一攻勢，一開始時就鑄成大錯。「人民日報」在一月三十日指出：「困難問題的接踵而至與不同形式的抵抗正在形成之中。」

紅衛兵構成了分裂

從「假革命者」之中如何識辨眞正的擁毛份子，成為一個最基本的困難問題。極端主義的紅衛兵，構成了分裂的因素。共軍對自身所負的任務，猶豫不定，而人民心理則陷於混亂。北平雖然不斷發出指示與命令，但到了各地，命令就無法貫徹。其結果，大陸情勢陷於無政府狀態，到處展開武鬥，包括白色恐怖與派系主義與極端左派份子的衝突。此外又有資產階級反革命份子的活動。到了一九六七年年中時，各省與許多大城市，均發生流血事件。七月間的武漢事件，對北平是一項沉重的打擊。當時毛澤東派了兩名高級助手，到達武漢，他倆被拘禁、毆打與當眾侮辱。此事件可能是毛澤東文化革命的轉捩點。

毛澤東統治下的中國大陸，事實上正趨向於分裂。現在猶未知毛澤東是否有自知之明，承認此一分裂形勢的存在，或者遭受北平的一種聯合力量的困擾。但到了八月尾與九月時，文化革命的速度開始降低，而在改變方向，北平在九月廿四日宣佈：毛澤東曾完成了若干省份的「巡視旅行」，而投「指示」。新指示的基本主張是：「……工人階級沒有理由分裂成為兩大敵對組織」。

誰是「毛澤東份子」

其後數週，北平號召每個人應以「鬥私」代替武鬥，進而創立新的擁毛份子同盟。紅衛兵則被命在課室中「鬧革命」，代替在街上打鬥。群眾應再度加以「改造」。應該全力重建黨的組織。至於高高在上的共軍，在林彪的指導下，每個士兵俱須悉心學習毛澤東此一新的「歷史性」指示。

至此，文化革命的新方向，就是調和與妥協。一月間大喊大叫的「奪權，奪更多的權力」，已渾忘無留。但海外對毛澤東的瘋狂的文化革命卻不會如此易忘，因為它所反映的意義是多方面的。

在一九六七年中，北平幾乎對所有的國家，橫加侮辱、漫罵與發生衝突。北平揚言毛澤東「思想」鼓舞了緬甸、印度、南越、寮國、泰國與印尼的武裝革命。肯雅與外蒙驅逐了中共的外交人員。中共與尼泊爾及柬埔寨的關係趨於惡化。甚至瑞士也成了北平的惱怒對象。

在北平，英國大使館被刼掠。示威者包圍了十多個大使館。其中包括保加利亞與法國的大使館。蘇俄慶祝建國五十周年時，北平拒派代表前往參加慶典，愈加深了雙方的思想分歧。

國際間，除了阿爾巴尼亞之外，中共已不能再對任何一國，稱兄道弟了。在國內，除了毛澤東自己之外，實在不知誰可稱為「毛澤東份子」。

陪浴女郎風波平息 被告余瑞卿不起訴

法界人士指警方無事找事

台北航訊

美國時代雜誌十二月廿二日出版那期，刊載一張北投女郎與渡假美軍陪浴照片，在台北引起一場不必要的風波。這場風波是由於警察機關矯枉過正所造成。

陽明山派出所從美國時代雜誌看到那張照片之後，當即採取兩項措施：一是將「文士閣」旅社裁決停止營業七天；二是將照片中的陪浴妓女「美玲」余瑞卿依妨害風化罪移送台北地檢處法辦。

殊不料陽明山警察所的這兩項措施，遭受到法界人士的猛烈批評。

法界人士批評警方處置不當的理由之一，是警方發現這張照片的時候，已過了違警罰法的追訴時效。依違警罰法第六條規定：「違警行為逾三個月者，不得告訴，告發，並不得偵訊。」據查：北投文士閣妓女陪浴照片，是在去年八月間，到去年十二月廿二日美國時代雜誌批露該照片時，警方才發覺，已經超過三個月的時效，依上述法條規定，警方已不能依違警罰法加以偵訊，更不得對文士閣旅社加以處罰。警方竟然將文士閣裁決停業七天，於法似乎不合。

法界人士批評的理由之二，是對陪浴女郎之處理不當。按陪浴女郎「美玲」余瑞卿，是北投妓女戶的應召女郎，領有營業牌照，是合法的妓女。在旅社的套房的浴室中脫衣與美軍共浴，而旅社房間固然是公共場所，但出租給客人後，就已不再是「不特定之人所得出入之公共場所」。出租之後，便是客人私人所可使用之地方。妓女在房中與人陪浴或陪宿，不應視為妨害風化之行為。況且北投又是經政府劃為風化區，在風化區的旅社中，又許可客人喚妓宿娼。妓女在風化區旅社中與客人脫衣陪浴，是為正當的業務範圍。警方將余瑞卿依妨害風化罪移送台北地檢處偵查，似有侵犯人權之處。

法界人士批評的理由之三，是北投七十餘間觀光旅社中，任何一家旅社，每一天不知有多少應召女郎與客人脫衣陪浴陪酒，此種事實，旅社中隨時可見。警方也早知其詳。假如警方本諸端正風俗的立場，對脫衣陪浴有碍風化行為，嚴加整頓的話，則應該對應召女郎脫衣陪浴陪酒之事，隨時普遍注意。今對公眾所週知的同樣情事，不一律予以注意，惟獨對時代雜誌刊出照片之文士閣及余瑞卿予以懲罰，有失公平。

法界人士批評的理由之四，是據北投應召女郎們的傳說：美國時代雜誌刊出的那幀照片中，有兩位女郎，其中之一被警方指明為某妓戶的應召女郎余瑞卿，但其實照片中的兩位女郎，都是北投妓女戶的未領有牌照的私娼，並無余瑞卿在其中。而是因為妓女戶老闆惟恐受罰，請余瑞卿出面頂罪，因余瑞卿是領有正式牌照的妓女。據說警方也明知其事，而故意讓余瑞卿頂罪。如果屬實，則警方辦事人員，似有違法失職之嫌。

警察機關職責，在於維護社會治安，一切措施，應注意對治安有益的實際效果。北投警方對於時代雜誌刊登北投妓女陪浴案的處理，所表現的，是一種掩耳盜鈴自欺欺人的作風。對於實益，絲毫無補。（編者按：北投陪浴女郎余瑞卿已於上月廿九日經台北地檢處檢察官羅一宇偵察後予以不起訴處分。據羅檢察官在處分書內指出：余瑞卿是在旅社套房的浴室內陪浴，並非為人所共見公開之公共場所，所以不構成公然猥褻行為之罪。而余瑞卿陪浴被拍成照片刊登於時代雜誌上，事前余瑞卿並不知情，因此應予以不起訴處分。此事與法界人士的評論不謀而合。

本報記者 新曦

考察東南亞 蔡亞萍談僑教

本報記者 許永亭

（中縣通訊）國大代表嶺東商業專科學校校長蔡亞萍，這次偕同他的夫人黎明女士，以國際獅子會中華民國代表團顧問的身份，乘機經香港赴泰國曼谷出席國際獅子會遠東暨東南亞第六次年會之便，順道考察東南亞各國教育及新聞事業。

放棄遊覽

在短短一月餘時間中，蔡校長伉儷放棄了不少遊覽勝地的機會，把全部時間用在訪問各地僑校。雖由於僑胞們熱愛祖國，在僑居地不願放棄接受祖國教育的機會，但因東南亞各國的華文學校教授中文的課程時數受限制，為了不使祖國文化在僑居地失傳，蔡校長此行的感想，是應鼓勵華僑子弟回國接受教育，使他們能接受祖國悠久的歷史文化的薰陶。

泰國僑校

在泰國由華僑創辦之僑校，均為中小學，這次他在泰國考察期間，前後到過光華、時代、黃魂中學。這三所中學均設有夜間部，使當地華僑日間忙於工作，夜間得有進修祖國文化的機會，所以夜間部的設立很有意義。其他進德小學，培基小學，以及海南會館辦的中小學，潮州會館辦的小學，廣肇會館辦的小學，均係專為華僑子弟而設的。

可是泰國政府對僑校有很多不合理的限制，諸如僑校華文只能讀到小學四年級為止，甚至每週僅讀十小時華文，致使當地僑生中國語文程度低落。如任其在僑居地繼續讀書，勢必與祖國文化日益疏遠；如送其回國升學，則又因中國語文程度太差，無法考取學校，縱使以優待或保送辦法，勉予安置入學，日後程度亦跟不上。此項問題，頗為嚴重。

限教華文

泰國僑校雖然小學前四年可教華文，但教材內容及課程標準，限於適合泰國的國情及風俗習慣。如課本內不能尊稱孫中山先生為國父，以及不能有過年給壓歲錢等我國風俗習慣的記述。此類限制對海外青年的民族精神教育影響頗大。

此外，並限制不准增設華文學校，亦不准多增班級、擴建校舍及遷移校址。如校舍因災害燬損，不准修復。似此情形，僑校勢必日漸減少，若干年後，恐怕當地華僑青年已無接受祖國教育的機會。

馬來西亞

馬來西亞，因華僑佔人數百分之四十二強，對中文教育較寬。華僑創辦的中學如馬來西亞首都吉隆坡之坤成女子中學及其他男女華僑中學。（上）

旅美見聞

女學生多數抽烟

張起鈞

在中國，女子是很少抽烟的。尤其是女學生，可以說是絕對沒有的事。但是在美國則恰恰相反。大學裏，女生抽烟的遠比男生為多。並且在上課時，還都照抽不誤。我初到華盛頓大學教書時，有一班，班上有六十多學生，半數以上是女生，上課時從未看到有男生抽烟，而女生却每堂總有四五個人抽烟，一邊翹着腿抽烟，一邊聽講筆記，那種優閒自在的鏡頭，我們看了眞是不習慣。尤其在中國，上課是很嚴肅的，那裏看過這種場面？

招生可能有意違反兵役法，也可能無意中構成違犯兵役法，然既不能驗證「意」的本身，姑勿論有意或無意，學生既仍在行政範圍之內，意圖與否？又不能尋致有力證據，果自不能成立。處執法者而言，如覺學生有欠合法性，在法律的能度，首應否認其合法性，宣佈此一方式招入的學生，不受免役、緩役等兵役法的保障，換言之，仍然要照常服役。如果有意圖，在自然消弭其意圖，如非意圖，則人民不致受冤。蓋法律是防止人民犯罪並非强迫人民入罪，纔爲合理。今學生且繼續入學，既無犯罪之事實存在，强擇抽象無形的心理而判其「意圖」，這是非常勉强的。蓋邏輯必須首先檢證「意圖」的本身始當；今之所謂「意圖」者，又無科學方法檢證，事實利害覃勤有意或者無意，皆不能承認此意圖，則此一判決已是法律突破憲法對人權的防衛圈，强迫人民承認內心的態度，侵入了人民思想自由之內，是頗多値得研究的。此一判例之開，不僅祇是對覃勤之不幸，與全民大衆權益亦相違悖，國人自不應忽視此一判例的存在與後果。

天理、國法、人情

從覃勤平反案到中醫改革運動的回顧

楊淸藻

（本文續自去年十二月十六日本版）

從人情而言，覃勤是失敗的。何以謂從人情而言覃勤是失敗？蓋覃勤在中國中醫社會之地位，一般咸認是頗有點份量的，其能在中醫社會建立如此地位，自必有其不可否認之價值。因其如此，所以招嫉，是乃人情之常。加上「覃鬍子」的性格與作風，那麼！問題便越發之大了。也正如當年國父孫先生，開府南京之時，由於不會把武昌方面黎元洪手下孫武等人妥爲安排，於是後來引起武昌南京之間失調，創業諸賢，自此多事矣！回顧前事，中醫改革運動，覃勤之遭到鍛翼，便可思過半矣！

天理是無形的，人情也是無形的，天理與人情皆不能制人。祇有法律才是具體的。法律正如同一把刀子，假這把刀子以制人，祇要是運用得好，當然是沒有什麼不可以的。覃勤就是被運用得很好的刀子給制了。今日的操刀者——執法人，本來是可以就事論事的，可是，如果被運者蔽而操刀，昧入人情陣中，就很難說了。

從力學的原理看，壓力大彈力亦大。覃勤在中醫改革運動中雖不能謂之遭到反彈刀，至少也是因某種彈力而失敗。就中國社會的某種角度來看，覃勤處世，未必盡當，或盡爲人所滿意；然覃勤確爲中醫改革運動所犧牲則又是事實。今日弄到既失其業，復丟其位，已損其譽，更困其生的地步，兩袖清風，雙目失明，可謂慘哉！

從大處或某一角度看，厚己有勝責人。中醫社會諸賢，對覃勤似不必苛其小過。社會當揆其事而念其功，法律宜察其因而正其理，斯爲當也。（完）

俞曲園預言

六十年來興亡事　盡在九首詩句中

忘年老人。

德清俞樾，號曲園，是清朝末年的一位大名士。他的詩句有「花落春猶在」語，爲曾國藩所賞識，所以稱他的集子爲「春在堂全集」。他一生豪邁，平生未做過大官。

他死於光緒三十一年（一九〇五年），距現在六十多年了。那時，他的孩子剛中進士，他自己已八十多歲，可謂福壽全歸。據說他死後不久，居然復活起來，叫兒童拿紙筆給他，寫了詩九首以後，又擲筆而逝。

這詩的原稿，在民國初年經過他的孫子影印，北平人士，有不少得到印本的。看到過的人，曾說是俞樾的親筆。也許是他生前親筆，可是這九首詩是預言式的，家屬或有忌諱，故而說是死後復活寫的，以免發生意外罷了！

這九首詩在民國廿四年有某雜誌曾加刊載。民國初年，固然無人看得懂，就是廿四年刊載的時候，也無從參透。民國卅六七年，大陸情勢不佳，有的雜誌又加以刊載，可是大家仍然看不懂。到現在把這九首詩仔細想想，到是預言今天的大陸情況，不妨再抄出，讓大家再來研究一番。

一、歷觀成敗與興衰，福有根苗禍有基；不過循環一花甲，釀成大地是瘡痍。

二、無端橫議起平民，從此人間事事新；三綱五常收拾起，一齊都作自由人。

三、才說平權喜自由，誰知從此又戈矛；弱之肉是强之食，膏血成河滿地流。

四、英雄發憤起爲强，各劃封疆各設防；道路不通商販絕，紛紛海客整歸裝。

五、大邦齊晉小鄒滕，百里封侯處處增；郡縣窮時封建起，秦王廢了又重興。

六、幾家玉帛幾兵戎，又見春秋戰國風；嘆息當時無管仲，茫茫殺運幾時終。

七、蠻爭觸鬥年復年，天心仁愛亦垂憐；六龍一出乾坤定，八百諸侯拜殿前。

八、人間從此又華胥，偃武修文樂有餘；碧水橋前興璧禮，山崖海角訪遺書。

九、張弛從此道似弓，略將數語示兒童；悠悠二百餘年事，都在衰翁一夢中。

綜觀全詩，第一首是個楔子，開場白，指出下面的詩句，是說明循環一花甲六十年的事。他逝世時到現在已六十多年了，正就是當前我們所看到的這個時代。最後一首，却是個結尾，那句悠悠二百餘年事，大概是指清朝過去的二百多年歷史已是如夢的過去了。

第二、三兩首詩，雖然是八句話，但正可表示出清末的革命運動，和民國思想的發展。平權自由這兩個名詞，從清末起，到現在仍然是在被大家當做口號，弱肉强食，這世界已經大砍殺兩遭了。現在仍然要繼續着演出第三次大戰哩！

第四首的「英雄發憤起爲强，各劃封疆各設防。」這是世界上自由民主集團和共產侵略集團，各自訂立北大西洋公約，東南亞公約，及華沙公約等等防區的寫照。至於「道路不通商販絕，紛紛海客整歸裝，」不正是共產黨統治下的大陸，把外國人趕跑得精光大吉的寫照嗎？

第五首「大邦齊晉小鄒滕」，大陸自「文革」「奪權」以後，各級僞政府及共黨黨部呈土崩瓦解之象，生殺予奪之大權，都操縱在各地「解放軍」手上，「百里封侯處處增」以下三句，則是描述各個「軍區」，正像封建制度的小封建國一樣，全面地出現了。

第六首是形容世界三次大戰前夕，有些地方雖是和平，有些地方却劍拔弩張，如金門馬祖、柏林、中東，都有打仗的可能。至於印度的果阿戰爭，越南和寮國的抗共戰爭，非洲剛果的戰爭，不是兵戎處處嗎？世界上已沒有管仲這樣的人物，干戈是無從化爲玉帛了！

第七首是描述大戰終於爆發了，「年復年」時間雖不久，却也有兩年，可是戰況慘烈。究竟天心仁愛，到兩年後戰爭就可能結束。那一年呢？「六龍一出乾坤定」就是「六龍之年」，龍爲辰，六數在易經爲「乾」，而「壬申」二天干是從乾數的，那就是「壬辰」或是「甲辰」之年，「壬辰」已經過去了，未來的是「甲辰」之年。「甲辰」便可看到侵略者多行不義，終於自斃而失敗了！

第八首是描寫戰爭結束，頭兩句是述和平之樂，第三句「碧水橋前興璧禮」，怕不是揚子江大水閘告成，發出一千萬匹馬力，舉行古禮開閘，以從事大規範建國事業嗎？至於「山崖海角」要去「訪遺書」，可能是世界上的大都市和大圖書館，以及大陸的平津京滬漢廣……等大城，文化已在戰火中毀滅，蕩然無存，又要去重新訪求嗎？

這以上的解釋，準不準日後方知，在此寫下存照。好在要應驗的時候，也爲期不遠了。但祝「人間從此又華胥」之早日光臨！

歷史人物漫談

新城三老董公向漢王獻大計

清園

這是小人物的故事。小人物能獻大計，確也值得我們一談。

漢王劉邦二年，他由漢中出兵討伐項羽，到了洛陽新城，新城地方的三老董公，（三老是鄉里掌管教化的小官）聽說漢王要來了，他便等在路邊，謁見漢王建議：「臣曾聽說：『順德者昌，逆德者亡。』『兵出無名，事情往往不成，』所以說要指明敵人是反賊，纔容易平定他。項羽無道，放逐并縊殺天下共立的主上楚懷王，他就是天下公認的反賊。還有仁者不必要靠勇氣，義者不必要靠力量。大王應當率領三軍的將士，爲義帝楚懷王發喪，穿素服，並通告諸侯，共同去討伐項羽，這樣四海之內，沒有不仰慕王的大德的，這纔是古代三王（湯王、文王、武王）的義舉。」

漢王聽了他這番話，認爲很有道理，於是他馬上就爲義帝發喪，宣告項羽縊殺了大家共立的義帝。同時令部下哀祭三日，再分別派遣人員，告訴各地諸侯說：「天下共立義帝，我們都願爲他的臣屬，江南（指項羽而言）大逆無道，寡人盡發關中的軍隊，收集三河（三河指河內、河東、河南而言）的士衆，南浮江漢以下，願從諸侯王去攻討楚國殺義帝的人。」於是趙、齊首先響應。

這時項羽還正在攻打齊國，而又很久打不下來。劉邦因董公這一小官的建議，得率領各諸侯的兵共五十六萬人，向東去攻打楚國，而能一直打到彭城，（今江蘇徐州）一度回到了他的老家。

董公以一個鄉里的小官，能夠獻此大計，使漢王師出有名，可以號召諸侯，這眞是難得之至！漢王用他的計策，振臂一呼，便有了五十六萬大軍，浩浩蕩蕩，殺向彭城，可見這位小官的話，確有道理。「十室之邑，必有忠信，」若專以門第、關係，或資歷而用人，以地位官階而取言，那是大大的錯誤。漢王不因董公地位卑下，而輕視他的意見，且立刻採用他的意見，可算得是從善如流的君王了。

讀史政略（六）

·仲公·

唐連突厥，一直是一個驚險的局面，偶不經心，便會闖下滔天大禍。高祖雖知其危而不能制，若無唐太宗的雄才大略，後果恐怕不堪設想。故王船山說：「唐起兵而用突厥，故其後世師之，用回紇以誅安史，用沙陀以破黃巢；而石敬塘資契丹以篡奪，割燕雲，輸歲幣，亟病中國。乃至宋人資女眞以滅遼，資蒙古以滅金，卒盡淪中原於夷狄，禍相蔓延，不可復止。」因爲外力用之甚易，一旦功成，善後極難。唐能用突厥，而最後沒有被突厥所用，此中關鍵，值得後人深思。

唐高祖對突厥之和與戰

上（唐高祖）謂羣臣曰：「突厥入寇，而復求和，和與戰，孰利？」太常卿鄭元璹曰：「戰則怨深，不如和利。」中書令封德彝曰：「突厥恃犬羊之衆，有輕中國之意，若不戰而和，示之以弱，明年將復來。臣愚以爲不如擊之！既勝而後和，則恩威兼著矣。」上從之。

對於異族的和戰問題，是我國歷史上的一件大事，主和主戰，各有得失，胥視當時情況而定。山戎請和於晉，晉大夫魏絳，力主和議。晉侯曰：「戎狄無親而貪，不如伐之」。魏絳曰：「諸侯新服，陳新來和，將觀於我（我德則睦，否則携貳。勞師於戎，而楚伐陳，必不能救，是棄陳也，諸華必叛。戎、禽獸也；獲戎失華，無乃不可乎」？

魏絳認爲和戎有五利：第一「戎狄薦居，貴貨易土，土可賈焉」。第二「邊鄙不聳，民狎其野，穡人成功」。第三「戎狄事晉，四鄰振動，諸侯懷威」。第四「以德綏戎，師徒不勤，甲兵不頓」。

中國女性文藝春秋（續）

「斷腸詞」作家朱淑眞的戀愛生活

周遊

中國詞林中有三大傑作：一是李易安（淸照）的「漱玉詞」，二是吳淑姬的「陽春白雪詞」，三是朱淑眞的「斷腸詞」。這三者都是千古知名的女性作家的絕妙好詞。

我們要想知道朱淑眞，很遺憾的，在宋代詞林中，她的名氣不如李易安大，而唐佐爲她作的「傳」也散佚無傳，近人所輯的「宋詞媛朱淑眞事畧」，則遠不如俞正燮輯的「李易安居士事畧」可據；我們要一瞧她的倩影全貌，委實難得。退而求其次，只好根據她的作品來摸索，依稀可以掀起她的面紗，這正如在薄霧濃霧的月夜，透窺那遠懸在天邊的明月，所能看到的只是她朦朧的圓影。

朱淑眞自號幽棲居士，她的生活時代，大約比李清照稍晚數十年。她是錢塘下里人。梁小玉的「古今女史」以爲海甯人，說她是朱文公的姪女，恐怕有疑問。她世居桃鄉，不知在何時遷居在湧金門內的康寶巷。

她父母的姓氏都不可考，只知道她父親在湖北做過官，她幼年的家也是一般官家通有的環境。她家有園、西園、西樓、桂堂及依綠亭諸勝。這樣氣派的家園，絕不是普通人家的環境所能具有的。

（五十三）

喬治桑外傳

張大萬

這裏所談的喬治桑，不是熱戀作曲家蕭邦的那個法國女人。他是道地的炎黃子孫，並且是六十開外，離古稀之年，不，離人生開始尚有一段距離的一位中國紳士。即過去租界時代所謂「高等華人」是也。

喬治桑的華名叫「紹孔」，別號「栖齋主人」。據說他的父親是一位酸秀才，替他取名為紹孔，顯然不僅是望子成龍，而是望子成聖了。「栖齋主人」亦是由「夫子何為者、栖栖一代中」兩句唐詩而來。但桑紹孔在二十歲左右便違背「父母在不遠遊」的孔子訓話，到美國留學去了。那時還沒有公費、自費等名堂，他是怎樣出國的？出國學些什麼？無從查考。大家只知道有一位桑博士，喬治桑博士；至於他的本名桑紹孔，反不及他的洋名的響亮。喬治桑小時候在私塾讀過書，因此，會做幾句吟風弄月的舊詩；一手行楷毛筆字，寫得雖不算好，照日本「書道」標準，還算過得去。

喬治桑回國不滿三十歲便當了洋行買辦。也就是戰前最為人艷羡的「康白度」。「康白度」席豐履厚，其階級之特殊，較前清的翰林、進士，有過之無不及。喬治桑是華人，亦洋人，以蝙蝠姿態，遊旋在戰前的畸形的華洋雜處社會中，春風得意，一直是名流之列。張之洞有「中學為體，西學為用」之說，喬治桑加以化用，變成了「西學為體，中學為用」，一切名利，都由此唾手而得。舉個例子，他的英文著作，大半是談中國的事物，雖然是東抄西抹，然而足以唬住洋人。而一般眞正對中國事物有研究的學者，又大都不耐煩去看這種「假洋書」，正可含混過去。他的中文著作，却大半是談外國的事物，一大堆哲學專門名詞，佶屈聱牙，胃口不好的已經吃不消，即使在胡說八道，誰有工夫與他辯難呢？

喬治桑就是靠這點小聰明，一面利用過去洋人在中國的特權發了財，一面剽竊一些中西文化的鱗爪皮毛，從夾縫中、矛盾中搖身一變而為學術界的小木偶。

喬治桑有兩個兒子在美國，都入了美國籍，娶了美國妞兒。他的孫兒孫女當然也儘是「羅拔」「傑美」「瑪麗」「琳達」之類，桑家後裔的榮枯，早與華夏斷絕香火關係。喬治桑的女壻是香港太平紳士，是一半英國人。至於他本人據說有葡萄牙籍，但他對此却諱莫如深，大概喬治桑認為做中國人還有剩餘價值。他因為是名流，遊台灣自然是酬酢無虛夕，非常闊猛。逛香港有半子之靠，穩如泰山。到了澳門也不愁澳門政府將他引渡給共匪。至於美國，是他的兒子、媳婦的祖國，朋友又多，更不愁寂寞。

從前有兩句妙詩「兩間東倒西歪屋，一個南腔北調人」，可以改為「通行各國都無得，一個東西文化人」，便是喬治桑的寫照。

喬治桑從頭到尾全部是洋式配備，只有身體髮膚受之父母，直至現時為止，經過了半世紀以上依舊故我。為什麼不說是美式配備呢？因為美國的衣料不好，喬治桑穿的都是英國套頭料，戴的也是瑞士名錶。為什麼說是直到現時為止呢？因為現代醫藥發達，心臟六腑將來都有掉換，可能甚至可以以猪心換人心。喬治桑誰能保證一定不會換洋人的心或猪心呢。

這且不表，單說有一天，不是一個刮風的日子，不是一個下雨的日子，也不是……反正是有這麼一天。一部份名流聚餐，喬治桑被推為即席發表演說的人。他事先不能不準備一下。他倒像草船借箭的諸葛亮，第一天不慌，第二天不忙，直到當天的上午……。（一）

禪的火花

（十三）導演上帝，或讓上帝自演

在這個混亂的時代中，有一本發人深省極有意義的書，就是高漢（Dom Aelred Graham）的「禪的天主教義」。作者認為禪的精神是讓上帝自演，而不要導演上帝。他極為深刻的說：「悟是自我意識的消失，無我意識的完成。使我們不再導演上帝，而讓上帝自演」。

這種境界不是言語所能形容的，但我們却可以從莊子的一段描寫中看出：「魚相造乎水，人相造乎道。相造乎水者，穿池而養給；相造乎道者，無事而生定。故曰：魚相忘乎江湖，人相忘乎道術」。

譯者按：「相忘乎道術」是莊子思想的最高境界。所謂「相忘」就是大宗師篇裏的「與其譽堯而非桀，不如兩忘而化其道」。也即是慧能所謂的「邪正俱不用，清淨至無餘」；「憎愛不關心，長伸兩脚臥」的意思。所以在這裏我們可以看出道和禪的相通之處，我們也可以說這是禪和道的「相忘乎道術。」

。吳經熊著
。吳　怡譯

創業哲學

楚狂人

四、勤儉和懶惰

創業哲學一文，每期擬投登三四百字，未料自由報主編，將三期拙作一次刊完，且來函索稿，囑每期能撰一千幾百字。奈狂人年逾老耄，隱息林泉垂三十年，硯田重耕，固非難事，惟心有餘力不足。今後每期擬以四百字為限。能照愚意，當將數十年創業經驗絡續寫出，自認可作創業者的座右銘。

今天要談的是「勤儉和懶惰」。據正確統計，事業遭遇困難，率多來自懶惰，尤其聰明的人易犯懶惰的毛病。社會上最懶惰的人要算是叫化子，他們住在庇寒所裏，餓了去討飯吃，飽後則談笑睡。俗話：「三年叫化子，拒做縣太爺」。英哲人佛蘭西斯·培根（Francis Bacon）說：「懶惰生艱難，苟安生苦楚」，足以證狂人言之非虛。

勤是致富的右手，儉是致富的左手。如果這兩隻手都能充份運用發揮，指日致富可以斷言。本港銅鑼灣賣魷魚的能發財，台北西瓜攤中有大王，（如本港中環地區之西門町建有西瓜大廈）仰光划船的船伕一躍進為全緬首富，都是克勤克儉的必然結果。

訂正：一月卅一日拙作一知命第一段尾，可證明讀書高不能抹煞一切。「讀書高」三字被漏掉。又三自私，得意忘形者必敗，漏掉「忘」字。併此訂正。

閒話說書

近年在台灣各電台，多開闢說書節目，有演述歷史者，有演述俠義故事者，有演述通俗文藝小說者，頗受歡迎。且有唱片公司敦聘專家灌錄此類唱片，可見評書在台灣聲勢不弱。

然說評書者，多為業餘客串性質，少有職業藝人從事此業。故台灣說書，祗能用耳朵欣賞，不能求耳目共賞，亦可憾耳。

說書專家而能享名歷史最負重譽者為南明之柳敬亭。「桃花扇」劇中，柳雖然是小人物，但其博得知識界人器重之情形，並非勸善，頗有根據。柳敬亭以利口及善於狀刻，能驚四座，傾動朝野。後世說書業者，恐難有可與之媲美的。

大陸未陷時，天津有常杰淼，以說雍正劍俠圖成名。除了在書場說以外，並且在新天津報上連載發表，新天津報因而暢銷。這是評書小說在報上發表的嚆矢。他的收入，亦因而大增。他死後，徒弟們仍舊吃這部「雍正劍俠圖」。新天津報且刊印單行本，一直續了二三十集。台灣電台說書節目雖多，此書尚未經人推出，意者，或此書在台已失傳矣。

除了常之俠義平話之外，北方還有一位講鬼狐的言情名家陳士和，講聊齋之細膩，聽衆歷久不衰。此種書在台灣雖有人說，却比昔年陳士和之成績，相去不啻千萬里也。（欣父）

悼念故人徐梗生

諸葛文侯

江西徐梗生（亮之）以胃癌逝世香港經年矣。民國卅九年愚與君邂逅海隅，始相識，知其為李宗仁僚屬，當宗仁代理中華民國總統職務時，曾任總統府秘書，而賦性瀟洒，文采贍華，對共黨疾之甚，居常酷嗜杯中物，蓋為典型之中國士大夫階級人物也。愚不能飲，然與君談論詩文頗相得，且共事於香港筆會有年，交誼不俗。輓近數年來，愚常奔波台港間，久不接君謦欬矣，前歲旅游台灣時，忽聞君下世噩耗，悼惜殊深。繼據友好告語，謂君如非大受意外刺激，必不速死，其情可憫，其事可哀，言念故人，慨歎曷勝！

君有一子，誕生數月即失恃，由繼母撫育成人，曾在大陸某中學畢業後，娶妻成家，見生一子纔及歲，梗生甚珍視之，以繼室無所生育也。毛共竊據大陸初期，君嘗遣繼室返國內，擬將兒孫攜來香港，而毛共只許嬰兒出境，君夫人以乳孩不便長途旅行，遂未果，君疑妻有貳意，大憤，夫婦因此勃谿交惡，君矢言與婦仳離，且另置屋一椽為別居計，旋經友好調解，終未決裂，然君乃縱情豪飲，藉酒遣愁。既而其子在大陸以反革命罪名，被判處無期徒刑，媳婦受迫改嫁，孫兒送孤兒院養育，君聞訊更傷感不已。

迨李宗仁投靠毛朝，曾邀約海隅新聞記者赴北平參預招待會，君以縶念兒孫心切，擬藉李宗仁關係，乘機將兒孫帶出，至少亦將幼孫攜至港，俾不絕後，乃丐得香港某報記者名義，馳赴北平活動。詎毛共告以其子罪惡深重，未可宥恕，其孫在孤兒院已八歲，係國家之人，亦不能復為私人所有，但格外通融，允許君入監獄暨孤兒院與兒孫一晤，唯不許交談，見及孫時，且不許聲言係其祖父，僅作無言相對而已。君赴監獄晤兒之際，父子飲泣悲啼，咽淚無聲，其慘痛情狀，為之肝胆俱裂也！李宗仁自顧不遑，更無從為君消解痛苦，君祇得掃興含恨而還。歸是無復人生樂趣，日唯沉湎於酒池之中，而胃癌乃急速惡化，旋入九龍法國醫院剖腹檢查，醫師認為已無可救藥，仍縱令之，語君飲食隨意，無所禁忌，君知命在旦夕間，泰然自若，且以祈速死為佳。

畢命之前，君神智清明，語其夫人云：「我別無親屬在港，又已絕嗣，在港置有別業一所，以及全部庋藏書畫，盡歸君保有。別業業主係本人名字，我死後恐不易變賣，速央人承購，由我簽字完成手續也」。關於身後事，區處周，絲毫不紊，未幾，瞑目逝矣！

諸葛文侯曰：四五年前，君每在報端譔文指摘我政府當局之缺失，愚訝其前後思想不一致，似與君之個性乖違，頗不謂然。詎知君有隱痛在心，欲藉茲手段以延其嗣續。亂世是非殊不易言，觀人論事，可不慎乎！

大漢兒女（一名新莽劫）

國劇脚本

．田士林．

田子文：（內白）馬來！（上唱）跨瘦馬一路行來曉風如箭，日初出，紅似火，絢爛滿天。（白）表兄在家麼？

趙終葵：（出望）原來是子文表弟來了，請進，（同進）請坐。

田子文：（白）告坐。啊，表兄，自從山書館一別，快要一年了！

趙終葵：是啊。表弟埋首研習經史，必然有了許多心得。

田子文：只是稍有長進。表兄這一年來棄文學武，武藝想必大有進境。

趙終葵：每日聞鷄即起，操練槍法與劍法，雖然畧有長進，尚未精熟；書卷倒因此生疏了，說來慚愧！

田子文：兄長一心習武，志在征伐匈奴，報椿萱之仇，可稱忠孝雙全，令人欽佩！

趙終葵：國仇家恨，理當如此。還不知何日纔能學得當年衛青去病誅鋤胡兒於異域，忠孝二字如今言之尚早。

田子文：他日必定步武衛霍之後，立功異域，胡虜喪胆。家仇不但可報，還要萬里封侯，名垂史冊。

趙終葵：唉！親仇未報，時刻縈懷，功名富貴，與我如浮雲，提他做甚！表弟年來身體可好？

田子文：仍然多病。看來，兄長的身體，確是强壯多了。

趙終葵：依兄相勸，當今之世，為國為己，還是兼習文武為是。

田子文：小弟並非無意學武，祇是一見了兵器就有些害怕。

趙終葵：（啞然失笑）賢弟，你是命中註定要做一世書生？

田子文：是啊，十載寒窗，對於經書，百讀不厭。（七）

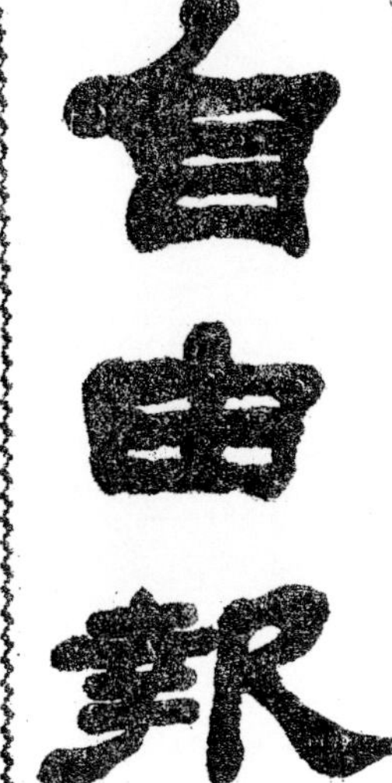

第八三〇期

中華民國僑務委員會頒發台報新字第三二三號登記證
內政部內警台報字第031號
中華郵政台字第一二八二號執照
登記爲第一類新聞紙類
（半週刊每星期三、六出版）
每份港幣壹角·台灣零售價新台幣弍元

社長李運鵬·督印黃行耆

社址：香港九龍登打士街91號十樓六座
91 DUNDAS ST, 9th FLOOR, FLAT 6 KOWLOON H. K.
電話：857253　電報掛號：7191
承印者：大同印務公司
地址：香港北角和富道九六號
台灣總管理處
中華民國（台灣）台北市大同街119號
電話：555395·557474
台灣分社：台北市西寧南路110號二樓
電話：三〇三四六
台灣郵儲金戶九二五二

自由人類聯合起來　爲自由而戰鬥

·褚柏思·

一月二十三日，是中華民國反共義士，從韓國戰場上，投奔自由的紀念。五十七年的一二三自由日，恰爲十四週年，不僅中華民國各界，均於是日集會慶祝；而且擴大了影響，成爲國際性的節日了！自由鐘聲，響遍了全球，舉例說來，約有：

一、歐洲被奴役國家委員會，副主席柔丙吉，致函我全國各界援助鐵幕內人民爭取自由委員會，表示該會將於是日舉辦慶祝自由日紀念活動；並寄來該會一二九次全體大會通過的宣言副本。該宣言說：「亞洲人民慶祝自由日第十四週年紀念，歐洲被奴役國家委員會，再度召開大會，宣佈與亞洲人民團結一致，共同從事對抗共黨侵畧的奮鬥，對於個人自由與民族自決的共同嚮往，把阿爾巴尼亞、保加利亞、捷克斯拉夫、愛沙尼亞、匈牙利、立陶宛、拉脫維亞、波蘭和羅馬尼亞的被奴役人民，與中國、北韓和北越的被壓迫人民，聯合在一起」。

二、美國紐約電：一月二十三日，歐洲被奴役國家大會舉行特別全體會議，以慶祝亞洲人民自由日。保加利亞籍的大會主席狄米特羅夫致詞時，說：「讓我們由一九五四年，一月二十三日的事例，獲得鼓勵，確認自由與正義的和平，終將來臨。」

三、美國華盛頓電：美國衆議員魏高納，於一二三自由日，在衆院發表演說，盛讚十四年前，反抗共產暴政的反共義士，大聲疾呼：他們爲我們開了路，我們應向他們的勇氣致敬，我們必須效法他們的先例；並敦促衆院同仁，與中華民國、大韓民國，及自由世界其他地區，共同慶祝「一二三自由日」。

四、韓國漢城電：一月二十三日，漢城「市民大會堂」，隆重舉行紀念第十四屆「自由日」與譴責北韓暴行的民衆大會，學生與市民，共三千餘人。大會，是由亞洲人民反共聯盟韓國總會主辦的。

此外，菲律賓、越南、泰國，以及香港等地區，一二三自由日，均有盛大集會，尤其是由大陸逃亡到香港的青年學生張定遠等四百八十六人，也在香港發表了嚴正聲明：揭露毛匪抹煞人性人格，摧殘毒害青年，禍國殃民的醜惡面目。呼吁：毛匪各級幹部，從速選擇和投奔自由！

美國衆議員魏高納曾說：一二三自由日的英勇義士們，非常堅決地響應了美國政治家白區克、亨利的名言：「不自由，毋寧死。」誠然，這是深入的觀察；但是，我們認爲：應從這一方面作更深一層的考察，找出國際共黨的思想淵源，以及自由世界奮鬥的理論根據。必如此，自由人士的戰鬥，始有意義；自由青年的犧牲，始有價值！

首先，我們看：馬克斯主義的淵源，是德國的哲學。最早是東普魯士的康德，他對「心」的研究，認爲：知識存在於感覺材料「之前」，而不是「之後」；確信「心」是一項積極活動的實體，并將「心」的活動，分爲三個部門——思想、意志及感覺。人由第一項去求眞的理論，由第二項去求善的理論，再由第三項去求美的理論。康德的思想，引導人們給予意志力之活動，較求知之活動以更高之評價。這一個意志力的觀念，經過費希特叔本華尼采以及黑格爾的發展。毅力、鬥爭、克服，成了人的標準；并使德國人確信：德國人是上帝的選民，他們的國家，亦比任何國家爲優越。後來，在發展德國好戰的精神中，成爲最有力的影響之一，這種好戰的精神，曾兩次蹂躪了世界，它也成爲極權國家基本哲學要素之一。

德國人的馬克斯與恩格斯，便繼承了這一個傳統，不過，他們改採了唯物論而已！接着，更改變觀念戰爭，爲經濟勢力的戰爭；改變帝國主義之間的戰爭，爲階級之間的戰爭，更極權化，亦更世界化了！

據說：康德哲學，是英國洛克、休漠哲學的反動，而美國的開國者，尤其是「獨立宣言」的起草人哲斐孫，就曾浸潤在洛克的哲學及政治理論裏。因此，約翰密勒在他的著作「美國革命的起源」裏，敢於說：「美國革命時代的「政黨路綫」，就是洛克」。而洛克的思想，又是怎樣的呢？主要的一點，便是人性論，他認爲：人，是理性的具有者；所有的人，除生來平等外，也必然是自由的。並認爲：只有由於此種自由平等的人們，情願將其保護生命，自由及產業之權利，轉交社會時，一個眞正的政治體系，才能成立；一個眞正的社會，才可以存在。

這一個觀念的論爭，在西方文化中，其初亦只是以各種方式解釋這一個世界，到馬克斯手裏，始形成共產主義的邪說，而欲「改變世界」！到俄國列寧手上，加上俄國的傳統：民粹主義、虛無主義、沙皇專制，與大斯拉夫主義，更建立了一個對內集權獨裁的專制制度，對外侵畧各國、征服人類的思想系統。這樣一來，這個觀念的災害，更普遍而深刻了！

（下轉第二版）

誰實爲之

孰令致之

昨日與明日

共黨給美國的教訓

這次越共乘農曆新年之際，對美越軍發動廣泛的進攻，連南越首都西貢亦烽火大作，至今未歇。仔細觀察，可說是美國方面的天眞幼稚病所構成的。

華府當局爲着國內的總統選舉關係，急於與越共談和，大有迫不及待之勢。於是乎，越共乃利用美方這種弱點由其外交部長於元月十九日發出聲明，必須美方停止轟炸，纔有和談可言。而美軍對北越的空襲即告休止。西貢方面大家宴樂新春，一心以爲鴻鵠將至，和談在望了，對於共方的動態，漫不經心。

殊不知越共就乘此機會，秘密佈署對各重要地區的軍事進攻計畫，及時觸發，使美越軍苦戰經旬，傷亡不輕，而戰事尚在持續之中，華府還得增派陸軍萬餘人東來應援，嘗到了求和的苦果！

共產黨打打談談的魔術，美國當年在中國大陸上早已領教多了。共黨的和平謊言如其有半句可信，今天的亞洲局勢使不致陷於兵荒馬亂的狀態之中。美國對於亞洲膺受共禍最烈而接受美援的友邦反共意見，如其能夠聽信一二，而不專以自己的尺度衡量別人，亞洲——特別是中國和東南亞地區的共禍，也不會釀成今日這種現象的。

西貢的怪事

越共游擊份子在新年期間，滲入西貢市內數千人，這不稀奇。可怪的事情有兩項：一是共黨的各種輕重武器，都係利用販運菜蔬食品的車輛作掩護，陸續運進西貢市內的；二是進佔美國駐南越大使館的幾十名越共份子，個個持有美方發給的通行證。

在戰爭連縣，四郊多壘的非常時期，而其首都的治安情形乃腐敗若是，表面看來，似乎越南政府的統治效能太不像活，實際這亦是與美國有關。因爲美國人士好言民主——而且專談美式民主。假使越南政府對西貢市民管制稍爲嚴密，對人民販負出入市區，皆須加以檢查，美國朋友見着，一定指爲妨害人民自由的不民主措施，大事非難，而華府的一些國會議員，更將曉曉譁咋，誣爲專制獨裁，要求政府停止對南越的援助，甚至設法推翻南越當局，亦不稀奇，君不見吳廷琰之往事乎？

還有一個左傾的政治和尚釋智光，連年來爲共張目助勢，事證昭彰。這次越共游擊隊在西貢突襲，釋智光主持的寺廟，即是游擊隊的指揮部。似此罪行顯著的政治和尚，早就應該拿辦的，但越南當局依然優容不問，這亦是受着美式民主的影響，養癰貽患，有苦難言也。

韓共與越共相呼應

北韓共黨指美國情報艦「朴布羅」號侵犯了他們的領海，予以攻擊扣留，這分明是跟越共的軍事攻勢相呼應，給美國增加煩惱。華府當局始也大爲震怒，派遣航空母艦和第七艦隊的戰艦，馳往示威，表示不惜戰爭的態勢；繼則低首下心，自認侵犯了北韓自己劃定的十二浬領海區域，甘願道歉賠不是。既然卑以自牧，不辭「紙老虎」之譏，又何必派艦隊去耀武揚威呢？美國所謂「嚇阻政策」，所謂「雙料報復主義」，早已宣告破產，沒人理睬了，自拉自唱，胡爲乎？

南韓表示反對美國對韓共的銀樣蠟鎗頭作風，白宮即以一億美元作息事寧人的代價，自由國家爲着顧全集體利益，自然不爲已甚。可是，共產陣營却抱定擒王的世界革命策畧，而以打倒「美帝」爲首務，他們除却在實力面前低頭外，對金錢與物資，并不在乎，美國可以用財富博得自由國家的妥協遷就，共黨却不希罕這一套。他們是講革命原則和鬥爭手段的，淺薄而近視的應付方法，對共產陣營只有上當吃虧而已。

美國要想領導自由世界以促進人類和平，奠定世界的安全秩序，必須具有相應的文化與道德精神，而其入手方法，即在揚棄優越感，滌除幼稚病，借取共黨許多的事實教訓，好自爲之，庶幾有豸。（何如）

自由談

危言

在台灣的中華民國監察院，本年度經費預算中列有八百萬元的院所建築費，金委員越光表示異議，認爲監察院現有的會議場所已經夠用了，大家不宜樂不思蜀，打算永遠住在台灣，而浪斥公帑以建造新廨，主張加以剔除。嗟乎，此暮鼓晨鐘之音也！吾聞之不禁踴躍三百，欣讚無量。

回憶對日抗戰時期，中央政府播遷重慶八年之中，自國府以及一般文武機關，都是借用當地的公共場所，因陋就簡，勉強應付，朝野上下人士皆相信抗戰必勝，還都有日，用不着大興土木，浪費財力物力，且增長惰性觀念，影響戰鬥精神。現在國難的嚴重程序，遠甚於對日抗戰之際，然一般公職人員的苟安自娛心理，與日俱增，私人唯斤斤於求田問舍，聲言搞好基礎，公家則相率踵事增華，力求美侖美奐，藉壯觀瞻而圖舒適享受，大有終老是鄉之勢，口中却經常高唱「反攻復國」的調兒，這眞是一大諷刺，可悲孰甚哉、

海外的中國人瞧着這種情形，乃懷疑「反攻復國」這句口號，不過是口號而已。因而降低了對祖國政府的信心，認爲在台灣的大陸人士，逸豫自安，已經不想回到老家了！茲聞監察委員反對建造新院址之聲，當然喜出望外，知道尚有憂國憂民的志士仁人，并未隨俗墮落，不啻是一帖興奮劑，快慰之至。

孔子說：「邦有道，危言危行；邦無道，危行言遜。」如今原是邦有道的時候，我要向在台灣的人說幾句不遜的話語：假使咱們沒有反攻復國的雄心和行動，而以爲託庇於美國第七艦隊之下，台灣即永遠安全無虞，不妨以這一寶島爲安身立命之所，過着舒服日子，聊度餘年，亦大佳事，那便是燕處危幕的愚昧思想，將來必有後悔莫及之憂。別的理由不必說，自古以來，那有專靠外力而能夠生存發展的獨立國家呢？何況美國又是不可倚靠的友邦，往事歷歷，足資警惕的，大家愼思明辨，好自爲之吧！

馬子先生

大陸知識青年被迫下放農村 長期過着地獄生活

毛共刊物洩漏一農場青年苦況

安然

（本港訊）毛共爲積極推行移民墾植工作，以期擴大耕地面積，增加農業生產，早於四十六年推行幹部下放之同時，即開始驅迫青年學生輟學支農，嗣後持續不斷推行此項工作。至五十三年將支農支邊工作全面擴大，在各省、市、自治區僞人委移民辦公室及勞動局主持下，將失學失業知識青年下放各地農場及邊疆地區從事支農墾荒等工作。如廣東五十三年十月開始，將潮汕、海南、雷州半島等地區知識青年廿萬人移往西北墾荒；上海，於五十四年四至六月驅迫知識青年六千人前往新疆支農，同時動員十萬青年參加此項工作，另組六百餘人前往雲南、四川與安徽茶葉農場勞動；天津於同年十二月將知識青年一萬餘人移往西北墾荒。目前新疆、西藏、青海、四川、雲南及湖南等地，均有大批上山下鄉知識青年被迫從事勞動生產。該等青年由於政治上遭受嚴重歧視，在工資待遇方面少到不夠繳付伙食費，長期過着地獄生活，無不對毛共憤恨萬分。茲將最近所獲毛共「湘江風雷」十一月十日出版之「革命青年」第二期所載湖南地區銅山嶺農場下放「支農」知識青年生活苦況摘述如次。

政治迫害 勞動改造

（一）政治迫害：湖南銅山嶺農場於五十三年推行社會主義教育運動時，規定所有知識青年必須參加「政治排隊」，並對所謂「階級敵人」實行鬥爭。該場青年王正明，天生一副特別大的眼睛，工作隊員郭某認爲「鬥爭王正明不需要什麼材料，憑他那一雙眼睛，就是一個反黨、反社會主義份子」，而被列爲鬥爭對象之一。

（二）勞動改造：該場「前進隊」社教幹部郭某於同一時期強拉該隊青年朱××、易××與何××開檢討會，爲朱某等所拒，在推拉中朱某無意碰了郭一下，爲該場基幹民兵瞥見，即持槍前來將朱某等三人捆押小房中，翌日以毆打幹部罪名解送僞人民法院審判。結果朱被判徒刑十八天，易、何兩人被判十五天，並强迫每天挑水八小時勞動改造。

（三）世代地主：該場青年由於毛共在安置政策中未規定彼等在所謂社會制度中之階級成份，乃向共幹提出質詢。據該場共幹答復稱：「知識青年大多是地主、狗崽子，你們生下的兒子也是地主，兒子的兒子還是地主……」。

地獄生活 永不翻身

（四）地獄生活：該場知識青年不僅在政治上受到歧視和迫害，在物質生活與工資報酬上更受到非人的待遇。該場年在十九歲至廿一歲之壯年勞動力，一月出勤卅天所得，尚不足繳納本身伙食費，其他更不待言。致所有青年均過着地獄的生活。

（五）借錢渡日：該場青年每月工資收入不足繳交伙食費用，照例是由青年向該場商借或家長支付。由於向家長索取常被認爲是不艱苦節約之奢靡作風，祇得厚着臉皮向場方借支。場長潘某指出僞政權目前仍然一窮二白，要求青年向家裏要。於是請求接濟函件紛飛，使家長憤慨萬分，紛紛向毛共黨省、市、地委提出質詢。潘某又板起臉孔斥責他們說：「誰要你們寫信回去要錢的？造成壞影響，政治責任誰負？你們有困難農場還是想辦法解決嘛」！青年迫於無奈，只好一次又一次向農場遞交借條借款。

黑色細賬 永難清償

（六）黑色細賬：該場共幹對所謂「黑五類」知識青年每人均有一本「細賬」，如王某於×月×日在場部供銷社購買二兩碎麻花；左某於×月×日在場部看電影前購買半斤花生等。當該等青年向場方借款時，共幹即以「既然有錢買零食，還向國家借錢，這不是挖社會主義的牆腳嗎？」嚴詞峻拒，諸多刁難。

不是工傷 不准醫療

（七）債台高築：「前進隊」及「大嶺腳隊」青年下放已有四年，每人均曾向場方借款。其中最高者達僞幣六百元，最低者亦有一百餘元之多。目前該等青年憂心忡忡，惶惶不可終日。某日該隊青年劉某詢問場長：「我們欠場裏那麼多錢，一輩子都還不清了。」潘某回答謂：「有什麼關係，你們還不清，你們的兒子可以還；兒子還不清，還有孫子……」。

（八）不准醫療：該場「前進隊」蘇姓青年不慎自樓上摔下，小腿骨折斷，送往場部求醫診治，共幹以「不是工傷」爲由予以拒絕。蘇某延請場外醫師治療，爲該庸醫將腿骨歪接再度要求場部矯正，始終未獲同意。目前蘇某已成殘廢，終日以淚洗臉。

（九）服毒自殺：該場青年由於工作繁重，生活窮困，向場部借錢又時遭冷眼，兼之共幹不斷施予政治上的歧視和迫害，致使大多數下放知識青年意志日漸消沉，最近且有「前進隊」、「大嶺腳隊」等青年八人先後投水、跳樓、吞食涼薯子與「六六六」毒藥等自殺致死。

越人一片逃亡潮

越共喪失人心的鐵證

·梅心·

西貢航訊

越共常自稱爲越南人民「唯一的合法代表」，並聲言獲得大多數南越人民支持。但是，南越有爲數近二百萬的難民，不惜離鄉背井，逃出越共所控制的地區，單是這一事實，已足以使所謂「唯一的合法代表」和獲得大多數人民支持之說，不攻自破。

這近二百萬難民，是河內所主持的「民族解放戰爭」的悲慘受害者的一部份。他們爲了逃避越共的壓迫、剝削與恐怖行徑，而不惜拋棄家園，顛沛流離的逃到西貢政府軍隊所控制的地區。對大多數越南人來說，離開祖居是萬不得已之舉，他們視自己的家鄉爲聖土，除非到了絕望之境，否則決不輕易離開。同時，他們是在暫時別離的心情與將來可以重返家園的希望之下，無可奈何地離開家鄉。

事實上，現在已經有一部份難民實現了他們的還鄉理想。因爲由於盟軍的軍事攻勢，加上政府的改革計劃的進展，已經使他們的家鄉不會受到越共侵犯，在去年一月至八月還鄉的難民已有四十八萬人。其餘難民中，有一百萬以上在「新生」社會中定居。這些新社會是難民們以政府及外國援助機構所供給的物資建立，他們正在這些新社會中重獲安居樂業。

不過，目前有近七十萬人仍住在三百六十個臨時難民中心，但南越政府正致力於建立更多新生戰畧村，並大力進行改革運動和軍事行動，以使更多地區免受共黨威脅。同時，數以千計的年輕難民已參加南越軍隊，以協助他們的家鄉早日從越共控制中解放出來。

對於南越鄉民何以寧願拋棄他們所極不願離開的家園，從下述八名難民的慘遇可窺一斑：

黎定天——他是一個很有成就的農夫，其所擁有田地，曾一度多到無法完全自耕，而不得不將一部份租與隣居。越共一來，他的田地大部份被沒收了，生活受到威脅，而越共向他徵收的稅項竟達其每年收成的一半。

阮文新——農民，本來擁有足夠維持家庭生活的田地，越共一來，稅項大增，並被強迫參加「革命」工程，以致收入大減，生活大成問題。

陳文泰——他有一間小店子，由於越共徵收重稅，並勒索「保證金」，以「保證」他的店子不會被焚燒，他再也活不下去了。

保田里——他是一個工人，本來可以維持家庭生活，但由於越共時時要他協助破壞橋樑及公路，他的入息減少了，加以繳納稅項，他越來越窮困，終至全家挨餓。

阮黎鑾——他有一個磨坊，由於鄉區米產減少，他的收入也跟着減少，而稅項却增加，同時還要交「保證金」，以「保證」其磨坊不受破壞。

孫定燦——一個職業公務員，越共在他在戰畧村成立「新政府」後，他曾成爲暗殺對象，經過千辛萬苦，才得以逃出魔掌。

保文湖——一個十六歲的少年，越共會以殘忍手段迫他離開家庭而參加一個進行破壞，恐怖行動，搶刼和勒索的武裝組織。

黎文鑾夫人——一個有三名兒女的寡婦，有一天，她發現兒女的學校課本充滿仇恨宣傳，謬誤與對歷史的歪曲，不禁大吃一驚。她知道兒女的老師學識淺薄，只較學生畧勝一籌。她又知道她的兒女在學校所學的語言和算術，成績也不好，而且經常要接受思想訓練。

這八位南越平民（眞名未經使用，以策安全）的遭遇，是越共控制或騷擾區的生活典型。

海外見聞

走馬觀花遊羅馬

·族鳥·

希臘與羅馬之間，相隔一個地中海，都在歐洲境內，所以飛行的時間不長，不到三小時便到了。

大家常說「條條大路通羅馬」，我們只要見識一下羅馬的機場，便可證實此言不差。羅馬機場的範圍之大與班機起落頻繁，都不是我們所能想像，勉強比一比，羅馬機場起落的班機，大概有台北站公路車那麼多，而且是晝夜不停。但是秩序之紊亂，音響之嘈雜，也可算是嘆爲觀止。總之，羅馬機場是我所到過的機場中，無論從頭數或從尾數的第一。

離台後，考委楊師亮功深知羅馬情形複雜，怕我抵羅馬時無人照料，發生意外，因特介紹外交部主計長溫鳳韶轉托駐意大利使館劉立人參事到機場迎接。但那天適逢羅馬公共汽車罷工，市內交通紊亂，劉參事的車根本無法開出市區，所以只好在航空站等我。由機場到航空終站有班車可搭，需時約五十分鐘，郊外走了一半時間，市內行駛另一半時間，不過市內行駛的時間，主要的不是花在走上而是花在等上，走一分鐘停兩分鐘，好不心焦。羅馬交通秩序之壞與喇叭聲之響，恐怕又考了一個第一。後來知道平時並不如此，那天是因爲公共汽車罷工的關係。好不容易到達終點，承劉參事告以已代訂妥旅館並爲安排下午觀光節目，因將行李暫寄存，由劉參事驅車引導前往旅館，但由於交通擁塞，步行只須十分鐘的路程，車開了二十分鐘却僅移動了一米還不到，而參加觀光的時間却快到了，不得以棄車步行，趕往共和廣場來搭遊覽車；時間恰好，再遲就趕不上車，要觀光羅馬就只有下次再來了。

羅馬是歷史上的名城，又是今天國際上負有盛譽的都市，市內到處都有值得遊客駐足欣賞的處所。即使沒有到過羅馬的人，多少也知到羅馬的聖彼得教堂、鬥獸場與噴泉等名勝，這些當然是遊客們觀光的主要目標，在我半天的日程裏，也都一一走馬觀花式地欣賞過，不過印像實在太不深刻，事後追記，印像就更模糊了。下面就介紹這三個地方：以聖彼得教堂而言，實際上不是一個教堂，而是幾十個小教堂聯在一起而成的，由初建到完成，據說歷時數百年，內部的裝飾更是當時無數藝術家心血的結晶，所有的雕塑與壁畫（一種用碎石嵌成的藝術品，稱爲 mosaic）都出自名家之手，不曾親眼見過，絕對難以道出其偉大與精美。其次古羅馬鬥獸場，氣勢之磅礴與建築之宏偉，在在都又顯示古羅馬人能以建立一個空前的大帝國，決非偶然。談到羅馬的噴泉，當然不止一處，但以「羅馬之戀」一片中所介紹 Trevi Fountain 最爲有名，傳說凡投銅錢到噴泉水中的人，將來有再遊羅馬的機會，因此每日投錢的人眞不知多少。以上的介紹，可說極爲簡畧，假如有照片的話或許可能予讀者以比較明確的印像。其實照片上也看不出所以然來，要看只有親自到羅馬去看。羅馬市內遍佈着古代建築的遺跡，廢墟上斷垣殘壁，瓦礫中雜草亂生，見之使人易生滄海桑田之感。

爲自由而戰鬥

（上接第一版）毛匪繼承了這一個衣鉢，更擴大了這影響，它今天不僅是中華民國全國人民的蟊賊；而且是全球自由人類的公敵。毛賊在大陸上，已因「文化大革命」的狂想，以及「紅衞兵」的禍亂，「奪權鬥爭」的殘殺，已陷於最後崩潰的境地了；在世界上，也因「人民戰爭」，戰畧，戰術的輸出，與「游擊戰爭」，而陷於「新八國聯軍」的包圍中，「四面楚歌」的絕境內了！

黑格爾，倡言了歷史哲學；馬克斯，邪說了唯物史觀，都是錯誤的，今天總統蔣公於民生史觀之後，又一次指引了「歷史的前進方向」，證明了「奴役必敗暴政必亡」的眞理。

時至今日，擺在中國人面前的一條路，便是討毛救國運動，和中華文化復興運動，反共的，以及反毛的人士，均應羣集於此一運動之下，爲自由而戰鬥！以至仁伐至不仁，以自由對奴役，焉得不勝利？

至於各國人士，被奴役國家的人民，被壓迫的人民，固然要聯合起來，爲自由而戰鬥！其他民主自由國家的人民，亦應團結起來，爲保衞自由而戰鬥！否則，如讓國際共黨各個擊破，是會同歸於盡的！「亡六國者，六國也」。這是中國的歷史教訓。反過來，擴大自由日這一個運動，建立國際討毛聯合陣綫，必然勝利，亦必然加速這一個光榮的勝利！於是，我們齊聲高呼：全世界自由人類聯合起來，爲自由而戰鬥！

（完）

讀史政略（七）

·仲公·

第五「鑒於后羿，而用德度，遠至邇安。」晉之所以和戎，主要原因，是因為國際上的聯盟，並不穩固，沒有一戰而勝的把握，所以才採取了和平的政策；但是一味求和，沒有武力作後盾，危險很大，晉與山戎雖然和了，卻一直採取備戰行動，最後還是同山戎進行一次決戰，晉人毀車肉搏，山戎始敗。

漢高祖時，匈奴冒頓，數苦北邊，高祖以問劉敬，敬曰：「天下初定，士卒罷於兵，未可以武服也。冒頓殺父代立，妻羣母，以力為威，未可以仁義說也。獨可以計久遠，子孫為臣也，然恐陛下不能為。」高祖懂得久遠之計，決定以長公主妻冒頓，呂后不肯，改以宗室女遣之。至惠帝時冒頓更強，致書漢廷，欲娶高后為妻。后大怒，想與匈奴打仗，樊噲說：「臣願得十萬眾，橫行匈奴中」。中郎將季布說：「噲可斬也。前匈奴圍高帝於平城，漢兵三十二萬，噲為上將軍，不能解圍；今歌吟之聲未絕，傷夷者甫起，而噲欲搖動天下，妄言以十萬眾橫行，是面謾也。」高后只得忍氣吞聲，謙詞以謝，再妻以宗室之女，僥倖免了一場戰爭。司馬光反對漢之和親政策，認為上世帝王統御夷狄的方法是：「服則懷之以德，叛則震之以威，未聞與為婚姻也。」震之以威，懷之以德，漢則尚有困難，似係戰勝以後之事，欲以仁義聖賢之說，面對百萬貪殘之眾，恐怕很難想出更好的懷柔方法來，是以漢對匈奴，始終採用亦戰亦和的政策。惟和有兩種情況，一是戰勝而後言和，通常是在有利的情勢下行之；一是先求和而後備戰，此當國力衰弱迫不得已的情況下為之。

自是以後，各代對於邊疆民族的侵畧，都是走的和戰並行的路子。唐初得天下，國力未固，突厥擁眾十五萬，入雁門寇并州，自介休至晉州，數百里間，胡騎填溢山谷。當此之時，唐室大軍，以秦王世民為首，分路抗戰，雖有一戰而勝的把握，但無徹底殲滅的能力。鄭元璹欲和，是從國勢而言，封德彝欲戰，是從兵機而言。高祖毅然採用速戰速和的政策，則係擷取了和戰之利而無其害。其實封德彝的見解，漢代的 錯與文帝討論備胡的策畧中，早就說過：「欲立威者，始於折膠，來而不能困，使得氣去，後來易服也。」此亦先戰後和之意。

王船山認為：「戰與和兩用則成，偏用則敗，此中國制夷之上算也」。又說：「以戰先之，所以和也；以和縻之，所以戰也。借乎唐之能用戰以和，而不能用和以戰。」事實上唐勝突厥，立即言和，既和之後，又立即備戰，終敗突厥，在「用和以戰」方面，並沒有疏忽。雖然，如無唐太宗之雄畧，唐高祖終不能達成「用和以戰」的目的也。

閒話三國

一代風氣論曹操（上）

思祖

一提起曹操，就與人一種生龍活虎的印像，儘管人人都說他是一代奸雄，但指責之餘，又覺的阿瞞不無可人之處。比起另一個漢朝的奸臣王莽，專以鄉愿欺詐之術行奸，猥瑣虛偽，自欺欺人，終覺曹操畧勝一籌。

曹操才畧智術，為漢末傑出人物之一。他的識見之高，在靈帝末年何進袁紹輩要召董卓殺宦官時已看得出來。當時朝廷洶洶，庸人自擾。只有他笑說：「既治其罪，當誅元惡，一獄吏足矣。何必紛紛召外將乎？」又袁紹據有河北，志滿意足，袁謂操曰：「畧事不輯，則方面何所正據？……吾南據河，北阻燕代，兼戎狄之眾，南向以爭天下，庶可以濟乎？」操曰：「吾任天下之智力，以道御之，無所不可。」又董卓作亂，曹操首倡義師，聯兵聲討。舉此三事，已可見其在當時的官僚之中，確是識見高明的一位。所以他收拾北方的羣雄直如摧枯拉朽。但等到他進兵荊吳，遇上諸葛亮、魯肅、周瑜諸人輔佐孫劉，據險抵抗，他也就沒有辦法了。三國時代，在東漢優美的士風培養之下，民間的人才太多了。曹操、劉備、孫權三人有一共同的長處就是能愛人才，用人才。一掃漢和帝以來朝廷用人只講親信關係的傳統。曹操於每一次戰爭勝利之後，必當眾宣布此誰之計也，或誰之功也，自己並不恃才專美。這是他得人心處。但這些長處劉備孫權也都具有。然孫權對臣下坦誠，劉備對臣下仁厚，這兩點則為曹操所無。於是天下人才就不能盡歸於曹氏之門了。

古人謂：「曹操能為善，不能不為惡；能為善故能抵定中原；不能不為惡，故終不能統一天下。」自曹操以後，士大夫的風氣丕變，形成魏晉六朝的放浪頹廢之風，其始作俑者，不能不歸咎於曹操。蓋曹操為人有才無德，又因其出身宦寺，志在篡奪，為掩飾其本身缺點，故意表示重才輕德的主張，上好下甚，遂形成一代風氣。

三國志武帝紀載曹操的父親曹嵩，本是中常侍宦官曹騰的養子，曹嵩的本姓，三國志作者陳壽也不清楚，所以只用一句含蓄的史筆，說是「莫能審其出本末。」裴松之注引曹瞞傳及郭頒世語謂嵩為夏侯氏之子，抱養於曹騰。曹操這種家世是很不雅的，雖然他的父親官至太尉，但袁紹仍罵他是「乞匄携養」，「贅閹遺醜」。

他的勇猛精悍，敢作敢為，也許正由於他的出身，與一般仕宦不同，無所顧忌。曹操自幼即顯出放蕩不羈的性格，三國志說他：「少機警有權數，而任俠放蕩，不治行業，故世人未之奇也。」裴注引曹瞞傳中有下列一段記載：

「太祖少好飛鷹走狗，游蕩無度，其叔父數言之於嵩，太祖患之。後逢叔父於路，乃陽面喎口，叔父怪問其故，太祖曰：「卒中惡風」。叔父以告嵩。嵩驚愕呼太祖，太祖口貌如故。嵩問：「叔父言汝中風已差乎」？太祖曰：「初不中風，但失愛於叔父，故見罔耳！」嵩乃疑焉。自後叔父有所告，嵩終不復信。太祖於是益得肆意矣。」

這一段文字，將曹操少年時性行描繪得很生動。他曾被喬玄稱為命世之才，說天下將亂，非他不能收拾。許子將也稱他為：「治世之能臣，亂世之奸雄。」東漢末世的局面，靡爛已極，也許非曹操那種嚴峻刻忍，機警善變的人不能收拾。但他有才無德，收拾亂世有餘，開創一長治久安的新時代則不足。他才識高人一等，而品行則不及中人；做人的大節既虧，（如殺伏皇后，孔融，荀彧，及縱兵殺徐州百姓等）小節亦多不檢，一生行逕，只給後世留下壞影響，這是值得遺憾的！蓋兩漢用人，均重品行，州郡選士有「孝廉」及「賢良方正」等品目。東漢尤重氣節，選舉，召辟均以品德爲先。到了東漢末年，清流之士，更以高節奇行相標榜，嫉惡如仇，致激成黨錮之禍，不為無過。曹操可能想矯正這種風氣，但他未能針對清流偏激的缺點，倡導一種平實正大的新風氣，卻由過於輕視做人的品德，矯枉過正，遂形成一種頹風。他在世時，尚能以刑法維繫人心，及其死後，曹丕已極頹廢，降及正始年間，風氣更壞。至晉初上下競逐物慾，遂形成人心大開闔的現象，而引起八王之亂及五胡之禍。

現在我們看曹操如何宣揚他的「重才輕德」政策，他於建安十五年下令曰：「若必廉士而後可用，則齊桓其何以霸？今天下無被褐懷玉而釣於渭濱者乎？又得無盜嫂受金而未遇無知者乎？二三子其佐我明揚仄陋，惟才是舉，吾得而用之。」又於十九年十二月令曰：「夫有行之士，未必能進取，進取之士，未必能有行也。陳平豈篤行，蘇秦豈守信邪？而陳平定漢，蘇秦定弱燕。由此言之，士之有偏短，庸可廢乎？」

歷史人物漫談

辯才無礙的陸賈

清園

漢初有口辯之才的人，當以陸賈為第一。陸賈是楚國人，以客卿地位，隨從漢高祖平定天下。時人都稱讚他能說會道，因此常被派遣到各諸侯處去辦事。

當時趙佗控制了南越，（即現今的廣東）漢高祖因而封他為南越王，並派陸賈前往頒賜印信。陸賈到了南越首府，（即今廣州）趙佗僅僅結了一個髮髻，而不戴帽，並且盤腳而坐，召見陸賈，陸賈因而對趙佗說：「足下也是中國人，親戚兄弟，以及祖宗墳墓，都在真定（即今河北正定）。今足下反天性，棄冠帶不用，想以小小的南越，與天子對抗，那麼，你的禍患就要臨頭了。秦朝政治紊亂，諸侯豪傑並起，唯有漢王先進咸陽。項羽背約，……漢王就率諸侯兵討滅他。五年之間，四海平定，這不是人力可以做到，而是天意要立他做天子。朝廷聽說你在南越，不幫助討伐叛逆，所以一班將相，都主張移兵來攻打你。天子因愛惜百姓，故不主張用兵，特派我來頒給君王印信，君王應該出郊外迎接，北面稱臣。今乃想以新平定的南越，自以為強大，漢朝若知道，則掘燒你先人的墳墓，夷滅你們的宗族。再派一偏將，帶十將大軍來攻打你，我相信殺君王以降漢，易於反掌。」夜郎自大的趙佗，聽了這番話，立刻站起來，向陸賈謝罪，並曰：「我居住在蠻夷中太久，很失禮儀。」陸賈在南越住了幾個月，終於說服了趙佗，使他欣然接受漢命，稱臣奉約。

陸賈歸朝報告高祖，高祖大悅，委派他做太中大夫。（掌管論議的官，祿賜待遇，次於公，同於卿）。

陸賈見漢高祖，時時稱說詩書，高祖罵他說：「我騎在馬上而取得天下，要詩書何用？」陸賈說：「騎在馬上可以取得天下，難道騎在馬上也可以治天下嗎？須知湯武（商湯王、周武王）逆取而以順守之，文武並用，這是長久之道。……若是秦始皇統一天下之後，即行仁義，取法先聖，陸下怎能取得天下？」高祖聽了這些話，雖然不高興，還是對陸賈說：「你試將我所以得到天下，秦朝所以失掉天下，以及古代國家存亡盛衰的道理寫出來。」陸生乃寫了十二篇，每奏呈一篇，高祖都稱讚他寫得好，並賜題他的書名曰「新語」。

孝惠帝時，陸賈因呂太后專權，想封她娘家諸子侄為王，他自以為反對也無用，祇好藉病辭官閒居。他把出使南越的行裝賣了，得價一千金，（漢制，一金值千貫錢。）分給五個兒子，每人二百金，令他們自謀生活。陸賈腰間所佩的寶劍值百金，他常隨帶歌舞及樂隊十人，並和五個兒子相約說：「我輪流到你們家裏居住，你們供給我的人馬酒食，十日換一家。如果我死在誰家，誰便得到我的寶劍，車騎，侍從者。……」這是處分家產的一個特別方法。

當時諸呂擅作威福，右丞相陳平非常憂悶，因而想念陸賈，特請他來見面，並問陸賈說：「諸呂為患，劉氏孤危，怎麼辦？」陸賈答說：「天下安注意相，天下危注意將。若何不與太尉絳侯交好，（時周勃為太尉，掌兵權）互相團結？」陳平聽他的話，和太尉周勃常往來；並用他的計策平定了諸呂，迎立孝文帝，陸賈頗有功勞。孝文帝即位後，因陳平的推薦，復拜賈為太中大夫，再度出使南越，使南越王趙佗一切比照諸侯，都如朝廷的旨意。

陸賈後得壽終，他究竟多少歲死？死於何年？史記和前漢書的陸賈傳，都沒有載明，筆者一時也無從查考。（完）

中國女性文藝春秋（續）

周遊

「斷腸詞」作家朱淑貞的戀愛生活

她從小就聰明美麗，喜歡讀書，在她處女生活時代，可說是溫馨愉快的。她終日盤桓在家裏，花卉的代謝，蝶鳥的飛舞，星月的輝映，都充實了她的詩情，使她詩才大進。不過，我們這位女作家，好像從有生以來，就被悲哀和不幸纏困似的，在如此快樂的黃金時代裏，竟無處不顯示她悲哀的氣質。請看她詩的心聲吧：「舉杯和酒送春歸，蝶趁落花盤地舞」，句子雖是新鮮生動，但讀起來，總會令人觸起一種辛酸的況味。讓我們再談「書窗即事」吧：

一陣挫花雨，高低飛落紅。榆錢空萬疊，買不住春風！

這首詩彷彿是她一生命運的寫照。道德律的重壓，雖金錢亦無似為力。當她未嫁之前，似乎已經感覺到。所以在她日後不幸的環境中，她更只有將悲情苦緒付之低吟哀唱了！她好像天生就這種認識環境和痛苦的能力，預備做她應用時的使用。

她的「黃金時代」，在她出嫁的一天結束了。在她那時代，也難逃「父母之命」的婚姻的不自由的命運。一個普通的女子，並不會感覺到「父母之命」為不滿足；但是我們這位感覺銳敏，而且又曾唱出她「始知伶俐不如痴」詩句的女作家——朱淑貞小姐，當然要表示出她的怨尤了。且欣賞她一首暴怨婚姻的作品吧！

（五十四）

藝林人物介紹

漢末女音樂家—蔡琰

○光合○

我們讚美某人的詩才很高，時常用「咏絮之才」來形容，那便是借用蔡琰的典故。蔡琰字文姬，是漢末學者蔡邕的女兒。她的天才很高，非常聰明，因爲她父親蔡邕是當時的大學者，也是一位通曉音律的大音樂家，所以文姬接受了這良好的家學淵源，法乳傳承，結果她在文學與音樂方面的成就，都非常的高，她的大名，到後世幾乎和她父親差不多相齊了。

蔡文姬小的時候，有一天下大雪，她父親命令文姬和她哥哥二人，用詩句來描寫雪景，她哥哥說：「撒鹽空中差可擬」。文姬便道：「未若柳絮因風起」。這當然會獲得父親的讚美，可見文姬天分之高。天地造物，時常是令人不可思議的，越是才高八斗的人，越是往往遭際坎坷危難重重。文姬長大已後，便嫁給一個姓衛的，名叫衛仲道。正在青年夫婦相親相愛的時候，很不幸她丈夫死去，文姬寡居母家又被胡人把她擄到蒙古去了。文姬在威力壓迫之下，只好與胡人共生活，悠悠歲月，輾轉之間就是二十年的時間，她在蒙古生了兩個兒子。後來曹操覺得像文姬這樣名門之後當代的大才女，老死在匈奴實在可惜，便用很多的金銀財寶，才把文姬由匈奴贖回漢國。當她起程囘國，與她兩個匈奴兒子分別時，母子之情，當然是說不出的難過，她當時作了一首詩描寫和兒子分離之苦云：「不謂殘生兮，卻得旋歸。撫抱胡兒兮，泣下霑衣。漢使迎我兮，四牡騑騑。胡兒號哭兮，誰得知。與我生死兮，逢此時。愁爲子兮，日無光輝。焉得羽翼兮，將汝歸。一步一遠兮，足難移。魂消影絕兮，恩愛遺。」這首詩哀怨到了極點，現在我們讀起來還要替文姬掬一把同情之淚。

文姬回國以後，便和一位叫董祀的結了婚。董祀作過「屯田都尉」的官。在這一段時間裏，蔡文姬曾經把她父親蔡邕生前著作，整理寫出來呈獻給曹操。她回憶在匈奴的堅苦生活，傷心自己的遭遇，作了一操琴曲，就是鼎鼎大名的「胡笳十八拍」。這個曲子共計有十八段，是古曲五大操中之一。音調幽怨淒楚，很不容易演奏。唐朝有一個董庭蘭先生，善彈此操，詩人李頎聽了以後，曾作了一首七言古體詩來形容董大（即董庭蘭）琴技之高，和其曲中音調之感人。其中描寫出神之句如：「董夫子，通神明，深松竊聽來妖精，……空山百鳥散還合，萬里浮雲陰且晴，嘶酸雛雁失羣夜，斷絕胡兒戀母聲。川爲靜其波，鳥亦罷其鳴。烏珠部落家鄉遠，邏娑沙塵哀怨生。幽音變調忽飄灑，長風吹林雨墮瓦。迸泉颯颯飛木末，野鹿呦呦走堂下」。從李頎這首詩，可以想到胡笳十八拍聲調之一斑。

蔡文姬實是時運不齊，命途多舛，忽然她丈夫董祀犯了應該處死刑的大罪，嚇得文姬趕緊去向曹操求情，幸而曹操看在她的面上，免了董祀的死罪，保持了她老年的歸宿。她一生可說大半的時間都是生活淒涼苦難之中，可說她的詩和音樂，都是在苦難的遭遇中寫出來的。

禪的火花

（十四）鈴木大拙的禪味

吳經熊著　吳怡譯

那是在一九五九年的夏天，夏威夷大學舉辦第三屆東西哲學會議，主講人之一，是八十九高齡的鈴木大拙。一天晚上他向我們報告日本的人生哲學，說：「日本是生於儒，死於佛」。這樣的說法使我深爲感動。當然我了解他所指的，因爲這在中國本是如此。不過，我以爲這有點誇大，必須稍加修正。因此當他唸畢報告後，我便要求主席讓我問鈴木大拙博士一個問題。得到了允許後，我說：「我聽到鈴木大拙博士說日本是生於儒，死於佛。深爲感動。但近年來，我很榮幸的讀到鈴木博士「生於禪」一文，難道禪不是佛家嗎？或者日本只有鈴木博士一人是生於禪的嗎？假如還有其他的日本人是生於禪的，那麼所謂生於儒，死於佛的說法便要修正了」。主席很小心的把我的問題轉告鈴木博士（因爲他的聽覺有點不便），整個討論會場都好奇的聽取回答。但鈴木博士聽到主席的話後，便以大禪師的口吻，不假思索說：「生就是死」。這回答使得整個會場騷動。每個人都在笑着我的反應，而我卻大悟了。他並沒有回答這個問題，卻把我帶入了一個更高的境界，這境界是超乎邏輯和理智，超越了生和死。我眞想給鈴木博士一掌，以表示和他共鳴。但我沒有這樣做，因爲我畢竟是「生於儒」的。

喬治桑外傳

張大萬

喬治桑昨晚本來預備早一點睡覺的，不想九點半鐘還接到牛董事長電話，請兩位日本朋友上酒家，一定要請他去作陪。喬治桑原想推託不去，一來那兩位日本朋友是日本最大兩家廠商的常務取締役，聽說有意和牛董事長在台合辦工廠，假使成功，他和牛的交情很可能之軋一腳，當「一名董監事或顧問」之類。二來「白美人大酒家」的小雲雀，會說英語，和他很聊得來，他覺得小雲雀很像已故好萊塢女星「晤女郎」安秀麗丹，而且嗲（口旁）勁也還不錯。當年他訪問好萊塢，與安秀麗丹談過話，合拍過照片，因此留有很深的印象。現在遇見小雲雀，異樣的心情帶有特別的偏愛。於是他欣然赴牛董事長之約。

牛董事長自帶兩瓶白蘭地，三位客人連他正好開懷痛飲。小雲雀絲毫不嫌喬治桑的年紀大，投懷送抱如小鳥依人，喬治桑大樂，在午夜興闌話別時，塞了十元美鈔在小雲雀手裏，算是陪酒的額外賞賜。喬治桑認爲在台北玩，實在比美國便宜，這也是他一年之中要在台北住上幾個月的理由之一。

喬治桑一個人住在台北，他的原配夫人早已去世，填房的太太長期住美國。他在台北買了一所頗爲精緻的公寓房子，雇了一位李小姐替他管家。他每月給李小姐一萬元台幣作爲一切家裏開支費用，剩多剩少都歸李小姐。如果他在國外，一萬元也照給。好在喬治桑的應酬多，除了早餐，根本不在家吃飯，李小姐的管家工作是很輕鬆的。

由於遲睡之故，第二天早上十點半鐘，喬治桑才起牀，盥漱畢，他穿了一件睡袍坐在餐桌旁。桌上照例有一杯鮮橘汁，兩片烤麵包，一碟火腿蛋，一小壺咖啡，另外便是幾份國內外英文報紙。

他因昨晚喝酒過量，頭腦還顯得沉甸甸地，什麼東西也不想吃，只端起鮮橘汁一飲而盡。

「雅麗絲，請你再替我做一杯橘汁好嗎？」

「是的，叟。」

他用英文吩咐管家李小姐。「雅麗絲」是李小姐的英文名字。李小姐回答他的「叟」，是英文的男性尊稱。

「再請把我書房裏，「孔飛協司」的書找給我。」

洋人稱孔子，發音爲「孔飛協司」。幸而李小姐侍候這位半洋人已久，不會聽不懂。

事實上這本「孔飛協司」的書，也和洋裝書一樣，並不像老式的線裝本，那是「中庸」「論語」「孟子」「大學」的合訂本，有白話註釋，大概爲目前一般大學生參考之用。大學生讀文言文的程度，比以前私塾剛啓蒙的學生高不了多少，這當然與多年來提倡「國語」不無關係。

喬治桑一反往日的習慣，丟開英文報不看，仔細翻閱文白對照的四書，眞不愧爲「紹孔」了。他想：「蔣總統提倡中華文化復興運動，是目前台灣最大的政治風色，我今晚在聚餐會上，必須大談「中華文化」，才能語驚四座。」（二）

口腹之孽

夜心

秋雨庵隨筆：「人餽得心大師雞子若千枚，師大吞啣而作歌曰：「混沌乾坤一殼包，也無皮骨也無毛；老僧帶爾西方去，免在人間受一刀」。師語是大慈悲，大解脫。昔張獻忠攻渝，見破山和尚，強之食肉，破山云：「公不屠城，我便開戒。」獻忠允之。破山乃食肉說偈曰：「酒肉穿腸過，佛在當中坐。」破山語是大功德，大作用。人生飲食，自有其隨遇而安之道，不必因口腹之慾，而傷天害理，殘殺生物。故得其當者，雖和尚亦大可喫葷，失其當者，即常人亦不應破戒。北平什剎海，市中之風景處也，垂柳夾道，菱荷滿池，夏秋炎熱之際，城北士女多來此納涼。其後有小樓一角，花木掩映，景緻甚佳，惟園門緊閉，似已空無人居，有欲稅居是間者，倩附近酒樓中人爲介，至是始知爲平人所謂之凶宅，凡住其中者，無不發現恐怖而去。相傳此屋先時爲一旗婦所有，其夫本佛教徒，平時嚴誡家人殺牲。夫死後，婦怨天尤人，大開殺戒，每餐所備，非目睹生殺者不食，尤嗜食鷄舌及鷄爪，因物少而微，故每殺不只一鷄，而婦所食者有限，餘悉以賜人，所費不貲，而所殺尤不計其數也。婦於小園中殺鷄時，日嘗畜鷄逾百數，令小婢專司其事，婢與鷄漸習，出入之際，羣鷄必隨其後。中有善蛋之雌鷄一，與婢尤爲親暱，婢視之若友，輒相戲以爲樂。會此鷄產蛋突大減，婦疑婢偷食，將撻之，婢懼，陰以他鷄所產者入其數，婦又責其隱匿，痛毆數四，婢身無完膚，潛出抱鷄而泣。適爲婦窺見，擬殺鷄，鷄忽逃去，遍覓不見，婦益怒，令婢往尋，無鷄不得獨歸。婢負創出，晝夜環海呼喚，終無端倪，憤極投海死。

先是婦有疾，恍惚中見羣鷄飛入，爭啄其體，奇痛難禁，呼婢逐之始瘥。詎婢自溺後，鷄來啄婦者頻且衆，有時靚婢揮鷄遍啄之，婦周身鱗傷，幾與婢同。而什剎海附近之人，每夕皆聞小婢之喚鷄聲，淒厲之極，令人不寒而慄。厥後擾擾日劇，迄無安寧，婦不勝其苦，卒自殺。婦家於是遷移，以房出稅，惟來者每見怪異，不久即他徙，自後遂無租者。所謂口腹之孽，可不懼哉。

清嘯書談會

胡適之不敢作總統

諸葛文侯

民國卅六年全國各黨派政治協商會議，通過現行憲法草案後，政府積極籌備召集第一屆國民大會，但毛共悍然釀亂，不遵守多數決議，拒派代表參加國大會議。青年、民社兩黨乃各行其是，不與共黨同流合污，「民主同盟」之梁漱溟等，亦贊成早日實施憲政，會與青年、民社兩黨首腦人士聯名簽署文件，同意召開國民代表大會，公推梁漱溟赴毛共駐京代表周恩來處洽商。詎梁氏被周酋當面痛哭指責，說是「梁先生亦忍心來壓我們啊！」竟將文件毀棄，最後「民盟」即與毛共採取一致行動，杯葛國大會議。

政府最高當局料定共黨必繼續叛亂，戰事勢將擴大，而國民大會的主要任務，就是依法選舉總統，於情於理於勢，總統一席自非蔣公莫屬。然蔣公爲表示讓賢，希望消弭戰禍起見，再三宣稱行憲的首任總統，應以無黨無派而又在國際間著有聲譽的人士爲最妥當。當時一般人對蔣公所提示的總統人選對象，呼之欲出，皆認爲除了胡適沒有第二個。事實上，蔣公確有這種安排，曾派遣王雪艇（世杰）向胡氏徵詢意見，但胡氏考慮一夜之後，終不敢担任這項行政高位，特致函王氏遜謝之，原函如次：

雪艇兄：手示敬悉，至感至感。昨夜在牀上反復不能成寐，不能不說是受兄之累！

昨所談事，我深感介公之誠意，當然不敢不細細考慮。但考慮的結果是：我不能担負此使命。

第一、我受命辦一學校，不滿一年半，未有成績，就半途改轍，實在有點對不住自己，對不住國家。在道義上，此舉實有不良影響。

第二、我今年五十七了，餘生有限，此時改業，便係永遠拋棄三十多年的學術工作了。我曾細想，我的永遠改業，不能不說是國家社會的一大損失，故有所不能，亦有所不敢。

第三、我自從一九四二年九月以來，決心埋頭治學，日夜不懈，總想恢復我中斷了五年的做學問的能力。此時完全拋下，而另擔負我整整五年中沒有留意的政治外交事業，是用其所短，而棄其所長，爲己爲國，都無好處。

因此三項主要原因，務祈老兄出大力向介公陳說，請他不要期望我作此事。匆匆迫切陳辭，半點鐘後就上車站了，千祈恕我語不達意！敬祝

雙安

弟適敬上卅六年、十二、十七。

看了胡氏這封信，知道他對於作總統候選人這椿事，的確經過了仔細的思考，然後決定謝卻的，可謂有自知之明。假使他慨然應允，八成兒是要當選的，由於共黨蓄謀叛亂，亦不會化戾氣爲祥和，殆可斷言。但不致引起李宗仁後來譸張爲幻，自亂陣營的內鬨情況，國運或許另是一番景象也。（完）

自由報

第八三一期

中華民國僑務委員會登記證台僑字第三二三號
內政部登記證內版台報字第031號
中華郵政台字第一二八二號執照登記爲第一類新聞紙類
（半週刊每星期三、六出版）
每份港幣壹角·台灣零售價新台幣式元

社長李運鵬·督印黃行膏

社址：香港九龍登打士街91號十樓六座
91 DUNDAS ST, 9th FLOOR, FLAT 6 KOWLOON H. K.
電話：857253　電報掛號：7191
承印者：大同印務公司
地址：香港北角和富道九六號
台灣總管理處
中華民國（台灣）台北市大同街119號
電話：555395．557474
台灣分社：台北市西寧南路110號二樓
電話：三〇三四六
台灣劃撥儲金戶二五二九

美國情報船被刦事件

·雲家·

美情報船「普布魯」號於一月廿三日在元山港外被北韓刦持的眞相，正逐漸大白於世。一九四一年十二月七日日軍偷襲珍珠港的慘痛教訓，廿七年後美國朋友又一次重蹈覆轍。若干事實顯示：美軍儘管事先得到了警告，但「普布魯」號仍然在措手不及的情況下遭到了襲擊。美軍作戰綱要附錄之「珍珠港遭受偷襲之教訓」所列舉之廿五條守則——特別是第六條「責任警覺性之維持，必須藉重申命令以確保之」；第七條「凡必須採取當機立斷之行動時，不容有絲毫之懈怠與遲疑」；當事者似乎皆加忽畧。這實在是値得美軍引爲殷鑑的大憾事。

我們只知道「普布魯」號是美軍最具規模的三艘偵探船之一，也只知道它是在公海上被北韓刦持。事實上，其主要任務如何？其被刦持之眞象又如何？讀者的印象可能仍十分模糊。爰特參諸若干資料撰成此篇，用供參考。

早在一九四八年起，美國即以電子裝置替代情報員搜集有關敵國、與國、或中立國的情報資料。近年一窩風的拍製〇〇七情報員等類似的影片，叙述情報員單槍匹馬，大顯身手，而完成其艱鉅偉大的任務，曾風靡了多少觀衆。其實這只是陳舊而落後的搜集情報方法。列強如美國者，事實上早已擁有在陸上、海上、空中、甚至太空中活動的間諜新軍。如「U——二型」飛機，就可從佛羅里達州及越南的基地起飛活動，從事間諜偵察任務。又如能圍繞地球而運轉空中衛星「薩斯摩」等，亦加入了間諜工作的。它們詳細拍攝城市、運輸系統、飛彈場、部隊集結及其他重要軍事設施的照片，獲得了難以相信的極有價値的情報。像毛共核子爆炸時間之能準確預測，即係顯著的例子。

「普布魯」號，僅其擁有的電子機器設備就高達一億美元之鉅的情報船，只是上述間諜新軍的一部份。人們以爲美國被敵人刦去一艘，就只剩下兩艘情報船了，而替他們躭心，那是用不着的。美國海軍爲了擴大此一利器的應用，前此已將五艘較大的商船改裝成情報船了；去年六月中東戰爭期間，遭到以色列戰鬥機掃射的「自由」號，就是「普布魯」號的同伴。

蒐集情報，就海軍而言，聽與看是同等的重要。諦聽所收集的量若夠多，經過適當的分析，加以適切的鑑定，則這些無綫電或雷達的訊號，就可以告訴我們許多的事物。這方法叫竊聽。陸軍管無綫電。海軍亦不例外。美國海軍基於携帶着龐大的電子設備及技術人員的船隻，可以自由到處移動，並在重要地區附近作長久的停留；以及可以利用公海的安全保障（即使是十二海里的領海限度，仍足以完成其使命）……等觀點，認爲其竊聽效果較諸陸上要大得多。所以，在「國防情報局」指揮之下，乃積極發展，並有效運用此一新的情報蒐集機關。

「普布魯」號的主要任務，是竊聽北韓共黨的戰術通信，特別是在地平綫外無法察出的直綫無綫電波。船上有一巨大的前桅，上面裝有方向尋覓器、三角測位器等設備，可用以測出北韓電台的準確位置。船之中央，則裝有引進無綫電訊號的天綫。另於甲板之下，裝有無綫電接收機、錄音機、計算機、電傳打字機；技術人員皆在有空氣調節設備之下工作。工作人員一旦截獲到應加緊急注意的訊號，即以計算機破解其密碼，然後傳遞到最高情報機構，以供上級分析，運用。

「普布魯」號停在元山港外的活動大概就是這樣，其必然爲北韓所注意，從而設法予以刦持的，所以整個事件并不算是出於偶然。

「普布魯」號係於一月九日抵達出事區，它是去接替另一艘情報船「班納」號担負的秘密偵查站的工作，並於次日向美國國防情報局報告，接替完畢。

行不得也
投諸火海

情報船在北韓偵察站工作，過去曾有過意外事件發生。因此在一九六七年的整個六月間，派有兩艘驅逐艦於該站附近護航。去年七月間，因另有任務，把護航的驅逐艦調離，因而自那時起，「班納」號與後去的「普布魯」號，是在沒有武裝船艦護航的情形下，從事對敵情報作業。其「大意失荆州」處，可以想見。

這還不算。一月九日，北韓在廣播中明白指控美國情報船隻在北韓海外作業，並明白地提到稍後由「普布魯」接班的偵察站。結論中警告美國：共產黨準備對此要採取行動。

美國國防情報局收到了上述警告，並且還公佈於一月十日美國政府國外廣播新聞處所發表的國外廣播文件裏。遺憾的是，此外竟未採取什麼措施！

一月廿三日，「普布魯」號被圍之時，它距北韓海岸凡十六浬。——即使照北韓的規定——說公海是距離海岸十二浬算起，也是在公海上的。然而這有何用？僅只「普布魯」號單槍匹馬、孤船一艘，你說是公海上，他卻說是侵犯了領海。連個證人也找不到，別說是護衛抵抗了。雖然船上配備了短射程自衛武器，可是那管什麼用？更奇怪的，在南韓的美國軍機也全部冬眠了，近在咫尺，海軍或來不及援助，那能連噴射機亦來不及呢？如果當時有相應數量的軍機馳援，我想北韓的圍刦，就沒有那麼便當了。可憐「普布魯」號八十三名的員兵，就在「無告」的情況下被綁走了，可憐亦復可笑！

「乖乖的跟着你走吧！「普布魯」號就是這樣子被北韓刦持而去。船上的官兵凡八十三人，連帶着一億美元的電子設備，就如此任令北韓去處置了。

何以北韓明白提出了警告，而美國海軍並未採取行動以保護「普布魯」號？據一個非官方的解釋：說是國防部覺得重武裝船隻的護航會引起敵人對於情報船的注意，妨礙其任務的遂行，且會被北韓認爲是一種有意的挑釁。

妙哉！事件發生後，美海軍却派了兩艘航空母艦及其護航的驅逐艦、與導向飛彈船，前往韓國水域。難道這是去拜訪，而不是挑釁乎？

而今美國國會議員說是要追究責任誰屬啦！以今鑑昔，美國的寧人息事、怕戰、怕共黨的心理與戰署如不改，追究責任的結果，可能仍像偷襲珍珠港的檢討守則一樣，形同具文，他日仍將要吃相同的苦果呢。（完）

昨日與明日

縣官炒地皮

台北縣長蘇清波，變賣公地，引用省有房地產出售辦法第六條之規定施行。事前既未報請審計機關核准，臨時又未經公開招標比價，祗是買方爲台北運倉公司董事長王燮女士，而王係蘇氏妻。縣長作賣主，夫人是顧客，這眞是俗語所謂「肥水不落外人田」，善哉善哉！據說已有人向監察院提出檢舉，可謂大煞風景也矣。

選關能過嗎

蘇清波的競選運動，面臨着這種關頭，能否順利通過，就看老百姓向監察院檢舉的下文如何了。

不過，以蘇氏的廿年從政經驗，遇到這類問題，或許肆應有方，不愁沒有意想不到的效力，可使大事化小，小事化無的，只看把守關口的人，是否見怪不怪，不恤人言而網開一面呢！

有人說，蘇縣長出售的台北市紹興街卅九號土地一批，計五百廿四坪，每坪售價四千元，去年二月成交時，每坪値價兩萬元了，現在已漲到三萬元，台北運倉公司突獲兩千萬元的暴利。據聞本案尚牽涉到縣農會總幹事等。

監察院的態度

監院已飭令原檢舉人李柏明補具理由，認爲蘇縣長變賣公家土地，須報請審計機構核准後，始生效力，然蘇氏并未履行該項規定。而買方又是蘇縣長夫人。事件非同小可，應予切實調查，以憑究處。果若是，這是台灣繼僞造學籍和大專入學考試槍手案的一項重大新聞了！

如此重大的新聞，未見社會人士有所指摘，這證明今日政治上的貪污風氣流行，大家無所容心。但我們相信以整飭行政紀綱爲職責的監察院，決不會漠然置之吧？

可怕的政風

在最近一年來，台灣政界繼續不斷的發生貪污瀆職事件，已經喧騰衆口的，有盜豆案，油商行賄案，大秦紡織公司非法變售案，大專入學考試賄買槍手案等等，無一而非涉及貪污行爲。如今又有地方官夫婦串通，非法買賣公產漁利的怪事出現，眞是嘆觀止矣！

政治上有貪官污吏并不足奇，有政治生活，即有貪污情況，古今同然，中外不免。問題在能否依法澈究，無所瞻徇，然後可望樹立良好的政風，養成「文官不愛錢，武官不怕死」的興國氣象。蘇清波以縣長地位，敢在輦轂之下，作出這種駭人聽聞的貪瀆勾當，能說不是由於「烏龜不笑鼈，大家泥裏歇」的心理作祟嗎！

政治上如果釀成了「大不必法，小不必廉」的風氣，那便是毫無紀綱可言的衰敗景象，國家前途，必將不堪設想。政風腐敗而不以斷腕去螫的決心，嚴加整飭，試問咱們憑什麼能耐以反共救國呢？

·馬騰雲·

自由談

機不可失

毛共藉口「文化革命」，「實行奪權有理，造反無罪」的轟轟烈烈打鬥，惡作劇以後，鬧得紀綱蕩然，內亂不已，快要激起軍事叛亂了，而所謂「中國赫魯歇夫」的當權派首腦，依然任在北平如故也。於是乎，由大革命而昌言「三結合」；由奪權造反而變爲「鬥私」「批修」；由紅衛兵之流血武鬥而限於「文攻」；由揪出軍中的走資派而對軍人實行妥協安撫。最後由於紅衛兵之拒不服從「回到學校鬧革命」的命令，祗好把這班紅小鬼分批編入軍隊服役，以塞亂源。

這一切的動態，都是毛澤東的奪權目的並未達到，而且弄得全境騷然，危機四伏，大有不可收拾之勢。他現在的急務，就在如何能夠恢復秩序，穩定衆叛親離的人心，而其唯一方法即爲召集共黨代表大會，重新建立黨政的組織體系，這一着如果作不到，毛共只有潰散自斃之一途了。

可是，我們要想實現反共復國的願望，却絕無不勞而獲之可能，毛共內部縱然矛盾對立，鬥爭不歇，亦不致發生大動干戈的軍閥內戰行爲，充其量只是軍閥割據的局面，北平的秧歌王朝有如周平王時代的周室而已。所以，毛共最近大倡「打倒山頭主義」和「剷除宗派思想」之說，良有以也。

「雖有智慧，不如乘勢，雖有鎡基，不如待時」，政府在台灣十八年了。初有韓戰的機會，我們沒有動作！繼有大陸人民大逃亡的天災人禍現象發生，我們亦沒有動作！現在是伐謀、伐交、伐喪、伐亂的大好時機，我們如其依然坐以待變，俯仰由人，而不能發揮乾坤一擲的革命精神，採取破釜沉舟的實際行動，將來即令毛共潰亡，我們亦不能重圓對日抗戰時代的接收美夢。時易勢異，內在外在的條件都不相同，靜言思之，人所共喻吧！

南韓最近爲着不同意美國與韓共舉行板門店談判，而要求修改美韓聯防協定，我認爲「中美安全互助條約」更有修改之必要了，時乎時乎，機不可失也。

馬五先生

鐵幕管窺

毛澤東自寫供狀

發出十項指示全是自暴其短　自己承認解放軍內部有問題

（本港訊）據廣州毛共機關「紅司」出版之文革通訊」刊載，毛澤東最近就當前文革有關重要問題，發出了所謂「十項指示」。我們可從這些「指示」中，充分證明了整個大陸一片混亂，這個「紅色政權已呈現了搖搖欲墜，朝不保夕的危局。我們如果從反面看文章，毛共的軍隊被「搗亂了」，「公安機關」被「敵人抓走了」，「一個機關」分成「兩派」，到處充斥了「大吵大鬧的人」，「大部份工農與黨團骨幹」全受修正主義份子所蒙蔽了，這個樣子的政權，還能持久嗎？現在請看毛酋親口招供吧：

（一）軍隊的威信必須堅決維護，不能半點含糊。軍隊的第一次支左、支工、支農、軍訓是大規模的戰鬥任務。犯了錯誤是難免的，問題在於當前的主要危險是：警惕有人把解放軍打下去！

（二）不能把我們軍隊搞亂了。解放軍內部有問題，可以就一個省一個省的來談判。

（三）國家機關改革最根本的一條就是聯繫羣衆，機構改革要適應聯繫羣衆、不要提倡官僚機構。

（四）公安機關是無產階級手裏的一把刀子，掌握得好，就能打擊敵人，保衛人民；掌握不好，就容易傷害自己。這把刀子要被敵人抓走了，那就更危險。所以公安工作只能由黨委直接領導，不能由業務部門垂直領導。

（五）一個機關有兩派，我就不相信這一派是左的，那一派是右的，我相信是可以聯合起來的。

（六）要嚴於律己，寬於責人，對人民內部矛盾要高姿態。

（七）要有個馬恩列斯語錄，魯迅也要搞語錄。

（八）奪權的主要任務，就是大批判、大聯合，儘快實現「三結合」。

（九）中國歷次革命與我親身經歷看來，眞正有希望的人是想問題的人，不是出風頭的人。現在大吵大鬧的一定要成為歷史上曇花一現的人。

（十）看來，大聯合必須有兩個前提：一個必須破私立公，另一個必須經過鬥爭的聯合才能鞏固。受矇蔽的人，大部份是工農與黨團骨幹，由於反革命修正主義份子是打着中央的旗號，是打着紅旗反紅旗，所以我們容易受矇蔽。受了矇蔽改了就是了。

「眞外行」和「假內行」（上）

陳光棣

人類的生活，已經進入迅速進步和劇烈變化的新時代，如今一天所學的，勝似過往一生所學的。所以我們要加倍運用腦力多多思想，才能應付這徹底改變的新形勢。何况人和禽獸不同的地方，就是富有值得驕傲的思想；人類不斷的運用思想和培育思想能力，是一切進步和改良的基礎。因為人類一切文化是思想的表現，一切文明也是思想的成果。

假如我們生逢今日，只偏重運用肌肉，而忽畧了思想能力，甚或讓腦子完全閒着，說老實話；你會變成一架只能緬懷往昔，感慨今朝的機器。長此以往，必致血液循環失調，新陳代謝偏差，細胞功能欠缺，情緒憂傷寂落，症狀是神經衰弱或未老先衰。其為害人羣尤甚者，則係形成「眞外行」和「假內行」兩種典型。

如為「眞外行」和「假內行」下個定義，可倒是眞不容易。要說：不學無術是「眞外行」，不學有術是「假內行」，您一定認為偸工減料，語焉不詳。但此種學問，只能會意，不能言傳，倘望舉一以反三，因小以知大。比如我偏偏選擇這麼一個題目來寫，就足以證明我是標準的眞外行，而寫來寫去卻暴露了我也不過是一個正宗的假內行。

閒言少叙，書歸正傳，且先從「眞外行」說起；

壹：凡事只知表面，粗解皮毛，甚或道聽塗說，拾人牙慧，而竟自居學貫中西，豁然貫通，乃一味不甘寂寞，遂時刻以全能專家姿態出現者是也。如只知男女性器官之外型和作用，而不肯深入研究其構造及功能，動輒大談生之奧妙，性之原理，難免廢話連篇，隔靴搔癢。因此等人只知女人穿漂亮衣服是為了使男人喜歡的訣竅，而竟悟不透女人不穿衣服更使男人喜歡的道理。又例如建國的責任，明明需要每一個人都認淸時代全力以付。而此等人卻大談老年人落伍，青年人功利，言下必感生不逢辰，懷才不遇，戚戚然作孟姜女狀。實際上這種人連每一代對另外一代都有貢獻，人生每一階段都有特殊用處的淺顯道理都「嘸穿羊」，竟也以專家的派頭大發議論，能不驢唇不對馬嘴乎？而最不可理解者，即此等蹩腳專家每發類似謬論，則必有不少人跟在後面搖頭幌腦，或隨聲附和，張着嘴吧人云亦云的瞎嚷嚷，寧非怪事？

弍：凡事無心得，欠研究，少心肝，之正義，而卻裝傻充靈，別具用心，動輒標奇立異，譁衆所寵者，也可列為「眞外行」。因此等人頭腦不清，好歹不知，混淆是非，指鹿為馬。如二十年來，國際間的所謂「毛匪狄托」論，「和平共存」論，「兩個中國」論，「匪俄衝突」論等為虎作倀的邪說橫行，正當別國的子弟們為了維護自由在戰場上流血的時候，他們更口沫橫飛的大談「站着死不如跪着活」（羅素語）的投降哲學。而戴高樂輩更以尤物自居，妄作多情，曲意向匪俄勾搭，一副自荐枕席的醜態，令人作嘔「N」日，雖其目的不外混水摸魚，而勢必惹火燒身，應為「眞外行」之尤者。

這類「眞外行」的例證，俯拾即是，只有「抽樣」介紹，以明萬一。下面再介紹兩種「假內行」的「樣品」：

壹：遇事墨守成規，食古不化，文離寡要，抱殘守闕，強不知以為知，硬指黑以為白者，可稱為「假內行」。此等人不通古今之變，不知今世何世，在生活上追求現代化享受，在行為上卻摒棄現代化精神，而以保護傳統文化的學者自命。讀書則止於達意，決不深研底蘊，著書立說，也限於以文字解釋文字，而不能藉思想開展思想，卻自以為滿腹經綸，才高八斗，岸岸然作學者狀。殊不知所謂「貴古賤今」論，正與孔子「苟日新，日日新，又日新」的精神大相逕庭也。何况人生的要義是生存和進步，我們假如能多多指導青年大踏步勇往直前，不是更有積極的意義嗎？

生逢二十世紀，必須在思想上和精神上與世界各地聲息相通，才不孤陋寡聞，才能進步，才能和世人並駕齊驅。

弍：為人頭腦不清，智慧不足，頑固任性，口是心非，既無觀察力，又無判斷力，而極易自我陶醉，受人操縱者，亦可稱為「假內行」。此等人的行為表現是搬磚砸腳，自打嘴吧，但又不見棺材不落淚，不到黃河心不死，處處以權威自居。其典型人物如簽訂雅爾達秘約之羅斯福邱吉爾和在我國戡亂時期之馬歇爾等人，眞是棋錯一步，滿盤皆輸。値茲天寒地凍，沿思美國在越南戰場五十萬浴血苦戰的健兒，不禁意亂神馳，如馬歇爾等地下有知，亦當以誤國誤人為恨。而今也，國際間仍有不少「假內行」，為匪共虛張聲勢，或則開門揖盜，這些人吃着自由世界的伙食，辦着共產集團的業務而不自知，豈非標準正宗的「假內行」乎？

如何鑑別「眞外行」和「假內行」？或問曰：如何在芸芸衆生之中，辨別這兩種人物，以便另眼相看，而又不必自傷腦筋乎？

答曰：這兩種人物充滿各行各業，只要您稍微注意，即可目不暇給，請看：

台北航訊

陪浴女郎被判無罪　法官持論引起爭議

美國時代雜誌於五十六年十二月廿二日出版那期，刊載一幀北投妓女陪美國大兵洗浴的照片，引起的妨害風化關官司。經台北地檢處檢察官羅一宇偵查終結，認為陪浴妓女余瑞卿、文士閣旅館老闆黃潘玉葉，妓女戶老鴇闞權等三人，以罪證不足為理由，予以不起訴處分。

羅一宇檢察官此種決定，雖然有不少司法界人士表示異議，但卻受到社會人士的讚揚。

羅檢察官不起訴的理由，是認為旅社固然是公共場所，但旅社房間一經租借給客人，即應視為私人使用的場所，而非公共場所。妓女余瑞卿是領有牌照的妓女，在旅社房間中與人裸體陪浴，乃屬其業務之行為，與刑法第二百卅四條所稱「公然為猥褻之行為」要件不合。且余瑞卿之被人拍照，並非余瑞卿允許，亦非旅社老闆黃潘玉葉及妓戶老闆闞權所允許，故他們均未犯罪。

羅一宇檢察官所主張的「旅社房間租借予客人後即非公共場所」的立論，切合實際；承認在旅社中的房間裏召妓陪浴或陪宿的行為，為合法行為。此種立論，甚獲社會各界人士所喝采。不過，司法界人士對此，卻有不同意見。

司法界人士的意見是：司法院大法官會議，會對所謂公共場所，有很明確的解釋，即指凡是由旅社大門出入之場所，都是公共場所。也就是說：旅社本身是公共場所，其房間或浴室只不過是公共場所的一部份，當然也是公共場所。不管其租借給客人與否，在公共場所所作的行為，即為「公然行為」。

這則解釋是根據一則事實而來的：有某旅社老闆，家屬就住在他的旅社中，其住宅雖與旅社供人住宿之處所分隔，但與旅社大門共出入。某日，旅社老闆，邀友人在家中賭博，被移法辦。司法院大法官會議認為凡是由旅社大門出入的場所，均為公共場所。縱然該旅社老闆是在家中賭博，因其家中門戶與旅社大門同一門戶，仍屬犯刑法第二百六條在公共場所賭博罪。

因此到了後來，法院於審理前高雄市長謝掙強已故國大代表史某在北投某旅社豪賭案時，就是根據大法官上述解釋，而非參加豪賭者依在公共場所賭博罪，判處罰金一千元。

司法界人士根據上述解釋及上述案例，認為羅一宇檢察官的立論，缺乏法律依據。旅社中的房間租給客人使用之後，依上述解釋及案例，仍應視為公共場所，不應視為非公共場所。

但社會人士則認為羅一宇檢察官的立論，甚有理由。社會人士之意見是：假如旅社房間租給客人之後，仍應視為公共場所的話，則客人如果在房間內脫光衣服，也應構成犯罪。因為刑法第二百卅四條所指的「公然為猥褻之行為」罪，並未指定是男女兩人或兩男子或兩女子所為之行為，即單獨一人也可以稱為猥褻之行為。客人在房內脫光衣服也構成犯罪，言不成理。因此社會人士覺得司法院上述解釋及上述案例，在情理上似有欠通之處。社會人士支持羅一宇檢察官的立論。

於是發生了兩種不同的見解，使將來法院審理類似案件時，無所適從。判例或案例，對司法官沒有絕對拘束性，也就是沒有法律上的拘束力。因為法律亦不過人情，環境亦堪顧及，法官又有絕對自由裁量之權，從前司法院的解釋，或法院判決的案例，到若干年後不一定仍然適當。因社會是進步的，人們生活方式不斷地改變。不過，雖然解釋或案例對司法官沒有絕對拘束力，也沒有法律上的拘束力，但卻有時在事實上受到拘束。有許多案件，必須上訴到第二審或第三審，如果第二審或第三審的法官，尊重解釋及案例，則原來與解釋或案例不同的見解，就被推翻了。

總之司法界人士及社會人士的意見，認為羅一宇檢察官的立論，雖然有相當道理，但缺之法律根據。

本報記者　新聞

旅美散見

火車誤點習以為常

・張起鈞・

北平有句俏皮話：「洋鬼子趕火車——一分不差」。可見中國人的心目中，洋人的火車是準時不誤的。而美國的火車，它當然更是一分不差了。殊不知事實恰恰相反。

我在美國坐過幾次火車；從來沒有不誤點的，並且還是在起站就誤起。一九五九年十二月，我從聖路易到奧克拉馬州的靜水（Stillwater）去參加「西南哲學會議」，當時我還未坐過美國的火車，便吩咐華盛頓大學的秘書尼古拉的太太，給我安排火車旅程。她給我買的夜晚十一點半從聖路易開來的火車，第二天早晨到坎薩斯城換乘八點四十分的火車到靜水。我向來喜歡早點到場，而又是起站的車，老早就停在站內的，因此我十一點過一點，就到站，找到的臥車（Pullman）車箱，解衣就寢。那知躺下了許久，不見動靜，一看錶，已經十一點四十分了。大驚，生怕是乘錯了車。急忙把侍應生找來，問他：「這不是十一點半開往坎薩斯城的車嗎？」「是的」。「那怎麼過了十分鐘還沒開呢」？「因為聖誕禮物太多上不完，所以要遲些。」「大概十二點多可以開了」。我心說：「鬼話，上不完不會留着下班車運，或是提早上？管他呢，還不過是支吾我的話。只要車沒坐錯就是了。」第二天早晨到了坎城換車時，那班八點四十分的車，也一直延誤到十一點一刻才開。遲誤的原因是什麼，雖未經宣佈，但我卻千眞萬確的眼看着他們在一包一包的裝聖誕禮品，直到這些禮物不慌不忙的上完後車才開。

詩史

戊戌六君子就義記

瀏陽壯烈可於詩中見之
堪與文山正氣後先比烈

戊戌六君子，曰譚嗣同、康廣仁、楊深秀、楊銳、林旭、劉光第。梁任公戊戌政變記有殉難六烈士傳，言之頗詳。其就義則光緒二十四年八月十三日也。然梁傳於被殺情形較畧，但云就義之日，觀者萬人，軍機大臣剛毅監斬，嗣同等從容就戮，神色不少變而而已。余於唐恆廣淵集見戊戌紀事八十韻，言是日情形甚詳，可補史乘之闕。恆字照青，一字仲旭，號春叟，璧山人。光緒己丑進士，授刑部主事，大理院五品推事。身歷其境，故見聞詳且確。詩云：

皇帝廿四年，戊戌秋八月。其旬有三日，國乃有大戮。我時官西曹，濫膺折獄職。日抱城旦書，上取司寇讞。是日天嚮午，旅進綴班列。濟濟白雲亭，冠蓋正　。突來高車客，並肩趨上謁。密語人不聞，掉頭即揖別。衆僚先屏退，行遲獨居末。似傳中旨至，滿堂氣慘慄。處分要異常，舉動何倉卒。私心妄惴惴，口語互藉藉。或言事慮因，或言行伏闕。事在三日前，聖主下天綍。歸政東朝廷，新進官悉奪。東海大鰻魚，早驚金鉤脫。深宮含盛怒，鉤黨窮誅滅。罪甚八司馬，一一付縲絏。衆論方快心，有識甘卷舌。外聞喧噪聲，禁吏雜街卒。傳呼丞相來，肩輿兩騶怒。入門坐堂皇，鬚張面凜鐵。趣召主者至，速縛六人出。勅旨星火待，決不待時晷。獄吏走且僵，伍伯整巾襪。須臾各就縛，衣冠尚縛　。峨峨四新參，入朝三旬劣。飄思大夏扶，竟觸天柱折。其一職監察，抗疏氣鬱勃。同官側目久，飛語相詆訐。更有奧布衣，未膺簪與紱。壯志不一伸，連坐大亢突。我時迫近前，木立若松質。故人乃面之，顏忸心但。（自注云：六人中余與林譚康皆不相識，楊叔喬銳則乙酉同年，楊殷存深秀則己丑同年並同門，劉培叔光第則刑部同官也。）傳詔官人來，天憲口爲述。爾等皆逆黨，左右皆曰殺。跪聽宣讀畢，臣當伏斧。林君最年少，含笑口微吷。譚子氣未降，餘怒衝冠髮。二楊默無言，俯仰但蹙額。劉子木　人，忽發大聲詰。何時定爰書，何人爲告密。朝無來俊臣，安得反是實。抗辯語未終，羣隸競牽捽。但斷官人言，汝去不得活。相將赴西市，生死何決絕。揚揚如平常，目送腸內熱。步騎夾道擁，閭閻車塡咽。丞相親蒞刑，事與往昔別。並有覆巢懼，妻孥不敢訣。引頷就白刃，夏侯色可匹。攜手入黃泉，夕陽照碧血。今日身橫屍，前朝語造膝。幸賴喬公賢，爲收無家骨。吏人訖事返，流涕向我說。役卒呈數紙，云是獄中筆。（自注云：楊譚入獄後均有詩。）我時但憫然，反覆難終閱。人生遂到此，頃刻化異物。仰見天上月，照人倍蕭瑟。徒步歸寓廬，入門忘飢渴。家人怪我狀，疑是感夙疾。約撮告之知，相對亦氣噎。夜半魂夢驚，不覺自嗟吒。國事方艱虞，時政有愆失。徒聞縻好爵，誰肯念王室。養士二百年，辛苦數才傑。賢自九州來，帝曰予惟弼。求治或太急，論事或過烈。庶幾鼓朝氣，一洗宇宙殪。賈生昔痛哭，絳灌頗不悅。出爲長沙傅，謫宦猶稱屈。詭我祖宗朝，欽哉惟刑恤。未聞禁近臣，中道遭黜刖。不待奏當成，一朝飽屠割。舉朝孰營救，到處肆媒孽。罪狀在疑似，性命快讒嫉。逝者儻有知，叫閽天聽徹。人也無是非，恨難萬古雪。我作紀事言，覼縷話疇昔。匪以悼其私，實爲憤所切。

· 彭國棟 ·

照青此作，翔實公允，堪稱詩史。所云楊譚入獄後均有詩，楊詩不傳，譚詩則「望門投止思張儉，忍死須臾待杜根。我自橫刀向天笑，去留肝胆兩崑崙」者也。瀏陽壯烈可於詩中見之，與文山正氣，後先比烈矣！當戊戌政變之前，湖南巡撫陳寶箴，力行新政，其子吏部主事三立，實慫恿之。政變以後，寶箴革職，永不敘用。三立則革職，圈禁於家。康有爲雖屬伏闕上書，力主變法維新之人，而以事先奉旨赴滬，得免於難。當時有集訃文及奏摺首尾語，以嘲之者。聯云：「孝男罪孽深重，不自隕滅，禍延顯考；微臣草茅新進，罔識忌諱，干冒宸嚴。」上聯謂陳三立，下聯謂康有爲，亦可謂謔而虐矣！

時花選石館隨筆。

閒話三國

一代風氣論曹操（下）

思翹

若文俗之吏，高才異質，堪爲將守，負汚辱之名，見笑之行，不仁不孝而有治國用兵之術者，其各舉所知，勿有所遺。

曹操如此三令五申，一方面固想糾正漢末淸流之士，專以品節相尙之風，一方面也未始不是爲他自己的行爲解嘲。可惜他本人雖爲一世之雄，但品節兩虧，不能振奮人心，使之趨於善道，反而使得風俗日趨澆薄了。顧炎武日知錄論之云：

……三代以下，風俗之美，無尙於東京者。而孟德既有冀州，崇獎跅弛之士，觀其下令再三，至於求負汚辱之名，見笑之行，不仁不孝而有治國用兵之術者，於是權詐迭進，姦逆萌生，風俗爲之一變。夫以經術之治，節義之防，光武、明、章數世爲之而不足，毀方敗常之俗，孟德一人變之而有餘！

又周壽昌曰：

魏武此令，專務狡詐，蔑棄廉隅，其本顚而枝必壞，卒之立國甫及三世，而廢篡相尋，旋即亡滅，謂非魏武有以啓之哉！

做人畢竟以道德爲本，尤其是公德心更爲重要。且人的才德並非不能兼，曹操求人，爲什麼不求才德兼備的人呢？即有才德兼備的人如荀彧者，亦終不能與曹操相投而被殺害。荀彧之死，是因爲想本「愛人以德」之義，勸曹操不稱魏公。愛之以德，反被其殺害，則曹操無德明矣。其所以再三下令求才，蓋爲自己掩飾。我們想一個不仁不孝的人，即使有術，那將是怎樣的術呢？用這種術來治國用兵，即使能暫時成功，也必不能持久，曹魏本身的結局就是明證。

除這些大端以外，曹操也是一位風流名士。「對酒當歌，人生幾何！」他不僅能詩而且善書。且注孫子十三篇，撰孟德新書等。曹魏以後，五言詩，辭賦盛行，亦均係曹氏父子的影響。曹操德性雖差，但却不是凡夫俗子，他有些地方，非常人所能及。如他罵袁氏兄弟爲「塚中枯骨」，可謂妙語解頤。又如靑梅煑酒，推兵敗歸依的劉備爲英雄。關羽逃奔劉備，他不派兵追趕，聽其自去。這些事都非常人所能做到。雖說是權術，然確實亦有愛將愛才之意。後來他南征荊州，劉琮投降；及征東吳，孫權率兵抵抗。他歎曰：「生子當如孫仲謀，若劉景升之子豚犬耳！」讚美抗拒他的孫權而痛貶歸順的劉琮，這決非政治家的口吻。曹操這時，大概是名士脾氣發作了。後平漢中張魯，有人勸他乘勝征蜀，他笑曰：「人苦不知足，既得隴復望蜀乎？」知難而退，忽然達觀，這也表現出曹操修養的工夫。曹操晚年，由魏公而魏王，故意爲他的兒子簒漢造基礎，但他本人却不願做此事。後來孫權上表勸進，他說：「此兒欲據我爐火上也！」把簒漢看成「據爐火」，曹操確是聰明人。於是他說：「如天命在孤，吾其爲周文王矣！」他的識見誠然高，可惜後世歷史家沒有這樣原諒他！朝代更迭，在我國歷史上原屬平常，僭主簒位，也不自曹氏始。無奈曹操有些作法太傷忠厚，太欺負弱者，不是一個正直的人所應爲，所以後世才以奸邪視之。如他殺伏皇后一事，目的只是爲了他自己的女兒曹憲做皇后。但他可以請獻帝把伏后廢了，另立其女即可，一定要將十幾年前伏后給他父親伏完的一封信翻出來，加以莫須有的罪名，殺了伏后，又殺伏氏宗族百餘人，連伏后生的兩個皇子也殺害，這未免太過份了！人之過，莫大於違反他自己的時代和良知。曹操生當東漢忠孝大節盛行之世，竟忍因兒女之故，欺君弑后，出此毒手，可謂窮凶極惡了。曹瞞傳及後漢書均載曹操令華歆破壁牽伏后出，后披髮徒跣過獻帝前，謂帝曰：「不能復相活也？」帝曰：「我亦不自知命在何時也！」又謂慮曰：「　公，天下寧有是也？」千載之下，如聞其聲。自曹操之後，篡弑之事，層出不窮。儒家的理想，堯舜禪讓之說，竟成爲魏晉六朝權奸篡弑的借口，這恐非孔子孟子始料所及。

文選，陸機弔魏武帝文引曹操遺令云：吾　妤人，皆著銅雀台，於台堂上施八尺牀，繐帳，朝晡上脯構之屬，月朝十五，輒向帳作伎……又云：餘香可分於諸美人，諸舍中無所爲，學作履組賣也。

這就是爲人艷稱的「分香賣履」的遺令。曹操死時並沒有堂皇的遺囑，這一遺令，眞可謂英雄氣短，兒女情長。遺令又云：「吾在軍中持法是也。至小憤怒，大過失，不可效也！」人之將死，其言也善，曹操此時，也頗有些反省的意思了。

集解引溪漫筆載司馬溫公謂劉元城曰：「昨看三國志，識破一事，曹操身後事孰大於禪代？而遺令諄諄數百言，下至分香賣履，家人婢妾，無不處置詳盡，而無一語及禪代事；是以天子遺子孫而身享漢臣之名。」又曰：「教化國家之急務也，而俗吏慢之。風俗天下之大事也，而庸君忽之。……以曹操之暴戾强伉，加有大功於天下，其蓄無君之心久矣，乃至沒身不敢廢漢自立，豈其志不欲哉？猶畏名義而自抑也。由是觀之，風俗安可慢，教化安可忽哉！」

錢塘夏曾佑老子序言有云：「魏武原出宦官，絕儒生，惡氣節，司馬氏因之，益以自危。爲所猜者，無胡越之可徒，則惟有自汚以求免而已。故有老莊之學。」這樣看來，魏晉六朝頹廢玄虛之風，實因政治黑暗使然。郁達夫詩云：「幾人懺世作淸談，」可謂知言。然魏晉政治之所以黑暗，又與曹操及司馬氏的出身與取天下的手段不正有關。孟子云：「不仁而居高位，是播其惡於衆也。」誠爲至言。（完）

陳孝威寫血書

民國四年，日本人窺出袁世凱因謀帝制必須借重日本援助，又乘第一次世界大戰方酣之際，毅然向中國提出二十一條件，條件的毒辣兇狠，震驚了整個世界。這個時候歐洲國家無暇他顧，美國對中國問題雖有門戶開放、機會均等政策，實際也不願正面開罪日本。

袁世凱政府屈於形勢，終在五月九日承認這喪權辱國的二十一條，激起全國朝野反對。北京各大學學生全體罷課。此一堅決示威行動波及到保定陸軍軍官學校，風潮激烈較大學猶有過之。輜重連學生陳增榮，咬破手指寫血書抗議，全校同學多被感動流淚。陳增榮後來改名陳孝威，即今日香港天文台報社長。與陳同期同學今健在而居台灣者，尚有劉峙將軍熊式輝將軍等。

· 小記 ·

中國女性文藝春秋（續）

周遊

「斷腸詞」作家朱淑眞的戀愛生活

鷗鷺鴛鴦作一池，須知羽翼不相宜。東君不與花爲主，何似休生連理枝。（怨懷）

她對於這不相稱的婚姻，眞是只有慨乎怨之了！

朱淑眞的丈夫究竟是誰如今已不可考，從前的人只知她「所偶非倫」，「嫁爲市井民家妻」。畢竟是個什麼樣的男人呢？依她的作品情意看來，可能是一個「孜孜爲利」的「俗蠢」。以她一個官家出身的小姐，一個雅潔的女詞人，嫁了一個格格不入的俗子，她又是何等的不幸呢！看她的感想吧：她說到銀色的月光，就想起大錠銀子，她說到頭上掠過的烏鴉，而她便想起了烏紗帽，這焉能得不令她哭泣嗎？再看她和丈夫在船上所發的感慨吧：「帆高風順疾如飛，天闊波平遠又低。山色水光隨地改，共誰裁剪入新詩？對景如何可遣懷，與誰江上共詩裁？日長景好題難盡，每自臨風愧乏才。歲節將殘惱悶懷，庭幃獻壽阻傳杯。此愁此恨誰人見？鎭日愁悵自九迴。」（舟行即事）

從這首作品的描繪，坐在她面前的可想而知是一個呆頭鵝，或者是一個不能夠和她「共剪裁」的俗子。「共誰裁剪入新詩」？「與誰江上共詩裁」？「此愁此恨誰人見」？她的丈夫是何物，已經描繪出來一個大概了。那如不是白痴，便是一個胸無點墨的俗子無疑。她的一腔幽怨向誰述呢？只好「却嗟流水琴中意，難向人前取次彈」了。但是「知音」又在何處呢？

她自離別了故園，跟着一個精神上不能融洽的人，來往於吳、楚之間，焉得不「日坐愁城」嗎？請看她的思鄉繾綣之心聲吧：「江南寒食更風流，絲管紛紛逐勝遊。春色眼前無限好，思親懷上自多愁。」（寒食詠懷）「滿江流水萬重波，未似幽懷恨事多。目斷親幃瞻不到，臨風揮淚獨悲歌」。（舟行即事之二）

在「斷腸集」裏，有很多這種思親懷鄉的句子，舉不勝舉。後來她的丈夫以爲她別有所屬的人，索性把她拋棄。據一般人的推測，都以爲她別有所歡的人，從她的「新秋」詩中，似乎可以窺見一點綫索。（五十五）

生活漫談

談「拜拜」

楚材

「聖誕前夕」，台北某同業譏之爲「洋拜拜」，現在我們不談那個同業的觀點有些偏差，因爲凡是虔誠的教友，除作晚禮拜外絕不會「窮聲色之慾」，「蓬拆達旦」。我們要談的是台灣的拜拜。在台灣住久了甚至凡是到過台灣的朋友，都知道台灣有所謂「拜拜」，一年之中某一定日期，一定區域，大家大會賓朋，沽酒買肉，盡情歡樂；有些地區，五年或十年還有一次大拜拜，更是鼓樂喧天，迎神賽會，人民無不喜形於色。拜拜與大陸上北方的「廟會」大體相同，不過有些地方的廟會也許規模更大一點。筆者記得幼年在家鄉，每年舊曆四月廿四日，是鎮上的廟會，太平年間，自廿一至廿六日，個把禮拜的時間，天天摩肩接踵，張袂成雲；有些縣城裏的店舖也來趕廟會，用席作棚，設攤叫賣，日用百貨，一應俱全。有時還演四天京戲，遠近百十里內的親友，全來住上幾天，每日酒肉相待，眞是聚親會友的快樂時光。也未見有輿論糾正，政府勸導。所以台灣的拜拜，只要不妨害治安，不影响善良風俗，何不由人民盡情去樂？至於說酗酒滋事，則又豈祇拜拜時有之，又何日無之？不過拜拜鬧事，知道的人特別多而已。「浪費」則不免有一點，但人民自己餵養的猪、鴨、鷄、魚，不但不是進口貨，而且現在尙不能大量出口，多喫一點或許更能刺激生產，又何必期期以爲不可？所以我們對拜拜與其反對勿寧贊成。

當舖與銀行

某外國人於觀察台灣經濟發展情形之後，把我們的銀行譏之爲「當舖」。其實銀行本來即是當舖的化身（當然是這種東西到中土之後的情形），只是經營的規模大小不同而已。

當舖之在中國，歷史悠久，開設普遍，不似銀行爲現代產物，而且偏生在大都會。當舖的利息雖然重一點，但貧苦小民一時急需，帶一點價值百元以上的東西，托人情賠笑臉當個十元八元應應急（筆者雖還未進過當舖，想來一定方便），說不定還會救活了不少英雄好漢。（一文錢急倒英雄漢。秦瓊當年不也曾賣馬當鐧嗎？）幾曾見貧苦小民落難英雄，敢走近銀行大厦一步！奇怪的是在別人銀行已成爲大衆划帳機構的今日，而我們的銀行偏要走回頭路，學當舖，倒退千把年，與它的小老兄要校量一番！也許我們的銀行反正是公家的，保障利潤，旁人休想分肥，坐在衙門等吃，又何必去管工商界的事？所以要想向銀行借欵，便休想像當舖那樣方便，不但要有東西抵押，左調查，右問價，還要填寫無數的表，找一羣保，蓋一大堆章，借到一筆錢，不要一個月另二十天才怪。一個公司如果等由銀行借欵來調頭寸，準倒無疑。雖然不是每個銀行都要了紅包還得上酒家，可是免了最後一着，想錢能借到手，才眞是癡人說夢。大概外國某一時期，也是如此，致使老福特寧爲不顧晴天借傘而終身不進銀行大門。

在政府勵精圖治，全國上下以全力發展工業的時候，能發揮力量的重要角色如銀行者，却如此作風，豈不令人浩嘆！有人說，銀行並不是完全無用，至少它繁榮了文具業，飲食業，每年填表至少要十幾噸紙張，印泥圖章更難以估量，眞是慨乎斯言！

最近國民大會憲政研討會，指責銀行不能發揮功能，既不徵信也不着重未來營業計劃，（其實徵信是有的，但不過填些表格虛應故事而已。）建議政府開放銀行的設立。這眞使我們感激零涕，高興萬分，連我們的代表們，除了爭國會議員，與立法委員同樣待遇而外，還知道銀行太落後，眞是劃時代的進步，不禁爲我們的國家慶。如果政府能採納這個建議，開放銀行的設立，工商界那個不泥首焚香，肝腦塗地？

搜秘錄

胡適險被抓起

·羊春秋·

北平「獨立評論」於二十五年夏，批評冀察政務委員會謂：「處境雖然特殊，但不能以特殊自居。」促該會「下決心，站穩脚，以整個國家民族利益爲重」，而開罪顯要。

當時冀察政務委員會的負責人是宋哲元，較笑料百出的韓復榘，乃五十步笑百步之輩，宋未分靑紅皂白，立即下手令，查封獨立評論，且要抓發行人嚴辦。幕僚長向宋進言說：「他們批評冀察當局，也是春秋責備賢者的態度，並未漫罵汚衊，查封該刊，與抓發行人，似欠妥當，而該刊寫文章的一羣學人，率多有份量教授。」宋很不耐煩的罵道：「馬的皮，我說怎麼辦，就得怎麼辦。」該刊的發行人是胡適，這時剛從海外回到上海，聽到這消息，立即趕赴北平。如此一來，在尷尬的情況中，不了了之。發行人既未被抓，「獨立評論」後仍照常出版。

禪的火花

（十五）與何穆的一席談

一九二三年，我在老友何穆法官家渡聖誕假期，有天早晨，他帶我去參觀他的私人圖書館，其中除了法學書籍，還有不少藝術、文學、哲學方面的名著，不時的，他抽出一二本書來，告訴我他對該書的看法。他告訴我詹姆士（William James）和雷斯（Josiah Royce）如何經常與上帝捉迷藏，他如何欣賞「金色的樹枝」一書，他如何被陶可偉（Tocqueville）的著作所深深的感動，尤其是「舊制度」一書，他認爲必須閱讀以增進知識。最後，他以一種嚴肅的神情對我說：「親愛的孩子，我還沒有讓你看圖書館中最好的書籍呢！」我迫不急待的問：「收藏在那裏」？他指着較遠的角落說：「在那兒」。我一看，大爲驚奇，因爲那是一個空架。於是我笑着說：「啊！你的精神眞偉大，是永遠向前的」。接着，我覺得他不僅是向前，而且是向上。尤其在我研究道德經，發現老子強調「無」和「無形」之後，對於他所指的，更有了透澈的了解。

某天晚上，當我們正在一起閑談，何穆夫人（她和何穆一樣的已是八十高齡，也像他一樣的活潑）進來了，我便迎着她，打趣的說：「夫人，我爲你介紹何穆法官」。她和他握手說：「何穆先生，幸會了」。這彷彿是六十多年前，她第一次遇見他的情景，這時，我們三人都相顧失笑了。詹姆士不是說過：哲學家是以新眼光看舊事物，以舊心情看新事物。這時，我對道家僅有一知半解，也從來沒有聽到過禪。現在想起來，那無疑的是一個禪的境界。已觸及了時間的永恆，像野鴨子飛過了馬祖和百丈的頭上。這個經驗雖然已過去，但其存在却是永恆的。

總之，何穆的這一作法，洗淨了我的塵俗之見。

吳經熊著　吳怡譯

我們應該居安思危

·張紹文·

當我們正度着安寧的春節，在徹夜的爆竹喧天下，舞獅舞龍的鑼鼓聲中，雖然公教人員由於年終獎金併入平時待遇以內，早經逐月發放，以及「三卡制」之實施，不免有些掃興。但在一般社會仍是興高采烈的熱鬧非凡，象徵着人壽年豐歡樂昇平的年景！

但鄰近的海外，與我們脣齒相依關係的環境裏，却在戰雲彌漫之中：一爲北韓擄去了美艦的暴行，二爲越南境內被北越共產暴徒的瘋狂進襲。雖然美越軍擊斃了越共三萬多人，但越南十數個城鎮的無辜人民，仍是死傷枕籍，迄至現在已有十五萬人以上的人民家園，被戰火所毀，慘到無家可歸，越南政府已從內政上發出了救濟的呼籲！

當越南戰爭在「和平」遮眼局勢中打滾，北韓忽然擄去了美艦「普魯布」號，不惜挑釁，扣持八十三名船員，作爲人質，要挾勒索。越共隨之在越南突發大規模的攻襲，彼呼此應，陰謀顯著。由此可窺，共黨將廣續推出其他行動甚至可能全面進攻。處在暴風圈裏的我們，不但要提高警覺，尤應及時掌握機先，謀取反攻途徑。此固軍事之佈署，屬於機密，不可隨意推測，但在防空設施上，保密防諜之行動上，以及動員準備檢查上，都須有急切之安排，而且須作全面之推進作萬全之措施！

在社會方面，尤須降低奢靡宴樂，人無分男女，無分職業，一致趨向戰時生活，昂揚戰志，振奮人心。有備無患，居安思危，這該是今年自由中國的人民自動自發的自處之道！

海嶠舊談薈

白崇禧誤信劉斐

諸葛文侯

過去曾任國府軍令部次長之湖南醴陵人劉斐（維章），原係世俗所謂「桂系」的要角，尤爲白崇禧（健生）所器重。他於民國十四五年間大革命運動時期，即在廣西與李任仁加入了共產黨，是由當時担任廣西師範學校教員的皖籍共幹朱篤一秘密吸收的。後來經過國民黨嚴厲清黨之役，朱篤一離開桂省，回到毛共區域，洊任至僞軍事委員會主席周恩來的隨從參謀，劉氏和共黨的關係亦暫告斷絕了。越民國廿三年，朱篤一再應桂省師範學院院長楊東　之聘，前來廣西執教，劉、李二人又恢復了共黨黨籍，從此隨時爲共黨効力。迨對日抗戰發生，毛共聲言遵奉國府命令，合作抗日，劉與李任仁等的共諜活動更爲方便。旋劉氏入中樞參預戎機，且長期職司軍令，參劃作戰方略，對共黨前途，關係尤鉅。所以，民卅八年春間，李代總統宗仁派劉氏參加和談代表團到北平時，毛酋澤東一見劉氏，即謂「你的功勞很大」，表示嘉獎之意。

對日抗戰結束後，共黨繼續釀亂不已，劉斐是共黨份子的事情，白健生亦已知道。還有共黨份子湘人劉仲容，原是閻錫山派來廣西當代表接洽公務的，白氏認爲人才，挽留他在桂省服務，寖成李白親信。然白氏明知二劉有共諜嫌疑，而故昧之，信任如常。李宗仁代理總統後，對劉維章有所顧忌，未加倚畀，劉乃快快不樂，回到湖南老家，表示消極。繼由白健生保舉他充任和談代表；白氏推轂劉維章參加和談代表團的用意，是他有一外甥海某在軍中作戰被毛共俘虜了，教劉氏赴北平向周恩來說情，將海某釋歸耳。

國共和談破裂，國府南遷粵垣，繼續戡亂。粵省主席薛岳與陸軍總司令張發奎等，倡導兩廣大團結以抗毛共，白健生率領二十萬大軍鎮守湘南。劉維章受周恩來密令，潛來香港從事對國軍將領的策反工作。卅八年夏間，白氏正在廣州與李代總統宗仁商量軍國大計，密邀劉維章潛赴廣州晤李，時有前任華中軍事長官公署副秘書長桂人馮澍亦在廣州，聞訊甚不以宗仁與劉維章周旋爲然，囑總統府第二局局長黃雪邨轉達其所見於李代總統，適白健生亦在座，聆及黃言，抗聲答曰：「馮澍要造反嗎？」宗仁[illegible]然。劉維章是夕由港來羊城與李白把晤，次日離粵返港，李且贈以贐儀大洋三萬元。馮君悉其情，深懼遭禍，即日乘飛機赴香港，他在廣州「愛羣酒家」的行李亦不及携走，函託朋友帶到香港的。俄而白氏將其派至韶關協防的桂軍一師調回衡陽，局勢逆轉，國府再遷巴蜀，桂軍亦自衡陽撤入廣西境內，所謂兩廣大團結徒託空言，大局益不可收拾矣！

白健生並非有意庇護共諜，亦不是無心戡亂，他是迷信武力萬能，自命才智優越，兼資文武，認爲區區潛在身旁的幾個共黨份子，手無寸鐵，何足道哉，不妨予以利用。即桂系所統率的二十萬大軍，最後並未經過一戰，即被敵人全部解決，無一倖免，原因就是「小諸葛」不諳政治作戰的重要關係，予智自雄，而以誤信劉斐爲其自誤誤國的癥結所在，可嘅也已！

國劇脚本

大漢兒女（一名新莽刦）

·田士林·

趙終葵：也好。漢朝通例，入閣拜相，全在通經。

田子文：嗄呀，倒不敢痴想。還是學兄長的好，提三尺劍，天下皆可去得。

趙終葵：既然表弟有意文武兼習，就以今日開始如何？

田子文：今日來不及了，還要與兄長一同去拜壽呢。

趙終葵：啊！與那個拜壽？

田子文：表兄眞是貴人多忘事，呂家姨母啊。

趙終葵：嗄呀！不是賢弟提起，我倒忘記了。如此，待我準備些禮物，一同前往。

田子文：兄長帶些什麼？

趙終葵：無非一些土物。你呢？

田子文：喏！（示畫軸）百壽圖一幅。

趙終葵：哈哈，誠所謂秀才人情紙半張，你我走啊（葵掩門上鎖，文拉馬，葵推車。）

（唱）勸賢弟切莫要執著翰墨，

好男兒應有志文武兼習，

田子文：（唱）論儒門講文藝，才兼禮射；

弱書生好文章一樣報國。（同下）

（八）

自由報

第八三二期
中華民國僑務委員會頒發台報新字第三二三二號登記證
內銷證內警台報字第031號
中華郵政台字第一二八二號執照
登記爲第一類新聞紙類
（半週刊每星期三、六出版）
每份港幣壹角・台灣零售價新台幣弍元
社長李運鵬・督印黃行奮
社址：香港九龍登打士街91號十樓六座
91 DUNDAS ST, 9th FLOOR, FLAT 6 KOWLOON H.K.
電話：857253　電報掛號：7191
承印者：大同印務公司
地址：香港北角和富道九六號
台灣總管理處
中華民國（台灣）台北市大同街119號
電話：555395・557474
台灣分社：台北市西寧南路110號
電話：三〇三四六
台郵撥儲金戶九二五二

轉移風俗，陶鑄人才！

褚柏思

> 天下之治亂，繫乎風俗。天下不能皆君子，亦不能皆小人；風俗美，則小人勉慕於仁義；風俗惡，則君子亦宛轉於世尚之中，而無以自異。是故治天下者，以整厲風俗爲先務。
> 　　清・沈子敦

時代進至一九六八年，一開始，便展現了緊張與戰爭：一二三自由日，東北海，以北韓之劫持美輪，掀起了驚濤駭浪；一三〇，戊申年的元旦，東南亞，以北越之發動突擊，爆發了瀰天戰火。斯誠自由世界黎明之前的黑暗；共黨國家垂死之前的掙扎。這一個「困獸之鬥」，必然是慘烈的！然而，中華民國政府與人民的反攻復國的機運，或可從此而開啓！

反攻復國以後，怎樣建國？怎樣平治天下？這是一個大問題，關涉甚廣。我在這裏，僅提出一個問題——轉移風俗，陶鑄人才。筆者歸自海外，去國已十六年。考察了人家的，回頭來再看看自己的，亦有許多比不上人家的地方。其中之一，便是風俗。今天，台灣的風俗怎麼樣呢？

新年期間，讀了一本書，內引沈子敦對於清末的批評，說：

「今日風氣，備有元成時(西漢兩帝)之詖，大中時(唐宣宗時)之輕薄，明昌、貞祐時(南宋時，金人年號)之苟且。海宇清晏，而風俗如此，實有書契以來所未見！嗚呼！斯非細故也。叔魚之賄，孟孫之偷，原伯魯之不說學，蘇張之不信古人，有一於此，即不可終日。今乃合成一時之風俗，一世之人心，斯豈細故也！」

又曰：「看到風俗人心，可懼之至！……都下無一事不以利成者，亦無一人以眞心相與者，如此風俗，實有書契來所未見。有元成時之阿詖，而無其經術；有大中時之輕薄，而無其詩才；至明昌、貞祐時之苟且，則全似之矣！」

今天，這一時移勢易，然而，這一個壞風氣，並未因時代之進展而逝去！相反地，不單仍然保持着這些舊的，還增添了若干西方的新花樣。尤其是淫盜殺！「萬惡淫爲首」，淫已由娼妓，公開到茶室、酒家、食堂，甚至波及了浴室等，眞是無時不淫，無地不淫！

至於賄賂公行，有人公開稱之爲「紅包國」！此而可忍，孰不可忍？殺與盜，爲了財，亦有爲了色，爲了淫的！有人說：台灣淪陷於日本帝國主義者五十年，此一淫盜殺，乃是日本的殘跡！又有人說：今天的阿哥哥舞與迷你裙，以及西部的打鬥片所傳來的淫盜殺，是西風的東漸！都不是中國的！今天中國，已提倡了中華文化復興運動，大有「姜太公在此」，這一些不良的風氣，不久的將來，會自然而消失之慨！

雖然，「君子之德，風；小人之德，草。草上之風，必偃」。但亦須有人登高一呼，謀風氣之轉移：「倡而爲風，效而成俗」始可！關此，我認爲應有二義：

一、知恥：吳廷棟說：「欲挽回風氣，必先挽回一二人之無恥；有二人之有恥，則以權爲不足以有爲，以學術足以挽回。即伏處一隅，足不出里閈，但使聲氣應求，能成就一二人，即此一二人，亦各有所成就，將必有聞風興起者。縱不幸而載胥及溺，猶將存斯理於一綫，以爲來復之機，是亦與於維持補救之數也」。

二、忠誠：曾滌生說：「君子之道，莫大乎以忠誠爲天下倡。世之亂也，上下縱於亡等之欲，姦僞相吞，變詐相角，自圖其安，而予人以至危；畏難避害，曾不肯捐絲粟之力以拯天下。得忠誠者起而矯之，克己而愛人，去僞而崇拙，躬履諸艱而不責人以同患；浩然捐生，如遠游之還鄉而無所顧悸。由是衆人效其所爲，亦皆以苟活爲羞，以避事爲恥！」

綜此，曾氏說：「天下滔滔，禍亂未已，吏治人心，毫無更改。軍政戰事，日崇虛僞，非得二三君子，倡之以樸誠，導之以廉恥，則江河日下，不知所屆！」

那麼，怎樣以挽救斯世，伏狂瀾使西倒呢？管異之認爲：「俗美則世治且安，俗頹則世危且亂。以古言之，歷歷不爽。……天下之安危繫乎風俗。而正風俗必興教化。……天子者，公卿之表率也；公卿者，士民之標式也。以天子而下化公卿，以公卿而下化士庶，有志之士，固奮激而必興；無志之徒，亦隨時而易於爲善。不出數年，而天下之風俗不變者，未之有也」。

此或書生之論，但戡大亂，能中興的，曾滌生有經世之才，他的說法亦有經世之用，他的說法與作法又怎樣呢？他說：「風俗之厚薄奚自乎？自乎一二人之心所嚮而已。此一二人者之心嚮義，則衆人與之赴義；一二人者之心嚮利，則衆人與之赴利。衆人所趨，勢之所歸，雖有大力，莫之敢逆。……然轉移習俗而陶鑄一世之人，非特處高明之地者然也，凡一命以上，皆與有責焉。」

或曰：今昔情況不同，彼曾滌生之時代，所謂戡亂者，亦只是內平「洪揚之亂」耳；所謂中興者，亦只是使滿廷不亡於「太平天國」耳！今者，毛賊外有國際共黨之奧援，內有中國大陸之廣土衆民，且有馬列主義，世界革命，階級鬥爭，人民戰爭，這一成套的美麗謊言，誘騙了落後地區各國人民的效死，前進國家貧窮人民的賣命，這一個亂，豈能止於是中國的呢？果爾，戡亂豈易言哉！中興豈易言哉！

誠然，茲事體大。然而，照天意人心看來，亦斷無不可挽回之理！要在如何轉移風俗，陶鑄人才而已！關於轉移風俗，前人言之已詳，那麼，怎樣陶鑄人才呢？

或曰：今日台灣一島，人口不過一千二百萬，而大學已有十數所，中學已有百數所，小學已有千數所。茲者，總統已明定今年實施九年制國民教育，人才的陶鑄，可謂至矣盡矣！還有什麼可說的呢？誠然如此。但，今日中國的大學教育，似仍有可議者，以現在進行的多爲專業教育，而忽畧了中國教育的實貝——通才教育。通才教育者，治國平天下人才之培植也；也就是政治家的培植。

考諸中國歷史，湯之興，以有伊尹也；周之興，以有周公也。西漢之興，功在三傑；蜀漢之亡，論者多惜姜維之只有武功而無文事，僅言之，惜其非政治家也！

等而下之，唐之興，有太宗之武功，亦有房杜之文治。南宋末造，賈似道之流當權，又焉得不亡哉！朱元璋，難崛起於草莽之間，但其從龍之輩，文有劉基、宋濂、王禕等，武有徐達、常遇春等，無一不是可將可相之才！又焉得不驅韃虜，而興中華哉！

光武中興，有雲台二十八將；淸季中興，亦有曾彭胡之稱。創業不易，中興亦難！今日台灣，雖然是謀臣如雨，戰將如雲。但反攻復國之戰，是一個大規模的戰爭，且將是一個較長時期的建國工作，尤其是共匪思想上的惡化，風氣上的毒化，在百廢待舉的建國工作中，轉移風俗，當爲首要。因而陶鑄人才，自亦爲刻不容緩之事了！發凡之作，仍待有識者之廣爲發揮！

昨日與明日

日本與毛共的貿易談判

以民間工商企業界名義，到北平跟毛共作貿易談判的日本代表三人，實際是經過政府默許的。據說，談判已有結果，即日本方面承認「政經不可分離」的原則，然後訂立貿易合同。日本內閣秘書長聲言這是民間團體的行爲，不能約束政府。這叫作「此地無銀三百兩」，不說也罷。英，法，德，加拿大，澳洲等等，都對毛共大作其生意，日本自然眼紅。美國何嘗不想跟進呢，祇是毛共拒不接受而已。

不過，日本和中華民國是有邦交的，過去總是以「政經分離」這種口實來敷衍我們，現在乾脆聲明政經不可分離了，必然的邏輯，就是必要時不妨與毛共建立外交關係。月暈知風，礎潤知雨，我政府當局何以至今對此事默然無聲呢？

當然，日本如其眞要改變對毛共的外交政策，美國將不會同意，咱們大可拭目以觀其後。然而似此俯仰由人的作風，應該有所糾正了吧？

躬自厚而薄責於人

國際外交本來是以勢利之見爲主的，日本民族性尤其充滿着勢利相。可是，我們今日亦不能完全責備日本以怨報德，自己應加反省，知所補救纔是。

自對日抗戰之役結束以來，我們除却聲明不報復主義外，二十年間，究竟無論是政府外交或是國民外交，對日本下過甚末工夫呢？特別是在日本被佔領時期，正是他們嘗着亡國滋味的憂患餘生之際，我們不但毫無國民外交行動，即正式派遣的外交官吏，也盡是些昧昧然不知道日本爲何等樣兒的人士。日本獨立自主後，雖然搞些「中日經濟策進會」之類的機構，也隨時舉行會議，而參預其役者，十分之九以上的，不僅對日本朝野間沒有絲毫影響力，根本就不懂得一句日本語言，更不說瞭解日本情形了。

未雨不綢繆，臨渴而掘井，行嗎？

世人只知道美國的外交行動——特別是對於遠東的外交政策，常常受着英國的影響。殊不知英國經常以各色各樣的名義，派在美國各階層的游說人物，即不下數百名，此輩花的金錢，比英國的駐美大使館還多出若干倍呢！

必須注重日本外交

不管今後的世界局勢如何演變，然日本在東亞的發言地位，必係首屈一指，毫無疑義。我們對日外交策畧，如不急起改絃更張，依然以不變應萬變，祇是弄些無關痛癢的表面工作，聊供點綴宣傳之資，那末，將來還要吃到日本更大的苦頭啊！

改變對日外交的方法，非片言所能盡，最主要的就在物色適當的人才，不惜應有的經費。我們並不缺乏這類人才，也非花不起這些經費，問題是能否打破舊有的用人觀念和用錢的作風？（何如）

自由談

一針見血之談

美國衆議院的「武裝部隊委員會」主席利華斯，最近對越戰問題提出建議，主張把越戰完全交給軍事將領處理，文官不再過問。戰事要以勝利爲主，爲着制勝，任何手段皆可使用，不必理會世界輿論，也毋須害怕俄共和中共起來干涉。否則，美國應該將駐在世界各地區的部隊一律撤回，呆在國內以等待不可避免的萎縮命運之來臨。這是自韓戰到越戰發生以來，得未曾有的正確觀點，允屬一針見血，深中肯槃之談，值得喝彩的。

既有戰爭行爲，而又不求勝利，這種作風只能施之於鎮歷自己殖民地內部的叛亂情況中，例如過去英國對付科威特之役，適可而止，讓它獨立自主，依然友好如故；至於共黨的叛亂，那就非掃蕩不可。英國對馬來亟的共禍，即不惜大力討伐，作戰八年，使其潰滅而後已。美國在希臘的反共鬥爭亦然。因爲共產主義者是絕對不會跟資本帝國主義國家妥協的。所以，英工黨政府對別國的反共戰爭，儘管揹着社會主義的幌子，動則表示異議，甚且加以梗阻，那是慊他人之慨的僞善作風，不値一哂的。可是，美國見不及此，在跟共黨戰鬥之中，常常由於英國——特別是工黨政府的扯腿關係，弄成紙老虎的下場，自貽伊戚，徒喚奈何，韓戰便係明證，今天且受到北韓共黨的欺侮了！

美國的軍事決策，原是由於文官指導的，而這些文官却信賴所謂鷄蛋頭的學者專家的高見，唯命是聽。這般鷄蛋頭人士的想像力很豐富，他們把地球上的事情可以跟月球和火星聯成一體，認爲息息相關。因而對於地球上各個角落的反共鬥爭，總是把蘇俄和中共計算在內，說它們於必要時一定起來干涉，觸發核子大戰；又算定俄共的洲際飛彈，在若干分鐘內即可毀滅美國若干的大城市和人民，好不危險！於是乎，坐在白宮指導軍事決策的文官們嚇倒了，趕忙請教學者專家們，造出一大套戰不求勝的理論來，如「嚇阻圍堵政策」，如「雙料報復主義」，如「不以上驅對下驅」，如「在錯誤的地點，錯誤的時間，對錯誤的敵人，進行錯誤的戰爭」……等等，不一而足，自說自話，用意即在半途退却，畏戰避戰，好像孩童玩鞭爆，既要玩，又害怕，點燃了一枚爆伏，馬上掩耳疾走，面無人色。這便是美國對中、韓、越共黨戰爭的整套思想體系。

白宮如果能夠聽取利華斯議員的意見，糾正舊有的反共策畧，不特越戰必卜勝利結束，亞非各地區的共禍亦必然日趨式微無疑也。

馬五先生

毛共翻臉壓制紅衛兵 在各城市屠殺愛國者

北平火車站也發生了流血衝突

鐵幕管窺

（本港訊）據莫斯科電台廣播報導：從共區傳來關於毛共集團加強血腥鎭壓愛國者的消息說：在各大城市裏當衆判處反毛者死刑。並指出北平，上海，太原，武漢，吉林，呼和浩特和其他城市裏，不僅當衆判處了四百八十人死刑。他們不但自稱爲所謂革命委員會推行的毛澤東式的審判；而且無法無天，肆無忌憚，惟一目的是恫嚇毛共的反對者和羣衆。該廣播復評論說：事實證明，毛共分子，不能在士兵刺刀幫助下鎭壓人民對毛共集團的越來越有力的抵抗。又證實說：這幾天，在內蒙古自治區以人民爲一方，與士兵，暗探，紅衛兵和造反派爲一方之間發生了眞正的戰鬥。在北平火車站也發生了流血衝突。在北平的工廠區，工人和紅衛兵也發生衝突，發生衝突時工人給予毛共的走卒以回擊，並迫使他們夾尾而逃。

（本港訊）莫斯科電台廣播評論毛澤東對紅衛兵的新態度時，首先透露：共軍越來越大力干涉紅衛兵的事件，大、中、小學生，青年工人和農民，都在他們的壓迫下開會，在這些會議上通常主持開會的是共軍的代表，他們擁有特權。毛共千方百計企圖限制紅衛兵的活動，現在對任何人都不是秘密了。

隨即指出毛共集團自解散了所謂「青年團」之後，乃通過欺騙的途徑，利用青年紅衛兵，在反對黨內幹部的鬥爭中，達到他們的自私目的。於此同時，毛共千方百計鼓勵成立所謂「青年革命組織」，在他們面前阿諛奉承，並稱他們是「革命闖將」和「革命先鋒」，這是毛共集團狡猾的，去利用中國青年一部份沒有經驗和輕率的行動。實際上毛共及其集團旨在一個不長的時期裏利用紅衛兵，把他們當作反對黨及其幹部的盲目和馴服的力量。過些時候之後，毛共集團不僅要把他們拉下政治舞台，同時還要找到藉口，破壞他們的聲望，甚至還把各種錯誤加在他們頭上，甚至要對他們進行殘酷的迫害云云。

「真外行」和「假內行」（下）

陳光棣

壹：身爲教師者，不着重培育和啓發青少年的思想，以「注入」「塡鴨」的教學方法，硬逼着學生死記硬背，不考慮學生的反應，興趣，理解和效果者就是「眞外行」。一份教材用一輩子，教書以支薪爲本，不向學生介紹新智識，新觀念，新思潮，新技巧，新方法，新的生活方式和內容者，也是「眞外行」。不能循循善誘，潛移默化，一味以點名約束學生上課，以扣分管制學生聽講，以懲罰維持學校秩序者，更是「眞外行」。身爲教師，責任重大，一言一行，可左右青少年一生成敗，但願「眞外行」輩越來越少。

貳：作官的朋友，一旦小有地位，便神氣活現，六親不認，兩眼望天，冷若冰霜者，必爲「眞外行」。如上級不相信下級，主管不相信屬員，所有官員又都不相信老百姓者，也統稱「眞外行」。不切實際，專以統計圖表和形形色色的報表，來贏得別人尊敬和上級信任者，大多是「眞外行」。尤其報表這玩藝兒，印出來的目的只是爲了「塡」的，誰都知道它的存在價值。何況除了塡表員之外，也根本沒有人肯浪費時間細看內容。至於「臨表涕泣」的苦惱，似乎也是小民們一種不可避免體驗」。

叁：在工商界裏，我們「眼看他起高樓，眼看他樓塌了」的可憐蟲，都是「眞外行」。借來高利貸的本錢作生意，以債養債，而又處處跟在別人後面跑者，勢必鷄飛蛋破，狼狽收場，這都是「眞外行」。假如航空公司爲招徠顧客，只着重宣傳「空中小姐招待親切」者，其宣傳人員，全是「眞外行」，因乘客所考慮的是航空公司的飛機性能和駕駛員技術，有誰只爲了享受一下空中小姐的親切招待便花着大把鈔票去長途賭命乎？

肆：假如你認爲信仰宗教，便馬上能得到什麼便宜者，你就是「假內行」。誠然一種信仰對人有若干益處，但不是屬於功利方面的。身爲基督徒，到了假期就偷懶不作禱告自以爲得計者，也是「假內行」。因爲上帝是從來不放假的。假如你禱告時，覺得說國語恐怕上帝聽不懂者，也是「假內行」，因爲帝是萬能的。

伍：如你不達時務，竟借同太座到「純吃茶」去品茗者，則是道地「假內行」。至老父腰酸背痛，而你竟把他送到「理療院」去理療者，你連「假內行」都不如，你簡直是二百五！

陸：如你想事業「成功」，而不腳踏實地，奮發圖強，希冀看一本「成功秘訣」就能大展鴻圖者，你則是不太可愛的「假內行」。因成功秘訣一類書籍，往往告許你更上進，更努力，更合作……假若你有這些長處，你一定會成功，否則都是白費的。你知道，凡是編「成功秘訣」的人，都和編「致富寶鑑」的窮酸一樣，因爲倘如他們成了功，或是發了財，就絕不會再有時間編這勞什子，來博取蠅頭小利了，所以他們都是出類拔萃的「假內行」。

人的一生大半在「眞外行」中度過。說老實話；所謂「活到老學到老」這句話，是眞有高深的哲理的。因爲我們一生之中，幾乎都是在暗中摸索，等你一旦什麼搞透徹了，你也就老而無所施展了。所以我一再提醒你運用思想，就是如此。謂余不信，請看例證：

壹：我們當學生的時候，對於怎麼聽課，怎麼求知，怎麼在各種「烤」的情況下不焦頭爛額而能脫穎而出，就非常缺乏心得。我們當學生的時候，到底相信什麼？熱中什麼？爭取什麼？反抗什麼？可能連自己都回答不出。一直到離開學校十幾年，再回頭想想，才恍然大悟，原來作學問是應該少憑記憶，多重理解；應付考試也容易，只要當場把老師反復講述的多在腦子裏迴旋迴旋就可以了。到了社會上才曉得，「優秀青年」不必一定靠分數來證明等等。你不是搞通了嗎？可你也再沒有機會當學生了。

貳：不分男女，沒有結過婚，對於結婚生活必定外行，這用不着舉例。假如你現在已兒女滿堂，只要回憶一下結婚伊始的情形，便會啞然失笑。因爲你幾乎什麼事情，都沒有搞對了頭。你愛信不信，沒有生過孩子的女太太們，對于生孩子也是外行，先學養子而後嫁者，究竟是少數。你只看到那位太太生了個胖小子，多麼高興，你知道她們那種臨盆慌恐絕望，養育時的手足無措。這話又說回來，即使有生過幾個孩子經驗的母親，也還不能完全行內。

叁：沒當過爸爸的人，一旦作了爸爸也是外行。怎麼照顧坐蓐的妻子是外行；如何保育襁褓中的嬰兒更外行；孩子慢慢長大了，如何適應他，如何誘導他，如何愛護他，如何教育他，在在都免不了外行。因此在這個世界上失敗者衆，成功者寡，都怪外行的爸爸，不得其門而教。但願每一位作爸爸的爲了兒女的幸福，不多花些腦筋，千萬不要回憶前塵，痛心疾首，因爲事到臨頭，就來不及了。（完）

農業豐收的一年

台北航訊

台灣去年農業生產，雖曾遭受四次颱風的天然災害，但由於耕作技術不斷進步了，加上全省農民辛勤努力，所以，又獲致極爲豐碩的成果。

一、農業生產成果方面：

（一）生產總值——依據省農林廳初步統計，去年生產總值爲新台幣四百二十八億九千六百萬元，比前年增加二十八億五千一百萬元，增加了九・四二%。其中農產爲二百六十八億三千二百萬元，比前年增加十四億三千二百萬元；畜產爲九十五億九千六百萬元，比前年增加十億零二千八百萬元；漁產爲四十一億四千萬元，比前年增加二億七千五百萬元；林產爲二十三億二千八百萬元，比前年增加一億一千八百萬元。

（二）農業成長率——去年農業成長率爲五・三%，較預定目標四%爲高。計農產成長率爲二・八%，畜產成長率爲一一・八%，漁產成長率爲六・三%，林產成長率爲三・五%。其中以畜產成長率一一・八%爲最高，顯示去年畜產發展迅速；而且今後亦有更好的遠景。

（三）農產品外銷——去年各業對外輸出總值爲美金六億六千九百四十萬元。其中農產及農產加工品外銷者爲美金二億六千八百七十萬元，估輸出總值四〇・一%，與前年比較增加約美金一千萬元。分析輸出農產品價值，其中糖米兩項輸出已較過去爲少，而香蕉、洋菇罐頭、蘆筍罐頭及蔬菜等輸出劇增。尤其香蕉輸出爲美金六千三百萬元，與去年蔗糖外銷價值相近；蘆筍罐頭前年外銷僅美金一千四百萬元；去年增爲二千四百萬元，增加約六九%，殊堪重視。

（四）稻米生產——稻米爲本省主要農產：

1. 去年稻米生產實際種植面積爲七八七、〇九七公頃，與前年比較短少一、五三八公頃，約減少百分之〇・二；單位面積產量糙米三、〇六七公斤，比前年增加五〇公斤，增加一・六六%；總生產量糙米二、四一三、一七九公噸，比前年淨增四四、一二九公噸，約增加一・八四%。

2. 去年稻米生產總量及單位面積產量，均創歷年最高紀錄，如無颱風災害，其增產實績可能不止此數。按去年第二期稻作曾受四次颱風災害，宜蘭、雲林、花蓮等地二期稻作頗有損失，因而二期產量比前年減少約一萬五千公噸。但在災害後仍能創最高生產紀錄，具見政府輔導農民使用優良稻種、改善栽培管理、防治病蟲害、供應肥料、貸放資金等措施確有利於增產。

（五）雜糧生產——去年甘薯與小麥、落花生、大豆、玉米、油菜等雜糧作物生產總計爲四、〇八一、八四〇公噸，比五十五年產量三、七二六、八六九公噸，增加三五四、九七一公噸，增加約九・五二%。

（六）特用作物——特用作物包括甘蔗、茶葉、青果、蔬菜等十五種，去年生產値爲新台幣一百億元，較五十五年生產値九十二億元，增加八億元，約增加九%。

二、今後發展途徑：

（一）農業機械化——已經先後在嘉義縣大林鎮、雲林縣二崙鄉、彰化縣福興鄉，成立三個農業機械推行中心，全力推廣耕耘機、抽水機、噴霧器、噴粉器。目前全省已擁有耕耘機一萬七千八百二十台。另發明水稻插秧機和稻穀乾燥機，正在試驗改良，確定性能極優，決定擴大推廣。

（二）發展小農經濟——本省土地有限，人口衆多，農場面積較小，今後仍將推行發展「小農經濟」政策，除了加強擴大辦理全省農地重劃，將實施農業經營改良計劃，選擇有利作物制度，推行共同作業，共同購買與運銷，農機具共同購買與使用，擴大飼養家畜家禽，並加强農家副業及技能訓練，以增加農民收益，俾能更有效的改善農民生活，締造農村經濟更進一步的繁榮。

本報記者 沈鑫

考察東南亞

蔡亞萍談僑教

本報記者永亭

怡保的育才中學，芙蓉的中華中學，初中部中文，公民，地理，歷史等科多用中文課本；高中除國文課本外，則多用馬來亞文及英文。幸啓華、中華等小學中文課程較多，但當地政府仍積極限制華文教育，故在蔡校長伉儷剛離開馬來西亞飛星加坡時，該地中華教師總會曾召開全國代表大會，不特要求增加中文課程，抑且建議當地政府創設中文大學。全國各大都市商店多用大字中文招牌，且商業經濟均操於華僑之手。至星加坡華僑人數已達百分八十二强，中文教育在僑校中小學均甚重視，不特商店招牌多用中文，且祖國各種方言均甚通用，置身該地，頗有在國內相似之感。惟因當地政府重視高中畢業要參加劍橋會考，多重英文，使中文程度頗受限制。

因此，甫抵國門的蔡校長表示，處於這種情勢下，政府應鼓勵華僑子弟回國，接受教育；但由於他們中文基礎太差，所以主張回國僑生應先進修中文，如才能接受祖國的良好教育。

海外各地志願回國升學的青年頗多，政府應盡量設法容納，如公立學校名額所限，不能多收僑生，似可分配至私立學校就讀；如程度太差，不易銜接，亦應設班先予補習。

（下）

旅美散見

・張起鈞・

經過那兩次教訓後，實在不敢再領教了，於是終我第一次旅美期間未敢再乘火車。

我第二次到美國後，曾到南伊利諾大學執教。該校位於伊利諾州的荒谷，距離聖路易有九十五哩，有火車相通。我是二月七日到那裏的，而二月十二日就正趕上中部中國同學會在聖路易舉行。我便與劉遜先先生連袂搭乘火車前往，按照時間表是兩點半到達，約定由吳森先生駕車來接。那知上了車，而車就一直不開，一再稽延，到了聖路易已是快四點了。我在車上，一直躭心吳森會焦急久候，或竟因此相左。那知吳森絲毫未受困擾。我說「你知道我們車誤點了」？「老師，我在美國六年了，連這點還不知道？火車有幾次是準時到的？我是先打電話問明白才來接的。」「哦！原來如此！」

美國駐華大使館的一位朋友告訴我：韓國總統尹潽善訪美時，他看到一切一切都與二十年前他旅美時完全改變，面目全非了，只有一件事還和二十年前完全一樣，那就是火車。

美國的火車何以如此落伍呢？這倒不是美國人不行，而是美國人現在都不坐火車了。遠程的坐飛機，近程的用汽車，誰還坐火車？就是貨運也都漸以大型汽車代替。因爲汽車可以直接就地裝卸，送貨到家，省去兩三道裝卸手續。這在人工貴、效率高的美國是太重要的了，因而火車還怎不沒落？

火車沒落了！

讀史政略（八）

·仲公·

唐太宗聚四部書

上（唐太宗）於弘文殿，聚四部書二十餘萬卷，置弘文館於殿側，精選天下文學之士虞世南、褚亮、姚思廉、歐陽詢、蔡允恭、蕭德言等，以本官兼學士，令更日宿直；聽朝之隙，引入內殿，講論前言德行，商榷政事，或至夜分乃罷。又取三品以上子孫，充弘文館學士。

貞觀之治，古今傳爲美談，考其原因，與太宗提倡學術的基本政略有關。秦始皇得天下，丞相李斯上書說：「今諸生不師今而學古，以非當世，惑亂黔首，相與非法教人。聞令下，則各以其學議之，入則心非，出則巷議，誇主以爲名，異趣以爲高，率羣下以造謗。如此弗禁，則主勢降乎上，黨與成乎下，禁之便。臣請史官非秦記皆燒之，非博士官所職，天下有藏詩書百家語者，皆詣守尉雜燒之。有敢偶語詩書棄市，以古非今者族。吏見知不舉，與同罪。令下三日，不燒，黥爲城旦。所不去者醫藥卜筮種樹之書。若有欲學法令者，以吏爲師。制曰可。」採棄學術，控制思想，是秦始皇立國的政略之一，與唐太宗尊崇學術，開放言論的做法，剛好相反。而其結果，一個成功得非常輝煌，一個失敗得非常淒慘。

漢興，陸賈時時在高帝面前說詩書，高帝罵曰：「乃公馬上得之，安事詩書？」陸賈曰：「居馬上得之，寧可以馬上治之乎？且湯武逆取而以順守之，文武並用，長久之術也。昔者吳王夫差，智伯，秦始皇，皆以極武而亡。鄉使秦已併天下，行仁義，法先王，陛下安得而有之！」高帝有慚色。陸賈爲著新語，粗述存亡之徵，每奏一篇，帝稱善。因爲一個政權，可以在馬上得之，但不能在馬上治之，國家離開了學術，要想長久生存，是大有問題的。

唐太宗提倡學術，乃是而普及教育，登庸人才，是一個有計劃的行動。太宗搜購天下書籍，選五品以上子孫工書者爲書手，皆用益州麻紙抄寫，分爲四類，曰經史子集，以甲乙丙丁爲次，謂之四庫書，亦稱四部書。兩京各二本，共三萬五千九百六十一卷。太宗又詔修諸經正義，及前代各正史。又同時獎助釋門從事大規模的譯經運動，一時藏書之盛，邁越前代。由是而影響太宗以後的政權。開元之世，藏書更富。安史亂後，國力未復，仍然肯以千錢購書一卷。至文宗時，四庫之書復完，分藏於十二庫中。

另一方面也同時影響了民間藏書的風氣。舊唐書載吳兢藏書一萬三千四百餘卷，韋述藏書二萬卷，蔣義代藏書一萬五千卷，田弘正藏書萬餘卷，蘇弁藏書二萬卷，鄴侯多書，插架三萬軸，李磎及韋處厚藏書，均踰萬卷，而唐之學者自爲之書，又有二萬八千四百餘卷。

當時的書籍流通極爲困難，藏書的工作，並非有錢就可以辦到的。柳仲郢廐無名馬，衣不薰香，退公布卷，不捨晝夜，九經三史一抄，魏晉以來南北史再抄，手抄分門三十卷，號柳氏自備。又精釋典，瑜珈、智度大論，皆再抄。自餘佛書，多手記要義，小楷精謹，無一肆筆。於此可見唐代朝野研究學術風氣之盛。

又貞觀五年以後，太宗屢幸國學，增創學舍一千二百間，學生逾三千人。書算各置博士，凡三百六十員。屯營飛騎，亦給博士，授以經業，有能通一經者，皆得補官。高麗、百濟、新羅、高昌、吐蕃諸國，均遣子弟請入國學，升講筵者至八千餘人，其盛況爲近古所未有。由購書、藏書、抄書、讀書、著書、譯書，上起帝王，下至平民，全國各界，均參加了這一個長期性的學術運動，於是不斷培育了新的人才，完成了新的創作，開拓了新的思想，產生了新的力量，尤以在文學和佛學方面的成就，爲李唐帶來了稀世的光榮。書謂：「一人有慶，兆民賴之」，立國政略，蓋不可不愼也如此。

莊周的寓言 伏爾泰的詩

·李賡華·

先賢勉人以「三人行，必有我師焉。」美國哲人愛默說：「你知道做一個大學問家的秘訣在那裏！這秘訣就是『你可以在任何一個人的身上，學到一些東西，並且做他的學生。』」果能以這種態度去爲學做人，雖不中不遠矣。

本文所要敘述的，是關於東西哲學思想上雷同的見解，雖然在時空上頗有極遼濶悠遠的距離，而且各有它不同的時代背景，但是，它仍是殊途同歸，非常自然地默契而共適的。

莊周生當戰國，與梁惠王，齊宣王同時，他的著作學說，雖然本於老子，實較老子尤爲超然玄虛，其內容含有自然哲學—逍遙遊，知識哲學—齊物論，人生哲學—養生篇，以寓言爲多。由於當時社會的衰亂，沉濁，遂有出世之想，因爲出世才能無所羈絆，無羈絆方能隨心所欲，所以莊周是崇尚自然的。

伏爾泰生於十八世紀的法都巴黎，當他十二歲時，別的孩子尚在運動場遊戲時，他却同學者們在談論着哲學的問題。他的著作達百種，最成功的作品是一篇短篇小說—「室第德」。這篇成功的小說却淵源於他的一首詩，引發這首詩的動機則是由於一九五五年里斯本所發生的大地震，三萬市民喪命的悲慘事實。他的著作不見容於法國，所以屢次遭到他政府迫害放逐，他雖然愛法國，法國却不歡迎他，以致於他的理想幻滅，悲觀了，於是長期住在德國。

莊周因爲悲憤世俗的不可相處，所以希冀徜徉自得，以求逍遙物外，與天地自然爲伍，與宇宙的主宰共遊，以實踐其逍遙遊的理想，這是他自然哲學理想的表現。在他自然哲學的領域裏，莊周發現了許多眞理；也許這些眞理，在我們也彷彿有過糢糊的思維，可是並沒有去注意它，也沒有方法去表現它，哲學家則不然。他在寓言裏寫道：「莊周遊乎雕陵之樊，覩一異鵲……：蹇裳躩步，執彈而留之。覩一蟬，方得美蔭而忘其身。螳螂執翳而搏之，見得而忘其形，異鵲從而利之，見利而忘其眞。莊周怵然曰：『噫！物固相累，二類相召也』，捐彈而反走，虞人逐而誶之。」（虞人掌山澤之官）從這種哲學觀念着眼，他認爲小人爲殉利而死，士人爲殉名而亡，大夫則以身殉家，聖人則以身殉天下，雖然事業不同，名號各異，其傷性亡身却都是一樣的。莊周雖主張無爲，但還是有爲的，從其應帝王可知，不過主張却物慾，而以心爲師。他認爲天下之大，萬物之富，外物之累，嗜慾之情，若不能以「心」爲師，而至於忘形，便落於軀體形骸，便落於偏枯，人爲物役，不能達於至道之境。他主張勝物而不傷。在他的寓言裏，充滿了哲理的啓示，其卓越的論述，正可作他思想的最好註腳。

伏爾泰的詩，不僅對宗教挑戰，同時帶來了英法互爭加拿大雪地而長達七年的英法戰爭。他的詩裏寫道：

「對了，我是這世界裏一個弱小的角色。
但是，一切的生物，一切有靈感的東西，
都和我一樣的受罪，也一樣的不免一死。
兀鷹攫住了一隻懦弱的小鳥，
它那血淋淋的嘴啄住了那些顫抖的肢翼，
這樣，對兀鷹來說，一切確非常滿圓；
可是頃刻間，一隻鷹鷲却把兀鷹撕得粉碎。
這時地上有個人，一箭射穿鷹鷲；
但不久他自己却也倒在戰場，
血染四遇。已經戰死的伙伴，
又變成了餓鷹的糧食，
世事便是這樣周而復始，
到處充滿了苦痛的呻吟！
可是，在這羣魔亂舞的世界裏，
你還要說，別人的不幸構成全體的幸福！
多幸福！於是你，這可憐的人，
用顫抖的聲音喊着：「一切都很圓滿。」
可是世界證實了你的話不過是謊言，
你的內心也千百次地駁斥自己的幻想……
最曠達的人對此有何高見！
安靜罷，因爲宿命原不可知。
人類也看不到本身的廬山眞面；
他不知自己從何而來，從何而來，往何而去。
一生勞碌，就像泥土上滾動的灰塵一樣。
受着命運的玩弄，等待死神的蒞臨。
可是思想的微光，却能用它們認識的眼睛，
於是我們和無限的宇宙竟成了一體，
但是，却永遠不能把自己看個水落石出。
……」

他這首詩造成了「若上帝無能，便是上帝縱惡」的宗教難題，表現了伏爾泰的自然哲學和理性主義，影響了十八世紀以後的哲學路向。尼采稱伏爾泰爲「笑獅」，並說：「到了後來，帝王和教皇反而不得不去逢迎他，在伏爾泰的面前，他們的寶座甚至要幌幌欲墮。而且，半個地球的人，都去研究他的著作，乃至於每一句詩。」伏爾泰的作品裏充滿了憂鬱而沉重的痛苦，他裸露人類的殘酷，同時也述敘了人類的愚蠢，在在發人深省。

我們如果不拘泥於形式，而從哲學的共同觀念上，不難發現其追求眞理的意識，和發掘人類靈性的智慧，實在是殊途而同歸。當我們賞欣其作品時，唯覺眞理是人類追求的共同意義和價值。東西哲學思想上的異同並不存在，這豈不是極富深意的事。（完）

搜秘錄

蕭振瀛發橫財

被天津大公報筆伐下台的天津市長蕭振瀛，原爲西北軍石友三部下；他爲人直爽，個性特強，乃無折無扣之功利主義者。平津輿論旣對其不滿，華北軍政首長宋哲元亦認蕭「言過其實」，不堪重用，於民國廿五年六月將蕭的天津市長免掉，要他出國考察，並給予十萬銀元做旅費。

抗戰初期，蕭從國外趕回，從河北去南京，再從南京到重慶，摸不到官，祇有設法求富。就有這樣巧事；在嘉陵江打撈一艘前清西南邊疆大吏給西太后進貢的沉船，得了一筆橫財，據說數目相當大。就以這筆錢，在重慶開辦起大同銀行，因他與軍政界的關係特殊，故存欵甚多，分行遍佈西南各大都市。不過蕭非常迷信，「周公解夢」，不離枕邊，他常說：「一部夢書安天下，三十六罵定太平」。一個好罵人的人而被報紙罵下台，亦因果有以致之歟？（小記）

中國女性文藝春秋（續）

「斷腸詞」作家朱淑貞的戀愛生活

周遊

「一夜涼風動扇愁，背時容易又新秋。桃花臉上汪汪淚，愁到更深枕上流」。她以「秋扇」自況，當是被遺棄無疑了。但人總是感情動物，何況她是詩人呢！當她沒有嘗到愛情的苦酒滋味之前，不妨唱出「甯可抱香枝上老，不隨黃葉舞秋風」的調子，以反抗那不自由的婚姻。等到反抗失敗，連那勉强和她結合的丈夫也失去了。一個雙棲已慣的女子，一旦孤棲單飛，在心理上都容許再彈「抱香枝上老」的調調了。她曾經這樣寫道：「鶯鶯燕燕休相笑，試與單棲各自知」！她此時的苦況，委實是不堪言狀了。

她的一首作品——「生查子」，曾經引起了許多人的聚訟，因爲歐陽修「六一居士詞」有同樣的一首，於是愛惜這位女作家的人，都引證以爲非她所作的證據。其實這個證據是非常薄弱的。因爲「六一居士詞」中有許多詞是從別人集中攙入的，誰敢保證獨此一詞反由「六一詞」攙入「斷腸詞」中呢？如果她果有「偷期密約」的事，在現在我們看來也是常事，沒有什麼可以掩飾其作品的光輝。事，她的丈夫旣棄絕了她，她也不耐獨棲（[illegible]），當時說她也需要一個保護者，因而和另一個男性相戀，也並不過份。在當時改嫁的名女人也很有人在。她全部詩詞中，也可以找到她另與他人相愛的纔索，很富羅曼蒂克的：

「火燭銀花觸目紅，揭天鼓吹鬧春風。新歡人手愁忙裏，舊事驚心憶夢中！但願暫成人繾綣，不妨常任月朦朧。賞燈那得工夫醉，未必明年此會同。」

再把「生查子」來對照：

「去年元夜時，花市燈如晝。月上柳梢頭，人約黃昏後。今年元夜時，月與燈依舊。不見去年人，淚滿春衫袖。」

這些事寫得如此顯明，再以什麼法子爲她掩護呢？她和戀人在元夜是第一次幽會，是從「新歡入手愁忙裏，舊事驚心憶夢中」二句可以看出的。而「未必明年此會同」一語，不意就成了她不幸的讖言。她們結識之後，感情非常甜蜜，她此時已獨居在杭州，一切都可自由，時常雙棲雙飛，慢步湖濱，飽覽西子的秀色。她作有「清平樂」云：「惱烟撩露，留我須臾住。携手藕花湖上路。一霎黃梅細雨。嬌癡不怕人猜，和衣睡倒人懷。最是分携時，歸來怕傍妝台」。這眞是「愛情入迷」的鏡頭哩！她這段生活，是何等的浪漫，但是好景不常，富於羅曼蒂克的生活只過了二個半月，不知爲了什麼，她的戀人也和她分別了。她也作了一首送別之詞：

「風光緊急，三月俄三十。擬留連計無及。綠野烟愁露泣！倩誰寄與春宵，城頭畫鼓輕敲。繾綣臨歧囑付，來年早到梅梢。」

（五十六）

藝林人物介紹

鄭子尹與玉屏簫歌

・筠叟・

「烈女傳」載：「蕭史善吹簫，秦穆公以女弄玉配之，夫婦吹簫引鳳至，乃乘鳳仙去，穆公為之作鳳台。」此一美妙神話，至今仍為婦孺嫗叟津津樂道，足見簫之來源甚為古老。鳳凰雖渺茫而無從尋覓，而引鳳之簫則出產於貴州玉屏縣，幾無人不知。

玉屏縣位於貴州東境，赴湘西沅陵芷江為其必經之孔道。玉屏因產洞簫而馳名，實則，縣城荒寒，居民寥落，街道狹隘，且坎坷不平，車經此，頗有顛簸之苦。抗戰勝利，余挈眷返湘，道經該縣，因慕其出產洞簫之名，匆忙中購得數枝，以為留黔之紀念。

玉屏洞簫，較其他所產者，竹管纖細，管面光滑，色澤美麗，式樣玲瓏，上刻有山水人物花卉之屬，或以古人詩詞題其上，點染生姿，殊為雅緻，此僅為一種裝飾，不足為異。然其可貴處在於聲音清澈，悠揚婉轉，午夜按弄，不禁有意迷魂消之感！蓋其聲發自天籟，為他種樂器望塵莫及，一般音律家視為珍品，非無故也。

據傳說：玉屏之簫，有如下一段掌故：

百多年前，有鄭芝山者，幼孤，母茹苦含辛撫養成人。及長，事母至孝。一日母病危，家貧無力延醫，日夜祈求上蒼垂憐救助，經月餘祈禱，夜夢白衣人指示：「該縣境南山之竹，製作洞簫，當可得錢治其母病」。芝山依命攀登南山採竹製簫，取其一試吹一曲，一霎時雲間突飛來鳳凰一對，隨簫聲振翅翱翔，五彩絢爛，耀眼欲盲，縣民齊集鄭家門前，歎為奇觀。因鄭製之簫能引鳳，爭出重價購之，鄭家之簫以是馳名宇內矣！

鄭芝山本家邃義。鄭珍子尹，為清代鉅儒，著述宏博，文章冠絕一時，詩詞膾炙人口，其所著「玉屏簫歌」，尤為其中之佳製。余無意中得之於筑市文化招待所廢紙堆中，亦可謂與簫有緣矣。其歌云：

「兩年吹笛繞梅花，三聲妙儷伊優亞。已謂入神得真性，旁人笑我鬧琵琶。此簫大似知音人，雙雙顧我求識真。老夫莫得喙三尺，顛倒摩弄徒傷神！鐵盆暖酒抱裘薄，夜半高歌動秋壑。旗亭女子世已無，遠上黃河等寥落。苦心愛此欲付誰？滿眼書生意無托。生材不作文與韋，萬年挽去登明登，三十餘年閣箱底，重者自重傷者傷。不能為玉鼓玉琴，且為此簫揚妙音。玉屏山深舞溪遠，聲在此中何處尋？」

鄭珍在「自序」中云：「余素不解音律，姜丹輪蓄簫二，已三十三年，持來作夜飲，摩沙乎兩夕，妙發二三聲，余與簫兩不負矣」。余讀此詩，其意境高妙，非言語所能形容。鄭不僅不負簫，且為簫之知音，明矣！

生活漫談

預防中風與腦充血

・馬騰雲・

中風與腦充血的藥劑，多得難以數計，宣傳的方式也是五花八門。據筆者的實驗，玳瑁是一種物美價廉防中風腦充血有效藥物。玳瑁的背甲計有十三片，稱作主甲鱗，周圍甲計廿五片，缺列如鋸齒。入藥者為背甲，用十公分以水五〇〇公撮煎至二〇〇公撮去渣，一日三回分服，不僅可預防中風及腦充血，且有清血及防止五臟內生毒瘡與疽疔的功能。但血壓低的人忌服。玳瑁的藥性與犀牛角類同，中藥對小兒發熱之驚搐，及成人急性熱病之狂譫均用之。

嗜酒的人容易患腦充血，肥胖的人容易患腦充血。嗜酒的人下酒要吃好菜，肥胖的因素也是起自吃得好，雞鴨魚肉，山珍海味，所得的營養，又都是脂肪和生血的成份佔多，脂肪多餘了，自然肥胖。血多餘了，壓力會增高。血壓高時血管漸薄，因血管薄自然變硬，才能防止破裂。血管到了既薄又硬的程度，一旦遇到刺激使血的壓力再增高，就難免不裂開。尤其腦血管最容易出毛病。

試統計苦力和窮人中得腦充血的比較少，有人說這是上帝的公平，富人的驕奢淫逸，腦滿腸肥，由高血壓、糖尿病、失眠症、中風、腎虧等病魔，陪伴富人度日子；窮人們滋補沒有，營養不足，根本就不可能得上列的一些毛病，否則富人佔盡了便宜，窮人吃盡了虧，舊詩：「無私乃天道，不役是人倫」。我們欲日常防止高血壓、糖尿病、失眠病、中風、腎虧等病，最佳的藥劑就是粗菜淡飯向窮人看齊。

在台灣患失眠症的人特別多，我們稱它為「時代病」。不過這種「時代病」並非富人專利，窮人照得不誤。若干文人，公務員患失眠症的人也相當多。西醫診失眠症多採用鎮靜劑，而鎮靜劑一般的說，都含有麻醉成份。筆者於民國三十五年曾患此症，經正式醫生指導服安眠藥，由一粒昇到四粒。平常服八粒就可以將人帶到人生旅途終點站了，四粒與八粒，祇五十步笑百步而已！後經至友楊幹才將軍（楊森先生侄公子）傳授精神療法，經試驗果愈，益信「三人行必有吾師」的話，有其不可抹滅的道理。

第一：晚飯後步行一華里，入睡前溫水洗脚，自己將手足按摩。第二：入睡前吃一小杯高粱酒，及食易於消化的點心少許。第三：睡眠時寧可以受涼，不要受熱；不在腦子裏檢討事情，不胡思亂想。這三點簡而易行，人人能做。關於第一點前清名臣曾國藩有「飯後三千步」的習慣，三千步可能是一華里。第二點入睡前吃點心，可促進血液集中胃部，使循環在腦子裏的血液減少，就容易入睡。小量的酒可以催眠。第三：俄國人發明的睡眠療法，涼爽就是催眠方法之一。我們看到鄉間老農，常在柳蔭下涼風徐徐，呼呼入睡，很符合涼爽催眠的道理。

真正的因病不能安眠，需要延醫生診斷，楊幹才將軍介紹的自我精神療法，頗有參考價值，患失眠病的朋友，不妨試試。惟安眠藥少用為宜。寫到這裏順便介紹一兩種與睡眠有關的中藥，用淡竹葉十公分煎茶常飲，可療失眠。胡桃仁為緩和滋養強壯藥：其成份含有鎂、錳、鐵及磷酸鈣，有健腦作用。另外用茯苓十公分煎汁當茶飲用，也可鎮靜及催眠。中藥的長處藥性王道，無副作用。

禪的火花

（十六）禪的形而上基礎

禪，雖然是不可思議的，但它並非沒有形而上的基礎。它的形而上的本質可以從老子道德經的第一章中看出：「道可道，非常道；名可名，非常名。無，名天地之始；有，名萬物之母。故常無，欲以觀其妙；常有，欲以觀其徼。此兩者同出而異名，同謂之玄。玄之又玄，衆妙之門」。

這一章和禪宗思想的關係，可以簡述如下：

第一點：道是無可名狀的，任何言語文字都隔了一層，不能表達真境，我們只有用直觀去親自體驗。祖師的言語只是喚起你的直覺，而不是把道從外面貫輸給你。「名」之所以為「名」，也只是喚醒你心中之道的一種方便法門而已。

第二點：道是超乎名與無名的，從絕對的真如來說，它是無名的；但從相對的現象來說，它又是萬物之母。

第三點：道包含了本體和現象，是兩者的共同源泉。道之所以能包含這兩者，乃是因為它超越了這兩者。這種包含和超越之相生相成，是玄之又玄的。

第四點：由於玄之又玄，所以我們不能理解它。但我們本身就是玄妙的一體，我們活於其中，動於其中，存於其中，深入其中而直達「衆妙之門」。正如宗教哲學家默燈（Thomas Merton）研究道家和禪宗，曾說：「進入絕對的門是大開的，我們好像掉入了無限的深淵；雖然是無限的，卻又在我們的周遭；在這個平靜和無聲無息中，我們掌握了永恆」。

・吳經熊著
・吳怡譯

海嶠譚薈

奚倫投奔自由的曲折（上）

諸葛文侯

安徽合肥人奚倫（東曙），在台灣逝世經年矣。當毛共竊據大陸時，他仍居國內從事金融業務，初期毛共且予以利用，指派他担任所謂「公私合營銀行業聯合會」理事長，住在上海「為人民服務」，奚氏另斥資籌設私營商業公司，自任董事長，而約吾友華澤鈞投資合作，充監察人。未幾，共黨露出猙獰面目，實施生產事業集體所有制，奚氏及其友好私有的公司財產，盡被掠奪了。他憬然來日大難，後患無窮，乃乘機託詞，潛至香港，決意爭取自由，投奔台灣，詎人謀不臧，幾罹橫禍，迭經驚險危難，纔得幸達目的。我是當年親預其役者，奚氏在生時，我從未向人提及此事，且亦未曾見他一面，始終不相識。於今他已下世，不妨談談這段經過情形，聊資紀念焉。

奚氏到達海隅後，與其在海隅供職共方銀行界的一二友人，賃居一椽小樓中，他以過去曾任「國民參政會」參政員的關係，常潛往某報晤其主持人許某，表示願赴台灣，蓋許亦做過參政員也。許某當然贊同，教他靜候安排，這是民國四十六年八月間的事。既而台灣核許奚氏入境證已寄來，然鎖在某報鐵櫃中，囑奚氏等到雙十節前一日纔坐飛機入台，奚氏不明其所以然，祇好待命。不料事機不密，致被共方偵悉，連夜將奚氏架走，藏諸他處，擬解返大陸究問。許某聞訊惶遽，跟我商洽善後之策，我說別無他計，唯有速在報紙上刊出此項消息，說共黨公然綁架市民，妨害人權，希望治安機關注意此事，保障市民的人身自由權益，先使奚氏不致解往廣州，救命第一。即由我撰擬新聞稿，刊諸「港聞版」頭條。當地治安機關果然予以查究，而奚氏乃得幽居海隅，未被架入大陸去。

奚氏初被囚在郊區，以受驚過甚，精神有些失常，經過若干時日後，共方又將他安置在市內某一投共銀行的宿舍內，由其素識的該銀行職員照料他，該職員固非共黨份子，內心上亦不以共黨為然，對奚氏的日常行動，並未加以嚴密監視，可以接見訪客——但不得與反共人士晤談。

越民國四十七年春間，一日，吾友華澤鈞突來訪我，謂剛從大陸出來，為與奚倫洽商上海私營商業公司的一切未了事項。華君原係民國元勳李烈鈞上將的內親，跟我共事有年，抗日戰事結束後，他奉命到台灣接收交通事業，旋回大陸去了。他將連年來在共區所膺受的痛苦生活，對我叙述甚詳，且言已與奚氏晤面，奚表示仍望投奔台灣，問我有辦法否？我說素不過問這類事情，以君見囑，但一誤不能再誤，此事祇宜你知我知，千祈不可洩漏，否則奚氏的老命終非斷送不可！君謂當然。最後我與君約定，十天之後再來聽消息，我倆私人過從，亦戒頻繁，藉避外間耳目為佳。

國劇脚本

大漢兒女（一名新莽刺）

・田士林・

第二場

時：與前場同時。
地：琅牙山中。
人：呂菁娘（旦　扮）
　　鶯　兒（花旦扮）
　　虎　形（武行扮）
　　羊　（雜　扮）

呂菁娘：（以下簡稱菁）（內唱南梆子）迎曉風望殘月獨上山嶺，（上唱）改容裝渾不似紅粉娉婷。獨只為老萱堂衰年多病，帶弓刀，攀山嶺，斬荊披棘闖莽林尋覓山羚。走一程又一程羊腸路徑。

鶯　兒：（內白）姑娘，慢走，等我啊！（追上，氣喘吁吁，接唱）翻山頭越山嶺大汗淋淋。（白）唉！山路真難走，虧您有本事上來，又像不費事似地。還是有武藝在身的好，我可吃不消了！

呂菁娘：（嗔怪地）你怎麼知道我上山來了！

鶯　兒：哈哈，打您開箱子找老太爺衣裝的那個時候，我就在被窩裏瞅着您■。您一個人出來，我不放心，跟着您出門，一路翻山越嶺，好艱苦。剛才在那座岡子上，脚一滑，還差點跌下去呢。

菁：！你來了，我可添了心事了。這座山上，可比不得剛才那座山，有猛獸啊！你快點回去吧！

鶯　兒：我回去，容易。您先說說今天一大早您就一個人喬裝改扮往山裏跑，幹什麼來的？老太太囑咐過您，別再上山了，您忘了麼？

（九）

自由報

第八三三期
（每逢星期三、六出版）
每份港幣壹角・台幣壹元
社長李運鵬・督印黃行奮
社址：香港九龍 91 DUNDAS ST. 9th FLOOR, FLAT 6 KOWLOON H.K.
電話：857253　電報掛號：7191
承印者：大同印務公司
地址：香港北角和富道九六號
台灣總管理處
中華民國（台灣）台北市大同街 119 號
電話：555395・557474
台灣分社：台北市西寧南路 110 號二樓
電話：三〇三四六
台郵劃撥儲金戶九二五二

從消極的政治觀念說起

陳光棣

我國在君主專制時代，偏于人治不着重法治，所以政治很不容易走上正軌。加以經世的學術思想，不能配合着社會變遷而有適度的發展，以致一些有經世之志的人，在無所遵循的情勢下，很難得培養出經世之才，因之知識份子難免都有生不逢辰和力不從心之感。在這雙重原因之下，便自然產生了消極的政治觀念，這情形從宋朝開始，一直到民國初年，幾乎形成了政治上的死結。

岳武穆曾感慨的說：「文官不愛錢，武官不惜死，則天下太平矣」。實際上這也是消極的政治觀念。因爲文官只是不要錢還不夠，更應該有積極的建設性作爲，就是要不貪而有能。武官只不怕死還不夠，也應該有戰勝敵人的豪氣和才略。王安石變法之失敗，總有一半是受了消極政治觀念的阻撓。因爲人的一生在觀念方面一消極，便開始懶惰，越懶惰的人越不肯用腦筋，越不用腦筋的人越頑固，越頑固的人越守舊，越守舊的人就越不肯改革，越不肯改革的人，就越怕改革起來麻煩，越怕麻煩的人就越來越自私。司馬光一班人所謂「無爲贊」，就是這樣來的。

消極政治觀念的具體特徵是「一日不死一日混下去（Middling Through）的「混」字，過去的北平話稱爲「泡」——很近似南方人所說的「泡湯」。因之過去很多作官的人，并不是爲了造福社會，服務人羣，而是爲了光宗耀祖，升官發財。反正那時的文官制度也是鼓勵無知、閒蕩和不負責任。於是大小官員，都首先養成了只拿薪水不作事的本領，繼而有了「笑罵由他笑罵，好官我自爲之」的修養，最後形成了「你說我不好，換個「再看看」的氣度。

過去作官的人，既然抱着「混」的態度，當然也會推己及人的不相信別人，因之出現了上級不相信下級，主管不相信屬員，而所有的官兒們又都不相信老百姓的這些怪現象。治事的態度是「當一日和尚撞一日鐘」，自然就「一動不如一靜」，「多一事不如少一事」；又怕「多作多錯，少作少錯」，所以又產生了「不作不錯」的哲學。事到臨頭，不能不管，於是有了「大事化小，小事化無」的訣竅，再配合上踢皮球、搓麻將、轉影壁、打太極拳的諸般「推」「拖」法術，便能如魚得水，左右逢源。所以在官場上便出現了兩種常見的型態：其一曰「兩袖清風」型，二曰「無錢不要」型。前者是不貪而無能，最爲百姓所擁戴，後者是貪污又無能，最爲百姓所痛恨。不管碰到那一型，都不能發生建設性作用。宋朝以後，迄民國初年，中國的社會進步遲緩，都是這批寶貝生生不息的結果。

再說十幾年來，政府勵精圖治，發展工商業，一日千里，世人耳目一新。去歲行政院爲整飭吏治，更雷厲風行的實行三卡制度（出勤卡、工作紀錄卡，操行考核卡），各級公務員雖然叫苦連天。但都能共體時艱，一例遵守，至少糾正了機關裏一貫的懶散作風，也改正了千百年流傳下來的一些「混」的觀念，這情形自然值得喝彩的，但凡事有利就有弊，爲此我們願意替公務人員說幾句話：

一、中國人消極的政治觀念由來已久晚近政風，雖已有長足進步，但距理想還有一段途程，並非一朝一夕，就能徹底消除積弊的。目前只在形式上用功夫，仍屬治標的辦法。比如出勤卡吧，某人按時上班下班，決不遲到早退，但也按時吃茶看報，談天，你却莫奈他何！主管長官肯冒着打破了頭的危險炒他的鱿魚嗎？治本的辦法還是：︵一︶積極推行退休制度，以吸收新血，增加朝氣。︵二︶政府以最大決心予主管官員以充份的人事任免實權，俾淘汰害羣之馬︵吃閒飯者包括在內︶。這件事最難也最有效，只要爲被淘汰的人找一條生路︵在技[illegible]上要詳細研究︶，事態就不嚴重。二、老實講，機關裏以中年人居多數，而中年人苦悶也最多，尤其是跟隨政府還台的公務人員，都是飽嘗背井離鄉，顛沛流離之苦的忠貞份子，三卡制度的實施，在精神上多多少少總會加重一些担負，至少會有不被信任的感覺。是以有懲罰也有獎勵，才能順利推行，才能產生良好的效果，而不致發生了「怠工」一類的現象。獎勵方面，如一年之內全勤者發給相當數目的獎金；工作成績特優者，可獲得升級等等。能以精神物質並重，使好人出頭，則可收事半功倍之效。

三、加發年終獎金，如政府財力確有未逮，至少在年關期間准借一個月薪水，分十二個月攤還，這在政府無損，對公務人員有益，惠而不費，好像不應有什麼困難，假如要是怕辦起來麻煩，那就又當別論了。

四、每逢春節各機關放假三天，而實際上不到破五以後，上班即不會正常，這是舊文化的力量，誰也莫可奈何。何不乾脆就放它五天假？倘若怕誤了公事，則在舊曆初三以後輪流值班有何不可？何況我們的公務員，都有隨傳隨到的工作道德，也不會影響公務。大部份的公務員都是終年辛苦，多休息兩天，也不算過份吧？

憑着消極的政治觀念以產生的政治行爲，上焉者不過是維持現狀，得過且過；下焉者則趨於暮氣沉沉，不求有功的沒落狀態。我們現在是處於國運迍邅，萬方多難之秋，消極觀念的政風，決不足以復興國家。應該轉移風氣，構成積極的政治生活，幾可以達到反共救國的願望。使用「三卡制」以整飭政治紀綱，防阻因循偷惰，不致愈趨愈下，則可，就非所以創進積極的政治生活之道。

天下并無百年不敝之法，也沒有不可轉變的政風，政治是人爲的，人才第一，法制次之。得其人，法制雖不完善，亦能夠救弊補偏，獲致績效。否則縱有良法美制，也不會發生應有的功能，徒然是具文而已。得人的義理無他，立賢無方，適才適事，而付之以應有的權力，課之以一定的職責，到時候，敎他拿成績來看，信賞必罰，毫無假借。這樣，大家即將力求有以自見，相信自己的努力必不白費。人之好善，誰不如我，雖無三卡制的約束，然一般公務人員亦不願自暴自棄，而以混下去爲原則了。

包藏禍心

身不由主

昨日與明日

大陸人民的逃亡潮

由於毛共在大陸上內亂不歇，以致民不聊生之故，最近從粵閩沿海地區逃亡到海隅的人，連縣不絕。粵共派遣大軍在邊境堵截，香港政府亦在新界各交通要道，嚴加警戒，并且出動了警犬到處巡邏，藉以堵塞難民偷渡入境之路。

毛共殘民以逞，對於一般民衆的生死存亡，絕不介意，爲着消除人口過多的威脅，且盼民衆的死亡率越多越好。香港政府基於地狹而生產貧乏的現實情況，自不敢大開方便之門，讓難民源源入境。所苦者，只是大陸上咱們那些生死兩難的同胞而已。

將何以善其後

香港政府表示，凡是偷渡入境的難民，如無犯罪事實，即不予遣返大陸。這是一種人道主義的意見，却非解決問題之道，且因此而對難民偷渡入境的措施，更要嚴密了。台灣的中國難胞救濟總會，希望港府將入境難民遣往台灣去，這亦不是解決問題的辦法。

寖假香港政府接納上項要求，讓難民繼續不斷的入境，隨時轉送到台灣去，光是廣東省就有四千萬人口，若有十分之一的民衆逃亡出來，台灣容納得了嗎？

這是一項現實的嚴重問題，萬不可藉作宣傳資料，應該實事求是的想辦法來解決。治標的辦法，似宜協同國際救濟機構來處理。他們過去可以長年安置幾十萬無家可歸的難民於巴勒斯坦，現在更可以援助香港政府，處理由中國大陸逃亡入境的難民，祇要不使難民流落無依，妨害社會秩序，港政府即不一定非把他們遣送別處不可！

中華民國既是聯合國的常任理事，我們有理由跟國際救濟機關協商此事，也有責任處置這項嚴重問題。

治本的辦法如何

談到治本之策，只有實行反攻大陸，其他都是空話。

用兵之道，攻心爲上。現在大陸上的人民，除却一小撮的毛派嘍囉外，心理上沒有不反共的。敵人的內憂外患駢臻，我們再不乘機反攻復國，更待何時呢！我們高喊「反攻復國」的口號，已經喊了十八年，過去錯過了許多反攻的機會，如今再無動作的話，海內外的中國人，將由極度失望而趨於悲觀絕望，聽到「反攻復國」這種口號，祇有增加反感，嗤之以鼻了。

說到反攻，自然牽涉到國際友邦的關係，如果友邦不同意，難道我們就永遠呆在台灣苟安自娛不成麼？事在人爲，我們儘可要求廢棄那項束縛手足的國際協約，也可以在外交上另闢蹊徑。沒有一點革命精神，總希望因人成事，不勞而獲，那末，四十年前的北伐之役，豈不是一種不可思議的神話？然而那却係成功的事實啊！（何如）

自由談

中文在外國吃香

英倫和蘇格蘭的教育行政機關，最近發佈聯合報告書，主張今後要注意學習中國文字，大專學校應列有中國文的課程，他們的理由說是爲着商業關係而然。不管他們用意何在，我對這項消息總是感覺高興的，因爲咱們正在提倡復興中國文化運動啊！

二次大戰後，中國忝成世界五强之一，聯合國明文規定中國語言爲法定用語中之一種。但我國出席聯大會議的代表們，祇有外交部長王世杰在某次聯大會議中，是用華語發言的，此外盡係說的洋話，理由安在，莫明其土地堂。自從政府播遷台灣後，崇洋的作風更甚，民間不用說了，政府機關的一些工作計畫書或報告書，不論是否與外援有關的，一例都是中英文併列，好像非如此就不夠格，這除了媚外崇洋的奴化心理表現外，作用究竟安在呢？

政府的官員既以說洋話寫洋文爲漂亮而能幹，自難怪海隅有個名爲「中文大學」的最高學府，校長和學生雖然都是中國人——教師十九亦是黃臉黑髮的炎黃子孫——而集會發言必須講洋話了。這情形，比較滿清末年吾國朝野上下爲着戰敗關係，相率表現着由懼外而媚外、崇洋的言行，更有甚焉。如此這般，今日一般知識青年之蔑視中國文物，主張全盤西化——連外洋的梅毒亦不妨沾染同化，良有以也，豈徒然哉！

國與國間的距離已經日益縮短，今天誰也不會倡言閉關主義和復古主義了。知識份子爲增進學識智能而學習外國文字，乃是孔子所謂「古之學者爲己」，誰曰不宜？作外交官的應該通曉外國語文，亦屬理有固然。但不能數典忘祖，一般官吏和熱中功名富貴的士大夫，在國內亦以說洋話寫洋文爲能事。英國的文教界提倡學習中文，美國且經常派遣學生來中國讀書，却未見他們的政府官吏和社會上的知識份子，對着本國人亦有講華語、寫華文的言行，他們出席國際會議的代表，更不會使用別國的語文，而他們的駐華使節，許多都是不懂得中國語文的，相形之下，我們舊有那種「次殖民地」的意識形態，不是依然殘存嗎？

要談復興中國文化，就得從心理建設着手，大家珍視本國的固有文化及其精神，斟酌損益，發揚而光大之。否則，如不流於口號標語的形式主義者，吾斯之未能信也！

馮玉先生

北桃兩縣長寶座動搖 候選人提名驟降第二

太太炒地皮蘇清波難辭其咎 鄭許躍居第一實為民意歸趨

台灣全省所屬各縣市下屆縣市長爭取執政黨提名，際此時季中，雖冷雨連綿，寒風凜冽，但競爭激烈，並不因氣候之冷凍而稍減。現執政黨各縣市級候選人提名，業已報請省級審核，經彙審決定。茲探悉於擬定之建議名單中，各縣市僅提一名，惟台北縣與桃園縣則同時提出兩名。現任台北縣長蘇清波與現任桃園縣長陳長壽已遭到同樣命運，均由縣級報省第一名，屈降為第二名，即蘇清波列在鄭水枝之後，陳長壽列名在許新枝之後。鄭許二人既同時躍升為第一名，依其名次排列之前後，以此二人年輕幹練，似不難窺見中央意向之所屬，而中央此舉當亦以兩縣人民意向為依歸也。

李柏明勁頭十足 蘇清波理屈詞窮

蘇清波之被降為第二，顯然是受了被人檢舉變賣公地與其夫人王吆女士之假公濟私案的影响。台北縣農會曾於一月二十三日，在各報登出聲明啓事，一則謂：「報載本會所有台北市紹興街三十九號華山倉庫一所，四百八十坪，每坪以四千元出售，並經承辦人以每坪三萬二千元轉售，在一轉手間賺了一千萬餘元一節，不僅與事實不符，且影响本會信譽至鉅」。再則謂：「本會處分該批土地，係依照法定程序，經本會第三屆一次、四屆二次、六屆二次等會員代表大會，及五、六、七次等理事會通過辦理。又該批土地係直接售與承租人，台北運輸倉儲股份有限公司，絕無經人轉讓情事」。署名者為該會理事長劉宗開，總幹事王以文。

二月六日原檢舉李柏明會於報端大登啓事，遍呈行政、監察、立法等院，暨台灣省政府，省議會。畧稱：「蘇清波於五十六年二月利用職權，將台北縣農會所有台北市紹興街華山倉庫一批五二四坪土地，按公告地價七折，每坪僅四千餘元讓給蘇縣長之妻王吆經營之台北運倉公司，當時市價每坪一萬六千元，現已達每坪約三萬餘元，轉手之間，漁利千餘萬元之鉅。」又稱：「縣農會刊登啓事否認其事，並稱係依法定程序，同時未經轉售一節，其所謂會員代表會及理事會所通過之決議，係授權總幹事依法處理，自應依省各級農會財產管理規程第六條之規定辦理，即土地之出售，原應公開招標，或以比價行之。何況縣府主辦單位，簽註意見，亦悉依此規定。蘇縣長何得依農會決議，批准直接出售給現住人台北運倉公司？該公司董事長負責人王吆，即係蘇縣長太太，農會又焉得不知呢？至該批土地，有否轉售，係蘇縣長太太方面之事，何勞該會越俎代庖，挺身刊登啓事？試問蘇縣長與農會人員之間，若非為本身圖利，豈敢將明知之土地低價非法變售？因此蘇縣長與農會是否有密契，誠令人疑竇」。李柏明於啓事後段敘明彼係抗戰青年軍出身，共匪竊據大陸後，隨政府來台，現從事台北縣新聞採訪工作，對此貪污非法行為，以國民一份子責任，爰依法檢舉如上。

廣告戰白熱化

二月七日，蘇縣長針對上述情況，向駐在地各報記者發表二千字書面聲明，說明農會土地變賣經過，即以農會所刊登之啓事為所據之憑證，並強調：「農會已鄭重聲明外傳與事實不符，足資證明。」且謂：「農會依迭次會議議決，以議價出售已租用該房地達十餘年之久之台北運倉公司，並非售予蘇清波內子本人」。蘇指出：「農會出售之前述土地，係據悉當時紹興街附近之繁華地段，如中正路警總軍法處公地標售底價每坪僅七千餘元，農會出售該批土地議價包括道路用地及土地增值稅計算在內，平均每坪實際價格為高。與上述中正路地價相較，實無甚出入。又縣府同年七月以議價出售同地段與無租賃關係之中央六組，售價計每坪六千零四十餘元，距農會出售土地時間約五個月，且正值地價波動，每坪只售六千餘元。兩相比較，農會出售之地價，僅相差八百四十元，可證議價並不低廉。再農會係受政府之輔導人民團體，實質上其財產無異公有，該農會迭次決議，出售該批土地，該會理事長，常務監事，總幹事均親自參與議價，其對本身之利益，自有權衡計及，縣府據其所請，予以核准，事實上確屬適當」云云。

二月八日李柏明於台灣日報登出駁蘇清波向各報記者所為說明之啓事，洋洋數千言，再接再厲，逐一駁辯。其中指出：「按其引用軍法處標售之價，及中央六組買入之價，以為證明農會之土地實價，包括增值稅平均價為五千二百餘元，不算低廉一說，好似奪取該土地並不過份。其說軍法處係依法公開標售，中央六組徵為公家使用，與縣長夫人王吆以其私營之運倉公司，奪取縣農會廉價土地之情形，迴然不同。再蘇縣長所舉縣農會土地平均價係包括增值稅在內。按規定增值稅是由賣主負担，則農會所出售給蘇縣長之太太之土地扣除增值稅外，其實際售價，每坪僅及三千餘元，足證農會這批在鑽石地帶寸土寸金之土地，其售價之低賤程度矣」云云。

鄭水枝希望大

李柏明自稱係新聞記者，正當蘇清波爭取提名競選蟬聯縣長寶座大有希望時，突然予以猛烈打擊，使蘇名降第二，報請執政黨中央作最後決定，在蘇案未納入法律審判之前，預料中央或任由鄭蘇二人（中和鄉長此次改選，即係兩名執政黨員）同時競選，但蘇之名聲遭此毀損，已難有獲勝把握。支持蘇之地方有力紳耆為戴德發、王民寧（但戴王又係支持鄭者）顏欽賢、工業鉅子嚴慶齡、王永慶等。黨內反對者有李儒聽，白金泉，（縣議會實力派）黨外反對者為李秋遠。而鄭水枝之支持者除戴王外，尚有李建和，趙登等，反對方面，無顯著之名單。鄭又係執政黨縣級副主任委員，地方聲望，亦有可觀，當選希望頗大。李柏明為檢舉蘇清波瀆職所登之廣告，係全面六分之一的巨幅，價值均在新台幣萬元以上，其來頭令人大可玩味。據說台北運倉公司董事長原係蘇清波本人，於當選縣長後，始由其夫人王吆頂代。李檢舉農會出售該土地為五二四坪，而農會啓事則稱為四八〇坪，其中尚差六十四坪。在蘇之書面說明上亦含糊其詞，而並未說明出售土地究有多少，此中究竟頗費猜想。看李柏明登廣告勁氣十足，以及蘇清波理屈詞窮，蘇案之發展，或正方興未艾也。

陳長壽疲於奔命 許新枝穎脫而出

桃園縣長提名名列第一執政黨候選人許新枝，為現任省議員，年僅四十一歲，桃園鎮人，東吳大學畢業，曾任縣議員，桃園鎮長等職。在十一位參加黨籍提名的縣長候選人中，許得脫穎而出，在六十萬選民心目中，莫不以該縣自實行地方自治民選縣長以來，選舉總未達到「選賢與能」的本旨，實因地方中年以上獲有社會基礎者，多屬「材輕」甚至「鄉愿」之流，以致縣政領導長期陷於暮氣沉沉。故一般企望，此番改選，勢非扭轉局面，謀求一位年輕幹練之候選人不可，因此許新枝獲選呼聲最高。

陳長壽為了競選連任，志在必得，曾迭次對外表示，他有信心獲得提名，言下似已鋪好了暢行的路綫。可是縣民對陳縣長之爭奪候選提名，都完全沒有興趣。因為過去三年多來，陳對地方並無顯著建樹，且動輒攪擾人事紛爭，鮮有「政通人和」之表現論年陳已六四高齡，暮朽昏庸，隨年以進，雖秉性忠厚，遇事仍難逃推拖之咎，且患有腸癌，動過手術，目前健康雖尚可維持，若臨到緊急局面，勢難担起責任。在縣政平庸無奇的情況下，而陳對提名爭奪戰，却顯得疲於奔命。從臘鼓春燈交織的時景中，苦鑽門路，未停一步，日夜奔馳於台北台中道上，不特花費了汽油錢，而且宴客送禮據說更破費不少。然而局外人，對此却表示懷疑；因有闊上級，似不可能接受他的宴請和餽贈，若然，亦屬投向「閒途」，攀不上實力，不過藉此擺擺架式而已。

桃園縣以語系分出派別，為閩南之桃園區及中壢之客家區，每臨選舉，勢均力敵，壁壘分明，而能舉足輕重者，厥為山地之復興鄉。閩客之間，地域觀念濃厚，對立態度顯明，兩大語系欲求取勝，必乞靈於山地。但閩客兩系，向有不成文之共同約定，選任縣長兩屆一輪，現任縣長陳長壽係閩南語系，担任第五居，則下屆當然仍屬閩南。現有主張以選賢與能為旨，應即打破慣例者，事實上却是一個難以解開的「結」！

台北航訊

便利港澳華僑回國投資

政府同意華僑購買海埔新生地

關於華僑回國投資，政府雖向持便利政策，惟其規定申請手續繁瑣，以致廢時曠日，延誤投資時效，往往使其乘興而來，掃興而去，迭經引起輿論指責。日前經合會業務會報中，曾討論修正港澳華僑來台投資辦法，俾能更具方便僑胞優越性，消息傳出，各方甚為注意。

在原辦法中規定港澳華僑於申請核備後，需於一個月內提出正式申請，茲因實際上華僑不能在三十天內作進一步之申請，故擬延長為三個月。又辦法中原未載明工商登記申請事宜，茲將增加。凡申請核備時即同時申請工商登記手續，以後不必再度申請工商登記，如此則也可方便港澳華僑。該兩項辦法，俟報請行政院核定後，即可付諸實施。

又據悉，不久之前，一批港澳華僑，曾向政府申請購買曾文溪一帶海埔新生地。此由於數月前香港局勢混亂，僑胞中若干懷有資金者，陸續向各地轉移，有向日本發展者，有向澳洲發展者，於是也有若干僑胞決定將資金轉移於台灣。但在轉移資金時，曾考慮何項事業有利，於是部份華僑着眼到曾文溪一帶海埔新生地，而向當局進行申請購買。但因該地區面積甚廣，以及價格等事，得須仔細研商。前次行政院開會時，曾經提出討論，雖無具體結論，惟與會人員，僉認港澳華僑購買海埔新生地，應予同意，至其作何項用途，政府則不加過問。

現在香港局勢，漸趨穩定，前時急於返國定居僑胞，又暫時緩和下來，但對於申購曾文溪海埔新生地一事，港澳僑胞興趣仍未稍減。當此經合會改善港澳僑胞回國投資辦法下，對海埔新生地購買問題，正可配合運用。台灣政治安定，經濟開展大有前途，港澳僑胞有志轉移資金於祖國再好沒有了。．幼吾．

謝議長人緣好

在許新枝、陳長壽黨內選戰，勝負難分中，而縣議長客語系之謝科，黨性素堅，人緣亦好的條件下，忽然宣佈非競選縣長到底不可。謝對外表示，黨所提許陳二人，均未盡適當，恐被捲土重來之黨外人黃玉嬌，乘機漁取縣長寶座。黃女士對此次嘉義許世賢女省議員之唾手取得嘉義市長顯見鼓勵不小！在人民對政黨提名，仍存不感興趣之落後觀念中，確實可資注意。另有桃縣第一、二屆縣長閩南語系之徐崇德，亦與謝科抱同標觀感，突於日前宣佈要競選縣長到底。因在政府選舉年第一回合中的縣市議員選舉和鄉鎮長縣轄市長選舉，結果並不十分理想，縣市議員違反黨紀競選者有六十七人，三十二人已經當選，鄉鎮（市）長有六十六人違紀競選，當選二十二人，而失去者有南投鎮，竹山鎮，嘉義市，新莊鎮，苗栗鎮，三重市，蘆洲鄉等四十餘鄉鎮。所以謝科、徐崇德忽然出而競選縣長，係圖有所補救。但在省黨部之統計分析上，認為此次違紀競選比例，並不比往年為高。有人認為：「議員選舉與鄉鎮長有別，一個是「點」，一個是「面」，以政府立場而言，「面」比「點」更為重要，失去一個縣市議員，不能比一個鄉鎮長之重要。同樣的失去縣市長一席，比若干省議員席位更為重要」。因此省黨部此次乘春節時間，在擴大會報上對省議員與縣市長員選舉提名，會作詳細檢討，並由縣級提供精細資料，以供中央作最後之審定。而桃園縣之選局，迄筆者發稿時止，雖仍在混頓中，但一般推測，將屬許新枝「獨佔一枝春」了！

同情票影响大

據報載各縣市議員，各鄉鎮長之違紀競選者，悉被公開開除黨籍，用維黨紀。因是與論反映：「在人民心理上，引人注視的是「同情票」，在此次選舉戰中，有「舉足輕重」的影响力。這種舉衆的微妙心理的反應，對於卻將來臨的縣市長暨省議員選舉勝負關鍵，將是一項不寄忽視的因素。」此在執政黨黨章規定上，尚無法克復此一錯綜複雜之矛盾！若從客觀分析，人民對執政黨之民主誠意的信任，却不因此而減低，但在黨的組織與黨員關係之維護上，又不容不加以注意。再則所有違紀當選人，亦多表示：「雖被開除黨籍，但服膺主義，熱愛國家之忠誠，並不因此而減輕，更當竭力以赴事功。」其中有高雄市違紀當選之女性議員謝友華，會滿面淚痕，她好似受了很大的委屈對選民致謝說：「我決心違紀競選，有訴不盡的辛酸，我無錢無力，這是人與人之間的考驗，能夠當選，那是選民誠意的賜予；為了黨紀處分，我祗好靜靜地流淚。這次並不是黨不要我，而是少數地方黨務人員不瞭解我。我固無處申訴，但我雖被擁出黨的大門，但國民黨仍受我衷心的崇敬！」其次為朱有福，年三十三歲，為一虔誠佛敎徒，參加國民黨十八年，獲多次優秀黨員獎狀，並當選過第十屆優秀青年，接受過表彰，他說：「此次競選提名，會獲區黨部二十多位小組長之聯名推薦，獲四千餘張同志支持票，沒想到竟遭過到淘汰，引起區黨部書記為我之落選憤而辭職。我為了服從組織，曾經逃避，最後因父命難違，不得已出而競選，且倖獲當選。黨犧牲了我固微不足道，但我失去了國民黨籍，却是終身遺憾」！由此觀之，地方黨務組織，須要檢討加強改進！否則一任違紀競選，影响選民心理，以致造成風氣，就不好了。由前台南市長葉廷珪之違紀競選獲勝，嗣以從政忠勤，仍得恢復黨籍。所以，這是一個很難究詰的問題，值得執政黨從多方面去詳加研究。．董書．

歷史人物漫談

商山四皓與漢惠帝

清園

漢太祖高皇帝十一年七月間，淮南王黥布造反。這時候高帝有點病，想派太子（卽孝惠帝）領諸侯兵去討伐黥布。

太子的家客東園公、綺里季、夏黃公、用里先生四人，歷史家稱他們為商山四皓，因為他們本都是商山（在今陝西商縣東南）的隱士。商山四皓聽說皇帝要太子領兵去打黥布，認為太子很危險，乃相約去說服太子的舅父建成候呂釋之，要釋之去請呂后勸高帝自己帶病前往，不要派太子去。並且告訴呂后要這樣對皇帝說：「黥布天下猛將，很會用兵。今諸將都是皇帝從前平等的人，要太子去帶領他們，恐怕他們不肯用命。……皇帝雖然有點病，勉強坐在車上，監督各軍，諸將不敢不盡力。這樣皇帝雖然苦一點，這也是為妻子而要自強的事。」於是呂釋之當夜求見呂后。呂后一面流着淚，一面把四皓所教的話說給高帝聽，高帝聽了當然有些氣忿，但也祇好說：「我知小子不中用，老子自己去吧！」黥布也就被高帝打得落荒而逃。被鄱陽鄉民殺死了。

高帝因孝惠太子太仁弱，不像他自己那樣堅強，早有意思廢了他，並準備改立戚夫人所生的趙王如意為太子。呂后因張良建議，卑辭厚禮去迎接商山四皓，做太子的賓客。高帝本來就很重視這四皓的，有一天父子一起飲宴，太子坐，這四皓隨侍太子左右，高帝很奇怪，便問他們怎麼肯下山來。四皓答說：「陛下輕視士人，喜歡罵人，故不願意挨罵而隱居。聽說太子仁慈而又有孝心，敬重士人，所以我等才願來做太子的賓客。」四人說完這話，並向高帝祝福後，便先走出了。宴後，高帝告訴戚夫人說：「我早想改立太子，但是那四個賢人輔助他，太子羽翼已成，很難動他了。」太子因而不得廢，後來也就做了西漢的第二任皇帝，那就是漢孝惠帝。

說到這裏，我們再回頭談一談：何以商山四皓不願太子領兵去打黥布？因為太子打勝了回來還是太子，若是萬一打敗了回來，高帝正好藉口廢了他，改立趙王做太子。到那時候，恐怕四皓也無能為力。所以祇有太子不去打這一仗，太子的地位是穩固的。商山四皓忠心為太子，也就是忠心為漢室，因為恐怕高帝眞的廢長立幼，人心不服，將來可能搞得天下大亂，而要蹈秦朝的覆轍。

四皓究竟是怎樣的人？歷史上也祇有一個大概。先說東園公，他姓唐字宣明，居住在園中，因以為號，後隱居商山。其次說到綺里季，居住在綺里，字名叫季。或云姓朱名暉，也是商山的隱士。再其次是夏黃公，因避秦亂，藏於商山。他本姓崔名廣字少通，原居住在夏里，故號夏黃公。至於用里先生，我一時還查不出他的姓氏，當然也是商山的隱者。這商山四皓，雖然沒有什麼轟轟烈烈的事功，然而他們能保全太子孝惠帝，使剛剛建立的漢室，得以安定；使天下不因太子廢立而大亂，也是了不起的貢獻。

（完）

國語亟應正名為國文 為中華文化復興起點（上）

·陳邁子·

國語亟應正名為國文，這是天經地義絕無可置疑辯論之事。我們最主要的一項理由是：如國民小學中學仍不實施國文教學，一錯再錯的用現行國語課本教學，祇重國民生活教育，說話，和注音符號，而不注重國文，國文必然漸漸滅亡。一代一代的民族幼苗，長大成人，必不知我民族之文化傳統及優美文字為何物，亦卽絕對無法永遠無法瞭解我民族文化傳統，文學傳統。匪惟如此，而且將根本不認識我國文字，使我寓意深遠，合理制作，高出於世界萬國之上之優美文字，成為無人可以繼承之文化遺產，勢必瀕於澌滅之命運，這豈不是中華文化之悲，世界文化之憾。

我們以為中華文化傳統，文學傳統，都寄託於國文之中而非寄託於學習說話和注音符號為主的國語之中。現行國語課本對於文字的認識，使學生只知其然而不知其所以然。只能學會淺易的會話，用來說話，而無法接受文言的研讀。使學生無法具備學習傳統文化，傳統文學的基礎。只是務其小者，近者，而忽畧或者說是遺棄了大者，遠者。

我們以為自民國十二三年間，教育部把小學國文改為國語之後，各級學校學生，國文程度一直低落，直到現在這種低落的情形，越來越嚴重，嚴重到幾乎國文將要絕種的程度。高中和大學的國文師資，越來越缺乏。現有的各級學校，國文教員，多是難以勝任。而社會人士國文根基良好的已是鳳毛麟角。而能寫好一封清順的信，作會一篇像樣的酬世之文的，無論走到任何階層，包括最高教育學術機構在內，都很難得其人。社會一般人士，動手寫別字，下筆文不通，也已是司空見慣。這也難怪，因為這些社會人士，都是小學國語課本教育出來的。他們原只學了說話，注音符號而已。到了初中高中，要學國文，只因未能具備基礎，那有學國文的資格和條件。到了大學畢業，去考高等考試，國文往往是幾分十幾分，甚至得到零分（這是本人高考閱卷所見實際情形）。這些慘痛的事實，難道我們熟視無睹，無動於中嗎？而且更嚴重的是：只重國語而忽畧國文，我們的國民在受國民義務教育的期間，便只注重生活語言的學習，無學習傳統思想，傳統文化，傳統文學的能力，這樣也就不能了解傳統思想，文化，和文學。在這方面，便成了一片片空白，貧乏而無主見，祇好任人畫畫，隨波浮浮，愛國心和民族自尊心、自信心、便無由建立。加以外力誘惑，在思想和精神意志上，便無中外之分，華洋之別；再加上接觸西洋文化的學科日漸加多，到了中學大學接觸西洋文化的學科，越來越多，幾乎全盤西化，慢慢變成詘中崇外，以洋變華。要是留學國外，凡所見外洋之學術思想，文化，風俗，不管其文化歷史背景如何？其意義價值何在？不知好歹，不辨國情，盲目信仰，一味崇洋。回國以後，便大事更張，一切惟洋化是尚，其結果是舍本、忘我，無自主的靈魂，和獨立的思想意志。我們的法律，並未包涵我們五千年的傳統倫理，道德，社會風俗習尚，而純是抄襲西洋的商業社會的法律。我們的教育也並未研究思想最好的歷史最久的傳統教育哲學思想，是一味的迷信西洋教育思想。我們的地政也是西洋的。中國夏，商，周以來，助法，徹法，井田法等等，我們從來都不去研究的。我們的大學之道，理財思想，經濟思想，也並未為我們的財政專家所重視。我們自周代政府以來，成為政府重要執掌業務之一的會計，（孔子就曾做過會計），我們教會計的人，從來不去研究知道它。我們的文學無論先秦兩漢之文，魏晉六朝之文，唐詩，宋詞，元曲，任你篇篇錦繡，字字珠璣，也無人理睬。甚至連中國文學系，也並不重視此等傳統，而惟語音，語文是尚。（有某大學中文系名曰「中國語文學系」，每授國語注音符號，每週六小時為證）。這一切的一切，歸根結底，都是起因於小學的國文改為國語，只提倡日常生活說話的學習，語音符號的學習，而不注重國文的結果。長此以往，中國文化和文學，除了自然被反淘汰，滅絕而外，別無他救。一個國家到了傳統文化文學被滅亡，便是永遠的滅亡，永遠無法復興的。因為一個國家的國民，他之所以愛國家，愛民族，是由於他知道他國家的歷史文化而起的。凡是知道他自己國家歷史文化越深，其愛國心必越強烈而堅定。知道的少，便愛的少。完全不知道，不了解，便不愛國，這是極為自然的理，無待細述。

我們要能「為往聖繼絕學」，才能「為萬世開太平」。不能「為往聖繼絕學」，不但不能「為萬世開太平」，恐怕還有亡國滅種之虞。我們並非小題大做，言之過激，這是理所當然之事。我們一切要從基本做起，要復興中華文化，這是大勢所趨，復興國之基，更是我們這一代人責無旁貸的神聖天職。復興中華文化，也並不是只空喊口號，而不實踐篤行，就可以成功的。一切要盡其在我，一切要作得徹底。當前最重要的一個步驟，便是把小學國語正名為國文，使孩提之年便知識字讀書的門徑，由此走入了解祖國文化和文字的正途，奠其一生愛國家，愛民族，愛文化的根基。由國語正名為國文做起，來改造國民教育，以為改造中學大學教育的基點，這樣才能形成復興中華文化的堅定基礎，達成中華文化復興的使命。

海天吟苑

秋之旅

韋仲公

涼颷起天末，秋色晚蒼蒼；喜得閑中趣，何勞靜裏忙。雲與風并竹，木落月窺廊；積雨添新綠，幽篁欲過牆。

何處尋津渡，西風鬢半斑；忽驚雲隨水，不覺淚如山！隔海疑無地，歸帆遠有灣；征鴻啼正急，恐是憶鄉關。

北望歸無計，登臨亦可哀；雲攀危嶂去，雁逐冷風來。已覺蕭秋晚，仍堪待菊開；莫嫌林莽地，多是棟樑材。

直到雲多處，浮生一夢輕；歸舟喧海峽，落日擁山城。鳥過空無跡，身閑樹有情；蒼松人不識，竟夕作濤聲。

不厭江湖遠，舟車事亦忙。雨斜山半濕，雁過橋新黃。堤缺潮侵岸，風高浪接檣，海天雲水急，幾處失歸航。

雲挾奇峯去，斜陽帶雨明；自能安步履，不必問陰晴。欲效垂天翼，空傷匝地兵；濠梁魚正樂，我獨出山行。

識得來時路，鐘聲在耳邊；雲馱半嶺日，風捲晚潮天，似有乘搓客，寧無入世仙，回看津渡處，暮雨正如烟。

孤松臨野渡，照影自婆娑；風定征鴻綫，潮平釣客多。閱人誰似樹，彈鋏我高歌，夜夜江南夢，蓴鱸近若何？

閒雲無去處，隨興戲桑麻；得意新開菊，飄搖舊落花。不知誰避世，先以樹為家；欲共青山住，鐘聲送晚霞。

阮生歧地法，我亦逐飛蓬；哀樂隨心異，雲山萬古同。人歸原有路，影去本無鴻；笑指天如洗，平林月正東。

中國女性文藝春秋（續）

周遊

「斷腸詞」作家朱淑眞的戀愛生活

自此君別後，音問卽渺然。不知是他薄倖，還是另有原因？她的詩中有「分明此去無多地，如在天涯無盡頭」之句，好像是並未遠走，只沒有理會她似的。從她的「待封一掬傷心淚，寄與南樓薄倖人」句觀之，她又遇到了「薄情郎」了。果眞如此，那麼她的命運眞是不幸已極了！於是她只好以淚洗面了。她的一部「斷腸集」，大半是在失戀的環境中寫的作品，「斷腸」名集，正是她的心聲啦！也是她的血淚呀！以前有人以為她的詩詞中有些表錯情了。殊不知她的「情緻纏綿」，是對她的戀人而發，而不是對她蠢才丈夫啦！除了「生查子」詞抒寫她的相思外，尚有

年年玉鏡台，梅蕊宮妝困。今歲不歸來，怕見江南信。歡從別後疏，淚向愁中盡。遙想楚雲深，人遠天涯近。（生查子）

山亭水榭秋方半，鳳幃寂寞無人伴。愁悶一番心，雙蛾只暗顰。起來臨繡戶，時有疏螢度。多謝月相憐，今宵不忍圓。（菩薩蠻）

獨行獨坐，獨唱獨酬還獨臥；佇立傷神，無奈輕寒著摸人！此情誰見，淚洗殘妝無一半；愁病相仍，剔盡寒燈夢不成。（減字木蘭花）

她在這樣以淚洗面的周遭之下，她尚不怨天尤人，而作詩自責：

女子弄文誠可罪，那堪詠月更吟風？磨穿鐵硯非吾事，繡折金針却有功。（自責）

悶無消遣只看詩，又見詩中話別離。添得情懷轉蕭索，始知伶俐不如癡。（自責）

後人談她前一首詩，以為她在作道學語，殊不了解她是在作憤世的啊！但她尚有自己解悶消愁的法子：

昨夜霜風透膽寒，圍爐漫憶昔年歡。如今獨坐無人說，撥悶惟憑酒力寬。（圍爐）

古往今來，多少聰明人物，在人生遭遇難堪之際，都不免借酒澆愁，朱淑眞也不能免此。但是「借酒澆愁」的她，仍然只能麻木一時，等到酒醒之後，「愁」仍在她內心深處。（五十七）

對兒童樂園的一點建議

◦欣父◦

台北市的兒童樂園，自從春節重行開放以後，孩子們算是有了一個可以玩樂的場所了。每逢假日，樂園裏擁擠的情形，眞可以跟電影院散場的情形相媲美。一方面是兒童樂園原有的規模和設備，還很能夠滿足孩子們的好奇心，一方面，收費數目減低了，尤其入場券，自從與動物園打通之後，一張票可以兩園走動，更給家長們不少便利。台北市府收回了兒童樂園之後，照目前情形看，的確已經有了一個好的開始。兒童樂園也確是為兒童們造了點福，與以往民營的情形相比，是好得多了。

當然，這裏所謂的好，是從大人們的荷包上着眼的。以前民營的時候，大人們帶着孩子逛樂園，一進門有基本消費額，此外，裏邊各項玩具的收費，也大都比現在為高，大人破鈔多，自然心疼，去的次數自然少。如今錢化的少，也能玩到同樣東西，這是一喜，去的自然勤些。當然有一利必有一弊，因為人多了，原有的衛生設備不夠用了，大人們和兒童們，在公共廁所裏外排長龍，已經不大好看，最教人難忘的是動物園轉入兒童樂園的土山坡上的一間公廁，是男女合廁，裏邊的男士們，雖然是背身方便，外邊排隊的女士們，為了排隊，轉身不得，却不能不作視而不見，聽而不聞狀，這種場面，實在也屬不雅。我看市府當局對動物園和兒童樂園裏加蓋幾間公廁這件事，該作個準備了。

說到玩樂的本題。玩樂的本質，是要人精神輕鬆愉快，可是人一多，玩任何一項玩具，都要先排長龍，一排就是半小時才輪得到一份兒，也實在倒盡了胃口。遊客多，玩具少，求與供不能對比，事非得已，無可奈何，不怪主事的人。但最低限度，因為排除浪費了遊客許多寶貴光陰，玩的人已不能盡興，而預購的代金券，用不完，勢不能怪遊客，園方却限當日用完，概不退票，這就教人不能心服了。我想，以往民營時期的預售銅幣，長期有效使用的作法，仍是可以沿用的；這樣，遊客不會吃啞吧虧，園方也沒什麼損失可言，何樂而不為？

還有值得研究的是玩的內容問題，電動設備的各項玩樂，嫌太千篇一律，缺乏內容。而有些項目，又偏重成人，忘了兒童。試想「迷陣」裏，路又黑地又濕又滑，防雨設備沒有，一路又沒有什麼陪襯，有些人才進去，又出來了，有人還認為裏邊有點「可怕」；成人尚如此反應，試想對孩子們又有何好處？更教人不能已於言的是電動幻燈片部門，介紹各地風光，增益孩子們的地理常識是對孩子們有益的，可是居然有兩個座位，專門介紹人體藝術，讓孩子們去飽看女人裸露，這算了什麼兒童教育？以往兒童樂園是商人經營的，處處離不開生意經，不必說他，現在由市府接辦，對幼苗訓育的責任，可要市府負責的。這種玩藝兒，還教它延續下去，實在是有失察之過。

除了兒童樂園之外，動物園的髒和亂，也眞教人不敢領教。到處是糖衣果屑，而蔡園長經常利用報紙電台呼籲請遊客不要喂小動物花生糖果，可是依然無效，到處有人——向猴子們丟糖果花生。我曾注意了一下他們的糖果來源，原來大都是來自園裏的零食攤，這些攤販的生意靠遊客維持，遊客們的消費方法却是與猴子共享——有的自己不吃，專喂猴子——我想如果動物園能夠取締攤販入園，可能情形會好的多，這應該是釜底抽薪的辦法。蔡園長只向園子外呼籲，而園子裏的攤販才是「禍首」，也是倒未免於明察秋毫而無視於輿薪。

禪的火花

（十七）騎驢的煩惱

清遠佛眼禪師認為學禪有二病：一是騎驢尋驢，一是騎驢不肯下。騎驢尋驢的毛病易見，當你心向外逐，便忽畧了內在，而徒勞無功。天堂本在你心中，可是你却向外求玄。世界上不知有多少煩惱，就是由於這種顛倒夢想而致。

馬祖曾說：「自家寶藏」。唯有返向內心，你才能找到眞正的寶藏。如果苦苦向外追求，你一定會失望的。雖然在你的潛意識中，暫時滿足於那些虛幻之物，但你不能永遠欺騙自己。布輪（Leon Bloy）深刻的說：「我們只有一種憂慮，就是深怕失去了樂園。我們只有一個欲望，就是希望能得到它。詩人以自己的方式尋求，浪子也以自己的方式尋求。他們都只有一個目的」。但悲劇的產生乃是由於他們都不知道樂園就在自己心中，却背道而馳的向外尋求。

第二種病是比較微妙而難治的。現在你已不再向外尋求，你已知道自己騎在驢上，你已體驗到內心的安寧，遠比從外物所得的快樂更為甜蜜。但最大的危險是你過分迷戀它，反而會失去了它。這就是清遠所謂的「騎驢不肯下」。這也是宗教沉思者的通病。在默燈所著「禪思的種子」一書中，就曾指出這種危機說：

「這種含蘊的，不可分的內心的安寧，正像宗教儀式上的塗聖油，當它被摸觸時，便失去了芳香。你無須追求它，或佔有它，也無須使它更香更甜，或永遠不消失。

這種沉思的心境像樂園中的亞當和夏娃，一切都是為你所有，不過有個非常重要的條件，就是一切都是被賜予的。

這不是你所能求的，也不是你所能要的，更不是你所能取的，一當你想佔有時，便失去了你的伊甸園」。

在這裏，使我想起了龍潭崇信之所以頓悟了，這顆稀世的珠寶，只有不貪愛的人才能得到。

清遠最後勸我們說：「不要騎驢，因為你自己就是驢，整個世界也是驢，你無法騎牠。假如你不想騎，整個世界便是你的坐墊」。

◦吳經熊著

◦吳怡譯

生活漫談

貓頭鷹與梟羹

——袁世凱當年的一道美味

◦馬騰雲◦

北洋軍閥袁世凱，最注意食補。他用人參麵飼鴨，取鴨湯補身，謂為間接補療。袁世凱嗜食梟羹，梟就是俗稱作貓頭鷹的，日伏夜出，喜食小鳥，它的學名是鴟　。台灣山地很多，頭大很像貓，眼圓大而明亮，周身生黃色羽毛，褐色雜以白斑，嘴堅如鐵，脚有鈎爪，叫聲如笑。有一種好笑而心懷陰險的人，會被人叫做「貓頭鷹」或「笑面虎」，因這種禽獸的笑聲及笑容都很可怕的。

梟羹的製作主要是梟肉切成小方丁配以山藥、冬菇、開洋、冬笋、銀耳等。梟羹是補腦的聖品，又是補血的良好藥物。古人多認梟為陰毒之鳥，忌諱談及，這和湖南人迴避談虎一樣，把虎骨酒稱作為貓骨酒，都含有趨吉避凶之意。梟肉除了補腦和補血的功用外，梟肉與大饅同熬治癰疾，祛風濕，對夜盲症與肺結核有著效。藥典載梟為最滋養之強壯藥。梟羹的配料，山藥最要緊，現在台灣出產的山藥，肥碩嫩大，雖不若大陸上的山藥富藥用價值，但多吃常吃可與大陸山藥同功。

山藥（俗名懷山），雖然屬於薯類，但與薯的本質完全不同，前人竟有誤以甘薯作山藥者，且謂它的性能與薯同功，這實在是錯誤到極點。

山藥所含的營養成份甚豐富，有水分八〇・七五，蛋白質二・四二，脂肪〇・一六，礦水化合物一〇・〇九，纖維質〇・九，灰份〇・六三。且山藥所含的維生素及礦物質，比一般穀類為多，故可作為平常食用，或可用之以代米糧。本草謂山藥能補虛損，治遺精，除寒熱邪氣，益氣力，長肌肉，強陰，益筋骨，可作滋養強壯劑用。它微有收斂性，對於虛弱及消化不良的慢性腸炎，遺精，都有很好的治療功能。秋日天氣，人們每感燥涸，尤其是素來血氣不足的人，或小孩子，因暑天出汗過多，體力低落，到「收藏」的季節，因其脾弱，於是易染傷風，心情煩悶，四肢疲倦。此種情形最好多食山藥，來補體內不足之陰，使精神暢旺。山藥這東西，是隨便可以食用的，滾湯、煑魚、甜品、燴肉，像麻將裏面的百搭牌，甜鹹皆可，燒燉咸宜。小孩子吃用，最適宜是將它磨粉，煑甜煑鹹聽便。吃後自然不會再出冷汗，心情煩燥，壞脾氣的情狀也會減少，更可以增強消化力。如果常常有消化不良，痾白尿，出冷汗的孩子，吃用山藥算是最安全的。日本的皇漢醫學，中國歷代名醫，對山藥這種藥物均很重視，說山藥色白入肺，味甘歸脾，液濃益腎，能滋潤血脈，固補身體氣化，寧嗽定喘，強志育神，性平可常多服。宜用生者煑汁飲用，但不主張炒，以其含蛋白質甚多，炒之則蛋白質焦枯變質，服之無效。中醫們最喜主張陰虛的人，用山藥研成細末，加入些少白糖，煑作稀糊，作為點心。

海嶠塵談薈

奚倫投奔自由的曲折（下）

諸葛文侯

我與華君相約後，即訪晤友人謝君，請他向台灣有關方面商洽奚氏入台問題。未幾，謝君來言，事屬可行。當即轉告華君，囑密達奚氏放心可也。詎奚氏又要求須使華君同行，說需要華君替他寫寫信扎。這令我頗費躊躇。但我深知華君的思想無問題，不致發生「共諜」嫌疑，乃寫一保證書交謝君，詳述華君過去的經過事實，願負担保責任。

不久，奚氏和華君的入台證都寄來了。我囑華君面語奚氏，屆時由華君以電話約奚外出飲茶，即係首途出發的暗號，機票自行購備。過了兩天，華君倉皇晤我，據說有一姓某的人，自稱係台方的工作人員，要挾奚倫必須跟他一道入台，否則報告港方共黨份子，教奚氏走不成；奚氏以驚弓之鳥，聞訊惶駭至極，神經頓告錯亂了。我一面答復華君，此必係招搖撞騙之徒，藉機敲詐勒索，決非事實；一面轉囑謝君偵查台方是否有某氏在海隅？繼而謝君回言確有其人。我大怒，謂將向其主管機關揭發此項非法行為。謝謂：「公且息怒，由我來處理可也」。我問君將何以解奚倫之厄耶？答以「此不難，我告訴某，可由他報告上官，說奚氏投奔自由，是他接洽的，讓他居功邀奬，自然沒事了。但求不憤事，我決不與人爭功，對外鬧出笑話。「余聞其言，頗稱讚其無名英雄的革命精神，慨言假使國民黨員均有他這種品質和操守，大陸又何致於淪陷呢！

奚氏投奔台灣後，政府旋有「陽明山會談」之舉，海隅文化界未被邀請預會的人物，諸多怨望不平。一日，謝君遇我於市街，行色匆卒，我問君何栖皇乃爾？他說：「這幾天要遍訪未赴『陽明山會談』的先生們，親自上門去挨罵，陪不是，承認這是我們做事欠周到，與政府當局無關，期以消除他們對政府的一些反感」。我因而更欣佩此君之公忠體國思想和工作態度，足資楷模，嗣後數數向其上官游揚謝君之能，許為可當大任。然而，未及一年，即聞君已被調回台灣，投諸閒散了。繼又聞其自請退休，遠走異域謀生了。詳情如何，我不可知，但頗悔當年不應該誇奬君之才之美，愛之或適以害之乎？蓋我是局外人，昧於政治上的人事恩怨關係，以為就事論事，不妨如古人「到處逢人說項斯」的心情，坦然尊聞行知，無適無莫，詎知大遭時忌，竟爾連累朋友歟？果若是，吾誠不免多事之咎矣。

奚倫投奔自由的曲折，光怪陸離，得未曾有。然為奚氏爭取自由而費盡心機的謝君，亦沒有此意外的曲折遭遇，亂曰的非功過，眞如我佛所昭示：不是可說，不可說耶？擲筆憮然，尚何言哉！（完）

國劇脚本

大漢兒女（一名新莽封）

◦田士林◦

呂菁娘：傻丫頭，我倒沒忘，你倒忘了。

鶯兒：我？

呂菁娘：今天是幾兒啊？

鶯兒：九月初九。

呂菁娘：是什麼日子？

鶯兒：我不知道。

呂菁娘：傻丫頭，連老太太的壽誕之日，你也忘了？

鶯兒：（悟）啊！怪不得您一大早就上山，您又是來找羚羊來了？

呂菁娘：他老人家體弱多病，羚羊角可補他的虛弱，雖然他老人家不願意我拿刀動杖，獨自上山打獵，今天是他的壽誕之期，總要有個壽禮啊。

鶯兒：糟了！

呂菁娘：怎麼糟了？

鶯兒：您有這份孝敬，我這做丫頭的，也該有點表示啊。（想）這麼辦，反正我已跟了您爬山越嶺來了，瞧吧！身上都濕透了，總算沒功勞，有苦勞，倘或捉到羚羊，您就說有我一份算了。

呂菁娘：算你一份可以，可是你非回去不可。這邊山裏，羚羊越來越少不說，還有猛虎，常出來傷人。你的武藝太差，萬一碰上了，又要對付牠，又要保護你，可麻煩了，你還是快回去吧。

（十）

自由報

第八三四期

中華民國僑務委員會頒發台教新字第三二三號登記證
內銷證內警台報字第031號
中華郵政台字第一二八二號執照
登記爲第一類新聞紙類
（半週刊每星期三、六出版）
每份港幣壹角・台灣零售價新台幣弍元

社長李運鵬・督印黃行奮

社址：香港九龍登打士街91號十樓六座
91 DUNDAS ST, 9th FLOOR,
FLAT 6 KOWLOON H. K.
電話：857253　電報掛號：7191
承印者：大同印務公司
地址：香港北角和富道九六號
台灣總管理處
中華民國（台灣）台北市大同街119號
電話：555395、557474
台灣分社：台北市西寧南路110號二樓
電話：三〇三四六
台郵撥儲金戶九二五二

何必和魔鬼影子鬥法？
——給美總統詹森先生的公開信

黃公偉

詹森總統閣下：

當我執筆寫這封信時，越南全境幾乎到處進行着一連多天的慘烈戰鬥。越共的新春攻勢露出相當險惡的面目。和北韓共黨刦持普布魯號情報船的行動，猝擊南韓首都的事件似乎彼此呼應。雖然近五年來，美國保衛亞洲集體安全，阻扼越共的南侵擴張，不惜付出重大代價，以堅持越戰，贏得舉世的尊敬。但說到「以戰逼和」，這不但使國際共黨總部看不起，連自由世界人士，也不免深深感到戰略的淺薄。

從這場戰爭的事實看來，俄共和中共在物資，裝備，訓練和武器的供應支持，說明美國作戰的直接對象越共，不過是俄共、中共那些魔鬼的影子。美國事實上是在和俄共中共間接作戰。我們不能瞭解美國既有決策以武力對抗國際共黨征服世界的策略，又爲什麼不敢正視這場戰爭的本質。而要局限於和魔鬼影子「轉影壁」。美國果眞沒有勇氣而對國際共黨的觸角挑戰，而揭破俄共中共這兩大敵人的「隱身戰術」的話，那麼美國一定是上當到底了。用其觸角和美國打消耗戰，以持久戰消耗美國的實力，打擊美國在自由世界中的聲望，以轉移國際局勢。等到局勢一旦改觀，俄共中共再挺身而出和美國一決雌雄。那時的對共鬥爭的全球形勢，我們不忍想像。

詹森總統先生：你一定比我們還清楚，對共黨並無和平可談的。除非那羣豺狼全被消滅或失去戰鬥力。那又爲什麼要在越戰場上談和平呢？現在已非韓戰時代可比了，俄共中共都已利用這十餘年的擴展軍備，減少了對美作戰的戒懼心理。利用共黨的術語，他們正在等候「相持階段」的過去，爭取全球戰略的優勢。所以，他們冷觀越戰，按兵不動，只是「運籌帷幄」而已。我們從「以阿戰爭」俄帝所表現的態度來判斷，越戰乃俄帝所佈「陷阱」之一，北韓事件是「陷阱」之二。俄美現勢絕非雙方情願和平，而是俄帝利用美國避免戰爭的怯弱心理的和平姿態愚弄美國罷了。這點我想白宮的戰略家不致忽略吧。今天，越共到處襲擊美軍基地，如由我們的經驗來看，越南戰局事實上已和一九四七年前後，我們在大陸和中共進行的戰鬥態勢相彷彿了。就是美軍和越軍未能取得「制面權」，只有「點」，「綫」是不足以制勝的。相反地，越共滲透南越，採用據「面」打「點」」的戰略，孤立點綫，所以才越打越共越多。美軍在戰略上處於被動地位，這是這次戰鬥發生的主因。如追尋其中因素，則越南軍政實力在廣大農村未能作有效的掌握，從「面」中對越共趕淨殺絕，想甚重要。我們過去有過「清鄉」和「綏靖」的經驗，當年江西共黨之瓦解，便是最佳前例。然而這點恐爲「唯武器論」所輕估了。所以，武器必須握在「得民」的政略手中，才能壓倒敵人。你相信嗎？對越戰如此，對全球戰略亦如此。我想這是該有的治本之策。

詹森先生：我們對越戰爲保衛自由而殉職的勇士們，寄以無上的敬悼。但我們不妨說，假如將越戰數以億計的軍費，用在突破「隱身戰術」上，其所得效果，將更是澈底的，一勞永逸的打算。那就是不向俄帝進軍，必向「中共」進軍。所謂「射人先射馬，擒賊先擒王」，禍根不除，魔鬼影子總是不會消失的。過去不說了，中華民國的武力的主要對像是中共。我們這裏的戰爭不是以「客」對「主」，而是以「主」對「客」。因爲中共是俄帝的卵翼物。中共暴力統治，早爲中國全民所唾棄。所以，在民心基礎上，又非越戰可比。中共那一套「民族解放」口號，在胡志明也許正在有效利用，但對中國人早已失去誘惑力。這是「擒賊擒王」最可靠的資本。你有這種了解嗎？我們不必自誇，有「百戰雄師」，你必然會想到向中共進軍，要比和影子作戰的價值大得多，容易得多。這是我們願向你提供的意見。

國立政治大學教授　黃公偉拜上　一九六八，二，六。

到處穿孔

蛇蠍爲心

昨日與明日

和戰之間話越局

在美俄冷戰外表看來較爲和緩之際，隨着越共的春節攻勢使越局和世界局勢洶湧到另一個危險階段。

一九六二年古巴飛彈事件，美國以不惜一戰的決心，迫使蘇俄低頭，因而改變了自二次大戰結束後的美俄冷戰局面，却也改變了俄毛、美法原本和睦的聯盟關係，使不結盟集團勢力日趨式微，使單純的東西方冷戰變爲複雜，而世界紛爭更爲充滿危機！越戰，便是世界冷戰和世界紛爭及世界危機的焦點。

從一九六〇年美軍正式介入越戰以來，隨着國際複雜關係影響，這種和不了、戰難勝的戰爭，看來像是越戰所有直間接參戰國雙方的「顯耀戰爭」（Showinp the Flog），一種限制戰區、不求勝、不願和的袖珍型世界大戰——第三次世界大戰的演練場或稱實驗室。

戰爭演練的目的，爲的是求獲取未來軍事作戰的經驗；實驗室的工作價值，則包涵了整個國家目標和聯盟集團利益。這是筆者研究越戰所獲的新結論，如果不幸而言中，那末，越戰的本質，仍是美俄冷戰：越戰的特性，則爲涵蓋了世界在內、並將擴及整個世界發展爲第三次世界大戰的「前哨戰」。

春節攻勢的如是觀

現在，前哨戰的主角，是業已登台的美國和隱於幕後的蘇俄，其導演則爲毛共。

如果美國下台，毛共則將以執導身份兼任主角並淘汰蘇俄而獨霸舞台；如果美國不肯下台，則毛共便將激發蘇俄上台直接抗衡美國俾坐收漁利。越共春節攻勢和美國在挨打中仍不忘談和，均可作如是觀。

據美國情報人員向詹森總統報告，越共此次春節攻勢是毛共籌劃迫使蘇俄同支援的新戰略，目的並非打擊美國聲望，意而是並圖誘使南越人民反叛一舉推毀南越政府，並組成聯合政府，再經政治手段迫使美軍退出南越。

由於美國的堅定沉着，由於美國繼古巴事件、中東戰爭的以不惜一戰還擊蘇俄的戰爭恫嚇，更由於美俄同都不願因越戰而衝突使毛共如願以償地成爲東南亞主宰者，所以越共新戰略中的春節攻勢並未得逞。如果越共繼續並擴大攻勢，美國必將昇高越戰並極可能使用戰術核武器以期制敵。可是，美國却在一面應戰之際同時侈談和談，其眞正意圖便非外人洞悉了！

美國單方面的想法

反俄但不反共的美國，是否意欲藉越戰以聯毛制俄？

反毛但不反共的美國，是否意欲藉越戰以聯俄制毛？

反俄反毛的美國，是否藉越戰以期一舉解決戰禍？

美國是否力能承荷長期膠着的越戰負担以待最有利時機的成熟，而後藉非武力的情報戰、謀略戰、科學技術戰、經濟戰、外交戰、政治戰等方式，以期阻遏侵略與消除赤禍？

這四個屬於美國的單方面想法，牽連到——

反美而不反資（資本主義）的「蘇修」，是否能說服共產集團使他藉越戰以聯美制毛？

反俄又反美的毛共，是否能消除其理論的、政略的大矛盾來聯美反俄、或聯俄反美？

不可能出現新局面

此外，刻正籌建世界第三勢力的戴高樂，重新崛起於世界舞台的日本，以及念念不忘打回大陸的中華民國，和志在統一全國的西德國，南北韓國，南北越，是否能忍受美俄及毛共擺佈任其如願以償？

越戰交戰雙方，其心情均極沉重；越戰的眞正旁觀者，其心情也不輕鬆！因爲，越戰乃和、戰兩難的戰爭。越戰不是單純的軍事武力戰，也不是陣壘完全分明的政治戰——美國必須反共　而又向　北越正式宣戰才能　使陣壘分明　。更不是單純的國家戰爭。所以，越戰便和不易，戰亦難了。然而，如果美國能堅定其意志，一方面在美俄冷戰中繼續表示不容蘇俄介入，否則便不惜一戰的毅力，另方面全力從事贏取越戰的努力，則和與戰的主動操之在手，越局便可望打開一個新局面。可是，這一趨勢，將有待美國大選後白宮新主人的明智裁決了。

因此，越戰在一九六八年，不可能出現新局面。

祁倫

自由談

古與今

馮五先生

偶讀宋人王安石「上皇帝萬言書」，指摘公務人員待遇菲薄的弊害，有云：「方今制祿大抵皆薄，自非朝廷侍從之列，食口稍衆，未有不兼農商之利，而能充其養者也。其下州縣之吏，一月所得，多者錢八九千，少者四五千……雖斷養之給，不窘於此矣：故今官大者，往往交賂遺，營貲產，負貪污之毀；官小者，販鬻乞丐，無所不爲。夫士已嘗毀廉恥，以負累於世矣，則其偷惰取容之意起，而矜奮自強之心息，則職業安得而不弛，治道何從而興乎？又況委法受賂，侵牟百姓者，往往而是也」。

這說明公務人員俸祿不足以養廉的禍害，雖是八百年前的情形，跟今日在台灣的中央政府所屬各級官吏的生活概況，殊無二致。如官吏「兼農商之利」，如大官交賂遺，營貲產」，而小官的俸給尚不及一個所養之給，如「委法受賂，侵牟百姓者，往往而是」等，無一不是歷史事實之重現。因而政風偷惰腐敗，行政效率低劣，同時則「紅包主義」盛行，恬不爲怪，大家笑貧窮而不笑貪污，毀廉恥，昧德行，甚至於地方官以賤價售賣公產於自己的老婆名下，亦恬然爲之而不顧。

明乎此，即知今日一般公務人員之偷惰取容，貪瀆無恥的癥結所在，是制祿大抵皆薄，又受着物質享受慾的刺激，相率殫精竭慮，以貪取財貨，而視紀綱法度爲無足輕重了。

必也改善一般官吏的待遇，滌盪社會上的奢靡習俗，又繼之以懲貪獎廉的嚴明功令，議親議貴，無所瞻徇，庶幾乎可望轉移風氣，振奮人心，實現「新速實簡」的行政效能。若夫「三卡制」之推行，殆末務耳，不揣其本，而齊其末，爲政之道，非如是也。

地圖上的紅點較年前大增
國際共黨禍亂泰國 情況愈來愈見嚴重
難府一仗泰軍打得甚為出色

——本報曼谷航訊——

一年前，泰國參謀部展示共黨騷亂的態勢圖，凡有武裝共黨出沒的鄉村以紅點來表示。當時有紅點的，尚僅限於泰國東北部份，和沿着與馬來亞接壤的泰南的一處更小地區而已。尚無令人不安之處。然而到了最近，這張地圖已變得像一個患了嚴重痲疹的病人，處處都是紅點了！紅點如今已佈滿了東北部太部地區，和緬甸接壤的西北各府的若干地區；而且共黨的勢力更開始伸張到泰國南部狹長似鍋柄的地帶——六百里長的克拉半島來了。

因而泰北各地已更陷入動亂不安之境。難府轄區更曾與共黨發生一場激戰，泰軍固頗有傷亡，共黨損失尤重。據泰內務部長兼陸軍總司令乃巴博上將向本報記者透露稱：「這次泰國北部的泰共份子，是聯同國外的共黨份子侵襲難府的。在耋田縣地區跟泰軍警展開一場激戰。這一股集合泰共、越共、寮共以及苗族約千名暴徒，與泰國軍警展開一場遭遇戰，結果被擊潰退，幷向泰寮邊境的眞空地帶逃遁了」。

乃巴博上將又說：「這次泰國軍警在難府耋田縣境及泰寮邊區的精武里縣的戰鬥，乃是跟外國共黨武裝的首次大戰鬥。如果不是因爲地理關係，周圍崇山峻嶺羊腸小道，追擊困難的話，可獲更輝煌戰果」。他又說：「這些烏合成軍的共黨暴徒，大部是經過中共與越共訓練後，潛入泰境，在山地苗族地區集結，再結合苗族無知人民，而成爲泰國心腹大患！現在泰國當局已從彭世洛遣調精銳正規軍，配合邊防警察，加緊肅清難府，清萊府，清邁府一帶共黨恐怖份子，以維護泰北的安寧」。

乃巴博上將又透露：近來有個別報章，報導泰方軍警在難府戰役中陣亡達三十人。他說這個數字是不確的，實在是二十四人。而共黨份子的死亡，較泰方超過八倍。他們遺屍遍野，還來不及收殮便四散逃竄了。

泰國國務院長乃他儂元帥也說：泰北難府的局勢已大爲好轉。軍警的實力經已增強。目前正等待美方援助的直昇機到達，以更增強軍警實力。警方已獲得六架，陸軍將可得一百架。乃他儂院長復指出：這次在難府擾亂的共黨份子，大多來自外國，意在配合越戰，到處放火，困擾自由國家。

泰國依地形區分，可分爲泰北、泰東、泰南與泰中等四大區域。泰中即湄南河沖積平原，成一大盆地，是全國最富庶精華所在的地區。泰北爲湄南河上游山地，下轄十四個府，人口約一千萬，約佔全國人口三分之一，其地雖有原始森林，但多的是雜樹林，生長珍貴的柚木不多，是泰國貧窮落後地區；居民文化水準低落，風習固陋，不知衛生，多食原野生物如野菜野果、腐魚、蟻卵、蜥蜴蜂蛹等，致肝蟲、勾蟲、瘧疾，及其他腸胃寄生蟲病，普通蔓延。據說該區百分之九十居民均患寄生蟲病。該區饑荒雖少發生，營養不良則爲普遍現象，而且種族複雜，除泰人與少數華僑外，尚有馬來人、高棉人、寮國的佬族人、越南人及住在大山裏的原始民族阿卡、裸黑、栗栗、苗族及蒂泰族等等。該區其實幷非貧瘠，只是未經開發而已。目前最大問題是水的問題，不說灌溉缺水，有些地區取一桶飲水也要跋涉數里之遙。由於貧，愚，弱等種種原因，以致該區爲泰共活動最猖獗地區。泰年來泰國政府在美方援助下，以大量經費，在該區築小壩，設學校，施醫藥，及派遣大批軍警聯合清剿共黨暴徒；可是仍未能使共黨斂跡。許多地區，日間似尚平靜，一到夜間，便成共黨的天下，巡邏軍警被狙擊，政府官員、村長及教員被擄殺之事件，層出不窮，使泰國當局大感頭痛。

泰國要防守邊境 有四項複雜難題

泰國除北部共黨爲禍日亟的嚴重問題之外，對邊境地區防守上，更有如下之複雜問題：

一、越南人問題：泰國東北部高原的越南人，多是北越人，首批是二次世界大戰期間，躲避日軍逃來的。戰後胡志明領導越共與法軍對抗，遍地烽烟，又有大批北越人逃入泰境，總數約有六萬人。此第二批北越難民中，有許多共黨份子滲雜其中，因而生根繁殖起來，現在許多僑居泰國的越南人家中，都懸掛着胡志明的像呢！

二、防綫問題：十九世紀法國佔領寮國，當與泰國劃界時，未以湄公河爲界，而把兩岸和沿岸屬於泰國烏汶府和四剎府一片狹長土地劃入寮國百細省，致使現在泰國在這一地帶無險可守，共黨可隨時渡河滲入泰境擾亂，將成大患！

三、泰寮邊境控制問題：泰國在北部邊區，有不少寮人，佬人和黑黎人，他們與對岸寮境的同族人，彼此親友來往，一向金吾不禁，寮共便乘機滲入。且泰寮兩國人，本來是同文同種的，語言百分之七十相通，兩國關係又很密切，邊界綿長，又多屬森林地帶，來往涉渡，實在防不勝防，故此更增加了泰國對泰寮邊境上之控制困難。

四、苗族問題：泰北山區的苗族，向以種植罌粟製造鴉片輸出爲主要的經濟來源，泰國政府鑒於鴉片爲國際所共禁之毒品之一，遂着令苗族勿再種罌粟而改種其他農作物，但苗族人不遵從政令，自行其是，共黨則利用苗人的愚昧，從中挑撥，使苗人憤恨政府而受其利用。

又越共份子的滲入，實得力於苗人的幫助，苗人與泰人隔膜，他們跟越南人，寮國人的感情較深厚，因爲大部份的政府官員都不懂苗人方言，而苗人懂得泰語的又只有教員和一小部份的公職人員而已；但大部份越南人因與苗人長期雜處，言語能相通，因此越南人在苗區的地位，遠在泰國官員之上，致使泰國政府對此地區的控制，深感不易措手。（二月廿二日寄）

台北航訊

在華美軍地位協定面臨攷驗
我審判犯罪案件迭被指失當

在華美軍地位協定自五十五年四月十二日生效之後，迄今一年又九個月以來，發生了十幾件美軍犯罪案件，有的已經結案，有的正在偵查或審判中。

處理在華美軍協定所列的美軍犯罪案件，不但影響我國的司法在國際上的信譽，同時我國司法官處理這類案件，向極重視，曾諭命各法院應派專人負責處理。因在華美軍地位協定，在我國列爲特別法之地位，優先於刑法，而司法官在學校教育中，並沒有研究過去在華美軍地位協定，而該協定自生效實施之後，沒有機會作補充講解，使每一位司法官都能運用自如，故只有指定專人研究，專人辦理這類案件。

司法行政部固然已盡到注意之能事，但有少數司法官，處理美軍犯罪案件，依然發生錯誤，使我國司法在國際上的信譽受到不良影響。

第一個實例，是高雄地方法院處理一件美軍車禍案，引起美國代表的抗議。依照在華美軍地位協定的規定，被告有拒絕作對自己本身不利之供詞之權利，被告之妻子也有拒絕證言之權利。但高雄地方法院審理這件事時，審判長並沒有依照規定，告訴被告及被告之妻子，應享有的上述權利，被美國代表指責我法院未能完全顧及被告依法享受之權利。司法行政部只好根據美國的抗議，規定所屬法院在訊問之前，必先向被告告知其應享受之權利。

第二個實例，問題更加嚴重，不但引起美國國務院的抗議，而且要求撤消原判決，另爲審判。這件事，正在最高檢察署趙深檢察長研究中。

依照在華美軍地位協定，被告有對證人質詢之權。且此項質詢權，可以不必經審判長之許可。但台北地方法院推事審理一件美軍犯罪案件時，被告在庭上要求對證人質詢，而爲審判長所拒絕。因爲審判長只熟知我國刑事訴訟法，而未顧及在華美軍地位協定。依我國刑事訴訟法規定，被告對證人之質詢，須經審判長許可。美方觀察員將台北地方法院推事的此項舉措，報告上級，由美國國務院向我國抗議，認爲我法院在審理本案的訴訟程序上不合法律規定，要求我國循法律途徑，撤銷此項判決，另循合法程序審判。

我國接到美方的抗議時，案子已告確定，不能循普通上訴程序來救濟。必須提起非常上訴。司法行政部乃將美國的抗議連同全案文卷，交由最高檢察署檢察長趙琛加以研究。看可否提非常上訴加以糾正。

第三個實例，不是與在華美軍地位協定之規定有所違背，而是違背司法部的規定，司法官畫蛇添足，有損國家立場。

司法行政部曾有過規定，法院的判決書，一律用中文，不得附英文譯本。但台北地方法院最近審理一件美軍殺人未遂案件，卻附送兩份英文譯本。

按法院組織法第七十四條，七十五條及七十六條，規定法院之審判，一律用中國的語言文字。因此美方前此曾多次要求法院起訴書或裁判，附送譯本，均爲我司法行政部以依法無據，予以拒絕。司法行政部曾規定不可附英文譯本。故我法院通知美軍被告的傳票，或通知美軍的文件，都用中文通知，不附英文本。由美方自行覓人翻譯成英文。美方的答覆文件，也不附中文本。這關係於兩國的立場。不料台北地方法院目前將美軍殺人未遂案判決書送出時，附上兩份英文譯本，自毀立場。

處理在華美軍地位協定中所列刑事案件，在我國法院是一種嘗試。以往各法院處理美軍犯罪案件時，雖發生或多或少的問題，都能獲得圓滿之解決。惟有審判程序上的錯誤，受到美國國務院的抗議。今後我法院處理這類案件時，對於協定中規定的程序，有需要多多加以注意。

本報記者 新曦

鐵幕管窺

毛共幹部「怕」字當頭 承認「毒蛇」侵入軍隊
北平召開圍剿派性誓師大會

（本報訊）據剛從共區北平來港人士透露：「北京市委會」新近召開了什麼「剿圍資產階級」，「小資產階級派性」，「促進所謂革命大聯合」，「革命三結合」，「抓革命促生產」的大會。大會中會指出：「有少數單位沒有實現革命大聯合，一部份單位的革命大聯合還不夠鞏固，主要就是資產階級，小資產階級派性作怪。資產階級，小資產資級派性，是一條大毒蛇，是藏在我們革命隊裏的危險敵人。」

因此，該大會「號召」要「大胆的堅決的解放革命幹部，革命幹部要狠鬥自己的「私」字，丟掉「怕」字，敢於革自己的命」。

大會又認爲：「那種放任自流，目無法紀，自己高興幹什麼就幹什麼，自己不高興幹什麼就不幹什麼的做法，絕不是無產階級革命性的表現，而是資產階級無政府主義的大發作」。

（本報訊）（一）整個共區生產萎縮，尤以紡織業陷於癱瘓，使得人民衣不蔽體，每年只能獲得極少數布料的配給。可是，這些配給的布料都是粗製濫造，五顏六色，做一件衣服就有各種不同的顏色，大陸人民在無可奈何情形之下，都稱之爲「穿花衣」。內心憤懣之情，溢於言表。

（二）共區來客報導：「北京市服裝生產合作社」積極展開拆補翻修任務，補破褲子，大褂改制服，馬褂改棉襖，甚至清代遺下來的馬褂也拿出來改着穿。這眞是毛共高唱「大陸人民生活水平提高的一種尖銳地諷刺」。

台北市兒童們佳音 兒童樂園計劃擴充
將從菲運來大批電動設備
遊樂場決擴展到山上山下

（台北航訊）台北市中山兒童樂園，自市政府於春節收回開放之後，票價降低，遊樂範圍擴大到動物園，一張票價遊玩兩個場所，市民及兒童們咸稱便利。

兒童樂園由民營改市營之後，正在擴充內部設備，市府對件事，有一套完整的計劃。這個計劃現在還在保密之中，大概是尚未成爲定案。不過據記者側面獲悉，其計劃有下列幾個重點：（上）

學人專訪

熊式一先生談戲劇

沈謙

海外林熊各擅場，盧前王后費評量。
北都舊俗非吾識，愛聽天橋話故鄉。

這是當年名學者陳寅恪先生寫給熊式一先生的一首七絕。林是指林語堂先生，熊就是指熊式一先生。林熊二位，同是當代以英文雅健暢達著名於世的中國學人。熊氏曾任南洋大學文學院院長，現正主持香港清華書院，並曾在英國劍橋，美國夏威夷等著名學府担任教席。據我們所知，當代的中國學者，沒出洋留學，而能在國外大學以英文授課叫座的，除了哲學家張起鈞先生之外，就只有熊式一先生了。

「王寶釧」一劇馳譽歐美

熊先生除了英文好之外，國學根基也很深厚。對於戲劇有很深的造詣。熊氏成名很早，三十多年前，他的「Lady Precious Stream」（中文名王寶川）一劇，在倫敦連映九百多場，歷時兩年餘，盛況空前。這次訪問，是藉熊先生清華書院放寒假之暇，和他談一談有關戲劇方面的問題。

首先，我們談的是戲劇到中國來的發展源流。

熊先生說，現在所謂話劇，就是舞台劇，發源於古希臘。後來有所謂喜劇、悲劇之分。到近幾世紀，才慢慢發展成今天的舞台劇。舞台劇在中國的歷史，大約與民國同時，開始叫話劇，後來叫文明戲，等到文明戲沒落了，才又恢復叫話劇，免得被文明戲沾染了名聲。

說到戲劇在今日的情況。我們都知道，台港兩地，找不到一個經常演出的，像樣的劇團，也很難看到有什麼好的話劇。熊先生分析導致這種地步的原因，可分三項。

第一項　劇本問題

寫劇本的人少，好劇本非常缺乏。因為現在劇作者多不受人重視，得不到適當的報酬。戲劇廣告，近來很少寫劇作者的名字。甚至，有些劇本被採用了，而作者竟不知道。熊先生打趣說：「商人在演員和道具方面不能不花錢，要想減少開支，多賺錢，只有動劇作者的主意了。」

在這種沒有保障，不受重視的情況下，一般寫文章的人，倒不如寫小說、散文，誰還肯花費許多心血寫好的劇本呢？劇本不行，要想戲劇發達，那是空言無據的。

第二項　人事問題

熊先生認為：中國的演員不壞，就是劇本和導演不行。他分析說：主持人程度低，投觀衆所好，觀衆的程度本來就不高，更將觀衆的程度低估一層。最糟糕的是：把外國東西搬來，往往好的沒學到，壞的卻不少。抄襲的技術不高明，熊先生講了十二個切中時弊的字——去其精華，存其糟粕，外加狗尿——實在可悲！還有商人主其事，本來好的劇本就不多，偶爾有些佳作，也被看不懂「好」在何處的商人亂改一通，把原來好的地方都改壞了。實在可惡！

第三項　觀衆問題

現在一般羣衆，程度尚低，還不能欣賞高水準的戲劇藝術。像當年的北平、重慶，多為全國知識份子聚集地，藝術欣賞的風氣盛，戲劇自然比較發達。現在社會上沒有普遍欣賞戲劇的風氣。看不到好的戲劇，固然可悲，有了好的戲劇，缺乏羣衆的欣賞與支持，更不是味道。

熊先生表示：現在的劇團多半是業餘的，如果社會上缺乏欣賞戲劇的風氣，不能養活專業化的劇團，戲劇的發展是很難有前途的。

說到這裏，熊先生並不抹煞一些在戲劇方面熱心工作者的成績，只是謙遜地說因為自己是同行，不便把這些人提出來罷了。

接着，我們提到幾個耐人尋味的問題。

「請問熊先生，您是怎麼走上戲劇這條路的？又是如何到倫敦寫成「Lady Precious Stream」？」（王寶川）

熊先生告訴我們，他讀書的時候，正當五四期間，學生愛國心熱，運動多，常常演話劇。熊先生從小愛好戲劇，再經過這一激盪，就走上研究戲劇的路。

月亮不一定外國圓

至於到倫敦寫劇本的原因，則是本來打算去留學的。原來武漢大學決定聘請一位英國戲劇的教授。於是徐悲鴻羅隆基兩人向文學院長陳源先生推薦，陳先生非常歡迎，那知後來知道熊先生沒有留過學，便格於崇洋媚外的惡例，而不再考慮。熊先生受到這次刺激，便決定到英國留學，一洗其辱。不想寫劇本成了名，也就沒有當留學生，到後來反當起劍橋大學的教授來了。可見中國的月亮不一定不如外國圓。眞是給中國人爭了一口氣。

太攬文法學不好英文

「許多人認為台灣的電視劇，國語的反倒不如台語的，令人費解。請問熊先生以為何如？」

熊先生回答說：

「這可能是帶地方色彩的戲劇，接近自然，純眞可愛，反倒生動活潑些。國語電視劇的演員，並不全是北平人，有些語言動作，並不能十分傳神，難免做作之嫌。」

熊先生又分析說：現在的某些導演，往往過分注重台位，使得演出不能自然生動。又有些國語講求過甚，處處要求咬字清楚，弄到後來簡直不像一般人在講話。這是拘泥而不知變通的壞處。他說，過分束縛，反而糟糕。就正如一天到晚攪文法，一定學不好英文。

說到平劇和其他地方劇的張展，熊先生感喟地說：除非將來回到大陸上，否則偏處一隅，是沒有什麼出路的。

最後，我們談到「要如何振興戲劇」的問題。

熊先生表示，戲劇自從傳到中國來之後，始終沒有一個安定的環境，讓她正常地朝前發展，漸漸納入軌道。革命的戲劇，北伐的戲劇；抗日的戲劇，到現在反共抗俄的戲劇。固然，戲劇要反映時代，但是更需要安定地長期發展，不能像打强心針似的，一陣又一陣，永遠無法上軌道。

振興戲劇必須好編導

因此，熊先生認為，要想振興戲劇，必須要有興趣的人騰出時間來，好好編劇，好好導演，老是業餘是攪不出什麼名堂的。更不能讓不懂戲劇的商人亂攪一通，任意剝削劇作者。最重要的一個問題，是回到大陸上去，戲劇才能有長遠的發展，偏促海外一隅，地方不大，欣賞戲劇的人也不多，一時間要想振興戲劇，提高水準，是很困難的事。

「那麼，請問熊先生，您以為振興戲劇的當前急務是什麼？」

「現在，只要將戲劇的火種保持不熄滅，將來回到大陸上，將這火種帶回去，自然能使戲劇的光輝，照亮文明的社會。」

人生如戲，劇是人生。我們相信：戲劇的光輝是永不熄滅的。（完）

國語亟應正名為國文　為中華文化復興起點（二）

・陳邁子・

更為重要的是我們是五千年的禮義之邦，倫常道德，孝悌忠信，仁愛和平之教，特著於世，而成為我王道文化精神一大特色。近世因受西洋文化之傳播衝擊，今竟蕩然無存。社會風氣，敗壞若此。此何以故？皆由於過去小學廢棄國文，注重國語，有之致之。須知「蒙以養正」，「明善在初」，小學啓蒙正，則一生正。一身正，則國家天下正。孩提之年，灌輸以倫常道德立身修身之道，其純潔心靈，塵垢未染，自易接受。浹骨淪髓，終身莫忘。對其一生之德業言行，實有決定性之影響。國文內容，因多取自古之成文，多是教忠，教孝，教仁，教義，對學生道德思想之薰陶，極為重要。而國語僅為現實生活之語文，與傳統文化思想無關。以之為教，又何以盡「蒙以養正」，「明善在初」的功能，而達中華文化復興之目的我？最近製文，曾論及世亂之由：「輓近世值歐風東漸之會，正蠻夷猾夏之交，異端並起，橫流滔滔。我中華數千年來凡賴以立於天地維繫綱常名教於不墜者，國人皆舉而棄之，會不稍恤。賢聖之說息，人禽之辨泯。復何彝倫之可言？……吁！此天下之所以大亂也歟」？這是慨乎言之。而正本清源之道，在於復興中華文化，尤賴小學國文之啓迪。

因此，我們堅決主張國民中學的國語一科，應正名為國文，這是關係國家存亡、文化絕續的重大問題，第一要事。我們不容一誤再誤，坐失中華文化復興之機，而貽千秋萬世之悔。

對此問題，以下再加以分別論述。

本文對於甚麼叫做國語，甚麼叫作國文？不願有所詞費。因為這是一望而知之詞，憑大家的直覺就可以知道它是怎麼一回事。同樣，對於甚麼叫做白話，甚麼叫做文言，也不願浪費筆墨。其理由，也正同前所說的一樣，要引經據典，加以闡釋，也是多餘的事。不過有一點必須加以說明，古之史書「國語」，以及儒學經典「論語」之語，是「文」而非「語」。六朝隋唐的變文，名「文」而實「語」。宋儒的語錄體，名「語」而實「文」。這證明「語」「文」是一致的。但其中以文為主，並非以語言為主。其所謂之語，亦即是文。同樣，宋元明清的小說，戲曲，是「語」，亦即是文。至於「五四」新文化運動前後興起的白話文，又名之曰「語體文」。「白話文」既名之曰「文」，自然就不應有白話與文言之分了。若勉强加以區分，反而多事。語即是文，這道理很簡單。當一句話，從口裏說出時，便是「語」。要是把這一句話，書之於紙，印之於書，自然便是文了。在口為言，言者語也。將言語書之於紙，自然名之曰文。

明太祖諱言僧

・棟國・

明太祖少貧賤，依皇覺寺為僧，及為帝，乃諱之。凡章奏有犯忌諱者，輒死。如常州府學訓導蔣鎮為本府作正旦賀表，以睿性生知誅，蓋生知嫌於僧也。尉氏縣教諭許元，為本府作萬壽賀表，以體乾法坤，藻飾太平誅，法坤嫌於髡髮也。閒中今古錄又載杭州教授徐一夔賀表，有光天之下，天生聖人，為世作則等語。帝覽之大怒曰：生者，僧也，以我嘗為僧也。光則薙髮也。則字音近賊也。遂斬之。王應奎柳南隨筆云：明太祖時，廷臣賦詩，有犯光字釋字，和字尚字者，即為譏訕，甚則誅謫，輕亦戮譴。吾邑施孟微為監察御史，一日，上命賦詩，有日出光華照四方之句，亦以犯光字，得罪黜歸。眞所謂欲蓋彌彰也。草木子言京官每旦入朝，必與妻子訣，及暮無事，則相慶以為又活一日。酷虐之甚，其危可知矣！然許浩復齋日記云：「僧（原把字下同）太璞，餘姚人，專心禪學，藏經五千四百卷，無不成誦。一日高皇帝問曰：為僧不了，其報如何？曰：永墮阿鼻地獄。上曰：出何典？曰：出藏經第幾卷。都御史目之曰：若奈何為此對？已曰：已為釋氏，不敢背教，亦不敢欺上也。上聞其言，黠之。已以實對。上變色曰：然則吾當何報耶？已叩頭曰：天生民主，豈同於凡類耶？上曰：此又出何典？已曰：出藏經第幾卷。上命取經閱之，信然。上大悅。」此僧面觸忌諱，而得不死，亦云幸矣。其對文臣，特懷忌諱，語之曰：世亂用武，世治宜文，非偏也。諸臣曰：但文人善譏訕，及請撰名，則曰士誠。帝曰：此名亦美。曰：孟子有士誠小人也之句，彼安知之！帝由是覽天下章奏，動生疑忌，而文字之禍起矣。其受禍最慘者莫如高季迪（啓）。因作蘇州府知府魏觀上梁文，竟至腰斬，魏觀則剝皮。（見明史本傳）

時花選石館隨筆。

中國女性文藝春秋（續）

「斷腸詞」作家朱淑眞的戀愛生活

周遊

她結束生命之時，父母都健在，她不過是中年婦人便與世長辭了。宛陵魏仲恭之說：「其死也，不能葬骨於地下，如青塚之可弔，並其詩為父母一火焚之」。（斷腸集序）

她父親把她火葬，還是依照佛家的例呢還是另有他故？很令後人懷疑。像她這樣不幸，而她的父母竟將其詩稿「一火焚之」，似乎也有其特殊原因所在吧？

她的集中有「和魏夫人」（一北宋）的作品，而兄意風竟以「紹定」為「紹聖」之誤，更加武斷了。

我們只要一談她「元夕」第一首便知：「闌月籠春霽色澄，深沉簾幙管絃清。爭豪競侈連仙館，墜翠遺珠滿帝城。一片笑聲連鼓吹，六街燈火麗升平。歸來禁漏踰三四，窗上梅花瘦影橫。」

（五十八）

菊國滄桑憶舊人

。羽衣。

「長江後浪推前浪，一代新人換舊人」，彈指韶華，瞬息流光，名噪一時之名伶，多少被湮沒在大時代滾滾狂濤之中！本人對中國舊劇，嗜痂成癖，在北平十餘年，對幾位名伶技藝之欣賞，殆無虛夕；渡海來台後，對此絕緣久矣！目下台灣，舊劇之風，雖不絕如縷，然故都淪陷，千里迢迢，第一流名伶，鮮有來台，佳嗓佳腔，此日此時竟成絕響。茲隨筆寫出幾位名伶事蹟，藉以填塞內心空虛云爾。

汪笑儂感時傷世

據聞已故著名老生汪笑儂，曾做過一任知縣，宦海失意，憤而辭百里侯，效李龜年之慷慨悲歌，而度其粉黛生涯，其學識與思想，自較一般普通伶人高出多多，抱有感時傷世之胸懷。根據歷史，自編幾齣含有改善政治的佳劇，如「獻地圖」，諷刺張松以一國之使臣，因誤受劉備假仁假義所惑，糊裏糊塗而毫無代價出賣祖國；「哭祖廟」敘述劉阿斗庸懦無能，其子劉諶憤殺死全家，以謝祖先，壯烈犧牲，寫盡亡國之痛；「六軍怨」敘述唐明皇寵楊國忠，倖臣專權誤國，軍民怨憤。時為民初，內爭迭起，列強環伺，政治腐敗不堪，萬目時艱，纔編此幾齣戲影射時事，暗諷當道，凡稍有國家民族思想者，無不大為感動。唱腔激昂悲壯，寬宏豪放見長，無佳嗓者，難於仿效。只有坤伶恩曉峯學之，略得皮毛，近已不見有人再東施效顰矣。汪有思想有學問，創作劇本諷刺當局，為國家作宣傳，易於深入人心，不失為革命劇人，惜今已湮沒無傳也。

孫菊仙善相人術

予雖生也晚，然猶及見孫菊仙所演之空城計，飾羽扇綸巾之孔明，摹其神態，可謂妙到巔毫，而黃鐘大呂之音，尤足傾倒四座。惜彼具有怪癖，不肯灌蠟片以留聲，今則無從得聆法典矣。當孫耄耋之年，猶復赴申，登台演唱，劇院以內廷供奉之老鄉親為廣告號召，居然連寶滿座。余適在蘇，未克一賞其最後之藝術，但據客述，孫老態龍鍾，在在需人扶持，無復當年精采，而顧曲之周郎，無非震其盛名已耳。孫常自稱善相人術，余友某請彼相，云晚境不惡，壽逾七十，子早卒，孫能娛老。均不爽。民初，有署名馬二先生者，喜評劇，及撰小說，孫固識之，謂馬二云：「當年海上小說家李伯元，與我最契。不幸伯元中年病歿，身後蕭條，至不能歸其櫬。我不忍坐視，嘗貲助之。自是而後，罕與文士往還，誠不顧更覩才高運蹇如伯元者，重貽我悲惻也。君之文字，雖不敢妄肆品評，視伯元為何如；然君格清而厚，他日不貴，庶可為文士吐氣。我自信識人多矣，相法得之實驗，絕非面訣。願君自勉，他日通顯，或為老朽作一傳，庶可以證我言之非謬也。」馬二聞其言，頗沾沾自喜，以為他日高車駟馬，桓圭袞裳，瞻望咨嗟者，必大有人在焉。豈知馬二潦倒窮途，且至不繼饔飧而失節，未幾且奄忽。孫所云云，完全不驗，惜不能起孫於地下而面詢之。馬二，馮姓，字叔鸞，馮小隱之昆弟行也。小隱尊譚鑫培，叔鸞捧梅畹華，持論各異，互相攻擊，致昆弟失和焉。

生活漫談

中國社會在習慣上所指的吃肉，當然是豬肉。正宗的豬肉是連皮的五花肉或肥瘦肉之類。歐美人說中國人是吃豬肉的民族，這和我們說歐美人是吃牛肉的民族意思一樣，且認為歐美人身體多有牛羶味。歐美人說中國人身上有豬臭味。不過話又說回來，豬肉確為中國重大的稅源之一。也證明中國人離不開豬肉。誰也無法否認孔聖人對豬肉割不正不食，影響士大夫們的觀點兩千幾百年，直到現在任何高貴的酒席，豬肉總是一份正菜，豬臟器迄今無法扶正。殊不知吃豬肉不及吃豬肝、豬心、豬腎、豬腦來得營養，豬肝的營養價值，除供給大量的蛋白質外，還可以供給豐富的維生素A、B、D及礦物質，尤其是鐵的含量可以說豐富得無以復加。所以肝這種器官在生理上是一架特別而又精緻的機器。俄國人「發明」的組織療法，認豬肝營養價值之高，超乎任何動物肉類之上（不過還有待我們補充說明）。豬的心、肺、腎、腦、胃所含的礦物質，如鐵、銅、磷、都比豬肉多兩倍到五倍。另外有一個奇跡，就是牛肝裏的銅比牛肉所含的銅高過二十倍之多，所以肝是醫治營養性質血病的一種好食物，此為今日中西醫所一致公認的。我們要補充的是吃豬雜須注意下列各點：甲，吃豬心有下列流弊：一、心有孔者切不可食，食之容易中毒（見古醫典）。二、忌與吳茱萸同食。三、常吃易耗心氣。可是豬心可治產婦中風，血氣驚恐，以豆豉汁煮食有效。豬肺補肺，用麻油炒熟煮粥食之，治肺虛所引起的咳嗽（附誌八月裏不要多吃豬肺）。豬腎功能通膀胱、理腎氣、暖腰膝、治耳聾。豬腎性寒難補命門精氣，故腎有虛熱者最宜，若腎氣虛寒則最忌。（附誌冬月裏少吃腎）。豬腦治風眩腦鳴，喉痺破痛，能療癰腫，但此物能損男子陽道，吃豬腦並飲酒，奇怪的是臨房不能行事，或行事時若滴大學眼藥水。豬胃功能補中益氣，健脾養胃。此物屬土，四季可食，中醫多用以以補虛，取其以胃治胃。須煮爛煮熟，以飲汁及煮粥為上乘吃法。最後再談豬肝，豬肝的營養價值雖高，亦有幾種情形宜食：一、與魚膾同食，生惡疽。二、與鯉魚腸雜同食，傷神。三、與鵪鶉同食，生面。四、凡豬臨殺，驚氣入心，其絕氣歸肝，此肝不可多食。孟夫子說：「聞其聲不食其肉。」可能道理在此。江都九十老人袁樹珊先生自己家裏養的鷄鴨是不吃的，這和他的高壽可能有連帶關係。五、肝有孔者也不可食，食之中慢性毒。

豬肉豬雜與養生

國父　孫中山先生對吃血補血一說，公開見之於講演集裏。一個大政治家，又是醫學博士，他的談話是有歷史份量的。照中國藥典記載，豬心血調硃砂（辰州產）主治驚癇癲疾。明代李時珍著「本草綱目」謂古方治驚風癲癇痘疹等症，多用豬心血。蓋以心歸心，以血導血之意。豬為水畜，其血性寒，而能解毒制陽，故也。韓飛霞云：「豬心血能引藥入本經，實非其補」。沈存中說：「豬血得龍腦直入心經」。綜合諸家意見並無何矛盾之處，特誌之供讀者方家們參考。

· 馬騰雲 ·

海天吟苑

重陽雜感

·李洛九。

書緣多難紹滄洲。落帽風號動客愁。菊蟹分香勞遠夢。重陽鄉思白雲浮。

黃花紅葉競山川。秋水長天一例妍。回首故園搖落盡。衣冠憔悴骨腥羶。

孟嘉趣事至今傳。文采風流仰昔賢。何日終南高處望。少陵詩興更悠然。

蓬萊秋色例春看。一片繁華映日丹。逆氣西風吹路斷。漢家旗鼓正催鞍。

初冬誌感

六合飄然過。清風一曲悠。江湖長澹蕩。歲月任優遊。雙鬢登樓怯。萬山繞廓秋。衡門聊自遣。隨伴管城侯。

黃葉驚衰落。高風物外吹。口饞宜飲酒。言淡少吟詩。文短能容物。情長老易悲。形骸多放浪。莫歎不逢時。

國劇脚本　大漢兒女（一名新莽刦）

·田士林·

鶯　兒：可是您一個人在這兒，我也不放心啊。

呂菁娘：少囉嗦。你走不走，不走我送你回去。

鶯　兒：別介！我走我走！（想出主意）姑娘，您看，那邊是不是羚羊？

呂菁娘：在那兒？

鶯　兒：（出其不意，急忙狂奔過去）在這兒。

呂菁娘：（驚急追圓場）唉！鶯兒，你好大的胆子，找死呀！

鶯　兒：姑娘，您眞會嚇唬人。這個山岡子，少說，您也上來好幾次了，以往就沒聽您說過有猛虎。

呂菁娘：咳！那是怕我媽不放心。

鶯　兒：姑娘，反正我跟定了您了，有功反正是我們倆的。

呂菁娘：（心急）萬一碰上了猛虎，怎麼辦？

鶯　兒：您不怕，我也不怕。（內虎吼）（大驚）啊呀，我的姑奶奶，果然有老虎！

呂菁娘：你快上樹吧！我來對付牠。

鶯　兒：您！也上來吧！喲！來了！

（虎上）猛撲，菁在樹上彎弓射虎，虎仆，再撲樹，菁撇弓下樹，急抽刀殺虎，（虎死）。

鶯　兒：我的媽呀，（揮汗，哧腿）我說不怕，他偏要打哆嗦。

呂菁娘：好啦、幸好一箭射中了，不然牠一頭撞倒了大樹你這條命可怎麼辦？

鶯　兒：好姑娘，眞有兩下子，佩服你那麼沉着。

呂菁娘：臨危不懼，這才是克敵制勝的第一要着。

鶯　兒：就這一着，就夠我學一輩子的。

呂菁娘：眞慷慨，可是連我自己都不信有這本事。（扛虎）反正這個賫禮新鮮，前無古人後無來者，回去吧！

鶯　兒：羚羊呢？

呂菁娘：喲！我忘了，我去找。

鶯　兒：要是再碰上一條猛虎呢？

呂菁娘：有我。

鶯　兒：你敢殺牠？

（十一）

禪的火花（十八）神秘和平常

吳經熊譯　吳怡著

有一次，南泉普願禪師偶遊到一個村莊上，不料莊主已知道消息，便出來迎接。南泉大為驚訝的說：「我凡是要去一個地方，事前總沒有告訴別人，請問今天你們怎麼知道我要來貴莊？」莊主回答說：「昨晚我做了一個夢，夢見土地公公說你今天會來」。南泉歎口氣說：「這是我的修行功夫尚未到家，所以才會被鬼神看到啊！」

禪師們都一致看輕秘密作用或神秘的力量，牛頭法融的故事便是最好的證明。法融是江蘇延陵人，出生於書香門第，十九歲的時候，便通經史，後來醉心於般若，悟透真空。他曾說：「儒道世典，非究竟法，般若正觀，出世舟航」。於是便拜師落髮，隱居山寺，後來他到了牛頭山，住在幽棲寺北的一個岩洞裏，傳說他隱居的地方，常有各種鳥兒銜着花朵，向他致敬。

後來，四祖道信遙觀牛頭山的氣象，覺得其中必有異人，便親自來訪，到幽棲寺問一位和尚說：「這裏是否有道人？」和尚回答說：「出家人那個不是道人？」道信說：「我是問你們當中，那個是學道的？」另外有一位和尚說：「離這裏大約十里左右，有一個人叫做『懶融』，他看到別人既不站起來打招呼，也不合掌禮拜，是否他就是你要尋的道人？」道信聽了這話，便依照指示而去，看到法融坐在那裏旁若無人。道信便問他：「喂，你在這裏作什麼？」法融回答：「觀心。」道信又問：「是什麼在觀？被觀的又是什麼？」這話問住了法融，於是法融便起來行禮說：「大德住在那裏？」道信回答：「貧道居無定所，或東或西。」法融問：「你認得道信禪師嗎？」道信反問：「你為什麼要問他呢？」法融說：「我早已聽到過他的大名，很想看看他本人面目。」道信笑着說：「我就是他啊！」法融便問：「請問你到這裏有何貴幹？」道信回答：「只是來看看你罷了。」於是法融便請道信到他所住的小庵內。當道信看到小庵附近常有虎狼跑動，便舉手[illegible]害怕。法融就說：「不要怕，還[illegible]。」道信問：「什麼是這個？」[illegible]。過了一會，道信在法融常坐的[illegible]了個佛字，法融看到了這字，面[illegible]色。道信就說：「不要怕，還有[illegible]」法融不知所以，便請道信講解[illegible]信說：

「夫百千法門，同歸方寸。河沙妙德，總在心源。一切戒門、定門、慧門、神通變化，悉自具足，不離汝心。一切煩惱業障，本來空寂。一切因果，皆如夢幻。無三界可出，無菩提可求。人與非人，性相平等。大道虛曠，絕思絕慮，如是之法，汝今已得，更無闕少，與佛何殊，更無別法。汝但任心自在，莫作觀行，亦莫澄心，莫起貪瞋，莫懷愁慮，蕩蕩無礙，任意縱橫，不作諸善，不作諸惡，行住坐臥，觸目遇緣，總是佛之妙用，快樂無憂，故名為佛。」法融聽了後恍然大悟，於是不再隱居，而到各地行化，並精研大般若經。

（上）

自由報

第八三五期

中華民國僑務委員會頒發台僑新字第三二三號登記證
內政部登記證內警台報字第031號
中華郵政台字第一二八二號執照
登記爲第一類新聞紙類
（半週刊每星期三、六出版）

每份港幣壹角・台灣零售價新台幣弍元

社長李運鵬・督印黃行衡

社址：香港九龍登打士街91號十樓六座
91 DUNDAS ST. 9th FLOOR,
FLAT 6 KOWLOON H. K.
電話：857263　電報掛號：7191
承印者：大同印務公司
地址：香港北角和富道九六號
台灣總管理處
中華民國（台灣）台北市大同街159號
電話：555395・557474
台灣分社：台北市醫學南路110號二樓
電話：三○三四六
台灣郵政劃撥金戶九二五二

文化眞正復興了嗎

王邦雄

中華文化復興運動開展迄今，已進入第三個年頭。我們不知主持其事者，有何遠大之計；但依據我們淺薄的觀察所得，似乎只開了幾次籌備會，并在各大專院校偶爾請學者演講而已。輕描淡寫幾筆，頗令人有「無迹可尋」之感！這一個由政府當局策劃展開的運動，比之於前幾年，由青年們自己喊出的「自覺運動」，反而顯得淒冷黯淡，既缺乏年輕人的熱情，又沒有全盤的計劃，終究是紙上談兵，徒具虛文罷了。

我們須知，文化復興運動的推展，不在少數的幾位專家學者，也不僅限於正受高等教育的大專院校學生，而應深入廣大的社會。因爲文化不是抽象的符號推演，而應有具體的事實表現，談文化而遠離羣衆，勢將自毁根本，徒勞而無功。

中國自鴉片戰後，在救亡圖存的奮鬥中。有張之洞「中學爲體，西學爲用」的自强運動，有康梁「君主立憲」的百日維新，有五四「全盤西化」的新文化運動，凡此種種，都會如火如荼的展開，也頗有成效表現，然猶難免失敗；何況今天的文化復興運動，少有作爲（抑且根本不爲），又那能寄望其成功？

以爛爲爛　　欲罷不能

茲以發揚中國文化的三大雜誌爲例：民主評論恰在文化復興運動開展之先，就壽終正寢；人生却在文化復興運動高唱入雲的時節，宣告無限期停刊；新天地到了今天，亦步入窮途末路，不過是苟延殘喘而已！這三大雜誌，實爲純學術性的刊物，對發揚固有學術文化，可謂不留餘力。他們沒有廣告費的收入，又得不到政府的補助，只是幾個窮讀書人，自掏腰包，所奮勉自許的文化事業，奈何曲高和寡（不說風涼話，不報導內幕新聞；不作惡性攻擊，不故作危言以聳人聽聞），獨力難支，政府又不聞不問，任其自生自滅，雖已鞠躬盡瘁，也難免要相繼關門大吉了！

這羣有心人，是心有餘而力不足，他們抱着薪盡而火傳的心願，不計成敗，只求爲民族文化，爲世道人心，奉獻一己之力。而政府當局顯然係力有餘心而足，在財力綽綽有餘之情況下，而一無表現，乃不爲也，非不能也。如係限於才力之不足，抑或缺乏熱誠，何不獎助這些有志之士，由他們協助推動，藉着雜誌之鼓吹，言論之普及，反而更能深入民衆，一顯我固有文化的眞正面目。

假如我們口口聲聲，要復興中華文化，却能眼睜睜的看着那爲中華文化奮力的刊物，在幾經掙扎之後，相繼殞沒，豈非絕大諷刺，又遑論其他？再者這些刊物提倡中國文化，都遠在政府高揭復興中國文化口號之前。以政府的立場看，可說是先知先覺了。政府縱不對這些雜誌協助獎勉，以示敬意，至少也該利用這些現成的門士爲自己的政策來奮鬥。豈不因勢利導費少用宏。現在不此之圖，却一方面培養些「文化官」專辦「等因奉此」，一方面却坐看這些眞正提倡中國文化的刊物自行萎逝，實在太不智了。

前幾年的青年自覺運動，是青年學生發起，也在廣大社會展開，惜缺乏政府的有力誘導，終至虎頭蛇尾，無疾而終。今日的文化復興運動，則反是由政府倡導，却缺乏青年學生與廣大羣衆的熱烈支持，其未來命運，不言可知。

政府當今之計，唯有在各方面全力倡導，在學校在社會的各個角落展開，要獎助文化事業，扶持報章雜誌，共同爲文化復興運動而奮進。不要讓這個國家這個社會，在推行文化復興運動聲中，依然我行我素，仍是歌廳舞廳之天下，那就大爲可悲了。（完）

昨日與明日

美國對越戰的鬧劇

美國朝野人士對於越戰問題，近來議論紛紛，表現一片喧嘩之象，有說要戰的，有說要和的，有說要與越共組織聯合政府的，也有說要由美國人作主，迫使南越政府進行社會改革的。這與一九四八——四九年之間，美國對中國剿共之役所表演的鬧劇，如出一轍，幼稚淺薄，莫名其妙！

在烽火連天，各大都市皆隨時受到越共攻擊的動亂局勢下，而大談其社會改革之說，這不是唸孝經以退黃巾賊的愚味書生見識嗎？戰禍瀰漫，人民流離轉徙，生存且大感威脅，沒有安定的環境，那有進行社會改革之可能？西方一般所謂學者專家，常常强調貧窮是製造共產主義的溫床，這類高見，却不知道蘇俄人民過了五十年的社會主義生活，到今天還是貧乏如故；而中國大陸上的人民，經過將近廿年的共黨統治後，乃變成了「一窮二白」、飢寒交迫的境況。憑着平時的觀念和辦法，以應付戰亂不歇的非常局面，可謂牛頭不對馬嘴，只有誤盡天下蒼生而已！

「陰乾」的戰畧

華府白宮近又空運了六千名軍隊增援越南，這好像賭博一樣，把口袋裏的錢，每次掏出少數來投注，輸了再掏，而不敢乘機作孤注之一擲。結果是盡其所有，「陰乾」完事，永遠沒有贏回之可能。

美國若有爭取越戰勝利的決心，何需乎不斷的增加兵力呢？把河內的軍事和工業設備，以及交通港口，全部炸毁；教南越軍隊負弩前驅，進攻北越地區而佔領之；或者由美軍登陸北越的重要據點，使越共整個潰亡。這都是輕而易舉的有效戰畧。不此之圖，時而派幾千兵力增援，吃了敗仗，又增派一萬人，不行，再增加。如此這般的方策，敢說將來美軍縱然有一百萬人在越南作戰，還是祇有吃癟打敗仗的份兒呢！

甚末是游擊戰

美國人至今不懂得共黨的游擊戰是甚末玩藝。游擊戰的唯一原則，就是要取得當地人民的合作——不管是自動的，或是被脅迫的。械彈的補給，取之於敵人，糧秣的供給，來自地方農村。凡是人種不同，語言不通，風俗習慣各別的人，根本就沒有資格跟當地的敵人打游擊戰。這便是美軍在越南常被越共游擊隊襲擊吃癟之所以然。

美軍除非知難而退，甘作紙老虎，否則唯有用其所長，以泰山壓頂之力，對越共進行猛打窮追的陣地戰，一鼓而將敵人殲滅掉，纔是上策。打打談談乃是進行游擊戰的一種手段，這是美國那些鷄蛋頭的學者專家們所不易明瞭的。（何如）

新武器競賽的危險性

彭樹楷

核武器的生產不易，儲存和運輸及維護使用也困難重重，加之其巨大破壞和殺戮之毁滅能力，不獨是科技和經濟上的沉重負担，並且是政治和人民心理方面的巨大壓力。當英國經濟不景，美俄同都不願互毁於核子大戰之際，英國自動廢棄核軍備，美國計議結束核武器競賽，俾誘使與情迫使其他已有核武器及擬發展核武器國家終止核武器競賽。這，看來是關係人類共同幸福的喜訊！然而事實上並不盡然！

核武器固然是威力龐大的新武器，但其牽涉的科技問題、經濟問題、政治問題、以及外交問題太多，長期下去，任何國家均難以荷負如此來自多方面的重担。更何況，來多優於核武器的新武器，如生物化學戰劑的神經性毒氣及投散系統與細菌及其發射系統；如光學武器的電閃死光及其發射系統；電子武器的攻防系統；反地心吸力系統；反物質系統；具革命性技術改良的各型傳統性武器系統；太空武器系統；海底武器系統；地層武器系統；控制氣候科技及「氧氣炸彈」等。

上述所有除核武器外的新武器系統，有的已服役但未正式使用如神經毒氣（一分鐘內致所有動物於不可救治的死亡）及細菌與死光武器（即穿透生理組織的光子，任何生物經照射均立即死亡），有的已在研究發展並有成就如太空武器、氣候控制等，有的理論與技術困難多獲解決，僅待決策之下達如氧氣炸彈（增加被炸地區低層大氣之氧氣使該區一片火海）、反吸力；反物質系統，有的理論上沒問題僅技術尚待努力如海底及地層攻防武器系統。

這些新武器已在許多國家秘密發展中，特別是美俄兩國和近年崛起的毛共（據西方情報，毛共化學戰劑存量爲世界第一，其他新武器亦不遺餘力全力發展中）。

筆者胆敢斷言：所有上述新武器之競賽及使用（包括用作戰爭恐嚇及實際作戰），其毁滅性及互毁能力，均不亞於核武器全面大戰的後果——共毁！只是，這些新武器在某方面說來較爲「仁道」而已。例如死光使人「全屍」而不至血肉橫飛（但氧氣彈則使人化爲灰燼，然而却無如同放射塵之遺毒）；控制氣候不致使人傷亡而僅因長期乾旱或陰雨等危及農作物及人類心理與情緒；太空武器除光學及電學外可用反地心吸力阻過；反物質系統則可稱爲無法預防及抵制並毁滅一切的「絕對武器」，爲人類至今所能構思之最後和「最佳」攻防武器；

戰爭的目的是求勝，俾實現其國家或聯盟集團目的，支援戰爭的軍事武器如不能使戰爭獲勝或達到制敵目的，這種武器的存在價值便不會很大；如不但不能使戰爭獲勝，相反地却是摧毁和互毁以至波及第三者的共同毁滅，則這種武器便根本沒有存在的價值！

萬物之靈的人類，曾經集體作過許多蠢事，這種毁滅性新武器競賽，尤其是最最愚蠢的事情。（完）

自由談

不亦怪哉！

最近爲着尋取參考資料，在坊間買了一本中華民國教育部中學標準教科書編委會制定的地理課本，名曰「亞洲地理形勢圖說」，瀏覽之下，不禁大呼咄咄怪事！

這課本是中華民國政府播遷到台灣後，纔由教育部編製出版的。內容專述亞洲各個大小新舊國家的人口，面積和生產狀況，連蘇俄的外高加索和中亞細亞亦在內，可是，就沒有中國。不亦怪哉！難道說中國不在亞洲的地區不成麼？若說這書是紀述戰後亞洲各個新興國家的地理形勢，顧何以又有日本，土耳其在內呢？而書名亦未標明「新興國家」，却把中國這一亞洲最大的國家抹煞不紀，眞可謂數典忘祖也矣！

若以中國大陸正在共黨竊佔之中，不必或不便紀述，那至少就應該在編輯例言上有所說明纔是。何況中國大陸的地理形勢依然猶昔，一切資料都有，爲甚末不能把中國的地理形勢詳明紀述，放在第一篇之首呢？既稱之爲「中學標準教科書」，當然是給中國學生用的，然紀述亞洲地理形勢，却不見有中國在內，理由安在，殊不可解。我若是中學的史地教員，就非對着這本教材，向學生們抱頭痛哭一場不可！目前二十歲以下的中國學生，凡在海外生長的，多不知中華民國的領土是否包括着大陸各地區在內了，加之以報紙上常以台灣爲代表中華民國的名稱，不知不覺的產生了兩個中國的下意識，再看看教育部在台灣出版的「亞洲地理形勢圖說」，亦畧去中國不談，這對一般少年子弟的國家思想關係，何等重大，影響又何等惡劣呢！

吾國各級學校的教科書，過去在大陸上都是由書賈市儈們編訂發行的，內容粗蕪惡劣，爲世詬病，然今日在台灣由教育部編行的「中學標準教科書」，乃有如此荒謬的內容，這比過去由市儈發行的教材，更糟糕了！即此可知近幾十年來，主管最高教育行政機關的人，十九都是尸位素餐的無知官僚，國家安得不趨於危急存亡之境耶？噫嘻！

馮五先生

政院住宅興建會 新店續購建地

蘇清波一度橫施阻撓未果

台北航訊

台灣省政府頃下令台北縣政府，對行政院住宅興建委員會在新店大坪林購買土地，應飭令新店鎮公所繼續協助。該所昨已層奉省令，立即展開協助工作。此為中央公務人員已有分配房屋成議者之大好佳音。本案由來已久，茲追述經過如后：

行政院運用美國四〇八公法案之物資借款，在開發公司負責經營中之部份款項，為中央公教人員住宅之興建貸款由政院住宅興建委員會負責統籌辦理。第一批台北市之公寓式大樓，已於去秋興建完成，每幢貸款由新台幣十五萬元至二十萬元，分二十年每月無息攤還。第二批於去秋由台北縣新店鎮公所協助之下，在大坪林洽購妥土地四萬坪，一度引起台北縣長蘇清波杯葛行政院住宅興建會之事件發生。緣蘇為不滿該鎮長卓定俊未經縣政府之核可，擅自協助該會購地，心懷嫉忌，竟下令該所停止協助，聲言對卓將予議處。政院住宅會，縣政府，鎮公所三個單位各搬出法令，作為辯護依據。台北縣政府，依據舊有省頒土地法規，對農業區不得變更住宅用地，而要求該會停止在大坪林繼續購地。該會則以在覓地之前，曾獲省政府同意，可以隨時申請變更，而要求台北縣政府協助；但蘇縣長認該會事先既未向其洽商，即逕向省府商准同意，竟乾脆予以不理。該會不得已始逕通知新店鎮公所從旁協助。卓定俊以政院在該鎮近郊集體興建大批甚具規模之新式公教住宅，並附有學校商場之設施，對繁榮地方經濟，大有帮助，卓不僅熱心協助，且分別奔走於各業主之門，勸說眼光放遠，務以發展地方前途為重，勿斤斤於一時地價為爭。衆認卓之主張正確，故在公允平價條件下，住宅會購得土地如上坪數，而且在買賣過程中，手續清楚，均屬純正無疵，由此卓鎮長之青年清白，有守有為，一時名噪朝野。蘇縣長因是由嫉而畏，隱隱然竟視其為假想之政敵，故出此斷然手法，謂將予以處分，使住宅會購地進行一度橫遭擱淺！

當卓定俊獲悉蘇縣長將對其有無理對待之事時，即理直氣壯聲言：鎮公所協助購地，係奉政院住宅興建會公文行事，蘇果依何法予以阻撓處分？同時又對外聲稱：彼為訴諸民意，將出馬競選下屆縣長。蘇至此始靜息無聲，處分事亦不再提。此項大批土地買賣，因係公家承辦，其中又竄出一項傳說：有部份地方人士共組集團，從中搾取土地業主佣達四百多萬元。消息傳出，曾引起各方重視。政院住宅會為澄清此一謠言，一面發表書面聲明，一面分函警備總部，司法部調查局，請其迅速調查追究，在治安單位尚未澄清此項謠言以前，該會不再購買土地。查行政院前住宅興建委員會，係一單獨機構，前政務委員孟昭瓚主持時代，曾為興建中央公教人員景平新村房屋，被住戶告發偷工減料，鬧出一場風波，其，後由承包建築商補償息事，其後風風雨雨，該會即因此解體，孟嗣後亦未繼任政務委員。現政院住宅興建會係新近成立，由政務委員董文琦負責，一切小心翼翼，慎重將事。至此次新店購買土地案，省府命令係出自院方之授意，殆無疑問；惟興建住宅進行工程事，已就誤五個月了。聞此後如土地購買完成，興建施工至完工，預計須二十四個月時間。一般希望，該會應從速進行，並將預計時間縮短，以應之急需。

本報記者　碧天

誹謗高信名譽案 陳會瑞判處罰金

高信寄函親友以明真相

（台北航訊）私立逢甲學院前總務主任陳會瑞，因前此僑務委員會委員長高信兼任該學院董事長時，將他的職務解除改聘為顧問，到處散佈文字對高信的名譽予以誹謗一案，頃經台灣高等法院判決，陳會瑞被依散佈文字誹謗罪成立，判處罰金銀元三百元，如易服勞役以六十元折算一日。

本案係二審終結，不得再向上級法院上訴，因此而告確定。

此外，逢甲工商學院原校地地主謝慶亦散發傳單，控告高信於五十一年接辦逢甲學院至今未將前任土地債款償還，認為高信有詐欺罪嫌，向台中地方法院自訴，經台中地方法院五十六年八月卅一日判決：「謝慶無任何證據足以證明高信確犯意之聯絡，或行為之分担，核與共同正犯之成立要件不符，依法應諭知高信無罪。」

在上述案件結束之後，外間尚有流言，僑務委員會委員長高信，乃錄全部判決文件，寄告親友，以明真相。其附函如下：

「敬啓者：高信自民國五十一年秋間，接辦私立逢甲工商學院後，為前任董事陳會瑞，及原校地地主謝慶，散發傳單肆意誣謗。信以當時學院正在整頓期間，專意籌維，猶恐力有不逮；嗣又因出任僑務工作，政事紛繁，無暇置辯。詎陳等以信為可欺，竟變本加厲，多方請願，繼續散發誹謗文件，不惜虛構事實，誣指信前年訪美，曾為逢甲學院捐得美金四萬元，中飽私囊。所幸高信平夙立身處事，早為識者所瞭解，僉悉其偽，不辯即明。惟以遭此不斷誣謗，深恐日久以訛傳訛，不無有影響及個人聲譽之慮，爰分別訴諸法律及聽候有關單位調查。現陳會瑞及謝慶誣謗各件，或經法院審理終結，或由有關機關調查審議完竣，是非眞相，均經大白。查逢甲學院校務及信個人被誣各事，夙荷關注，至感五中。用特將是非眞象及法院判決，暨省議會通知等書（印本）奉塵清聽，尚希朗照。」

台北市兒童們佳音 兒童樂園計劃擴充

將從菲運來大批電動設備 遊樂場決擴展到山上山下

市府正在擬定增添設備的預算之際，有一位菲律賓的娛樂界鉅子，出面和市政府洽商，由他把大批兒童玩樂電動設備運來，而市政府用不着出錢購買，只採用租用方式，每月付給租金，租金由門票收入支付。用不着市政府花錢。如果談判成功，市政府的預算可能不會提出。

市政府準備把現在兒童樂園中的賣店，全部遷出，把一部份賣店場地，改裝作為展覽場。另一部份賣店，則增設活動座椅，供遊人休息。因現休息場所太少了。還有一部份賣店，由市政府改為市營。在兒童樂園中，沒有民營的攤位。這項措施將在六月底以前完成。

在今年兒童節以前，市政府決定在兒童樂園中，設美術部，並有各種彩色臘筆出租，讓遊樂園兒童們，以極少數的錢，租臘筆作寫生繪畫娛樂。同時，市政府還聘請美術老師，免費指導兒童繪畫。這項指導，可能每週只有一天。大致定在星期假日。

兒童樂園現在有八千坪土地，加上圓山動物園二萬五千坪土地，總共有三萬三千坪。但兒童樂園的場地還嫌不夠，準備擴大場地。在今年六月底以前，洽商將設在山上的民防指揮部遷出。改建兒童科學館。同時靠近山下的平房，改建為樓房之後，剩下許多空地，也準備作為兒童樂園遊樂場所。把遊樂場所擴展到山上山下，又可增加三千坪土地的面積。

目前兒童樂園使人最担心的場所，是水上安全設備。現正在着手加强安全設備。現在僅有遊艇十數艘，不敷租用。（中）

畸形繁榮可虞

台娛樂業一枝獨秀

（台北航訊）在台灣經濟進步聲中，出現了一個畸形繁榮的現象，凡屬娛樂性服務的產業部門，如電影院、戲院、歌廳、舞廳、餐館、夜總會等業，都特別興旺蓬勃。這顯然是個人所得提高的一個反映，值得欣慰。不過，這種少數部門消費的增加，並不能代表全體國民生活的改善。更值得憂慮的：它們更缺少經濟上的再生產性。人們多趨享樂，十里洋場，酒醉金迷，玩物喪志，羣為物役，完全喪失戰時生活的意義；更由此影響政風的趨下，這是值得我們注意的。物質文明和精神文明，往往是背道而馳。多少清白有為之士禁不住物質的引誘而陷入罪惡的深淵，畸形的繁榮恐祇有加重社會的罪惡，值得有心人士的注意。（敏）

旅韓兩僑民使館滋事案

高院判公訴不受理 法律問題引起爭論

台北航訊

我旅居韓國漢城的僑民王明耀及另一姓宋的青年兩人，於五十四年七月間，在韓國漢城，參加僑民反對我駐韓前大使梁序昭出售使館土地，而鬨毆我駐韓大使事，兩人都被解送回國審判。旋經台北地院判他們以妨害公務罪刑。台灣高等法院判決公訴不受理，引起了法律上的爭論。

台北地檢處、台北地方法院及台灣高等法院第一次審判時，法官們在觀念上，一致認為我駐外大使館的土地，是我國領土的延伸。凡在我駐在外國的大使館範圍內滋事或發生刑案，都應該由我國法院審判。所以地檢處檢察官將王、宋兩人提起公訴，地院及高院第一次審判，也都把他們兩人判處罪刑。

但地檢處、地院及高院，都沒有在起訴書或判決書內，把大使館範圍視同國土的延伸的觀點記載其上。所以上訴到最高法院之後，最高法院認為判決書裏沒有把被告在我駐外大使館範圍內犯罪，而應該受我法院審判的理由加以說明，裁判理由不夠完備，發回高等法院更審。

高院更審結果，承審推事和以前的辦案法官，見解全然不同。刑法中或有關法律中，都沒有所謂我駐外國的大使館範圍，就應視同我國領土的延伸的規定。只有在刑法第七條中，規定我僑民在外國所犯的普通刑事案件，本刑在三年有期徒刑以上時，才受我法院審判。本案王、宋兩被告，雖然在我駐韓國大使館內犯罪，應視同在外國其他非大使館內犯罪一樣，應受刑法第七條的拘束。被控妨害公務罪，不符刑法第七條的規定，故判決「本件公訴不受理。」

由於這件案子，法官有兩種不同的意見，一派是認為我駐外國大使館範圍之內，視同我國領土的延伸。另一派則反對這種立論。這兩種爭論，究竟那一種有理？且看他們的理論如何？是否適合於國家的利益？

主張我國駐外大使館範圍，即我領土的延伸的理論，是根據刑法第三條的規定而來。刑法第三條這樣規定：「……在中華民國領域外之中華民國船艦或航空機內犯罪者，以在中華民國領域內犯罪論。」

依照上述規定，中華民國的飛機，飛行到外國的領空上，或中華民國的船艦，航行在外國的領海裏，飛機上或船艦上有人犯罪，都應該受我國法律的裁判。我駐外大使館範圍之內，土地是屬於我大使館向駐在國買下來的，房屋產權也屬於我大使館所有，自然應該算是國土的延伸。

反對這種主張的理由，有如下三點：

第一，法律條文的解釋，是一字一句的規定，不得作擴張解釋。刑法第三條只說明「中華民國的航空機或船艦」，其適用範圍僅限於「中華民國的航空機或船艦」，條文中並未定明有駐外大使館，則不能作適用於我駐外大使館的解釋。

第二，刑法第三條所稱「中華民國領域之外」，這有兩種情況，一是公海或公海的上空，這是沒有國家主權的，我國飛機或船艦上有人犯罪，自應受我國法律裁判。沒有任何國家提出意見。二是在外國的領海或領空，則是有主權的，就發生了國際法的問題。在國際法上，並未承認駐外大使館的範圍，有屬於該大使館所屬國土之意思。我駐外大使館範圍，既不能視同領土之延伸，則在我駐外大使館內有人犯罪，就不能適用刑法第三條的規定。

第三，倘若我們承認凡在我駐國外大使館內的範圍內犯罪者，都應該由我國審判，無異承認我駐外大使館有治外法權。反過來說：也必須承認外國駐在我國的各國大使館，在我國都有治外法權。目前我們只有台灣一省，而各國在我國設大使館者又如此之多，承認他們有法外法權，情況是多麼不利。

基於以上三點理論，他們反對我駐外大使館範圍即我國土的延伸的主張。韓國政府之將王、宋兩人交給我法院處理，這是基於國際的禮貌。我法院既然不受理，便應該把王、宋兩人交給韓國政府，因韓國有基本管轄權。由駐在國行使基本管轄權來保障我駐外大使館的安全，比諸由我法院來保障我駐外大使館的安全，要合理而有效。

本報記者　新曦

歷史人物漫談

蕭規曹隨，常常被後世引為美談。而蕭何與曹參的相處，也確可成為美談。蕭何在秦朝時做沛縣的主吏，而曹參則做管理監獄的一個職員，當然是在蕭何指導之下。漢高祖劉邦起義抗秦，蕭曹二人都棄職相從，因此也都成為漢朝的大功臣，一代的名宰相。關於蕭何，前已談過，現在我們談談曹參吧。

曹參字敬伯，沛縣人（即現今的江蘇銅山縣）。高祖當初起義，曹參即和蕭何一起去投效。拿現代語來說，蕭何是主持後方勤務和戰地政務，而曹參則做部隊指揮官，帶兵打仗。先打秦兵，後攻項羽，先後八年，可以說曹參無役不從，也每戰必勝。高祖三年，曹參為假左丞相，與韓信併肩作戰，攻打魏國、齊國，均建立大功。項羽死，天下已定，改封韓信為楚王，高祖以長子肥為齊王，而以參為齊相國，封平陽侯。參把齊國七十餘城的長老諸生請來開會，請問他們如何安集百姓。又聞膠西有蓋公，很懂得黃老無為而治的道理，特遣使者，拿厚禮把他請來，蓋公見面之後對曹參說：「治道貴清靜，而民自定。」蓋公把這種道理盡情地告訴他，所以他治理新近平定的齊國，都是用黃老術。故做齊國的丞相九年，齊國都很安定，當時大大被稱為賢相。

孝惠帝二年，曹參聽說蕭何死了，馬上告訴管事的人，趕快準備行裝，並且說：「我將要入朝做宰相。」不久，果然朝廷使者來召曹參。參原來在沛縣時，和蕭何交情很好，後來官至將相，兩人反而有了隔閡。但蕭何死時，向孝惠帝推荐宰相的人才，却以曹參為最好，這裏也可想見蕭何的氣度與人格高超。曹參接替蕭何為漢丞相，凡事無所變更，一遵蕭何成規。

謹守蕭規的曹參

清園

丞相府用人，他選擇一些不多說話的忠厚長者，官員中有吹毛求疵，好是生非，想出鋒頭的，即刻改調出去。他自己則日夜飲點好酒，不多管事。官員及賓客們看見他不管事，有的要想向他有所建議，他便請這人飲酒，使這人無從說起，甚至灌醉他為止，使他終於不能開口說話而去，如此習以為常。曹參看見屬下有細微過錯，便一味替他遮蓋，因此丞相府中，也常常無事可做。

曹參的兒子名　，為中大夫（在宮中服務的官員）。惠帝知道曹丞相專飲酒不管事，深以為怪。有一天告訴他的兒子曹　說：「你回家，試以你自己的意思問問你父親：『高帝新棄羣臣（意即剛死了不久），今皇帝正當盛年，你做丞相，日夜飲酒，無所事事，何以治理天下？』但不要說出這是我交待你去問的。」曹　回家，當然就照惠帝所吩附去問父親，那知曹參聽了兒子問這些話，便大怒起來，打了兒子一頓，並且說：「趕快回宮伺侍皇帝，天下事不是你所當說的。」曹　回到宮中，當然把這事經過報告惠帝。第二天上朝，惠帝責備曹參說：「你為何要打你兒子曹　？你要知道，那些話是我教他說的。」曹參即刻脫帽跪地請罪，並說：「陛下自以為神武能比得上高帝嗎？」惠帝說：「我怎敢比先帝。」參又說：「陛下看我比得上蕭何嗎？」惠帝說：「你也似乎不如他。」參又說：「陛下說得很對。高皇帝和蕭何安定天下，法令簡明。現在陛下你嗣位，拱手而治；參等守職，遵而勿失，那就很好了。」惠帝說：「好！你就這樣吧。」曹參做宰相三年，他死了，百姓歌頌他說：「蕭何為法，較若劃一。曹參代之，守而勿失。載其清靜，民以寧一。」

太史公說曹參攻城野戰之功，所以能有如此之多，是因為與韓信在一起作戰的關係。這一點我不同意。因為打秦軍的時候，韓信還在項羽軍中，他們根本很少在一起，而曹參已單獨立功不少了。直到韓信歸漢，渡河北，攻魏齊，曹參才和韓信並肩作戰，有時歸韓信指揮。若說曹參打項羽時所建的功是因為和韓信在一起，那還說得通的。後來擒彭越，平陳豨，滅黥布，曹參之功亦不小，這與韓信更不相干了。至於稱讚曹參為丞相，清靜無為，因百姓脫離秦朝殘酷統治不久，須要休息，是十分合理。這個我百分之百同意。同時我還可以補充說，秦朝垮了之後，楚漢相爭了五年，項羽死後，彭越、韓王信、陳豨、黥布等諸侯王相繼作亂，又歷七八年的局部戰禍，人心厭亂已極，渴望休養生息，所以曹參的無為而治，為當時天下稱美，非常自然。假如在現今科學的、工業的時代，而要學蕭規曹隨，或日夜飲酒不管事，只圖保守，不思進取，那就要腐敗落伍了。

國語亟應正名為國文 為中華文化復興起點（三）

·陳遠子·

文者，書面之語言也。語者，口說之文詞也。語即文，文即語。準此而論：國語即是國文，國文亦即是國語。若說國語內有「說話」一門，國語即是國話，那是語，而不是文，此說可通，但亦頗為勉強。試問「文言」內，是否也有如「說話」一般的「白話」呢？那麼何以叫作「文」而非叫作「語」呢？因此，國語一科，正名為國文，這是天經地義的事。若是叫作「國語文」那便極為不通。「國語文」亦即變成了「國語語」「國文文」了，故有人指出這一名稱，等於「梁兄哥」。因為「兄哥」二字，不惟重複無聊，且鄙陋不堪，「徒亂人意」。以此名為學科，是異常惡俗而不通的。名之曰「國文」，倒是名符其實，堂堂正正。

以下便要說到何以國語正名為國文，為中華文化復興之起點呢？

小學國語亟應正名為國文，這是無須爭辯的問題。我們實在想不出國民小學乃至中學學生要學國語的理由。連三歲小孩，也知道入學的初步目的是讀書，識字，要學國文。既是讀書，識字，自然要先學國文。而識字絕不是去學那注音符號，以及那些什麼「狗兒跑，貓兒跳」，「跑跑跑，馬來了」（民國十幾年初頒國語課本），課本內容，毫無意味，徒浪費時間的掛什子國語。祇有那般不識「之」「無」，罔通文義，胸無點墨，喪心病狂，淺陋不堪的人，纔主張小孩要學國語，不去接近文言文字。試問一個國家的未來的主人翁，國家文化傳統的繼承者，發揚者，自啓蒙入學，不學習認識本國的文字，而去認識那些幫助認識文字的注音符號的字母之類，眞是「直路不走走遠路」。與其把時間花在學習注音符號上，還不如直接了當地去學習本國文字，可收事半功倍之效。何況那些注音符號所注字音，根據少數北方人的方言土語，拼湊而成，並不標準。以訛傳訛，積非成是，竟成為權威語音，垂統定範，淆亂黑白。恣意破壞數千年傳統之語音，妄改民族文化之習尚。過份強調語音的統一，高出於文字的統一之上，嚴重損害我們由文字統一，而文化統一，而政治統一之優良傳統，這是提倡語文學的那些傖夫最大的錯誤之一。因為我們從五千年的中華文化歷史傳統看來，祇有文字的統一，才能收文化融合統一之效。而語言不與焉。歷史上的統一之局，只求文字的統一，交通的統一，倫常的統一，即可作到文化統一，而收政治統一之效。語言則各從其地方民族的習尚，並不勉強求其統一。所謂「今天下，車同軌，書同文，行同倫」是也。秦漢之統一，隋唐之統一，即是如此。明清之統一，亦復如此。直至今日，遐荒僻壤，邊塞海疆之區，祇要是漢文傳播所及之地，其民族思想，意識，文化傳統精神，以及禮俗習尚，無不脈胳相通，渾然統一，而毫無扞格阻隔之慮。這說明什麼？道是說明祇有文字的統一，才是首要的。而語音的統一，則是其次。當然我們說語音的統一居其次，並不是不要語言的統一，而是不要本末倒置，把語言統一的重要性，提高到文字統一之上。事實上惟有先求文字的統一，才能使國人由數千年來傳統之讀音，而得到正確之傳統語音，自然會漸漸作到語言之統一，無非其進展稍緩而已。但這是一定可以作到的。並不在於急急統一語言，而不先求認識文字。我們如此主張的意義，是說要學童學習注音符號，語音，說話之類，並非是第一要事，而識字讀書才是最重要的。

在帮助學童識字讀書的要求下，學學注音符號語音說話之類，我們也絕不反對，因為這也是識字讀書之一法，只是輔助性的而已。並非小學中學教育第一急要之事。

慕讓齋雜記

曾國藩之卓識

沈任遠

曾文正公國藩為晚清名臣，同治中興第一功臣，對於修身、齊家、治學、理政都有獨到的見解。古人所謂立德、立功、立言，他對這三項都算作到了。尤其是他在顯達以後，諄諄教訓子弟勿驕，勿惰，保持耕讀為本的家風，實在令人欽佩。他能夠以權傾中外的大臣，獲得善終，不能不歸功於他的治家有道，處世有方。

曾氏以耕讀傳家，曾國藩將他祖宗治家的法則，集成八句格言，有的是積極要作的，有的是要注意防止的。同治五年曾氏已總督兩江，節制三省，他在十二月六日的家書中，將他們的家規編成八句，這八句即是：「書蔬猪魚，考早掃寶，常設常行，八者都好。地命醫理，僧巫祈禱，留客久住，六者俱惱。」又說：「此八好六惱者，我家世世守之，永為家訓，子孫雖愚，亦必使就範圍也。」他這些話是集合他祖宗治家經驗而成，有時也寫作「考寶早掃，書蔬魚猪。」曾國藩對這幾個字會多次加以闡釋，他說：「早者起早也。掃者掃屋也。考者祖先祭祀，敬奉顯考，王考，曾祖考，言考而　可該也。寶者親族鄰里，時時周旋，賀喜弔喪，問疾濟急。」「人待人無價之寶也。」又說：「第一要起早，第二打掃清潔，第三誠修祭祀，第四善待親族鄰里。……此四事之外，於讀書種菜等事尤為刻刻留心。故余近寫家信，常常提及書蔬魚猪四端者，蓋祖父相傳之家法也。」「鄉間早起之家，蔬菜茂盛之家，類多興旺。」「書蔬魚猪一家之生氣，少睡多做一人之生氣。」他對於家中種蔬養魚一事特別注意：「家中種蔬一事，千萬不可怠忽，屋門首塘中養魚，亦有一種生機，養猪亦內政之要旨，……此四者可以覘人家興衰氣象。」「家中雇長沙園丁已到否？菜蔬茂盛否？諸子姪無傲否？傲為凶德，惰為衰氣，二者皆敗家之道。戒惰莫如早起，戒傲莫如多走路，少坐轎。」「吾輩仰法家訓，惟早起務農，疏醫遠巫，四者尤為切要。」

（上）

傳記春秋

中國女性文藝春秋（續）

「斷腸詞」作家朱淑眞的戀愛生活

周遊

這是帝城中的元夜情景。如果此際宋室沒有南渡，杭州怎會變做都城？武斷的人可以休矣。

朱淑眞的作品，在當時的確是風行吃香的。在「斷腸集」自序中有一段說：「比往武陵，見旅中有好事傳誦朱淑眞詞，每竊聽之。清新婉麗，蓄思含情，能道人意中事，豈泛泛者所能及？未嘗不一唱而三歎也！」

由這一段記述，可見她的詞在當時極為盛行。其作品的本身也有他價值存在。她的詞的長處，在於注有「新意」和有「實境」。「清新婉麗」，有新的鏡頭在其中，「蓄意含情」，就是「實境」的寫照。

今本「斷腸集」共有詩集十卷、詩後集七卷，詞一卷。別有「璿璣圖記」一卷，見於王士正「池北偶談」。元代以前的女作家，以作品「量」方面而論，沒有第二人有她的多。她的環境又和一般女性不同，她自從脫離了黃金似的童年生活，便過着和她不相諧的人虛度青春，又接着度那「不見人來竹葉舟」的失戀日子，一直到她生命的結束。如此哀傷的生活，却助長了她文藝的泉源，在她的生命史上，實在是可悲的啊！而在她生命表現的藝術上，却反而做了使她成功的重要因素了。

另外還有一個令人懷疑的人物，在建康有一個朱將仕的女兒，名叫朱希眞，小字秋娘，年十六，適同邑商人徐必用。她的遭遇幾和朱淑眞如出一轍。徐必用久出不歸，希眞作閨怨詞寄之。因為她也是女作家之一，所以也把她歸於本節之後。因為朱淑眞和朱希眞只差一字，而際遇竟相同，所以有不少人懷疑她倆是二而一。但我們找不到確切的證據，是不能武斷的。朱希眞的作品，我們所能看到的詞，有鷓鴣天、滿路花、念奴嬌、蝶戀花四篇。

（五十九．本節完，全篇未完）

藝林近訊：張大千賞識朱仰高

◦欣父◦

藝林人物介紹

一位知名的西醫，竟然兼擅國畫，他的蘭，運筆老到，他的山水，又有創新之意。正在台灣小憩的大師張大千，去看他的畫展時，在展出的六十二幅作品中，竟也選中了其中的一幅，欲買回去玩賞。這位醫師畫家，因感激大千先生的知遇，還特地把那幅畫，無條件奉送了。

這是上個月中藝壇上的一件雅事。這件事一方面可以看出大千先生的愛才如渴，另一方面，也可以看出這位醫師畫家的畫，已經達到了一個不平凡的水準，才值得一位名畫家如此欣賞。

這位畫家，就是現已年將古稀的內科名醫朱仰高先生。他早年留德，曾經得過醫學博士學位。在台灣的上層社會，都對他不陌生，對他的醫術也很贊譽的。一位名醫師，竟也肯於在繪事上去求進步，殊不簡單，尤其還能到達一個如此的水準，可見這位醫學博士，也是一位才氣縱橫的人。在藝術的境界裏，天才比學習更重要。大千先生近年畫風丕變，藝術界推譽更隆。而朱仰高的畫，也是在舊傳統中求新求變的，雖仍確守六法原則，但構圖已用了新法。也許正因如此，張大千的慧眼才會獨鍾朱仰高的山水。

朱仰高是浙江嘉善人，生於民前十一年。同濟大學畢業後，又留德學醫，得博士學位。回國後，曾任上海最大規模的公濟醫院的院長，也是總統蔣公的侍從醫師。現在台行醫。

朱先生的一位朋友說，朱先生作畫，遠在四十多年前。那時他才二十五歲，回國未久，在上海設診所，因較閒，遂開始跟顧仲華先生學國畫。顧先生是蘇州人，住在上海，是名畫家顧鶴逸的從弟。鶴逸的祖父顧子山，是晚清的一位大收藏家。他收藏的名蹟極夥，有過雲樓書畫記十卷行世。在這樣優良環境孕育出來的子弟，於書畫一道，自然能傳家學。而鶴逸、仲華，尤蜚聲藝苑。朱先生早年跟顧先生學畫，所學的也就是中國傳統臨摹古人的山水畫。四十多年來，朱先生以醫道服務社會，除了日夜替人治病外，沒有別的嗜好，有空的時間，就閉門作畫，來調劑心身。卻從不輕易示人，所以不是常見面的朋友，很少知道他能畫。尤其誰都沒想到他不但畫得好，而且在他日積月累的深厚功力中，已開創了面目一新的現代山水畫。

的確，近來不管懂不懂畫的朋友，大家都嚷着國畫要變。其實中國畫，本來不斷的在變，晉唐與三代兩漢的畫風不同，五代兩宋與晉唐的畫風又不同，元人與宋人不同，明清雖重臨摹，但也各有代表時代的作者，創造他們自己的新面目。自清末至今，作新法嘗試的人尤其多，最為人習知的如新安程瑞笙，蘇州陶冷月，嶺南二高，其間以瑞笙的花鳥走獸，最為成功。冷月因為兼習西畫，他祇注重墨的烘染，却缺乏用筆的技法。近年來，大千先生的畫風也變了。而業餘畫家朱先生因為對臨摹古畫有深厚的基礎，熟悉六法中用筆用墨的重要性，雖用新法構圖，但仍確守國畫六法的原則，這是難能可貴的。正因為變的不錯，才能受知於名家。

朱先生於山水外，有時也畫花卉翎毛，尤喜畫蘭。畫蘭本來，是中國文人畫的一種，目的在適意遣興。倪雲林說過：「余之畫竹，聊以寫胸中逸氣耳！豈復較其似與非，葉之繁與簡，枝之斜與直哉！或塗抹久之，他人視以為麻為蘆，僕亦不能強辯為竹，直沒奈覺者。」他的畫蘭，與雲林的畫竹的意義，是相同的。因為他平時行醫，精神負担太重，藉筆下瀟灑而逐去疲勞，主要的目的不是想成為畫家，而是陶冶自己性情，尋求精神快樂。

據朱先生自己說：他這次畫展的目的有二：第一是為了追念他在共區去世的雙親大人。（他父親是上海聖約翰大學畢業，名萃俊，號燦如，與顏惠慶等同學，母為顧夫人）第二，是作畫了四十多年，為了懷念他的老師顧仲華先生，同時把他不敢自信的作品，就教於藝壇同好。這種孝親尊師的美德，在提倡復興中國文化的今天，是很重要的。當然，他萬萬沒有想到作品展出後，竟邀當代大師青眼，要收藏他的畫，眞所謂意外的豐收了。

海天詩選

劉嘯月

丁未除夕

十八年來客影孤，空將熱血換虛無；
澄心細數從頭事，愧煞今吾是故吾。
飄零四海負親恩，爆竹聲消島客魂；

戊申元旦

人事易增新歲感，春光難泯舊時痕。
元龍豪氣消磨盡，司馬文章不足論！
獨盼胡塵早日靖，還鄉仔細叙寒溫。

長短句

你也窮來我也窮，窮來窮往為誰雄？
道德文章應向聖賢爭勝負，
虛榮享受恥與常人較異同！
一個是高風亮節，一個是翠柏蒼松。

禪的火花

吳經熊著　吳怡譯

（十八）神秘和平常

雖然法融的牛頭禪被後人認為是禪宗的旁門，但他對禪理的發揚，却功不可沒。他那些智慧的名言後來由傳教大師帶到了日本，更大為發展。不過在中國牛頭禪之傳授門徒還要等到法融之後的第八世紀。現在，法融的詩偈可說已被佛家公認為中國大乘佛學的精華了。

在禪宗有個很普遍的公案是以法融為對象的，如大家常問法融未遇道信前有「百鳥銜花之異」，可是遇到道信後，為何却沒有神異了？顯然的，所有禪師都一致公認後一境界比前一境界為高。不過對於這兩種境界的描寫各有不同，如：

善靜禪師：
「異境靈松，覩者皆羨」——前
「葉落已摧，風來不得韻」——後

廣德義禪師：
「鮓甕乍開蠅蚋」——前
「底穿蕩盡冷湫湫」——後

彭州懷岳禪師：
「萬里一片雲」——前
「廓落地」——後

螺峯冲奧禪師：
「德重鬼神欽」——前
「通身聖莫測」——後

從上面這些例子，我們可以很清楚的看出禪的精神。由於禪師們能切實的證悟，才能使他們正確的把握精神生活的價值。感官上的慰藉固然不應輕視，但進入最高境界時，却自然的會擺脫了它們。「孤寂」正像麵團一樣，雖然淡而無味，但却極為受用。尤為最值得注意的一點是，一個人內在的生活不是世俗所能知，這正說明了法融遇道信之後，一切神異都看不到了，也正是南泉所謂內在的生活是不易被鬼神窺見的意思。

然而以道的眼光來看，表面上孤寂，實際上却是美好得有如伊甸園。這一點曾被雲門宗的兩位法師所描寫過：

德山圓明禪師：
「秋來黃葉落」——前一境界
「春來草自香」——後一境界

雲門法球禪師：
「香風吹萎花」——前
「更雨新好者」——後

這是一個極妙的看法，這些禪師們把這塊孤寂之地看作開滿了百合的花園。任何偏於神秘主義的信徒，都會看出禪的精神和傳統。難怪醉心東方哲學和宗教的畢利（Thomas Berry）神父稱禪為「亞洲精神的高峯」，他眞可謂知言了。

國劇脚本　大漢兒女（一名新莽封）

·田士林·

鶯　兒：我披着老虎皮呢？牠一定怕我，不惹我。
呂菁娘：沒出息！（望）喲！那邊山上好像有隻羚羊，把弓給我，你去趕牠過來。
鶯　兒：好，（逐羚羊出，學虎吼，菁設陷阱羊跌入）勝利在望。
呂菁娘：可以回去了。
鶯　兒：我扛的膀子都痠了。
呂菁娘：還有一隻呢？
鶯　兒：你來吧。
呂菁娘：我們抬吧（將虎羊抬架起）剛才你學什麼叫？
鶯　兒：老虎啊。
呂菁娘：我聽了簡直像狗叫。
鶯　兒：那不成了學虎不成反類狗了。
呂菁娘：怕媽正着急呢！快下山吧。（急下）

第三場

時：接前場
地：峴峪郡一山村
人：呂　母（老旦）、菁娘、鶯兒、趙終葵、田子文。

（十二）

生活漫談

談營養　話鯉魚

·馬騰雲·

九月鯉魚風（見提要錄），門前流水江陵通，鯉魚風起芙蓉老（見李賀詩）。子承父訓叫做鯉庭，見劉禹錫詩：「鯉庭傳事業」。實則皆淵源於論語上的「嘗獨立，鯉趨而過庭。」鯉是孔子的兒子，又名伯魚，這就是鯉庭的來歷。

鯉魚風起就是吃鯉魚的季節，但在亞熱帶台灣，似不拘這些了。一般人吃東西，不時不食，比如廣東人吃魚有「春邊秋鯉夏三黎」。黃河流域八千幾百里，沿岸的人大體都懂得吃魚，他們也有一句有關吃的教條，就是「夏鰻秋鯉冬銀魚。」因秋天裏的鯉魚既肥又嫩，所以變法維新的大將康有為（南海），每年鯉魚風起，餐餐飯都離不開鯉魚。「南海魚」就是康有為吃法的魚，因之傳世。北洋軍閥袁世凱嗜食的魚糕，其實就是抄襲康南海的烹調法。茲將南海魚的製法抄錄供給本報讀者參考，有機會和時間的話，不妨試試。

南海魚是用秋天的鯉魚，剖後剝皮連頭帶尾，保持原狀，將魚肉挖出刮成醬，加紹酒、薑汁、鷄蛋黃、干貝屑、冬菇屑、開洋屑、荳粉等，拌和攪甚久，再將這樣的魚糊仍裝在魚腹裏，用豬花油裹起，置入油鍋炸好備用。糖醋、紅燒、燒糖醋魚得回鍋復炸，清蒸聽便，此之所謂南海魚。可惜在館子裏不容易吃到。袁世凱嗜食的魚糕製法與南海魚完全相同，畧異者，魚糕是蒸的，不用魚頭尾及原來的樣子。

在黃河沿岸各縣市大館子裏的一鯉三吃，這種食官享受，於今祇好留在回憶裏。不過台灣的鯉魚，產在淡水河裏的，並不算壞，產在池塘用人工養的就差勁了。鯉魚化驗的成份，計為水份七八．八六，蛋白質一九．五四，脂肪〇．八三，灰份一．三七，還含有豐富的維生素A。

本草說：鯉魚可以補中氣，為利尿劑，治黃疸、水腫、腳痛、止濕下氣、懷姙水腫與胎氣不安。中國民間偏方，用大鯉魚一尾，去掉鱗，割去腸雜，用布擦淨，置大陶罐中，再以赤小荳一杯，加足量的水，煮飲其汁，勿加配料或用鹽，治腎臟炎水腫及姙娠腎臟水腫。（係古傳驗方）又廣東人，醫虛寒性的小便閉塞症，是每日用鯉魚的淨肉燉汁飲用，飲到半個月，閉尿症多能痊癒，且少再發。中氣不足的人，甚或呼吸微喘，講話時，上氣接不上下氣的樣子，以糯米燉鯉魚，吃過的朋友都一致認為有效，常常食用，中氣自然旺盛。注意燉汁勿加佐料或任何藥品，因鯉魚的黃油最多，與糯米混合相得益彰，如果加了佐料及肉類，徒然增加它的膩滯性，不僅無益，且礙腸胃消化功能。糯米燉鯉魚，不但治中氣衰弱，因為食用它，可促進人體內「賀爾蒙」的生長。賀爾蒙對人體的重要性，毋庸筆者贅，一般都知道的，不過人體缺少賀爾蒙，會使腦力遲鈍，健康衰弱，一切組織活力皆向下坡路走，常為人所忽畧。西醫直接注射賀爾蒙，對賀爾蒙的補充，雖收速效但非萬全之道，吃過虧的朋友，不好意思原原本本說出而已。

鯉魚除上列藥用價值外，在膳食中也佔有重要地位，正宗的中菜，都是用鯉魚作代表性的魚。鯉魚的吃法分糖醋、紅燒、清蒸、醋椒魚、炒魚片。醋椒魚以香港燕雲樓的製法臻於至善，歐美人到香港旅行，很少不光顧的。幾年前台灣「莊嚴宗親會」集會，香港燕雲樓大股東莊君來台出席，就教於筆者，查詢莊嚴是怎樣成為一家的，筆者的條件要用醋椒魚烹飪法交換。雖出自開玩笑，可是醋椒魚一變而成為常食菜了，因為它的製法簡單，價廉物美，將鯉魚劃好，用油炸成五分熟加蘿蔔絲，或者冬筍絲，或者冬菇絲，雪裏紅絲（別太多）清燉湯變成奶白色時，加食醋與胡椒粉生葱花等，香鮮可口。因湯裏含有高度的軟骨素，故有意想不到的營養效力。

自由報

第八三六期

中華民國僑務委員會頒發台僑新字第三二三號登記證
內銷證內僑臺台報字第031號
中華郵政台字第一二八二號執照
登記爲第一類新聞紙類
（半週刊每星期三、六出版）
每份港幣壹角・台灣零售價新台幣弍元

社長李運鵬・督印黃行鑫

社址：香港九龍登打士街91號十樓六座
91 DUNDAS ST, 9th FLOOR, FLAT 6 KOWLOON H. K.
電話：857253　電報掛號：7191
承印者：大同印務公司
地址：香港北角和富道九六號
台灣總管理處
中華民國（台灣）台北市大同街119號
電話：555395・557474
台灣分社：台北市西寧南路110號二樓
電話：三〇三四六
台郵撥儲金戶九二五二

從法律觀點論立法院通過之九年國民教育實施條例（上）

·蘇友仁·

本年一月十九日立法院通過了「九年國民教育實施條例」，全文共十六條，將送請總統公布施行，作爲延長國民教育的法律依據。我國是憲政國家，人民應有守法的精神與義務，對於政府有關國家基本國策的國民教育之重大措施，關係到人民的權利和義務，自爲國人所關心。多少年來，政府爲延長義務教育之籌劃，由決策到立法的過程中，煞費苦心，不是一朝一夕的事。蓋由於升學競爭之劇烈，惡性補習之流行，國民學校學生體能日趨退化，很早便有延長義務教育的呼聲。但限於經費及師資等條件的欠缺，僅擬定免試升學方案，指定新竹等一、二縣份爲實驗地區，雖據報導實驗成績很好，然一直未見進一步推廣。而國校升學率猛進，尤其對投考公立學校之競爭，更趨白熱化，惡補更形嚴重。

總統有鑒及此，於去年六月二十七日在總統府國父紀念週月會訓話中，鄭重指示：應加速推行九年義務教育計劃，以保育下一代民族根苗，消除惡性補習的痼疾病根。於是行政院遂成立籌劃實施義務教育專案小組。七月十四日教育部舉行會議，會擬定通過了一個「延長義務教育實施綱領」，次日提出行政院專案小組討論，通過後即將施行。當時有人提到義務教育年限，憲法第一百六十條有硬性的規定，延長爲九年，涉及憲法條文，政府恐礙難以命令行之。經過兩個多月之研究，決定由總統引用「動員戡亂時期臨時條款第四項之規定，於九月十六日國家安全會議決議：實施國民教育由六年延長爲九年，幷交行政院作爲五十八年度制定施政方針之重要根據。旋經總統發布命令，全文爲：「茲爲提高國民智能，充實戡亂建國之力量，特依照動員戡亂時期國家安全會議第三次會議決定，國民教育之年限，應延長爲九年，自五十七學年度起先在台灣及金門地區實施。關於九年國民教育之有關事項，其需要以法律定之者，應提案制定一特別法，以資適用。希遵照上項決定，迅即辦理。此令」。十月十二日行政院會議即通過了「實施條例」草案共一十五條，經送請立法院審議，經過約三個月時間，完成立法程序，定爲「九年國民教育實施條例」。

在此一段時期中，對於延長國民教育爲九年這個問題，各方有很多的建議和評論，甚至針鋒相對，然各有其法理依據與獨到的見解，眞理愈辨而愈明，這就是民主國度裏的好現象。儘管有人指出經費、師資、校舍種種條件，還欠具備，未免倉促草率，不妨延緩二三年，俟準備充分了再辦。無如出於台灣經濟建設進步，人民生活水準提高，國民就學率逐年增加，教育當局與家長們，爲升學惡補，傷透腦筋，一聞總統指示，明令辦理，舉國上下莫不雀躍三百，熱望其早日實現。咸認推行延長國民教育，乃勢在必行，已爲不爭之論。惟法律基礎必求穩固，始能有效地順利實施。因此筆者願就即將付諸實施的「九年國民教育實施條例」的法律觀點，貢其一得之愚。

關於憲法問題

我國憲法有關國民教育的法律依據，在憲法上有三個條文，即第二十一條：「人民有受國民教育之權利與義務」；第一百五十九條：「國民受教育之機會一律平等」；第一百六十條：「六歲至十二歲之學齡兒童，一律受基本教育，免納學費。其貧苦者由政府供給書籍。已逾學齡未受基本教育之國民，一律受補習教育，免納學費，其書籍亦由政府供給。」

今觀立法院通過之「九年國民教育實施條例」第一條規定：「爲提高國民教育水準，適應國家建設需要，實施九年國民教育，特制定本條例」，很明顯的超出了憲法第一百六十條規定年限的範圍，雖然把行政院所送的該條例草案第一條：「爲提高國民智能，適應國家建設需要，國民教育年限延長爲九年，特制定本條例」中的「延長」字面，予以刪去，以爲「延長」乃根據憲法而延長，立法院無權這樣做，故直截了當規定爲九年，可以避免貽人口實，其立法的技巧，似乎比行政院高出一籌；但是無論如何，已經把憲法六年的規定，修改爲九年了。退一步說，該條例實施後，憲法第一百六十條第一項已不適用，無形中被凍結了。立法院如果想要修改憲法，是可以的，不過一定要遵照程序去辦，就是憲法第一百七十四條第一項第二款的規定程序，先在立法院通過憲法修正案，公告半年，提請國民大會複決；不應該直接制定條例來抵觸憲法。「法律與憲法抵觸者無效」（憲法第一百七十一條），那麼要怎樣實施呢？

有人辯說：基本教育屬於國民教育的內涵，不能謂國民教育即基本教育，在程度上基本教育止於現行小學程度，而國民教育，則不必止於此；在學齡上，基本教育以六歲至十二歲之學齡兒童爲範圍，而國民教育則得超出此年齡；在施教方式上，基本教育採用正規學校教育（在國民學校施教），而國民教育則兼及於補習方式。故不獨憲法第一百六十條第一項所規定之基本教育，而第二項所規定失學民衆補習教育，亦爲國民教育。（中國憲政第二卷第六期第五頁）

筆者認爲我國憲法的「國民教育」與「基本教育」的界說，就憲法的立法意旨來看，是相同的，也就是義務教育。憲法學權威林紀東先生與謝瀛洲先生均持此說（參閱林先生著中華民國憲法釋論及謝先生中華民國憲法論）。因爲憲法第二十一條規定：「人民有受國民教育之權利與義務」，列在「人民之權利義務」章。而一百六十條，係列在「基本國策」章，其第一項規定應受基本教育爲六年；至於第二項規定「已逾學齡未受基本教育之國民，一律受補習教育」，係指超過十二歲未受六年基本教育之國民，而再予補習的。今該條例第二條規定：「國民教育分爲二階段，前六年爲國民小學，後三年爲國民中學」。

自由說

正名說

近十餘年來，我在海外每逢聽到從大陸上逃出來的人士談話中，常有「我在解放後」如何如何的詞句，即反問他：「老兄既經解放了，還要走出來幹嗎？」有些人聞之，不免表示歉意，但多數依然莫名其妙，認爲我的說法是多餘的。

我到了台灣時，亦有人以欣悅的態度說道：「你幾時回國來的？」聽着未免刺耳，但不便跟別人抬槓，從事煩瑣學派的名詞辯駁，心裏總覺得有些別扭。

前一種人是中了共黨的宣傳素，不知道「解放」二字的眞正意義究係如何，只是人云亦云的衝口而出，有如川諺所謂「撈起半節就開跑」，其情可閔，其心無他，而其愚不可及也。後一種人是基於反共的意識形態，對人表示遵奉中華民國的正朔，忠貞不貳，幷未想到台灣只是中央政府的臨時行都，却非整個的中華民國。若認爲反共非共的中國人到了台灣，便是「回國」，那在邏輯上就陷入了「兩個中國」的範疇，不啻自己承認有兩個中國存在着，恰好給國際陰謀家以製造兩個中國的口實。及其弊也，台灣的國軍一旦反攻大陸時，別人即可說是「侵略」行爲了，豈不糟糕乎？

反共抗俄，原係中華民國的國策所在，沒有甚末通融折扣的。毛酋澤東是內亂罪魁，固在必討必誅之列，他若死了而共黨僞政權還存在，依然必反必討，毫無假借。俄共雖與毛共反目內訌，但它在國際上一貫的仇視中華民國，抗俄工作即不宜停頓，在宣傳上對俄共亦不能放鬆。宣傳技術不妨因時制宜，但基本立場和理論體系是不好馬虎的。

名不正，則言不順；言不順，則事不成。名詞可以影響觀念，觀念即影響思想，而思想却不能隨便改變的，因作正名說，希望大家稍加留意焉。

行僻而堅

都無噍類

昨日與明日

民航公司應予查封

所謂CAT的翠華號航機失事眞象，已由專家審查明確，乃是一個幷非正式駕駛員的外籍乘客，胡亂駕駛，以致發生墮毀慘劇，殘害人命數十名。慘案的法律責任，正在法院訊究之中。

該民航公司於三年前，已在台灣境內發生過慘劇，使南洋僑領陸運濤夫婦暨國內若干電影界人士死於非命，如今又釀成這樣的大禍，還能夠讓它繼續營業，把乘客的生命當作兒戲嗎？

除却法律責任應由法院讞定外，政府必須吊銷該公司的營業執照，實行查封，藉以保障旅客的生命安全。

爲法院進一言

本案的罪魁禍首是外國人，却非具有特殊身份者，法院自應就事實和法理加以訊處，無所瞻徇。判決書切不可附譯洋文，再作失格辱國之事。中國人在外國犯了罪被究處時，幾曾見有別國的法院判決書附譯中文的？

台灣一些行政機關的文書，不管內容如何，動則附譯洋文，這是一種次殖民地的損象，令人見之作嘔。香港是眞正的殖民地，但因居民百分之九十八都是中國人，最近當地政府的公文書，亦決定以中文爲主了。堂堂中華民國的公文書，憑甚末理由要附譯洋文呢？

聯想到別國的事情

越南政府最近下令禁止美國出版的一種週刊在南越發行，理由是該週刊對越南政府作不友好的批評。

美國大軍正爲維護越南人民的自由生存，跟越共作戰，而且犧牲物力人力甚大。論理，美國刊物縱對南越政治有失實的批判，亦未始不可容忍。可是，越南當局却基於國家民族的自尊心，毅然對該刊物予以停止進口的處分，何其勇也！

美國有一刊物，把台灣妓女在旅舍祼體陪該國大兵沐浴的照片，登在該刊物上大事宣傳，我們乃泰然安之若素，何其怯也！

現在民航公司遭塲禍事，是美國人闖出來的，該公司的資本，百分之四十又是美人所有。因此種種關係，對於吊銷該公司執照，難免不招致外來的干擾。我們希望有關當局爲愛惜人民的生命，不顧一切的執法以繩，一誤不宜再誤。越南政府尚且有所不爲，我們何必過份的卑以自牧，給別人瞧不起呢！（何如）

台北航訊

三卡制與限齡退休 公務員的一本苦經

行政院爲了貫徹三卡制之推行，已實行上班後五分鐘仍未簽到者，即以遲到論，遲到五次，即爲曠職，按規定可扣發其月薪。而每日上班時間均爲八點，下午上班時間，雖各機關稍有不同，但五分鐘後，即爲遲到之令，仍不因機關而異。政院對此極爲嚴格，並決心貫徹到底，不得怠忽。至國民大會、立法、司法、考試、監察各院，亦將協調辦理。是三卡制之推行，將遍行於中央各機關矣。

甚囂塵上之人事新陳代謝制度之加强，莫如退休制度之實施，據悉，考試院正將修訂公務員退休辦法，擬採取「分等限齡」之規定，明定自願退休年齡，委任五十歲，薦任五十五歲，簡任六十歲。命令退休年齡，委任五十五歲，薦任六十歲，簡任六十五歲。此案聞將擬妥，趕在立法院本會期，送請審議。當在春節期間，記者頻聞許多議論：（一）政府播遷台灣之始，有所謂各級政府人事凍結令，即保持現有編制，不擴大不新補。於是各機關在此限制下，大開臨時人員之門，因業務之需要，臨時工之增用，有超出正額者，此還不算。爲趕辦業務，隨有超鐘點之加班辦法，因而有加班費之產生，且援爲公營事業機關以及有收入人員之正途額外收入，致將正式辦公時間內之可能辦完公務，一律留爲加班再辦，以增加收入。此一弊端，降至今日，故有三卡制之應運而生。但用於有加班費之機關，實在最爲切要。（二）銓敘部昔年之儲備登記，一時像煞有介事的，雷厲風行，在當時使得流亡人士，精神振奮，到處謀補證件，藉圖候用，欲求報效。詎繳費登記之後，能獲錄用者，幾如鳳毛麟角，殊令志士扼腕！議者謂，當時若能解除凍結令之矛盾，就現職之庸腐老弱和不肖，予以淘汰，大量補用儲備合格人員，政風亦不致演成今日之嚴重惡劣，又何勞三卡制之產生。至前儲備合格者，今多已超過任用年齡，有此證書，祗可供精神上草野間之玩賞而已！（三）世界文明國家的政府人員，多取之於才識經驗，體力若不衰退，因其老成練達，仍當保障其職位。統觀美、英、日、法等國家之行政主管年齡，平均俱在五十以上，事實歷歷，勿容列舉。況今醫藥發達，人生年齡，六十尚居强壯，歷史上之偉人，學驗功業之能著於後世，亦多在六十以後而展開。我政府今强調甚至將形成規定，「不惑之年」就被否定有任公務之能力了，爲什麼，要排斥壯年，實令人不解？（四）自修改退休法，消息傳出後，一般機關，將屆上項限制年齡之無恆產的人，心理靡不恐慌，精神沮喪，意態消沉，有如末日之來臨。古人云：「哀莫大如心死」，今隨三卡制，欲求其行政效率之提高，實無異刻舟求劍也。（五）原有公務員退休法，係民國四十年十一月修正公布，原無「分職分等」限制，所有委、薦、簡公務員，悉定六十歲爲自願退休之年，命令退休，悉定爲六十五歲之年，尚可申請延長五年，至七十歲而退休，如此尚無心傷之反應。今正可依此作適切之推行，否則，實有違政府一向之德意。恩薄情離，理有固然，要爲識者之所不取也。上述各端，因爲影響國家極大，故不敢不舉而出之。

茲據駐省高級審計員龐儀山，發表對此事的論文中所列退休金之數字：「如高者可獲十四萬元左右，中者可獲十二萬元左右，低者可獲七萬元左右。照目下銀行之優惠存欵利息，一分二厘一毫五絲利息計算，一萬元可得利息一百二十一元五角，十四萬元全部存入，可得月息一千七百零一元；十二萬元可得月利一千四百五十八元，七萬元可得月利八百五十元五角。其獲十四萬元退休金的人，家中人口最少以五人計，其中二人或俱有生產能力者，自謀生活，而專靠月利一千七百零一元收入，維持三口之家，尚需人事應酬，不無心塞之處。而委任月利八百五十元五角收入，如需支出兩個子女學費，靠這點買小菜錢，維持一家生活，亦不無躊躇之感」。又謂：「據報導目前每年退休之公務員僅佔千份之六，而應行退休之公務員，每年爲百分之三點三，姑以二十五萬人計之，每年應退休的爲百分之三點三十，即百人中有三人要退休，以至一萬人有三百三十人要退休。照上列數字，目前到達退休之人計八千二百五十人，再依委任退休金七萬元若以三除之，得平均數爲十一萬一千元，與之要退休的八千二百五十個人相乘，每年共需退休金九億零七百五十萬元之鉅。這退休金數字和人數，包括中央、省市、鄉鎮公所在內。政府將花費九億餘萬元，辦理八千二百五十人退休，其財力至重且繁！若能將此巨欵，籌設大鋼廠或投入軍經工業，用以延攬更多的專業人才，其就業與發展工業，豈不更兩全其美」！龐君此一看法，確有至理在焉，故爲之照錄如上，以證一般人對新退休制度之觀感。

本報記者 碧天

二十年來所未有 立院會議嚴格執行三點議事規程

〈本報記者新曦〉

立法院這次會期，嚴格執行三點議事規程，這是二十年來立法院會議中所沒有的現象。

這三點議事規程是：①每一委員提出質詢，口頭質詢時間不得超過十五分鐘。②對於質詢之答覆，應即時爲之。③質詢委員在提質詢前，應先將質詢要點以書面交由議事組或主席通知被質詢官員，俾其有準備的時間。

過去立法院會中，立法委員們對政府官員提質詢，都是沒有時間的限制，而政府官員們也往往作綜合答覆。且提質詢委員也很少事先將質詢要點通知被質詢官員；使官員出席立法院會議，有如學生進入考場一般，戰戰兢兢，誠惶誠恐。這次立法院會議中，將這三點缺點予以改進，是一種進步的好現象。

立法委員們改進質詢方式的由來，是來自某立委於上次立法院會期中，在某日報上投書，指立法委員的質詢方式不太合理，應加改進，並呼籲輿論界發出督促的力量。這封投書，引起若干立法委員的不滿，認爲改進質詢方式，是立法委員們自已的事，用不着要輿論來督促。這等於要外國人來督促中國人的政治革新一樣，是一種恥辱，立法委員們何不自謀改進之方？

於是其中一位李公權委員，看到某立委在報上的投書之後，寫了一封信給立法院院長黃國書，指出過去的質詢方式，不合立法院議事規程的規定，應該加以改進。至於改進的方法，則請召開全院立委談話會，加以檢討研究。

但黃國書院長沒有召開全院談話會，原因是每次談話會，都是人多口雜，檢討題目漫無止境，恐怕如果召開談話會，會檢討到別的問題。

同時，中央黨部方面，也在研究如何促使立委黨員改進質詢方法，故黃國書院長乃把李公權立委的信件，交由秘書處研究，再綜合黨部方面的研究意見，既然議事規程中有明文規定，質詢時間不得超過十五分鐘，且應即時答覆質詢，主席當嚴格執行議事規程可也。加上各立法委員自愛，自我約束，質詢方式立即可以改正。

這次大會開會時，主席首先宣佈改進質詢方式三點，並聲明必須嚴格執行，希望各位提出質詢的委員自愛。在會場中，每一立委的質詢，都能把握時間，沒有一人超過十五分鐘。同時提質詢的立委也大爲減少。這對被質詢官員和提質詢的立委來說，彼此都節省時間，減少麻煩。尤其是被質詢的政府官員，減輕了許多精神上的負担。

據說：投書報端指陳立法院質詢方式不合的那位立法委員，在立法院中從來沒有提過提案，從來沒有發過言，甚至很少參加開會。想不到他的一篇投書，對立委們却起了激勵作用。有的立委開玩笑說：別看那人在會議中從不發言，但他在會外所發的言論，對會內却有很大的影響力。

果能如此，今後立法院會議中，將不再有冗長的質詢了。

屏市選舉糾紛 官司打進法院

（屏東航訊）屏東市張河川當選市長已有相當時日了，但選舉糾紛依然餘波盪漾。落選人盧維仁申請覆驗選票，經監察小組答覆仍認爲不滿意，上月十一日乃具狀到屏東地方法院控告屏東市第六屆市長選舉事務所法定代理人邱慶德未依照規定辦理選舉，請法院宣布屏東市第六屆市長之選舉無效。此案將來的結果如何？法院自有明斷。

屏東六屆市長競選登記之初，國民黨黨員登記競選的有鄭榮亮、林石鼓、陳梧源、張河川等四人。鄭、林、陳三人是希望自由競選，但到去年十二月上旬，國民黨提名張河川爲屏東市長候選人之後，鄭、林、陳等既看到選局艱難，如硬要出面競選，勢非違反黨紀，遭受開除黨籍處分不可，又經人勸導，都先後撤消了競選登記。盧維仁看這種一面倒形成張河川不競而選的局勢，乃以無黨無派身份，挺身而出與張河川一決雌雄。盧可說是個籍籍無名的人，在政治上固未得意遇，且任縣府合作指導員時，還受了點窩囊氣，乃憤而請求退休，現作代書職業。這次他出來競選，誰都沒料到他有那麼雄厚的潛力，元月二十一日晚開票結果，張河川得二四，八六一票，他得二四、五五一票，僅差三一〇票而告落選，但其實力亦不可使人輕忽。

盧之所以能得這麼多的票，據傳說有以下兩種主要原因：一、可能鄭、林、陳的選票，倒向盧的方面。鄭、林是盧日據時代台南高等工業學校的老同學，陳是盧的多年老隣居，他們之間的感情都很深厚，鄭、林、陳是否暗中支持，固不得而知，但任由支持他們的人轉而支持盧而不加勸阻是可能的。二、張河川是客家人，屏東市客家人沒有閩南人多，而且他從新竹遷到屏東年代不久，社會基礎不夠深厚。盧是閩南人而且在屏東住的年代較久，大多數閩南人都支持盧。

盧以差三一〇票落選始終不甘心，認爲選舉事務所有問題。他列舉的理由爲：一、五十一個開票所均未有開票報告表之貼出，且未公開唱票，亦不發表廢票數。二、他推薦之五位監察員被剔除兩人，致四十八個投票所沒有他推舉之監察員在場。三、第十三投票所及第十五投票所之管理人員均遲至當日上午八時半始到場發票，且在投票時間內屢次故意停頓延至下午八時仍許選民入場投票。四、第十四投票所票數呈報選舉事務所有不實情形。因他有以上這幾點疑點，他乃申請於選票揭後，監察小組覆驗選票。經監察小組推請委員五人組成專案小組調查，調查結果認盧之申請覆驗於法無據，並以七項結論書面答覆：①各投票所均公開唱票；②各投票所之開票數與公告牌示所處之數字並無不符；③各投票所之照明設備，均無發生毛病；④各投票所之工作人員均按時到達現場，中午並無休息，只十三投票所開票之晚上八時許，議員票尚未開完，工作人員均未進餐，主任管理員徵得主任監察員同意，乃由其一人去買麵十大碗來大家吃，約停止三十分鐘；⑤有幾個投票所選民太多，也有幾處是農民多，均在下午開始前往投票，致情形擁擠；⑥部份工作人員因無經驗，動作不夠敏捷；⑦候選人盧維仁及黃振三有至幾處投票所查詢，及間，有少數觀衆不守秩序，對每張廢票均查問致遲延時間。監察小組並說明盧維仁所四十六個投票所沒有他推薦的監察員一節，是因本屆鄉鎮市長與議員合併選舉，監察員名額有限，此爲當然之結果，申請人（盧維仁）不能信任四十六投票所非其所推薦之全體監察員，衡請其他議員候選人所推薦之監察員，又何能信任申請人？盧對七點答覆認爲不滿意，是以具狀到地方法院。凡案子既到了法院，經過法院的偵察，審問，其是其非，當一難水落石出，而大白於社會。

台北市兒童們佳音 兒童樂園計劃擴充 將從菲運來大批電動設備 遊樂場所決擴展到山上山下

增加安全設備後，水上遊客必然增多，尤其是到了夏天，現有遊艇更不夠用，市政府將在最近兩個月內，在基隆河上發展遊艇以及龍舟等設備。這些設備的預算，將在這兩個月門票收入內支出。也不另列預算。

兒童樂園每年收入的門票費，可達五百萬元，而維持費只需三百萬元，還有二百萬元的盈餘。市政府決將這兩百萬元的盈餘，全部作爲增添兒童樂園的設備之用，市政府決不從兒童樂園取一文錢。根據兒童樂園的收支情形，兒童樂園每年有二百萬元增添設備，似已足夠應用。

市政府目前在兒童樂園迫切要做的，是把打通圓山動物園的道路，鋪爲柏油路面，這條道路是在春節前一天打開，來不及整理，是一條泥路，遇到天雨，泥濘不堪，兒童行走，容易滑跌。市政府預定在元宵節一過，就開始動工鋪柏油。

此外，游泳池也將增加暖水設備，使兒童們在冬天也可在池中游泳。不過這項計劃，將緩到今年秋天實行。

兒童樂園是個大衆化的社教場所，市府應該設法加以改善充實，使台北市的兒童們，假日有一個健康身心的好去處。（下，完）

國語亟應正名為國文 為中華文化復興起點

（四）

·陳邁子

尤其是僅僅為了要學童學習說話而把國文改為國語，這眞是當年教育部最荒謬不過的措施之一。試問一個人生下地來，只要發音器官健全，聲帶無缺，「牙牙學語」，是「不待學而能」，「不待教而知」的事情。一個人除非是個傻瓜白痴，他自然會說話，會說要人易懂的話，何用教為？要說是聽其自然學說話，未免方言土音太重，說出話來，人家聽不懂，有碍情感的溝通，思想的表達。

為求語言統一，而在國文科內，附帶國語說話，就為了幫助學童認識文字，而加以注音符號語音的訓練，這是學國文附帶要學的事情，並非最主要的事情。事實上學童學國文的主要目的，並不在此。是在於認識本國文字，具備學習本國文學的基礎，以為進而瞭解本國文化精神，學術思想之用。這種深厚的基礎。不在啓蒙入學時植其始基，一味學習注音符號語音白話（即所謂國語課程），不以國文為主要目標，一旦將來升入高中，仍是不辨字形，不明字義，不通文辭之人，何以接受傳統文化，傳統文學的研讀？當然只有望洋興歎，不得其門而入。

自民國十二年教育部把小學國文改為國語以來，這三十餘年間，學生國文程度的低落，低落到曠古未有的程度。低落到人人歎息，個個痛心的程度。大家不約而同的說：「國文要滅亡，要絕種，將來國人學習國文，一定要請教外國的漢學家」。（其實這話是不通的，有一日國文若眞的亡於國內，是無可救藥的。那些所謂外國漢學家，他們識得幾個字，讀過幾句文，他們更何會通曉文義，國人從而學之，那才眞是「問道於盲！」）這是有目共睹的眞情實據。吾人若考其原因，究竟是「孰令為之，孰令致之」恐怕其答案是異常之肯定的。就是「始作俑者」的當年改小學國文為國語的教育部。這一改，把五千年的中華文化，傳統學術思想，以及傳統文學，給整個的斷送了。起碼給了嚴重的損傷和破壞，使各級學生國文程度，低落如此，以致中華文化傳統，瀕於斷絕湮滅之危機。現在國人重洋而卑己，忘本，捨本，全盤洋化，使我具有五千年歷史優久博大精深高明之中華文化，甘為西洋文化之奴，異端邪說，詖辭謬論，橫流天下，而莫之止。有如洪水猛獸，國人不惟不知遏其惡風，且從而助長之，推波助瀾，自毀文化之長城。不惟民族自尊心，自信心，喪失無餘，且大有非將中華文化根根拔掉不可之勢。幸賴總統英明，倡導中華文化復興運動，其主要目的，固在反共，反對瘋狂紅衛兵滅絕中華文化傳統之陰謀。

而其根本意義，就在於復興中華文化，以奠定國家民族萬世之根基，謀國族之富强，進世界於大同。這種偉大的運動，從何作起？其道固非一端，而小學國語亟應正名為國文，以復興國文，為復興中華文化之起點，實為實現中華文化復興之途徑，國族富强，世界大同之不二法門。其方法如何？理由何在？以下容申論之。

我們以為國語正名為國文之後，其課程的編排，自然要重新加以調整，徹底予以改造。首先要把注音說話為中心的國語，改編成為認識文字，粗曉文義的國文。也就是先要恢復過去最成功最良好的國文教育方法，如周代教育然，使學童入學，先教六書，使識文字。對字音，字形，字義，先作基本認識。由認識文字，而瞭解文義。對吾國文字創始制作之意義，先作基本之明瞭。由是而上溯數千年來之文字統傳，以為接受吾國文化統傳之初步，而為復興中華文化肇其端。祇有由文字統傳之學習，而具備學習統傳文化傳統文學之基本能力，由是而奠定復興吾華文化之基礎，然後始可言復興中華文化。

因為要復興中華文化，勢不可不鑽研古籍，深究經義，先尋找出中國文化傳統來。知道我們先民有何文化傳統，其遺產內容如何？奧義何在？也就是說不可不先知我國文化遺產有何項目？具何內容？如瞭解家產之清單然。如此，便不可不深究古代之學術思想。欲深究古代學術思想，我們這一代人，以及目前我們下一代的青年，均早已不具備探究經典古籍之能力，——不能根據六書以識字音、字形、字義。不識文字，而讀古書，勢必無法入門，不能讀懂。把古書字音讀訛，字形莫辨，字義不明，如何能瞭解其內容，接受其學術思想。既不能瞭解，如何鑽研深義？勢必窳陋無學，有何能力接受文化遺產？不能接受，更如何知我文化之遺產為何？不知文化遺產為何，又更如何從而抉擇之，發揚之，復興之？所謂復興也者，不是販賣舶來品，洋貨，便是祇務其近者，淺者，而無法深入研究闡發。復興中華文化云云，亦祇空喊口號而已。這與我們復興中華文化的本義，便大相逕庭。因為我們認為復興中華文化的正確途徑，是先要把固有文化恢復起來，回復起來，作到溯古、存古的要求。然後再從古已有之（國父於民族主義中所示恢復民族地位的方法，是先要把固有道德、智能恢復。其所謂固有者，是古已有之之意。固字從「古」、從「囗」，即古已有之之義，非提倡復古而何？）的文化傳統中，加以抉擇，斟酌此時此地國家民族的需要，權衡當前世界新的學術思想潮流，推陳出新，黃魂洋化，崇中融外，博古通今，俾適合國情，無違傳統。

慕讓齋雜記

曾國藩之卓識

沈任遠

曾國藩能保持晚節，得以善終，不外二者。一是在滿門功名鼎盛時，使子弟保持讀書人本色，不忘務農。二是對權位推讓少許。大概他的老弟曾國荃喜愛財貨，他說「沅弟昔年於銀錢取與之際，不甚斟酌，朋輩之譏議菲薄，其根實在此。」「一面建功立業，外享大名，一面求田問舍，內圖厚實，二者皆有盈滿之象，全無謙退之意，則斷不能久。」對曾國荃說：「然處大位大權而兼享大名，自古曾有幾人能善其末路者？總須設法將權位二字推讓少許，減去幾成，則晚節可保矣。」「家門太盛，常存日愼一日而恐其不終之念，或可自保，否則顚蹶之速，有非意料所能及者。」對他四弟澄說：「莫買田園，莫管公事，吾所囑者二語而已。盛時常作衰時想，上塲當念下塲時，富貴人家不可不牢記此二語也。」

曾國藩對自己的權位時懷懷惕，他對唐朝的郭子儀位極人臣，勢傾天下，而能保善終，甚爲推崇。他對弟弟們說：「阿兄忝竊高位，又竊虛名，時時有顚墜之虞。吾通閱古今人物，似此名位權勢，能保全善終者極少。」「然古來成大功大名者，除千載一郭汾陽外，恆有多少風波，多少災難，談何容易！願與吾弟兢兢業業，各懷臨深履薄之懼，以冀免於大戾。」又說：「德不稱位，實不稱名，前世之自善其末路者幾人？近世此席覆轍相尋，尤其惕懼。」

請看今日之宇中，有多少「德不稱位，實不稱名」的人？有多少「外享大名，內圖厚實」的人？有幾個能「盛時常作衰時想，上塲當念下塲時」的人？

（下）

倡導劇運 不遺餘力 李曼瑰

曹仲蘭

不多久之前，記者在攝氏十度左右的氣溫下，往訪寓居羅斯福路的名女戲劇家李曼瑰教授，李教授以抱病之身和記者談了差不多一小時，她親切的態度，固使人不會因為是初見而有所拘束，她對戲劇的資深和對劇運的關心，更令人敬佩。

在那蒙古寒流的陰翳和寒冷透不進去的客廳裏，李教授首先談及的是台灣的話劇與廿年前在大後方重慶的話劇，何以一盛一衰的原因。

第一，現在台灣的人和昔日在重慶的人想法不同，那時是認為在自己的國度內發展事業和抱負，是合理的是人人願意的，現在，尤其是一新一代的知識血輪，不看重自己的國家，拼命的往外鑽，失去了那種自動自發搞話劇的風氣。

其次，當時的話劇有宣傳的作用，共匪利用它來從事政治宣傳和罵人的，故此有些是有目的的，肯花錢去搞話劇，而在台灣，政府在財政上沒有多大的幫忙，經費非常困難，一切工作不易展開。

第三點是台灣人並不能夠欣賞話劇的好處，學生願意去看電影，往往雖然公演，沒有觀衆，所以李女士强調，他們有信心演出好的話劇，但却少有人去看。此所以話劇欣賞會現在徵求會友為基本觀衆。

文化局成立了，第二處是掌管文藝活動的，李教授希望文化局對話劇多支持，多撥給一些經費，再加以熱心於話劇的人士的努力，一定會有很好的發展的。

民國五十一年在教育部藝術指導下成立了話劇欣賞演出委員會，李女士是主任委員。民國五十六年擴大演出，舉辦春、夏、秋、冬四季大公演，與青年劇展，世界劇展，一年來公演話劇計有「喜氣洋洋」，「晉容封」，「李爾王」，「少奶奶的扇子」，「龍鳳配」，「淡水河畔」等二、三十劇。為響應中華文化復興運動，戲劇界同人最近又發起籌組中國戲劇藝術中心，以為發展劇運的基地。

李女士說，五十六年的話劇演出，均達到水準，已開始受到社會人士的注意了。五十七年除了繼續演出好的戲劇外，還預備發展兒童戲劇，這個計劃，已得到教育部的鼓勵，到五十八年，一切有了基礎，便從事話劇研究的工作。

李教授說：國民教育九年，兒童們少了一次升初中考試，休閒的時間多了，正應該給他們藝術灌輸，兒童戲劇是必要提倡和發展的，

儘管當今台灣話劇劇運不濟，但李教授並不灰心，憑着知其不可為而為之的熱誠，她相信，他們苦幹，他們期待，這一代不成，還有第二代，第三代，繼續幹下去，總會有成績和收穫的。

最後，李教授重申話劇欣賞會徵求會友，為基本觀衆的事。表示他們不願推票，只是尋找志同道合的知音，對觀衆他們要竭盡所能，提高演出水準。

記者深為李教授對戲劇的熱心而感動，聽了李教授的話，就像上了寶貴的一節戲劇課。為了不好躭擱李教授太久，在依依的心情下向她告辭，心裏想着，有機會一定去看看李教授所領導演出的話劇。

中國女性文藝春秋（續）

周遊

一代詞家李清照

李易安是我們有史以來最卓越的女詞家，當我們涉筆來寫她的文學生活時，不禁令人感情迸裂，置筆為之長歎！以筆者如此粗劣的筆鋒，眞不知如何落筆，始能將我們這位最傑出的女文學家豐腴的生命和她的超越的天才活躍而逼眞的表現出來！握筆伸紙，我只好作一次大胆的嘗試。

宋神宗元豐五年，（公元一〇八二年）這位偉大詞人李清照誕生在歷城西南的柳絮泉上。父親名格非，母親是狀元王拱辰的孫女，他們在當時都有文名。由於山川靈秀的潤育，遺傳稟賦之會淬，再加上文學的家庭教育的陶冶，使她文學的慧根，早在其幼小時種下了。

光陰似箭的飛馳，當她二十歲的那年，便脫離了她的處女時代，和太學生諸城趙明誠結婚。他們夫婦的結合，在素持定命論的中國文學家筆下，更渲染得聲色具佳，明誠幼誦一書曰：『言與司合，安上已脫，芝芙草拔。』挺之曰：「此離合字，詞女之夫也。」（𡛷嬛記）挺之是明誠之父，時正做吏部侍郎，格非為禮部員外郎，兩親家勢正顯赫。所以結婚之後，生活十分豐腴，閨中亦非常和諧，兩口無猜。在她早年作品中可以看得出她的初婚的情致。

采桑子：

絳綃薄，冰肌瑩，雪膩酥香；笑語檀郎，今夜紗櫥枕簟凉。

減字木蘭花：

怕郎猜道：奴面不如桃花面好；雲鬢斜簪，徒要叫郎比並看。

浣紗溪：

繡幕芙蓉一笑開，斜偎寶鴨依香腮，眼波才動被人猜。

結褵未久，明誠驟爾出遊，這自然是難割難捨，幸福的生活，在此暫告一段落。她嘗自稱「易安居士」，所以後人稱她做李易安。她的一首善寫相思的「一翦梅」詞，寫在手帕上，在此臨別之時贈與明誠。

（六十）

傳記春秋

台大曲社近期演崑曲

藝壇近訊

這個月的廿九日，在台北的藝術館，有一場崑劇演出，是台大崑曲研究社主辦的，演職員一律是台大的在校學生或畢業校友，笛王徐炎之夫婦及曲家張元和、許聞珮兩女士，只是站在指導立場，予台大崑曲研究社以幕後贊助。戲目據說是「琴挑」「遊園」「佳期」和「小宴」。後三齣，該社去年及前年曾經彩排過，「琴挑」一劇，在台還是首演，所謂首演，不僅是台大曲社首演，在台戲劇演出史上，也是破題第一遭。

○欣父○

崑曲，這個名詞，近年來在台灣又漸漸被一些人熟悉和重視了，因為自從四十八年以後，有幾間學校的課外活動方面，把崑曲的研究，也列入其中的一個項目；當然，這應歸功各該校的崑曲愛好者的提倡，於是從此各該院校，陸續被培育出不少新血，師大、台大、藝專各校的學生彩串公演崑曲的已非第一次，每年幾乎都有一或兩次。雖然目下愛好的人，仍然不及平劇擁有的數字，可是已不像十年前時，崑曲祇限於少數年長的曲友傳唱了。青年人的這一代，算是又把崑曲重拾了回來。在這文化復興的今日，是非常可喜的。

崑曲是我國的國粹，就劇本的文學價值方面來看，它高過平劇不知有多少倍。平劇劇本裏可以有不通的句子，如「了不成」「不教於你」「馬能行」等，崑曲劇本裏，你就不會發見這種句子。可是在崑曲劇本中，你會讀到「破不剌」「淤蘆蒂」「兀地不」「赤緊地」等極為陌生的詞句，這些你也許不懂，卻不能說它不通，因為崑曲所唱的劇本中，有不少元人作品，或模仿元人的作品，一些蒙古或某地方的方言，也被用進去了，如果你存心在唱曲中，找一些「學問」來研究，那你一定大有收穫。一經登堂，你就覺得其寬其廣，足夠你走幾十年的。豈止蒙古語這一端而已。

崑曲的劇本中，有元人的作品，如「單刀會」的「訓子」和「刀會」，就是關漢卿的大手筆。也有明人的作品，如這次台大曲友所唱的南西廂的「佳期」，「琴挑」「遊園」就是。清人作品如「長生殿」的「小宴」和「千鍾祿」的「慘覩」，都是清代曾經風靡一時的名劇，清末還有「家家收拾起，處處不提防」的口諺。（收拾起為慘覩的傾盃「玉芙蓉」曲牌第一句的前三字）可是自從清末，崑曲受了平劇的壓力之後，衰頹下來，至今不振，如果從這些劇本來看崑曲的衰頹，實在可惜，因為它無一不是文人的嘔血之作，沒有一個劇本是粗製濫造的。

崑曲興起於明嘉靖朝，創始人是魏良輔，由於當時北雜劇已成強弩之末，魏良輔專心南曲，以當時崑山腔為基礎，推陳出新，創造了「新聲」，於是風靡一時，其他地方戲遏之披靡。不過數年光景，已然縱橫南北，成為君臨天下之勢。崑曲之所以勝過當時另外三種南方地方戲（海鹽、弋陽、餘姚）是由於它的流麗清婉，耐人咀嚼。如將之與平劇比，確是聲腔柔婉，歌舞高雅，值得提倡。

漫談藝術

記俞大綱教授的一席話

△王生南

藝術是人類智慧的活動，是對文化、文物貢獻的結晶，也是人類精神上的一種靈性的需求。藝術是眞、善、美的象徵，它的存在，美化人生，也豐潤了人生。在藝術的領域，能使人的身心獲得舒暢，就好像得到新的沐浴。

任何人都有著傾受藝術的傾向，也擁有著欣賞藝術的本能。

藝術的範圍包括極廣，文學、建築、戲劇、雕刻、圖畫、電影、音樂等，都是它範疇中的一環。無論文學，抑或音樂，藝術就是反映人生及時代的產物。

在一個時代現實要求下，人類進一步精神上的享受，就是藝術。

人，是個不能使人滿足的動物，物質世界的萬物萬象，永遠不能使人滿足，於是大家自然地就有了以藝術上的傾向，用以追求精神上的慰安。

藝術雖是精神領域的活動，但它卻是接近生活的；藝術太過於偏重精神的方向，是容易和現實脫節的。眞正的藝術，應該是大眾的，生活的。

藝術是屬於全人類的，每個人都可以有自我藝術活動。

我們不要將「藝術」兩字看得很高很深，覺得不可攀越的；其實，每個人日常接觸的事物，只要通過藝術的觀點來欣賞，就可用它來調節生活，使精神上感到舒適。這份滿足的樂趣，能夠彌補對物質生活的不滿，這就是藝術的一種功用。

所謂藝術的修養，並不是如苦行僧般去苦修勤練，它只是現實人生最高的境界的需求，它可以是日常生活的一部分，它要使人懂得怎樣去享受實在的人生。

如以住和穿來看藝術的通俗性極為明顯。我們住的地方，無論是高樓大廈或瓦屋茅舍，但是只要在自己佔有的空間，擺一心愛的畫或裝飾品，使自己精神感到愉悅，這就收到藝術所具的效果。

又如穿衣：不管是昂貴的質料抑或布衣粗裳，只要是自己喜愛的，顏色和款色均是自己選擇設計的，它就會使人獲得一種創造的滿足與快樂！

總之、「欣賞藝術人人皆會」，這種欣賞是不限於技術和知識，也不拘於人為的藝術，天空的一片雲，小泉淙淙，花香鳥語，均能使人感到心曠神怡，精神上得到怡然陶醉的樂趣。這都是藝術的欣賞，

「所以藝術的欣賞，就是使人精神獲得濾清的功用，無論知識分子，勞動大眾，只要在他工作完畢，心神享受到放鬆的樂趣，就是得到了藝術的陶冶。」

藝術的修養，它的目標是感情昇華，使身心獲得舒暢，但是卻不能太過講究官能的刺激，只是一種快慰，使人陶醉，卻不能產生藝術應有的濾清作用。

因而，青年人對於藝術的修養，應該在日常的生活中培育出來，時時刻刻存有着藝術的欣賞態度，這樣當可以使生活的目的更為充實。

禪的火花

（十九）誰創造上帝

有一次，某位佛學家問我：「上帝創造萬物，但誰創造上帝呢？」我說：「那正是我所要知道的，誰創造上帝呢」？我們都相視而笑。

我們所談的這個問題，有點像趙州問大慈：「般若以何為體」？大慈也說：「般若以何為體」？趙州立刻發現他問錯了，便哈哈大笑。

譯者按：以譯者的看法，上帝創造萬物，這是就萬物來說，因為萬物都是現象界東西，所以可用「創造」兩字來描述。但誰創造上帝，這就要推到比上帝更高的境界，而上帝本身已屬形而上，在描述形而上的本體時，不能用形而下的「創造」兩字，否則上帝便變成了物。所以「誰創造上帝」這句話本身已犯了邏輯上的毛病，因為當你用「上帝」兩字時，早已暗指「上帝」是最高的主宰，第一原因，不能被創造的本體，現在你卻要問最高之上還有誰？第一原因的原因是什麼？不能被創造的本體是誰創造的？這不是自我否定，自打嘴巴嗎？

同理，般若本來就是指萬物的本體，而趙州卻要問什麼是般若的本體，這就同問本體的本體是什麼，豈不是矛盾得可愛？難怪趙州知道了後，要哈哈大笑。

這「大笑」也是禪師們解決問題的一法，因為人世的一切，都像「本體以什麼為本體」那樣的可笑，所以禪師們都付之以一笑。吳博士在課堂上曾向譯者提到此點，後來譯者在贈書時，曾題下「大笑是禪聲」一語。譯者之所以畫蛇添足，也只是為了以博一笑。

吳經熊著　吳怡譯

國劇脚本

大漢兒女（一名新莽劫）

·田士林·

呂　母：（內嗽，持杖病容上）（念）渴時汲飲山泉水，飢來釜中焙榆錢；門衰祚薄無男子，柴門雖設卻常關。

（白）老身呂門林氏。先夫曾在河西為將；只因匈奴叛服靡常，被紬舊田，一病去世。膝下祇有一女承歡，取名菁娘；先夫在日，將她男兒般看待，指點了一些武藝，以致她父去世之後，時常挾弓帶箭，翻山越嶺，獵取禽獸為嬉，全然不像個女孩模樣。想這深山僻野，時有虎狼出沒，女孩兒家，怎能獨來獨往？屢加教訓，只是不改。雖說屢次獵取羚羊回來，為我補養身體，但與虎狼爭食，總非正道。看她今日清晨又悄悄出去，必然是涉足深山；侍女鶯兒也跟她去了，還不見人影，唉！眞教人放心不下。扶病起來，門前眺望多時，眞急煞人也！（假寐）

（菁，鶯同上）

呂菁娘：（望門卻步）你先進去。

鶯　兒：（畏縮）你先進去。

呂菁娘：哼！反正一挨罵，撇不了你！少不了我！（同入）媽！

鶯　兒：老太太，老虎來了！（扛虎趨前）

呂　母：（一驚）啊，蠢丫頭！你，嚇煞老身了！那裏來的虎啊！

呂菁娘：我的羚羊，鶯兒的虎，是在山裏打來的，給您的壽禮。

鶯　兒：虎是我的，可是是姑娘打的；羊是姑娘的，也是我帮姑娘捉來的。

呂菁娘：虎骨酒可以補血祛風濕，羚羊角可以治虛弱，女兒祝您老人家身體早日康復。

呂　母：唉！原要責備你們幾句，卻又說不出口來了。難為你們一片孝心。只是為娘的不願你們入山打獵。倘或思念母氏劬勞，應以色養為重，又何苦定要殺生害命？況且天有好生之德，山林中的禽獸，活的自由自在，何必擾攘牠們，反添為娘的愁悶，下次不可。（十三）

生活漫談

食物消化類別

○○○馬騰雲

食物目的乃為充饑與治命，為了這兩種要求得到適當的解決，才去研究消化的時間和營養問題。生物學及生物化學家們認為一個人身體由小而大的正常發育，是因為體內由食物構成的新細胞不斷地增加，同時我們身體的正常健康是靠食物來維持，我們工作所需要的能力是要靠食物來供應，我們人體內各項細胞消耗，又要靠食物來補充，這些供給能力，維持健康，修補損失等作用的總和，就叫做營養。營養共分為七類，即醣（又名碳水化合物），脂肪，蛋白質，礦物質，維生素，水及粗纖維等。醣與脂肪是供給體內熱能用的，蛋白質，水及礦物質是構成軀幹及保持姿勢，維生素及粗纖維是調節生理機能。因談到食物消化時間，固順便談談各項營養的功用。

食物進入胃裏，要經過多久的時間，才能完全消化？這個答案誰也沒有方法一口答出，因為生與熟不同，葷與素各異，不過最多沒有超過五小時的，否則就是消化不良，茲將平時食物消化的時間，分門別類，羅列於後，當為一般讀者和主婦們所樂知。

米飯一小時，番石榴、葡萄、水蜜桃、生雞蛋、蠶豆、韭菜、水芹菜、菠菜、茄、冬瓜、南瓜、苦瓜、絲瓜、黃瓜、香瓜、牛奶、橘子，一小時四十五分到兩小時，羊肉、鹿肉、猪腰、燒蛋、猪肝、牛肉、茶葉雞蛋，二小時到二時十五分，蓮子、白果、清燉雞、鹽焗雞、薰雞、薰鴨、薰鵝、芡實、苡仁、百合、雞蛋糕、麵筋、黃豆皮、洋葱、梨子、桃子、花紅、枇杷、柿餅、蘋果、酸梅、草莓，二小時三十分，水魚、鰻、魚翅、干貝、海參、銀耳、玉蜀黍、菌類、紅燒雞、火腿、香腸、鴨肫干、薰猪肉、白切雞、薰羊肉、葱烤雞、腊肉、鹹蘿蔔、竹筍、燉牛鞭、薰雞肉、醉蟹，三小時十五分，珍珠丸、魚丸、薰牛肉、薰雁肉、糯米燒賣、粽子、八寶飯、醃魚、清燉牛肉、蚌肉、青蒸魚、鰻魚、甘薯、白鱔、黃鱔、燕青、煎餅、葱油餅，二時三十分到三時四十五分，生炒牛肉、香肉、蛇肉、貓肉、活蝦、紅燒羊肉、爆肚尖、熊掌、大魚頭、梟肉、馬肉、猴肉、炸牛排、猪排、乾炸牛肉絲、風雞、叫化雞，四時到四時三十分。

同時菜的烹調，也有很大的關係，比如江浙人烹調多用糖，喜煑爛，這對消化的時間，可以縮短，廣東、福建人，烹調喜歡吃生的，比如客家菜吃的爆牛肚，皖北亳州人吃的燙驢肉，汕頭人吃的大海螺，四川人嗜食的毛肚火鍋，台灣高山族人吃的生醃肉，非經過五小時很難消化。人的消化功能亦未盡同，上面所指的消化時間為一般性的，當然亦還有很多例外。

最後，我們將幾種特殊疾病的膳食營養，也摘要略談：一、乾眼病應多食富維生素A的食品，就是動物肝類。二、腳氣病多食維生素B的食品如麩皮、糙米、麵粉、酵母、肝、瘦肉。三、壞血病飯食中應含有充分維生素C、P、橘子、檸檬、柚子、香蕉、蘋果、西紅柿、生菜、莧菜、辣椒及胡蘿蔔。四、軟骨病食維生素D，就是魚肝油、奶類、蛋類、鈣類及磷。五、癩皮病要多食肝臟、糙米、粗麵均含有抗癩皮的因子。六、甲狀腺腫病要多食碘質及海產食物如海帶、海藻、昆布等。

自由報

第八三七期

中華民國僑務委員會頒發台僑新字第三二三號登記證
內政部內版台報字第031號
中華郵政台字第一二八二號執照
登記為第一類新聞紙類
（每逢星期三、六出版）
每份港幣壹角·台灣零售價新台幣貳元

社長李運鵬·督印黃行審

社址：香港九龍登打士街91號十樓六座
91 DUNDAS ST, 9th FLOOR, FLAT 6 KOWLOON H. K.
電話：857253　電報掛號：7191
承印者：大同印務公司
地址：香港北角和富道九大號
台灣總管理處
中華民國（台灣）台北市大同街119號
電話：555395·557474
台灣分社：台北市西寧南路110號二樓
電話：三〇三四六
台郵報儲金戶九二五二

從法律觀點論立法院通過之九年國民教育實施條例（下）

·蘇友仁·

第四條規定：「國民小學當年畢業生，由主管教育行政機關分發所在學區國民中學入學，在本條例施行前國民學校畢業生年齡未超過十五歲志願就學者，予以輔導入學，或接受技藝補習教育」。第八條規定：「國民教育之課程採一貫制……」。可以看出這些規定，并非「基本教育六年採用正規教育」，而國民中學三年則否；事實上乃係一貫授予九年之正規教育，同在國民學校施教，不過分為小學與中學而已。換句話說就是把憲法上規定的六年基本教育，延長為九年，改稱為國民教育罷了。

況且該條例第四條所稱之補習教育，係以「本條例未施行前已受基本教育之國民學校畢業生年齡未超過十五歲」者為對象，當不包括該條例施行後之逾齡國民，與憲法第一百六十條第二項所稱之補習教育。截然不同。至於超過十五歲之失學國民，如何補習，該條例沒有明文，是否仍舊適用憲法第一百六十條第二項之規定呢？這樣一來，問題就發生了。因為憲法上所稱逾齡者，乃係指超過十二歲之國民，而該條例施行後之逾齡者，當為超過十五歲之國民，究竟今後應遵守憲法呢？抑遵守該條例呢？終無所適從。姑不說法律不宜抵觸憲法，即同法亦不宜後法與前法不符，如不修改前法，起碼在後法亦應該「但書」不受前法之限制才對。然而立法院立法，能夠但書不受憲法條文的限制嗎？這是立法普通常識，毋待贅言。

又辯說：憲法第一百六十條所規定六年，乃在保障人民有受此最小限度教育之權利，即為人民之受益權，其受益之增加，不能謂為違憲。實施九年國民教育，至少為公共利益之增進，以經立法院完成立法程序，即已圓滿達成，無須修改憲法或增訂臨時條款。（中國憲政第二卷第六期第六頁）

筆者認為憲法第一百六十條：「六歲至十二歲」之規定，至為明確，沒有「最少」字樣，怎能憑意證指為「最小限度」呢？實在毫無根據。憲法上凡需要有最少之限定者，絕不馬虎，必大書特書，如第一百六十四條規定：「教育、科學、文化之經費，在中央不得少於其預算總額百分之十五，在省不得少於其預算總額百分之二十五，在市縣不得少於其預算百分之三十五……」。意大利憲法規定「為期最少八年之初等教育」，德國威瑪憲法規定「至少為八學年」，這才可以說是「最小限度」而具有彈性。憲法第二十一條規定「人民有受國民教育之權利與義務」，與第一百六十條六年之規定。我們看不出有「最少」的涵義。如果憲法上沒有規定「最少」的條文，看到別的國家憲法有關國民教育年限，曾規定「最少」，就任意說是「最少」，那麼憲法第四十五條規定：「中華民國國民年滿四十歲得被選為總統副總統」，是最少年齡的限定，可否意證同法第四十七條：「總統副總統任期為六年，連選得連任「次」，也是最少的限定，只要「經立法院完成立法程序，無須修改憲法或增訂臨時條款，就可以將總統副總統任期延為九年或連任一次以上呢？

再者延長國民教育，從人民之權利言，是「受益權之增加」，而從另一方面看，教育經費之增籌，則是納稅義務人負担的增加，權利義務成正比例。據五十六年九月廿一日中央日報第三版載「台灣省及台北市實施延長九年國民教育經費，最初三年為三十六億」，以後每年還不計算在內，僅台灣一地區，數字已如此驚人，想當年大陸上全國情形，如何辦得到？所以制憲之時，自不能不斟酌審慎，對於基本教育年限作硬性的規定。憲法不是一成不變的東西，應隨社會、政治、經濟之進步，以求適應。今日台灣國民教育，為事實需要，自可將憲法的限制，予以合理的解除，若忽畧循合法的途徑，而以變更憲法之權，順便假手於立法院，這是萬萬不可以的。也是法律所不容許的！

臨時條款授權問題

或謂總統引用動員戡亂時期臨時條款第四項：「動員戡亂時期，本憲政體制，授權總統設置動員戡亂機構，決定動員戡亂有關大政方針，并處理戰地政務。」之權力，得以命令實施延長國民教育為九年；且謂總統此項命令，即為延長國民教育基本大法；立法院亦得根據總統命令制定特別法實施之。（中央日報載）

有人辯說：實施九年國民教育，縱不引用動員戡亂時期條款第四項之規定，為此大政方針之決議，而透過從政黨員，由行政院作成法案，送請立法院通過，亦同樣可完成此項任務。有謂總統此項命令，就是國民教育根本大法。然基於憲政體制下授權之決策，當不能使其具有變更憲法代替之效力，無待多言。（中國憲法第二卷第六期第六節）

筆者對此上述兩種意見，以為後者指出「基於憲政體制下授權之決策，當不能使其具有變更憲法代替之效力」，確是完全基於法理的卓見，筆者百分之百的贊同。然而他却承認「由行政院作成法案送請立法院通過，亦同樣可以完成此項任務」，這是難以理解的。蓋基於憲政體制下的授權，總統既不可以變更憲法，立法院根據總統此項命令制定特別法，亦同樣不可使其具有變更憲法代替之效力，這是不言可喻的。何以「透過從政黨員由行政院作成法案，送請立法院通過」，是可變更憲法？倒不知從何說起。是否誤以為「立法院為國家立法機關」，其權力可以超過一切了嗎？前面已經說過，憲法的規定：立法院所提憲法修正案，應送請國民大會複決，通過後才有效呢！因此，筆者可以大胆之說一句，「九年國民教育實施條例」，既不遵守憲法，又沒有根據總統命令，是直接違法的行為。（下轉第二版）

衆叛親離

腐朽殘缺

昨日與明日

提防毛共陰謀

最近香港政府將若干由大陸偷渡入境的難民，遣還廣州，而粵共拒不接納。初以為這是共黨志在以隣為壑，驅饑民就食於資本主義社會中，藉以減輕糧食消耗，而增加對方的困擾罷了。頃據各方消息，逃港難民中，夾有共黨經過訓練選拔的特工幹部在內，俾便混跡潛伏海隅，協同港共從事擾亂。且謂去年五月間在香港作亂的中堅份子，有些就是過去以難民身份逃到香港居住的共特。港府主管當局亦認為頗有可能，正在嚴密調查之中。

因此，我們希望台灣要特加警覺，對於由大陸逃出來的難民，不宜毫無所擇的，一例歡迎入台，并且給他們解决工作或求學的問題。依常理而言，台灣這種表示和安排，乃是義務所應爾的，但從大處遠處設想，如果毫無所擇的來者不拒，隱患實在堪虞。

我們無法向西德看齊

記者過去在西柏林旅行時，瞧着西德政府對由東柏林逃入西柏林的難民，一律收容不誤。當時叩問執事人員：「你們不怕有德共混在其中嗎？」答曰：「我們西德人民的生活優裕，工商業發達，到處需要人力勞動，而待遇亦高，即令有共黨份子混進來，亦會變質啊！」繼又看到西德境內若干新建的高樓大廈，據說都是收容難民之所，難民初來時住在收容所，不到一二月的時間，個個都別有工作去了。

台灣如其沒有西德這樣的條件，便不能說「來者不拒」的話。到現在為止，由東德逃到西德的難民，早就以百萬計數了。毛共若從大陸上放出五萬乃至十萬人進入台灣，即有不易安置之苦。所以，台灣不能向西德看齊，對於難民入境，必須予以調查甄別，妥為處理纔是。

對待難民的態度問題

難民之中亦有不同的性質，迫於飢寒而由大陸逃出來的普通民衆，是不折不扣的眞正難民；原來在海外替共黨効力，經常高呼「毛主席萬歲」，一旦由於內部人事上的派系鬥爭關係，不能立足了，乃搖身一變，向台灣投靠，而聲稱投奔自由的所謂「文化人」「藝人」或「紅衛兵」之類，却與前一種眞正難民有別。

對這兩種難民，表示一例歡迎則可，但不宜視後一種人有如瓌賓，優遇欵待之不暇。果若是，千千萬萬流亡在海外，吃盡千辛萬苦而忠貞不貳的有志之士，要想進入台灣亦不容易，看看那些二三流的親共投共文化人和藝人，一朝走進台灣，便成了反共英雄的情形，心理上作何感想呢？所以，我們認為對待難民的態度，就原則說，應該一視同仁，就技術言，不宜偏差過份。（何如）

自由談

咱們的前輩人，為着培育子弟讀書求智，對於「西席」先生的禮遇優待，十分崇隆。雖貴為三公九卿，然對教導自己子弟讀書的老師，執禮甚恭，贊敬甚厚，以表示尊師重道的誠意，而希望子弟的學業，能有良好的成就。

自現代學校之制興，所謂「尊師重道」的說法，已成為陳腐不合時宜之談了！學校的教師，有如販賣知識的販夫走卒，學生多視老師若路人，校長對教師如貨品推銷員，按鐘點計勞力價值。對學生收費唯恐太少，對教師薪給唯恐太多。於是乎，教師實逼處此，生活維艱，乃到處兼課，而採用輪流缺課之法，或者教高年級的學生去代課；另外還想出「惡性補習」的玩藝，藉以增加收入。至於官立學校的情形，縱不如私立學校那樣糟糕，但對教師的待遇并不比私立學校好，一個大學教授的薪給，尚不及國家財經機構中的一名電話接綫生。師道凌夷至此，可謂亘古未有的奇聞也矣！

古調獨彈

積習相沿，約定俗成，大家漠然不以為意，且認為義所應爾，然又希望在外洋留學有成的學人，都回國來服務講學，同時更倡言復興中國固有文化精神。這比之鄉村農民用一枚豬蹄祭告天地神祇，而期待秋收時載稻滿·，載谷滿車的幻想，尤為荒誕不可思議也。

要想復興文化，發展科學教育，必須恢復尊師重道的固有美德，把各級學校的教師待遇提高到一倍以上，禁止隨便兼課——專任教員根本不許兼課——學生跟教師有常常接觸請益的餘暇和機會，養成師生之間有若父兄與子弟的親愛情愫。私立學校有以「學店」為業者，一律查封之，或收歸官辦。教育行政機關應嚴切稽核私校的經費收支實況，不許稍有剝削教師勞力的行為，否則懲辦其校長。苟能如此，不出十年，中國的學術界，不論何項學科，必有驚人的成就可覩，而復興中國文化亦不期然而自然有事半功倍的效用表現了。尊師不是復古，而是復性——恢復人性的固有美德，談文化教育者，其愼思之！

馬五先生

從法律觀點論立法院通過之 九年國民教育實施條例

（本文自第一版轉來）

何以言之？因爲此次「國民教育之年限延長爲九年」，是總統引用「動員戡亂時期臨時條款第四項」而下的命令，立法院若根據此命令來制定特別法，其「變更憲法代替之效力」的法律責任，當然由總統直接來負責，立法院不過間接負責罷了。但是立法院制定該條例不僅沒有引用總統此項命令，而且命令中戡亂字樣，亦一字不提，對於先在台灣及金門地區的實施，均不作硬性規定。必然是立法院認爲國民教育，乃國家基本國策之平時行政，與動員戡亂無關，故按照平時行政的立法程序來處理，其實施地區授權行政院指定，較富彈性；在立法的觀點上，原無可厚非。但是與總統的此項命令，可以說完全脫了節，其變更憲法的責任，當然要由立法院來直接負責了。行政院爲原提案人，亦不能沒有責任。總統如果公布該條例，亦有其法律責任。

抑有進者，因爲論者謂總統此項命令，即爲延長國民教育根本大法，便有人認爲總統此項命令，不符憲政體制：這都是錯誤之，是沒有注意到此項命令的全文內容。總統在命令中會指示說：「關於實施九年國民教育之有關事項，其須以法律定之者，應提案制定特別法，以資適用。」總統命令中只要有這樣的指示，就是符合憲政體制，就是合法，就不是以命令行之，僅止於決策而已。即使不引用臨時條款，總統亦可以作此決定。所以我說：總統此項命令，是四平八穩，在法律基礎上是站得住的。

然而須知所謂「憲政體制」是甚麼呢？就是說：總統決定之大政方針，如涉及憲法者，應提案送請國民大會循法定途徑完成立法程序；如涉及普通法律者，應提案送請立法院完成立法程序。這就是「憲政體制」。今國民教育年限的延長，係有關憲法問題，其應制定之特別法，毫無疑問，自應由國民大會制定，纔能適用。或許有人會說：總統指的是「法律」，是「特別法」，不是憲法。殊不知憲法爲公法之一，亦是法律。臨時條款，就是憲法特別法。亞里士多德氏，把各國之法律，分爲二類，其一「是有關國家機關根本組織之法律，就是憲法，而另一則爲普通法律。」是以法律一詞，乃包涵憲法與普通法律之謂也。惜行政院沒有體會總統的指示，忽略了憲法的規定，擬定該條例草案，貿然提請立法院完成立法程序，找錯了對象，而鑄成大錯，是非常遺憾的事。

爲今之計，只有三條路可走：（一）將該條例送請國民大會複決。（二）由大法官會議宣布該條例抵觸憲法爲無效。（三）由總統依據憲法第五十七條之規定，核可移請立法院覆議。不過，第一條路，緩不濟急：第二路，大法官是否肯這樣做？那麼只有第三條路，可以走得通。（總統如已公布該條例，那只有第一、二條路可走）。

然則立法院覆議時，將如何修正呢？我以爲在不修改憲法的原則下，就不要抵觸憲法，要不抵觸憲法，祇有把「九年國民教育」字樣修正，僅規定國民學校畢業生免試升學可也。本來國民教育就是義務教育，即强迫教育，不入學者應受處分。而當前教育行政機關擬議中的國民中學，亦不過將國民小學畢業生免試分發而已，初無强迫的意思，該條例亦沒有强迫的條文，即稱之爲志願免試升學，亦無不可。似此名正言順，升學競爭可以和緩，惡性補習可以消除，國民智識水準一樣可以提高，延長義務教育預期之目的已達。何樂而不爲！其實若把從前免試升學方案，全面實施，既不影響憲法，即不制定特別法亦無妨。所可顧慮者爲增籌教育經費的問題，但是憲法對教育經費只有最少的限度的規定：「市縣不得少於預算總額百分之三十五」（見前）超出百分比是不違憲的，可由地方政府開闢財源，增列預算，以資挹注。

關於不管它叫「延長義務教育」而採取免試升學這個辦法，早在去年七月二十五日政治評論第十八卷第十期社論中，有精闢的建議，惜教育行政當局未加注意！「亡羊補牢，猶未爲晚」。望今後對於重大措施，應法理兼顧，博採衆議，「臨事而懼，好謀而成」。區區之見，惟高明察之。（完）

國文國語論戰再掀起高潮

電視台「時事座談」展開一場激辯

。本報記者董書。

台北航訊

台灣電視公司，於二月二十二日晚十一時，舉行時事座談，辯論小學「國語」科正名爲「國文」問題。被邀參加者，國文方面爲沙學浚，國語方面爲國語小學校長張希文，國語日報社長洪炎秋二人，由記者盛竹如主持。雙方針鋒相對，言詞激烈，「文」「語」論戰，至此再起高潮。

試從客觀上分析國語論者，竟把國文論者所主張的意旨完全撇開了，他們的辯駁的理由是這樣的：「主張國文者想把推行四十年來統一方言的國語，和普遍實行的語體文，要加以推倒！」這樣一來，勿怪乎顯出「事態嚴重」「暴燥不安」的神情。卻不免有些意氣用事，超出題外，以致有失研究精神。僅就本題說：「今日的小學，課程有十幾科之多，絕非過去十載寒窗專讀國文一門可比。小學生學習國語，就能寫出通順的話來。何況語言也可包括文，中學大學的國文課本，那印在書上的不都是古人今人所說的話嗎？」因此更武斷的說：「中學、大學的國文科都應該改爲國語科。因爲孔子施教，也分德行，言語，政事，文學四科。」（筆者按：孔子時，列國並立，做官的人，常要出國辦外交，所以說話極其注重，故列言語爲第二科，是舉宰我、子貢之學習詞令者而言。其實孔子教人之始，是以「文」，「行」，「忠」，「信」爲四教也。）雖然這樣一唱一和，但理由卻舉得近於出乎意料以外，他說：「日人侵據台灣之次日，就在芝山岩設立日語傳習所，台胞爲抵制起見，隨有抗鬥義烈事蹟。光復初期，因言語隔閡致有「二二八」不幸事變發生。自通行國語以後，不僅政府人民感情融洽，而農產品之獲改進，使味澀的稻米，質粗的蔬菜，味淡而酸的瓜果，都變成了香甜清脆的佳品，於今能賺取外匯，有利社會經濟，這都是推行國語的功蹟。」其後，引經據典的說：『太上有立德、立言、立功』爲人生之三不朽，而『下筆千言』，『洋洋萬言』，都是『語』可以包括『文』的很好例證。處在今日，如果要推翻國語，豈不是要開倒車嗎？」

從上述這些論點看來，與沙學浚所舉出的正名十項理由（詳見本報一月十三日第一版），可以說是「風馬牛，不相及」了。在沙所主張的「國語」（講標準國語）的意義非常狹小，不能用以代替豐富的「國文」，故主張小學「國語」科，應予正名爲「國文」。其實這是恢復民國十二年以前的原名，仍名爲「國文」。同時並積極主張全國同胞和全球僑胞，都應努力學講標準國語。至曾約農主張小學「二年級，學習國音講話識字，不妨偏重，這一階段稱爲國語科，尚屬可行；以上年級似應及淺近文言教材，以建立上進基礎。就全學程來說，仍應正名爲「國文」，較爲恰當，因國語一詞，既係指標準發音，用之爲科名，似有混淆不清之感。」當在辯論最後時，沙學浚提出宗孝忱教授所書大字條幅，引用 國父孫中山先生所示國文富麗殊絕。以復興中華文化論，實不可偏廢國文。

所謂正名與推行講標準國語，截然不同。而護衛國語的人，難道眞的不明白嗎？窺其用意，以爲推行國語，溝通民族情感，自有不可磨滅之功蹟，若一旦將小學「國語」科正名爲「國文」，則推行國語運動潮流，勢非降低不可。實則學童習音爲習文之本，文語兼進，豈非更妙！ 國父說：「文字之源本出於言語，而言語每隨時代以變遷，至於爲文，雖體制亦有古今之殊，要不能隨言語以俱化。」又說：「往往文字可達之意，語言不得而傳」。是小學「國語」科，應正名爲「國文」，即屬遵循 國父遺教與加强反抗共匪「文化革命」的當務之急了。且與推行講標準國語，毫無妨礙。那些堅持國語的人，何用栖栖皇皇，一至如斯呢！

廖競存立院質詢 主召開國是會議

（台北航訊）中華民國五十七年二月二十日立院第四十一會期第一次會議，立法委員廖競存就擴大團結，反攻復國，應召開國是會議諸問題，對行政院嚴院長施政報告提出書面質詢稱：

「行政院本年度的施政方針，最主要的一般政務，即爲「擴大討毛救國聯合陣綫，團結海內外反共力量，爲反攻復國共同奮鬥」。我對於此一方針，認爲非常正確，非常重要。全國人民，舉國上下，想都具有同樣的感覺。行政院將此項施政方針列於第一款第一目，眞所謂「先得我心」，甚合民意。但是，此不過本年度一般政務施政方針之一，換言之——即爲一般政務施政之一大原則耳。至於如何釐訂詳細計劃，促使實現此一大原則，尚未見有若何規定。余以爲非仰仗於資深望重之專家學者，及忠心耿耿精誠謀國之朝野人士，來一次大的集會，商討進行不可。因此，我虔誠籲請政府當局：重新加以考慮，早日擬訂具體辦法，遵照 蔣公總統從前所提示之原則，——召開一國是會議——邀請海內外知名之士及各黨派領袖與工商界鉅子，來台聚合，在 總統英明領導下，會商反攻復國大計，以期集思廣益。如此舉果能見諸實現，則此一施政之大原則，當不至於落空，而等於具文。——因爲此會一開，第一，可以一新國人之觀感，集中國人之意志，造成一新興團結之氣氛；第二，可以加深世界自由人士對我深切之瞭解與極大之同情；第三，可以爭取自由國家較多之軍經及道義上之援助，以便把握時機，早日反攻復國，解救大陸億萬同胞之倒懸，免除世界第三次整個人類毀滅性之大戰。此必爲將來召開國是會議所能產生有益之效果。以上所提是否有當？行政院是否準備付諸實行？敬祈賜覆爲荷！」云云。

前任中國小姐 林素幸出國三年 旅費官司猶未了

△台北航訊▽

民國五十三年中國小姐林素幸，和她的監護人袁顧榮，前往英國倫敦參加世界小姐競選，來回的飛機票的票款尚未付清，還欠新台幣二萬一千三百二十一元。打起民事官司，被替她購買飛機票的中國運通股份有限公司，告了一狀，請法院判令她們清償運費新台幣二萬一千三百二十一元。官司到現在打了將近三年，還未了結，猶在台灣高等法院第四次更審中。

中國運通股份有限公司法定代理人牛天文，控告林素幸及袁顧榮的理由是：林素幸於民國五十三年十月廿五日，當選爲中國小姐，與其監護人袁顧榮向他所經營的中國運通股份有限公司購買前往倫敦之來回飛機票各一張。由中國小姐選拔委員會主持人羅祖光簽發支票五張用付運費。除其中兩張已兌現外，其餘三張未能兌現。結算總共還欠新台幣四萬二千六百四十三元。其中一半即林素幸部份由中國小姐選拔委員會負担外，另一半新台幣二萬一千三百二十一元則應該由其監護人袁顧榮負担。因依運送契約之法律關係，請求法院判決袁顧榮清償運費。

台北地方法院及台灣高等法院，都判決袁顧榮敗訴。理由是：中國小姐選拔會[illegible]五十四年二月十六日，致函李晉芳[illegible]已陳明是袁顧[illegible]國運通股份有限公司購買飛機票，[illegible]客姓名也載明[illegible]榮，票價由該[illegible]顧發支票以爲[illegible]是該委員會向中國運通股份有限公司購買飛機票，爲一種商業行爲。票價應由袁顧榮清償。

袁顧榮不服而向最高法院提出上訴，[illegible]，她担任中國小姐林素幸的監護人，陪同林素幸前往倫敦參加世界小姐競選，她往返的旅費，依照中國小姐選拔會規約，由該會負担、無須由她自購飛機票。所欠價款，應由中國小姐選拔會負責。

最高法院審酌全案，提出與地院及高院不同的意見。理由是：旅客爲運送人運送之標的，這在民法第六百二十二條「稱運送人者，謂以運送物品或旅客爲營業而受運費之人」，規定得很明白。運送契約之當事人，在旅客運送，其旅客自行購買飛機票者，托運人固然就是該旅客自己，否則托運人就另有其人。不能僅以飛機上所記載之旅客姓名之人（旅客自己）爲當然托運人。至代理人之代理行爲，依民法第一百六十七條規定，應有本人授權爲必要。何況本案被告袁顧榮一再主張：如往倫敦之往返費用，依中國小姐選拔會規約，應由該會負担。同時，原審謂中國小姐選拔會代表袁顧榮購買飛機票，是一種代理行爲。該會是否有袁顧榮授權書狀？應予詳查。原審法院既然認定向中國運通股份有限公司購買飛機票者，爲中國小姐選拔會主持人羅祖光，而非袁顧榮，是袁顧榮好像不是運送契約之托運人，則袁顧榮有沒有授權選拔會代理購買飛機票？倘若不加以調查則無從明瞭。這點，對於袁顧榮應否負清償運費之責任，有很重要的關係。高等法院對這點沒有詳細調查，就判決袁顧榮敗訴，尚嫌速斷，自難以昭折服。因此之故，將全案發回台灣高等法院更審，再加研究。

現本案尚在台灣高等法院第四次更審中。

心胸狹隘自私其親的呂后

清園

自古女人臨朝稱制，主宰天下大事，呂后算是「一個能手。但不是「一個賢德的皇后。

呂后名雉字娥姁，漢高祖劉邦做泗水亭長時，沛縣縣令的家裏，住有一個貴客呂公。呂公好相人，有一天他看見漢高祖，大大驚奇，因而暗示縣令，留下他共飲聚談。呂公在酒席上說：「我自小好相人，因此相人很多，但都沒有像你劉季（劉邦字名叫季）這樣的貴相，希望你好自爲之！我有一親生女兒，願給你做妻子。」酒後呂老太婆怒罵呂公說：「你常說這個女兒有貴相，要嫁給貴人，怎可妄許給劉季？」呂公說：「這不是你老太婆所知的。」終於把這女兒嫁給了劉季。這個女兒就是呂后。呂后嫁後，生了孝惠帝及魯元公主。

有一天，一個白髮老翁，見到呂后說：「夫人，你是天下貴人！」呂后再請他看看兒女的相，老翁看見她的兒子孝惠帝，更驚奇地說：「夫人所以貴的道理，是因爲有這兒子。」再看看魯元公主，也都是貴相。老翁高興而去。走得還不遠，高祖就回來了，呂后告訴他老翁看相的事，他立刻追趕上去，問問老翁，老翁說：「剛才夫人及兒女都像你，你的相，貴不可言！」這就是劉邦是天子之相，當時不敢說出來。

呂后爲人剛毅，高祖所殺不穩的大臣，多由呂后幫助。高祖後來很喜愛戚夫人，戚夫人因此屢次懇求高祖廢除孝惠，改立她所生的趙王如意爲太子。呂后也因此最怨恨戚夫人。高祖崩後，孝惠嗣位，呂太后即因禁戚夫人，並毒死她的兒子趙王如意。後竟斬斷戚夫人手足，挖去眼珠，給她吃一種啞喉的藥，使她不能喊叫。並將她丟到廁所裏，號曰「人彘」。孝惠看到，知是戚夫人，乃大哭曰：「這不是人所能做出來的！」孝惠帝二年，楚元王、齊悼惠王來朝，呂太后又想以藥酒毒死他們，幸而孝惠帝仁慈，使這兩個兄弟未遭毒手。

孝惠帝體弱，到七年秋八月便病故了。太子年幼嗣位，先拜呂太后的侄輩呂台、呂產、呂祿等爲將，將兵居南北軍，於是諸呂都入宮管事，朝廷號令，也都出於呂太后。孝惠皇后本未生子，太后令假裝有孕，取一美人新生的兒子，冒充爲皇后所生，而把這美人殺掉以滅口。後來這幼帝年漸長，偶或聽說他不是皇后所生，而生他的母親已被殺死，便憤憤地說：「皇后怎可殺死我的母親？我長大了一定要報復！」太后聽到了這些話，又把幼帝囚禁起來，並宣佈說：「皇帝久病昏亂，不能治天下，要換一個皇帝。」此時大臣只有奉詔，幼帝被廢，另立常山王義爲帝，仍由呂太后主宰天下事。

呂太后八年七月中，太后病很重，命趙王呂祿爲上將軍，居北軍；呂王呂產居南軍。並告誡呂產、呂祿說：「高皇帝平定天下後，就與大臣誓約，非劉氏稱王者，天下共擊之！今呂氏封了王，大臣心中不平，我死皇帝年幼，恐怕大臣會作亂。你們要帶兵保衛宮庭，愼毋送喪，毋爲人所制。」呂太后死了，諸呂也被朱虛侯劉章，絳侯周勃、丞相陳平等合謀，誅殺殆盡，並迎立賢明有德的孝文帝，而穩固了漢家的天下。（完）

國語亟應正名爲國文 為中華文化復興起點

（五）

·陳邁子·

以本國文化爲體，以西洋文化爲用，亦即以中國傳統之學術思想爲主，而以西洋輸入之學術思想爲客，亦即本人一向之主張：「古有可復，未嘗不可；可復者復之，不可復者汰之」。其復興之力式、內容，一如歐洲之文藝復興然。（歐洲文藝復興，就是希臘羅馬文化的復古，再迎合以時代之新思潮而成功者。絕非如我們所云是復興而非復古。試問「不復」如何「興」？「復」者，如人由臥地而立起，興者，如人立起後之行動。若不求復，則猶如其人尙臥於地上，如何便可行動乎？）這樣主張，並非抱殘守闕，泥古不化。亦非迷戀骸骨，陳腐落後。蓋唯有這樣復興，才是最合理最正確的復興方式，容當另文論之。

要認識文字，粗解文義，從小學六歲起，到了十五歲，這九年當中，便是最初的也是最好最重要的一段時光。有人或者以爲我國文字艱深，孩童不易識曉，不如注音符號之易學。這話其實是似是而非的。古人在四、五歲，五、六歲時，已經認識不少字，且能斐然成章者，大有人在。蔣士銓四歲學字，能辨形義。李東陽五歲能文，吐屬不凡。解縉六歲能詩，出口成章。蘇頲七歲能解尚書辭句。朱熹八歲能通孝經大義。任延年九歲能通尚書、毛詩、春秋。曹子建十歲即善屬文，斐然可觀。古人總角之年，即可識字爲文；今之兒童穎慧逾於古人，豈有不能認識文字之理？須知中國文字，說難很難，說易很易。只要曉得文字構造原理，從每一個字構成的基本原理（六書）部首偏旁教起，舉一反三，無不以一喻十，以十喻百，觸類旁通，識之甚易。若不如此，只是人云亦云，教學童只知其然，不使知其所以然。一字之構造如何？是何取意？應爲何形？何義？把這些弄清楚了，學生學一字便得一字，一日縱認識數字、十字，一年亦可識二、三千字。初小四年，便可識萬字，古書可直接閱讀，不須講授，便可自解。賦詩作文，無往而不自如，這是何等易爲之事？何嘗太難！今之教者，自己本不識字，提倡語文者，多不通曉文字。反而捨易就難，由注音入手，使學童僅會語音，不通文字。一字之構造爲何？其形與音之關係何在？字義如何講解？學童皆懵然不知。直至大學畢業，成爲博士，終其一身，亦不能啓其蒙昧，淪其心智。亦爲不識本國文字之人。本國人不識本國文字，不能讀本國經書古籍，詳究學術，此非自滅本國傳統文化而何？更何待外人之摧殘？紅衛兵之毀棄？須知中國文字，並不太難。聖人當初制作文字時，無一字不是根據一種原理原則而創制的。聖人所造之每一個字，皆有甚深之學問，皆爲神明睿智之傑作。絕非如西洋文字，只是拼音而成。除拼音外，再無他意，教的人，和學的人，都只要知其然不知其所以然就可以了。這一點，也是我國文字高出於世界各國文字之上萬倍的原因，也是我國文字獨具偉大價值之所在。教中國文字的，便不可如此。要把每一個字的來歷意義弄清楚，才可了解每一個字所代表的文化淵源，文化傳統精神，這是何等重要？豈可與教學洋文的辦法相提並論，等量齊觀？我們試看漢代許愼說文所說：「古者庖犧氏之王天下也，仰則觀象於天，俯則觀法於地，視鳥獸之文與地之宜，近取諸身，遠取諸物。於是始作易八卦，以垂憲象。及神農氏結繩爲治，而統其事，庶業其繁，飾僞萌生。黃帝之史倉頡，見鳥獸遞之迹，知分理之可相別異也，初造書契，百工以乂，萬品以察。」「倉頡之初作書，蓋依類象形，故謂之文；其後形聲相益，即謂之字。字者，言孳乳而浸多也。著於竹帛謂之書。書者，如也。以迄五帝三王之世，改易殊體，封於泰山者，七十有二代，靡有同焉」。這是說文字制作的經過。「周禮八歲入小學，保氏教國子以六書，一曰：指事。指事者，視而可識，察而可見。上下是也。二曰：象形。象形者，畫成其物，隨體詰詘，日月是也。三曰：形聲。形聲者，以事爲名，取譬相成，江河是也。四曰：會意。會意者，比類合誼，以見指撝，武信是也。五曰：轉注。轉注者，建類一首，同意相受，考老是也。六曰：假借。假借者，本無其字，依聲託事，令長是也。」這是說明六書之構造原理的。「蓋文字者，經藝之本，王政之始，前人所以垂後，後人所以識古。故曰，本立而道生，知天下之至嘖，而不可亂也」。這是說明我國文字偉大功用的。這樣好的文字，我們不去學習研究，而要以淺薄的，西洋文字的教法學法來教我國兒童學習語文。以洋文之法，行中文之教。眞是方枘圓鑿，荒謬絕倫。我們學洋人，要學其語，學其文，尙可勉強說得過去。因爲我們要學會話，更要學其文字。其實洋人的語即文，文即語。命名曰語文，已是多餘。二者擇一而名即可。我國文字如此高明完善，竟然撇棄不學，而要一味崇洋，事事摹擬洋人，硬要把國文改爲國語，或國語文。只論形式，不究內容。其顢頇無知，是不可原諒的。至於將來國民中學的國文課程，內容的編輯，當然仍採由淺入深，由簡而繁之原則。初則根據六書，教識文字，究明每一個字的字音，字形，字義。

中國女性文藝春秋（續）

周遊

一代詞家李清照

又填醉花陰詞寄明誠；明誠思有以勝之，謝絕一切，廢寢忘食者三日三夜，得五十餘闋，把清照所作，抄在一起，請友人陸德夫月旦。德夫玩誦再三說：「有三句絕佳。」明誠問那三句？德夫說：「莫道不消魂，簾捲西風，人比黃花瘦」。這三句剛好是清照所作。明誠終未能勝她。這首詞的全文如下：

薄霧濃雰愁永晝，瑞腦消金獸。佳節又重陽，寶枕紗櫥，半夜涼初透。東籬把酒黃昏後，有暗香盈袖。莫道不消魂，簾捲西風，人比黃花瘦。

結縭二年後，明誠又出仕。其時挺之擢升宰相，竭力排斥元祐黨人，格非因黨籍關係，被罷官。清照上書挺之，有「人間父子情」之句。這因兩個兒女親家，因爲政見不同，也顧不得親家的交情，使子女怨愁，委實令人惋惜！明誠本有金石的嗜好，時常質衣買碑文，夫婦相對展玩，自況是「葛天氏之民」，此時在館閣的親舊，多藏有世所罕見的古物，夫妻兩儘量借來抄寫。又嘗典質衣物，購買古今名書畫，及三代的古器。記得有一次，有人拿着徐熙的「牡丹圖」，要值錢二十萬，已經成交，但因沒有錢，只好歎息退回。爲了此事，夫妻相向惋惜者數日。

宋詞的黃金時代，如男詞家柳永、秦觀、蘇軾、歐陽修、晏殊等，都是一時大家。但是我們看這些大家在清照的眼裏如何：

本朝柳屯田永，變舊聲作新聲，出「樂章集」，大得聲稱於世；雖協音律，而詞語塵下。又有張子野、宋子京兄弟，沈唐、元絳、晁次膺輩繼出，雖時有妙語，而破碎何足名家。至晏丞相、歐陽永叔、蘇子瞻，學際天人，作爲小歌詞，直如酌蠡於大海；然皆句讀不葺之語耳。又往往不協音律。……王介甫、曾子固，文章似西漢，若作小歌詞，則人必絕倒，不可讀也。乃知詞別是一家，知之者少。後晏叔原、賀方回、黃魯直出，始能知之。而晏苦無鋪叙，賀苦少典重，秦少游專主情致而少故實，譬如貧家美女，雖極妍麗豐逸，而終乏富貴態。黃郎尙故實，而多疵病，譬如良玉有瑕，價自減半矣。（苕溪漁隱叢話）

（六十一）

杜甫夔州詩

賴愷元

某年元旦，汪辟彊先生枉顧賀歲，余爲言：聞黃山谷昔曾將杜公夔州詩親寫鐫刻涪陵，以後方虛谷亦有「紵馬年思大曆中，草堂詩到夔州後」之句。若先生平日言談，更是有意謂夔州詩，實即江西詩之濫觴。然則夔州詩之勝處，究何在？辟彊當時即就我書案，不假思索，寫成下一段文字。文云：

杜公夔州詩，約四百餘首，爲涪皤一生得力所在。此惟熟誦退聽堂詩者深知之，即朱晦庵亦不能解也。詩以骨幹堅蒼，風韻內蘊者爲極至。杜公在開元東都所作，與天寶初年所爲，固極沉雄渾厚，人所習知。秦州紀行，則又勝矣。草堂則無大題目，僅體物寓興，而其中所感亦大，蓋由才大力厚故也。惟僑居夔州，山川雄秀，石壁嶙峋：江流湍急，瀠成漩渦。公則棲息於瀼西東屯之間，目接神遊，自然與山川相會。故見諸詩者，皆能以骨幹運偉辭，筆力挽千鈞，萬牛難挽。初讀則覺鉤章棘句。繼讀則如橄欖回甘。久讀則奇境循環，妙緒絡繹。又覺前此之沉麗者，視此有天上人間之別矣。宜涪皤終身撫之，若不得到。老骨秋筋，正與白鹽赤胛相發，此非尋常人所能共喻也。

近年余以此復問於孫念希先生，曰：聞山谷老人，曾說過人做不好詩，乃由於未能讀熟杜詩。若先生動輒集杜句成詩數十首，集杜句成聯數十聯，可謂杜編三絕爛熟矣。然則先生又以杜公夔州詩之佳處何在？念希比亦爲我寫出一文，茲節錄如次：

杜詩從大體言之，夔州爲晚作代表。五古詩至此，每於一小灘起大波瀾。蘋末生風，掀天蓋地，注淚成河，不復能自測其言之所至。至是每一字每一句之工，遂若無用，非果不工，所工有大於此者。不當再於此等工處買櫝還珠，自小其鑒賞力也。五言如步兵，少陵用之，能使所向無前，縱橫盪決。何況七言精騎乎。五言排律，以古文章法，運轉儷語韻文，綺麗森羅，二美兼至，似是由賦脫胎。少陵本賦家，善於用衆，故於此擅勝場。至是乃移之於七言，而屢有聯章七律之偉製，金碧樓台，悉人江山脈絡。一面石鯨鱗甲，風動皆鳴，一面織女機絲，雲穿無際。語小則鏗鏘搖曳，無由不妍。語大則卓立開張，橫空盡掃。觀諸將，詠懷，古蹟，秋興諸作，眞所謂雖有他樂，吾不敢請者也。

（上）

禪的火花

（二十）追求真我的羅曼史

「對於我來說，做聖者，就是做你自己。因此所謂神聖，或超渡的問題，實際上，乃是追究什麼是我，以及如何去探索這個眞我。」

這是默燈在二十年前所說的話，那時他完全沒有觸及莊子和禪宗思想。可是這些話也正是道家和禪宗努力追求的目標。而他之所以近些年來醉心於道和禪，也絕不是偶然的了。

莊子曾說：「夫有眞人而後有眞知」。我覺得笛卡兒的「我思，故我在」。應反過來說：「我在，故我思」。因爲唯有眞人，才能有眞知」。眞人就是能發現眞我的人。我們的生命就是羅曼史，就是追求眞我的羅曼史。道德的根本原則是：「衆善奉行，萬惡莫作，自淨其心」，而其端點乃是去發現自己。莊子在下面一段妙文中曾寫盡了他生命的羅曼史：

「仁義，先王之蘧廬也，止可以一宿，而不可以久處。覯而多責，古之至人，假道於仁，託宿於義，以遊逍遙之虛，食於苟簡之田，立於不貸之圃。逍遙無爲也，苟簡易養也，不貸無出也，古者謂是采眞之遊也」。

我們的整個生命正像從假我到眞我的朝聖進香。沒有任何的羅曼史比這種進香更有意義，更爲動人。因爲進香的目的和歷程都充滿了羅曼蒂克，沒有羅曼蒂克就沒有生命。這也就是禪師之所以要常常引用那句：「不風流處也風流」的名詩了。好幾年前，何穆法官寫信告訴我要「面對不如意之事」，要「下定決心使平凡的生活充滿了羅曼蒂克」。世事眞奇妙，這位十足的美國人，居然把我帶回到東方的智慧，或者說，回到我的本來面目。

○吳經熊著　○吳怡譯

盲翁孝子的動人故事！

○欣父○

搜異錄

台南縣東山鄉，有一個雙目失明的乞丐，叫洪俊。他七歲的時候，眼睛就瞎了，眼睛失明的原因是家庭貧困，沒錢治病。到了十二歲，父親又死了。他底幼年生活，我們可以想見其困苦的情形。他的母親含辛茹苦，終於把他養大了，可是由於環境太困苦了，他並沒有接受盲人特殊教育，因爲他眼睛失明的關係，他又沒有能力工作，而母親一天一天的老了，工作能力衰退了，生活的担子，由他担了起來，他只靠行乞，來奉養年老氣衰的母親。雖然他自己還要受人照顧，但只是他認爲他自己是靠母親含辛茹苦扶養大的，他因爲感激母親劬勞撫育之恩，他要在有生之年，盡力奉養母親。雖然靠了行乞來養母親事實上有困難，比如，有時候會因乞求不到施捨而食物不繼，有時所得的又太少，不足以維持兩個人的肚子，但是他却往往自己挨餓，先把食物奉獻給母親。據說，他數十年來，對多病的老娘奉湯侍藥，噓寒問暖，從來沒有怨過天、尤過人，他認爲這麼做，是當然的。外人却傳揚開來，認定他是個大孝子。

洪俊這樣默默地盡孝，安份的作人，的確算得上是個孝子，也很有古君子之氣味。就是把民間所盛傳的廿四孝的故事與他比，他也未必遜色多少。

中國有句古話：家貧出孝子。因爲家裏窮苦，自己容易感覺到父母養我不易，也就容易知恩。有些富貴家庭，兒女養尊處優久了，衣來伸手，飯來張口，既不勞力，又不勞心，也很少看到家長爲衣食忙碌的辛苦；父母又寵愛，予取予求。他們把父母的愛，視爲當然，沒什麼可感激，甚至於稍不如意，還口出怨言，心存芥蒂。這種兒女，眞是前世的冤家債主。這種兒女在盲人洪俊的面前，不知道有沒有一點慚愧！

洪俊現已五十五歲了，老娘也已經七十七了。最近老娘死了，他每天都泣不成聲。地方上將特地爲他發起募捐，幫他辦理善後，看起來，好人是不會寂寞的。洪俊的孝行，也是值得我們敬佩的。

一個殘廢的人，還念念不忘母親的撫育之恩，雖然家沒有給他謀生能力，他却能用行乞來奉養衰年的老娘，盡人子當盡的養老送終的天職。在文化復興運動推展得如火如荼的此時此地，又有幾件這種可以風世的事件呢？

在現社會中，我們希望能多見到幾個這樣的人和多聽到幾次這樣的事。

你對「時間」知道多少

○汪祖華○

時間在人類生存生計和生活圈字裏，正如空氣一樣，在不知不覺，無聲無臭，無始無終的支配着人類，是人類的褓姆，也是人類的墳塲。

由於它的無聲無臭，無始無終，儘管它有最實際最巨大的效用，但是眼睛看不到，耳朵聽不着，手指也無法與之接觸，因之，人類對它多不求甚解；所可知道的，不過是涵育萬物，磅礴四極，充塞天地的一種含糊的概念而已。

這裏被稱爲智慧之光的愛因斯坦，曾給我們一個正確的解答。他在所作相對論，第一個概念，就是推翻牛頓舊力學的時間和空間的絕對性，他根據了費羅的收縮作用，說明了沒有絕對空間的存在，根據了運動速度與惰性的反比例，說明了沒有絕對的時間，也沒有「同時」，只有光速是最高速度，而其速度，也總是不變的。他提出（$E=mc^2$）（E爲能力 Energy, M爲物質，Mass. C爲光速，Velocity of Light）的公式，認爲質量隨速度變化。這表示從來所謂物質能力的區別，已沒有必要。這公式在一九四五年七月十六日得到了證明，就是第一個原子彈成功了。一切物質歸於原子，原子歸於粒子，（核子，電子，光子，介子，）而這一切，又歸於能力。

愛氏繼續追尋宇宙力量的法則，於是有普遍（或一般的）相對論。（特別相對論在一九○五年發表，普遍相對論在一九一五年發表），限於歐幾米得的幾何學，並且限於一定不變的速度物體上。若是我們得到兩件事情的空間距離，和時間的久暫，我們便可算出它們的「間距」，這是特別相對論。把這原理，普遍應用於一切非歐幾米得的空間，可以計算於一切加速（非均衡的）的運動物體，是將特別相對論，擴充爲普遍（或一般的）相對論。

以前把空間和時間，視爲兩不相干，各無關係，空間是寬深高三度，時間是連續的一度。空間三度以量尺計算，時間一度，以時鐘計算。

以前的物理學家，並沒有看出時間空間的相對性，所以他們可以用XYZ三度的坐標式去解釋空間。相對論既證明空間時間的相對性，所以欲解釋一事情之發生，於XYZ之上，尤必加T即時間一度，以成XYZT四度坐標。從通常數理中，我們知道空間公式爲 $S^2 X^2 Y^2 Z^2$，現在相對論，照此公式，而求得事情之空間距離時，公式爲 $S^2 X^2 Y^2 Z^2 t^2$，就是加入一度時間。（一）

創業哲學

楚狂人

生意與宣傳

做生意的成敗，全視經營之方法良否而定。經營方法中，包括信用與和顏悅色，但宣傳也是做生意不可忽畧的一件大事。

以烏鷄白鳳丸起家的韓奇逢來說，他是生意人中最懂得宣傳的人了。抗戰前民間獻機祝壽運動，韓奇逢大藥廠獨捐飛機一架，使該藥廠愛國熱忱，舉世皆知。這一個大宣傳，使該藥廠社會地位平步靑雲。民國卅八年上海淪陷，韓奇逢避難三湘，曾在舍間小住，狂人問他烏鷄白鳳丸起飛經緯，韓很坦然的說：「『宣傳』，有錢就登廣告，藉報紙作工具達成宣傳目的，儼如商場即戰場的話，幾戰無不勝，攻無不克。藥祗能治小病，無法轟動，轟動的力量全靠敏捷的宣傳技術。胡文虎先生比我懂得的更多。」

從韓的這些談話，想到貝波爾一句名言：「商業的本質是行騙。」打開中外各地的報紙，益感覺到貝波爾是一位了不起的哲人。

海嶠塵談薈

憶說黃紹竑（上）

諸葛文侯

李宗仁，白崇禧，黃紹竑（季寬）三人者，世俗之所謂「桂系」三鉅頭也。廣西當年政局，自陸榮廷失敗出亡後，即由李黃白三人協力統攝，直至民國廿年「九一八」瀋陽事變發生時，三人通力合作無間，常與南京國民政府抗衡，儼然獨立王國焉。論三人之才幹，黃氏以軍人而賦有政治頭腦，具縱橫捭闔之謀畧，李以忠厚和易之性格，爲衆所擁戴，白則鋒芒流露，予智自雄，而爲李氏所倚任。迨民國廿年冬間，黃氏悄然馳赴南京，旋受命出任內政部長，李白指其「賣省」，而三鉅頭乃告分裂，洎後悲歡離合之情，錯綜複雜，黃氏終於投靠毛共，李亦繼踵前修，僅白氏克葆晚節，逝世台灣。三人者，固一世之雄也，而今安在哉！

民國十九年中原大戰之役，桂軍原與閻錫山馮玉祥沆一氣，黃季寬統軍出全州，往取衡陽，詎誤時失機，致爲粵軍蔡廷楷部得著先鞭，粵桂兩軍激戰，黃氏敗績而還，然兩廣戰爭仍未已。未幾，閻馮亦潰敗，已無人能與南京對立爭雄者矣。黃氏盱衡大勢所趨，頗示消極，雖廣州續有「西南政務委員會」之設置，倡言兩廣合作，棄嫌修好，但黃氏認爲廣西既無領導全國之能力，與其擁戴陳濟棠，即不若輸誠於蔣委員長之名正而言順，即就私人利害設想，亦爲計之得者。適粵人楊永泰（暢卿）負南京使命，在香港作政治活動，力贊黃氏北上，黃乃決意離桂入京。故當楊暢卿未去世以前，黃氏一切政治行爲如用人行政等問題，皆就問於楊氏，而楊在湖北省主席任內被狙擊殞命後，中樞即派黃氏繼主鄂政，此爲世人所不悉之政海隱情也。

黃任內政部長時，因內蒙德王有異志，暗受日本人敎唆，中樞引以爲憂，特派黃氏赴蒙疆宣撫，黃組織宣撫使團，携內政部編審員女性譚惕吾同行，黃氏素有寡人之疾，譚爲雲英待嫁之身，兩人乃告燕好，恍若蜜月旅行焉。自楊永泰下世後，黃氏之政治思想與行動，頗受譚女影响，此亦爲世人所忽視者也。譚女籍隸湘省，爲青年黨員，入內政部任編審員有年，而殊不得意。迨遇黃氏後，常與在野黨派人士往還，比及對日抗戰末期，彼在重慶寖成「民主人士」，而與共黨代表周恩來多所接觸，民盟之女政客史良，對譚氏尤莫逆，譚此後是否加入共黨，殊不可知。

對日抗戰之役興，李白皆入中樞共赴國難，黃與李白三桂系鉅頭，又由分而合，然終無水乳交融之象矣。

國劇腳本

大漢兒女（一名新莽刦）

田士林

呂菁娘：是，女兒下次不再入山就是。今日您的病體如何？

呂母：病痛如故，精神倒好。

呂菁娘：待女兒親到厨下，爲您調配虎骨酒、羊肉湯來。

呂母：兒啊！你下山來還未曾歇息一下呢！

呂菁娘：女兒不累。

鶯兒：我們姑娘的身體，像個牛犢那麼結實，沒有問題。

呂菁娘：（嗔）混了頭，費話。走，厨房去！

呂母：你們去吧，我也要歇息歇息。

鶯兒：好！走！（同下）

（葵、文同上）

葵：（唱搖板）緣溪行見烟村依山傍嶺。

田子文：（唱）在耳畔早聞得犬吠鷄鳴。（白）已是姨母門首，姨母在家麼？

鶯兒：（上急跑出白）喲！敢情是兩位表少爺、老太太正鬧病，在養神兒呢？我去告訴她。（入內）老太太，兩位表少爺來了。

呂母：（醒）啊！快快說我有請。

鶯兒：（出）兩位表少爺！老太太有請。

文、葵：（同入）啊！大姨母。

呂母：兩位賢甥，老身有病未愈，有失迎接，不要見怪。快快請坐。

葵、文：今乃姨母壽誕之期，愚甥等無以爲賀。

葵：獻上長壽酒一甕，長生果一担。

田子文：甥男敬獻人參一斤，百壽圖一幅。

葵、文：祝姨母萬壽。

呂母：多謝你們，愧領了。請坐。

葵、文：甥兒要先拜壽。

（十四）

自由報

第八三八期
社長李運鵬・督印黃行奮
91 DUNDAS ST, 9th FLOOR, FLAT 4 KOWLOON H. K.

美國的糊塗戰

·李達鵬·

二次大戰後，美國以領導自由世界、維護世界和平為己任。韓共無故興戎，進攻南韓，美國赫然出兵討伐；越共狡焉思逞，攻擊南越，美國毅然參戰，予以膺懲；這都是師出有名的義舉，頗有現代的十字軍之氣概。

然而，美軍在韓國征戰了幾年，死傷十餘萬人，而使韓共精疲力竭，瀕於崩潰之際，却說是「在錯誤的地點，錯誤的時間，對錯誤的敵人，進行錯誤的戰爭」，不惜以「紙老虎」自居，跟韓共簽訂屈辱的板門店和談協定，而南韓至今常在危疑震撼之中，嗅不到絲毫的和平安全氣味。美軍在越南作戰亦已數年，所投下的兵力且超過了韓戰之役，乃依然沿襲韓戰的覆轍，採取戰不求勝的挨打策畧，作戰而不求勝，難道是求敗麼？似此史無前例的戰爭行為，吾無以名之，祇好名之曰糊塗戰！

當年美軍對韓戰表示虎頭蛇尾的唯一理由，是害怕俄共參戰，引起全面戰爭。今日對越共的不求勝策畧，又託詞要避免與中共正面衝突。既然如此，那末，美國在全世界中，可說并無眞正的敵人了，然則所謂「跟錯誤的敵人，進行錯誤的戰爭」云云，究竟作何解釋呢？誰也知道，今日美國的死敵就是共產集團國家，而以中俄共為首要。俄共在韓戰期間，如果不是害怕美國核子武器的優勢威力，史達林就決不會建議停戰講和。現在毛共若不是內部大亂，武器與財力皆不能從事對外戰爭的話，亦就不會以偸偸摸摸的方法，暗中支援越共，而不惜派遣「志願軍」進入北越，跟美國大打特打了。共產黨原是以世界革命為職志，而以美國為頭號敵人，他們認為有把握進行戰爭時，你想避免亦不可能，漫說在越南，就是打到美國本土，亦將肆行無忌的。共產主義者只是對實力低頭，此外任何條約、協定、公報、宣言等等，他們都看作不值一顧的廢紙而已，隨時隨地皆可以尋得口實，予以撕毀的。例如波蘭在二次大戰時期與盟軍併肩作戰的德波林政府，戰爭結束伊始，史達林和美英兩國行政首長簽訂協議，正式承認為該國的合法政府，但墨瀋未乾，史達林即藉口「波蘭人民的決定」，將它消滅了，南越的和平安全地位，是有「日內瓦協定」保證嗎？然越共假藉「人民解放」口實，公然進攻南越了。東南亞公約是美國倡立的國際集體安全制度，今天東南亞地區遍受共黨侵襲了。美國當局期望以妥協還就的談判方式，跟共黨和平共存，那是與虎謀皮，自貽大惡。「雖有智慧，不如乘勢」，美國在擁有絕對優勢的戰爭中，却畏首畏尾，戰而不求勝利，又說要維護自由世界的安全，這從那兒說起呢？

共產集團在對自由世界的侵略行動中，各盡所能，悉力以赴，中俄共內訌雖烈，但對越共侵略南越，反抗「美帝」的戰役中，却一致應援，決不瞻顧。返觀美國[illegible]作風，乃適得其反，[illegible]已往的韓戰，不接受台灣中華民國政府的出兵建議，而寧顧以紙老虎下塌。如今的越戰，亦不肯運用中華民國的軍力，共同奮鬥，而寧願從本土零零碎碎地派兵遠涉重洋以增援，這是為的甚末？若說是害怕毛共藉口，正式參加越戰，試問現在的越戰不是毛共在背後大力支援嗎？它是不是要跟「美帝」正式作戰，關鍵只在力量問題，與台灣是否派兵援越，毫不相干，而台灣如果援越，或者直接動員反攻大陸，討共復國，正所以減輕美軍在越戰的壓力，使毛共首尾難顧，不遑自保，為甚末不可以呢？更可怪的是南越朝野人士擬組織志願軍以解放北越的消息發出後，美國方面即惶惶然指為「違反既定政策」，表示不同意，豈非咄咄怪事！越南人民為着自己的自由生存而要統一全越，這是他們份內應有的權利，美國憑甚末理由要反對呢？美國素以自由世界盟主自任，却不許自由友邦有反共之自由，事無鉅細，都要為美國的利益服務，假使美國的利益即是自由世界的共同利益，那也應該的。然所謂美國的利益也者，只是教自由國家的人民，忍受奴役生活，坐待美國跟共產集團妥協苟和，從事貿易以避免戰爭，然後靜候共產黨人大發慈悲，廣施仁政，而使美國永能保持安全繁榮。這與英國哲學家羅素倡言「站着死，不如跪着生」的思想理論，并無二致。所以美國一面以有限的軍經援助給予自由友邦，同時即規定凡有軍事行動，非事前徵得美國同意不可，而美國為着畏戰避戰，但求本土沒有戰禍來臨，則任何情況之下，亦不贊成自由友邦有反共的軍事行動。換言之，就是要以大西洋以外的自由人類的血淚，來培育灌溉美國本土的安全繁榮之花葉，這是正義公道的領導策畧嗎？自由人類決不樂意為這種自私自利的領導者而服務！

美國過去在韓戰中，自作多情，認為毛共是「錯誤的敵人」，繼由於毛共不接受美國的苟和願望，現在又認定毛酋澤東死後，毛共政權可能改取和平政策，希望毛共的下一代，可與美國和平共處，彼此大做其生意，讓美國的剩餘物資，可在中國大陸上儘量傾銷，博得厚利，而美國的富強更是天下莫敵焉。一廂情願，自以為是，對於共產主義者的世界革命原則和其辯證法例，昧然不識不知，何其天真幼稚乃爾呢！難怪毛共聞而嗤之以鼻，指為「站着做夢」了。我們的看法却與美國兩樣，毛酋澤東一旦死亡，中共政權即很可能與俄帝棄嫌修睦，和好如初。那時候，憑着中俄共地理、人口、物力、人力的集結，即可使核子武器的發展能力凌駕美國之上，美國如不敢冒大戰的危險，便祇有投降之一途。何況美國本身已有若干無可消弭的隱患，如黑人問題，如金融問題，一經發作，都可使美國陷於癱瘓之境，毛酋澤東所謂「一件事物發展到了頂點，即被其自己含有之否定所否定。美帝已發展到了頂點，戰固然垮，不戰也垮」。就是對於美國前途的預言，美國越想避免戰爭以維持現狀，本身的矛盾就越見深沉，這是天眞的美國人不願意想像的。

自由談

在現代的人類言行中，多見其為極其無理、無聊而又無恥者，即莫過於共產黨徒了。他們指斥非共人士的一切言論行為和法制，都是封建、專制、獨裁的產物，是剝削、搾取人類勞動價值的罪惡淵藪，而自命為最進步、開明、民主的救世主。可是，他們的所作所為，無一不是與其所說的背道而馳，論其程度，且超過[illegible]會中任何封建、專制、獨裁的情形若干倍。

試看中國的毛共宣傳刊物上，最近奉獻於毛酋澤東的全部美號尊稱，即有：「偉大領袖，偉大導師，偉大舵手，無比英明偉大，無比威力之領袖，全世界最英明最卓越的天才舵手，人類解放燈塔，全世界人民的命根子」等等，這比滿清末葉那位封建、專制的「慈禧康佑欽明……」太后的尊號，更教人見着就要噁心作嘔，而頓感周身肉麻不已。這是唯物主義呢？抑是唯心論？同時，武漢的共幹王任重，

可恥的宣傳

曾因隨侍毛酋到毛的故鄉韶山村遊覽，寫了幾句六言詩，中有「事業已經成就，何須衣錦還鄉」云云，毛共刊物指為封建思想，大事攻訐，這不是無聊無恥到了極點的言行嗎？

說到民主生活，共區人民沒有行路和不說話之自由，已是司空見慣的事實，不必談了。利用一班未成年的男女學生，隨便搗毀黨政機關，捕殺首要幹部，到處挨家挨戶刼掠民財，殘害人命，這又是甚末民主呢？至於剝削人民的勞動價值一節，大陸上的人民窮年勞作所獲，盡歸共黨所有，人民自身經常過着啼飢號寒的奴役牛馬生活。請問那一種專制政權，又有這樣剝削、搾取民力的混帳措施呢？

我常說，要知道共黨的本質為何如，只就他們平日指斥敵人和恭維自己的宣傳言詞，從反面去詮釋，而且依最醜惡的結果作判斷，一定很正確，準是錯不了的。誰若認為共產黨人擅長宣傳，誰就是天下的一等笨伯！

馮三先生

那顧百姓死活

用血漿寫歷史

昨日與明日

美國的選舉災

今年是美國總統大選之年，目前兩黨的政治人物，已在密鑼緊鼓地表演着鬧劇，而直接膺受這場選舉災害的就是越南。至於美國本身的間接貽害，自在意料中，且待下回分解了。

美國兩黨的內政主張，并無甚末不同之點，所以，每逢總統選舉時，彼此祇有以對外政策為競選題材，由來久矣。一般選民對於國外的事情，除却作生意如何能夠賺錢的問題而外，便是害怕有戰爭，其他即莫名其妙了。競選者就利用這種弱點，昧着良心而大發其自欺欺人的議論，當年艾森豪即以「結束韓戰」為競選題材而當選的。結果是：美國揹上了「紙老虎」的惡名，南韓枉受戰火摧殘，迄今猶在四郊多壘之中，而東南亞局勢乃因中共的侵擾，陷於不可收拾了。

覆轍又復相尋

今年美國的大選，即以越戰為競選資料，試着民主黨的羅拔．甘納第，以及麥卡錫之流，都以反對越戰為口實，從事詐騙選民的競選活動，却不顧美國參預越戰這回事，原係民主黨人甘納第作總統時決定的。越戰相持不下，更非敵人強大所致，而是美國的「不求勝」策畧自作自受也。

這些政客欺民衆以無知，高唱和平濫調，而以反對越戰相號召，然則當年甘納第總統派軍到越南作戰之際，為甚末又贊成呢？可鄙的政客嘴臉，可怕的倫理相對主義！

利未見而害已先嘗

以反對越戰為競選題材的人，是否眞能獲勝，固屬未知數。但從現在到今年十一月間，白宮當局為着選舉關係，對於越戰問題，只好維持現狀，即使確有增援之必要，亦不便加派美軍東來，而寄望於已經參預越戰的各個友邦。可是，別人瞧着美國這種既不能強、又不能弱的吵鬧情形，誰也不感興趣的。

如此這般，適給越共以喘息整頓的時間，對美軍實行消耗戰，等到時機成熟，即作孤注一擲的進攻。美軍如果吃一次敗仗，國內的輿論必然大譁，那時節，除非宣告撤退，盡棄前功，否則雖增援二十萬人，亦就無濟於事了！

最近毛共頭目周恩來，聲言在今年內必須把美國趕出東南亞，同時故意透露毛共準備五萬名志願軍入越的消息，這都是針對着美國的選舉災而來的，藉此可使反對越戰的政客們振振有詞，加強白宮「不求勝」策畧的論理基礎，而美國本身所受的害處，已經可觀了。

美國號稱為世界第一的民主國家，然其所受民主政治的災害，亦屬世界第一啊！（何如）

美國立國不到兩百年，文化基礎很薄弱，雖有廣度而缺乏深度。美國人民是多種民族的結合體，民族思想可說沒有。但是，反共鬥爭的潛力，就以文化精神和民族主義為源泉，光靠一點宗教思想，那是不夠的。美國領導自由世界反共鬥爭之所以捉襟見肘，永居下風，甚本原因就是缺之文化精神和民族主義這兩大支柱，此其所以有戰不求勝之類的怪策畧產生也。

開放報禁廣納衆議 共商國是鞏固團結

三位不同黨籍立委同時質詢

（本報記者健生台北航訊）關於海內外的團結問題，及聯合海內外反共人士討毛救國的問題，政府已從各方面加以努力，這是行政院長嚴家淦於立法院宣佈的。

嚴院長說：「關於海內外的團結，我們已從各方面加以努力，除了政府各機關的配合外，對於各方面，各社團，亦分別利用各種關係，尋求各種途徑，以加强其團結力量。即以民意機關而言，從中央到省市之議員，在黨則包括各合法政黨與無黨籍人士；在職業更包含有各行業。至於海外知名之士所提各種不同意見，政府更是虛心接受。這一切的做法，無一不是希望用以團結海內外的力量，以達到復國建國的目標」。嚴院長是在答覆青年黨籍立委李公權時所作前述宣佈。

李公權委員說：

關於海內外團結問題：行政院長在施政方針中說：「擴大討毛救國聯合陣線，團結海內外反共力量，爲反共復國共同奮鬥」；又在施政報告中說：「我們必須結合在大陸以及海內外所有反共反毛的力量，加强討毛救國聯合陣綫，把握適當機勢，展開有效行動，加速毛共的滅亡，完成我們的神聖使命。」此項方針與施政報告，非常正確扼要。不過類此號召在過去會有：（一）反共救國會議；（二）陽明山會議；（三）反共建國聯盟。過去或中途停擱，或根本未實行；而今是如何實踐的問題，亦爲李委員所質詢的重點。

李公權委員認爲：「藉此可廣納各方不同意見，共商國是，以加强團結」。他舉事例來說明其對這列個問題的意見和看法：如報載越南各界政壇名流，捐棄成見，共赴國難，組成救國大會，本風雨同舟之義，和衷共濟。其次是報載美國總統詹森對遠東亞洲問題發表談話：「我與匪共之爭，直到自由在亞洲鞏固爲止；且到廣大的太平洋成爲一個大社會區爲止；直到放下刀槍爲止；直到鄰國不再恐懼爲止。」這是何等堅强！同時他鑒於局勢嚴重，並訪問前總統艾森豪將軍，這是何等虛心！李委員深佩嚴院長在這方面所作努力，及堅定的信心，謙冲的襟懷；須知團結反共力量，鞏固反共討毛聯合陣綫要從言論着手，要持不同意見的人均有充分發表其意見的機會。

李委員以辦報爲例質詢：人民依出版法規定，均可辦報。然而在目前辦報已成特權。其次就辦雜誌而言，依雜誌登記性質分，綜合性的、新聞性的不准辦；就出刊時間分，月刊較易，半月刊就較困難，周刊則登記發行不易。認爲在團結海內外反共力量聲中，應從開放言論自由始。

立法委員武誓彰「對內討毛救國對外聯合反共的國策問題」，質詢行政院長嚴家淦。

這位國民黨籍的立法委員，在立法院是屬於「新中央」的首腦之一，他說：世界上一般自由國家都認爲在亞洲、在太平洋地區，中華民國是反共最堅決的國家，也是反共最具經驗的國家；他們尤其推崇蔣總統是反共的導師。我們現在對於討毛救國究竟發展到什麼程度？對於聯合反共，在亞洲及太平洋地區，我們有了什麼聯合行動？嚴院長施政報告中對此並未提及，希望所有答覆。

嚴院長回答說：對於討毛救國，我們必須意志集中，力量集中，凡我海內外同胞以及鐵幕內受共產黨徒奴役的數億同胞，都是我們討毛救國的同志，我們必須結合這股偉大的力量，先在意志上集中，然後發展到討毛救國行動上的集中，因此，政府的施政無一不與此有關。如復興中華文化運動，其目的也是先求意志的集中，進而把共產主義消滅。其次，我們的國策是反共復國，因此，反共復國戰爭是我們的責任，也是我們中國人自己的神聖任務，我們並不需要友邦國家幫助我們作戰，我們祇希望全世界愛好自由的國家，爲了維護自由世界的安全與和平，對我們第一要瞭解，第二要同情，希望在道義上，在物質上，給我們支援。至於流血汗反共復國的戰爭，則是我們中國人自己的責任，我們決不希望友邦國家爲我們作戰。

民社黨籍立法委員廖競存主張：「擴大團結，反共復國，應召開國是會議」。廖委員是民社黨創黨人張君勱先生的門生，他在一項書面中質詢行政院長說：「我虔誠籲請政府當局，重新加以考慮，早日擬訂具體辦法，遵照蔣公總統從前提示之原則——召開國是會議，邀請海內外知名之士，及各黨派領袖與工商界鉅子，來召聚合，在總統英明領導下，會商反共復國大計，以期集思廣益。如此舉果能見諸實現，則行政院長此一施政之大原則，當不至於落空，而等於具文」。

廖委員認爲：此會一開，第一、可以一新國人之觀感，集中國人之意志，造成一新興團結之氣氛；第二、可以加深世界自由人士對我國深切之瞭解與極大之同情：第三、可以爭取自由國家較多之軍經及道義上之援助，以便把握時機，早日反攻復國，解救大陸億萬同胞之倒懸，免除世界第三次整個人類毀滅性之大戰，此必爲將來召開國是會議所能產生有益之效果。

記者按：本文是依委員質詢名次先後而撰寫的。廖委員之書面質詢，行政院尚未答覆。此次之質詢同一問題，由三位不同黨籍委員，於同一時間內分別以口頭及書面質詢，在立法院可是少有的創舉。由此可見國人對召開國是會議，團結海內外反共人士討毛救國，是如何的關切！

東南亞村腳

談印度賤民

印度的階級意識，簡直使人不可以想像，大體上雖分爲教，政，商，農四個階級，嗣外又正式劃出賤民。教徒爲唯一的統治者，官吏仰其鼻息。商人錙銖必計，當然不及教政兩界尊嚴。但政界常要利用商人的錢，有時又不能不向商人低頭。所以最低的還是辛辛苦苦耕種的農民，成爲以上各階級蹂躪及剝削的對象。

賤民這一階級，起於印度最古時代，阿里安民族侵入印度，歧視有色人種，定下了這個不平等的名稱，賤民的職業，是製皮，打掃，守門，洗，刷匠等的幾十種行業，乃至於男娼也是其中一種；而後者在印度又有很多人特別愛好此道，悖生理之常以爲樂，眞所謂天地之大，無奇不有。

一般以爲賤民，不會再分階級了，殊不知這種想法又錯了。他們雖同屬下流人，但下流之中又分出若干層次，比如作獸皮的看不起掃街的，掃街的又看不起化裝女人賣粉的，男娼的地位當然列入最末，總之層層階階，儼如鴻溝之隔，他們雖非文人，確互相輕視，不亦怪哉。

——高舉

來台採訪「巨人」集訓新聞

少數日記者對我有偏見 故意製造台灣壞的一面

台北航訊

本報記者 新曦

日本「巨人」棒球隊，這次來台集訓，給予國人印象，至爲良好。不過，也有少數隨「巨人」隊來台採訪集訓新聞的日本記者，却給予國人以不十分良好的印象。預料日本報紙，或可能會有若干篇對台灣相當不利的新聞報導出現。如國人瞭解其中內情的話，這並不是一件值得驚奇的事。

每次「巨人」棒球隊到國外集訓，都有大批採訪集訓新聞的日本各報記者隨同。足見日本對於運動新聞的重視。這次隨「巨人」隊來台採訪的日本記者，共有四十四人之多。而這四十四位同業，雖大多數都和我國人民有很好的感情，或對我國有很好的印象。但亦有若干的日本同業，對我國的態度，欠缺友好。

查「巨人」隊來台灣之前，有關單位審核全部名單時，就已發現了有若干位的日本新聞同業，可能會在台灣採訪並非光明面的新聞。但他們既然名義是採訪「巨人」隊集訓新聞，有關單位也不便說不歡迎那若干位的新聞記者。唯一的辦法，只好對這若干位的日本新聞同業，予以密切注意。如發現有不妥之處，立即加以勸正之一法。

「巨人」隊是於二月九日來到台灣，當即到台中集訓。九日那天，台中氣溫是最高十二度，最低八度，在台灣算是寒冷的天氣，但比起日本來，要暖和得多。不過那天下着霏霏細雨，訓練場地有些泥濘。有一位日本記者，故意在訓練場上，用皮鞋後跟在泥中用力踩踏，使之成爲一個小洞，再叫球員把棒球投進洞中，作搶球狀。該記者用照相機拍成一個特寫鏡頭。其意思無非是說：日本「巨人」隊之所以選擇台灣台中作爲集訓地點，是認爲台中的氣候好，場地好，適於集訓。想不到台中氣候並不好，正値細雨綿綿，場地也不好，到處是泥濘小坑，球員們所打的球，滾進小坑中，如同打高爾夫球然。該記者故意如此，目的是想報導台灣壞的一面。其實球場情形並非太壞，如果處處有小坑，該日本記者也不會用皮鞋後跟在地上踩踏成洞。該記者的舉動，立刻爲我隨隊服務人員所發覺，加以勸阻。不過，照片已經拍攝了，該記者也向我服務人員道歉，並答應絕不刊登該照片。

之後，有一位日本某電視台記者，看到台灣的三輪車，感到很希奇。因爲日本的人力拉的「東洋車」，早已在街頭絕跡，台灣還有人力三輪車在街頭出現，認爲是落伍的現象。台中市的交通秩序，向來相當良好，街道寬濶，車輛又不太多，行人大都能遵守交通秩序。可是這位日本電視台的攝影記者，却僱了一輛三輪車，車上載着他的同業，以高價唆使三輪車伕駕車闖紅燈，而攝影記者則拍攝三輪車闖紅燈的活動影片。其用意是在報導台灣的交通工具落伍以及交通紊亂的情形，宣傳台灣壞的一面。其實，在所有各大小城鎭中，三輪車伕闖紅燈的情形，可以說絕無僅有。倘若隨處可見，該日本電視台的記者也不致於特地作這樣的導演了。

這件事被台中維持交通秩序的警察發覺，三輪車伕固然犯了違警罰法，教唆的兩位日本記者也因教唆而同樣犯違警罰法，這兩位日本記者，也被警局依法取締。幸而他兩人自知理虧，向警察道歉，警局從輕予以申誡了事。

新聞記者團出國採訪，免不了有少數記者作章台冶遊。我國記者團出國採訪，每次也難免有極少數記者作尋花問柳之活動。這次隨「巨人」隊來台中的日本記者中，也有兩位記者，在酒家尋歡作樂之餘，還把酒女帶到旅社去住宿。因酒女並非妓女，沒有妓女的營業牌照，酒女陪宿爲法所不許。事被警方查悉，把這兩位酒女依法取締。

以上這些小事，使我國人感到遺憾，也使少數日本記者感到不快。說不定這少數日本同業，回到日本後，會發佈一些不利於台灣的報導，以發洩其報復情緒。倘若日本報紙有這種報導，也不算出奇，國人不必驚疑。

台北府會交惡內幕

張議長假公濟私腰纏纍纍 高玉樹不假詞色一場狠鬥

台北市改爲院轄市，將近八閱月。高玉樹被任命爲市長後即響應總統延長國民義務教育爲九年之決策，引起朝野讚譽，頗能遴獲人心；次爲積極計劃建設台北市爲符合國際標準之都市，例如市區鐵路之移建，火車站前地下商場之興築，則因茲事體大，一時難望設計週全，至於市區地面下陷，地底且有流沙，經專家之研測顧慮，已遭擱淺；再其次爲擴展大台北之交通，基本上之公車整理，連續將兩年之預算調整票價，結果在市議會杯葛下，被議長張祥傳攪去了永和至外雙溪故博物院之觀光路綫，組成中興大業巴士，三個月後即賺回了本錢，刻張兼董事長與副議長兼總理陳少輝，已腰纏纍纍，成爲交通鉅子了！

外雙溪綫上，原有29路公車，在去年應士林鎭人民之請求，該綫公車延至圓環時，竟被張議長爲了大業巴士之營利便當公然出面反對，公車處長江成濤，因恐獲罪議長，删除預算，所以就把這個「棘手」的延長路綫計劃，呈報市府由高市長逕自批准了。可是張祥傳認爲高玉樹此舉，是在打擊民營客運，於是到處陳情請願，以致後來要省公路局出面協調終於把延長路綫折半至台北橋，已行駛兩月至今。據此間某報報導：「這個折半路綫之成立，還有交際費六萬元之傳說」；但該報並未指明此項「紅包」之歸屬何方，好在數字未上十萬至百萬，雖使社會揣測紛紜，却未引起關係方面之注意。

高玉樹獲罪張祥傳，固不在意，忽於春節中，下令對江成濤和業務課長高崇仁，不遵市府核定計劃辦理，擅自縮短公車路綫，有違公令及便利人民，各予記過一次，以示儆戒。另一方面，則宣布市區公共汽車，局部將開放民營，有關辦法，正在擬訂中，申請民營公司之原則須有大型新車一百輛（大業巴士公司尚無此力），並歡迎多家公司之申請，使服務工作，獲得公平競爭，促進北市交通，達到迅速解決。據說張祥傳去年曾受三重客運籌備公司李炳盛之託，請高市長同意開放一條民營路綫，迭商結果，始獲默契，旋由該公司請准省交通處登記。詎高又拒絕開放路權，遂致該公司籌備工作遭遇停頓，張因此惱火已極。

（上）

國語亟應正名為國文 為中華文化復興起點

（六）

・陳邁子・

由日常生活應用的語體文，及淺近的文言散文，三言，四言，五言，的通俗韻語教起，漸漸引導向文言的方面作較深入的學習，以窺經史子集之門。由六歲到十五歲九年當中，若教材編排得宜，講授得法，當不患無成。初級的語體文可採現行國語課本中之較有意義者，循序教之。凡內容貧乏，辭句惡俗不堪的，或低級趣味、詼諧無聊、跡近游戲的，都一律刪掉。文言文，則可就論、孟、孝經、詩之國風，禮之曲禮、少儀，管子之弟子職，史之通鑑，及淺易之辭章，擇其簡短精粹頗能引起兒童興趣者，纂輯授讀。三言韻語中，如「三字經」中「自羲農，至皇帝，號三皇，居上世」起，至「廿四史，全在茲，載治亂，知興衰」這一段是大可以編入的。

使學童既習文字，又可知國史之大概，豈不一舉兩得？四言中如古人之四言詩，「月明星稀，烏鵲南飛」之作，「南山有鳥，北山張羅」之句；五言如「神童詩」中全部詩歌，以及「舉頭望明月，低頭思故鄉」；「鋤禾日當午，汗滴禾下土」之詩；七言如：「古人不見今時月，今月曾經照古人」，「晝出耘田夜績麻，村莊兒女各當家」之類。他如「三國演義」前之「臨江仙」，水滸傳中之「景陽岡武松打虎」，「儒林外史」中之「七泖湖王冕牧牛」；「桃花扇」之「哀江南」，「長生殿」之「彈詞」，老殘游記之「白妞說書」，「黃河打冰」，「兒女英雄傳」之「十三妹」，「紅樓夢」之「香菱學詩」，「鏡花緣」之「女兒國」、「君子國」等，這些意深詞淺，趣味濃厚，平易近人，雅俗共賞的白話文，才是上乘之作，足以作為中小學國文範文，豈是那些打諢插科，一覽無餘的庸俗的語體文，所可同日而語的。

像這樣的文章，編輯起來，才可作得教本，垂統立極，允為法則，使學童百讀不厭。不唯可助其學文，更可使之薰陶漸染，涵養品德，收潛移默化之效。並可藉以徹底了解中華文化的傳統精神，學術思想，謀進而發揚光大之。國民小學中學植基如此，敢保證不到二十年功夫，國文程度必有顯著的提高，奠定深厚的基礎。中華文化的復興，亦可拭目以觀其成，眞是一舉而數善兼備，又何樂而不為呢？若說學童學「國語」或「國語文」為易，學「國文」為難，這是不通之論。國語，國語文，即是國文。二者名異而實同。只不過有主從之分，重輕之別罷了。若說語體切合生活實用，文言抽象深奧，陳腐落伍，那是根本不懂文章的人說的話。凡是文言愈有根基的人，白話無不雅潔精美。文言無根基的人，白話也絕寫不好的。這是溯源窮流自然而然之事。國文學好了，根基自然深厚，作起白話來，自然抒寫自如，無施不可。要怎樣好，便怎樣好。要是先學白話，而不從國文植基入手，白話文一定作不通，作不好的。因為既沒有根，那會長出樹來，開花結果呢？所以自提倡白話以來，凡是寫白話文有點成就的，多是國文根基深厚的作家。凡是無文言根基的，其白話文匪惟無所成就，而且根本就難以通順明暢，更難望其文辭清美，引人入勝。過去是如此，現在如此，將來亦是如此。這是一定的道理，久為世所公認的事實，是不待辯而明的。若是執迷不悟，一味提倡那毫不通情理的國語文，國語文，重語而輕文，崇洋以詘中，學生在大學初中階段，無法具備學習國文的根基能力，也就是無了解中華文化的資格和條件。到了高中大學，將絕無提高國文程度之可能。長此以往，國文程度繼續低落下去，國文之滅亡，即中華文化之滅亡。復興中華文化云云，絕難期其實效，豈非空喊口號，等於具文。目前由於國文程度的低落，乃是中華文化由衰微瀕臨滅絕之病根。復興中華文化，須從振興國文入手。

而振興國文，基本之圖，是要先從國民中學國文課程加強作起，以為中華文化復興之起點。「解鈴還是繫鈴人」。小學國文課本，過去因改為國語而造成國文將亡之危機。要起死回生，必將由國語正名為國文而獲復甦，此理之固然，勢之必至。絕不可因一念之差，遺千秋之悔。耿耿此心，或當為並世博雅君子所共諒，不以為狂悖也。

最後要附帶批判林語堂博士對國文之誤解。林博士的洋文造詣，和外國學問，我們或不願有所置喙，但林博士的「國文程度」眞是「低落」得異常可憐。早在一兩年前，林博士回國不久，應報界之請，發表演說，竟然大罵古文。說古文堆砌詞句，毫無性靈。說的像煞有介事，似乎要一語把古文罵倒。當時，我眞忍不住要請教林博士：古文那一篇是堆砌詞句？那一句毫無性靈？應當拿證據來，不能信口開河。

古文最大的優點是「有物有則」，文情並茂。言志載道，簡練雅潔。凡堆砌而無性靈，必非好的古文。時代遠者不舉，近古如陶潛之「桃花源記」，李泌之「陳情表」，李白之「春夜宴桃李園序」，蘇軾之「赤壁賦」等，那一篇，那一句，堆砌辭句？毫無性靈？反觀白話，（指時下流行白話。古人所寫之白話，有很好的。）

成吉思汗的戰畧與戰術（上）

札奇斯欽

在二十世紀六十年代的今天，我們回想起古代或中古時代，科學、交通、武器、戰術的發展都遠不及現代的時候，對那些曾經建立過大帝國，有豐功偉績的歷史人物，總是容易浮起一層幻想。甚至認為這些都是歷史上的偶然，是有神秘性的傳奇。在他們當中，有的是曇花一現，他的勳業馬上成了過眼雲烟，也有的後繼無人，使他的基業不能長續永存，徒增讀史者的悵惘和憑弔。當然也有若干人的事業在歷史的時間和空間上都留下了不可泯滅的記錄，而且由於他個人的成就，使人類歷史又向前邁進了一步。其中自起漠北而建立了世界帝國的成吉思汗，便是最傑出的一位偉人。他所以能夠建立這樣偉業的原因，自然是由於他個人的品德，知才善用的卓見，領導和組織的政治天才；但他在戰畧和戰術上的成就，也是其重要原因之一。現在把他對戰爭的觀念，戰爭的準備，和戰畧、戰術作一個簡單的描述於下：

戰爭是動亂的極端，也是制止動亂的一種方法。幼年時期的成吉思汗，生長於氏族戰爭，和全國騷然的動亂中，生命財產，時有被奪的可能，毫無保障。這種環境養成他以戰爭保衛自己，以戰止戰，和以戰爭尋求和平秩序的觀念。戰鬥不是罪惡，而是爭生存的一種正當手段。不能戰鬥，就不能對抗威脅自己生命安全的惡勢力。他這種觀念，隨着他事業基礎的擴大，而普及全部蒙古。這種觀念增強了全民的戰鬥意識，和不能勝敵就是滅亡的決心。在每一次戰爭之前，他必定把這一次的戰爭目標揭示明瞭，使人皆知正義是屬於他的，從不出無名之師。

同時由於多年來長城以內的農業朝廷，始終對於塞外游牧民族，採取「物資禁輸」政策的結果，使塞北民族認為戰爭是一種生產手段，非流血不能取得必需的食糧和資源。成吉思汗正好利用這種觀念，一面隨軍事上的勝利，使人民生活日趨豐裕；另一方面由於嚴格而公正的法律，使掠獲的戰利品都能公平的分給從事戰爭的每一個人。甚至所得的土地人民，也都成為將士們的恩賞。這樣不僅鼓舞了士氣，而且使最消費的戰爭，在他這一方面卻變成了增加財富的生產手段。這樣使他的對方在經濟上先打了一場嚴重的敗仗。

蒙古的軍隊是騎兵。男女自小就習慣了馬上生活，個人打獵和可汗以及氏族長的畋獵，都是對於作戰的眞好訓練。可以說「軍國民教育」實行的最澈底，每一個人都是騎士，都是射手。

從軍出征是人民的義務，但也是一個男子的權利，是他成功立業的機會。他可以在戰場上建立他自己一生的基礎。

成吉思汗把全國人民分成若干單位（有時稱為「奧魯」），作為軍事後勤的基地，補充兵源和財源。

在每次戰爭之前，他必開始調查戶口，作為總動員的根據。召開宗親勳臣大會，討論全國應興應革的重要事件，研究敵情，確定作戰的方畧。在一切準備都妥善之後，再把握適當的時機開始行動。他是最知道「安內」纔能「攘外」的道理，穩紮穩打，從不做孤注一擲的軍事冒險。

他的親衛軍，或大中軍，都是由各軍中選拔來的優秀份子，或將士們的子弟們組織的。他對於他們時予以軍事和行政、司法的訓練。對於每人都有詳細的認識和考察。然後再把他們派出去充任軍事和行政的長官或幹部。用「調訓」的方法不斷的教育他們。同時也藉着這種方法充分的了解全軍和全國行政的眞相。

杜甫夔州詩

賴愷元

七律詩，於此期之特色，大抵以天嬌倔強者為最勝。往往用奇語寫譎思，而寄之於危勢之上。白帝城最高樓一首，可為代表。五律至此時，特多超曠幽靈之境。超曠由絕塵而得，幽靈以默會而生。西閣諸作，及東屯月夜，最足自出。律句自此時，佳妙應接不暇。摘其特異，疑有五勝：

一曰電攝，謂當前現境，一閃全收，速寫非常橫斷切面者也。例如：「鼓角悲荒塞，星河落曙山」「四更山吐月，殘夜水明樓」

二曰霜雕：謂細心冷察，迹物人微，窮極秋毫，遍生春色者也。例如：「山虛風落石，樓靜月侵門」「飛星過水白，落月動沙虛」

三曰風掠：謂瞥眼塵中，昂頭天外，驚鴻一印，著地欲飛者也。例如：「身世雙蓬鬢，乾坤一草亭」「高齋依藥餌，絕域改春華」

四曰雲停：謂茹納風神，歸於涵泳，即物即我，吞吐太空者也。例如：「塞水光難定，秋山響易哀」「大江秋易盛，空峽夜多聞」

五曰波折：謂惟恐句之甘美滑出句外，拗折以深之，偃蹇以峭之，或兩句冷立，似不相干而實有若干紆曲隱伏於內者也。例如：「春知催柳別，江與放船清」「老去悲秋角，人扶報夕陽」又如十字句之「令節幾吾老，他時見汝心」「病中吾見弟，書到汝為人」本聯自為盤旋頓挫，萬轉千回，亦波折之一式。

右評汪就杜詩從縱的時期上比較，孫是從橫的詩體上檢討，同歸於指出夔州詩之特點。依其指示，眞使我深感好問則裕之樂。天下幾人學杜，而沉思靈昭，眞賞殊稀，如二先生者可謂分功競爽者也。

（下）

中國女性文藝春秋（續）

周遊

一代詞家李清照

一代詞人盡在言下，她的大胆卓識可見。由此可知她文藝的來源，決不是熏染先代的遺傳和影響，而自有她的戛然獨創的一格。

此後十年，明誠屏居鄉里，經濟生活比較枯萎。十年後，又連守青州、萊州兩郡，盡其所有俸給來滿足他們的愛好——考證金石書畫，著「金石錄」三十卷。這是他們夫妻倆最快樂的時光，自以為「樂在聲色狗馬之上」。「金石錄」之成，明誠得清照之力甚多，她在「金石錄後序」裏寫他們的生活道：

……每獲一書，即校刊整集籤題。得書畫彝鼎，摩玩舒卷，指摘疵病，盡夜一燭為率。故能紙札精緻，字畫完整，冠諸收書家。余性偶强記，每飯罷坐歸堂，烹茶指堆積書史，言某事在某書卷第幾頁第幾行，以中否角勝負，為飲茶先後。中郎舉杯大笑，至飲傾覆懷中，反不得飲而起。心甘老是鄉矣。故雖處憂患困窮，而志不屈。……收藏既富，於是几案羅列，枕席枕籍，意會心謀，目往神授，樂在聲色狗馬之上。……

觀她的後序，我們可知他兩夫婦是何等豐裕而有趣的生活！從結婚到此二十年有餘，可算是清照的黃金時代。令今日吾人追想他倆當時的情況，不禁也為之徘徊低首。

造物者常捉弄好人，當她消失了青春的花朵以後，甜蜜的生活逐漸成為過往的回憶。有人說「文藝本是苦悶的象徵」，似乎許多大文學家都掙不脫這個天然的牢籠。所以她的不幸的命運隨之交加其身；但是，這些人生苦酒，對她來說，不但更增加了她辛苦的情緒和纏綿的想思，而且也擴大了她作品的意境，使她的作品更加發光而燦爛。當清照四十六歲的一年，明誠奔母喪赴金陵，「既長物不能盡載，乃先去書之印本重大者，又去畫之多幅者，又去古器之無欵識者，又去書之監本者，畫之平常者，器之重大者，所載尚十五」。收藏之富，可以想見。其年十二月，金兵陷青州，又將他們預備於明年運載南來的十餘屋藏書燒毀了。（燒毀豈不可惜！）使得她只有歎息。從此以後，明媚的故鄉已成為羶腥的異域，時常逗起她的鄉愁。

宋室南渡之後，更使她懷念故都，悒悒現於詞什。南渡以後，明誠曾在江甯做了七月的官就罷免了。在江甯時，雖在兵荒馬亂之世，夫妻二人仍然未忘情於文學。每值大雪，即頂笠披簑，循城遠覽，得句必邀賡和，明誠苦之。

（六十二）

閒話崑劇的盛衰

●田舍○

「人生聚散皆如此，莫論興和廢。富貴似浮雲，世事如兒戲。惟願普天下做夫妻，都似咱共你！」

——崑曲浣紗記泛舟北清江引

台大曲社將於本月青年節演出崑曲一場，因是想起了這冷門藝術，自明嘉靖興起後，直到清中葉，三百年中，無一地方戲曲可與抗衡，皮黃勃興後，崑曲方自舞台敗退下來，百年來，僅賴學人傳唱。一息尚存，亦殊可嘆！近年台灣能有青年學子彩爨登場，予以倡導，也是崑曲之幸事。

崑曲聲腔之美，為二黃所不及，劇本寫作尤其非二黃劇本所能望其項背。明代音樂家、文學家對崑曲之貢獻，足以使崑曲歷久不朽。雖然台大曲社對崑曲提倡有功，也係崑曲本身頗值得人們重視與愛護所致，非僅屬地域性的感情有所偏愛而已。

崑曲的創始者是魏良輔，推廣者却是梁辰魚，他繼承了魏良輔的「新聲」，自翻新調，不但考證元人劇作，舊曲新編，而且創作力極强，所作有三劇，最為膾炙人口：一為南曲本的「浣紗記」，另兩本是北雜劇的「紅線」和「紅綃」。平劇梅派戲的「西施」和「紅線盜盒」並非根據史書及唐人小說而來，而是根據梁作而來。

梁辰魚對戲曲的貢獻，以「浣紗記」為最大，因為沒有「浣紗記」這一劇本的產生，也許崑曲還不會成為明清君臨天下的局面。當時，別的劇本，都可以用弋陽海鹽等地方腔改調唱它，祗有「浣紗記」不能。它的產生，為崑曲的腔格方面立下了規範，它的產生在文學藝術方面却也躋向了工麗這一牛角尖，成為貴族化的唯美的作品，違離元人劇作平易近人的特點更遠。

「浣紗記」敘述的是吳越興亡的故事，如果今天看它全本，祗好找「六十種曲」了，「集成」與「與衆」兩曲譜，選入了其中一部份。「與衆」選入的是「回營」「打圍」，「寄子」三齣。「回營」「打圍」兩齣，是科班出身的平劇演員都會的，因為裏邊不少犟唱的曲子，適合龍套過場用，如「出隊子」用於「木蘭從軍」，「醉太平」用於「大回朝」，「普天樂」用於「五花洞」等是。「回營」「打圍」，是寫越王被困會稽，文種卿君命賄買伯嚭請降事。寄子是寫伍子胥見吳王夫差寵越女西施，苦諫不聽，知道亡國之禍迫在眉睫，於是携子到齊，寄於昔日結義的鮑牧處，父子乃淚灑而別。目下台灣鳴鳳唱片中，有「寄子」一齣，是該公司請廣播明星徐謙與其夫婿蔣民先生錄音灌製的。據說銷路不如理想。

「浣紗記」劇本中，人物甚多，但以范蠡與西施為其中心人物，雖然是勾踐復國的努力，却以范蠡與西施英雄美人之戀為着筆的重點，最後用「泛湖」作為結局，點出該劇的主題，在於以富貴功名視同春夢一場，惟有誠摯的愛，可以歷久而不渝，這種結局處理，頗饒餘味，增加了它的藝術性。

茲將泛湖的北清江引抄錄於后：「人生聚散皆如此，莫論興和廢。富貴似浮雲，世事如兒戲。惟願普天下的夫妻，都是咱共你。」

平劇的「西施」，在台灣已少人問津，祗有梅派的「西施」唱片還可在各電台常常聽到。

海天詩苑

贈潔生

●駱香林●

星期微雨候潔生不至弄筆東隱忽忽天暮潔生深於詩樂於詩更喜為和不知此可為引玉之磚否企予望之

飛雨撲簾攏，朔風縱繁響。一卷就殘鐙，晨光忽開朗，庭柯乍披拂，宿鳥隨下上。斗室帶清流，柴門恰過顙。身與浮雲遙，壽同歲月長。窮鄉足吟嘯，客懷豁泱。潔生素心人，風雨阻來往。故園瓊崖道，猶共同天壤。從軍二十年，廁身一函丈。夷齊或比清，虛文所難強。為詩追韶樂，遙結紫露想。不嫌鳥爪纖，為君搔背癢。草堂逢休沐，可以資撫掌。曲徑補蒼苔，落花牽蛛網。

創業哲學

楚狂人

成功靠耐性

涓滴之水，可穿鐵石。我看過很多朋友，快要成功的時候，因不能堅忍支持最後幾分鐘，而放棄了原來的計劃，這是一件多麼煞風景的事情。

曾國藩的穩紮穩打，歷十五年，卒破太平天國。國父孫中山先生和平奮鬥致力國民革命凡四十年，推翻了一代王朝。均說明了艱巨的任務，並不是完全靠用力量，而是用耐性去達成的。假定我們每天步行三個鐘點，七年內所走的道路就等於地球的圓週。這些未被人注意的問題，我們能夠注意，根據這個原理演繹，善為運用，有甚麼事業創不成功呢？

狂人早年坎坷滬上，對筆耕發生興趣，向申報館投稿，原稿被「璧還」有二十三次的紀錄，最後竟變成為申報特約撰稿人。新聞報亦常刊拙作，且蒙該報總主筆譽為傑出作家，月薪收入達到八十餘元銀幣。後來自己欲創辦一家日報，預算須伍萬元銀幣，（一元銀幣可買雞蛋百枚）被親友們譏笑為「狂人」，可是我的計劃未及兩年全部實現，且辦得有聲有色，雄據西南幾省。其實說穿了又非常簡單，堅忍而已矣。

禪的火花

（二十一）特立獨行的精神

禪師們最動人的個性是特立獨行的精神。他們一心只求最急切之事，而不向任何其他的人、物敷衍和低頭。正如石頭希遷禪師所說：「寧可永刧受沉淪，不從諸聖求解脫。」

這並不是驕傲，而是智慧的流露。因為沒有任何外在的力量能使你解脫，只有眞理才能使你逍遙，也只有你自己才能證入眞理。

有一則有趣的逸事：據說仰山的學生文喜在厨房內做事，常有文殊菩薩現身。文喜曾拿着炒菜的用具，把這個幻影趕走說：「文殊自文殊，文喜自文喜」。

翠巖可眞禪師也這樣的說：「丈夫自有衝天志，莫向如來行處行。」

禪師們公認最難之事就是要做個大丈夫。我們必須先通過許多碎心的折磨，不易克服的艱難，死般的孤寂，惱人的猶疑，和令人不安的引誘，然後才能達到頓悟之門。這也就是禪師們之所以要全力以赴，絕不放鬆一步，喘一口氣的原因了。

○吳經熊著　○吳怡譯

憶說黃紹竑（下）

諸葛文侯

宗仁素長厚，芥蒂不深，白健生溯回往事，耿耿於懷，對黃常示齕，黃知其然也，乃與李濟琛親近，李亦嫉黃氏當年在閩變之役中，曾寒盟立異，虛與委蛇而已。黃於抗戰期間，主持浙江省政歷七八年，戰後投閒置散，自傷淪落，行憲之始，得選立法委員，殊感欲憾也。

行憲伊始，第一屆國民大會開幕，職在選舉總統。初時戡亂孔殷，國府蔣主席表示値茲共匪釀亂，國步艱難之際，急在戡亂，本人願負軍事全責，希望由無黨無派，且在國際間具有聲譽之文人，担任總統職位，對象即為胡適之。黃氏聞之，視為從事政治活動之大好機會，乃與粵省友好暨國大代表等協商，主張擁戴孫哲生競選副總統，而由兩廣之立法委員協力助選黃氏為立法院長，繼續戡亂剿共，議已定矣。詎李宗仁堅持其競選副座之計畫，拒不同意黃氏主張，而白健生一面為宗仁張目助勢，同時在武漢截留中央之糧食與軍械，致電中樞申言三不可戰，對共黨主和，使黃氏之政治美夢歸於幻滅，而桂系三鉅頭之復合狀態，至是又告分裂。嗣後宗仁當選副總統，黃對立法院長即停止競選活動，立院集會時，黃亦鮮所參預，蓋其志固不在一普通立委也。

越民國卅八年初，戡亂局勢逆轉，蔣總統宣告引退，冀以消弭戰禍。此時黃季寬認為大局尚未絕望，復向宗仁獻議，維持孫哲生之行政院長，試與毛共進行和談，因而南京和談代表團第一次乃由黃氏携同談判條件回南京請示。然白健生忽又主戰，旋將華中駐軍撤至湖南，倡言兩廣大聯合以保衛西南河山，黃計又不得逞。斯時也，宗仁恃有白氏所領兵力廿萬人作支柱，方欲暢行其代總統權威，有所作為，固不屑與黃同謀。最後，黃走香港，擬問計於李任潮，詎為桂人「民革」份子呂集義所玩弄，李已先日潛去北方，黃徒然被何香凝詬詐一場，殊為沮喪，乃與賀耀組等進行投共勾當，而其女友譚惕吾聳恿尤力。黃等在港招待記者，詆諆國民黨當政之種種過失，振振有詞。余忿不能平，曾於「香港時報」譔文痛予闢斥，指若輩二十餘年來，始終居國民黨中委職位，在政治上出將入相，煊赫一時，國民黨司政果多缺失，然則如黃氏與賀貴嚴等顯要人物，其能無責乎？謂他人皆可罵國民黨，獨黃等不足以語此。此文今猶剪存未棄也。

黃投共後，誤信毛共所謂與各民主黨派「長期共存，互相監督」之讜言，一心以為鴻鵠將至，而其好友李任潮且官拜偽人民政府副主席之位，乃因舊誼而申請加入「民革」，自信決無問題。不料事出意外，「民革」組織部長朱蘊山首示反對，識其為投機份子，何香凝從而咻然附和，身為「民革」領導人之李任潮，竟默然無所可否，使黃氏尷尬踟躕，枉遭侮慢而已。

黃氏為人沉默而有城府，不若李宗仁之肫懇易與，亦異乎白健生之奮發婞己。久共患難、為世所稱之桂系三鉅頭，晚年竟告暌違，終淪為時代洪流之沉澱，良可悲也。愚曾是黃氏內政部長時期之僚屬，緬懷前塵，如夢如烟，今其墓木拱矣，感念疇昔，為述其一二事蹟如此。（完）

你對時間知道多少？

○汪祖華○

譬如要說明某件事情，在什麼地點，和什麼時間發生？如說某個飛機的爆炸——需用四度，如用緯度、經度、距離地面的高度，和時間，是照以前舊見解，前面三度是定空間地位，而第四度則是用來定時間位置的。我們如能知道某事情，用一位觀察者的時系內所計算的時間和地位，就可以算出在另一位觀察者的時系內的時間和地位。所以我們要知道地位，也一樣要知道時間。因為今而後，不能再問某人所觀察的地位「同」時，在他人觀察的其地位為何，兩觀察者如非相對靜止，就沒有「同」時這回事。所以須用四度來定位置，用這四度纔足以定事情在「時空」裏的位置。

他認為宇宙，乃是「四度向的空時連續體」，這又由數學家閔可夫斯基加以解釋。（二）

國劇脚本　大漢兒女（一名新莽封）

●田士林●

呂　母：只行常禮吧！

葵、文：定要大禮參拜。（拜倒）

呂　母：啊呀！不敢，不敢。請起，請坐。

葵、文：謝坐。（同坐）

鶯　兒：（上）酒宴來了，擺在那兒？

呂　母：擺在此處就是。鶯兒，與妳家姑娘去說，今日不必避嫌，難得熱鬧一日，俱是至親，來一齊坐了。

鶯　兒：是。（呼）姑娘。

呂菁娘：（上）幹什麼？

鶯　兒：老太太說，都是骨肉至親，不必避什麼嫌了，一齊坐下了，熱鬧。

呂菁娘：這使不得吧？（欲行）

鶯　兒：怎麼使不得，表哥也不算外人，怕什麼？見了老虎不怕，見了表哥倒怕，怪事。進去吧！（推菁入）

葵、文：表妹來了。

呂菁娘：兩位表哥萬福。

葵、文：愚兄還禮，請坐。

呂菁娘：先要為母親拜過壽。母親在上，孩兒拜壽。（跪叩頭）

呂　母：生受你了。一傍坐了。

鶯　兒：鶯兒給老太太拜壽（叩頭）。

呂　母：起來，快去把盞。

鶯　兒：是啦，這是我的事。（斟酒）兩位表少爺，請用點虎骨酒，這可是補人的。

（十五）

自由報

第八三九期

中華民國僑務委員會頒發台報新字第三二三號登記證
內政部內警台報字第031號
中華郵政台字第一二八二號執照
登記為第一類新聞紙類
（半週刊每星期三、六出版）
每份港幣壹角・台灣零售價新台幣弍元

社長李運鵬・督印黃行奮

社址：香港九龍登打士街91號十樓六座
91 DUNDAS ST, 9th FLOOR,
FLAT 6 KOWLOON H. K.
電話：857253　電報掛號：7191
承印者：大同印務公司
地址：香港北角和富道九六號
台灣總管理處
中華民國（台灣）台北市大同街119號
電話：555395・557474
台灣分社：台北市羅斯福路110號二樓
電話：五〇三四六
台郵劃撥金戶九二五二

「語」「文」之辨（上）

・杜學知・

此次國語與國文之爭，有的人認為很遺憾；但我覺得眞理愈辯而愈明，一些似是而非的問題，正不妨借機會加以考索，加以明辨，使問題的核心暴露出來，對一般人說也許更有益處些。

（一）「語」「文」二字的異同

國語與國文，所爭僅一字之差；語是語言，文是文章，表面上看，好像河水不犯井水，各不相干；然深入的加以觀察，二者的關係是很密切的：語言是用來表達思想和情感，文章係通過文字來表達思想和情感，二者的功用是相同的，不過在表現的方法上有語言與文字之異罷了。

說到語言和文字的同異，語言是用聲音表達意思的，文字是用形像表達意思的，二者表意的功用雖同，然一訴於耳治，一訴於目治，又終是二者之異。因其同，是故文字之稱名，可由語言之名而名之，如文字亦可稱「言」，國策齊策云：「臣請三言而已矣：曰：海大，魚。」舊詩也有五言七言之別，「言」都是指的文字；語言文字既可通稱，而由文字構成的文章，如論語、國語語錄之類，自不妨以「語」名之了。因其異，語言文字既有耳治目治之不同，及其影響所至，則有毫釐千里之差；口說的語言所以表意，用文字寫成的文章也所以表意，其表意的功用雖同，然自有精粗之別；一個意思，口說比較方便，然不免流於粗糙，因為一句話沒有說明白，不妨重複再說一句；一句話沒有說確當，不妨補充另說一句；如果易為文字來表達，便不容有像說話一樣的囉嗦，一定要能夠把握到其精要。這一「語」「文」之異，早在唐代的韓愈便看到了，他在「送孟東野序」一文中曾說：「人聲之精者為言，文辭之於言，又其精也。」語言雖在一切的人聲中為精粹的，而用文字寫成的文辭，尤為精粹，這是一個不爭的事實。

語言的學習，不管是國語或外國語，雅言或方言，都注重口說耳聞的訓練；至若文史範圍內的課程，自然是指用文字寫成的文辭；因為教育的等第不同，而用文字寫成的文辭也有深淺之別：文辭越淺，其與語言越接近，其經修飾之功也就越少；反之，文辭越深，其與語言越疏遠，其經修飾之功也就越多；然不論文辭之或淺或深，更不論修飾之功或多或少，其為文辭一也。不過，淺一方面的文辭，因與語言比較接近，由於文辭的學習，更附帶的學習了語言，於是在學習上收到了雙重效果；然二者的輕重，絕不是平行的，而是以文辭為主，以語言為副的；因為教育上文辭的學習，由淺入深，有其整個系統，不因淺近的開始學習而無端將文辭的學習中沒入語言之學習；換言之，文辭的學習與語言的學習，也不絕對平行的。譬如一位在北平生長而失學的成年人，現在要受補習教育，他所用的識字課本，假使和現在小學一年級所用的國語課本一樣，淺顯，雖然和語言相接近，你能說他附帶的還要補習語言嗎？況且小學中尚有「說話」的課程，可見語言的學習，獨立於文辭的學習之外。

對於「語」「文」二字的同異，已如上述。訓詁學上對於二字意義上可同可異的情形，有所謂「渾言不分，析言則別」。「語」「文」二字，亦可適用此一條例；試看我國教育上，對於文史範圍內的文辭課程，在整個的系統中，前後的稱名有了歧異，如小學稱國語，中學大學稱國文，同一課程而稱名歧，不能不令人有所疑惑；就「渾言不分」說，「語」「文」二字意義既可相通，則自小學到大學，應一律稱國語，或一律稱國文，絕不可前稱國語，後稱國文；就「析言則別」說，語言與文辭絕不相同，教育上既是文辭的課程，那麼只應當稱國文，絕不可稱國語。現在國語國文之分，繩之渾言析言之例，兩皆無當，故亟應起而為之正名，「名不正則言不順，言不順則事不成。」一名之誤，其影響於教育文化者，至深且大，觀下文可知。

（二）文言文與白話文

「文辭之於言，又其精也。」其所以精粹的原因，主要的是有時間來修飾、推敲、琢磨；而語言須要接連着說出來，所謂「口若懸河，滔滔不絕。」便沒有時間對語句加以修飾，所以語言往往是雜亂的、樸素的；不但語言如此，而思想又何嘗不然！必須使思想或語言轉換為文辭，才能有時間有形迹的加以整理和修飾，所以我們在以文辭表達思想時，總比用語言時來得從容；例如寫稿，每小時最快可寫一千字到兩千字，如果說話，沒有人統計過能說到多少字，但推想起來，最快的說話也要比最慢的寫稿不知超過若干倍呢！由此可以證明語言的粗疏和文辭的精密。

文辭因經過修飾之功，具備了美的要素，故應屬於文學的範疇。凡文學都是以精練的形式，表達精粹的思想或語言；然因文學的種類不同，而所表現的精粹程度，也就有所差異；大致說來，詩是最精粹的文學作品，其次是散文、小說和戲劇；同時便可明白，越是精粹的文學作品，其距離語言的程度也越遠，所以詩與散文，其與語言的距離較遠，小說戲劇，則與語言的距離較近；然不論較遠或較近，嚴格的講，凡文學都不是語言的。

一些談文學的人，硬把文學腰斬為文言白話兩截，繩之上文之所論實屬一大錯誤。而倡「文學革命」之人，更變本加厲，將文言者，目為死文學；白話者，目為活文學；以白話文學革文言文學之命，必欲將文言文學打倒，推翻而甘心！皆緣於不明文辭與語言之關係，誤認白話文學與現代語言相一致，現代語言尚活於人口，故此一文學是活的；文言文學，與古代語言相一致，古代語言早已不存，故此一文學是死的。為此說者，似是而實非；文言文學，我們贊成韓昌黎之說，是歷代精簡修飾成的一種文學形式，並不是記錄的古代語言；歷代的作品，除了尚書所集的文誥，略近當時的語言外，其他如諸子的論辯，左國的述事，有時兼用韻語，可證皆精心力撰之作。

心狠腳辣

團結成空

昨日與明日

日本的外交動態

日本最近和毛共簽訂所謂「日、中貿易合同」，公開承認政經不能分離的原則。又與外蒙簽訂為期三年的貿易協定，表面上說是「私人」的商業行為，不過一種障眼法而已。

日本政府一嚮是以「政經分離」的口實，掩飾其對毛共勾搭的詭謀，而由前首相吉田茂以私人資格，致函中華民國元首，保證「政經分離」政策不變，即所謂「吉田書簡」是也。這原是兒戲行為，不值一哂的，於今吉田茂去世了，日本當局乾脆撕破假面具，宣告「吉田書簡」無效，既要與毛共妥協結交，又準備跟外蒙古政權正式建立外交關係了。

這纔是日本的眞面目，不悉我政府當局作何感想？有何對策呢？

抗議無用

外交上沒有甚末道義可講，只有以實力為後盾的利害關係，對於日本這種輕侮中華民國的行為，決非官文書的抗議可以箝制的。他既無情，我們亦不必言義，首先應該把政府曾經跟日本締結的經濟契約，如台南「曾文水庫」建築合同之類，暫予停止履行。這項交易本來是為着幫日本執政黨的忙——也就是接受該黨元老吉田茂的囑託，纔不惜自甘損失，貿然決定的。

其次是日本正在竭力進行收回琉球運動，琉球人民都是中國後裔，他們早有反對歸還日本的宣言，我們始終緘默無言，已經失策了。此時應該聲明態度，請美國必須尊重當地人民的意見，不能隨便答應日本的無理要求。

還有日本對台灣民間的許多經濟侵畧事項，亦應作全盤的檢討，加以甄別管制，如某些專靠日本的資金和技工、材料而專利的輕重工業，即不讓它繼續享有優惠的特權。至於「中日經濟合作策進會」這類有名無實的機構，更可宣告解散。

投桃報李，我們亦應該給日本人看看顏色！

目前必須採取行動

我們過去為着周鴻慶個人的事件，曾經召回駐日本的大使和重要職員，表示不惜絕交。現在日本政府居然要與毛、蒙偽政權親善勾結，這比周鴻慶事件嚴重多了，政府為甚末毫無動靜呢？

戰後二十年來的對日外交，我們漫不經心，乃有今日的惡果出現。目前既無法從好的方面設想，使對方改變作風，即不妨從壞的方面着手：教對方嘗到得不償失的滋味，或許尚有轉捩惡劣趨勢的希望。總而言之，我們整個的外交策畧，皆須重新檢討，一味的俯仰由人，逆來順受，沒有一點革命精神，決不是復興的氣象！

（何如）

自由談

美國的投機政客

美國民主黨參議員羅拔・甘納第，忽然出面競選下屆總統，要跟現任詹遜總統爭取該黨代表大會的提名候選人，極盡其投機之能事，詹遜指其如市儈行為，有以哉！

美國下屆總統無論是甚末人當選，我們都無所容心，自然用不着左右袒。但聽到甘氏所說的競選理由，却令人肉麻而又噁心，有如上海人說的：「隔夜飯也要嘔出來！」

甘氏說：他之起而競選，是要使美國多多的領導自由世界，而其方法即為避免戰爭，跟共產黨到處妥協，凡是有共禍的地方，就與共黨組織聯合政府。自從二次大戰結束以來，美國對自由世界的領導方法便是這一套，甘氏不過拾人牙慧，炒炒現飯而已。美國這套領導方法，在亞洲已經成績斐然可觀了！先把中國大陸領導給共黨竊據，繼將埃及送入俄共的懷抱中。假使甘氏的政治投機得逞，不用說，越南乃至整個東南亞的自由國家，一定由美國領導，而以聯合政府的方式，拱手送給共黨控制，不成問題。

甘納第既非共產黨，也不是共黨的同路人，他原係官僚、地主、大資本家的豪門子弟，出身該國著名的最高學府——哈佛大學，對於共產主義究竟是何內容，未必毫無認識吧？其所以如此荒誕不經，完全出於投機心理，認為可以詐騙選民，徼幸獲選，因為過去艾森豪威爾亦是以結束韓戰為號召，而當選了總統的。其次的一個觀念，他覺得美國本土決不愁有共禍發生，不妨慷他人之慨，表示自已是前進份子，儘作些譁眾取寵的言論，反正膺受共禍的又不是美國啊！

似此輕佻幼稚的政客，如果眞要讓他入主白宮，多多領導自由世界的話，那就是人類的一大浩刧，連美國亦會被他領導進入墳墓。蕭伯納認為共產主義的成功要訣，是在知識份子能夠染紅自已的旗幟，信不誣也。

馮正先生

立法院政治性質詢
厲行法治三問題

立法院第四十一會期中，立法委員於質詢期間，提出許多有關政治性的質詢。本文所報道的有：地方選舉問題，立委候補人遞補問題，制定人民結社法或政黨法等等。

如何選賢與能

李公權委員以辦喜事為例，希望政府做到選賢與能。他說：此次（即今年元月二十一日）台灣省第七屆縣議員及第六屆鄉鎮市長選舉結果，執政黨提名的當選人，縣市議員佔百分之七十點三，鄉鎮市長佔百分之八十點八。（記者按：依據官方統計資料推算，縣市議員提名及核准競選者為八百八十人，當選者六百三十八，當選率為百分之七二點五。鄉鎮市長提名核准競選者為四百二十二人，當選者二百七十人，當選率百分之六四點二四。）

李委員看了這個結果，想到兩個觀念：一個是辦喜事的觀念。如果一個人家辦喜事，全是弟兄子侄，而沒有鄰店親友參加，你想這個喜事有什麼意義？二是打滿貫的觀念。打麻將牌的滿貫，普通有兩種，一種是清一色，一種是湊一色；清一色難成，湊一色易成。這兩種觀念，對於選舉或政治非常適用，就是辦喜事要有鄰居親友參加的喜事，打滿貫要打湊一色的滿貫。不然不是辦得沒趣，就不易打成。這次台灣省的地方選舉，很合乎這個原則。

立委遞補問題

關於立法委員候補人遞補問題，自四十年五月間停止遞補以來，候補人雖據理力爭，然迄仍未解決。

這次，立法委員李公權於立法院本會期首次會中，特提出口頭質詢，當時由於內政部政次季源溥所答非所問，且有「語病」，因而李委員復又以書面質詢。他在書面中以輕鬆而幽默的口吻說：「或因我的發言不夠清楚，或因季次長未聽清楚，故其答覆都沒有答着我所問的，須再用書面說明，敬請再予答復」。立法委員不滿意政府首長的答復，李公權委員為第二人，第一位是費希平不滿意教育部長閻振興的答復而當場再質詢。

李公權委員說：行政院對於立法委員候補人停止遞補，其所持的理由，主要為：立法委員之任期為年，大法官會議議決之繼續行使職權，並非延長任期。原任期既已屆滿，即已無出缺遞補之可言。殊不知現任立法委員繼續行使職權，即是延長任期；苟無任期，何有職權？況曾稱「革職留任」，是職尚可革，任則非留不可，足見行政院過去所持見解，已大成問題。而國民大會代表，憲法原定之任期，亦已屆滿，亦經大法官會議予以解釋，行政院則進而制定補充條例，予以遞補。此種一則停止遞補，一則繼續遞補，尤見行政院過去所採之措施，顯不公平。

李委員主張遞補，其理由是：國民大會第四次大會增訂憲法之動員戡亂時期臨時條款，授權總統對於選舉產生之中央公職人員，因人口增加，或因故出缺，而能增選補選之地區，均得訂定辦法，增選補選之。此項臨時條款之效力，依法尚須先於憲法本身而適用，中央公職人員（包括立法委員）即可補選。第一屆立法委員任期，絕非沒有延長，過去行政院誤解所持之見解，縱大法官解釋有此原意，亦因上述條款之增訂予以否定。凡屬民主法治國家之正途，任何方面即不得再有異議。

應制訂政黨法

立委莫萱元於對行政院施政報告的質詢中，建議政府制訂人民結社法或政黨法。他指出：依據中華民國憲法第十四條的規定，人民有集會結社之自由。但憲法所規定的結社自由，當然也應依法，不是無限制的結社，不論是獎勵人民結社或取締人民結社，均應有法的依據。在民主政治的國家，為便於人民表達意願，遂行意願，並便於政府瞭解人民的意願，使人民的意願化為政治的主張，原則上不但應容許而且應獎勵人民組黨。但可是中華民國現在尚未制定人民結社法或政黨法，人民要組黨，全無法的依據。國民黨及民青兩黨，也祇是依靠其歷史關係而存在，除憲法第十四條最高原則性的規定外，並無法的依據。

莫委員認為應制訂人民結社法或政黨法，將人民結社的條件和一切程序，詳加規定，使政黨的組織有法的依據，政黨的活動有法的範圍。

‧本報記者張健生‧

台灣省議員縣市長國民黨候選人提名揭曉
蘇清波對頭硬朗　前途仍難望樂觀

台北航訊：中國國民黨中央委員會於三月一日核定台灣省第六屆縣市長暨第四屆省議員候選人名單：縣市長新人方面：桃園縣許新枝，新竹縣朱育英，苗栗縣黃文發，台中縣王子癸，彰化縣陳時英，嘉義縣黃老達，高雄縣林淵源，台東縣黃鏡峯，台中市林丁山，台南市林錫山，高雄市陳武璋，花蓮縣黃福壽等十二人。現任者為：台北縣蘇清波，宜蘭縣陳進東，基隆市蘇德長，雲林縣廖禎祥，南投縣林洋港，台南縣劉博文，屏東縣張豐緒，澎湖縣蔣祖武等八人。新人年齡均為四十歲左右，學歷亦普遍提高。

省議員候選人名單中，二十五人為新人，三十五人係舊任。省議員是以經驗為主，故不強調青年。另有南投、台東、澎湖三縣，開放自由競選，不予提名。

上項提名，原於二月四日由省黨部依據各縣所報初選結果，經彙審建議中央核選決定，當時一般預料，在上月中旬即可核定公布；詎迭經研討審核，並飭縣補具資料，在遲遲未公布之前，引起外間紛紛揣測，其中以台北縣第一省級列名，鄭水枝為第一名，蘇清波為第二名；桃園縣許新枝為第一名，陳長壽為第二名。在表面上看，似屬以年齡較輕為優先，實則蘇清波因炒地皮案，被人列舉違法事實，予以公開檢舉，此對蘇影響雖大，在監察院尚未成立彈劾時，而執政黨對蘇之仍得提名候選。正如一般所料：「少數地區如台北縣，不免有遷就事實跡象，然絕大多數地區，均堅持了遴選青年的原則」。當鄭水枝提名呼聲高張時，黨外人士反蘇之最力者李秋遠，則默無聲息。過前蘇被檢舉案，突告平靜，外傳蘇已扭轉敗局，李忽乘其子任李庭昌勝選蘆洲鄉長後，再買勇宣布將出馬競選縣長；另有李炳盛亦聲言出陣，與蘇一較長短。二李均現任省議員，台北縣選情至此，如無改變，蘇之競選連任，不免陷於苦戰。對黨內鄭水枝，因其黨性尚強，兼負縣級副主委，仍可服務桑梓，徐圖將來。省黨部主委薛人仰，特於二日來縣，對鄭之未獲中央提名，慰勉有加，並要求此次服從組織決定，支持蘇競選連任。據接近蘇方人士表示：「鄭此次獲得實力派李建興、李建和昆仲之全力支持，爭取提名，而不惜對蘇清波加施種種不利之打擊步驟。蘇雖提名候選獲勝，若不從黨內地方加強團結彌縫嫌隙，謀得補救，則將來與黨外人士周旋競選，爭取絕大多數選民之支持當選，則其前途，未必絕對樂觀」。雖然外傳李秋遠已被民社黨推出為下屆省議員候選人，經被執政黨同意，如對台北縣省議員名額六人，僅提名四人，即為便利李秋遠、李炳盛二人而空出名位。如李秋遠對民社黨有較強黨性，固無問題，否則蘇將遭遇惡戰。但李炳盛之銓叙縣長候選資格，據說目前尚為一「謎」，惟李本人表示資格之取得已無問題。

據悉，執政黨此次對省議員提名候選前，對黨外人士之參加，甚為重視。除台北[illegible]」如前述外，再如[illegible]縣省議員名額四人，執政黨僅提三人，婦女保障名額一人，可能是留給黨外黃玉嬌。新竹縣三人，僅提名二人，餘一人可能留給黨外葉炳煌。宜蘭名額二人，僅提名一人，餘一人可能留給黨外郭雨新。高雄縣名額四人，僅提名三人，婦女保障名額一人，可能是留給黨外余陳月英。高雄市名額四人，僅提名三人，餘一人可能留給黨外李源棧。執政黨對以上之安排，如能獲得真實踐調，再如黨內絕無以[illegible]競選之出現，益違省頒第四屆省議員，六屆縣市長選舉應行注意事項規定：「一人不得同時參加省議及縣市長之競選申請候選登記」之限制，當可減除競選之紛擾。再者高雄市長雖經執政黨提名陳武璋，在地方固屬才識聲望兩著，但有上屆競選市長失敗之民社黨籍現任國大代表楊金虎，為七一高齡老人，七年以來，據謂默默佈棋，步步為營，深入到每一角度，抱定「有志者事竟成」之態度，決心參加下屆市長競選，是陳楊兩方，將有一番苦戰，鹿死誰手。目前尚難逆料，另聞有人慫恿，因案受刑期滿之前市長謝掙強，出馬湊成「三雄問鼎」之局，則不過笑談而已，實則謝有自知之明，當不會趕此熱鬧。（碧天）

台北府會交惡內幕
張議長假公濟私腰纏纍纍
高玉樹不假詞色一場狠鬥

又復主動開放民營，更使張議長難堪，覺得毫無「面子」，張乃公開表示：「市議員醞釀中的向高市長提出「不信任」案，假如情緒不變，在三月中旬召開的大會，可能「不信任」案，導致對市府所提一切議案，全部退回，不予審議，如府會發生如此重大裂痕，我將無可奈何！」「張」「高」之關係，固將因此更趨惡化，但所謂「不信任」案，在法的立場上，一係任命市長，一係聘任臨時議員，是否能推翻高之市長職位，顯見頗成問題。如真通過「不信任」案，亦不過玩弄「難堪」而已，到時對高的職位動搖不了，那臨時議會又將如何自處？高胸有成竹，所以對此滿不在乎。

社會已轟傳，這批臨時議員中，固不乏材識較高之士，但在新的市議員之規定資格上，現任之出身，有很多已成問題。市府於七月一日，將畫入之六鄉鎮，歸併建制後，即將正式選舉市議員，高階層之優秀社會人士，在年輕的一輩來說，例如盧啟華一樣的人，或將有三四人以上，出而競選，在老一輩的人例如黃啟瑞，雖然經過法律考驗，但黃之受社會信任愛戴，並未因此而稍減；或謂黃與張祥傳交稱莫逆，但「政治」這個玩意兒，誰都知道是最現實不過的，盧、黃若有意插足議席，將來之議長歸屬，恐非現任之任何人，能與之一爭的了。

（下）

民航公司墮機空難事件
記者搶新聞出了毛病

民航空運公司超級翠華號墜機造成空難事件，交通部已於本月四日正式公佈，係由於駕駛人疏忽所致，現正由台北地檢處依法處理中。惟在交部作此公佈之前，台北各報新聞記者，為了服務社會，會不遺餘力地想盡方法來報導有關這件空難事件的新聞，以滿足讀者的需要，工作的熱忱及認真，是值得欣佩的。不過，不知道是報導文字上，有些報紙過份誇張，抑是發表談話的負責人，事後否認他談話內容，使得有關機關認為有少數新聞記者，報導失實，有意要追究這些少數記者因報導失實的刑事責任。

於是乎這次空難事件，受害的除了從機上墜下來的死傷者外，連那些被認為報導不實的少數新聞記者，也可能受到災殃。

某單位辦案人員曾向台北地檢處檢察官，就報導失實的法律問題，有所請教。問：故意報導不實的新聞，該新聞記者應該犯的什麼罪？

地檢處的檢察官告訴辦案人員說：新聞記者如果明知道是不實的事項，而寫成稿子刊諸報端時，刑法第二百十五條有明文約束。該條條文是這樣的：「從事業務之人，明知為不實之事項，而登載於其業務上所作成之文書，足以生損害於公衆或他人者，處三年以下有期徒刑，拘役或五百元以下之罰金。」

有極少數新聞記者報導墜機失事慘案新聞，所以發生所謂報導失實的原因，是由於報紙刊載民航局局長的談話或交通部長的談話中，都明白地指出墜機失事的原因。後來民航局長及交通部長，都先後否認他們的談話內容中，有過關於墜機原因的透露。有關機關認為既然民航局長或交通部長，都沒有說過飛機失事的原因，而少數報紙上却明明白白地刊載民航局長或交通部長的談話，指出失事的原因所在，似乎應該構成刑法第二百十五條的偽造文書之責。

不過官場中人，說話不算話者，並非沒有。有些公務人[illegible]

通達治體深得民心的漢文帝（上）

清園

一提起漢代歷史，我每每說漢室所以能延祚四百年，以至後來改朝換代之後，人心還是思漢，那是由於漢文帝的德治成績，而鞏固了這一王業的基礎。因此漢文帝一生所表現的，以及他影響所及的，值得我們詳細談談。

漢孝文皇帝，名恒，高祖第二個兒子，是側室薄氏所生。高祖十一年，攻破陳豨軍，平定了代地，（今山西北部）立恒爲代王。呂太后執政八年後死了，諸呂姓的王侯想作亂，以篡取劉氏的天下。幸而太尉周勃、丞相陳平、大將軍灌嬰、朱虛侯劉章等合謀，消滅了諸呂姓的王侯，並商定恭迎代王恒爲皇帝。

代王把朝廷大臣迎立他的事告訴左右，並問問他們的意見。郎中令張武等建議說：「朝廷大臣，都是高帝時的大將，懂得軍事，多奇計詐謀。……現在恐怕是以迎大王爲名，其實未必可靠，願大王假裝有病，設置時不能到京城去，看情勢變化如何再定。」此時只有代王府的中尉宋昌，以爲：「大家這些議論都不對。我們要曉得，秦朝政治敗壞，諸侯豪傑並起，人人自以爲可以得天下者有一萬以上，然而能登天子之位的只有劉姓，其他人都不可能再想做皇帝，此其一。高帝把子弟分封各地爲王，犬牙相制，劉氏宗族如磐石一般鞏固，天下都畏服劉氏的强盛，此其二。漢朝興起之後，剷除了秦朝的苛政，簡約法令，廣施德惠，天下人人自安，很難動搖了，此其三。過去以呂太后的威嚴，立姓呂的三個王（呂姓三王爲呂台、呂產、呂祿），擅權專制，控制南北軍。然而太尉周勃，持節進入北軍，振臂一呼，士卒都左袒擁護劉氏，反抗諸呂，終於消滅了諸呂，這是天意，不是人力能做到的。即使大臣中有異心的，百姓也不會擁護他。並且內有朱虛侯、東牟侯的親族，外有劉氏諸王的强大力量，現在高皇帝的兒子只有大王和淮南王，而大王又比淮南王年長，且賢聖仁孝的名聲，早已傳播於天下，故大臣因天下人之心，而欲迎立大王，大王不要懷疑。」代王又去和母親薄太后商量，而還是猶豫不定，乃找人來卜卦，卜卦得吉兆，於是即派他舅父薄昭，先到長安去見絳侯太尉周勃，周勃詳告他們迎立代王的誠意。薄昭回去告訴代王，謂可深信無疑。代王乃笑着對宋昌說：「果然如你所講。」即派宋昌護駕，隨帶張武等六人到長安去。快到長安時，先令宋昌進城觀變，宋昌走到渭橋，丞相以下都在歡迎。宋昌即回報代王。代王親和宋昌一起趕到渭橋，羣臣皆跪拜，代王即下車答拜。太尉周勃請和代王單獨一談，宋昌說：「所談的若是公事的話，就公開談；如果是私事的話，王者不談私事。」太尉乃跪上天子御璽和印符。代王說：「到長安代王官邸再討論吧！」沒有即刻接受那天子璽符。於是羣臣即跟從到長安代王官邸，並說：「幼子弘等，都不是惠帝親生的兒子，不可以奉祀宗廟（意即不可以接位做皇帝），臣等謹與諸侯王及宗室大臣議定，大王乃是高帝的兒子，應當爲嗣，願大王馬上就天子位。」代王答說：「奉祀高帝宗廟，是重大的事情。我的才德都不足以担當這重任，願請我叔父楚王來爲宜。」羣臣固請，代王三讓。丞相陳平說：「我們私下計議，以大王最爲相宜，願大王聽臣等的決定。」再奉上天子璽符。代王說：「宗室、將相、王侯都以我爲相宜，我不敢再辭。」於是答應就天子位。即日進入未央宮，這就成爲漢代賢明有德的孝文帝。

孝文帝就位之後，先封賞朝廷大臣及各王侯，再賑濟天下鰥寡孤獨窮困的人；又令民八十以上者月賜米、肉、酒，九十以上加賜帛絮。文帝既施惠天下，諸侯四夷，遠近歡洽；然後才論原代王府官員的功勳，封宋昌爲壯武侯。

成吉思汗的戰略與戰術（下）

札奇斯欽

情報是作戰的必要資料。他對於商隊的優遇，和秩序的建立，使商人得以安全行旅。他們爲了經濟上的理由，時常供給重要情報。這樣使蒙古軍大本營，對於敵方的地理、軍事和政治情都瞭若指掌。

善用地形和季節也是成吉思汗用兵的特點之一。例如：征乃蠻是利用春夏之交，馬匹瘦弱的時期，出其不意的進軍，使對方一時不容易整備軍爲。後來蒙古軍遠征俄羅斯，老將速不台更是利用「冬將軍」的嚴寒，北俄冬天河川封凍的時期，發動騎兵作戰。等春季冰溶之時，已經佔領了俄羅斯而南下進入匈牙利。

在戰略上，成吉思汗善於孤立敵人，利用敵方政治和宗教上的矛盾。他對於各宗教的一律平等，豁免寺院教會的夫役賦稅等等，都是贏得民衆好感的地方。尤其是在宗教被壓迫的地方，這種戰略最爲有效。

他知道「攻心爲上」的「心戰」原則，對於降人的待遇和抗拒者的待遇迥然不同。在節節勝利的戰爭中，先聲奪人，使敵方發生恐佈感，在心理上先處於劣勢。

因爲軍隊是騎兵，也就是當時的最快速部隊，不但行動敏速，而且活動的範圍甚廣。在攻佔一個中心點之前，先作面的破壞。然後再集中力量來襲擊這一個據點。

軍隊時常分成若干隊進入敵境，行動連絡極爲準確。時常留下一些部隊監視敵方的城寨，并以機動部隊邀擊敵方的野戰軍。

在沒有佔據重要城市，和沒有攻城的經驗之前，成吉思汗除用前述的戰法外，經常使用壓縮的方法，迫使敵人出降。在佔領了城市，獲得了守城的武器——炮火之後，他的戰法就馬上革新，絕不保守拘泥。他大量使用並改進炮火，使之成爲攻城的武器。在當時這種集中炮火的攻城戰術，恐怕還是最新的戰法。

大包圍戰，和袋形陣地的使用，是蒙古軍的特色。另一面能在一極準確的時間由各方面迅速的集中兵力，襲擊一個據點。假如不能一舉而下，有時佯做潰退，引敵襲擊，進入袋形陣地，然後再反身迎擊，使敵人無法脫逃，一舉就殲。也有時拋過一些難攻的據點，迂迴前進，使敵人雖能堅守他的陣地，但失掉其作戰的意義。

成吉思汗用兵極力節省人力。雖然軍力不多，由於指揮的靈活，在作戰中常用以大吃小的戰法。聲東擊西，努力避免去打硬仗，使士兵的損失儘量減少。

成吉思汗在作戰原則上，必須要徹底的殲滅敵方殘存力量，每佔領一地，除由主力軍追擊敵方之敗軍外，以若干部隊留在後方，從事有系統的肅清工作。安定後就開始調查佔領區的人力物力，把它也編入總動員的範圍之內，從事於新的征服。

士兵在武器方面，輕騎兵每人有兩支弓，兩個箭袋，射程可達二至三百米之間。這些輕騎兵是專門以最快的速度，用弓矢襲擊敵人；在敵人已窮於應付之時，再由穿鎧甲持有長矛、戰斧、環刀、鏈索、鏈錘的重騎兵以千鈞之勢衝殺過去。

軍隊的高度機動性，士兵的堅忍和節約，都使統帥們的事務簡化，而能採取迅速的行動，不爲軍需所累。

在民族主義和近代的國家觀念尚未產生的當時，宗教的不同，對於蒙古的擴張，並不是障礙。在可汗的將士中有信奉各種宗教的人，都能享受他們的「信仰自由」。用人不分畛域，在可汗的軍隊中「各種族一律平等」。因此在他佔領一地之後，就可以從那裏選拔人才，擴大帝國的基礎。常有佔領前的敵人，因被吸入軍中，就變成戰友。因此往往在遠征結束之時，他的軍隊反比戰前更爲強大。這當然是由於他組織的天才，識人的英明，和胸襟寬大了。

他知人善用，調度得法，是他百戰百勝的主因。而上下一心，將士用命，更是使他成功的要素。他執法嚴明，但又極富於人情味，在他的戰史中，沒有處死將士的記載。他能指揮大軍，一如指使他的子弟。這種上下一德，萬衆一心的必勝信念，是當時成吉思汗創立偉業的基礎。也是我們今天紀念這一個歷史人物而應得到的歷史教訓。（完）

國語亟應正名爲國文　爲中華文化復興起點（七）

陳遽子

堆砌詞句，囉嗦不清，平淡無味，毫無思想情趣者，逐處皆是，何以林博士隻字不提？是何用意？倒是在林博士當時所說的另一句話中，得到了答案。林博士說：他自己感到學古文，要比學洋文難得多。看到這句話，才知道林博士精通洋文，不通古文的原因何在，無怪乎要說這種門外漢的話。想到這裏，也就釋然於懷了。隨後林博士又在一篇文章中，大罵甚麼「桐城謬種」，使我們想到：既然自己承認無法學古文，對文言的了解如此幼稚，那有資格罵桐城派古文？桐城派的古文遠者勿論，近人如曾國藩，林琴南皆私淑而優爲之。試問他們又「謬」在那裏？也可以拿出「證據」來嗎？最近林博士對於「國語」「國文」的問題，又發高論：「論言文一致」。一致不一致，且不去管他。

但他對文言的挑剔，其幼稚無知，是很好笑的。他把那些俗套、淺陋的文言文，作爲國文的代表作，來攻擊國文的缺點，硬說這些句子，都出於秀才村學究之手筆。如「沈魚落雁之容，閉月羞花之貌」、「桂華流瓦」、「冰輪」、「紅雨」之類，以爲是「專在辭藻上刻意求工」，毫無意義，只是賣弄而已。其實這些句子，如果用的得當，又何嘗不可用？何嘗是堆砌詞藻？只是林博士不知其妙而已。林文開始便說他贊成「語言爲主」的「語文一致」的主張，認爲這是最精確允當之論，這是非常錯誤的。本國有如此深刻雋永的文學和文字，棄而不學，偏要去學「語」而不學「文」，輕重倒置，罔通文義。博士之見，尚且如此，足徵國文程度之低落，已不止是在校學生了，不禁令人「感慨係之」。舉此以爲我前文論證的實例，就此打住。（完）

五十七年元月於中興大學

中國女性文藝春秋（續）

周遊

一代詞家李清照

在此情景，使香閨中膩友却成了畏友，她却偏有此雅興，她的文詞之所以如此高超，也就並非偶然了。罷官後，本想寓江西，雇舟上駛，已抵池陽，明誠忽又被旨召知湖州。她便留居池陽，明誠從陸路隻身赴任。臨別的那一天，明誠舍舟登岸，「葛衣岸巾，精神如虎，目光爛爛照人，望舟中告別。」清照見此情景，不覺惡心，誰知明誠此去，果爲生離亦即死別。她在岸上對已登舟的明誠問：「如傳聞城中緩急，奈何」？明誠戟手遙應曰：「從衆。必不得已先棄輜重，次衣服，次書冊卷軸，次古器獨所謂宗器者，可自負抱，與身具存亡，勿忘也。」明誠對她這幾句話好似遺囑一般了，遂馳馬而去。後來明誠在途中受暑，到湖州就害病不起。清照聞知，急解舟東下，一日夜行三百里，及至，明誠病已危殆萬分。這是一個蕭瑟的深秋，明誠最後永別了她。嗚呼！「白日正中，歎龐公之機敏；堅城自墮，憐杞婦之悲深。」我們讀了清照的祭文，誰能忍住他涔涔之淚！明誠死時，尚有書二萬餘卷，金石刻二千卷，爲清照送往洪州；這年十二月金兵陷洪州，遂盡委棄。從此，這位大詞家眞的是孤獨了。一生心血盡付東流，悲痛餘生，又屢遭變亂。在建康既沉疴，爲「玉壺」事又幾罹身囹圄。悲憤之餘，她此時已是無家可歸的人，只好往台州依其弟家。適台州又亂，守官逃之夭夭，乃泛海由溫州到越州，復至衢州。其後又避難西上，過嚴子陵釣台，時她已是五十有三的老嫗了。與弟李　卜居金華。風霜憂亂之餘，在她老年的作品裏，可以看得出來，如「武陵春」：「風住塵香花已盡，日晚倦梳頭；物與人非事事休，欲語淚先流。聞說雙溪春尚好，也擬泛輕舟，載不動許多愁。」這不是很深惋的唱出往事的哀吟？清人謝啓昆有詩云：「風鬟尚怯胥江涼，雨泣應含杞婦悲；閒首靜治堂舊事，翻茶校帖最相思。」晚景淒涼，往事又不堪追憶，此後李清照便是這樣的終了她的殘年了呢！不知她是否終老於京華，或是在別處飄零？我們臨風懷想，何處弔她的孤魂呢！

時人的作品，都不在她的眼下，她的大胆批評，並雜諷譏，所遭怨謗自意料中事。李心傳「建炎以來繫年要錄」便根據小說家之言，說她晚年改嫁張汝舟，後來不堪張之虐待而離婚，作有「離婚啓」，因以其事爲定案。據以上歷史看來，她死丈夫之年爲四十九歲，後隨弟以居，生活得很恬靜，半百老嫗，她還有不嫁的必要嗎？齊東野語說李心傳在蜀，去天萬里，輕信記載，謬舛固宜，後謝枋得集亦言「繫年要錄」爲辛棄疾造韓侂冑壽詞那麼宜乎此書慣作虛妄。因爲清照名氣太大，惹人注意，其改嫁之說，遂愈傳愈甚。直至清代俞正燮替她編排事實，作「易安居士事輯」，辨無其事。李慈銘又作「輯復」，她的身世才大白。改嫁原不是醜事，然而她沒有改嫁，硬說她改嫁，豈不是誣蔑麼？（六十三）

從一位新鎮長的慶功宴說到台灣的色情狂

。欣父。

第六屆的鄉鎮長，和縣轄市長，已經在前天走馬上任了。俗語說的好，新官上任有三把火，這一任的鄉鎮長，縣轄市長燒些什麼火，目前還沒法知道，只知道其中有一位新鎮長利用國民學校的大禮堂，設下過八十桌酒宴，招待各界來賓，席間，還曾經有教人「喜出望外」的特別節目，某報記者曾經追記那一勝會說：表演的小姐身披着一襲蟬衣，在瘋狂的音樂伴奏下，「慢條斯理」的，將身上僅有的幾層薄紗，以極其「美妙」的手法，一件件拋下來，當時，全場嘉賓屏氣凝神，鴉雀無聲，許多年齡稍長的先生，並掏出了老花鏡架上，以一睹「究竟：」根據這段描寫，這個節目想來，在加强管理夜總會的今天，夜總會裏怕也看不到這種精彩表演。

這位民選的「新官」，上任第一把火，就是為人燒起了本能的慾火；不用說，第二把火，第三把火繼續燒下去，也是邪火，不會為桑梓點燃正氣之火，照亮是非善惡的。

有人會為台灣觀光事業作宣傳，招徠異國人士，說：「台灣是男人們的天堂」。不容詭辯，是可以深信不疑的：且不必把北投陪浴女郎案來作證，單就這件鄉長酬庸選民慶功宴上的表現來說，就夠使男人覺得飄飄然的了。不過，可惜的是節目的設計人，祇注意到選民的一半，忘了另有一半──還有女性選民，她們面對脫衣女郎的不顧女性尊嚴，公然當衆出醜，大概祇會給她們燒起怒火，下一屆還張神聖的一票，還會投給這位專為男人創造天堂的鎮長嗎？

台灣目前的浪漫風氣，實在可驚，報紙上的商業廣告，公然以性愛滿足與否為宣傳，藉口的廣告不在少數，眞是色胆包天。這且不說，有些電影廣告尤其極盡渲染色情之能事，什麼纏綿，什麼神秘，已是過時的字眼，最新的手法，比如昨天的一則廣告，大肆宣揚該片中充滿誘人的肉體，又把女人的臀、乳、唇、都予以誇大的描寫形容，用的是特號字的標題，眞教人翻開報紙就觸目驚心。還有，難得的是道位廣告設計家的嗅覺，廣告裏强調該片是「女人香處的大搜秘」！目下影片只是視覺聽覺的享受，歐美雖會有人發明過味覺電影，可是沒有行通。台灣至今還沒有入境過味覺的片子，道位廣告設計家却能獨具特殊官能，看試片以後就產生嗅覺的感受，而把它宣傳出來，其具有特殊靈敏的鼻子，怕狗也不如了。可借的是看電影的人，未必能有他同樣的感受，所以他也容易被人目為「片子」的「騙子」。

廣告的字眼，過份賓弄色情以取悅男人，已是司公見慣的誰也不管，電檢處的剪刀雖不留情，可是剪刀剪掉的部分照舊可以上報，報紙讀者却能先睹為快，這是一怪。也沒人管夜總會的節目，有關當局曾規定了一套辦法，裸露肚臍的三點泳裝早已列入禁止之列，男人們的眼福原本已打了折扣，可是那位新鎮長，却能夠善解人意，在這春寒微暖的天氣中，却安排了這種意外的節目來酬庸助選人和與選民同樂，給人「面紅耳熱」一番，眞是妙人，確是解人！

國校禮堂，原有其莊嚴的用途，用於宴會，的鬧酒使性，已是不倫不類，再在禮堂的國父遺像前，大跳脫衣舞，這樣開通的民選的領導地方新人物，眞是有提倡「赤子教育」的熱心，眞教人偏服！其具有超乎尋常人的敢作敢為的勇氣，從此事也可見其一斑。

大漢兒女（一名新莽刦）

國劇脚本

·田士林·

葵、文：那裏買來的這樣好酒。

鶯兒：不是買的，我們姑娘為了給老太太祝壽加菜，上山去捉了一頭老虎回來。

終葵：（一愕）啊！有這等事？

鶯兒：不信，你瞧。（取虎皮披介）

田子文：（一驚）啊呀！（變色跌倒）

鶯兒：瞧！你眞是談虎色變。這份胆子，還配作男人呀！

終葵：啊呀！不會料到表妹如此英雄，可敬可佩。

呂菁娘：說得我倒難為情了，只是僥倖而已，怎麼敢當表哥的誇獎。

終葵：不知怎樣獵得此虎？

呂菁娘：這……。（欲言）

呂母：算了！算了！此事下不為例。人虎相爭，必有一傷，萬一有個疏忽，後悔已遲，這樣的風頭，還是不出也罷！

終葵：表妹英勇過人，姨母不必過慮，如今國家多事，表妹武藝超羣，正是國家的柱石。

呂母：唉！一個女孩兒家，還說什麼國家柱石，有些武藝防身，也就夠了。

終葵：姨父當年威鎮河西，表妹他日得繼父業，立功異域，也是靑史一段佳話，又可告慰姨父在天之靈。

呂母：這個，你的言語，倒也有理，倘若她能繼承父業盡忠報國，老身與她父日後在地下相見也要含笑相賀。只怕女孩兒家，出征打仗，終不相宜。閒言少叙，來……吃酒要緊。

葵、文：今日乃是姨母壽誕，甥兒禮當先來敬酒，祝姨母壽比南山！

呂菁娘：母，親我也一齊敬您，祝您與天齊壽！

呂母：生受了（飲）啊！終葵賢甥，你棄文學武，轉瞬一載，進境如何，抱負如何，可否與老身一講？（十六）

禪的火花

（二十二）老師的任務

由於禪宗特立獨行的精神，因此他們常否認自己得自於老師的傳授。如雪峯義存提到他的老師德山宣鑒時曾說：「我空手到他那裏，也空手而回」。實際上，這也是千眞萬確的，因為沒有一位老師能把任何東西灌輸給學生，老師只是在學生需要時從旁輔導而已。

石頭希遷第一次拜訪他的老師青原行思時，青原問他：「你從那裏來」？石頭回答說：「從曹溪（即六祖慧能）處來」。青原又問：「你帶了什麼而來」？石頭回答說：「我去曹溪之前就沒有缺少什麼」。青原又問：「既然如此，那麼你為什麼又要去曹溪呢」？石頭回答說：「要是我不去曹溪，又怎樣知道我是沒有缺少什麼呢」？

在這裏，我們很清楚的可以看出：雖然老師不能把任何東西灌輸給你，但他却能幫助你看到內心的一切。他的教訓至少可以說是使你開悟的一種媒介。

。吳經熊著

。吳怡譯

生活漫談

黃豆芽的醫療觀

黃豆（俗名大豆），為主要的副食品，含有豐富的營養成份，蛋白質約佔百分之四十，水份一三點三，脂肪一六點二，類一九點六，纖維四點五，灰份六點四。豆衣含維生素B最多，有解毒利尿作用。黃豆為我國著名農產品，全國各地均有出產，東北產量最豐。不只為很好的營養品，還可利用來製造很多副產品，所餘的豆渣，亦為最好的肥料，近日較次的化學醬油，多以豆渣製成。豆渣又名「雪花菜」，見「慈航活人書」，主治一切惡瘡，無名腫毒，無不神效。將豆渣入鍋內炒熱，作餅子貼患處以愈為度，屢試屢驗。用黃豆發出的豆芽，即市面所售的黃豆芽（俗名芽菜），「大豆芽」為家常用的最普通蔬菜，爽口味甜，有清涼滋養之力，亦有很好利尿及解毒功能。大豆芽去肺毒、除痰之功力尤佳，可以作為經濟有效的藥物用。一說還可以散肺癰，治初期肺病。筆者用於臨床，若因肺熱而咳，口臭痰黃而有腥味者，或肝肺同時發熱者，飲大豆芽湯有很好的治療效果。從前廣東有一位名醫，在藥用方面，最喜歡用大豆芽，他命藥商曬乾，以備病者隨時購用。他不只是處方用大豆芽乾，若遇到痰多肺熱的咳病，他必命病者回家用三四斤大豆芽連鬚熬四五小時飲用，最好還吃一些大豆芽，則小便必通利，大便亦暢快。大豆芽固然能利尿解肺毒，且有很多的纖維質，吃下去更幫助清除腸胃的污穢物質，使不致積聚生痰，咳病自然快愈。肺癰每起於肺受熱毒，故屬於「熱性」的肺病，如肺痛、初期肺癰，大豆芽確有治療作用的。

一般鄉村農家，常常用黃豆芽以佐膳。因黃豆芽有很好的「產乳劑」，有小孩吃奶的婦女，更宜多用黃豆（炒過）佐膳，乳汁定必增多。用黃豆芽燉冬菇，黃豆芽燉泥，黃豆芽燉豬排骨都是物美價廉的催乳劑。

筆者先父際春先生，民國二十年會患腎囊腫大症，在各大醫院醫治無效，後入安徽長老會美國民望醫院住院三月，中西大夫們束手無策，祇等死神迎接而已。有郎中時醫張韡隆（以綽號作招牌）謂際春先生的病，祇三個銅元便可完全治愈，即三圓水豆腐渣敷換三天，如果不愈願具結賠償。但因教會院規中藥不能帶入醫院，經副院長謝鴻恩（今之台灣教會聯合會副會長謝鴻範牧師令兄），化驗室主任醫師張建華先生（今服務台灣肺結核中心）向美籍院長康艮弼博士斡旋，姑准試用，竟然三日消腫，儼若常人！院方曾將豆腐渣寄到北平協和醫院化驗，化驗結果，除黃豆原有成份外，其他一無所有。事實經過如此，中醫標榜的「藥無分貴賤，有效是靈丹。」誠是很有道理的。

·馬騰雲·

你對時間知道多少？

·汪祖華·

在牛頓宇宙中，以惰性和引力為基礎。而愛因斯坦排斥萬有引力，乃至以太的假說，而代以「所塲」論，磁石造成磁塲之後，鐵屑則依一定運動，天體運動也是一樣，空時有一定彎曲，於是銀河，太陽，地球循其彎曲處運動而人類稱之為引力而已。他預言「引力」可使光綫屈折，一九一九年五月二十九日日食中，證明其判斷的正確；愛氏謂時間因引力塲而變化的推測，後來也證明了。

舊科學即指相對論以前的物理學，認為空間與時間，是獨立的，時間與空間，是無限的，空間與時間是絕對的，相對論的重要點，就在廢除整個宇宙的時間，和一絕對永存的空間，而以「空──時」的觀念，以代替之，「同時」的意義，也消失了。在此空間的某時，非即在彼空間的同時，過去一般人的信念中之絕對的「此時」，至此僅為相對的「所見的此時」了。

時空是現象界的產物，在現象界一切都是相對性的；因此，並沒有絕對性的空間與時間。牛頓雖然作了這個假定，康德却早已否定時空的絕對性，只以時空為認識事物的先天範疇，故認為時空是相對性的。

愛因斯坦根據費羅收縮的理論，認為兩種速度不同的物體，各有其不同的收縮作用，物體運動，時常向運動方向，依速度大小，而生相當的收縮，兩個物體，互相有相對的運動時，他人所代量的長度，總比自己所量的要短些。所以每一種物體上，所用以測量的尺，其用之於本物體上，是對的，用之於其他不同速度的物體上，總是錯的，因為在運動極快的物體上，要找一個絕對空間，是不可能的事。

至於時間，也無從獲得絕對的標準。物理學家的實驗，告訴我們，凡速度極快的物體，其質量與惰性，也隨之而增大，凡惰性大者，必發生減速度。所以在此物體本身上的一切變化，都比較遲緩。就是當速度增加為大時，就應有時間上相對的收縮現象，也就是時間會變得慢下來。

假如一個人作遠遊的旅客，他的物理學上的變遷，他本身生理機構的變化，因為惰性大的減速度的影響，甚至他的計時的鐘錶，都相伴隨正比例的緩慢下來。假如一位雲遊客，在[illegible]一年回到地球上的時候，地球上可能已過了百年了。愛丁頓在他的「時空與引力」一書上說：「假如一個人乘一架飛機，比地球速度快一六，一○○○哩，那末我們看見這人在飛機上的一切行動，都非常遲鈍，我們只用十分鐘可以吸完一枝香烟，他却要二十分鐘才可完，他的一切完成工作的時間，要比我們增加一倍」。（三）

自由報

第八四〇期

中華民國僑務委員會登記證台僑新字第三二三號登記證
內政部內警台報字第031號
中華郵政台字第一二八二號執照
登記為第一類新聞紙類
（中週刊每星期三、六出版）

每份港幣壹角・台灣零售價新台幣弍元

社長李運鵬・督印黃行簪

社址：香港九龍登打士街91號十樓六座
91 DUNDAS ST. 9th FLOOR,
FLAT 6 KOWLOON H. K.
電話：857253　電報掛號：7191
承印者：大同印務公司
地址：香港北角渣華道九六號
台灣總管理處
中華民國（台灣）台北市大同街119號
電話：555395・557474
台灣分社：台北市西寧南路110號二樓
電話：三〇三四六
台郵撥儲金戶九二五二

「語」「文」之辨（下）

・杜學知・

下逮漢魏的散文，六朝的駢體，以及明清各派的古文，都是歷久錘鍊的藝術作品，欣賞讚歎之不暇，怎好會諡為死文學？至於接近口語的文學，如小說戲劇之類，歷代不是沒有，然不入於文學之正流。而鬧「文學革命」的人，力扶偏房為正室，總不免取法乎下；甚而倡為「我手寫我口」，好像文辭即等於口語；這樣，淺顯則淺顯矣，通俗則通俗矣，奈何言而無文，不但不能期以傳遠，就是當代人也覺不值一顧，於是初期的白話文學，不得不以西洋文學的句法為修飾，這樣，雖不自為纏足之改為大腳，然如鄉下人之穿高跟鞋，更覺不倫不類；所幸繼起的一輩，雖然接受了白話文學的思想，却能平實的加以琢磨修飾，於是白話文學始賦予了生命，漸漸可讀；然求其深湛雋永，耐人尋繹，而終生咀嚼，回味無窮者，終究趕不上文言文學的醇厚，誠如百年花雕，不能不歎服其火候的老到。所以白話文學，為了教育普及的目的，為了學術通俗的理由，是可以權宜提倡的，若言文學的改良，或言革文言文學之命，必欲取文言文學而代之，便不免失之於矯枉過正；而其遺毒之烈，貽害之深，也就自此始。

文言文學，集億萬人之智慧，經數千年之錘鍊，其藝術價值之高，舉世無匹，然後用為一切學術之研究，文化之記載，洋洋大觀，美不勝收，而一旦被打倒，目為舊的死的，一般學子惑於妄言，誤為文言文學是死舊的東西，誰還肯認真的來學習？又凡成就至高的事物，其學習必難，好逸惡勞，人之常情，看到文言文學的難學，便不免先生一種排拒的心理，於是只知學習尚未發展成熟的白話文學，語云：「取法乎上，僅得其中」今取法乎下，無怪學生國文程度的低落了。

我國的文化，源遠流長，內容豐厚，然文化的記載，盡是文言，如置文言於不顧，無異自斬固有文化的命脈，流風所至，將甘願自居於非洲土人之列，以一新興國家的姿態，與世相見，這樣，奮發圖強，數年之後，雖也可以倚身於強國之列，但數典忘祖，自絕於歷史文化的教養，其喪心病狂，誠恐無一具有國格之民族，甘居下流，有如此者。

（三）國文教育與文化復興

由以上所述，我們明白了文辭與語言之不同，更明白了文言文學與白話文學有高下之別；而我國五千年來，文學的創作，學術的發展，以及所有文化的記錄，都以文言為主要的工具；現在更接受了西洋的物質文明和科學民主，其於我國的固有文化，並非水火之不相容；國家民族繼續向前邁進，其於政教設施，輕重緩急之間，自應有其適宜之權衡；譬如教育上文史的學習，所以繼往開來，不但要維持固有文化於不墜，並且要進而發揚光大，然後國家民族始能永立於世，而為全人類貢獻其創造，然則文辭一科，必以文言為主，始能達成其使命，自不待煩言而可喻。

現在學校中文辭一科，小學稱國語，大中學稱國文，已破壞了前後整一的系統；而教材方面，國語科所選皆語體文，國文科始漸次增加文言文的比重，此種「語」「文」分別而又混合編排，揆其用意，第一、想在文辭的學習中加入語言的學習；第二、先學語體文，後學文言文，以期由淺入深，以提高學習上的效果；二者雖不無道理，然因未能正確，遂致遺患無窮。第一，因不明文辭與語言的不同，誤認語言即文辭，自所謂新文學革命以後，多數人都不免有此錯覺；第二，語體文雖與語言接近，然就藝術的觀點看，則不逮文言文遠甚，教育要取法乎上，便不應以低下者，以分散學習上的寶貴時間；如果單為了淺顯易學，則文言文亦自有深淺之不同，不但中學內不必以語體文充數，即如小學一年級的課本，亦儘可用尚存於口語間的格言成語為教材，如以「己所不欲，勿施於人。」「四海之內，皆兄弟也。」來代替「小貓叫，小狗跳。」的教材，記得張曉峯先生即有此主張。小學生為一生記憶力最好的時候，讓他們從小學習一些有用的格言成語，則終生受用不盡，中國舊式的教育，最能利用兒童時代的此一特長，而現代的教育，反倒有意的對此加以忽視，實在是對兒童天才的埋沒。格言成語是文言的，小學一年級既可用來編教材，其他各年級的教材用文言文，由淺入深，自都沒有問題。也許有人會疑惑格言成語之類，不夠淺白，要知我們說的淺白，不一定要說白話，「小貓叫，小狗跳。」「三歲的孩子都會說」，用不着更見之於文辭！既是教育的便應當敎導他們更高的東西，所以只要簡明，就是淺白，像以上所舉的格言成語之類，兒童的智力一定能夠接受，反倒自新教育興起以後，所有文辭的課本，不是為了說話，就是為了認字，把文辭所內蘊的文學藝術價值，歷史文化價值，都給剝奪殆盡了。國家民族，焉得不受其影響！

文辭一科，因有國語與國文之分，會使學生誤文辭即語言；又因有語體文與文言文之分，會使學生誤認文辭即語體文；更由於好逸惡勞，人之常情，遂羣起避難而就易；況且先入為主，小學中以說話代文辭，以語體文代文辭，到了中學，雖有文言文的學習，也不免先具有一種排拒的心理，而至於虛應故事了。還有一點，學生作文，小學中用的是「我手寫我口」，可勿論矣，到了中學大學，雖然白話文言隨意作，然因白話文較容易，還有誰肯作文言文呢？既然作的是白話文，更覺學習文言文沒有用處；於是文言文的學習，其結果，既不能培養學生們的寫作能力，也不能培養學生們的閱讀能力，於是文化遺籍，雖浩如烟海，而人不能讀；歷史雖久，將得不到文化的陶冶；那只有走上前文所說的一條路：作為一個非洲式的新興國家，與世相見，索性改漢字為拼音文字，比較新興國家，借其他國家的文字，也算略勝一籌了。

文辭的傳習，對國家民族的關係太大了，小者關係文學的盛衰，大者關係文化的絕續；半世紀來，「文」「白」之爭，相激相盪，因果所至，弊害立見；為了懲前毖後，其所應當改善者：第一，各級學校的文辭課程，應一律正名國文；第二，國文教材，由淺入深，應一律以文言文為準；第三，學生作文，自綴詞造句，以至謀篇，亦一律以文言文為準。

必如此，方能使中國的文化學術，前後銜接，發揚光大，不致中斷；必如此，方能增進教育上的效果，由於取法乎上，第一，使中衰之文學，得以復興；第二，提高國民之閱讀能力，使直接閱讀固有典籍。

（下轉第二版）

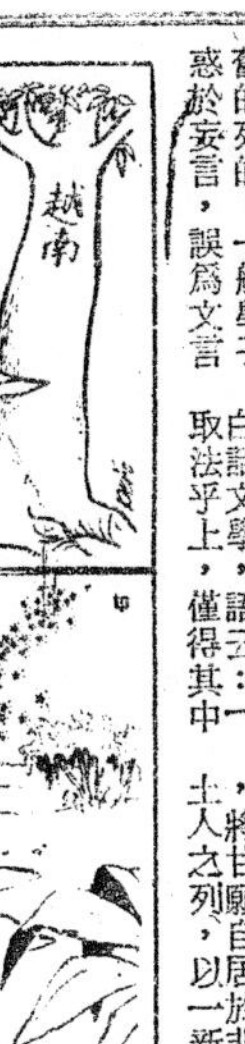

逐一宰割

目有全牛

昨日與明日

越南美軍統帥調職

正在國際間謠傳越共願意和談，但以美軍停止轟炸為先決條件之際，駐越美軍統帥韋斯摩蘭調職了。依據一般的戰爭原理來說，陣前換將是兵家之大忌，但韋將軍之去職，却屬無關宏旨。因為真正指揮駐越美軍的戰略戰術者，不是戰地的最高統帥，乃是華盛頓的白宮當局，而指揮白宮當局的神經系統者，即係幾個號稱為智囊的雞蛋頭政治顧問人物，旨在應付大選關係而已。

所以，在今年十一月以前，越戰既不會升級，也不會降級，而美國對越共求和的運動，照樣暗中進行不懈，毫無疑問。

越戰是否真能和平解決

如果美國接受越共早已提出的唯一條件——美軍退出越南，當然可以言和，否則便如上海人的話語：「談阿弗要談」！充其量打打談談，互為進退，而美國內部對於和戰問題的爭吵依然不歇。

新任駐越南的美軍統帥無論是誰，終歸是吃力不討好的倒楣差使。統帥既沒有以爭取勝戰為目的的指揮權力，只有挨打的份兒，而其主要責任，祇在不讓美軍的生命多所犧牲，萬一受到一次大的損失，國內輿論譁然，又非撤職不可。

這便是美國領導自由世界反共的策略，嗚乎哀哉！

天真的國會議員

美國衆議員布坎南建議白宮，請中華民國政府從台灣派十萬軍隊入越南作戰，說是現時參加越戰的各個友邦，沒法增派軍隊赴越了，祇有台灣國軍可抽調十萬人參戰，亦不致影響本身的防務。這未嘗不是「言之成理」的意見，可是，白宮固然不會採納，而我們亦將用一句廣東話答復曰：「咪搞我！」

現時在台灣的國軍，是以反攻大陸，討伐毛共為首務的，目前中國大陸上遍處騷動混亂，民不聊生，正是國軍弔民伐罪的大好時機，美國却藉口「中美安全互助」協定，不贊成我軍反攻，近日又有主張我軍撤守金門的消息。似此情形，完全違反中國人民爭取自由生存的願望，我們豈能專為別國的利益服務，而在錯誤的地點，對錯誤的敵人，從事錯誤的戰爭乎？

衆議員布坎南先生的高見，與參議員克魯辛建議東南亞各國組織「保安軍」的說法，都不免過於天真。而有臨渴掘井之嫌，很難引起亞洲人的興趣，倒不如要求本國政府當局，從速改變現行對外政策，比較於事有濟也。

（何如）

自由談

所見太晚了

美國會議員克魯辛，最近到越南視察回國後，對東南亞地區的共禍問題，主張由當地各有關國家組織「保安軍」，對付共黨，認為讓當地人民為着自身生存而戰鬥，是合理的。他這項見解，我亦認為很合理，可惜認識太晚，白宮當局即或能夠採納，也不行了。

二次大戰以後，美國對全球各個自由國家，都不惜予以援助，且分別簽訂安全互助條約，因而常常感覺本身在國際上承担的軍事義務太重了。實則美國這種過重的義務，是自己造成的，與條約無涉，何以見得呢？

美國對於受援訂約國家的反共措施，樣樣要以自己主觀的看法和想法為依歸，決不接受友邦的意見，尤其對於軍事問題，更不讓友邦有自由處理之餘地，因而得不償失，越是接受美援越多的國家，對美國的反感就越大，法國便是很好的例證。最近越南副總統阮高祺，號召全民建軍，說越南自身如果沒有足夠的自衛力量，而專靠外力支持，結果縱不作共黨的奴隸，也得作別國的奴隸，這是表示他的內心上對美國的作風頗為不滿。

美國總是懷疑別人一有反共的軍事行動，就會拖着美國下水，所以，除用條約限制外，連槍彈汽油皆由美方管制住，真要作戰時，亦由美國一馬當先，包辦一切，這樣，義務自然過重了。假使效法俄帝，平時訓練受援友邦的軍隊，戰時讓他們為着自己的生存利害而奮鬥，美國祇居幕後，而以物力和技術，充分加以應援，義務就減輕了。

對於越南問題，美國曾經倡立東南亞公約，應該適用的，可是，拉些為東南亞人民所憎惡的歐洲國家來參加把持，終於發生不了絲毫作用，變成廢物了。再要另起爐灶，組織東南亞保安軍，談何容易！美國的作風如果不改變，不但越戰無法獲得勝利，整個亞洲的共禍，亦將愈趨嚴重，若不是引起一場核子大戰，美國即有退出亞洲之可能，殊可慮也。

馬五先生

改進留學政策問題

——從立委質詢看教育措施

·本報記者張健生台北航訊·

立法院第四十一會期第一次會議於二月二十日開議，關於立法委員之質詢與政府首長之答覆，記者將作一系列之報告，使本報讀者得以明瞭當前之施政方針。

首先談教育的問題：行政院長嚴家淦在施政報告中指出：「我們的基本教育文化政策，是發展國民的民族精神、自治精神、國民道德、健全體格、科學及生活智能。所以我們重視教育質量兼顧的發展，也認為教育是達成一切建設的基本力量」。未來一年之教育施政方針，計有十一項之多，其中有「改進留學政策及對留學生之考選與管理」。但對有關「槍手案」之大專聯考應如何改進的問題，行政院未有如何明確之報告，由此可知，今年秋季之大專聯考，極可能維持現狀。

關於這兩個問題，遂甯籍立委費希平提出質詢。他說：「據教育部官員透露，國外留學規程即將修改。今後留學生出國，除了必須服完兵役以外，同時必須在國內服務兩年以上，再按其專長和國家的需要核准出國；在國外留學期滿，並應立即回國服務。這是參照韓國的國外留學辦法修改的」。

費委員認為「這樣修改留學規程，是否有閉門造車之嫌？至於韓國的留學辦法是不是合情合理，也是值得我們考慮的」。因為「我國與韓國的民情不同，文化背景也不一樣」，「如認為有向外人學習的必要，也應取法乎上」。

他主張政府對公費留學生務必予以嚴格的管理與督導，在留學期間，如有成績稍差者，政府應隨時停止其公費補助：學成之後，命其如期回國服務，不可以任何藉口在國外逗留。

但是，自費留學生既未接受政府任何津貼，在法的立場上，他們有自由選擇居所與工作的權利；不過就道義而言，作為一國之國民，理應將所學貢獻給國家與社會。因此對自費留學生，政府祇能採取勸導的方式使其回國服務，不可在法令上作硬性規定，徒自增加他們的反感。當然，最理想而有效的辦法，還是先改善國內的研究環境和就業機會，以及訂立適當的工作報酬。

教育部主張留學生出國，須服完兵役和必須在國內服務兩年以上，再按其專長和國家的需要核准出國。請問，我們把這些青年留在國內兩年，教育部能不能負責為他們介紹工作？即使教育部負責介紹工作，而其所介紹的工作是合乎他們的志趣，以達到學以致用的目的，恐怕也不無問題！假使教育部不能為這些準留學生介紹工作，或其所介紹的工作與他們的志趣不合，於是政府就如此強迫他們留在國內浪費兩年寶貴的時光，並且期望這些留學生因此而發生回國的向心力，豈不是痴人說夢？

費委員以幽默的口吻，奉勸教育部長閻振興虛心聽聽監察委員陶百川的意見：「學問之道，貴乎一氣呵成。所以除軍訓時間以外，無論對公費生或自費生，都不可再加國內服務年資之限制，以免將求學之最佳時間，作不經濟之使用」。

如果大學畢業生就是人才的話，台灣的人才已經取之不盡了！又何患人才外流？如李政道、楊振甯之類人才，假使留在國內，也許成不了人才；須知他們所以成為人才，那是在美國的環境中培養出來的。如果政府把這些有資格出國深造的青年們強迫留在國內，在目前台灣的環境中，他們不但成不了人才，也許將成廢才！費委員很不客氣的說：「這種作法簡直是愚民政策」！

今天留學生羣趨美國的偏頗現象是舉世皆然的。有客觀的主觀的種種原因。費委員列舉「史實」為例說：我國自滿清末季開始派留學生出國留學，迄今將有百年歷史，而歷屆政府祇有鼓勵學生出國留學，從未有予以限制者。今日當朝袞袞諸公，那位不是鍍金之士呢？這不是昔日的留學生，今日作了國家的棟樑嗎？試想，如從北洋政府時代就限制大學畢業生出國留學，現在政府想求諸位之人才，恐怕也不可得了！方今政府正在大力發展科學，爭取學人回國自屬當務之急，若留學規程修改，對爭取學人回國政策的推行，會不會發生不利影響？」

據教育部長閻振興答覆費委員質詢說：「所謂國外留學規程即將修改的傳說，這是不確的。教育部對留學問題在研究如何改進是事實，但是並無即將修改留學規則之事。至於政府培養人才的辦法，是要充實各大學的研究所，使之能夠達到國外大學研究所的水準，如此則不僅國內大學生畢業後有深造之所，甚至可以使外國學生也要來我國留學。這是最理想的辦法，我們也在朝着此一方向去努力」。閻部長承認「大學畢業學生尚不能算是人才」，不過，「政府應考慮改進的是少數自費留學生，利用其在國外的親友，以私人的人情和其他關係，取得獎學金而出國，這是有失政府培植優秀青年人才出國深造之原意，而實應加以改進的地方」。總之，「費委員的看法與教育部的看法，實無多大出入，我們今後當對留學問題，力求有效改進」。

關於費委員等質詢有關大專聯考的問題，容下期通信再為報導。

反共聯盟與討毛救國陣線的結合召開

○李幼吾○

（台北航訊）民社黨立法委員廖競存日前在立法院質詢之召開國是會議，已誌本報。行政院長嚴家淦對此會有答復：「團結所有海內外反共愛國人士，做討毛救國的工作，是政府的當務之急。全國上下對此一問題，已早有清楚之認識，目前正在積極研究商討之中。對討毛救國大業，政府與海內外人士經常在密切接觸中，意見都是一致的；至於方式問題，尚在研究考慮。」

政府對反共建國聯盟會議，原有籌備小組，對於參加此一集會，曾透過執政黨不斷邀集海內外政團及文化新聞界人士，回國觀光座談，就是為召開反共聯盟創造條件，作仔細鋪路工作。該小組對於參加此一聯盟之人士資料，已經蒐集整理到第三個階段，目前尚在繼續整理補充修正之中。去年五中全會前，曾對「反共建國聯盟」與「討毛救國聯合陣線」之結合，予以詳細研討。對此一問題之理論與實踐，曾有一行動綱領之決定，內容頗為積極，行將及時展開。

關於政治戰方面決定：（一）以革命領導中心，為討毛救國聯合陣線發動、部署、指揮，聯絡的樞紐。團結海內外一切反共力量，向大陸政治進軍，並加強對大陸政治號召，鼓勵反毛人士精神加盟，行動歸隊，（二）團結海內外愛國僑胞及各政團，共同參加討毛救國聯合陣線，構成國內外整個反毛力量，支援反共抗暴革命之發展。據悉此一陣線，將廣泛徵集和接納各方面的意見，選擇適當時間和地點，共同會商，訂定討毛救國共同綱領，作為聯合陣線共同努力的觀念，調和行動的規範。外傳此一集會，將於本年國慶日以後召開，各方屬望，亦甚殷切。

加強公務員攷核要點 仍有些不甚完備之處

胡銓良對其中條文力主修改

台北航訊

自從人事行政局實行三卡三攷制度之後，數月以來，全國各公務機關的工作情緒，為之提高，從前少數公務員敷衍塞責的作風，幾乎完全根絕。這是新人事制度創造的優秀成果。如果能再徹底監督執行，必然有更佳的成果。

不過在人事行政局所頒佈的「加強公務員考核要點」的條文中，仍有一些不甚完備之處。一位在司法機關從事人事行政工作多年的人事行政主管胡銓良，對於其中條文，提出三點重要建議，希望能加以修改，使此一人事制度，臻於更加完美。

他的三點建議，是對於「勤惰、工作及品德生活」三項的考核要點中的重要之處，作適當的修改。

第一點建議，是修改勤惰考核第四條條文。

該條條文原文為：「人事機構，應指派人員至各辦公室查勤，如發現離開本機關者，應即查明原因辦理。」

胡銓良認為，究竟如何辦理？條文中似欠明確規定之指示。他建議將條文修改為：「人事機構，應指派人員至各辦公室查勤，如發現離開本機關者，應即查明原因，登記人事查勤薄，每日呈機關首長核閱，如非差假，應予簽辦。」

他第二點建議，是對品德生活攷核第一條條文，加以明確的規定。

該條原文是：「各單位主管，對所屬人員之品德生活，應就平日觀察所得，隨時通知人事機構，登記入品德生活紀錄卡。情節重大者，應呈請機關首長議處。否則單位主管應負監督不週之責。」

胡銓良覺得本條文內在精神，無懈可擊，唯所稱單位主管「隨時通知人事機構」，未註明用文字方式，似欠法律精神和責任意識。行之易生困擾。且本條偏重懲處，忽畧獎勵。文意若加兼顧，則駢臻完美。他建議應將條文修改為：「各單位主管，對所屬人員之品德生活考核，應用考核手冊，就平日觀察所得，依『時、地、事』簡扼記載，每月調集手冊，呈機關首長核閱。人事機構就優劣事件分別登記入品德生活紀錄卡。情節重大者，人事機構應簽請機關首長予以獎懲。單位主管如考核不實，應負監督不週之責。」

胡銓良第三點建議，是對工作考核之第三條條文，加以修正。

原條文對工作考核，應抽查工作紀錄卡，指抽查「百分之五」。詞意含糊。所謂「抽查」，是指每一日、一週或一月？抽查幾次？沒有規定。又所謂「百分之五」，係指機關人數為比率，還是以各單位人數為比率？也沒有說明。前者難期獲致抽查本旨之效果，後者則遠距比率計算制，不合抽查，殊難適從。

審度「抽查」辦法，頗具警惕振作精神之功能。他建議：如施行每週不定期抽查至少兩次，抽查對象以各單位人數五分之一為原則，不但較易適應一般機關人數之比率，且人事人員工作量也無不勝負荷之虞，同時各單位主管對屬員工作之考核記憶也不致淡漠，尤其奉派担任抽查工作的人員，有所遵循。他建議將條文修改如下：

「各機關工作人員，所填工作紀錄卡，是否實在？應由人事機構每週不定期抽查兩次。每次抽查以各單位人數五分之一，送請各單位主管負責考核。如發現經常填報不實或拒絕填寫者，通知人事機構簽報機關首長議處。並將事實登記，作為人事考核資料。」

胡銓良的每一項建議，如需要冊表者，他都附有建議的冊表。諸如「考核手冊」、「品德生活紀錄卡」以及登記人事查勤簿等，都是現行人事制度中所沒有的東西。他的建議，對推行三卡三攷制度，有很大的價值。

本報記者新曦

「語」「文」之辨

自第一版轉來

一方面，既可接受歷史文化之薰陶，以鞏固國家民族之命脈；一方面，亦如西洋文藝之復興，使先民締造之人文科學，發揚光大於世界，以補救當前物質文明氾濫之流弊；第三，學生一律習作文言文，雖不盡專文學之研究，但使文言文通順，則白話文無不運用自如；第四，讀與寫一律以文言文為準，則可免去以語言當文辭，以白話文學當固有文學之全之諸多誤解；並可免去學習上避難就易的偷惰心理。

以上所說，並不是全盤否認現代的白話文學，而是認為自「文學革命」以後，白話文學的領域推廣了，然由於矯「枉」太過於正，以致喧賓奪主，教在教育上必須恢復文言文學的主位，除了專門研究文學的科系外，白話文學只可作為參考的教材；至於應用上，白話文學已擴展到了學術研究方面，自可聽任一般人的自由，或「文」或「語」，皆無不可。

又或有人疑惑為復古，如復古有其必要，則「古」不必盡是要不得的；西洋的文藝復興是復古，難道我們誤入黑暗的深淵，便不思振作以圖恢復嗎？「周雖舊邦，其命維新。」新與舊，今與古，沒有嚴格的界限，只要時勢之所需，都是新的；故此所論，為了文化的絕續，民族的興衰，實已超越了一般古今新舊的觀念；所望世之君子，勿復河漢斯言，則幸甚矣！

（完）

唐徙突厥於塞下（上）

讀史政略

○仲公○

突厥既亡，其部落北附薛延陀，或西奔西域；其降唐尚十萬口。詔羣臣議區處之宜。上（唐太宗）卒用彥博策，處突厥降衆東自幽州，西至靈州，分突厥故所統之地，置順、祐、化、長四州都督府；又分頡利之地為二州，左置定襄都督府，右置雲中都督府，以統其衆。

打敗國防上的敵人，固不容易，但於戰勝之後，處置投降的敵人，尤其是不容易的事情。自古以來，我國對於戰敗民族的處置，通常採用以下幾種方法：

（一）放逐：如堯舜之於三苗，即是採取此策。堯典稱：「分背三苗」，「竄三苗」。呂刑稱：「遏絕苗民」。惟放逐之後，並不一定能夠徹底根絕禍源。三苗既經放逐，其族愈竄愈南，韓非子云：「三苗不服者，衡山在南，岷山在北，左洞庭之陂，右彭蠡之水」，勢力浸强，屢為中國患。淮南子稱：「舜南征三苗，道死蒼梧」，可以想見當時局勢之嚴重。

（二）遷徙：如僖公二十二年，秦晉兩國聯合行動，遷陸渾之戎於伊川，企使濡染華夏文明，漸次向我同化。此法固佳，但遷徙的地區，能否担當得起同化異族的任務，却是問題。陸渾之戎遷徙後，辛地曾有人到伊川去，見伊人有披髮而祭於野者，辛人說：「不及百年，此其戎乎？其禮先亡矣。」這種後果，不能忽視。

（三）羈縻：漢高祖以宗室公主嫁匈奴，開和親羈縻政策的先例，自是以後，歷代帝王，多所採用。東匈奴呼邪降漢稱臣，漢元帝以昭君嫁之，曾使中國與匈奴維持和平局面達百餘年。除了婚姻關係外，中國對匈奴賞賜亦大，哀帝時賜絹達八萬四千匹之多；王莽時匈奴復叛，分為南北兩部，南匈奴即王昭君之後，內向中國，光武利用南北匈奴之爭，頗能收到以夷制夷之效。惟和親政策，亦是權宜之計，並非政略上的極則，歷代政治家們反對者甚多。

（四）封疆建藩：此制創始於周公，武王滅商，並不能把殷人的勢力徹底剷除，因封紂子祿父（即武庚）於殷，同時使管叔、蔡叔、霍叔為三監，在近旁監督武庚，可算是對商朝遺民的一種控制於安撫。不料武王克殷二年，天下未寧而崩，周公奉成王而自居攝政，武庚乘機煽惑，三監轉而聯殷同叛，於時東方整個舊殷王朝的勢力，遂湧而起。周公親自東征，定亂後重定封國，封長子伯禽於淮夷徐戎之區，是名為魯（伯禽原是這一路戰區的指揮官）。封太公子丁公於萊夷之區，是名為齊。封康叔於衛，得殷民七族。封微子啓於宋，存殷宗祀。另又經營洛邑為東都，徙殷頑民居之。錢賓四先生稱周公封建，是一種「武裝移民」，或「武裝墾殖」，事實上周公在殷商佔領區中的各種做法，開啓了後世在國防上許多重要的政署，値得我們注意。

（五）分王故地：班超在西域，常用此法。超以三十人縱橫該土，採「以夷攻夷」之法，以叛者就地發兵以征討，服者為置新王以統率。其時西域諸國最強者有疏勒，超平其亂，另立故王兄為王。次為龜茲，超平其亂，另立漢廷侍子白霸為王。再次為焉耆，超微發八國之兵，平焉耆後，斬其王廣，更立焉耆左侯元孟為王。

班超對西域的征服與佔領，可以稱為歷史上的奇跡。漢封超為定遠侯的詔書上曾說：「超安集于闐以西，踰葱嶺迄縣度，出入二十二年，莫不賓從。改立其王而綏其人，不動中國，不煩戎士，得遠夷之和，同異俗之心，而致天誅，蠲宿恥，以報將士之讎」。這一段頌詞，眞眞是平心之論了。

通達治體深得民心的漢文帝（中）

清園

漢文帝自代王入主長安之後，首先一個大的改革，便是廢除連坐的苛法和肉刑。他說：「法律就是要人民走正路，是拿來禁止暴行，而引導人向善的。現在犯法的已論罰了，而使無罪的父母妻子和兄弟連坐，我很不同意。」所以他要廢除這犯罪相坐的法令。後又因少女緹縈上書救父，而廢除了肉刑。他說：「人有過錯，沒有先教他，而就加刑（這指肉刑黥、劓、斷趾而言），朕甚憐憫他。因為肉刑或折斷肢體，或刻刺肌膚，終身不能恢復，這種肉刑，實在很痛苦，也很不道德，這不是為民父母所應採用的，應該予以廢除！」

漢文帝即位第二年正月，大臣都建議他早日立太子，以重宗廟。可是你猜漢文帝怎麼說，那就有一點出乎我們意外了。他說：「我無才無德，既未報答天恩，也沒有使人民滿意，現在縱然不能博求天下賢聖有德的人，好把皇位讓給他，而就亟亟豫立太子，是更顯得我不公。若說將來宗廟奉祀的事重大，那麼楚王是我的叔父，年齡也大，閱歷也多；吳王是我的堂兄，仁慈有德；淮南王是我同胞兄弟，他們都可以奉祀宗廟；還有諸侯王，宗室昆弟，功臣，多賢及有德義的人；今不選舉，而一定要立自己的兒子，衆人必以為我忘了賢德的人，而自私其子。這並不是為天下着想，我很不贊同。」雖然自大禹以來，天下傳子，視為常軌；他稍後仍從大臣的建議，立了太子。但他能在二千年以前的當時，有此思想，說出這些話來，也確實了不起。

有一天，漢文帝對羣臣說：「古代治天下，朝廷有進善之旌（有進善事者，立於旌下言之。），誹謗之木（政治有缺失，人可書於木上。）所以通治道，而招來諫諍。今法有誹謗妖言之罪，是使衆情不敢盡，而在上者無從聽到過失，那怎能招來遠方的賢良？應該廢除這項法令。」秦時有秘祝官，如有災變，便秘密禱告，移過於羣下。文帝說：「百官的不是，應由我負責。今秘祝官移過於羣下，這是更顯得我的德薄。我不採用這種辦法，趕快取消了。又祠官祝福，都歸於我一人，不為百姓，我很慚愧。以後不准為我祈福。」文帝處處都以吏民為念，不移禍於下，不歸福於己，所以很得人心。（中）

清名臣岑春煊扎記　揮淚痛陳國運難挽（上）

大學尺牘

○劉鴻雁○

余居滬上，續假自冬迄春。丁未正月十九日，奉旨調補四川總督，毋庸來京請訓，知仍出慶袁之意。念巴蜀道遠，此後覲見無日，不於此際設法入都，造膝詳陳種種危迫情形，機會一失，追悔無窮，當以權宜行之，縱獲罪朝廷，亦期不負兩宮眷倚之意。乃於啓程赴任舟次武漢時，電請順道入覲，不俟俞旨，逕乘京漢車北上。抵京之日，即蒙兩宮召見，溫諭有加，並詳詢年來病況，命在京休息，以備續有召對。此行蓋出彼黨意料之外，故無由預為阻格也。自是入對凡四次。太后語及時局日非，不覺淚下，余因奏言：近年親貴弄權，賄賂公行，以致中外效尤，紀綱掃地，皆由慶親王奕劻，貪庸誤國，引用非人，若不力圖刷新政治，重整紀綱，臣恐人心離散之日，雖欲勉強維持，亦將挽回無術矣。太后初聞此言，頗有怒容，云何至人心離散？汝有何證據？可詳細奏明。余對曰，天下事人同此心，心同此理，假如此間有兩御案，一好一壞，太后要好的，還是要壞的？太后言，當然要好的。余對曰：此即是人之心理。臣請問今日中國政治，是好是壞？太后言：因不好纔改良。余曰：改良是眞的還是假的，太后又現怒容曰：改良還有假的？此是何說！余對曰，太后固然眞心改良政治，但以臣觀察，奉行之人，實有欺朦朝廷不能認眞改良之據。請問太后記得在岔道行宮時，蒙垂詢此仇如何能報，臣當時曾奏云：報仇必須人才，培植人才，全在學校。旋蒙簡授張百熙為管學大臣，足見太后求才之切。惟此刻距回鑾已將七載，學校課本尚未審定齊全，其他更不必問。又前奉上諭，命各省均辦警察練新軍，詔旨一下，疆臣無不爭先舉辦。但創行新政，先須籌款，今日加稅，明日加釐，小民苦於搜括，怨聲載道。果眞刷新政治，得財用於公家，百姓出錢，尚可原諒一二；現在不惟不能刷新，反較從前更加腐敗！從前賣官鬻缺，尚是小的，現在內而侍郎，外而督撫，皆可用錢買得，醜聲四播，政以賄成，此臣所以說改良是假的。且太后亦知出洋學生有若干否？太后言：我聽說到東洋學生，已有七八千，西洋尚未詳悉，想必也有幾千。余對曰：以臣所聞，亦是如此。古人以士為四民之首，因士心所尙，民皆從之也。此去不過數年，伊等皆畢業回國，回國後，眼前政治腐敗如此，彼輩必聲言改革，一倡百和，處處與政府為難，斯即人心離散之時。到此地步，臣愚實不敢言矣！

不覺失聲痛哭。太后亦哭，言我久不聞汝言，政事竟敗壞至此！汝問皇上，現在召見臣工，不論大小，即知縣亦常召見，均勗以激發天良，認眞辦事，萬不料全無感動。余對曰：大法方能小廉，慶親王奕劻，貪庸如此，身為元輔，何能更責他人？太后云汝說奕劻貪，有何憑證？余對曰：納賄之事，惟恐不密，一予一受，豈肯以憑據示人？但曾記得臣在兩廣總督兼粵海關任內，查得新簡出使比國大臣周榮曜，係粵海關庫書，侵蝕洋藥項下公款二百餘萬兩，奏參革職拿辦；斯時奕劻方管外務部，周犯係伊所保，非得賄而何？太后言：奕劻太老實，是上人的當，余對：當國之人何等重要，豈可以上人之當自解？此人不去，紀綱何由整飭？太后言：懿親中，多係少不更事，尚有何人，能勝此任，汝可保奏。余對：此乃皇太后皇上特簡之員，臣何敢妄保？此次蒙皇太后皇上垂詢時政，是以披肝瀝胆，不敢一毫隱瞞。惟啓程時，因應奏之事極多，而牽涉奕劻關係重大，不得不入京面陳，故特冒昧前來。今在京數日，尚覺所懷未盡，又須遠赴川省，臣不勝犬馬戀主之情，意欲留在都中為皇太后皇上作一看家惡犬，未知上意如何。太后即云：汝言過重，我母子西巡時，若不得汝照料，恐將餓死，焉有今日？我久已將汝當親人看待，近年汝在外間所辦之事，他人辦不了，故未能叫汝來京，汝當知此意。

余對曰：臣豈不知受恩深重，內外本無分別；惟譬如種樹，臣在外，係修剪枝葉，樹之根本，却在政府，儻根本之土，被人挖鬆，枝葉縱然修好，大風一起，根本推翻，樹倒枝存有何益處？故臣謂根本重要之地，不可不留意也。

中國女性文藝春秋（續）

周遊

一代詞家李清照

李清照改嫁之說從何而起呢？趙明誠到池陽行在的時候，學士張飛卿以（汝舟）玉壺示明誠，相語久之，仍携壺去。其時健康置防秋安撫使擾之際，或疑其饋璧北朝，言者遂列以上聞。有人說趙、張皆當繫獄。那時明誠已死，清照方大病，僅存喘息，聞玉壺事大恐，盡以其家所有，赴越州行在投進，而高宗已奔明州。時中書舍人綦崇禮為趙明誠辨護，事乃大白。易安因與綦有舊親關係，此事得綦所助，因作啓謝之，曰：「素習義方，粗明詩禮。近因疾病，欲至膏肓。牛蟻不分，灰釘已具。豈期末事，乃得上聞。取自神衷，付之廷尉。遂欲投盡家器，曰抵雀捐金……」。「繫年要錄」却說清照改嫁張汝舟，不睦請離，為綦崇禮排解的。後來清照有謝綦信，汝舟加以篡改。還是李慈銘有見解，他懷疑張汝舟之妻亦姓李，或係清照一家，與夫不睦，訟訴離異；或也嫺於文字，作文自述被夫欺凌毆擊之事。她告其夫「妄增舉數」時，亦必牽及閨門乖忤，自求離去。後人因其皆姓李，遂牽扯到李清照頭上了。前人有三大論據，可謂為李清照昭雪：

一、李慈銘指出「繫年要錄」所載張汝舟妻李氏告她的丈夫「妄增舉數」，在紹興二年九月朔。而清照作「金石錄後序」在紹興二年十月，尚自稱「易安室」。豈有三十日之內，忽在趙氏為嫠婦，忽在張氏誣其夫之理？

二、紹興十一年五月十三日，綦崇禮之婿陽夏謝伋寓家台州，自序「四六談塵」，時清照年已六十，仍稱之為「趙令人李」。若崇禮為處理張汝舟婚事，伋是他的親婿，還有不知道的嗎？

三、淳佑元年，（公元一二四一）張端義作「貴耳集」，尚稱「易安居士趙明誠妻」，則清照之終以寡婦無疑。（六十三）

第六個夢劇情的幾點商榷

高瞻

國片起飛，爲近年國內影界的豪語，自「養鴨人家」與「大醉俠」兩片放映後，確實令人耳目爲之一新。去年，「龍門客棧」與「獨臂刀」相繼推出，賣座鼎盛，連一向不看國片的人，也開始轉變態度，對國片另眼相看了。

現在「第六個夢」更獲好評，各方咸認「國片起飛不是夢」。這是導演白景瑞新手法的絕大成功，也是男女主角唐寶雲與柯俊雄演技的傑出表現。不過，筆者認爲本片在劇情發展上，頗有幾點值得商榷之處。

其一本片以「第六個夢」爲名，根本與全片劇情無關。瓊瑤女士原著六個夢，是一部短篇小說集。本片的故事只是其中之一，且列爲第三個夢（原標題是生命的鞭）；今以「第六個夢」爲名，不知此中有何巧妙；也許在宣傳效果上較佳，然卻犯了名實不符的嚴重錯誤。外國片的翻譯片名，因爲受了語文方式歧異的限制，有時爲了片名響亮，爲了吸引影迷，不惜加以歪曲，尚可原諒；在國片，毫無語文上的困擾，更要慎重其事，以求名實相符。尤其當今國片號稱爲起飛，命名乃首要工作，豈可隨意爲之，令人莫名其妙！

其二本片的主題何在，委實耐人尋味。本片描寫一個窮藝術家（其實只是一個甫出校門的藝術系學生），與一個嬌生慣養的富家女，因熱戀而結合的一場悲劇。他們擁有了相互間的愛，以爲兩人長相廝守，從此就走進了多采多姿的幸福王宮；未料現實的麵包，敲碎了愛情的美夢，畫展失敗後，爲了謀生，孟瑋只好委曲自己，爲人畫廣告畫，甚至蹲在街頭的一角，大做其人像速寫的生意。加上同學紛紛出國，光明的遠景已然在望，而自己出頭的日子却遙遙無期，內心極端苦悶與悔恨，只好借酒澆愁。然醺酒之下頓失理性，對愛侶惡言相向，甚至拳打腳踢，而自甘墮落。胡茵茵既無顏回娘家，又不堪忍受一個酒鬼的無理取鬧與辱罵毆打，只好投湖自絕。看完全片，大家心底必浮起一串疑問：本片到底要表現什麼？這一場悲劇的癥結何在？依據筆者個人的了解，本片主題就是要表現「愛情並不是一切」，一個沒有經濟基礎的愛情，儘管美如天邊的彩虹，但畢竟只是一個空中樓閣，經不起風吹雨打。年輕人喜好幻想，認爲愛情就是「絕對」，他們的過早結婚，成爲未來事業成功的絆腳石，這就是悲劇的癥結所在。孟瑋的酗酒，是爲了感傷與內疚，他畫展失敗，自覺對不起那脫離家庭、對他傾心相愛的茵茵，他的惡言辱罵，只爲掩飾他內心重重的創痕；茵茵自絕，不只是爲了孟瑋的毆打與酗酒，而是爲了孟瑋的自暴自棄，爲了愛情與希望的破滅。她既絕於父親，本以爲可以在孟瑋的溫情下，過着幸福的新生活，未料孟瑋不聽她的勸言，反而罵她打她。（上）

禪的火花（二十三）

禪師常引用的詩句

禪師們最喜愛的，是王維的：「行到水窮處，坐看雲起時」。

我在禪的文學裏，常看到這兩行詩句；有一位禪師曾把它換了四個字說：「未能行到水窮處，難解坐看雲起時。」

王之渙有兩句詩，常被引作向上一路，就是：「欲窮千里目，更上一層樓」。

最有趣的是五祖法演曾引用兩句艷詩：「頻呼小玉元無事，祇要檀郎認識聲」。

這裏我們需要略爲解釋一下：「小玉」是新娘的婢女的名字。在古代中國，一個有錢人家的小姐出嫁時，在頭幾天，常需要婢女幫她穿衣打扮。通常，在婚禮之前，新郎和新娘都未曾見過面，但他們一見面，便一見鍾情。這時，她雖然愛上了新郎，但又難以啓口，而且新郎也像她一樣的害羞。因此爲了使新郎知道她的聲音，她便一再的喊婢女。當婢女問她要些什麼時，她又茫茫然的說：「啊！沒有什麼」。

但這與禪又有什麼關係呢？新郎正像「無位眞人」，是不可思議的，你不能喚他，因爲他「無名」。然而儘管如此，你却不能否認已深深的愛上了他，所以即使你喚別人的名字，也表示出你對他的愛心。他是你所有舉動和談話的眞正目的，雖然你的舉動和談話不是直接對準他，但却是幫助你表達了說不盡的情意。

法演的學生圜悟，也寫了一首絕妙艷詩似的偈子：

「金鴨香銷錦繡幃，笙歌叢裏醉扶歸；少年一段風流事，祇許佳人獨自知」。

禪是極度個人化的東西，常被比之於吃飯喝水。圜悟的這首偈子可說是唯一以性愛的方式來談禪了，當然其眞意也是很明顯的。

○吳經熊著　○吳怡譯

莊周的獨處吟

光合

我國古樂中有一操古琴曲名叫「獨處吟」，是春秋時代大哲學家「莊周」所作。此曲經漢末蔡伯喈編入「琴操」列入「河間雜曲」之內。在蔡邕琴操上說：「莊周者齊人也，明篤學術，多所博達，進見方來，卻覩未發」。在太史公司馬遷史記莊子列傳上面說：「莊子者，蒙人也，名周。周嘗爲蒙漆園吏，與梁惠王齊宣王同時。其學無所不窺，然其要本歸於老子之言」。因爲司馬遷是史學專家而且去古未遠，我們只有據史記來定莊子的籍貫爲確實。在劉向的別錄中也說：「宋之蒙人」。蒙縣的位置，據漢書地理志上說：「蒙」漢之梁國領睢陽、蒙等七縣」，在本注又說明睢陽故宋國，微子所封。按漢朝的梁國，在現在河南省商邱縣南邊，蒙縣古代地區正當現在商邱東北地帶。史記上說莊子曾作過蒙之漆園吏，而漆園故城在今曹州宛句縣北十七里。此城古時屬於蒙縣，宛句縣正當現在山東省荷澤縣西南，和古時的蒙縣相近。在莊子秋水篇上有莊子釣於濮水的話。濮水也在河南境，可見彼此參證，莊子爲宋之蒙人是差不多的。

史記上載：「楚威王聞莊周賢，使使厚幣迎之，許以爲相。莊周笑謂楚使者曰，千金重利，卿相尊位也。子獨不見郊祭之犧牛乎？養食之數歲，衣以文繡，以入太廟，當是之時雖欲爲孤豚，豈可得乎！子亟去，無污我。我甯游戲污瀆之中自快，無爲有國者所羈，終身不仕，以快吾志焉」。在莊子秋水篇上說：「莊子釣於濮水，楚王使大夫二人往先焉，曰：『願以竟內累矣』。莊子持竿不顧曰：『吾聞楚有神龜，死已三千歲矣，王巾笥而藏之廟堂之上。此龜者，寧其死爲留骨而貴乎？寧其生而曳尾於塗中乎？』二大夫曰：『寧生而曳尾塗中』。莊子曰：『往矣！吾將曳尾於塗中』」。這兩段記載，都是說楚國使人聘請莊子去爲相，而被莊子拒絕了。

在琴操上又說是齊湣王來聘莊子，其事與司馬遷史記所載極類似。原文說：「湣王遣使齎金百鎰，聘以爲相，周不就。使者曰：『金至寶，相尊官，何辭之爲？』周曰：『君不見夫郊祀之牛，衣之以朱綵，食之以禾粟，非不樂也；及其用時，鼎鑊在前，刀俎列後，當此之時，雖欲還就孤犢，甯可得乎？周所以飢不求食，渴不求飲者，但欲全身遠害耳』！於是重謝。使者不得已而去。復引聲歌曰：『天地之道，近在胸臆。呼噏精神，以養九德。渴不求飲，飢不求食。避世守道，志潔如玉。卿相之位，難可直當。巖巖之石，幽而清涼。枕塊寢處，樂在其央。寒涼固回，可以久長。』」這段歌聲，譜入琴曲，名之爲「莊周獨處吟」。這個曲子現在各家琴譜很難找到。是否已失傳不敢斷定。其中詞句，在文字上推敲，也不如莊子辭句之古奧，而且其中多是道家修煉之術。雖與莊子之宗旨不違背，但文意淺顯，不似莊子本人之作；說不定是後來道家的隱士所作，假借莊周之名的，也未可知。

生活漫談

食薑也有副作用

馬騰雲

江南有一句俗話：上床蘿蔔下床薑。薑能開胃，蘿蔔可以消食，農民家中常有儲備。現在所說的生薑，更爲一般食用所必需，且是四季皆宜的食品。尤其是熱天，薑、蒜、葱之類實不可少。因爲夏天飲水多，生冷涼凍不斷投進胃腸，對胃腸難免有傷害，如在食品中加入薑、蒜之類，有驅寒殺菌的功能，直接間接地對胃腸也有保護作用。因之熱天對葱、蒜、薑等食品萬不可疏忽。尤其是薑，生薑含芳香成份的精油約百分之三左右，而精油中的主要成份則爲薑油、樟腦、胡荽油等。還含有結晶的辛辣成份，生薑酮等，對胃腸粘膜有刺激作用，內服能促進消化，增加分泌，故有促進食慾之效。在藥用上又可鎮嘔，鎮咳，最適用於嘔吐，作悶，胃腸痛等。它還有散寒及發表的功能，可以驅寒疾，通鼻塞，風寒咳逆，生薑是好藥物。藥用的生薑，以老薑爲佳。立冬之日，民間多用老薑剝皮晒乾儲藏。乾薑可用爲驅寒藥。而生薑散寒邪，乃溫中的補養劑。江南人早晨飲茶，喜歡嚼薑，吃小籠包，更離不開薑絲。生薑可以治水腫，外用有消腫止痛之功。生薑又可興奮神經，製濟衆水，萬金油之類藥都有「生薑酮」，食後能使人精神暢快。它對體內粘膜有刺激作用。如因排泄機能呆滯而引起的四肢強急，胸腹不舒，生薑可促進排泄機能，使從汗液及膀胱通暢水氣，則病狀可完全消失。

薑汁可治疝氣，就是小腸氣。有這種病的人，遇受涼、生氣、忍飢及勞神。勞力過度，皆能引起疝氣之發作。某名醫有此患，但又懼動手術，乃以一偏方治療，果斷根，玆誌之，以供有此患讀者們參考：用鮮生薑汁一茶杯，置瓷碗中，攜入浴室大池洗澡，待全身汗出，將腎囊浸入薑汁內，腎囊畧感刺痛，旋即收縮，十幾分鐘後，腫大之腎囊已縮小爲常人矣，黃汗會從毛孔流出，嚴重之疝氣不復再發。中醫之神奇，非一般所能想像！他們說：廣東有三寶：「陳皮、老薑、禾稈草。」因廣東近東江一帶鄉村，對老薑最重視，他們遇到感冒、發熱或身體不舒適，則用數兩生薑，打碎熬水冲涼，乘熱把薑水洗浸全身，薑水刺激皮膚，致大汗淋漓，各病乃隨汗而消散。如遇風寒咳嗽，痰喘不能入睡，用幾塊生薑拍碎，加入一些豆豉，放入鑊內猛火炒之，炒至生薑焦黃色，入清水兩三碗，煎成一碗，乘熱飲之，則寒氣也隨汗而解，痰喘均除。到過東江鄉村的人，都知道他們這個生薑的神仙方。請注意，讀者們如仿效這個方法治病，先要分清「寒熱」來由，如屬「寒涼」的病，才可煎生薑水內服，假如是感暑發熱的「熱症」，請勿以身試藥。

生薑雖然是一寶，但百利中究有一弊：薑是陰曆四月間下種，八九月間收成，在收成期間不宜多食，否則至春必患眼疾及引起他病。論語說：「每食不撤薑。」這是孔夫子對藥物性能研究不夠。「食薑久，患眼疾」，歷史上一代名醫李時珍也道之甚詳。

國劇腳本

大漢兒女（一名新莽刦）

田士林

終　葵：姨母容稟：

（唱西皮原板）論儒術講六藝才[illegible]文武，
文禮樂武射御兼習書數；
當代儒專講求廟堂鐘鼓，
甥兒我豈肯作小人之儒。
初習文後練武稍有進步，
十年中必定要擊破匈奴。

呂　母：（白）此話足見高明。讀書豈能不求甚解，自叔孫通以來，儒生只知高談朝儀禮樂與五行讖緯之學，把儒生的本分倒忘記了。賢甥志向可嘉。子文賢甥，你呢？

田子文：甥兒雖然終日抱持經卷，也不願學那孫叔通，公孫弘，張禹，孔光之輩，只圖功利，逢迎權佞呵！

（唱）今日的讀書人迷失方向，
說孔孟道詩書口口先王；
盡學那叔孫通逢迎爲上，
有幾個見一義雖死何妨。
盜虛名欺世人無過王莽，
獻符瑞頌功德鄉愿滿堂；
看起來大漢朝氣節淪喪，
有一日挺身出重整紀綱！

呂　母：（白）漢武以來，通經之士拜相，智勇之才封侯，已成慣例。兩位賢甥志向不凡，節操與見地，尤其出衆，國家前途，實利賴之。來來來，老身滿斟一杯，祝你們好自爲之。

（十七）

自由報

第一四八一期

中華民國僑務委員會登記證台僑字第三二三號
內政部登記證內版台報字第031號
中華郵政台字第一二八二號執照
登記爲第一類新聞紙類
（中華民國每星期三、六出版）
每份港幣壹角．台灣零售價新台幣貳元

社長李運鵬．督印黃行奮

社址：香港九龍登打士街91號十樓六座
91 DUNDAS ST, 9th FLOOR,
FLAT 6 KOWLOON H. K.
電話：857253　電報掛號：7191
承印者：大同印務公司
地址：香港北角渣華道九六號
台灣總管理處
中華民國（台灣）台北市大同街119號
電話：557395、557474
台灣分社：台北市西寧南路110號二樓
電話：五〇三四六
台灣郵政劃撥帳戶九二五二

大陸青年何處去
——青年節念大陸青年

·祁倫·

海闊天空應是知識青年自由翱翔的地方。在此學術、科技激進的世界上，更是不崇拜偶像、不畏懼權威的有志青年創建新世紀的時代。

前一輩青年，業已爲這一代青年掙脫了宗教的枷鎖；他們又爲我們奠定了世界文化交流、學術交流、技術交流、以及思想自由的堅強基礎，使今日的文明，一年的努力，超過以往十年的成就！即使是有的青年不能在他們自己國度找到機會，他們也能出國去闖天下。因此，廿幾歲的學人、專家、科學家，便成爲這個世界的特色——這在人類史上是空前未有的，我把它稱爲時代青年們的「時代權利」。

可是，大陸青年的這種敢於打倒偶像、敢於反對權威、敢於創新、敢於運用「人權」及「自由」去闖天下的「時代權利」，却被毛匪澤東剝奪得乾乾淨淨了，却被匪僞政權那頂「國家義務」的大帽子壓得死死的了。

毛匪澤東，被鑄建爲大陸青年的偶像；「毛澤東思想」，更被當作大陸青年的無上權威！在毛匪的所謂「國家義務」的大壓力下，大陸青年必須犧牲個人的自由意志乃至生命，而各別地被牽引着受到集體愚弄。

當原本落後的印度、尼泊爾、以及新興國家如日本、韓國、等環繞中國大陸的國家，由於政治開明、技術革新、生産增加而呈現一片自由繁榮景像時，共匪却爲了反美、反俄、反日、反印而又爲了食糧不足，竟不得不誘迫大陸青年爲其「世界革命」的「國家目標」，走向匪僞黨政軍、國防科學、勞動生産線這三條暴力鬥爭的崎嶇山道。

中國人的智慧，並不遜於任何國家的青年，歷史上太多的事例便是證據。但是，共匪竊據大陸後的大陸青年，這十八年的成就，竟是白紙一張。但這並非大陸青年的智商低落，而是毛匪澤東屠殺政策和「勞改」、「大流放」等高壓手段，扼殺大陸青年的出路。毛匪四面樹敵，使環繞中國大陸的國家和港澳地區，都不敢容納大陸青年的逃亡；毛共反美、反俄、反日、反印、反英、反法，又促成這些國家不敢接納大陸青年的留學。毛匪如此阻塞了大陸青年的出路，並將過錯算在這些國家的頭上以激起大陸青年仇外心理，又以廢棄入學考試改爲選拔制度愚弄青年心智，終於導致大陸青年與世界、與時代、與學術、與科技成爲隔絕狀態，如此又怎能望其獲取國際令譽的成就？

讀者或謂：「何以共匪既核爆於先，又發展洲際飛彈於後，並且，共匪還在許多科技項目中有很大進展呢？」

我以下述事實作爲這個問題的答案——

共匪國防科學（即其自稱的「尖端科學」）爲其「國家建設」的最優先項目；國防科學的核子武器系統（包括彈頭、投射器，導引、以及工業）之科學技術，在今日已成爲分開的、隨處可見的、人皆共知的「時代知識」。印尼、緬甸、北韓、外蒙古連汽車都不會做，但是他們却能造核武器呢！印度說他如經決定，一年半可使核武器服役，日本說他只要十個月，中華民國只要十八但月，以色列只八個月，……你說共匪核爆什麼的有啥希奇？再說，主持共匪尖端科學的及實際負責者，絕大多數是中華民國遺留在大陸或大陸赤化後由國外返回的中年和老年人，下面是這些人的姓名：

僞中國數學會負責人華羅庚、蘇步青。

僞中國物理學會負責人周培源、錢三強。

僞中國化學會負責人 楊石先 黃子卿。

僞中國地質學會負責人李四光、朱效成。

僞中國氣象學會負責人趙九章、張乃召。

僞中國地球物理學會負責人顧功叔、翁文波。

僞中國天文學會負責人張鈺哲、程茂蘭。

僞中國地理學會負責人竺可楨、黃秉維。

僞中國自動化學會負責人錢學森、武汝揚。

僞中國金屬學會負責人唐仁、劉彬。

僞中國機械工程學會負責人江道涵、石志仁。

僞中國電子學會負責人王子綱、劉寅。

僞中國造船學會負責人張文治，楊俊生。

僞中國計量技術與儀器製造學會負責人鞠抗捷、孫友漁。

僞中國力學會負責人錢學森、周培源。

僞中國航空學會負責人沈元、郭永懷。

僞中國土木工程學會負責人茅以昇、江菊潛。

僞中國化工學會負責人侯德榜、張珍。

僞中國電機工程學會負責人程明升、周建南。

僞中國科學技術情報學會負責人武衡、黃瑞采。

僞中國腐蝕與防護學會負責人秦力生、張文奇。

僞中國製冷工程學會負責人高修、韓得安。

……。

以上所舉共匪科學負責人，其平均年齡是五十八歲；此外，各崗位實際技術作業領導人，也少有青年參加；至於各有關實驗室及試驗場的科技人員，也多是我政府遺留大陸知識青年（如今均已中年）。其中，只有極少數「又紅又專」又有「智慧」的「高智」青年，才在共匪所謂「接班人」政策下，躋身共匪的國防科學領域！

然則，讀者諸君怎能將共匪核爆等科技成就算在共匪竊據大陸所培值的大陸青年身上？

讀者可能又要問：「爲何共匪不大量的培植『高智』青年呢？」

共匪並非不想大量培植所謂「革命接班人」，只是，肯讀書、能讀書的高智青年，却苦於沒有書讀、沒時間讀書！因爲共匪在民國四十一年，就將商務、中華等書局印行的學術書籍燒掉了百分之九十三，而成爲絕版，又因舉世爲敵，使外國書刊不能自由進口，使大陸青年不能自由留學外國，而僅依靠從美、俄、英、法等國得到的少數科技書刊及由情報竊取的部份科技資料，却又不敢大量翻印發交大陸青年研究；此外，那些高智青年又多出身「五類」，思想不紅，怎敢培植？如此這般，共匪培植高智青年也因力不從心而感茫然了。雖說毛匪澤東最近還要求紅衛兵返回學校「鬧革命」，及要求匪幹「大力培値革命接班人」，結果却只能將五十萬紅小鬼編入匪軍去「接班」當砲灰，將更多的青少年趕到「勞動生產線」去做牛馬了。

共匪這兩種措施，也是基於他所謂「國家目標」需要而誘迫青年竭盡「國家義務」的政策使然。因爲共匪所謂「國家目標」是仇俄、反美，煽動世界戰爭及輸出「人民戰爭」思想，俾從蘇俄手裏奪取國際共產領導權，從美國手中奪取自由世界影響能力！目前緊迫目標是將美、俄、英、法對亞洲的左右能力趕走。今年二月廿六日在匈京召開的世界共黨會議議題之一，便有以俄共爲首孤立中共及制裁中共的項目。（下轉第二版）

昨日與明日

反古之論的怪調

什麼叫文化復興運動？爲什麼有文化復興運動？因爲我中華民族歷代祖先智慧結晶所創留的文化，在我國人心中近乎失落了，因爲、中華文化的失落造成了我們國勢的衰敗落伍。爲了挽回我們的失落，所以要「復」，爲了振奮國人，努力圖强，所以要「興」。文化復興，無論怎麼說，總不離「承先啓後」「繼往開來」。可怪的，在今日文化復興運動聲中，尚有一派人大唱反古之論，他們故意曲解說：「有些人以爲復興，便是一切恢復原狀。這是錯誤的。若果如此，復興便等於復古，又可必多此一「個名詞呢」？其實，他們不知道，復興的「復」字就含有「承先」「繼往」的意思在內。古有古代，古事，古制、古法，古學，古道。古代不可復，是人人皆知的。古事可資借鑒，古制古法可以因革損益，國父的五權憲法即據中國古代考試、監察二權加上歐美的行政、立法、司法三權而來。古學可傳，張橫渠「爲往聖繼絕學」。古道可風，國父主張「繼承道統」「恢復固有道德」。古代聖哲的嘉言懿行，尤值取法，國父主張「養天地正氣，法古今完人」。并不是「一提古字，百無一是」。也沒有一個蠢人說「復古」是「一切恢復原狀」。只是要如國父所說：「恢復我們一切國粹之後，還要去學歐美之所長，然後才可以和他們并駕齊驅」。（民族主義）

不薄今人厚古人

近來有人把西方的文藝復興運動Renaisence一詞，和我們文化復興運動相印證。英文Renaisence一字，含有「再生」與「新生」之義，其「再生」之體，便是對希臘古典學術的再研究；其「新生」便是努力創新以結成近代文化的新生命。我們民初「新潮」派的人，雖也高唱文藝復興，却要鄙斥孔孟經典，以今爲新，以古爲舊，以今非古，以新非舊，這以失去「再生」之體了。沒有生長的體，那能新生？所以，今日談文化復興，再不可蹈民初反古的「新潮」派舊轍。不要以爲所有研究古代諸子百家的學人，都是頑固守舊之士。因爲，所有研究古學的人士，并不反對開新，孔子即主張「日新又新」。我們今天談文化復興運動，必須有「前有千載，以身承之；後有千載，以身垂之」的大氣魄，大定見，大卓識。否則，以今非古，是古非今，均必成爲一曲之士的偏見；知今而不知古謂之聾瞽，知古而不知今謂之陸沉」。不薄今人厚古人，方是爲學正道。于斌總主教說：「如果我們發現我們中國文化，既不眞，又不善，也不美，來個改弦更張，也顯得我們這代人眞有氣魄。如果我們老祖宗的智慧所創留的文化，既眞且美善而聖，好在我們却棄之如精粕，那是我們的無知」。我們當代學者中，張其昀先生已提倡「承東西道統，合中外精華」。張鐵君先生提倡「統諸子百家於大道，并行不悖；冶科學民主於一爐，殊途同歸」。王雲五先生提倡「忠於中國的過去，也忠於中國的未來」。中華文化復興運動之開展，正是蔣總統所言：「千秋事業久彌著，萬古精神又日新」的偉大運動，每一個中國知識份子，應本「承先啓後繼往開來」精神，參預此一偉大莊嚴的歷史偉業，爲天地立心，爲生民立命，爲往聖繼絕學，爲萬世開太平」。

翟青

自由談

美國的反共眞象

二次大戰後，美國以自由世界盟主自任，鼓勵各個自由國家努力反共，到處給予美援，又簽訂安全互助協定，大有「姜太公在此，百無禁忌」的神氣。

可是美國對於發生共禍的地區，却不許當地政府和民衆採取實力反共的行動，原因是害怕美國捲入漩渦，甚至共黨直接打到美軍身上，亦以逆來順受的態度應付之，所持理由，不說是顧忌俄共介入，就說是要避免激起毛共參戰。

美國這種反共的作風，很像以驅邪降魔爲職業的巫師一樣，每在疾病人家，黑夜穿着紅衣，大吹法螺，手畫符籙，口唸咒語，表示法力無邊，鬼怪不敢邇邇的氣概。等到個人步行歸去，在途中偶見一種黑影，便以爲魔鬼當前，嚇得魂不附體，棄却法衣法器而狂奔，粵語所謂「鈴鈴都丟埋」了！

然則美國爲甚末又以許多的美援贊助自由國家，敎導別國反共呢？這其間自有道理。凡屬接受美援的國家，一切軍用品須仰給於美國，固不待言，即工商業的材料器具，以及民生日用品，亦須由美國折價供應，而美國商人在受援國家乃享有貿易上的優惠權利。這樣，表面上的軍經援助代價，無形之中卽如數收回，而美國每年過剩的農産品，以及過時無用的軍用品，更不愁沒有出路了，名利雙收，善莫大焉。

如此的反共作風，美國本土卽永保安全繁榮，萬無一失。假使反共國家採取軍事反共戰爭手段，卽令美國不被拖下水，然美國的商業利益亦將受到損害，萬一弄假成眞，迫使美國無從置身事外，豈不損失更大乎？唯有口頭高唱反共的調調兒，實際相持不下，既不戰，亦不和，這纔是美國的利益所在，十拿九穩，算盤極精。

明乎此，對於華府白宮的援外政策，一目了然，用不着多所推敲揣測了。這是我的看法，信不信由你！

馮五先生

電視語文座談聽後感

△孟莊

一、引言

　二月二十二日，電視節目的時事座談，談的是：小學國語科應否正名爲國文科？被邀請的人士，正面的，是沙、曾二教授；反面的，是張校長、洪社長。每一位先生，均被請發言二次。

　聽後，我認爲：各是其所是，各非其所非，亦各言其所見而已！這一件事情，說大不大，從民國十二年起，小學改稱國語，迄今不亦已四十五年了嗎？改不改，有什麼大不了的關係？但，說小亦不小，因爲它「名不正，則言不順。」同時，似亦關涉到立國的大本。基此，不揣淺陋，亦述吾之所見吾之所感焉。

二、語文應採雙軌制

　中國人，應該說中國話，且應統一於國語，甚至於逐漸淘汰方言；我相信：這是中國人，人同此心，心同此理之理。恐怕沒有人反對吧？不單應說，且應大力推行。台灣光復，已二十三年，然而，我所居住的小城，國語在街上不通行，而且高級中學的學生，仍然使用方言，而不說國語。這能說不是怪現象嗎？

　在收音機中，廣播節目，十之七八是方言；因此，我的收音機便少開放了！在國外進步國家如美、英、德、法、日本，甚至新興國家的越南，都有華語廣播節目，筆者從前旅居海外時，收音機幾乎是可以經常開放的。可是回國以後，我這一個祇會說國語的人，感到了異常的陌生，好像到了另一個外國一樣。因此，我常常撰文，敦促省政當局大力推行國語。

　推行國語之道，我認爲：國語應與一個中國人的一生一貫，從學說話之日起，到其死亡止，都是學國語，說國語的階段；並不只是國民小學六年學國語，過此以後，便不學國語了！

　至於國文一辭，我同意沙教授等的意見，小學國語科，似應正名爲國文科。但是，要澄清幾個觀念：

　一、小學國語科改名國文科，並不是廢除國語。反之，而是二者的同受重視。辦法是：以國語的發音誦讀國文，以國語的說話解釋國文。上四十分鐘的國文，等於二十分鐘的國語，二十分鐘的國文。似此語文並重，始能改今天的怪現象：上課說國語，下課說方言，到家庭、到社會更說方言。在正面說，始能收語文一致之效。語文一致後，政令之推行，經濟之建設，社會之進步，始能事半而功倍，立竿而見影！

　二、國文科包括了語體文（白話文）與文言文。千萬不可誤認國文科只是文言文。須知：語體文與文言文，亦只是今人的區分。其實，文章，無所謂語體與文言；反之，而是應該我手寫我口，怎樣說便怎樣寫的。然而，中國是一個有悠久歷史的國家，文字的記載，如斷自唐虞，也有四千多年了。書經上的堯典與舜典，在當時，都是口語的記載，年深日久，語音演變了，早年的文字，便成了古文，便成了文言文。今天，爲了文化遺產的繼承，是應該讀文言文的；但爲了日用的方便，便應該寫語體文。此二者亦是應該並行的。夏葛冬裘，各有用途，大可不必有所抑揚。小學的國文科，自應以語體文爲主；淺顯的文言文爲輔：到中學時，應該平分秋色；到大學時，便應該以文言文爲主，而選讀經典了！

　三、在學校內，學的與敎的，都應該是國文，不應該再說它是國語了。因爲國語在學說話以後便已學了！正式入學以後，便應該學國文了。孔子說：「不學詩，無以言」。詩，是詩教，也是文學。又說：「言之不文，行之不遠」。因爲文重修辭，所以，言說應文章化，應文學化；而筆之於紙上的，自應更文章化，文學化了！

　「文以氣爲主，氣之清濁有體，不可力强而致」（曹丕論文）。但辭可以修，理可以學，而文非一體，文本同而末異，因而論文云：「奏議宜雅，書論宜理，銘誄尚實，詩賦欲麗」。此一雅理實麗，均有待於學養，以充實之；亦有待於多讀勤作，以磨練之。因此，文須學。復以今人之學科日繁，古人十年寒窗，可以通經善文；今人則非更長久之時間不可矣！此所以須於小學即授國文之故也！

　四、學貴愼始，道德之培養，文化之熏染，亦應自小學始。莊子說：「道之眞以治身，其緒餘以治國家」。（讓王）荀子亦說：「君子之學也，以美其身」；「小人之學也，入乎耳，出乎口，口耳之間，則四寸耳，曷足以美七尺之軀哉？」（勸學）宋邵康節亦說：「君子之學，以潤身爲本。」這一些，均應取之於古籍，自非讀文言文，無以登堂入室，窺其「宗廟之美，百官之富」。因此，荀子說：「不聞先王之遺言，不知學問之大也」。亦因此，小學教科書，應正名爲國文，此就文化、道德、而立言。

三、道並行而不相悖

　國語，是一個基礎，是人人應學，應說的；地無分南化，人無分男女，凡屬中國人，均應如此學，如此說。國文，是其上層建築，沒有好的國語，便沒有好的國文，因爲文，是語言寫在紙上的。在少年與青年的學習時代，自應認眞學習。這一個雙軌制，國語通人生的一百年，國文通人生的十二年，就現行學制，包括中小學而言；或人生的九十四年，此就文人、作家而言。是不矛盾，亦不衝突的。

　中庸上說：「萬物並育而不相害，道並行而不相悖」。這兩句話，拿來贈給語文論戰的先生們，或能合適。主張小學教科書，正名爲國文的，並不是要取消國語，或輕視國語；主張不改名，而維護國語一名辭的，也不是偏愛國語，更不是反對國文——反對含有文字、文章、文學、文化的國文。只是各有所是而已。

四、結語

　總之，筆者認爲：對於事物的看法，問題的解決，應該無我而客觀，如鏡之照物，漢來漢現，胡來胡現，各還其本來面目。因此，始敢提出拙見：語文應採雙軌制，道並行而不相悖！是否又是偏見，仍待邦人君子，海內外賢達人士之共同商榷！

大專聯考應如何改進

——從立委質詢看教育措施

．本報記者張健生台北航訊．

　自從去年發生槍手案後，世人對大專聯考制度均加以抨擊，甚而有主張廢除聯考制度者。但在事實上，儘管聯考制度有缺點，然而由於目前台灣的環境，大專聯考制度是不能廢止的。

　關於這問題，立法委員們的意見和看法，是值得重視的。費希平委員以質詢方式來檢討聯考制度並提出建議，他說：「大專聯考加分辦法是不是違背國父遺教？是不是違背憲法？是不是違背公平原則？」例如，「邊疆、華僑及外交官的子女投考大專學校的加分辦法，深深破壞了考試制度的公平原則；屢爲社會輿論所批評，但政府還是我行我素，似有無動於衷」。

　費委員以問答方式來質詢教育部長閻振興：「有一天，高三的學生來問我：『爸爸，甚麼叫做平等？』於是我就根據他們學校所講的三民主義課本加以解釋，我說：『假平等就是平頭的平等，即不分聖、賢、才、智、平、庸、愚、劣一律平等，不把平等的地位放在立足點上，而把位置高的壓下去，成爲平頭的平等。』接着他又問：『目前政府所實行的大專聯考加分辦法，是不是在製造假平等呢？這種假平等是不是國父所反對呢？我們政府官員天天喊實行三民主義，高三的學生規定講授三民主義，大專聯考又必須考三民主義，然而我們政府所實施的教育政策，卻與三民主義背道而馳，那末，我們讀它究竟有什麼意義？』這一問，問得我張口結舌，無辭以對。我還是請教育部長替我解釋一番吧！」

　如果「翻開我們的憲法第一百五十九條條文是這樣寫著：國民受教育之機會，一律平等。請問教育部長，大專聯考的加分辦法，是不是很顯然的違背了這條條文？一個政府的施政，如果完全漠視憲法，這個政府究竟是一個什麼樣的政府呢」？

　加分辦法不合公平原則。費委員認爲：「中國傳統的考試制度是注重公平與合理的原則，關於這一點，國父在遺教中曾大爲推崇與贊揚。我們翻開中國歷史，在歷代的考試制度中，也找不出現在所實施的加分辦法。那些達官顯貴的子女，以及在戰場上立過功勳的戰士，和平民一樣參加考試，並沒有任何特殊的優待辦法」。「這種極爲優良的傳統考試制度」，「在施政中無意給破壞了，這對目前政府正在大力推行的復興中國文化運動，是一個極大的諷刺」！

　費委員並指出：「高三課程，最後一年才講授三民主義，而每週授課時數不過二節，所以三民主義在高中課程中所佔的分量，微不足道。可是，大專聯考規定三民主義與國文、英文、數學佔同樣分數。顯而易見，這是極不合理的現象。至於各學校所採用的三民主義課本，頗不一致：課本既不統一，學生的答案如何能夠一樣？所以，評分難免有欠公允之處」。而「考試而趨於以測驗題爲主的今天，何獨三民主義一科，要抱殘守缺故步自封呢？況考生年年增加，假使三民主義的考試，再不向測驗方向發展，今後閱卷工作，將益爲困難」。「像這樣舉手投足之勞，就可以改進的地方，爲什麼不加以改善呢」？

　大專聯考之閱卷與計分，他認爲「人在百忙中，難免發生錯誤」。因此，費委員建議：「如無技術之困難，爲補救無法避免發生之錯誤，不妨在試卷評分後，影印考卷副本一份，發寄考生，以資參考」。至於影印費用，可由家長負担。

　教育部長閻振興於答覆時說：「政府對邊疆學生及僑生回國升學優待辦法，行之有年。過去是基於事實上之考慮，才定此辦法。此項辦法頒行後，各方面反應不一，有很多人所持的看法便與費委員相同。因此，教育部會開會多次，謀求改進」。但「因各方面意見未能統一，故未變更」。至「費委員提及大專聯考加分辦法，是不是違背公平原則問題，此在表面上看來，似乎不太符合；可是就事實上講，我們基於國策上之需要，對邊疆學生及僑生之優待，是有此考慮的」。

　立委周樹聲對大專聯考違反學生志願及學生因病不能參加考試的問題提出質詢，他說：大專學校每年招生，聯考辦法，久爲人所詬病，其害最大者，爲違反學生志願，關係其一生前途。其次是每年應考生數萬人，患病率如僅百分之一，即有數百人失其考試機會，患病率如在百分之二、三，即有一兩千人失去考試機會，其犧牲是何等重大！如由各校分別招考，此弊當然可免。而主張聯考者亦知此弊，但以公正無私，革除流弊爲其重要的理由。今槍手案擴大至此（按：槍手案正由台北地檢處偵查中，涉嫌被傳訊者達一百五十人左右），則聯考之重要理由已不存在。

　不過，聯考制度，對大專[illegible]有利，可免除辦理考試之煩，與請託之事故一經開會討論，必然多數去[illegible]

　教育[illegible]答覆周委員說：「大專聯考並不是一個很好的制度，但在目前還在目前[illegible]最好的辦法予以代替，所以只好勉強維持下去」。聯考辦法違反學生志願一節，閻部長認爲這個問題解決不在大專學校招生，而在各大專學校容量不夠，不能配合學生選讀科系之需要。如台大醫學院每年只收學生七十名，但每年報考者就有幾千人，由於名額有限，不能使每個考生均依其願進台大醫學院，因此，只能以成績最高者作爲錄取之標準。至其他科系，亦復如此」。

大陸青年何處去

——青年節念大陸青年

（自第一版轉來）

　共匪又因爲發展核武器、支援北越、以及乾旱天災使糧食不足而必須大量勞動力，投入農業第一的生產線上，所以目前共匪的青年政策是誘迫青年下[illegible]上山。

　除匪僞黨政軍、國防科學、勞動生產三條路外，大陸青年顯然地找不到其他可走的路了。

　這種被漠視，被壓制、被愚弄的痛苦，大陸青年能夠繼續熬忍多久呢？他們將往何處去呢？

　生活在自由天地正快樂翱翔的中華青年們，在此時此地眞是太幸運了，太幸福了！

　想像得到的，大陸青年在時代潮流中正在思變，毛匪沒有阻止大陸青年思變的力量，而我們在道義和同胞感情上却有支援大陸兄弟姊妹開創坦途的神聖責任！（完）

來函照登

一、查本院受理美軍下士畢茲．傑克遜一案，依法送達判決正本於事無附譯文之事，並有外文通譯傳達語言；恐係以此附會誤傳，曾一度見諸報端，業經本院函請更正。

二、頃閱　貴報五十七年三月十三日第一版「昨日與明日」欄有「爲法院進一言」之短評一則，想係由此誤傳而來。特此函請　查照，惠予披露，以正視聽。

臺灣臺北地方法院書記室

清名臣岑春煊扎記 揮淚痛陳國運難挽（中）

○劉鴻雁○

太后云，汝所言極是，好在外邊現已安靖，我亦望你在京辦事，明日即可下旨，汝先下去。

次日遂有補授郵傳部尚書之命。余既奉旨，尙未謝恩，先請見太后，面劾本部侍郎朱寶奎，以市井駔儈，工於鑽營，得辦滬寧鐵路，遂勾結外人，吞沒鉅欵，因納賂樞府，得任今職，若該員在部，臣實羞與爲伍。太后曰：「朱某既然不肖，可即予罷斥，但據何罪狀以降諭旨？」余對曰：「可言係臣面參。」太后首肯，始謝恩退下。是日特旨褫寶奎職。都人士羣相響告，詫爲異事。先是朝廷新設黑龍江巡撫一缺，簡任段芝貴署理；芝貴者乃北洋材官，袁世凱所親信也，爲納貲捐道員，執照未塡，即賄囑慶邸保署此缺，輿論譁然。言官交章彈劾。皆不能動，余以外議密奏，遂奉旨罷去。又御史趙啓霖，劾貝子載振獲譴，直聲震都下，爲慶袁所切齒，疑余陰主其事，日夜謀中傷，行百五十萬金於大公主，使伺間數爲太后言，曰岑某所陳時政，意在力圖富强，其策未嘗不善，然實非一朝一夕所能辦到。即如現在每日奏事，必有兩點餘鐘，太后春秋已高，何能受此辛勞？不如仍令在外坐鎮，以固國防，俾奕劻等從容整理政務，太后庶稍安逸，而國事亦可望治，是兩全之道也。太后既頻聞此言，內心實有倦勤之意，由是銳氣盡消，專以敷衍爲事；甚且僅求目前之安，期於及身無變而已，不遑慮遠圖矣。此爲清存亡第一關鍵。余茲早經流涕陳詞，力請防禍未然，及時修政，顧阻於賊臣當路，運移道消，曾幾何時，熸爲以盡。余爲此言，誠知一姓興亡，已爲今日所不屑道，然國體雖更，而邪正是非之分，存於人心者，不能或泯也。彼爲蠹於清室，亦何嘗效忠於民國。觀夫光宣之際，人才進退，治亂由來，其亦當世得失之林矣乎！

余在郵部，僅及兩旬，方草創之初，章則未定，事務紛繁，乃首發治事程期，每接見僚屬，皆以職務相勉，一改前政畫諾坐嘯之習；又本部成立以來，官制猶未釐定，余參酌新舊，奏請頒佈章程，定稿未上，會廣東急奏請兵，而慶袁之計行矣。先是欽州土豪劉思裕，聚衆刦掠，本粵中常事。袁世凱聞之，亟電粵督周馥，令張大其詞。太后鑒於桂匪前時擾亂，深以南服爲憂，謀帥於樞近，遂請以余再督兩廣，並促迅赴新任。余知前日所陳計劃，已盡敗於若輩，朝廷無復振作之意，江河日下，時事可知，斷非一己所能挽救，目覩衰危，憂煎情勢，不得已乃疏陳歷年病狀，懇予開缺調理，奉旨慰勉，僅蒙賞假十日，仍促令前往。余雖乞退未能，亦知一出國門，朝天無日，乃於假期十日，屢上封事，凡內政外交邊防禮制，並保薦當世人才，皆知無不言，惟恐有所未盡，蓋及此猶可進言之時爲最後納忠之計，不忍有一毫自匿，以負我君父，人徒見封奏之勤，而不知字字皆血淚所成，其心苦矣。爾後雖時亦采納其言，如設禮學館，擢用新進，注意蒙藏等事，悉發端於此，然皆枝節爲之，而本源未能稍有更張，固徒然也。

余以丁未五月二日出都，取道秦皇島泛海南下，從北洋調用新軍將領田中玉，率弁兵等五百餘人隨往，爲粵省改良軍政之模範。抵滬之明日，聞瞿相鴻禨得罪，知朝局大變，慶已盡去其偪，益無忌憚，余以邊帥孤立不去何爲，歸隱之志遂決。乃先乞假一月，留滬就醫，遣散幕僚，命田中玉率所部北返，而假館滬東虹口居焉。是年夏，以舊患痔疾時發，有薦鄂醫某長於治痔者，延之來滬，試其術，頗感痛苦，盛夏汗喘，殆不能支，臥床月餘，僅而獲愈，仍未根除，七月中病體稍蘇，念朝廷數賞假而未允開缺，終不得去。君臣之義，苟可崎嶇以謀補救，萬一者，雖知其難，亦必竭吾力以赴之；於是復謀南行。時世凱在北洋，見余底缺未開，主知猶固，亦恐一日赴鎮，據兩廣財賦之地，終不利於彼也，一日謀所以陷余之計，朝平生最惡康梁師弟，乃陰使人求余小照與康梁所攝，合印一幀，若共立相語然者，所立地則上海時報館前也。既成，密呈於孝欽，指爲暗通黨人，圖亂之證。深宮不審其詐，既見攝影，儼然，信之不疑，驚愕至於淚下，亟謀所以處置者。某樞臣固請如瞿相之例，孝欽遲迴久之曰，岑某有庚子舊勞，毋令難堪，遂僅以久病未痊，准其開缺調理，俾微臣得保始終。誠聖恩已。嗚呼！袁逆既以陰謀盜國，爲幻譎張，玩樞邸如童騃，勦異己猶草芥，逞其毒螫，孰敢攖之？余以一介孤危，早陳大計，値孝欽倦勤之際，當羣小競利之時，醉夢方酣，忠言莫省，以此獲罪，誠所甘心，然自是逆勢已成，無從挽救，辛亥事起，清祚遂終。使崇陵地下有知，得不追念前言，貽噬臍之悔乎！

讀史政略

唐徙突厥於塞下（下）

○仲公○

以上五種政署，各有利弊，惟運用之妙，悉在乎人。其中以放逐遷徙兩種作法，歷代討論最烈，施行最多。自漢魏以來，羌胡鮮卑降者，各置之塞內諸郡，其後數因忿恨，殺害長吏，漸爲民患。至晉，漢胡衝突，日見嚴重，先有郭欽上疏，次有江統立論，皆勸武帝驅逐諸胡於塞外，以絕亂堦，武帝不從。後二十餘年，而有五胡亂華之禍，伊洛之間，盡爲氈裘之域，這是歷史上很大的一個教訓。

唐太宗對突厥降民的處置問題，曾與大臣詳細討論過，有人主張「徙之河南兗豫之間，散居州縣，教之耕織，可化胡虜爲農民」。有人主張：「皆置之河北，分立酋長，領其部落」。有人主張「各即本部署爲君長，不相臣屬」。有人主張：「假之王侯之號，妻以宗室之女，分其土地，析其部落。」魏徵則主張：「宜縱之使還故土，不可留之中國。」溫彥博則主張：「徙於兗豫之間，則乖違物性，非所以存養之也。請準漢建武故事，置降匈奴於塞下，全其部落，順其土俗，以實空虛之地，使爲中國扞蔽，策之善者也」。這一段政署性的辯論，雖各有見地，但始終沒有超出歷史上既有的經驗。

太宗終於採用了溫彥博的政署，徙突厥降民於塞下，指派突厥投降領袖突利，爲順州都督，思摩爲化州都督，統率其部落。其餘酋長至京者，皆拜將軍中郎將，布列朝廷，五品以上百餘人，殆與朝士相平，因而入居長安者近萬家。這是貞觀四年的事情，問題到此，似乎告一個段落了。

但是到了貞觀十三年，突厥頡利可汗之弟結社率，居京無賴，陰結故部落，得四十餘人，謀因晉王治四鼓出宮，開門辟仗，馳入宮門，直指御帳，可有大功。甲申，推突利之子賀邏鶻，夜伏於宮外。會大風，晉王未出。結社率恐曉，遂犯行宮，踰四重幕，弓矢亂發，衛士死者數十人；折衝孫武開等帥衆奮擊，久之，乃退，馳入御廐，盜馬二十餘匹，北走，渡渭，欲奔其部落，追獲，斬之。」投賀邏鶻於嶺表。

結社率事件，震驚了大唐君臣，因而重新考慮到突厥的遺留問題。多認爲突厥留河南不便（衛青擊匈奴所收河南之地），終於決定立化州都督李思摩爲可汗，賜之鼓纛。突厥及胡在諸州安置者，並令渡河，還其舊部，俾世作屏藩，長保邊塞。於是李摩思帥所部建牙於河北。（大磧之南）太宗對侍臣說：「中國根幹也，四夷枝葉也，割根幹以奉枝葉，木安得滋榮，朕不用魏徵言，以致狼狽。」因爲太宗當年徙突厥於塞下，是用溫彥博的政署，魏徵則激烈主張「遣還故土」，不可留在中國太宗沒有採納這個意見。經過一段痛苦的教訓以後，才幡然改圖。但是「遣還故土」的作法，仍然是歷史的故智。

「遣還故土」固是一個路子，是不是唯一的路子呢？其後太宗滅高昌，改爲州縣，魏徵諫「宜撫其百姓，存其社稷，復立其子，則德威被於遐荒，四夷皆悅服矣。今若利其土地，以爲州縣，則常須千餘人鎮守，數年一易，往來死者什有六四，供辦衣資，違離親戚，十年之後，隴右虛耗矣，陛下終不得高昌撮粟尺帛以佐中國。所謂散有用以事無用，臣未見其可。」褚遂良亦勸太宗更擇高昌子弟可立者，使君其國。太宗不從，以其地爲西州，庭州，各置縣屬，留兵鎮之。及西突厥入寇西域，唐軍疲於奔命，太宗復悔曰：「魏徵褚遂良勸我復立高昌，吾不用其言，今方自咎耳。」遣還故土的政署，於此又得到一次較正確的明證。

但是所謂「遣還故土」者，主要的是「撫其百姓，存其社稷，復立其子」，這是一個有計劃的積極作爲；並不是遣還之後，聽其自生自滅，不聞不問。王船山頗爲贊成遣還的政署：「其族衰，其地無主，則必更有他族乘虛而潛滋暗長於灌莽之中」，因而主張存其社稷：「已衰者存之不足爲憂，存已衰者則方興者不能乘無主以擅其地，則前患息而後患可弭，盛衰之形，我得而知。」這一番見地，也是從歷史的經驗中得來的。

大抵處置被征服的異族，沒有一個絕對可行可久的政署，胥視謀國者對當時的情況而定。最好的方法是在軍事征服之後，接着用文化來同化，使其變成我民族的一份子；但其文化如無優越的同化力，有時雖是軍事上的征服者，很可能變爲文化上的被征服者，如鮮卑、女眞、滿州諸族皆是。故同化非可期效於一朝一夕舉手投足之間，謀國者如無百年以上的眼光，殊不足以語於此。（完）

通達治體深得民心的漢文帝（下）

清園

我們再看漢文帝的氣度。有一天他對郎署令馮唐說：「我做代王時每次吃飯，不忘從前趙國將軍李齊之賢。」馮唐答說：「李齊還不如廉頗、李牧。」（也是趙國名將）文帝說：「可惜我現在沒有廉頗、李牧！」馮唐說：「陛下雖有廉頗、李牧，也不能用。」文帝當時很發怒，以爲馮唐看不起他，氣冲冲跑進內宮去。隔了很久，才又召馮唐去見，並說：「你爲什麼當衆侮辱我？」馮唐說：「鄙人不知忌諱。」文帝也就算了。並且問馮唐說他不能用廉頗、李牧的道理，他聽了馮唐說出道理之後，反而很高興。

漢文帝即位二十三年，宮室、苑囿、狗馬、服御，都沒有增加過，凡有不便於吏民的，都加以改革。曾經想作個涼台，召工估計一下，估價要一百斤金子，他說：「一百斤金子，等於中等人家十家的財產。我奉先人宮室，常常恐有羞愧，何必還要做一個涼台？」於是就作罷論。並令宮中婦女衣長不可曳地，幃帳不可文繡，以示儉樸，爲天下示範。

漢文帝後七年崩駕，享年四十七歲。他死之前，曾立一遺詔，我現在把他的遺詔節錄如下：「朕聞蓋天下萬物之萌生，靡不有死。死者天地之理，物之自然者。奚可甚哀？當今之時，世咸嘉生而惡死，厚葬以破業，重服以傷生，吾甚不取。且朕既不德，無以佐百姓；今崩，又使重服久臨（臨、哭也。）……哀人之父子，傷長幼之志，損其飲食，……以重吾不德也。謂天下何！……其令天下吏民，令到出臨三日，皆釋服，（解除孝服）毋禁婦嫁女，祠祀飲酒食肉者自當給。……他不在令中者，皆以此令比率從事，布告天下，使明知朕意。……」這眞是一個通達治體，賢明有德，永遠令人懷念的好皇帝。太史公說：「漢興至孝文，四十有餘載，德至盛也！」他說得一點都不錯。如果具體一點說，我以爲漢文帝寬仁厚重，節儉愛民，察理明辨，灑脫開朗，兼而有之。漢德之盛，到漢文帝的確是登峯造極了。他的德治和教誨，影響後世甚大，至今還令人懷念。（完）

中國女性文藝春秋（續）

周遊

一代詞家李清照

其實在當時改嫁皆視作平常之事，如范文正之母謝氏改適朱氏，程明道的子婦亦改嫁，不一而足。造此誣謗，實無意思。還是李慈銘說得是，是張汝舟另一妻子李氏而誤爲清照。

易安居士的生年，依各家所載推算，都爲公元一〇八二年，只有胡適以爲是一〇八一年，在此不用去理它。以下我們略論她文藝內容。

生活姿采，就是文藝的泉源，她雖是名門閨女，貴族婦人，但終其一身，都在和生活相激盪。因爲她生活環境的幻變，把她整個的人生截成爲兩段不同的色彩，以她四十六歲的一年爲分水嶺。在前期是童年的憧憬，是少女的情懷，初戀的生活；在後期是奔馳的孤苦，是孀居的凄涼，是頹喪的眺景。前期是喜劇，後期是悲劇。所以在在她的作品裏，也顯有此一條鴻溝，如「怕郎猜道：奴面不如花面好；雲鬢斜簪，徒要叫郎比並看。」「眼波才動被人猜」，是多麼的妖艷！而「物是人非事事休，欲語淚先流」；「只恐雙溪舴艋舟，載不動許多愁」，又是何等的凄涼！（六十四）

第六個夢劇情的幾點商榷

高瞻

她自覺在這個世界上已孤獨無依，再沒有活下去的意義與勇氣，所以她自殺了。但本片在男女雙方這種心理的描繪上，似乎不夠；反而側重於強調孟瑋的酗酒，是遺傳性的行為，他的父親就因此敗壞了產業，這樣就大為減弱本片悲劇性的價值，因為那只是他的劣根性，而不是他苦悶的象徵。他的暴躁，也只為了發洩自己的苦悶，好像他沒有家室之累，不與茵茵結婚，早就可以踏上異國的征途，海闊天空，去追尋遠大的前程了。這樣他就顯得太自私了。其實他的酗酒與暴躁，都是為了他太愛茵茵，他為了自己不能成功為一個藝術家，來報答茵茵對他的深情，為他的犧牲，所以他喝酒麻醉自己。對於茵茵的自絕，也容易令人有所誤解，以為她只是受不了孟瑋的打罵，就輕生自殺。假如這樣，那麼她的感情就太薄弱了。她應該鼓舞他的鬥志，與雄心，或者安慰他。她不希望他成為一個大畫家，她只希望他們永不分離。她要自殺，也最好是為了使孟瑋能免去負累，能一無顧慮去追求他的理想，而不是為了對他的失望與報復。依照筆者的意思，假如一定要悲劇收場的話，寧可讓孟瑋自殺，他內心充滿了對茵茵的感激，懷着理想雄心勃勃，力求在藝術界嶄露頭角，開創新天地，以免辜負茵茵對他的厚望；但他幾經掙扎，不斷奮鬥，結果失敗了，眼看茵茵跟着自己過着窮苦與沒有希望的生活，遂以自殺來表示自己的歉疚與絕望。在他臨死的時候，茵茵再告訴他，她只想兩人永遠如此，廝守湖畔，與世無爭，並不希望他成為大藝術家……但一切都已經太遲了。這樣的悲劇，不是更有意義嗎？不然的話，男女都只為自己，就遠離愛情的真諦了。

其三孟瑋於新婚三個月內，集中全力於創作上，結果推出了五十件作品，大開其個人畫展。令人懷疑的是，何以在這段期間內，他不用為生活奔走，而一定要在畫展失敗後，才去街頭巷尾，畫廣告畫與人像素描？同時在三個月內，會有五十件足堪展出的代表性作品，在事實上根本不可能，創作不能速成，也不只是寫生而已！而要凝聚自身的靈感與生命力，才能表現出藝術的靈魂與個性，這一段是大漏洞，未免過於淺薄。

其四婚後茵茵變得太好，而孟瑋則變得太壞了，與他們本來的性格，似乎是一刀斷流，前後不相接。孟瑋骨頭硬，當然是藝術家本色，但也不能過於悖乎常理，他為了抽烟喝酒，既能到處賒帳，也能拋頭露面，畫廣告畫，畫人像，他藝術家的自尊，早就倒塌了；但是後來他為了丈人暗地裏協助他的畫展成功，骨頭又硬了起來，而大擺其慶功宴；為了老師發現他在街頭為人畫像，就大破酒戒，回家找妻子出氣，這那裏還有藝術家的風度？茵茵既出身豪富門第，忽然過着如此清苦的生活，當然不會習慣，儘管為了愛情，她可以毫無怨言，甚至茹苦如飴，但至少也該強調現實生活對她的壓力，表現她的無言忍受，才更顯出她為愛的犧牲；但片中她洗衣作飯的幾個鏡頭，似乎都充滿了濃情蜜意，儘是詩畫般的意境，於情於理都說不過去。

其五孟瑋醉後的胡鬧，打人罵人，第二天自己竟然一無所知，好像那完全是無意識的舉動，或者是人格分裂者的行為。酒能惑亂心神，但不會完全失去意識，他是不能控制自己，但至少還要知道自己的存在與作為，何以一夜功夫，就會忘得乾乾淨淨，裝傻起來，反而問起妻子傷痕何處來，然後再大罵自己是畜牲，不是人（其實他就是在不喝酒時，也會當着同學的面前，無理辱罵茵茵）。

其六孟瑋躲避賣烟商人的一幕，純是胡鬧。他既不顧茵茵代他還債，免得違背自己的原則，那是極為清高了，何以他能厚着臉皮，連幾塊錢的香烟都向人賒帳？難道不顧小節，才顯出藝術家的風格？當然這一幕可以為觀衆帶來一陣輕鬆，增加戲劇性效果，但未免是一着敗筆。

上述幾點，是筆者對「第六個夢」的觀感，也許是筆者過於苛求，有吹毛求疵之嫌。但影劇界既有國片起飛的雄心，劇本自是最重要的因素。我們國片，要想向國際影壇進軍，假如在劇本上，不力求其合情合理，深刻動人，那麼永遠也不能與西片如「魂斷藍橋」、「亂世佳人」等相提並論。

筆者有一個感覺，在我們的國度裏，對於父母子女間的愛，刻畫較易成功，對於男女之愛，大概一向我們較為保守的緣故，總覺得不大自然，不是太生硬，就是太戲劇化。所以筆者大胆下一個斷語：「第六個夢」是不如「養鴨人家」來得深刻感人。（下）

氣象台頌（幷序）

郎當客

昨晚電視氣象報告云：「台北市明天天氣晴朗」。致小民今天上班未携帶雨具，不料下午歸來，遭遇濛濛細雨，濕透衣襟，致染重感冒之疾，終宵苦痛難眠，百感茫茫。試作打油詩三首，以舒積悃。

巍巍氣象臺，小民費疑猜；報風風不至，無雨雨偏來。設備有儀器，任用皆專才；不及風濕病，酸痛知陰霾。

巍巍氣象臺，小民何仰哉？昨宵烈日報，今雨濕塵埃。冷暖均無定，陰晴兩徘徊；傷心葛樂禮，空前泛濫災。

巍巍氣象臺，消息眞詼諧；靜心去安睡，禍從夢中來。振天呼救應，匝地哭聲哀；如斯欽天監，大哉兮大災！

英美斷送了中東

海嶠聲談薈

諸葛文倈

中東地帶一向是英國的勢力範圍，由於石油產量豐富之故，二次大戰後，美國勢力亦滲進於其間，英美兩國在中東同床異夢，互相角逐，終致把中東推入了俄帝的懷抱中。

阿拉伯集團國家，以埃及為主幹，蘇彝士運河握東西水路交通的咽喉，埃及雖不產石油，但地廣而衝要，自由世界非爭取不可的，然英美各具私心，鷸蚌相持，乃使俄帝坐收漁翁之利。

當年埃及總統那吉勃在任時，他是親英美的。現任總統納薩只是軍中的一個中級將校，暗中從事奪權運動，要想取那吉勃而代之，却不一定親共。那吉勃為着保持權位，曾經秘密跟我駐埃及大使何鳳山商洽，請何氏轉商美國大使——因為中國大使當時被推為各國駐埃及使節的首席地位——祇要美國能給以三師人的美式裝備，即可保證埃及政局安定無虞。美大使轉報華府請示，初謂可以考慮，那吉勃很高興，積極佈署一切，詎最後華府忽然變卦，說盟邦英國不贊成，愛莫能助。未幾，納薩發動政變，那吉勃被囚，隨之蘇彝士運河宣告收歸埃及國有，引起一場國際糾紛，貽患至今為烈！

埃及很窮乏，納薩政權亦希望從英美方面取得經濟援助，而以建築尼羅河水壩為名，向英美進行貸款，但英美互相觀望推諉，爾詐我虞。納薩迫不獲已，乃向蘇俄乞援，俄帝視為插足中東的大好機會，慨然允諾，且聲言不附政治條件，而納薩政權自然趨於左傾，日益敵視英美了。

英國瞧着形勢日非，不甘心就此放棄中東的既得利益，艾登內閣乃與法國密商，兩國協力對埃及採取軍事行動，擬一鼓而佔領運河，控制埃及的命脈，納薩政權即非崩潰不可。當英法聯軍攻臨運河頂端塞得港之際，俄帝以鞭長莫及，無法援救納薩，即致電美國白宮，表示將以洲際飛彈援埃。艾森豪大為震怒，馬上要求英法停止軍事行動，從速撤退，否則斷絕石油供應。蓋在作戰中，英法無從取得中東石油，專靠美國接濟也。艾登聞訊惶遽，星夜召集內閣緊急會議，決定由艾登次日飛美，面晤艾森豪詳商一切，即夕以長途電話通知白宮，而艾森豪答以要作假期（Vacation）旅行，沒有工夫候教。艾登碰着一大釘子，垂淚向閣員報告，祇好轉知法政府，停止對運河進軍，繼而全軍退出。於是，納薩感激俄帝，全身投靠俄共集團了。美國如此為俄帝賣力，只不過維持在沙地阿拉伯的石油開採公司，未被沒收而已。

這便是英美在中東徇私暗鬥的經緯，名曰避免戰禍，實為製造未來世界大戰的重要因素。

禪的火花

（二十四）莊子和法眼

梁山緣觀禪師是屬於曹洞宗的人物，有一次某一和尚問他什麼是「正法眼」？他回答：「南華裏」。「南華」就是莊子一書（天寶元年詔號莊子為南華眞經），這回答使那位和尚大為吃驚。因此又問：「為什麼在南華裏」？梁山回答：「因為你問正法眼啊！」

莊子和禪之間的關係是非常密切的，許多禪師都是由莊子的道而悟入，例如明朝的憨山德清（一五四六——一六二三）曾寫了一部莊子註，我覺得它遠比郭象的註解為出色。

大慧宗杲曾引申莊子的思想，認為道是超於「言」和「默」的。他不僅厭棄話頭禪，和默照禪。而且反對禪理是在於公案。他甚至要燒掉老師圜悟所寫的碧巖集。他眼中的禪正和莊子的道一樣，是無所不在的。實際上，禪是因時而為與不為，說時默，默時說，動中有靜，靜中有動，完全在於時機。假如你行得其時，便等於不行，言得其時，便等於無言。

由於大慧學說的淵博，可見他是思索多於默想。他像一位歌唱家那樣高唱入雲，令人覺得他的聲音是發自喉嚨，而不是丹田。唐代的禪師們却發自足跟。大慧由於過分的出色，反而使他的思想不易深入。所以臨濟宗到了大慧，正像法眼宗到了延壽便逐漸衰微，這也不是偶然的。

○吳經熊著
○吳怡譯

創業哲學

楚狂人

躊躇必敗

沒有一個躊躇不定的人，能在社會上成大功立大業的。呂布有萬夫莫敵之勇，而毀於酒色和躊躇不定。袁紹得勢時，曹操朝不保夕，袁最後毀於戰和不定的躊躇。李宗仁，白崇禧擁有幾十萬大軍，本可以支持一個時間，期待國際局勢好轉，但坐失華中華南幾省，從頭到尾——躊躇。

馬歇爾一部躊躇政策，使毛共勢力坐大。杜魯門反對麥克阿瑟攻勢國防，犯了躊躇的大錯。越南之戰美國不求勝戰略，又是一種新式躊躇。美國政府一而再，再而三的躊躇，將美國人民拖進迷途與死亡路上，迷到善惡成敗判斷不出的境界。自古以來，無分中外，最大的禍害是躊躇，直到現在未更換過。躊躇呀！躊躇！你的魔力業已攀到了巔峯，應當不會逗留得很久，否則人類歷史恐怕都得改變過了。

創業的朋友們，千萬不可以跟馬歇爾、杜魯門之輩學習，否則保證你會失敗到底，因為躊躇比鹵莽更可怕。鹵莽有時候會衝成功，而躊躇與失敗乃一對孿生兄弟。

國劇脚本　大漢兒女（一名新莽刦）

田士林

葵、文：謝姨母（飲）。

呂　母：賢甥適才說起王莽，她父當日也曾言及，王莽雖是皇親國戚，並非社稷之臣，釣譽沽名，必有所圖。如今主上年幼，他却結黨營私，盜名欺世，朝中文武，盡是歌功頌德之輩，看來國家將有大變，願你等好自為之。忠義二字，乃立身根本，要恪守毋失。

葵、文：謹遵姨母教訓！天色不早，甥等告辭了。

呂　母：再飲幾杯不妨。

葵、文：酒已夠了，就此拜辭。

呂　母：待老身起身相送。

葵、文：姨母尊體欠安，不敢有勞，望多加珍重，甥等拜辭了！

田子文：（唱）望姨母多珍重加意調養。

終　葵：壽筵中金石語永銘心房。（同下）

呂　母：（白）兒啊！自你父去世之後，家中冷落至今，能夠這樣熱鬧一日，也是難得。

呂菁娘：祇是怕您太累了，您快歇一歇吧！

呂　母：心裏歡喜，病痛也像好了許多。

呂菁娘：祇要您早日康復，也就是孩兒之福了。

呂　母：唉！倒底只是個女兒家，將來總是外姓之人。

呂菁娘：女兒情願陪伴母親一世。

呂　母：說的是呆話，你肯，我還不肯呢？

呂菁娘：只可惜我沒有個親哥哥，不然，有了嫂嫂、侄子，家裏也熱鬧起來了。

（十八）

自由報

第八四二期

中華民國僑務委員會登記證台僑新字第三二三號
內政部登記證內版台誌字第031號
中華郵政台字第一二八二號執照登記為第一類新聞紙類
（逢星期三、六出版）
每份港幣壹角・台灣零售價新台幣弍元

社長李運鵬・督印黃行僑

社址：香港九龍登打士街91號十樓六座
91 DUNDAS ST. 9th FLOOR, FLAT 6 KOWLOON H.K.
電話：857253 電報掛號：7191

國語國文兩案含混決議 顯然違背國文第一政策

・仲望旗・

國民黨第九屆中央委員會第五次全體會議，於一九六七年十一月十二日到二十三日，在台北近郊陽明山中山樓開會，勵精圖治、宵旰勤勞的蔣總裁幾乎每天到會指導，足證其十分重視，故全會得以圓滿結束，收穫甚為豐碩。

惟有關「國語」「國文」兩提案，雖經大會有所決議，但會後忿忿不平的聲浪，海內外時有所聞，不能不視為五中全會的唯一的失策。「白圭之玷」十分可惜！

筆者找到五中全會「第十六次大會紀錄」上兩提案全文，詳細拜讀之後，深感有關的決議，確是不公平、不合理，而且根本未能遵守蔣總裁「國文第一」政策，故有加以評論的必要。

第七案是張希文等十一位中央委員所提，其主文是加强「國語科」教學，與第八案的主文，要恢復「國文」原名，原不衝突。單就主文而言，兩提案可以並存，理宜分別交付討論。

第七案內容主要分為兩部份：第一部份關於推行及加强「國語教學」，包括說明（一）（二）（三）和辦法（一）至（六），有關決議是「（一）其餘意見送請教育部從政同志研究辦理。」這與第八案並不衝突，事實上毫無重要性，故本文不須加以討論。

第二部份是「辦法（七）國民學校的國語科名稱應予保存，以求「名實相符」。似為第七案的重點和真正目標之所在。「名實相符」的理由未會列舉，是一大缺點；依據第八案說明（三）顯然是「名實不符」，且「容易引起混淆和誤解。」

第八案是杜元載等五位中央委員所提，重點和真正目標則在提案主文，即「呈請總裁宣佈小學「國語」科恢復民國十二年以前之「國文」原名」。這與第七案的辦法（七）針鋒相對。

第八案有五位提案人，但代表性很大，大於張希文等十一位委員。杜元載曾任省立台灣師範大學校長多年，達穆林旺楚克是蒙古同胞領袖，呂錦花是台灣婦女界領袖，蕭贊育歷任中央黨政要職，黃仁俊是美國華僑領袖，兼五中全會主席團主席。

再看第八案的三點說明，理由更是正大充足，他的目標與理想，和 蔣總裁的兩大政策即「國文第一」和「復興中華文化」完全符合。而且此案主張「照常講白話文和國語注音符號」，故與第七案主文，不但不衝突，而且予以支持。按理，此案絕無被否決的可能，但是出人意料之外，竟然被輕易的否決了。

請看有關第八案的決議，包括下列兩點：

第一點：「決議：本（第七）案與第八案合併討論」。真正目標針鋒相對的兩提案，竟予以「合併討論」，是一奇事！事實上，是借「合併討論」四字，根本把第八案不加討論，一筆勾銷，無否決之名，而有否決之實。

第二點：「決議：（一）國民教育前六年仍維持國語名稱，後三年則仍維持原初中國文名稱。」表面上看來，此決議好像調和雙方意見，好像是十分公正。事實上，他有兩大缺點：第一缺點是「畫蛇添足」。因為兩案都沒有提出國民教育「後三年」即初中國文是否維持原名稱的要求，而決議無故予以列入。第二缺點是不公正，不合理，因其完全接受第七案所提「保存」即維持「國語科」名稱的要求，同時更完全否決了第八案（卻未列舉否決的任何理由）。

詩經：「白圭之玷，尚可磨也」。怎樣「磨」去這個「玷」，有賴於袞袞諸公的決心和政治智慧了。

一九六八年二月香港

附兩提案全文：

甲、提案原文

七：張希文等十一委員提：為實施九年國民教育應特別加強「國語科」教學，以期奠定中華文化復興基礎。是否有當？敬請公決案。

說明：

（一）本省自光復以來，積極推行國語教育，成績斐然，甚受國內外之讚許。尤以在國民學校中，普遍實施「國語」教學，「從小培養，從根做起」，收效至宏。

（二）惟年來一般縣市偏遠地區之學校，對於國語教育之推行，漸漸漠視，以致每年新兵入伍，仍須先由「國語訓練」開始。各地方民眾集會，亦多用「方言」。影響意志集中，力量集中。甚至外籍人士竟自造「拼音字母」，發行書刊，不僅破壞我國語文統一政令，并易造成弊端，不容忽視。

（三）自五十七年度起，行將實施九年「一貫的國民教育」，並以民族精神教育、生活職業教育為其中心。「國語」一科，既為國民教育一切課程的基本工具學科，又與「民族團結」、「生活需要」，息息相關。加以六年小學，在九年國民教育中，佔有三分之二的時間，其成績如何，實為九年國民教育成敗的關鍵。是以必須特別加強「國語教學」，以期達成提高國民智能水準的目標，進而奠定復興中華文化的基礎。

辦法：

（一）促請教育部，迅速恢復原設之「國語推行委員會」，並加強省縣市政府國語推行機構的編制與職權，以便輔導全國各地國語教育的發展。

（二）各大專院校應增設「國語教育專修科」，各師範專校應加強國語訓練，以提高師資水準。

（三）改編現行國民學校的國語課本，着重學生的基本訓練，以啓發其思想，並提高「聽、說、讀、寫」的能力。

（下轉第三版）

且煎且嚐

盡此一煲

昨日與明日

美國的鬧劇

美國一般政客為着越戰問題，大吵大鬧，實在不成玩藝，有如當年瞧見蘇俄首先放射了一枚人造衛星時，朝野上下即慌亂喧嚷，舉國為之騷然的景象，令人不忍卒睹。

在這些龐雜的議論中，有人指摘越南政府貪污低能，又說越南軍人在作戰中的死傷數字比美軍為少，充分表現着怨天尤人的幼稚病，何其傎也！

越南前任總統吳廷琰在位時，實施堅壁淸野的「戰略村」制，藉此抗拒越共以農村包圍城市的游擊戰略，成效卓著。然美國指斥他專制、獨裁、貪污、不民主，公然策動越南軍人政變，把吳氏置之死地，而越共勢力乃從此日益發展，使美軍陸續增援到五十餘萬，還是勞而無功，如今又以「貪污低能」之說來攻訐越南政府，藉以解嘲卸責了，可哂孰甚，可恥又孰甚哉！

覆轍相尋

人類最大的悲哀，就是不知惜取失敗的教訓，一誤再誤，懵然莫名其妙。

當一九四八年毛共在中國叛亂激化之際，美國當局因強迫我政府與毛共組織聯合政府而不遂，乃忿然斷絕對我國的軍援物資，甚至對我國斥資在美購買的軍用品，亦禁運出口，唯恐國軍不垮。等到毛共仰仗美國的大力資助，佔領大陸河山後，美政府卻發佈對華外交白皮書，指我政府「貪污低能」，致令共禍猖獗，終於喪失大陸。白宮的官員如巡迴大使吉塞普，更向海外華僑游說，教中國人組織「第三勢力」，從事反共運動。美國政客從不反省自己對華政策的舊有錯誤，而將失敗的責任，歸之於友邦政府的「貪汚低能」，認為自己有百是而無一非。

現在美國對越南問題，依然是沿襲過去對華政策那套失敗的章法，要求越南當局與越共組織聯合政府，承認越南共黨的合法地位。阮文紹、阮高祺等執政人物如不贊成，美國即不妨再行策動越南軍人政變，或者停止援越，另行撰寫一種自說自話的外交白皮書，痛述越南政府貪污低能，助長越共的發展，與美國無關可也。

這便是美國領導亞洲自由國家的作風，覆轍相尋，至死不悟。

東南亞公約的幽靈

所謂東南亞公約國，最近居然舉行甚末「部長會議」，對越問題作些無稽之談。這項集體防衛的組織體系，本來就是成事不足，敗事有餘，迨法國與巴基斯坦改變外交政策後，不但「實」亡，「名」亦無存了，幽靈幢幢，胡為乎？

泰國副總理巴博，最近遍訪中、非、韓、日各國，倡議組織新的反共聯盟，不失為明智的構想；但美國必不贊同，而情願讓東南亞公約的幽靈作祟，此東南亞共禍之所以蔓延也。

（何如）

自由談

古人的話文學

「人人有這箇，這箇沒量大，坐也坐不定，走也跳不過；鎚也解不斷，鎚也打不破；作馬便搭鞍，作牛便推磨。若問無眼人，這箇是甚麼？便遭伊纏繞，鬼窟裏忍餓！」

「莫嫌張三惡，莫愛李四好。既往念即晚，未來思又早。見之亦何有，欻然如電掃；惡既是磨滅，好亦難長保。若令好與惡，可積如財寶；自始而至今，有幾許煩惱？」

這是宋代名人王安石所作「擬寒山拾得」十九首詩中的二首，乃是十足的語體詩，但寓意很深刻，義理亦精湛。王安石原是未會在小學校唸過「國語」課本的古文大家，這點大概沒人發生異義吧？以專門鑽研「死文學」的人，卻能夠寫出這種「活文學」的作品來，你說奇怪不？實則一點也不稀奇，凡屬多認識些中國字，多讀些中國書的人，文言文必然寫得好，語體文即無師自通，寫起來沒有不精采的。

反之，識字無多，讀書太少，只是唸過「貓兒叫，狗兒跳」之類的「國語」課本，僅能認識「的，嗎，啦，呀」等等不到一百個的生字，而對中國固有文言書籍，視為不值一顧的「活文學」大家，他寫出來的語體文，自己或許認為了不起，別人瞧着，卻不明白是說的甚末，至於別字連篇，錯誤百出更是司空見慣之事。曾有在大學畢了業的學生，寫信問候自己的老師，表示思慕之情，說是「隨時覺得先生的音容宛在！」這毛病即係少讀書所致，不但詞不達意，根本就會錯了文字的意呢！

你縱然是個學富五車的中國人，而洋文寫得比洋人更好，如果寫不成文理通順的本國文字，也就對國家毫無裨益可言。若要有文理通順的本領，就得多識字，多讀書，先求能夠寫文言文纔行。唯有寫不成文言文的，纔認為國文不適宜於中小學生修業，結果是號稱為掃除文盲，實際是加工製造文盲而已。

王安石這種語體詩，今之國語大師寫得出來嗎？

馮子先生

槍手集團提起公訴 檢察官會細心推敲

台北航訊

槍手集團代考案，經台北地檢處朱石炎檢察官於三月十六日上午提起公訴。本案被告的犯罪行為，究竟何時算是完成？這個問題，曾引起檢察官的細心研究。

本案被告一百餘人，其中槍手及考生，悉被依刑法第二百十四條之偽造文書罪嫌提起公訴。按該條條文是：「明知不實之事項，而使公務員登記於職務上所掌之公文書，足以生損害於公衆或他人者，處三年以下有期徒刑、拘役或五百元以下罰金。」

本案被告犯罪行為的開始，是從考生將身份證及照片交給代考集團負責人起，就犯了刑法第二百十四條之罪。後來，考生因槍手代考之故，而矇混錄取，使聯招會把其姓名公佈於榜上，也是同一個犯罪行為。又後來，考生矇混得聯招會分發就讀學校的通知，以及前往就讀學校註冊，也是同一個犯罪行為。甚至再後來使軍事機關分發成功嶺受訓、分發軍事機關服兵役以及領得畢業證書等，都是同一個犯罪行為。在本案發生時，有的槍手或考生，尚在學校就讀中，也有的正在受軍事訓練，還有些已經畢業。他們的犯罪行為，究竟是案發時完成？還是到什麼時完成？是一個很值得研究的候法律問題。

檢察官對於這個問題，曾花了很長時期的調查研究。從理論上說，他們犯罪行為的完成，應該是到案發時為止。即案發時考生在就讀者，犯罪行為算到註冊為止；在營受訓者，算到軍事機關登載其姓名為止；畢業者算到領得畢業證書為止。不過從犯罪事實及證據上說，則應該算到考生註冊就算整個偽造文書罪行為完成。

檢察官偵查所得，發現槍手集團向考生或考生家長聯絡代考時，所談的代價，大致分為三個期間付清欵項。在第一次付定金，代考時付第二期欵，到考生註冊前，付第三期欵，即全部付清。如以考生或其家長與槍手集團負責人付收欵的時期為標準，則犯罪行為，應該算到考生矇混入學註冊時，犯罪行為就算完成。至於以後發生的偽造文書行為，應該視為犯罪行為完成後所發生的結果。

不過這種論調，法界人士仍有人應為不無瑕疵。理由是犯罪行為，不應以付收欵項行為完成為標準，既然考生是以偽造文書請人代考而犯罪，則代考入學，以後所有的偽造文書行為，凡是因代考入學而發生者，都應該算是一個犯罪行為。即應視同最初偽造文書犯罪行為的延續。是以其犯罪行為，似應算到案發時為止完成。

但檢察官認為，依本案被告而論，却不能這樣算法。因為條文中明白規定是：「……使公務員……」，有些考生獲分發的學校，不是公立學校，而是私立學校。私立學校的教職員都不是公務人員，考生向私立學校註冊的行為，就沒有適用刑法第二百十四條的餘地。因請人代考而分發私立大專院校的考生，犯罪行為中就不能論究其註冊時的偽造文書行為。則其犯罪行為完成的時間，就應該算到聯招會放榜時為止。

現在，本案各被告犯罪行為的完成，根據上述事實及理論，就分為兩個不同的階段：對於在公立大專院校的考生，犯罪行為的完成，算到考生註冊入學時為止；對於在私立大專院校的考生，則算到聯招會放榜時為止。

本案是社會所矚目的案件，犯罪行為在刑法的處罰上，槍手或考生或考生的家長，都不會受到很重的處罰，犯罪條文為三年以下有期徒刑，可拘役也可判罰金。此外還可以判緩刑。槍手及考生或考生的家長，有一百餘人之多，到目前為止沒有一人被收押。同時朱石炎檢察官曾一再關照，報紙上最好在起訴前不要刊載他們的名字，以免他們名譽受到太大的損害，給予他們以自新的機會。至於槍手集團負責人，則恐怕要受到重罰。其中有涉及懲貪條例的公務員行賄罪者，受罰當必更重。

本報記者 新曦

台省縣市長選舉面面觀

·董書·

台北航訊：台灣省第六屆縣市長及第四屆省議員選舉，自執政黨提名候選人揭曉後，省選舉監督及各縣市事務所，均於日前同時成立，定於三月十七日起至二十六日止，接受候選人登記，定四月二十一日舉行投票。為實行守法節約計，規定公辦競選宣傳，並收保障金：縣市長三萬元，省議員二萬元。多數縣市政治圈內，已掀起選潮，波瀾盪漾，選戰風雲，日趨緊張。茲綜合各縣市長選情如后：

台北縣蘇清波獲得國民黨提名後，即日夜奔波，力謀彌縫地方派系裂痕，在省黨部委員簡文發，鐵路黨部委員張景星二人出面斡旋下，業取得反對力最強之李建興、李建和昆仲之公開表示，對過去誤會與成見，已告冰釋，决予全力支持。至於黨外人士李秋遠曾經表示，要與蘇一較長短，現李秋遠再度因行醫打「配尼西林」針，事前未作注射反應，致使病者李阿永不治死亡。被台北地方法院判處有期徒刑四月。彼於四十九年，亦因類似情事，被判刑二月，於五十二年七月四日執行完畢。現值一審判决，對李之競選資格，固無問題，但李近日，已告靜息。另一省議員李炳盛因未取得縣長、銓敘資格，當已作罷。縣議員葉萬順及土城鄉農會總幹事江俊傑，正當態度明朗出馬競選時，忽又跑出一匹黑馬，律師廖銘義於前日記者招待會會上，表示他為服務桑梓，决定參加下屆縣長競選。廖年四十五歲，鶯歌鎮人，台灣大學法學士，曾任中學教員，以及地方法院推事，司法行政部科長等職。他說：其動機為响應政府起用新人，厲行廉能政治號召，超出黨派以外，團結全縣人民，建設模範縣」。由於廖之學經歷較佳，對蘇之競選佈署與策畧，威脅至為嚴重，將不免遭遇苦戰。且李葉等正醞釀聯合，推出一人競選，黨外合力爭取選票，而廖是否亦加入聯合，目前尚難預料。

宜蘭縣自陳進東提名為縣長候選人後，正競選蟬聯縣長佈署時，首傳青年黨籍省議員郭雨新，有意競選縣長，旋經青年黨提名該黨縣主委之縣議員賴茂輝，出面競選。賴長於口才，在議會以敢言著稱，業已展開活動，對陳進東構成重大威脅，致選情已日趨複雜。

基隆市自蘇德良被提名後，傳聞中有前市議長蔡火炮决心出馬一戰，另有蔡英俊（市立醫院院長，東京齒科大學出身），林達聰等二人，則已擺明競選態度。另傳尚有暫不露名之年紀很輕，學歷甚高，頗有名氣的人，屆時亦將出陣一顯身手也。

桃園縣許新枝自獲提名後，競選佈署，雖頗稱順利，所提政見，亦頗獲一般好評，但有暗流激蕩黨內，徐崇德，謝科鈞有競選說，刻已放棄。惟黨外女將黃玉嬌正積極展開活動競選縣長，似對省議員不感興趣。又有省議會議員林丕讓，亦公開表示，要與許新枝一較長短。新竹縣朱育英因承襲其父前屆縣長朱盛琪所擁有優越地方力量，獲選縣長大有把握。惟其親至執行律師業務之劉謝爛，表示為了政治理想，施展個人抱負，故義不避親，出而競選縣長，决心不計成敗云。但外傳劉係故作陪選而已。又朱育英日前曾公開說：縣府所有員工中，沒有一位英文程度好的，他當選縣長後，祇有自兼英文秘書；惹得縣府職員紛責朱自大自矜，竟出言傷害大衆自尊心，掀起一股反感逆流，使其競選初期所建之「公共關係」，已蒙上了一層陰影。

台中縣候選人王子癸，係中縣傑出政治人才，為梧棲鎮人，苦幹起家，甚著聲望，連同海線各鄉鎮之支持基礎，當選似已成定局。但地方派系尖銳，壁壘分明，前途仍不免有些阻碍。黨外人士王地，楊秋澤，周清泰等人，亦有意問鼎，而周清泰資財雄厚，如聯合一起，王子癸亦不免要苦戰一番。台中市當林丁山提名後，以其歷經農會總幹事，區長，市議員等選舉，從未敗陣，此番又承襲前市長張啓仲衣鉢，兼有若干社團之支持擎衆，力量至強。黨外蔡志昌，何春木，亦有意出馬競選，惟彼此互爭，聯合不易，能獲當選成份不大。又苗栗縣有前違紀競選三屆省議員夫敗之現任縣農會總幹事湯慶松，表示參加下屆縣長競選，要與提名候選人黃文發一决雌雄。

嘉義縣自黃老達獲得提名後，外傳有曾經敗北兩次之黨外人士許世模，將乘其淵源素深之女市長許世賢勝選後，擬就嘉義市二十萬人口，作為力量主流，捲土重來，以全力獵取下屆縣長。但也有不可能之說，因其經濟情況欠佳也。台南市林錫山，如辛文炳與黃業兩人中，有一人參加競選，將有熱烈場面出現，否則林錫山將演獨角戲。

高雄縣此番執政黨提名，省報中央時原列林淵源及現任縣戴良慶二人，結果林被圈選，因此地方派系掀起洶湧波瀾。所謂紅白黑三派，戴為紅派領導者，林為白派後起之秀，黑派仍以余登發為首領。自戴提名落空後，紅黑兩派，則各自接觸頻繁；白派因提名獲勝，競選佈署亦極緊張，戴則藉口稱病已辭去選所兼主席之職，使社會揣測紛紜。又青年黨中央曾表示，台東已提名黃順興，屏東已提名黃振山參加下屆縣長競選云。

鐵幕窺管

大權十九落軍頭手裏 毛朝各省市「革委會」 夫此之謂「槍桿子裏出政權」

·謝志三·

毛酋的「名」言，所謂「槍桿子裏出政權」的「打砸衝」式的武斷濫調，時至今日，從表面上看，似乎直截的符合「名」言了。今年在「一小撮」所謂「革命羣衆」等的亂叫亂嚷之下，掛起了「革命委員會」招牌的一些省、市主要「負責人」，幾乎都是擁有「槍桿子」實力的「當權派」。

偽甘肅省革委會主任冼恒漢，是蘭州部隊的政委。河南省革委會主任劉建勛，雖曾一度「點了名」，而且「靠邊站」了，但他原是「四野」裝甲兵部隊的政委，與林彪有過一段主僕關係，就是因此，就無法「整」下去，老「站」着，並且還復了要職。河北省的李雪峯，向主要「槍桿子」林彪降伏後出掌省革委會主任。湖北省革委會主任是曾思玉。曾原是「四野」的大將，在任偽第十九兵團六十四軍軍長的時候，曾率部入韓國與自由世界作「蚍蜉撼樹」之戰。以後出任瀋陽軍區副司令員兼參謀長，現在是武漢軍區司令員。武漢市革委會主任方銘，他是武漢警備區司令員。廣東省革委會主任是六十二歲的黃永勝。黃永勝曾在偽華南軍區當過副司令員，後「晉陞」為廣州軍區司令員。盡管「大字報」、「小字報」等等呼之為「廣老譚」，但是，因為「槍桿子」硬，就連毛婆江青也莫奈他何，最近陪「駕」北平並以排名第八的姿態出現，而且這位「廣老譚」已經「高陞」為「代參謀總長」了。廣州市革委會主任黃榮海，出身名門——「四野」是掌權已久的廣東省軍區司令員。吉林省革委會主任王淮湘，原任吉林省軍區政治部首長。三月二十三日成立的江蘇省和南京市「革命委員會」，南京市是由偽六四五三部隊負責人楊廣立任主任委員，可以說是地道的軍隊「當權派」了。江蘇省革委會主任許世友，這「位」許「上將」今年已經是六十一歲了，在共匪軍中，確屬一員出名的幹將。他曾在吳佩孚部當過下級軍官，以後在共匪「三野」軍中步步「高陞」，徐蚌會戰，他是陳毅部第四兵團司令員，轄第九、第十三縱隊。共匪竊國之初，任匪第廿七軍軍長，偽山東省軍區司令員，偽國防部副部長，南京軍區司令員。一九六七年一月，正當「紅衛兵」楊威、打着「毛旗」進行「大奪權」在滬寧綫上東喊西殺的時候，曾一度直搗南京市，許世友動員軍隊進行對抗，打傷「紅司令」的「紅小兵」等「優秀的接班人」數以千計，被毛派扣上「保皇派」的帽子，一度冷藏在北平。匪偽「中共中央」、「中央軍委」、「中央文革」對這位「保皇派」的辦法，只是講盡好話，拉攏「合作」。今天自動揭去了「保皇派」的帽子，再次委以「奪了權」的革委會重任。三月二十四日成立的偽浙江省革委會主任由剛剛朝聖回來的南萍出任。南萍是匪六四○九部隊熊應堂原六十五軍）的政委，浙江省軍區政委，軍隊的實力派。總之，凡是在軍隊中掌握實權的「上級幹部」，不論曾經扣上過什麼樣的帽子，只要有「槍桿子」，毛派也難將他們「批倒」「批透」「批深」「批臭」。

這些「槍桿子」掌握的「臨時權力機構」——實際上是全部「軍管」，酷似建築在浮沙面上的高樓巨厦，儘管牠的外表是多麼的雄壯美麗而又動人，可是一旦遭外力的衝擊，就將全面「傾覆」。陳再道、鍾漢華式的「不禮貌」，許世友鎮壓「紅小兵」等等事件，在「軍管」的強行壓抑下，人人自危的形勢之下，我們可以斷言：那將會陸續出現的。一旦「槍桿子」向後一轉，「矛頭」直指所謂以「毛賊」為首的「無產階級司令部」，毛林集團的「政權」，將會在「搬起石頭打自己脚」的形勢下，死無葬身之地。我們拭目以待！

談郁達夫和「沉淪」

·魯深甫·

如果放棄「文以載道」的那付有色眼鏡，而以純文藝的立場，來欣賞郁達夫的作品的話，也許對他那種充滿傷感、頹廢、浪漫色彩的作品，會有一種較爲客觀的看法了。然而，却是那麼不幸，在他一生坎坷的創作途中，儘管有人嗜讀著他的小說，却又罵他是個專寫「黃色的文藝大師。」

有人說：「文藝是苦悶的象徵。」這話用在郁達夫的身上，眞是恰當極了。郁氏三歲喪父，又不能得到母親的慈愛，因此，在他幼年的心靈裏，早已埋下了憂鬱的種子。求學期間，國內政局顚簸，學校限制自由，使他的情感，無法獲得正常的發洩。負笈東瀛，又有置身荒漠、孤寂、被迫的感覺。在愛情上找不到理想的歸宿；在婚姻上也是徹底的失敗。加以慾望的抑制，生活的不安，理想的喪失，使他失去了青年人應有的明朗、豪放和歡笑，而代以灰暗、陰慘和痛苦。因此，在這極端苦悶、壓抑的氣氛下，郁先生的「沉淪」，就這樣的誕生了。

「沉淪」在內容上，是寫一位個性高傲，感受性強，過度自尊而又自卑的青年，由於環境的交錯影響，終於把自己變成了一個自己認爲最不幸、最孤獨的人。對人生和生命抱着一種淒凉的看法，對世界萬物旣懷疑、又悲觀、羞澀、胆怯，不敢面對現實，因而無法獲得愛情的滋潤，終於墮落、毁滅的故事。透過郁先生的筆觸，把一個青年人的病態生活，明澈而大胆地揭示出來。諸如青年對現實的不滿，情慾的苦悶，經濟的壓迫，友情的渴望，本能與理性的掙扎，振作與頹廢的衝突，以及對祖國既怨又愛的執著……都能活生生地展現在字裏行間。

「沉淪」在結構上，以一個頹廢的青年爲經，以蕭瑟、淒凉、枯寂而沉鬱的環境爲緯，綴以浪漫而悲苦的片斷所組成的故事。當我讀它的時候，却沒有頹廢的感覺，也沒有浪漫的遐想，反而有一種悲憤而憐憫的情緒，充塞於胸臆之間。他那驚人的坦白，的確能夠激起一羣苦悶青年的共鳴。（上）

國語國文兩案含混決議 顯然違背國文第一政策

（自第一版轉來）

（四）積極獎助國民學校教師，從事研究，實驗改進國語教學的方法。

（五）充實國民學校國語教學的電化器材與教學設備，以求增進教學的效率。

（六）配合社教機構，經常舉辦國語朗讀、演講、辯論等活動，以便學生與民衆均能獲得充分練習和互相觀摩的機會。

（七）國民學校的「國語」科名稱，應予保持，以來「名實相符」，用以培養學生愛國的向心力。

提案人：張希文，張寶樹，羅衡，許素玉，陳達元，李煥，陸寒波，張國雄，上官業佑，楚崧秋，胡健中。

乙、提案審查委員會第四審查組意見：

（一）國民教育前六年仍維持國語名稱，後三年則仍維持原初中國文名稱。（二）其餘意見，送請教育部從政同志研究辦理。是否有當？敬請公決。

決議：本案與第八案合併討論。

八、杜元載等五委員提：爲實現總裁復興中華文化之目標，進行總裁「國文第一」之訓示，擬呈請總裁宣佈小學「國語」科恢復民國十二年以前之「國文」原名。是否有當？敬請公決案。

甲、提案原文

說明一、民國十二年北洋政府之教育部宣佈小學「國文」科改稱爲「國語」，是錯誤的；革命的中華民國政府，應即修改此項錯誤，恢復小學「國文」科原名。

二、鑒於各級學校國文程度普遍低落，總裁曾有「國文第一」之訓示。此項訓示當然包抱小學「國文」科恢復原名，實爲改進國文教學之起點，而改進國文教學，又爲復興中華文化之基礎。

三、「國語」一詞有時指學「講標準國語」，有時指「國語」科，因而容易引起混淆和誤解；根本解決之法是，宣佈小學「國語」科恢復「國文」科原名，保留「國語」一詞專指「講標準國語」。「國語」不能包括「國文」，國文即中國的文字、文學和文化，可以包括國語，恢復國文原名之後，照常講白話文和國語注音符號。

提案人：杜元載，達穆林旺楚克，呂錦花，蕭贊育，黃仁俊。

乙、提案審查委員會第四審查組意見：

（一）國民教育前六年仍維持國語名稱，後三年則仍維持原初中國文名稱。（二）其餘意見，送請教育部從政同志研究辦理。」是否有當？敬請公決。

附記：（一）提案審查委員會第四審查召集人張委員其昀就第七、八兩案審查經過加以說明。（二）呂錦花、張希文、陳達元等同志相繼提出意見。

決議：（一）第七案照審查意見通過。（二）第八案照審查意見第（一）項通過。（完）

海外見聞錄

西方文明古城 雅典印象記

—族鳥—

希臘是西方文明的搖籃，而雅典又是希臘精華的所在地，所以遊歷雅典大有助於對於西方文明的體認。不過，我在雅典僅停留一天的短暫時間，實在說來根本無從遍訪雅典的名勝古跡，更不敢說因此而對於西方文明的眞精神有甚新的發現。然而白天與晚上的兩次遊覽 Guided Tour 確增長了不少的見聞。白天的遊覽，下午三時開始，六點結束，遊覽的內容爲探訪雅典的名勝古跡，重點爲參觀黛阿尼梭劇場及阿克洛波里博物館。黛阿尼梭劇場是古希臘時代演悲劇與喜劇的場所，依山建築，全部石質，三面座席，環對舞台，舞台上刻有各種雕像，作爲背景。這些雕像大多數已殘缺不全，尤其頭部破損的最多，大概是給人敲回去做紀念品或當古董賣了。其中剩下一尊雕像，頗爲完整，據說其面部係依古希臘哲學家蘇格拉底的形像所刻成；由於自己濫竽充數，也教有關哲學的課程，所以對之極感興趣，除了走近去瞻仰外，並特與之攝影留念。

阿克洛波里博物院是古代阿克洛波里神廟的遺址，全部建築在一座小山上，除主廟外，另有一座較小的建築帕塞隆，爲陪襯。這兩大建築，都是石質立柱式的建築，到處都有精美的雕像，裝飾着，（這種景像大概不少人在銀幕上看過）如今雖然大部份殘破，但古代希臘人氣魄的宏大與創造力的豐富，仍可留供後人的憑弔與讚賞，並且至今西方的建築與藝術，莫不以此爲其發源的星宿海。除了上述的勝跡而外，沿途還參觀了許多叫不出名字的地方，其中唯一記得的，是囚禁蘇格拉底的石牢。這座石牢係鑿山腰石壁，洞口開以鐵欄杆而建成，洞內陰暗，面積不大，却想不到這就是先哲以身殉道的地方，參觀後不禁唏噓者久之。

晚上的遊覽，八時開始十二時結束，重點爲希臘的民情與風俗。參觀的第一站，到希臘的「九月酒節」會場。「九月酒節」是希臘人的重要節令，（頗類中國的中秋節）在這一個月內，希臘人都到酒節會場來開懷暢飲，狂歡作樂，會場的佈置，類似園遊會，到處都有大桶的酒，以及賣酒菜的地方，每個人入場時，除買入場券進場外，並另購喝酒的酒杯與盛酒的瓶，然後邊走邊喝，依次品嚐，人不分男女老幼，大家一杯在手，觥籌交錯，儘情調笑。走累了，草地上又可以坐，也有陳設的桌椅可供息歇，並有樂隊不停吹奏希臘歌曲助興。青年男女，不論識與不識，均可相約共舞，眞是歌舞昇平，金吾不禁。使我這個異鄉遊子看了，不禁感慨萬千。

遊畢酒節會場，再到一家希臘式夜總會去欣賞希臘民間歌舞與嚐試希臘酒菜。希臘土風舞頗富中東情調，旋律優美，情節動人，伴奏的樂器有一種類似曼陀林的 Bouzouki 琴，聲響激越，音調高亢，容易使人情緒激動，因此多數觀衆也跟着節奏拍掌，氣氛熱烈，不易自持。不過導遊爲遊客所安排的節目，到此已告結束，在我看來，正是適可而止，若求盡興，恐怕棄非竭達旦不可了。

清名臣岑春煊扎記 · 揮淚痛陳國運難挽（下）

余得賦遂初，亟思覓地休養，素愛西湖山水，乃挈眷寓居，日徜徉於六橋三竺間。而武林耆舊，亦多樂與往還，頗得閒適之樂。是冬舌下偶患浮腫，召西醫奏刀，久而未愈，因至滬調理，歷半載始得告痊。由是復居上海，以便醫藥。世凱意猶不釋。蔡乃煌者，傾險人也，初官蜀中。值丁未歲，余將西上，乃煌在滬，數來求見，余知其非佳士，峻拒之。遂夤緣內調，爲世凱効奔走，得任蘇松太道，實使伺余過失。既無所得，則布散流言，僞造余手書，致浙撫增韞，勸舉大事，所言狂悖。增知其詐，封以示余，且頌言姦人之計，詭謀卒未得逞。會乃煌自以他罪亡命去，世凱亦罷黜家居，羣喙始息。當乃煌得勢時，氣焰矜張，發言狂謬，聞者皆爲不平，余惟澹然置之，不以經意，彼亦終無可如何也。

宣統改元後，　邸攝政，親貴擅權，雖能罷斥袁逆，而除惡不盡，任其黨羽伺隙發動。洵濤諸人，又皆年少無識，惟知聚斂，吏殘於上，民怨於下，譬猶厝火積薪，不可終日，危亡之勢，盡人所知。辛亥三年，先發難於廣州，事雖未成，民氣日盛。自盛宣懷掌郵部，而鐵路國有之議起。時朝廷方倚重宣懷以治財政，宣懷亦引爲己任，不顧人言，遂激成川人爭路風潮。方事急時，宣懷欲以兵力壓迫民衆，乃言於攝政，特旨起余，馳往剿辦，時辛亥六月也。余受命先電宣懷，詢收買川路章程；復曰：朝廷命公剿辦亂民，不命公問收路事，無以章程爲也。余以其言不順，再電駁之曰：此次川人紛擾，實以收路不公爲詞，欲平其事必先問政府辦法是否公允？果無負於川人，而仍不聽命，然後可指爲亂民而剿辦之。今是非未分，乃欲一切加以叛逆之罪，責以妄殺威辯難，竊所未喻。宣懷不謂余有此，余起程而已。余乃爲書以告論蜀中父老子弟，頗爲時所傳誦云。

八月初旬，溯江西上，所調廣東龍濟光部兵千人，其將龍福保以五百人先至，率之行抵武昌，晤總督瑞澂，論川事復相左。自知與中外大臣，意旨皆不合，決計奉身而退；先乞假回滬就醫，即獲俞旨。余方寓家弟堯階宅中，將以十九日回滬，前一夕而武漢事起。先是瑞澂獲黨人名冊，中多陸軍將士，將窮治其獄，衆遂譁變。是夕已聞砲聲，槍聲不絕，是夕余未眠，至黎明出城，城買舟渡江，乘輪東下。沿途聞報，知民軍已舉黎元洪出任都督，革命由此告成矣。（完）

○劉鴻雁○

中國女性文藝春秋（續）

周遊

一代詞家李清照

易安不僅喜詞，四六詩亦所擅長，朱文公所謂「本朝婦人能文章者，曾相布妻魏及李易安二人而已」。恐怕不是恭維她而說的話罷？魏夫人雖亦善文詞，但我們不能斷定她不能作文。清照又能書能畫，她曾將白樂天的琵琶行畫成了圖，還有她的墨照，和自書所作「一翦梅」，曾作「打馬賦」，後人都奉爲鴻寶。她又創造了一種遊戲，名叫「打馬」，以說明此種遊戲的方法。多才多藝，集於一身，宜乎她的盛名不朽了。她的著作，據宋史藝文志：「後人集易安所作，爲文七卷，詞六卷，行於世。」但現在所流行的，只有三十首一卷的「漱玉詞」了，並且還都是從別書中摘出來的。其他詩文，散見於各家雜記詩話文選。謝無量的「中國婦女文學史」第三篇中，幾乎全部徵引。她的著作，現今坊間「詞選」中都盡集了，在此不必再引。

到了清朝，大詩人漁洋山人的和「漱玉詞」，有「郎似桐花，妾是桐花鳳」句，盛傳京都，遂號爲「王桐花」。流風餘韻，雖在數百年後，却使我們偉大的女詞人增色不少。（本篇完，全文未完）（六十五）

絢爛多彩的敦煌藝術

○豈心○

佛洞價値無比，雕塑鬼斧神工
壁畫偉大驚人，觀音都有鬍子

我國名畫家張大千最近曾有東瀛與台灣之遊，在台逗留期間，有記者問其近年畫風丕變之因，自承係以目力退步所致，極力否認受西畫影響。張氏畫風，近年趨向大寫意，予人觀感一新；有人曾謂其受西方畫影響，有採合中西繪畫藝術之趨勢，然張氏在台自謂並未受西畫影響，純屬國畫舊法新用。此語正可予強作解人者一記悶棍。

張氏之成爲一代畫師，得力於在敦煌佛洞鑽研時期。而敦煌藝術之偉大輝煌，在此提倡文化復興運動之時，頗堪一述。

多彩多姿的中華民族產生了多彩多姿的敦煌藝術，這種成就是有其深厚的來歷，決非偶然。先論敦煌佛洞，其價値確無可估計。如河西走廊上的莫高窟是使人流連不盡的，這是敦煌文物中最具規模的一個偉大的藝術遺跡，這個一千五百年前開鑿的佛洞，比大同雲崗佛窟，洛陽龍門佛窟或麥積山佛窟都老百年以上的歷史。

敦煌的佛經，本來保存極爲豐富，但經過外籍的考古家捷足先登的搜刦偸運，重要的差不多已蕩然無存，後來仍能僥倖地找到了唐代左右的寫經刻經，雖然一鱗半爪，也彌足珍貴了。

至於文字部份尚有碑刻的拓片，除了藝術上的價値外，並且幫助我們了解該洞的史實。

敦煌石刻和塑像，其精美處我們實在不能用文字來形容。無論塑像的整體或面顏，肌肉，衣裳，我們拿現代人的眼光和水準去衡量評價，比諸希臘羅馬的古代刻像塑像，無不及或甚過之。此外，尙看到四個小泥塑佛像，每像高不及十公分，佛的顏面最小者不過半公分，然五官神氣活現，精緻處堪稱「神工鬼斧！」

壁畫我看到最大的一幀「經變圖」，原作高度達七公尺，圖中人物數以百計，都是栩栩如生。

壁畫的題材可粗可爲兩種，一種是佛像供養像，五彩設色和單色勾勒綫條的都有；一種是佛經的故事畫。另外圖案畫亦有相當多。

兩種作風各有千秋，無論壁畫及石刻，其作風顯然分爲兩種：分別以北魏及唐代爲中心。前者包括東西魏，北周，北齊諸代，後者爲隋唐五代而至宋以後。據專家解釋：魏唐兩者之形式技巧及內容，均截然不同。前者多爲佛教故事涅槃圖等，手法無渲染，不重勾綫，筆調豪放，大氣磅礴。鮮卑族之豪邁風格，流露無遺。雕塑則保有「犍陀羅」作風，深受希臘波斯之影響。

唐代的作品，則將外來之佛教藝術蛻變爲東方固有之形式，而形成中國民族氣質的產物。壁畫由渲染一變爲勾綫，色彩由單純變爲富麗，內容由簡單進爲繁複。佛畫題材，亦更趨豐富。

天花藻井媲美花磚，屬於純圖案的，以花磚及天花藻井圖案爲主。花磚是唐代建築佛洞用，莫高窟一共有廿多種花紋，每個磚的大小有三〇——三五公分正方，圖案多作幅射狀，花紋凸出磚面。

天花藻井圖案繪描於佛洞內的天花頂，五彩富麗，爲研究圖案者的最好材料。

南無觀音却有鬍子。敦煌文物，除了藝術上的價値外，對於宗教，語文，風俗，考古，服飾史，音樂史，建築史……亦有相等的重要性。我還看見一幀觀世音菩薩像，爲一男子，具有「八」字兩撇鬍鬚，和「丁」字形下頷，美髯！觀者無不稱奇，然考諸佛經記載，實屬如此。

禪的火花

（二十五）入禪的另一法門
——善德

禪宗常強調直觀是通向開悟之門，但以我的看法，那種發自內心的善念也能使我們掙脫自我的驅殼，把我們從觀念意識的領域中超渡到彼岸。當善念自內心的深處流出，不爲責任和報應等觀念所污染時，這就是禪。下面我舉幾則故事，作爲我們的典範。

韓伯俞的母親性情暴躁，伯俞小時，常被鞭打。他挨打時從不啼哭。有一天，當他挨打時卻暗自傷心的哭泣了，他的母親大爲驚訝說：「以前我處罰你時，你都心甘情願，爲什麼今天卻哭了。」伯俞回答說：「以前挨媽打時，很痛，所以我很高興媽媽身體健康。今天，不再感覺疼痛，因此我深怕媽媽年老力邁打不動了，怎能不哭。」

洪祥的父親患了癱瘓症，洪祥日夜服侍，送湯遞藥，攙扶父親。他父親覺得要他每晚離開新婚的媳婦來服侍自己，實在過意不去，便說：「我已漸愈，晚上只要找僕人來就夠了，你還是回房去睡吧！」洪祥假裝答應父親的吩咐，但一等他父親睡着，便溜了進去，躺在父親的牀旁。深夜，他父親要起牀，看到僕人呼呼大睡，便想自己站起來，可是雙腳站不住，正要搖搖欲倒時，突然洪祥起來扶住他父親，黑暗中他父親驚訝的問：「你是誰？」洪祥回答：「是我，爸爸！」他父親發現兒子這樣的孝順，不禁抱住他，兒子感泣的說：「天啊，我有這樣一位孝順的兒子！」

楊黼離了父母親，到四川去拜訪一位名叫無際的羅漢，在路上遇到一位老和尚問他：「你去那裏？」楊黼告訴他要去做無際的學生。這位老和尚說：「與其去找羅漢，還不如去找菩薩。」楊黼問：「到那裏去找菩薩」？老和尚說：「你回家時，看到一個人裹着棉被，穿錯了鞋子來迎接你，記住，那就是菩薩。」楊黼依照吩咐轉回家去，當他到家那天，已是午夜，他母親早已入睡，聽到兒子敲門聲，興奮得來不及穿衣，便裹着棉被，穿倒了鞋子，便來迎接兒子。楊黼看到了母親，恍然大悟，此後他專心孝養父母，和註解孝經。

最有意義的是最後一個故事載之於道藏中，可見道家是用佛家的智慧，宣揚儒家的倫理了。

從赤子之心中流露出的道德是非常美麗動人的。它像蛙聲，和禪宗其他的禪機一樣，都可作爲悟道的法門。

○吳經熊著
○吳怡譯

相聲貴在譎諫

·欣父·

春節以後，台北市面上，又出現了「相聲集錦」第二集的唱片，仍是由吳兆南和魏龍豪灌製的，經詢及唱片商，據說銷路不錯，可見在台灣，相聲這種民間藝術，頗有轉入熱門之勢。

「相聲」一藝，爲訓練口才的玩意兒。我們常常感覺到平劇中的「丑角」，如「鴻鸞禧」的金松，「蘇三起解」的崇公道……等，都須具備有流利的「京白」，方能稱職。殊不知「相聲」一藝，更需要具備有這種條件。而且，有時所穿插的新詞，比平劇中的「丑角」更爲來多。

「相聲」，有「對口」與「單口」之別。「單口相聲」，較「對口」難。從前，我曾聽過吉評三的「單口相聲」，當時並不覺得怎樣高明。以後，在南京鬻藝的「韓子康」，他的藝術，相當了得，大可一看；只是病於嗓子，非坐在前數排，是不會發現到他的長處的。

至於「對口相聲」，比較「單口」來得容易。因爲有一人在旁答話，一搭一檔，縱出錯兒，很容易對付過去，當然不會丟臉。在「對口相聲」中，有一段節目，名爲「遨遊全球」，予我印象最深。我們用客觀的眼光，去評論這一段「相聲」，很容易的發覺它很有意思。

這一段詞句很長，內容敘述全中國各省裏的重要地名，（尤以華北數省的地名爲多）和全世界各國的重要地方。其由華北到華中，而華南，而西南，再到華北，以後再由華北，而東北，而朝鮮，而日本，然後再由日本，而台灣，漸次而到了亞洲，歐洲，美洲，澳洲……等著名國家。最後由俄國，再回到中國。舉凡各重要城市，商埠，無不包括在內。煞是一篇洋洋灑灑的大塊文章！一幅全世界的概要地圖！當年編著此段「相聲」的人，不知是誰，眞是想得透澈，記得分明，委實令人欽佩！

站在民間教育的立場來說，這一段節目，實在較其他節目爲優。因爲它既可以訓練口才，更可以使一些少受教育的人聽了，知道一些地理常識，用意是相當良好的。不過我以爲，說「相聲」的人，與其將它說得太快，以博得彩聲，倒不如將它說得慢些，使聽者可以更加仔細的去領略，這樣倒比較有用一點。當時說這段節目的，除了韓子康以外，還有南京天香閣鬻藝的劉寶瑞，他說這一段節目，最見精彩，可惜也失之於「快」。這些年在台灣有陳逸安、王祥林、魏龍豪、吳兆南等人的對口相聲，口詞還算靈俐，只是玩藝太少，缺乏新的生命。

相聲在民間藝術中，歷史也是最悠久，周秦時的優，單口相聲的權輿，北朝時興起至唐大盛的參軍戲，實即化裝相聲。優人除博人一笑之外，貴在有言外之意，所謂譎諫是也。今之相聲唱片，逗笑外，已無甚深意，良可惜也。

袁世凱傾覆清室的內幕

諸葛文侯

袁世凱以布衣起家，因緣時會，居然由清朝的下野官吏蛻變爲中華民國總統，又由總統而作洪憲皇帝，不愧爲梟雄人物。他的功業——也可說是罪過，完全憑權術機詐而來，不足爲訓，但在歷史上有他的地位，値得談談。

現代人直隸尙秉和，以滿清翰林，歷官清朝末葉至民國袁世凱政府的中樞部曹。他和袁氏心腹直隸王世珍是親戚，與曾任民元南京臨時參議院冀省代表谷鍾秀爲同年至好，又與民黨要人冀省張繼是世交。入民國後，他晚年譔寫了一部「辛壬春秋」，述辛亥革命事實經過，以及袁世凱如何傾覆清室，取得總統地位的內幕情形，有許多都是秘史，爲外間所不瞭解的，而其資料即係王、谷、張三人所供給，自非道聽塗說之詞。至於洪憲帝制運動的眞象，亦有若干秘辛爲一般人所不知者，根據現代的私人著述，擷取要點，併記於此，藉資治史者參證云爾。

辛亥革命軍興，清廷初命蔭昌帶兵南下作戰不利，乃詔起袁世凱爲湖廣總督，統帥陸海軍進攻革命黨。初時，攝政王載灃，親貴大臣載澤，貝子溥偉等，都不贊成起用袁世凱，而主張用岑春煊；但內閣總理大臣奕劻，素與袁氏交誼厚，認爲北洋新軍是袁一手訓練出來的，別人不易指揮，非袁不可。袁奉命後，先赴鄂省孝感勞軍，回到彰德即電奏清廷謂此次革黨之亂，不能專靠武力敉平，又要求頒發軍餉，清廷皆認可了。此時黃興在武漢總持軍事，而且打了勝仗，袁爲示威計，命第一軍統領馮國璋進攻漢陽而佔領之，漢口全市亦化爲焦土了，清廷封國璋以男爵，國璋亦以曾國藩自命，主張即日渡江直搗武昌，掃蕩革命軍基地。黃興聞訊離鄂，黎元洪亦濟去洪山避難，但袁忽電令馮氏停戰，藉口漢口英國領事調解；馮不從，袁即奏請清廷改任馮氏爲禁衞軍統領，而以第二軍統領段祺瑞綜持前敵軍事。同時密派道員鄂人劉承恩，海軍參贊蔡廷幹，潛往武昌晤黎元洪，探詢革命黨人的意見，可否和平解決？攝政王載灃本與袁有隙，觀此情形，引咎告退，內閣總理大臣奕劻亦隨之辭職，清廷乃以袁升任內閣總理大臣，而袁氏綜攬政權的第一項目的達到了。

袁奉命組閣，急擬晉京就職，但新軍第六鎮統制吳祿貞是革命黨人，對袁頗疑忌，此時吳駐軍石家莊，聲言不讓袁氏通過；袁納徐世昌計，指吳謀叛，賄清大臣載濤，以鉅金購吳氏部下數人，黑夜刺殺吳氏於公廨中，旋命北軍張錫鑾攻下石家莊，進佔娘子關，北上的障礙消除了。武昌革命軍此時亦密派朱芾煌赴彰德晤袁子克定（朱與克定曾在德國相識），說袁授如贊成共和，傾覆清室，南軍即一致推戴袁爲第一任大總統。

（一）

國劇腳本

大漢兒女（一名新莽刦）

·田士林·

鶯　兒：有現成的兩個哥哥，老太太您招一個進來，不就熱鬧了嗎？

呂菁娘：呸！鬼丫頭，你胡說，我撕爛你的嘴。（追下）

呂　母：痴丫頭的一句瘋話，倒也說得不錯。兩個姨甥俱有大志，都是棟樑之才，趙終葵文武雙全，必然幹得一番功業，田子文通情達理，又通經術，長於文學，日後必成大器。二人俱都不差，倒教老身選那個爲是呢？也罷！待我用言語探過菁兒心意，再作計較。正是：

宛轉隨兒女
辛勤做老娘

啊喲！又疼痛起來了。（扶杖下）

（十九）

自由報

第八四三期

社長李選鵬．督印黃行發

社址：香港九龍登打士街……
91 DUNDAS ST, 9th FLOOR,
FLAT 6 KOWLOON H.K.
電話：857273　電報掛號：7191
承印者：大同印務公司
中華民國（台灣）台北市大同街119號

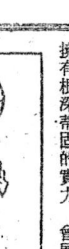

毛共病入膏肓潰亡在即

——對「楊成武事件」的初步分析

·思廉·

駐北平的外國通訊社報導說，接替羅瑞卿出任中共軍代總參謀長以及接替賀龍出任中共中央軍委副主席的楊成武，空軍政委余立金和「北京」衛戍區司令員傅崇碧，已突然遭到清算，并還出現了一個十萬羣衆參加反楊成武的示威遊行，把享譽已久的所謂「模範中的模範」指爲「黑頭頭」了。這是一項很值得注目的發展。

楊成武歷任京津區衛戍司令，防空軍司令員，「北京」軍區司令員，解放軍副總參謀長，代總參謀長等要職，都是上將銜，而「中央軍委」副主席則是應該有元帥銜才夠資格出任。楊雖出身於華北聶榮臻的部隊，但與毛林集團有深厚的幕後關係。楊一向在華北掌握有力部隊，可以說擁有根深蒂固的實力，好像一九六六年，在彭、賀、羅、烏的龐大基地之「北京」的，毛林能夠順利的進入并有效的掌握任局面，楊的協助之功必不在小。一九六七年十一月三日「人民日報」發表楊的題目是：「大樹特樹偉大統帥毛主席的絕對權威，大樹特樹偉大的毛澤東思想的絕對權威」那篇文章，會展開「全國」性「學習」，亦可見他之當時得令，不可一世，以及毛林對他的信賴備致了。

傅崇碧也是聶榮臻的主力戰將，同時也是楊成武的愛將。先後出任「北京」軍區副司令員，「北京」衛戍區司令員，「北京」革命委員會副主任，中將軍銜，毛林集團進駐「北京」，他也是主要迎「駕」功臣。

余立金是陳毅系統中堅份子，此前是南京軍區空軍政委，現在是空軍總部的政委，中將軍衛，是「文革」的風頭人物。由於楊、傅、余三人曾是毛林集團的核心人物，在共軍中是聲望顯著的中堅份子，乃幾乎於一夜之間被整了！儘管在中共封建、專制政權之下，任何人都有隨時不明不白獲罪的「危險」，但是，以打着毛派的「旗幟」，擁有「堅強後盾」的「駕」重臣如楊成武者，竟突然被鬥，這說明乃是「文革」後的中共中央大本營發生了要命而不可調和的鬥爭所使然。影響重大，不言可喻。

筆者初步看法是：

一，妥協派的破產：所謂「文化大革命」一開始，周恩來一直在「妥協」之中大賣力氣，其顯著的企圖，是拉攏非毛林派的軍隊「向心」，安撫一些潛在的「離心」首要，阻止一觸即發的「內戰」，以及拼湊若干「革命委員會」，舉大者如許世友、黃永勝的「靠攏」。又可以理解：「華北野戰軍」既不是林彪「親手製造」的，反之是與劉鄧有着深厚歷史關係的，毛林集團身臥虎旁，難免驚心吊胆，可能一度想把「矛頭」指向「華北野戰軍」，結果經過周恩來的「妥協」政策或者再三的「保證」，使林彪沒有再揮屠刀，而維持相安的局面。目前毛林正在籌備所謂「九大」，無異暗裏知會劉、鄧將正面的被「揪」出來，此時此際，如果劉、鄧基地不加消除，到時難免發生大規模的軍事行爲，而影響及「揪」「鬥」的進行。此所以楊成武之流就被下手了。然而，這一行動，也就徹底的摧毀了周恩來的「妥協」政策，徹底打垮了周恩來的「保證」。

二，「紅衛兵」勢將再起：「文化大革命」一開始，號稱江青能夠駕御的「紅衛兵」「縱橫」「串連」，四方亂搞，確實猖狂了一時。其後首先遭到共軍幹部的制止之後，在林彪的大喝一聲之下，不得不偃旗息鼓，變成小丑似的可憐蟲。如今「楊成武事件」一開始，街頭陸續出現了「北京」許多大字報，有些大字報還以「當毛主席高舉他的手時，我們就前進」爲題，殺氣騰騰，呼之欲出。這顯示六個月沒動的「紅衛兵」，又將打着毛派的「旗幟」蠢蠢而動了。

前此在毛酋「炮打司令部」的指示下，「紅衛兵」將一些能夠起領導作用的「幹部」，幾乎不分皂白的統統「揪了出來」，統統「靠邊站」，致使交通停頓，工廠停工，農村停產等等。毛酋既凜於這個後果的嚴重性，更加上軍隊的壓力，乃不得不唱出「回本單位」，「復課鬧革命」等等，藉以安頓不平的氣氛，也是向共軍加以安撫，不必說了。如今「楊成武事件」發生了，顯著的表明，毛林兵權已瀕臨瓦解，毛林要倚靠軍隊爲靠山的夢想行不通了。看來，那麼怎麼辦呢，只有再使出看家的老本「紅衛兵」作爲「阿Q」式的闖蕩，以壯聲勢之一途了。

三，毛林之間的矛盾：楊、傅等功狗高搏命迎「駕」之餘，官累進，誠所謂「槍桿子裏面出政權」，說明楊、傅曾是林彪的「死黨」和有力的幫手，也是毛酋的親信。而林彪既然被認爲是「毛主席的唯一繼承人」，爲甚麼竟連幾個親信的幫手都不能保他過關呢？然則林彪是跟誰發生了磨擦？筆者以爲毛林之間可能已存在着暗結了。

中共在所謂「廬山會議」以後，劉少奇曾經表示對毛的不滿，同時發動手下大將勸毛休息，如陳丕顯還曾寫信給毛，一面歌功頌德，一面希望他下台休息。如此這般，毛酋於是暗通林彪，掀起所謂「文化大革命」以求自保（按此僅爲一部份理由）。而今天的林彪聲勢，較之劉少奇當年，却有過之無不及。當一九六七年五月江青喊出「文攻武衛」，八月王力，林杰提出「揪出軍內一小撮走資本主義道路的當權派」的口號，惹起軍人的不滿情緒時，在林彪的大壓力下，毛酋不得不讓江青出面公開承認錯誤，跟着陳伯達沒再露面，江青抱病休息了一段時間，「中央文革」的幾員健將王力、林杰、關鋒、戚本禹先後垮台，就連毛酋的咽喉——「紅旗雜誌」也停刊，直到三月底才再「面世」，這都顯示林彪佔了上風。但是，以毛酋的一貫狠毒個性，他豈能善罷甘休！

其次，林彪在許多地方，表現出與毛澤東平起平坐，分庭抗禮，甚至大有超越掩蓋之勢。如不久之前，僞空軍第四次學習毛著積極份子代表大會上，

（下轉第二版）

知其不可而爲之

一心以爲鴻鵠將至

自由歌

十年前，我在歐洲旅行時，聽到法國朋友談出一段故事：有一位美國的知識份子，在巴黎參觀歷史博物院，瞧見其中庋藏着世界各國的古典著作品不少，中國的「孫子兵法」亦在其列，却沒有美國作品，殊爲詫異，便詰詢執事者是何理由？答以須有歷史性的名作品乃可收藏。那位美國人說道：「我們的杜威哲學，辛克萊的文藝作品，不是很有名嗎？」執事者對曰：「這裏所收藏的名著，多是千年前寫出來的，貴國肇建還不到兩百年，不足以語此也。」這說明美國的文化基礎很薄弱。美國號稱「合衆國」，人民的種族很複雜，除卻黑種人而外，全球各國的人種亦不少，根本就無所謂民族精神｜只有白種人的優越感。

沉不住氣的大少爺

文化基礎不深厚的國家，其人民即缺乏「沉潛剛克，高明柔克」的氣質，祇能享受安樂生活，却經不起患難的熬煎。二次大戰初期，英倫受到希特勒德國長期的猛烈轟炸，終不屈服，即因爲英國人有其深厚的文化基礎和民族精神，抵擋得住，如果是美國，早就降服了。

美國派兵到越南參加反共戰役的初期，朝野上下人士皆認爲是履行義務的舉動，并無人提出異議。最近受到越共一次春季攻勢的挫折，死傷之士卒不少，於是乎全國爲之譁然起哄，吵鬧不歇，甚末失格丟人的話都說出來了，迫使「總統先生」詹遜，以聲淚俱下的形色，宣佈不再競選下屆總統，并實行越戰降級，哀求越共言和，而朝野上下人士即稱讚詹氏是「偉大的政治家風度」。實則這是粵語所謂「唔衰攞來衰」的醜態，表示大少爺脾氣的美國人沉不住氣而已。

因此之故，自由人類期望美國領導大家從事反共鬥爭，獲得最後勝利，至少我個人不敢樂觀！除非上帝給美國產生一個雄才大畧的政治家來坐鎮白宮，庶乎有豸！

更正：上期本欄「古人的活文學」題目，「活」誤植爲「話」，應予更正。

馮三先生

昨日與明日

詹遜爲何表示消極

美總統詹遜忽然宣佈他不願作下屆總統的候選人，世界輿論紛紛揣測這是怎末回事？我認爲他一半兒是出於眞誠的意念，一半兒是政治手段。

美國政府的經濟問題——赤字預算幾十億元尚待彌補——相當嚴重，而以越戰的消耗最大。最近白宮一面要求參議院趕快通過增稅法案，以期開源，同時實行裁減駐在國外各地區的美國機構工作人員，以示節流。但參議院對增稅法案延不討論，卻要舉行越戰辯論會，反對總統自由派兵增援越南。這是內在的困難。

最近法國戴高樂政府掀起的黃金潮，用意在打擊美元在國際間的信用價值，日前雖有歐洲九個國家同意實行「紙黃金」制度，藉以消弭金融風潮，然法國拒絕簽字。還有英國的經濟情形極其惡化，美國亦不能漠然置之，然有力不從心之苦。這是外在困難。

內在外在的經濟難關重重，而越戰的消耗激增未已，責任完全在詹遜身上，他感覺來日大難，不易應付這種艱苦的局面，再加以民主黨內部的分裂運動，方興未艾，他祇好知難而退，由衷地表示消極了。

進退尚待最後決定

民主黨內的投機份子如羅拔·甘納第與麥卡錫之流，藉着越戰問題，跟詹遜過不去，適所以助長共和黨人爭取政權的潛勢力，站在黨的立場設想，這是一幕悲劇。詹遜若不作下屆總統的候選人，甘納第和麥卡錫這些小政客，決不是共和黨尼克遜的敵手，即現任副總統韓福瑞亦不容易獲勝。

詹遜盱衡時勢，瞻念前途，乃作消極的表示，同時宣佈越戰降級，暫停空襲，主張和談，向社會人士證明他并非主戰者，而甘納第等小政客，便失去了投機的政治資本，在民主黨人的觀感中，詹氏的聲望依然凌駕甘納第等分裂份子之上。等到本年八月間，民主黨開代表大會時，很可能以多數決議，徵調詹氏作總統候選人。這樣在目前可以制止黨內的分裂趨勢，將來由黨代表大會一致推挽他繼續競選下屆總統，個人的聲光亦就更好了。所以，我認爲詹氏不再競選的用意，一半兒是政治手段也。

越共決無和談誠意

瞭解共黨本質的人，即知越共對於美方的和談要求，必然不會有接納的誠意，充其量打打談談而已。可是，經過這次的和談要求，如果戰事依然不息，美國內部的姑息妥協份子，已無反戰的口實可以假借，詹遜即可遣派大量援軍到越南去，不致碍手碍脚了。

基此，美國大選與越戰前途，雖然息息相關，然目前尚未到決定階段，是禍是福，且聽下回分解罷。（何如）

越南戰局不穩聲中
泰國採取戒備措施
對大局惴惴不安預防突變

（本報駐泰記者盧偉林）

（曼谷航訊）越共繼續在越南發動攻勢，並對鄰近國家進行動亂，以及越戰盟國趨勢不夠穩定，已使泰國不安之感覺日增。泰國人民通常信賴美國的軍力是舉世無敵的，但由於越共農曆新年攻勢及美軍的反應行動，已使他們大爲震驚！現在每個人腦海中最關心的問題：一是倘若美國在越戰失敗，泰國將怎樣辦？另一是倘若美國放棄南越，泰國又將怎樣辦？

泰政治及軍事領袖，原本一直公開表示一種極樂觀的意見，並儼然相信美國最終會在越戰取勝的。他們一再說：美國決不會遭受「奠邊府」式的失敗，因爲美國比較愛聲譽，軍力財力也遠勝過法國。他們還會不斷促請美國奪回「主動」，在必要時擴大戰爭，勿理會要求停炸北越的「鴿派」主張。除泰國對於越戰，確實始終是美國的密切盟友，大力給予美國支持。准許美國建築機場，用作轟炸北越基地外，還有一隊二千二百名的戰鬥部隊直接參加越戰。此外尚有爲數一萬的部隊正在接受特殊訓練中，預期本年六月間開往參戰，而毫不考慮共黨之報復後果。由此可見其支援越戰之熱切。但美國若有任何降低民氣士氣的舉措，泰國認爲不只將損害到泰國民意士氣，更且直接影響到泰國在東北部各府對付共黨恐怖份子的作戰精神。

目前泰國當局有一項幕後工作正在進行中，是即研究萬一美國在越戰敗或者美國突然由越南撤退的後果，以及到時泰國何以自救的方策。泰外長乃他納對此已透露一些線索，他於三月初訪美時在紐約會說：假如美軍往越南撤退，全亞洲便難保。他又說：那時便美國也要退出泰國。這些話的寓意已很清楚。泰外長此次訪美，已探知美國的意態，即美國無意在泰長期維持其數萬名之軍事人員，及其在泰的各種軍事設施。美國設在泰國的軍事基地，僅是根據一項臨時協定施行的，並不像駐在菲律賓那樣穩定。反過來看，泰國政府亦可於必要時請他們離開。據觀察家指出：泰國領袖們並未考慮美軍的駐留後果，可能會招致共黨的更大侵略的報復行動。

泰外長乃他納由美返國後，當即主張東南亞各國彼此協助。他強調不能希望美軍長久留下來，或將大批人員、物資及金錢投入這一地區；因美國內部「鴿派」對此項措施的反對壓力已日漸增大了。

不過目前泰國官員已同意，在當前情勢下並無其他抉擇，唯有全力支持美國對越共的戰爭，認爲美軍如果不利或者撤走，將使共黨勢力有如洪水冲過寮國邊界的湄公河，屆時泰國不特失去了越戰以來所享有的經濟特殊繁榮，連國家安全亦將大大發生問題。所以一般預料泰國對越戰的直接及幕後的承担，有如美國以往的承担一樣，將繼續的增加。除了即將第一批參戰部隊一萬名開拔往南越外，美國在泰境後方的運輸設施，也在增加，美軍駐泰的人數，已從一個月前的四萬三千人，增至超過五萬人。

最近共黨對泰國的顛覆和恐怖活動，顯然已在增強，其活動範圍，亦已在日益擴大中。例如鄉村首長和政府工作人員的遭受暗殺，武器的偷運入境，土匪活動及反政府宣傳的展開，都是這種增強和擴大的明證。尤其在泰國東北與寮國爲界的湄公河沿岸各府，這種活動更爲積極，在那裏首先蒙受犧牲的，便是當地的地方領袖，學校教師和地方警察等。

所有這些活動，正似南越叛亂初期有着北越參與的情形一樣。中共更早在其中表演着一個愈來愈積極的角色。據泰國宣佈：政府的征剿部隊於進行對游擊隊和土匪活動的調查工作時，會在泰國東北和南部的各個偏僻地區中，發現了共黨所使用的槍支和彈藥儲藏，無疑是從中共那裏經由寮國而偷運進來的。共黨的恐怖份子曾使用這些槍械彈藥從事殺害政府人員和鄉村領袖，並對公共汽車和其他車輛實施攻擊和劫掠。

一個自稱「泰國人民自由之聲」的秘密電台，已在增强其反政府的宣傳，在其每天七小時的泰語廣播中，一再重覆要求推翻乃他儂領導的泰國政府，鼓動人民起而叛亂。除了謾罵式的傳單，和其他共黨文件的散佈數量，業已大量增加，而且經已查明係屬中共份子「販運」入境的。北平和河內電台，又復公然重覆了這些反政府的廣播。事情已非常明白，中共乃是此等顛覆活動的源泉。

最近，巴蜀府「難武里河水利計劃」水利工程人員一行十人，於三月二十一日上午乘大型吉甫車駛抵奎武里縣之央春地區，在該處進行水利建設的勘測工程（該處乃是茂密叢林區，也是共黨份子的潛匿處），迄是日下午二時三十分工作完畢駛至奎武里縣第七叢林區時，突遭共黨襲擊，雙方激戰二十分鐘，共黨始行撤退，工程人員一人殞命，四人重傷。

又東約機構秘書長華加斯中將，最近曾赴泰北邊境視察，返抵曼谷後對記者稱：當前清萊府邊境地區的情勢十分嚴重，泰方一架直昇機，在執行任務的時候曾受到共黨恐怖份子的射擊。軍方並偵悉北越在離泰寮邊境三公里的寮境山區設立練兵站，並在泰寮邊境地區，發現有大約三百名苗族共黨活動，其活躍的地區，主要是難府的蓬縣和清堪縣，構成了邊境的心腹大患。

面對着東南亞嚴重的局勢，和共黨的滲透與威脅，泰國已嚴密戒備隨時應變。

泰國國務院長乃他儂元帥最近對記者透露說：由於北越政權已經自蘇俄方面獲得轟炸機援助，因此泰國政府爲着未雨綢繆，已經下令泰國防空部隊密切戒備，以防北越共黨利用俄援轟炸機襲擊泰國的軍事基地。

泰國警察總監乃巴碩上將，最近也下令各府警察人員保持一天二十四小時的戒備，以應付隨時發生變局的到來。

泰國正在暴風雨的前夕，面臨着一次嚴重的考驗！

（三月二十八日寄）

國會記者訪問蕉農追記

・本報記者張健生

中華民國國會記者俱樂部同仁應台灣省青果運銷合作社聯合社之邀，於二月六日起，赴中南部作爲時四天之蕉園參觀訪問。因而國會記者對當前之香蕉產銷業務，有更多瞭解。

關於香蕉產銷政策的問題，爲蕉農所組織之青果聯合社與青果商所組織之公會所爭論不休的問題；而若干青果商唯利是圖，竟置國家利益與蕉農利益於不顧，並以雙重身份從中勾結日商興風作浪，甚至假藉日本「香蕉輸入組合」力量來對付自己的同胞——蕉農。而輔導香蕉產銷業務之外貿會，過去所實施的對日本香蕉業者自由報價的政策，等於保護青果商的利益，因其對青果出口商之報價無限制，致爲台灣全體蕉農所不滿。所謂「雙重身份」之青果商，係指如陳查某、王諸回等，在台灣爲香蕉出口商人，且爲青果公會負責人；又在日本設有商號，爲香蕉進口商，係日本「香蕉輸入組合」組員。於是形成青果商抑低出口價，以日商身份殺價，或以日本華商身份而轉讓進口香蕉於日本加工業者而從中取權利金。此外，青果之運輸，現有十九艘輪船，其中十一艘係青果商陳查某、王諸回等所經營，因而生產香蕉農民之輸出工具，又爲彼等所操縱。

爲此，青果聯合社申請政府准予自備外匯購買香蕉冷氣船，而有些機關復又暗中支持青果商，迄未同意開放，至形成青果商爲「特權階級」，其中有無官商勾結之不法情事，監察院應予澈查，藉釋蕉農之懷疑。（一）

東南亞行腳
接頭就是願意

・高舉

凡是缺乏敏於了解的人，到了異地就會失去興趣與快樂，而自己本身又往往被異地人士認爲吹毛求疵。美國人最易犯這個毛病。

印度人的髒是世界聞名，解大便不用草紙，僅以左手指將污物抹去。故左手觸人乃表示侮辱，左手上香所敬者爲蛇神邪靈之輩。我們如果用錯了左手，將會引起很大的誤會。又印度人的搖頭，就表示「是」「願意」，與我們的「不是」恰恰相反。他們這些習慣，外國人如果未弄清楚，涉及到不客氣或者不禮貌的時候，那就嚴重了，徐復觀先生常引用的：「未吃過猪肉應該看過猪走路」。所謂看猪走路者，「入境問俗」也。

日本風俗以說些足以引起不愉快的話，是不禮貌的。德國對於權威與輩份的尊重，認爲是一種禮貌，美國就不這樣，他們認爲人與人間要講眞話，對老少高低都應當同樣客氣。（二）

「形勢大好」胡亂叫嚷
不打自招「形勢大壞」

謝志三

毛林集團在大陸上掀起的所謂「文化大革命」，發展至現階段，一直是在叫嚷着：「形勢大好，而且越來越好」。實際上則是「形勢大壞，而且越來越壞」。陷於進退維谷的毛林集團，正受到來自廣大羣衆的壓力，和難以平息的「不合作」現象。

根據三月二十七日以「貧下中農不分派」的浙江日報社論，人們可以看到毛共一些不打自招的所謂「破壞活動」。社論說：「他們千方百計打擊貧下中農，企圖削弱貧下中農的優勢力量」；「煽動貧下中農，形成長期對立」。

三月二十六日四川日報在第一版上刊登的社論，題目是：「忠不忠看行動」裏面的一段話，更可以看到「革命羣衆」是如何的不合作了。社論說：「有些人說，紅十條（按「紅十條」是毛酋對於四川省「文化大革命」的親自「指示」）過時了，就是爲李、廖死黨翻案」。又說：「不是把矛頭指向李、廖，而是指向劉結挺和張西挺」。（按劉結挺是成都軍區副政委，張西挺是劉結挺老婆，革籌小組成員）。換句話說，所謂「反革命黑頭頭」不打，不鬥，相反的「革命羣衆」的槍嘴直指「無產階級革命派」。

又據三月二十七日僞內蒙古自治區「革委會主任，內蒙古軍區司令員滕海青在內蒙古「文藝界」大會上講話中透露：「文藝界抓了許多人，我看，抓而不鬥是在保護他們」。以共匪一貫狼心毒手的作風，那裏會「抓而不鬥」呢？這其中可以明白的顯示了所謂「黑後台」還是擁有他們的「陰暗」勢力。

三月三十日江蘇電台廣播說：「滬寧綫上某機車車輛廠於三月二十八日成立「革命委員會」，廣播說：「這個廠歷來是兩個階級爭奪的重大陣地」，「反革命集團和一些反革命小爬蟲，把黑手直接插到這裏！他們大耍反革命兩面派的手法，挑起武鬥，挑動兩派革命羣衆組織嚴重對立」，「妄想控制滬寧咽喉，破壞鐵路運輸，破壞無產階級文化大革命」。由此看來，所謂「形勢大好」的「好」，好在哪裏？

根據三月三十日僞廣西電台廣播，報導南寧市「紅代會」三月二十八日閉幕（按，該「紅代會」是在三月二十五日開幕）說：「階級敵人混進革命隊伍中的叛徒，特務，黨內一小撮頑固不化的走資派，以及「地、富、反、壞、右」份子，他們有的以極左的面目出現，到處招搖撞騙，擾亂陣綫；有的從右的方面颳起翻案風，否定革命的羣衆運動，否定無產階級文化大革命的成果」。這裏所謂「有的」，「否定」或「破壞」，可以斷言，這決不是三兩個「反革命」就能做到「到處」的。廣西的武鬥，到今日仍然是大規模的，而且鬥爭的對象是以「親人解放軍」爲目標。去年十二月六日在梧州所發生的「一二、六事件」，曾出動機槍掃射，手榴彈橫飛，這難道是「一小撮壞人」所表現的極端憤怒行爲嗎？

目前，大陸上能夠張嘴的一些蝦兵蟹將，正在大作違心的叫嚷，什麼「毛主席揮巨手，我們奮勇前進」；什麼「誰膽敢反對毛主席，反對林副主席，反對新生的革命委員會，我們就和他拼」等等，事實上，他們的主子就是把手都「揮」斷了，眞正的中國人也不會「前進」的。就算他們爲了保衛他們的主子成了「烈士」，也是要「打着紅旗反紅旗」的。這是人類智仁勇的自然行爲。因此，可以肯定的說：毛林集團非但形勢越來越壞，而且竊國的紅醜們即將被正義的巨手「丟進歷史的垃圾堆裏」，「再踏上億萬之脚」，「永世不得翻身」。

毛共病入膏肓潰亡在即
對「楊成武事件」的初步分析

（上接第一版）

林彪指示會議發表一項消息說：毛林集團這次能夠戰勝「黨內最大的一小撮走資本主義道路的當權派」，完全是「林副主席的毅力的成就」。而隻字不提毛酋以及「戰無不勝的毛澤東思想光輝的領導」。又因爲毛澤東出版了「毛語錄」，林彪隨着也出版「林語錄」。如此事實，其欲「取而代之」，比當年劉少奇尤爲露骨。這對於毛澤東來說，是不可容忍的。所以毛林之間有矛盾，應非牽強傳會的想法。

楊成武傅崇碧余立金到底是毛派、林派或兩面派，暫不必理會，但當此毛林、劉鄧鬥爭進入你死我活的階段，和所謂「九大」召開的初夕，楊成武等的突遭清算，毫無問題是「一件大事」，它說明中共整個機構病入膏肓，接近從根潰爛的境地了。這情勢絕不是周恩來的「妥協」手腕所可敷衍彌縫得了的。它說明大亂就在眼前了，其唯一的結果，當然亦必然是毛僞政權的澈底崩垮，大陸同胞的重見天日。

（完）

淮安的人文與風俗

「千金亭」「胯下橋」紀念淮陰侯韓信
「西遊記」「老殘遊記」兩書亦由產生

·顧翊群·

淮安雖係江蘇省一縣，地位不大，但所出人才甚多。有文人學者，有英雄豪傑，有忠臣孝子，有節婦義士，有賢母，有美人，還有畫家。我們可從這些人的事跡、思想和行誼中，獲得若干啟示，其嘉言懿行更值得我們欽佩、崇敬、與效法。筆者特借自由報一角略為敘述。

淮安舊稱淮陰，在春秋時屬於吳國，戰國時便成了楚國之一部分。據大清統一志稱：在漢時屬臨淮郡，唐屬淮南道。清之淮安府屬共轄六縣，計為首縣山陽（楚州、射陽），即現時之淮安縣；現在之淮陰縣舊為清江浦鎮原屬山陽縣）與阜寧、鹽城、清河、安東（漣水）、桃源。現依歷史上年代先後，將淮安有名人物，逐一作一介紹。

淮陰侯韓信

韓信是漢高祖之大將，人稱三傑（張良、韓信、蕭何）之一，他就是淮陰人，對其事跡，人人皆知。明人周永年（吳江人）有淮陰侯一詩，原詩云：「一市人皆笑，三軍衆盡驚；始知真國士，元不喻羣情。楚漢關輕重，英雄出戰爭；何為就俎醢，垂釣足平生」。本詩第一句，係指韓信受胯下之辱而言；第二句則指韓信拜帥，三軍衆將皆感意外之事；第三、四兩句則謂韓信雖係國士，但他人皆不知之，亦即是真正有本領有學問之人，反不易為人所知曉也；五、六兩句，是說韓信之功業，助漢滅楚，關係重大，真係舉足輕重；七、八兩句，則惜其不能急流勇退，而遭致殺身之禍。

先姐楊顧翊徽女士對此也有一詩憑弔韓信。她作詩時年僅十五歲。彼十六歲出嫁，不幸十七歲便已死去，由姊丈楊皴瓚氏將其生前詩若干首搜集，名為熙春閣遺稾。其中有千金亭懷古一首，原詩為：「千金亭畔萋萋草，終歲無人徑莫掃。夕陽返照溪水清，惟有寒鴉栖樹老。回憶當年飯王孫，豈圖重報一飯恩。母兮母兮一女子，青眼能識無雙之偉人。嗚吁嘻狡兎死，走狗烹，將軍才略會何用。我來亭畔久徘徊，空見滿林黃葉風搖動」。其中大意是謂韓信在幼年時，曾受漂母救濟（有一飯之恩），韓謂後日定予報答，但漂母則施恩不望報也。韓貴為齊王後，尋訪漂母，已經死去，乃以千金修築一亭，名為「千金亭」，而與其昔日受辱處之「胯下橋」，同稱本縣的名勝。惜現在荒草沒脛，無人打掃，每逢夕陽西下，羣鴉亂鳴，景物淒涼。此詩不只稱讚漂母有眼光，有識見，能識韓信於微賤之時，且感慨於最後終於「狡兎死、走狗烹」，雖有才能也無用矣！

枚乘與臧洪

漢代文人枚乘，也是淮陰人。在漢景帝時，彼初襄助吳王濞，後以吳王想謀反，枚迭諫之不聽，遂辭引退。吳王終為景帝討平。景帝對其勸吳王不可作非分之想，深表嘉許。後又在梁王處作客，惜亦無成就。至武帝時因佩服枚乘之見識才能，尋找其後人。乘有一遺腹子枚皋，亦係文學家，為武帝羅致。皋長於辭賦，與司馬相如齊名，其所居之處即在淮陰城內。

東漢末有一臧旻，是政府派往西域官吏，對該地出產、風土、人物，均瞭如指掌。其子臧洪則是一大忠臣（范曄後漢書為伊父子立傳）。三國演義中，述及十八路諸侯討董卓，由曹操發起，並推袁紹為盟主。此事實則係臧洪創始之功。十八路諸侯中之張超，即為臧之長官，而歃血為盟登壇告衆之文即係臧洪所作。後曹、袁感情破裂，曹操攻打張超，臧洪代張向袁求救，袁不發兵，致張為曹所滅。臧洪心懷故主，遂與袁紹決裂。袁使陳琳（孔章）勸其投降，為臧洪所拒，其復陳琳書大義凜然，令人欽佩。臧氏終為袁派兵捕獲。紹之幕客陳容（亦淮安人）勸紹勿殺正人，而同時見害，死時高呼：「寧與臧洪同日死，不與袁紹同日生」。吾人於千載之後，對臧洪之才學及品格，崇敬無已。

另有三國時孫權之宰相步隲，文學政事均有造詣；與西晉之酒仙劉伶（為竹林七賢之一，著酒德頌），均係淮安人。唐人王義方為御史，正色立朝，庭叱宰相李義府。唐末有詩人趙嘏（承祜），彼之「長笛一聲人倚樓」）一句，即為杜牧所讚賞，稱為趙倚樓，其故里在枚皋舊里附近，兩大文人先後同居一地，亦是巧合。趙嘏有「憶山陽」詩一首如下：「家在梅阜舊宅邊，竹軒晴與楚坡還。芰荷香繞垂鞭袖，楊柳風橫弄笛船。城礙十洲仙島路，寺臨千頃夕陽川。可憐時節堪歸去，花落猿啼又一年。」淮安城內有勻湖，風景絕佳，讀趙氏詩，知唐時，此湖已有芰荷垂柳。地以人傳，信然。

孝子與忠臣

宋人張耒（文潛）係蘇東坡之門客，人稱蘇黨，詩詞皆佳。彼有絕句一首：「亭亭畫舸繫春潭，直待行人酒半酣；不管烟波與風雨，載將離恨過江南」。又著名孝子徐仲車先生，學行卓絕，邑人建有節孝先生祠。宋末忠臣陸秀夫（奉帝蹈死崖山）係淮安府屬鹽城縣人。邑人奉陸公牌位於徐先生祠堂中，歲時向二公致祭。南宋抗金名將韓世忠，雖非淮安人，但在淮安駐軍十餘年之久。宋末淮人中尚有名米立者，三世為將，官至都統，抵抗元兵，不幸被俘，元人命其故主勸其投降，伊堅拒而遇害。

清初有金章者，係一畫家，善畫梅花；但另有一金章，亦係畫家（以墨竹著名）則為杭州人。此外以畫蘆雁知名之邊壽民頤公，住「葦間書屋」，先君曾賦詩贈其孫。明末有一才人吳承恩氏，以著西遊記一書而享名不朽。先君曾將吳所著射陽存稿，自故宮天祿琳瑯中抄出，知其除西遊記外，詩文亦佳，與嘉隆七子齊相友好。先君曾作詩弔之。惜先君抄集吳氏存稿，現已佚失。

詩人吳梅村

清代大詩人吳偉業（梅村）旅行過淮安時，多作詩以紀感，如「過淮陰有感」兩首，其一為：「落木淮南雁影高，孤城殘日亂蓬蒿；天邊故舊愁聞笛，市上兒童笑帶刀。世事真成反招隱，吾徒何處續離騷。昔人一飯猶思報，廿載恩深感二毛。」此首係指韓信之事。另一首為：「登高悵望八公山，琪樹丹崖未可攀；莫想陰符遇黃石，好將鴻寶駐朱顏。浮生所欠止一死，塵世無由識九還；我本淮王舊雞犬，不隨仙去落人間」。此則係吟詠淮南王劉安故事。因彼係明末遺老，未能盡節，被清廷強迫出山，自有無限感慨而賦詩寄意也。

另有山東新城漁洋山人王士禎（貽上）亦寫「淮安新城有感二首」。此城係明末江南四鎮之一，東平侯劉澤清所修建，彼為一流寇出身，貪財好色，因淮安地當黃河、淮水、運河之交叉口，商旅雲集，彼坐鎮其間，甚多財帛，降清後被殺，王乃賦詩兩首感嘆。（上）

談郁達夫和「沉淪」

魯深甫

在寫作的態度上，郁先生覺得「文學的作品都是作家的自敘傳。」他又認為：「文學表現自己越忠實，越有成就。」因此，他主張「為藝術而藝術。」所以「沉淪」之作，正是作者的自述；所襯托的時代背景，也正是當時社會的縮影。既沒有誇張，也沒有隱諱，只是把自己的經歷和感受，赤裸裸地記述下來而已。儘管郁先生在創作之初，全然憑著直覺，而絲毫沒有其他的意志；但是他在書中所揭示的問題，正是部分青年，當時所共有的病象，甚至今日仍然或多或少地存在著。

至於「沉淪」在文學上的價值，因為自己沒有創作的經驗，又缺乏欣賞、鑑別的能力，所以不敢妄加推斷；但總覺得：任何文學作品，都不能撇開現實遠離人生。儘管文學不是道德的實錄，但文學是現實的再創造，是把現實一般的或個別的思想、感情……透過作者的匠心，而賦與新的生命。郁氏作品的偉大，在於對自己的誠實，和心理剖析的精微。當然，他的作品不只是自身的寫照，而是表現了數十年來，中國青年生活實際的大部。雖然偏重於病態的說明；可是，思想的轉變，對社會的掙扎，却是整個青年的寫實。關於這方面的描寫，在近數十年的作家中，恐怕沒能夠趕上他的了。

「沉淪」發表之初，曾引起極大的爭論。爭論的焦點，不是所揭示問題的探討，而是為了它的風格叛離了舊禮教。當時也有人力為辯護，並且譽為「真人性的文學。」這種仁、智之見，對於郁先生所表現的獨特風格，又有何損益呢！文學的可貴，在於創造；宇宙間，正有無數的事象可供我們寫作，又何必把自己的思想，局限於前人所畫定的圈子呢？郁先生的坦率、大胆、創新，求變的精神，不也正是值得我們效法的嗎？

（下，完）

中原雜詠

禚夢菴

一別中原倏廿載，因仿杜陵秋興八首之意，吟此寄興。

燕趙

依馬蕭蕭易水風，太行一脈走蛇龍；茫茫大野征人去，歷歷寒村過雁空。終古男兒矜壯節，從來燕趙出英雄；即今河上冰開日，猶憶沉舟破釜功。

西北

涇渭東流入大河，秦關千里列峯多；川原鬱鬱隴頭柳，羌管悠悠塞上歌。雪滿天山悲牧馬，月臨瀚海走明駝；漢家北望烟塵黑，戍國心長夜枕戈。

西安

落日城頭萬點鴉，紫雲深處見星華；南山嶂疊千峯秀，古道秋風夕照斜。曲巷酒壚猶古意，郊原陵闕少人家；漢唐宮苑知何處？麥壠青青苜蓿花。

瀟湘

杜若洲前宿雨收，珠明南浦日華流；斑筠點點諍臣淚，芳草萋萋逐客愁。千載騷心憂故國，三湘士氣醞新猷；洞庭秋水平如鏡，白髮詩人弄扁舟。

巴蜀

避胡南渡望秦京，千載同心杜少陵；師友留連錦里月，江關歸去暮天程。華陽芳草驚秋色，劍外啼鵑自咽聲；回首西南形勝地，巴山風雨故人情。

故都

西山紅葉點清霜，蔓草黃藤滿苑牆；鴛瓦輝凝宮殿月，觚稜射影斗牛光。三尺雪夜燈如醉，百萬書城夢也香；學術當年推上國，舊眉心與遠天長。

齊魯

地老山蒼抹酒存，夢回古淚拭無痕；稷門楊柳驚風雨，闕里松柏變曉昏。萬馬聲中辭岱嶽，斜陽影裏看中原；故園桃李今零落，五月榴花碧血燔。

江南

江南風物最堪憐，紫蟹紅鱸憶惘然；吳苑荒涼佳麗老，秦淮冷落玉笙懸。六朝煙月白門柳，十里鶯花西子船；歸續舊遊知何日？蓬窗搔首月娟娟。

榆關（弔袁崇煥將軍）

城上旌旗雪正翻，幾回羽檄到關門；遼陽夢斷深閨冷，海上風腥故壘存。史乘千秋悲厥獄，將軍百戰畏讒言；傷心明季君臣事，長嘯獨招忠義魂。

魯南新村故宅

白髮經師百歲堂，書聲滿院又斜陽；石榴樹老蟠龍幹，芍藥花開蜜酒香。窗外松筠清蔭好，村中父老古心長；秋來場圃收拾罷，醉倒東籬菊蕊黃。

中國女性文藝春秋（續）

周遊

趙孟頫夫人管道昇

人文薈萃的吳興，可謂是代有才女。唐有李冶，宋有吳淑姬，在中國文學史上先後輝映。在吳淑姬死後約百年間，當蒙古陷濟南的那年，蒙古遷於大都（北平）定年號的前二年，吳興又產生一位女藝術家——就是書法家趙孟頫的夫人管道昇女士。

管道昇字仲姬，一字瑤姬。母親周氏，父管仲字直夫。是古大政家管仲之後。道昇是一個獨生女兒，故為父母視為掌上明珠。她天禀聰穎，且有其父爽之遺風，落落大方，有丈夫的氣概。二十八歲那年（一二八九）嫁給同郡趙孟頫為妻。孟頫奉召赴闕，以布衣擢奉訓大夫兵部郎中。結婚後即相偕雙雙至京師。趙孟頫為趙宋之宗室。宋亡後，程鉅夫奉召尋訪宋室遺老，遂荐於元世祖，極寵絡之，把孟頫抬得相當高。至京除為直集賢同知南路總管府。成宗時，召入史院，道昇亦與俱。後孟頫因病辭官，同歸吳興。後又提舉江浙儒學，任滿，遷泰州尹。此時孟頫春風得意，青雲直步，欲效相如、東坡之風流，納如夫人，這似乎為一般得意男士的通性，慕戀少艾，忘却舊時糟糠之妻。在文學家之羣中，有司馬相如，同時有關漢卿。卒經故妻之反對，方把此意壓下。這時道昇已經是半老徐娘，將及艾年，即使「徐娘半老，風韻猶存」，究竟不如青春少女亭亭可愛。且子女繞膝。孟頫納妾，先欲來個試探，遂作小詞一首予道昇，投石問路。他倆一試一答的兩首詞，足為研究白話文者之參考。

（六十六）

袁世凱傾覆清室的內幕

諸葛文侯

袁氏到北京接任閣揆後，聲稱必須籌措軍費一千二百萬兩，期以半年時間，纔有敉平亂事之可能。他明知國庫無法支應，乃昌言應請皇室諸貴族捐獻私財濟急，並囑日本使館發佈消息，謂已調查各貴胄存在外國銀行的銀錢，共有三千餘萬兩，應該慨捐出半數來匡救危局。結果奕劻捐了十萬兩，其餘的人各捐數千兩不等，隆裕太后亦發出內帑黃金八萬兩。袁認爲於事無濟。實則袁以親貴多主戰，且有宗社黨之組織，故意藉軍費問題壓抑親貴的氣燄而已。

袁既得悉上述朱芾煌傳達革命黨願意擁他作總統的隱情，心照不宣，先召還主戰的馮國璋到北京就禁衛軍統領，並令前綫軍隊退出漢陽，延長停戰期間。這時汪兆銘已開釋出獄，袁教兒子克定與汪結盟爲兄弟，同時資助其幕僚楊度，與汪兆銘組織「國事共濟會」，楊主張君主立憲，汪提倡民主共和，公開辯論，因清廷已宣佈憲法，擬訂期召集國會，取決政體問題也。斯時清室王公貴胄以袁氏既有軍餉了，又不命令前綫軍隊作戰，反而後退一百里，究竟是何居心？羣起責難，洶洶不已，宗社黨首領良弼上書袁氏斥責尤烈。此外，革命黨人不明隱情，因袁氏對人表示他是大清皇朝的內閣總理大臣，祇能談君主立憲問題，民主共和之說，非所敢聞等語，亦認袁係反革命者，對他施行炸彈狙擊。袁受着兩面夾攻，處境殊危殆，直隸總督陳夔龍，與直省士紳劉春霖、李焜瀛（李石曾的本家）等密議，擬迎袁至天津組設政府，宣告獨立，請英國使館保護袁氏出京，袁允許而未行。適有前敵總指揮段祺瑞的參贊靳雲鵬，受段秘密使命，到北京向各方面游說民主共和之說，軍事將領張懷芝、段芝貴謁袁，詢問意旨，袁答以「共和共和，都是外面人如此云云，我從來沒有說過呀！」有河北進士李時燦，係袁氏老友，他怕袁督飭北軍痛擊革命軍，私謁袁氏勿屠殺革命人士，袁謂：「君等皆書生，殊過慮。鄂事乃二三少年才俊所爲，庸足誅戮乎？」靳雲鵬得悉這些情況，瞭解袁氏不欲替清廷出力，別有懷抱，乃與陸軍學堂總辦廖宇春，北京紅十字會會長夏清貽密謀，挽廖、夏二人赴上海尋黃興通款，說北軍亦贊成推翻滿朝，實行共和制，若以袁內閣担任未來的總統大位，則南北同趨，戰禍可免。廖、夏係江蘇人，曾留學日本，與南方民黨人士多相識，即聯袂先赴孝感前綫晤段祺瑞。是時北軍將校皆企嚮共和，又謁見袁，且擁戴宮保爲大總統，陳述北軍等情。袁大驚曰：「軍心胡一變至是哉！是將置我於何地？」實際上，段是體察袁氏的隱衷，纔派靳氏向北軍政界游說的，祇有馮國璋始終莫名其妙，一味主戰而已。袁氏就任閣揆月餘，專心致力於製造輿論，贊成共和，而以軍費問題脅迫清室諸王公貴胄，再利用革命黨人在北京的暗殺行爲，要求不必隨事入宮請旨施行，他要獨斷獨行的第二個目的亦在艱苦奮鬥中完成了。（二）

序「淨根遺稿」

曾約農

昔者武之勝殷，以箕子歸，咨以天地之大法。箕子爲陳洪範九疇之義，其九曰「嚮用五福，威用六極」。所謂五福者：一曰壽，二曰富，三曰康寧，四曰攸好德，五曰考終命。故壽爲五福之首，自古然矣。

然而所謂壽者，世每以居諸積閏當之，亦云隘矣。夫顏回以德壽，長吉以詩壽，壽亦多術矣。古人稱立德立功立言爲三不朽，不朽卽善也，豈斤斤於歲月之較哉。吾友蔣伏生先生之已故令郎淨根，雖不足以言不朽，亦不得以俗見論夭壽也。

淨根生於民國二十九年四月。童蒙時已聰穎好學，卓然出羣。因戰禍頻仍，未能卒業。輾轉來臺，卒業師大附中，以成績優異，免試保送東海大學。余嘗一度忝長東大，故淨根於余雖無師生之誼，而有其情。不幸未註冊而以腦炎逝世，時民國四十七年夏，去弱冠尚兩載也，惜哉！慟哉！

人生患不立志耳，觀淨根書懷二首，其一曰：「區區百歲漫無形，長存萬古惟性靈；願效前人成不朽，求得聲名照汗青」。可知其志在不朽也。孔子曰：「志於道」，又曰：「朝聞道夕死可矣」。淨根性靈長存之義，汗青不朽之求，庶幾孔門之遺意歟。

淨根論品德與其學問文中有曰：「品德就是所學所爲，都應該夠得上標準」。觀其日記始自民國四十一年，時年十二，至逝世前一月，前後六年，有恆不輟，知其毅力之堅。遺稿日記而外，復有詩文雜記及譯述諸目。尤以律己守則，生活檢討，學習心得等等，知其修身之謹。一日，其令堂問「習字未」？應曰：「已習矣」，而實未習。既而自悔不誠，誓不復犯，均詳載日記中，不自諱。益知其過而能改，有君子之風。

綜觀淨根之言行，足以感動青年，激勵後起者，不失立德立言之類型，可以垂聲名於鄉里，此生爲不虛矣。淨根爲伏生次子，既不祿，父母傷之，八年未已。頃以其遺稿徵序於余，余哀伏生伉儷之遇，而慟淨根之亡，因以淨根不夭之義，爲進一解，以宣淨根之志，而慰其父母之情，亦所以誌家姊與余惋惜之餘，引以爲慰也。蓋今日之青年，人才輩出，淨根當非孤例，邦國前途，未可限量，淨根有知，其以余爲知言哉！

湘鄉曾約農序於臺北

搜異錄

大鯨與神船

鄭家大鯨：鄭成功未來臺前，一僧夜夢峨冠博帶之異人，乘大鯨入鹿茸門，不久成功來臺。後成功罹病，有人復夢冠帶官人，乘鯨由鯤身東入海去。

神船夜遊：臺南灣裏莊之王爺廟內，有神船二。一暴風雨之夜，二船無人而自出廟外，浮游於附近運河。復出二層行溪，或下或溯，泛遊久之，卒自歸廟。

先銘

禪的火花

寒山和拾得（廿六）

唐代有一首非常扣人心弦的詩，就是張繼的「楓橋夜泊」：「月落烏啼霜滿天，江楓漁火對愁眠；姑蘇城外寒山寺，夜半鐘聲到客船」。這首詩洋溢着禪的芳香，突然的使我們觸及了時間的永恆。

寒山寺在蘇州城外，是爲了記念寒山子而立的。或說寒山子是一位傳奇性的人物，是在七世紀時，住在浙江天台山國清寺的一位隱士，他不是和尚，不是居士，他就是他自己。他有位知己朋友，叫做拾得。拾得是在國清寺的廚房內做事。每次飯後，寒山便到廚房內吃別人剩下的飯菜。於是這兩位忘形的朋友便在一起談天說笑。廟裏的和尚們都以爲他們是兩個大傻瓜。有一天，拾得正在掃地，有位老和尚對他說：「你名叫拾得，是因爲豐干禪師把你拾來的！請問你的眞姓名是什麼」？拾得便放下掃帚，默默的叉手而立。老和尚莫名其妙，再問時，他便拿起掃帚，走開了。又有一次，寒山搥胸大叫：「蒼天，蒼天」！拾得便問：「你在幹什麼」？寒山答：「你沒有看到嗎？東家隣居死了人，西家隣居去弔喪」。於是他們兩個人便載歌載舞，大笑大哭的走出寺門。

國清寺每逢月半，都要念戒。當大家集合在一起時，拾得突然拍手說：「你們集合在這裏沉思默想，究竟對『那事』有什麼用啊」！寺主罵了他一頓，他却說：「請聽我說：不怒就是持戒，心淨就是出家。我的自性和你一樣，一切的道理都無間隔」。

寒山和拾得都是詩人，我先舉拾得的一首詩來看：

「從來是拾得，
不是偶然稱；
別無親眷屬，
寒山是吾兄。
兩人心相似，
誰能徇俗情？
若問年多少，
黃河幾度清」！

大家都知道黃河自有史以來未曾清過。後面兩句詩就是寫出他們的生命，比歷史還要長，比世界還要久。在全詩中，另外一個重點，是說明即使隱士（寒山拾得，是中國最偉大的隱士），也需要知音，來互相慰勉，以期自己更具有完美的人性。

至於從寒山的詩中，你將發現他更富有人性。他有時也會感覺孤寂和思家，而坦然的說：

「獨坐常忽忽，情懷何悠悠」。

有時，他也懷念兄弟說：

「去年春鳥鳴，
此時思兄弟。
今年秋菊爛，
此時思發生。
綠水千腸咽，
黃雲四面平。
哀哉百年內，
腸斷憶咸京」。

要不是至情之人，不會有這樣的慨歎了。假如他甘願做一個隱士的話，那是因爲他被神秘的衝動所驅使，而去尋求超乎世俗的東西，下面是他的一首詩：

「昔日極貧苦，
夜夜數他寶；
今日審思量，
自家須營造。
掘得一寶藏，
純是水晶珠。
大有碧眼胡，
密擬買將去；
余即報渠言，
此珠無價數」。

他內心的光景也可從下面一首偈子中看出：

「吾心似秋月，
碧潭清皎潔，
無物堪比倫，
教我如何說」。

由這境界來看，無疑的，他是深愛着自然，也唯有自然才能反映出他內心的一切。他有許多寫自然的詩都流露着飄渺之樂。例如：

「歲去換愁年，
春來物色鮮；
山花笑綠水，
巖岫舞青煙。
蜂蝶自云樂，
禽魚更可憐；
朋遊情未已，
徹夜不能眠」。

唯有得道之人，眞正超越之人，才能隨心所欲的享受自然的美妙。一般人由於心中充滿了利欲和意圖，反而不能享受自然的風光。正如一個名叫陳道婆的老太婆，看到樵夫而寫了首偈子：「高坡平頂上，盡是採樵翁；人人盡懷刀斧意，不見山花映水紅」。

○吳經熊著 ○吳怡譯

楚望樓詩

△成惕軒▽

一、勞生

又近清明上冢天。好春紅負楚山鵑。燎原未了焚書劫。渡海俄臻學易年。分竹一叢聊賃廡。有桑十畝便歸田。瀧岡今在兵塵裏。慚愧勞生說表阡。

二、題慶光教授故山別母圖

牽裾人戀晚陽紅。移種靈萱託畫工。萬里遙瞻龍霧月。一帆猶欠馬當風。早持貞白恢門祚。直借丹青勵孝忠。隕我披圖無限淚。慈雲今亦隔西東。

三、讀子若署長所撰尊翁壽椿先生事畧因題其後

雄辭一卷發嵯峨。家誥皇皇屹不磨。閒氣所鍾是南嶽。老泉而後有東坡。趨庭鯉對才無忝。遯世龍潛事足多。我尙檻書攤未得。因君善繼感蹉跎。

國劇腳本 大漢兒女（一名新莽刼）

田士林

第二本 山村止暴

第四場

時：前場後之翌年，時爲王莽居攝元年（公元六年）

地：琅琊郡

人：哀章 田子文 趙終葵 鶯兒

哀章：（上）（念數板）說讀書，道讀書，越讀越教我糊糊塗塗；周室東遷洛邑後，五霸先後掌征誅；齊桓公，是雄主，尊周王，攘蠻楚，富國強兵天下強，勳業彪炳傳千古，成名全靠官夷吾，雖然敬賢稱仲文，究竟愛的是易牙、豎刁小人物。

（二十）

自由報

第八四四期
中華民國僑務委員會頒發台僑新字第三二三號登記證
內政部內版台報字第031號
中華郵政台字第一二八二號執照
登記爲第一類新聞紙類
[illegible]
每份港幣壹角・台灣每份新台幣壹元
社長李運鵬・督印黃行畲
社址：香港九龍登打士街91號六樓六座
91 DUNDAS ST. 6th FLOOR, FLAT 6 KOWLOON H.K.
電話：857293　電報掛號：7191
承印者：大同印務公司
地址：[illegible]
台灣總經銷處
中華民國（台灣）台北市大興街110號
[illegible]

「笑貧不笑娼」

・程長風・

由於社會風氣敗壞，常聽人如此喟歎：世風日下，人心不古。事實上這也未必盡然。古時的社會風氣，即遠溯三代，亦未嘗沒有敗壞的一面，總不能一味是丹非素，厚古薄今。不過，倘若單就時下這種「笑貧不笑娼」的風氣一端而言，那倒是千眞萬確，今不如古遠甚。

所謂「笑貧不笑娼」，那就是不管出諸何種手段：或無視氣節，爲盜爲娼；或昧着良心，詐取巧得；只要能無事把錢財弄到手，就是有辦法，就値得敬重。否則赤貧如洗，或闊綽不來，那任憑你學問人格，遠邁韋倫，亦不過是「窩囊廢」一個，徒令人恥笑。此乃「笑貧不笑娼」一語簡單詮釋。

笑貧不笑娼，如此黑白顚倒的事，竟然蔚成風氣，其流弊所及，情況嚴重可知。笑貧成風的結果，就逼得絕大多數的「凡人」無法安貧，好一點的，也勢將到處鑽營，獵取財物；而次之的，甚至鋌而走險，幹出違法犯紀的勾當。那顧得什麼名譽，人格與氣節？儘管錢財得來不合情理法，只要不失風，沒被抓住把柄，就是生財有道，大可讓人艷羨一番！再說，反正社會上不以爲娼而恥之，早已無是無非，又可不必怕受衆人鄙棄而惴惴兀自難安。因此，在以前被目爲土豪劣紳之流的，現在都可以擁有相當的地位，君不見：所謂民選出來的代表，不就有多少此類貨色嗎？如此一來，道德的標準落空了，行爲的尺度沒有了，人人但知營營苟苟，唯利是圖，試問：這去「交征利而國危矣」的地步又有多遠？孔子說：「君子固窮，小人窮斯濫矣」！當今之世，「固窮」的君子到底難求，還是「窮斯濫矣」的小人居絕對多數，這就是爲什麼當了三十幾年大官的于右老，到頭來以債務人之身長眠地下，而成爲大新聞的緣故。窮人固想變以求通，富人也有的是大壑難填之欲，整個社會都染上了浮華、奢侈的風氣，人人貪圖享受，肆意揮霍，以豪華奢侈爲體面，視淡泊自持爲沒出息，風氣既成，愈演愈烈，永無止期，這正是社會紛擾不休的根本原因。我們循流以溯源，這不就是「笑貧不笑娼」的邪風所一綫牽連出來的嗎？

不過，木朽蛀生，本不是一朝一夕之故，而這種風氣的形成，也絕非偶然，起碼有幾種原因具有助長的作用，使得此一邪風，有如烈火燎原，不可收拾。最明顯的該是品德敎育的徹底失敗。學生時代，正是可塑時期，他們一方面受敎師父兄的影響，一方面受社會風氣的薰染，如此耳濡目染，「潛移默化」，雖是年紀輕輕的，却幾乎都有着極其濃厚的勢利思想。他們十幾載寒窗苦讀，磨穿鐵硯，儘是以出洋淘金爲最高鵠的，差一點的也想求得一官半職，很少說是有什麼志願、抱負的；將來有出路，可以掙大錢，便是他們的志願。但純潔的青少年本是無辜的。我們再往上推溯一下吧！敎育界也抗拒不了社會上這種「笑貧不笑娼」底邪風的壓力，有的學校成了學店，有的敎師成了知識的零售商，因此一些敎人明達事理的道德性的敎材，在學生的心目中不過是老冬烘的陳腔濫調而已。學生都變得聰明了，他們似乎自認爲看穿了些什麼，何其可悲可歎！只要掙到錢，就是有辦法的。社會歪風就在這種情形下侵蝕了學生的心靈。後代如此，豈不是國家民族的隱憂？但這個責任該歸誰來負呢？

其次，社會上整體道德觀念的淡薄，已失去了約束的力量，更使得此一邪風，益趨熾烈。在報上，我們看到小姐徵婚時，常列有一個「家世清白」的條件，這眞敎人看了感到由衷的快慰。要求家世清白，就是表示對整體道德觀念的重視。古人甚爲重視家風，家中一個份子有了嘉德美行，就是「光宗耀祖」，反之有了損德敗行」，就是「貽辱門楣」，這種觀念，對於任何一個人的行爲都有相當大的約束力量。每個人爲此抱着臨淵履薄的戒懼心情，自策自勵，庶幾寡有逾越。單是個人的榮辱事小，影響列祖列宗事大，這是一種道德觀念的進一步發揮，其於樹德除惡之功，遠在一般敎化、法令之上。反觀今世，只要把錢弄到手，有個百萬家財，就是顯赫門第，就可輕而易舉的躋上「望族」之列，至於是否爲盜爲娼，家世清白與否，皆「未足與議也」。而一個干法犯禁，或言止無行的敗家子，又怎會以「貽辱門楣」來反躬自責，而有所不爲呢？這種觀念的喪失，無形中就等於失去了一份可靠的提撕德性的動力，而世道也就益形式微，人心也就愈趨沈淪了。

在物慾橫流，道德淪喪的今日，「求一攘利不先，赴義恐後者，實不可多得。」倘如曾文正公在世，更將不知如何慨歎一番了。「餓死事小，失節事大」，宋儒的論調，早已無法讓人聽得進去，甚至被斥爲迂腐。這個社會實在太可怕了，但又有誰能挺身而出，來阻遏這股邪風呢？有一點必須特別重視的：稽諸漢光武等歷代中興的史實，幾乎都有一個共同的特點，那就是舉國上下，無不重視氣節，砥礪氣節，知恥圖强，淬礪奮發。正因爲如此，也唯有如此才能完成遠比創業艱難的中興大業。以古鑑今，再於此時此地，看看我們的處境，看看我們的社會頹風，若不振衰起敝，力挽狂瀾，則中興何日？實敎人無從預期。不僅十多年來生聚教訓，慘澹經營的建設成果，行將被抵銷殆盡；長此以往，甚且國家民族的生機，也勢必飽受蛀蝕，戕害，而淪於萬刦不復之境！這是眞可應驗不爽的事，絕非故作危言以聳人聽聞。笑貧不笑娼，是目前社會的頹風陋俗中最嚴重的一節，而受影響最深的，該是政府機關學校中的公教人員。現實生活的煎迫，加上此一類風的煽惑，使他們很難安貧樂道，而在窮則變，變則通的常情下，貪瀆之風大行，以至綱紀廢弛，禮義蕩然，這些都是不必諱言的事。因此，要挽救此一敗壞的社會風氣，首要之圖，當從整飭政風着手。從長話短說，政府應從速設法給予公教人員以足可養廉的待遇，讓他們衣食無慮，讓他們可以挺起身來做事，然後從嚴責成這批政敎工作的實際推動者，詳爲擘劃，從學校、家庭、社會加强品德教育的治本工作，以至振肅官常、懲治奸究的治標工作，齊頭並進，或可給人帶來希望。否則徒歎世風日下，人心不古，終究是無濟於事的。（完）

如何去「心中之賊」

百計千方爲「埋葬」

昨日與明日

黑人問題是美國之癌

美國的黑人以金格牧師被白人暗殺，大起暴動，全國重要都市四十餘處，皆充溢着焚燬刦掠的騷亂情況，局勢甚爲嚴重，但不致無法收拾。

白人亦暗殺過同種的總統先生甘廼廸，可見金格之遭受白人暗殺，純係個人行爲，說不上有組織的政治陰謀。黑人乘機暴動，是發洩胸中累積着的怨恨而已。暴動當然可以制止，問題是黑白人種的歧視鬥爭，如何纔能夠消弭？

近十年來，美政府頒佈了人權平等的若干法令外，國務首長（Secretary of State）魯斯克的女兒，亦與黑人結婚，作爲化除人種歧視觀念的表率；還有黑人被任命爲聯邦政府的高級官吏，這都是明智的措施。然黑人的仇恨依然故我，隨時掀起暴動風潮，其故安在呢？

我認爲這是美共以及國際共諜從中煽惑的關係很大。猶之乎亞非地區的人民，過去飽受西方舊有帝國主義的壓迫剝削，積怨甚深未能忘懷，即使舊有帝國主義已不存在了，但對於共產黨人所謂反帝反殖民地主義的宣傳，不特表示共鳴，而且甘受共黨的敎唆，採取革命行動。美國現時還有許多州的學校，仍限制黑白人種同校讀書，而一般黑人的生活和生計，亦與白人有上下床之別，這更容易接受共黨的煽惑，一心一意的要革白種人的命，有機會決不放過。所以，黑人問題乃是美國生存發展前途的一種癌症，而共產黨就是釀致這癌症趨於惡化的細菌，危險極了！

美國人莫名其妙

俄共頭目赫魯歇夫曾經很坦白地警告過美國人（說是「社會主義——即共產主義——終要埋葬你們的。」赫魯道話并非信口雌黃，自有他的理論根據在。

可是，一般的美國人——尤其是知識份子，對共產主義的本質和其世界革命的原則與手段，統統莫名其妙。只就表面觀察，以爲美共力量孱弱，很難發展，殊不足畏，同時自己的言論思想趨於左傾，遇事爲共黨張目助勢，相信這樣即可討得國際共黨的歡心，眞正跟美國和平共存了。連華爾街的大富翁如伊頓之流，亦表示親共的言行呢！

殊不知國際共產黨并不一定要用火箭飛彈來摧毀美國，它只是利用、製造美國內部的矛盾，便足以制美國的死命，黑人問題即其最大的武器，而以鼓勵支持一般知識份子的左傾思想，爲實施世界革命的手段。英國蕭伯納說：「實現社會革命的唯一前提，即須知識份子洗紅自己的旗幟」，今日美國一般的和平論者，正是走的這條路徑，他們置身積薪之上而不自覺，黑人問題將來勢必成爲埋葬美國新資本主義社會的禮讚者，可懼孰甚哉！

（何如）

自由談

對日外交問題

馬五先生

我駐日大使陳之邁，剛在台北大吹其法螺，夸言日本政府決不會與中共妥協，而違背「吉田書簡」的保證；進行「政經不分」的貿易勾當後，日本內閣的財政、運輸兩部長，近日公開聲明，所謂「吉田書簡」已作廢，今後對中共貿易，即由進出口銀行担負資金收支責任，且決定日本的造船廠替中共製造航船了。陳大使向日本外交部表示「關懷」，所得到的答覆，是一派油腔滑調而已。我不知陳氏在國內夸夸其談，報喜不報憂的吹牛作風，是眞的不明瞭日本政府的外交法術呢？抑係故意對國人高唱催眠曲，而欺天下人以無知？由前之說，便是有虧職守的低能兒；由後之說，則係不負責任的新官僚；有一於此，皆應加以究處纔是。

日本之不忘情於中共區域的貿易，原係常識所能理解的問題，所謂「吉田書簡」的保證，根本就是滑稽玩藝，即令吉田茂健在，亦不會發生多大的效用。由於國際形勢之演變，我們亦不必專事責備日本政府不夠朋友，外交行爲本來是只講利害，沒有甚末道義可言的。問題是不能自我陶醉，懵然不講求對策，而諱疾忌醫，還說自身很健康。民主政治的規律，凡屬關係國計民生的大問題，當局者一定要對人民說眞話，否則民意代表就得提出詰詢，追究責任。陳大使上次回到台灣時，曾向立法院外委會報告中日外交情況，他說的是眞話嗎？我們有權過問，民意代表亦有作證的義務。

戰後廿年來，我們的對日外交，完全看美國的顏色行事，名爲「中日邦交」，實際是雙重的「中美邦交」，以致釀成今日的結果。再要因循自娛，俯仰由人，而不採取一些主動的外交策略，將來很可能構成眞正弱國無外交的境況，悔之晚矣。此時此事，我認爲立監兩院的民意代表，應該本諸職責，有所查究而建議了。

鐵幕管窺

以其人之道還治其人之身

大陸同胞反對毛共到處鑽縫推陳出新

。謝志三。

目前，大陸上一遍打倒「黨內最大的一小撮走資派」，打倒「無政府主義」，打倒「派性」，「反革命經濟主義妖風」，「山頭主義」，「徹底摧毀翻案風」，「徹底粉碎階級敵人的新反撲」，以及「挖黑綫」，「清流毒」，「斬黑手」等等一系列哀鳴。這些鬼哭與狼嗥，雖然「響徹雲霄」，但是所謂「階級敵人反黨叛國」的烈火，却是越「哀」越旺，越「鳴」越廣泛深入了。

在「階級敵人不甘心他們的死亡，到處煽陰風、點鬼火」，「製造事端」，「挑起武鬥」等等形勢之下，到處都是「陰一套，陽一套」，「當面說得好聽，背後又在搗鬼」，誠如流行在大陸城鄉間的幾句時髦而切實的「諺語」說：「造反派打內戰，當權派靠邊站，逍遙派在旁看，牛鬼蛇神到處幹」了。這一切反對以毛酋爲首的「無產階級司令部」的技倆，都是「活學活用毛主席著作」、「戰無不勝的毛澤東思想」的「豐碩成果」。

請看下面的幾段文章的摘要：

一、三月二十二日，上海師院報編輯部以「打倒一切新老反革命兩面派」爲題的文章。文章說：「前一時期，上海馬路口出現了一個甚麼『論壇』，大事攻擊毛主席的無產階級司令部」，又說：「例如有的人表面上對毛主席司令部的人親熱得很，但是骨子裏却却是含沙射影，惡毒攻擊，徹頭徹尾的炮打無產階級司令部」。這些不是說明了「有的人」正在進反毛活動了嗎？

二、三月二十七日，上海工人造反報編輯部以「東方論壇還是西方論壇？評——東方協會宣言書」爲題的文章裏面說：「東方協會是個有組織、有綱領、有計劃、有行動的反動小集團」。又說：「湖南省有個反革命組織，就曾經瘋狂的叫囂：『建國十八年來，幹部隊伍中的絕大多數是走進或走過資本主義道路。要砸爛爲資產階級特權服務的舊的國家機器」。又說：「在上海，有人竭力鼓吹：『階級隊伍，隨着革命的深入而改變了』。咒罵什麼：『小資產階級革命派，專門喜歡揪鬥地、富、反、壞、右以及具有資產階級世界觀的一般知識份子』。叫囂：『要把精力集中在砸爛舊的國家機器上』。前不久華東師範大學跳出來一個走資派，也在顛倒是非的叫嚷什麼：『受壓抑的學生要造反，受壓抑的幹部要掌權』。這些不是說明了「有的人」正在羣衆中掀反起毛思潮嗎？

上海工人造反報還指出：「北京的五一六反動集團，有一個叫什麼「戰馬悲鳴」的（按五一六兵團的「戰馬悲鳴」會在北平貼大字報公開反毛），無恥的承認說：『它所說的是畜牲的語言』。」這裏之所以「承認」是「畜牲的語言」的前因，是因爲「不怕犧牲」的反毛行動所招致的。

三、四月二日江西省電台的「廣播評論」中透露「『萬山紅遍』」（按「萬山紅遍」的主持人已於四月三日下午的南昌市鬥爭大會上與方志純（江西省長）黃霖（人委副省長，江西省委常委兼交通工作部部長）同時被揪上審判台）這個地下黑組織的出現……萍鄉地區「萬山紅遍報」和「迎春兵」大字報的出籠，……都是反對……」，「現在又有幾個小丑們跳了出來，妄圖爲叛徒、特務等翻案」。這些反毛事實的出籠，難道又是什麼人「歪曲」出來的嗎？

儘管毛派利用所有的宣傳工具，大肆文過，大肆栽贓，大肆歪曲事實，掩蓋醜惡面目，要知道「人民的眼睛是雪亮的」，善惡與好壞，人人有分析的本能，可以說：凡是「活學活用毛澤東思想」有心得的，都到處鑽縫，都陸續不斷、推陳出新的利用毛酋的貫用技倆，起來革毛的命，造毛的反了。

國會記者訪問蕉農追記

·本報記者張健生

有幾位經營香蕉出口貿易之中央民意代表對若干青果商與有關官員勾結壟斷日本香蕉市場之內幕，知之甚詳。他們曾對本報記者表示，於必要時，將箇中不法情形，公諸社會，務使「奸商」「貪官」遭受法律之制裁。

香蕉產銷的問題，的確很複雜，實非一般人所盡知。以農業發展工業，以工業配合農業，爲我國當前的經濟政策。五十六年我國全部輸出金額爲六億六千九百萬美元，而香蕉輸出達六千三百五十萬美元，佔輸出總額百分之九點五，除紡織品與五金機器製品外，香蕉之輸出名列第三。但紡織品與五金機器製品之輸出，需進口原料，而香蕉之輸出不需要進口原料，完全是全省八十萬蕉農辛勤而來的。是故香蕉事業對本省經濟發展，及繁榮農村經濟與安定社會，其功甚偉。

在「國家至上，蕉農第一」的政策下，前述之保護青果出口商的措施，如過去限制香蕉生產社團對在日華商（大部份爲台灣青果出口商）報價出口不得少於百分之二十的規定：如不批准香蕉生產社團自購運輸香蕉冷氣船等措施，應立即改進。否則，外貿會所倡導之「蕉農第一」，無異空話。

目前，代表蕉農之青果聯合社主張產銷一元化，其理由：「一、在五．五制之下，歷次中日香蕉貿易會議，我國出席該會議之代表，由青果出口商與香蕉生產社團各佔半數，由於青果出口商在日本設有進口商號，故我國青果出口商代表常站在日方講話，不利於蕉農，於是形成日本有四分之三的代表。因爲青果出口商係雙重身份，且缺之國家意識，如陳某係香蕉小販出身，如王某係洗麵碗者，因時會而成爲「鉅子」，當然英雄不問出身低，若以個人利益爲前提，而且常與日商合作而對代表蕉農之青果聯合社施以壓力，如價格之降低，如數量之苛求之限制，如規格等，使蕉農無法抗拒。在表面上，受損害者爲蕉農，在實質上，使國家外匯收入減少。這就值得檢討。

二、過去，在自由報價之下，我國青果出口商對日本華商之報價不受限制，結果，使青果出口商以雙重身份——即日本華商獲得總量百分之六十的進口台蕉（按：我國青果公會代表在中日香蕉貿易會議中自白爲百分之五十五），而眞正的日商爲應付其加工販賣的需要，不得不從日本華商手中取得所需要的香蕉，於是，日商乃將信用狀開給日本華商；所以此非我國青果出口商的能力強，而是我國政府過去實施「自由報價」過份保護了華商的結果。至於五．五制不易維持的原因，一是台蕉在與其他地區香蕉競爭上，我國難於保持優勢；二是我國青果出口商代表在中日香蕉會議上，常與日商代表採同一步調，使我國居於下風。故必須要打開此種困局，如何使我國掌握主動權，實爲當前急務。

三、日本「香蕉輸入組合」組員共二百五十名，其中一百七十名組員爲出售頂讓權利，八十名組員爲加工配貨業者，因此，該組合組員所進口之台蕉約百分之七十，均出售權利。據日華通訊調查統計資料指出：五十六年一至六月，台蕉平均價格每籠爲日幣五千二百六十元，而進口成本爲日幣四千五百元，進口利益高達日幣一千零二十元；外加頂讓權利金日幣五百六十元，共爲日幣一千五百八十元。故中間利益較進口中南蕉高四百三十日元。此對台蕉與其他地區香蕉競爭不利之一。

其次，日本香蕉輸入組合對台蕉分配方式，係以過去實績爲依據，其中由我國青果出口商於日本經營之華商佔百分之六十左右，眞正的日商僅佔百分之四十，此種分配方式，日商極爲不滿，亦爲台蕉與其他地區香蕉競爭時極爲不利之一。

四、蕉農們認爲：如欲確保日本香蕉市場，爭取台蕉輸日之增加，則今後各種改善工作的有效推行，必須實行自產自銷的辦法，卽蕉農生產的香蕉，由蕉農所組織的青果合作社聯合社自行外銷。但爲顧及青果出口商既得的利益，可採取下列辦法：

（二）

日本碩學與中國文化復興運動

謝愛之

自蔣總統發起中國文化復興運動以來，日本碩學鴻儒一致響應，而此間竟無人報導其事。余近獲日本斯道文庫友人來函，欣悉此一消息，特譯告全國同胞。

谷川徹三先生曰：「今人之迷信乃視西洋文明爲唯一之形態，殊不知中國文明極爲偉大，國人認識東洋文明諸形態者咸能言之；將來形成世界文明，仍將以中國文明爲主體。吾人應如西歐之先覺者指出此一實狀，將多彩多姿之中國思想與西洋諸思想比較之，廣泛展開會通之運動，啓發國民，咸以此爲指針。」

諸橋轍次先生曰：「今者東京大學出版會刊行東洋思想講座，誠學界乃至一般人所喜聞。今日世界狹小，萬國如比鄰，思想之漸次融合乃事理之所必至。東洋有東洋之特色，西洋有西洋之特色，各有所長，在世界文化之向上提昇，各有貢獻。從來對人類之生活最有影響力者爲儒教與佛教；儒教之本土中國不幸遭遇世變，復興儒教，責在吾民。吾日本之學者潛心研究儒佛兩教，完成此一使命，甚易事也。將專門之知識下普及之工夫，是所望於諸君子者。宇野、中村、玉城三博士造詣既深，熱意行之，成果巨大，而有益於世道人心者豈能量耶？」

宇野精一先生曰：「戰後二十年歲月，內外情勢激變，國際間東洋之比重，無論在政治方面經濟方面均已增大。更從文化而言，東洋對世界文化之影響尤深。此二十年爲吾人之內省期，時分已至，故有東洋思想講座編纂之議也。發源於中國之思想乃東洋文化之主流，例如佛教，在日本展開已歷數世紀矣。而日本國民之基礎之教養所資，實孔孟之思想也。以中國思想爲主軸，繼考察日本之展開，使世界文化分割爲兩大文化圈，東洋與西洋的對比，交流，並提出若干問題，卽編纂者之全部意圖也。本講座爲對東洋思想作新之省察，倘能在日本文化之發展上有小稗益，是同仁之幸也。」

赤塚忠先生曰：「夏商周三代之民族的文化意識萃於書經，歷代王朝爲政者奉爲聖典者也。放伐暴君，勉勵新王，誡飲旨酒諸篇，文字簡潔，後世文學者以作模範者也。至若易經，則古代個人行動之指針也，漢代以降，缺乏宗教之中國人，多受其支配焉。今初次用現代日語譯出之，我國人可由此而認識東洋文化之本源也。」

竹內照夫先生曰：「周之中葉，魯史官站在周王朝正統之繼承者立場所著之史謂之春秋。左氏家相傳之解釋書稱爲左氏傳，舉天下之人事，政治、經濟、社會、自然現象，無所不備，而戰爭外交陰謀大人物小人物皆由傳而存，誠人類最古之記錄文學也。今以現代語全譯，力求忠實明快，將春秋時代之世相和盤托出，名君暗君賢相奸臣烈女惡女等造像，富有紹倫。」

入矢義高先生曰：「從中國文化史言，宋代以降出現大量之隨筆集之現象，至引矚目。有名無名之知識份子公私生活及對世人多樣性之觀感，清新雋永，尤爲獨特。至若社會批評，人性批評，蓋宋明兩代爲個性展開之時代也！復興中國文化宜先將此類隨筆，分歷史政治文學等部類，忠實語譯，並將從來隱匿之資料提供，使讀者之視野開拓也。」

入矢義高先生又曰：「從中國文學史言，中國人本有力排空想及虛構之傾向，至唐代始因佛教之衝擊而展開文學之新道路。中國之說法僧積極展開斯路，多彩多姿之變文遂成爲中國文學史上重要之部分。此種佛教文學且將中國民間習俗及中國人之生活感情巧妙融合，而寓言及神話文學表現之想像力，尤足驚詫。今從事中國文化復興，宜將法苑珠林及敦煌卷子中各種佛教說話，各個高僧傳選譯，使讀者得覩中國佛教文學之全貌。」

以上是日本碩學鴻儒響應中國文化復興運動之表現，大可作吾人從事文化復興運動之參考。

旅美散見

紐約的建造，眞是近代工業技術的最高表現。西方古有所謂七大奇蹟（巴比倫的空中花園，羅得島之銅人像，埃及的大金字塔，亞洲芳索祿王瑩墓，以弗所之月神祠，歐洲亞嘉亞木星神像，埃及法羅島高臺）；而紐約，在我看來，可算是第八奇蹟了。

紐約高處有一百多層的摩天大樓，低處則穿過哈德遜河底，直到新澤西州，汽車遠遠的從高處盤旋而下，使進入洞口，燈光輝煌，坑道寬整，那知道洞的上面就是大河。

最使我讚歎的是船隻停泊。許多都市港灣都不能容納吃水較深的船隻。英國當年號稱海上霸王，也只有三千噸的小船才能順水開到倫敦；較大的船，則只能泊在南安普頓，然後再搭三小時的火車才到倫敦。但紐約則不然了，八萬噸的大洋船可以直接停靠在馬路邊。馬路中間汽車穿梭似的跑，馬路邊上旅客就成羣結隊的上船，眞是成爲強烈的對比。

唐詩說：「上窮碧落下黃泉」，這正是紐約市的最佳素描。

張起鈞

可算第八奇蹟

淮安的文人與風俗

「千金亭」「胯下橋」紀念淮陰侯韓信
「西遊記」「老殘遊記」兩書由此產生

·顧翊群·

其原詩爲：「澤國陰多暑氣微，一城烟靄盡霏霏。春風遠岸江籬長，暮雨空堤燕子飛。四鎮蟲沙成底事，五王龍種竟無歸。行人淚墮宮橋柳，披拂長條已十圍。開府當年據上游，建牙賜爵冠通侯。即看別院連雲起，更引長淮作帶流。荒徑人稀聞鼬嘯，野塘風急荻蘆秋。永嘉南渡須臾事，忍向新亭問楚囚」！劉澤清有歌妓名「冬兒」，與陳圓圓均係田宏遇（田貴妃之父）之家妓。冬兒曾於明亡後代劉氏赴北京訪查皇子消息，乃一俠妓。晚年重與吳梅村相晤，梅村賦「臨淮老妓行」相贈，亦一千古之絕唱也。

武將關天培

清代淮安大學問家阮葵園，在先祖前百餘年爲太史公，且先後爲湖南學政。阮氏退休後，在城北勺湖中築一草堂，也在該處講學，觴咏其中。此草堂別墅由一彭姓者看管。百餘年後先祖於同治年間奉派任湖南學政，所取士有龍陽才子易實甫先生，時年僅十五歲，因係案首即補爲廩生，事詳易先生所撰先長兄之詩集序文。先祖任滿返淮後，阮氏別業由先祖買得，仍交彭姓之裔孫看管，並在該處設「勺湖書塾」，講授經學與算學，時在清光緒初年。清代淮安大儒丁晏（柘塘）先生是先祖之老師，著有易經解多種，並請名畫師繪五十學易圖題詠甚多。武將有關天培將軍，爲人忠勇，受林文忠公則徐所賞識。先爲江南提督，後任廣東水師提督，鴉片之戰時，在虎門戰死，獲得「忠節」謚法。清末名臣有斐蔭森（樾岑）先生，由道員升爲福建按察使，轉任福建船政大臣，在任六年中成快船三，兵輪四，築炮台三，做造雙機鋼甲船，曰濟遠（該船曾參加甲午中日之戰），對我國海軍發展甚有貢獻。其人正直清廉，逝世後先祖曾爲其撰神道碑。個人認爲我國海軍史料中，應將關、斐「二公事跡列入。巨商有王壽萱氏，風雅能詩，搜羅名著多種，刊行小方壺齊叢書，甚有價値。其後事業失敗貧困而死，先君有詩弔之。

淮運河　通汴梁

淮安城濱運河，爲古代邗溝，隋煬帝開永濟渠以通汴梁，堤上植柳，頗饒詩意。本縣所屬之清江浦鎮，現爲淮陰縣。明永樂時，派武將平江伯陳瑄（會擊退倭寇）鑿清江浦引水入淮，並與管家湖相通，再由運河北上。元代時漕運原以海運爲主，後開鑿匯通河，使南南貫通，漕粮可直達通州而至北京。明代海運因海盜猖獗而中廢，粮船多由運河北上。淮安因漕運關係，地位十分重要，漕運總督駐於本縣，而南河總督即駐於清江浦，此外又有鹽官運副駐西墻，故市面異常繁榮。淮廚之烹調今日知名於世界，其來有自。小說「兒女英雄傳」一書中，安驥之父安水心，爲河道人員時，因不會舞弊而被參。當時淮安繁盛狀況，書中畧見一斑。老殘遊記作者劉鐵雲氏，寄寓淮安，亦好言治河之策。

黃河在歷史上迭次改道南北遷徙。明孝宗八年河復南流，故道，入運合淮而入海。神宗時治河名臣潘季訓曾駐淮總理河漕兼提督軍務。明朝所以亡國，主要原因是末葉時黃河流下大水使運河河道損毀，而南粮不能北運關係。至於黃河，直至清朝咸豐初年尚經江蘇入海，自咸豐四年起始北移而改由山東入海。河漕官員被裁撤後，淮安之繁榮乃下降。

名勝古蹟多

淮安古跡有龍興寺，爲僧伽大師所修建，彼係唐朝國師。另有三戒寺、地藏寺、東嶽廟、呂祖殿等名勝。因其他地方富裕，故古跡甚多，而其「出會」也很多，最著者有東嶽大帝聖誕出會，及都天大帝誕辰之出會。都天大帝即唐代睢陽之張巡，因其保障江淮力抗安祿山，事跡忠烈，大義凜然。每逢大帝出巡，人民皆跪拜迎接。其他善良風俗尚多，尤以所放之風箏，較他地爲大爲精，如蜈蚣有長達一百二十餘節者，每逢放起，風吹哨音，十分好聽。此地文風亦盛，每科進學者初限二十名，後遞增爲二十五名而至二十七名。如寒士至南京應考學人，尚有公費補助。如至北京會試，更可貸款充旅費。北京有淮安會館，可借寓候考。民國成立後，文武學校更多。

淮安固爲一小縣，雖不能與南京、蘇州、揚州、無錫、常州等縣相比，但自古迄今之忠臣、學士、英雄、節婦、美人，則數不勝數。而府志、縣志皆有詳盡記載。個人在美國之國會圖書館中，尚見到淮安藝文志一書，列載枚乘以下歷代淮安府縣屬文人詩文作品，直至滿清中葉爲止。本想攝製影印後翻印，惜此書已改存哈佛大學圖書館，致未如願。我國有千餘縣之多，一縣之文物即已如此之盛，試問世界各國那一州、郡可與之相比？（下）

歷史人物漫談

厚重少文的周勃

·清園·

絳侯周勃，也是漢高祖劉邦的同鄉，所謂豐沛子弟。他做百姓時，是以織薄曲爲生。「薄曲」這東西，史書雖有註解，但語焉不詳，至少我不甚明瞭。不過我們也不必去深究，因爲現代已不用它了。周勃平日除了織薄曲而外，有時候也爲喪家送葬而吹簫，這大概是他的副業。

他是個材官，也就是武裝弁兵，能挽強弓。漢高祖初起爲沛公時，他和曹參都是以中涓相從。中涓是親近侍從的官員，主管洒掃清潔、招待賓客、出入侍衛。他後來帶兵打仗，攻城野戰之功，可與曹參相比，所以能升爲將軍，賜爵列侯。又隨高祖平定諸反者，所至有功；燕王盧綰造反，就是由周勃爲主將，帶兵去討伐的。他平定燕地而回長安時，高祖已駕崩了。高祖臨危時，呂后曾經問高祖說：「陛下百歲之後，蕭何相國（即宰相）又死，那個可接替做相國？」高祖說：「曹參可也。」再問其次，高祖說：「王陵也可；……周勃厚重少文，然安定劉氏的，一定是周勃，可命他做太尉，掌管軍事。」孝惠帝時，即委他做太尉，歷十餘年。直到呂后死了，趙王呂祿爲上將軍，呂王呂產爲相國，要想篡奪劉氏天下。這時候周勃雖爲太尉，而不得入軍門；陳平雖爲右丞相，而不得任事。於是勃與平合謀，終於討滅了諸呂，迎立孝文帝。

漢文帝以周勃爲右丞相，陳平爲左丞相。文帝即位幾個月之後，臨朝問勃曰：「一年判決刑法案件有多少？」勃答：「不知道。」又問：「一年錢穀收入有多少？」勃又答：「不知道。」話之。答時很惶恐，以至汗流沾背。文帝轉問左丞相陳平，平答：「有主管的人。」文帝又問：「主管的人是誰？」平答：「陛下要知道刑獄案件多少，問廷尉；要知道錢穀收入多少，問治粟內史。」帝曰：「假如凡事都有主管的人，而你又主管何事？」平答：「陛下不知我們很無用，使我們做宰相。宰相上佐天子，下使萬物各得其宜。……使卿大夫各盡其職。」文帝很高興說：「你答得很好。」散朝後，周勃責備陳平：「你爲何不早教我答覆？」陳平笑說：「你居其位而不知其職責嗎？如果皇帝問你長安中盜賊有多少？你也能答出來嗎？」於是勃自知才不如人，且恐久處尊位，爲人所忌，乃辭相位。陳平就專任丞相。文帝再委勃做丞相。十幾個月後，勃又辭職，回到他封邑絳縣去。在絳縣閉居常恐被害，凡河東太守派人來辦事，周勃都穿上盔甲，叫家丁手拿兵器再見他們。其後有人上書告勃要造反，很恐懼，不知如何對答。獄吏稍稍侵辱他，他便以千金賄賂獄吏。獄吏因受了他的賄賂，便在公文背面寫上：「以公主爲證」幾個字來暗示勃。公主是孝文帝的女兒，勃長子勝之娶公主爲妻，所以獄吏教他引公主做證，證明他從沒有造反的意思。

文帝從前增加周勃的封賜，勃都轉送給薄昭，此次勃下獄，薄昭替他轉請薄太后幫忙，太后也以爲勃決無謀反事，因而對文帝說：「絳侯當初掌管皇帝的璽符，領導軍隊，不在那時候謀反，現居住在一個小縣裏，怎會謀反？」文帝又看到勃的供詞，確知他無反意，乃赦他出獄，並恢復他的爵邑。勃出獄後，對人搖搖頭說：「我曾經帶領過百萬大軍，然而不知獄吏竟有如此的威嚴和尊貴！」勃再回到他自己的封邑絳縣去養老，至文帝十一年病故了。

太史公評論周勃的原文說：「絳侯周勃，始爲布衣時，鄙朴人也，才能不過凡庸。及從高祖定天下，在將相位，諸呂欲作亂，勃匡國家難，復之乎正，雖伊尹、周公何以加哉！」他對周勃評價之高，超過以前的幾個丞相，這也是周勃恰當諸呂作亂，能發揮木彊敦厚的本性，去平定了他們，使不絕如縷的劉氏天下，因此而得以綿延下去，所以才可比之伊尹、周公。如果沒有這一回事，那麼他可能是西漢開國以來最平庸的丞相了。

生活漫談

袁世凱進補

馬騰雲

用地名爲綽號的，除前清名臣曾湘鄉（國藩），李合肥（鴻章），民國以來要算袁項城（世凱）了。

「要得眞富貴，還是帝王家」。袁項城因羨慕帝王家的眞富貴，故不惜冒天下的大不諱，演出洪憲帝制一幕，抱「好事我自爲之」的態度，終於鑄成大錯，本文乃研究袁世凱的進補，有關這梟雄在政治上的爛污從畧。

袁世凱幼年時，喜歡將「甜肉」當飯。這裏所指甜肉並非白糖或冰糖燉肉，更非上海人燒肉放很多糖之意；「甜肉」者乃河南省特有之名稱，就是將牛肉燉爛了，不加任何材料而製成的肉糕，謂之「甜肉」。以此當飯，其營養之佳可以想像。河南「甜肉」是民間食品，每台斤三到四百文，合美金約八分錢。袁世凱從小到老直至貴爲總統，騙到皇帝寶座，每天的伙食中，離不開大麥皮稀飯和綠豆麵條。大麥和綠豆都屬雜粮，雜粮乃民間賤物，袁是一位大少爺，父親做鹽官，從小就被送到北京讀書，照中國社會的傳統，爲人父母的，不可不知醫，爲人兒女的，不可不知醫，不知醫者，會被人認作不慈不孝，袁世凱自未例外，故對醫道畧有研究。他常告訴僚屬說：「大麥和綠豆都是賤物中的殊品。大麥最助消化，並治脚氣病，開胃化積，消痰下氣；綠豆功能清涼解熱，利尿除煩，綠豆汁治丹毒痘疹……」詳見項城縣誌。

袁世凱以人參粉做麵條飼鴨，再以鴨燉湯，謂之間接進補，一般的人都知道。還有幾件未被外間注意的，就是他嗜食梟羹。梟即貓頭鷹，以其胸肉與鷹雜做羹，配以冬菇，干貝，雪耳，嫩筍，據說這是一種最王道的補腦藥。台灣山地貓頭鷹相當多，可惜知道吃的人太少了。

外傳袁世凱有幾個怪毛病，鷄鴨蛋非頭生不吃，蔬菜非嫩芽不吃，肉類非久煑久蒸不吃。他之喜歡吃甜肉，魚羔，鐵鍋蛋，紅炆童鷄，大概都是本此原理。其實不是怪，乃是他懂得一點醫藥常識。袁的身體結實如牛，固由於食補得宜，然從小就好控馬怒馳，射擊行獵，對其健康，也有很大的關係。

中國女性文藝春秋（續）

周遊

趙孟頫夫人管道昇

詞云：

我爲學士，你做夫人；豈不聞王學士有桃葉桃根，蘇學士有朝雲暮雲？我便多娶幾個吳姬越女無過分。你年已過四旬，只管占住玉堂春！

道昇看了，深解其意云何，乃答詞一首云：

你儂我儂，忒煞情多。情多處，熱如火。把一塊泥，捻一個你，塑一個我。將咱兩個，一齊打破，用水調和，再捻一個你，再塑一個我。我泥中有你，你泥中有我。與你生同一個衾，死同一個廓。

孟頫得辭，已知夫人不苟同，遂作罷娶之念。以上兩詞，可謂完全出自白話；兩相比較，道昇的詞，特別溫敦柔厚。而孟頫的詞，却暴露了一般男性多情慾的醜態。道昇的「把一塊泥，捻一個你，塑一個我」，和「我泥中有你，你泥中有我」，實爲中國女性愛情的極致。卓文君的「白頭吟」，爲了回想過去戀愛結合時的艱辛，一味是怨恨忿懣，她却不但毫無怨意怨言，更以深情動人。從她的一首作品，可以窺知作者文學技巧的高妙了。

至大三年冬（一三一〇）皇太子遣使召孟頫，除翰林侍讀學士，道昇亦同赴闕下。明年仁宗即位，特受孟頫集賢侍講學士中奉大夫，道昇封吳興郡夫人。皇慶元年（一三一二）孟頫告假歸里，爲先人立碑。道昇亦因管氏無丈夫子，欲命繼又無其人，乃就舊居，作『管公樓孝思道院』，使道士奉父母祭祀。孟頫作有「管公樓孝思道院記」。次年使者來召，夫婦倆復至京都，她的「漁父詞」四首，大約在此行中作的。（六十七）

從打灶王說到舊劇的幾齣戲

．田舍．

中國戲曲叢談

打灶王是一齣社會問題劇，描寫妯娌問題，三弟婦陶三春因爲她在大家庭中的地位最低，不爲任何人重視，於是以打灶君洩忿。如依照「傳統」，長幼有「序」，她祇有逆來順受，任勞任怨，孝事翁姑，敬禮兄嫂，順從丈夫，多予少取，不與人爭，做個不多口祇作事的賢淑媳婦；可是戲中安排的是一家人對她的權利——譬如衣食，太過於忽視，陶三春又不似那些「賢淑媳婦」，能克己復「禮」，凡事退讓，自甘吃虧；於是，她忿怒妯娌間，如此待遇不平等，自己有過於被壓抑之感，她想洩忿，遂遷怒於一家之主——灶君。不敢惹人，祇遷怒於神，也算可悲了。最後，陶三春在極度洩忿之後，也給予了一家人一個現實的教訓，從而改變了兄弟妯娌之間相處的態度。說來，這齣戲有極佳之劇情，極正確之主題，雖然今天社會已盛行小家庭制，但在農村，三代同堂，妯娌同居的仍所在多有，能夠因看戲而反省自己家中是否也有妯娌問題，從而謀求改善，戲劇的社會教育功能，已算達成了。

我國戲劇，不同於西方，以悲劇、喜劇來分類。但是，所謂玩笑戲，卻近似西劇中的喜劇，因爲它有強烈的諷刺性，以嘲笑方式，揭示出人生不美滿的問題來，希求矯正。這類的戲，目前在平劇演出中，仍然齣數衆多，如頂花磚，背板櫈，張古董借妻，荷珠配，打砂鍋，打麵缸，打槓子，打城隍，打灶王，王小二過年等都是。這些齣戲，因編劇時間久遠，其所強調的問題，究竟正確與否，今天合不合時代需要，已多數有商榷之必要。除了打灶王之外，大約可歸於以下幾類：

①嘲諷怕妻——頂花磚與背板櫈，獅吼記，所表現的是懼內的問題。顯而易見，懼內值不值得嘲笑，已成問題，以往以男性爲一家之主的觀念，自男女平權後，早被動搖，男女既然同爲主人，則某一方因敬而懼，稍事讓步也爲必然之現象，因此誇大了女性的悍態而諷嘲男性乾綱不振以致可悲，也不合時代要求。而獅吼記中的陳慥，因與蘇東坡借詩妓同遊，（遊春）引動河東獅吼，罰跪池邊，終於惹來惡夢，（跪池，三怕），更屬咎由自取，強指陳妻爲悍婦，陳慥爲弱者，今日已難令人同情。因爲女人嫉妬丈夫有外遇，是極正常的事，有何可諷可嘲？

②嘲諷詐欺——定計化緣，張古董借妻，都屬此類。而張古董借妻（即一疋布）確屬上乘喜劇。情節的推展，今日觀之，仍很合情理，不像怕妻喜劇的過於誇大，反而失真。如頂花磚戲詞中有：「見了老婆娘，一拜而作揖」雖屬可笑，究屬離信。不及一疋布，描寫一個窮困潦倒的丈夫，居然想到出借己妻與人共謀詐財，平分其利，這種事雖屬可笑並非沒有。台北縣某地曾有一女子，受其夫教唆公然登報徵婚，詐騙應徵者錢財，後來終於與其夫離異，與一應徵者弄假成眞，結爲夫婦。此事曾見諸報刊。除了此例之外，今日用類似手段以謀財謀地位的還大有人在，其結局或較張古董爲好，或與張古董同樣的弄成賠了夫人又折兵的局面。此種人借此戲以諷之，使其悟以往之不諫，知來者之可追，是仍有其價值的。

③嘲諷婢學夫人——如荷珠配即屬此類。而此種戲最無可取，丫頭也有與他人相等之人權，何以不能爲狀元妻？趙姑老爺既曾得荷珠的經濟支援，又誤信荷珠爲金鳳已納爲正室，等到知道了荷珠眞正身分，立予放逐，也嫌無情無義。階級意念已經要不得，荷珠的降爲二房，也要不得。荷珠對一家骨肉之團聚，有功無過，對趙姑爺又相等於金玉奴之對莫稽，有恩有情，何以結局還要跪求爲二房？雖然如顧以償，但這樣的結局，也不能令人滿意。何况多妻的處理，又不合現社會的法律與道德的規範，這種玩笑戲，確需要動手術修理了。

荷珠配源出於崑曲「衣珠記」，但衣珠記並非玩笑戲，情節亦與荷珠配有其差異，客另文談及，此處不論。

④嘲諷昏庸之官吏——如打砂鍋，打麵缸，屬之。

⑤嘲諷媒婆制度——如下河南（一名羅鍋搶親）。

四五兩類戲，都是佳品。打砂鍋諷刺主司法者之草菅人命，教人笑中有淚；而打麵缸，諷官吏之假公濟私，教人笑，也教人見到其醜態，都極絕妙。

⑥嘲諷人性之弱點——如打槓子，把盜賊之貪得心理與純眞的天性作一對比，教人覺得刦人者雖可惡，被刦者之狡猾，利用人性的弱點進攻，而終於變更了位置，成爲刦人的賊，更爲可惡。這齣戲只有二個脚色，情節卻極耐人咀嚼。

⑦嘲諷怠惰者——如打城隍，原爲嘲諷，置身閒散的公子哥兒終於難逃秦皇戍卒之征。齊如山曾改寫一新打城隍，諷共匪暴政虐民，劇本不惡，然而宣傳氣息太重了，迄今少人搬演，且說白中有一段竟以性器爲材料來逗笑，跡近下流，殊無是處。齊老並非俗人，此處卻是俗筆。

以上諸玩笑戲，在台灣多半還有人演。最堪一記者爲大鵬台柱徐露出嫁時，大鵬劇團曾爲之全班串演打麵缸來祝賀婚禮，更有幽默之意，因爲徐之夫婿，已被全班同人目爲張才了，眞可謂謔而虐。這種意在弦外的劇目安排，是頗見匠心的。

海天詩選

李樸老惠贈「我不識字的母親」一書感而賦呈

．韋仲公．

樸老著書語如珠，書中之言與人殊：「我母一生不識字，艱難創業更撫孤；撫孤豈是尋常事，子女教育勤須記。南洋雖好不爲家，渡海歸來尋道義。母不識字庸何傷，母之德慧未易量；子雖讀書不如母，愴懷最是母恩堂」。

我讀此書心躊躇，我母何曾一讀書？生於貧窮長守寡，夜爲針黹晝挑蔬。挑蔬豈可免飢寒，醃爲菜麥爲餐；兒不能食伏案泣，母亦擁兒淚汎瀾。

送兒讀書持兒哭：「我兒讀書要讀熟。爲娘不識書中義，但知書能光我族」。我聞母言心亦苦，孩提喜與頑童伍，朝朝暮暮去又還，累得親情淚如雨。嚴冬風雪叩柴門，母起燒香火不溫；燈下呼兒勤夜讀，沉沉更鼓滿荒村。纔知讀書身可托，萬方聲鼓胡塵惡；投筆倉皇別母時，叮嚀猶是讀書樂。

廿載家心不返家，讀書仍未滿一車；大道茫茫求不得，母之哭聲在天涯。學書不成再學劍，拔劍誅仇久有念；蹉跎白髮到無情，仇未能清恩又欠。書劍俱荒人漸老，豈不欲歸心如搗；文章焉解濟蒼生，滿道荊榛先須掃。

我對詩書長太息，我母之言成追憶。縱教讀盡古今書，安得重回母之側。樸老酬恩德業香，我自思親熱淚狂；讀書雖多不識孝，篋中定貯幼時裝。

袁世凱傾覆清室的內幕

諸葛文侯

辛亥陰曆九月間，革命各省區代表十七名（每省一名）齊集上海，開會決議設置軍政府，推舉黃興爲大元帥，黎元洪爲副元帥。（旋黃氏退讓爲副，以黎爲正）這時候，由北京到孝感面晤段祺瑞、商洽反清擁袁計畫的廖宇春和夏清貽二人，獲得了段氏同意，來到上海，先晤江蘇都督府參謀顧忠琛，述北軍贊成共和意旨，顧以密達蘇督程德全，德全以告黃興，黃興大喜，即與廖、夏誓約五項：一確定共和，二先覆清廷者爲總統，三優待清帝，四南北將士不負敵害責任，五恢復各省秩序。廖、夏把誓約內容報告段祺瑞，段密報於袁，袁即派唐紹儀潛赴湖北見黎元洪，再到上海晤黃興，洽商和談問題，旨在質證五項誓約是否眞確也。

唐回京報告誓約屬實，袁乃下令前綫停戰時間展期一個月，明令派遣唐紹儀爲議和全權代表，赴上海與革命軍代表伍廷芳舉行和會。南方代表首先提出清帝退位爲和議先決條件，此點不確定，他事皆無庸議。北京宗社黨人與王公貴胄聞之惶譁鼓噪。宗社黨首領良弼，畢業日本士官學校，頗有才幹，他正在籌設「八旗子弟軍事學校」，聞訊擬由貴族醵資招募新軍與革命軍抗衡，更指袁世凱爲曹操第二；而禁衛軍統領馮國璋亦主戰如故。袁恐招禍，不敢說甚末，乃電令撤除唐紹儀的和議全權代表，理由是政府只是命唐代表與南軍商談大局，並未教他討論「國體問題」，殊屬越權。又恐和議破裂，聲明以後關於議和事宜，由伍代表與袁內閣直接電商，不另派代表了。袁氏這項手法，一在安撫宗社黨人，免釀禍端，二在拖延時間，設法應付。繼而宗社黨首領良弼被革命志士彭家珍炸死，清室王公貴胄們大懼，誰也不敢反對和議了，宗社黨亦隨之解體。剩下來的問題就是如何使清帝自動退位，避免袁氏篡奪的惡名。於是，袁一面與南軍代表伍廷芳商訂優待清室條件，一面藉詞民軍所提共和國體的問題不能啟奏，率領內閣全體大臣奏請辭職。奏文先述革命勢力已瀰漫全國，東南財富之區亦淪入革命黨之手，而中樞庫帑告罄，告貸無從，購械增兵，均難着手。最後結論云：「彼黨堅持共和，不認則罷議，罷議則決裂，決裂則大局糜爛。試思戰禍再起，度支如何，軍械如何，萬一敗衄，敵臨城下，君位貴族，豈能保全？……就令議決共和，而皇室之待遇必極優隆，中國前途之幸福，尚可希望；孰得孰失，情節較然，若再延緩，禍害立至」。這完全是「逼宮」的最後通牒，亦係袁世凱苦心策畫了幾個月的合盤詭計的具體流露，那兒像是臣下對君主的辭職口脗呢！

此時宗室親貴如載灃、奕劻等已不問事，其餘主戰的貴族們皆嚇得噤若寒蟬，沒人敢拿主意，當朝祇有一個稚子（宣統帝）和一個寡婦（隆裕太后），自然擋不住這樣的狂暴風浪了。

（三）

禪的火花

誰是「那個人」

廿七

永安傳燈禪師對僧徒們說：

「這裏有一個人，他不靠佛，不生三界，不屬五蘊，祖師不能服之，菩薩不能名之，請說誰是這個人」。

無洩靈默禪師同爲石頭和馬祖的學生，有一次某和尚問他：「什麼比天地還要大」？他回答：「沒有人知道他」。

靈默雖然最先是馬祖的學生，但他卻在石頭那裏悟道的。據說他到石頭門下時，不受注意，氣得立刻便走，石頭在後面喊道：「高僧！」靈默回過了頭，於是石頭便說：「從生到死，只有這個，回頭轉腦做什麼？」聽了這話，靈默大悟，便在石頭那裏住了下來。

禪師們常以不同的名字來稱這個自性，如：「這個」、「那個」、「伊」、「本來面目」、「無位眞人」、「自己」等等，有時甚之稱爲「家賊」。

禪的眞意是要以最親切的經驗，把「那個人」看作你自己。至於眞我如何才能與「上帝」發生關係，這點我也不知道。我只知道眞我是眞我，上帝是上帝，這兩者都是不可思議的，誰能說出他們的關係？布倫以爲用文字來描寫上帝，正如許多瞎了眼的獅子各自在沙漠中尋找水源一樣。他說這關係猶同樹和枝葉。這整棵生命之樹是多中有一，一中有多。不是兩元，也不是一元的。事實上，禪師要捨棄兩元，並不像西方許多學禪者一樣，又落於一元。這就是我之所知，我之所能說的了。

○吳經熊著　○吳怡譯

國劇腳本

大漢兒女（一名新莽刦）

．田士林．

論本朝，崇孝武，
雄才大畧是英主。
紬百家，崇儒術，
勤遠畧，破匈奴，
治術全聽董仲舒，
特別看重他的春秋繁露。
可偏偏身邊祇用公孫弘；
董生遠派到江都。
應該拜相的不拜相，
究竟是嫌他引經據典直言忤主。
說什麼君子儒來小人儒，
試看叔孫通與老蘇武，
同樣享名傳千古。
叔孫通只懂登龍術，
老蘇武只懂受痛苦；
叔孫通一人成仙弟子上天，
老蘇武白頭回國衣破無人補。

（廿一）

自由報

第八四五期

社長李曜麟·督印黃行奮

BONDAS ST. 9th FLOOR, FLAT 6 KOWLOON H. K.

從匈京共黨會議看分裂中的共產集團

·祁倫·

美聯社布達佩斯二月廿五日電：來自全世界的共黨代表，今天在共黨最高階層會議的前夕，舉行非正式的討論——這次會議，是為『就未來世界共黨會議的召開事宜，集體交換意見』而召開。中共反對召開世界共黨會議；它認為這是蘇俄以孤立和制壓中共為目的的一種手法。亞洲一些同意中共看法不願與中共對敵而未派代表前來布達佩斯開會者，有北韓、北越、日本、緬甸、馬來西亞、泰國與印尼的共黨；其它不來參加的共黨，包括阿爾巴尼亞、古巴、荷蘭和瑞典等地的共黨。」

這項集世界四分之三的六十個國家共黨會議，是一九六〇年莫斯科高階層會議以來首次世界性的共黨集會。據我國名政論家陶希聖說：「將予共匪嚴重打擊」。筆者的分析則將使分裂中的共產集團更趨分裂。我的理由是：

（一）強國霸權時代已經過去。

（二）人皆有同情弱者的天性。

（三）恐懼核子互毀戰爭。

（四）經濟互惠科技交流的需要。

（五）西方集團分裂及不結盟集團的瓦解。

茲進一步分析如下：

（一）強國霸權時代已經過去

聯合國的功能，提高了握有神聖一票的小國地位，也削弱了強國對國際事務的控制力。擁有二億三千萬人口的蘇俄只是一個國家，僅有九千三百萬人口的附庸國東歐衛星國則達八國之多，即握有八張可投的一票；而且，這些國家又多處於軍事，戰略及經濟要角地位，蘇俄得罪不得。

號稱七億五千萬人口的毛共竊據的中國大陸，卻以弱小者姿態，於一九六零年前就以弱「國」代表身份發難，領導着首先向蘇俄表示不再甘心臣服蘇俄，因而鼓勵了其它共黨國家及非共黨國家的共產黨之「士氣」，迫使蘇俄不能再像一九四七至一九五八年間那樣對其它同黨肆意使喚。

蘇俄因為失去了原來強有力的共產集團領導權，所以便不容易推行國際共黨內部矛盾的協調工作。而各國又為了不願得罪毛共以及自抬身價，勢必採取與蘇俄抗衡，卻又不臣服毛共的「獨立」路綫，分裂局面就此形成。更由於俄毛鬥爭等因素而更加深共產黨集團的內部裂痕。

（二）人皆有同情弱者的天性

毛共在共產集團內，多年來便裝成一副受蘇俄欺負的可憐相，居然讓他的欺騙部份得逞。他說俄國聯合美國壓迫他，居然有人相信；他說「大國沙文主義違背了馬列正統思想」，也居然有人相信；他說蘇俄於一夜之間撤走全部技術人員及各業顧問想制他於死地，也有人相信；他又說蘇俄從西歐抽調大軍陳兵西伯利亞為的是協助美國的「新月型」包圍圈完成對中國大陸的大包圍，也有人相信；他又說蘇俄出賣北越，也有人不表懷疑：……如此這般，毛共便裝像了弱者面貌，贏得了亞洲共黨的同情，也贏得部份歐美共黨同情。因此，蘇俄雖欲藉世界共黨大會嚴懲毛共，恐怕要在其他方面付出讓步亞大代價，才有希望得到大部份出席者的支持。可是，蘇俄能作重大讓步麼？那豈不是等於說蘇俄放棄他堅守多年的領導原則，那可能嗎？如果不能，則共產集體內部的裂痕便將更形加深。

（三）恐懼核子互毀戰爭

在美、俄、毛共三者極為複雜錯綜的關係中，世人多有「核子大戰終將不可避免」的看法。因此，法國脫離美國，英國的宣佈放棄核子軍備和在遠東的全面撤軍及在越戰中始終屬意和談，拉丁美洲及非洲各國的輕視並擺脫美國，中東的仇美等等，使美國大有日趨孤立之勢。其實，俄國和毛共在國際上的孤立更甚於美國！毛共不獨日趨孤立，且更陷於四面楚歌困境；蘇俄華沙公約也因為阿爾巴尼亞、保加利亞、羅馬尼亞、匈牙利、波蘭、捷克斯拉夫等國各民族間的世仇而名存實亡，亞洲的共黨如北越、北韓、日本、印尼等已明顯地走上了「獨立」路綫，尤其是東歐共黨附庸國軍隊的反俄革命勢力已迅速茁長，更使蘇俄領導者焦頭爛額。同時也使毛共焦頭爛額。美、俄、毛共三者日趨孤立的主因，便是世界大多數原為三者盟友之恐懼核子互毀戰爭使然。

美、俄、毛共三者之多次面臨戰爭邊緣危機時，其所以均能有驚無險度過，主因也是三者均瞭解眞正引爆大戰後，彼此可能都沒有自甘「同生死」的「患難朋友」之故。

（四）經濟互惠科技交流的需要

蘇俄企圖繼續控制附庸經濟、壓制附庸科技進步，業已遭到來自毛共以及東歐共黨集團的普遍反抗，積極而謀求與自由國家的經濟互惠與科技交流便是明證。至於東歐共黨國家因與西歐的地理環境便利，其貿易及科技往還尤為密切。在目前政經難分、國防和民生科技難以區分之際，再加之以美國為首的自由世界之聯合經濟戰與文化戰衝擊下，蘇俄如何能維持共產集團的不繼續滲漏分裂呢？

（五）西方集團分裂及不結盟集團的瓦解

西方集團由於戴高樂的背離美國、英國別具用心的兩面討好、中東的仇美，南美各國的不滿美國、以及印度的聯俄親美等，業已今非昔比。此外，以印度為首的不結盟集團，隨着尼赫魯去世，印尼革命，緬甸反毛共而瓦解。這兩種有利於蘇俄的變化，卻也同時加深了共產集團的困擾，使蘇俄必須放棄若干原則，才能維持於他有利的局面，其中特別是毛共勢力所及的東南亞和東北亞以及非洲與中東，蘇俄必須付出很大代價才行。例如增加對北越的軍援年達十億美元；以超過十億美元的裝備重整阿聯軍備；邀請日本合作開發西伯利亞；加強經援印度；增加對革命後印尼的合作；修改經濟政策以利國際貿易；高唱「和平共存」以爭取世界民心等等。蘇俄這些作法，不獨加深其與毛共間的仇恨，且亦引起其他共黨附庸的不快，因而分裂必更加深。

認賊作父

假裝不見

昨日與明日

華僑問題

馬來西亞工商部長林瑞安，最近訪問緬甸、印尼回去發表談話，指出住在該兩國境內的華僑，說話不許用華語，穿衣不許著華服，商店招牌不許用華文；華僑若離境，一切財產皆被沒收充公，不許携取而去。同時，印尼總統蘇哈圖又下令管制華僑的商業行為，非經政府許可，不得經營商業。

印尼境內有三百萬華僑，緬甸亦有好幾十萬，他們十分之九是反共非共的，毛共視為階級敵人，不加愛護，理有固然。我們政府隨時以擁有海外一千三百萬華僑相號召，對於海外僑胞這種痛苦的生活境況，豈可漠不關心？印尼最近還派遣工商代表團到台灣活動，我們對於印尼僑胞所膺受的非理非法待遇，亦會有所注意否？

自從大陸淪陷以後，我們的僑務政策是甚末內容？有何妥當的策畧？實在莫測高深。

盡是表面文章

每年雙十節，迎接海外一些自命為「僑領」也者，率領一少數同道，到台灣觀光祝壽一番，難道這就是爭取海外僑胞向心力的妥當策畧麼？

實則表面上所謂「僑領」人物，十九在當地沒有絲毫號召力，且為一般僑胞所鄙視憎惡。例，香港的一個「僑領」，自忠貞無比，連執政黨的代表會議，也居然被邀參加。

但他過去在大陸時期，專門跟共幹（薄一波，南漢宸之流）勾結營商，人所共知，治安機構早已掌握有一大堆資料在；他逃到海隅之初，又與所謂「民革」的反動人士親近，最後由於「民革」不要他，而第七艦隊亦東來協防台灣海峽了，他纔以「反共」姿態，向台灣靠攏，觀光祝壽，無役不從。這都是海隅僑胞周知的事實。然台灣竟視同瓌寶，認定他是海隅華僑社會中的領導人物，殊不知當地的一個工商業團體，就因為他的關係，而趨於中立左傾立場了。

根據十餘年來的許多經驗，凡屬以「僑領」自居，善作表面文章的忠貞份子，多是為當地絕大多數僑胞所不齒的人物，眞正的僑領和忠貞人士，決不願做表面文章的。政府若僅以觀光祝壽來作為爭取海外僑胞向心力的策畧，結果是害多於利，後患堪虞。

需要新的作風

今日在海外營生的千萬僑胞，除卻美國方面問題尚少外，其他各地區的華僑，莫不陷於危疑震撼的生活環境中。政府主管當局應在可能範圍內，想法子為僑胞劈除一些痛苦，少做表面文章，少開宣傳性的會議，纔是爭取華僑向心力的有效方法。

軍事反攻大陸的行動既有待，政治爭取人心的工作即不可忽，而爭取華僑向心力這一着，應該是當務之急的重大事項，非有新人才，新作風不可！（何如）

自由談

美國總統詹遜以聲淚俱下的詞色，自動向越共要求和談，并且先行停止對北越各重要地區的轟炸，越共總表示可以談判的姿態，而美國的所謂民意測驗機構，便發表它的調查統計，指出詹遜的聲望大增了。這眞是肉麻當有趣的玩藝，幼稚可驚也。

越戰的和談前途觀

將來和談的地點不管是在那塊，越共一定以美方全部停止空襲為和談的先決條件，美國亦一定照辦不誤。等到正式談判開始，越共即提出美軍撤出越南，越事由越人自決的要求，而以南越組織聯合政府為統一全越的樞紐。彼此因而爭執辯論，曠日持久，亦不容易達成協議，而美國總統選舉的時期屆臨了。於是乎，兩黨候選人又藉着越戰的和談問題，爭吵宣傳，嘵嘵不已。越共利用這和談的喘息時間，暗中進行各種軍事佈署和補充，隨時有理由採取軍事行動，且指對方是破壞和談的戎首。這便是共產黨慣用的「打打談談」策畧，也符合「和平是戰鬥之一種手段」的辯證法則，始終居於主動地位。

在美國這種幼稚衝動的措施中，受犧牲的就是越南政府和民衆。越共已經聲明，決不願意與現在的越南「賣國」政府合作，而越南當局和議會，亦堅決否定跟越共同流合污，將來越共即利用此項矛盾，以挑剔美國與越南當局間的是非，美國為着苟安自娛，很可能壓迫阮文紹阮高奇非聽話不可，否則吳廷琰和南韓李承晚的前例具在，美國不難重演一次歷史舊劇的。

越局的和談前途，必不外上述各項情況，結果是凶多吉少，毫無疑問。何況美國內部又在動亂不安的態勢中，國際共產主義者豈肯放過這種乘敵人之危的大好機會，自貽後患乎？美英的和平妥協作風，都是累積全面世界大戰因素之所為，徒然使一般弱小民族國家，枉受若干不必要的災難而已。

馬五先生

兩位候選人製造笑料
競選縣市長對神盟誓

台北航訊　台灣省縣市長及省議員選舉，候選人登記，自三月十七日起至廿六日止。其間以十九日，各縣市選舉事務所，幾致門可羅雀，無人問津。據悉該日爲農曆二月二十一日，在迷信上說，爲四離二氣五行分判之最凶日，諸事不宜。尙待登記之候選人士，均有志一同，避開此日。更有令人發噱者，先後有兩位縣市長候選人，公然進入寺廟，對泥神發誓，表示決心競選到底。茲誌於后：

新竹縣律師劉樹燻，自登記爲縣長候選人後，因彼係國民黨提名候選人朱育英之姪女婿，外傳劉係朱「陪選」兼具「護航」作用，並非眞實競選，引起劉之激動，指責此說，悉出於選舉黃牛之作祟，爲示決心起見，特於二十日，至縣城隍廟，鳴炮焚香，跪地盟誓。稱將「決心競選縣長，絕不中途退出，並乞神靈庇佑。如獲當選，當以三牲祭禮還願」云云。

曾連任雨港之基隆市議會二、三、四屆議長蔡火砲，近聲言競選市長，因有友人疏導，勸其不必與執政黨提名候選人蘇德長對敵，以協和地方。蔡一度有息止之意。近有人挑撥他，說是將調查他的根底，並要他償還當年議長任內所欠議會的債，於是更「光」了他的「火」，在二十一日上午，由其子蔡國輝及親友多人陪同至市區媽祖廟，先行三跪九叩禮，旋即發誓：「我蔡火砲生於基隆，長於基隆，決心與基隆市父老兄弟姊妹同心協力，建設大基隆，謀求全民福利。如有違背誓言，願受天誅地滅」。誓畢即假東京咖啡館，舉行記者招待會，表明決心參加市長競選到底。然後至市選所辦妥候選人登記，並至市政府各科室作禮貌上拜訪。父子二人均胖團團的，見人就笑逐顏開，頻頻點首，拜託支持。適蘇德良市長公出，未遇，却與另一候選人。林達聽見面了，雙方熱烈握手始別去。

這兩椿無獨有偶的趣聞，在蔡火砲身上來說，如此作爲，固可供作笑料罷了。而劉樹燻係出身大學法律系現執行律師業務之具有較高知識者，竟爾假借神靈權威取信於民，豈非自貶身價？如一旦俾登縣長寶座，是否每一政令，均須向神乞靈一番？當此民主科學時代尚有迷信神道之怪象，敎人不知從何說起。

本報記者董書

爲所謂「九大」製造條件
毛林加緊整功狗
省長級頭目多人已被開刀
最後目標顯見是揪鬥劉鄧

鐵幕窺管

在中共籌開所謂「九大」的前夕，毛林集團爲了製造其「九大」的條件，與正面揪鬥劉、鄧「黨內最大的一小撮走資派」的同時，已經大開殺戒。於是毛幫的大小羣醜，由「無產階級優秀幹部」，一變而爲「人民公敵」，「推行修正主義」，「復辟資產階級」的毒苗、毒種了。

在華東地區，繼上海陳丕顯、曹荻秋之後，最近被揪出來「鬥爭」的省長級頭目，到目前爲止，有下列數人：

三月二十八日到三十日三天，安徽省合肥市由「工代會」、「合肥郊區農代會」和僞安徽省直屬機關一千多人舉行鬥爭大會，在鬥爭李葆華之後，又將安徽省另一個「黨內最大的走資派」、曾經是安徽省委書記處書記、候補書記、安徽省長、現在是「反革命修正主義份子」、「黑手」黃岩揪出來「示衆」了。（按：黃岩是安徽六合縣人。一九六〇年八月二日在「人民日報」上發表「發展國民經濟必需以農業爲基礎」）。

本月二日上午九時許，在江西省南昌市也舉行了遊鬥江西省「黨內最大的走資派」、「大叛徒」方志純與黃霖等的大會。（按：方志純爲中共江西省省長。黃霖是江西省人委副省長、常委兼江西省交通工作部部長）並且分乘了八部卡車（其中除方、黃之外，還有『叛徒、特務、死不悔改的走資派』），在南昌市各個街道遊鬥示衆（巡迴鬥爭）。三日下午又在南昌市舉行鬥爭大會，「審判台」上，除了方、黃之外，「萬山紅遍」的主持人也在其內。

黃霖是從北平「揪」回南昌的。根據江西省大聯籌第三專案組（該組是赴北平控告「團」之一），江西工學院調查團以「撕開黃霖反革命兩面派的畫皮」爲題的一篇調查材料裏透露：「黃霖終於被無產階級革命派從北「京」揪了回來」，「黃霖被揪回來後，仍然賊心不死，故意頑抗」，「就是他被揪回南昌市的時間裏，還打算寫反革命的文章，把矛頭直指毛主席批准的省革籌小組，死心塌地的炮打無產階級司令部」。

另外，本月四日下午，浙江省杭州市也在舉行十萬人參加的鬥爭大會，鬥爭的對象是誰？暫時還不確定。不過，根據浙江電台四月四日廣播中說：「將中國赫魯曉夫在浙江的代理人，浙江省黨內最大的走資派揪出示衆了」，由於此，我們也不難想到；又是一個「省長」級的頭目挨「鬥」了。

基於上述，可以推斷：江蘇的江渭清（省委兼書記），陳光（省委文教書記）之流的被「判」、被「鬥」只在眼前了。廖志高（四川省委第一書記，四川省軍區第一政委）於三月二十六日被公開揪出鬥爭。其他被「點了名」的如華北局的烏蘭夫（華北局第二書記），李井泉（西南局第一書記，成都軍區第一政委），賈啓允（貴州省委第一書記），河南的文敏生、趙文甫，相信不久將會遭到「更進一步的」「鬥爭」。

毛林集團開殺戒，其手法顯見爲先斷外援，再殲主力，亦即是正面揪鬥劉、鄧的先聲，爲其「九大」鋪平道路。

謝志三

敗壞學風無獨有偶
發現另一學籍案
并無政府官員牽涉在內
無法引用刑法條文治罪

新曦

台北航訊　自從于冠英學籍案揭開之後，接着又發現一件學籍案。

于冠英學籍案，牽涉教育部官員在內，而後來發現的學籍案，則沒有政府官員牽涉在內。但沒有政府官員在內的學籍案，影響比有政府官員牽涉在內的更爲重大。

有政府官員牽涉在內的學籍案，有刑法條文可以治罪；沒有政府官員牽涉在內的學籍案，是否可施用刑法追究責任？檢察官的答案是否定的。

新近發現的學籍案，人數有將近百人之多。他們都是私立大專院校的旁聽生，獲得各該院校承認爲畢業生，報請教育部發給畢業證書，登記入學籍名簿；而被教育部批駁不准，並且發交台北地檢處偵查。

私立大專院校的旁聽生，未經轉學考試而變爲正式生，是否觸犯刑章？這個問題，有待研究。

學生在私立大專院校旁聽，而後能夠獲得學校承認爲正式學生，大多數都向學校當局花過大錢，除了學費之外，還花其他費用。或是鉅額捐欵，或是贈與。否則學校負責人，絕不會干冒大不韙而承認其爲正式生，並報請教育部備案。這樣花錢，縱有證據，似乎也不能算是犯了刑法。因爲私立學校自董事長、校長以下至工友，都不是公務人員。私立學校收取旁聽生乃至於收取正式生，其目的無非賺錢，如同作買賣然。因其教職員非公務人員，縱然向學生或家長收取學費以外的捐欵或贈與，不能認爲收受賄賂。

然則私立大專院校明知該校的旁聽生而非正式生，却仍列入正式生名單，報請教育部備案，登記入學籍名冊，是否構成刑法第二百十四條「明知不實事項而使公務員登載於職務所掌之公文書」罪？

這條法律的構成要件，是「使公務員登載於職務上所掌之公文書」爲前提。教育部既然批駁不准，沒有登載於公文書（學籍名冊）中，自然也沒有刑責可言。

可是許多私立大專院校，每屆畢業生名冊中，都列有旁聽生的名字在內，將旁聽生當爲正式畢業生，請教育部備案，這種情形，不僅普遍，而且由來已久。相信過去這許多年中，一定有不少旁聽生在學校協助下，矇混過關，得到教育部的允許，列入正式學籍。

私立大專院校，既可以把旁聽生列爲正式生矇混教育部，而把從未進入過大學門檻者列入正式生名冊，與將旁聽生列爲正式生，並沒有什麼不同；許多年來，也難免有許多從未讀過大學的人，在學校的幫助下，矇混得教育部登爲大學畢業生的學籍。

在于冠英學業案沒有發生之前，教育部沒有注意及此；自從于冠英學籍案發生之後，對於各公立尤其是私立大專院校送來的應屆畢業生名冊，才從嚴仔細審查。於是查出將近百人之多，都不是各該校的正式生，乃將之一一剔除，移送偵辦。

外界傳說：許多沒有讀過大學的人，都取得教育部發給某某大學的畢業文憑。從上述所發現事例，證實此種傳說，並非空穴來風。

旁聽生列爲正式生，縱然他們沒有正式生資格，但他們總算在大學裏讀過幾年書，其學業成績不一定及得上正式畢業生，却可與正式畢業相當。然而那些從未進入大學門檻的人，沒有眞才實學，却擁有學士之名，在外招搖撞騙，其爲害社會之大，可以想見。

不管旁聽生或從未踏入大學的人，由學校列入正式畢業生名冊中，矇混得教育部備案登記於學籍名冊者，都構成刑法第二百十四條僞造文書罪。即學校當局也應負同樣罪名。我們贊成教育部，拿出魄力來，針對此一歪風加以整頓。組成專案小組，把歷年來各私立大專院校報來的畢業名冊，與聯考放榜名單詳細核對。把不法倖進之徒一一清除，連同學校負責人一併追究刑責，以端正學風。（完）

國會記者訪問蕉農追記

·本報記者張健生·

①外銷香蕉業務，由代表蕉農之台灣青果運銷合作社聯合社（以下簡稱省青社）統籌辦理，計劃輸出。日商開來購蕉信用狀，一律以省青社爲受益人。②有關外銷香蕉業務及與日商接洽事宜，應以省青聯社爲代表人，在政府業務主管機關之督導下辦理。③如須顧及青果出口商之既得利益，可由外銷香蕉中的百分之五十，按每籠Fob價格酌定佣金，由省青聯社撥交青果出口商公會。④省農會同屬生產社團，改制後，由雙方自行協定。⑤從速成立專責的香蕉研究所，加強香蕉改進之推動工作。

前述建議，經外貿會召開之檢討會議後，認爲今後香蕉外銷市場之確保與發展，必須以改進品質爲首要，俾符現代國際貿易競爭之條件。

所謂改進香蕉品質，如竹簍包裝改用紙箱包裝，紙箱品質須符合國際標準。如香蕉集貨場控制品質，並採企業化經營及機械化操作方式辦理。如港口之香蕉檢驗工作，應予加強辦理。如不合格之運蕉冷氣船，應不得參加蕉運。如冷藏庫之管理，必要時交由業者經營。如香蕉研究中心，應由業者及專家學者參加。如種植秋冬蕉之山坡地，政府應儘速放租放領，並協助蕉農辦理水土保持工作。

台灣省青果運銷合作社聯合社本此原則，對改進生產，降低成本及品質管制方面，將採下列措施：

關於改進生產降低成本部份：秋冬蕉之增產，外貿會擬定之方案應儘速公佈；林地種植香蕉之山坡放領，由外貿會商請省府經勘測屬於宜農地者，應提前放領放租，以利植蕉。山坡地之水土保持與綜合改進措施，對秋冬蕉增產至爲重要，請省農林廳擬定計劃，外貿會增撥經費配合辦理。影響香蕉品質產量最嚴重之葉斑病與萎縮病的防治，至爲重要。故需要政府增撥經費，擴大病蟲害共同防治工作及空中噴藥；爲減低成本，農藥進口，應由省青社統一辦理。據說：由氮肥、磷肥、鉀肥等三項肥料所製複合肥料，如由省糧食局配肥，較合作社進口之每公頓要多出新台幣二千五百六十五元，而病蟲害共同防治經費每公頓約爲一千六百八十元。

其次，爲期使蕉農能普遍使用防腐支柱，應由省青社策劃加強宣傳。現在蕉農生產貸欵利率月息爲一分二厘，應請政府降低，而種植山坡地未經放領之蕉農，應獲得貸欵。外貿會應洽商行庫放寬貸欵規定。農復會農林廳應迅予引進國外優良品種試植推廣。

台灣省高雄青果運銷合作社副理蔡坤山說：高雄地區着重於生產春夏蕉，台中地區則生產秋冬蕉。目前日本市場所需要的春夏蕉數量，該社足夠供應；唯秋冬蕉大部份種植於山坡地，而山坡地大部份爲政府保留地，因而無法急速增植面積，致單位產量的增加也緩慢，故秋冬蕉產量不足以應日本市場需要。由於台中地區秋冬蕉供不應求，是故日本蕉商向中南美購買香蕉，以應消費者的需要。

爲此，政府要高雄地區蕉農，克服地理、氣候的自然困難，增產秋冬蕉，去年增產並輸出之秋冬蕉計九十二萬一千零七十六簍。高雄青果社爲執行此項政策之機構，一方面鼓勵增產秋冬蕉以應日本市場需要，一方面要抑制春夏蕉生產過剩，故採取以蕉價調整方法來達成此項政策。

（四）

蔡勝天先生揚名國際

費海璣

在台灣研究美術成功，往西德舉行個展，一躍而為國際知名的大畫家的蔡勝天先生，國人尚很陌生。筆者願把蔡勝天先生成功的經過，作簡單的介紹如下。

蔡勝天先生是高師畢業生，四十九年還是一位默默無聞的青年。當是時，我在聯合報撰文介紹西洋現代美術思潮，他是一位熱愛拙文的讀者。在許多讀者中，他是一位能夠聞而起行的人，像劉國松先生胡奇中先生莊喆先生一樣，我曾預言，他能和趙无極先生等比一日短長。果不出所料，如今他是巴黎三十位中國畫家中，和趙无極先生齊名的人物了。

在民國五十年九月，蔡勝天先生應邀去西德舉行個展，接着應巴黎畫廊之邀在巴黎舉行了五次個展。我曾說過：「在巴黎，每舉行一次個展，就升高畫譽一次！」他舉行了五次個展，當然非同小可了。

如今巴西的聖保羅現代藝術館，美國邁阿密現代藝術館，西班牙巴塞倫雅現代藝術館，意大利馬色哈達現代藝術館，瑞士洛桑市美術館，西德明興市美術館，比利時剛城藝術館……均收藏了蔡勝天先生的繪畫。

像這樣活躍的畫家，豈可不在祖國的報紙上刊出一點新聞呢！

多年來，我瞭解此間的報紙缺乏正確新聞，作新聞的反選擇，乃至欺詐……的情形，因而，我不投稿，並且羞與自稱為畫評家者為伍。幸而，如今有了自由報，此報充滿正氣，我決定要寫了。我要使國人之不能讀法文德文報者知道我國青年享譽國際的情形。

蔡勝天先生在巴黎是如何一躍為名家的呢？巴黎的畫廊非常之多，過去，我國畫家的作品，只有趙无極先生的畫在第一流畫廊展覽過，其他均是在二三流畫廊展出。蔡先生赴歐，我最初也只介紹他到第二三流畫廊去，不料，他卻被韓氏畫廊和羅娜畫廊的總經理看上了，自動邀請他到巴黎展覽。而且，負責將他的畫推銷到馬德里，米蘭、羅馬、倫敦，日內瓦，洛桑……。

這消息，令人多麼興奮！我想，國內埋頭苦幹的畫家朋友，知道了這消息，會如何欣喜欲狂！

現在，我想要我的讀者回憶四十九年我的畫論了。我會說：

「畫家第一要大胆繪畫，如果提到一枝筆，想到一筆就化幾毛錢顏料，不敢下筆，那還能成畫家嗎？在中國畫史裏，要惜墨如金，可是，在西洋畫史裏非揮金如土不可。不吃飯也要畫，纔能成為大畫家」。

讀者一定記得，自從我主張做畫家要有畫家的氣魄，便有幾位青年眞的那麼去做了。但是，大家只看見失敗者，未看見成功者。有人就懷疑我說的話了。我的答覆是：「誰說一兩年就成大畫家呀？等着瞧，照我的話去做的，必定成大畫家！」如今，蔡勝天先生成功了。讀者們，我說的靈不靈呢？

繪畫除了大胆外，還要「小心」。我曾說過：「畫畫該中止時，便該中止，否則，一幅佳作，多了一筆，也就完蛋了」。這是很不容易的事呀！

我曾舉例說：「如果畫一朵白荷花，用紅綠黃……各色去畫，恰到好處，那便是一朵白荷花了。如不然，便成了紅荷，綠荷，黃荷，乃至黑荷花了。」

畫一朵「絕無的荷花，本無不可。」但是，我不提倡那種怪畫。國畫家有所謂「朱竹」，西畫裏有所謂「綠鯉」，但是，這不足為法。

何以說絕無的荷花，本無不可呢？用有色眼鏡去看萬物，任何白的原物，均有你自己喜歡的顏色。但是，這樣去作，和絕無兩字，還有些距離。

眞正抽象的荷花，不是說他的顏色，光怪陸離，而是要繪出荷花的香味來，繪出荷花的嫩度來，繪出空氣的濕度來！畫家要同時是科學家，觀察入微，不僅能控制顏料而已！

這些話，蔡勝天先生均能領會。他在巴黎作過演講，他的錄音帶即將寄到，我已略知他演講的內容。他說：

「我近年來繪畫是朝着動的方向跑，以有限追求無限。」

「欲成一位現代畫家，必須對一切都感興趣，我愛文藝，愛正統的音樂，愛圍棋，這些是我的動力的來源！」

「也許我是不自量力，我一直在探求老莊哲學的奧秘，也參禪理，我每每面壁，從白壁找尋靈感。」

「我認為一件東西，放在另一件東西上，恰到好處，便是藝術。」

「我認為畫家不是靠顏料成功的人，而是靠他那使物物得所的絕技！」

「把算盤珠從盤上搞下來，做我的藝術符號，大家便能領會我上面的話了。」

「我最喜歡的顏色是白！因為白最豐富不過的了。而且白是動的藝術的殿堂！」

「張大千，潘玉良，趙无極，熊秉明，且聿明：……和我，被視為一個集團以來，我每和華僑們說，中國人口有幾億，即使再加一萬個張大千，一萬個趙无極，也不算人多！」

「我們不要嫉妒朋友們的成功，大家均在以有限追無限，些須的成就，值得嫉妒嗎？」

蔡勝天先生這些議論，值得繪畫界的朋友，熱烈討論！我認為蔡先生是一位天才洋溢的畫家，他的前途眞的無限光明。他的豪爽謙虛樂觀……等畫家的氣質，值得加以褒揚！（完）

賈景德詩贈戴綺霞

田舍

一曲鈴聲夜雨淋，歌臺初聽繞梁音；
竟將稗乘荒唐事，寫盡佳人繾綣心。
菊部變頭傳姓李，舊京絲肉欲消沉；
周郎未老頭先白，顧曲逢場感不禁！

以上這首律詩，是已故考試院長賈景德為戴綺霞題的。賈早已去世，戴一度出國謀發展，終於無成，現已入軍中劇團，仍無大作為。世事多變，人事滄桑，原多如此。固不必感慨系之也。

戴綺霞幼年學戲，備嘗辛苦，及長有成，跑遍南北碼頭，至今依然潦倒，時耶？命耶！論戲，戴綺霞的花旦，實在無有其匹。尤其擅演風騷，小名且直不能傳其什一。所謂「寫盡佳人繾綣心，」並非過譽。戴綺霞以一齣「馬寡婦開店」馳譽內外行，其刻劃年方少艾的寡婦的性心理，令人拍案。凡此類型的戲，如「戰宛城」，「大劈棺」，「義俠記」（武松與潘金蓮）有口皆碑。北方藝壇，此類型成功的演員唯小翠花一人。小翠花曾以「打杠子」演大軸；而戴綺霞雖還無此胆量，一齣劇情簡單，僅一小時的馬寡婦開店，逢貼即滿，也可見其號召。

戴綺霞當年不與顧正秋直道競爭，是其聰明處，曾棄劇從影，是其有眼光處，但六十歲再學吹鼓手，終嫌時機之晚。戴綺霞不把自己盡限於平劇一隅，拍電影演話劇，雖都成績不惡，倒底不能脫穎而出。如果說藝人有可悲處，這種沒有結果的奮鬥，是最難受了。為什麼顧正秋紅紫在先，徐露紅紫在後，自己卻永遠做「池中物」呢？人不跟命爭，理講不通，也祗好認命吧。

目下入大宛與李桐春搭檔，武松宛城等劇合作頗愉快，祝福她能因換了一個新環境，革掉自己的「否」命。

大學尺牘

「我要做兵官！」

吳稚暉致戴季陶函

……我告訴溥泉先生，我要做兵官，不是憤言，亦不是戲言；先生說我心理決不想做，何以見得呢？這反正無關學理，亦不是時事，我就將我的意思告訴先生。

我想做的兵官，決不至於退化到那種程度。妬忌軍閥的萬能，亦要擁着幾萬叫化子，吐一口氣。亦何至像時人想像中之護法偉人，簡單止是佔起地盤，叫人知道你的舊勢力，我亦有新勢力，有你亦有我。卻更不是說，世上止是一個強權的變相，沒有公理。亦萬不是要武力解決，如普通革命家之口頭禪，要驅除魔鬼淨盡。又不是這麼這麼，那樣那樣，種種想做兵官的老觀念。我想做的兵官是想做晚間街坊上更夫，寺院山門口的韋陀，平淡無奇，正是幾千年來，但聽說不照做，叫做衛國衛民的兵官。拿新名詞來說，亦可說保衛公理的兵官。我一面想做，並不與公理有甚衝突。況且同反對軍國主義，是並行不悖。不是想揷着白翎毛，掛起指揮刀，像煞有介事借服從壓着幾萬叫化子的奴隸，做他威武的器具。叫至好朋友，見了我的莊嚴，亦不寒而慄。我止想約着幾萬心願相同好朋友，組織一個堂堂正正的更夫團韋陀隊來，兵器是用最精良的，兵法是講最新式的，士卒是不消說得同甘苦的。我的兵官，就是這麼一回事。

這就是法國反對軍國主義倡始家愛爾衛前年從軍的意思。把世界上的變相威廉第二，必要抵抗得，請他失敗的。甚麼五大國，甚麼戰敗國和約，是不顧與聞的，因為愛爾衛默認五大國，默認戰敗和約，所以我要做兵官，繼續愛爾衛的責任。這是我一向想做的兵官。

我心裏想做，什麼到底做不成呢？就是要想做這種兵官我願意同他做的朋友，都只有一把裁紙刀，簡直不中用。要合那有機關槍的人去做，先要運動、欺誑、拉攏、迎合、委曲，用盡種種工夫，把我自己製造。恐怕我沒有成功我理想上的兵官，早已成了一個像煞有介事的兵官，不但少了一個冬烘先生，反添了一個吃肉的朋友。

先生，那麼有我理想上的兵官，我心會不想做的麼？那裏會沒有這種兵官，公理有保障的麼？那威廉第二，變相的五大國，能把紙片兒請他斂成的麼？紙片兒，亦不過招募這種兵官的契約，有了這種兵官，才把五大國的公理，又進一層，變成世界公理。

先生，你吩咐我們這麼辦罷。

吳敬恒一九一九、六、二五

·鴻輯·

中國女性文藝春秋（續）

周遊

趙孟頫夫人管道昇

遙想山堂數樹梅，凌寒玉蕊發南枝；山照月，晚風吹，只為清香苦欲歸。

南望吳興路數千，幾時閒去霅水邊？名與利，付之天，笑把漁竿上畫船。

身在燕山近帝居，歸心日夜憶東吳；斟美酒，膾新魚，除却清閒總不如。

人生貴極是王侯，浮利浮名不自由；爭得似，一扁舟，弄月吟風歸去休。

道昇的瀟洒清淡之情，味詞可見。比之孟頫之熱中名利，恰恰成了兩相反的極端人生。這幾年中，孟頫在仕途十分得意。他善書畫，道昇也擅長此道，兒子趙雍亦善書法；曾奉旨各書千字文，詔語有「令後世知我朝有善書婦人，且一家皆能書」之語。道昇尤善繪墨竹，曾設色竹圖進奉，獲賜內府上尊酒。又嘗謁「興聖宮」，受皇太后召見。命坐賜食，奉旨寫梅花，並題詩其上：

雪後瓊枝嫩，霜中玉蕊寒。前村留不得，移入畫中看。

延佑四年（一三一七）孟頫入翰林為承旨，道昇加封魏國夫人。五年冬，道昇足疾病復萌，上遣太醫絡繹診治。六年，疾愈劇，聞於上，得旨回家。四月二十五日，自大都出發，五月十日，行至臨清，卒於舟中。時年五十有八。有子三人：亮、雍、奕；女六人。

這位女藝術家，由於她的書、畫的造詣高超，却把她的文學掩蓋了，所以她文學的名聲，尚不如她所寫的「金剛經」及所畫的墨竹、梅、蘭。夫婦倆都是我佛如來之信徒。她所寫「金剛經」有數十卷之多，又曾拜天目中峯和尚為師。收藏家尚有她致中峯的原帖。帖中所云，備極虔誠之意。道昇的書法似孟頫，被譽為衛夫人後第一人。又曾用五色筆寫璇璣圖詩，筆法工絕。「泥古錄」卷四載有她的家書一通，全文皆為當時白話，是研究國語文學難得的資料。原文為道昇親筆，後面有她兒子趙奕的跋。清初時，尚藏於池灣沈定帆家。書面寫：「平安家書付三哥長壽收拆，娘押封」。完全白話，錄之於后，讓讀者看看宋代的白話文吧！

娘書付三哥吾兒：昨日福山寺僧來，得五哥六月內書，知汝安好，家中及道院內安善，方得放心。可收香盟寺呈子至，先還借錢一百錠；如得入手，可與四五哥大一哥商量，交孫行可買東橫錢百戶屋地，並西邊蘿蔔地，及德清園地。我已分付五哥了。若別對付錢買了，却將此錢，好生實封了，付的便寄來。九月間沈山主周年，切須與三錠錢，油三斤，米五斗，請十僧，燈斛做汝父母名字，追薦沈山主則箇。可憐此人多與我家出力，切須報達他。書到便與哥哥每說知；分付福和、萬六道、徐慶一等，好生與我安排，供養為好。蘇灣田塍，交徐壽二好生修理，休誤！桑樹好生照管澆灌。山上亦宜照管，交梓沛兄令人多接栗樹，多種桑樹。只此不一。七月二十六日，娘付三哥收。

（六十八）

袁世凱傾覆清室的內幕

諸葛文侯

袁氏顧慮辭職逼宮的策略或不見效，又教民政部大臣趙秉鈞賄通隆裕太后的親信太監張德，組織偵探隊，揚言偵查亂黨行動，每天把外間傳說某省已響應革命，外國使節皆袒護革命黨，革命黨暗殺隊已遍佈京畿，孫文從外洋携回大量借款和軍械，實行北伐……種種流言，報告太后。太后驚悸殊甚，舉行了幾次御前會議，徵求王公貴胄對於清帝是否退位的意見，只有少壯的載澤、溥偉二人，發言反對共和，其餘皆依違無所可否，終無結論。於是，袁氏將最後的武器使用出來了，一面教民政部大臣趙秉鈞，約同認為可靠的國務大臣楊士琦，梁士詒，王士珍等，覲見隆裕太后，痛述時局危迫，禍延眉睫，生靈塗炭，了無窮期的各種情況，認定非接納共和條件即不足以挽救危局。另嗾使第二軍統領兼前敵總指揮官段祺瑞，聯合在職軍人姜桂題，倪嗣冲，段芝貴，王占元，曹錕，陳光遠，李純，孟恩遠，盧永祥，靳雲鵬，李厚基，潘楹矩等四十人，電請皇太后皇上贊成共和，說民軍方面已同意優待皇室，籌定八旗生計，每年由共和政府付清帝歲費三百萬元，王公世爵仍舊，漢滿蒙回藏各族平等，國體改建共和，率土臣民，罔不額手稱慶。乃聞為輔國公載澤，恭親王溥偉所尼，事遂中沮。祺瑞等公忠自勵，死生可保無他，而餉源告匱，兵氣動搖，大勢所趨，將心不固，一旦決裂，何所恃以為戰？深恐喪師之後，宗社傾覆，彼時皇室尊榮，宗藩生計，必均難求滿志等語。同時駐防灤州的新軍統制張紹曾，亦有電奏贊成共和國體。

這一來，等於實行兵諫。電文係拍致內閣轉奏的；袁氏故意說段等電奏，恐係左右揑造的，特電段查詢，段不肯答復，袁即據情轉奏清帝，太后急召開御前會議，而載灃、奕劻不出席，到會諸人仍唯諾無定論，太后謂：「爾等反復推求，遷延不定，疑義叢生，將來必演同室操戈，塗炭生靈之慘劇，此後茲事由我一人担承耳。」旋命袁內閣起草退位詔書，暫行妥藏，候將優待皇室條件磋商定案，由近支王公簽署後頒佈之。實則優待條件早由袁與伍廷芳商妥了，退位詔書經袁密託在上海的張謇撰擬，只是原稿並無「由袁世凱全權組織政府」一語，袁氏臨時加入的。

當清帝退位詔書頒佈的先一日，太后召開御前會議，內閣全體閣員亦參加，太后哽咽流涕，各王公大臣亦哭失聲，旋太后指謂宣統帝曰：「爾之所以得有今日者，皆袁大臣之力」，即飭帝降座致謝袁。袁惶恐頓首辭謝，伏地哭泣不能仰視。一幕奪江山的悲喜劇，就此宣告終場。南京臨時大總統孫中山履行原約，即向參議院辭職，再選舉袁世凱為臨時大總統。於是，袁世凱玩弄孤兒寡婦，攘奪國家至尊之位的最後目的，乃告實現了。（四，完）

「旅美漫話」讀後（上）

。陳玉台。

在我的感覺裏，一本好書除了豐富的內容，生動的文字之外，最主要的是要有相當的深度。沒有深度的作品，只能讓我們在看它的那一段時間內，暫時被故事的情節，書中的筆調所吸引，很難留下深刻的印象，事後更不要說能留給我們什麼特別的感受了。非常不幸，現在的文壇，正是那些沒有深度的「磚頭書」到處充斥的最高潮；從表面上看來，「作家」羣起，「巨著」處處，可是當我們揭開它們花花綠綠的封面之後，呈現在我們眼前的除了夢囈、畸情、灰色、仇殺、偵探以及那些他們自己尚且不太懂的左一句存在主義，右一句失落的一代之外，我們根本找不到幾個有靈魂的作家，幾本有深度的作品！前些日子在書店裏偶然看到「旅美漫話」這本書，一翻開來，它生動的筆調、傳神的對話，就吸引了我，回家細細看完之後，我不由得說一句：「這是一本好書！」

這是一本薄薄的小書，收集了三十四篇小品文，亞學年會的資料以及幾篇附錄，屬於商務印書館出版的人人文庫。作者張起鈞先生，是一位哲學教授，他曾應邀赴美講授中國哲學，這本書裏記下的有他在美國見到的形形色色，處於異國時心中的感受，及對於美國人民、社會、政治的分析。除了文筆翔實之外，最可貴的是他豐富的感情溢於筆端，獨到的見解令人折服，讓我們透過一位哲學家的眼中認識了美國，也體會到許多人生的實際問題。

書中的上篇，是從出國到回國的一段經歷，其中有風光的描寫，像「灘外風光」中描述外基基海灘附近的形形色色，對於當地人「穿得很少」這一點，作者用很生動的筆調來寫：

「衣冠文物，原是人們進化的紀錄，顯示人們業已遠離禽獸之境，而別有其高雅的情趣。但這裏不然了，觸目所見盡是裸身赤足之流。你正在訝異怎麼一個女孩子光著腿光著脚滿街跑，忽然身邊刷的一聲響，又看見一個彪形大漢，滿胸是毛，打著赤膊，橫倚巨臂駕着汽車，疾馳而過。街上來往的，不是遊客浴罷裸露歸來，便是情侶攜手談笑，走向海邊，我們不能說他沒有旖旎風光和野勁，可惜這種情調，實在不對我的胃口」。

此外，還有描寫人物的，像「謎樣女郎」中的那位主人翁，一開頭，作者寫道：

「這裏另外有一位小姐，却與這些個迥然不同了。誰見了，誰都覺得她怪，却又說不出怪在那裏。要是想跟她談談，以解疑團，那不談還好，愈談愈陷入五里霧中了。朋友們有的是足跡遍全球，滄桑閱古今的；但在這位小姐面前，却全都感到謎樣的一團，而對她莫測高深。」以後，用對話，用敘述來襯托出這位小姐家中的富有，行動、言語的古怪，讓人好像看見一個活生生的年輕而有許多怪行徑——諸如在美國而不要電話，吃冰水時把冰塊撈去才喝，以及吃素等等的小姐站在我們的面前。最妙的還是這一段：

「吃飯時，不知怎麼東拉西扯的，談到婚姻問題。她說她一切都聽從父親的安排。我說那你什麼時候結婚呢？她說：『那只有我父親知道。』不料這樣一位國際人物，却原來是如此的『在家從父』呢。試問誰能想得到，尤其是一位在美國的金髮女郎？」透過這些生動、傳神而簡潔的描寫，對於這位謎樣女郎，我們真是「如聞其聲，如見其人。」

美國是一個工商業發達，社會安定，而人民生活富裕的國家；尤其沒有戰爭的威脅，這是多麼令人羨慕！然而羨慕則可，崇拜則大可不必，現在多少人將美國看成一個天堂似的地方，以為美國的一切都好，甚至恨不生為美國人，作者在「世外桃源」一章中談到夏威夷時，說得好：

「世外桃源雖是難得，但却也不見得一定可羨。在一個受過修齊治平的薰陶，有着歷史文化傳統的人們，却會感到這個世外桃源的生活實在太貧乏，太空虛，簡直要把生龍活虎的羣體生活，縮減到孤立隔絕的個體生存了，縱使無憂無慮，自度世外生活；但眼看着舉世擾攘，水深火熱，就能心安理得無動於衷嗎？更何況儒家教我們己立立人，己達達人，佛陀更告訴我們：『我不入地獄，誰入地獄』，想到這裏，我實在不知道再該說什麼了。」

這才是真正的書生本色！這才是真正的「中國人」！對於那些曉風所說——只曉得通過松山機場去取得美國國籍的「中國人」，如果這一席話在他們的心中不能激起一絲波浪，我們倒真的「不知道再該說什麼了。」

「從吃說起」一章，作者從應邀到夏威夷一家最考究的餐館參加聚餐，發現菜着竟是雜亂無章意外樸實說起，進而談到夏威夷的一位僑領擁有幾千萬美金完全現代化的公寓大廈，但是他自己却仍然和老妻住在六十年前的老巢，所過的生活和苦力、店伙一般；另一位最有錢的陳姓華僑亦然如此；而一位醫院院長朱某，資產豪富，他的母親已經七十多歲了，每天還站在雜貨店的櫃台裏包包貨。作者對這一點，也有很好的見解：

「夏威夷的華僑則是在強有力的對手下，遵循着合法正軌的途徑起家的，從這一觀點來論，他們今天這些成就，實是中華民族能力優越的表現，而值得我們引為自傲。因此不懂生活藝術，不會吃穿，又何害其賢？反之，却正是其勤奮上進，未曾腐化的表現。今天我要對子弟學生表示願望的話，我寧願粗裏粗氣不懂生活藝術，也絕不願其失去勤奮上進的精神，你說是不是？」

的確，一個脚踏實地，勤奮努力的人，比起一個空有其表，慣於享受的人來，我是寧取前者的，因為他們才真是社會的棟樑。

除了深刻的描寫之外，每一篇文章中總流露出作者的真性情，例如「夢迴故國」中，寫他初到美國就想家，甚至可以說是到了「神遊」的地步了，因為他有時身在美國，眼前却彷彿在台北活動盤桓，有一次還自己跟自己說不要再留戀了，趕緊回到美國去預備明天要講的功課吧。看到這一段，我幾乎要落淚了，作者是怎樣一個重感情，愛家庭的人！尤其是他彷彿聽見兒子叫他，睜開眼來，原來是夢的一段，更讓人跟着悵惘，跟着感傷！散文寫得如此動人，真是已到化境了！

詩選

古歡室無題詩

汪中

秋來玉露暗魂銷，團扇娟娟共舞腰。菱鏡月移憐影瘦，桂花香冷怯鳳標。神馳畫閣遲燈火，坐對熏籠聽麗譙。素手玉房無意緒，閒愁於此忒無聊。

一聲河滿淚雙流，萬種纏綿到此休。綺席也曾低玉醑，曲闌一去暗凝眸。吟成斷腸迴文句，夜盡鰥魚聽曉籌。亦拚和愁已無恨，秋衾擁夢自綢繆。

白眼疏狂傲步兵，酡顏添頰不辭頻。蓬池日暮緋迴影，洛浦雙妃婉孌情。一別巴山珠有淚，二分淮海月無聲。眼中無限坌歌夢，酒醒風檐暗自驚。

月白單衫心字重，小裙迷你若驚鴻。秋懷影怯纖纖瘦，淺語情深娓娓通。一架秋千留細喘，半窗殘日暈嬌紅。棠梨寂寞偸春息，冉冉牆陰舞好風。

禪的火花

禪宗解儒

。吳經熊著。
。吳怡譯。

中庸上曾說：「天命之謂性，率性之謂道，修道之謂教。」依照大慧宗杲的看法，認為「天命之謂性」等於法身，「率性之謂道」等於報身，「修道之謂教」等於化身。假如你能打破語言文字上的間隔，你將發現這種解釋的確是雖不中不遠也。（二十八）

國劇腳本

大漢兒女（一名新莽封）

．田士林．

小人儒，
朝堂之中左右逢源。
君子儒，
忠直廉正事到頭來罷職丟官賠頭顱。
君子小人全是書生的現成話，
百年光陰倒頭終歸一坯黃土；
只要升官發財享樂能及時，
笑罵由他我把耳朶堵。

（白）學生姓哀，悲哀的哀，單名一個章字。本來我老師為我取的本名是天理昭彰的彰字，我嫌他不好，做人何必非講天理不可？等我離開老師，就改了個文章的章字，雖然，我曾讀書有年，論我的文章是高山滾鼓——「不通，不通，不通！」不過，論起歌功頌德來，頗有「肉麻」之心得。如今漢朝是王氏當政，聽說平帝這次的死，是死在王莽的毒酒上。新君年幼無知，王莽大權在攬，雖然民心不順，要想做官還非捧他不可。王莽喜歡談神命，講天符，說正格的，那兒會有天上掉下來個符文的這種怪事，還不是州郡瞞天撒謊，反正一報就有封賞，雖說是自欺欺人，倒也利人利己。我也不甘後人，刻了塊白石頭，刻的是「安漢公王莽應即皇帝位」十個字，說是井裏頭冒出白光來，經我打撈上來的；已由專人送上京師，只要王莽看到，大小總有我個官兒做！正是：

不走歪路人不發，
不吃野草馬不肥；
志節總是大毒草，
不黑良心總吃虧。

今天沒事，出去溜達！溜達！

田子文：（內白）馬來！
（上唱）最可嘆兩百年漢室宗廟，
有誰知一旦間付與鴟鴞！
（白）呀！哀兒，多日不見，幸會幸會！

哀　章：（白）啊！啊！原來是子文兄，請了！請了！（急下）

（廿二）

自由報

第六四八期

社長李運鵬·督印黃行審

FLAT 6 KOWLOON H.K.

怪哉！港台的輿論！

——詹森聲明值得歌頌嗎？——

·張起鈞·

自從三月三十一日美國詹森總統宣佈退出競選下屆總統（同時並宣佈降低越戰，暫停轟炸北越）後，港台間掀起一連串歌頌和讚美。不僅稱讚詹森總統大忠大勇，甚且有譽之爲「大英雄」、「大豪傑」，簡直好像美國出了救世聖主一樣，我們在欣幸之餘，冷靜的思考一下，詹森總統果眞如此偉大嗎？事實恐怕還有待證明吧。我們並不是對友邦的元首意存非難，而是現在還不到蓋棺論定的時候。究竟詹森的動機何在？以後演變的情形如何？在在都有待未來事實的證明，此刻若僅憑一紙聲明，便從而歌頌、讚美，那不止是對美國的選舉情形有欠深刻的認識，並且還難免有崇洋媚外心理的嫌疑吧？

美國人雖在國際政治上拙於應付，處處捉衿見肘，但在國內競選方向，却是眞眞假假、虛虛實實，極盡縱橫捭闔之能事。就如詹森總統這一退出競選聲明，固然可以是眞個放棄競選，一如其所言，但也可能就是競選過程中，一着極高的妙用。因爲若純以競選的技術來看，詹森總統目前處於極爲不利的地位。他身爲美國總統，就忠於職守說，勢必要增兵糜帑，贏得越戰，但就競選來說，則全體選民幾乎是個個厭戰惜財。詹森若眞是繼續打下去，勢必要失去一切的選票，這豈是政黨政治中的人士所能忍受？但要毅然停炸降低越戰水準時，則又不僅與自已以往堅持越戰的主張相背反，並且要遭到政敵的指摘、罵他不惜犧牲國家利益（因爲政敵中也有贊成越戰的）而爲私人的選票打算：那勢必會「賠了夫人又折兵」，更陷於尷尬不利的地步。——就在這進退維谷左右作難的時機，詹森打出一着絕招，而有放棄競選、降低越戰的聲明。這樣一方面既可討好選民，表示眞是遵從民意，一方面又不致受人指摘，可說有百利而無一害。假如這樣下去仍不能挽回聲望日落的頹勢，那就眞個退出競選，落個漂亮。反之經此一變，贏得了民心的愛戴，聲望扶搖直上，那末在競選前夕時，便可由黨中一部份人士，提議「徵召」，（說得諷刺些，便是「勸進」，於是詹森便可在「我公不出如蒼生何」的不得已「（？）」情形下，高視濶步出來競選。眞是化險爲夷，起死回生的絕妙好棋。這種徵召的例子，在美國競選中，指不勝計。而詹森個人又慣於臨陣上場，更增加了上述分析的可能性。記得一九六〇年民主黨提名時，詹森便一直按兵不動，直到提名大會的前夕，詹森才大模大樣的說他在參議院中事情忙，無暇計此，所以遲到；現在才開始參加競選，其後雖未當選，但終迫使甘迺迪不得不邀他作競選的伙伴。那時筆者正在美國，印象非常深刻。以彼例此，詹森又何嘗不可故技重施，臨陣應「徵召」？問題只看有無苗頭而已。

固然，上面所述只是一個技術性的分析，不能說詹森總統就一定眞如此。但反過來誰又敢斷定，一定不如此呢？然而就在這尚未可定的時候，許多評論家竟持之不疑，率爾的對詹森總統大加讚揚，這能說不是認識膚淺言之過早嗎？而其所以致此者，無疑的，是因惑於「美國總統」的偉大性，殊不知，所謂偉大者，乃是美國總統的地位（强國元首，又是自由世界的領袖。）而並不一定是美國總統的個人。譬如我們唐朝時的皇帝，號稱天可汗，統治四夷，不僅朝庭內是「萬國衣冠拜冕旒」，而鄰邦君主的就位都必須由唐朝正式下璽書冊立。那眞是萬王之王，地位遠較今天美國的總統爲高；但絕不能因此便以爲唐朝的皇帝都是命世聖主。太宗自是不世出的英主、而高宗便很平凡，中宗且是庸卅。以彼例此，美國的總統又何能一定是偉人？尤其美國總統除了林肯等少數幾位外，歷來公認沒有第一流人才，（因爲資本家及黨魁不願支持霸才不羈的人士的）在這種情形下，我們固不可低估詹森總統的才分，但若稱頌推崇却須有賴事功德業的證明，這纔該是不錯的定論吧。假如以這個觀點來衡量時，詹森領導進行越戰近五年於茲，以泰山壓卵的優勢國力，來平蕞爾地區的變亂，不僅未能克敵制勝，反而弄得焦頭爛額，不知如何是好。最後竟然不任國內厭戰心情。連打都不敢再打了。於是宣佈停止轟炸向越共謀和（實際是求和），試問這是什麼「大英雄」「大豪傑」？「勇」在那裏？除了是勇於投降。

多少年來，我們由於「崇洋媚外」的心理作祟，每對友邦表現過份的恭維，而不能作到不亢不卑應有的分寸。甚至有時友邦對我們不利的言行，我們都逆來順受，不敢表示立場；而主持宣傳的機構更是嚴禁批評，生怕得罪了洋大人。記得去年十月十四日，筆者主編的「新天地」雜誌舉行座談會，歡迎美國名女作家伍特萊（Freda Utley）女士，伍女士即一再對我們默認美國的錯誤表示遺憾。因爲一般美國人對東方情形並不了解，美國對我們的不利言行，我們若不抗議，美國人便不知道。甚至她們這些中國之友起而呼籲時，一般人還認爲是「多事」：「人家中國人自已不說，你們喊什麼」！眞令人聞後哭笑不得。一個人要有人格，有骨氣，一個國家更復如此。一味順從阿諛，並不能建立友誼的，試想那個有作爲的人願意稱奴才作朋友？

昨日與明日

日本議會的醜聞

日本衆議院一個社會黨議員，因在議場中謾罵內閣總理大臣佐藤是「賣國賊」，引起大多數議員的公憤，給他以一個月內不准進入議會的紀律制裁，這是僅次於宣告「除名」的嚴厲處分，而社會黨人士亦就不敢說反對的話，可見日本人的民主憲政生活程度，并不淺薄也。

常聞台灣各縣市議會中—特別是台北市議會—每有議員以穢語劣詞攻訐行政官吏或同寅，醜惡不堪，而議員們毫無自律的表示，實在不成玩藝。議員藉着在議會發言對外不負責任的法制作護符，動則從事人身攻擊，肆無忌憚，如果議會本身不講求自律，這種民意代表機構就沒有存在價値，而大法官解釋議員所發與議案無關的言論，應負法律責任云云，便係明智的見解，值得贊許。

佐藤爲何被惡罵

日本社會黨原係以左傾親共爲職志的，平日主張對中國的毛共要建立正式外交關係，甚力，然佐藤內閣總是以「政經分離」政策相標榜，走的親美外交路綫。月前，佐藤到美國訪問時，詹遜總統秘密告訴他，說美國擬使越戰升級，佐藤表示贊成。因爲越戰所用的軍需品，百分之七十都是在日本製造的，越戰升級對日本的經濟繁榮，大有裨益，不但日本政府當局不反對越戰升級，在野黨亦心知肚明，默默認許，所以對美國在東京附近創設大規模的野戰醫院，社會黨并無異言。

詎料美總統忽然變計，自動哀求越共停戰言和，不啻是哄騙了日本。同時，佐藤對毛共的貿易事宜，尚不顧公然宣佈放棄「政經分離」政策，而毛共最近將在廣州舉行所謂貿易展覽會，日本工商業者已有七百多人接受了邀請，準備前往參加，「政經分離」政策若不放棄，日本進出口銀行即不能給「日、毛貿易」作後盾，將來毛共重要的對外貿易，勢必又被法國、西德、意大利的商人捷足先得。職是之故，淺薄的社會黨議員乃罵佐藤是「賣國賊」了！

日本的外交動向

不管美國與越共的和談能否成功，但日本工商界急求與毛共進行大量貿易的心情，已因越戰停頓而更趨濃厚。因而日政府的財政與交通大臣，乃首倡「吉田書簡」「無效之說，藉以安撫工商界，佐藤內閣若不獲得工商業財閥的支持，即非垮台不可！

綜此，日本今後的外交動向，必然趨於對毛共妥協之途，最近日本在野黨除攻擊佐藤首相外，更要求外交大臣和內閣秘書長辭職，即可見其趨勢了。

日本的外交動態如此，我們政府當局：竟有何對策呢？跂予望之。（何如）

自由獸

美國衆議院日前通過的民權法案，祇是一項房屋租賃不受人種限制的法令，也就是「人民有居住、遷徙之自由權利」。這種起碼的民權，凡屬民主憲政國家，人皆有之。然以世界頭等民主生活著稱的美國，却不許黑人有居住、遷徙之自由，而迫使黑人掀起大規模的暴動，到處封殺焚掠，這纔匆卒間，把那擱置在國會檔案裏有幾年的房屋租賃自由法案，急忙通過施行，可見美國人民并不平等自由也。

最近遭人暗殺的黑人領袖金格牧師，原是主張非暴力義主的民權運動家，就因爲政府提交國會的一些基本民權法案，被擱置了幾年亦無下文，他的思想即漸改變了。他不再斤斤於爭取枝節零碎的民權如居住自由之類，而要求政府解決二百五十萬名黑人就業問題，準備發動一種大規模的游行示威，以致招來殺身之禍，乃觸發了黑人瘋狂暴動行爲。

這次暴動的損失，光是保險業方面，就有四千萬美元之多，而焚燬刧掠的財產更大，然這只是有形的損害而已。還有難以估計的無形之災，例如美國社會極普遍流行的「分期付款」這類商業契約，由於商店和公司號被焚燬了，糾紛必然很多。且以美國那種工商業極其發達的社會結構，經過一次鉅大的動亂破壞之後，直接間接的損害更僕難數。可是黑人問題依然原封未動，來日大難，方興未艾，僅僅通過一種居住自由的法令，於事無濟了。這纔是美國莫大的隱患！

黑人問題何時了

美國常常指摘一般接受美援的友邦政府，說這個不是民主的，那個是低能的，看看美國的黑人問題，似乎不民主與低能的情形，跟一般接受美援的國家相去不遠吧？民主黨政府揭櫫的「大社會計劃」，一時難以實現，亦不容易解決黑人的問題。如何是好呢？戰後美英與蘇俄慣於把別國搞成兩個，如東西德、南北韓、南北越以及所謂「兩個中國」等等，我想美國若要根本解決黑人問題，不妨如法泡製，亦搞成兩個美國—一個白人的美國，一個黑人的美國，比較省事，不知山姆叔叔以爲何如？

馬五先生

編撰國語教科書　萬不可濫竽充數

立委徐中齊兩度提質詢

（台北航訊）立法院本年三月一日及十二日兩次會議，該會委員徐中齊為國民中學國語教科書編撰，以「不學」之輩濫竽充數，有辱國家名器，破壞教育大計，特兩度提出質詢。茲誌十二日再質詢全文於次：

查趙友培濫跡國民中學國語教科書編輯行列一案，本席會於三月一日第四十一會期第四次會議提出質詢，而教育部鄧次長之答覆，對本席所詢各點，如趙某兼任國民學校國語教科書編輯委員為害之後果等，並未作正面解釋。民趙某會否為主任委員，有國立編輯館存檔之會議記錄可查。

復查趙某竟在外招搖，仍以「主任委員」自詡。似此無行之輩，早為知識界識為「吃草」的「草包」，倘仍任其參與國語教科書編輯工作（見三月十日中央日報第五版頭欄），無異於令其斲喪歷史文化之命脈，破壞百年樹人之教育大計；實為中華民國之恥辱。

抑有勝者，趙友培植黨營私，在「中山學術文化基金會」附設之「文藝創作獎助委員會」，曾因包庇「文化漢奸」，以示其挾權市恩，知識界認為有辱　國父令譽，正在「鳴鼓而攻之」。蓋當輩情激憤，一致聲討「文化漢奸」之罪行，並批駁其鄙陋之得獎作品之際，趙某竟罔顧民族大義，暗中為此奸宵奔走說項，以圖混淆輿論觀聽，朦蔽事理，此為本黨有關人士與中央日報編輯人員所共知之事實，不容抵賴。詎料，其無行黑手，竟又伸進「國民中學國語科編輯委員會」，企圖提掖夾袋中之人物，冒充專家，共同誤人子弟。若林海音，若王鼎鈞，若大痰盂作家，俱由趙某羅致薦為編輯委員，執筆撰寫教科書。似此倒行逆施之行為，將置國家名器於何地？置第二代之教育於何地？

趙友培之不學，姑勿論矣。茲再畧論其「夾袋中之人物」：

王鼎鈞、跟隨趙某身邊，其人根本鮮受教育，僅為「文藝協會」附設「小說訓練班」三個月之「速成品」，此等粗製無學之輩，匪特思想直等於空白，且毫無國家民族觀念之可言。觀其近作：「△舊曲。前天聽人唱「何日君再來」，有感想。這支歌在各地非常流行。當時的局面是日本業已投降，日僑日俘正待遣送回國，批評家忽然得一靈感，認為「何日君再來」有鼓勵日本軍閥再度侵略中國之嫌，非議時起，恰巧此時有人為返國日僑設筵餞別，席間聽歌勸酒，有此曲，消息見報，四面大譁，把凡是唱這支歌的人都當做通敵謀國的漢奸。現在思想，實在好笑。那些神經過敏的批評家冤屈了多少善良百姓！」（見文壇九十二期）

查「何日君再來」本係日本歌曲，大家甚於八年抗戰的血債，縱本於　領袖昭示對日俘「以德報怨」，但反對日本人唱「何日君再來」，乃出於民族意識之自然流露。當時若有人為日本人餞別，「席間聽歌勸酒」，而唱「何日君再來」，當然很可能被憤怒之中國人指斥為「漢奸」，難道面對八年抗日之種種血債，中國人連對日本之本能憎惡都不許有？一定要問製造過「南京大屠殺」之劊子手「何日君再來」才算「合理」？際此舉國提倡「文化復興運動」之時，居然聽任此輩躋身於國語教科書編輯之列，試問：我們之學術界，尚有「人」乎！

本席前質詢詞中所指以殷商銅器「樽」為大痰盂之「女作家」，早為知識界鄙其淺陋，我現在把其自侮國人之作品，附錄於后：按××遊蹤第一集，一六九頁至一七〇頁記載：△「痰盂酒砵青銅鏡」。「有一件事令我想起來還覺忍俊不禁的，是看到好幾個大痰盂被高高地供在陳列瓷器的玻璃櫃裏，英國人以為是花瓶，在說明卡上註着VASE。但在中國人的眼裏，它實在是我們祖母時代便已看得很多的，那種高桶形而「三圍」尺寸有變化的大痰盂。中國自少有兩件東西的式樣，雖經數千年之久都沒改變過，一件就是這種祖母時代的大痰盂，在大英博物館中，我發現從殷商便已有了，青銅製的。」

我常以為許多疾病都是「文明的產物」，甚不願相信我們的祖宗在四千年前便已成了必須時常吐痰的「癆病腔子」。也許本來真的是花瓶，或竟是酒砵——英文卡上註的Bronze Wine Vessel (Tsun)。本席代譯為酒器（樽）。觀上所它譯，當知英國人早已知其出處，而此女作家硬栽我們的祖宗為「癆病腔子」的大痰盂，以此無知與自侮之輩，去編輯國語教科書，豈非復興中華文化之一大諷刺耶！

林海音，不僅與前述二位「妙人活寶」相似，同非國民教育之專家，且其思想行為，尤有令人懷疑之處。當其任聯合報副刊編輯時，竟刊登含沙射影，侮辱　領袖之新詩（見民國五十二年四月二十三日該報副刊，新詩題名「故事」），致遭革職。而今竟膺任撰寫國語教科書之重責，焉敢保證其不流毒後生乎？

行政院教育部倘不速作明確處斷，驅逐此等「不學有術之徒」於教科書編輯之外，則不僅為國民教育前途悲，抑且為國家民族前途痛哭矣！用意何在？靜候嚴院長閻部長明以見告。

國會記者訪問蕉農追記

·本報記者張健生·

其辦法是：將政府規定之高雄地區蕉價為每簍一百六十三元（折合美金為四元一角弱），作機動性之調整。如去年高雄地區外銷香蕉為六百二十二萬一千零三簍，佔外銷香蕉總額百分之七十以上。其一、二兩月份外銷香蕉共七萬九千八百二十七簍，蕉價為每簍二百六十八元，超過規定蕉價一百零五元，計超支八百三十八萬一千八百三十五元。

而三月份蕉價平均每二百二十八元，外銷香蕉七十萬零九千五百一十四簍，計每簍超支六十五元，共四六百一十一萬八千四百一十元（按：一至三月份為冬蕉）。而十一月份外銷三萬五千九百五十九簍，每簍蕉價一百七十元，超支七元，計二十五萬一千七百一十三元。十二月份外銷兩萬六千四百八十七簍，每簍價一百八十九元，超支十七元，計四十五萬零二百七十九元（按：十一月十二月為秋蕉）。由此可知，高雄青果社鼓勵蕉農種植秋冬蕉而支付價超過政府規定者計：新台幣五千五百二十萬零二千二百三十七元。

這筆超支蕉價款項，分由春夏蕉價內扣除。如四月份蕉價每簍抑低八元，計扣除一千一百九十八萬八千二百三十二元。五月份每簍抑低十八元，計扣除三千零五十七萬九千三百九十元。六月七月份每簍抑低二十八元，計扣除四千九百六十萬元。八月份每簍抑低三十八元，計扣除三百三十一萬二千六百六十六元。九月份每簍抑低十八元，計扣除一百一十九萬二千三百二十八元，總計抑扣蕉價新台幣九千六百六十七萬二千六百一十六元，除去補助秋冬蕉超額價款外，尚餘四千一百四十七萬餘元，仍就按照蕉農出售數量予以退還。

但青果公會對青果合作社執行獎勵蕉農種植秋冬蕉之政策，竟加以攻擊，且以六、七月份之最低蕉價每簍一百三十五元的事實，企圖混淆社會的視聽，以偏概全。殊不知此項蕉價政策係經由高雄青果合作社社員（即蕉農）代表大會通過，並經理事會報請外貿會核准後施行的。

據高雄青果合作社稱：五十六年度每簍香蕉外銷價折合新台幣為二百八十元。其中包收購蕉價每簍一百六十三元，及每簍包裝材料集運管理費三十七元，增建經費四元，災害救助基金五元，市場發展基金七元，腐損賠償基金七元，船運費四十元；除去這些開銷外，每簍香蕉出口毛利為十六元。至於包裝材料集運管理費三十七元，實際支出為三十元，其餘七元，作為高雄青果合作社所屬各單位員工薪水、辦公費及社區內之地方建設。（五）

台灣省工業界領袖組團訪問亞洲各國

協助華僑及友邦經濟發展

（台北航訊）台省工業界領袖為促使本省工業機械技術輸出，刻正籌組訪問團前往菲律賓、馬來西亞、泰國等地訪問，期與各當地華僑研商有關技術合作問題，以便協助各地華僑及僑居友邦經濟之發展。據有關方面透露：該團團員約十五人左右，均為國內具有實力及規模之實業界領袖組成，五月底即可啟程。各地僑胞如有意與國內技術合作，可先與當地使領館經參處接洽，

台北航訊

審理翠華號出事慘案

檢察官與辯護律師　激起了罕見的爭論

台北地院刑庭，於三月二十五日下午開庭審理民航空運公司超級翠華號客機失事慘案。承審本案的檢察官黃昭熙，曾兩度與被告的辯護律師端木愷發生爭執。氣氛雖然緊張，卻也相當有趣。

從前審理重大刑事案件，旁聽者多為被告家屬或被害人的親友，三教九流，品類複雜。而這次空難事件開審理庭，旁聽者都是上流社會人士。有美國大使館政務處秘書費諾員，和該大使館其他高級官員；有民航空運公司法律室的多位法律專家；也有被害人的家屬等，將近兩百人。個個都是衣履整潔，受過相當教育。這種情形，不僅是承審本案的黃昭熙推事第一次遇到的大場面，卽在歷年來的重大刑事案件的審判庭，也屬罕見。黃昭熙推事遇到這種大場面，不由得兢兢業業，慎重將事，神情也有些緊張。

本案的鑑定人員，包括美國聯邦航空局代表，失事飛機製造廠三位技術人員以及我民航局、空軍單位的專家們參加鑑定。這些人員，都是遵照羅馬會議規定處理空難事件的專家。因此本案的證據，非常明確。承審推事黃昭熙，在訊問被告之後，覺得在證據調查方面，已沒有什麼證據可資調查，詢問被告辯護律師端木愷，有否證據提請調查？端木愷律師沒有作正面答覆，於是和黃昭熙推事，發生了爭執。

端木愷律師，引用去年美國發生的一件螺旋槳飛機失事案件，調查費時一年多，來指責這次空難事件鑑定調查之草率。

黃昭熙推事糾正說：本庭請貴律師就證據問題提請調查，貴律師所說是屬於辯論範圍，而非證據範圍。

端木愷律師說：他叫民航公司準備一張飛機機械圖樣表解，但尚未製好。請庭上把下次庭期定得長一些，以便製圖表和閱覽文卷。

黃推事又說：製圖表和閱覽文卷，那是貴律師的事。本庭早於三月十二日發出傳票，到開庭有十三天的時間，你沒有來請求閱卷，這不是本庭的責任。本庭現在所要請貴律師答覆的，是有沒有證據提出請本庭調查？

端木愷律師這才正面回覆：因為沒有閱覽全案文卷，不知內情如何，無法提出證據請求調查。

黃推事拿出魄力，在訊問完證人之後，又再次詢問端木愷律師是否有證據提請調查？端木愷律師再請求展期。但被黃推事所駁回。黃推事說：貴律師既沒有證據提出請查，本庭就要進入辯論程序。

端木愷律師不作答覆。黃推事毅然決然地將本案進入辯論程序，宣佈：「本案開始辯論。」

旁聽席上起了輕微的騷動，旁聽者莫不為之驚訝。有人交頭接耳地問：「這位推事年輕得很，大概廿幾歲？」「什麼學校畢業？當了多久法官？」「很夠魄力……」旁聽者個個都有尊重法庭的素養，騷動旋卽停止。

被告辯論完畢之後，黃推事又再詢問端木愷律師：請貴律師為被告辯護。但端木愷律師說：我沒有看過文卷，無法辯護。黃推事說：是否貴律師放棄辯護或拒絕辯護？他回答說：我很抱歉，並非放棄或拒絕，而是沒有看過案卷，無從辯論。

黃推事在思索中，旁聽者的注意力都集中在黃推事身上。懂得法律的人，都知道這件案件，不是強制辯護的案件（按強制辯護案件是最低本刑為三年以上者。本案最高本刑為五年以下），法官可以不待律師辯論而定期宣判。旁聽者都以為這位有魄力、有擔當的青年法官，一定堅持其迅速結案的立場。不料大失所望。

黃推事思索良久，為了慎重起見，也為了給這位桃李滿天下的法學專家端木愷律師的面子，態度作一百八十度大轉變，沒有立卽定期宣判，而定期在四月二十二日下午二時三十分繼續開辯論庭。

黃推事此一宣佈，又引起旁聽席上一陣騷動。不懂法律的人，因黃推事沒有堅持自己的立場而感驚訝，懂得法律的人，都因黃推事將下次庭期定在十五天以後而感到不妥，因為刑事訴訟第二百九十三條規定：「審判非一次期日所能終結者，除有特別情形外，應於次日連續開庭；如下次開庭因事故間隔至十五日以上者，應更新審判程序。」四月二十二日審案時，必不能立卽繼續辯論，一切須從頭開始。

有部份旁聽者走出法庭之後說：這次開庭所進行的程序，等於白廢了。

本報記者新職

小啓

成中英先生因回台講學，已辭去本報駐夏威夷代表人。遺缺另聘劉福如先生担任。

讀史政略（十）

唐置府兵

仲公

是歲（貞觀十年），更命統軍為折衝都尉，別將為果毅都尉，凡十道，置府六百三十四，而關內二百六十一，皆隸諸衛及東宮六率，凡上府兵千二百人，中府千人，下府八百人。三百人為團，團有校尉；五十人為隊，隊有正。十人為火，火有長。每人兵甲糧裝各有數，皆自備，輸之庫，有征行則給之。年二十為兵，六十而免。其能騎射者為越騎，其餘為步兵。每歲冬季，折衝都尉，帥其屬教戰，當給馬者，官予其值市之。

古今來論兵制者，都說唐代的府兵，是最好的制度，認為大唐的武功之所以特別輝煌，與府兵有絕對的關係。惟獨王船山氏持有不同的意見：「府兵者，猶之乎無兵也。」又說：「詳考府兵之制，知其為戲也，太宗之以弱天下者也。」他把府兵制度，批評為與秦隋銷兵，宋罷方鎮之意相同。

府兵制度，原係創始於北朝蘇綽，選擇有家業的壯丁，令其長期當兵，有事出征，平居則自耕自養。當兵以後，一切田租捐稅，皆可豁免。北周終於靠了這一個兵制，統一了中國。唐代於貞觀十年，才仿此制度，將府兵之「府」，設置全國各戰略要點，府分上中下三等，兵數不同，其制：「兵列府以居外，將列衛以居內，有事則將以征伐，事已各解而去。」

像這樣的一個兵制，頗有承襲古代屯田制度的遺意，但性質上却又不同。屯田大都在敵前與敵長期對峙的情形中行之，藉以減輕國家轉運補給之勢；府兵則是兵農合一，寓兵於農。不過府兵的戰鬥力量，實在令人懷疑，一個農民憑藉其優越的門第與富有的財產，被選為府兵，除了每年冬季實施幾天的軍事教育以外，並沒有經過嚴格的戰鬥訓練，而且府兵平時沒有武器，遇到打仗，臨時分發，則每樣裝備的性能、大小、強弱，與使用的人，是否適宜，倉卒之間，恐怕很難盡如理想。王船山說；「甲與身不相稱，攻與守不相宜，使操不適用頑金，衣不蔽身之腐革，甚則剡撓竹以為戈矛，漆敗紙以為盾櫓。」可以想見府兵腐敗程度之嚴重性。

至於說府兵與武功的關係，這也值得研究。誰都知道唐朝的江山，是唐太宗打下來的，起義革命的事不必說了，即如李淵做了皇帝，遇到疆埸有事，太宗一到，問題立刻迎刃而解，史稱：「上每有寇盜，輒命世民討之，事平之後，猜嫌日甚。」所謂猜嫌者，是指建成元吉居中，製造的是非而言。及太宗做了皇帝後，在軍事上他更完成了以下的工作：

貞觀元年，太宗積極督率諸衛騎兵習射，以備突厥。自是士卒皆為精銳，是歲，平燕郡李藝之亂。

貞觀二年二月，靺鞨內屬，四月契丹內屬。

貞觀三年，李靖、李世勣擊突厥，是歲中國人自塞外來歸，及突厥前後內附，開四夷為州縣者男女一百二十餘萬口。

貞觀四年，李靖大破突厥於鐵山，生擒頡利可汗，西北諸蕃，咸請上尊號為天可汗。

貞觀六年，黨項羌前後內屬者三十萬口。

貞觀七年，薛延陀遣使來朝。

貞觀八年正月，討伐東西五洞及獠平之。十月，擊吐谷渾破之，追奔八百餘里。十二月，命李靖再討吐谷渾。

貞觀九年，三月，大破叛羌，五月，平吐谷渾。

貞觀十三年，高麗、新羅、西突厥、吐火羅、康國、安國、波斯疏勒、于闐、高昌、林邑、昆明，及荒服蠻酋，相次遣使朝貢。

貞觀十四年，平高昌。

貞觀十五年春，文成公主歸吐蕃，秋破薛延陀。

貞觀十八年冬，滅焉耆，並伐高麗。

貞觀二十年六月，再破薛延陀。九月，鐵勒諸部落來貢方物，北荒悉平。

貞觀廿一年，伐龜茲，遠夷十九國並遣使朝貢。又於突厥之北至於廻紇部落，置驛六十六所，以通北荒。

貞觀廿二年，西蕃沙鉢羅葉護率衆歸附。王玄策破天竺，獲其王阿羅那順及王妃子等，虜男女萬二千人，牛馬二萬餘以詣闕。十二月新羅女王金善德死，冊立其妹眞德為新羅王。

貞觀廿三年二月，西突厥來朝，五月，太宗崩。

唐代國防上最大的敵人是突厥、吐谷渾、薛延陀、與吐蕃，其餘邊疆小部落的叛亂，對唐代的威脅並不太大。從以上的年表中，可以看出貞觀四年解決了突厥，貞觀七年解決了薛延陀，貞觀九年解決了吐谷渾。吐蕃之禍中國，那是唐玄宗時代以後的事情，重要的國防問題，大致上都是在貞觀十年以前就辦妥了，貞觀十年以後的部份軍事行動，以及高宗時代的幾次戰役，只是前面幾個主要問題的善後事宜而已。

有強大的武功，必須有強大的軍隊，綜觀太宗生平以寡擊衆戰無不勝的情形看來，他是率領了一枝戰鬥力極強的部隊，毫無問題。他做了皇帝，為雪突厥之恥，仍然親自督導將士，日夜騎射，可以知其成功，並非倖致。及至國防上的大問題都解決了，這枝軍隊，自然應該有一個處理，於是以府兵之法，作為軍人「復員」的準備。將歸朝，兵歸府，既可消除軍人跋扈之憂，又可免除軍糈補給之煩，確有王船所說「與秦隋銷兵，宋罷方鎮」之意。

高宗初年，雖也贏得幾次出色的國防戰爭，當然要徵調各地方的府兵，戰鬥力似乎並未衰退，那又為什麼呢？關於這一點，也可以找到很多理由。唐制二十歲為兵，六十歲而免，兵役年齡長至四十年之久。府兵初設，原有的戰鬥部隊，一定會分配到各地方的「府」裏，這一批訓練有素的戰士，隨時徵赴前綫作戰，再由久經沙場的宿將指揮，當然會有轟轟烈烈的表現。而且高宗初年的幾次戰役，都是徐世勣、蘇定方、裴行儉幾個人做出來的，世勣與李靖同時而齊名，蘇定方屢從李靖出征，受衛公之教，裴行儉又從蘇定方習兵法，李、蘇、裴是唐初的三大兵略家，其能繼續完成太宗的國防志業，自無問題。

迨時間一久，宿將老兵，逐漸凋零退役，代之而起者，素質上自不如前。府兵之壞，始於高宗武后之間，史載：「天下久不用兵，府兵之法浸壞，番役更代，多不以時。」至此，府兵制度，已發生了嚴重的病態。至玄宗時，改徵召為募集，名為彍騎，平定安史之亂，即是靠了這個新兵制的力量。

類似唐代府兵制者，有明代的衛所兵制，明太祖曾說：「我欲養百萬大軍，而不用民間一粒米。」不不過任何兵制，沒有經過嚴格的訓練，將士決難為用。戚繼光用衛所兵而有功，得力於他的「練兵紀實」。胡林翼說：「兵之強弱，繫於一將，將得其人，弱者可強，將不得其人，雖強亦弱，所謂有必勝之將，無必勝之兵也」，因此他認為「濫竽充數，有兵如無兵」。究竟何種兵制最好，時代不同，情形各異，如以為兵制莫善於唐，反不如說裁軍編遣之請，莫善於太宗也。

大學尺牘

傅斯年致謝冠生函 提出懲治漢奸三事

冠生先生部長左右：關於北平漢奸懲治事件，有三事不獲已上陳，敬乞台察。

一、報載偽北京大學校長鮑鑑清在河北高院判決無罪，至堪駭異。查鮑逆神通廣大，早經保釋，今復判決無罪，實留學術界莫大之隱患。該逆在偽職任內，勾結日寇，在偽校遍佈日本顧問及特務，以實行奴化政策，何得無罪？北平情形特殊，漢奸勢力不小。此案仍待最高法院覆判，擬請大部依據成例，提來首都覆審，以正是非，而申國紀。否則「無罪」之例一開，後患不堪設想矣。除呈最高法院外，謹此奉陳。

二、巨奸王蔭泰正在蘇高審判，該逆逢迎日寇意指，擠走其前任而代之，變本加厲，即以獻糧獻物為約。在其任內，剝削華北民食，使人吃「混合麵」。更大搜五金，故宮銅缸，歷史博物館古炮，皆被搜羅，獻出凡數百萬斤。故王逆揖唐、王逆克敏之罪惡，尚不足以比之。擬請大部特予注意，盡法懲治，以伸華北人民之憤。

三、文化漢奸錢逆稻孫，在北平有特殊勢力，似可一併調京審訊。

以上各事，關係國法人紀，故敢負責上陳，敬乞採納，至荷。

·鴻輯·

中國女性文藝春秋（續）

周遊

吳淑姬與「陽春白雪詞」

中國女性文壇上有盛名的花朵——「陽春白雪」詞。提「陽春白雪」詞，就連想到「陽春白雪」的作者——吳淑姬女士。這位女詞人生長在江南水鄉——浙江吳興。東苕出自天目山之陽，西苕由天目山之陰，湯湯東來，在城中交會，再流入太湖。在這水鄉地區，相傳溪上夾岸多苕花，秋風起兮，落花滿溪隨水逐流，似棉如雪，故名苕溪。「錦江滑膩峨眉秀，幻出文君與薛濤」，在如此幽美的苕溪，如果沒文學家的產生，那纔有負詩情畫意的美景呢！山川靈秀，眞是代有才人。在唐代的女文學家，有李冶；宋代有又出了這位吳淑姬女士。這二位都是女性文學家中的傑出人物。因此美麗的水鄉，也就無須我們為之惋惜了。

「陽春白雪詞」共有五卷，可惜現存只不過兩三首而已。淑姬作品之佳，南宋詞人黃昇贊為「佳處不減李易安」的傑作。但是留給我們今人觀誦的，就如鳳毛麟角，委實令人「恨少」之感。不僅如此，她的歷史身家，除了黃昇說她是『女流中慧黠者』之外，其他如「中國婦女文學史」及「中國人名大辭典」二書，都說她是嫁給士人楊子治，其他都不可考了。所幸黃昇把她的詞編入唐與五代北宋詞人的「唐宋諸賢絕妙詞選」內，我們始知道她是北宋人。她生於北宋而歿於南渡以後。另外從她的「惜紛飛」詞中的「斷腸遙指苕溪路」之句，我們知道她是吳興人。但是，我們單從「斷腸遙指苕溪路」一句，還不能滿意的斷定她是吳興人。我們還要另尋佐證。如南宋人洪邁的「夷堅志」為我作了證。洪邁的「夷堅志」庚集卷十所：

潮州吳秀才女，慧而能詩詞。貌美，家貧，爲富民子所據。或投縣訴其姦淫。王龜齡爲太守，逮係司獄，既伏罪，且受徒刑。郡僚相與詣理院觀之，乃具酒引使至席，風采傾一座。遂命脫枷侍飲。論之曰：知汝能長短句，宜以一章自詠，當宛轉自侍制，爲汝解脫；不然，危矣！女郎請題。時冬末雪消，春日且至，命『道此景作長相思』。捉筆立成：

烟霏霏，雪向梅花枝上堆。春從何處回？醉眼，疎影橫斜安在哉！從教塞管催。

諸賓賞歎，爲之盡歡。明日，以告王公，言其寃。王淳直，不宜人欺，亟使釋放。其後無人肯禮娶，周介卿（石）之子，買以爲妾，名曰淑姬。王三恕時爲司戶掾理，正治此獄，小詞藏其處。

洪邁的著作，相當有可靠性。這可靠性是從其他而的考證。尤其是南宋時事，洪邁爲時甚近，當不致離譜太遠。在「夷堅志」中說她的丈夫是姓周，不是姓楊。她的外子究竟是誰，在當時也無人弄得清楚。我們據「唐宋諸賢絕妙詞選」所載的，沒有指名她丈夫是誰，只在她的名下注道：「女流中慧黠者」六字。而在魏夫人名下則註道：「曾子宣丞相之內子」。在李易安名下則註道：「趙明誠之妻」等字樣。可見不知她的丈夫究竟是誰，只在她的名註「女流中之慧黠者」六字，評語中說「佳處不減李易安」，已流露編者對於她身世的哀惋情調來。關於她的外子究竟是誰，這是無損她作品的價值，也不能提高她的身價，我們不必再耗時間去鑽牛角尖。

（六十九）

讀者呼聲

蘇清波的事

台省各縣市省議員及縣市長，很快就要選舉。國民黨這次提名的人選大體都可以說得過去，唯一令大家費解的是台北縣長蘇清波。論學問，他只有日據時代小學畢業；論出身，在台灣光復之初他還是一個煤礦工人；論操守，最近有人檢舉他利用職權貪污達二千萬台幣之多，而且公開登報向有關單位陳情。一向善於偵辦貪污案的調查機構，此時不見有何行動；為老百姓看守錢包的立委諸公，在上次集會質詢中，也沒有一人發言過問。是不是主管當局已查明蘇某貪污無據，而被人挾怨誣控呢？果如此，則應以誣告罪嚴辦檢舉人。此時此地，誣告之風，決不可長。否則蘇氏竟再獲提名，在黑白未弄清楚之前，一個守法守份的老百姓如我者，是難安緘默的。因此，我建議有關方面公開向國人特別是台北縣的選民，作一個詳細的說明。

讀者　鐵峯謹啓三月二十九日

洪憲帝制運動秘辛

諸葛文侯

洪憲帝制運動的原始動機，有人說是袁世凱的長子克定慫恿起來的，這話並不確實。這場惡作劇，完全是袁氏主動演出的，茲述若干例證以明之。

民國二年袁氏將民黨二次革命勢力摧毀無餘，全國真正統一後，予智自雄，不可一世。他最厭惡的國會兩院大多數的國民黨籍議員，亦藉二次革命之役，一概取消資格，追繳證書，等於無形解散了。財政上，原來為着對南方用兵而同外國銀行團借貸的二千五百萬鎊，尚未用完，而南方各省的關稅鹽稅已無人敢於截留，國庫亦相當充裕。他狃於辛亥年傾覆清朝之容易成功，每天住在皇城之中，接受一般文武官員的過份尊崇侍奉（官員們對他仍行跪拜禮），外國人對他常加稱讚，說他是英明的領袖人物，於是，他內心隱萌異念，感覺民主共和政制不合胃口。到了民國三年冬間，忽有前清進士宋育仁，勞乃宣（宋在袁政府的國史館任職），在京畿公然主張帝制復辟，輿論大譁，希望政府懲處，然袁僅令將宋、勞遣回鄉里，置不究問。

民國四年春，湘省學者王壬秋應袁命入京充任國史館長時，首次赴總統府謁見袁，在新華門前下車，王語從者曰：「呵，新莽門！」從者急言係「新華門！」王斂容答道：「老了老了，眼睛花了，字也看不清了。」實則王氏諗悉其門人宋育仁的倡言復辟，是袁氏授意的，乃故意譏諷袁有帝制自為的意念。未幾，王將史館印章交給楊度，悄然離職回湘了。

旋又有總統府政治顧問美國人古德諾（Goodnow），同法律顧問日本人有賀長雄，同時在報紙上發表論文，說中國實際情形不宜於民主共和政制，應改行君主立憲制；輿論界羣起駁斥，而袁氏熟視無所表示。繼之，即有楊度在首都倡設「籌安會」，鼓吹君主立憲甚力；社會人士，頗為震驚，市民賀振雄，李誨，周震勛等，先後呈肅政廳內務部太理部，控指楊度等妖言惑衆，觸犯內亂罪，請按法懲究，以伸法紀而正觀聽。然各機關皆置之不理。袁氏則向外國記者表示，籌安會諸人只就學理上研究政治問題，人民有言論自由權，政府未便干涉云云。楊度是袁的親信幕僚，他受袁氏教唆而組織籌安會，到處活動，花錢甚多，若非袁氏供給經費，如何可能呢！迨帝制運動進入具體化後，袁氏曾派楊士琦向參政院宣言決無帝制自為的思想，楊度亦係參政員，聞之憤然曰：「此事是總統要做的，為甚末又要宣言不做？」在座的章伯初急搖手止之，楊乃默然。所以，後來袁以帝制失敗，憂憤死去，楊度的輓聯云：「共和誤民國，民國誤共和；百世而後，再平是獄」；「君憲負明公，明公負君憲，九原有知，三復斯言」。這其間，乃含有許多不可告人的隱情，下聯是楊氏對袁不無牢騷之意，含渾其詞，旨在給世人以一種體察認識而已。（一）

讀「旅美漫話」後

陳玉台

從三十章到三十四章是中篇，包括「生活情調」、「男女之間」、「黑人困惑」、「汽車問題」以及「金元世界」。這一部份可以說是全書的精華所在，不僅見解透闢，尤其對於美國社會、人民、政治的種種看法，可以說是獨成一格，不落俗套。許多人對於美國的描寫往往是表面的，膚淺的；但是此書作者卻能從五花八門的現象中理出頭緒，找出問題的癥結，一一加以診斷，這是極其珍貴的。

以「生活情調」而言，在作者的筆下，同樣一件事，中國人和美國人往往有截然不同的看法，他寫道：

「以吃肉來說罷！我們除了上供是整塊大物外，無不切得可口才端上來，烹調中講的就是刀口；但美國人（以及一般西方人）卻是足足兩三磅重的牛排整塊放在盤裏，然後給你把鈍刀來切。我們不僅肚子嚥不下，手也早就切酸了。但他們則視為上品，大快朵頤。再拿喝酒來說，中國人有的划拳行令，興超酒外；有的淺酌低吟，樂在其間；那裏單純的是為酒？即使就喝酒本身來說，也必是美酒佳肴相提並論；至少也要弄一把花生米，來兩塊豆腐干，且嚼且飲，邊談邊吃。但是美國人（以及一般西方人）便不這樣了。喝酒便是喝酒，此外絕不囉嗦；而那意氣豪邁的，更是打開蓋子，拿着瓶子牛飲而盡，因為只有這樣才過癮。」

這一段真是描寫得淋漓盡致！從東方西方的生活方式、觀念來解釋文化的差異性，進而提出癥結所在：

「美國並沒有什麼『中道』、『含蓄』的思想，更缺乏溫柔敦厚的教化；反之，卻有一股碩大無朋的商業勢力在背後導演操縱，商人們為了賺錢牟利，想盡方法給人們找刺激，謀發洩。愈刺激，愈需要新刺激；愈發洩，愈想多發洩；於是水漲船高，流而不返，勢必走到荒淫無度，佚樂亡身的地步。」

於是作者又大聲疾呼，要消滅這股歪風：

「須知這火轉眼就燒到面前，我們一定要把這歪風遏止，一定要把這邪火撲滅。如何遏止，如何撲滅，自是說來話長；但我們幾千年的經驗，總有值得參攷的價值。儒家的中道思想，含蓄作風，以及道家的清心寡慾，出世超塵的胸懷，若能運用得當，都可扭轉風氣，使這可憂的生活情調轉變方向。這還都是就事論事的話，至於根本的解決，自然還是能針對著當前的時代，建立一個健全合理，人人可行的人生觀，使人們中心有主，不致盲目地隨波逐流，胡來亂闖。而這一工作，無疑地要仰賴大思想家的領導，和教育家們的努力，光有科學與金錢是沒有用的。」

這是一針見血的宏論，也是解決現代社會一切病症的良方。然而，要建立一個健全合理、人人可行的人生觀談何容易？而這個時代所缺少的，正是大思想家的領導。我們寄望於不久的未來，人類能從走向毀滅的路上拯救出來，在和平、互愛的基礎上建設這個世界。

「男女之間」以輕鬆的筆調刻劃出美國男女問題的嚴重性，使人看了之後，一方面為他們嘆氣，一方面也真有哭笑不得的感覺。難道人類真要由野蠻進入文明，再由文明復返回野蠻嗎？這真是「不可思議」的一件事！不過，我想，美國的男女問題要謀解決，社會一定要先改造，就是如前面所說，仰賴大思想家的領導，建立一個健全合理，人人可行的人生觀；否則，一切都是空談！

「黑人困惑」一章是站在客觀的立場上，評論美國的黑白問題。它在中國副刊出時，還引起了郭振羽先生的不滿，認為有輕視美國黑人之嫌，其實，黑白問題真是美國的一大隱憂。歷年來，美國政府總為了這個問題傷透了腦筋，雖然力謀解決，但問題始終是問題，甚至有變本加厲的趨勢。正如張起鈞先生所說：「美國今天可以用種種方法拒絕那些『看着不順眼的人』入境，或是限制他們取得居留權、公民權；但是對這些『看着更不順眼的人』卻一籌莫展，不僅要承認他們是美國人，並且還要向他們爭取選票；尤其哭笑不得的，這些『更不順眼的人』，還是愈來愈多，大有反客為主淹沒了白人之勢。」對於這個問題，美國政府至今仍然沒有徹底的解決辦法，恐怕只有照張起鈞先生的說法：「白人既不能像古印度人制定階級以保種族純淨；又不能拚起命來生孩子跟黑人競賽，更不能把黑人趕出去不要，那究竟怎麼辦呢？恐怕只有聽上帝的安排了吧！」

「金元世界」一章可說是「壓卷之作」，從這一篇中我們可以透視整個的美國，幾乎人人都是活在金錢的世界裏，商業工業至上，因為它們能產生財富；學術則是工商業的附庸，凡是能直接與生產賺錢有關的，便都受到資助而充分發展，一切學術之本的哲學，在到處卻都是最窮最冷的一部門。張起鈞先生不由得發生了沉痛的感傷：「這樣發展下去，將只見日益精進的物質建設，充斥美好的生活享受，而那羣體生命之源的道德與智慧，卻將無從覓致；結果如何，不問可知。我們不能想像一個沒有靈魂的軀體，可以好好地活下去，雖則吃得胖胖的，穿得好好的。」

我想，美國今天要認清的是兩點：第一：金錢雖重要，但它必須有所「待」，也就是要有所歸屬，否則將是極大的禍源；第二：人在原始時代，靠飲食、體力維持其存在；但在文化進步，既有社會之後，就必須靠道德、智慧來維持它了。而道德、智慧，皆來自教化與學術。明乎此，則美國才能擺脫金錢的獎籠，不致沉迷於物質享受中，也才能在精神文明上獲得一些什麼。

在好書缺乏的此時，偶爾能夠看到一本有內容、有思想、有深度的作品，那份欣喜是可想而知的了。我常想，文學作品除了感人之外，它還應該能夠代表那個時代的特色，給後人留下點什麼才是。在現今「留美熱」泛濫的同時：「美國月亮比中國圓」的觀念根深蒂固的同時，張起鈞先生能夠以哲學家的慧眼，替我們剖析一下美國的人民、社會、政治，不管是一劑淸涼散；一則減低「留美熱」的溫度，二來讓崇拜美國，「恨不生爲美國人」的中國人，知道美國也並非一切完美的天堂，它有它的煩惱，它的難題，而這些要謀解決何嘗容易？只不過種種招致困擾的因素，隱伏在美國的內部，絕不是膚淺無知的人所能見到的能了。

這是一本有趣味而不流於低俗，有見解而不流於說教的好書，如果隨意瀏覽，當作消遣，那麼很快就可以看完；但是，如果你想到得些什麼的話，務必細細體會書中的一字一句，多用自己的腦子去思考，這樣，你會發現更多的智慧。

我想，唯一缺憾的是，當我看見這個書名的時候，我以爲一定可以看到幾篇關於中國留學生的問題，沒有想到書中全然沒有提到。姑不論今天的留學政策是否恰當！但是在美國的留學生既然爲數不少，我們還是關心他們在海外那邊的求學、奮鬥以及生活上的歡樂、辛酸；不過「旅美漫話」中現有的已經十分豐富，我們也就不必再苛求了吧！（完）

生活漫談

治久咳祛頑痰偏方

「偏方治大病」這是民間的俗話，萊　，俗稱作蘿蔔，是我們大家都必然吃過的蔬菜，一年生草本，莖多肉而柔，高尺餘，葉成羽狀分裂，多為春日開花，秋冬亦有種植。天津蘿蔔分深紫和碧綠兩種，味脆甜像生藥，水多可口，一般人都當作水果食用。上海蘿蔔（浦東產）大小如台灣小紅蘿蔔，惟脆甜爽口，吃過的人都有好感，可與天津蘿蔔媲美。安徽、河南，有一種水蘿蔔，狀如手指，水嫩且清脆，零食或入菜皆美。台灣白蘿蔔微帶辛味，與上列蘿蔔比較，可稱中品。南京大蘿蔔，罵人沒有用的意思，並非真有幾十斤重大的蘿蔔。

用一斤蘿蔔刨成絲，或切成細條，外加麥芽糖四兩或半磅，澆在蘿蔔絲上，隔一小時後蘿蔔萎縮，餘全成為清水，久咳的人，痰多的人，照自己的飲量飲，「韓信點兵，多多益善」。這種蘿蔔麥芽水，經臨床實驗，十有八人藥到病除。筆者有一年一度習慣性的久咳，竟被蘿蔔麥芽水擋住駕，可謂奇蹟。

蘿蔔成份：含有葡萄糖，氫化粘液素，失水戊糖，腺素，蛋白基酸，膽鹼，胡蘿巴鹼，萊腦，網白醇，精油，維生素B，C。從這些成份分析，乃是一種有效的健胃祛痰藥，並治慢性氣管炎，及惡性支氣管炎。照中國藥典載，萊　功能化痰消食，除脹止痛，治風痰，咳嗽，痰喘。又見名醫雜論謂：此物屬陽，入肺脾二經，對醫治頑痰有推牆倒壁之功，惟身弱者不宜多服。

麥芽糖，含有糖化酵素，為營養強壯性輔助消化藥，幾十年前雄據中國市場上的「麥精魚肝油」，憑藉宣傳和國人崇洋心理，賺盡了中國的錢，於今看來，成為天大的笑話。不過話又說回頭，這種崇洋奴化心理病態，於今並未斷根，如果不相信的話，請看今日中國甚多藥物或飲料等，起了一些怪裏怪氣不三不四的名字，這和假洋鬼子們，滿口哈羅，尖頭曼，同樣的討人嫌。風氣如此，夫復何言？真是：「青山亦恨楊州俗，多少巒峯不過江。」

·馬騰雲·

國劇腳本　大漢兒女（一名新莽劫）

·田士林·

田子文：且住！哀章也是同窗學友，只因他品性不端，少於來往，今日路上相遇，為何急急避我？也罷！薰蕕不能共器，何必睬他！只是想起去年到姨母家拜壽，當時說起王莽盜名欺世，將來必有巨變，為今果然應驗。風聞平帝之死，乃是他用藥酒毒死的，倘若此話當真，此賊弒君之罪，豈能不討？可惜呀可惜！滿朝文武，多與王莽隨聲附和，若非迫於淫威，便是毫無氣節。可笑啊可笑！王莽害了平帝還要為平帝通令全國服孝，真是掩耳盜鈴，自欺欺人！如今他自己卻扶立新君，自稱攝皇帝了！這皇帝也是這樣隨便稱的？他有何功德，敢如此狂悖！稱帝之後，還要更改政令，奪私田為王田，巧立名目剝削百姓，有人議論時政，便要遠戍邊塞。他不知防民之口，如同防川，多行不義，必然自斃！我不免去與趙家表兄商議，激勵他舉義誅鋤逆莽，安定漢室便了。（廿三）

自由報

第七四八期

社長李運鵬‧督印黃行睿

91 DUNDAS ST, 9th FLOOR, FLAT 6 KOWLOON H.K.

電話：857253

台灣總管理處

中華民國（台灣）台北市大同街110號

電話：555305．557474

降低越戰能贏取越南和平嗎

·行深·

一

記得一九六六年美國的「星期六晚郵報」裏說：「因爲越共能夠繼續從北越取得實際無限量的後備兵員補充……所以詹森總統除下令空襲北越迫其付出間接侵畧的代價外，別無其他抉擇。如果代價夠大，越共也許就停止侵畧。到了那個時候，這場被認爲無法戰勝的越戰，也許短期內即可達到勝利的結束」。在這一年六月二十九日起美國就對北越河內、海防油庫進行擴大轟炸，使越戰升高了一級。結果也正如美國人所預料的，越共和北平僞政權一時驚慌失措，胡志明馬上頒佈所謂「局部動員令」，和告全國同胞書。劉少奇也跟着應聲附和，并發動各地的反美運動，「準備承受最大的犧牲」。似乎越戰因轟炸而升級，進而擴大到北越，蔓延到中國大陸。可見毛越共對於越戰的升級確實緊張，而且恐懼。因爲美國這樣的打法纔是有決心有效力的正確的贏取越戰勝利第一個前進步驟。

當時越戰是升高了一級，大陸上的毛共并沒有因此宣佈對美國作戰；而蘇俄當時出席日內瓦十七國裁軍會議代表羅申倒覺得美國對河內海防的轟炸不會影響達成協定。至於戰場上越共的死亡，一般估計爲百分之二十左右。顯而易見要保證南越的安全，也正如「星期六晚郵報」所說，必須先解決向南越不斷補充的北越共黨政權，即使不澈底的轟炸也可能產生有利的影響。大陸的毛共吃夠韓戰痛苦的教訓，色厲內荏，還沒有參戰的決心和準備。而蘇俄也還不至於馬上攤牌，實行自跳火坑。

二

今年一月底二月初越共的所謂「春節攻勢」，表面上襲擊了四十幾個城鎮，其中包括二十八個省會；但是結果除了在精神上稍微造成一時的恐怖以外，在軍事上政治上可謂一無成就可言，這次盲動以犧牲越共士兵五萬人爲代價，終於偃旗息鼓而敗退。共產黨拿人民的生命爲兒戲是一貫的作風。在大陸上過去也有所謂「南昌暴動」，「秋收暴動」，「廣州暴動」，毛共在淸黨之役後，已經分崩離析，爲了老羞成怒，爲了掩飾失敗，就不惜人命到處去做放火殺人的勾當，而故意名之爲「高潮」。這種魔術的手法只能欺騙無知的人們，認爲尚有餘力。或許今天的越共比當年的毛共稍微坐大一些，但是經過這次盲動失敗以後，至少在軍事上一時還不能很快喘得過氣來。所以溪山基地幷沒有變成奠邊府，而西貢順化也沒有民衆盲從擴大暴動。如果北越共酋胡志明武元甲等再這樣不自量力的幹下去，我想他們就很快地要變爲當年的李立三和翟秋白。若是美國和越南能夠接着拿出有力的軍事和政治的反攻辦法來，越戰可能更接近於光榮勝利。

三

去年美國國務卿魯斯克曾說過：「美國出兵越南是因爲北越人員武器和正規部隊侵入南越，假使這些部隊人員都回到北越去，我相信雙方一定能夠解決他們的問題」。又說：「我們對於一些人負有條約的義務，要保證他們不受外力的侵犯……」關於和談的問題魯斯克也曾說過：「過去有許多建議，或者是我們提出的，或者是別國政府或是有地位人士提出的，我們接受了，北越却斷然拒絕。海外的朋友曾經告訴我們，我們爲覓求東南亞和平解決的多方努力，可能使北越產生錯誤的想法，以爲我們放棄條約的承諾。」這些話可視爲魯斯克宣佈的越戰目標，同時也說明他瞭解和談可能引起錯誤的想法和影響。

就在這越共初敗而越戰目標未曾達成的形勢中，美國宣佈獨自降低越戰，暫停對北越人口幾達百分之九十地區海空的攻擊，以要求和談。就在這以前不久美國又宣佈將美國駐越軍總司令魏斯摩蘭調任。降低越戰的目的據說是要「比較接近政治解決」，「讓越南人民重建與開發他們的國家……使美國可以更充份的轉而注意國內使命。」

當然，在政治上戰爭是不得已的手段，和平纔是目的。所以在沒有戰爭以前應該很謹愼地估計到戰爭開始以後的可能遭遇的一切。既然作戰，就要爲達成戰爭的目標在最短時間解決了敵人，不能猶豫動搖，不能逐次增加戰力，要盡可能速戰速決實現和平。

美國爲遏阻共黨在東南亞的侵畧而戰，其目標的正大無可置疑，爲了實踐承諾而要美國子弟到越南去流血有其歷史上的重要性和成就，這是爲正義和平犧牲。美國和越南以及其他盟軍部隊，都是世界上優秀的部隊，本來越戰應該很快地取得勝利，獲得光榮的和平。可是因爲第一對敵人沒有充份的瞭解。不瞭解共產黨以代美國掘墓人自居，根本上無永久和平共存的打算。不瞭解毛俄的虛僞宣傳和他們弱點，畏首畏尾。第二沒有充份信賴培植當地的政權。越南多年苦難，尤其是北越坐大和吳廷琰死了以後，越發慮弱，但是越南人民是世界上的優秀民族，只要信賴他，幫助他，當地的政權將會日趨強大。詹森總統也說：「維護自由的主要担子必須由越南人民自已負起。」如果這幾年能夠多下功夫信賴他，扶植他，成就將不止於大選而已。不必苛求，不要因噎廢食；同時在別的國家打仗，尊重當地政府，加強其實力和領導能力，是必要的合理措施。第三和共產黨作戰如果不能好好組訓掌握民衆，將是不可思議的愚蠢。共產黨的善於裏脅民衆，中外皆然。南越自必也是如此，在美部隊和當地政府對於這民衆組訓不是認識不夠，就是執行不澈底，不普遍。在春節攻勢中事先毫無情報和民衆的自衛的表現，就是顯然的證明。毛共的「人民戰爭」必須要人民配合起來消滅它。

四

今天美國爲「在國內遭到挑戰」，而片面宣佈降低越戰，在情理上固然有它不得已的苦衷；但是爲了越南的前途和光榮和平，則不得不格外提高警覺。

1.在戰爭激烈時候，首先急求和平的一方，往往會被人誤解爲戰志動搖，尤其是在戰爭目標還沒有實現的時候。其結果首先影響到自己的人心士氣。其次誘發了敵人的僥倖心，以爲暴露了弱點，有機可乘。在蘇俄看，美國人痛苦的時候，是最好敲詐的機會，在毛共和北越又可以拿敵人的求和來做激勵人心士氣的宣傳，認爲至少自己不致於馬上崩潰；甚至組織志願軍在你不安、退縮的時候，給你重大的打擊。

2.美國呼籲和平幾十次，停炸也有好多次，和平的門還是沒有開，有什麼保證這次必會成功？美國的片面希望的精神可偏，但是和共產黨作戰很現實，停戰，甚至停火，都無法變更他們一貫鬥爭、掘墳的作風。韓戰當時，美國有核子武器的優勢和比今天團結的人心，士氣，所以共產黨纔暫停一下手；今天美國求和的表現太天眞一些，要共產黨放下屠刀，似乎還早了一些，除非美國願意放棄越戰的目標自動撤出越南。所以降低了越戰，豈但不是贏取越南和平的方法，幷且還要當心其副作用。（完）

司馬昭之心

捨正路而弗由

昨日與明日

甘納第信口雌黃

藉越戰問題而作政治投機勾當的美國政客羅拔．甘納第，聲稱他若當選了總統，就要撤退在越南的美軍，認爲越戰是越南人的事，與美國不相干。這眞是不負責任的信口雌黃。

越戰之所以發生，是由於南北越兩個政府之對立，而南北越兩個政府之存在，是由於當年英美主持的「日內瓦協定」而產生的。美國爲着保障越南的安全，又急忙發起組織「東南亞公約」，而以越南的保護者自任。迨越戰發生後，美國爲履行條約義務，纔派兵到越南參戰的。甘納第當時對於美軍的參加越戰的措施，并無異議，今天却曉曉譁咋，說美國的物力人力不應該耗用於越南，豈不是信口雌黃嗎？光憑這一點，他就不配作總統候選人，假使他眞的當選總統，東南亞固然完了，美國本身亦非完蛋不可！

越戰決不會結束

越共表面接受美方的和談要求，原是利用美國內部的矛盾，又從而助長之，內心裏決無和談的觀念存在。所以，爲着和談地點問題，經過了兩星期的爭執，亦無結果。即此可以斷言，將來把和談地點決定之後，雙方進行談判時，除非美方眞是按照羅拔．甘納第的主張，把美軍無條件全部撤出越南，否則談上三五個月，也不會達成協議。

打打談談，談談打打，這原是共黨一貫的戰畧戰術。韓戰的板門店和談，如果不是出之於俄帝史達林的提議——史達林當時害怕觸發原子戰爭，因爲蘇俄的原子武器，居於劣勢——也就不會有結果的。如今越共背後，既有俄共與毛共雙層的支持，而美國又害怕跟毛共正面衝突，加以美國內部動盪不安，連執政黨本身亦表現分裂狀態，越共豈肯接受美方的和談條件，給敵人以喘息機會乎？我若是越共份子，也不致愚蠢到這步田地呢！

詹遜總統的說法

詹遜說，越共如不接受美方的和談要求，美國的盟國亦有力量應付越共的挑戰。詹氏心目中的盟國，不知是指那些國家？英國，澳洲，菲律賓，泰國，南韓等等，表面上都是贊成越戰的盟邦，可是，除却南韓派四萬多人參加越戰外，就是澳洲有少數象徵性的陸空軍在越南作戰，和談若失敗，要想上述各盟邦出兵越南，絕無可能了。

美國有力量應付越共的挑戰，但如不改變現行的戰畧，即令再增兵廿萬人，亦無用處。總而言之，美國如果沒有不惜與毛共作戰的胆量和決心，任何人當選總統，還是不能解除越戰的困擾。在本年十一月以前，打打談談，談談打打的局面，是必然的，我們等着瞧吧！（何如）

自由歐

人性與治亂

人性善惡之說，自古哲人學士，論辯無窮，然始終不獲定評，而以儒家所倡「性相近，習相遠」的義理，比較妥當。

所謂「習」也者，是指每個人的生活方式和環境，因而人性的善惡作用，各有不同，好人壞人之所以然，擇業的關係很大。夷考吾國數千年歷史，總是治世少而亂世多，而亂世的人性特別表現着惡劣萬分，不忍卒睹，其故安在？吾思之，吾重思之，基本原因就是知識份子的擇業問題。

吾國一般士大夫，自束髮受書，即以從政作官爲唯一的出路，而視農工商業爲賤職。發財思想，人皆有之，但必以升官發財爲榮譽，因其名利兼收，得來又較農工商業的財源爲簡易也。所謂「爲貧而仕」的說法，便成了士大夫搞政治的聖經賢傳，大家人云亦云，恬不爲怪。

可是，政治生活乃係人類職業中最足以斲喪人性的玩藝，爲着爭權奪利，滿足支配慾，天下爲私，下流之至。恩怨是非的成見極深，排擠傾軋之風大作，諂媚逢迎，忮忌險狠的劣性根充分發揮，舉凡市井小人以及傖夫流痞所不忍爲、或不屑爲卑鄙言行，搞政治的人，一概恣意優爲，肆無忌憚，根本就沒有「人格」和「節操」的觀念存在。古往今來，事證不勝列舉，大家祇要看看眼前的官場情況，即一目了然，心照不宣了。所以，英國學者浩布士認爲政治生活是盜賊分贓，言雖激切，不無道理。

職是之故，可以肯定的說，好人決不宜於搞政治，要搞，即非表現惡劣的人性不可，否則沒有不失敗的。共產主義者是集人性惡劣之大成，誰都知道，但有些立志反共的政治人物，其行爲却每每效法共產主義者，此世亂之所以日亟，而共禍乃到處蔓延矣。

今日我們若要復興中國文化以自救而救全球人類，其入手方法，除却吃政治飯的人，大徹大悟，以身作則，一心一意的獎掖人性的善良習慣，藉以轉捩舊有的下流趨向外，其他都屬隔靴搔癢之談。這責任完全在一般士大夫身上，其各勉旃！

馮王先生

談都市建設

·穆超·

都市建設是日新月異的，都市建設是表現民族盛衰的，所以都市建設必須有遠大計劃，不然不能適應時代的進步。國父說：「我們學習西洋科學，要迎頭趕上去。」今天我們的都市建設，也應當迎頭趕上去。比方台北市在十年以前如果開始把市區的鐵路轉入地下或高架，而且建築了地下商場的話，則今天台北市的交通當不至如此擁塞混亂。但是子前如果進行鐵路高架並建築地下商場的話，可能有人反對，認爲沒有必要。又如台灣省政府於十年前如果在中興新村建築十層以上的大樓，裝二十部電梯合署辦公的話，一定會有人認爲不需要。但是今天如果在人口激增，行政效率及國際觀瞻的立場上考慮時，則不會有人反對罷。

據本月八日報載，有一位旅日華僑蔡明裕，要在台北市建築一座五十二層大樓；但是據台北市工務局副局長兼建築管理處處長李如南表示，依照去年八月內政部公佈的「建築防火避難設備辦法」規定，則在台北市與建五十二層的大樓是不可能的，因爲該辦法規定：「高層建築物其建築面積與基地面積比，除依都市計劃土地使用超過十五公尺以上，每增加一層或四公尺，其空地增加百分之二。」照這個辦法計算建築大樓應留空地時，四十五層大樓的空地，就需要全部土地的百分之九十，所以五十二層大樓是無法建築的，全部被空地佔去了。這就是說，到現在爲止，政府還沒有考慮建築四五十大樓的計劃。那麼我們能永遠停留在十幾層樓以下的狀況麼？當然內政部考慮到地震、火災、及土質等問題，也是原因。但是時代是進步的，事實上的需要，是無法阻止的，因爲科學技術的進步，高樓建築的困難，都可以克服。歐美早已有一百層以上的大樓了，美俄已經準備登陸月球及金星了，我們對於五十二層的大樓還不能建築麼？

我中國是文化古國，我中國是泱泱大國，所以在都市建設上應當隨着經濟的成長，迎頭趕上歐美，至少也應該趕上日本。何况都市建設是國家的財富，是民族的自尊，是民族精神的表現，所以都市建設應當向着雄壯，久遠，適合時代需要的目標邁進！

臺灣大選年的重頭戲
選舉縣市長及省議員
投票前夕記者足跡遍及全島
發現許多怪現象及有趣的事

（本報駐台記者張健生航訊）今年是台灣省的「大選年」，正月二十一日，由全省選民投票選舉三百十二人爲鄉鎮縣轄市長，同時選出八百四十七名縣市議員。四月二十一日，將選出二十位縣市長及七十一位省議員。五月間，全省各縣市將改選村里長及鄉鎮縣轄市民代表。大選年的重頭戲爲縣市長及省議員的選舉。

最近，本報記者曾特別至台東、屏東、高雄、嘉義及台中等地，作爲時一週的訪問。在第六屆縣市長的投票選舉前夕，就許多怪現象與若干有趣的事實，加以報道。

「搓湯圓」技術高明

有人對台灣省地方選舉，曾作這樣的評語：本省地方自治雖有進步，但官方的改進選舉風氣反不如選民積極。事實上，有些地方顯示每下愈况的趨勢。不過，所謂「搓圓仔湯」的技術，確較往昔的高明。

首先談的是縣市長部份：本省二十縣市第六屆縣市長，國民黨全部提名，計二十名（名單詳本報）。三月二十六日，是縣市長候選人登記截止的一天，全省二十縣市登記縣市長的候選人共有六十七位。其中彰化、花蓮與澎湖等四縣，縣長候選人都只有一位，於是形成有選而不必競爭。在六十七位候選人中，除國民黨提名之二十位候選人外，國民黨黨員違紀登記縣市長候選人者有十七人。民青兩黨各二人。無黨籍之「社會賢達」竟多至二十六人，此一現象，充分說明選民對政黨政治的認識不夠，而政府也未盡到建立政黨政治制度的責任。

在野黨派紛起問鼎

違紀登記縣長候選人部份：宜蘭之陳旺全，新竹之陳興盛，苗栗之劉春彩，雲林之黃文斗與楊芳城，嘉義之涂輝光、簡德卿、陳振旺，高縣之黃承城，屏東之陳清義與藍家鵬，基市之林達聰，中市之莊順、林澄秋與林德崇，南市之黃業，南投之王志遠等十七人。按照國民黨紀規定，違紀競選者是要受處分的；若違紀登記者能於四月五日前撤銷登記，當不致受到處分。

民青兩黨爲在野黨，而參加登記縣市長候選人之縣市，青年黨有台東縣之黃順興，屏縣之黃振三，這是經青年黨臨全會正式公布，據說純屬個人行動。民社黨有高雄市之楊金虎，他是現任國大代表，爲台灣省地方聞人，他於四年前參加第五屆高雄市長競選，得四萬三千三百十二票，但敗於國民黨候選人陳啓川。此次捲土重來，大有志在必得之勢。其次是桃園縣之黃玉嬌，前次因極少數票之差額而敗於國民黨候選人陳長壽。這兩個人，均隸屬於民社黨張君勱一派。

登記縣長候選人最多者爲台中縣，計有七人，除國民黨提名之王子癸，餘六人是：周清壽、陳良弼、張啓三、尤世景、楊秋澤、林錫爵等，都是無黨籍的社會賢達。宜蘭縣有六位候選人，而基隆、嘉義、雲林都是五位候選人，至於四位候選人的縣市，有台南與台中市，及屏東、高雄，苗栗等五縣市。台北縣、高雄與南投、新竹等縣有三位候選人。台東與桃園縣都各有二人競選，且壁壘分明。

北縣選情最爲緊張

就目前形勢觀察，最緊張而熱烈的縣市，爲提名之台北縣長候選人蘇清波與無黨籍候選人廖銘義；提名之桃園縣長候選人許新枝與民社黨之黃玉嬌；雲林縣提名之廖禎祥與無黨籍之蔡連德；嘉義縣提名之黃老達與現任女市長許世賢；屏東提名之張豐緒與青年黨之黃振三；台東提名之黃鏡鋒與現任縣長黃順興；高雄市提名之陳武璋與民社黨之楊金虎，都將有一場精采而刺激的競選戰，至於鹿死誰手，非到四月二十一日投票後誰也無法肯定誰會當選。不過，這幾個縣市黨外候選人與國民黨提名候選人正好是棋逢對手。

選舉風氣不太理想

就改善選舉風氣而言，在實質上並不理想。舉例來說，台南縣之一人選舉，不得不歸功於台南縣地方人士如前任省議長黃朝琴、現任自立晚報董事長吳三連等多人協調的勞績。相反的，如嘉義市女市長許世賢，在今年一月間剛當選市長，爲什麼要參加登記縣長候選人的競選？據說：許市長原無競選縣長的打算，因爲原來準備競選縣長的人士，竟以競選縣長爲名，實際上在幕後進行「搓圓仔湯」，並暗中接受一筆可觀的「讓賢費」，由於事機不密，消息不脛而洩露，使許世賢極爲痛惡，因而登記競選縣長，使嘉義選局熱鬧起來。

輔選大員忙碌奔波

按照過去的事例分析，本屆登記爲縣市長候選人的雖有六十七人，在正式公告候選人名次之前，相信有人一定會撤銷登記的。比如在四年前，第五屆縣市候選人登記者有六十九人（包括台北市在內），但在各縣市選務所正式公告縣市長候選人名單時，祇剩下四十七人，其餘二十二人在公告前撤銷登記了。故相信這次候選人中也有不少的人要撤消登記的。

歷屆縣市長候選人，經選務所正式公告者，當以第一屆爲最多，高達九十人。第二屆三十八人。第三屆四十人。第四屆三十五人。第五屆四十七人。本屆登記者六十七人，因而造成目前緊張的選局，負責輔選之大員，現正忙碌奔波於縱橫綫的觀光號火車道上。

選舉法規不切實際

縣市長選舉有那些問題？第一是候選資格的限制。憲法的第十八條規定：「人民有服公職之權」，所謂公職，包括服務政府機關之官吏，各級民意代表，及其依法令從事於公務之人員。凡經政府任命之官吏，須取得任用資格，反之，非政府任命之公職人員，即無須資格的限制。如憲法第四十五條規定，凡是中華民國國民年滿四十歲者，都得被選爲總統副總統；如憲法第五十五條規定：行政院長由總統提名，經立法院同意任命之；其他如曾任立法委員三年以上得任高等法院薦任推事或薦任檢察官者，於競選立法委員時也無資格限制，所以縣市長候選人資格限制。不能不說是一個問題。

第二是縣市長候選人之活動日期限爲十天，及助選員不得超過十五人，此項規定不但不合理，且極易造成候選人未登記先作半公開的競選活動，與產生「地下助選員」，使選舉風氣很難改善。如屏東、台北等縣，有三十多個鄉鎮，平均每一鄉鎮只有半個助選員；每一候選人平均每天要到三個以上的鄉鎮作競選活動與發表政見，時間可能嗎？由於選舉法規不切實際，無形之中增添不少選舉糾紛。這些問題，須要改進。

國會記者訪問蕉農追記

依每簍七元計算，五十六年外銷香蕉六百二十二萬一千零三簍，計四千三百五十四萬七千零二十一元，該社現有員工總數爲一千五百七十三人（截至五十六年六月止），平均每一員工之薪水及辦公費約兩萬七千七百元左右。但這筆錢並非全部用在員工薪水辦公費方面，如自五十二年至五十六年的五年間，高雄青果合作社用於農方面的約有五千零九十三萬餘元，平均每年爲一千零二十萬元左右。

該社對蕉農之蕉款撥付，雖遵照政府規定辦理，但亦爲青果公會指責的對象。如該社於接到蕉款之翌日，即透過土地銀行及台灣省合作金庫撥匯各地方農會蕉農帳戶，本來不致延付蕉款的，但因秋冬蕉價格均超出政府規定蕉價至鉅（詳情已如前述），此一獎勵價格係來自春夏（四至九月份）蕉價之抑低，爲顧及五至九月間的颱風災害，因爲香蕉最怕颱風，故一至三月份的冬蕉價款，係以每簍暫付一百九十二元，同時暫付款均於一星期內撥付。農，其餘款須俟七月底颱風期後始撥付。這種措施，係因不可抗拒之天災而發生，豈能謂爲延付蕉款？（六，完）

台北航訊

弒父案無罪之判
劉光炎等投書深致感慨
高檢處已提出三審上訴

駭人聽聞之羅熙揚弒父案，於三月二十一日，經台灣高等法院宣判無罪，諭令入精神病院監護三年。追溯該案發生於五十五年夏季，前中興大學農學院園藝主任羅清澤教授，携其子羅熙揚自台中來台北，同住青年會宿舍中，因其子索五十元未遂，發生衝突，羅熙揚竟將乃父擊倒地上，繼而緊拉領帶，將其勒斃。當時社會對此逆倫凶案，大爲驚動，靡不感喟！該案經檢察官偵查後，以羅熙揚涉嫌觸犯刑法第二七二條殺死直系血親罪，提起公訴。初審及二審，均判死刑。被告不服，上訴最高法院，經發回更審後，初審二審均改處無期徒刑。被告仍然不服，再度上訴最高法院，復經發回更審，終經官判無罪。次日自立晚報發表社論，署以「我國刑法第十九條規定『心神喪失人之行爲不罰』；但此項免罰規定，係以犯罪人於犯罪行爲時，業已心神喪失爲要件；即行爲人在其行爲時心神喪失，不能對自已行爲負責，故而不罰。倘行爲人於犯罪行爲之當時，並未心神喪失，事後由於畏罪，內疚……等精神刺激，或由於環境，藥物……等人爲因素形成精神喪失，對前次犯罪行爲，可否不負責任？似乎值得研究。台大醫院精神科對羅熙揚所作精神喪失之鑑定，出於何年何月何日？是案發之當時？抑或是案發之事後？乃至於經判決死刑之後，因貪生怕死而精神崩潰？此一時效問題，關係至大」。又謂「逆子弒父，在舊時不僅處以極刑，且地方官，勢須削官議處，究辦其教化不力之責任；甚至削去縣城之一角，俾當地人民引爲公衆之恥，以昭炯戒。今羅熙揚以一紙醫院鑑定，推翻了死刑及無期徒刑，宣告無罪，不無古今之間，相去何啻天壤！即本案前後間之一出一入相去亦何啻天壤」！

該報社論傳播後，有某一讀者，同情弒父案被告，竟投書該報指責其評論，爲「感情用事」，祇知大清刑律，不知現行刑法，且妄干司法審判，有違出版法之嫌。又二十七日中央日報專欄，大華晚報社論，均對該案，有所評論。二十八日中央日報會刊杜負翁、劉光炎等人投書，對該案之判決無罪，深表感慨。好在該案，業由高等法院檢察處，表示不服，已於二十九日提起上訴。高檢處首席檢察官周旋冠說：「羅熙揚涉嫌逆倫弒父重案，檢察處對上項判決不服，業經檢察官提起三審上訴」。再據傳該案發生初時，羅熙揚之母，既悲其夫之死，復痛愛子之罹禍，曾指證其子患有精神病，欲爲其脫罪，顯係「溺愛」之作祟，置大義滅親於不顧，何足取焉。況羅熙揚係高級職業學校畢業，竟泯滅天良，絕無人性可言，當其弒父後，對其父之靈，猶不跪拜求悔，實禽獸中之梟獍，如不置諸重典，即等於捨棄倫常，將何以家爲？更何以國爲？

本報記者董書

大學之牆

沙學浚教授沉痛指出　教育界患貧血症

本年六月十七日台北英文中國郵報載有下列消息：

「美國兩位領袖學者昨天在此地（台北）警告說，由台灣去美國求學的學生，學業水準一年比一年低……他們在學術上已不再享受領袖學生的優越地位，像十年、二十年以前一樣。

這兩位學者：一位是C. Martin Wilbur，哥倫比亞大學中國歷史和文化教授，另一位是Robert Brue Sheeks，美國國家科學院太平洋學部副主任，他們都是出席本年六月中旬在台北舉行的中美人文社會科學合作會議的美國代表。

他們認爲中國學生水準程度降低的原因主要是台灣大專學校缺乏足夠的合格教授。留美的中國學者不願返國，使本省高級學府不能請到足夠的合格教師。

此外，非薄的待遇已强迫台灣的大學教授在外面尋求兼職以維持家人生活。因此他們「不可能集全力於研究或教學。」

這種警告出之於友邦著名學者之口，是客觀的、正確的，而且是善意的。我朝野人士應加以重視，並亟謀改進之道。這個警告主要包括下列五點：

一、我國「往美國求學的學生，學業水準一年比一年低」，便可推知國內學生當然也是這樣。

二、台灣的大專學校「缺乏足夠的合格教師」。事實上，中等學校和國民學校也缺乏足夠的合格教師。這因人口增加，各級學校量的擴充太快，原已不多的合格教師，愈加不夠分配。

三、由於待遇非薄，一方面使「留美的中國學者不願返國」，另一方面國內的如無特殊收入，大學教授被迫「在外面尋求兼職，以維持家人生活。」這是多麼沉痛！

四、大學教授「不可能集全力於研究或教學」，因而教學成績差，這是各級學校學生學業水準日趨降低的主要原因。

五、留美的中國學者即使願意返國任教，如無特殊收入，因待遇非薄，須在外兼職，也要變成「不可能集全力於研究或教學」的欠合格的教師。

近聞從去年起，公營事業機構爲了防止人才外流，主要指流向待遇優厚的私營工商業機構，實行新的分類職位薪給表，初步提高待遇，以後還要一再提高，直到和私營工商業相等爲止。（詳細情形擬請銓敘部公布）爲了經濟的發展，這樣提高待遇有其絕對的必要。

值得注意的是公營事業提高待遇的影響，更使教育界人士深感待遇非薄與不平。教師爲了「維持家人生活」，一方面說要設法離開生活艱苦的教育崗位，轉入待遇優厚的公私營企業機構，其中轉業成功，可能較大的大多數是優良教師。另一方面，許多優秀青年不以教育工作爲志願。結果是現存的良師日減，未來的良師增加不多，兩種情形都使教育界的貧血症更加嚴重，而我國足以自豪的尊師重道的精神，將告喪失。

假使還承認教育是國家的命脈，政府就要拿出有效辦法，提高教師待遇，安定教師生活，使教育與學術至少能維持現狀，中止「學生學業水準一年比一年低」的趨勢。

·鴻　輯

風流倜儻·才力相敵　趙秋谷與易哭庵

彭國棟

時花還石館隨筆。

趙秋谷執信以國忌日觀長生殿傳奇而被鐫職，易哭庵順鼎以元日觀鮮靈芝演劇而失勳獎，二人才力相敵，而風流倜儻，亦復相同。誠千古之佳話也。王應奎柳南隨筆云：康熙丁卯戊辰間，京師梨園子弟，以內聚班爲第一。時錢唐洪太學昉思昇，著長生殿傳奇初成，授內聚班演之，大內覽之稱善，賞諸伶人白金二十兩，且向諸親藩稱之。於是諸王府及各部大臣，凡有宴集，必演此劇。而纏頭之賞，其數悉如內賜。先後所獲殆不貲。內聚班優人因語洪曰：賴君新製，吾獲賞賜多矣！請張宴爲君壽，而即演是劇以侑觴。凡君所交游，當邀之俱來。乃擇日治具大會於生公園，凡名流之在都下者，悉爲羅致，而獨不及吾邑趙星瞻徵介。時趙適館給諫王某所，乃言於王，促之入奏，謂是日係國忌，設宴張樂，爲大不敬，請按律治罪。奏入，得旨下刑部，凡士大夫及諸生除名者，幾五十人。益都趙秋谷贊善執信，海昌查夏重太學嗣璉，其最著者也。後查以改名登第，而趙竟廢置終身矣！據此則彈者爲給諫王某，而梁應來兩般秋雨庵隨筆則異是。其言曰：黃六鴻者，康熙中由知縣行取給事中入京，以土物及詩稿，遍送諸名士。至趙秋谷贊善，趙答以柬云：土物拜登，大集璧謝。黃遂銜之刻骨。乃未幾而有國喪演劇之事，黃遂據實彈劾。朝廷取長生殿院本閱之，以爲有心諷刺，大怒！遂罷趙職。而洪昇編管山西；京師有詩詠其事。今人但傳「可憐一曲長生殿，斷送功名到白頭」兩句，不知此詩元有三首也。其一云：國服雖除未滿喪，如何便入戲文場；自家原有些兒錯，莫把彈章犯老黃。其二云：秋谷才華迴絕儔，少年科第儘風流；可憐一曲長生殿，斷送功名到白頭。其三云：周王廟祝本輕浮，也向長生殿裏游；抖擻香金求解脫，聚和班裏製行頭。周王廟祝者，徐勝力編修嘉炎，是日亦在坐，對簿時，路聚和班伶人，詭稱未遇，得免。徐豐頤修髯，有周道士之稱也。

是獄成，而長生殿之曲，流傳集中，布滿天下，故朱竹垞檢討贈洪稗畦詩，有海內詩篇洪玉父，禁中樂府抑屯田；梧桐夜雨聲凄絕，薏苡明珠謗偶然之句。樊榭老人嘆爲字字典雅者也。觀此則彈者實爲黃六鴻，東淑之言誤也。又此案顧曲者甚多，而秋谷獨任其咎，亦以見人品之高尚。文獻徵存錄載秋谷之言曰：昉思爲長生殿傳奇，非時演於查樓，觀者如雲，而言者獨劾予。予至考功，一身任之，褫歸田里，坐客皆得免云云。則秋谷信有足多。且一罷不復詭名以進，視查夏重爲有別矣！

秋谷贈初白詩，有與君南北馬牛風，一笑同逃世網中之句。初白答以欲逃世網無多語，莫遣詩名萬口傳。又云：竿木逢塲一笑成，酒徒作計太憨生；荆高市上重相見，搖手休呼舊姓名。後庚寅九日，郭于宮於花密居招同人社集，演長生殿傳奇，初白不及赴，以絕句答之云：會從崔九堂前見，法曲依稀餘段傳；不獨聽歌人散盡，教坊可有李龜年。上客紅顏興自酬，風光重說後三三；老夫別有燒香曲，憑向聲聞斷處參。感慨係之矣！今長生殿全本不復演，而貴妃醉酒，即其中之一段，風情綺麗，猶見玉環體態。

易哭庵爲總統府印鑄局長，元旦授勳，哭庵列二等嘉禾章。時袁項城爲總統，以筆抹之曰：實甫日日捧鮮靈芝，不理局務，國家名器所關，豈能盜授。時哭庵方觀鮮靈芝演劇，同寅奔告曰：君尚在此顧曲乎！今日授勳，總統已將君名抹去矣！哭庵愕然朗吟曰：可憐一曲靈芝草，斷送二等嘉禾章。仍終曲而去。其事殆與秋谷相類。按花朝生筆記云：哭庵最好女伶，王克琴也，筱菊仙也，筱翠喜也，金鳳奎也，劉喜奎也，鮮靈芝也，皆所鍾愛，不惜嘔數斗血，作爲詩詞，贊歎而歌詠之；有愁必媚，無語不香，其傳誦藝林者，不爲少矣！

聞先生語人云：殺我者筱菊仙，愁我者筱翠喜，苦我絕我者，金鳳奎、劉喜奎，可謂情見乎詞。樊天琴方伯，有琴夢樓小說，演先生夢王克琴事，調侃神董，窮極形相，洵說部中之別開生面者。後某女伶疫死，哭庵縞素往弔，撫棺痛哭，竟染疫氣，病痢以歿。則較秋谷受害尤大。名士風流，以身殉，倘亦痴情太過歟！

青年政論家　賈誼

○清園○

「共承嘉惠兮，俟罪長沙。側聞屈原兮，自沉汨羅。造託湘流兮，敬弔先生。遭世罔極兮，乃隕厥身。嗚呼哀哉，逢世不祥。鸞鳳伏竄兮，鴟梟翱翔。闒茸尊顯兮，讒諛得志。賢聖逆曳兮方正倒植。……」這是賈誼由大中大夫左遷爲長沙王太傅到達長沙時所作弔屈原賦的頭一段。這雖是悲傷屈原，可也是爲他自己發洩。

賈誼，洛陽人，十八歲時，就因能誦詩，會作文而出名。當時河南太守吳某（司馬遷作史記時，但知他姓吳，而失去其名）聽說賈誼文才秀美，便羅致他在門下工作，並且十分愛重他。漢文帝即位後，聞吳太守治理河南的政績爲天下第一，乃升他爲廷尉（按廷尉相等於現今的最高法院院長）。吳廷尉既任京官，乃將賈誼推薦給文帝。並說賈誼年紀輕輕，就能通諸子百家之書。文帝聽說這樣的青年人才，便委他爲博士。這時候賈誼祇有二十幾歲，在博士中是最年輕的。

賈誼既爲博士，在秦漢時，博士是一種淸高的官位，掌管博通古今事宜。天子每有詔令議論交下，許多老生說不出意見，而賈誼都替他們作答，答出之後，都好像是他們每個人自己要說而說不出來的，他們這才認爲自己的才能，確實不如這個年輕人。

漢文帝也非常欣賞他，一年之中，就把他超升爲掌管議論的大中大夫。賈誼做了大中大夫，便主張改正朔，易服色，制法度，定官名，興禮樂，想把因襲秦朝的法制，完全改了。文帝因初即位，不敢大變動；但諸律令的更定，及命令列侯都回到所封的地方去，就是採納賈誼的意見。這時候文帝非常重視他，竟然想給以公卿的大位。但周勃、灌嬰一般老臣，都破壞賈誼，說他：「年少初學，專欲擅權，紛亂諸事。」於是老成持重的文帝，以後也就疏遠賈誼，不用他的議論；並將他降調爲長沙王太傅。他聽說長沙地方卑溼，壽不會長，非常傷感，又因爲左遷遠貶，很不愉快，他到達長沙之後，便作了一篇弔屈原賦，借題發洩了一頓。以後又作了一篇服鳥賦，自我寬解一番。過了一年多，文帝召見他，問他有關鬼神的事，賈誼因而詳細說明鬼神所以然的道理，一直談到半夜。文帝說：「吾久不見賈生，自以爲過之，今不及也。」隨即拜賈生爲幼子梁懷王太傅。賈生數次上書說：「諸侯或連數郡，非古之制，可稍削之。」文帝都不聽。過了幾年，懷王墮馬而死，無子。賈生自感爲傅無狀，十分悲傷，過了一年多也病死了，死時才三十三歲。

賈誼有一本流傳後代的書。那就是四庫全書子部裏面的賈子新書，他的過秦上下兩篇，都是指明秦朝的過失，大意說秦朝有很好的地理環境，又處於有利的時勢，而終於不免敗亡者，是因爲不行仁義，一味專制暴虐，以致「忠臣不敢諫，智士不敢謀……百姓怨而海內叛矣。」他的大政篇說：「聞之於政也，民無不爲本也，國以爲本，君以爲本，吏以爲本……夫民者，萬世之本也，不可欺。……」他的錢幣論，反對允許私人鑄錢，說理亦甚透澈。所以我稱他爲青年政論家。

賈誼的論文集，就是前面所說的賈子新書，其中最精警的論文是過秦、先醒、大政諸篇。就是現在的政治家，若肯拿出來一讀，我想也會得到他的啓示，獲得若干警惕。

（完）

中國女性文藝春秋（續）

周游

吳淑姬與「陽春白雪詞」

我們今天能夠知道苕溪得名的由來，實在是我們這位薄命的詞人的一種象徵。苕花的蓓蕾含苞怒放，比諸她也有她快樂的黃金時代和天眞的童年。苕花的美艷，也可以比作她有美麗的姿容和文藝的天才。而她貧苦和不幸的晚景，正如那苕溪流畔花朵的飄落，逐水消逝。

她由垂髫的稚女，變成爲盈盈的少女，正似潔白的苕花，開始在美景中輕飄低拂。說她是低賤嗎？她却有慧素的心性和有創作的天才。說她是高不可攀的仙花嗎？沾泥絮總不如花絮的純潔。墮溷之花，也永遠滌不去她沾染的污穢。她的不幸的周遭，正如秋風兮，花從枝頭飄下，我們也無法把她從自然挽回。她如花一般的飄花生活，或許會引起我們的同情，反而增加了欣賞她作品的心情，增濃了追尋她身世的雅興。因爲她頗有才名，也就自然的引誘了當時一般男士的追逐。他們欣賞她，並不單因爲她是一個天才的女性文學家，而是可以做他們的「風雅玩物」。蝴蝶兒在她的周遭翩翩起舞，她受了誘惑性的獎導，開始她和男士們此唱彼和的風雅生活。也許她接待或有所偏過，引起了人們的嫉妬，就加上「寶淫」的惡名，被告發而捉將官府。最後，恐如「夷堅志」所說的，被正人君子，假道學先生視之爲蕩婦淫娃；又爭不過金錢征服，只好賣給人家做如夫人。從此便永遠成爲了「禁臠」。或許命運不讓她安定，再使她過着那飄泊的侍酒賣笑的生涯，那我們就無法知道了。所謂「世間尤物難留連，彩雲易散玻璃脆」。這詩句不僅是女性可比，就是男士們也可受此不幸的譬比。如絕世的天才，往往和不幸身世相結緣，否則她便如易散的雲彩，稍縱即逝，令我們後人憑弔無從。也因爲她有了不幸的身世，才能感起她多方面的情緒，充實了她作品的內容。如其她單單吟風弄月，究竟是立不起她文學的聲譽。請讀者一讀她僅存的三首絕妙佳詞吧！

小重山

謝了荼蘼春事休，無多花片子，綴枝頭。庭槐影碎被揉。鶯雖老，聲尚帶嬌羞。獨自倚妝樓。一川烟草浪，襯浮雲。不如歸去下簾鉤，心兒小，難着許多愁！（七十）

洪憲帝制運動秘辛

諸葛文侯

民國三年二月間，梁士詒任總統府秘書長時，一夕，袁與梁商談擴張總統府職權問題，袁謂：「我欲取美國制，設國務卿一人，隸屬總統府，撤消國務院，君意如何？」梁答以美「國務官長」這一職銜，原文爲Secretary of State，日本人譯爲「國務卿」，乃是錯誤的。若吾國的共和政制之下，誰復卿卿者！袁瞠目注視梁良久不作聲。未幾，改任梁爲全國稅務督辦，使其離開總統府。迨民四帝制運動正式進行之際，袁以梁氏或有反對表示，乃嗾使肅政使莊蘊寬等提出所謂「五路參案」，威脅梁氏就範，而梁氏即有所謂「各省請願聯合會」之組織，贊成帝制，參案亦不追究了。事後袁語梁：「五路參案原列有君之名，是我臨時剔除的。」（見梁士詒年譜）

原任總統府機要局長張一，是袁的親信幕僚，爲袁氏典綰機要文書已多年。帝制議興，張向袁力諫，袁矢口否認有作皇帝的意思。張相信不疑，對外替袁辯解。旋有軍人雷震春，江朝宗，吳炳湘等公宴張氏，請張氏勿反對帝制，張氏初仍堅持己見，三人乃謂：「吾儕均屬總統系下之人，此事原係總統之意，吾輩豈可同室操戈？」張漫應之，從此絕口不談帝制事。繼而袁氏任張爲教育總長，解除機要局長之職，離開總統府了。錢能訓當時語張氏云：「惟君乃有此耳。若他人，結果尚可問耶？」

天津嚴範孫（修）爲袁氏數十年患難朋友，且係辛亥年袁內閣的學部大臣。宣統元年袁被逐出北京時，舊日僚屬到車站送行的，只有嚴修一人，袁執嚴手慨然道：「今日始見君之道義交情！」籌安會成立時，嚴謁袁痛陳其非，情詞懇切，袁謂：「他們實在胡鬧，你是老朋友，可代擬一道命令，明日送來，即將該會解散之」。嚴大喜，第二天把擬好的令文親自送去，但閽人拒不傳達，聲言今日奉命，無論何人概不接見。嚴恍然領悟袁之機詐，即日出都回津，嗣後不再晤袁。

江蘇將軍馮國璋爲籌安會事，會入京晤袁請示眞意，袁極力否認有帝制自爲的意念，且謂已在倫敦置有產業，如果國人必以帝制相迫，彼即辭職出國，去英倫作寓公云。馮是小站出身的袁系嫡派幹部，馮妻又係袁氏的家庭教師，由袁介紹結婚的，彼此關係密切，與衆不同。馮聆袁所說，認爲絕對眞誠，即向各方解釋，袁總統忠於民國，決無帝制自爲之意，盼大家勿相驚疑。後來馮氏當蔡鍔等在雲南起兵討袁時，暗與梁啓超通款曲，爲啓超拍發致雲南的密電，就是袁氏對自己親信幹部亦玩弄權術機詐手段，心理很不愉快，因而還之以權術機詐行爲，一面作袁氏的大官，一面與反袁派勾通，從事倒袁工作；這與四川將軍陳宧，湖南將軍湯薌銘之臨難叛變情形，過不相同也。

（二）

談「大刺客」

周燕謀

欣賞了「大刺客」之後，否定了我「先入爲主」的「武俠」片觀念。但這部歷史鉅片的精神，却超越了「武俠」片的意義和旨趣。編導者的路綫，是採取了「重現古人精神面貌於今日」的手法，通過第八藝術的形式，而表達於觀衆之前的傑作。古典的氣氛十分濃厚，令人激賞。編導者揚棄了「借古寫今」的路綫，旨趣首先就正確了。可是在「大刺客」的宣傳文字中，確表現得近於「無知」的程度，可令識者一笑。文說：「史記文學首次搬上銀幕」，這不但「史記文學」令人可笑，而且編導者抑宣傳者對於歷史影劇之隔膜，簡直令人難以想像！各位讀者我想也有看過「西施」（勾踐復國）、「田單」和「荆軻」的，如果看過了，那末「史記文學首次搬上銀幕」的宣傳技倆是「否定」的呢？抑是肯定的？作者就不用浪費筆墨，讀者當自釋然了。這恐是宣傳的人無知，不致是編導者的盲目吧！

「大片」是大部份的歷史人物故事爲主，以「史記」和「戰國策」爲依據的。當然也有創作的人物和杜撰的故事。現在先談一談眞正的歷史人物，再及其他。

聶政是主角，是不折不扣的歷史人物，以其死得慘烈，眞可謂「士爲知己者死」，死得動天地而驚鬼神。因此太史公嘉其行，爲之作傳。聶政之姊聶榮，也是眞實的歷史人物。只是其名有異：有作「嫈」的，也有作「罃」的，戰國策作「榮」。榮字比較通俗，編者從俗很對。

韓傀也是實有其人，他的名姓大有出入；「史記」作「俠累」，「戰國策」作「韓傀」。夏嬰、趙姬二妹，乃是虛構的創作人物，以便羅織男女愛情，這是文學中千篇一律的，好似藥中甘草，「愛情」也正如文藝中的甘草。雖然說他是虛構，但我覺得創作得可喜可愛。最後聶政行刺前，與夏嬰兩情繾綣，盡情享樂數日，勝如人之數十年，無非強調愛情的極至。

聶政之殺人避仇，在劇中是政先學劍於吳忌，爲韓傀派人潛伏於途中，卒將吳忌及一班徒弟殺害，只有聶政和杜頗師兄弟因故得脫害。韓政奉了老母及姊亡命，與杜頗分道揚鑣。聶政去齊國避禍，隱於屠間。杜頗則去到了嚴仲子家爲教師，投其子以劍術。不久爲韓傀派武士殺害其子，仲子因杜頗的死門得免於難。臨死告仲子說：去齊訪聶政，可制服韓傀，大仇可報。如此安排，也很微妙。雖然是創作，却很恰如得當，使仲子訪聶政有了綫索，不失其爲創作的意趣。

聶政「軹深井里人」，即河內軹縣深井里，則有根有據。而韓傀與嚴遂結仇構怨，「史」「劇」各有不同；韓哀侯在時間上也大有問題。劇中韓、嚴交惡，爲嚴反韓之割讓予秦而制趙、魏。「史記」則韓傀，嚴遂皆弒君之徒，書曰「哀侯六年庚戌，韓、嚴弒其君」。先是嚴遂見重於君，二人相害，嚴遂舉韓傀之過於君前。韓傀叱之朝，嚴遂拔劍趨之，以救得解。（戰國策）「史記」則謂：「濮陽嚴仲子，事韓哀侯，與韓相俠累有卻。嚴仲子恐誅，亡去，游求於人可以報俠累者。齊人或言：「聶政勇敢士也，避仇隱於屠者之間。……」以下賜黃金百鎰，結納聶政等事，皆與史記相符。在時間上「史記」也相互矛盾。「史記」年表中，聶政刺韓傀爲韓列侯三年，列侯生文侯，文侯生哀侯，相去三世。「刺客列傳」則爲「韓、嚴皆事哀侯」。按「史記」爲司馬遷撰，並無別人插手，自相矛盾，編導者依了正文，是很得當的。

編導者爲了盡量表現他的「史識」，却大大的走樣。如強調「胡服」，吳忌授徒，說出了胡服改革之便。殊不知「趙武靈王胡服騎射」，是在公元前三〇七年，而聶政刺韓則爲公元前三九七年，相去九十年之久。又如表現青銅器進入鐵器時代，利用吳忌的一番話，說明鐵兵器之利。最後賜以吳王夫差所鑄之屬鏤劍在「西施」中也有的。而屬鏤劍則爲鐵器兵刃，與吳王夫差爭霸黃池同時。是年爲公元前四八二年；「盜殺韓相俠累」，則在公元前三九七年。差之毫厘，相去八十五年，卽鐵兵刃之早已出現於八十五年以前了。爲了表現自己的「史識」，不啻「弄巧反拙」。趙武靈王胡服騎射，是代表戰爭方式的一種變革，由車戰進入騎戰的時代。雖爲史家重視的大事，然編導者爲了強調變革的大關鍵，却疏於查史實的年代，不能不算是疏忽。

編導取材聶政，而不取曹沫、專諸、荆軻，是有其見地的。因爲聶政格鬥死得壯烈，「皮面決眼」，「自屠出腸」。而乃姊之殉死，慷慨就義，皆不失爲上選之材也。

搜異錄

台灣誌異

先銘輯

臺灣光復後，關於人文地理，各報記載甚多。予曩在滬，嘗見陶高生譯日人片岡巖所著「臺灣風俗誌」，中有「臺灣怪異錄四則」，茲錄其中之二於此：

一、鳳山大石：昔時鳳山有大石，一日石忽自開，內有文曰：「鳳山一片石，堪容百萬人」。茲後五百年，閩人始來卜居於此。又有土民耕田，偶得一碣，內有文曰：「山明水秀，閩人居之。」

二、女魂化花：澎湖島八罩島之南，有大嶼島。其地海濱，植花數株，人均不知其名。花開時五彩絢爛，折之者輒病。相傳前亂時，土人避居於此，爲海賊所殺。有女七人，投井而死，其魂凝化成花云。

生活漫談

上海花魁華芳　嫩膚食譜

民國二十年左右，上海英租界長三堂子裏，有位名妓叫作華芳，她的本名是潘雪艷，上海英美烟草股份有限公司用她的芳名，出品一種華芳牌香烟，和上海華成烟草公司出品的美麗牌香烟，打了好幾年的對台，可謂勢均力敵，勝負難分。

華芳的一副造型，乃出自上帝的偏愛，或者是傑作。她那對水汪汪攝人靈魂的眼睛，就是吸引異性最有力的武器。可以說任何男人都受不了那一招。華芳一張菱式的大嘴，所表達的性感，遠和可以彈出水來的粉嫩皮膚，超過其他女性任何可愛部份。她曾向人說過：「我的美與可以迷人的地方，付出過相當大的代價。」

華芳不太相信化粧術，她認爲：「化粧很像玩魔術，當對方接近的時候，會被看穿的」。英美經營事業，能付出那麼高的代價，請她做香烟牌名，這不是一個隨隨便便的問題，據華芳一位密友（現住台灣）談起華芳很多的艷事，與日常生活，幾使人神往。本文專談其日常生活中的食譜，餘皆從略。

華芳早晚兩餐，都是食用白粥，就是台灣宵夜的清粥。下粥的菜又以蔬菜佔多，惟限於嫩芽和菜心，香椿芽見青不食，韭菜芽逾寸不食，苑豆苗出土三日不食，生薑芽非紫芽不食。各種水果，更求入時，葷菜僅食童鷄燉血燕（暹羅燕窠）日本金錢鮑魚，及各種鳥肝，絕對不吃油炸品，醃菜，火腿，香腸，風鷄，糟魚之類。她的觀點是吃嫩東西皮膚才會嫩。華芳經常用鮮奶當茶，有時亦用鮮奶洗澡，她說：「這是受電影宣傳影響，其實牛奶對嫩膚並沒有甚麼顯著效果，但很多男人們喜歡這個調調」。

嫩芽象徵新生，容易消化和不損腸胃，童鷄汁燕窩，牛奶的營養，一般咸知，不贅。鷄鴨鳥肝乃最富有營養份的貧血治療劑，對明目有神效，因肝裏含有豐富的維生素A、B、C，及礦物質，尤其是鐵質最多，故鷄鴨鳥肝是一種很寶貴的食物。俄人近半世紀提倡的組織療法，所謂吃心補心，吃肝補肝，殊不知中國遠在兩千年前，就知道且食用了。

華芳說「付出過相當大的代價」，祇吃這一項，似乎都經過名醫指點，華芳的話非無由也。

馬騰雲

國劇腳本　大漢兒女（一名新莽劫）

田士林

趙終葵：（唱）逢危局我豈是牆頭之草，歲寒時才識出松柏後凋！

（白）表兄開門來！

（上念）在射圃彎弓練箭，是何人叩打門環。（開門）

（白）啊！原來是表弟來了，請進！請坐。

田子文：表哥，國事如麻，你倒在此偷閒。

趙終葵：自行練武，怎說偷閒！

田子文：練武何用？

趙終葵：掃滅胡虜，報効國家。

田子文：如今王莽之禍，甚於胡虜，你怎麼倒不聞不問？

趙終葵：王莽鴆殺幼主之事，愚兄也有耳聞，祇是如今，舉世滔滔，盡是希圖苟安自保之輩，莽賊黨羽又遍佈天下，你我一介百姓，徒有大志，又有何用？

田子文：表兄此言差矣！王莽存亡，全在人心向背，他有四行大罪，因此不得人心，豈有不亡之理！

趙終葵：有那些事不得人心？

田子文：鴆殺平帝是爲不忠，奪取私田是爲不義，不顧親情，殺其二子是爲不仁，盜名欺世是爲不信。不忠不義不仁不信之人，縱然黨羽甚多，多是唯利是視，一旦利益相悖，反戈相向，亦屬必然。你我今日起義，乃在收拾人心，人心向我，他不敗何俟？

趙終葵：賢弟一介書生，臨危不懼，仗義執言，兄只有慚愧。敢問如今之計？

田子文：你在此處，召集鄉民，曉以大義，首先起義，聲討王莽；我與東郡太守翟大人有師生之誼，他居官清正，頗得衆望，只要說動他起義討莽，就是王莽的死期了。

趙終葵：興師動衆，糧草兵器戰馬處處需要化費。

田子文：這個，也罷，小弟家資尚稱小富，就交與兄長以供所需

（廿四）

自由報

第八四八期

中華民國僑務委員會頒發台報新字第三二三號登記證
內政部登記內版台報字第031號
中華郵政台字第一二八二號執照
登記為第一類新聞紙類
（半週刊每逢星期三、六出版）
每份港幣壹角・台灣零售價新台幣弍元

社長李運鵬・督印黃行齋

社址：香港九龍登打士街91號十樓六座
91 DUNDAS ST. 9th FLOOR, FLAT 6 KOWLOON H.K.
電話：857253　電報掛號：7191
承印者：大同印務公司
地址：香港北角和富道九六號
台灣總管理處
中華民國（台灣）台北市大理街119號
電話：555305．557474
台灣分社：台北市西寧南路110號二樓
電話：三五〇三四六
台灣郵政劃撥儲金戶九二五二

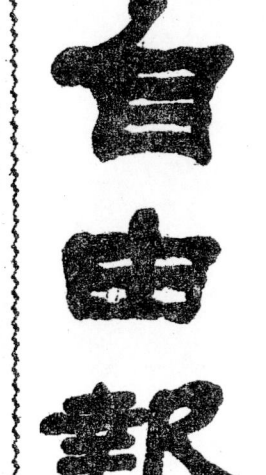

當前教育的根本問題

。高瞻。

在世界各國的教育發展上，我國目前的教育，從某一個角度看來，那是遙遙領先，足堪自傲的。我們不僅有世界最大的小學，最好的背書風氣，更有世界最激烈的升學競爭，最興盛的補習教育。

在外國，十七、八歲的青少年，尚是不知憂愁為何物的階段；他們讀書，但不死板，他們用功，仍保有活潑的本性（此為進取創造的基本精神）。而我們的青少年，在同樣的年齡，卻已是身經百戰，歷盡滄桑了。影響所及，豈只是體弱多病，缺乏活力而已，其有甚者，則個性泯沒，或為一個業已定型的死機器了。

目前，身為家長的，最大的憂患，不是子女的學行越軌，而是子女的升學難關；而學生自身，最大的心願，不是進德修業，而是如何擠入中學，大學之門。一個孩子，從進入小學，到大學畢業，不知要担多大的風險，隱藏多少的辛酸，到了學士帽落在頭上，早已傷痕滿身，非是舊時面目了。他們白天要受學校的正軌教育，課後或夜晚還得苦挨老師的額外補習，雖不至於餓其體膚，但已夠形消骨立了。

當然，吃得苦中之苦，方足為人上之人；但是，在長期的疲勞、惡性的競爭，不斷的考試，與日夜的補習之後，他們所得的，與所付出的代價，竟成了反比，不僅無以承担天降之大任，唯恐其自身亦將難保矣。

升學之熱衷，是由於社會出路的狹窄，因為不是大學出身，則天地雖大，幾難謀得一席立身之地。而補習教育，則是升學主義的寵兒，蓋不經補習，則只有徘徊於大學門外，望門興嘆了。

補習教育，本來該是可喜的現象，不過得施之於一般失學的社會青年，才有其存在的意義。若教育的對象，仍是一羣學校中的青年，則可說是教育的嚴重病態了。所謂「惡性補習」，不只是高初中學生為然，對於小學生又豈能例外？蓋補習之課程，仍是學校教本的反覆練習，與應付考試的訣要背誦而已，冷飯重炒，對學生來說，那是時間的虛擲，與生命的浪費；對社會來說，那是一塲不公平的競爭；對家長來說，那無異是莫須有的負担！

就在大家爭相補習之下，形成一個觀念上的錯覺，似乎不隨俗進「補」，則無形之中，就是落伍，難以與人一爭短長；追隨老師補習，就好像保了大險，從此可以高枕無憂了！而且，不參加補習，唯恐老師另眼相看，反正花錢消災，也免得夜夜煩心，管教子女，圖個耳根清淨。對老師本身，則是名正言順，受之無愧了。

補習之風大盛，對學校而言，是教育失敗，對老師而言，是誤人子弟，對學生而言，是程度低落；否則，教者已教矣，學者已學矣，何須再「補」？抑有進者，教師為了補習，幾無片刻清閒，那能隨時進修，充實自己？結果久而久之，必學識淺薄，趕不上時代，如同播放錄音帶，日又一日，年復一年，所傳之道，所投之業，猶是陳年老套，儘是舊時東西，如此下來，豈不誤盡天下蒼生？而學生則易養成倚賴心，正課大可不必聽，反正課後尚有補習，老師收了「禮」，那非得特別照顧不可！同時，學生羣中，也造成了特權階級，試問：那些無力參加補習的學生，眼看那些幸運的同學，三三兩兩圍繞在老師身旁，獨得老師「不傳之秘」，內心會作何感想？此等金錢的交易行為，大損師道之尊嚴，破壞師生的情感，學生不必敬愛師長，甚至老師為了拉住基本顧客，不惜低聲下氣，討好學生；有時為了表現成效卓著，也只好筆下留情，給予及格，以求皆大歡喜（至於為了提高分數，以爭取保送資格而參加補習者，則更罪孽深重矣！）。師道之淪喪，學生之囂張，莫過於此。凡此種種，難道會是可喜的現象？

不過，民以食為天，教師清高，也得圖個溫飽，以目前之薪津，教師沒有一般公務機關的變相津貼，諸如出差費加班費之類，只好出此下策（雖不是冠冕堂皇，卻也無懈可擊），否則，那一個是天生勞碌命，不喜好清閒？故不提高教師之待遇，這一個問題勢必永遠存在。

政府當局，雖也會三令五申，禁止惡補，但多少年下來，景況依舊；尤其目前九年國民教育，即將實施，小學補習已無需存在，但如果我們不想避諱的話，台北市目前的小學惡補，已從地上遷往地下，只要市政府能夠拿出發票檢查的一半熱忱，能有發票檢查的一半成就，那麼此等惡補，老早就該絕跡了（查獲惡補，無利可尋，言之奈何）。如果只是空言恫嚇，呼呼口號，那麼大可不必，如此反而害苦了那羣無辜的小學童，因為他們只好跟隨老師，躲躲藏藏，儘在光線不佳空氣不好的地方補習。反正家長們不敢開罪老師，以免自己的子女，吃了暗虧。政府官員再不微服出巡，誰來檢舉？難道寄望老師會來個自首認罪？

至於高初中的學生補習，難道別有與妙之處，會是「善性補習」？教育當局似乎根本不以為病，我們不知此中分別，究竟何在？小學生發育，難道高初中學生就不發育？小學生是「國家未來的主人翁」，是「民族的幼苗」；而高初中學生，則已是「國家的棟樑」，已是「民族的中堅」了，關係當更密切，何以反而置之不顧？

我們並不是眼紅，故意要杜絕教師的這一門「外快」；而是我們不忍心看到下一代，過着這種非人的生活；不忍心看到下一代，在這種教育下，埋沒了我們的天才，失去了他們的創造力；我們也不願意看到多少有為的教師，在補習之中，浪費了他們的一生，斷送了他們在學術研究上仍有可為的大好前程。更不願意眼看師道淪落，成為金錢的附屬品！

在目前之入學考試下，補習誠然可以收到很大的效果，是以學校越是「高級」，補風越是「香火鼎盛」。但是，我們認為一個學生，假如在學校教育中，不能考上學校，若非老師有意不盡其力（果真如此，則罪無可逭矣），可見其智慧才力均不足取！必得倚賴補習，始能考上，則已是等下之才，這種學生，即使進了大學，又怎能希望他們成為國家未來的棟樑之才？何況老師教學生，原無補習可言，課外指導，也是份內中事，又豈能妄收「束修」？我們建議政府在根本上改善教師待遇，則對整個社會國家，教師與學生，都是一大福音。我們建議入學考試的負責人，要能經得起補習教育的挑戰，別老是落入他們的「計算」之中。我們也建議那羣拜金的教師，還是儘速轉業「從良」，不必在學校裏自誤誤人，出賣良心了。

現代雙簧

勒令賣命

昨日與明日

毛共的商業魔術

最近毛共在廣州舉行的「商品交易展覽會」，對於日本商人，招待特別優厚，交易亦視別國的商家為多，而英商卻毫無所獲。這不是做生意，而係玩政治魔術，日本人為之色然以喜，悠然自得。

無論越戰是否能夠由和談而結束，但日本乘此停戰言和機會，對毛共獻媚交懽，爭取貿易利益，殆屬必然的趨勢，毛共即利用這種情形，助長資本主義國家間的矛盾衝突，藉以鬆懈、乃至瓦解反共陣營的團結精神，理有固然。日前來自東京的消息，日本準備在今年聯合國會議時，不再堅持對毛共加入聯合國問題，必須經過大會三分之二多數同意的原有主張了。這決非空穴來風，未可忽視也。

日本人瞧不起我們

儘管我們在二次大戰結束後，對日本採取不報復的睦隣主義，但一般的日本人始終瞧不起我們，就是號稱為政治家的吉田茂亦不例外，凡是參加過一九四六年中國新聞界訪問日本之行的人士，回憶當時吉田茂首相的態度，即知吾言為不謬。後來的所謂「吉田書簡」，實際是為着日本自民黨的黨營企業機構，要在台灣承辦一項鉅大的水利工程，纔以這種私人書簡作交換品的。

勢利成性，目光近視的日本人，他們對中華民國尚未公然落井下石，已算是很客氣了，若不是受着美國的壓力，連這點客氣姿態亦不會存在的。

因此，我們只是對日本政府表示不應漠視「吉田書簡」的意見，必無效果可言，日商對於購買台灣香蕉據聞已有問題發生，月暈知風，礎潤知雨，我們究將採取甚末對策呢？

先作壞的打算

在我們看來，越戰決不容易結束，但不能不作壞的打算。假使越戰真正結束了，很顯然的趨勢，不特日本的外交策略丕變，即其他東南亞各個自由國家的外交方針，亦必大異其趣，而對毛共闖入聯合國問題，形勢尤有變遷，這對中華民國都是不利的。凡事預則立，我們必須未雨綢繆，幾有所策畫，訂製幾套腹案，相機行事，庶有備無患。

日本人儘管勢利成性，但我們此時對日本的外交工作，更應作最後之努力，外交即不宜意氣用事。可是，舊有那一套外談外交作風和一班人才，卻非完全更改不可。世界天天在變，時時在變，而我們竟以不變應萬變的作風和人才，實為時代落伍思想。祇要有新的作風和人才，本着革命精神以從事，前途大有可為。如其苟安自娛，俯仰由人，吉凶禍福之機，那就很難說了！（何如）

自由談

奇特的新聞

台灣發生的羅姓兒子弒父逆倫案，由初審法院判處死刑，經二審法院改判無期徒刑，再由三審最高法院發還更審，改為無罪。這可列為一九六八年全球奇特新聞之一，值得吾輩新聞記者欣賞而讚嘆之。

當逆倫案發生時，區區適在台北旅行，曾見當地的報紙上刊載兇犯的母親談話，說她兒子於若干年前，患過精神病，在某市（台北市外的市區）某醫院治療過，卻未指說兇犯弒父時是在舊病復發中。繼而我偶然遇着管制罪犯的看守所長，據說他曾經跟本案在押的犯人單獨談話兩次，纔知道這逆倫案之所以產生，乃源於家庭的複雜原因，父子間素來不睦（詳情不必敘述）。這證明是兇弒父的行為，并非由於心神喪失，實係故意的。

這些情節，法院未必毫無偵查，而僅憑台大醫院的一紙鑑定書，即判定逆倫的殺人犯無罪，試問那張鑑定書的時效問題如何？法律上「失入」與「失出」的過錯是相等的，草菅人命固然要不得，弁髦法令尤其不應該，台灣高等法院檢察處提起上訴，良有以也。

假使犯人殺父之日，即有「心神喪失」病症，當時就應該有所檢驗，庶有採證的價值；如其屬實，事隔多時，幾經上訴覆審，然後假藉一紙事後的醫院鑑定書，作為無罪的改判證據，這俱是「人治」的把戲，與「法治」不相干，而且是法治的一大諷刺呢！

這樁逆倫案件，影響世道人心和社會善良風俗甚大，就中國固有的文化精神設想，無論如何，犯人決不當宣告無罪的。前幾年，美國有個青年子弟向母親索錢不遂，開槍擊斃其母，美國的法院是否判處殺母者無罪，未見有消息報導。咱們現時事事效法美國，動則說美國如何如何，大概台灣的法院亦沾染了西化主義的流行病，纔有這種奇特的法律裁判吧？果若是，所謂復興中國文化運動云云，豈非成了不合時宜的廢話乎？

馬王先生

立委紛提質詢案件 檢討金融財稅問題

（本報駐台記者張健生航訊）立法委員們對於金融財稅方面的政策問題，以質詢案加以檢討，較重要的計爲：

修正銀行法，俾銀行設立開放與否，作一政策性的決定。這是立法院歷來一再向行政院催促的大事。但銀行之設立，政府現在的政策是限制的。立委謝建華質詢銀行是否開放問題時說：「倘若仍不採開放政策，就應嚴格執行」；雖華僑「籌設亞華聯合銀行，對此應該愼重考慮」。因爲「當年華僑銀行籌設，原意由各地華僑普遍投資設立，後來彼此爭奪，演變爲現在幾個人的銀行。如若各地華僑仍有投資設立銀行的興趣，亦只能將現有華僑銀行公開增資，擴大組織，以符當年設立華僑銀行的原意」。

目前，我們的金融體制，除正規銀行體系外，尚有信用合作社，農會信用部，合作金庫，合會等機構，此外，信託性、開發性、保險性、儲蓄性等各專業機構，其業務亦多與金銀業務有關。因此，立委們認爲在業務管理上必須謀求整體之統轄與專業上之分工。

銀行放欵業務，世人有當舖之譏評。立委魏永壽認爲：今後之改進，應重質與量，如信用之徵信，必須有可靠之資料，以爲抉擇的基準。諸如人的因素，事的紀錄，生產情形，市場前途，均須週密審查，正確評估，並切實監督。否則，雖有進步的放欵政策，仍會產生出徇私的「政策性貸欵」，已往教訓，足資警惕！

五十六年十二月底全體金融機構放欵總餘額（按：所謂餘額，係臨時性的放欵）四百八十四億二千萬元，同年之新增加呆賬二億餘元；列爲催收欵項者七千餘萬元；逾期尚未收回之放欵新台幣十億零八千九百萬元，合計呆滯放欵約新台幣十四億元左右，約佔放欵總餘額百分之二點九。立法委員王子蘭認爲：「呆賬是國家的損失，不容忽視，行政院對這件事應有個交代」。

行政院租稅之改進，「抱負之大，甚於往年」。立委潘士浩質詢租稅制度時說：「對於租稅制度，國人之批評其不合理者多矣。批評之重點，都說直接稅不夠，尤其個人綜合所得稅太差」；並「指責間接稅之太苛太擾太重複」，應「大量裁減間接稅」。所得稅爲最佳之稅，人能言之。然當今之世，各國之暢行所得稅者，能有幾國？蓋非倡導者議論不夠，實係事實未能適應。因爲稅法必須顧到如何收稅，而制度必須針對當前環境。這不比傳道說教，可以拿動人爲善以及國家至上等種種說法，感化聽衆。而必須要有方法徵到稅，才爲有效。高談固無補，痛恨亦不必。當今各國所得稅之未能普遍暢行，原因即在此。我國於此，年來在收集資料，整頓稅籍着手，按其進度，自仍未可作過大之希望。

潘委員認爲第欲所得稅收之大量增進，有待經濟之成長，及國民所得之進步，非短期所能有成也。稅法所列免稅、寬減與扣除額等，當初並非太高。觀諸國民所得之每人平均所得額，其剩餘而課稅所得者則甚少，稅收之薄，此其主因。營利事業所得稅現與個人綜合所得稅並行，其稽征煩惱，甚於個人綜合所得稅；推其原因，乃在營利事業之組織，未臻現代化，所有設備，大半未能以科學方法爲之稽徵也。

遺產稅亦屬於直接稅，僅次於所得稅，但在稅收數額上，自未可與所得稅相提並論，然在租稅法理上，仍佔重要位置。潘氏主張提高其累進級距之幅度，並酌量減低其稅率，以利推行。同時應立贈與稅以相輔，問題上不太複雜。由於直接稅未能大量增加，間接稅當仍爲財政重點之所寄。因此，政府爲彌補預算赤字，多次增列貨物稅目，並提高稅率，迄今稅目增至二十項之多。就稅理而言，貨物稅顯非良稅，徒以財政上有迫切之需要，利其征收方法之便，不惜擴大而重征。則所謂租稅制度之合理化，貨物稅宜值得首先注意。

這位來自商界的委員進一步指出：關稅收入佔中央與地方總稅收百分之二十，居稅收之首位，其中有不少要轉嫁到有關生產事業之成本，也有壓迫到平民生活者，這也是受人指責的稅制。在租稅制度合理化之論調下，關稅自應再進一步的減輕財政收入觀念。關稅中之退稅，亦爲當前棘手的問題。所謂退稅，係指進口稅原屬記帳，輸出後加以計算，而冲退其欠帳者。申請者以無關現金之出入，且間有轉作內銷，而延不辦理退稅，則問題更多了。間接稅有問題者，尚有營業稅，此稅爲省地方稅，其重複徵收之繁與稅源之不易控制，久爲論者所指責。且營業利潤，與營利事業所得稅之計算，如影隨形。交易憑證之貼用印花稅票，又係印花稅收入中之大宗，罷固不宜，征又多煩。每言間接稅之整頓，人人視此爲要圖，亦人人視此爲畏途。商人因其重複征收之不勝負担而引起逃稅，故爲間接稅中最棘手而又不可放棄之一種。如何能普設帳冊，憑帳報稅，以濟統一發票之窮，此將有待各有關方面之配合，非稽征機關所能獲任其艱。

立委成蓬一希望政府建立一個健全的財務制度。他質詢說：「行政院施政報告中提到五十六年中央政府總決算，歲入歲出相抵，計有歲計剩餘新台幣六億零五十七萬元，不知歲計剩餘的六億零五十七萬元是作五十八年度的財源呢？還是用作塡補五十七年度以前虧？因爲從統計表看，政府共有二十六億至二十八億餘元的虧損。五十八年度預算中還有幾十億的公債要彌補。關於公債的情形，從發行公債起，至五十七年一月底止，共達一百零九億餘元，除還本息四十三億元外，尚有六十六億餘元還本付息，三至六月份還有十二億元需待發行，再加上愛國公債待發七千餘萬元，因此，政府總共尚負債有七十八億七千餘萬之多的公債。現在旣有歲計剩餘六億零五十七萬元可供運用，五十八年度之公債是否尚需發行若干呢？對國庫的調度究竟是以發行公債爲宜呢？還是走別的途徑？（完）

海外見聞錄

倫敦印象記

龍鳥

倫敦是我此行的目的地，由於初抵此間，今後一年的生活與活動行事，所以還抽不出時間去遊覽，好在以後的日子長，倫敦的風景與民情風習，自可慢慢領畧，這裏僅先報導一些初步印象，作爲對讀者的貢獻。

一般說來，倫敦給予人的第一印象是整潔與安靜。儘管倫敦住着八百萬人，大街小巷，到處車水馬龍，但從聽不到噪音。除了在海德公園講演，（海德公園中肥皂箱講演家，是倫敦特寫鏡頭之一，以後當另文報導）從未聽見英國人高聲講話，在公共場所與新興交通工具上，英國人也充分顯示了良好的教養，大家都彬彬有禮，鮮有爭吵糾紛發生。此外，英人守秩序，辦事按步就班，也給人以良好的印象。當然英國人並不是沒有缺點，除少數披頭士的青年人外，英國人似乎更缺少活力，顯得暮氣沉沉。而且人與人之間的關係，好像也不親密，矜持中帶着幾分冷淡，在我們中國人看起來，實在缺少人情味。至其他缺點，因爲初履斯土，觀察不夠深入，不敢信口雌黃。最後談談英國的天氣與一般社會情況。

我來英時正是深秋的季節，早晚雖涼意襲人，但中午則陽光照在人身上有一種溫暖的感覺，所以秋天在英國是一年中氣候最宜人的時間。再過一個多月，英國大部份的地區將要爲濃霧所籠罩。倫敦的霧尤其濃，據說數尺之外，就無法見物。加上風雪交加，數月嚴寒，這對於我們這些從亞熱帶來的人，心理上的威脅很大。至於英國人，雖然不畏懼冬天的寒冷，但最近經濟情況不佳，以致政府必須通過法律來凍結工資與物價，民間示威與工會罷工時有所聞，其給於英國人心理上的威脅，想必甚大。附帶一提的是英國的郵資在政府未公布凍結工資與物價的法案前，已先加價，這與我們的公營事業領導漲價，有異曲同工之妙。不過英國政府似乎戲法變得更絕，於公營事業加價後再凍結工資與物價，這眞是「只准州官放火，不准百姓點燈」了。

台北航訊

針對教育界腐敗風氣 教部召開座談會檢討

事實証明紅包影響教育尊嚴

蔣總統對當前改善教育風氣，曾昭示切實整飭，務期各級教育行政機關弊絕風清。教育部遵此，召開一次座談會予以檢討，隨即研擬了一項初步改革草案，俟再經過討論整理後，即將逐步實施。該草案內容，業經中央社二十日傳佈，爲各報所揭載。至目前教育風氣之腐敗，實繫於各級教育行政主管以及各級校長之身，茲列舉重弊數端如下：

①凡屬中小校長教員之派任、改調，幾非「紅包」不爲功，無論公立私立，很少例外。否則亦須靠「權力」之薦引力量。外傳中南部某些學校，對師大及大學出身者，尚不歡迎，惟恐收了「紅包」，不免引根，揭露其他，有所影響。故降格引用私專出身者，照收紅包不誤，且便掌握，減少人事糾紛。②教科書之回扣，以及各項設施修建之回扣，爲一般校長之最大額外收入。某些書商爲了激烈競爭，除重許回扣外，對中南部之來購採者，並供優厚膳宿，甚至兼及酒色欵待。惟其中尚有保持師格者，例如北區某著名省中校長，當其調任時獲某營造商之歡宴，當場致送德政錦標，表揚其不私收回扣之高風亮節，引爲奇絕，可證一般。③有關學籍主管之不肖者，例行需索，各校預有接洽人員；此風以私立中學爲最，否則不免吹毛求疵，弄得不可收拾。昔有某督學，竟獲其長官之介紹，舉行個人國畫展覽，施以三數千元一幅之代價，分派各校，收穫頗豐，事雖過去，但人們記憶猶新。④所謂課業輔導費，以及校立消費合作社福利營業之營利，校長個人悉獲重頭分配。台北郊區某中學校長，遇到教務主任出缺臨時兼代時，尚須分配兩份。⑤實物配給之食米，由校方分配米票，指定糧商折價兌現，例須每季酬報校長現欵若干，由米票人數多寡爲定。昔年台北縣某鎮，有同一糧商之米票兌價，給國民學校價高，給中學價低，被某一教員提出嚴重交涉，該糧商迫不得已，乃稱：「貴校校長所索回扣比國校爲多，故祇好減少中學兌價。」該教員以「飯碗」問題，未敢如何，但茲醜聞，仍囂塵上。⑥台北縣教育科國教股長，日前接獲一包掛號郵件，內有衣料一件，中央台幣一千五百元，連同衣料合值二千元；原係某國校教員，活動調職「紅包」，該股長予以退還後，並宣稱彼係一保自潔，一與人爲善，故不公開其名。但識者却認若從壞處想，此人遭致退還，或認係出嫌數目過少，不免另圖出路，致該股長之好意，將不免落空，倒不如將全案移送法辦，較爲正當。否則就不應該作自我宣傳。以上消息騰播，足證紅包之影響教育尊嚴，誠將不知伊於胡底！

本報記者碧天

台北航訊

台北市議會爭取審議 公車開放民營內幕

台北市臨時議會議長張祥傳，年前曾因爲台北市公車延長路綫，影響其私營之中興巴士營利發展，而與市長高玉樹發生不睦。張會公開表示：「市議員醞釀在三月中旬大會時，將對高市長，提出不信任案；並對市府所提議案，全部退回，不予審議」。大有咄咄逼人之勢。現値議會大會期中，府會之間，雖有不愉快之事，但尚無前述事項發生。其不愉快之原因，主要者端爲公車開放民營案之送審，市府原擬逕呈行政院核准，因本身無力辦好公車，只爲邀請民間協助政府辦好公車而已，並非處理市有財產，故不擬送議會審議。但部分市議員認爲市府現有公車專營權，每年要繳納專營稅，權利即爲財產，市府處理財產，依法即應送議會審議。經議員歐陽斌，林祥祥，孫鳴，陳清軒等一場火爆的質詢後，再回頭問張議長：公車開放民營案，市府應先呈行政院？或先送議會呢？張答：應先送議會。至是建設局長羅啓源乃允將該草案印製後，再分送各議員。據悉，議員所爭者，在面上看，似爲議會爭權，實則是爲便利公車開放民營，意圖減低民營公司須有百輛大型新車之規定。張祥傳已擁有私營中興大業巴士公司，現有車輛亦僅二十七部，該公司亦正申請擴充路綫，若例須百輛以上，恐難爲力，故勢非爭持到底不可。又民營客運票價，市府擬議中之規定，須與公車相等，而張議長所營之中興巴士自永和至外雙溪，則分三段，共計票價四元五角，高出公車票價三元。以致社會嘖有煩言。市議會前次稽延兩年之久，始批准市公車票價由一元漲至一元五角。結果被議長張祥傳，副議長陳少輝，換得利市三倍之「特權」客運。市議會此次力爭公車開放民營辦法草案之審議，若僅爲議長、議員個人爭取私營，「利令智昏」的大家都爭這塊「肥肉」，置百餘萬市民交通福利於不顧，將不免騰笑萬方。願勇於私鬥的「民營巴士」鬥士，稍微睜睜眼睛看看人民之憤怒心情如何！

本報記者董書

大學尺牘

江鶴起致書張起鈞 感慨萬端痛論世事

◁鴻軒▷

起鈞教授道鑒：六日台函奉悉。關於鶴前在華美日報一篇文字，因一時感觸，信筆書成，又因潘公展老先生急於登出，未經修改，故鶴對之亦有不滿之處，統希斧正爲荷。此文在美發表後，薛光前教授亦有表示。鶴生長於西洋道覇道物質文明之中，幾句中文，還是在美國自修的，自稱學人，則吾豈敢。不過喜交在美學人，與顧季高先生因係同行，故交往有素。海外學人在見解上亦各有大同小異之處，例如鶴認爲美國並無姑息主義者，不論是「鷹」是「鴿」均無不以美國本身之利益爲前提。近百年來美國國策完全與列强行動一致，爲不平等條約簽字人之一，欲美對中共强硬或與國府友善，均不可能。站在美國立場上說，當然不願與中共衝突，就打一百年游擊戰，恐仍難勝。如用盡原子彈則要大損國力，自將無法再應付蘇聯。同時如炸死幾萬萬中國老姓百姓與人類結下血海深仇，亦難交代。加之如把中國大陸炸成一片眞空，四隣自可乘虛而入，俄佔西北東北及華北，印度佔西藏西康等地，泰菲日均將侵入華東華南各省，來時容易去時難，屆時美國又將如何善其後？鶴認爲反攻大陸，建設圖强，苟能利用外人，自無不可，但絕不可完全依賴外人。如果當初認淸此點則不致聽命于馬歇耳將軍向台灣轉進。現在能看淸此點，仍可登高一呼，四方響應，總比守株待兎，怨天尤人，弄得佳些。

反觀西方社會亦每況愈糟，「物質」方面由石器時代到銅器鐵器到機械電器，一直到原子太空時代，但在「人性」方面仍徘徊於神權法治之間。因此爲政者只有從民主政治福利社會社會主義的一條無法轉身的死路前進。民主的「自由生產」，因人口激增，眼看就要變爲社會主義的「極權分贓」。尤其是美國爬得高、跌得重。問題最多，如能再維持五十年的繁榮，便算萬幸。世界惟一的希望，就是改「覇道」爲「王道」，務使「人性」克服「物質」，因此中國學人之責任是異常重大，而更不應予以推脫。先偉兄會在華府與鶴共事，目前亦常會面。茲錄舊作數首，未知先生亦有同感否？風便尚期時賜教益。專此

順候

文祺

弟江鶴起拜啓

一，十二，六七。

附詩

江鶴起

其一

慾海橫流已近狂　於今薪胆有誰嘗
隔江我獨羞聞曲　有奶人皆可認娘
雲過方知月色皎　秋來每感世間凉
興亡仍仗生花筆　願卜文壇現曙光

其二

美雨歐風衆所尊　革心洗腦各爭喧
時人祇講食衣住　現世休談功德言
自古讀書非逐利　於今飲水不思源
挽瀾既倒賴羣力　兎筆還期喚國魂

夜讀聖經偶成

深夜讀經暗自欷　茫茫末世道心微
天堂倖致迷因果　正義難彰亂是非
八德空懸餘慾壑　四維不振失歸依
西洋覇業憐今日　默念蒼生有淚揮

漫題四首

塵寰何處覓知音　惟利是圖物蔽心
慕道思賢眞寂寞　釜魚幕燕感宵深
翹首西洋月色昏（並不比中國的亮）
衣冠禽獸不堪論　樂園死後風光好
人世艱難是共存
飛彈原子已無奇　德弱才强事可悲
良智良能須並重　立心立命決安危
「物質」惟尊「人性」輕　神權法治兩難
行超凡入聖談何易　投老江湖望太平

讀國文宜背誦說

葉經柱

學習國文的方法，多看，多讀，多聽，多說，多作，總是很重要的。看書、讀文和聽講，在强化自己的吸收（閱讀）能力。多講話，多寫作，在强化自己的發表（寫作）能力。根據教學法上的熟練原則，只有這樣，才會熟能生巧，才能寫得活潑生動，才能說得流利自然，才算把國文學好了。

最近爲國民學校國語科正名爲國文的問題，有好幾位先生表示背誦是落伍的辦法，是摧殘學生健康和性靈的辦法。我認爲不能一槪而論，須看學科的性質來決定。在我讀初中時，有位同學甚麼功課都死背，早也背，晚也背，像老和尙唸經似的，經常是口中唸唸有詞，把黑頭髮都唸白了許多，功課卻並不見太好，人也弄得痴痴獃獃的。今天，照樣有這樣的小傻瓜，國文、英文靠死背，（背課文，更背注釋），公民、地理也死背，三民主義背，物理、化學也背，這種死背死記的辦法，自然是絕對錯誤的。但是，讀國文、英文，背誦卻少不得。

學國文，背誦很重要，還得有個分別。怎麼分別？文言文可以背，白話文不宜背；古代詩歌可以背，現代的白話詩不宜背。短小精悍的文章可以背，洋洋萬言的大作不宜背。舉例說，古文觀止和昭明文選的文章可以背，史記、漢書便不宜背。千家詩和唐詩三百首可以背，李太白、杜子美的詩集可以背，現代新詩集卻不宜背了。

最近收到蔣經國先生賜贈的「風雨中的寧靜」，翻讀一遍，獲益極多。本書第一篇名「一位平凡的偉人」，第六章是「我所受的庭訓」，裏面附有三十六件家書。在這裏面，可看出總統對經國先生的教訓是嚴格而細心的。在民國十一年的一封家書中，總統說：「孟子須熟理重讀；部：你於中文如能懂一熟讀一冊左孟莊騷菁華，則以後作文就能自在了。每篇總要讀三百遍，那就不會忘記了。」

如何熟讀成誦

依照學習心理學的原則，有三點必須注意。首先是心情要愉快，煩惱沮喪時寧可不讀，同時要拋開無所爲而爲的態度，不要任何企求之念，才能收事半功倍的效果。其次，必須全部讀，自頭個字起，順序讀到末字。現在一般學生多半「臨時抱佛腳」，明天要考，今夜一口氣讀熟，讀熟上段，再讀下段。「其進銳者，其退速」（孟子）一天讀熟，一過一天就忘了，這是最笨最不經濟的辦法。第三，要間時讀，如果時間許可，一天讀一遍，這樣，所花的總時數比較少，感應却很牢固，一旦讀熟，也許永遠都不會忘記。

朱柏廬志節與著述

·美善·

偶然在一本舊雜誌上讀到有關朱柏廬先生之紀述，猶有畧而未及者，茲檢「書獻類徵」「圖書集成」「蘇州府志」「崑新志」等，爲詮次其言行，想爲讀者稽古之士所樂聞也。

案先生諱用純，字致一，號柏廬，崑山人。父集璜，字以發，明崇禎乙亥貢生；鼎革時，助王佐才守城，城破，書絕命詞，投東禪寺後河死，學者私諡爲節孝先生。柏廬先生時年弱冠，痛父殉社稷，因據王裒宿廬攀柏之義，遂以爲別署焉。與長洲徐侯齋枋、吳縣楊震百无咎，並因乃父死忠，以名節互相砥礪，時稱吳中三高士云。

先生年十七，補郡諸生。會國變，棄去諸生冠服，遯跡教授，壹志奉母，沉潛經傳及宋儒理學，研討融會，務歸於闇修篤踐。當道重其人，將以宏博薦，先生以死自誓，自爲「朱布衣傳」見志，遇有來請益者，輒授以「小學近思錄」，舉業外別立講約，闡明奧義。晚歲作「輟講語」示人曰，中庸成己成物，罔弗由誠，然所謂誠者，不外乎倫常日用之間。其勗勵後學辭切如此。

平生嚴以律己，禮以防人，不論賢否，無不敬憚之。每晨必謁家廟，莊誦孝經一過。疾亟，命家人供先像，强起再拜，謂二子曰，「吾將以秀才冠服，見先人於地下也。」復詔門弟子曰，「學問在性命，事業在忠孝，如此而已」。言訖含笑而逝，享壽七十有二，門人私諡孝定先生。著有「易經蒙引」「四書講義」「毋欺錄正補編」「俟後編」「媿訥集」行世。迭經兵燹，不知尚有流傳否？

歷史人物漫談

眞將軍周亞夫

·清園·

絳侯周勃和他的兒子條侯周亞夫，都是漢初了不得的角色，功業各有千秋。我們曉得周勃的長子勝之，世襲絳侯的爵位，他並且是漢文帝的女婿；但公主和他很不和睦，而又因犯了殺人罪，爵位也被削了，變成了平民。過了一年，文帝乃選擇絳侯兒子中的賢者亞夫，封爲條侯，以續絳侯之後。當時亞夫爲河內太守。先是有老嫗許負（負曾受高祖封爲鳴雌亭侯）替周亞夫看相，看後直言告訴亞夫說：「你再過三年要封侯，封侯後八年要升爲將相，掌握國政，貴重無比；但再過九年你會餓死。」亞夫當時笑笑說：「我的哥哥已襲父爵爲侯，他如死了，他的兒子會世襲，我亞夫怎麼會封侯？若是如你所說，能貴爲將相，又怎會餓死？請你再指點一下。」許負乃指着亞夫的口角說：「你有縱理紋入口，相書上說主餓死。」後來果然如許負所說，奇哉怪也！

漢文帝後六年，匈奴大舉侵入邊界，文帝以宗正劉禮爲將軍，屯覇上（在今陝西長安縣東，接藍田縣界）；祝西侯徐厲爲將軍，屯棘門（棘門秦宮之一，在渭北十餘里）；以周亞夫爲將軍，屯細柳（在今陝西咸陽縣西南二十里處）；準備開往邊界，迎擊匈奴。文帝親自去勞軍，先至覇上及棘門兩軍，都騎馬直入營中，將士也只下馬迎送而已。後來轉往細柳，軍士都穿上盔甲，手持兵器，非常嚴整。天子先遣人員到了，不得進入營門。先遣人員說：「天子馬上就要來。」細柳軍的都尉說：「軍中只奉將軍的命令，不聞天子的詔諭。」稍後天子到了，也不得進入營門，於是派人持節告訴周亞夫說：「天子要親來勞軍。」亞夫乃傳令打開營門，營門口守衛士吏，告知天子隨員說：「將軍會有規定，軍中不得跑馬。」於是天子按轡慢行。走進營區之後，亞夫持兵作揖，並說：「介胄之士不拜（不跪拜），請以軍禮相見。」天子爲之感動，使人傳旨說：「皇帝敬勞將軍。」成禮而去。走出軍門之後，羣臣皆恐怕皇帝會發脾氣，那知文帝反而褒獎亞夫說：「此眞將軍矣！曩者覇上、棘門軍，若兒戲耳。」故文帝將死時，告誡太子說：「卽有緩急，周亞夫眞可任將兵。」文帝在日，拜亞夫爲中尉，中尉掌京師衛戍；後改名爲執金吾。

漢景帝三年，吳楚七國，連兵造反。周亞夫由中尉升爲太尉，掌管全國軍事，並親自領兵去平亂。他出到洛陽，主力按兵不動，派輕騎兵出淮泗口，斷絕吳楚後路，待吳楚糧食斷絕了，再出主力精兵追擊，大破之。吳楚等七國都平定之後，亞夫由太尉遷調爲丞相。因平亂時不先救梁，梁孝王（景帝之弟）及太后，對他很不滿；又因反對封皇后的哥哥爲侯，皇后也恨他。亞夫在這種環境下，也只好藉病辭職了。

有一天景帝想起他，特請他吃飯，但只預備一大塊肉，而不切開。又沒有預備筷子。亞夫心裏很不高興，向管開飯的人要筷子。景帝看到這情形，笑着說：「這還不滿你的意嗎？」亞夫免冠謝罪。景帝起身，亞夫趨出宮，景帝眼看着他走，並說：「此怏怏者，非少主臣也。」

後亞夫的兒子爲父親買陪葬的東西，有人告他兒子造反，連累亞夫。景帝交給廷尉法官查辦，亞夫氣得五天都不吃東西，並嘔血而死。

眞將軍必須有漢文帝這樣開明的皇帝識拔之、優容之，始能顯得出他的才能，使他能爲國家解除患難。景帝順皇后和梁王的私意，因細故而予以法辦，使這漢家焦頭爛額的座上客，轉眼變成階下囚，難怪他憤憤不平。至於太史公批評周亞夫自滿而不學，守節而不遜，我也同意這種說法，他確實有些恃功而驕，欠缺修養，所以至於嘔血而死。然而像這種有大功於國家的眞將軍，竟然被囚而餓死，太史公和我們後來的讀史者，都不免要同聲一嘆！（完）

中國女性文藝春秋（續）

周遊

吳淑姬與「陽春白雪詞」

祝英台近

粉痕消，芳信斷據，好夢久無。病久無聊，欹枕聽春雨。斷腸曲曲屛山，溫溫沈水，都是舊看承人處。久離阻；應念一點芳心，閒愁知幾許。偷照菱花，淸瘦自羞覷。可堪梅子酸時，楊花飛絮，亂鶯啼催將春去。

欣賞她的詞，祇覺得淸麗婉轉，絕不是無病呻吟，而確實有她實際的生活作背的。如果再擷取她的技巧方面有獨特的佳句，如：「心兒小，難著許多愁！」「惟有多情絮，故來衣上留人住。」「斷腸曲曲屛山，溫溫沉水，都是舊看承人處。」比之嫩玉詞，正如春蘭秋菊，各有千秋，在女性「文藝花園」裏，各有她們的芬芳鮮艷。

（七十一）

每飯須葱的吳佩孚

生活漫談

○馬騰雲○

上海中華書局出版的「中國民族之改造」，張君俊著，記載日本人研究中國民族性，將中國分成若干區域，直魯豫劃作爲葱蒜區，蘇浙閩粵劃作爲魚腥區，湘桂川黔劃作爲麻辣區，又將吃米與吃麵，山地和平原各分成地帶，研究出各種不同的個性，乃淵源於日常飲食及氣候環境，有很大的關聯。

日本人認爲葱蒜區的人，耿直而有毅力，惟易犯剛愎自用的毛病。北洋軍閥吳佩孚，可稱得上是一位典型的葱蒜區人，事實上他每飯都離不開葱蒜。吳佩孚是秀才的底子，對中國醫藥頗有研究，他認定大葱功能促進消化液的分泌，預防消化器官內寄生蟲的發生，用葱汁可治傷風鼻塞，急性慢性鼻炎均有著效。吳氏每患傷風感冒，其夫人即以葱鬚薑湯茶給他飲用，據說奏效如神。

國父孫中山先生在三民主義裏，認爲能夠[illegible]上成爲國民革命[illegible]敵的，祇有吳佩孚等一二人而已，未料第二次世界大戰吳佩孚的黃菊晚香，拒日本軍閥於千里之外，正氣磅礡直到蓋棺。名報人張季鸞於民國二十八年十二月六日論之曰：「……吳氏一生，實功多於過，而其氣節之高，操守之堅，尤可謂中國舊軍人之最後一個典型。吳氏治軍嚴肅，持己儉約，尤崇慕關岳之爲人。關壽亭身陷賊營，心不忘漢，此與吳氏之晚節，極相符合。岳武穆抗敵復國，志決身殲，吳氏雖未嘗得此機遇，然其拒敵不屈，亦可無愧矣。惟其志節堅貞，故能處汚泥而不染，喜笑怒罵於暴敵羣奸重圍中，而始終不屈。嗚呼！將軍死矣！其正氣高節則凜然長存於天壤之間，紬暴敵，愧羣奸，永爲中華民族之好男兒，將軍有之矣！」

日本軍閥雖對葱蒜區民族性極有研究，而無法改變葱蒜區典型人物吳佩孚的氣節，照這樣說，葱蒜區裏就沒有壞人了；如果持這種論調，和京戲裏「洪洞縣裏沒有好人」有同樣的偏差。吳佩孚祇是葱蒜區好人中的代表，壞人究比好人多，因與本文無涉，茲從略。

不過葱蒜對人的健康，確有意想不到的效力，有了健康的身體，必有健康的思想。當漢奸，做共諜，概括言之，率多由不健康的思想所導致。我說這話，不會有人過份反對吧！

台灣誌異

搜異錄

日人片岡巖所著「台灣風俗誌」中數則台灣怪異錄，上期已刊其二，茲續錄另二如次：

三、國姓井：大甲鐵砧山，山巔有國姓井，土人謂：鄭成功率兵至此地時，瘴毒甚厲，病者極多，成功拔劍斫地，地中忽有泉湧出，味甘而冽，飲者病立愈。

四、打狗奇果：打狗即今高雄，明都督俞大猷，討海賊林道乾至此。賊敗，隱舟於打鼓山下，恐官軍復來，乃大殺山下土著，取其血和灰黏固船隙，乘之出海，殘餘土著，走阿猴林社。此時道乾妹倉卒埋金山上，埋處偏生奇花，所結之果，異於常物。有樵夫入山嘗之，其味甘美芳香，乃懷數枚欲歸，而迷不得出。後人識其處者，雖欲再往，亦失其道矣。

先銘輯

禪的火花

悟的機遇　（廿九）

頓悟是不可能描寫的；但研究悟的機遇，不僅可能，而且是極爲動人的。

張九成居士有一次正在想一個公案，突然聽到青蛙的叫聲，立刻大悟，寫了以下的兩句偈子：

「春天月夜一聲蛙，撞破乾坤共一家」。

一位和尚研讀法華經，看到「諸法本寂滅」處時，不禁心中起了懷疑，日夜的思考，甚至行住坐臥都在想。但是他愈想的，心中愈亂。在某個春日，突然聽到黃鶯的一聲鳴啼，他便恍然大悟，立即寫了下面的一首偈子：

「諸法從本來，常自寂滅相；春至百花開，黃鶯啼柳上」。

要不是這突然的一聲鶯啼，他又怎能了解宇宙的寂滅之相呢！

不僅是聲音，而且顏色也可使我們開悟。靈雲志勤禪師便是見桃花而大悟的，他曾說：

「自從一見桃花後，直至如今更不疑」。

當然，他以前也曾看見過桃花，不過只有這一次，他看得最爲眞切，這也是他第一次面對着永恆的虛空，好像這些桃花都來自於活潑潑的心靈。以前，他只是夢中看桃花，而這一次，由於他內在精神的開悟，使桃花的形象，打開了他的心眼，看到美的源泉。這時，他所看到的桃花，不是孤立的物體，而是整個宇宙的活泉。

這使我想起了南泉和他的學生陸亘居士的一段故事。陸亘曾問南泉有關僧肇的兩句話：

「天地與我同根，萬物與我一體」。

南泉指着庭前的牡丹花說：「一般人看到這株花，好像在夢中」。陸亘仍然不了解南泉的意思。

假如陸亘懂得僧肇的思想（其實這兩句是引自莊子），便了解南泉的意思。只有你體驗到天地和我是同一本源，萬物和我共一體性，你便會如夢初醒，看得眞切。

假如我們眼中的上帝，不僅是位至高的工程師，而且是位至高的藝術家，或詩人的話，那麼，整個自然便會以最新的面貌呈現在我們的眼前，使我們的心靈欣賞其動人之美，好像處身於樂園之中。正如回教詩人沙地（Sufi Poet Sadi）所說：

「凡是醉心於上帝的人，只要聽到水車的轆轆聲，也會忘形」。

有些禪師認爲一個人覺悟之後，也能以眼去聽。讚美詩的作者便是這種人，他曾唱着：

「乾坤揭主榮，碧穹布化工，朝朝宣宏旨，夜夜傳微衷」。

○吳經熊著　○吳怡譯

「三卡」與「三打」

十二月十日前後，中央與地方各機關人員，盛傳：「三考、三卡、」制度，一時雲漫風起，大有人事革新之勢。

什麼是「三卡」制度？

就是用三種卡片來考核公務人員的日常工作和操守。這三種卡片是：

「勤惰記錄片」。

「工作記錄卡」。

「品德生活記錄卡」。

行政院長嚴家淦十二月七日指示：各機關的人事單位，應徹底推行公務人員考核的「三卡制度」。

他在行政院院會中，聽取人事行政局局長王正誼報告人事局的工作概況後，他對人事局制訂的這個制度極爲重視，當即指示各機關必須徹底推行。

「三考、三卡、」制度是：

勤惰考核：各機關除正副首長以外，任何人均須簽到；辦公時間開始後五分鐘未到者，以「遲到」論。廿分鐘後以「曠職」論。下班前十五分鐘離開者以「早退」論。辦公中途離開本機關者，以曠職半日論。

各單位人事單位應派員至辦公室查勤，將各人勤惰情形記入卡片。

實行不及幾天，首先有一位高級人員，知法犯法，記了一大過，便是：省級某三級單位人事室主任，因「曠職」而未執行工作，被遭議處。

其實說戲談戲：「三卡」制度由來已久，自古就有。讀者不信，聽我道來：全部「紅鬃烈馬」一名：「薛八齣」。自「花園贈金」、「三擊掌」、「綵樓配」、「探寒窰」：都是青衣的正工戲，所以又名：「王八齣」。在「探寒窰」之後，接演「別窰」，男主角薛平貴與王寶釧正在難分難捨之際，忽聽軍中號砲三聲，平貴便忍痛上馬，逕奔大營，接演：「誤卯三打」，平貴的主管是他的連襟魏虎，鐵面無私，毫不講人情。第一次點名不到，便是誤了一卯，三次誤點，便是誤了三卯。他的法則是：誤一卯打軍棍二十，誤二卯加一番，軍棍四十；誤三卯再加一番，軍棍八十。眞比現在「打卡」誤時，可以補請假要嚴重得多！

「三打」的薛平貴，一向由武生應工，故都以周瑞安所演次數較多。他以楊派武生享譽一時，因演戲火爆，絕不惜力。南方則以林樹森與王芸芳合演最佳，他二人此齣的唱片充滿離人思婦的感情。

○桂良。

洪憲帝制運動秘辛

諸葛文侯

袁氏敢於稱帝的所以然，除却在國內自信其威力足以控制外，國際因素亦給他以很大的誘惑。

這時歐戰勃發，西方列強不特無暇過問中國的內政措施，且盼望袁氏能贊助英法俄協約國方面，因而對袁特別推崇親近，尤以當時執世界經濟牛耳，主盟國際坫壇的英國，對袁氏恭維備至。據梁士詒年譜紀載，英駐華公使朱爾典爲帝制問題，曾與袁密談一次，存有談話筆錄，袁批註「嚴密」二字於筆錄上。又日本首相大隈重信，亦有親筆函致袁，語多恭維，但未涉及帝制事。袁一度將此二項機密文件，交梁查閱，表示外交上對帝制案決無問題。英使朱爾典與袁氏密談內容，重要的有幾點：

朱問：「君主立憲，實行之日當不遠矣。」

袁答：「近年來各省將軍巡按使暨文武各官，皆言非君主立憲，不能鞏固國基，至於今日，全國贊成，予惟有順從民意。」

朱謂：「若中國無內亂，則隨時可以實行，此係中國人內政，他人不能干涉。」

袁答：「內亂不能決其無，但不致擴大，余可担保治安之責。惟對外問題殊爲焦慮，不知東鄰有何舉動……？」

朱謂：「日本勸告，或係照例文章，至於乘時取利，似亦難言。」

袁答：「大隈伯對我駐日公使言，關於君主立憲，請袁大總統放心做去，日本甚願幫忙一切。」

袁又謂：「當日提倡共和者，不知共和爲何物，今日主張君主者，亦不知君主爲何物。多數人民不過有漢唐明清之專制君主印其腦中，其或百中有一祇知日本之君主，或百中有一知德國之聯邦，至於特色立憲君主，固未嘗夢到也。」

朱答：「共和政體，華人未嘗研究，君主政權或稍知之。當辛亥革命之日，華人醉心共和，以此口號，推翻滿清。是時大總統以爲君主立憲於中國人民理想。爾典與美使嘉美國駐華公使柔克義亦屢言之。南北討論之時，唐紹儀因一時之感動，未察國家萬年之計，主張共和，不可謂非失策也。」

英國使節這番論調，完全是出於鼓勵袁氏稱帝的心情，使袁認爲外交無問題。而袁最大阻力的日本，其內閣總理大臣大隈重信，又向袁表示贊成帝制之意，乃增加了袁氏的信心。可是，英使之言是眞心場，而日本却別有作用，袁氏終於吃到了日本的大虧。（三）

國劇腳本　大漢兒女（一名新莽劫）

○田士林○

趙終葵：賢弟毀家紓難，可敬可佩，只是日後不要後悔。

田子文：兄長此話大不該，滅莽興漢，人人有責。

趙終葵：菁娘表妹，英勇過人，此番舉義，必須得他襄助。

田子文：只怕表妹不肯，你去試圖說服再作道理。

趙終葵：賢弟幾時去東郡？

田子文：事不宜遲，救國如同救火，小弟就此告辭了！（下）

趙終葵：往日見他文弱多病，不想，一旦國家一變，竟然志氣昂揚，一無所畏，毀家紓難，仁至義盡，這才是儒生的本色！待俺去見姨母，請表妹一同舉義便了。（打馬圓場下）

鶯兒：（孝服上）（開門）表少爺，你怎麼纔來？

趙終葵：（驚）啊！姨母她……

鶯兒：去世了！（哭）

趙終葵：噯呀！（急入，跪拜靈牌）（唱）見靈牌不由人淚流滿面，不曾想大姨母已歸黃泉。憶去年相聚合一場壽宴，蒙青眼受教訓金石之言。哭一聲大姨母難得再見，姨母啊！起義兵請表妹有口難言。（白）姨母如今葬在何處？

（廿五）

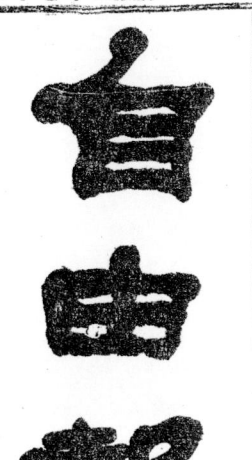

自由報

第八四九期

社長李運鵬・督印黃行書

社址：香港九龍登打士街91號十樓六座
91 DUNDAS ST. 9th FLOOR, FLAT 6 KOWLOON H.K.

從十一教授上書說起

張起鈞

一、國文國語的問題已經响澈雲霄，成爲自由中國家喻戶曉的問題了。筆者對此問題並無深刻研究，不願表示什麼意見，尤其爲了業務關係，應該保持超然立場，更不願介入這一爭辯的糾紛。但在這爭辯中有一個插曲，却使筆者感到意義十分嚴重，而不能已於言，那是十一教授上書總統的事了。（註：事見五十六年十二月廿四日中央日報及本年元月三十一日本報。內容係建議總統：一「國民小學『國語科』應正名爲『國文』」……」，二「……國民小學低年級仍教『國語注音符號』，高年級得加授淺近文言，俾養成畢業生有閱讀中國淺易典籍之能力而瞭解中國文化」兩條。）

教授集體爲文表示意見，在大陸未淪陷時是有的事。例如筆者當年便曾忝附朱光潛、鄭華熾、賀麟、張佛泉……等先生之末，聯名表示對軍援經援等問題的意見。並曾因此受盡了共黨電台雜誌的漫罵抨擊。及至大陸變色，政府遷台，這種事情就未再見了。大陸上的教授處於共黨專制淫威下，誰還敢聯名表示意見？而自由中國的教授也未見有甚麼表示。經過了二十年的岑寂後，突在去年十一月二十二日有十一位知名教授聯名上書總統，公開表示他們的共同意見。這不僅是文教界的一件大事，並且也是政治上的一件大事。

這上書的十一位教授中，包括有一位深通中英文史的前任大學校長，一位國立大學的文學院院長，和兩所國立大學、一所私立學院的全部中國文學研究所的主任及中國文學系主任，及幾位研究所的教授；而其所談的內容，正又是他們平生研習、受命司掌的國文問題，試看這是多麼有份量，多麼有意義的一件大事。以我們的揣想，政府縱不立即採納實行，至少在禮貌上也會比照款待那些良莠不齊的所謂歸國學人（或藝人）辦法，而由總統召見嘉勉一番。那知上書之後，只由總統批交教育部研議。而這麼一「研議」就不見下文了。採行意見固是談不到，就是「研議」的情形和結論，也全無消息。甚至十一位教授又於本年一月十八日正式簽名致函教育部，請將「研議」人名單及研議結果和理由：「公佈，俾向社會交代，向歷史交代」。但教育部至今並無隻字答覆。究竟教育部是請的什麼「權威」（？）人士研議的，還是只派了兩個科員等因奉此的「研議」（？）一下，就把這十一位知名教授的集體意見不了了之了？我們局外人實在無從知悉。[illegible]重專家的近代政治意見，[illegible]些位系主任、研究所主任，和知名的教授，就正是這方面具有權威[illegible]……

[illegible]……或者說：這問題的癥結是在政治風氣，而不在語文的本身。假如十幾位教授聯名上書，當局立即採納，而效此之風一開，那還得了？尤在「此風不可長」的考慮下，便只有不了了之了。——如果真有人如此想時，那真是罪該萬死；不僅與民主時代精神不合，即令在君主時代也必是逢君之惡，別有用心的官僚。假如上書是爭權奪利，那還可說。而現在則是十幾位學者本着他們學識的觀察，而爲國家的前途呼籲。其用心之深，誠欽敬尚且不暇，還怎麼講出這些廢話？尤其學者教授既不能持干戈效命疆場，又不能操鋤斧從事生產，他們除了貢獻其智慧遠見外，還有什麼更好的途徑報國？現在這十一位教授挺身而出，提出他們的意見，這正是他們盡其天職的最佳表現。國人若真能聞風而起，各自貢獻其所知，那將是國家的大幸大福，怎麼還怕人效尤？

再就政府來說，政府儘管有賢明的領袖、能幹的政治家，但也不過是總其綱要處理行政而已。至於細節內容則仍要聽專家的意見，用大家的智慧。孔子稱讚：「舜其大知也與」，也就在其能「好問而好察邇言；執其兩端用其中於民」；而不在其能事事皆懂，樣樣內行。尤其今天、社會如此複雜，分工如此細密、政府大員絕不可能對每樣事都有深刻透闢的認識。因此勢必發動社會各方面卓越有識之士貢獻其所知，然後政府才能集思廣益發揮最大效能；僅憑幾個等因奉此的科秘解決不了問題的。上次大戰時，愛因斯坦上書羅斯福總統，建議研究製造原子彈以防德國佔先，然後才有原子彈的發明，奠定二次大戰的全面勝利。假如愛氏一樣不言，羅斯福總統怎麼會知道（至少是想不到的）這一着？要是德國真個埋頭研究成功，先發制人，那後果還堪設想嗎？學者專家意見之重要，於此可見一斑。因此爲政者所躭心的是怕大家「各掃自家門前雪」不肯分心爲國謀。到那時不僅國無可用之智，並且人心渙散，國不成其爲國了。現在我們能有十幾位教授仗義而言，這是如何可喜的現象，直等於即從技術上講，免費的智囊團，不負國家多年養士之功，真是最合算的事，怎可把這自製的成果，棄置不顧？

總之，古今中外的政府，要想長治久安的，無不是仰賴知識份子的智慧。若是不能與知識份子攜手合作，或雖容納一些學者，却只叫其排隊站班，個個阿諛頌聖，試想那政府的前途將會怎樣？（完）

半推半就
盡情搖擺

昨日與明日

毛酋澤東垂死掙扎

毛酋假名「文化革命」而掀起的奪權運動，艱苦鬥爭了一年多，把原有的黨、政基礎和體系紀綱，全部摧毀掉，還是不得要領。最後幡然變計，向軍人妥協，利用槍桿子的力量，高唱「三結合」偉曲，由地方駐軍頭目作主，先後成立了什一個省市單位的「革命委員會」，準備在今年九月間召開所謂中共第九次全國代表大會，重建黨、政體系，成爲清一色的毛家班。毛酋這種如意算盤打得通嗎？答案肯定是個「不」字。

首先就是「九全代會」的代表人選，各地區的軍頭一定有所染指，不會讓毛酋全部欽定的。這些軍頭之中，有許多都曾經反對過「文化大革命」惡作劇，被紅衛兵攻擊得體無完膚，他們物色的全會代表，即不會過事唯「毛主席」之意志是從。

劉少奇、鄧小平之流的權力地位垮了，繼起者未必就是毛酋所屬意的忠實同志吧？

毛酋最大的失策

毛酋奪權運動最重要的制命傷，就是教自己的老婆江青出面綜持「中央文革小組」。以一個演文明戲出身的風塵女人，一朝掌握政黨最高權力，經常發些無「稽」之談，今天要揪鬥這個官員，明天要整肅那個將領，張牙舞爪，牝雞司晨，不特被她打擊的若干文武大員，知識資歷比江青高出若干倍，心裏根本就瞧不起她，即一般黨員羣衆，也對江青只有反感，很自然而普遍的一種觀念，大家認爲「她是甚末東西！」

毛共的九全代會如果開成了，江青一定在黨方躍居中委地位，不成問題，進而攫取學黨大權，亦非不可能的事。因爲毛酋已屆風燭殘年，步履維艱，時時刻刻可以翹辮子，他祇好利用老婆作替身，藉以保持着奪獲的權力。這更增加內部的矛盾分裂因素，相激相盪，弄得帶槍桿子的老粗們忍無可忍時，「六軍不發」的歷史舊劇，難保不重演的。所以，我認爲這是毛酋最大的失策，將來必有「自作孽，不可逭」的後果。

反共陣營沒有便宜可撿

毛共經過這次無法無天的奪權鬥爭之後，要想重建黨、政威信，恢復共黨所謂鐵的紀律生活，絕對是無望了。軍人的山頭主義根深蒂固，北平有如周平王時代的朝廷而已。如果沒有外來的實力予以打擊，即令毛酋死去，大陸上還是共黨的天下，過去北洋軍閥互相內戰不歇，讓國民革命勢力坐收漁翁之利的情形，不會發生了。

這是反共救國的最後大好機會，我們如其依然以隔岸觀火的心情，毫無實際動作，而期待毛共不戢自焚，讓我們重溫對日抗戰時期的「接收」美夢，那便是愚蠢之至的幼稚觀念，非失敗不可！（何如）

談婚姻法

香港的律師公會，最近建議修訂婚姻法，對於男女結婚離婚，皆採自由主義，如離婚行爲，祇要男女雙方協議同意即可，不須具備遺棄、虐待、或與人通姦等類條件，在法律上即發生效力。

現行的香港法令，對男女婚嫁和家庭問題，既不適用英國的成文法規，也不援用中華民國的民刑法，而以「大清律例」爲圭臬。所以，多妻制在香港是合法的，「平妻」便係妾媵的別名，表面很堂皇，香港居民從來就沒有「重婚」官司發生，良有以也。目前律師公會建議的婚姻法，是一夫一妻制，又規定男女離婚，手續很簡單，一旦實行起來，我就心耽社會上將要平添若干男女間的婚姻糾紛，反而沒有現在這樣恬靜的生活情調了。

人間最感煩惱而又沒法作合理解決的事情，只有男女婚姻和家庭問題，法律上儘管規定明確，防範周到，亦復無濟於事。例如我國訓政時期的立法院修訂刑法時，爲着「有配偶之人與人通姦者，處三年以下有期徒刑」這條明文，爭論甚多，費力不少，然實際上這項條文等於虛設，「有配偶之人」即使「與人通姦」，由於「親告罪」的限制，除非有配偶之人當場破獲姦情，舉證告發，旁人誰也不願管這類閒事的。

社會愈進化，人類的生活方式即愈複雜，而以男女間的問題尤其玄妙而煩瑣，法令規定越多，糾紛也就相應大起，老子說：「法令滋彰，盜賊多有」，此之謂也。香港至今沒有婚姻法規，而男女婚嫁和家庭糾紛即少見，如果新訂一套婚姻法付之實行，我敢担保社會上便要發生若干亂子的。所以人類許多事情，最好是聽其自然，不必管制，而以教育爲化民成俗的唯一手段，才是爲政求治之道。不錯，香港的「平妻」制度是不合時代潮流，可是那些在法律上嚴格規定一夫一妻制的所謂文明國家的男人們，還不是照樣的有外室、情婦嗎？不賣狗肉不一定就是醜事，何必硬要掛羊頭呢？

馮王先生

港澳僑胞回國觀光 不相識者切勿担保

出入境證同時發給費用僅六元 超收費用扣發出境證均屬不法

（本報台北訊）（一）自五十六年七月間，公佈實施港澳僑胞個別回國觀光辦法後，甚多僑胞委託港台兩地旅行社代辦入出境手續，並代覓保證人，給予酬謝。間有不法之徒大事包攬，竟敢刊登廣告，公開徵求公教人員爲人作保，代價從優之荒唐啓事。須知爲人作保應確知其思想忠貞，身世言行無疑，對國家負責。政府因信賴保人制度，准其入出境。但保系不相識者入出境，一旦發生事故，國家蒙受損失，個人受法律制裁，豈能以金錢交易，視爲兒戲？此等不法之徒目無法紀，利之所趨置國家安全於不顧，危害非淺。有關機關刻正依法究辦中，深望我回國僑胞勿再受騙。

據港澳僑社流傳，僑胞回國同時申請入出境者，僅能先拿到入境證，俟抵台後花錢請託，始能領到出境證。經詢據台灣警備總部稱：港澳僑胞凡同時申請入出境者，均同時發給入出境證，絕無先發入境證，後發出境證之事。其中可能有人出於惡意中傷，或爲少數不法掮客從中作弊，企圖影響政府信譽；爲杜絕此一弊端，警總已自四月一日起在所發之入境證內，加蓋戳記，說明出境證亦已同時發出，並註明證號，以免僑胞受騙。

又訊：港澳僑胞同時申請入出境者，入出境主管單位僅收工本費港幣六元，單入境或單出境者，各收工本港幣三元。聞有少數旅行社包辦僑胞赴台入出境證手續，超收費用甚多，並大登廣告招徠顧客，藉牟不法之利。政府當局極爲重視，歡迎愛國僑胞舉發弊端，爲不法者戒。

立委徐中齊在立法院揭發

劉紹志涉嫌貪瀆失職 黃文岳侵害商人權益

（本報記者張健生台北航訊）川籍立委徐中齊在立法院揭發省林務局蘭陽林區管理處林產課長黃文岳、股長金瀚森、技工陳添新、劉天賜、林水進等多人共同舞弊，使國庫蒙受損失，使商民財產被侵佔；省主計長劉紹志涉嫌貪污瀆職等不法行爲。

這位在抗戰時曾任陪都之重慶市警察局長的立委，他質詢貪污風氣時說：台灣省政府主計處長劉紹志，在作風方面說「崇法務實」，不循私情，在作業方面，則以推行績效預算「節用愛民」爲張本；但實際的情形，卻是恰得其反。其作風和作業，既不「崇法」又不「務實」，而且弄權、瀆職、循私舞弊。其事例：

一、台北市警察局主計室前主任林南洋，歷年侵佔貪污公帑三千餘萬的那個案子，是五十四年就發現的當時警察局長劉樹梓，認爲林南洋不盡職守，請主計處更調。劉紹志派人去查了一下，認爲成績優良。劉樹梓迫不得已，把公文報到行政院主計處。不久劉樹梓他調，於是劉紹志就趁機把那件公文抽回。五十五年春天，有人向省主計處列明事實，檢舉林南洋；劉紹志再派員複查，並且指使複查人員核實具報。後來，又有人一再的向省 告發，但都被劉紹志批存了。在台北市改制前，行政院以林南洋涉嫌瀆職，指示省主計處調查，劉紹志沒有接受，後來，行政院主計處只好直接更調，不久就暴發了林南洋的貪污案。劉紹志一而再，再而三的那樣支持林南洋，顯然構成包庇貪污。所以有人說，林南洋送了劉紹志五十萬元的紅包，可能是個事實。否則，劉紹志怎會那樣擇不審而固執的支持他呢？

二、劉紹志在台北成功新村的私人宿舍，本來是座平房，現在建洋式樓房，裝而家具一律洋貨，花費四十餘萬元。這筆錢，聽說是在省府建築職員宿舍的經費內開支的。省府配給劉紹志的官舍，在中興新村光華三路二十六號，爲什麼把台北私人宿舍修理得那麼富麗堂皇？而省庫的公款又怎樣能夠修建私人宿舍？這房子的產權誰屬？會計科目又怎樣處理？

三、省政府五十四、五十五兩個年度所編列：建築中興新村宿舍二百二十餘棟的經費，實際上只造了一百棟，其他一百二十棟的經費流到那裏去了？弄得許多省府職員沒有宿舍住。

四、劉紹志雖然標榜不循私情，但是對於不夠關係的職員確是非常苛刻，例如屏東某三級機構一位主計主任林挺超，因爲四十元的一份單據處理不當，就被送往法院，經過兩年的訴訟，結果宣判無罪；刁難，到現在，才給他復職，一家九口的生活，搞得痛苦難堪。

劉紹志這個主計處長貪瀆失職，應否嚴加查究？行政院應即答覆。

徐委員指出：林務局蘭陽林區管理處貪污非法層出不窮，有關主管機關亦未澈查嚴辦不肖林官。其非法事件列舉於下：

一、該處所屬一四五林班原由榮民負責砍伐工作，旋因榮民奉令他調，所剩餘未砍伐之工作交由由羅東鎮泉興木行負責人謝獅發包砍伐，詎料該處金瀚森股長、吳管理員、石管理員等竟與商人謝獅勾結，虛報材積五百立方公尺，冒領砍伐工資七萬餘元。（上）

司法院秘長出缺

人事安排 惹起閒話

（本報台北訊）司法院前秘書長王煥逝世之後，院長謝冠生當即發表命令，由行政法院院長顧汝勳暫時兼代秘書長職務。此項命令，和王前秘書長逝世的消息同時公佈。之後不久，又發表命令，由最高法院推事兼書記官長周定宇調任秘書長職務。此一人事安排，外界有人說閒話。

一種說法是：謝院長於公佈王前秘書長逝世消息的同時，又公佈由顧汝勳暫代秘書長職務，是因爲秘書長職務之重要，不可一日無人。

另一種說法的是：覬覦秘書長職務的人很多，各方面的人都有。謝院長惟恐有力人士將別人安插進來，所以在王前秘書長去世之日，立即發表命令由行政法院院長顧汝勳暫行兼代秘書長職務，以杜絕各方人士的念頭。按顧汝勳是謝冠生院長最得力最親信的人。

又有一種說法是：後來接任秘書長職務的周定宇，是顧汝勳的女婿。周定宇是自顧汝勳的手中接過秘書長職務，等於岳父將秘書長職務交給女婿。其間的微妙關係暫且不說，岳丈與女婿秘書長職務這段接力賽，就足可傳爲佳話而永垂不朽。

但事實上，傳說儘管傳說，周定宇之繼任司法院秘書長職務，是適當的人選。第一，周定宇年富力強，有充沛的精力來幫助院長及副院長處理院務。他的年齡，比王前秘書長至少要年輕二十歲。第二，周定宇有豐富的學識與資望。他担任最高法院推事兼書記官長多年，對整理判例及改進審判實務，有很多的建樹。尤其他在近二十五年的司法官任期中，從地檢處檢察官而推事而第二、三審推事，予人的印象，是操守廉潔，精明幹練。像這樣的人才，眞是秘書長的適當人選。

只要用人唯才，何計親疏？只要用人得當，無須遠嫌。

（台北航訊）高雄以南約一百餘公里處，有一座枋山，聳立於將近海拔七百公尺的海邊，是一個人跡罕到的荒山野嶺。交通部派了九位技術人員，在那裏默默無聲地工作，將自由中國的電信設置起來，藉以作爲推進微波通信的里程碑。

從民國五十五年起，他們就在這荒山中工作。到民國五十六年六月間，完成了對香港的微波通信系統。現在，他們又展開對菲律賓的微波通信的建築工程。

所謂「越地平微波系統」，是利用高空「對流層」物理性質不規則或不連續性而使無綫電波進行散射傳播之原理，而建築的電信系統。這種微波通信，最有效的距離爲一百四十公里到一千公里。這是現代通信史上一種重大發現，也是中距離通信最有效的系統之一。

越地平微波通信系統，有如下五個優點：①不受季候及太陽核子活動影響，可靠性達百分之九十九點九。②一年四季不需更換頻率。③受干擾較少，在任何傳播情形之下，訊號永遠存在。④品質甚高，與視綫距離之微波通信相媲美。⑤容量大，本系統額定容量爲六十四個高品質電話電路。

枋山之巔建對菲電訊系統 作為推進微波通訊里程碑

已完成的對香港微波通信系統，有兩座，每座直徑八十五呎的微波散射天綫。用兩種不同的頻率，將電波發射到高空的對流層，與從香港發射的電波相會合，互相通信。

枋台微波電台中收訊或發訊機，利用兩種不同的頻率，同時發收或發出電訊，如電流中有雜音，收發訊號機會自調自整，把有雜音的頻率所收的訊號除去，留下沒有雜音的頻率信號。所以，台灣對香港的微波越洋長途電話，如同台北市內的自動電話一樣清晰。有時更比台北市內電話還要清楚，因市內電話遇到很惡劣氣候時，還有一些干擾的聲音，越洋微波電話，不論在任何惡劣氣候之下，一點雜音也沒有。

微波電台所用的電力，是發自電力公司。但是如果電力公司的電綫被風吹斷，或因故而停電的話，微波電台自己有自動發電設備。只要電力公司的電源中斷，自動發電機就立刻自動發電，輸送強大電力，供發射空中電波之用。

對香港的微波通信，目前只有十六個電話電路。在最近兩個月內，將再增加十六個電話電路。共爲三十二個電話電路。但微波通信設備最大的容量有六十四個電話電路之多，尚可增加一倍。

正在準備建築的對菲律賓的越地平微波通信系統，早已發包比價。有三家電子公司參加比價。美國一家電子公司出價美金八百三十餘萬元，價格太高。日本NEC電子公司出價美金四百四十萬元，價格太低，惟恐品質不如理想。另一家是日本三菱電子公司，出價四百六十萬美元。交通部認爲出價相當，正開出製品的規格標準，給三菱公司研究中。三菱公司定於三月二十一日以前答覆。如三菱公司以美金四百六十萬元的價格，達到交通部所定的規格標準，就決定由三菱公司承包對非微波通信系統的建築工程。現在，對非微波通信的天綫位置，已經奠基就緒。一俟決定承包公司，便可展開工程。預計到明年二月間完成，開放對非微波通信。

枋山南面臨海，上接雲霄，距離最近的鄉鎮是枋寮，也有四十公里之遠。眞個是人跡罕到之處，連樵夫也很少看到。在山上工作的人員，除九位技術人員之外，還有四位普通員工。共計十三人。他們在那裏建築有鋼筋水泥的平房宿舍，交通部在每個宿舍中，設有十九吋電視一台、大型電冰箱一個，以及其他冷暖器及收音機等。他們終年難得下山一次。山上有各種書報及一個彈子枱，還有乒乓球台。閒來無事便玩乒乓球或撞球遊戲，夜來看看電視或聽音樂，沒有塵囂的煩惱。國際電台台長王德蓁先生，是名滿海外的電子學權威，年逾古稀，也時來山上陪這十幾位年輕人一塊兒爲自由中國的電信交通而埋頭工作。

本報記者新聞

董正之力促改變

完成環島鐵路 加強環島航運

（本報航訊）立法院三月八日第四十一會期第六次會議，立法委員董正之，就完成環島鐵路及加強環島航運二事，對行政院嚴院長施政報告，提出書面質詢，據稱：

「客秋，本人曾赴東部考察，藉悉花東人士，矚望政府對興築南廻北廻鐵路，摯情殷切！

查戡亂基地台灣，面積僅佔全國版圖三千分之一。中央山脈，縱貫南北，地緣形勢，區分東西。比年政府建設，類多側重西部，形成西部發達，東部落後現象。揆之建設台灣國策，猶待戮力徹底執行！

此項重要交通施政，一則平衡全省東西經濟建設，二則調劑西部人口密集現象，三則加強東部沿海國防實力，四則促進東部教育文化發展，五則便利政府一切政令推行。工程雖屬艱鉅，目標原係多種。政府信其可行，三載當可觀成！去冬執政黨五中全會，且曾通過實施，似應成爲定讞。

至於加強環島航運，現以貨物運輸爲上。儲備反攻運輸實力，一旦戡亂令下，三軍跨海西征，支持軍事供應，須有龐大潛力。以及大陸重光，復員工作，尤假航運。吾儕浮海而來，仍須附舟歸去。未雨綢繆，籌措宜早！未審行政當局以爲然否？」

吾儕浮海而來，仍須附舟歸去！

壽何孟吾先生（上）

蔣丙英

丙英治史，垂數十年。恒俯仰古今，上下數千年，展望中外，縱橫億萬里，尚友聖賢豪傑，心會文史哲理。居常深思：無量之時間，無邊之空間，求其能名垂宇宙，照耀史冊者，以中西歷史之帝王論，能知其名述其事者有幾？次而求諸公侯將相，恒河沙數，能知其名述其事者復有幾？近代人物之可數者寥寥。治史者尚如此，矧碌碌者哉？是則芸芸衆生與作福作威者流，果何往而歸宿耶？一言以蔽之，與草木同腐矣。

五百年必有王者興。竊謂王者，成則爲王，敗則爲寇，其能稱孤道寡，乃一時之風雲際遇，因緣時會；設其不幸，幾何而不爲御用之史筆，斥之爲寇、爲賊、爲盜、爲匪？是則所謂王者，果何如人耶？其去寇、賊、盜、匪，間不容髮矣。嗚呼！劉邦洪武之流，不亦險哉！草莽英雄之不足爲也有如此，是則西方所謂知識即是權威，中國所謂素王尚矣。揆諸近代知識權威人物中，何公孟吾博士，爲巨擘焉。蓋大氣磅礡，天縱英豪，學貫中西，立功立言之一代霸才也。

先生獨往獨來，我行我素，眞名士，眞風流，大丈夫，大學者，縱橫豪邁，直貫長虹，滿腹經綸，可吞雲夢。教育則春風化雨，樹百年之大計。理財則富國裕民，爲萬家之生佛。訓練則同仇敵愾，奠抗戰之基石。與權貴抗，使頑廉懦立。游說軍閥，促余國統一。運籌輒洞燭機先而決勝，演說使聽者動容而淚落。文章則汪汪洋洋，一瀉千里。熱忱能使金石爲開，冰河解凍。詼諧能別出心裁，發人新頴，亦莊亦諧，捧腹稱快。揭發國際陰謀，爲人所不敢爲。着筆政論時評，發人所未能發。功成身退，張子房之流亞。心憂祖國，管夷吾之返齊。打網球以養身，百鍊金剛，亘數十年如一日。甘淡泊以養心，定靜安慮，故能高瞻遠矚。一身獨攬老、儒、墨、兵、縱橫、詼諧各家之衆長而道成一貫。宜其與諸子百家石錯千錘，宜其爲人景仰之宗師。劉玄德謂趙子龍一身都是膽，吾則竊謂先生一生都是豪，天縱也。求諸史乘，才擅諸子之長，身集百家之英，吾讀遍典籍，吾數遍先賢，求其人而不得，有之，則求之于先生。欣逢其七十初度，面對現代奇人，而不述其不朽事跡，作久遠之廣播，罪莫大焉，可傳而不傳，則無史識，咎莫甚焉。非吾有所偏私，凡識者早有定評，何喋喋爲？要備史家之忘，兼壽先生。

「九一八」日本侵佔瀋陽之後，救亡圖存之急，莫於集中全國青年，施以軍事訓練。湖南全省學生集訓，先生總其成，日以民族大義國家意識相訓勉；純道義的結合，眞感情的流露相砥礪；以火辣辣之赤誠，射入青年之血管；以虎生生之氣魄，灌注學生之靈魂；輸以溫暖暖之情懷，投赤子之心田。既作獅子之怒吼，復能循循而善誘。故能親如手足，愛以精誠，鎔數千人之心爲一心，結數千人之力爲一力。熱血奔騰，如潮如湧；愛國情操，如痴如醉；大有磨拳擦掌，枕戈待旦之氣，視死如歸滅此朝食之勢。去死，人人所畏，竟能令人以死爲樂之如歸家，不亦憂憂其難！其能行而有功，中國則爲小白之糾齊，西方則爲斯巴達之稱古希臘，近代則爲此一集訓，惜未一顯身手也。結業之期，先生話別，全體師生，爲之痛哭，相戀相依，難捨難分。感人之深，團結之固，非其學有以服人，其誠有以動人，其德有以感人，曷克臻此？曷克臻此！莘莘學子後此之投抗戰，無不亦肝忠心，成功成仁，大有人在，種因于此時也。顧風氣一開，湘人乃曾左之餘緒，復以東方之普魯士、斯巴達，著稱于世，是則先生之影響力，乃繼往而開來，承先而啓後矣。

康有為上光緒皇帝書

・鴻・

膠警乃其借端，德國固其嚆矢耳。二萬萬膏腴之地，四萬萬秀淑之民，諸國眈眈，朵頤已久。慢藏誨盜，陳之交衢，主者屢經搶掠，高臥不醒，守者袖手熟視，若病青狂。唾手可得，俯拾即是，如蟻慕羶，聞風並至。失鹿共逐，撫掌歡呼。其始壯夫動其食指，其後老稚亦分杯羹，並思一臠。昔安南之役，十年來乃有東事（甲午之戰），割台之後，兩載遂有膠州。中間東三省龍州之鐵路，滇粵之礦產，土司野人山之邊疆，尚不計矣。自爾之後，赴機愈急，蓄勢益緊。事變之來，日迫一日。教堂遍地，無刻無可啟釁；礦產遍地，無處不可要求。骨肉有限，剝削無已。且鐵路與人，南北之咽喉已絕；疆臣斥逐，用人之大權亦失；寖假如埃及之管其戶部，如土爾其之柄其國政。滿洲總署，彼可派其國人，彼且將制其事命。鞭笞親貴，奴隸臣民，囚奴士夫，蹂躪民庶。（節錄）

願伏皇上因膠州之變，下發憤之詔，先罪己以勵人心，次明恥以激士氣。集羣材咨問以廣聖德，求天下上書以通下情，明定國是與海內更始。自茲國事付國會議行，紓尊降貴，延見臣庶，盡革舊俗，一意維新。大召天下才俊，議籌款變法之方，採擇萬國律例，定憲法公私之分。大校天下官吏賢否，其疲老不才者，皆令冠帶退休。分遣親王大臣及俊才出洋，其未遊歷外國者不得當官任政。統算地產人工，以籌歲計預算。察閱萬國得失，以求進步改良。罷去舊例，以濟時宜，大借洋款，以舉庶政。詔旨一下，天下雷動，士氣奮躍，海內聳望。然後破資以勵人材，厚俸以養廉恥。停捐納，汰冗員，專職司以正官職；變科舉，廣學校，譯西書以成人材。懸清秩功牌，以嘉新藝新器之能；創農政商學，以爲阜財富民之本。改定地方新法，推行保民仁政：若衛生、濟貧、潔監獄、免酷刑、修道路、設巡捕、整市場、鑄鈔票、創郵船、徙貧民、開礦學、保民險、籠鹽征。以鐵路爲通，以兵船爲護。夫如是則庶政盡舉，民心知戴。

請皇上勿去舊衙門，而惟增置新衙門；勿黜革舊大臣，而惟漸擢新小臣。多召見才俊志士，不必加其官而惟委以差事，賞以卿銜，許其專摺奏事足矣。彼大臣向來本無事可辦，今但仍其舊，聽其尊位重祿，而新政之事，別責之於小臣，則彼守舊大臣既無辦事之勞，復無失位之懼，則怨謗自息矣。即皇上果有黜陟全權，而待此輩大臣，亦祇當如日本待藩侯故事，設爲華族，立五等之爵以處之，厚祿以養之而已，不必盡去之也。

讀史政略

唐代譯經運動（上）

・仲公・

貞觀十九年，詔（太宗詔）將梵本六百五十七部於弘福寺翻譯，仍勅右僕射房玄齡，太子左庶子許敬宗，廣召碩學沙門五十餘人相助整比。顯慶元年，高宗又令左僕射于志寧，侍中許敬宗，中書令來濟、李義府、杜正倫，黃門侍郎薛元超等，共潤色玄奘所定之經；國子博士范義碩，太子洗馬郭瑜，弘文館學士高若思等，助加翻譯，凡成七十五部，上奏之。

佛教傳佈，是世界歷史上的一件大事，其學說得失，仁者見仁，智者見智，爭論了幾千年，迄無定論，茲事體大，我們不必去討論。但佛教之入中國，自是一種新文化的輸入，應無疑問。輸入一種新興的文化，自有其客觀與主觀的情勢，潮流之來，無法抗拒，亦不必抗拒。故第一步工作，應該先求瞭解其學說的全貌，然後才能作一取捨的抉擇。

佛教自東漢初年傳入中國後，歷代都很注重佛經的翻譯工作。近人梁啓超氏分析佛經翻譯，畧分三期，自東漢至西晉爲第一期，所譯之經，多零品斷簡，所謂「畧至畧譯，全來全譯。」梁氏認爲實際上「畧者多而全者希，所譯不成系統，翻譯文體，亦未確立」。東晉南北朝爲第二期，成績可觀，而且西行求經的風氣很盛。自唐貞觀至貞元爲第三期，譯經事業，到達高峯。

唐代的譯經，與政府的政策有關。李唐崇道，但亦尊佛。高祖時，曾舉行過一次御前辯論會，召集名儒僧道論義，結果雖分優劣，折衷於儒理了事。太宗基於政治理由，崇奉道教，但於佛教採取極爲尊重的態度。玄奘法師自印度取經回國，太宗「歡喜無量」，親自寫了一篇佛教名文聖教序。君臣之間，情同師友；並爲玄奘設譯場於長安，從事大規模的譯經工作，人力財力，全由政府支持。考玄奘譯經的場所，初在弘福寺，次在慈恩寺，後在玉華宮，其後則佛授寺，薦福寺，亦置翻經院，興善譯場，後亦復興。在翻譯的工作方面，分爲證義、綴文、證梵、筆受諸科，皆精選一時之彥，數將及百，每譯一經，由多數人分工合作，證義考文，至再至三，故內容精密，極少錯誤。綜計玄奘回國一十九年中，共譯經一千三百餘卷，合計七十四部，如非舉政府的力量，始終支持，窮個人畢生的精力，也很難辦到如此龐大的成績。

玄奘圓寂後，唐政府支持譯事，並未停止，迄開元時，共譯三〇一部，二千一百七十卷。在唐以前，自後漢至隋，各代均有譯經，惟由個人自由翻譯者多；至隋由政府在洛水南濱，上林園內，成立翻譯館，又置翻經學士，襄助其事；但由政府有計劃的和大規模的來推動翻譯的事業，以唐爲第一。

旅美散見

全是日本貨的天下

想不到，日本的商品，在美國是那樣的充斥。夏威夷日僑衆多，日貨洋溢，那是在意料中的事，不必驚奇；而驚奇的是去美國自西到東無處沒有日貨的蹤跡，甚至窮鄉僻壤也都有日貨侵入。

新墨西哥州在美國是比較偏僻的州，有一次路過一個公路上的荒涼小店，順便想買點紀念品：但全部粗糙不能入目，並且價錢還貴得很。忽然看見有一疊小碟子，上面燒的新墨西哥州的風景，精緻可愛；一組八個才售價三角五分錢，只合台幣一元七角一個，太便宜了。那知拿回一看，背面竟然印的是 Made in Japan（日本製）。熟悉美國情形的朋友說：這算什麼？西點軍校賣的美國旗，都是日本製的呢。

我是一九六六年春天路過新墨西哥大學的。那時哲學系的主任是亞立山大教授；他的太太是一位音樂家，在家中教鋼琴。有一天亞立山大教授邀我到他家中玩，我一進客廳，看迎面放着一架鋼琴上面印着大字「Yamaha」（山葉）。我驚奇的說：這不是日本的嗎？他說是的。我說鋼琴是西方的東西，你們美國人，在美國教鋼琴，怎麼買日本的？他說，因爲又好又便宜。

鋼琴尚且如此，那就無怪乎以小巧取勝的電晶體收音機、照像機……等就更是日貨的天下了。

○張起鈞○

中國女性文藝春秋（續）

周遊

梁夷素與「相思硯」

每值暑夏涼夜，在院納凉，或仰臥草坪，很自然地遙凝天空，那橫亘南北的銀漢，不覺會映入眼界，不由得便想起了兩顆星星——牛郎織女的故事。尤其是七月七日之夕，更會引起了久別的情人或青春男女的悵惘，增濃了他們悲苦的情懷。鄭燮曾經以社會思想的觀點批評說：「嘗笑唐人七夕詩，詠牛郎織女，皆作會別可憐之語，殊失命名本旨。織女，衣之源也；牽牛，食之本也；在天是爲最貴。天顧重之，而人反不重乎？其務本勤民，是星昭昭可見也」。（范縣署中寄弟墨弟二書）

鄭燮的見解，確爲發前人所未發；不過他以唐人的詩爲失去原意，這是以思想家的立場來批評文學，我們怎敢苟同！而且自古迄今，有關七夕的故事很多，最著名的七夕故事，是唐明皇和楊貴妃的「七月七日長生殿」；因其悲劇意境之超越，更令人在七夕那天興無窮的感慨。清代戲曲名家洪昇的「長生殿」，當上演的時候，更不知驚動了多少有情人的心懷。而我們的女戲曲家——梁夷素小姐，却把牛郎織女搬來人間，現身說法、借「相」「思」二硯作爲結合的焦點，使他們倆在人間團團圓圓過生活。她的浪漫作品「相思硯」所演的就是這個故事。

梁夷素小姐字孟昭，清初錢塘人。「西冷閨詠」說：「夷素字孟昭，武林女子，茅鹿門孫修譔見滄子九成婦，著「墨繡軒詩」；有春湖詩及湖晚詩，善畫。陳眉公比之天女散花雲錦，非人間所易得。」

「杭州府志」卷九十藝文說：「墨繡軒集」，錢塘茅璸孫九仍妻梁孟昭彝素撰。」據此，她名梁孟昭字彝素。按茅鹿門名坤，歸安人，嘉靖進士。「曲海」的作者也只說她：「相思硯，錢塘梁孟昭撰」。其他的身世，我們無法詳考。但讀者不必急，我們可以欣賞她作品的故事，豈不更有意趣！

（七十二）

洪憲帝制運動秘辛

諸葛文候

歐戰發生後，西方列強無暇顧及遠東的事情，英日締有同盟，乃完全倚賴日本在東亞維持西方各個對德作戰國家的既得權益，而任由日本對中國採取自由行動。

日本當局早已洞悉袁氏有帝制野心，袁氏總統府的法律顧問日人有賀長雄鼓吹中國改行帝政，即是袁氏賄通他幹的，日本當局心裏有數，認爲這是侵略中國的千載難逢之機會。於是亦對袁施展權術機詐手法，先向袁提出苛酷的「廿一條」要求，且臨之以最後通牒的威脅動作，一面由首相大隈重信傳語中國駐日公使陸宗輿，說日本贊成中國能向日本的國體看齊。袁氏若不是想要改制稱帝，那種「廿一條」的亡國條件，就決不會輕易接受認可的。

中日交涉告一段落後，帝制運動即隨之急進，日首相大隈曾致書袁氏，對袁十分恭維，另又以口頭激袁氏放心進行帝制運動。袁氏爲討好日本，希望取得日本對洪憲帝國的友好保證起見，於定期登基之前，派遣特使周自齊赴日本聘問，擬贈予日皇以最高勳章。日政府表示歡迎，暗中卻協助蔡鍔、梁啓超以及國民黨人士的反袁活動，等到雲南護國軍政府成立，周特使急於定期赴日，而日本駐北京公使日置益，亦設宴替周特使餞了行，詎料日政府忽然發佈聲明，拒卻周特使的聘問，理由是中國政府揚言俟周使由日本回國，即實行帝制，日本恐啓列國猜疑，且亦未便接受中國即將廢棄的勳章，獻給日皇。詞旨皆侮慢刻薄，毫無禮貌，使袁極其難堪，然亦無可如何也。

帝制運動初起時，袁對楊度、梁士詒說過，外交上決無問題。他所恃的即爲英國和日本使節，都向他表示過贊成帝制的意見，對日本且有承認「廿一條」要求的交換厚貺，尤認爲不致發生梗阻。詎知英國愛莫能助，空話無補實際，日本竟還他以權術機詐作風，使袁氏回不到神。至於內部情形，最親信的哼哈二將段祺瑞與馮國璋，皆懷攜貳之心而作壁上觀。四川將軍陳二庵（宦）離京赴川時，曾謁袁跪請從速改制登基，說此事若不決定，他到四川亦就無心供職，忠貞極了！迨護國軍進入川境，陳將軍卻宣告獨立，連電逼袁退位，詞意視反袁派的革命者更嚴厲。據梁士詒年譜紀述：袁接陳將軍通他退位的電報時，曾將原電交給梁閱，並說「二庵厚愛我若此，夫復何言！」即親擬電文答復，其詞甚哀。他如袁府乳媼之子勾克明，亦受袁乃寬兒子袁不同的賄通，把袁皇帝藏在鐵櫃裏的極機密外交文件，竊取出來交結英使館拍照，處處表現着衆叛親離現象。這便是袁氏一生對人對事專門玩弄權術機詐的應有報應，不但全部事業付之流水，即其個人的生命，亦斷送於權術機詐之中，此可供後世政治人物的殷鑑也。（四完）

從南京夫子廟說到台灣歌廳

・清園・

煙籠寒水月籠紗，夜泊秦淮近酒家；
商女不知亡國恨，隔江猶唱後庭花！

這是唐人杜牧的一首以「泊秦淮」爲題的絕句。秦淮河是南京市區內一條有名的小河，所謂「秦淮畫舫」，即是指這條河裏的遊艇而言。也許因爲「六朝金粉」的殘渣，都傾入這條河裏，而使它淤積成爲一灣濁水，所以現在看起來，「秦淮畫舫」已成了歷史名詞，三幾艘破舊的小艇，繫留在岸邊，早已無人問津。但從杜牧「泊秦淮」的詩裏來看，秦淮河畔之有賣唱的歌女，則是由來已久了。

我們再翻翻李後主的詞看：「金鎖已沉埋，壯氣蒿萊。晚涼天靜月華開。想得玉樓瑤殿影，空照秦淮。」「憑欄半日獨無言，依舊竹聲新月似當年。」「晚妝初了明肌雪，春殿嬪娥魚貫列。笙簫吹斷水雲間，重按霓裳歌遍徹。」這是他因身被軟禁在開封，而思念金陵故國，以及宮殿歌舞之作，然而其中的語句，卻都與杜牧「泊秦淮」的詩，後先呼應。

當然，像這類歌詠南京秦淮河的詩詞太多了，無法都去抄錄。總之自三國孫吳以來，南京便成爲繁華勝地，直到中華民國成立，建都南京，更使南京成爲現代化的都市。

南京夫子廟，面臨秦淮河，除後殿保持寧靜外，前面的大院內外，滿佈攤販，百貨雜陳，眞是形形色色，目不暇接。至於夫子廟的週圍，都是茶樓、酒館，以及遊樂之所，此外當然也還有百貨公司、古玩商店之類。由夫子廟向南走過橋去，便是風景區，我們不去談它。夫子廟左邊一帶，最爲繁華，平劇清唱的茶園，很有許多家，它的名稱多半取自有關詩詞中，如「月華閣」、「臨春閣」、「龍鳳閣」等。這種茶園內部情形，我們在「故都春夢」的影片中，還可以看得出一鱗半爪。

在這些茶園清唱平劇的歌女，都是一些年輕貌美的女孩子，但一律要穿着很樸素的旗袍，還要佩帶一朵粉紅色的桃花的胸章，這是管理機構的規定。這些歌女可以出條子，即應召到酒館茶室陪伴客人，客人除付她一份飲食及人力車費外，無須給錢。她應召來陪客，只是希望客人能去點戲捧場。所謂點戲，也只是一種形式，點十齣二十齣，乃至五十一百齣，都不過是給錢捧場而已。當然點戲的錢，歌女本身，也只能得到幾分之幾，其餘的都被茶園的老闆伙計朋分了。點戲的越多，歌女越紅。所謂紅歌女，仍以外形漂亮爲第一要件，唱得好壞還在其次。歌女和某一客人見面次數多了，這客人便成了她的熟客，如果這熟客捧場的次數多，而且也夠體面，那麼這客人意欲如何，便可如何，進入她的香閨也可，請她陪你到滬杭去渡週末也可。據說少數最紅的頭牌歌女，多半爲達官貴人，或富商大賈所佔有，他人不易染指，如當時最有名的紅歌女，後來成爲電影明星的王熙春，相傳便曾一度出任過鐵道部長陳公博的外室。

許許多多的歌女中，的確有若干色藝俱佳的，所以有時候她們粉墨登場，彩排幾齣，而也可以惹得車水馬龍，成爲一時的盛況。

夫子廟的茶園，除了平劇清唱外，沒有其他的表演，有一二家偶然也例外表演些民間藝術，如申灘、鼓書、河南墜子之類。北方鼓王劉寶全，也曾到過夫子廟獻唱，平常茶資每客不過四毛錢，而劉寶全唱時，則加到每客一塊錢，仍然是坐無虛席。筆者耳福不淺，曾聽過他唱的「大西廂」，那時候他已是七十多歲的人了，然而他唱起來，無一字不清，無一韻不雅，而表演的功夫，又不溫不火，恰到好處。

總之，南京夫子廟的茶園，都是歌女的天下，歌女在秦淮河畔，留有不少的風流佳話。自從共匪竊據大陸，夫子廟的旖旎風光，又已成了歷史陳跡。我想起唐人崔護「題昔所見處」的一首詩云：「去年今日此門中，人面桃花相映紅；人面不知何處去，桃花依舊笑春風。」夫子廟的歌女們，也正如這詩所云：「人面不知何處去」了。

民國三十八年十月間，我初來台灣，也曾聽過一次平劇清唱，這種清唱茶館，只是曇花一現，到現在早已絕跡了。因爲台灣這個社會，究竟不歡迎平劇清唱，加之清唱的人，既不是像南京夫子廟的歌女，個個如花似玉，而且唱的也不是那種味兒，所以它不能生存下去。

代之而興的則是新式的歌廳與歌星。台灣的歌廳，近年來正如雨後春筍，蓬蓬勃勃，單就台北一地而言，就有八九家之多，其他各大小城市，都有三五家不等。至於飯店、夜總會、舞廳，聘有歌星獻唱者，又所在皆是。

台北歌廳的位置，大多數在西門電影街鬧區，其中有大有小，大者可容三五百人，小者則只能容一百多人。入場券連茶資在內，皆爲新台幣二十元。只有一家設備較好的歌廳，入場券賣二十五元，有時候某歌廳因增加特別節目，也會提高到二十五至三十元，比普通的電影票價高一點點，如果某某歌廳的歌星陣營及其他的節目都好，人們仍是趨之若鶩。

歌星中女性佔十分之九，男歌星約爲十分之一，有些歌廳則完全爲女歌星。因女歌星大多是年輕貌美，並且幾乎有一半是由電視及各廣播電台歌唱比賽中，脫穎而出的優勝者。所以歌唱的音色、音亮、以及技巧、台風，都還不錯。另一半女歌星則由娛樂團體中優秀者投入社會，或由私人教授成熟，轉入電台、電視歌唱，而成爲歌星。總之這些女歌星都有其優點，所以爲各歌廳、夜總會、大飯店爭相邀聘。一個紅歌星除灌製唱片收入外，每月賺得新台幣一二萬元乃是常事。一般歌星大多都受過中等教育，甚至出身於富有的家庭，而平時生活也很正常，所以當年南京夫子廟的歌女，是決不能和她們相比。「桃花流水春去也」，那些胸前佩帶桃花章的歌女，而可隨時應召到咖啡館陪坐的歌女，已被時代所淘汰了，永遠不會捲土重來。而這高級的，可作藝術欣賞的歌廳與歌星，在台灣正方興未艾，一般雅好歌曲的人士，也以歌廳可以獲得聲色之娛，樂於去光顧。現在台灣的娛樂場所，除電影院外，比較平民化而又頗爲高尚的，便是歌廳了。歌廳的生意，有一段繁榮的時期，乃可預卜的。（完）

海天吟苑

贈余彩女相士　陳適子

詠絮清才不染塵，機微妙語術通神；慧心解語如花貌，獨有鏡光照世人。

贈章仲公

十載枕戈學有成，昔曾掛角事農畊；清才未許辭章限，作述名山四海驚。

銘傳女子高專校慶聯

（一）

校慶宏開，桃李芳菲春似錦；卿雲燦爛，光華復旦運方新。

（二）

銘道尼山，門牆喜越三千士；傳經東海，巾幗同回九城春。

題陳邁子教授畫像　于右任

慷慨元龍百尺樓，遺山詩句更無儔；黃魂欲起憑心力，筆挾風雷動九州。

創業哲學　和爲貴

楚狂人

中國有句俗話，「人無笑顏休開店」。西國人相書上說：「沒有哭喪着臉的富翁」。

最可怕的一種生意，是做軍火，軍火商又名叫「戰神」。戰神們是否都生着猙獰的面貌，使人望而生畏？不，絕對不是！美國軍火商鼻祖杜龐，在第一次世界大戰前，美國陸海軍所用的軍火，幾乎都是杜龐系統的工廠製造，但杜龐是一個滿面春風，平易可親的人。

五十年前英國有四個「標準戰神」，他們的名稱是：一、阿姆斯特龍，二、威卡斯，三、巴多莫爾，四、科文特里。可是這四個軍火商老闆，幾乎都是笑面虎及溫文儒雅之輩，其中沒有一個生着戰神眞面貌的；說明他們雖然做殺人武器生意，在外貌上絕對不會露出殺人的氣氛。

有些莫名其妙的商人，所謂店大壓客。還有些糊裏糊塗的官僚，喜歡官腔官調。前者忘記衣食父母，後者忘記自己是吃民脂民膏的人。不過這兩種人都喜歡用鼻子講話，哼阿！哈呀！嘴巴可能專留作出氣用的，充份顯出淺薄無知和幼稚，創業大忌，莫過於此！如果我們經商辦事業，乃至於做公務員，先賢的指示是「和爲貴」。

國劇新本　大漢兒女（一名新葬劍）

田士林

鶯兒：葬在後山，跟我們老太爺一起合葬的。

趙終葵：你家姑娘，如今何在？

鶯兒：在後山墓旁邊搭了個草房，她要在那房裏守孝三年。可是如今她水也少飲，飯也不吃，再這樣下去，怕這條命要送在草房裏了。

趙終葵：且帶我去探望。

鶯兒：本來那地方，你們男人家亂撞不合適，可也說不得了！也許你去了，有些話可以教我們姑娘開朗一點。

趙終葵：那是自然。

鶯兒：走……（同下）。

第五場

時：接前場

地：後山廬墓

人：呂菁娘　鶯兒　趙終葵

呂菁娘：（內唱三黃倒板）一坏土母與女陰陽隔斷！

（上乾哭頭）老娘親，兒的娘啊！啊！兒苦命的娘啊！

（唱回龍腔）可憐你這一世受盡熬煎。

（接唱反調）想當初老爹爹捍衛邊關。

（廿六）

自由報

第八五〇期

社長李運鵬．督印黃行審

91 DUNDAS ST. 9th FLOOR, FLAT 6 KOWLOON H.K.

台灣總管理處

本報聘鄭炎爲台灣區代表人

本報聘請鄭炎先生爲台灣區代表人，代表本報執行在台各項任務，自即日起開始辦公。辦事處：台北市公園路二十八號四樓。電話：二零四五四、六二六二五。除分函台灣有關機構外，敬希各界查照爲荷。

談美國的升學考試

。胡應元。

國內爲了大專入學考試的問題，掀起了熱烈的討論，筆者遠隔海天，無意於應存應廢的討論，但身在美國，願將就近所見美國中學生升入大學的辦法，作一扼要介紹，以供借鑑。

自一九六三年以來，美國中學生願升入大學者，必須先通過一個大學入學考試（實際上是大學入學資格考試），這個考試是由一個專設機構College Entrance Examination Board來主持，這機構分設兩處，一在東部紐澤西州，一在西部加州，分別主辦全美中學生升入大學入學考試。這種考試分爲三種，一爲Scholastic attitude test學習態度測驗，實是學習能力測驗，測驗學生有無此項資質（即天賦）接受大學教育，如不夠格，僅能升入專科學校接受技能訓練，準備就業；二爲Achievement test學力測驗，測驗學生在知識方面，有否充分準備足以接受大學教育；三爲Writing Sample像中國考試一樣，做一篇作文，測驗學生表達能力是否達到進入大學水準。考試次數，每學年舉行五次（不在暑假中），每次考試時間，半天或全天，均在星期六舉行。學生從第十一年級（相當我國高中二年級）起，即可申請參加該項考試一種、兩種或同時三種均無不可，考試地點，即在全國所設立若干之考試中心舉行。該中心並非單獨機構，附設在該區大學或中學內，實際上多係委託爲該學校代辦。學生在考期前一月申請登記，參加就近之中心考試，考過後兩週，即可獲通知。學生擬升入何地何大學，祇需塡寫申請入學表，該校即依據表上記載，向該生行將畢業或已畢業之中學索取成績（九至十二年級各年多科成績及在該年級的所列名次）及大學入學考試成績及名次，然後決定取捨。

該項升學辦法之優點：（一）參加此種大學入學考試，學生毋庸準備，例如其中第一種測驗學習能力及第三種測驗寫作發表能力，是無由抱佛脚的，第二種是就學生過去及現在學的加以測驗，範圍頗爲廣泛，無法準備，亦不需要準備。題目很多，約有一千六百個題目，如能答對一千二百個，就很好了。大概學生成績不太壞，能列在所在年級前百分之七五以內，即可通過此項考試。且一次考試未能通過，還可以他次。在第十一年級時未能通過，到第十二年級時還可以參加，絕不像我國大專聯考學生一次失敗，即將遺恨終身。考試地點距離學生的肄業之學校，最多亦不會多過三小時火車或汽車的距離，考試時是星期六，不影響學生正常課業，也不妨礙學生星期活動，較之我國學生，冒酷暑，揮汗與考之痛苦與焦急情形，實不可以道里計。（二）該項大學入學考試水準並不高，但三種測驗有一種不夠水準，就不容易升入大學。同時考試常有機會性，大學收的學生決不以此一種考試以定捨取，特別着重中學四年的平時成績，我國現制大專入學考試僅以一次考試成績而決定學生命運，實堪垢病。（三）該項大學入學考試成績，不僅列出考生考試的分數，並且列出與考的名次。此點頗與我國過去中學畢業會考精神相似，對各中學鼓勵甚大，各學校爲維持其信譽，及輔導其畢業生升學，均各設有升學指導人員，指導學生參加此項考試，既無如我國惡性補習情形，但亦不隨便從事。

對該項升學辦法之疑義：（一）第一流大學，學生都想進去，豈不是申請入太多，辦理審核入學手續，過於麻煩？我大專聯考辦法，各大學聽候分發學生，學校當局自是輕鬆，此點正是林語堂博士所攻擊，入學考試應以學生爲主體，不是以學校行政人員爲主體，而且分發的學生，大多是不能按照第一志願分發，不一定是各校所理想收取的學生。第一流學校如美國哈佛大學等，錄取水準很高，學生中學四年級成績，需多在九十分以上，名次不落在該年級五名以後，大學入學考試成績，需在前百分之十五以內，始有錄取、獲得獎學金的希望。凡申請者需繳納申請費拾元（亦有學校需繳二十元者），無論錄取與否概不發還，亦有錄取後准改充學費者。且此種學校學費甚高，兩個學期學費在一千七百至一千九百元之間，九個月寄宿及膳費在一千一百至一千三百元之間，沒有獎學金的學生，每年約費五千元，是以成績不夠標準，以及經濟情況不寬裕的學生，均不二敢嘗試申請去犧牲十至十元之申請費。所以第一流大學，想進去人雖多，但實際申請入學的人，並不如想像之多，是以各校辦理審查入學，毫無困難。（二）爲便利學生容易申請入大學，是否中學當局放寬給分標準？此間各中學辦理極爲認眞，分數決不任意寬給，一則以在學校分數如不符事實，故意寬給，等到大學入學考試成績發表，相差太遠，豈不難堪。同時各大學收取學生，不純視其成績，兼注意該生所在年級之名次，美國學校記分，多是常態分配，不能所有的學生都得高分數，所以各校給分均符合實際，無欺騙情事。（三）美國中學畢業生人數衆多，該項大學入學考試每學年舉行五次之多，平均每兩個月即有一次，豈不是忙得不可開交？道不能不佩服美國人辦事有效率，一切均用科學方法，正確迅速，譬如看測驗捲及計分，這是一個頗巨工作，但他們利用電腦計算機幇助，則非常便捷，學生考過後兩週內，即可獲得通知，由此可見一斑。（完）

睜開眼睛發夢

不知禍之將至

昨日與明日

香港文教界看台灣的弒父案

台灣羅姓青年逆倫弒父案，最近經最高法院判決無罪的消息傳播後，海外華僑社會人士頗爲震驚，大家對於本案罪犯初審判處死刑，二審改判無期徒刑，而三審最高法院竟宣告無罪的法理與事實如何，極感惶惑。

本月廿六日適逢週末，香港華僑、德明兩書院教授王淑陶，唐緯銘，黃華表，何敬羣，蔡俊光，周炎荔，李象元，趙伯哲，孔鑄禹，由志忠，黃世光，雷嘯岑，羅靜嫻等，於座談會中提及此案時，一致認爲台灣最高法院之無罪判決，令人莫名其妙。若以台大醫院的一紙證明書，認定被告弒父行爲是由於心神喪失，而在法理上足以採證的話，則當初台北地方法院即不應判處被告以死刑，高等法院何不依法糾正，改判無罪，而僅予減處無期徒刑呢？如果台大醫院的證明書，在法理上沒有採證的價值，則最高法院之宣告被告無罪，是何道理呢？大家再三研討之後，提出兩點意見：

先請最高法院公佈內容

最高法院改判被告無罪的理由與事實安在？應該詳明公佈，俾衆週知；因爲這種案件關係世道人心甚爲深鉅，法院決不可含糊了事。似此逆倫弒父的行爲，若就吾國傳統的文化思想而言，除依法從嚴制裁犯人外，該管地方長官還要受到行政處分的。現在是完全講法治的時代，法院對於這椿轟動海內外聽聞的逆倫案件，乃由死刑而末減爲無罪，究竟是根據甚末法理和證據，而作此三百六十度之大轉變的？法院固屬有將內容公佈之必要，社會大衆更有理由要求法院非公佈不可，否則司法的尊嚴和信譽，亦將大受損害的。

次請監察院加以調查

台諫的職責，在繩愆糾謬，整飭紀綱。本案之發生，已對世道人心與社會善良風俗，影響不小，而法院處理本案的經過情形，又撲索迷離，令人莫測高深，更足以淆惑觀聽，引起錯覺。

本案唯一的關鍵，即爲被告逆倫弒父時，是否神經不正常？台大醫院的證明書，是怎樣來的？其時效如何？有無偽證之嫌疑？台北地方法院初判被告死刑，高等法院復判無期徒刑，最高法院改判無罪的法理、事實和證據是否正確？有無其他的情弊？希望監察院切實調查，藉明眞象。如果發覺法院處理本案有失入或失出之處，自應檢舉糾彈，以肅紀綱，正人心。這是關係民德與國運的大問題，非一般的民刑案件所可同語，監察院未便漠視。

再告復興中國文化運動者

台灣早有「孔孟學會」之創立，近年又大力提倡復興中國文化運動，甚盛事也。中國固有文化思想，就是孔孟所倡導的人文主義，而以四維八德爲核心，這就是反共救國的精神武裝。每個反共非共的中國人，應該自發地使自己的日常生活，潛移默化於四維八德的義理之中，構成堅強的文化思想，纔可以反抗獸性的共產邪說，復興國家。

現在台灣發生了「子弒其父」的逆倫案，而司法機關處理本案的情形，又如此別出心裁，迥異尋常，平日昌言發揚孔孟學說，復興中國文化的人士，目擊其情，於意云何，作何感想呢？毛共在大陸上利用青年子弟「破四舊」，發稱「革命無罪，造反有理」，有如率獸食人，禍害無窮，假使台灣的青年子弟亦鬧出「殺父無罪，逆倫有理」的現象，則所謂發揚孔孟學說，復興中國文化云云，皆爲不值一哂的自欺欺人之談了，可不懼哉！（何如）

自由談

談言論自由

香港人口不滿四百萬，而早午晚各種大小報紙不下七十家之多。各報的立場和言論主張幷不一致，眞是百花齊放，百家爭鳴，政府不加干涉，聽其自由發展，賺了錢，依法徵稅，蝕本關門，活該！可是，報紙卻不許利用言論自由權力而誹謗他人的名譽信用，報紙如果被人控告誹謗罪，一經成立，處罰特別嚴重，基礎薄弱的報館，經不起一次處罰，即非宣告收檔不可。

香港是資本主義社會，而且是所謂資本帝國主義王國的殖民地。但宣傳共產主義的報刊亦有七八種，經常對市民發出過分狂妄的煽惑文字，無中生有，是丹非素，唯恐天下不亂。然而，去年港共實行橫亂暴動之際，百分之九十以上的市民皆不受共黨煽惑，擁護政府的戡亂政策，使共黨一籌莫展，慘敗休場。這證明現代的人都有相當知識，遇事通過理智的裁判，決不盲從的。共黨在香港的七八家報紙，拚命宣傳了十幾年，效力乃等於零！

即此可知在民主社會生活中，言論自由對統治階級的利益幷無損害，有時候且可以獲得間接的幫助。例如港共這次釀亂之慘敗，即因爲一般市民從言論自由的生活環境裏，徹底認識了共黨的本質，誰也不相信它那套胡說八道的誘惑之詞，而對政府鎭壓暴亂的措施，一致贊許，共黨懾於衆[illegible]祇好自認晦氣。

所以，在一個[illegible]會中，開放言論是[illegible]的事。言論自由亦[illegible]制的亂說亂鬧，法[illegible]有犯必懲，還需要[illegible]報律或出版法這類特別法令來幹嗎？[illegible]宗時代，沒有報紙，他就鼓勵左右臣[illegible]諫，批判庶政得失，[illegible]阿諛逢迎的話，「當[illegible]貸，因而構成「貞觀之治」，垂範後世。時至今日，[illegible]政治的人如其還要以箝制言論爲求治之術，可謂非愚即妄也矣！

馬五先生

司法官員違法失職 監院糾彈難定標準

若干監委正進行研究中

本報記者新曦

（台北航訊）監察委員職司風憲，對公務人員違法失職，有糾彈之權。司法官員屬於公務員，如有違法失職情事，也應受監察院的依法糾彈。不過司法官審判獨立，有自由裁量之權，其違法失職之標準如何？很難加以衡論。過去監察院曾彈劾幾位法官，發生過法理之爭。有人認爲可以彈劾，也有人提相反的意見，主張不可彈劾。到現在還是爭執不下，結果不了了之。因此有若干監察委員，正在研究對司法官彈劾或糾舉的標準。在何種情況下應予彈劾，何種情況下不應追究。如果能夠因他們之努力而定出一個可行而有效的標準來，對於我國法治前途，又邁進一步。

司法官的違法失職情形，大致分爲四個部份，即①違反公務員服務法。②貪污瀆職。③枉法裁判。④因過失而發生判決的錯誤。

有幾位監察委員，主張對司法官的糾彈，應採取寬大政策。在寬大政策的原則之下，對於司法官的違法失職，所受到的糾彈範圍，有所限制。例如：對於違反公務員服務法的司法官員，這幾位監察委員主張，對於簡任級以上之司法官員，才由監察院予以糾彈，因依照公務員服務法的規定：主管對於薦任級以下之官員，有監督、懲戒及處分權。倘若監察院對薦任級以下之司法官也予以糾彈，依法律並無不可，事實上侵害主管之監督權。

至於貪污瀆職及枉法裁判，也就是舞弊徇私，是一體之兩面。對國家司法威信，有嚴重的損害。另外幾位監察委員，則不主張採寬大政策。並主張以此爲監察院對司法官提出糾彈案之重點。因貪污而枉法裁判，已構成戡亂時期貪污治罪條例中有關罪名；因徇私而枉法裁判，也構成刑法第一百二十四條及一百二十五條司法官濫用職權罪，應予從嚴追究。不過這幾位不主張採用寬大政策的監察委員認爲：對貪污瀆職的司法官員，只要有其貪污瀆職之證據，事證明確，容易論罪，惟有對於枉法裁判，則比較困難。因任何裁判，都能舉出相當理由。也都能提出法律根據。過去監察院曾對枉法裁判的法官，提出糾彈，甚且經司法行政部將該司法官先予停職並交付偵查。結果受懲戒者很少，被判罪刑者根本沒有。究竟怎樣才算枉法裁判？這幾位監察委員主張找出過去歷年來監察院因司法官枉法裁判而提出的糾彈案的案例，研究司法機關處理這些案子的理由，來尋求枉法裁判應列舉的事證，作爲今後對司法官枉法裁判的論據。

司法官因過失而發生裁判上的錯誤，大多數監察委員都認爲不能作爲糾彈的理由。不能視爲枉法裁判，只能作爲違背法律之判決。依照法律解釋，違背法律之判決，也應該受到懲戒。不過因爲我國採三級法院審判制度，下級司法官判錯了，有上級司法官判決糾正。上級司法官判錯了，有非常上訴，再審等方法加以糾正。法院既有完善的糾正錯誤的制度，故多數監察委員主張對於因過失而裁判錯誤的司法官，可以不列在研究中的糾彈標準之內。

不管這個標準是否形之於文字，今後監察院對於法官的糾彈可能會照這個原則處理。即對貪污瀆職枉法裁判的法官，從嚴追究責任，對於違反公務員服務法及因過失而裁判錯誤的司法官，則從寬處理。

但是這個原則並不代表大多數監察委員的意見。也有若干具法學素養的監察委員，主張對於司法官的糾彈，一如對其他公務人員一樣。理由是：監察權不應該受到不必要之限制。監察權之有限度擴張，始足以保障國家的利益。將司法官與普通公務人員一樣糾彈，對審判獨立並無害損，因司法官發生錯誤而被糾彈，已在案子判決之後。糾彈沒有改變判決的效力。同時，監察權與司法權有互相制衡作用。監察院對司法官提出糾彈，依然交由司法機關（包括公務員懲戒委員會）處理，有司法權來制衡監察權之擴展；倘如司法官有違法失職而監察院從寬處理，則損害了監察權對於司法權制衡的效力，其結果將使違法失職的司法官爲所欲爲，毫無忌憚，這對司法本身，反而造成損害。

立委徐中齊在立院揭發

劉紹志涉嫌貪瀆失職 黃文岳侵害商人權益

二、南邦企業公司於同一時期標購該處一三八林班，因榮民他調而由該處金潮森股長、石管理員、吳管理員及林水蓮、盧進益等與南邦公司商議，決定交由南邦公司自行僱工砍伐造材約二千五百立方公尺，工資經林務局核定每立方公尺以一百七十一元三角計算，約新台幣四十二萬餘元，該工資係由石管理員具名領出，迄今四年，尚未全部付給墊款之南邦公司。

南邦公司先行墊付之游杉期等機器集材費二萬五千元，天馬汽車公司補助費一萬五千元，六號山砍伐費一萬元，災害費三千七百元，共計五萬三千七百元，此項墊付款，不但未付給墊付款之南邦公司，且在該公司僱工砍伐之工資項下分別扣除，開出第一銀行提款票據，由石管理員逕往第一銀行提領，並有案可稽。

同時，南邦公司僱工補修道路墊付工資約六萬餘元，經查詢伐木股，該墊付款已由游杉期等人名義領去四萬九千元，及利用榮民二名冒領一萬六千多元，並以陳雪玉、陳玉珠等十餘人名義領足一萬多元，但前述工人，均非一三八林班第二部份之員工。此外，加上由南邦公司墊款二萬四千多元建設之工寮費，共達十餘萬元，僅由吳管理員經手付還墊款之南邦公司一萬一千五百元，餘款竟置之不理。

三、南邦公司於五十五年九月六日，向林務局蘭陽林區管理處標購太平山事業區第一三八林班第一、三、四小班第二部份針闊葉樹三千四百六十六立方尺三九，依據五十一年九月十二日所訂「合約書」第七條規定：「蘭陽林區管理處生產木材伐集至裝車盤台或卡車路邊時，約一百立方公尺左右，即點交南邦公司，並通知南邦公司繳款，南邦公司應於蘭陽林區管理處發出繳款通知後十日內，向蘭陽林區管理處繳清價款，每逾一日，依應繳金額加收滯納金百分之零點三（即千分之三）；逾一個月尚未繳款時，視同棄權，除沒收保證金並解除本合約外，至於蘭陽林區管理處因此蒙受之損失，概由南邦公司負賠償責任。又蘭陽林區管理處因業務需要，得依可點交數量按針一級二等品及闊葉樹二級木價格，通知南邦公司預繳價款後，逐日點交木材至所繳價款額爲止，如有尾數價無息退還。」

觀此規定可知，只有承標購者先繳款而沒有先裝運木材後繳款的規定。

南邦公司於五十一年十一月間將標購之該第二部份木材委託羅東鎮泉興木行謝獅代繳價款及提貨代保管之責，並口頭約定條件：（一）提貨方式以南邦公司名義由謝獅向蘭陽林區管理處繳納貨款，提運木材；（二）謝獅代墊貨款由南邦公司計付利息；（三）南邦公司出售木材時，謝獅有優先承購權。

而南邦公司委託泉興木行代墊繳貨款及提貨代保管之事，蘭陽林區管理處及該處大元山工作站職員金潮森等均知。（中）

立法計劃與改善質詢

董書

台北航訊：立法院四十一會期，對醞釀已久的質詢改革，若干執政黨立法委員，現已遵照五中全會決議，分別將質詢要點，書面送達行政院，經以簡明扼要與更爲充實之內容，用資備答質詢。在行政院方面，亦曾提出立法計劃，分列甲乙兩部分：甲部分是行政院希望立法院在本會期內提前審議的法案，其中包括已送及準備提送立法案，共二十一件；乙部分是已送及可能於本會期送審議的案件共十八件。以備立法院根據這一項計劃之緩急先後，安排時間，以配合行政院需要，完成立法程序。

立法委員質詢權之行使，雖有憲法、立法院組織法，立法院議事規則之法律明文規定，但每因質詢擴大之廢時，影響法案之討論延期。以致立法委員主動之立法權，行之絕少。近年來除「戡亂時期貪污治罪條例」，是由委員提案制定的以外，幾乎完全是出於「政府法案」之經過審查決議程序之完成而已。在政院方面，常感立法行動遲緩，不能充分適應國家社會變遷的需要。而行政院的提出法案，在與主管部會之間，往返公文，稽延時間過久，亦復有之。例如警察制度各項草案，拖了十四年之久，在此次甲乙兩部分計劃之中，尚未將之列入，已有立法委員楊一峯就此提出質詢，是否有徹底清查之必要。在立法院方面，對行政院提出審議之法案，也有拖延二十多個會期之久的，例如民事訴訟法修正案，從四十三年五月七日立法院第十三會期交付審查起，直到五十七年一月九日之四十會期第三十次會議，完成立法程序之日止，就隔了十五年的時間。（上）

蔡火炮刑滿出獄競選

內政部解釋頓掃疑雲

爲未來立下了一個公平的範例

台北航訊

蔡火炮參加基隆市長競選候選人登記的資格問題，在前此不久曾引起許多議論。旋因內政部解釋其資格並無不合，所有議論均告平息。

蔡火炮候選人資格之所以發生問題，是因爲「台灣省各縣市公職人員選舉罷免規程」第四十條第三款有這樣的規定：「……犯前兩項以外之罪，經法院判處有期徒刑以上之刑，宣告確定者……」不得登記爲候選人。按蔡火炮前曾犯走私案，被軍法機關依法判處有期徒刑六年，褫奪公權三年。旋蒙 總統依憲法第四十條之規定，減其刑期三分之一，即減刑爲有期徒刑四年。經執行期滿釋放出獄。其本刑既減少三分之一，從刑即褫奪公權也比例減少三分之一，即減爲褫奪公權二年。蔡火炮出獄之後，褫奪公權二年期間業已屆滿。

「台灣省各縣市公職人員選舉罷免規程」第四十條第三款既然明定判刑確定者不得登記爲候選人。蔡火炮既經判刑確定，若依條文字義解釋，似乎應該沒有候選人資格；但依照省議員李秋遠的往例，其資格似乎又沒有問題。所以選舉事務所報請內政部解釋。

李秋遠前因犯有刑章，被判有期徒刑二月確定，參加省議員競選候選人登記，資格也發生問題。依照「台灣省議會議員選舉罷免規程」第卅八條第三款原條文規定，與「台灣省各縣市公職人員選舉罷免規程」，第四十條第三款之條文文字，完全一樣。後來，內政部發現未妥，才在「判刑確定」四字的下面，加上「尚未執行或刑期未滿者」字樣。

蔡火炮參加登記基隆市長競選候選人資格問題，既與李秋遠從前發生的資格問題相類同，自應視爲有候選人的資格。

按憲法賦予人民有選舉權和被選舉權，設非受法院諭知褫奪其公權，則沒有理由剝奪其被選舉權。而法院諭知褫奪公權，有一定的期間。設非死刑或無期徒刑，沒有褫奪公權終身的理由。有褫奪公權期間屆滿之後，自然恢復其公權。

若依「台灣省各縣市公職人員選舉罷免規程」第四十條第三款上述條文作文字上的解釋，受有期徒刑以上之刑期，經判決確定者，則終身喪失候選人資格。這樣解釋，顯然違憲，非事理之平。按選舉規程如同行政命令，並非法律，行政命令視情形之需要，可以更改，可以說是在特殊情形之下的臨時規定，自無剝奪人民公權之效力。文字上之解釋既然違憲，則應依照訂立此規程之原意加以解釋。其原意並非單祇指「判決確定」而言，而是經判決確定之後，尚未執行或刑期未滿者而言。因尚未執行之案件，必將執行，影響其當選時執行職務；在執行中尚未執行完畢者，亦然。

蔡火炮原參加國民黨提名爲基隆市長候選人，旋因國民黨顧及許多因素，不能將一位犯有前科者提名爲候選人，否則將予反對黨人士以攻擊之口實，故未提其名。蔡火炮因而脫黨競選。近年以來，黨員脫黨競選者常有其事，且脫黨競選而當選者亦不乏其人。國民黨對蔡火炮之脫黨競選基隆市長之處理，和對其他脫黨競選其他公職人員之黨員一樣，並無積極性的限制或阻止。不料外界不明眞象。選舉事務所認爲蔡火炮之資格有疑問，報請內政部解釋之後，外界議論紛紛，以爲是國民黨在利用從政黨員之權力，阻止蔡火炮競選。甚至有人揣測，可能內政部解釋其資格不符，故意不讓他競選基隆市長。殊不料內政部之解釋，明快而公允，在競選活動之前一天，即將解釋指示基隆市選舉事務所，依法公告其候選人名單，使蔡火炮得以參加競選活動。

內政部此一解釋，平息了外界的各種議論，並爲未來處理類似此事件，立下一公平合理之範例。

本報記者新曦

壽何孟吾先生（下）

蔣丙英

東漢風俗之美，躋于三代，蓋光武倡導氣節，上行下效，風行草偃，蔚爲時尚，士大夫之抗權貴，匹夫婦之節烈，可泣可歌，名垂青史，不一而足。當抗戰時，物資匱乏，特任先生爲全國物資局局長，碩劃藎籌，因而充沛，勝利之基，于焉奠定，興漢三傑，蕭何居首，庶乎近之。當時某巨公炙手可熱，權傾天下，處理財經，或有未當，先生不避權貴，力斥其非，有大臣風，聞者起敬。浩然正氣，風骨凜冽，其節操之比美東漢諸賢，了無遜色。某巨公休休有容，不以爲忤，有宰相器。領袖蔣公則慰勉有加，獎之勵之，雄才大略，直追光武，抗戰勝利，豈偶然哉！

四川天府，爲抗戰後方，而主席劉湘，陽雖歸順，陰實割據，大敵當前，虎狼踞後，投鼠忌器，誠難萬全，形勢岌岌，煞費周章。先生奉命使川，當蘇秦之任，化干戈之難，曉之以大義，動之以至誠，周旋宛轉，迄不爲動。先生乃詼諧語之曰：「貴省理髮匠學徒，學滿三年，仍不肯出師，或問其故，告以「尚未刮夠」，故不出師。戲劇學徒，女戲子學滿三年，仍不肯出師，或問其故，告以「尚未歪夠」，故不出師。裱畫匠學徒，學滿三年，仍不肯出師，或問其故，告以「只會糊中央」，故不出師。」劉湘聞之，莞爾而笑曰：「我非學徒，當然出師」。遂即動員，親率總數，出師抗戰，全省悅服。後此之遷都入川，川人之出力出錢支持政府，擁護　領袖，因素固多，　先生使川，笑語定大局，詼諧挽狂瀾之功，不可歿也。「笑語興邦」，不僅爲千古美談，抑爲千古奇跡。蘇秦張儀之流，志在功名，旨爲內戰，動機不純，方諸民族存亡之對日聖戰，不可同日而語。即以片語解圍之機智，亦不能望其項背于萬一。

美國哈佛大學教授費正清等，大放厥詞，爲匪張目，嗾使冥頑之徒，病狂之輩，陰謀台灣獨立，斷送國脈，先生目擊心傷，迭至美國國會，參閱國會作證紀錄，予以揭發，著論闢之，都百萬言，且涉及國內二三知名人士，口誅筆伐，不遺餘力，震驚國際，聳動朝野，或勸稍加含蓄，勿多樹敵，答以爲國奮鬥，大義尚且滅親，義正詞嚴，且吟唐人絕句：「尋得桃源好避秦，桃紅又是一年春，花飛莫遣隨流水，怕有漁郎（意指費正清）來問津」。聞者肅然。孟子曰：「自反而縮，雖千萬人吾往矣。」堪爲寫照。

先生愛國憂國救國報國之精忠，皎然如日月之經天，巍然如山嶽之峙地，至矣盡矣！大哉善哉！頑不化，懦不立，其爲冷血動物乎！

才智之士，往往熱中，知進而不知退，一朝閒散，輒生怨尤，泛眼古今，比比皆是。知足常樂，厥惟道家，獨　先生得其神髓，故能「道通天地有形外，思入風雲變化中」。復秉儒家「君子無入而不自得焉」之懷，常效臥龍崗之梁父吟：「我家日日對青山，我對青山不解顏；我問青山幾時老，青山問我幾時閒」。「魚龍寂寞秋江冷，故國平居有所思」。光風霽月，恍若神仙中人。惟其「思入風雲變化中」，「故國平居有所思」，故能辭去優厚之酬報，自美返國，不計名利，以在野之身，揮生花之筆，無鐵面之私，發救國之論，卜晝卜夜，不遑寧處，老當益壯，窮且益堅，忠黨愛國，苟非出乎至誠，幾何而不行吟澤畔，效屈子之憤著離騷，竟乃憂心如焚，作賈生之垂涕而道。較諸范蠡張良退後之徒事遨遊獨善其身者之情操，又不可同日而語。摩頂放踵，利天下而爲之，更得墨子之衣缽矣。故曰：數遍先賢，求之而不得，信哉！

門人請壽先生，戒以國事凌夷至此，曠罪之不暇，何敢言壽，自貽伊戚，不許張揚。故謹述犖犖大者如上。藉此恭祝，聊申仰止之微忱。期諸耋耄，再作楷書以獻壽。

讀史政畧

唐代譯經運動（下）

·仲公·

翻譯佛經，是文化輸入的工作，此外，唐代還同時做了文化輸出的事情。續高傳載：「奘奉勅翻老子五千爲梵文，以遺西域。」又說：「又以起信一論，文出馬鳴，彼土諸僧，思承其本，奘乃譯唐爲梵，通布五天」。因爲馬鳴的起信論，在印度失傳了，玄奘大師，再把中文翻成梵文，流布該邦，此於文化交流之功，尤不可沒。

其次，唐以前所譯佛經，由於不通梵文者甚多，口筆分歧，訛謬百出，史謂由「梵師獨斷，則微言罕革」，輸入外國學術，完全靠外國人辦理，難免發生錯誤，唐代力改此弊。玄奘傳：「前代以來所譯經教，初從梵語，倒寫本文，次乃迴之，順同此俗，然後筆人觀理文句，中間增損，多墜全言。今所翻譯，都由奘旨，意思獨斷，出語成章，詞人隨寫，即可披玩」。是以唐譯佛經，多能卓越千古，當與此種翻譯態度有關。

古來也曾有人感嘆唐元譯經事業，既如此之盛，則當時國內通梵文的人，必然很多，如能由政府大力推行梵文運動，定可省除翻譯之勞，且可保存佛經眞貌，豈非更佳事？高僧傳裏說有人想到此事曾「愍然流涕」，梁啓超氏也很奇怪「隋唐以降，寺剎遍地，梵僧來儀，先後接踵，何不以梵語，渤爲僧課，而乃始終乞靈於譯本」。此一問題，很值得研究。輸入外來文化，仍需顧傳統文化，要想取精用宏，必須普及上下，假令全國僧侶士庶，皆以梵語說法誦經，不但有損民族自尊，亦且無法產生中國式的佛教。唐代禪宗之所以光輝千古者，實種因於佛經的翻譯、吸收、整理與創作之功，否則，原文持誦只是保存別人的文化而已，必不能收到移植融鑄之效。

五船山論史：「古今大害有三，老莊也，浮屠也，申韓也，三者之致禍異而相沿以生者，其歸必合於一，不相濟則禍猶淺，而相沿則禍必烈」。以故王氏對於歷代崇佛 老者，指斥得非常厲害，此一態度，蓋係有感而發。例如梁元帝於江陵失陷之時，焚古今圖書十四萬卷，有人問之，答曰：「讀書萬卷，猶有今日，故焚之。」王氏也頗贊成元帝的說法，他以爲讀書的目的在於「辨其大義，以立修己治人之體」，如果不能達到這一個目的，則「讀書萬卷，止以導迷」。此和前面的議論，同一着眼。任何學術，用之不慎，均有流弊，即以儒學而論，非十二子篇說：「偷儒憚事，無廉恥而嗜飲食，必曰君子固不用力，是子游氏之賤儒也。」太史公也指出「鄙儒小拘，」問題很大。船山崇儒，但不知對此現象如何說詞了。

王氏平日對老莊佛學，造詣甚深，對老莊之書，並有注釋，對佛學著作有「相宗絡索」，識者謂爲「釋氏之小學紺珠」，平生 哲學思想，受道佛影響頗大，隱居期間，常與方外之人爲友，姓名可考者，計有十餘人之多，唱酬過從，極爲密切，其「相宗絡索」一書，即係由釋先開代爲審訂。王氏死，楚僧元璞哭之以詩曰：「共對禪燈說楚辭，國殤山鬼不勝悲；心傷衡嶽祠前道，如見唐臣痛哭時」。可見王氏與釋氏的關係是如何深厚了。故王氏指老莊、浮屠、申韓之爲害天下，自是一時偏激之言，並非持平之論。就史言史，唐代文化之盛，佛學固佔一重要地位也。（十一）

大學尺牘

顧頡剛致函陳槃庵　鄉村生活適於療疾

槃庵兄：

剛去年別後到蓉，即忙于應酬又勞於開創，又困於疾病，任何文字不能寫。今春病春瘟，又一病月餘，益難支持，人初起床，人事又集，爲保全生命計，爲顧全學業計，以十二分之決心遷出成都市區而入鄉村。剛現在所住之地，離城廿五里離附近場市亦七里，較浪口村爲更僻。所居之地，不但無市肆，且無鄰居，田疇交錯，初到者如不備小車即無法覓得，故日間不聞人聲，惟聽鳥叫，夜中則鳥亦不叫，萬籟俱寂矣。現獨身住此，俟校中放假後全家俱來，甚感天不負此苦心，容我以讀書作文也。所居係賴家在七年前所建之大宅，大小幾院，花木百株，翠竹萬竿。又有亭池之勝，爲剛十年中租屋所未有。房又既佳又寬，故擬將研究所遷來，大家專心用功，在如此之環境中再做不出甚麼來，則惟有自怨自艾矣。試住一星期，睡眠大佳，居然不服藥能睡六小時；又試睡午覺，雖不能入眠，聊以習懶，剛平日太緊張，惟有以懶調劑之也。前數月中，困頓於死，今則又有生機矣，兄當聞之而稱快也。春秋一書，剛數年來所蓄意用功者，俟一切佈置就緒後，當每日抄寫左傳一年，八月而畢，然後再爲尊著作序，則語有原本，非臨時獵祭者比矣。廖季平著作，必當求之井研之處，成都無法可想。成都人俗浮華，作文書畫因有不少小名家，而經史則無聞。剛來此一載，幾認廖季平蒙文通非四川人也。不知廖氏弟子何以如此淺氣？數夕安眠，精神漸好，特奉此函告罪，此因數閱月中所欲告之語也。自此即頌著祺

諸友人前均此奉候。

頡剛拜啓　六月十三日

搜異錄

人類原是雌雄同體

爲什麼有男有女？爲什麼男女之間又是這樣的愛戀着？學過物理學的人，都喜歡用電學的定律來解答這些問題，說什麼同性相排斥，異性相吸引。可是，調過頭來，再看看物理學發展之前，古人們對這些現象做何解釋呢？古希臘的哲學家百拉圖，曾就這些問題深研苦思過，最後乃獲得了如下的說明：

「人類原是雌雄同體，即男和女是連成一體的。頭部軀幹呈圓形，手腳各兩雙。頭的兩側各生着一張同樣的臉，耳朶各兩對，其他器官也是如此。」

這是他對人類祖先之體形的描述。

爲了解釋男女的關係，他進一步解釋：「這種人不但體力強大，並且聰明知慧，因此，不太聽神的話，並對神時加冒犯，最後竟想對神加以攻擊而昇天。後經羣神集議決定，把處分權授與宙斯神了。

這時，宙斯認爲殺死他們怪可憐的。於是就決定切成兩半，一半是男人，一半是女人。男女之所以相戀相愛，實在就是爲了找尋原來失去的半個身體。」

眞不愧是大哲學家，解釋得天衣無縫，近情近理！

（沐子）

中國女性文藝春秋（續）

周燕謀

梁夷素與「相思硯」

梁孟昭說「相思硯」本事：

牽牛織女二星，從前由於結婚後，荒廢職務，所以天帝使他們隔絕，一居河東，一居河西，每年七月七日才許相會一次。不過兩星都耐不住孤寂，常常私渡銀河幽會，被天帝所知。牽牛又與南極老星奕棋，偶然拂落二子，老人說道：「這三百六十子，都是女媧的補天石做成的，應三百六十度星宿。現在失去二子，後日必有徵應。」

其時又適遇織女赴月宮助采，和月中仙子都因感到孤獨，而思下凡之念。於是天帝謫牛女二星下世，托生尤、衞兩家。月中仙子亦下凡，使她也備嘗人世艱苦，但不投人胎。南極宮中的耗星也乘間逃到人間，投胎牛家爲子。

杭州戎政尚書衞觀，乞假在家。夫人鄒氏，只生一女，名蘭森，姿容絕代，雅善詩書。他家嘗生五色靈芝，芝上又生紫氣，乃掘根，得寶石一塊，石上有蝌蚪文，人皆不識。鄒氏幼時，曾患絕症，得一道姑來救，始獲重生。但不知道姑姓名，呼爲異人姊。這時候道姑忽借一女來訪。這女子美艷非常，托鄒氏撫爲義女，名叫蘭生。異人見了寶石說道：「這是思硯，乃女媧補天石所化。思有相硯，與此爲對。」她又識石上的蝌蚪文的銘：

惟此寶硯，彼相此思；欲借鳳卜，得相始施。

旁有蘭森名字。於是互相歎異，以爲他日有人來求婚，必得相硯爲聘，才許結婚。

浙西杜之子尤星，字瑞生。生時，他的父母曾夢河鼓來降。弱冠登賢書，尚未聘婚。一天和他的同年友田畏揚遊西湖，適逢衞夫人挈二女到湖上探梅，瑞生與蘭森相望一水間，目交心許。後來訪知爲衞氏之女，遂投於衞觀門下。覿令館之於後園。

所謂異人之女蘭森，就是月中仙子，方在爲兩人作合，乃假蘭森之名，題詩葉上。瑞生見了，相思亦苦。乃乘便問計於婢女孤鴻。鴻告以必得相硯爲聘，又叫他改易女裝，直入蘭森閨房，得見思硯。他要覓相硯，一時難以尋得，乃祈夢於于忠肅祠。果然夢有神告說：相硯在天台雁蕩山，但恐怕硯歸人去。醒後，托友人田渭洋爲媒，自己去到天台求硯。

（七十三）

袁世凱父子各執一詞
關於戊戌政變案

諸葛文侯

滿清光緒廿四年（一八九四年）戊戌政變之所以發生，按照各種史料和私人著述，互相參證考覈，是由袁世凱由北京回到天津後，把譚嗣同對袁氏密談的內容，向直隸總督榮祿告密而釀成的，殆無疑問了。

民國初年，袁世凱害怕康有爲、梁啓超以及戊戌被害的六君子家屬等，或將舊事重提，曾發表關於戊戌政變的回憶錄，敘述他奉詔晉京，兩度覲見光緒帝，正擬遄返小站的先一天深宵，軍機章京譚嗣同忽至袁氏下榻的法源寺叩訪，說是奉有皇上手諭，教袁世凱於光緒帝九月間跟母后赴天津閱兵時，派軍隊護衛聖駕入京，實行「清君側」，包圍頤和園，不利於慈禧太后。他心裏雖不贊成，然以譚係皇上親近大臣，茲事體大，未敢公然拒却，祇好答以詳細考慮行事，誓言決不洩漏消息，辜負聖上知遇之恩；又謂他當時瞧見譚嗣同衣襟間隆然有物，疑是武器，更不敢拂逆譚氏的意思。關於榮祿聞訊馳回北京向慈禧告變的情形，袁氏的回憶錄中並未述及。可見他發表這項文字的用心，祇在洗刷個人賣友求榮的慚德而已。

近閱香港星島日報，載有世凱之子袁克文（寒雲）紀述戊戌政變內幕的文字，竟與乃父所說，大異其趣。克文謂譚嗣同携帶着光緒帝兩種硃筆手詔，親赴小站面晤袁世凱，請袁氏先殺直隸總督榮祿，再派兵入京包圍頤和園。這與前述世凱自譔的回憶錄恰恰相反了。克文又謂乃父在小站送走譚嗣同後，急奔天津向榮祿告密，並出視兩道硃筆手詔、請榮立即入都，別道趨頤和園密陳太后。榮請：「我朝法制，太后居宮，百官無帝旨，不許擅入，奈何？」袁曰：「太后歸政日，會有懿旨勑一二品大員，倘有大事同奏，可直趨園。」榮起呼曰：「太后眞堯舜也！有此詔令，社稷安矣。」另將乃父如何倚榮祿計畫後事，藉以邀寵見信的經過情形，繪影繪聲，揭露纂詳。更痛責康有爲誤君負君，殺弟陷友云云。

袁克文遺篇紀述，絕對不可靠，必係他人捏造的。何以見得呢？一是袁世凱在政變之前幾天，確曾奉召入京覲見光緒帝，有官文書的檔案可稽。譚嗣同並未到過小站，袁譚晤面是在北京法源寺無誤。二是所謂太后歸政日的懿旨，既是給一二品大員的，然身爲直隸總督並且屬太后親信大臣的榮祿並不知有此事，而區區直隸按察使衞的袁世凱却深悉之，寧非怪事？三是譚嗣同隨便把皇上的密詔交給袁世凱，克文結果而去，亦復不近情理。此三點事實，即證明袁克文的紀述，若非別人僞造，亦係捕風捉影之談，適所以揭乃父賣友求榮，忘恩負義的卑鄙小人行徑。聰明而讀書有得的袁寒雲，何至於這樣愚蠢？再看全篇文字，亦甚不似袁寒雲手筆，更可反證僞造的成分居多也。（完）

談「生死恨」

時花選石館隨筆。

彭國棟

「生死恨」一劇，以悲慘結局，余每爲歎惋，不知編劇者何以必須變亂事實也。按此劇本事出於元陶宗儀南耕輟耕錄卷四。其言曰：程公鵬舉在宋季被擄，於興元板橋張萬戶家爲奴，張以虜到宦家女某氏妻之，既婚之三日，即竊謂其夫曰：觀君之才貌，非久在人後者，何以不爲去計而甘心於此乎？夫疑其試己也，訴於張，張命箠之。越三日，復告曰：君若去必可成大器，否則終爲人奴耳！夫愈疑之，又訴於張，張命出之，遂鬻於市人家。妻臨行，以所穿繡鞋一易程一履，泣而曰：期執此相見矣！程感悟，奔歸宋。時年十七八，以蔭補入官。迨國朝統一海宇，程爲陝西行省參知政事，自與妻別已三十餘年矣！義其爲人，未嘗再娶。至是遣人攜向之鞋履往興元訪求之。市家云：此婦到吾家，執作甚勤，遇夜未嘗解衣以寢，每紡織達旦，毅然莫可犯。吾妻異之，視如己女。將半載，以所成布匹償元粥鏹物，乞身爲尼，吾妻施資以成其志。見居城南某庵中。所遣人即往尋見，以暴衣爲由，故遺鞋履在地。尼見之，詢其所從來。曰：吾主翁程參政使尋其偶耳！尼出鞋履示之合，亟拜曰：主母也。尼曰：鞋履復全，吾之願畢矣！歸見程相公與夫人爲道至意。竟不再出。告以參政未嘗娶，終不出。旋報程移文本省，遣使檄興元路，路官爲具禮委幀歸李克復防護其車輿，至陝西重爲夫婦焉。此本喜劇，夫婦終得團圓，而編劇者故以婦先病死爲結局，令人看後有不愉之感。

按見山樓叢錄云：明嘉靖中，長洲陸采，採輟耕錄程鵬舉事，作分鞋記傳奇。復有作易鞋記者，衍鵬舉與妻白玉娘易鞋相別，始離終合。大致與陸記不殊，而關目頗多增飾，名字亦不盡同。鵬舉被擄於張萬戶家，配以玉娘。張鵬舉逃去，張鬻之市人家，執作借值，倣心室門。程貴，遣人持鞋物色，復爲夫婦。其所同也。輟耕錄不載鵬舉父名。宋稗云：尚書文業子，此云參政公輔子。合宋稗輟耕錄觀之：程名萬里，字鵬舉，一若其字，一若其名。此以鵬舉爲名，字曰公達。作者殆未見宋稗，以意爲之也。玉娘，統制白忠女；此作白如珠。程之奔宋，玉娘實慫恿之；此則以爲婢輩竊聽，訴之主人。玉娘編行，與鵬舉分鞋，此則以爲夫婦互易。玉娘之入市家，萬戶鬻之；今則謂玉娘自投明珠橋，周嫗拯之，以還萬戶；萬戶不肯受，嫗撫爲己女，玉娘償鏹爲尼；今謂被逼少迫婚，因出家明淨庵。至程白父母，二書皆不言及，或已去世，亦未可知。今則謂二家父母咸在，程母趙氏，白母韓氏，韓弟某，官吏部侍郎，與鵬舉父同年進士。鵬舉返國謁韓，韓保薦得官，至陝西參政。如珠時官陝西副使，鵬舉奉父赴至署，復覓得玉娘，而又適與婦翁同官，並得快聚。凡此皆緣飾成編者也。綜觀分鞋易鞋二記，皆寫夫婦團聚，而生死恨一劇獨否，理宜予以改編也。

海天吟苑

苦雨吟

李洛九

東風霎霎欲侵旬。惱透寒威酒替瞋。按劍高歌塵慮遠。隔窗厭聽雨聲頻。重衾獨擁愁難遣。孤館長嘶志未伸。遮莫鄰雞催喔喔。殘燈猶戀苦吟人。

孟春偶感

書空長咄咄。廿載賦澆愁。紈门騰過。歸心夢寐浮。微吟孤館夜。勝槩散人流。撫物幽懷寄。推時秉燭遊。

醉隱初衷在。新詩帶酒裁。寒潮隨寂寞。歲月任徘徊。過往傷神事。偏留積鬱來。東風舒萬物。莫許鬢絲摧。

輓廖維藩

必也正名乎。維護國文。尊國粹。

果哉言責者。仲張公理。仰公忠。

生活漫談

人類應適時進補
植物加肥．動物添料

一切動物的交配，率多有固定的季節時間，只有人打破動物例規，因之常造成男婦虛弱，初則脾胃不健，繼而頭目昏眩，耳鳴健忘。廣東人一年四季吃東西，總是研究如何補，實則補就等於植物加肥，動物加料，比如庭園栽植的月季花，花開後立即施肥培補，下個月開的花朵既鮮艷又大，否則一月比一個月小，花的朵數亦一個月比一個月少，足以證明培補的功用。

烏雞百膏湯是以烏雞爲主。大家所知道的雞鴨魚肉，不過爲葷菜之一種，殊不知雞乃一種重要中藥。談中藥又離不開金、木、水、火、土，所謂金木水火土者，只不過是用以代表心肝脾肺腎五臟的一種符號而已，符號的本身並沒有什麼意義。數典忘祖攻擊中醫的人，總認爲中醫所用的金、木、水、火、土，是胡說八道，道祇是自己淺薄；何況近年來進步的中醫，早將金、木、水、火、土，符號廢置不用了，而直接用心、肝、脾、肺、腎、五臟的本名。藥典異謂雞屬木，而骨黑者屬水，水木之精氣，故能益肝、補脾、又兼助腎、治虛勞、補損益、治消渴、下痢噤，烏骨雞骨肉俱黑首良、舌黑兼骨肉俱佳者更爲上品。

烏雞百補膏的製作法，以白毛烏骨雞一隻，（不是白毛雌烏骨藥力不大，用時注意）烏骨雞不分雌雄殺後去毛破腹，腸雜拿出洗淨，用大生地四兩，先用酒洗，麥芽糖四兩，共裝納雞腹內，瓦罐裝好，隔水蒸爛食之。十天一次，有意想不到之效力。進補期間，房事暫停，否則涓滴之補，難培黃河泛濫。

雞冠乃精華所聚，農村用爲治小兒受驚良藥。又因雞食百蟲的關係，雞口涎能治：蜈蚣、蜘蛛、蚯蚓，一切毒蟲咬傷。雞肫皮，能消水穀，除熱止煩，下氣消積，利大小便。雞肉吃完後，剩下雞骨燒灰和以葱鬚生薑熬茶，加紅糖當茶飲，爲北方農村民間治積食感冒驗方。

素食百補膏，專爲吃素的人，用以進補，其功力較烏雞百補湯差額有限，處方爲嫩黃耆五錢，切成片，當歸五錢（最上品須截頭去尾淨重）酒製洗淨，竹葉心五錢，橘紅三錢（如果沒有貢者，用老陳皮去淨白亦可）以泉水（如果沒有泉水，自來水亦可）熬成膏每早滾水調服。黃耆含有葡萄糖，粘液質，樹膠，纖維素等，爲綜和強壯藥，無汗能發，有汗能止，補肺氣，壯脾胃，填陽虛，瀉陽火，又爲治糖尿病的藥物。當歸補血，婦人皆知。竹葉心，鎭咳解熱，涼血清肺。陳皮的功用甚偉，其成份含有右旋性檸檬，柑果苷，檸檬酸，糖份，及維生素C等，四川、雲南、廣西、廣東、福建、臺灣皆產，當以福建、臺灣及廣東新會所產橙橘之皮爲正品。中藥店賣的有化州陳皮、綠毛陳皮，實非橘而似柚類之皮，價頗貴，貴非適於藥用，買藥時注意。陳皮功能止咳化痰，鎭嘔止呃，青枝治胃痛、吐逆、解熱、消痰，用上列數藥熬膏成爲素食百補膏，可以與烏雞百補湯相提併論，非無由也。

（馬騰[illegible]）

創業哲學

說與做

．楚狂人．

除演說家、教授和新報，以說話寫作爲職業外，其餘的行業最好是多做少說。「言多傷神」「爲政不在多言」都是勸勉人少說話，日本政治家元老西園寺，是最不愛說話的一個人，即是接見必須要見的賓客，亦只聽不答，因此老以攝生爲重，從來是不大開口的，多少帶點明哲保身的意味。（按西園寺死於一九四〇年享年九十二歲）

可是在從事新聞事業，任職「東洋自由新聞」社長的時候，他大膽的不斷的發表論文，指責當時長薩閣政府的低能，和「阻遏新機」。對方恨之刺骨，施用政治壓力，屢次提出嚴重警告，他不但了無畏懼，且有「氣吞山河」「目無餘子」之概；最後內務大臣捧出「聖旨」才迫令他退出報社。故伊藤博文非常賞識這位敢作敢爲的新進鬥士。

如果你不是以說話或寫文章爲職業的人，蘇格拉底有句名言：「我們天生兩隻耳朵兩個眼睛，只一根舌頭，因此聽和看應該比較說話多一點。」但從事傳播業務及製作電影廣告的人，又非海濶天空不可，否則就難混到飯吃了。

長生殿與華清池

冰郎

七月七日長生殿，夜半無人私語時；
在天願爲比翼鳥，在地願爲連理枝。

這是白樂天的長恨歌中描寫明皇與貴妃在長生殿於七月七日的盟誓的。在方士仙山訪太眞，由太眞說出囑方士傳語明皇的。從這四句的纏綿之情，再讀到後兩句：

天長地久有時盡，此恨綿綿無絕期！

任憑你是鐵石心腸，也要被這哀痛的句子打動了。太眞與明皇恩愛之時，山盟海誓，誓同生死，然而當六軍不發時，譁變的軍士們定要拆散這對親親熱熱疼疼愛愛的帝王夫婦，終於有情有義的李三郎，變成了無情無義的負心郎，眼睜睜看着「娥眉馬前死」，而挽救不得。既令回鑾之後用檀香木彫成楊玉環生像，每日哭奠，又有何益？

唐明皇與楊貴妃這段姻緣，在陳鴻、白居易的筆下，寫得極爲動人，恩愛時令人羨煞，生離死別時又教人唏噓不已。洪昇的長生殿傳奇，也不外乎陳、白的宗旨，極力寫兩人的纏綿之情，而無一句謗語，頗得騷人之趣。

雖然長生殿今日已不能復見，華清池卻依然水流潺潺，想及貴妃初度定情之時，賜浴華清池，溫泉水滑洗凝脂，侍兒扶起嬌無力的情景，直令我見猶憐。而華清池猶在，人已全非，興亡之歎，相信人人都會興起的。

華清池在陝西臨潼縣之南，離城三里許，背倚驪山，面臨渭河，其地本有溫泉，所以逸會下古傳誦着「溫泉水滑洗凝脂」的名句。不過，當年的華清池，今日也已無緣再見！早已由古色古香變爲了現代建築，大陸未陷毛共前曾有友人往遊，而得小照，迄今猶存，照片所示，雖然仍頗具庭園之勝，卻早非太眞賜浴的舊景了。

自由報

第一五八期

中華民國內政部登記證內警臺報字第031號
中華郵政臺字第一二八二號執照登記為第一類新聞紙類
（中華民國郵政局登記掛號、六出版）

每份港幣叁角·台灣零售每份新台幣弍元

督印兼發行人·社長李蓮鶴

社址：香港九龍登打士街91號十樓六座
91 DUNDAS ST, 9th FLOOR, FLAT 6 KOWLOON H.K.
電話：867293 電報掛號：7391
承印者：大同印務公司
地址：香港北角渣華道九六號
台灣總管理處
中華民國（台灣）台北市大同路119號
電話：559395 · 557474
台灣分社：台北市西寧南路110號二樓
電話：五〇三四六
台灣郵政劃撥帳戶九二五二

為復興文化上 總裁書

宜特別注重於第三代國民之教育 國家應有長期發展小學教育計劃

蕭瑜。

總裁鈞鑒：數年前，返臺出席黨部九代全會，面聆

訓示，盛德謙光，莫名欽感。自前年 國父誕辰，經明令定為中華文化復興節後，旋又成立中華文化復興運動委員會， 鈞座俯從衆請，兼任會長；關於復興文化之推進，立得海內外人士之熱烈響應，而會務部署，亦已綱舉目張，策劃進展。瑜不敏，一得之愚，竊欲略陳管見；原擬於去年十一月黨部全會，奉召返國，出席會議，擬作提案，上達 聰聽。適以瑜在此間所主辦之中國文化之宮，本與共匪及烏共合組之「烏中文化學院」為交鋒對壘之敵對機構，臨時發生事故，必須坐鎮應付，以致未能成行。今將管見，謹以書達，幸垂察焉。

瑜以為中華文化復興運動，必特別注重於第三代國民之教育，及對外文化輸出，必於此兩者，格外用力，方可達到此一運動之圓滿目的。請先就第三代國民教育之特別重要縷陳之。關於中華文化之精神，已承 明示為倫理、科學、民主，天經地義，確切不移，則何謂中華文化，已無問題矣。文復運動之推行，為普及全民，則文化運動之對象，亦照然若揭矣。文復運動推行之步驟，已有各種小組委員會，分門別類，詳加研究矣。然有最不可忽者，為此一運動之根本精神。竊以 鈞座發起文化復興運動，非如古代歷史，每值昇平之時，人民生養休息，政治即趨於右文，稱為文治光華也會。乃因匪方狂妄毒辣，正在推行消滅我傳統文化，我黃炎華冑凡有血氣之倫，皆應激厲奮迅，起而加以挽救，非僅補偏救弊，實欲使之起死回生，重放光明也。

故文復運動之根本精神，原有搶救國家民族命脈，而有戰鬥之性質也。近年來大陸匪幫之種種倒行逆施，皆其自速滅亡之道，其必滅亡，詎有疑義。匪酋不死，內亂紛乘，殘喘苟延，亡或稍緩。一旦匪酋死去，即使我不摧枯拉朽，而其滅亡，亦必立見。惟遺留於我之復國建國工作，誠所謂來日大難，其最難者固為滿目瘡痍之待復，而其更難者，在於數百萬紅衛兵之中毒青少年，已完全失去靈性人心，眞已成為人面獸心之猛獸，我將如何加以收拾，如何「洗腦」「換骨」，重加教育。此一工作，較之陸海空軍作戰，將更為長期艱苦，其時我方相與搏鬥者，正為我國今日在臺之第二代國民。

我國今日五六十歲以上之人，及大中學尚在中年之教師，實為國民之第一代。大中學生為第二代，第三代國民，則今日之小學生也。在政府返回大陸後，為文化復興運動臨陣作戰者，今日之第一代國民，皆為指揮及隊長，第二代為面臨匪敵之鬥士。然此一戰鬥，為期甚長。抗戰八年，反攻十八年至二十年。（正合十年生聚十年教訓之史事。）

至於文化之戰、恐須五十年，乃至一百年 以上，斯誠所謂 百年大計 百年樹人之謂矣。今日之第一代，雖上壽百歲，在歷史過程中，轉瞬亦將消逝；其接棒繼起而為指揮隊長者，即為今日國民之第二代；倘不及時特別訓練第三代之小學生，則他日第二代之任指揮及隊長者，將以誰何為臨陣之兵士乎？而今日之第二代，不久亦將消逝，其接棒繼起而為指揮隊長者，將為今日國民之第三代；如此逐代演進，五十年與一百年後，中華民族之命運，與中華文化之前途，實均寄託於未來作戰之官兵，即永為國家國民之第三代。故今日之小學生，不獨為文化復興之種子，實為文復運動即將繼起之鬥士。且今日在台之第三代國民，多出生於台灣，對大陸祖國，已自無何印象；對我傳統文化，更無認識，更無根底。如不及早特別加以教練，何能激發其愛護固有文化之熱誠，而使之足以負担異日復興之大任？政府新近規定，國教延長，為期九年，正符十年教訓之義；亟宜將小學課程特別釐訂，小學課本，加以改編。於一般德智體羣教育外，積極加強傳統文化教育，（史地兩科尤為重要）特別發揚民族精神，使之明恥，為之教戰，必確使今日之第三代國民，充分接受復興文化之預備教育與作戰訓練；一面宜用特種方式，訓練小學教師，優待小學教師，充實小學校之設備，提高小學教師之待遇。（第一次世界大戰時，英國政府，忽將小學教師，薪資提高一倍，可資借鑑。）

今日大陸之紅衛兵，以紅為國際公認之革命色徽，故自稱為紅，實則匪幫紅衛兵，乃黑心暗昧之黑衛兵也。我如特別培養第三代之鮮紅血輪，以為保衛及發揚傳統文化之先鋒，則眞革命之鬥士矣。瑜在前清光緒末年，肄業高等小學，其時學校考試，有一最流行之作文試題，為「普之勝法，日之勝俄，皆歸功於小學教育說。」豈獨昔日，即如近代史事，第一次世界大戰時，英國臨時抱佛腳，亦特別注重小學教育，優待小學教師，（見上）並將義務教育，延至於初中。

由今言之，豈獨昔日英國，我之文化復興，亦必深賴於小學教育，決無疑也，決無疑也。我政府已有長期發展科學計劃，愚意亦宜有長期發展小學教育計劃。我總裁為隆師重道，每年皆宴集資深之大學教師，愚意亦宜賜宴資深之中小學教師，我總裁每年召見英雄政工，愚意亦宜召見無名英雄之小學教師。社會人士往往在大學設立獎學金，愚意懸提，設立小學獎金及小學教師獎勵；小學生時有國語畫運動黨義等比賽愚意今後應注意文運動學習比輝。小學年及畢業考試宜文復學習一門，升考試亦宜考試此門

政府遷台以來提倡國語教學，才餘年，今日小學生國語，已收統一之效，即與民族統一基。倘今著眼於復文化，他日收效，必如此且更宏遠十百倍。「小學之功，大學之基，蒙以養正，是曰聖功。」此先賢羅忠節名言也。自今日文復運動觀之，此語意義，尤極精闢。總之，文復運動將為長期與不斷之奮鬥，每歷二十年，即皆以小學生為其中堅。當其在小學時為小學生，為後備兵而已。

（下轉第三版）

危機暗伏

還要兇狠

北韓

南韓

南越

昨日與明日

毛共區域亂象環生

毛酋澤東製造紅衛兵之亂以奪權，原係利用大、中學生作豬腳爪的，然戾氣所鍾，小學生亦相率亂鬧，拒絕復課。廣州各個小學校最近由共軍强制開學，嚴密守衛，所有教職員和學生，不得校長許可，一概不准離開學校；而北京大學的員生，兩大派系對立，各據校舍一部分，糾合數百人互相打鬥，如臨大敵，駐守校內的「解放軍」，弄不清誰是擁毛派，誰是反毛派，祇好袖手旁觀，不敢干預。廣州和北平的學校情形如此，其他各地區自不會例外。毛酋三令五申教學生回到學校去，一面復課一面革命，大家置之不理，他已嘗到能發而不能收的苦果了！

毛酋雖然向槍桿子低頭妥協，由各省市的駐軍頭目作主，表面上成立了廿一個「革命委員會」，宣言「効忠毛主席」，但所屬各縣區依然混亂打鬥如故，并不服從「革委會」的命令，社會秩序即永遠沒法恢復，黨政的紀綱和威信，更無從建立起來，毛酋企圖利用軍隊力量以重建黨政權威，怎末可能呢？這是內憂。

還有嚴重的外患

近據毛共發出消息，證明老共幹陳紹禹（即王明）在莫斯科創立中國新共產黨，從事反毛運動，隨時化名譔寫反毛文字在「眞理報」發表，這當然是事實。新疆駐軍頭目王恩茂，對所謂「文化革命」始終不熱心，迭遭紅衛兵攻擊，然毛酋對王恩茂無可如何，新省至今未成立毛式的「革命委員會」。王恩茂何所恃而無恐呢？很顯然，他是仗有俄共在背後支持，自然跟陳紹禹發生密切關係。

毛共藉以恫嚇西方國家的核子武器製造所就在新疆，而俄帝的潛勢力又在新省最深厚，王恩茂若與陳紹禹合作，毛共的命根子即完蛋了！

結語

無論從那一方面觀察，毛的生存前途是危機四伏，凶多吉少，不成問題，負有反共救國使命的台灣當局，如果坐失時機，毫無動作，那便是時代的悲劇！

（何如）

自由談

民主政治的價值觀

美國每屆總統選舉期間，共和、民主兩黨的候選人，必以外交問題作競選資料，特別是東半球的問題最吃香，例如二次大戰後的中國問題，韓戰問題，現時的越戰問題，都是競選的良好題材，而以「爭取和平」為口頭禪。

論道理，內政應該重於外交，尤其是美國的內政問題如黑白人種歧視對立，通貨膨脹等等，都是行政首長必須設法處理的大事情，兩黨競選人士，何以存而不論呢？這原因很簡單，談內政問題，一般民衆多洞悉內容，大家心裏有數，不受玩弄欺騙的。祇有外交問題，而且是東半球方面的問題，美國大多數人民皆莫名其妙，如南韓與南越是在甚末地方，很多人就不知道，因而容易被政客們的花言巧語所蠱惑；加以民衆總是害怕有戰爭，連累子弟入伍出征，大家喜聞「和平」之聲，卻不問事實眞象如何。明乎此，即知詹遜總統之哀求越共談和，麥卡錫，羅拔、甘納第之聲言反對越戰，尼克遜之表示對越戰有辦法和平解決云云，盡係旨在騙取選票的宣傳詞令，所謂可欺以其方，不足信也。

因此，我對於「民意」的價值問題，頗滋疑問。民主政治應該以民意為依歸的，但民意只顯眼前的小利小害，而缺乏深謀遠慮的作用，執政者如其遇事遵從民意而行之，必無是處，從而演繹推論到民主政治的本質，亦就大有問題了。已故英國名人邱吉爾說過：「現代的民主政治方式，可能是最壞的一種制度；但在沒有發現更好的制度以前，祇好如此辦理」。我卻認為開明的君主政治，如吾國漢文帝，唐太宗，宋太祖君主制，較現代這種虛偽而又勞民傷財的民主話，對國家更有裨益，對人民亦多幸福。民主政治的精髓就是選舉，而選舉的結果距離選賢與能的境界甚遠乃至背道而馳。你能說在美國當選總統的人，就是傑出人才嗎？美國如此，其他更可知矣！

高王先生

陶百川提案質詢國民住宅政策執行有無偏失？

——本報記者張建生

一、經費是否被移作它用？

二、二、三兩級貧民所受實惠究有多少？

三、違章戶整建經稽察程序否？

四、補助華貴公寓有何必要？

以上是經監察院第一〇五七次院會通過監察委員陶百川之質詢提案。由內部委員會調查台灣省政府執行興建國民住宅政策執行有無偏失？

台北航訊

台灣因人口之增加，每年需要增的住宅，據估計約為八萬戶，而每年因各種災害毀損及替補年久破損住宅，亦在三萬戶以上，兩項合計每年需要增加住宅十一萬以上。尤其在商業及人口集中都市的情況下，都市房地價格高昂，而違建又亟待整理，致形成嚴重的都市住宅問題。故國民住宅的興建，實為解決民生重要課題之一，並為適應都市發展的必要。

在民國五十年至五十三年間之第四期經建四年計劃期間內，政府以貸款興建各種住宅約萬戶，雖對安定民生，繁榮社會，稍有裨益，但仍不足以適應實際需要。政府為此，在第四期經建四年計劃中（自五十四年至五十七年），繼續釐訂國民住宅興建計劃，並配合疏散政策，以開發新社區方式，大量購買土地，完成各項公共設施，全面推展住宅興建工作。

此項計劃係依據實際需要而釐訂，在五十四年至五十七年內，由政府貸款及建出售各種住宅十二萬戶，開發新社區土地百萬坪。共需經費新台幣六十八億元。

所謂「各種住宅」，係以勞工、農民、漁及市民、公教人員為主要對象的各類住宅，計興建七萬一千戶，平均每戶造價五萬元，由政府貸予造價的八成資金為四萬元，另由建屋人自備土地或購買新社區土地及自籌資金二成為一萬元，自行興建，貸款還款期限為十五年。

此外，政府為配合拆除違建，興建平民住宅兩萬一千戶；並以鼓勵投資與興建國民住宅方式，協助機關學校與公教住宅二萬八千戶，貸款數額與還款期限，都和前述相同。

至於開發住宅新社區，預定開發新社區土地一百萬坪，其收購土地以每坪五百元為標準，公共設施費用以每坪三百元為標準。

這個計劃的設計，雖不能說完全錯誤，但不切實際則是不可否認的事實。因為五萬元一戶的房屋價，和五百元一坪的地價，在台北市固然買不到，就是省轄市及縣轄市也是買不到的。由於計劃的設計不當，加上執行計劃的機關未盡職責，致國民住的問題却越來越嚴重。

於是，陶百川委員就政策上的問題，提出六點意見，作為調查的依據。第一是：國民住宅政策，本以低收入國民，尤其是一、二、三級貧民為實施的主要對象，但據報：年來重點顯然放在一般中收入之國民，即興建所謂一般國民住宅。而為鼓勵投資，甚至最華貴之高級住宅，年來政府亦極有限之基金中以撥貸，並降低利息以資優待。實情如何？是否合理？

第二是：一、二、三級貧民興建之平價住宅，台灣省五十五年度有無此項計劃？五十六年度各縣市雖列有四千戶之預算，然落成者僅有台南市的一百五十六戶，其他三千八百四十四戶之進度如何？何故遲延？

第三是：此項平價住宅及為違章建築拆除戶興建之整建住宅，例由政府發包，有無經過審計機關之稽察程序？其造價是否偏高？現聞台灣省政府正在發起組設住宅公司，公私合營，私股多於公股，聞將以承建此項住宅為主要業務。造價是否望減低？審計程序自可免除，但其利究竟如何？

第四是：五十六年省政府預算用以鼓勵興建一千戶高級住宅的資金共為一億二千萬元（平均每戶資金十二萬），而用以興建四千戶貧民住宅者，則為一億一千三百七十五萬元（平均每戶資金為兩萬五千八百三十七元五角）。移雪中之炭以添錦上之花，究竟有何必要？

第五是：分配於各縣市之一般國民住宅者，五十六年度共計一萬戶，經費四億八千萬元（平均每戶為四萬八千元），聞多為房屋掮客及營造商勾串政府官員包攬而去，轉售攫利，而且偷工減料，糾紛迭起。實情如何？何以防止？

第六是：國民住宅之基金，除美援外主要為地價稅及土地增值稅。聞增值稅將用以興辦九年國教，地價稅用途繁雜，受配不多，用美援則難為繼，而銀行又不感興趣，政府將如何繼續推行國宅政策？

立委徐中齋在立院揭發

劉紹志涉嫌貪瀆失職　黃文岳侵害商人權益

泉興木行謝獅承受委託後，於五十二年二月十七日開始提運第一次木材至五十二年七月四日提運至第十九次木材止，共計提貨積材總計二千六百四十八立方尺七五。

自五十二年七月五日開始提運第二十次木材至五十三年六月七日提運至第二十七次木材止，共計提貨積材總計一千三百二十四立方公尺四三，則由南邦公司自行繳款提運木材。

在泉興木行謝獅代南邦公司墊款提貨並保管木材期間，蘭陽林區管理處承辦人員與泉興木行謝獅等勾結，未依「合約書」第七條規定之先繳款後提貨，相同反，且有先運木材而後繳款的事實，甚至逾期繳款亦不加收滯納金千分之三，益顯該管理處承辦人員有瀆職並圖利他人之重大嫌疑。其瀆職事實如下：

泉興木行先提貨後繳款部份：五十二年三月十三日第三次提針一級木材六九點一五立方公尺，同月二十一日繳貨款十萬元。同月二十一日第四次提針一級木材一三〇點四五立方公尺，提潤葉樹木材六點八一立方公尺，同月二十八日繳貨款十萬元。同月二十七日第五次提針一級木材一四六點七立方公尺，提潤葉樹木材三點九八立方公尺，翌月（即四月）四日繳貨款五萬元。同年四月四日第六次提針一級木材五九點九八立方公尺，提潤葉樹木材一五點八二立方公尺，同月九日繳貨款十萬元。四月八日第七次提針一級木材一二〇點九二立方公尺，提潤葉樹木材五六點一五立方尺，同月十六日繳貨款十萬元。四月十六日第八次提針一級木材一五七點七五立方公尺，提潤葉樹木材一八點六立方公尺，同月二十日繳貨款十萬元。四月二十一日第十次提針一級木材二七一點一立方公尺，提潤葉樹木材四二點〇五立方公尺，五月三日繳貨款二十萬元。五月三日第十一次提針一級木材七九點七六立方公尺，提潤葉樹木材八六點八一立方公尺，同月十日繳貨款十萬元。五月五日第十三次提針一級木材一一六點四九立方公尺，同月二十日繳貨款十萬元。五月九日第十四次提針一級木材一三二點四八立方公尺，同月二十三日繳貨款十萬元。五月十二日第十五次提針一級木材一五三點六六立方公尺，同月二十七日繳貨款十萬元。五月十八日第十六次提針一級木材一〇九點七七立方公尺，同月三十日繳貨款十萬元。五月二十二日第十七次提針一級木材一二九點五八立方公尺，六月一日繳貨款十萬元。五月二十五日第十八次提針一級木材一〇七點六二立方公尺，提潤葉樹木材二二點零五立方公尺，六月十日繳貨款十萬元。五月三十日第十九次提針一級木材四二九點三二立方公尺，提潤葉樹木材五二點五六立方公尺，六月二十四日繳貨款二十萬元。

前述事實，顯與「合約書」第七條規定相違，且完全是該處林產課長黃文岳等從中作弊，不但如此，蘭陽林區管理處林產課職員甚至對南邦公司加以種種打擊，並勾結泉興木行謝獅等意圖侵占南邦公司委託其代為保管之木材二千六百四十八點七五立方公尺。

四、蘭陽林區管理處太平山區第一三八林班第二部份留存於卡車路邊木材，係因大元山工作站職員及檢尺人員故意與南邦公司刁難，未遵奉林務局之令優先集材檢尺交貨，致發生木材堆積山上腐爛，使國庫蒙受損失，林務局於五十三年六月十一日以林產字第二四五一二號令蘭陽林區管理處稱：除對失職人員查明責任議處外，失職人員並應負賠償責任。由於官官相護，據說該處迄未依法嚴辦。

泉興木行與蘭陽林區管理處為報復南邦公司向林務主管機關舉發其違法瀆職行為（如前所述），乃共同侵占南邦公司委託泉興木行代為墊款提貨並保存之木材，其方法是：由泉興木行謝獅否認南邦公司有委託其代為墊款提貨並保管木材之事實，僅承認南邦公司已將該第二批木材出售與泉興木行；當發生訴訟時，則由蘭陽林區管理處股長金潮森，檢尺技工陳添祈、劉大錫、林水蓮等於法院作偽證，因而使法院誤認其虛偽證詞為真實作為判決之依據，藉法院訴訟程序而達到侵佔南邦公司委託泉興木行代為保管木材之目的。

該處林官如此侵害人民權益之不法行為，不知行政主管機關是否依法嚴辦？如有嚴辦，何以這些不肖林官仍居要津？如未依法嚴辦，其故安在？

這兩件涉嫌貪污案，非常的具體，這是徐委員質詢的特色，故與衆不同。（下完）

立法計劃與改善質詢

董書

再立法委員質詢之規定，係就行政院之施政報告和施政方針為範圍，而質詢之提出，係就其報告中之疑問，而求答瞭解清晰而言，而且質詢事項，不得作為討論之議題，在性質上屬於普通質詢，並無約束力，況每一議題發言以十五分鐘為限，若取得主席之許可，亦以許可之時間為限。若發言超出議題以外，或涉及私人問題者，均在主席制止處理之列。所謂「其他事項」之有疑問時，雖可提出質詢，當亦不可超出立法權之外，甚或有侵入監察權之嫌，以致弄到爭取質詢人多，參加討論法案人少，此為社會之最詬病者。如果每一立法委員悉能守其分際，踴躍出席討論法案，遵守發言時限，適應恰如職責，又何須有「改善質詢制度」和「促進立法時效」之必要呢？

立法院本會期至今，質詢之熱烈，並無稍減。就其中擇記兩事：一為第一炮劉賜五委員之質詢國防部組織法案，為何遲不送審？這是舊事重提，劉氏自民國三十九年五月十二日第五會期起，對此已質詢三十六次了，每一會期從無間斷，而且總是爭到首先發言。無怪乎行政院長答復時，也對其二十年來如一日的「鍥而不舍」的精神，表示敬佩！劉委員之關心國防組織，長期孜孜不息，目前已頗有研究。其所編印之「國防部組織法案質詢之專集」已有五集之多了，內容有各國成例，立法理論，以及國防組織原則，洋洋大觀，無所不包。識者認為國防部組織法案，政府遲遲未能送審，有其客觀原因與事實困難之存在。當此戡亂反攻復國時期，因應瞬息萬變之情勢，而軍事單位之組織，實應適應，確不能拘泥於一格，致有阻滯軍機之宜。國民大會既有戡亂臨時條款之授權，在「總統得設置戡亂機構，決定戡亂有關大政方針」之下，對國防部組織法之送審，似以成為過去了。（下完）

論美國當前之危機

・顧翊羣・

一、引言

美國，金元的王國，科學技術的溫床，追求自由民主者之聖地，同時也是投機冒險驚世駭俗之徒的樂園，這個二十世紀最彈大富裕的多元社會國家，現在正遭遇到立國以來最嚴重的危機。一八一二年對英國的戰事與一八六〇年代的內戰，其嚴重性均不能與當前的難關相提並論，因對英戰事只係為了爭取海上的自由貿易，而南北美內戰亦尚未引起國外的侵略；但現在則外有俄共中共之在越南韓國中東等地掀起戰火與製造事件，使救火者美國疲於奔命；內則有黑人與共黨同路人，以及左傾的青年等到處示威暴動，其力量有增無已；更不幸的則近三十年來美國在財政金融，社會福利與對外經濟所採用的急進之擴張的各種措施，而以「新政」，「仁政」及「大社會」為號召的政策，示已走到巔峯，形成通貨膨脹，而不得不迷途知返，補救維艱，以上一切難題，其複雜與嚴重的程度係空前的，僅憑武力，或經濟科學與技術，不能將危機根本解除，而有待於智慧之洞見與道義之決心。

本文目的在以簡單的，講說故事的方式，將美國的成就與其所面對問題之嚴重性，描寫出來。本人認為，惟有當前美國之中心思想，亦即在現代流行之實效主義，功利主義與倫理相對主義，能有正本清源之改正，而其全國上下均能全心全力的贊助其當政者在近月來之要求，以更多之血汗淚來爭取對共產黨侵略之勝利，美國的危機方可解決，愛好自由之人類的命運，方可有樂觀之可能。

二、科學技術的天堂

一、工業上的發明。科學上與技術上的發明，為現代經濟社會增長的主要原動力。（一）

治史目的與治史方法

汪大鑄

吾人所謂歷史，為往事記錄之總稱。漢代許慎撰說文解字曰：「史，記事者也，從又持中」。又為手，中為冊，手持簡冊謂之史。史本為司記事之職者，乃古代之官名；但引伸之，記錄於簡冊者，亦稱為史，一切典籍，凡記往事者，皆可名之為史。清章學誠曰：「盈天地間，凡涉及著作之林者，皆為史學。又曰：「六經，皆史也」。龔自珍亦曰：「史之外無有文字焉」。此為歷史之廣義解釋。梁啟超有云：「史者何？記述人類社會賡續活動之體相，校其總成績，求得其因果關係，以為現代一般人活動之資鑑者也。」李守常於史學要論中有云：「歷史不僅為人類過去事實之記錄，亦不僅為人類過去政治事實之紀錄；歷史乃研究過去現在及未來整個全人類之生活」。故歷史者，乃研究人類之進化，社會之發展，與乎人類社會演進之現象及其相互之因果關係，而為後人參考與借鏡者也。

歷史之範圍

有廣狹二義：廣義之歷史，乃指文字未發明前之人類活動遺跡，稱為「史前史」；狹義之歷史，乃指用文字記錄之人類活動，始稱為「歷史」，一般歷史多指後者而言。歷史之範圍，含有三種意義：

（一）歷史事實——即歷史之本身，為過去之史料，吾人不能直接研究，多依據歷史自身遺留之事跡，間接而知之。此種遺留下之事跡，如文字、古器物、化石、建築及雕刻等，吾人稱之為「史料」。史料之發現與鑒別，為治史之重要工作，現代人知識發達，對此項工作之進行，較古人為易。因古生物學、地質學及人類學等之發達，對於地下發掘工作幫助甚大。又如現代人發明利用放射炭素以定年代之方法，可鑑定史前之史料年代，對於史料之鑒別，頗多貢獻。

（二）歷史記述——即歷史之著作，為人類依據史料，利用文字而寫成之記錄。吾人所謂之歷史，乃指此一涵義而言，一切史書，皆為歷史之記述，例如史記，乃史學家司馬遷所著之歷史，為中國古代史之著作。

（三）歷史科學——亦稱史學，為歷史學家綜合整理古代史實之過程，經過一番研究之後，發現歷史自身進化與演變之因果法則及其一般原則之科學。此種研究歷史之方法，在從歷史事實中，求得一種因果法則，使研究歷史之後，發生一種效用，有寓褒貶深意，勸善懲惡，垂訓借鑑之意義存在。

治史之目的

治史之目的，在考據過去人類社會之進化事迹，編纂成書，以啟迪今人之智慧。又現在人類社會之進化事迹，筆之於書，而啟迪後人之智慧。明乎此，凡無益之考據，泛漫之議論，皆與歷史無涉。吾人研究中國歷史，應着眼於我邦建國之體制，歷代學術之隆替，政治之沿革，文化之進步，社會之變遷，與夫偉人賢哲之事跡，以激發國民之愛國心，團結其合羣力，而與世界列強競爭於此世界大舞台，此著者所厚望者也。

中國史之貢獻

中國歷史，在世界學術上，一枝獨秀，早放異彩，其對於世界學術之貢獻，至深且鉅，為各國學者共同承認之事實：第一、中國歷史悠久，文化燦爛，且土地廣大，交通發達，早與世界各國互有往來。第二、中國文人，大都能文善書，日久，積成巨冊，留傳後世，蔚成青史，但其他各國則不然，多因歷史短暫，史料缺乏，故英國人研究印度及阿富汗等地之歷史地理，勢非參考晉代法顯之『佛國記』及唐代玄奘之『大唐西域記』等書不為功。故中國史學，為世界史學之重心，實非偶然。

歷史之分類

歷史之洪流，向前進展，自古迄今，緜延不絕。吾人為研究方便起見，可分為四個標準：（一）以著述作標準者，有專史及史料。（二）以空間作標準者，有世界史及國別史（如中國史、美國史、法國史、日本史等）。（三）以時間作標準者，有通史及斷代史（如上古史、中古史、近代史及現代史等）。（四）以歷史之性質標準者，有政治史、財政史、外交史、經濟史、交通史、教育史、文化史、宗教史、哲學史及軍事史等。中國史籍浩繁，如能作科學之分類研究，實為今日治史之要務。

歷史之分期

一般歷史之分期，有三個標準：（一）依歷史年代分，有上古、中古、近代及現代等時期。（二）依人類生活方式分，有漁獵、畜牧、農業、商業及工業等時期。（三）依人類使用工具分，有石器、銅器、鐵器及原子等時期。中國歷史古遠，浩如烟海，舉凡正史、地志、詩經、家譜、文集、公文、檔案、器具、古跡、地下出土器物、圖書及傳說等，均為史料，故斷史分期之研究，頗為重要。

治史之方法

歷史之目的，有以過去而推測未來之功效，為人生必要之學科，如無方法以治之，難收其明變之效果。治史之方法有七：（一）鳥瞰大勢——在知歷史大概，令讀者於全部書籍或全盤事實中，求得簡單明瞭之概念。（二）分類取材——將歷史資料，就其性質、時代、地域及來源等，加以分類，廣為採錄，以備撰述專門著作之用。（三）解剖分析——將史實令讀者於每一章書或每一件事實中，求得其真象。（四）比勘真偽——將同一事象之各種記載，相互校正，明其異同，核其真偽，正其闕誤，以暴露其本來面目。（五）重與新義——研究歷史，在不斷予以新意義及新價值，以供後人活動之資鑑。（六）排比纂述——乃重撰史書或著錄史料，其義有二：一為史跡之排比或分配，多視擬撰史書之性質，以定其標準與層次；二為史文之撰作或表現。（七）文學素養——為從事史書撰述者，不可缺少之條件，章學誠謂史家須兼具才學識德，治史之士，當知勉焉。

為復興文化上　總裁書

（上接第一版）

在二十年後，則皆正面作戰之鬥士，及領導作戰之指揮隊長矣。他年作戰之勝負，皆決於此日訓練之優劣。一百年彈指光陰也，二十年轉瞬時日也。時間為飛速前進之物，倘文復運動之措置，狃於積習，囿於目前，不能與時代及時勢配合，相與前進，不能與政治軍事銜接，相與推動，則道高一尺，魔高一丈，正難勝邪，中華文化雖有復興運動，終恐前途黯淡，將陷於萬刧不復之域，事之可哀，孰大於是。必使道高一丈，魔低一尺，此一聖戰，方能確操勝算。瑜所謂長期發展小學教育，特別注重於教練第三代國民者，即使道高一丈繼繩繩之具體工作，舍此未由也。

我國曾有青年反共救國團及幼獅社等組織，用意良善矣，然未嘗及於小學。且救國團等既非學校教育，亦非由國家主辦。文復運動委員會，亦閩言教育改革矣，然為一般性之改革，亦未特別注重於小學。小學國語國文課本，其重要可謂之高出一切課本之上，今非全部新編不為功，亦非集合積學之士而又富有教授法研究與教授經驗者，合羣策羣力，不足以言新編，近聞有此策劃與組織矣。今日學界組織有涉及於小學者，惟有童子軍，然童子軍為各國普遍之組織，與我文復運動之性質，無何特殊關係。且每小學亦非人人皆為童子軍也。

今我所須者，正為組織中華文化復興之特種中國童子軍也。欲使全國小學生人人皆為童子軍，而使童子軍接受改造，加以培養，使之人人皆勝任文復運動之戰鬥也。細觀第三代國民之小學生，不甚為世人所注意者，以其幼稚也。衡以年齡，童子何知，應事論道。何足注意。然按其稟賦，性最純潔，心最熱烈，道義之根，理智之芽，皆鬱鬱勃勃，待時而萌，軀體心靈，皆富生氣，日益向上，眞天眞爛縵、前程似錦之天使也。加以特別之教練，即收特別之功效。

文復運動，應以此輩為基層，即以此輩作核心，有此基層與核心之健全組織，然後大中學生之教育，與長期發展科學之計劃，乃能配合合作，相得益彰，顧到全面，通盤籌劃。否則根基不固，建樹無由，接踵無人，脫節立見，此萬非長期奮鬥之道，更非全面作戰之策也。伏維總裁兼任文復委會會長，而本黨谷秘書長又兼任文復推行委員會秘書長，瑜以黨員職責所在，將去冬未曾提案之末議，肅此奉達，至祈鑒核，主持施行，勿以為迂遠細故而忽之，庶使傳統文化，確立復興之基，宏揚之道。國家幸甚，民族幸甚。臨穎神馳，敬叩

崇安！

蕭瑜謹上　民國五十七年參月日

中國女性文藝春秋（續）

周燕謀

梁夷素與「相思硯」

其時有一牛公子名晶，欲得蘭森為妻，田畏揚因恨瑞生之歧視，當瑞生祈夢時，與畏揚相遇。畏揚問瑞生所求何事？瑞生一一相告。畏揚乃同牛公子依式偽造石硯一方，上刻蘭生名字，因為他誤聽「森」為「生」字。等瑞生上天台去，竟往衛府行聘。適值衛觀奉旨進京，臨行對夫人說道：「有尤公子托出舉人求婚，我已應許他。等他得硯來聘，就把女兒嫁給他」。牛、田聘至，家人誤以「牛」為「尤」，田渭洋為田畏揚，約期許婚。夫人聞知新婿醜惡，又以硯上的名字不符，欲以蘭生代嫁，蘭生亦願行。合巹之夕，天帝遣孫悟空以磕頭蟲塞牛晶鼻中，使牛不得近。鄒夫人母得衛觀來信，催促入都，即日就道。

瑞生到天台，果然得到相說，說上亦銘云：

天降靈賓，曰思曰相，于飛之兆，得思始昌。

及歸杭州，知女已嫁牛晶，遂得疾發狂，幾至於死。他的朋友田渭洋本為俠客，前為星求婚後，即他往，此時已回來。聞知此事，大憤，施法術召風神，使吹牛晶、田畏揚於絕域，又借瑞生赴京會試。瑞生病亦漸癒。

衛觀奉命守邊疆有功，為權貴所忌，誣劾其欲據西涼，圖謀不軌。朝廷一面派員查訪，一面取他的妻女入宮。蘭森奉母入宮，大得公主歡心，因奏蘭生才於太后，召為女學士。蘭生適與瑞生相遇於途，瑞生誤以為蘭森，求一見，不得。蘭生投詩寓意，始知誤認。蘭生見太后，白衛觀之冤，且詳奏蘭姻事始末。太后聞於朝，反晉衛觀官爵，遣鄒氏母女出宮。其時瑞生殿試擢狀元，與蘭森成婚，而相思之說始合。蘭生忽於此時不見。

劇情雖也脫不了悲歡離合的舊套，但可注意的；是以「相思說」為湊合的證物。今日青年們以男女相思為「戀愛」，而古人則謂「相思」。「相思硯」為全劇的焦點。此點而論，我們這位女戲曲家已比當代男作家客勝一籌了。

劉采春，關盼盼

唐代娼妓能詩文的人很多，本節只挑選了兩位，作為代表性的列述。劉采春、關盼盼是比較有點名氣的，而且有篇什傳世，其他的只好割愛了。

劉采春是越中人，她是周季南的妻子。善歌，響遏行雲。詩才雖不如薛濤，然容貌佚麗，薛濤小姐卻不能比她。同時此姝和元微之也有一段情。微之訪浙東時相遇，此時微之已別薛濤十年了。劉采春自淮甸來浙，一見之下，就忘了薛濤，贈采春以詩云：「新妝巧樣畫雙蛾，慢裹恆舟透額羅。正面偷輪光滑笏，緩行輕踏皺紋靴。言詞雅措風流足，舉止低回透媚多。更有惱人腸斷處，選詞能唱望夫歌。」

「望夫歌」即是「囉嗊曲」，曲云：「不喜秦淮水，生憎江上船。載兒夫婿去，經歲又經年。借問東園柳，枯來得幾年？自無枝葉分，莫怨太陽偏。莫作商人婦，金釵當卜錢，朝朝江口望，錯認幾人船。那年離別日，只道往桐廬；桐廬人不見，今得廣州書。昨日勝今日，今年老去年。黃河清有日，白髮黑無緣。昨日北風寒，牽船浦裏安，潮來打纜斷，搖櫓始知難。」

劉采春所唱的歌，皆當代才子所作，此曲聲調淒苦，聞者莫不漣洏。

關盼盼亦是有名歌妓，提到關盼盼就連想到「燕子樓」。盼盼是徐州人，善歌舞、姿態風雅。張尚書建封納為妾。大詩人白居易遊淮泗間。尚書張宴款待，酒至半酣，請出盼盼佐歡。樂天贈詩有「醉嬌勝不得，風嫋牡丹花」之句。張建封死後，盼盼獨居彭城燕子樓，歷十餘年。

張愔是唐貞觀元年（公元八○五——八二○）開府徐州，節度蘇北兵馬，權威重一時。此人好色，蓄養家妓多人，關盼盼不過其中之一而已。張愔去世，諸姬妾風雲流散，唯獨盼盼矢志不嫁，而獨居於張愔所築的燕子樓，從不下樓者歷十年。嘗作詩云：「樓上殘燈伴曉霜，獨眠人起合歡床；相思一夜情多少，地角天涯不是長。北邙松柏鎖愁烟，燕子樓中思悄然，自埋劍履歌塵散，紅袖香消已十年。適看鴻雁岳陽廻，又覩玄禽逼社來，瑤瑟玉簫無意緒，任從蛛網任從灰。」白樂天一一和之。有詩人聞其艷名而往見，僅獲數語交談，乃題詩三首以誌其事。

風流太守白居易思念一代絕色，乃和詩三首云：

滿窗明月滿簾霜，被冷燈殘拂臥床；燕子樓中霜月夜，秋來只為一人長。

細看羅衫色似烟，幾回欲看即潸然；自從不舞霓裳曲，疊在空箱十一年。

今春有客洛陽回，曾到尚書墓上來；只說白楊堪作柱，爭教紅粉不成灰。

另外白樂天又題詩一首譏其不死，盼盼答詩和之云：「自守空房恨斂眉，形同春後牡丹枝；舍人不會人心意，詩道泉台不去隨。」

（七十四）

記北平的一段往事

齊如山先生與國劇學會

·方曙·

齊如山先生生前是對國劇有極大貢獻的人，筆者現談一談他在北平主辦國劇學會時的一段舊事，用以紀念齊先生。並供目前國劇界人士參考。

國劇學會成立的最初動機，是根據齊先生一個理想。齊先生對於國劇既然十分深入，因而發現了國劇的幾種缺點：一、國劇藝術沒有系統的理論。劇藝的研究只求知其然，不求知其所以然。二、師弟口傳心受，劇本往往以訛傳訛。三、梨園子弟受教育不多，難得有創造能力。四、江湖氣太重，缺少藝術和學術氣氛。

齊先生針對這幾項重要的缺點，建立了幾個目標：一、建立國劇理論。二、出版正確統一的劇本。三、將國劇傳播到知識份子之間，使國劇工作者先受到相當的教育。四、建立藝術的國劇、學術的國劇，使成熟的國劇藝術獲得應有的地位，不要淪為江湖賣藝。這就是齊先生對國劇的理想。

齊先生將這個理想和他最接近的梅蘭芳討論，梅氏一向是很信齊先生的話的，何況齊先生的理想如能成功，等於更提高了梅氏的地位；所以他極力贊助，於是便在民國二十年末，在北平成立了國劇學會。

國劇學會由齊先生主持，主要工作是國劇理論的研究；國劇劇本的改進；國劇演員的訓練。關於前三項，他的工作方法是出版書刊；第四項的成立了一座「國劇傳習所」。

國劇學會所出的書刊很多，可惜筆者記憶力不佳，原書又都遺落在北平，故無法全部舉出。重要的幾本，如國劇身段譜，國劇臉譜、國劇叢刊一二集、國劇歌曲譜等。其中尤以國劇身段譜為最有價值，確實作到樹立理論的地步。那裏面包括生且淨末丑各脚色的身段，說出各種身段所以如此作出的原理，並各舉出劇中實例以為印證，使讀者心領神會。其餘各書亦莫不如此，都是能說出在平劇理論上的歷史演變，能說出如何實地應用，甚至於他講到水袖的運用，會談到內心情感，都是很難得的。

除各種有關國劇的單行本書籍外，國劇學會出版的一種定期刊物，四開銅版紙，每期刊載有關國劇歷史的各種圖片，老劇人的歷史性的劇照，和當時劇人的便裝或劇裝照等。在圖的一方面，可以說全是國劇歷史中的珍貴資料，惟有以國劇學會的力量，才蒐集得到；其他刊物即使是涉及國劇的刊物，也從未刊出過類似的圖片。至於國劇畫報中的文字便更加珍貴了。有國劇的史料，國劇的理論，零星掌故軼事，專題研究等等。另外還有連載的國劇珍本，如鳳還巢一劇劇本，就是在國劇畫報上連載發表。

國劇傳習所的成立更是當時國劇界的一個創舉。國劇傳習所不是一個科班，也不是一個學校，只是名符其實的國劇傳習的所在。這座國劇傳習所的成立，目的是在招收中學至大學階段的知識份子，從事國劇的研習和演出的工作。上課時間是在下午四點到六點，完全配合各校的下課時間，以爭取各校學生中愛好國劇的人加入。

國劇傳習所由梅蘭芳余叔岩二人主辦，屬國劇學會，聘王泊生為教務長，分生組、旦組、淨組、音樂組，入學學生須經考試，當時得以入選的都是十七八歲到二十歲的中學或大學在校青年，教師都是一時傑出人物，如生組教師是王榮山、鮑吉祥，旦組是孫怡雲、郭際湘，淨組是錢寶森，音樂組教師是徐蘭園崔文元，教把子是朱桂芳。而最難得的是梅蘭芳本人，每週親自到場一兩次，對旦組作專題演講，每次約二小時。講題如旦脚的唱法，旦脚水袖應用法，旦脚各種身段的演出法。且講且隨作，現身說法，不辭勞苦。可見他當時對齊先生所主持的向知識份子播下國劇種子的主張，如何力行了。不幸民國二十二年梅氏離開北平去上海，從此一去不回，余叔岩掛名不管事，國劇傳習所沒人出錢，經費無著。齊先生，屢次函催梅氏設法，梅氏那時似乎決心不願再回北平，對於北平的事業也就不感興趣，始終不肯拿出徹底的辦法。拖到廿三年，國劇傳習所便星散了。國劇畫報也停刊了。國劇學會從此再沒有新的成就。由於梅氏有始無終，使齊先生的理想未能實現。

但祇這短短的期間，國劇學會的成績已經在國劇歷史上造成新頁。一方面樹立了國劇理論的基礎，一方面建立國劇傳習所，却真的培養出幾個知識份子的學生。抗戰期間國劇的夏聲劇校，就是國劇傳習所的學生劉某和郭某主辦的。夏聲劇校在抗日期中所作的宣傳工作不小，可惜在大陸次第陷於匪手的時候，夏聲劇校不能保持警覺，及早撤退來台，恐早已作共匪的工具了。

筆者所以敍述齊先生與國劇學會的一段舊事，一方面固然是為了紀念齊先生，但另一方面，筆者愈欲揭露出齊先生早年所樹立的幾個目標。這幾個目標一直到齊先生逝世，並沒有如預期的達到。我們在今天高唱提倡國劇，復興國劇的時候，筆者認為齊先生所樹立的目標仍不失為正確可行的。假如有人繼起，能夠達到這個目標，進而能光大國劇，創造新的完美的國劇，使國劇能夠像西洋歌劇那樣，在國際上有眞正的地位，我們紀念齊先生便有意義了。

生活漫談

康有為的南海魚

·馬騰雲·

民國十二年舊曆三月初七日，為北洋軍閥吳佩孚五十華誕，各地顯要赴洛陽祝壽者絡繹於途，康有為（清咸稱聖人）亦趕至祝壽，並親撰壽聯云：「牧野鷹揚，百歲功名纔半紀。洛陽虎視，八方風雨會中州。」會傳誦一時。

康有為才思縱橫，為文神韵生動，從這副壽聯就可以看到。康氏對吃更有研究。吃被人欣賞已非易事，上海寧波稱燒飯的師傅叫「飯烏龜」意思就是甚麼氣都得受，有人喜歡吃鹹，有人喜歡吃淡，酸甜辛辣各有所嗜，一種菜能合乎很多人的口味，談何容易，除非是齊桓公的御廚易牙，若干年後仍能受着亞聖孟夫子的稱讚說：「口無同嗜，則無易牙」，所謂「飯烏龜」能混到在正史上留痕跡，這個樣的人生旅程，算撈回票值了。

康有為的南海魚傳世已久，惜製法複雜，成本亦高，普通菜館甚少烹製。原料大鯉魚一尾，先割去皮，然後將肉細剁碎絞，製成為魚圓的原料，再將魚皮包料縫合，恢復鯉魚未割時原狀，糖醋，紅燒，清蒸，燉湯聽便，此之謂南海魚。鮮嫩柔滑，美味可口，套孟老夫子的話：「人無同味覺，則無南海魚」。

我國外交界有一位名厨吳昌齡，掛在嘴上常講的是，羅斯福吃過他的脆皮雞，弗朗哥吃過他的釀羊肉，希特勒吃過他的醋椒魚，乃至於史達林，墨索里尼都吃過他烹調的菜。聽來像是吹牛，實則確有其事；因為吳任職我國駐德駐意大使館厨司很久，持有許多元首們的簽字，就是有力的證明。江湖話有「學會文武藝，賣給帝王家」，吳昌齡雖懷一手烹調絕招，但對南海魚的烹調，認為不太簡單，熟度的老嫩固容易掌握，怎樣能將很多配料化成為魚料同色同嫩，非得眞傳不易下手。著者曾邀泰國內政部長鑾素拉音，泰國最高法院院長鑾坤奴馬吉等，以親製南海魚招待，鑾素拉音是學人，他以中國話稱讚說「此味祇應天上有，幾時降臨到人間」，康聖人的南曼海魚在谷的高階層中，就是這樣傳開了。

印度婆羅門音樂與霓裳雨衣曲

·光合·

霓裳羽衣曲，是唐玄宗時代最有名的曲子。當時及爾後的詩人們，詠開元天寶遺事，總是要提到霓裳羽衣曲的。足見當時此曲，在一般人的心目中，尤其是文人們的心理上，所佔的分量恐怕比現在的黃梅調還要重得多。經攷查當時的傳說和記載，甚至於有些神怪傳奇式的記述，出入之間大有不同，其中有很多是不足置信的。詩人所寫的雖然比較民間傳奇可靠一點，但是詩人們詠事，多半是渲染增華，與原來事實便有了出入，再加上個人的成見，和他寓意的寄託，很少能夠不改變事實之本來面目者。

據唐史記載，霓裳羽衣曲原為河西節度使楊敬述所獻，凡十二編。白居易有霓裳羽衣曲歌云：「由來能事各有主，楊氏創聲君造譜」。他在注上解釋說：「開元中西涼節度使楊敬述造」。「鄭愚」津陽門詩注說是「西涼府都督楊敬述所獻。可見此曲原從楊敬述由西涼傳入唐宮無疑。但是霓裳羽衣曲，本屬法曲。（即宗教曲）元 法曲詩云：「明皇度曲多新態，宛轉浸淫易沈著，赤白桃李取花名，霓裳羽衣號天樂」。足證此曲原屬法曲。而唐玄宗極喜法曲，當時樂部中有一部份專演法曲的名為「法部」。屬於法曲的樂曲很多，其中有名的如：「破陣樂」、「一戎大定樂」、「長生樂」、「「霓裳羽衣曲」、「獻赤白桃李花」、「獻仙音」、「獻天花」等。杜佑著理道要訣上說：「天寶十三載七月……內黃鐘商婆羅門曲，改為霓裳羽衣曲」。這可證是由婆羅門曲改名的。此外津陽詩註：「葉法善引明皇入月宮聞樂，歸留寫其半，會西涼都督楊敬述進婆羅門聲調，總合遂以月中所聞為散序，敬述所進為其腔，製霓裳羽衣」。其中葉法善引唐明皇遊月宮一事，雖然有點神話，而西涼楊敬述進獻婆羅門曲，玄宗加以潤色，並且改名為霓裳羽衣曲，徵之各別資料，當屬事實。

據宋朝「王灼」考證，霓裳羽衣曲為「黃鐘商調」，當時號稱「越調」。在「册府元龜」有云：「天寶十三年」，改諸樂名，黃鐘宮，黃鐘商，時號越調」。道和杜佑所記的完全吻合了。白居易和元稹霓裳羽衣歌云：「磬簫箏笛遞相攙，擊擪彈吹聲邐迤」。注云：「凡法曲之初，衆樂不齊，惟金石絲竹次第發聲，霓裳序初亦復如此」。又云：「散序六奏未動衣，陽臺宿雨慵不飛；中序擘初入拍，秋竹竿裂春水拆」；注云：「散序六徧（六徧即六個週而反復六次也）無拍，故不舞。中序始有拍，亦名拍序。」詩裏又云：「繁音急節十二徧，跳珠撼玉何鏗錚，翔鸞舞了却收翅，唳鶴曲終長引聲」。注上說：「霓裳十二徧而曲終。凡曲將終，皆聲拍促速，惟霓裳之末，長引一聲」。宋朝沈括的夢溪筆談中說：「霓裳曲凡十二疊，前六疊無拍，至第七疊方謂之疊徧，自此始有拍而舞。」

唐代小說中寫楊太眞初見明皇時，玄宗問她有何技能，她說：「霓裳一曲足掩前古」。於是命宮妓為太眞佩七寶瓔珞而舞霓裳曲，曲終時珠翠滿地可掃。故詩人們形容於詩句云：「貴妃宛轉侍君側，體弱不勝珠翠繁，冬雪飄颻錦袍暖，春風蕩漾霓裳翻」。又有云：「朱閣沈沈夜未央，碧雲仙曲舞霓裳，一聲玉笛向空盡，月滿驪山宮漏長」。至於慨嘆的詩句更是不知凡幾，如：「霓裳一曲千峯上，舞破中原始下來」。「漁陽鼙鼓動地來，驚破霓裳羽衣曲」。「世人莫重霓裳曲，曾致干戈是此中」。「馬嵬飛[illegible]復聽霓[illegible]霓裳羽[illegible]貴妃之[illegible]的諷世[illegible]自印度[illegible]入西涼[illegible]，盛唐[illegible]時，幾乎舞亡了大唐的天下。那末此[illegible]定是相[illegible]與現在西洋的舞曲比較優劣如何？可惜此曲到了宋代已經失傳，我們只可[illegible]會，而不可[illegible]

家有殘書未是貧

·晨星·

俗稱文人或學者為「書呆子」或「讀書人」，可見一個文化工作者，對於書自有脫離不開的關係。在平劇裏，常看到一個書生，無論怎樣窮酸，出門的時候，總有一個書僮挑着沉重的書箱隨行。姑且不說那書箱中藏有怎樣名貴的版本，但是「讀書人應該有書，書應該屬於讀書人」，這在過去社會裏，是沒有人能反對的！

陸放翁有一句詩說：「家有殘書未是貧！」眞的，別人有田地，我們有書，在兩個不同的圈子裏，我們自有貧富的範疇，這正是讀書人的不可侮處！

可是，現在社會進化了！所謂人與人之間的關係密切了。前天因為訪問一位暴發戶的大經理，當我踏入那據說用金條換來的洋房，傭人囑我稍待，我於欣賞這座富麗的客廳之餘，却發現了一個奇蹟，除了四壁滿是古色古香的名家書畫外，四壁綠色玻璃櫥裏滿着書——是我天天想買而買不起，甚至是買不到的書！有天文，有算學，有經濟，也有藝術。書的種類是那麼豐富，排列得是那麼整齊，沒有一點參差，沒有一點褶痕。其實這位大經理是一個目不識丁的人，不過常喜歡買書陳列在會客廳裏，終年鎖着櫥窗，阻隔灰塵，對於書的愛護，倒也是很費一番心的。

現在才明白：書也是可用金錢換得來的！窮人的錢，往資本家大腹賈的抽屜裏跑，新書也朝着他們的新書櫥裏跑，窮酸的讀書人只有到舊書攤買幾本殘破的便宜書，擺在居於陋巷的舊房子裏，朝夕誦讀，擁有再四眞正與書為伴，「家有殘書未是貧」！窮書生還是有資格說這句話了！

自由報
第二五八期
91 DUNDAS ST, 9th FLOOR, FLAT 6 KOWLOON H.K.
電話：857253
台灣總管理處
中華民國（台灣）台北市大同街119號
電話：555395・557474
台灣分社：台北市西寧南路110號二樓

追懷革命人豪于右任先生

——為右老九十冥誕紀念作

○陳邁子○

右任先生以孤弱崛起田間，牧羊荒丘，作工炮房。歷艱難險惡，卒以成非常之業。巍然為革命人豪，為開國元勳、為大政治家、大學術家、大教育家、大詩家、大畫家。其行誼、其襟抱、其氣象、其謀猷、其體魄、其言談，無不自然偉大。吾人若攷其致之之由，無不得力於平昔讀書養氣之功。青燈萬卷之業，卓犖奮發之幽。此其所以敻絕一世也歟。先生之詩曰：「發憤求師習賈餘，東關始賃一椽居。嚴冬漏盡經難熟，父子高聲替背書」。又曰：「愁裏殘陽更亂蟬（遺山句），遺山南寺感當年。頹垣荒草農神廟，過我書堂一泫然」。束髮受書之誠，情見乎辭。由是而劬學無間，卒以成為通儒，有古君子之風者焉。顧以其居地關中，為關學發祥之區。橫渠昌於前，三李繼於後，流風餘緒，徧及秦中閭巷，凡血氣之倫，莫不沐其教澤而不自覺。此固風氣使然，而士人之感染，尤為強烈者也。以先生之思想言之，其「民胞物與」之心懷，廓然大公之襟抱，實橫渠先生後一人而已。

蓋吾國政治哲學之最高境界，實儒家之大同思想。謀車書之渾同；合天下為一家。所謂內聖外王之學、修己以治人，修己以治天下者，此也。傳孔氏之學者，歷漢、魏、隋、唐諸世，雖彬彬稱盛，而尠及此。或則邃於訓詁章句之末，或則囿於仁義道德之論，或究治術，或闡法統，於「平天下」之學，絕少措意於其間。至宋之關學出，學古力行，恢闓士氣。卓然以復三代之治自任。其西銘曰：「乾稱父，坤稱母，予茲藐焉，乃混然中處。故天地之塞吾其體，天地之帥吾其性。民吾同胞，物吾與也」。又曰：「凡天下疲隆、孤、疾、惸、獨、鰥、寡、皆吾兄弟之顛連而無告者也，于時保之、子之、翼之也。樂且不憂、純乎孝者也。」主「為天地立心，為生民立命，為往聖繼絕學，為萬世開太平」。先生拳拳服膺，矢志革命，備歷艱危。抱百死不辭之心，有孤柱撐天之概。「乘時我欲為湯武」之思，躍然如見。滿室既屋，呼應北伐。飢兵躬撫，麻鞋荒野。悲天憫人之情，孤臣孽子之遇。長歎義師，坐生芒刺。而鷄鳴猶晦，夢又沈荒。不禁有「滿目山河餘戰壘，萬家歡哭又桑田」之感。而「題詩昭告全人類，為爾今朝被不祥」之吟，尤可見懷抱之偉大：並能儒老合抱，極富「生而不有，為而不恃」之精神，尤能「利而不害，為而不爭」。以「百姓心為心」，而「皆孩之」。此其所以成其偉大之思想者也。

先生古賢君子之風範，老非今人所可企及者。先生以天下為心，故博愛羣倫，目無勢位。褐衣杖朝，糲食自甘。凡所接納，自名公巨卿，以至販夫走卒，無所不交，交無不親。游其門，卽之也溫。無閽人之阻、有賓主之歡。其慈祥愷悌，有若父兄之樂其子弟。使人如坐春風，久而不知其寒。巍巍蕩蕩，海涵嶽峙。從無驕矜之色。肫肫其仁，汪汪其度。渾然大公之精神，表現於應事接物者，往往於不經意處見之。執事敬、與人忠。於國於族、於人無不愛、愛無不執。鼎革前，匡復之忠，鼎革後，謀國之誠，以忠誠為天下倡，如先生者、更有何人。

先生之於亭林之為人，獨心儀之。於亭林之詩之文，傾折之篤，譽之隆，蔑以加矣。讀亭林謁攢宮文凡四首，先生每於深夜論詩文時，朗誦而擊節激賞，至太息低回不已。匪惟其才其志與亭林若，其忠愛之情，蓋亦相埒。民前「孝陵」一詩：「虎口餘生亦自矜，天留鐵漢卜將興；短衣散髮三千里，亡命南來哭孝陵」。其吐屬、豈非直逼亭林者乎。先生豈非亭林之儔亞乎。亭林歷天下郡國，廣結高賢，以圖興復。以秦中綰轂西北，有建瓴下之勢，買田華陰，有久居之意，與秦人高隱王山史交深。山史曾築亭以待亭林，先生詩詠其事，津津樂道。有「華下王郎問，亭林來未來」之句。昔元好問「送秦中諸人引」有曰：「關中風土完厚，人質直而尚義。風聲習氣，歌謠慷慨，且有秦漢之舊」。靈氣所鍾，其來有自。先生其秦之古君子歟。

先生文采之瑰偉雄峻，為不世出之大家。先生為詩雄草聖，千秋論定，世固知之。而其瑰偉雄峻、廻異尋常，可得而言之。先生之詩，自出機杼，[illegible]變故常。氣象偉[illegible]對熱情奔放。筆[illegible]白，鑄詞明快。[illegible]灑之飄逸，東坡[illegible]山，放翁之豪邁[illegible]為之沈雄，雖合[illegible]表一人，仍不足[illegible]其革命文字之本質。其所詠賦者為變風變雅之變體，為傳統文學發展之激流與變革，而為革命生涯歷程之寫照。如「不為湯武非人子，付與河山是淚痕」之句，皆其著者也。蓋自少作「半哭半笑樓」詩，已肇其端。其後革命之思想，激動之情緒、與日俱進、益使其變之不已，遂成獨創之風格，而天下之詩風、亦為之一變。方之古人、殆與遺山為近，而沈雄則尤過之。同丁亂離，野史痛哭。心跡同，其遇亦彷彿，使之然也。趙甌北曰：「江山代有才人出，各領風騷五百年」，不啻為先生吟也。

先生之書法，亦自創一體，自張一幟，夙有「于派」之目。天下之人，莫不葆愛其書，片紙隻字，珍若拱壁。先生亦從不吝書[illegible]南海、曾農髯、李梅庵等書家，崇北碑，藐南帖，倡復古之運動，為中興之功臣。但未足以云變革，自先生之草書遍天下，天下之人莫不望風景從，尊為「于書」而崇拜之。先生既歿，更私諡「草聖」，以示永念。沾溉書壇，影響深遠。對傳統書道而言，其所作重大變革，不可謂為非書學革命家。方之前賢、殆與青主為近。心跡差同，其詣尤遠過之。從[illegible]慘淡經營，畢生之事於「標準草書」之倡導，澤及後世，史家當有定評，無待費詞。

先生廣額豐頤，體貌岸偉。銀髯飄拂，長垂過腹。雍容廊廟，管領柏台。人望之若神仙，民仰之如霖雨。一朝溘逝，舉世同悲。韶光荏苒，忽屆九十冥誕之辰。墓木已拱，觸緒增愁。雲山蒼蒼，海波淼淼。大陸未復、羈魂安返。靈爽有知，同深西顧之痛。言念及此，不知涕泗之何從也。

五十七年四月十七日先生九十冥誕紀念日

還要死拖不放！

是否眞要求和!?

昨日與明日

美國的可憐相

越共同意在巴黎與美國和談的消息透露後，紐約、倫敦的黃金市場價格大漲，美總統詹遜如獲至寶，聲言「毋忘五月三日」，而美參議院外交委員會主席且曾要求白宮當局，不妨接受越共的片面主張，到華沙去舉行談判哩！這情形很像是戰敗國岌岌不可終日，急於降伏認輸之勢，眞令人不忍卒睹。

可是，美國朝野人士的歡聲剛剛發作，越共即在南越各個重要地區猛烈進攻，連西貢的美國大使館亦遭到炮轟了，美方只好悶聲不響，無所表示。

美軍在越南并未戰敗，然其不顧信譽，不擇手段而急於求和的言行，視一般戰敗者更顯示其狼狽周章的可憐相，何其卑怯乃爾耶？對敵人畀以自牧，對盟友妄自尊大，這是號稱為自由盟主的應有作風嗎？

和談的前途

誰都知道，共產黨決不會跟敵人眞正妥協的，他們視和談與戰爭為一物之兩面，談談打打，打打談談，一是皆以本身的利害得失為甚準，美國人早在韓戰中，就嘗到這種滋味了，何以明知而故昧之呢？

唯一原因便是為着國內的大選關係。美國如果不準備立即無條件地把美軍撤出越南，連泰國的軍事基地亦放棄，則無論到甚末地方跟越共談和，都是枉費心機，徒亂人意而已。由於美國內部的選舉潮，適予國際共產集團以玩弄美國政治人物的有利機會，看吧，巴黎的和談在今年九月以前，一定是爭吵不歇的一幕鬧劇，不會有絲毫成就的。

美國不可信賴

泰國總理認為美國與越共談和，必須對東南亞自由國家的安全，取得確實的保證，這是幻想。美國之參預越戰，就是基於「日內瓦協定」與「東南公約」的保證責任而然，目的在保障南越的安全，而今美國半道抽腿了。這次的巴黎和談，決無可能教越共保證不向泰國侵襲，況且泰國最大的威脅并非越共，而係中共，美國能教中共不向泰國擴張嗎？有了韓戰的教訓，亞洲自由國家希望美國來保障安全，已屬畫餅，沒有絲毫可以信賴之處了。

今後亞洲自由國家祇有切實團結，自力更生，在政治，經濟和軍事上，構成集體防衛組織，互相合作，纔是有效的安全保證，一味的倚賴美國，即非上當失望不可！

巴黎談判不知幾時纔可告段落，以韓戰的板門店談判為例，很可能談上一二年，東南亞自由國家應該乘此時機，進行團結自救工作，事雖艱鉅，却有必要啊！

（何如）

自由論

共產陣營日趨崩潰

捷克共黨政權最近經過一場政變後，新任總統秉承捷共中央黨部的決策，倡導「社會主義自由化」之說，撤消了書報檢查制度，允許人民言論自由，改除對資本主義國家旅客入境的限制，準備恢復過去被史達林主義者整肅殘害之各色人等的名譽。這些作為，比較南共狄托的修正主義更為開明而進步。

尤其值得注意的事情，就是捷克[illegible]大學學生會為着最近[illegible]學生會反對[illegible]，有的學生撕毀了美國國旗，乃北越[illegible]書中央教育部提出抗議，不承認捷克學生有反美思想，指係政府當局教唆的，聲明今後不再受政府利用，要實行學生們自己抉擇的反戰方式。似此很露骨的自由言行，即在某些號稱為反共非共的民主憲政國家，也是辦不到的，難怪俄共心驚膽寒，急忙警告捷共當局好自為之，不要搞得太離譜了。

可是，自從南斯拉夫脫離俄帝控制以後，國際共產陣營早就有了裂痕，繼以中國毛共之公開反俄，裂痕已擴大為難以彌縫的缺口；如今再有捷共的自由化政策出現，國際共產陣營今後祇有日見分崩析離，永無團結之可能了。

所謂馬列思想的共產主義，經過半個世紀的實驗，證明此路不通，非修正不可了。就學理與事實來觀察印證，前期資本主義的生產方法，對人類是利多害少。祇要分配合理，不使社會財富集中於少數人之手，而在政治上尊重人類愛好自由的天性，維護人格尊嚴，創進眞正的民主生活，世界大同的境界絕對不是幻想的烏托邦。

毛共抱殘守缺，不明瞭社會進化的必然律，死[illegible]住馬克斯的陳腐學說，以蓋然律反對修正主義，妄想藉此攫得國際共產陣營的領導地位，徒見其心勞日拙，終把自己埋葬了事，我們儘可拭目以俟之。

馬五先生

王世杰辭職照准 閻振興將長台大

（本港特訊）此間某政論家透露：台北中央研究院院長王世杰辭職照准，遺缺將由台灣大學校長錢思亮繼任。教育部長閻振興調台大校長。劉季洪調教育部部長。此一重要決定，報界雖尚未透，露事實上正向這個路綫發展中。又訊在遠東多變的情況下，現下財經內閣似難應付當前國際惡劣情勢，行政院及台灣省政府人事均將加强云。

寮國的特種戰爭

——本報記者盧偉林

永珍航訊

寮國是中南半島內陸的一個莞爾小王國。獨立才十六年，一直在呼籲讓它得到「和平」！這種呼籲是直對大量侵入其領土的「北越」共黨而發的，同時也是間接對「毛共」的。

寮國總理富瑪親王曾說：「只要各鄰邦卻不來干擾我們，那麼我們自己人之間，就可以達成一項協議，而在和平中生活」。他最近又對記者說：「在越南問題未獲得解決之前，寮國問題亦不能解決」。並說：「北越侵入寮國的軍隊約有四萬多人，其中有正規軍。這是由我們的情報及從五十名俘虜口供中所獲的確報告」。

北黨對寮國的煽動干擾，早在寮國獨立前已在進行，而以一九四九年以後特別變本加厲；時蘇發務馮親王及其黨羽拒絕接受寮國成為法國聯邦的主權獨立新國家地位，卻與其他共黨份子聯合發動對國家統一的另一運動，肆意擾亂寮國的獨立統一。這是由於毛共的暗掌推使越共參入而發動的。越共在一九五一年還明白宣佈它負有援助柬埔寨及寮國共黨活動的權利，並迭次派遣部隊侵入寮國，又在技術上物質上諸多協助寮共進行游擊戰及顛覆活動。

胡志明走廊

世人都知道「胡志明走廊」這個名辭，也知道胡志明走廊是南越共黨游擊隊的生命綫，又稱為「胡志明小徑」。但很少人能夠弄清楚胡志明小徑究竟一條怎樣的小徑。

美國轟機曾不斷轟炸這條小徑，軍事當局不斷在努力設法來封銷這條小徑，甚至把些谷口轟炸到山崩地裂程度，但收效亦很微。

究竟胡志明走廊真是僅一條小徑嗎？在事實上，所謂胡志明走廊並不只一條小徑；而是北越通過寮境進入南越，又越通過寮國，柬埔寨而入南越的無數小徑。亦即北越以人力物力補給南越游擊隊及正規軍的無數通道。這些通這小徑，都是經過崎嶇的山野，茂密的發林，車隊與部隊都是晝伏夜行，化整為零，脚車，鷄公車，牛車，汽車，盡其所能，都用為重要運輸工具。分站前進，分站整運。據說一個越共官兵，由北越走到南越參戰，在路上除涉水登山，還要閃避美機轟炸掃射，在時間上需要三個月以上，才能到達目的地。由此可是共黨對於侵略戰的艱苦野心。

有人懷疑，像這樣的狹長地帶，以美軍的優越空軍，為什麼還不能有效地阻塞越共補給南下呢？記者最近由泰國乘機經寮國與南越上空時，曾仔細端詳此一地帶，但見一片黎黑的山巒，都是葱鬱密茂的森林，森林蔓延像大海一樣，渺無邊際，如果要轟炸的話，那真是炸不勝炸，隱藏在這密茂森林中，要想在那樣高速度的飛機上找尋越北的踪影，那確像在大海撈針一樣的難。

這條通這的能封閉成功與否，將直接影響南越共黨的戰鬥力。美國軍方如果要想有效地封閉這條通道，僅僅靠轟炸方式是不能獲致決定性效果的。

侵泰的基地

現在寮共黨游擊隊滲透泰國的基地，由寮國滲泰國有下列的幾個優勢條件：

（一）寮國與泰國僅一水之隔，八百公里漫長的湄公河，把兩個國家從地圖上劃分開來，但是在寮國方面多是綿延的山地，在泰國方面多是廣大寬濶的平源，因之，如以寮國作基地，進出泰國平原。有居高臨下之勢，也有伸縮自如之利。

（二）共黨由北越經寮國北部蜂腰地帶，通過寮共地區渡湄公河入泰國，是一條最便捷的道路。

（三）泰國東北部，地廣人稀，因為湄公河水利未興，地瘠民貧，兼之泰國東北部民族與寮國沿湄公河散居的民族又同屬佬族，語言，風俗，習慣相同，泰國東北部聚居的佬族而與泰國中部定居的泰族種族不同，語言，風俗，習慣相異，共黨挑撥民族情緒，利用寮國佬族滲透泰國佬族地區是很便利的。

最近，由於寮南戰事的擴大，已構成對泰國安全的嚴重威脅，泰國內務部長巴博上將說：寮國局勢的動盪，由於它與泰國接壤近咫尺，數月來，泰國邊境的府治如湄公河畔，清萊，難府等地共黨及恐怖份子又遂日益猖獗，不斷地向邊境騷擾，製造動亂，由於泰共獲得中共與越共的支持，以及藉着深山密林的掩護，一時仍未能敉平。

戰亂擴大中

今年初，越共及寮共的軍隊侵佔南柏，威脅王都鑾巴拉邦，主要的企圖還是在保衛胡志明小徑，這條小徑的起點是北越的旺城，折入寮國的寮共控制的平原，靠在一起的查普城，那裏有儲存大量軍需品的倉庫，因此佔領仲進越南及高棉的寮南尖錐地帶，那是越共所迫切需要的，因為可以使到在這條小徑的運輸得到更好的掩護。

從美國方面透露的消息，在該地帶活動的，幾乎完全是北越的軍隊，因為寮共軍隊的數量只夠在寮國中部活動，目前北越在該地帶的正規軍大約有四萬人。（這與富瑪親王所客佈的數字相同。）倘若戰爭持續下去，北越將繼續維護胡志明走廊，北越仍然是寮國，特別對寮南的最大威脅，而寮國的戰亂也就不會終止。

論美國當前之危機

·顧翊羣·

（續）

發明在過去曾被認為動盪不定，難以計劃，但在現代美國則各大企業均對未來有長期的周詳的計劃，而按步就班的將擬議中的各項發明予以實現。一九一五年電機怪傑斯坦邁茲氏（E. P. Steinmetf）曾運用他的想像而預言有若干種新的發明，將為人類帶來幸福。美國奇異電氣公司乃創辦了發明家學校School borinventors以訓練專才。到本世紀中葉時斯氏所預言的發明有百分之七十六業經實現，其餘百分之二十四亦經局部的被證明為可能。杜邦化學公司係世界最大的化學企業，產品甚多，並代美政府生產輕氣原子彈器材工廠。該公司有設計單位，計劃此後數十年內問世的產品中，有實驗室一所，其名義在大門銅牌上標明為「公元二千年」，所研究者為二十一世紀自石油與海水中所提出之人造食品。本世紀中葉，該公司每歲支出研究費約美金三千五百萬元，雇用專門人員將及二千人，分在三十三所研究實驗室工作，此等專家所研究的計劃種類甚多，計每年三百六十五日平均每日得到政府專利特許權一件。在此種大企業中，天才與組織的衝突在所難免。一九七七年哈佛天才化學家夫卡羅州氏W. H. Cotothers為該公司所羅致，而進行研究人造纖維。到了一九三五年二月，經過卡氏之理論研究，自煤與石灰石中提取出來能抗熱至華氏五百度之「多元巨分手六十六號「Polyanird 66」亦即其後請得專利權而被命名為「耐隆 Nylon」之人造絲。當時公司急於生產圖利，不同意卡氏的暫緩製造以待品質改進之主張，（其時新產品第五一〇號業已完成），而忙於利用專利權從速設耐隆工廠。該廠完成於一九四〇年正月，杜邦公司曾經獲利無算，但卡氏則在一九三七年因失望而自殺，享年僅四十一歲。

二、農業建設的成就。英國農業建設的成就，來自科學技術之被充分應用，茲舉以下三例件為證。①加州南部的帝谷Impeusal Uallcy地勢卑下，屬於科羅拉多河流域。自古以來，受該河泛濫影響，成為不毛之荒地。然早在十九世紀中葉，專家等業經斷定，其土質肥美，應設法實施水利灌溉，二十世紀初年曾有多次小規模的工程均告失敗。直至三十年代胡佛大水壩系統樹立後，將該河洪水管制，帝谷區內開掘了運河與棋盤式的灌溉溝渠，而此四千五百方英里之區域，乃成為地面上之伊甸樂園，所產之水果與蔬菜名於世界。

（二）

違法法曹應予懲處 監院醞釀提出彈劾

符案十年舊事重提

監察院最近檢查舊案中，發現一件十年前的彈劾案迄今，猶待提出付諸審查。此一彈劾案如獲審查成立，則一羣法曹包括最高法院刑庭推事彭世偉、陳撲生、羅國昌、劉延洪、翟維四、陳綱、陸雪塘、李百鈞、王之綜、謝兆吉，以及台灣高等法院檢察官夏維上、劉鴻儒、刑庭推事章粹吾、徐軍、吳昌麟等人，均將移付懲戒。而最高檢察署檢察長趙琛，亦因「不惟有虧職守，違法瀆職」，也將受到懲戒處分。

這個彈劾案提審委員為陳大榕、馬慶瑞、趙季勳等三，其中趙季勳委員早已作古，其墓木已拱。就由於趙委員去世之故，此一彈劾案遂亦置諸檔案，竟未能及時提出此刻，據聞監院又在醞釀再提，對於一羣「確有違誤，實已構成執法玩法，蓄意陷害之重大罪嫌」的現代司法官吏，予以適當懲處。此乃澄清吏治，使國家走上真正民主法治的康莊坦途之應有措施。

根據陳大榕等三位監委所擬彈劾等草案中指出上述法曹係因審理大信貿易公司經理符逸冰偽造文書與欺詐一案，於訴訟程序適用法律及偵審採證諸端，均有違誤，實已構成執法玩法，蓄意陷害之重大罪嫌，而最高檢察署檢察長趙琛，不依照司法院公布大法官會議對本案之解答提起非常上訴，以謀法律上之救濟，不惟有虧職守，亦屬違法瀆職，因此爰依監察第六條之規定，提案彈劾。

按符逸冰案發生在民國四十二年間，由台北地方法院提起公訴判：「符逸冰無罪」。再經地院上訴於高院判：「原判決關於符逸冰矇蔽海關無罪部份撤銷，符逸冰為不法之所有，以詐術取得財產上不法之利益未遂處罰金銀元五百元……上訴駁回」繼之高院檢察官聲明不服第二審之判決，提起上訴最高法院經最高法院判決：「（一）原判決關於偽造文書無罪部份撤消發回台灣高院。（二）其它上數駁回」。台高法院更審判：「上訴駁回仍維持原第一審無罪之判決」。詎知台高院檢查官不服同級更審判決，對原犯罪事實另行認定，上訴於最高法院經判：「原判決撤消發回台灣高院……」台灣高院判：「符逸冰以欺詐為常業罪處有期徒刑三年」。以上為審理經過。

總之，此一彈劾案雖係十年前所草擬，但以其異常重要，故監院委員目前又在醞釀提出，予一干不法之司法官吏以適當懲戒，深信定能獲得全國人民所喝采。此刻，由於新任司法行政部部長查良鑑博士市行接篆視事，原案被害人符逸冰特向查部長提出聲請書，對於最高檢察署檢察長違法拒提非常上訴，請予糾正，並令依法提出非常上訴以謀救濟。據聞，查部長對本案非常重視，但結局如何，不得而知。不過，在司法半獨立狀態下的我國，對於不法，玩法，違法的司法官吏，無論如何是應該懲處的，否則人人自危，民命何託，遑談得到反攻復國嗎？

本報特派員張力行

國立藝術館可以關閉了

（本報台北航訊）台北國立藝術館，乃張其昀教育部長時，根據蔣總統指示而建立，包括戲劇、美術、舞蹈、電影、音樂等，每年經費一百餘萬元，照道理有錢、有場地，有現成工作目標，工作應當容易推動；可是理想與事實往往相反，五年來在王館長紹清領導下坐吃山空，各項藝術活動固形同交白卷，連舉國上下澎湃展開的中華文化復興運動竟然亦交白卷。國立藝術館有一個藝術月刊，經費相當充足，本可以辦一張代表中國藝術很像樣的對外宣揚刊物，結果，不但刊物未見辦。據說辦刊物的道筆經費，也很巧妙的被消化了，國立藝術館成為國立白卷館。又聞館方還養了打手，經常對館員有辱罵。威嚇，毆打等事件發生，國立藝術館藝術到這個樣子，未審還屬於第幾藝術了。

大學文牘

（一）

中山先生去偉鑒：自許張入關，張接東路防務，替出陳，劉之兵十餘營，開赴省西，陳軍陷我武功，與我軍鏖戰與醴，馬嵬之間十餘日矣。劉鎮華親統鎮嵩軍全部，效我盩厔，與張副司令，樊司令鏖戰亦十餘日。適第一路指揮黨佑卿由江口出山，與劉逆大戰兩日夜。劉雖大敗歸省，而聯合張寶麟留省餘部，與張錫攻盩厔之之說又急。許蘭州全部開咸陽一帶，許亦移駐該縣，節節壓迫我軍，恐大戰爭即在目前。陝西之戰禍，必不能免，是彼輩無誠意媾和，其心路人皆知。近有要人來自西安，稱段氏致陳樹藩電，有「除氏胆小氣歉，小事可通融，大事萬難讓步，請弟放手為之。限陰曆年內務必聯合各軍平陝。如弟力有不足，再以防國當軍相助」云云。他人進兵之猛如此，蓄謀之深如此，對西北之決心又如此，我護法各省，此時若不決心援陝，制彼奸謀，使陝西數萬義軍，為敵所覆，則西北之險要既失，西南動搖，彼時誰復與我議和。即使議和，我尚能得勝利乎，兩年來護法之戰全無效果，有？必然者。自重慶會議後，日又言援陝，迄今漢中一城尚未下。傳聞已下令退兵，而引北兵之入關者已四旅之多。援陝者何異於禍陝？先生卓識，北庭之毒計，諒早在洞鑒。務祈協商軍府諸公，為同盟計，即為右任蟻命計，嚴電川滇統帥，限日攻下漢中，並限日出山。陝局安，和局自成，荊襄覆轍，不可蹈也。再今日陝西獨當其難，牽制北軍已多，軍府如能通告各國，聲明北庭阻礙和平之罪，即令湘、閩、贛、蜀前綫之師，一律進攻，南北取一致行動，不特抒陝之急，大局亦利賴之。臨穎無任迫切之至，肅此即頌道安。

于右任上言　九號

于右任上國父書

戰禍難免獻策抒陝之急　時勢如此先生豈容消極

（二）

中山先生道座：閱報載先生辭去軍府總裁職，慷慨通電，涕泣而言，凡體國圖治，與現在癥結之所在，規畫摘發，言近指遠。艱難一誼，讀之痛心。更念軍閥之魔力日張，民生之頹碎益甚，大法中絕，人道陵替。北方武人怙惡未悛，南方武人亦如一邱之貉，莽莽神洲，罪惡瀰漫。而持民治主義者，處處為其所利用，即處處仰承其鼻息，馬首是瞻，自由有幾？而武人利用吾人之迷夢，迄今未醒。得尊電以警闕之議論，示人正路，不獨使武人有覺悟，亦使持民治主義者知民治精神，固在此而不在彼。改絃易轍，別謀建樹，冀以收桑榆之效，更為得之。故他人觀察、以為先生既辭職，先生之志消極甚矣，而不知時勢如此，先生豈容消極哉？抑天下豈有消極之孫先生哉？不事於彼，將事於此，今後先生之直接為大法爭維繫，為人道謀保障者，方長未艾，而獨悵右任之未逮也。右任近頗從事於新教育之籌畫，及改造社會之討論；於無可為力之時，作若可為力之計。區區之心，固亦仰止高山也。所望時賜教言，闢其茅塞，江涵秋影、引領神馳。餘容續達。肅此，敬候偉安！

于右任上言　民國八年八月八日

歷史人物漫談

雄材大畧漢武帝（上）

・清園・

史記卷十二的考武本紀，把一個雄材大畧（班固的評語）的漢武帝，寫成一個專門奉事鬼神，訪求神仙的荒唐鬼。好在後人考證出來，這篇考武本紀，乃元（漢元帝）成（漢成帝）間褚先生所補，眞是「言辭鄙陋，非遷（司馬遷）本意也。」此外又有一說，以為「全錄封禪書，以為孝武本紀，愚陋妄謬極矣，恐褚先生亦不如此。」這是說孝武本紀，必是後來的俗儒妄人所為。我們既知史記中的武帝紀，是愚陋妄謬的東西，那麼，我們現在要談談漢武帝，只有從漢書及資治通鑑中去找材料，這才比較可靠。當然，史記其他篇章中，也還有許多有關武帝的記載，可供我們參考。

漢武帝名徹，是漢文帝的孫子，漢景帝第九個兒子，他母親是王美人。四歲時立為膠東王，七歲時栗太子被廢，他就被立為皇太子。十六歲，景帝駕崩，他便嗣位為皇帝。

自古帝王沒有年號，武帝開始建立年號，把他即位的第一年，稱為建元元年。這一年的冬十月，（漢初以冬十月為一年的開始。）武帝令大臣郡縣薦舉賢良方正，眞言極諫之士，他親自問以古今治道。這次對答的有一百多人，以廣平人董仲舒為最好。董仲舒以為：「不在六藝之科，孔子之術者，皆絕其道，勿使並進，邪辟之說滅息，……民知所從矣。」他這崇尚孔子，罷黜百家的思想，正投合武帝雅好儒術的心意。從此中國便以儒家為正統思想了。可是在當時這個崇儒運動，並不太順利；因為自漢興以來，都是以黃老為中心思想，所以必然有一股阻力。他的祖母竇太皇太后，就是一個不喜歡儒術的人，聽說這青年皇帝居然要背棄祖宗的政治道路，便大大不滿，並責備武帝不該重用好儒術的人，逼迫御史大夫趙綰、郎中令王臧自殺。武帝也只好把和儒術有關的作為，一起都取消。直待這老祖母歸了天，儒術才眞正奠定了一尊的局面。這崇儒運動，算是漢武帝在學術思想方面的第一功。

建元二年，三月，有一天，漢武帝自霸上回長安，路過姊姊平陽公主家，公主派收養的美人伺候他，而他沒有一個喜歡的。稍後飲宴時，公主又出歌女數人，以娛武帝。武帝獨悅其中一個叫衛子夫者。公主便派她在更衣室伺候，兩人就這樣發生了關係，武帝非常高興。公主因而奉送子夫入宮，子夫也就恩寵日隆。皇后陳氏，看見衛子夫得寵，非常懊惱，幾次要自殺，武帝愈討厭她。

元光五年，秋七月，陳皇后因無子，乃挾婦人媚道以爭寵，事被發覺，廢居長門宮。司馬相如的長門賦，即為陳皇后而作。隔了一年，衛子夫生一皇子據，也就戾太子；子夫便由夫人升為皇后。此時衛皇后的弟弟衛青，也因出擊匈奴有功，升為大將軍，封長平侯。後來衛青四個兒子也都封了侯。而他自己又續娶了平陽公主為妻，成為漢武帝的姊夫，眞是貴震天下。當時天下人都歌頌衛家說：「生男無喜，生女無怒，獨不見衛子夫霸天下。」後來唐朝白居易長恨歌中的名句：「遂令天下父母心，不重生男重生女。」也許是由這首民歌脫胎而出。衛皇后一直到年老色衰，才被疏遠，因巫蠱事，母子都自殺了。請容我賣一個關子，這逼得皇后、太子自殺，天下因而死了幾萬人的巫蠱事件，留待後面再談。

建元三年，武帝正是剛滿十八歲的青年，一向養在深宮禁院，對於外面大千世界的風光，很少領畧過。現在做了皇帝，惟我獨尊，而又天下太平無事，他怎肯還天天呆在皇宮裏，所以常常微服外出。有一天，他和左右能騎射的人，天還未亮，就等在殿門口，自稱平陽侯，一待天亮，殿門、宮門都開了，便飛騎而出，到終南山下去射獵。幾匹馬在麥田奔跑，農民皆呼號大罵，他也不管他。當地的縣令要逮捕他，他也不說明自己是天子，還是左右的人，拿天子所用的東西給縣令看，才免於被逮捕。又曾經夜宿柏谷旅店中，向主人翁要點湯喝，主人翁恨他們馬踏麥苗，非常氣憤，乃隨口答說：「沒有湯，只有尿，你們要不要喝！」而武帝也不怪。主人翁並且懷疑武帝這班人是强盜，集合村中少年，想在夜晚攻打他們；幸而女主人有眼力，看出武帝為非凡人，不許主人翁胡來，並且殺雞做飯招待他們。武帝次日回到宮中，詔賜女主人黃金千斤，拜主人翁為羽林郎。武帝又好自擊熊家，馳逐野獸。東方朔、司馬相如等，均上書規勸，以為萬乘之重，不可作此冒險的游戲。可見這時候的漢武帝，血氣方剛，好勇鬥狠。以他這種好動倔强的個性，當然不甘心天天處在深宮禁院中，更不顧沉溺於閣豎女子間，這就是他日後開疆拓土，文治武功均有可觀的徵兆。（待續）

哲學漫談

畧論中西文化的差異（上）

・韋政通・

陸象山說：「東海有聖人焉，此心同，此理同；西海有聖人焉，此心同，此理同。」這句話祇有在兩種情形下，可以有意義：一是「心」與「理」，都只是抽象地指「心」「理」本身；一是視為人類更後的理想。「心」與「理」一落在民族文化的特殊表現中，往往就有差異，如中西文化之間的差異，就是顯著的例子。

自清末以來，凡是談中西文化的人，很少不接觸到兩者之間的差異問題。中體西用說，代表對中西文化問題最早的一個反應模式，也極蘊涵着兩者的差異。這裏先把數十年最流行的一些分法列出來。

中國文化：

一、重主體（能）。
二、道德心。
三、道德文化。
四、重直覺。
五、重內心體驗。
六、圓而神。
七、重文化之統。

西方文化：

一、重客體（所）。
二、認知心。
三、科學文化。
四、重理智。
五、重客觀成就。
六、方以智。
七、重文化類別。

下面把這些差異約為三點，做一個簡要的說明：

（一）從心靈表達的形態看。從心靈表達的形態看，中國文化以道德心為主，西方文化以認知心為主。認知心的表達，是要認知對象。一端是人的心靈，一端是客觀存在又與人心對立的事物或自然，通過認知活動，對事物或自然有所知，這便是認知心表達的基本模式。因為認知活動中，不能缺少對象，所以重客體（所）；因為認知活動的目的，在求有所知，所以重理智。純認知活動，心必須像一張白紙，對象是甚麼，印入心靈就是什麼。

道德心表達的方向正相反。道德心就是心自己，它是永不能化為對象的。道德心就在我們人的生命中，所以道德心的活動，也以生命的問題為主。它的目的，不在獲取知識，而在成就人格，實踐價值。因為道德心就是心自己，所以重主體（能）；因為道德心的目的不在獲取知識，活動的範圍也不在經驗世界，所以重反省，重直覺。道德心不是一張白紙，它是先天地就被肯定有善的價值為其內容。

（二）從方法上看。從方法上看，中國文化重直覺，西方文化重理智。直覺的方法，有四種特點：

一、是不可說。直覺就是直覺，是不可說的。中國哲人講道理，往往只是畧加提示，你要眞懂得這些道理，必須靠自己的體悟。孔子說「默而識之」，又主張「無言之教」，子貢說：「夫子之言性與天道，不可得而聞」，都是這個意思。這也就是中國哲人不太重視語言文字的原故。

中國女性文藝春秋（續）

周燕謀

王筠與「繁華夢」（上）

「繁華夢」是王筠的創作。筠為長安人，天生有北方人的氣概，自幼喜歡讀書。歎己身為女子，不能與男士們抗衡，故作此劇以寄恨，當算有為而發了。可與「燕子箋」、「桃花扇」相頡頏。

王筠女士的身世不大可考，根據上只有作「繁華夢」，其他不詳。我想她既善於作曲，絕不只此而已。不僅此也，連她的「繁華夢」的內容，我們也只知道一個大概。一般戲劇，總是男角先登場，唯有王筠的「繁華夢」為女子先登場，「生」在數齣後始出場。從這點看來，她似乎在為女子揚眉吐氣。此劇的宗旨，她自己題了一首「鷓鴣天」以見之於卷首：

閨閣沉埋十數年，不能身貴不能仙，讀書每羨班超志，把酒長吟太白篇。懷壯志欲冲天，木蘭崇嘏事無緣。玉堂金馬生無分，好把心情付夢詮。

她這一首懷志的作品，無疑是中國知識女性作了一篇不平的宣言。我們試想：讀到班超投筆從戎的時候，便想像在那平沙無垠的戰場上，快馬單鞭向前奔馳，追奔逐北，精神氣概，是何等的壯濶；飄揚的漢家旗幟，是何等的鮮明！戰鼓咚咚！號角齊鳴；壯士們抖抖精神，隨着長驅直入。痛殺胡兒，醉飲黃龍。豈不令人振奮！痛快！縱然是命運不濟，血流疆場，馬革裹尸以還，那時六軍縞素，萬人憑弔，朝命褒揚，也是極人世之哀榮。

讀到李白的「飲酒長吟」，便想到那滔滔不絕的大江之上，目覩後浪推前浪，恨不得手持太阿，獨斬長鯨，使滿江盡成殷紅，造成偉大無盡的綺麗景色；在峻峭嶙峋的高山之巔，眼望的都是那奇峯怪石，似兒孫一般的羅列腳下，恨不能化成億萬之身，逐風皆到，完全認識那山崖的千面怪相。會做詩的，不妨儘量把來融成詩材，作成豪邁的長吟；不會作詩的，在那裏地方可以儘量的領畧大自然的美景，至少也可以振奮精神，否則也可以消愁遣悶。

但是，她們——一般女性，如讀了這些作品，一會清醒過來，環顧一下自己所處的周遭，和自己的身軀，不禁會啞然失色。（七十五）

理智‧情感

◁一平▷

理智，在一般人底心目中，是一個嚴肅而又使人敬重的名詞，理智因爲是人理性意志的表現，而人又因爲要別於禽獸，故往往希望自己的理智高於情感。我有一位朋友，她總是喜歡別人說她的性格是理智高於情感的，她認爲懂得如何支配自己的生活合於一切的法度，同時她又認爲行爲端正，就是理智的表現，是最值得人們敬仰的事情。其實，理智並不能代表一切的好，而情感也從不代表一切的壞。事實上，只有理智的生活，人類容易缺乏了一切的愛，善與美的感覺，同時人生的意義就只能歸納於工作和吃飯的兩大原則上。生活於沒有悲與樂的環境中，人就不能算是有生命的人，正如桌子椅子等，給木匠造出了適當的形狀和大小，它們被放置於室內，不錯，它們到底是存在了，然而，它們只有死的存在，而並不是活的存在。

人，到底不是實在的死物，人的思想行爲是不能只限於一定的尺度中，在不同的環境下，人的尺度也就要跟着改變，當然，改變也是要相當的標準，我們不能把尺度放鬆至無涯的海，無邊的天，而決定這個標準也就是人的理智的一部份！

情感，是人類精神生活的要素，它並不是我們想像中禽獸底愛與慾的代名詞，因爲人具有理智的關係，人的感情便可以發展到別於禽獸的高尚境界。雖然禽獸亦具有喜、怒、哀、樂的情感，但是，牠們缺乏了意志，牠們的情感只是對慾念的追求，而不能像人類的把情感發之於善與美的境界裏，人類懂得利用音樂，美術，文學等來發揮他們底悲與喜，相反地，假如人過份重於理智的生活，則他們就無法抒發他們的悲與喜，他們眼前的世界根本就沒有美的存在，所以他們的世界與禽獸眼中的世界又有什麼分別呢？又假如人過份重於情感而忽略了理智，則他們所追求的又不過是禽獸所追求的愛慾吧了！我們且看那些罪犯，他們在犯罪的剎那間，是完全失却了理智的控制，而一直受情感的支配所引起的！所以正如以上所說，我們是不能把情感的尺度放至無邊的天，無涯的岸，我們是要憑着我們底良知去規限我們的愛與惡。

所以，若我們的生活同時接受理智和情感的支配，我們的現實生活和精神生活都不會得到甚麼的痛苦，假如一個人能夠奉公守法，法官斷不會判他監禁或死刑，又假如人把自己的悲與喜，愛與惡的感情發洩於詩歌，文藝底美的境界裏，他斷不會被趕至醜惡的境地去嘗那醜惡的痛苦，在我們的前面，就只有美與醜的天地，我們如何選擇，就有賴於我們如何運用理智和情感了。正如文天祥，他知道「捨生取義，殺身成仁」是至善的，他就選擇了這條路徑，終於到達至善，至美的地步，而甘自「殺身成仁，捨生取義」的了！

最後，我還要强調說明的是理智和情感在人類生活中是要有同等的地位的，人需要理智和情感，正如草木需要栽植者的扶持和雨露的滋潤一樣，否則終會變成枯槁，所以在人類的社會裏，有各種的法律，規程，政治，經濟，倫理教育的設施，但同時也有音樂，美術，文學，宗教哲學等的陶冶，這證明情感與理智是同樣重要的，所以若有人說你的性格是理智多於情感，或情感高於理智，你便要趕快去想想：人究竟是什麼？人生又有什麼意義！否則你就只有獲得「人」的稱號，而沒有人應有的實質。儒家之所以流存於中國而不朽，正因爲儒家所說的仁與義是合情合理，換言之，儒家是主張情感和理智並重的，相反的，墨家之不能流存於久遠，正因爲墨子只重理而不重情，而莊子則是重情而不重理。所以理智和情感不能各佔極端的地位，否則將會帶給個人無限的痛苦，甚或整個社會的痛苦！因爲善與惡，美與醜，是產生於自然的情感，但人究竟該選擇那一面呢？這就需要理智的批評了，然後再用情感來吃染，這樣人類的生活便達到理想的境地，人若完全沒有理智和情感，一切的科學，政治，經濟，文藝，宗教，音樂都失去了存在的價值。人是不願居住在禽獸和一切死物的世界裏，因爲它們的世界裏，是沒有以上的東西存在，所以人若要增進生命的價值，有物質和精神的文明，那就不得不注重如何利用自然所賦予的理智和情感的價值了！

劉湘與四川

諸葛文侯

自中華民國肇建後，到民國廿四年秋間，毛共由江西突圍，傾巢流竄巴蜀時止，四川一直是在羣雄割據，內戰連縣的半獨立狀態中。在此時期，北洋政府暨國民政府的統治權力，迄未能眞正達到川境，而川省諸軍頭，各在首都的北京和南京設置代表，目的只在必要時取得中央政府的一紙官職任命令，如軍長、督軍、督辦、省長之類，藉資號召而已。四川之實行輸誠中央，遵奉政府法令，蓋始於民國廿四年冬季，而以劉湘爲首倡也。

民國廿四年春四月，毛共分由湘、桂、鄂邊境竄入巴蜀，川軍多望風披靡。時劉湘以第廿一軍軍長，開府重慶，奄有川東數十州邑的防區，方與其族人劉文輝大戰之餘，湘雖得勝，而實力亦已耗喪，難敵共匪了。他盱衡時勢，瞻念大局，毅然親赴南京乞援，請派遣國軍入川剿匪，統一軍民兩政，改組省府。中樞極嘉許，即任命劉湘爲川軍總司令兼四川省政府主席，湘殊感興奮，對於省府人事安排，他聲明除財政廳長一席，因須整理舊有的地方賦稅暨所發紙幣之故，希望暫由他推薦人選外，其餘各委員廳長，統由中央遴員承乏，以示忠誠。佈署既定，中樞即派薛岳，周渾元兩軍入川追剿共匪，並由軍事委員會南昌行營組織「參謀團」，派賀國光率領，馳赴重慶襄贊劉湘戎機，旋蔣委員長親自入川督導一切，劉湘遇事奉命維謹，相處甚融洽。詎毛共被擊潰，殘衆離川遠走陝北後，劉湘與中央關係乃逐漸惡化，若非對日抗戰發生，巴蜀勢將形成甌脫狀態，而與中樞立異，即中日戰起後，劉湘如不病逝前綫，嗣後中央政府能否順利遷赴重慶，亦成問題呢！

劉湘之爲人，穩重有城府，氣宇亦視一般巴蜀將領爲恢閎，頗能延攬人才，勤思遠謩。例如他在重慶創設的軍械製造廠，以重金聘任專家主其事，該廠所造捷克式的馬克辛機關鎗，比較漢陽、金陵、鞏縣諸兵工廠的出品更佳，對抗戰初期的貢獻殊不小。他左右的文職幹部，取材亦不限於川籍人士，如川省府秘書長鄧漢祥是貴州人，原在北京軍閥政府國務院充任一名普通官佐，與劉湘素無淵源。祇因當年劉湘派駐北京的代表稽[illegible]佑（叔處），常找鄧氏幫忙，劉湘曾贈送謝儀，鄧不受，繼囑鄧薦人到四川作縣令以示酬勞，鄧亦婉却之。迨國民革命軍北伐，北洋政府解體，鄧竄身無依，乃投効於湘，初任駐南京代表，民國廿五年湘綜持川政時，即以鄧爲省府秘書長，信任甚專。湘與中樞軍事委員會秘書長楊永泰交誼彌篤，又與參謀團主任賀國光係四川軍事速成學校的同班同學，湘自從在軍中担任排長起，驟歷各級軍事首長，數十年間，絕無背叛長官的行爲，晚年何以竟對南京國府釀成凶終隙末的現象呢？說來殊堪喟歎，亦研究中國現代史者不可不知也。（一）

生活漫談

胡汪嗜蛇

馬驥雲

廣東人愛吃蛇，現在都知道了。在抗戰前聽到人吃蛇，幾乎與人咬狗一樣簡直是天方夜譚，其實蛇本入藥，一般祇沒有將蛇當作珍饈習慣而已。唐韓愈初南食貽元十八協律詩有：「惟蛇舊所識，實憚口眼獰；開籠聽其去，鬱屈尙不平；賣爾非我罪，不屠豈非情；不祈靈珠報，幸無嫌怨幷；聊歌以記之，又以告同行」。惟蛇舊所識，以證韓愈對嶺南不識的東西太多了。

胡漢民汪精衛等，政治見解儘管各異，但對蛇却有同嗜。不過蛇味鮮美，非不吃蛇的朋友所可思議。龍虎鬥，就是蛇燉貓；龍鳳鬥，就是蛇煨鷄，五蛇羹，燒蛇段，菊花鍋等不一而足。除廣東外，江西九江，龍山一帶，男女老少，也都嗜食水蛇，汪精衛夫婦有一年在廬山避暑，看到九江柴場上，一籠一籠的擺着的蛇，大爲驚奇，想不到廣東以外，竟會有蛇市場，賣蛇的人告訴他，做官是以耳代目，蛇則沒有耳朵，牠全靠腹皮察覺地面的震動，藉以探知周圍環境，水蛇肉是治糖尿的特效藥等。汪夫婦話未聽完即拂袖而去。喃喃自語，「江湖郎中可惡！」

汪精衛之討厭國醫，較胡適、傅斯年尤有過之。記得民國廿四年，監察院彈劾中央醫院的舉動，汪氏非常憤慨，曾直接指責過于右任，反對國醫的朋友，也皆抱不平。傅斯年在當時的大公報上發表「所謂國醫」一文，對於國醫的盛行，與社會上多數人仍舊相信國醫的事實，發了許多[illegible]

[illegible]就是蛇的生命力究竟強到甚麼程度，祇要一看香港台灣蛇店劏蛇的情形，就會瞭解。更奇怪的是蛇數月不吃東西仍可活着。蛇卵生下後還會長，可長大出[illegible]。[illegible]

禪的火花

日日是好日

雲門有一次問僧徒們說：「我不問你們十五日（月圓）以前如何，我只問你們十五日以後如何？」僧徒們不能答，於是雲門便說：「日日是好日」。

十五日的月圓象徵開悟。開悟之人是自由的。世界上，沒有比死更壞，沒有比生更好；這並不是說他能免於未來的打擊，而是他知道那些都不會有害於他。

無門關一書的作者無門和尙，曾替南泉的「平常心是道」作了一首可愛的小詩，說：

「春有百花秋有月，夏有涼風冬有雪；若無閒事掛心頭，便是人間好時節。」

最大的曲成之道，便是一個人不能關心自己的生命，反能眞心的享受生命之樂，才能眞正只照顧別人。

這使我想起了聖若望第二十三世，究竟是什麼使他那樣的感人，那樣的偉大？這是因爲他能把自我完全沉入了對上帝的信仰中。對於他來說，「每日，每月都是上主所賜的美好」。[illegible]

純善也是非常美麗動人的，即使在死的那一瞬，也是如此。由此，使我想起愛妻臨終時的情景。

在我親眼看到愛妻德蘭在病床上的情景時，我不再懷疑了。她在最後也表現得很快樂和深具睿智。在她臨死前的兩小時，那時我的兒子文秀和楊尼醫生都在房中，她對文秀說：「大夫站了很久，請你拿張椅子去給他坐吧！」楊尼大夫以爲她要什麼，便問文秀，文秀立刻被感動得流下了淚來，[illegible]

譯者按：關於本節最後一段，[illegible]（三十）

命相與夢話

看山與看相

公陶

蘇東坡的詩：「橫看成嶺側成峯，遠近高低各不同。不識廬山眞面目，只緣身在此山中」。山是靜物，只因身處其間，故遠近高低，橫看側看，便難得其眞面目。看人比看山困難，人是政治動物，其複雜處隱現多方，無法究竟。大思想家、大政治家、大事業家，對相學多多少少都有一點研究。[illegible]

太平廣記說：「有在野名流張某，見到貴妃楊玉環，[illegible]」[illegible]劉備看馬謖言過其實，不可重用，諸葛亮未遵其言，致失了街亭。[illegible]都是從相貌神態中看出。

自由報

第八五二期

中華民國僑務委員會頒發台僑新字第三二三號登記證
內政部警台報字第031號
中華郵政台字第一二八二號執照
登記爲第一類新聞紙類
（半週刊每星期三、六出版）

每份港幣壹角・台灣零售價新台幣弍元

社長李運鵬・督印黃行審

社址：香港九龍登打士街91號十樓六座
91 DUNDAS ST, 9th FLOOR,
FLAT 6 KOWLOON H.K.
電話：857253　電報掛號：7191
承印者：大同印務公司
地址：香港北角和富道九六號
台灣總管理處
中華民國（台灣）台北市大同街119號
電話：555395・557474
台灣分社：台北市西寧南路110號二樓
電話：三〇三四六
台郵撥儲金戶九二五二

貫澈「國文第一」的號召

——兼談國文與國語的論戰

·孟莊·

目前，中國學術界，在台灣，展開了一場國文與國語的論戰，其盛況，不減於民國十三年的人生觀論戰，其意義，亦不減於人生觀的論戰。此一論戰，始於去年四月二十二日，首先發炮的是師範大學文學院院長沙學浚，他主張：國民學校的「國語」科，應即正名爲「國文」，立即引起了廣泛的論戰。迨林語堂博士發表「論言文一致」，沙學浚教授刊佈「論林語堂先生的言文一致」後，這一個論戰，更如火如荼了。

十二月十七日，沙學浚教授，更於報上刊登一大幅套色廣告，列舉了他的陣容，包括着國內外的學者專家，學生家長，以及工人等，眞是一個浩蕩的行列。十九日，他又刊出一幅廣告，影印了，文學教授與專家人士上，總統書「標題」爲建議小學「國語」科正名」。「國語」科正名爲「國文」，及改造「國文」後，國民小學國文教學上總統書」內列二大要點：

一、國民小學「國語」科，應正名爲「國文」，與國民中學「國文」科課程制度，精神一貫；

二、「國語」不能包括「國文」「國文」可以包括「國語

學，低年級仍教「注音符號」；高年級得加授淺近文言，俾養成畢業生，有關讀中國淺易典籍之能力，而瞭解中國文化。

末後，更建議教育部於最近期內舉行辯論會。關此，應再引述沙文一段，以免觀念混淆，他說：

①「國語」，專指「講標準國語」，他的反面是講方言。

②小學「國語」科，應正名爲「國文」，已在中央日報發表論文三篇，列舉十大理由。

③白話文是「文」的一種，他的反面是「文言文」，二者都是「國文」。

這三點觀念的澄清，都很重要，有此，始能免去一些不必要的誤會與論諍。前述各方面的意見，值得摘要予以轉述：

①學生家長說：「要小孩子去背那又臭又長的白話文，比之背文言文，艱難千百倍，小孩何辜，受此摧殘？先生提倡「國文」教學，實爲復興文化，挽救民族的根本大計。」

②國軍軍官說：「吾人以爲目前台灣青年學生之國文程度每況愈下，倫理觀念之日趨淡薄，則爲不爭之事實。亡羊補牢，爲時未晚。祈夫子一本熱愛我國傳統文化和拯救青年學子之仁心，求得合情合理之解決。」

③立法委員說：「能言而不能文者，有之；未聞能文而不能言者也。」

④大學教授說：「字體太小，尚附注音符號，極傷目力，故幼童多近視。」

關於「傳統國文教學法之恢復」，沙教授亦會有所說明，是：「採傳統國文教學優點，加以改造。」並不是私塾教學法之復古，更不是梁山伯電影上，所示現尼山書院學生讀書時，搖頭擺腦的惡劣姿態之恢復。（由此足見電影攝製之態度應認眞與嚴肅，更應顧及其影響！）

沙文的十大理由，以及例證，不予徵引；但沙文的統計數字値得重視，因爲：統計數字，是合乎科學方法的；也是鐵一般的事實。他在論林文摘要上會說：「尤其嚴重的是識字太少。現行初級小學國語課本，前四冊，只有七三四生字；全八冊，只有一七七四生字。識字太少「是小學國文（即所謂國語）基礎極端薄弱的原因。：：如果用傳統教學法、低年級兩年以內，至少可學得二千生字；低中年級四年以內，至少可學得五千生字，各增加了三倍之多，此事因有國語注音符號之助，更易成功！」

十二月十九日，中央日報記者訪問曾約農教授，他說：「主要的是因爲我們的固有文化，必須透過文言文，才能深切的瞭解：因爲要了解我國的固有文化，必須先了解自己的固有文字。」同時，曾教授又說：「從小學開始，就該將一些淺近而易懂對做人道理有助的文言文，納入教材中，使學生從小就能在品格上得到適當的薰陶。」

又訪問了林尹教授，他說：「在小學階段，凡是用注音符號教學的時期，是推行國語階段，該稱「國語」；但是一到了使用文句的時候，就已經跨出了「國語」的範疇，進入了國文的階段。」

這一些補充說明，都是重要的，而且也不重複。我們認爲：沙教授等十一位的態度和見解、都是正確的，站在與論界，文化界的立場，應予以讚助幷支持。同時，亦擬提出我們的補充意見：

一、注音符號，只在小學一年級教，但教科書與日報、雜誌，不必再附加注音符號於其旁，一則以免有傷目力，造成近視；再則減輕學生負担，不必既要認識字，又要注意符號。止於今日，小學六年，天天在那裏一面寫字，一面寫符號。這樣浪費、兒童的黃金時代，太可惜了！符號只是一個工具，會使用便夠了，何必如此疲勞轟炸，長期困擾呢？如有些不識讀音的字，可查附有注音符號的字典。即此已足。

二、國語，應大力提倡，普遍進行。今天台灣，除台北市外大部地區，沒有認眞推行國語。省縣議員，在議會發言，仍用方言，不自責，反要求議會全部使用方言。偏關一點的中小學校，不敢公然提倡「說國語」，光復了二十二年的台灣，還存在如此現象，能不値得檢討與注視嗎？因此，我們建議台灣省政當局，應以推行國語，作爲五十七年度中心工作之一。首先，推行於機關學校，其次，嚴格限制電視廣播電台，以及火車汽車等各項廣播，絕對不准使用方言。如不如此大力提倡，普遍推行，一且反攻，跳上大陸的青年，不會說國語，能使大陸人民感親切嗎？如果毛匪宣傳「王師是異國軍隊的入侵，人民能不能信嗎？（台灣語僅是一個地區的方言而已）這一個關係該是多麼嚴重啊！

三、中小學的國文科，沙氏所設計的，大體可行。高中及大一國文加何呢？我們認爲：高中國文應以中國文化爲內容而改編；大一，應以儒學、玄學、佛學、新儒學之經典爲依據，而以人生哲學，文學欣賞，休閒教育諸觀點編輯之，似此，這一個革新運動，始是全盤的，貫澈始終的。

總之，我們站在中國文化與中國教育之觀點，响應這一個革新運動，旨在達成復興中華文化之目標，貫澈總統國文第一」之號召！

選民擇飲擇食

一發不可收拾

昨日與明日

關於聯合政府

所謂「聯合政府」云云，在民主憲政國家是擁有多數議席的政黨，跟少數黨共同組織內閣，處理政務之謂也。然在共產黨人的心目中，「聯合政府」乃是一種奪取整個政權的手段而已。列寧在一九一七年革命初期，以俄共羽毛未豐，即與俄國的民粹黨暨其他舊有政團搞過「聯合政府」。

毛澤東在中國對日抗戰時期，局促延安，勢孤力弱之際，亦高談「聯合政府」之說。中國人雖不理睬他，但美國人特別欣賞，認爲這是實行民主政治的最好方式。於是乎，不斷地對中國國民政府施壓力，強教國民黨跟共產黨組織聯合政府，又派特使馬歇爾來中國督促進行未遂，即停止對中國的軍經援助，連中國政府斥資在美國購買的軍用品，亦禁止運出，宣言「一筆鈎消」中華民國。稱讚毛共是與俄共無關的「土地改良主義者」。同時又教唆中國人創造政治上的第三勢力，唯恐國民政府不垮台。毛共之能夠急速發展，佔領中國大陸，可說是叨受美國之賜也。我現在談起這段故事，幷非無聊的閒話，乃有所爲的。

美國對越南重施故技

越共早有組織全越「聯合政府」的要求，美國對此事依然很感興趣。越南強人阮高奇亦如當年我國府當局一樣，表示決不與越共同流合污，且聲越南不作外國的殖民地，間接抗拒美國不合越南人民意志的政治壓力。於是乎，美國即指阮高奇過去曾經利用美國飛機販運鴉片烟，藉以打擊阮氏聲譽。而越南的在野名流張廷保，曾公開贊成與越共組織聯合政府。越南當局僅對張氏加以監視，却不敢治以叛國罪這其間，很顯然是美國方面支持着張氏的。

假使越共在和談中，不堅持以美軍立即退出越南爲談判的先決條件，而以組織聯合政府，由越人自動從事於統一工作，實行全民投票以選擇政府形式，我敢担保美國欣然同意，且視爲「光榮」的勝利。因爲美國根本不懂得共產黨本質及其政治鬥爭魔術，祇要美國商人能夠在國外做生意賺錢，即令共產黨統治了美國以外的全球各區，亦無所謂的。

美國一手製造遠東共禍

在二次大戰前，日本共產黨在國內絕對無法立足，毫無勢力可言的。少數幾個共產黨分子如岡野進、青山和夫之流，長期亡命在中國，一籌莫展。戰後美國以遠東盟軍統帥佔領日本，改造日本政制以與社會結構，而由盟軍總部的政治顧問綜持其事，一部日本憲法，便係這些政治顧問的傑作。他們都是國務院所派的美共同路人——盡屬「太平洋學會」人物，是拉鐵摩爾的嘍囉。

日共仗着美國人起草的憲法，合法存在，日本公開活動，而其勢力乃蒸蒸日上，其他的左傾同路人爲左翼社會黨和「勞動總評」「學生聯盟」等等，現在，已奄有左右日本政局的潛勢力。追溯本源，這不是美國人製造起來的嗎？

中國大陸已被共禍淹沒，越南亦八成將淪入共黨之手，日本的前途岌岌可危。共黨在遠東得有今日發展，美國的功勞實在不能抹煞。這是遠東自由人類永不能忘的！（何如）

自由談

談有爲有守

「有爲有守」這一詞彙，是對一般英雄豪傑之士的評判語，也是衡量人才的一種尺度。

「爲」是才能，「守」是品德，有才而無德者，多屬小人，甚至是大奸慝；有德而無才的，便爲鄉愿，或是村學究式的迂夫子。所以，凡屬成就大事的英雄豪傑，對於用人特別審愼，而以才德兼備者爲首選。自古迄今；只有曹操用人不講究德行操守，雖盜嫂攫金之流，但有一技之長可資利用者，一律任使之，招降納叛，在所不惜。及其弊也，自己一輩子辛苦創進的魏王江山，不旋踵即被自己的幹部如法泡製，以其人之道，還治其人之身，攘奪而去，連累後代子孫亦得不到好下場，報應昭彰，如響斯應。

凡在亂世，用人尤其應該重視品德節操，否則沒有不失敗的。曹操兼資文武，確係非凡的人才，因爲缺乏品德，祇是亂臣賊子而已。等而下之的小有才而無德者，多見其爲僞君子眞小人，經不起實際上利害得失的考驗，原形即畢露了。太平時代錯用一個沒有操守的人，貽患尚不致過大，也較易防範；亂離之世誤信一個無品而缺德的壞人，必有意想不到的惡劣後果發生，史證甚多，不勝贅述。

鑑別德行操守，亦不能憑表面言行爲標準。相反地，凡是自命忠貞不貳，經常對權力者高呼萬歲的人，十九皆係臨難苟免，見利忘義的眞小人；而眞正有所不爲的才德俱全之士，對人決不作態裝腔，譁衆取寵的。

所以，政治上必要時偶有使貪使詐，招降納叛的措施，固無所謂；但只能當藥劑用以治病，却不可資爲常服的衞生丸。漢高祖斬丁公，唐太宗不願以謊言試探臣下的心情，都是獎勵德行操守的善良作風。

亂世最需要人才，而亂世的人才又每每缺乏德行操守，所謂「有爲有守」之士，由於劣幣排斥良幣的關係，很難得當以自見，此亂世之所以比治世爲多也。

馮王先生

孔孟學會建議政府 國語正名為國文科

弒父案應免去從寬量刑

擁有會員二千七百三十二人之中華民國孔孟會。於四月十四日假實踐堂舉行第八次會員大會，由八二高齡之理事長陳大齊主持開幕典禮並致詞。旋由總統府副秘書長鄭彥棻代表　總統宣讀訓詞，畧謂：孔孟學說，為我國文化精華，而禮運大同篇，則為三民主義之最終目標。際此反共討毛之時，必須闡揚民族倫理與道德，並須做到民主不忘民族倫理，科學不忘國家建設。繼由嚴副總統致詞：指出孔孟學說之精義，就是中華民族立國之根本，中華文化之主流。其精微宏博，如「天之無所不覆，地之無所不載」。因此，其精神是「歷萬刼而不磨」；其光輝是「炳萬古而不替」。我們應以此中華文化之偉大力量，掃除共匪邪說暴行，使共匪毒素，在中國土地上澈底消滅。

中由曾約農主席，分由蔣復璁，杜元載，黃得時報告會務，包括出版、研究、以及推行大高中學生孔孟學說論文競賽成果。曾氏以極嚴肅之態度特別提出：「當在推行孔孟學說之際，竟有羅熙弒父案之發生，殊為遺憾之至！理事會曾決議呈請行政院轉知司法行政主管，對羅案似應免去從寬量刑，否則不免不僅足以維持倫理道德，而法律尊嚴之被損害，影響社會人心更鉅。此雖為本會之主張，但對法律之審判，却未便干涉」。旋由熊公哲作專題報告，以「孝弟為仁之本」。論及儒家學問精神，所重全在行誼，不在知識。但非不完全重知識，而是知識與行誼，相為依倚。正所謂「下學而上達」。其工夫端在「入孝出弟」四字，堯舜之道，亦僅「孝弟」二字，而「仁之實，事親是也；義之實從兄是也」。中庸云：「仁者人也」。孟子云：「仁，人心也」，尤以「惻隱之心，仁之端也。」較為鞭辟近裏。因孟子論及「先王有不忍人之心，斯有不忍人之政」。我中華文化第一目便是倫理。孟子云：「學則三代共之，皆所以明人倫也」。所謂人倫就是：「父子有親，夫婦有別，長幼有序，朋友有信，君臣有義」。君臣在現時說，就是人民與國家，亦即我中華文化最優秀之所在云云。

最後由林尹主席討論提案，一為沙學浚，熊公哲，任培道，李曰剛，周開復，王忠林等人「為遵行孔子，必也正名乎，名不正則言不順，言不順則事不成」之偉大教訓，擬請建議政府從速宣布推行「國語」政策決不改變，小學「國語」正名為「國文科」，以為實現總統蔣公「國文第一」、「提高國文程度」、「復興中華文化」諸政策奠立基礎案；經全場一致熱烈鼓掌贊成。決議交下屆理事會辦理。二為盧元駿，羅宗濤等六人提：「為宏揚中華文化，加强教育措施，應於各級學校增加有關中國文化課程，藉收實效案」。其辦法要點：①初中三年級每週講授「孝經」、或「論語」一小時，其適合現在需要之經文，應責成學生背誦。②高中（中學、師範、職業）每週授中國文化基本教材二小時，規定進度，成為獨立科目。③大專暨三年制專科學校之各科系，加授中國文化概論二學分。④大學及學院文法科，增授中國文化概論或國學概論四學分。⑤教育部舉行留學考試，應加考中國文化概論一科。經一致決議如前。後改選理監事畢散會。

民航失事案一場鬥智 控方檢察官棋高一着

台北航訊　本報記者新曦

打官司除了依賴法律知識之外，還要憑高度的智慧，才能取勝。二十二日台北地院開庭審理民航公司七二七波音機失事慘案，是一場鬥智的戰爭。控方徐承志檢察官及辯方端木愷律師，都表現了高度的智慧。

本案第一次庭期，是在三月二十五日下午。當時已進入辯論程序。旋因承審推事黃昭熙為顧及種種因素，未能決定一庭辯論終結，而改期繼續辯論。因律師端木愷曾要求將第二次庭期定得長一些，黃昭熙推事為了遷就律師端木愷的請求，而將庭期定在本月二十二日。離第一次庭期將近一個月之久。因刑事訴訟法有明文規定：第二次庭期離第一次庭期十五天以上時，必須更新審判程序，從頭開始。本案第二次庭期已超過第一次庭期十五天以上，雖然宣佈是繼續辯論，實際上更新審判程序，又得從調查證據開始。

黃昭熙推事把第二次庭期定在離第一次庭期將近一個月之久，其用意無非讓辯方律師端木愷有充分的準備，也使法院有充分的準備，作審判程序之進行。但是，端木愷律師的智慧極高，他利用時間儘量作自我準備的工作，却不讓法院有準備的時間。他的目的，是在開庭時可以暢所欲言。如法院沒有準備的話，對他的辯解很難反駁。這樣，比較易獲勝利。

第二次開庭之日即本月二十二日是星期一，端木愷律師却在星期六下午才將辯訴狀呈到法院收發室。而星期六下午法院照例不辦公。承審推事既無法看到辯訴狀的內容，控方檢察官徐承志也不會知道辯訴狀內容說的是什麼。等到星期一上午收發室將辯訴狀送到推事手裏時，即使檢察官徐承志獲知內容，已沒有充份時間來作還擊的準備。端木愷律師想用迅雷不及掩耳的打法，把控方檢察官徐承志一拳打倒在地，爬不起來。

二十二日中午十二時剛過，辯方律師端木愷，就已率領人員佈置法庭。他把預先準備好的電訊圖表解釋，通好電路，放置在審判台的右前方，並備有飛行人員的作圖表解釋。忙個不停。他以為這一戰必將控方檢察官徐承志打得只有招架之功，而無還手之力了。

殊不料徐承志檢察官，是位辦案的幹練人才。曾在調查局服務頗久，對於處理案件，老到而專心。辯方的每一措施及每一件準備工作，他都了然於懷。於二十日星期六晚間，他就知道辯方律師已呈遞一紙辯訴狀到刑庭。但他無法知悉內情。他除運用種種關係，知道辯訴狀的內容之外，還知道開庭時辯方律師端木愷攻擊的重點，是在指責台北國際機場儀器降落系統設備不善。將這次失事的原因，推在負責此項設備的民用航空局身上。於是立即作準備工作。

徐承志檢察官，不是航空專門人才，對儀器降落系統的常識，所知不多，可以說完全是個門外漢。但是，他為了迎接這一場鬥智的戰爭，不得不全力以赴。於是，他在二十日即星期六晚間，造訪幾位航空專家，作緊急性的專業補習。

他手上有一份非常寶貴的資料，就是根據機艙錄音儀的駕駛員談話的聲帶，以及飛行記錄儀所拍的飛行時間及高度變化的照片，而製成的「B一〇一八機進場高度變化圖」。按B一〇一八機即失事的七二七波音機。但徐檢察官對於圖表所示，不甚明瞭，航空專家就對此圖表向他施以專業補習。這張圖表，加上機艙錄音儀的錄音，以及飛行記錄儀所攝的照片，正可以作為對辯方律師端木愷攻擊儀器降落系統不良以最有力的還擊。因為在他手上的圖表中，所顯示的完全是鐵的證據，可以擊破任何巧辯。

二十二日下午開庭時，辯方律師端木愷發出滔滔不絕的雄辯，指出許多理由，利用電訊表解說台北國際機場儀器降落系統不善，是造成飛機失事之原因。此次飛機失事事件，不是駕駛人員疏忽。但是，他的雄辯，却被徐檢察官的簡明圖表，攻擊得體無完膚。這是他專業補習之功。

論美國當前之危機（上）

・顧翊羣・

有一墨西哥之工人告參觀之遊客道：「我們在本國農作物缺水時，需向上帝求雨，在此地只需打一電話予給水總站，水便流出來了。」（2）在一九四六年美國奇異電氣公司專家等，開始研究人造雨之理論與實驗，夏佛氏V. Schae Fer首先在試驗室中將各種類似結晶體的細末，散撒在人造的「超冷雲層Aupercooled Clouds」實驗箱中，希圖使其凍結而致雨。經過多次失敗之後，夏氏於無意中將一把「乾冰細末Dry ice」灑入人造雲箱中，而發現了奇跡。該箱牆壁上竟有雪花凝結。同時公司中另一專家馮酒葛氏B. Von negut於研究將及兩千種結晶品的結構之後，發現了攝影所用的銀碘化合物Silver iodide與冰晶體結構最相近。於一九四六年十一月十三日正式在天空大氣中實驗人工造雨術終於成功，由此而許多小公司紛紛成立，以出售「人造雨」為專業。

科州丹佛城有一「水力資源開發公司」擁有三十位氣象學者，應用「電腦」將自全世界各地經過「長程電報器 Teleprinter」日夜所報告之氣象加以分析，然後應顧客的需要，將幾十萬銀碘化合物噴射器裝置在多架飛機上，在指定地區上空噴射造雨，以便農作物之生長，特別是供應旱畜牧場所需要之水源。該公司因之每歲淨盈三十餘萬美金。（3）美國當前畜牧場除去牛仔Cawhoys」所戴之寬邊帽與所穿之高跟皮鞋以外，與電影電視上所常見畜牧場已不復相同。「牛仔」等騎馬者少，而開汽車者多，不彈吉他琴，而聽收音機，並因其職務操作人工輸精及科學管理飼料等等，而其名義亦變為「工程師Engineers」了。牧草移秣供應之增加，首先從加重蜜蜂的工作開始。牧場主人向蜂場主人「租借 rent」了較正常狀況下所需高出數倍之蜜蜂，在一定飼料區域進行不重採蜜而主要輸送花粉以增加飼料的工作，蜜蜂等因產蜜不足量疲勞過度而紛紛墮地死亡，但蜂場主人因「租金」較出售花蜜獲利為多，而並不愛惜蜜蜂的生命。牧場則因料收獲較通常增加六、七倍以上，亦認此舉為合算。牛羣不被散逐在草源吃草，而是被排班站立在飼料槽面前，飼料有機械自動輸送，永遠不缺，牛的肩背上數吋，有通電的弓形裝置，牛羣受過觸電的教訓，而不作蠢動之想，擠乳手續有機械處理，所排洩便溺亦由機械清理。有一牧場主人解說曰：「我們的牛乃是無生命的機械，我們將某價值的飼料，放入此機械中，而取回了某價值的牛奶與奶油，平均一頭牛在兩年半以後，便需送往草原休養十月至一年，方可重行出奶，但為圓利起見，我們照例不將之送往草原，而係送往屠宰場的。」在他的觀念中，科學與牛羣之所以有價值，是因為二者可以使他獲得更多的金錢，其他均不值得考慮。

三、思想機器與思想家。（1）費愛佛氏John Pfeifer在一九六二年著有「思想機器」一書，討論電子計算器之過去現在與將來。他認為電子計算器可以用來分析腦微波與癌的細胞，也可以預告氣候，及為了設計原子武器而解答數理公式。我們知道此種計算器的基本原理可以上溯至十七世紀萊布尼茲與十八世紀巴斯噶兩位學者，而本世紀自三十年代起在許氏Vannever Bush與他的共事者，在美國麻省理工大學，林肯實驗中心的努力，對此種機器之不斷改進，有最大的貢獻。（2）最近數學家克曼理教授Prof. J. G. Kemeny在奇異公司論壇雜誌發展論文，認為到了美國下一代時，應用計算器當與學會寫字讀書，有同等的重要性。在克氏所任教之達特茅斯Dartmovth大學中，對於推行應用計算器的教育，已有了四年的歷史。到了本年六月底時，該大學生徒中百分之八十均會熟悉為何利用電子計算器了。克氏復謂他曾算出美國「落斯阿拉摩斯Los Alamos原子實驗中心在一九四五年全年中所做的數理計算，祇需今日達校一位一年級學生一個下午便可計算完畢，而同時此君所使用電子計算器仍可以供其他三十人同時使用，克氏更預言，再過十年至一九七八年時，全美國大學生徒均將會使用了計算器，邇時現代專家所努力解決的任何問題，幾於為任何大學生所能解答，例如升登月亮之太空船的軌跡將成為大學一年級學生的練習題。達校學生在當前便常時解決此等例題：（3）美國當前有由專家集合的公司組織，大多祇以撰寫權威性的研究報告為主要業務，各大學各部門受政府或企業委託而進行研究工作的也不少。蘭特公司Rano Corporation為此中翹楚，該公司最初係應美國空軍之委託，為了解決兩項問題而成立的。第一為戰略轟炸計劃，係準備洲際戰爭時，美國空軍應採取的戰略；第二為美國空防計劃，限於軍事上防守策略，但不久該公司之研究範圍便向政治經濟及社會心理各方面擴展，而從事應用高等數學以及「電腦」來進行研究。在五十年代初年，該公司撲有八位氣體動力學家，二十一位經濟學者，五十一位數學家，兩位心理學家，四位社會學家，四十位電子計算專員，八十七位工程師，一位天文學者，三位數理邏輯學者，與八位統計學者，根據柏金森氏定律Parkinsan's Low（按即「為人添事，再為事添人」），我們有理由相信今日該公司人員必將二倍或三倍於以上的人數。（4）較蘭特公司重具權威性而為美國第一流，大學為麻州及加州理工大學及哥大芝大等十二大學中「休假」教授等所組織之國防分析研究所Institute, Foy Debense Analyses亦代表美國政府各部會研究各種問題，自最新武器的研究處，而至最近之「罪行檢計委員會」場告，以及對國際收支研究等等。此機構每歲需用公欵一千二百餘萬元，國會中人對之頗有指摘。

大學尺牘

吳佩孚覆汪兆銘書

誓與國家存亡同命運

（其一）

精衛先生執事：叔雍先生至，拜展手書，讀竟愴感不置。中日輔車相依，爲敵爲友，利害本自昭然，兩國當軸，皆一時賢儁，智慮周遠。詎謂見不及此，徒因乘隙抵釁，積漸已久。吾國自甲午喪師，庚子喋血，迄於九一八事變，隱忍依違，專以不滋生事端爲無上自全之策。敷衍因循，正如瘍癰附身，終歸一潰。而又內外情形複雜，因風縱火，更有促使燃燃者。平情論事，國民黨不過適逢其會，儻亦國運有以致之，不必盡在人也。公怵惕危亡於喧嚎抗戰之中，徑議寢兵，翰音登天，宙合皆曉；復眷眷於風雨同舟之誼，疲口曉音，冀反衆迷；終且險患視當，高振六翮，嚶求海內仁人志士，共計匡維，爲國忠貞，至堪敬佩；並承謙衷見訪，履綦遠勞，翹跂風猷，彌增感奮。竊謂中華民國四萬萬民衆，實爲主體，民意趨歸、果以抗戰爲然，則任何犧牲，均可弗計。若民皆厭戰，相戰之國復有感於窮兵黷武之非，即宜矜恤同胞，戛然而止。有史以來，從無久戰不和之理，以德皇威廉第二之睥睨一時，鑒於大勢傾頹，至不惜紆展尊榮爲民請命。誠知民爲邦本，和與戰同一爲民，則應戰應和，自不能不以民意之向背爲準繩也。弟分屬軍人，昔亦誤以武力爲萬能，經體察國情，默觀世界大勢，乃於太公所謂全勝不鬥，大兵無創，微通鬼者，一以政治之原理權衡其際，益憬然經國之謨，初不必盡恃於藉疆埸之決勝也。故自蘆溝橋變起，兀坐故都，本所信念，日以啓導和平爲事，和平要領，則以保全國土恢復主權爲唯一之主張。區區此志，竊幸與公尚有鍼芥之合，九臯鶴鳴，敢云道不孤也。尊論謂非組織統一有力自由獨立之政府，無以奠定和平，確爲扼要之言。與鄙見亦正相符。蓋不如是，不但無以奠定和平，且無以見諒國人，並無以改國際之觀聽。願共本斯義，力圖邁進。友邦誠能具充分理解，悉予贊同，中日眞正之親善，固可依次以舉；而彼所揭櫫於世界之聖戰意義，並可即事實爲之證明。近德意於西班牙撤兵，復歸其政權於弗朗哥，歐洲疑雲因之頓消。此誠友邦之柯則，尤望公切爲正告也。弟委質國家，誓與國家生存同其命運；苟能山河無恙，自計已足。幸叨不棄，更當進附賢者，謁畢衷忱，如能教益頻施，資爲鍼圭，更所欣盼而不容自己者也。修牋奉答，未罄萬一。統希 專炤，維爲國珍重，千萬，敬頌勳祺。

吳佩孚拜啓　六月七日

歷史人物漫談

雄材大畧漢武帝（上）

。清園。

漢武帝享壽七十一歲，在位五十四年，他一生所作所爲，値得一談的事很多，決不是幾千幾百字可以寫得完全的。如今我們只有就其犖犖大者，述說一個大概。

首先我們要知道，漢武帝自己雖是一個有作爲，很能幹的人，但他仍不斷訪求賢才。所謂：「舉其俊茂，與之立功」。「招延士大夫，常如不足」。好多次下詔令大臣及郡國，薦舉賢良方正，直言極諫之士。他也能容納直言，如汲黯常常面折廷爭，他不以爲忤。有一次汲黯批評他說：「陛下求賢甚勞，未盡其用，輒已殺之。以有限之士，恣無已之誅，臣恐天下賢才將盡，陛下誰與共爲治乎？」汲黯說這話時，非常氣憤，而武帝不以爲忤，反而笑兮兮地向汲黯加以解釋。汲黯不滿意他的解釋，便又說：「臣雖不能以言屈陛下，而心猶以爲非，願陛下自今改之！」這樣直言頂撞，他不但不罵汲黯，反而稱讚汲黯爲「眞社稷之臣」。

武帝雖然雅好儒術，但御下很嚴，頗有法家之苛，大臣稍有過失，即行誅殺。公孫弘之後，丞相中只有石慶得到善終；但也幾次被譴責，就差沒有殺頭。因此弄得丞相都沒有人肯做，連武帝的連襟公孫賀，（賀妻爲衛皇后之姊。）都不肯接受丞相的委任。還是武帝堅持要他幹，他才勉強答應做這不祥的丞相，後來果然還是殺頭了事。

接着我們談談他開疆拓土的事，首先是打通西南夷，設郡縣，置官吏，築道路。當時所謂西南夷，即今日的貴州、雲南全部，和四川南邊、廣西西邊的一部份地區。至此漢朝的疆域，比秦朝擴充了一大塊土地，也使中國文化伸展到西南地區。

其次是武帝兩次派張騫爲使者，去溝通西域之烏孫、大宛、康居、大月氏、于闐，以及附近地方，凡三十六國，東接漢玉門關，西至葱嶺，都派使者來朝。這一來，便可使匈奴不容易利用西域的人力物力，同時也斷絕了匈奴與羌人（今之青海地區）勾結的道路。再其次是大舉出擊匈奴，至元狩四年，先後殺虜匈奴八、九萬人，匈奴因此遠遁幕北，（即今之外蒙古）幕南（即今之內蒙古）已無匈奴王庭，匈奴從此漸衰。到漢宣帝時，他們內部分裂，而自動投降漢朝。終漢之世，匈奴不再爲中國邊患。這時候才證明武帝攻打匈奴是有大畧的。再其次是平定朝鮮，分別設置樂浪、臨屯、玄菟、眞番四郡。漢武帝這種遠大的作爲，不僅是爲漢朝開拓了疆土，而主要的是使中國文化遠達四方，許多邊遠落後地區，也受到我們這種優良文化的薰陶，促進了若干人類的互相瞭解。

到了元封五年，設交趾、（今北越地區）朔方，及冀、幽、并、兗、徐、青、揚、荊、豫、益、涼等十三州，首先創設刺史，以之監督郡國。刺史的職責，據漢舊儀云：「詔書舊典，刺史班宣，周行郡國，省察政治，黜陟能否，斷理冤獄。以六條問事，非六條所問，皆不省問」。所謂六條：一條：強宗豪右，田宅踰制，以強凌弱，以衆暴寡。二條：二千石（即郡太守）不遵承典制，倍公向私，旁詔牟利，侵漁百姓，聚斂爲姦。（待續）

傳記春秋

劉薰宇先生小傳

——小朋友的朋友

費海璣

三十年前，中國有一位數學家被稱爲小朋友的朋友，他便是劉薰宇先生。

劉先生是主張科學救國的人。他研究的是數學，他的興趣是數學。他寫了「數學的趣味」和「數學的園地」兩本小書，受全國兒童歡迎。那時候，我只有九歲，曾代表南昌的小朋友寫信給他，表示敬意。

我對於大科學家的接物處世之道，除了在書本中領畧到的以外，最早是得自劉薰宇先生。

他告訴我們：在萬物還沒有存在以前，只有數存在。而數却是很大很大的。他說他小時候便聽見塾師呵責一位小朋友說：「不能從一數到一百，便是傻瓜」。因而，他一直便害怕着不能數。偶然他看見抽屜裏一百一串的錢好幾十串，他悄悄的問媽媽道，十串錢是不是一千？他媽媽讚揚他聰明過人。於是他知道數數可以一百一百的數。他對數數便發生濃厚的興趣了。

又有一次，他和父親到一位商人家去做客，大家誇獎他是數學天才，那商人便出題目來試他是否果會數。商人說：「三三數之賸二，五五數之賸二，七七數之又賸二，問某數爲何？」他半晌答不出來，害羞得不得了。他從此知道教科書沒有編好，中國傳統的數學遊戲竟未編入教科書，害人不淺！

後來他留學國外，學成歸國後，便立志要做小朋友的朋友。那時候，中國是軍閥的世界，他認爲政治不值得措意，他不要做大官，只想做小朋友的朋友。許多朋友均說他脾氣古怪，甚至譏他是神經病人。

可是他却正色道：「你們做你們的官去，我看你們都是政治垃圾。」又自言自語道：「我甘於孤芳自賞，我要做人，我不能辜負慈母的教訓，我要的是人格，不要與勢利人爲伍。」

他是否寂寞呢？據說，他貧窮潦倒，不到四十歲便死了，寂寞地死了。

但是，三十年後，我學他把數學遊戲教兒童，我把他的人生觀教青年，我把他的名傳揚！

在一般利祿心太重的今天，在一般不顧名譽道德者太多的今天，劉薰宇先生是應爲推崇的。

小朋友們，你們知道我今天做你們的朋友的原因嗎？我學的就是劉薰宇先生呀。

哲學漫談

略論中西文化的差異（下）

·韋政通·

二、是一種特殊之見：我見到一張桌子，你也可以見到同樣一張桌子，祇要不是瞎子，都可以見到這張桌子。這種「見」，是普遍之見。大家所見到的內容有其共同性。「採菊東籬下，悠然見南山」。陶淵明這兩句詩裏的「見」，就是一種特殊之見。因爲陶淵明究竟見到南山的什麼，只有他自己感覺到，他所感覺到的，很難叫別人亦有同樣的感覺。這種「見」有獨特性，所以是一種特殊之見。道德家和宗教家，往往向人宣說他們內心的一些神密感受，這些神密感受，往往就是通過特殊之見得到的。

三、不依靠思維：直覺的活動，總是一望即知，立時感到的。既不依靠經驗的累積，也不必通過推理的過程。只是由靈光的一閃而得，此之謂圓如神。中國人衡斷人，不必知其身世，也不必詢問及其學問，往往於一面之緣就能直斷其性格如何？爲人如何？這就單憑直覺。

四、直入事物內部：與事物融而爲一。本於理智的方法了解人，一定不能了解「全人」。必是把人分成若干部分。因爲本於理智的態度了解人，一定先立一個觀點。例如事物的觀點，生理的觀點，或心理的觀點。中國哲人本於直覺的方法了解人，不是先立一個觀點，而了解人的某一部分；而是要直接透入人的內部，與他人的心靈融而爲一，了解其「全人」的人格。不但對人如此，對自然萬物也是如此。在中國哲人直覺運用中，宇宙不是物質，而是一生生不已的生命流。

西方理智的方法，正與中國的直覺方法相反。直覺的方法是很難說的，理智的方法可須通過言詞，而且是愈詳盡愈好。直覺的方法產生一種特殊之見，理智的方法主要在能獲得普遍之見。特殊之見，所見純屬個人的；普遍之見，則爲人人所能共知的。直覺的方法不依賴思維，推理和經驗。理智的方法，則必須依賴思維，推理和經驗。直覺的方法是入事物的內部，與事物融而爲一。理智的方法是環繞事物的外部，與事物是保持距離的。

（三）從文化成績上看：中國文化在道德這方面收獲最豐碩。西方文化在科學方面效果最大。西方文化源自希臘，科學的根基，在希臘時代就已打好。在希臘時代，科學方面固已有不少成就，但希臘對科學方面的貢獻，不在其成果，而在理智的方法，懷疑的態度，以及批判的精神。這是西方文化創造的動力之源。這方法，態度，和批判的精神，使西方文化異於其他文化。也使西方文化在現代獲得高度又壟斷性的成就。使全人類都不能不受其影響。

在中國的道德文化方面，自古就重直覺不重理智，重信古不重懷疑，重武斷不重批判，結果發展出萬世一系的中國一道統文化。假如中國能維持閉關自守的局面，中國人仍會順着原有的方向生活下去，不會覺察出有多少問題。中英戰爭以後，西方文化大量侵入中國，中國社會受此嚴重的打擊後，不能不產生變遷，於是中西文化間無窮複雜的問題，也就接踵而來了。

（附註：本文所談直覺的特點，大致本於謝幼偉的「直覺與中國哲學」一文，特此註明。）

中國女性文藝春秋（續）

周燕謀

王筠與「繁華夢」（下）

她們所接觸到的：床幃、窗幔，彷彿是桎梏和囹圄。銀瓶、金盞；樓下桃花，窗前明月僅是吟賦之味的詩料。她們處在如此的環境中，心境怎樣也沒男文士們開朗，所謂「閨閣」，也等於是一座象牙塔，除了悲怨，懷想丈夫，或痛心丈夫的移情之外，女性作家總寫不出夠氣魄的作品來。象「繁華夢」這類的作品，雖不認爲即是反抗男性的哀的美敦書，爲了時代的關係，無論如何，她們已表現出和男人們一般的人格。

當「繁華夢」完稿之後，就請他同宗王元常修改，元常並加以評語，藏入篋中。差點竟被埋沒。到清乾隆戊戌（一七一八）年，才被元常偶然拿出來給觀察使張鳳孫看。鳳孫是制軍畢沅的舅父。閱後就轉送畢太夫人，因其爲女子所作而然也。畢太夫人是非常喜愛才女的，所以她在欣賞之後，便決定爲之付梓，並親自題了二首詩點綴卷首，以資倡導鼓勵。

（七十六）

劉湘與四川

諸葛文傒

國軍既入川剿匪，中樞統治權力隨之普及巴蜀，毫無扞格，對劉湘倚畀殷切，而抑制其餘的軍頭，曾核許省府發行三千萬元之善後公債券，藉以調整地方財政金融，卽所以培育劉湘的政治信譽與實力也。是時蔣委員長在峨眉山分別召集川軍各級幹部，從事短期的政治訓練；而軍委會所屬「別動隊」，亦由川人康澤率領進入川省，負責組訓各縣民衆，康氏且兼任川省府保安處政訓室主任，俾便督導民衆組訓事宜，劉湘對康澤亦信任不疑。

別動隊在川省訓練民衆的首要使命，卽在樹立國家領袖的威望。康澤派赴各縣工作的政訓人員，多屬青年而出身於中央軍校者，革命精神甚旺，然缺乏政治技術，對民衆講話時，每指劉湘爲「土皇帝」，謂非打倒不可，湘聞之雖不愉快，亦置不問。一日，有湘之同學兼舊部師長鮮英，偕四川公路局長魏子誅，在成都「少城公園」游玩間，鮮語魏云：「聽說『老蔣』（指蔣委員長）明天要下山來成都了」。適有別動隊政訓人員在旁聆及，大聲怒斥其侮辱領袖，當衆處罰鮮英立正一小時，鮮不敢抗，內心引爲奇辱，事後哭訴於劉湘，甚不平，因而增益劉氏對政訓人員的不滿情緒。鮮英別號特生，在重慶築有別墅「特園」，對日抗戰末期，反動派「民主同盟」卽以特園爲總機關也。

民國廿五年春初，川省實施行政督察專員制，有曾任師長之軍人余安民，奉委爲眉山區的行政專員，臨出發時，他宴請省府各單位首長話別，康澤亦在座。席間談及地方土劣問題，余氏描述土劣在鄉里作威作福諸情狀，謂「土劣出門的排場，比我們蔣委員長還要威風些」。康澤厲聲斥之曰：「不要胡說八道！」舉座爲之愕然不知所措，余氏更尷尬難堪，賓主不歡而散。康蓋怪余氏以土劣與委員長相提併論，認爲侮辱領袖，乃勃然大怒焉。此係區區親歷的事情，一點也不假，當時我在成都担任「縣政人員訓練所」政治總教官，余安民亦約我敬陪末座也。

有了鮮英，余安民二人被當衆罰站和挨罵的事實，加以各地方政訓人員公開指稱劉湘是「土皇帝」，風聲所播，人心不免驚疑，謠諑相應朋興，劉湘所屬文武幹部尤怨懟不平，對中央卽滋生了隔閡心理。此外尚有一事亦使劉湘悶悶不樂，認爲中央對彼仍多疑忌，是卽劉文輝問題也。文輝野心素著，此時被劉湘擊敗，率殘部逃往西康，湘主張予以徹底消滅，永除後患，然中央未採納，仍任命文輝爲「西康建省委員會」主席，兼擁第廿四軍軍長職位，與湘對立抗衡。湘因此懷疑中央有意保持對他的反動勢力，以期牽制川局，左右且從而構煽蠱惑之，於是，劉湘憂讒畏譏，急思所以自保之策，終因民衆組訓問題，與中樞發生了正面衝突。（二）

錢用和教授著「中國文學研究」評介（上）

陳遜子

中國文學，發達最早，歷史亦最悠久。蘊藏豐富，充實光輝。內涵中正和平之思，外見剛柔相濟之美。眞是泱泱其度，融融其聲。極卿雲燦爛之致，有薰風解慍之懷。五千年來，我文學遺產的豐碩，論質論量，並世諸國，實罕其儔。文章華國，彬彬稱盛，把一個禮義之邦的文明大國，被渲染形容得異常可愛。

文學潛在力量的發揮，可說已到了極致，成爲中華文化一大特色。不幸自歐風東漸，中國文化受西洋文化的衝擊之後，中國數千年來傳統的文學，已有式微之嘆。因此在這復興中華文化聲中，如何復興我們的文學，並使之發揚光大，以濟「文喪道敝」之溺，也正是我們這一代讀書人亟應負起的時代使命之一。然而我們所苦的是目前關於中國文學史的著作無多，而研究中國文學的著作，尤其是少之又少，這樣，我們不但無以對青年介紹中國文學的研究；而且也不能便利青年學子的欣賞與深入的鑽研，實在是出版物中一大缺憾。所幸有錢用和教授的「中國文學研究」一書，於本年鋟版問世，（現已列爲華岡叢書之一）。在研讀中國文學方面，提供了許多寶貴的意見，和獨到的研究方法，不惟皇皇十餘萬言，內容豐贍，條理謹嚴，而思想的淵博，見解的深遠，以及係統的完整，文筆的精鍊，在在都稱得上是上乘之作。令人讀之，如飲醇醪，大有空谷足音之感，實在是一本百讀不厭的好書。

首先我們要知道中國文學，起源很早，中經數千年之久。單就純文學而言，其篇章之富，內容之深，修詞之美，眞可說是高出於世界萬國之上。因此研究中國文學的學人，若非具有深厚的學養，豐贍的知識，和精覈的寫作技巧，殊不足以研究有成。換句話說：非窮畢生之力，讀萬卷之書，絕不足以窺其高深，寫出研究有得的輝煌巨著。故晚世以來，關於中國文學研究的論著，其所以寥寥可數者，其故在此。本書作者錢用和教授，居江南文風素盛之區，書香門第，世業縹緗，幼讀詩書，根基深厚。及長，負笈文化古都，入北京女子高等師範國文部深造。承名師宿儒之教，對中國文學，作更深入的研究。卒業後，執教庠序，蜚聲於文史課有年，砣砣勤勤，朝夕於斯。學比班昭，才兼文姬。而著述之多，尤有過之。凡此情形，在作者此書自序中，皆有詳細的敘說，無待詞費。除此書外，其「韻荷詩文集」，亦頗膾炙人口。此書乃積多年來研究之結果，無論學理的闡發，史乘的敘述，都是經過一番辛苦鑿磨而得，以精心傑構出之。我們讀其書，不難想見其學力之深厚。非歷數十寒暑，何能成此盛業。這是我們在未讀此書以前，對此人此書，首須加以認識的。只要讀者稍加涵泳，體察其間，相信會心當在不遠。

本書係包括三個係統：一是有關中國文學的議論和體認，一是中國文學史的敘述，一是中西文化的溝通和中國文學的展望。就第一部份而言，其要目有三：（原書目錄一至三），一是文學和思潮，一是中國文學和文體，一是中國文學的過去。就第二部份而言，其要目有四：（原書目錄四至七），包括中國文學史緒言，中國上古文學，中古文學，近代文學。就第三部份而言，其要目有二：（原書目錄八至九），包括中西文化的溝通，和中國文學的展望。

就第一部份說：「中國文學和思潮」，一篇中，就中國文學和社會生活，宗教哲學，政治經濟，氣候風土的關係，加以論述，這是最進步的觀點，也是最合乎科學精神的研究方法。文學是時代的產物，文學思潮，是社會生活的反映，也是社會和人生的寫照。這一切都說明了文學作品的產生，必然有其歷史的背景，和社會現實生活的踪跡可尋。不同的時代和地域，產生了不同的文學作品，而文學作品也忠實地紀錄了每一個時代和地域的影子。本篇以此觀點，觀察了中國文學的發生和演進，是異常正確的。首章「文學和社會生活」，即本以上原則，作深入的研究。以詩歌小說，舉例證明文學與社會生活的密切關係，條分縷析，鞭闢入微，尤爲切要之論。次章「文學和宗教哲學」，從宗教哲學，論文學思想，亦異常成功。從儒、釋、道三家的哲學思想，及其關係流變論起，把中國歷代文學作品中的宗教哲學，鈎玄稽要，加以論列，網羅無遺，舉例簡要。尤其自漢以迄唐、宋、謳歌佛教之作，一一舉其篇什而闡述之。慧心深詣，至覺珍貴。復次「文學和政治經濟」一章，以爲「一國的政治，乃支配一代思想，爲增進一國文化的樞機，並足以表現國計民生的貧富哀樂；所以文學和政治經濟，有最密切的關係」，的是正論。說到文學和經濟的關係，則就各個時代不同的經濟生產狀態，來說明其所以產生不同的文學作品的因由。這一最新的社會科學的觀點，現在已爲學術思想界所普遍接受，而較任何理論，眞實有力。末章「文學和氣候風土」，最饒趣味。以南北氣候風俗各異，其文學亦各有其特色。西北：寒冷多山岳，東南：溫暖多川澤。西北之俗：勇敢而有堅實性，東南之俗：寬柔而有流動性。南北文學之特色：北方如李白詩：「鄉魯多鴻儒」，南方如李聽物詩：「楚俗饒詞容」。這是非常之有意義的宏論。

生活漫談

乾隆帝嗜八珍糕

清乾隆皇帝，晚年自稱古稀天子十全老人。事實上壽躋九十，五代同堂的帝王，在中國歷史上，也祇有清高宗弘曆一個。眞所謂前無古人，後有沒有來者就很難說了。

乾隆能這樣的高壽，歸納有三大因素：甲、得力於道家的長生不老術。他認爲白天萬物皆動，我亦動之。夜靜萬物皆靜，我亦靜之。一動一靜，循天地自然生生不息之道。乙、一生喜歡旅行。微服簡從，遊江南若干次，其實不止江南，行踪遍及全國各地。養成雄雞未唱，出戶嫌遲，街鼓遍闐仍歸來恨早的良好習慣。丙、注意飲食營養。八珍糕就是乾隆皇帝晨餐的主食。今天我們談的是八珍糕，有關他的風花雪月從畧。

八珍糕的八珍，既不是淳熬，淳母，炮豚，炮牂，擣珍，漬，熬，肝膋；更不是龍肝，鳳髓，豹胎，鯉尾，鴞炙，猩唇，熊掌，酥酪蟬等。八珍者，乃薏米，芡實，蓮子，百合，白果，棗仁，柏子仁，胡桃仁，脫水去脂共研細粉，經調糊發酵，製成爲糕。不僅清香鬆柔可口，其營養價值之高，確有意想不到之效力。今日將八珍的功用加以重點分析，當爲本報海內外廣大讀者所歡迎。

薏仁爲良好之營養劑，鎭痛，鎭痙，鎭咳，去乾濕腳氣，益胃補肺，清熱利尿，消水腫，治熱淋。芡實爲滋養強壯藥，兼有收歛鎭靜作用，益精氣，令耳目聰明。蓮子爲滋養強壯劑。治慢性腸炎及神經衰弱，失眠，遺精等有效。白果潤肺益氣，平喘降痰，嚼漿可塗疥癬，陰虱，去皺，皰，皯有著效。百合，係滋養強壯物，鎭咳去痰藥。清涼退熱，兼爲神經衰弱最強壯滋補藥。棗仁是緩和強壯劑，治咳嗽，生津液，潤心肺，滋脾土。柏子仁，涼血消瘀，用於各種出血症，如咳血，吐血，腸出血，尿血等。胡桃仁補氣養血，潤燥化痰。爲梅毒之淨血劑，外用皮膚病疥癬，凍瘡，腋臭，白禿等有顯著效果。

我們將上列八種食用藥物效用看完後，乾隆皇帝健康逾常壽高九旬，無疑的得歸功於每晨主食八珍糕。乾隆在位六十年，嘉慶元年丙辰正月朔日，御太和殿內禪遂稱太上皇帝。退居寧壽宮，體甚健，仍訓政。審度事理，燭照如神。四年己未正月初三日辰刻，崩於養心殿。壽八十有九。文德武功，爲清諸帝最。生子十七人，女十人。「四庫全書」就是在乾隆手上纂成。

（馬騰雲）

搜異錄

旅行火星的燃料——電漿

——沐二子

每當我們論及太空旅行的交通工具時，卽使用目前已有的最快火箭來輸運，與廣漠的宇宙相形之下，還是令人覺得其慢不足道。在我們一次超越月球的火星之旅行中，若以目前的速度爲之，至少亦需四、五月之久。對於太空飛行員說來，當他置身於密封的太空艙中，以二萬五千哩的時速航行時，卻有如在浩瀚的大洋之中操着一葉孤舟一般。遠至外行星的旅行，則更非經年莫辦了。

這也就是太空科學家們所以孜孜於尋覓另種更快速更高效之火箭推進力的緣故，而這種企望正濃厚地縻至於電漿引擎上面。這類引擎能夠推進太空車而使之獲得十萬英里的時速，且每磅燃料能比最好的其他火箭燃料多生出四倍以上的推力。目前已經在美國Avco公司，公共航空局（Republic Aviation）和其他地方實驗中。溫度高達華氏十億度的電漿，毫無疑問的要算是當今最熱的物材了。

命相与夢話

談心相

公陶

諺云：「有心無相，相逐心生；有相無心，相隨心滅」。此言人以心相爲上。青箱雜記說，心相有三十六種：一、人常思從政，自須如此。二、爲事有剛有柔。三、慕善近君子。四、有美食善嘗，分惠人。五、不近小人。六、常行陰德，每事方便。七、從小能治家。八、不厭人乞覓。九、利人克己。十、不遂惡貪殺。十一、聞事不驚張。十二、與人約不失信。十三、不易行改操。十四、夜臥不胡思。十五、馬上不回頭顧。十六、不令人憎怒。十七、不文過飾非。十八、爲人作事周詳。十九、得人恩不忘。二十、自小便有大量。二十一、不毀善害惡。二十二、憐孤濟寡。二十三、不助強欺弱。二十四、不忘故舊之分。二十五、爲事衆人用之。二十六、不多言妄語。二十七、得人物每生慚愧。二十八、聲美言有序。二十九、當人語次不搶話。三十、常言人善事。三十一、不嫌惡衣惡食。三十二、方圓曲直隨時。三十三、聞善行之不倦。三十四、知人飢渴勞苦嘗有以恤之。三十五、不念舊惡。三十六、故舊有難，竭力救之。以上三十六條皆全，一定位極人臣，壽考令終。若有不全，禍福照拆。具備二十條者，刺史之位。具備十條以上者，大富持久無疑。

自由報

第八五四期

中華民國僑務委員會頒發台報新字第三二三號登記證
內銷證內僑警台報字第031號
中華郵政台字第一二八二號執照
登記爲第一類新聞紙類
（半週刊每星期三、六出版）
每份港幣壹角・台灣零售價新台幣式元

社長李運鵬・督印黃行齋

社址：香港九龍登打士街91號十樓六座
91 DUNDAS ST, 9th FLOOR, FLAT 6 KOWLOON H. K.
電話：857253　電報掛號：7191
承印者：大同印務公司
地址：香港北角和富道九六號

台灣總管理處
中華民國（台灣）台北市大同街119號
電話：555395・557474
台灣分社：台北市西寧南路110號二樓
電話：三〇三四六
台郵撥儲金戶九二五二

共產國際的變局觀

雷嘯岑

俄共理論家蘇斯洛夫最近在紀念馬克斯逝世百五十週年大會中演說，指摘南斯拉夫、捷克、羅馬尼亞和中共等政權，破壞了革命團結的基礎，可能脫離走向社會主義的道路。他認爲南共是錯誤主義，捷共是修正主義，羅共是武斷主義，而中共乃是邪教主義。這表示克里姆林宮對其所謂社會主義集團之日趨分裂，憂心忡忡，情見乎詞，尤其惡恨中共忒甚，而謚「毛澤東思想」爲邪教，大有羞與爲伍，滅此朝食的氣概。實則蘇斯洛夫的說法并沒有理論基礎，殊不足以折服南共等「兄弟之邦」，且不免爲自由世界人士所竊笑也。

「社會主義」這一名詞的涵義有若干種類，決非俄式共產主義者的獨佔專利品；這與中國毛共竊佔「人民」二字作其政權的代名詞，同樣是可哂可恥的事。馬列主義固不妨以社會主義自命，他如我國孫中山先生的民生主義，英國工黨的費邊主義，乃至於美國羅斯福總統的新政政策，詹遜總統的大社會計劃，又何嘗不是社會主義呢？南共、捷共與羅共政權的所作所爲，當然亦是屬於社會主義的範疇。他們不向俄式共產主義看齊，爲適應本國的實際情形，而採取因時因地制宜的政治措施，只要不是恢復舊有資本主義的社會建設，即不能武斷地說脫離了走向社會主義的道路，充其量祇能視之爲修正派而已。

談到修正主義，俄共實始作俑者，捷共與羅共，是繼踵前修，效法「蘇聯老大哥的先進經驗」，俄共沒有理由反對他們的修正主義，何以故？就因爲俄共首先倡導了「和平共存」政策。馬列主義的終極目的，是要完成世界革命，剷除資本主義社會，實現無階級亦無國家界限的人類大同生活的。在理論上即不應該跟資本主義社會和平共存，否則違背了馬列主義的革命原則與立塲，烏乎可呢？俄共的經濟政策又採取了利潤制，這更是顯著的修正主義——修正到眞正走向資本主義的生產道路了。可見蘇斯洛夫指捷共是修正主義，不啻夫子自道，即其說南共是錯誤主義，羅共是武斷主義，亦爲「躬自薄而厚責於人」的大國沙文主義思想，并無理論根據，當然不足以服人，且證明中國毛共罵俄共爲「蘇修」，并非無的放矢。不過，毛共一面以馬列主義的正統派自居；一面又自作聰明，搞出許多違反馬列教條的措施，所謂「大躍進」「人民公社」「文化大革命」之類，確係社會主義的異端邪說，蘇斯洛夫斥之爲邪教主義，可謂銖兩悉稱，恰如其份。

由於時代變動不居，人類的智慧和能力，隨着時代進化而日新月異的關係，任何一種學說和主義，都不是一成不變而永遠妥當的。馬克斯在生之日，何嘗夢想到人類將有原子能的發現呢？原子能之功用，可使人力勞動減少到最低限度，馬克斯學說的中心論據所謂「剩餘價值」云云，便不值一哂了。因此，今日以俄共爲首倡的修正主義，實屬未可厚非，俄共不肯承認自己的修正主義，反而明知故昧，責備別人的修正主義是脫離社會主義的軌道，用意乃在維持國際共產主義陣營的領導地位，因而殫精竭慮，孜孜汲汲於召集世界共黨大會，藉以奠定蘇修的盟主權威，然而這也是心勞日拙，單相思，絕對辦不到的了。

自從史大林在生時，南共脫離蘇俄的羈勒以來，國際共產陣營的建構已發現了一大裂痕。往後匈牙利人民的反共運動，雖由俄帝以兵力鎮壓下去了，然不久又有中國毛共之公開反叛俄帝，俄共對之無可如何，於是乎，羅馬尼亞亦拒絕參加俄帝召開的世界共黨大會籌備會議，捷克由政變而產生「社會主義自由化運動了」。俄帝今日既不敢以對付匈牙利的武力手段來對付中共，即不能再以武力對付捷共與羅共，毫無疑義。這樣演變的結果，東歐的波蘭，匈牙利，以及東德，必然對俄帝滋生離心傾向，而以波蘭的可能性更大。此無他，民族觀念在現代人類的思想中，佔着重要成份，馬克斯認爲民族思想是反動的，不無見地。而列寧當年在第三國際設置「民族委員會」，鼓勵世界各弱小民族革命反抗帝國主義，現在得到惡果了。人類的自尊心和民族觀念先天性的產物，共產主義者以毀滅人性爲革命手段，自無成功希望，殆可斷言。

國際共產集團的分裂情形，今後只有日益擴大，絕無一元化之可能了，這是必然的趨勢。俄帝如果公開贊同修正主義，而對各個「兄弟之邦」，給以人力物力的援助，或許可使共產集團的分裂現象免於惡化；而以和平共存的策畧，跟美國爭雄於世界，則勝負之數尚未可知。至於中國的毛共政權，既無法再與俄共狼狽相依，重修舊好，也沒有能力創立「第四國際」，與俄帝分庭抗禮，更不便自喪信用，採取修正主義而靦顏苟活，它的孤立命運是注定了，但亦不會無疾而終，忽然自斃。在這種情形之下，美國對毛共的幻想必更濃厚，而期待毛共的下一代改取妥協政策，與美國講信修睦，接受美援，和平共存。儘管毛共嗤之以鼻，然美國自我陶醉的情性觀念牢不可破，對於中華民國政府反攻大陸，救國救民的軍事行動，自不感覺興趣，殆屬意料中事。

目前毛共不愁外患，而唯內憂是懼，所以亟亟於「九全大會」之召開，以便重建黨政體制，恢復社會秩序，把劉少奇這羣所謂「中國赫魯曉夫」當權派一概艾夷，先求安內，纔談到攘外的話。可是，毛酋這項安內工作極其艱鉅，且不容易成功，說不定爲此將招致內部更大的動亂。因毛酋專靠軍隊作護符，而軍人之中即有許多頭目不滿意「文化大革命」，山頭主義根深蒂固，如最近楊成武，傅崇碧這些高級將領之被整肅，即其明證。其他各省軍頭類似楊成武之流的所在多有。毛澤東的奪權運動，終難如願以償，眞是「欲出奈何天，除非身死日」了。這便是台灣的中華民國政府光復大陸的最好，也是最後的大好時機。再要觀望因循，無所作爲，結果雖欲苟安台灣一隅，亦必不可得，隨時有被國際強權主義者犧牲出賣之可能啊！

叫人送死　自己活着

邊打邊談　一臉僞善

昨日與明日

勢利的日本人

自一九五一年以來，日本的經濟力量，仗着韓戰與越戰的機會，突飛猛進，國富激增，成了暴發戶，因而在外交上，不得不唯美國的馬首是瞻。如果越戰不停，或者再升級的話，日本爲着要發戰爭財的關係，對於中國的毛共政權，依然採取疏遠態度，不成問題。

現在美國亟亟於停止越戰，且表示不惜付出相當的代價以求和，日本的戰爭財路，眼見快要中斷了。於是，朝野人士親媚毛共的言行大作，爲的是貪圖毛共區域的貿易利益。同時亦推測美國於越戰結束後，對毛共將實行妥協政策。而外相三木武夫之流，乃聲稱日本對於毛共政權進入聯合國這件事，不復視爲必須通過全體大會的重要問題了。充分表現着勢利成性的島國氣質，渺小之至。

因此，中華民國政府對於「吉田書簡」的存廢問題，似不必多費唇舌，希望日本保持信用，應該別謀對策，藉防後患焉。

消極與積極的對策

對於胸襟陝隘，目光短淺的日本人，談道義絕對無用。他們最現實，第一怕武力，其次注重經濟利益。我們不妨從經濟上的利害關係，向日本政府作攤牌性的談判，假使日本眞要跟毛共妥協結交，廢棄「吉田書簡」，那末，咱們至少亦可以將原有與日本簽訂的若干工商企業合作契約，如台南「曾文水庫」建築合同之類，予以廢棄！且將日本跟台灣各方面合作的工商業，如「裕隆」汽車製造企業，以及其他由日本人投資經營的各項工商事業，一律管制，凍結其資金。這是消極的辦法。日本人口中雖然說是對台灣方面的經濟利益，在其對外貿易的比率中，所佔數字甚小，但實際亦甚可觀。

至於積極的對策，應從整個外交方畧上設想，而以革命精神策畫之。其詳非短可言盡，亦不便形諸筆墨，是在當局者愼思明辨而篤行之耳。

對日外交的基本認識

日本人現時需要在美國的原子傘庇護之下，力求復興，表面上不得不聽從美國的意旨行事，但其內心深處是反美的。一旦羽毛豐滿了，他們的外交行動一定有變化。且就日本人現有的空間和其人口繁殖率比較觀察，將來他們非向外擴張，即難以生存。中日緊隣，我們不能不從遠處大處設想。爲適應未來的國際形勢演變，遺大投艱，採取非常的外交方針，努力自立自強。美國在戰後把遠東局面搞得赤禍彌漫，沒法收拾，最後它可以退出亞洲，自固本土，我們却無可退避，非自己想辦法以求生存不可，對於美國不宜再存任何幻想了。

（何如）

自由談

談政風

馬五先生

管理衆人之事的政府官吏，如其廉潔自持，恪盡職責，固然是值得歌頌愛戴的盛世之治。不得已而求其次，官吏在執行職務時，對民衆偶有非份的需索，大不必法，小不必廉。祇要能夠實心任事，隨時替老百姓解決問題，既不擅作威福，故意刁難，亦不暮四朝三，曠廢職守，人民還是相當諒解的，殆所謂貪污而有能也。

試以香港爲例：政府的法定賦稅相當繁重，官吏爲民衆服務亦難免有受賕需索情事，因而政府特設「貪污調查部」以防範、糾察之。可是，政府對於關係社會大衆利益的事務，如交通之發展改良，廉價住宅之大量興建，塡海移山工程之進行不歇，民生日用必需品之價格管制等等，皆不惜財力人力，積極辦理，而且甚著績效。此外凡有可以減少民衆煩苦的地方，亦自動加以改進，例如市民出境後的回港證，一次發給，三年爲期，去求自由，決無其他的麻煩。工商企業者祇要依法向主管機關辦好手續，儘可自由經營業務，不愁有人再來干擾了。因此之故，近十餘年來，東南亞各國厲行排華政策，許多華僑的資財湧進香港後，很少流到別處。而港府即藉此龐大華僑財力，不特稅收大增，且做了若干有價值的建設事業。這其間，官吏雖不見得個個廉潔奉公，但市民并不感覺難以忍受。

無論在任何政府之下的老百姓，他們不怕法令嚴密，最怕政出多門，莫適誰從；不愁官吏遇事或有額外需索，最怕花了錢依然無濟於事。搞政治的人，如果不理解人民這種極其普遍的心理，而注意於集中職權，簡化手續，至少至少，表現着「化得人錢財，與人消災」的行政效率；則其結果必形成開會爲服務之本，請示爲負責之本，整人爲快樂之本的政風，可懼也已。

「來函更正」

一、貴報五十七年五月一日第一版「昨日與明日」欄刊載「香港文教界看台灣的弒父案新聞」一則內有「大家對於本案罪犯與事實處死刑」一節，因該初審判決不符，「審繫屬本院，係宣告無期徒刑，並未判處死刑。二、函請查照惠予更正爲荷？院長曹偉修

論美國當前之危機（續）

・顧翊羣・

（5）與美政府無牽涉而純由學問家所集合之學術機關，為普靈斯頓高級研究院，此一機構係教育家弗納格斯勒氏A. Flexner所創始，目的在讓純正思想家有一安心思想研究之處所。在一九二七年經濟大恐荒未爆發之前，所收捐款寥寥，迨恐慌爆發後，一位百貨商店所有人班伯格氏L. Bam-berger與他的妹氏符邏特Fuld夫人首捐五百萬元。各方繼起響應，而使得該所氣象一新。二次大戰後，有親共嫌疑的原子彈之父與賓海末氏J. R. Opptenheimer（現已逝世）被聘担任所長，愛恩斯坦氏與圖堵蘇俄政策設計者坎倫氏G. F. Kenner，以及我國之物理學者楊振寧氏，均曾任該院院士。該院一方面重視數學與物理之研究；另一方面則注重歷史的研究，而希望將自然科學與人文學問雙方之鴻溝，設法縮小，使得具客觀性的科學，重行與倫理學Ethics相接近。該院院士名額雖僅有十八位，但自世界各地被邀請至該院作數月至年餘之訪問人士，經常有將及百人之多。各學者除理頭述作外，每日下午於飲茶時彼此進行交談，以溝通思想。院士之一而現已逝世之數學家納曼氏John Von Neumann曾有言：「我們學術人士過去係傳道的使徒Apostles而現在則變為主教們Bishops了。我們向權威者俯首，而甘心為他們所利用，此是不利於實現科學的使命的，因科學的目的只在於真理。

四、現代權威學者所想像的科學世界人類大同之遠景：

（1）一九六五年十月在美國南伊州大學有若干國際知名學者聚會，以檢討人類文化之將來為主題，該會為「國際信息傳達藝術與科學中心」所召開，召集人柏亭氏W. Burtin聲稱：「在對全部實在Veality之實質與意義，進行改造。人類生活之每一方向均受其影響，每一種價值均被查考，而個人與社會所受到的壓力，亦正在不斷增加。」柏氏的指出：大衆信息傳達Mass communications之重要性，以及現代技術之將地球變小，與使人類相互依存性之增加。為了促人類之生存與增長起見，必需努力以求大衆信息之傳播在智與美的雙方之改進。

（2）在該會議中宣讀論文者有麥克盧漢氏M. Mcluhan，他是多朗多Toyonto大學文化與技術研究中心主任，所著有「古臘堡銀河羣人物」，「印刷藝人之成功」與「對傳遞信息媒介之了解」等書。他指出二十世紀自從應用電子技術以傳遞音訊、信息後，長時間遠距離縮減為此時此地，使全球縮小為一種部落式之村莊。（可參看「東西文化」第七期本文作者所寫之一篇文章中一段），古代文字簡陋時，政令文教均賴口詩傳遞下去。斯時耳官之重要性遠過於眼睛，而人之記憶能力，亦因之異常發達，歷史及故事之傳遞，有賴於詩人之歌唱，古希臘柏拉圖對詩人之苛責，祇係文字風行，眼官替代耳官後，新式文人對舊式詩人之反感而已。文字興起後，印刷的書籍流通，而文化突飛猛進，眼官最為重要。但現代有了電視及收音機以後，兒童等於出世後，入學前便眼、手、腦並用，而得到的經驗係整合性的，電化時代之現代，又回到新石器時代之末期狀況，今天的人類需將兩千餘年來分工專、英專以讀書為重之習慣改變，而注意到在現代五種感官與頭腦並用所整合後的經驗。披頭樂隊演唱者既彈且唱，復搖擺顛動，更向台下瞪眼注視，經麥氏加以解釋後，我們方領悟他們所携來的使命，原子二十世紀與前大不相同，披頭等人與樸普及動態藝術，係屬新時代之象徵，環境與各種知識經整合化後，人類對社會應當有新的認識。麥氏又謂人永遠追不上時代，因之乃有憧憬過去之浪漫運動，希臘文字流行時，柏拉圖用文字來寫「對話錄」。文藝復興時代的莎士比亞之戲劇係中古性的。美國鐵路通行時代，畫家以草原為題材，我們在電器時代將過時的機器作為「藝型Art Form」而將之入畫。抽象藝術理應為現代之創造物。他又提出藝術因反對其環境，與所處社會相敵視之理論，而舉出法國詩人波特萊，英國柯南達利所創造的福爾摩斯大偵探，以及俄國朵斯託太斯基氏論罪犯像聖者與藝術家混合之結果為例證。（四）

本屆選舉一筆流水賬

執政黨大意失荊州　高雄等三市長落選

台北航訊

台灣第六屆縣市長、第四屆省議員選舉，已順利完成。據統計，全省選民總數五百二十六萬六千餘人，而實際投票者為三百十四萬餘人。以投票率言，省議員達百分七三、三三，縣市長達百分之七四、三，均較上屆為高。選舉結果揭曉，七十一位省議員當選人中，國民黨籍佔六十一位，原提名為六十人，內有一人，係開放自由競選區而獲當選。至違紀競選者，台中市有方洪鈴，高雄市林仁和，台北縣有林喬松，宜蘭縣尤耀長，澎游縣鄭開宗等五人，但均遭落選。

縣市長違紀競選而獲當選者僅台市林澄秋一人。原提名之市長候選人林丁山竟告落選。違紀而落選者為台中市莊順，宜蘭縣陳旺全，雲林縣黃文斗，嘉義縣涂輝光，簡德卿等五人。林澄秋雖屬違紀競選而當選市長，當晚選舉結果揭曉後，羣衆均擁塞街頭，鳴炮高呼：「國民黨萬歲！」不啻為此次選舉之公正，公平與自由，提供了確證。

執政黨原對台北縣蘇清波與廖銘義之競選激烈，深以為慮，會集中組織力量，予以輔選，並致力於協調幹旋團結地方力量工作，使阻力化為助力。蘇終獲十八萬餘票當選，而廖以十餘萬票敗北，蘇雖當選，但在縣府所在地之板橋鎮，亦僅超廖三千多票，其餘鄉鎮亦相差有限，廖以「陌生」而獲十萬有奇之票，雖未當選，而其力量亦不可輕視。蘇在板橋中山堂第一投票所，選民約二千餘人，多為公教人員及縣府職員，但開出選票，蘇所獲之票輸給於廖，此可證明公教人員選民對蘇印象欠佳，尤其蘇所任用之一班親信之作風，直接間接均影響其本人身上。此外尚有不少之鄉鎮公所職員以及公教人員，對蘇亦欠好感。故其前四年任內，「政通」則可，「人和」實有不足，值得大加檢討。再執政黨對高雄市之陳武璋與楊金虎之競選亦曾竭力輔選支持。並有黨外聞人吳三連呼籲選民，盡力支助陳氏當選，詎陳竟敗於楊金虎之下，殊為遺憾！對台中市原以林丁山社會基礎雄厚，兼有張啟仲之實力奧援，詎竟以九百餘票之差，而使違紀人林澄秋險勝當選市長。新竹縣提名候選人朱育英，當在縣黨部辦理初選提名時，會與地方人士協商，縣級支持鄒滌之，而省議會副議長許金德招力薦陳興盛（現任省議員）。於是開始就遭紛亂，迄後中央決定朱育英，鄒滌之以一萬四千同志基礎反應最優者而告失敗，頗引地方人士之不平，盡力慫恿鄒違紀競選，而其不顧玷污革命世家之清譽，故未為所動。但陳興盛於提名時，會激烈堅持違紀競選。經許金德費盡周折懇切勸解始罷。另一黨外候選人劉樹燻，熟諳法律，足智多謀，他採用「以退為進」之戰略，在競選人公開活動之首日，彼即於中央日報登出啟事謂：承受恩師谷岐山之勸導，決意放棄競選，並申請加入國民黨，隨將戶籍由新竹遷去台北市，實則並未向台北戶籍機關報到。五日後復向新竹市公所註銷遷出手續。當劉於最後一次政見會上，始發表了十四分鐘之政見，並稱他復行競選，是準備以光榮落選，來證明不是「護航」而是「競選到底」。據悉，劉雖「藏頭藏尾」之活動，但聲勢高漲，顯而易見。在十九日深夜，朱盛淇與朱育英父子，已知大勢已去，曾向縣黨部要求撤退競選縣長之舉。論者對此認為：「劉之獲勝，實出其本人意料之外，而所獲之力量係由前擁鄒後擁陳之暗流，自然匯合於劉之身上，將劉浮起來，為其當選原因之一，其次是：假如執政黨讓違紀之陳興盛，與黨外劉樹燻及黨提名之朱育英三人逐鹿，可斷言此次縣長選局全改觀。至少可阻止鄒所產生之暗流，不致集中於劉一人身上。選事雖已過去，仍可作今後輔選之參考。

自詡為「老牌大炮」之郭國基，因在台北市已在選民中失去地位，此番到原籍高雄市競選省議員，在首次政見會上，因遲到過久，已被認為放棄發表權後，始到會場，曾在講台拳打腳踢，自搶麥克風，語無倫次，大聲咆哮，不服主席勸告，公然擾亂秩序，被羣衆憤怒呼喊拉下台來，出盡洋相，始作揖打躬沮喪而退。郭見勢欠佳，當選無望，幸其與楊金虎。聯合作戰，故擁楊之選民樂得順水人情，使郭勝選一席黨外名額。但使另一自命為省議員中之反對派首領亦為高雄市不倒翁之李源棧，在與郭打對台戲中，竟大意失去荊州，使李暗自神傷不已。

六鄉鎮禁建案含混籠統　無端損害人民權益

・省府全案退回飭審慎研商

台北航訊

即將劃入台北市之景美、木柵、內湖、南港、士林、北投等六鄉鎮實施禁建案，台灣省政府近已決定將全案退回台北縣政府，飭由該縣府與台北市政府，就禁建區之劃定再作審慎之研商。其退回之原因，以台北市政府劃定禁建區域，過於籠統。建築商獲悉後，認省府此一決定，確屬針對事實所採取之措施。尤其是禁建事關政府威信，人民權益，絕不可隨便採取禁建決定。建築商及人民之訂購住宅者，對省府此次之決定，皆表贊揚。惟六鄉鎮中之士林、北投兩鎮，向屬陽明山管理局所轄，旬前台北市議會議員中曾向高玉樹市長提出質詢，謂該地區在尚未併入市府前，如處眞空，故紛紛起違建，如不及時設法制止，將來對新都市計劃之實施，不免滋生困擾。管理局潘其武局長，旋即發表聲明；謂該局一向對管理違建事，執行頗嚴，目前並無乘隙違建情事。並提出外雙溪地帶，為限建區，及公園預留地。而嶺頭、芝山岩為警總禁建區。

據悉，士林鎮中心區公共車站終點之土地，目前每坪已達二萬元，仍有看漲之勢。又士林郊區及士陽公路兩旁以及天母、北投一帶之沿山土地，多屬政府於公地放領時所放領於農民之耕地。當地農民於取得土地後，似有「近水樓台」之便或特具敏感：如某地將屬限建、保留、或將禁建，事先均瞭若指掌。於是及時將放領地出售，獲重利，形成「暴發戶」者，頗不乏人。但轉手後則成限禁或禁建區，使承買者，蒙受重大損害，却無處申訴。

例如外雙溪之林子川一小段土地，四十年秋季，業主楊阿國，即請中覓求顧主，為姜姓等軍公教人員及烈屬，共同收買約計三百五十坪，作為自建住宅之用。姜等以放領地出售，更由農地改為建地，恐與法令有違，招惹麻煩，有所損失。雖楊某有謂管理局已允許絕無問題等語，但姜等為慎重計，特具呈管理局：「該批土地是否可買改作建地」？當由局長周象賢，以政字一二〇〇三五號明令批示：「准予移轉改為建地之用」。旋即成交分割發領土地權狀於受買人管業。嗣依法向該局申請營造執照時，詎又不予批准，主管者竟口頭示意「可自行建築，不致遭受取締。」周局長死後，姜等續向郭大同局長申請，即批以「該段土地原屬士林都市計劃保護區現又為外雙溪文化區公園預留地，所請發給營執照一節緩議」。該等乃係清苦在職軍公教人員，或烈屬之後，因請准購買該地，耗費負累至重，今該地既不能利用，又不能轉售，且須按年繳納賦稅，個中艱困慘痛情況，實難罄述。又請依都市計劃二十條、二十五條之規定，申請為都市計劃之變更等情，援連向該局申請，迄無下文，年前該民等復迭次面謁潘局長，請求秉公處理該案，當飭主管科查案，據稱該項文卷遺失無踪，豈非咄咄怪事，（姜等所持之原批件，現存地政所檔案內）潘固表示同情，但尚未獲解決途徑。由上例觀之，所謂禁建、限建、或保護區，所發現之問題，竟有如斯者，其損害人民權利，誠非淺鮮。政府亟應針對事實，依照公告地價予以收買，或另補償，始合求治之道。

本報記者　碧天

東南亞行腳

曼谷街上的黃色鏡頭

曼谷的是隆路有兩個怪現象：一個是路的全長祇比台北衡陽街多兩倍，交通工具却有很多種：如公共汽車，小木車、電車、電單車計程車、三輪車等各式俱全。公共汽車，小木車經過這條路並不足奇，至於電車軌道是專門鋪成的，整天往來對開也還在這條路上。成了陸上交通工具展覽場。論時間，半根香烟可從起點到達終點；可是，路上經常因要讓車，就誤很大時間，步行往往比電車快得多。乘客擁擠的情形，可與台北公車結成姐妹。

另怪現象：是一到黃昏後，一些奇裝異服，花枝招展之輩，便出來活動了。該凹的地方凹，該凸的地方凸，現出三圍和深度曲綫，哼着黃色小調，吹口琴，奏手風琴，向行人們眉來眼去，展出誘惑絕招。他們雖然都生得眉清目秀，彷彿是佳人，但絕色竟不是女人，而是不折不扣的男子漢。其對象多是美國水兵，其次是印度。泰國人有這種癖好的也不少。幾年前轟動國際的英國外交部次長，就是為「斷袖之癖」而丟掉了官。昔北洋軍閥曹二爺（錕）即最喜愛「隔江猶唱後庭花」此道的人。

（高舉）

大學文牘

吳佩孚覆汪兆銘書

持寬大之論相忍相諒

（其二）

精衛先生執事：星如兄北來，再荷十月九日手書，兼聆種切，辱承掬示中情，意氣勤勤懇懇，令人益深感仰。大難同濟，救亡圖存，為舉國一致之心理；漏舟風雨，舊事寧復堪言。因公之坦壞，遂亦不得不稍攄固陋。民國初建，英俊雲興，同氣相求，政團蔚起，政策政論，亦即不振於時。先進國家數十年乃至數百年經營締造而始獲者，吾持咄嗟便辦。未幾隙末凶終，互相排陷，一星之火，馴至燎原，政黨政治，本憲治國家共由之常道。吾所取則，乃不惟未進國家於隆平，甚且導人民於塗炭。淮橘為枳，適應所期。乃悟國人既無政治之修養，復少道德之薰陶，國民教育抑又未徵其普被。憂時之彥，遂欲以民治精神，期諸人人。懸鵠相招，冀平其流，意非不善，特齊其末耳。

往鑒慭及此，頗謂黨治非急，人治宜先。假令全國人才，能集中於統治大權之下，不任分野，盡天下才，為天下用，鼎盛之局，庶幾旦暮遇之。此亦公與海內豪傑共謀之意，非於其他有所嚥也。

公以此次之變，主席不負實際政治責任。軍事當局，宜引咎辭職。國家經百餘年積弱，叢兩曾以國民黨不過適逢其會，初不必有所歸咎。然若作法理上之討論：抗戰基於政府之政策，且國以黨治為轍，今因軍事之挫敗，惟軍事當局是問，似不免稍失其平。願公持寬大之論，藉免內滋不協，外復示人以閒；大難未夷，尤以共相諒解為宜也。聞公發自重慶之日，關於和平論列，已得政府多數之贊同。近在南中於友邦研論意見，更日趨於接近。謂宜趁此時機，委曲求全，與重慶為全面之商洽。用使內外交融，悉歸一致。若能駕返西蜀，與友邦開談判尤妥。

公以國民政府當收拾時局大任。則於法律方面，即不能同時有兩政府之存在。萬一外內未經協調，和議已臻成熟。一方即組織政府，而重慶之政府依然健在。聽之則屬非法，或致有礙和約之履行；反之則西班牙殷鑑不遠，而人民益將不堪其命。自接大扎，關於此節考慮數四，深恐遂如所料，誠國家不幸中之尤不幸矣。弟與公曾為同心斷金之約。公於主權領土之保全，悉得其把握。於弟所鰓鰓過慮者，並得確實解決之法，不至重生枝節，則其餘一切悉迎刃而解，不煩計矣。餘託星如兄面罄，不復一一，敬頌勛綏

吳佩孚拜啓

鴻・

歷史人物漫談

雄材大畧漢武帝（下）

。清園。

三條：二千石不卹疑獄，風厲殺人，怒則任刑，喜則任賞。煩擾苛暴，剝戮黎元，為百姓所疾。山崩石裂，妖祥訛言。四條：二千石選署不平，苟阿所愛，蔽賢寵頑。五條：二千石子弟，怙恃榮勢，請託所監。六條：二千石違公下比，阿附豪強，通行貨賂，割損政令」由此可知刺史主要是省察郡太守的治績，不准官吏苛擾百姓，並推行朝廷朝令，使朝廷威望，能遍及郡國。武帝不僅外交、武功，有其績效，而內政也超越他的祖先了。

漢武帝最大的缺點是惑於神仙，浪費不少的脂膏。先拜自云能招致天神的齊人少翁為文成將軍，等到他招致天神的法術不靈，而用一塊自己寫好了字的布，喂到牛肚裹去、然後把牛殺了，取出那一塊布來，以為可以騙到人。那知却被聰明的漢武帝揭穿，便秘密將他殺了。後又拜方士欒大為武利將軍，恩寵更有加於文成，等到武利的法術完全不靈，又以誣罔罪而將他腰斬，所以我說他們兩人，「文」既不「成」，「武」也不「利」，武帝應該有所覺悟。但把武利殺了之後，次年又令郡國修造宮觀，以望神仙臨幸。直到晚年臨死時，才悔改求神仙的錯誤，他對羣臣說：「曏時愚惑，為方士所欺，天下豈有仙人，盡妖妄耳。」

因為漢武帝好求神仙，以致方士神巫，聚於京師，左道惑衆，無所不為，乃引起一椿巫蠱事件，弄得天翻地覆，全國死了幾萬人。到征和二年，武帝即位已五十年；這時候對皇后、太子雖不甚寵愛，但尚以禮待之。時衛青已物故，臣下以太子沒有外家為援，有些人便想陷害他們。當時女巫往來宮中，教美人得屋埋木人祭之，以度厄運，武帝發覺了，以為是咒詛他，因而殺了後宮及大臣共數百人。這時候適逢武帝病了，於是與太子有隙的江充，便說宮中有蠱氣，如蠱氣不除，病不會好。武帝即派他大事搜查，連皇后、太子所住的宮中，也到處亂掘，弄到皇后、太子都沒有擺床的地方。太子氣不過，便親自帶衛兵把他殺了。武帝以為太子造反，乃自甘泉宮回長安，督促丞相討伐反賊。太子也發兵對抗，在京城混戰了五日，死幾萬人，太子敗走，自殺而死。衛皇后也自殺了。後來他知道太子只是因殺了江充而惶恐，此外並無他意，乃作思子宮於太子死處，可是悔之晚矣！

後元元年，武帝立鉤弋夫人所生的幼子弗陵為太子，恐將來「主少母壯，女主獨居，淫亂自恣，」國家會亂，所以先將鉤弋夫人殺了。到後元二年二月，武帝病重，乃召霍光等受顧命，要他行周公輔成王之事。武帝是年駕崩，享壽七十一歲，在位五十四年。

班固於漢書贊曰：「漢承百王之弊，高祖撥亂反正，文景務在養民，至於稽古禮文之事，猶多闕焉。孝武初立，卓然罷黜百家，表彰六經，……疇其俊茂，與之立功。興太學、修郊祀、改正朔、定曆數、協音律，作詩樂，……號令文章，煥然可述。後嗣得遵洪業，而有三代（三代：夏、商、周）之風。如武帝之雄材大畧，不改文景之恭儉，以濟斯民，雖詩書所稱，何有加焉！」然而，司馬光在資治通鑑裏，却做了以下的批評：「孝武窮奢極欲，繁刑重斂，內侈宮室，外事四夷，信惑神怪，巡遊無度。使百姓疲敝，起為盜賊，其所以異於秦始皇者，幾希矣。然秦以之亡，漢以之興者，孝武能尊先王之道，（重儒術也）知所統守，受忠直之言，惡人欺蔽，好賢不倦，誅賞嚴明，晚而悔過，顧託得人，此其所以有亡秦之失，而免亡秦之禍乎。」

筆者以為武帝聰明能斷，好求賢才，然以惑於神仙，加之用法太嚴，因巫蠱事件，先後殺了幾萬人，逼得賢德的皇后，寬仁的太子也都自殺了，這是他一生的恨事，到臨死時才悔悟的。至於他的雄材大畧，既能守成，復多開創，文治武功，都有建樹，對於中國後世，影響很大。班固就他的文治而贊之，十分允當。司馬光的評論，也多中肯，但指責他外事四夷，即用兵遠征為不當，那是昧於時勢的書生之見，我不敢苟同。須知自漢興數十年來，南越、朝鮮，時為反覆，匈奴連年侵畧邊界。這時候天下安定已久，府庫充足，既有用兵之力，也適有用兵之時，所以他才去平南越，定朝鮮，打匈奴，並溝通西南夷和西域，不僅使漢之聲威遠播，也使漢之文化向四方開展，實在是一個大有作為的君王，並且是一個對歷史有貢獻的偉人。

（完）

傳記春秋

章任先生小傳

——創製精鹽與鹼

賈海璣

章任先生是江西的鄉賢，也是中國科學化運動先進。由於我國科學家的傳記特別缺少，我想着手搜集資料，期最短期內把近百年來的科學家傳記寫好。今先寫章任先生，並望國人指教。

章任先生誕生於民國前二十六年十月十七日，父諱劼，字慎之，母李孺人。家本小康，有橘餅作坊，設於南昌等地。其父以家有七男二女，特聘安義貢生熊先生為塾師。先生自幼即深受塾師嘉許；弱冠遂與塾師之三女公子訂婚。

章任先生與弟均考取官費留學，民國前六年，赴日本入高工應用化學科深造。時留日學生多已加入同盟會，先生既熱心革命，遂休學返國，從事革命工作。滿清推翻後，乃復返日本，完成學業。

先生與陳英士先生為知交。日本高工畢業後，即返國與英士先生參加討袁。英士先生被刺，先生變名逃日本，旋至台灣，在台糖服務。

歐戰後，日本強佔山東。先生憤而返國。擬以科學實業救國，後與友人范旭東先生等籌建一化工廠。復因廠地被日軍強佔。先生乃專程赴日，商請高工師長輩設法，得使日軍讓出廠地。范旭東先生因此益重先生之幹才。該廠即名滿宇內之久大精鹽公司，吾人咸知我國只產粗鹽，向無精鹽出品。民初沿海各省，所用精鹽皆用洋貨，每年入輸頗鉅。自久大精鹽出產後，即減少入輸，其利國利民，實值得推崇。

章任先生等不以此自滿，又籌辦製鹼廠。時范旭東、景本白等，皆以先生為能，力推兼任永利鹼廠廠長。經數年辟劃，建高樓兩座，各達十餘層，並採購新機器，規模甚大。獨惜製鹼之秘密一時未能求得，暗中摸索，終無所成。先生焦慮操勞，竟致精力耗損過甚，頭髮盡白，遂萌讓賢之念。范旭東先生乃由美聘來麻省理工學院碩士侯君接長永利鹼廠。然侯君亦仍未能求得製鹼秘密，羣情大譁，幸賴先生維護之。至民國十七年，永利廠卒製成工業用鹼。旋先生偕侯君等一行十人赴日考察，獲日本實業界熱烈歡迎與讚許。

後三年，先生以積勞染疾逝世。其公子台華，今服務國立編譯館。

余以為歷史家之任務在發先賢潛德之幽光。我國科學家默默工作，默默逝去，若先生者尚不知凡幾。苟能逐加以表揚，豈徒足慰先賢之英靈而已。抑亦可作後進者之陳鏡也。以先生革命、建廠、讓賢、護才之精神，實不多見；今後之從事實業救國者，如克效法章任先生，則中國之復興定可預卜。

中國女性文藝春秋（續）

周燕謀

阮麗珍與「燕子箋」（上）

燕子，當梅瓣初落，桃花始放的時節，正是它重來的時候了。它們提對兒輕展柔翅，頡之頏之；一到晚上，便雙雙並頭棲宿在樑窠中。可以說它們的一生，沒有一時一刻分離開。可是，歷代許多詩人們，却把它們寫得那樣悲歡離合，動人心肺。

薛道衡的「空樑落燕泥」佳句，而遭妒殺。衛莊姜的「燕燕於飛」，用之於送戀人而離憾。杜子美自感飄泊却詠着：「清秋燕子故飛飛」。劉錫禹感慨今昔則吟着：「舊時王謝堂前燕，飛入尋常百姓家」。

燕子，燕子！你為什麼總被詩人題詠悲愁！為什麼令我們的詩人傷心？

燕兒，燕兒！你應該感謝我們的女戲劇家——阮麗珍小姐吧！她為你吐了一口冤氣。如果不是她的傑作——「燕子箋」，假託你們的力量，把兩個天南地北，漠不相關的青年男女牽合在一起，成功喜劇的奇跡，你們將無詞以解人們永久的咀詛啊！

在戲劇研究上，都是驚人的發現。誰不知「燕子箋」的原作者為阮麗珍小姐，無論在中國文學史上，有「春燈謎」、「金雙榜」、「牟尼合」、「忠孝環」的作者是著名的阮大鋮呢！可是「燕子箋」的完成，却不是阮大鋮個人之手，不能歸功於大鋮一人。「燕子箋」寫作者是阮麗珍，大鋮是最後的修訂者；一個創立了巧妙的基礎，一個雕琢了玲瓏的樓閣，各有千秋的功績，二人皆不可沒。麗珍是大鋮的女兒；大鋮是當時著名的戲劇家，女兒飽受其家傳之學，又給予她適當的寫作環境。

阮大鋮平生棋錯一着，不幸得很，依附了那位大奸佞——魏忠賢，名列叛案，自為文人唾棄；在南都為兵部時，便專翻逆案，傾陷名士；後又降清為二臣，為清人侵漢之前驅，想踞福建地盤，在攻仙嶺時，僵仆石上而死。叛臣慘死有數固宜，聲名為之狼藉亦應爾！為後人所不齒亦自鑄，此為蓋棺之論。如吳名士吳應箕、侯朝宗輩，雖許為「才人之筆」，但都不肯追尋他的究竟。因他行誼不軌之故，他的女兒麗珍如何，自然也不大為人們注意了。

阮大鋮是安徽懷寧人，麗珍適楊龍友的幼子作霖。楊龍友為「桃花扇」中的要角，為人任俠，和他親翁的性情人格異致。麗珍生得美姿容，長於作曲，所作尚有「夢虎緣」、「驚怕血」等劇。「夢虎緣」是敘梁紅玉事，今皆不傳。燕子箋所敘雖為唐朝的事，但是借古諷今（明）。所以她寫離亂的慘像，頗為動心怵目。如第二十三齣所寫：

「四邊靜」：胡雛高鼻如蜂擁，邊笳塌天閧；尖哨過潼關，長安任飛鞚。皂鵰翅聳，蒼鷹韝縱，一位老哥舒，靠他有何用？

（七十七）

錢用和教授著「中國文學研究」評介（下）

蘇遺子

中國文學和文體一篇；首章「文字的起源和演變」，就字與文的關係立論，特重六書，四聲、雙聲、叠韻，以說明中國文學的形象之美，聲音之美，實質之美，都是言人所未言的。次章「文體的分類」，以昭明太子「文選」、劉勰「文心雕龍」、鄭樵「通志藝文畧」，馬端臨「文獻通考經籍門」，姚鼐「古文辭類纂」，曾國藩「經史百家雜鈔」，「四庫全書目錄」七種分類方法，由總集羣書，比較研究，得下列結論：「隋唐以前，凡著作皆文筆，而詩賦獨歸文學。唐宋以來，始於詩賦外，闢入他種著作。由總集文章門類的比較，得下列結論：「梁以來，經、史、子，不屬文學，文選重在文采情思。唐宋以來，重在論邦經道，詩詞多別出選本」。在結論中，著者認為能了解中國文學的起源與演變，才能對中國文學，有初步的認識。能辨明各種文體，於日常應用寫作上，得到很多助益，這在教國文時，應有的基本訓練」。眞是語重心長，情見乎詞。

第三篇「中國文學的過去」：著者以為前代文學，往往啓發後代的思想，展轉相因，故過去的文學，可由前代人的事業記載中，用歸納法來斷定，徵諸吾國地理歷史的記載，以瞻文學的進程。察因推果，分三期論之：自羲黃以迄三代為「創造期」，秦漢以迄隋唐，為「發達期」，宋元以下，為「轉變期」。論其流變，析其脈絡，立意精愼，悉合論理。而衡古酌今，氣勢一貫，非有高遠之眼光，博通之知識，實不足以為此，自是精確之論。

就第二部份「中國文學史」而言：這一部份，較前一部份內容更為繁重，篇幅亦較多。重在溯源探流，獨抒創見。提綱挈領，以示梗概。下筆亦異常精愼，條理至為謹嚴。綜合觀察，其特色有四：

一、在「中國上古文學」中，以詩經楚辭為主，自是把握到了重點。對此兩者的研究，論辨至為詳盡。尤重詩騷的比較，將二者相提並論。就詩騷的產生區域、性質、淵源、背景、體制、章句、音律、思想、情感、宗教、等等一一加以比較，說明，而作了以下的結論：「詩經代表北方文學，楚辭代表南方文學。南北文學的區別，相當顯著。在形式上有整齊參差之異，音節上有徑直迂曲之殊。物色有質素優美的不同，思想有徵實憑虛的分歧。情感則激昂悱惻之殊，宗教則信仰表示互異。後代之詩，不能出乎詩三百篇。屈原本詩意以為騷，兼有六義，而重於賦。後世辭賦，以此為祖。所以詩經楚辭，影響於後世文學很大」。這其中著者有很多創見，都是發前人所未發的，讀者當有會心。

二、古代散文的研究。向來有關中國文學史的論著，都重在純文學，或狹義的文學研究，而散文不與焉。這樣便往往把經史諸子，置諸「文學史」之外。本書則將易經、尚書、三禮、四書、孝經、爾雅、春秋三傳、國語、國策、山海經、穆天子傳、諸子各書、一一分條研究，然後合一爐而治之，寫出了著者的論斷。烙古鑄今，時晲十載。實非大才力，大學識，大手筆莫辦。

三、本書最大的特色，是中國文學的比較研究。著者不惟於歷代文學一一加以比較，即同時代的文學作品，亦加以比較，衡量其短長優劣。從前面所說的詩騷的比較研究起，往往多用比較方法立論。如樂與古詩的比較，南北朝詩的比較，南北朝樂府的比較，雜劇與傳奇的比較，在比較之後，再下斷語。這是著者立論特別精愼之可貴，亦是治學方法，異常謹嚴之表現。所謂筆筆落實，句句有來歷，絕不妄下一語，一字不苟者，是也。

四、對中國文學史的每一階段，在論述之前，必有緒言以細繹其概要，闡發其因果。於每一階段之後，必有結語，以抒己見。這些見解，多是獨自創獲，而非剿襲陳言。裁量風雅，尚論古人，非學養深純，識慮博通，是無以致此的。讀者於此等部份，宜仔細涉獵，心領神會，庶乎有得。

就第三部份來說：首篇「中西文化的溝通」，於「文化的產生」，舉出生產需要，環境困難，社會變動，國際戰爭，四大因素。引中徵西，頗多創見。對世界文化的發生演進，亦多涉及。非有淵博的世界知識，不足以寫出這樣理論透徹的文章。次就「中國文化受西方文化的影響」，以及受佛教的影響，和受基督教、回教、傳入的影響，西洋科學傳入的影響，分別加以論述，都有嶄新的見解和發明。另一方面，則就「中國文化的昌明，「中國文化的傳播」，與西洋文化，作一鮮明的對照。一則以示中西文化交流融合之跡，而大有我在。中國文化，自成特色。獨有其光輝燦爛的異彩，非西洋文化，所可左右而奴役之。一則以示中國文化之為東亞文化之中心，為朝鮮日本等國所仰慕。并傳播西方諸國，發生絕大影響。此於中西文化交流融合之迹象，往往為一般全盤西化論者所忽視，經本書著者指出，彼輩能不媿煞。最後一節是論到「三民主義集中西文化溝通的大成，指出 國父所提倡的三民主義，把中西文化作了很好的融匯，其中不乏警句。如「什麼東西，都認為自己的不好」外國的好。例如存欸，一定要存到外國的銀行裏。吃的穿的，都要用外國製造的。這種思想，沒有民族觀念，更是要不得」。「民主的政治思想，外國人要學我們，不需要我們去學外國。所以應該將中國固有的發揮出來，才是合適」。「西方人也有不如我們的地方。一般說來，因為他們得了物質的享受，大多數的人生觀，就拘於現實，不能高瞻遠矚，重視功利，缺乏道義精神。我們中國人的眼光，比較寬大，所以西方人常常羨慕中國人的思想。同時他們學校裏，也有專門研究中國哲學的。因為人類是有靈性的，除物質外，還要有精神的表現」。筆者對此卓見，頗有同心。故特舉而出之，以為洋化思想者，痛下鍼砭。

最後一篇是「中國文學的展望」。這一篇裏，著者指出「中國文學衰落的時期」，及「今後「中國文學發展的趨向」。認為「中國文學衰落到「山窮水盡疑無路」的境界，忽然出現「柳暗花明又一郵」的希望，就是「中國文化復興運動」的倡導，使中國文學有了復甦的機運。如何促進中國文學研究的基本工作，著者更提出了三點極為寶貴的意見。一是「各級學校國文教材的改編」，二是「古書的翻印與整理」，三是「專題研究的提倡」，四是「增設中國文學研究所」，五是「加強中國文化研究的國際交流」。都是義正辭嚴的讜論，言人之所欲言。為目前關心中國文學之士，所極端讚佩的眞知灼見。

總之，此書為復興中華文化運動聲中的有志中國文學之士，極應一讀的一本好書。著者錢用和教授，邃於文史，富於新知。才學博通，淹貫古今。都講上序，歷數十年績學傳道授業之力，成此鉅著。不惟內容嚴正豐贍，而文筆流麗，淵雅可誦。「名山自有千秋業」，「不廢江河萬古流」之詩，宜為女史詠之。

生活漫談

馳名歐美李鴻章什錦

馬騰雲

李鴻章字少荃，道光進士，李合肥，這是國人對他的尊稱。為人英斷，具世界知識，各國條約多由其手訂。甲午戰爭，中日馬關條約，庚子聯軍之北京條約，皆其最著者。官拜太子太傅，文華殿大學士，封肅毅伯，卒贈侯爵謚文忠。

所謂李鴻章十錦者，就是合肥館子起碼菜「湯雜燴」或「燒雜燴」。文忠公可傳的事跡很多：練淮軍、平捻匪、倡洋務、興科學，歐美人都未注意。老實說他信筆塗鴉給兒孫們的家信，均足以傳世，我們隨便錄一封他給文兒的信：「汝兄弟來稟，以讀書不得其法，頗為悵悵。要知讀古文，須從頭至尾，一氣讀完。萬不可分段讀。蓋文貴氣魄，忌散漫。分段讀勢必失通篇精警處，而淡然無味也。既知讀法，則一面讀，應一面想。如李華弔古戰場文，李陵答蘇武書，能想到一幅凄涼圖畫，滿紙生風。漢皇負德，隻字淚寄千行，而為之聲淚俱下者，可得讀書之玄奧矣！此層我與伯叔等，時時論及，汝可翻閱長上日記，就近請教四叔。汝兄弟家居，宜聽諸長上訓言。讀書寫字，刻苦用功。我以身體不適，不能多及，他日當反復論之。」這些讀書方法，恐任何學人也難易其言。可是傳流在歐美的僅是一碗「湯雜燴」而已。合肥地下有知的話，眞啼笑皆非也。

不過話又說回頭，照中國的傳統，「三代做官才懂吃穿」。何況天朝的德威，又是僅次於皇帝的欽差大臣出使該邦，一舉一動受人注意，乃在想像之中。乾隆末葉，英國派使臣入覲，提出通商要求。清以其荒遠小國，不識天朝體制，妄行乞請，等閒處之。一面又以為彼來亦是朝貢覲壽，厚賜筵宴，賞賚優嘉，以盡懷柔之意。那裏知道英俄各有企圖，結果釀成清季外交上慘局，實由於無知失察。今非研究清史，話頭再拉回到「湯雜燴」。

李鴻章十錦，主菜是海參，配以雜底：如肉圓、蛋餃、蛋捲、冬菇、冬筍、猪筋、馬蹄、火腿、魚圓、蝦球、山藥、（經油炸）等。慢火熬燉，和以生抽（老醬油）加酒、葱、薑、胡椒粉。其營養價值，及食補功用，非西菜所能比。但要注意離火即上桌；任何菜冷了再熱，都是不懂「吃穿」的作為。筆者在成都常吃「姑姑宴」。到合肥當然點「湯雜燴」。很客觀的說，「姑姑宴」的烹調沒有湯雜燴細膩。優點也就是缺點。正因為徽菜製法太復雜，不能適應工業社會環境，漸漸步向末落。吃雖是一種藝術，工藝術已進步到「遠看是朵花，近看牛屎疤，原是印象派，吸啲我的媽」（見吳稚暉詩）的境界，徽菜仍「以不變應萬變」，怎麼會受人歡迎呢？

劉湘與四川

諸葛文侯

贛人王又庸（平秋）於民廿四年秋，會隨參謀團入川，駐在重慶市內「沙利文旅館」，納一風塵女子為簉室，旋受任江西民政廳長。越廿五年因軍委會秘書長兼重慶行營第二廳廳長楊永泰的推轂，調任為川省民政廳長，與劉湘相處甚融洽。一日劉對王談到民眾組訓問題，認為現有各縣市的政訓人員殊少成績，且與省府意旨相齟齬，頗感煩惱。王謂民訓事宜依據法令規定，原屬於民政廳職掌之內，自可改由省府直接指揮辦理。劉大喜，即飭省府秘書處趕擬「民眾訓練委員會」組織章程，公佈施行。由主席與民政廳長分任正副主任，電令各縣市長接收民訓職務，聽候重新派員整理，電文中指示：「如有抗不移交者，即以軍法從事」，情形頗緊張。此時康澤已出川，來電辭去省府保安處政訓室主任職位，各縣政訓人員皆遵令移交，並無抗交情事。

經過兩個月之後，中樞發佈命令，指川省民政廳長王又庸，教育廳長李為綸，行為不檢，着即撤職，另派羅貢華，蔣志澄繼任。劉湘聞命詫異，即電呈中央保證王李二廳長在川省決無行為不檢情形，請收回成命，以彰公道。中央復電不准。劉再力爭，情勢陷於僵持狀態中。最後中央寄來了王李二人行為不檢的照片，王又庸躺在烟榻上吞雲吐霧，李為綸坐在梳發椅上，抱着一個女人作猥褻狀。然劉湘仍指其為莫須有的偽證，殊不足信。斯時楊永泰担任湖北省主席，唯恐劉氏與中央決裂，來電調解，主張蔣志澄先入川接任教育廳長，而讓王又庸再供職兩個月後，自請辭職。楊氏又電邀川省財政廳長劉航琛赴武昌懇商此事，希望劉主席勿再堅持，以顧全政府威信。劉甫澄跟楊氏私交素篤，經楊勸說，祇好按照楊的意見辦理，不復異議了。本案教育廳長李為綸原與民訓問題無關，以其同係楊永泰的親信人士，致遭池魚之殃。

洎是，劉湘變識畏識的心理更為深厚，汲汲於擴充實力以期自保。但正規部隊無法自由增建，他就計畫加強地方自衛武力，決定成立十五個保安團，餉械由省府與綏靖公署供給，不到三個月，保安團即已分別建置了。後來對日抗戰時，王陵基出川作戰，就是抽調八個保安團作基本部隊以成軍的。當民國廿五年十二月，「西安事變」發作時，劉湘擁有的兵力，已有廿萬人，但他素性穩重，一生未做過犯上作亂的事，對張學良楊虎城的兵諫行為，並未附和。馮玉祥亦曾派代表郭春濤到成都游說，他只是虛與委蛇而已。可見劉氏擴充武裝部隊的作用，完全在消極自保，並無向外發展的企圖。而其所以然的原因，實與中樞的大政方針無關，而係一些不明大體的政治人物，眼光短淺，言行幼稚，以致引起誤會，無異替領袖帮倒忙，眞是天下本無事，庸人自擾之也。（三）

搜異錄

海底奇觀

沐子

在我獵取深海魚的日子中，我記得在地中海有一種特殊的半指長的銀色小魚，他們的口張開如小穴，球形的眼不是在前面而是嵌在頭頂上，他們的下面閃灼着成行發光的珠狀物。沿着西西里島東北角充滿傳奇色彩的麥士那（Messina）海峽，我們找到成百的這種遭海流所捲上來的深水魚，他們包括：小蝮魚（Viperfish）針顎魚、龍魚、深海蝦、槍鯽（Sguid）以及要藉顯微鏡才能看見的浮游生物——在神話氣息濃郁的息拉岩（Rock of Syclla）和卡利布狄恩（Charyadis）旋渦找到這些奇形異狀的海生物，不由令人聯想起可怖的古希臘神怪的形像。

但使我們眩惑的不僅是他的外形，很多在腹部還有發光器官，在水底的黑暗鄉裏更顯得燦爛奪目。

自由報

第八五五期

中華民國僑務委員會頒發台僑新字第三二三號登記證
內銷證內政部台報字第031號
中華郵政台字第一二八二號執照
登記爲第一類新聞紙類
（本報逢星期三、六出版）
每份港幣壹角．台灣零售價新台幣弍元

社長李運鵬．督印黃行奮

社址：香港九龍登打士街91號十樓六座
91 DUNDAS ST, 9th FLOOR,
FLAT 6 KOWLOON H. K.
電話：857253　電報掛號：7191
承印者：大同印務公司
地址：香港北角和富道九六號
台灣總管理處
中華民國（台灣）台北市大同街119號
電話：555395．557474
台灣分社：台北市西寧南路110號二樓
電話：三〇三四六
台郵劃撥儲金戶九五一二號

醒醒吧，七十年對美依存夢！

劉光炎

一個國家，一個民族，自己無立足的依據，一心依賴他人，是恥辱。很不幸，我們炎黃華冑，却犯這毛病。

我這裏所說「七十年」，是從海約翰倡「門戶開放政策」算起。那時是一八九九年，算到現在，已經七十多年了。從那時起，中國人好比在大海之中，找到一塊木板，便當作救生船攀牢。這七十年來，我們的憂喜，隨美國顏色而轉移。「美國的遠東政策如何？」「美國會改變對華政策嗎？」是常聽到的問號。一國的憂喜，不求之於自己的努力，而寄托在另一國家的愛惡上，行嗎？

「美國可靠嗎」？我們不欲多加研究。在此地我們所要研討的是：我們應不應該對美作依存夢？而且這個夢竟做了七十多年，一直到現在還未醒。

國父是東亞哲人。他就從未作依靠他人的想法，包括美國在內。國父在所著「中國存亡問題」中，對美國有如下一段話：「歐美之人，言心道，字正誼者，皆以白種爲範圍，未嘗及我黃種人也。美國爲平等自由之國，亦即爲最先倡導排斥黃種之國。今日美國與我和好或有同情之語調，若在將來英俄德合力謀我，美國又豈能與彼抗爭，傾一國以爲異種人正義公道出力乎？不觀之高麗乎？高麗固中國之屬邦，數千年來未之或改，而有勸高麗獨立者，美國也。及英日既合，高麗合併將成，首撤公使，不應高麗之求援者，亦美國也。雖然，此豈可以咎美國哉？高麗存，則日本有不能發展之患；高麗亡，美國不過商業上受極微之損失。以彼美國暫時的同情，敵此日本人存亡得失所關之決心，其不能勝固無惑」。國父這一段話，把一個國家不能依賴另外一個國家以圖存的道理，分析得至爲明白。換句話說：每一個國家，都是以本己利害爲第一，決不會爲了別人拼老命，美國也是如此。所以，如果美國有食言背信的時候，這並不能怪美國！該怪的，是那些纏著美國不放，倚若泰山之靠的傻瓜！

國人所以於列強之中，惟獨信賴美國，如前所述，由於美國倡議了「門戶開放政策」。因爲這個政策的宣佈，我們乃暫時免於瓜分之禍。因此，大家遂以爲美國良心好，重道義，對我無領土野心，可爲泰山之靠。其實：「門戶開放」的造意，並非起自美國而是肇端於英國。那時列強正在鬧着要在中國劃分勢力範圍。英國以其所得的已經超過其他國家，怕把勢力範圍一劃定，會影響她的既得利益，所以想維持中國的門戶開放，與領土主權的完整。英國下議院在一八九八年亦即海約翰宣佈「門戶開放政策」的前一年，就通過一項議案，指明保持中國領土主權的完整，對於英國的商業，至爲重要，卽其明證。但英國怕由她提出，爲各國窺破其用心，加以拒絕，遂策動美國提出。美國一向對世界政策，是惟英之馬首是瞻的，當然接受了這一請求，作爲美國的建議，向對華利益有關的列強提出了。

美國對華政策受英國影響的，還不止「門戶開放政策」，就是敦促國共合作這一段，又何嘗不由於英國的影響。在二次大戰將結束時，邱吉爾向杜魯門氏說：大戰結束以後，我們（指英美）已沒有了敵人，但却應注意兩個人，其一是法國戴高樂，其另一卽指蔣總統。（那時是主席）他并加重語氣指出：對蔣總統應更加注意，因爲中國潛力太大。他的意思是：如果讓中國眞正統一，經過了一番休養生息，將不可復制。這是艾登回憶錄當中的話，當不會假。由此可以看出杜魯門氏的派遣馬歇爾來華，安知不是由於英國的設計，想以她老牌帝國主義「分而治之」的手法，借美國之手，來加在中國身上，好保存她（英）在中國數十億美元商業的萬萬年根基（按革命軍時代初期收復漢、潯英租界的事，是英國一直耿耿在心的）。至於因此把共匪養大，反起臉一腳把她踢出去，則是英國當初萬萬不會想到的。

國人由於對美的希望太深，所以每遇到美國的行爲，有不合我們心意和要求的地方，就紛紛加以責難。例如故羅斯福總統在開羅會議中答應把日本在華北的權益太平洋大戰結束後交還給中國；而在此後不久舉行的雅爾達會議中，羅斯福又不聲不響地把它送贈史達林了。對這件事，國人都責美國違背道義。其實，這只是我們一廂情願的想法，在美國看來，她並不覺得有什麼對不起我們的地方。美國的外交國策，如前所述，有許多地方受英國的影響了；而英國却自稱是「開舖子的民族」，只知道利害，無所謂道義的。美國是一個西方國家，她又當然會接受西方國家在政治上所共同接受的馬基佛利的「權術政治」的思想。而這種「權術政治」，也是只講利害，不講道義的。把道義的觀點，百分之百的應用到國際政治的，只是我們中國人的想法。國與國之間相處，以誠信對的，也只是中國舊日的王道。我們不能希望人家也同樣具有這種觀念；而當我們發現事實上不是如此時，就對人家發生怨望！

現在，却眞臨到重要決擇的關頭了！美國在越南陷入泥淖後，現已極力企圖在和談中加以擺脫了。不管這和談是成功或失敗，美國以仗義者的身份，過問遠東事務，担任亞洲自由國家安全的勇氣，會大打折扣。就我們自己來說，這一問題更是嚴重，因爲一旦英軍眞由香港撤退（英國雖然保證她撤退遠東軍力後，獨有港九軍力不會撤，但誰能相信她的担保），美國留在台灣海峽的第七艦隊，形勢便感孤危。

如果美國考慮減少甚至轉移她駐在西太平洋軍力，我們又將如何？

還有，在過去或許還有人以爲美軍有最強的戰力，任何地區有事，美軍都可以雷霆萬鈞之力，迅速加以消滅。由於越戰，存這種幻想的人應該可以覺醒了！自由世界如此廣濶，其與美國利害關聯的地方又如此之多。國際共黨在歐，在非，乃至在美洲開闢第二，乃第三，乃至第四戰場的可能性，又充份存在。一旦各處火起，美國還是要揀她所認爲最緊要，最迫切的救。到那時她把駐在西太平洋的兵力調走，我們能怪美國嗎？

我們說這話，並無責難美國的意思，也並不輕視存在於中美之間的友誼。我們只是指出一個國家要有其自存之道。如像我們之事事希望美國，最後終要落空！

最後，我們還願指出：在最近二十年間，表面上看來是美國在援助我們，而實質上是我們在屏障美國。如果不是我們屹立在西太平洋的最前綫作爲來自中國大陸赤色洪流的防波堤，美國的國防綫，恐怕早已縮退到加利福尼亞的海岸了！我們本有自存之道，並且已不止一次表現出這種力量，問題只是國人未曾發現罷了！（完）

昨日與明日

槍桿子能出政權嗎？

毛酋澤東爲要急於召開所謂中共九全大會，重建黨政體系，以便「依法」解除劉少奇的僞人民政府主席職務起見，由「革命有理，造反無罪」而變爲黨政軍三結合組織省市革委會，且以軍人居於控制地位，企圖實現「槍桿子出政權」主義，表示向軍人妥協，而視「紅衛兵」如同爛草鞋，棄諸道旁了。

三結合的目的既是爭奪黨政權力，自然大家都捐着擁護「毛澤東思想」的旗幟，爭取本身的權益地位，以期立於不敗之地。因此，各省市地區武門之風大作，如川、粵、桂、黔、湘、贛、內蒙和東北等地區，皆發生劇烈的武裝衝突，而以東北和西北情形尤爲嚴重。

軍人多數是反毛的

毛共之得以竊據大陸，借制稱尊，完全是靠湖南、四川兩省的軍人賣命而來的，沒有彭德懷、賀龍、朱德、劉伯承這些老共幹的汗馬功勞，毛酋澤東的屍骨早已化爲塵土了。如今這些「功臣」都成了罪不容誅的反革命份子，他們的舊部如譚震林，宋任窮，陳錫聯，許世友，乃至於西北的王恩茂等等，那有不慄慄危懼，悉懷在懷的！廣東的軍頭黃永勝亦是湖南人，他現在表面上升任了僞解放軍總參謀長，却不肯放棄在粵省的軍權，爲的就是要自保首領。東北的宋任窮（湘人）最近不惜出動軍隊，使用大炮坦克攻打三結合的「革委會」，譚震林在北平進行翻案運動，不贊成開除劉少奇，鄧小平的黨籍，卽係露骨的反對「毛澤東思想」。譚是由毛酋的衛隊首腦出身的，又係湖南人，毛酋不敢宰制他。宋任窮公開反叛，毛酋只能利用陳錫聯作革委會主任，而不敢撤懲宋氏。新疆的王恩茂，毛共宣傳他到北平參加了「五．一」勞動節，這決不可靠。至於四川方面的反毛勢力，始終存在不衰，更足證明駐在川省的共軍並不忠於「毛澤東思想」。

周恩來與林彪江青的門爭

周恩來與林彪江青之間的權力門爭，已是很顯明的事實，彼此對於「九全大會」的代表人選，都認爲是性命交關的必爭之事，決不放鬆。林江只靠軍隊支持，而軍人多數反毛；周恩來以黨政人員爲爭取對象，再加上軍人方面的同情者，形勢較林江爲優。

似此情形，毛共的所謂「三結合」，事實上乃是「三門爭」。毛酋要在本年九月間舉行「九全大會」，談何容易？在最近的將來，大陸上可能發生更劇化的武門場面，到頭來，槍桿子不特不能創出政權，而且會斷送政權呢！（何如）

自由談

有人說，所謂宣傳就是造謠說謊，欺天下人以無知。這說法自有若干的妥當性，但不足爲訓。

宣傳的作用是要教社會大衆相信是那末一回事，至少亦不能說得太離譜，給人們以造謠胡扯的印象，因而獲致相反的效果。可是，共產黨的宣傳却不管這些，他們硬是欺天下人以無知，自說自話，恬不爲怪。

共產黨人最大胆而又最無恥的宣傳技倆，卽爲僞造，變造歷史。過去俄共宣稱近代的一切科技發明，如蒸汽機、電燈、電話……等等，都是俄國人首先創發的。現在中國大陸上的毛共亦繼其祖武，拼命造謠說謊，大事宣傳毛共的對國家民族的功績，說「五、四」運動是毛共領導的，民國十五年的國民革命之役，也是毛共促成的，外國租界之收回，又是毛共的傑作。幸而中國共產黨的名稱，到民國十年纔出現，否則中華民國的創造者，亦是毛共無疑也。

共黨的宣傳術

毛共更有令人驚駭的宣傳，說劉少奇自始就是「國民黨的代理人」，指劉少奇當年在「白區」的一切活動，盡係「反黨反社會主義」的罪惡行爲。果若是，毛共推戴劉少奇爲其僞政權的主席，毛酋澤東且曾經指定劉少奇爲繼承人，寧非豈有此理的事嗎？

上述毛共宣傳的事實眞象，凡屬年在五十歲以上的中國人，都親見親聞，瞭然胸中的，然毛共竟閉着眼睛說瞎話，肆無忌憚，似此宣傳方法，適足以激起社會大衆的憤怒而已。但毛共旨在誆騙大陸上的青年羣衆，對於中年以上的人士，他們認爲盡係應予消滅的階級敵人，沒有顧慮之必要了。它要使中國的青年子弟個個成爲數典忘祖，不知所出的白癡，爲任由共黨宰制的奴役；爲挽救中華民族的生存危機，保持中國文化的不可沉淪厄運，卽非急起剷除毛共不可；這是每個中國人的歷史任務，與黨派利益無關的。

馬五先生

論美國當前之危機（續）

顧翊羣

他的學說，新穎可喜，甚得各方推重，但同時亦遭受批評，英國幽默大師默格利己氏 M. Muggeridge 與美國文藝批評權威者肯特勒氏 Hughkemner 均對麥氏冷嘲熱諷，反共專家柏納姆氏 J. Bumham 則指出：經過麥氏以學理說明時代特徵後，美國親共分子正在以全力爭取在電視上進行「強教 Teach-in」來為共黨張目。

（3）較麥氏的學說更為驚世駭俗，令人矯舌不下的，為富勒氏 R. B. Fuller 的主張。富氏係一天才兼博學者，現已達七十三高齡，為哈佛天文學者沙普萊氏 H. Shapkey 所最推重的人物。麥克盧漢氏對他亦甚為傾倒。他二十歲時，由哈佛轉入海軍大學，其後做過工人，發明機械，領得政府專利權，而自營企業。二次大戰時為政府服務，現任南伊州大學教授，他有「大炮 Erack-poj」與「怪僻 Eccentric」兩個徽號。加拿大一九六七年國際博覽會中美國館地球式的建築 Geodesic Dome 即係富氏所設計。他在南伊大檢討未文化之會議中，擔任主題講演與閉幕前演講。本文限於篇幅，擬先介紹他的幾個「怪論」，然後將他的最新穎的，純科學的「天人相參與合一」理論，簡畧的敘述一下：

（一）富氏在主題講演中，首提出心靈感通之說，而謂在不久的將來「傳心術 Telepathy」將被證明為人的腦中所發出的超高週率電磁波之反應。他說他的講演向來不要事前準備，因他等待聽講者下意識中之「返饋作用 Feed Back」來補充參證他的演詞。

（二）富氏指出過去注重分工之結果，學者們對簡單的，靜態的觀察，有深入的造詣；但對總體的動態的觀察則無重大的成就。他主張在聯合國總部附近東河之上，懸掛一個二百呎直徑的「地球觀測儀 Geoscope」，而在此球體上佈滿了全球之空中照片，每二不方时上裝一電燈泡，使觀測儀上共有一千萬個燈泡，他估算經過了十四年預備工作之後，此球儀與一電子計算器相連接。觀察者從聯合國總部可以指揮該電子計算器，將球儀轉動，並由燈泡之開關，而將全球各地人口增長之狀況，乃至每小時繞大地一週之各種人造衛星之運行，以及甚多的人事動態現象，隨觀察者的需要，在此觀測儀上顯現出來。

（三）他指出電子計算器可被用來研究太平洋區各部落民族之語言、聲音起源與其流變，從而決定其發祥於何處。

（四）富氏認原子彈威力過大，美蘇兩國因之必然沒法維持和平。他亦不信馬爾薩斯的人口增殖理論，而謂如將工業國家的工業設備拆下運走，但將他們的各種主義與政客及政治組織保存不變，則六個月之後，全球將有二十萬萬人民餓死。反而言之，如任令工業國家保存其工業生產，運輸，銷售的設備與組織，而將其「主義」與「政客」及「政黨工作人員」送登太空船上永久的繞太陽運行，則世界上人人將有飯吃，且望進入大同。富氏對政治與經濟問題之天眞與不切實際，既可笑亦復可嘆。

（五）他又聲稱南伊州大學在此後五年將進行以應用電子計算器為主的一項工作計劃，其名稱為「如何使世界可以成功 How to make the worln work」，而其方法則將根據最新的計算體系理論，與美國國防部所應用的紐曼氏 Von Newmann 之「競賽理論 Game theory」

（六）他指出美國全國私營之電力企業，因經過計算器的計算，而放棄其頑固的立場，願與公營電力企業合作，將廣大區域發電設備連接起來，俾電力有無相通，公司利益因之增加。他預見美國電力系統完整化後，將與加國者聯接，進而經過阿拉斯加與與白令海而與俄國者相接通，最後則經過西伯亞而與中國者相通達。（五）

朱育英落選．劉樹熥當選

新竹引發一場糾紛

內情複雜許金德首當其衝

彭瑞鷺卸任出路將無着落

【台北航訊】台灣省議員縣市長本屆當選人，規定六月二日正式就職。關於新省議會正副議長人選，台北日前報載，以雲林縣當選之省議員謝東閔，新竹縣當選之許金德，仍將為國民黨提名為繼任正副議長候選人。蓋謝自四十六年任第三屆臨時省議會副議長起，續任一、二屆副議長，五十二年因黃朝琴已自議壇退休，謝即被選為議長，許金德即被選為副議長。許自四十年起當選為省議員，已十七年於茲，一、二兩屆時，曾任國民黨省議會黨團書記，許在省議會始終居於重要地位。外傳許與現任新竹縣長彭瑞鷺，因朱育英競選新竹縣長失敗，同被指為未能盡力而引起黨內之檢討，因而影響到許之提名發生問題。

被踢一腳

在四月二十一日深夜，省議員縣長選舉結果揭露後，彭許偕赴縣黨部樓上，不意被跟隨之羣衆，將彭之領帶拉住，吐口沫於其面上，指責其暗中搗鬼，使朱育英落選，促成黨外劉樹熥當選。當由中央輔選大員郭外川奮力排解，始行放手，未遭毆打，但不幸在混亂中，郭曾被羣衆踢了一腳。次晨彭許即同赴中央陳訴。而縣黨部主委張雲漢主持檢討選情分析結果，亦僉認彭許二人，有助選不力之嫌，會後組長以上人員，集體赴中央請願，要求對許彭二人予以黨紀處分。軒然大波，由此興起，是是非非，請看下文：

關於新竹縣選舉，縣級黨部辦理初選提名時，於地方協調上，就有了問題，縣長候選人，縣黨部力保鄒滌之，許金德則力薦陳興盛，而中央則採取折中辦法另提朱育英，頓時引起鄒陳兩方人士之不滿，極力慫恿鄒競選，陳興盛固未為所動，鄒則躍躍欲試，經過多方疏導勸解，陳始放棄。

誰在搗鬼

據黨外省議員落選人葉炳煌宣稱：「有關單位檢討此次選舉，認為係省副議長許金德與彭瑞鷺縣長在幕後搗鬼，致使朱育英敗於劉樹熥之手，實在冤枉，因許金德既將陳興盛壓下來，撤銷了縣長候選登記，而剩下朱劉之抗衡之局勢已成，而要責許幫忙不力，甚覺有欠公平。」又說：「許金德此次競選省議員，已屬自顧不暇，那還有餘力去助劉樹熥。如果有力幫忙，許祇可幫朱的忙，絕不會偏在劉的一面，因其已冒大險去勸阻陳興盛，足證其服從國民黨組織，而出面協助了朱育英」云云。

現任新竹縣長彭瑞鷺，係屬本縣西許派嫡系，連任八年縣長，均係省副議長許金德一手支持，許此次在省議員選舉期中，不論在所表現之行動上及所發表之政見，均支持黨提名的朱育英；但在事實上西許派人士衆多，於陳興盛被勸阻放棄後，西許暗流洶湧，不可遏止。

大勢不利

當在選舉前夕之十九日夜，朱育英已覺察大勢不利，故曾向縣黨部要求撤退。

而縣黨部與彭許等人發生裂痕，由來已非一日，早在年前縣議員鄉鎮長選舉時，黨政之間，意見紛歧，已著事實。此次縣長選舉失敗，雙方裂痕更形擴大公開。縣黨部於檢討後下結論：認為選舉縣長失敗原因，全係彭許等人在幕後搗鬼，致西許派多未投朱育英之票，而慘遭失敗，隨撰就四千五百餘字的選舉檢討專案報告，向中央陳情，要求對第四屆省議會副議長之提名時，不再提名本縣省議員當選人許金德，卽聯省議會副議長，並對彭瑞鷺於縣長交卸後，轉知省級從政同志，不再另予位置安排。

流言可畏

又據外傳，當在陳興盛力圖競選縣長時，許金德曾暗向張雲漢貢獻五十萬元鉅款，欲取得張之默契，使許得自由參加競選，被張嚴詞拒絕。此項民間流言，近更不脛而走。如果張雲漢於當時即據實報陳上級，則許金德今後與黨的關係，將不免蒙受絕大影響，而於當前副議長之提名，似亦已成泡影。

據悉內情者談：早有意問鼎省議會議長席位之連任省議員李建和，此次對黨部辦理台北縣縣長提名候選時，曾極力支持鄭水枝，並採取強力步驟反對蘇清波，迨蘇獲得提名，李不僅接受各方幹旋疏解，放棄成見，對蘇予以諒解；並曾由其兄李紹唐公開聲明，願竭力服從組織，並說服全族一致支持蘇清波。終使台北縣選局，一時空氣趨明朗。聞國民黨中央已考慮李建和將提名為省議會副議長候選人，事雖尚未臻於具體，但以種種事跡。李氏之被提名未始無可能。

態度冷靜

新竹縣縣長當選人劉樹熥，自獲當選後，態度極為冷靜，亦從未輕易發表就任抱負。但亦有人對其當選，頗存疑問，據熟諳法令者談：（一）劉雖在選舉進行中聲明放棄，但在候選人抽籤以後，此項措施，並無法律效力。（二）劉曾將戶籍遷出，法定如在十五天以內遷回，仍然有效。（三）如有人對劉資格有異議，須在正式公告當選後，依法提出當選無效之訴，由法院依法決定。（董書）

鐵路局加價不當

監察院提案糾正（上）

【台北航訊】監察院頃通過一項糾正案：糾正台灣鐵路局於去年八月十五日對客運貨運加價之不當；以及鐵路局各種浪費情事。

此項糾正案係根據監委陶百川、馬空羣的調查報告，並經由監察院交通委員會第二二三次會議討論，決定推陳大榕、劉耀西、丁淑蓉、張一中、鄧昆福、馬慶瑞、郭學禮、暨兩位調查委員，組織九人小組研究，由陳大榕委員為召集人，始於最近研究完畢，提案糾正。

在交通委員會討論調查報告時，就有若干委員「護航」，旨在打銷糾正案，將調查報告「存查」，俾達到不了了之的「護航」任務；但大多數委員則主張提案糾正，所以才推九位委員研究，誠可謂糾正案得來不易！

鐵路局於去年加價的主要理由是：鐵路近年來營業雖有進步，惟其所獲盈餘迄未達到投資合理報酬。年前，鐵路局向世銀申請第二批貸款（美金一千七百五十萬元），世銀派專家調查鐵路財務狀況時，曾一再提出鐵路實際盈餘未達合理報酬，不合企業營原則，認為鐵路客運貨運現行費率，應作適度合理調整，以健全財務，確保償債。故世銀要求鐵路之投資報酬率，至民國五十九年必須達到百分之五點五。

但據監察院調查報告指出：鐵路在未加價前之五十五會計年度的投資報酬率，使超過世銀規定五十九年須達到百分之五點五了。台定鐵路的初期資本淨值為新台幣五十四億七千四百萬元，而五十五年度的營收計：客運收入九億六千五百萬元，貨運收入六億四千萬元，合計為一十六億零八百萬元，盈餘三億三千萬元，其投資報酬率已達百分之六點零三。若按照世銀計算投資報酬率之方法；係指當年度未付利息前之盈餘，估固定資產淨值（採年初與歲尾之平均數）的百分比，依此方法計算，則五十四年度之投資報酬率為百分之五點九九（按：五十四年度之財務支出六千九百餘萬元），五十五年的投資報酬率為百分之六點六。由此觀之，鐵路投資報酬率在五十四年度便達百分之五點九九，償債能力頗強，實無加價的必要。

台灣鐵路局預算的編製，根本違反績效預算的原理原則。如該局調整方案中附件一之二，鐵路運價計算表內所列：米、糠煤及水泥，係採用五十六年五月台北市價格以計算鐵路運費成本指數，此不獨與原規定成本指數不合，抑且偏高。又如原方案附件一之三，運價調整率計算公式中，對於「應獲得營業收入」的計算資料，大部份採用該局五十六年度預算數，但該公式內固定資產重估淨值，則又採用該局原編五十五年度決算所列固定資產淨值，另加擬議中土地重估價之增值十四億八千萬元，尚在擬議中未定案之增值資產，即分享投資報酬率，等於增加旅客的雙重負担。在這批固定資產中的土地，被無價估用之土地面積達一千二百七十公頃，其他如房屋被借用須負担修理費者，亦不計其數。形成固定資產浪費而增加成本。

於是，監察院認為：近數年來，鐵路局原編預算收入偏低，支出偏高，故近數年來決算盈餘超出原預算頗鉅，如五十三年超額盈餘為百分之十四點三五，如五十四年為百分之八十一點七八，如五十五年為百分之十一點八六。而固定資產中，土地重估價增值十四億八千萬元，尚未定案列賬，自不應計算其合理報酬率；其次是固定資產中之未完工程有五億四千一百萬元，尚未參加營運，已由費用內負担其利息，實不應重複計算其合理報酬。（按：此兩項固定資產合計為二十億零二千一百萬元，若依投資報酬率百分之五點五計算，每年便須增負報酬一億一千一百十五萬五千元之鉅。）倘准其如此計算，則鐵路局可以大量舉債，擴充固定資產，負債利息由費用列支，固定資產又可計算其合理報酬，報酬不足則可加價以得之。如此，鐵路局固可增加鉅額盈餘，但客戶則有雙重負担之苦。

本報記者劍聲

歷史人物漫談

主張儒家一尊的董仲舒

清園

漢興以來的政治思想，在漢武帝沒有做皇帝，董仲舒沒有被識拔以前，都是尊崇黃老，順應自然，以無為而治。至於讀書人治學，諸子百家，任你所喜，倒也自由。等到雅好儒術的漢武帝做了皇帝，詔舉賢良方正直言極諫之士，乃冒出一個董仲舒來。他的對策中主張崇尚儒術，罷黜百家，遺想法正投武帝之所好，從此儒家便奠定了一尊的局面。一直到現在，我們還是以儒術為正統思想。在這方面，董仲舒影響之大之久，恐怕不是他始料所及的。

董仲舒廣川人，（今河北棗強縣有廣川鎮，即漢之廣川縣故城。），少年時就專心研讀春秋。孝景帝時為博士，放下帷帳講授，弟子在帷帳外，年長先學者，依次教年幼後學者，故有些學生根本沒有見過他的面。他三年沒有出房舍外面的園圃中看看，可見他精心專一於學問。他進退舉止，非禮不行，當時的學士，都稱他為師。如果拿現代人的眼光去看他，他卻是一個不折不扣的書呆子。

漢武帝即位後，以為「任大而守重」，要「廣延四方之豪俊。」故下詔選舉賢良方正直言極諫之士，詔文中並詢問治亂之理。董仲舒應詔而提出對策，這就是他有名的天人三策。他第一次的對策大意如下：

一、天道與人世是相通的，天心是仁愛的，天總會是扶持並成全人君，而使其能止亂的。

二、凡事都要強勉，人君應勉力行善積德，修飭仁、義、禮、知、信五常之道，以仁義禮樂去成其教化之功。

三、春秋深探其本，要正本清源，應自上而下，故人君要正心以正朝廷，正朝廷以正百官，正百官以正萬民。」上行下效，自然不會有邪氣。

四、教化若不行，則奸邪並生，刑罰也無能為力，教化就是提防，故王者以教化為大務，「立大學以教於國，設庠序以化於邑。」「教化行而習俗美矣。」

五、漢興以來，秦朝的「遺毒餘烈，至今未滅。」故「漢得天下以來……，失之於當更化而不更化也。」「臨淵羨魚，不如退而結網。」今「退而更化，則可善治。」

武帝看了這篇對策，非常驚異，便又下詔問些治國的道理。董仲舒第二次再提出對策，除強調禮義之教而外，特別注重養士，興太學，並令諸侯及二千石，（二千石多指郡太守）每年至少要薦舉賢才二人，他說：「徧得天下之賢人，則三王之盛易為，而堯舜之名可及也。」

武帝三次下詔問他，他乃三上對策，這第三次對策的內容要點如下：

一、「天道無私，聖人法天而立道，亦溥愛而無私。」「王者上謹承天意以順命也；下務教化民以成性也；正法度之宜，別上下之序，以防欲也。修此三者，而大本舉矣。」

二、「人得天之靈，貴於物也」；但須「知仁義，重禮節，安處善，樂循理。」

三、「受祿之家（即官吏），不與民爭業，（業即利也）然後利可均布，民可家足。」如此則民樂其生，而不致於去冒死犯法。

四、「春秋大一統者，天地之常經，今師異道，人異論，百家殊方，指意不同，……下不知所守。臣愚以為諸不在六藝（六經）之科，孔子之術者，皆絕其道，勿使並進，邪僻之說滅息，……民知所從矣。」

武帝讀完了董仲舒的「天人三策」之後，即派他做江都易王的宰相，易王是武帝的哥哥，素驕好勇，仲舒常以禮義勸告易王，易王終被感化，轉而非常敬重他。千古傳誦的名言：「正其誼不謀其利，明其道不計其功。」就是他和易王討論問題時所說出來的。稍後，主父偃嫉害他，他幾乎被殺了頭。公孫弘也研究春秋，但心得不如他；公孫弘做了丞相，因此又忌尅他，請求武帝改派他去做膠西王的宰相。膠西王也是武帝的哥哥，膠西王驕恣更甚於江都易王；但仲舒到了以後，膠西王以他為大儒，待他特別好。後來他恐日久得罪，便藉病請辭。他回到家中，從不問產業，以修學著作為事，寫成春秋繁露一書。後得壽終於家。子孫多以學問而做到大官。

劉向三代人，子歆、孫龔，都非常讚美董仲舒，認為他是帝王之師，聖人之耦；伊（伊尹）呂（呂尚）無以加，管（管仲）晏（晏子）所不及。班固雖不完全同意他們這種說法，但也認為他是漢代群儒之首。至於他主張崇儒而黜百家，統一學術思想，對於中國文化的發展，功罪如何，很難說定。但儒術勝過百家學說，那是顯然無疑的；以儒家為正統思想，乃當時必然的趨勢。董仲舒第一個提出這崇儒的建議，所以能成為漢代「群儒之首」，「王佐之材」；所以為霸者之佐的管、晏所不及。（完）

養廉與禁貪

任遠

現在我們政治上正遭逢兩大難題：一是貪官污吏太多，一是公教人員待遇太薄。關於前者，立法院正在制定嚴懲貪官污吏的法規，期望能以嚴刑峻法，禁絕貪污。關於後者，社會輿論，各級民意機關都常常呼籲調整公教人員待遇。這兩個問題有聯帶關係，如果官吏的待遇微薄到不足以仰事俯畜，雖有嚴刑峻法，恐亦不足以遏止貪污。反之在重祿厚俸之下，那一位官吏還肯以身試法。所謂「倉廩實而後知禮義，衣食足而後知榮辱」，就是這個道理。

清朝的袁樹勛曾任山東巡撫，他對於禁止貪污，有下列幾句，他說：「禁人之貪，必先有以養其廉；責人以忠，必先有以厚其祿。……若牧令皆仰屋愁嘆，自救不遑，豈有餘閒勤勞民事？譬之乳母，飲食不繼，飢餓呻吟，而責以哺乳充饒，嬰兒肥碩，理之必無，事所難強。……夫以牧民長吏，至於愁苦無聊，此危邦之陋風，非天下之細故，循此不考，變，其何以國？且凋弊既極，廉能之吏束身自愛，往往觀望不前，轉使卑污苟賤得以輾轉因緣，便其私利」。

清朝張履祥說：「官多則人才不足，必濫取以備員，祿薄則難以養廉，必詭利以欺世」。

清高宗認為雖重祿亦不足以止貪污，高宗御批：「墨吏貪得無厭，即不惜重祿，其貪猶是。竭萬姓之膏，充百司之橐，何異畏猛虎噬人，而先飼肉以啖之。」—載清朝續文獻通考—

大學尺牘

梁啟超一封公開信

為中國教育前途惜

鄙人於教育學研究殊淺，且未經實驗，會問實難具對。雖然既辱下問，且言不避嫌疑，屬以所答登諸報端，夫亦何敢有所隱。我國現存諸學校中，其程度之稍高者，獨推南洋公學。而去年猶有此變，誠不得不為公學惜；且為中國教前途惜也。要之中國今日民智漸開，頑舊之壓力，終無術以抵文明之思潮；抵之者，如以卵投石，多見其不知量耳。南北洋兩公學同為一人督辦；而北洋成績較優者，其董理之西人有優劣也。南洋公學之初辦，尸此位者已非，此後又每下愈況焉。此實為腐敗之一根原，然恐非足下之力所能及也。其次為中國總辦之人。中國今日舉國未有能知教育者，此無足為諱也。必不得已，惟有虛心訪問，勿自尊大，而常以愛學生為目的，則雖不能完備，而可望有漸趨完備之一日。若欲仇民權自由之論，運手段以壓制之，吾敢信其雖總辦易十人，而學生之不能安如故也。學生不知此義則已，而苟其知之，則無復有能壓制者。

今日辦學校者，果有何術能使此等公理不入於學生之腦，能彼而欲禁此，此百舉百敗之道也。

吾中國今日所大患者：一曰無活潑進取之力，二曰無自制紀律之理。辦學校者所養成國民也，當針對此兩大缺點而藥治之，於精神上鼓舞其自由，於規則上，養慣其秩序。今中國少年言自由者紛紛，其實真能知自由耶？不知真自由而競好偽自由，則自由之毒，不可勝言也。今學校之程度稍高等如南洋公學者，正宜廣聘泰西名師，實闡高尚圓滿之哲理，使學生研究其真思想，有趣味而日益之。而不然者，未有不激而橫決者也。於精神上既不得伸，乃至並規則而破之。故呻吟於專制之下者，心起破壞思想，此物理之無可逃避者也。

俄國學生所以競入於虛無黨，皆為此也。破壞思想既起，必取不可破壞者而亦破壞之。燎原之勢，誰能撲耶？故精神上不有所變革，而欲求規則之能實行，必不可得也。苟精神既健全矣，則其於形式上之規則又不可以不極嚴。不然，不足以養成有團結之國民也。苟能爾爾，則吾信學生必無有騷動之事。學生之識力，隨教育之軌道而進者也。惟教者不循軌道，斯受教育者亦軼出軌道之外。

吾所見英美諸國之學校，其形式上之專制，殆與軍隊同科，豈惟總辦教習之待學生為然耳。即高級之學生，亦常帶監督初級學生之權利，而初級學生常有服從高級學生之義務。乃至年幼者為年長者服、擦衣服、擦鞋靴、不以為怪，以他養成其忍耐習勞紀律之性而已。若此者何害？至如國學一科，言教育者，萬不可缺，而漢文教習之難，其實又無待言也。要之：勿用總辦之私人，博採輿論，求其有文明思想，其行誼可以為學生矜式者，雖然學科不完備，學生猶能相安。若如前此教育者之學力學識尚不逮也，[illegible]若不慎選教習，[illegible]於學生之道，未有能善其後者矣。

以上所言，專就學科上言也。然向來學校紛擾事件，往往有因飲食居處之間而起者。此問題亦不可不研究也。各國學校，其學生之飲饌，率皆極薄，而學生能相安者，則其總辦、提調、教習常與學生共食息焉。[illegible]此二便也。苟欲免此患，非實行此方略不可。鄙人所見如是，草率奉答，未嘗一經胸臆，聊塞盛意而已。以後若再有見及，當更以貢。

中國女性文藝春秋（續）

周燕謀

阮麗珍與「燕子箋」（中）

「前腔」：咸陽烽火兼天動，鐵騎起騰；荊棘長銅駝，馬嵬斷番夢。羊羔連甕；琵琶調弄，拍手帥見姑，把如花向帳前奉。

「金錢花」：驀然殺氣雷轟；街廟燒得通紅。蓬鬆短髮瘦鞋弓！顧不得拋老面，露芳容，娘和女，緊相從。

「前腔」：軍聲四起洶洶；教人何處潛蹤。我蜂腰細，你背駝笭：試軟怯，忒龍鍾，狹路上，恰相逢。

「前腔」：奔騰萬馬呼風；居民逃竄西東、西東。如鷹撲兎網黏蜂：脫得去，謝天公、拿住了、一場空。

「前腔」：弓刀耀日如虹，如虹；羽林那個當鋒。神號鬼哭滿城中：金和寶，搶教空、拿得去、獻頭功。

這很顯然是一幅「兵荒圖」的寫實，是作者當時親臨的實事。明亡於元的大混亂。全劇二十四齣，叙唐時霍都梁赴京應考，與妓女華行雲相戀，因繪二人合相，送裱裝店裱貼。禮部尚書酈道安有女飛雲，面貌全似行雲，亦將觀音像一幅，送同一店裱貼，不料裱好後，店中人將此二幅畫誤送錯了，飛雲見二人合相，一人酷肖自己，一人卻是風流翩翩的少年，不禁為之驚慕。

在某一個爛漫的春天，飛雲春思纏綿，作詞一首，詠抒此事。詩箋放置鏡枱上，為燕子啣去。此下數曲，完全把一個閨女的痴心，赤裸裸地傾瀉出來。

「四季花」：畫裏遇神仙。見眉稜上，臉窩邊，風韻翩天然。春羅衫子，紅杏彈香肩。那人偎半邊，兩迴眸，情萬千。蝶飛錦翅，鶯啼翠烟，遊絲小挂雙鳳鈿。光景在眼前，那須要陽台雲現？縱山遠水遠人遠，畫便非遠。

「浣溪紗」：鱗髓調，霜毫展，方纔點筆題箋。這梁間小燕忒刁鑽，忽地啣去飛半天，天，未必行方便，便落在泥邊水邊。那此御溝紅葉蕩春烟，只落得飛絮浮萍一樣牽。

「柰子花」：二三春月日長天，往常時冗自厭煎，那禁閒事任般牽挽。畫中人幾時相見，待見纔能說與般般。

燕子將詩箋銜去，恰恰落在都梁面前，後來都梁為友所陷，逃於他方，時安祿山反，天下大亂，飛雲與老母逃難途中相失。行雲亦逃難在外，與飛雲母相遇，認為義女，路中恰遇安道，飛雲則父執賈南仲收容，亦認為義女。此時霍都梁已改名卞無忌，入賈南仲幕中，獻策滅了祿山。兵亂平靜，在飛雲及行雲那邊，還得不到都梁的消息。時候已是秋天，格外地引起了母女傷感。（七十八）

爲善爲惡的兩個花和尚
——從台灣礁溪仙洞廟少女命案說起

在水滸傳裏，有一個花和尚，那個花和尚的外表雖然粗魯，可是做人行事，都合乎中國先聖先賢所訂的標準。他無心爲善，却做下不少善事；有心爲惡，又教人深深同情。比如，他帮一個素來不認識的賣唱弱女的忙，不只是金錢上，他還肯爲了「是其所是，非其所非」，站出來，親自去跟惡勢力周旋，三拳打死鄭屠，雖說太莽撞了些，可是人人都對他這種暴行會給予諒解，因爲他不是爲了自私自利，爭風吃醋，是爲了爭是非，打不平。

這個人是誰？就是魯達，爲了別人，打死了人，闖下大禍，最後，跑到五台山寺院裏去做了和尚，智眞長老給他取的法名叫智深。戲台上，他自稱魯智深——連俗姓帶法名強拉在一塊，本來不合適，可是別人聽慣了，咱們也這麼稱他吧。

半路出家的魯智深的外號叫花和尚，其實，他的生活，並不花，水滸傳裏沒有寫過一筆他見色起淫心的事，中國人的道德觀念，是「萬惡淫爲本，百善孝爲先」。一般俗人，犯了淫戒，還認爲是敗德之行；一個出家人，犯了淫戒，豈止是品格的問題，根本就汚辱了佛門聖地，枉披了僧衣。毀壞了佛譽。

最近，台灣礁溪的仙洞廟，一個四十多歲的和尚，姦殺一名少女，社會上對這個案件，都很關切，報上已經有了不少文字和漫畫，表示對這案子的態度：有的攻擊這個和尚六根不淨；有的檢討目下姦殺成風，値得用嚴刑重罰，以儆效尤，也有的歸罪女孩子們的服着方面，有欠莊重，應該對世風負責。見仁見智，各有是處。我則想言人所未言，專就花和尚這一特殊社會說幾句話。

和尚是人，就他的血肉之軀和官能同樣有感受能力來說，是自然人；就他仍需取衣食於社會來說，也是社會人。他和我們這些俗人，沒什麼不同；所不同的，只是思想。一般人視生老病死爲苦，求之不得爲苦；和尚却能以超俗的哲理，視人世一切痛苦爲不智。和尚之所以受社會重視，實際就在其能「覺迷」，把現實社會所給人的痛苦，用達觀的態度來化解掉。有些人却祇注意和尚的法術，神通，自己已先掉進迷的深淵裏去了，和尚又怎麼能救得了你出來？

薩孟武教授寫的「西遊記與中國政治」一書，有句名言：「菩薩妖精，祇在一念。」僧和俗，也是一念的問題，豈止菩薩和妖精。

妖精是吃人的，菩薩是救人的；所以菩薩被人頂禮膜拜。和尚是超凡的，俗人是平凡的；所以俗人稱和尚們爲法師。礁溪的那位法師，自己都不能懂「色即是空」的道理，出家了幾十年，還沒有參悟乾淨，還是早點還俗了吧。他如果早些年還俗，可能免了這次少女的浩刼。因爲他未必再把情慾發洩在一個施主的女兒身上，還要置之死地，既令會發生這種事，也不會把佛教界的名譽帶壞了。

記得不久前有一部電影，叫文素臣，因其中有和尚荒淫的情節，電檢處終於接受佛教人士的要求，沒批准在台上演。佛教界人士今天面對這位法師的罪行，想到那次的請求，又作何感想？

和尚不是職業，可是今天有很多名法師誤解，爭廟產，放高利，都是貪的表現，却全出現過。礁溪這位殺人的法師，雖然是佛教人士中的害羣之馬，但是想想他所以害羣，起因是沒有知識，從小受戒，到了四十多歲，還不懂佛智是什麼，這種出家人，還允許他濫竽充數，冒充高人！是佛教界之恥。爲了混飯吃，何必非教他當和尚不可？平心而論，職業和尚大都是幼年被迫出家，非屬自願；如有不能清心寡慾的和尚，還是勸他還俗也罷，別再誤人誤己了。

·放父·

談印章
有雕刻的立體美　有抽象的藝術美

天圻

篆刻與書畫同爲我國特有的藝術，向來篆刻與書畫並重，故金石書畫每每相提並論。中國文字本乃藝術之一種，非徒具意義而已。而一印之成，線條之美，宛如繪畫，故印章可謂有雕刻的立體美並富有抽象藝術之美。

印章係始於遠古而盛於晚周，到漢代而極，六朝以後以時局紛亂，中原無主遂漸衰微，經唐宋而不整，故唐宋畫家很少用印章者，直至元代吾丘衍，趙子昂等力倡復興，刻印之藝術方重受注意。自明代王元章創以靑田花乳石刻印，爲篆刻藝術開闢了一條康莊大道。石章盛行，於是與書法繪畫同爲藝林所重，成爲一門藝術。明清之際名家輩出，或研朱弄石，窮年兀兀，或蒐聚鑑玩，殫精竭力，蔚然成風，非僅徵信而已。

印章用在書畫上有名章、閑章、迎首、壓角以及用於收藏及鑑別的印章等。在漢朝時，私章多刻吉利之語，如「大羊」「大利」「常富」「長壽」等；而晚近盛行的閑章，實由此繁衍而來。

在古畫的眞跡上最早用印的大概是北宋人。宋人中如米元章、蘇東坡、黃山谷、蔡君謨等均喜用印章。當時用印除了取信之，尚有裝飾書畫的作用。以後更有以閑章蓋在書畫上，以均衡畫面增加畫面的美，使與書畫互相映發。故閑章是不能濫蓋的，它必須要合於畫面，而且詞句、字體、印色都要與書畫配合。壁如畫花鳥，可用「爲花寫照」；畫山水可用「再造河山」或是「搜盡奇峯打草稿」等句方爲得體。閑章常可以表現個人的志趣、風度、經歷、和胸襟。如鄭板橋的：「二十年前舊板橋」彭玉麐的：「英雄肝胆，兒女心腸」。以及古人：「布衣落拓三十載，詩卷縱横五百篇」等印文，使我們一看便知作者是怎樣一個人。近來常見有些人以齋號押角，形式蠻大而詞句字體惡俗不堪，有的左右相對，有的蓋在畫中間，均衡失調畫面充塞，俗不可耐。清盛大士曾說：「圖章必期精雅，印色務取鮮潔，畫非借是增重，而一有不精，俱是爲白璧之瑕。」所以書畫家用印不能不講究。明代項子京是一個大收藏家，但估有慾十分强，他的書畫往往鈐印多至數十方者，例如懷素自叙帖上他竟蓋了七十餘方印，王羲之帖上也蓋了五十方，有時還將印蓋在別人的名款之下，歷代書畫遭他破壞者不計其數，是故姜紹書批評他的惡習道：「每得名蹟，以印鈐之，累累滿幅，亦書畫一厄。譬如石衛尉以明珠精鏐，聘得麗人，而虞其他適，則黥而記之，抑且遍黥其體，使無完膚，較蒙不潔之西子，更爲酷烈矣。」像項子京這樣濫用印章，實爲識者不取。

我嘗見古人藏書印用「蘭亭序」中「欣於所遇，暫得於己。」兩句爲閑章，由印文可推想見其爲人胸襟是何等曠達的了。

刻印是一種藝術，它不但在外形上要具有線條抽象之美；而內在尚需含有文藝的修養。我們從一方印章中觀其佈局篆法與造形，常可產生象外之趣；而金石家與工匠所刻，則又截然不同。因爲印章是書法與雕刻的綜合藝術，所以如果沒有文字學與書法的修養是無法將印刻好的。學習刻印者往往先要學字，然後才摹石。摹石要學秦漢，此猶如字之學魏晉，書之學宋元一樣。學印如臨書，得其形易得其神難。印文分甲骨、鐘鼎、彝品、石鼓、封泥、秦鑼、漢印等，每一類有一類的字據，每一類有一類的年代，不容杜撰，否則都談不上治印，更談不上藝術了。即以近代印壇名家齊白石之印來說，論者以爲刀法蒼勁，而字跡常不合六法，可見治印並非一件易事。

金石家在明朝以前姓名多不可考，蓋因明以前印材多爲硬質金屬品或玉、犀之屬不易奏刀，故多由匠工雕刻。明以後則多爲文人自刻者。明代江浙間有文彭（三橋）皖南有何震（雪漁）；最負盛名，合稱文何；淸代巴慰組胡長庚，汪肇龍，程邃合稱歙四子；同時董洵，王聲名以復古自命，力迫秦漢，著書立說，成立派系，於是又有浙派皖派之別；其後又有丁鈍丁、黃小松、蔣仁、奚鐵生、陳鴻壽、陳豫鐘、趙之琛、錢松等出，合稱爲西冷八家。八家俱爲浙派，其時皖中鄧石如以剛健渾厚篆法入印，氣象萬千，獨樹一幟。其後徐三庚趙之謙吳昌碩等出，其中吳昌碩更爲民國以來印壇巨擘，其印氣魄宏偉，天眞渾樸，遠邁前賢。吳氏不但上迫秦漢，且能集諸家之大成，在其刻印中可以看出有丁鈍丁、黃小松、鄭石如、趙撝叔以及徽派諸家之胎息。以後的金石家很少能超過他的成就者。

關於刻印操刀法有：「一指、二腕、三臂、四丹田。」之說。心、手、筆、刀、力貫，氣連，執刀應如執筆，須正鋒始能沉厚，古人論刀法云：「作書要以周身力送之，作印亦然。」至於明人刀式三十六種，則是故弄玄虛不足置信。而浙派的鋸牙，燕尾則爲邪道，爲識者不取。

治印的刀宜重大，此猶如以大筆寫小字，氣勢寧可有餘而不可不足。是故用刀有三，上焉者以遊神爲最，次焉者爲傳神，又次者象形而已。總之要恪守「細心落墨，大胆着刀」的要訣，要大處見體態，小處見精神，刀後起落磅礴渾厚者才爲傑構。

古人雖云：「雕蟲小技，壯夫不爲」，而孔子則以爲：「雖小道，必有可觀。」一藝之存，必有其價値存乎其間，王麟原云：「玩印刻，可以得河洛縱横之意，可以見井田開方之法，可以存盤鼎鐘鬲之制，可以識專門名家之學，可以寫防奸杜僞之志，故篆刻能做古者爲益甚多」。照此說來則刻章豈爲小技耶哉？

生活漫談
張宗昌與多妻動物

北洋軍閥張宗昌一生三不知，一、不知道自己帶有多少兵？二、不知道自己擁有多少財產，三、不知道自己家裏有多少妻妾。不知道自己有多少兵，可能是因作戰的增減。不知道自己有多少財產，可能動產與不動產，價値上有着偏差。不知道自己有多少太太，是無理由可以解釋的。這種人很像宇宙間的多妻動物，所謂韓信將兵多多益善。

張宗昌於雄據直魯時，以大帥身份巡視一所教會女子中學，看到非常高興時，笑得眼睛連起嘴巴裂開，口涎直流，叮囑副官長，按照學生人數，每名償五元銀幣。副官長向大帥報告：「教會女生都是貴族小姐，償錢似乎不妥。」話還未完，張宗昌指着副官長罵道：「馬的八字！咱老張到那裏看女人揩過油！千金小姐更得償錢……。」張大帥之粗，眞所謂粗到不能再粗了。

有好幾種多妻動物，其嗜淫行爲酷似張宗昌者：一是鴇鳥，二是牛，三是海狗。鴇是一種淫亂成性的野禽，逢鳥則與之交，其性行爲和大帥雷同。牛雖是一種家畜，確是標準的多妻動物。例：備有兩三百條的奶牛場，祇畜兩條公牛就夠了。雖旦旦而伐之，臨陣並不示弱。還有就是海狗了。海狗產在北極地帶，我國山東登萊及日本北海道亦有，天晴時浮游海面，雌多雄少，遇到獵人，羣雌捨命護雄。這和大帥衆夫人嗜中咒臧王早死比較，貴婦不如海狗遠甚。

海狗鞭爲性腺强壯劑。用十條鞭，一百公分肉從蓉，八十公分巴戟肉，一百公分山茱萸，以二千公撮高粱酒，泓浸三日，將全部成分浸出，搾去渣雜，再加高粱兩千公撮即成强補劑。每日三回，每回飯後飲十公撮。主治男子腎精衰損、色癆、陽萎。有返老還童之功。惜市上眞正海狗鞭很少，膺品充斥，對陽萎虛弱和須要進補的人，構成很大的遺憾。

張宗昌人皆呼之爲狗肉將軍。其實嗜食狗肉的人很多，爲甚麼別人沒有這一道銜頭呢？說穿了很簡單，多妻的人對狗肉特別需要，其暖腰腎，助陽事，有不可思議的力量。台灣各中藥店賣的海狗鞭，多半是家狗的陰莖。據說還是上品。等而下之者，不知道是甚麼貨了。買者自欺，賣者欺人。張大帥對海狗鞭眞僞辨別，是將海狗鞭浸入水裏十分鐘，撈出緊握片刻，能發熱者，斷爲上品。姑誌之，獻給愛好藥物研究的人。

馬騰雲

命相與夢話

五短必貴

陶

拙著「矮人傳」於最短期內將可脫稿。羅列古今中外歷史上成功的矮人：如晏平仲、孟嘗君等，將近百人，開出版界未有之先河。特別對近代矮人：如法國大英雄拿破倫、蘇俄陰謀家史達林、意大利王愛麥虞限、美國前總統杜魯門、日本元老西園寺等多人，均有深入刻劃。

人之一生有內含，也有外觀。內含難知，外觀易見。但知人論世，率多注意外觀，也就是所謂第一印象。這種第一印象的良好與惡劣，在觀察者的心理上，每起決定性作用。我們現在專談身材矮小的人，身材矮，多因頭、頸、與腿短。但照相法上說：「上長下短平地靑雲」。四肢都短，所謂五短，即成大貴相。如能再配以「儼然之威，俯仰之儀」；如面貌、風度、神色、舉止、都能協調，位極人臣，斷然無疑。近代政治人物中，如陳副總統、陳布雷先生、鄭彥棻先生、胡宗南先生、沈怡先生、郭驥先生、冷欣先生、賴璉先生、程滄波先生、及一代大文學家熊式一先生等，皆爲五短型。尤其是無線電專家錢鳳章教授，身高不及四英尺，上課堂講台時，一躍而登，黑板只有下半節與他有份；可是他的道德學問備受人推崇和贊美，著者迄今仍懷念這位無線電專家。

自由報

第八五六期

社長李運鶴　督印黃行壽

社址：香港九龍登打士街91號十樓六座
91 DUNDAS ST. 9th FLOOR, FLAT 6 KOWLOON H.K.
電話：857253　電報掛號：7191
承印者：大同印務公司

台灣總管理處
中華民國（台灣）台北市大同街119號
電話：555395．557474
台灣分社：台北市西寧南路110號二樓

現代化與新的人倫觀念

呂俊甫

◁提要▷

一、留學生學成不歸，造成人才外流——各界領導階層均應負責。

二、培養國人的「利羣性」和建立「新人倫觀念」，以推行國家「現代化」有賴社會教育與學校教育配合，共同致力。

自從中央日報於本年二月十四日、十五兩日刊出拙作：「留學、服務、做人、報國」一文後，我們已經看到其他作者所持正反兩面的高見。採正面立場的作者，可以東海大學石家興先生為代表（石先生大文載于二月二十九日及三月一日中央日報）；持反面意見者，則以一些理工科的「準留學生」為主。儘管急欲出國者所持的理由是冠冕堂皇；然而事實勝過雄辯，歷年出國而遲遲未歸的留學生（包括若干公費留學生和交換計劃下出國者），仍以學理工者居多。一般留學不歸者，大多都持要趕在二十五歲半以前去完成博士學位為理之一。

事實上他們并不是都要趕在「二十五歲半」以前去讀博士學位，很多都是在一年至二年之內拿到碩士學位之前，便先替美國「服務」了。（學理工的在美國獲得碩士位後，便很容易找到「學以致用」的工作。學人文社會科學的，則多須獲得博士學位後才能謀得適當的職業）。我們不忍厚責這些遲不回國的留學生，以及急欲出國的「準留學生」。國內社會各界的領導階層，實際上都應該對造成人才外流的原因負責，并應力謀現況的改善。目前當局正在倡導國家的「現代化」（這自然涉及人才外流的問題）。但是現代化必須具備若干基本條件：譬如國人在心理上和人倫觀念上的「改造」，便是現代化的基本條件之一。

近讀哈佛大學心理學教授兼社會關係系（Department of Social Relations）主任麥克乃倫（David C. McClelland）所撰「現代化的推動力」（The Impulse to Modernization），載American Journal第七卷第三期，一九六七年十二月出版）。麥氏在文中指出：心理學家根據對于有關文獻的內容分析和當前社會的實驗研究，發現促成一個國家或社會現代化和經濟「起飛」的主要心理因素有二：一是對個人成就的需求（need for achievementmen）、一是對公共責任的體察（a sense of public responsibility）。麥氏將前者視為一種利己的德性（a persanal virtue），將後者稱為一種利羣的德性（a social virtue）。簡單的說：前者可說是個人的進取心，是一種私德；後者可說是個人對社會的責任感，是一種公德。

上述兩種德性，是現代化的兩大心理條件，二者構成了麥氏所謂「現代化的推動力」。如果以此觀察中國社會，筆者認為國人在兩項心理條件中已經充份地具備了第一項，而第二項條件則有待加強。古往今來，中國人的個人進取心一直很強。這從古人對于科舉功名的熱衷，和今人各種考試競爭的激烈，即可概見。因此我們所缺乏的不是個人的進取心，而是對於社會的責任感（不是完全沒有，而是不夠。）我們取之於社會國家的不算少，但是奉獻給國家社會的卻不夠多。我們祇知享受權利，却忘了應盡的義務。此一重己輕羣的心理，其導因雖然不止一端，但與我國舊有道德倫理觀念之偏于私情私德，似乎不無因果關係。

即以我國古代的五倫或五達道來說，君臣、父子、夫婦、昆弟、朋友，五者之間的關係都是一種私人關係，即私人與私人（或個人與個人）之間的關係。彼此之間都是親近的，熟識的；因此不免存有一種私情，而憑這種私情來維繫人與人之間的關係。五倫之中，并未涉及與自己沒有私情的人之間的關係；更未涉及羣己的關係（即個人與團體之間的相處之道）。

如從孔子的三達德：知、仁、勇來看，「好學近乎知，力行近乎仁，知恥近乎勇」，其中好學、力行和知恥、三者都是指的個人的一己的修身之道。其重點在於利己，而不在於利羣。如果說：「知所以修身，則知所以治人，知所以治人，則知所以治天下國家矣」。那祇是從政為官之道，而與做老百姓應該具備的公民道德無關（現代公民道德，脫離不了權利與義務的問題，更脫離不了個人與社會國家的關係，故不能祇談治國和平天下，也不能祇談修身和齊家的問題）。至於就儒家的中心思想「仁」和「恕」而言，雖然「夫仁者，己欲立而立人，己欲達而達人」，此中的己具有利人的觀念；但是此處「人」字的意義頗為含糊，除非我們加以新的詮釋（這種新的詮釋確屬必要）。這個「人」字當時并未指明是羣體、社會或國家（實際上當時的人己關係只偏重上述五倫的私情關係，而未強調羣體與個人之間的公誼關係）。再者「恕」的涵義是「己所不欲，勿施於人」。雖然此外亦有推己及人之意，但是語意消極，欠缺「為人羣服務」的積極意義（如果是「己所欲，施於人」，就比較積極了）。

我國舊有倫理道德之重私不重公，并非筆者的新奇發現，梁啟超先生在其「論公德」一文中早已指出：「吾中國道德之發達，不可謂不早。雖然，偏于私德，而公德殆闕如。試觀論語孟子諸書，吾國民之木鐸，而道德所從出者。其中所教，私德居十之九，而公德不及其一焉。」（見飲冰室文集）梁氏心目中的「公德」，與前述麥氏中所稱「利羣的德性」，大致吻合。惟前者較諸後者更為積極。梁氏對「公德」一辭所下的定義是：「公德者何？人羣之所以為羣，國家之所以為國，賴此德焉以成立者也。……公德者，諸德之源也。有益於羣者為善，無益於羣者為惡。」梁氏對「無益於羣者為惡」一語所下的註腳是：「無益而有害者為大惡，無害亦無益者為小惡。」梁氏亦會慨嘆國人缺乏之公德：「我國民所最缺者，公德其一端也。」（以上所引梁言均出自「論公德」一文）

我國固有的道德倫理觀念，并非完全不能適用於現代的中國社會，祇是必須加以修改補充，使其更加發揚光大。這是我們推行文化復興和國家現代化運動的重大課題之一。孔子是「聖之時者也」（孟子語）。如果他能在今日復活，想他一定會自動修改他舊日的學說的。譬如五倫中的「君、臣」關係」所指的君，似乎應該改為羣己」或「國民」，即國家與人民的關係。又如「仁」字的涵義，似乎不應該止於「愛人」。（樊遲問仁，子曰：「愛人」。）而應該具體地解釋為「愛羣，愛國，愛人類」。同時僅止於「愛」還不夠，還要進一步報効國家和人羣，為國家和人羣服務。狹義的「仁」，我們大概都做到了。中國人不愛人羣和不愛國家而大概很少，但是真以行動報羣的人却并不夠多。

如何培養國人利羣的德性，并建立新的人倫觀念，這雖然是一個教育問題（尤其是屬於羣育和德育的問題），但是絕非僅憑學校教育所能為功，而更有賴社會教育的配合。此外所謂「社會教育是廣義的。其施教育包括家庭中的父母，政府中的官員，新聞界的記者與編輯，文藝界的作者與演員，工商界的經理與決策人，各級民意代表，學者與留學生，以及其他一切居於領導地位或是受人嚮慕的人物。因為他們于社會風氣最具影響力。他們的一言一行，也最能發生暗示作用，及引起兒童、青年和一般成人的模做，故最能收到潛移默化的社會教育的效果。如果這些具有社會教育力量的人，能與從事學校教育的人員配合，共同致力於國人羣性的培養和新的人倫觀念的建立，則對我國的現代化推進，思過半矣。

——久雨初晴寫於台北市郊指南山麓

昨日與明日

大學行政之重要

大學為國家培養人才之高等學府，其任務十分重要。就行政言，大學更為各級學校之模範，尤應力求完善、合理，故其行政主持人必須維持優良之作風與傳統，則人才教育與學術研究，方能順利發展，否則磨擦、爭執、時常發生，大學便不易有進步，甚至趨於混亂。下列三原則十分重要，特別提出來加以說明。

各學院均衡發展

各學院均衡發展之原則

我國大學包括至少三學院，多者八學院，各有其重要性。大學當局必須維持各學院平等地位。以公平態度對待每一學院。反之，如果讓一個學院特占優先，多占便宜，以致引起其他學院之不滿乃至不平之感，便是一大失敗。大學當局是某一學院之教授，行政上如對所隸學院有所偏袒，必將引起其他學院之反感，對全校發展定有莫大之損失。尤須設法避免的：是主要行政人員由一個學院的教員担任；一定時期內，一個學院增設若干學系與研究所，而其他學院則照舊，這是不平的處理。

維持優良傳統

維持優良傳統之原則

大學是人才匯集之所，其成立與發展，經適當時期，自然而然的能夠養成優良傳統，而為有關大學立校之精神基礎。大學當局必須集全力維持此種傳統、使校務、教務能夠在安定中順利推進。反之，為了私人利益權利之爭，企圖放棄學術至上、尊師重道、公正民主之優良傳統；改採權力第一、行政至上、專斷獨裁乃至少數人把持之作風，必將侵蝕大學精神基礎，引起不必要的人士糾紛，其結果是大學及有關人士同受損失。

超然獨立地位

維持超然獨立地位之原則

我國立大學由政府撥款，私立大學由董事會及私人捐款設立與維持，其目的在於大學之發展。欲求順利發展，終極必以維持大學超然獨立地位為先決條件；否則大學如果事受政府（在我國為教育部、教育廳）或董事會之控制與干涉，不但喪失獨立之地位，而且喪失完美之校格；同時，大學主持人之品格自亦隨之降低。欲維持大學的超然獨立地位，大學主持人必須以實現理想為重、爭取原則為重，保全本人校長職位為輕。如此自然受到廣大社會與校內同仁之尊敬與支持，政府或董事會自不敢企圖加以干涉與控制。（大仁）

自由談

談國際上的學潮

馬五先生

最近世界上有許多國家發生青年學生鬧事的非常情況，而以美國，日本，西德，法國，西班牙的學生鬧得最起勁。德法兩國的學潮是由於國內問題而掀起的，其餘盡係揹着反對越戰的旗號，特別是日本的學生反對越戰尤烈。

日本在二次世界大戰後十餘年間，由民窮財盡的亡國生活中，藉着韓戰與越戰的機會，發了其戰爭財，成為暴發戶，然其青年學生乃羣起反對專替日本創造國富的越戰，幼稚無知，莫名其妙。這表示日本的家庭和學校教育完全失敗，也可以看出日本民族的渺小偏狹，永遠是個島國的氣質，不會長進的。瞭觀日本明治維新以來的教育方針和政治人物，除却一心以侵畧中國為職志外，沒有一點大氣磅礴的世界眼光和作為，過去如此，將來亦不會有兩樣。

戰後日本新聞界、教育界暨勞動階級的言行，表面上甚為左傾，好像是受了共產黨的影響，其實不然，他們內心深處潛存着反美復仇觀念，凡是可以打擊美國聲望與實力，祇好從事間接的反美活動，一旦羽毛豐滿之後，你看日本對美國的態度若不大變特變，那纔怪呢！

美國學生之反對越戰，固不免受到共黨及其同路人的煽惑，但如果沒有政界和教育界那些所謂鴿派份子的嘵嘵譁咋，亦就不會鬧得那樣凶惡，否則韓戰時何以不聞學生反對之聲呢？西班牙學生之比較鬧得不劇烈，即可領悟其癥結所在了。西德國會只要通過政府所提出的緊急應變法案，今後學生鬧事的情況即不足憂慮，因為德國韓族性素有沈毅尊重理性的特質，既不若美國人之幼稚衝動，亦不似法國人之浪漫脫畧，更不像日本人之渺小狹隘也。

怎可縱容學生家長如此囂張

○程長風○

台灣新竹縣立一女中教員李景煜體罰學生呂秀豐一事，由於該生家長招待記者，陳述經過，遂致報章喧騰，引起軒然大波。台北輿界，也如同往昔類似事件發生時一樣，不顧事實眞相，率爾羣起誅伐，以爲無論如何，總是曲在教師，罪不容逭。當然政府當局曾三令五申，嚴禁體罰，李先生仍悖犯如故，一則難容於禁令，再則無法見諒於輿情，自無予以袒護之理；不過倘若無視於此一事件之事實經過及其前因後果，不作合情合理的解決，單是一味苛責教師，肆意攻訐，揆諸情理，實難謂平。且其貽害之大，較諸一教師體罰學生所導致之後果，何啻倍蓰？爲此我們願就事論事，提出我們的意見，庶能辨是非判曲直，而藉維情理之平。

事實經過如何爲判別是非曲直的主要依據，因此不能不作簡單的敘述。據報載：緣有新竹縣立一女中三年平班學生呂秀豐，於一次理化隨堂測驗時，在試卷背面繪圖並寫出該班導師李景煜先生之綽號——「小肥猪」，爲該教員所發覺，即着令該生至訓導處寫悔過書，以示懲戒。不意該生拒不前往，且怒目相向，並作輕視姿態，引得學生哄堂大笑，秩序乃告大亂。李先生一時氣憤不過，出手打呂生面頰，呂生隨即放聲大哭，適以感冒在身，引起心跳過速現象，經送醫診治後即恢復正常。事件發生後之翌日，該生家長呂芳起乃前學校，校長王澤林出面向呂某致歉，並囑該李姓教員負担一切醫藥費，詎知呂某態度蠻橫，拍桌叫囂，要李老師當衆下跪道歉，未爲李老師所接受。校方爲求息事寧人，事後一再央請地方人士從中斡旋和解，委曲求全。呂某只是虛與委蛇，未幾即招待記者，揑造事實，誣指老師係因呂生沒參加補習故予以歧視。於是輿論譁然，譏評交至，繼之有立法委員向行政院提出質詢，事態乃愈趨嚴重。

上述經過，係新竹縣立一女中向新竹縣政府所提出之報告，具有公事文書性質，須負相當責任且經調查屬實，自屬可信。我們認爲，李姓教員，違令犯禁，固當予以議處，不必寬貸；而家長呂某，不循合理途徑以求解決，竟爾無理取閙，罔顧師道尊嚴，損害教育界之威信，亦應予以適當之糾正，以戒來茲。須知杏壇本屬神聖嚴肅所在，豈容人如此放肆？呂某拍案叫囂，恣意取閙，當衆要求教師下跪致歉，可謂猖狂囂張已極。就「人格」論，古云：「士可殺而不可辱。」呂某提出此一要求，即已對李老師的人格構成嚴重侮辱，否定教師地位，蔑視師道尊嚴，實莫此爲甚。就一般情形而論，呂某此一跋扈態度，對於其他教員所發生之惡劣影響，實非淺鮮，誠如該校王校長於報告中所云：「新竹一女中教職員聞訊，莫不痛心疾首，深感教育工作之艱鉅，人心之險惡。」低微的待遇，早已使教師有受冷落漠視之感，情緒普遍顯得消極，再加上外界類此種種的干擾，言行稍失分寸，動輒得咎，又焉能不益趨消沉？至於給學生留下惡劣的印象，更是不在話下。教師在學生的心目中，多少尚有地位，一經這類蠻橫的家長當衆侮辱，豈不威嚴掃地？學生尚能如同以往那樣服膺教誨的嗎？甚且將引起他們的錯覺，以爲家長的「法力無邊」，教師若對之有半個不是，大可援例攤出這張「王牌」以爲對付，心理上如此的「有恃無恐」，豈不後果堪虞？奇怪的是社會上的輿論，一向只責備教師，而縱容學生家長，於是事情發生後，家長便擺出一副盛氣凌人的恣態，無可理喻；而校方只有低聲下氣賠不是的份兒。這以其說是個人懼於因違犯禁令規定遭受處分，而委曲求全；倒不如說是校方爲維護校譽，不願將事態擴大，以免遭致輿論情的譴責與抨擊。輿論原該具有維護公理伸張正義的作用。但我們輿論界所持的立場却是如此的偏陂，是値得檢討的。

論美國當前之危機（續）

·顧翊羣·

他認爲到週時他的計劃可以發揮極大的效果，因全世界的工業原料資源與設備及人力財力等等均可由計算器所儲存的資料而獲得盡善盡美的應用。

（4）現在我們來簡畧的介紹富勒教授關於「宇宙」及「人的任務」之理論，亦可稱爲「科學的天人相參與合一論」。

（一）他首先聲稱他自身係一位經驗論者，但他最喜運用直覺思想以思考問題。正如一位鍛鍊身體者不斷增加所舉重物之重量，他亦不斷的提出難題來詢問自己，以求覓答案。他對宇宙定義曰：「宇宙乃人類之有意義地了解與傳達（對自身與對他人）一切經驗之總和。」他對此定義感覺滿足，因其至大無外，一切均被包含在內。

（二）他繼說宇宙應包含「形上學 Metaphysics」在內，因形上學討論無重量的思想。他的宇宙因之較愛因斯坦的物理之宇宙爲大，而包括數學、思考、以及屬於眞正經驗的各種夢覺在內，又因凡一切經驗均爲有始兼有終的，故經驗之總和應爲有限的「Finite」，而包括物理學與數學在內之宇宙亦應爲有限的。

（三）他續說：「思想乃是暫時將無重要關係的放開Thinking is a momentary dismissal of ixlrelevancies，而頭腦則將當下有關係的報告出來，且在我們覓求回憶Memory以及其發動「反饋作用 Beed back」之間，有一段「間歇Lag」例如我等有時遇一友人而忘其名號，或見一棵樹而忘其名稱，但到晚間就寢，此等報告會得一一演現出來。

（四）富氏指出宇宙間凡有正面者同時必有負面，例如核子物理學者，將原子中微粒子分爲有正負荷者二種，陰電子Electron的反面有陽電子Positron，故宇宙的基本正副「成分 Tomponents」相加時，其重量總和應爲零Zero，然在實際試驗上，我們永遠係與正面的或反面的相接觸。因宇宙中有「間歇Lag」故乃產生作爲經驗之時間與生命。在過去歷史上人的生命，所得的經驗有限，現代則正成相反。舉例而言，本世紀前的人一生步行或坐車歷程不能超過三萬英里，而現代人則因乘飛機旅行，故僅富氏本人已有行程三百萬英里的經驗。富氏友人劍橋天文學家霍愛爾氏 F. Hoyle 認大地資源不斷被消耗，人類需加速努力，發掘與研究，方可繼續生存，富氏則提出問題，詢問人在大宇宙間生存，究竟有何任務？人是否爲宇宙所需要？

（五）富氏從十九世紀之熱力學第二定律說起，而謂宇宙能力不斷的自局部的體系中散失，任何體系 System 之熱能，如水之下流，電壓之由高而低總有下降之趨勢。此種熱能之散失被命名爲「熱力函數 Entropy」，數學家等用「無定因數增加之定律Law of Increase of Random Elements 以解釋之，依此定律則宇宙最後終於靜止，而生命僅是暫時的變態而已。但進入二十世紀以來，科學家等發現了能力不滅的定律，其意義乃是：能力不能被創出來，亦不能被消滅，能力在宇宙中是有定限的。由是而引致愛因斯坦之物理宇宙爲有定限的理論。愛氏發現：光波與其他輻射短波，均以每秒時間十八萬六千英里之速度前進，而指出其雖然迅速，但並非「即時抵達Instan tanous」故宇宙乃是一大堆非同時與非同一的事件的綜和體，因之我們不能得到一個靜態的宇宙觀。自愛氏提「出相對論」以後，他繼續假定能力可以集結起來成爲原子形態，因之達到著名的公式$E=ml^2$（註：能力等於物質乘光速之自乘，所用之計算單位在此處畧去）。

（六）

世隱閒話

何浩若語重心長

何浩若爲了對有些人與費正淸來往提及國族利益事，在立法院提出報告。因爲說得太直率，傷了好多人，而引起許多譏彈。有一位立委，把「百年耆舊傷殘盡，末從相誣苦未休」兩句詩抄寄給他看，意思是說：中國連年變亂，留下來的耆舊已經不多了，何必再加以誣蔑呢？何浩若看了這兩句詩，感到哭笑不得，就把清人金和的詩句抄還，以作答覆。這詩句是：「筆端何事好譏彈，公是公非欲掩難，尚留百分爲國諱，敢誣一字與人看」。他的意思很明白，用不着再加以詮釋。

對於何浩若氏的這一著，批評他的人很多。有的甚至說他等於在替共產黨作工作——指他挑撥了各方的感情——還有某立委悄悄地告訴我，說「何某是美國聯邦調查局派來的間諜。」

何浩若氏的這次舉動，有違中國人傳統作風，亦即是有傷忠厚，筆者是承認的。但若指他另有企圖，甚或替加上一些帽子，未免厚誣了。筆者與何氏，曾經同過一個時期的事。他的愛女麗南小姐與小女德順又是學友，所以對於何氏的性情，自問還大致認得清楚。簡單地說，他是一個重感情而不善保留的人，心裏想到什麼，口裏就說什麼。他之所以痛恨費正清，與他當年在重慶時的工作有關。那時他任外事局局長，有許多工作，與對付共匪，發生關聯。那時費正清正屈尊（費以哈大教授之尊，而爲此事，是屈尊的。）爲重慶美國大使館新聞處處長。處內藏有許多共黨，其誌編輯劉尊棋，就是共黨黨員。當時在美駐華大使館服務的戴維斯和謝維思，雖然都爲共匪張目，並脅持高思大使，偏向共匪。但其在美國所發生的影響力，仍以費正淸爲最大。魏德邁將軍時已駐華，何氏與魏爲好友，親魏之見拒於費正清，一籌莫展，深感痛心。何氏對費正清之談虎色變，正是「一次被蛇咬，三年怕草繩」的心理寫照。（完）

○安厚○

台北航訊

鐵路局加價不當 監察院提案糾正（下）

本報記者 劍聲

台灣鐵路局初期資本淨值新台幣五十四億七千四百萬元，其負債總額包括第二批世銀貸款在內新台幣三十一億四千七百七十五萬元，其負債總額，與淨值之比率爲百分之五十七點五，即每百元資產淨值負債五十七元五角。由於債台高築，故利息支出已由五十四年之六千六百萬元，增加到五十七年之一億元左右。

由於固定資產設備的增加而負債嗎？不是的。完全是因經營管理不當所致。如台灣鐵路之營運符合第四期經建四年計劃嗎？在設備方面、業務方面、材料與員工管理方面，有無明確的計劃？這些問題，監察院調查報告說得很清楚。

第四期經建四年計劃中，在西綫方面計增添柴電機車四三輛，柴油客車二五輛，客車一二五輛，貨車一千零六十五輛：淘汰蒸汽機車十六輛，客車二七輛，貨車七三八輛。但據調查報告所載：台鐵西綫，自五十三年至五十六年之間，計新增柴油客車三十一輛，新增客車八十八輛，報廢舊客車十九輛，與第四期第四年計劃相較，距差太遠了。

按照鐵路法第十六條規定：「鐵路在橫斷交通頻繁之道路處，應築天橋或隧道，次要處設遮斷裝置，並派人守望，其他平交道及預防危險之處，應爲相當之安全設備。」但台灣鐵路經過各大都市橫斷交通頻繁之道路，並未建築天橋，不僅妨礙交通，且易造致車禍。

就流動資產與流動負債的比率觀之，該局存料（即流動資產）五十三年爲四億四千七百萬元，五十四年爲五億零五百萬元，五十五年爲九億六千二百萬元，三年來合計爲新台幣一十九億一千四百萬元。而負債達三十一億餘萬元，就把存料全部賣光，也不足以償債。

至於退費部份：鐵路局於十六年；贈送省交通處之長期票五十三張；另給公務快車票六千五百張及半價優待快車票二千七百五十張、半價優待普通車票一千五百張。此外，贈給搬運公司之公務快車票一千八百張，公務普通車票二百五十張。此項全免及半免費車票，若以全程計，即損失一百四十四萬元。

該局對學生定期票的優待，爲國校學生僅收普通票價的百分之四，中學以上學生則收百分之二十五，據鐵路局統計，自五十四年至五十六年的三年中，學生定期票的損失共達新台幣三億元，另外編列預算七百五十萬元，作爲軍方免費票的損失。

五十年間，鐵路局奉行政院令裁減員工一千八百人，發給遣散費及退休費用三千五百餘萬元。但自五十一年至五十六年間，如臨時契約工由二七○人增至九○八人，增加六三八人，增加率達百分之三三六。員工總額由兩萬二千四百人增至二萬二千八百九十四人，增加四百九十四人。如總務處人員除醫療單位不計外，達六百二十四人。主計人員爲三百九十六人。材料管理人員亦達五百十二人。

鐵路局的土地除各機關借用之二萬八千六百十一平方公尺不計外，非機關之私人無償佔用著面積達一千二百七十公頃。另不動產之房屋外借不收租金事小，且須負担修理費用者，其中有四輛，在三年內支出修理費達十三萬三千五百六十四元。

如旅客買不到觀光號車票而無票乘車，或在車上補票者，則一律加收手續費五成，其中半數發給查票人員充作獎金。五十六年之補票手續費即達新台幣四百六十一萬四千五百五十元。查票人員得獎金兩百三十四萬餘元。

如福隆海水浴場，原由省議員李建和經營，由於李某係省議會交通組召集人，基於政治上的原因，鐵路局奉令收購，迄今已投資約四百萬元，每年虧損三十萬元，監察院曾提糾正案，但該局仍我行我素而繼續經營年年虧本。

鐵路局自五十三年之三年內，存料達新台幣十九億一千四百萬元。此項流動資產未善加處理而累積，致增加利息支出，並增加材料倉庫與人員的管理費用。該局所以負債三十多億，而經營管理不善實爲重要的原因。（完）

大學文牘

一、致夫人

一、帳房開來家用，云須四千四五百元。褔食一項，即須二千，大爲不合。余爲按人核計，至多不過一千二百元。又他項倘有可省數百元，大約每年用度以三千二百元爲限，亦已不小，另有信復帳房。望卿在家加以管理，加意節省，每日菜蔬，一腥一素已不爲薄。須俟將債還清，又爲徐夫人造成女子學校，又籌足幾個小學經費，尊素堂之事方了，卿當明白此義。衣服不必多做，裁縫即可省，切切。早晚門戶火燭千萬小心，書房須常去看看，不可在房中常用煤油茶爐。（宣統元年正月）

二、新棉袍頗合身，惟收口腰身略緊。舊棉袍寄回，須拆開洗過重修，交措處勿多去，舖棉絮仍可穿。（民國二年十月）。

三、喜事過，家中女僕可酌減一二，家中今年用度之費過於平常不止一倍，以後須加節省。凡人家用度，若但入出以相當，則已不足以豫備非常之急，若復過度，則更不合處家之道。新婦在家，汝宜爲之表率，俾知亂世處窮鄉居家勤儉之法。（民國四年十一月）

二、致子孝若

張季直家書（上）

鴻

一、父廿九由來滬，得兒十七日訊，爲之愉然。父昨又寄去一詩及致兒之詩早晚當收到。父豈不欲兒常在側，顧世事日變，非有學問不能有常識，即不能有聲望，居今之世，若無學問常識聲望，如何見重於人，如何能治事，如何能代父，故不得不使兒閱歷辛苦途，養成人格，然後歸而從實業教育二途，以承父之志，此父之苦心也。今在校，須定心求學，不必常常思家，常思則苦，胸襟即不開展，亦有礙於身體。校規即不嚴，但得自己律身嚴，則焉往而不可。做人是自做，專恃校規管束，教師督促，非上等人也。（民國二年三月）（時孝若肄業青島）

二、今晚速得兒兩訊，甚慰。世道日趨於亂，人心亦趨於惡，君子處之，唯有中正謙退，兒若觀易，當能悟父所言。兒處人須時時記定「汎愛衆而親仁」一語，尤須記「謹而信」一語，所謂論語孟子信得一二語，使終身受用不盡也。平日勿雌黃人物，勿隨衆浪擲可貴之時間，作無益，害有益，兒須思父之晚境，兒之朝境，恐在此時也。（民國二年三月）

三、寄父詩文改竄，兒勤學父所喜慰，但勿過銳，以致妨身。能於辛苦中得樂趣，則天機自活，此在游息以歸神智耳。（民國三年三月）

四、詩尚不惡，但組合處未能細入。昔人言詩文之要曰：「一經一緯，一宮一商。」經緯以絲織言，宮商以樂律言，經緯主色主意，宮商之音，若更加之以一出一入，一彼一此，則文章之道，與文章之妙盡矣。兒且留意於經緯二字，即以意組織，若能明白色相音節，則已進矣。所謂宮商者，質言之，同一字也，有時宜用陰平，有時宜用陽平？同一意也，有時宜用此字，有時宜用彼字耳。（民國三年）

五、古之后稷，由農業學而知農政，周公則知農業而明農政，皆聖人也。漢時人才多，由於人人從農起，故人皆有業而知自重。故士有氣節。今之學生，前者人人有做官思想，故學法政者多；後則稍知趨實業，而又但以實業爲名，仍以博官；試以事乃毫無閱歷，徒知要高俸而已，社會厭之，而其人乃不復能入社會，成廢人矣。此輩人多，世安得治。頃北京警廳調查謀事人有十七萬之多，此十七萬人設家有五口，即八十五萬，皆不耕而食，不織而衣者，皆上中級游民也。國安得不窮？安得不亂？政界傾軋排擠之風，即由此盛，聞之可醜，觀之可羞，思之可痛。父在京是以日日勸人歸田也。（民國三年六月）

六、九月訊昨夜到。今晨爲兒批註論文，可照父批暇日作之，亦濬發心思之一法。用功但須按定日程，靜心爲之，不可過銳，過銳既慮不足持久，亦慮有妨身體。兒所云溫故知新極是，溫故知新，比日知其所無，月無忘其所能二語，爲進一步。子夏所云：是爲初學，大約教授西河時示學子者。孔子所云則中學以上之程矣。兒須知之。父望兒學術進，父望兒氣體健，此但能寧靜即得之，不獨可以進學，可以衛生，並可以養成德器也。國事外間所傳，大半皮毛，或且無實，要之政軌未合，財已無源，每一念之，若乘漏舟在大風濤中，心膽慄悸，亦不必爲兒言，兒腦力不能勝此等憂慮也。（民國三年十二月）

陶百川致自由中國編輯函。

事實愈辯愈明　真理愈論愈顯

編輯先生：

貴刊第十二卷第二期登有北一女中高中學生張瑚玉女士的「有感於『搶救教育危機』」的投書，對貴刊所載余燕人先生等三位的投書猶加批評。幾乎同時出版的「中國一周」第二四七期的社論「論政黨的紀律」，也對貴刊「國民黨立委齊世英被開除了黨籍嗎？」和編者的答覆，有所駁議。

對於任何一種主張或看法，讀者的意見當然不能盡同。把那些不同的意見發表出來，自由討論，可使事實因愈辯而愈明，真理因愈論而愈顯，錯誤可藉以糾正，誤會可因此消除，做學問應該如此，談政治更應該這樣。然而這種現象，祇有在民主自由的天地中才能發生，可是仍須繼續不斷地培養，方能發榮滋長。貴刊這次發表張女士的投書，可以促進自由討論的風氣，而「中國一周」那篇社論，對於自由討論的風氣，可能更成爲一種很大的鼓勵。我們期待這種自由討論風氣的長成和發揚。因爲台灣雖是民主自由的天地，但這種自由討論的風氣却還待朝野人士來培養！

我不知道張瑚玉女士寫那篇投書的經過，但我知道「中國一周」的那篇社論是秉承中央黨部一個小組委員會的決議所寫的。據說那個小組對貴刊關於齊世英委員那篇投書曾加討論，加以駁議，並推定出席委員二人提示意見，供給資料，而由該刊編者執筆。以此例彼，張女士那篇投書，也許不是她一個人的意見，不知我可否大膽地「假定」它也是出於黨部或救國團團部的決定；我至少希望國如此，因爲這樣才有更大的政治意義。

執政當局對付一篇批評的文章，本來有着很多的方法。例如：第一、他可以置之不理。第二、他可以把那個作者臭罵一頓以洩憤。第三、他可用秦始皇張宗昌的手段焚書坑；第四、他可以交有關人員就批評各項加以檢討；有則改之，並把改進情形寫出來，送請原出版予以披露；原作如有誤解或曲解，也應一一指出，加以答辯，並要求原出版更正；如有違法情事，並得送請主管機關依法處罰。

以上四種方法和態度，祇有第四種是適當的，因爲它不獨合理，合法，而且有效。秦始皇張宗昌的往事，足夠使人驚惕，現代政治家當然不致再蹈覆轍。臭罵一頓以洩憤，雖是人情之常，可以曲諒，然究不足爲訓。至於置之不理，較之第二種第三種，雖可化戾氣爲祥和，然與第四種相較，究屬彼勝於此。我一直期待執政當局能以第四種爲法。

這次張女士的投書和「中國一周」那篇社論，其寫述經過，如果像我所聽到的，和所推測的，則我願對中央黨部這種新做法，加以公開的讚揚。因爲像貴刊這樣熱心反共，赤誠爲國，應該得到當局的愛護；即或偶有錯誤，當局也儘可加以指正和辯駁，讀者必不致將錯就錯。這次張女士爲所蒙蔽，「中國一周」那篇社論所代表的新作風，才是我們有深厚的文化背景和博大的寬容精神的國民黨的傳統！

聽說最近有人在總統面前指摘「自由中國」（編者按：即本報）批評，說它對台灣多所批評，言外之意：希望總統懲它一下。但是總統却說：「它的批評究竟對不對，應該檢討一下。」從「懲它一下」一變而爲「檢討一下」，這是耶穌精神的表現，也許是這次當局對付批評的新做法的由來。耶穌說：「謙虛的人是有福的，因爲他可享有整個的地球……。寬容的人是有福的，因爲他可獲得他人對他的寬容。」帶着謙虛和寬容精神的新做法的台灣，是有福的，因爲他可獲得他人的寬容而享有整個地球對它的尊敬。阿門！

陶百川敬上　四十四年一月二十六日

怎可縱容學生家長如此囂張

程長風

（上接第二版）我們不否認教育界有不少敗類，但我們更相信絕大多數的教員都是清高自愛的，如果只爲了一些特殊事件，就完全否定教師的人格與地位，於情於理都是說不過去的。再說一旦教師有了過錯，家長儘可請求校方或主管當局，作合理的解決，絕不宜動輒以「興師問罪」的態度，到學校叫罵不休。就以此事而論，教師體罰學生，固然損傷了學生的自尊心，家長爲此而要求教師當衆下跪致歉，則其影響將更嚴重更惡劣，豈止是損傷自尊心而已？事後社會的輿論竟只苛責教師，這到底是大家忽略及此？還是以爲教師必是聖賢胚子，因此唯獨教師不容有分毫差錯？事實上目前的中小學教師，是各行各業中最爲可憐的一羣，在社會上一般的觀念中，他們的言行似乎必臻表率羣倫的標準，不容有些許過錯；他們的責任也最爲艱鉅重大，任何壞事情凡是可歸責於教育工作的，他們都難辭其咎；然而他們所享有的却是與工作不成比例的菲薄待遇，較諸其他一些公務人員家中所雇用的下女甚或不如。這是我們所要爲中小學教師深深抱屈的。

最後我們還要特別指出的，就是此一事件的發生，實導源於呂生的倨傲不馴，試想這個成績低劣以試讀生名義轉入該校的學生，至事情發生時，爲時未及半載，竟已創下十九次的違犯紀錄，其素質如何可知，其敢當衆忤逆師長，自非偶然。當然，負責教育該生的學校，都有責任，但其家長也是要負大部分責任的。據報載該生曾因在新竹大戲院客串表演，遭致校方記大過處分，我們深感大惑不解的是：該生涉足此類娛樂場所，家長豈懵然不知？或是明知而不加過問？甚或事先曾徵得允諾？無論如何，呂生家長根本就未嘗負起教導兒女的責任，在家裏先塑就了這一個模型，再送到學校裏要教師如何個改頭換面法？一旦有了惡性的表徵，便悉數諉過於教師，偶而發生了此類事件被抓到把柄，便跑到學校要教師下跪致歉。我們不禁要問：如果這個社會還有是非的話，難道可以縱容學生家長如此囂張，如此不負責任嗎？

中國女性文藝春秋（續）

周燕謀

阮麗珍與「燕子箋」（下）

「山坡羊」：慘慘美蓉憔悴，冷蕭蕭芭蕉風碎，聒刺刺疏靈紙鳴，一陣陣天外歸鴻至。憶嬌痴，當年正授衣；道物在人亡，疊向空箱裏。那禁月上桐梧，又砧聲敲起！凄其，掃不盡香閨落淚；傷悲，挽不斷雕窗挂網絲。

這是慈母思女的血淚，

「前腔」：亂轟轟笳聲如沸，虛飄飄楊花無蒂，迫茫茫萍水相逢，親切切瓓玉相依。最慘悽，霜寒鳥夜啼。紅焰雙花瘦，怎揩着孤衾睡，怕熱爐香，也懶描眉翠。這腰圍，黃花一枝；歸依，把疊理六時。

這是怨婦思夫的哀吟，這時正是南仲以飛雲妻都梁，二人拿出圖畫和詩箋，相爲驚異，遂細訴衷情。不久行雲亦歸於都梁。最後的一段曲白，寫來頗有情致，令人如聽白妮的說書，餘韻嫋嫋不絕。

「望江引」：烏衣小尾多情況，幾次頻來往，啣將一紙箋，勾却三生帳。從今後，凡有情人一般的將白鷳哥與那紫燕兒同供養。

「生且小旦對燕拜揖介」：燕子、燕子，承謝你作美。這是如今詩箋收得牢牢的，再不把你啣去了！

自此以後，燕子果然從來沒有做過戲劇中的紅娘了。阮麗珍草成此劇，請他父親爲之潤色。弘光時，曾以吳綾作朱絲蘭，命王鐸楷書此曲，爲內廷供奉之資。大概那時是以大鋮的名義發表的，所以當時人都以爲是大鋮所作。民間扮演此劇，也歲無虛日，可謂風行一時。大鋮降清後，遂被酖死。麗珍爲某親王所得，也非常寵愛。後來爲福晉所妒，一代才女，就這樣却一生，委實令人惋惜！清人徐虹亭過皖江，作雜感一絕句云：

亂落楊花搞白綿，皖江江水如烟。

「南朝狎客無人見，斷腸聲聲燕子箋。」

「燕子箋」和「桃花扇」，爲有清一代著名的南曲——傳奇，她們的地位和「西廂記」在元朝北曲——雜劇中一樣。現在「燕子箋」我們已知是出於女性的創作，但經過了作者之父大鋮的潤色，多少有點改竄，所以聲譽雖高，我們仍感美中不足。（七十九）

劉湘與四川

諸葛文侯

我在四川縣政人員訓練所于役時期，未曾與劉主席見過面，據縣訓所教育副官舒棟材（是劉主席派來的人）告訴我，縣訓所將告結束之際，劉主席面詢舒，所內文武教官之中，誰最受學員歡迎？舒氏謬以區區對。劉卽約我晤談一次，他興緻很好，由國家大事談到四川省政問題，表示他對國家和領袖的忠誠心思，始終不貳，自謂一生沒有幹過犯上作亂的事情，到了晚年難道還要自毀信用不成麼？最後他以激越的語氣說道：「有些人太不瞭解我，罵我是土皇帝。哼，將來國家如有需要四川這塊地方的時候，那些說我是土皇帝的人，他們就休想到四川來搭個茅棚子！」。所以，我感覺對日抗戰後，劉氏若不逝世，中央政府是否很順利的遷移重慶，頗成問題呢！民廿五年六月我要離開成都時，劉氏聘我爲省府顧問，聘書上註明月支伕馬費大洋三百元（按物價指數計算，等於現時的台幣三萬元還有多。）我雖然祇是接受聘書，並未領取分文伕馬費，但可見劉氏熱心求治及其氣概的恢閎程度了。

楊永泰在生時，劉甫澄以有楊氏可資信託，政治上尚不感覺孤立；自楊氏被剌去世後，他內心裏卽不免有處境孤危之感；從此致力於整軍經武，不預外事。「七、七」事變起，抗戰軍興，四川出兵較遲，劉氏頗受輿論指摘，迨中央派何應欽赴川，會同劉氏召集軍事會議，商訂出兵計畫和步驟，幷以劉担任第七戰區司令長官後，劉卽劍及屨及，出川督師，旋以胃潰瘍舊疾復發不治，逝於漢口同仁醫院。當時巴蜀猶有謠言，謂劉死因不明，幸而他的老同學兼舊部鮮英，始終在劉氏身旁目擊其情，謠諑終告平息了。

巴蜀羣雄倂起，割據鬥爭二十餘年，在林林總總的軍人之中，資歷比劉湘優越的，有熊克武、劉存厚；實力比劉氏強大的有楊森，劉文輝；對人對事以圓通著稱於世的，有鄧錫侯。劉湘以後起人物，終致統一全川，構成地方領袖地位，且爲一般川軍將領所尊崇，這決非偶然之事。他除却氣宇開豁，有謀略，能用人以外，其私生活之謹嚴樸素，在川省大大小小，老老少少的軍人羣中，亦尋不出第二個。他對嫖賭煙酒等不良嗜好，皆不沾染，一輩子沒有討過姨太太，他作了軍長後，夫人周書在家裏還是親自操勞洗滌衣服。這些都是他能夠創造非常事業的重要因素，不愧爲現代軍人的鳳毛麟角也。

劉湘對四川的共黨份子亦不客氣，著名的共幹楊闇公，就是他芟除了的。假使他不早死，依然維持川省軍民兩政，後來決不會讓劉文輝久踞西康，勾結共黨作亂，危害國家。他一死，四川又回復到羣龍無首的景況中，中央再想培植一個得力的封疆大吏，亦不可能了。（四完）

從歷史人物看幸福家庭

○慕容愷○

我國的社會倫理與政治哲學，自古以來，無不以家庭爲重心，從「修身、齊家」到「治國、平天下」，家庭就像一艘大船的舵，在航行萬里的途程中，它維繫着幾千年的社會秩序與民族精神，風濤險阻，無所瞻顧，穩定而又持重，駛向幸福光明大同之治的世界。

在歷史家與文學家筆下所描繪出來的幸福家庭，卽爲「父慈子孝，兄友弟恭，夫唱婦隨」。構成家庭的每一份子必須盡其本份表現一種美德，自然而然家庭也就美滿而和諧了。這樣看來，「修身」是爲了「齊家」作準備，「齊家」乃爲「治國、平天下」打基礎，個人生活之幸福固然寄託於家庭，國家與世界之前途也是以家庭爲起點，沒有幸福的家庭也就沒有幸福的國家與世界前途，個人幸福又從何而談起呢？所以說，家庭制度爲人類社會組織之根本，個人幸福之泉源。說得更明確一點，卽爲人類異於禽獸的最高表現。共匪推行人民公社，其目的在於根本消滅家庭制度，否定固有人倫標準，而我們今天推行「幸福家庭運動」，就是要使每一個家庭和諧美滿，人性得以充分發揚，生命得以充盈愛與希望，這是人道戰勝魔道的唯一法寶，一位愛自由愛家庭的人務必要循此一方針而努力。

至此，我們才正確認識中國家庭制度，它的我國具有悠久傳統歷史文化一種完善的制度，爲維護優點和美點是說不完道不盡的，究竟古代幸福家庭是怎樣一種輪廓呢？現在我願意把歷史上幾個優美的典型家庭，隨手舉出幾個例子，以作爲幸福家庭的示範。

郭汾陽的家庭

郭子儀有再造唐室之功，封汾陽王，爵位高而主不疑，晚境極佳，富貴壽考，集於一身，有八子七壻，皆任顯官，孫數十，每問安，因無法辨認，惟有點頷而已。此爲歷史上最受人傳頌的幸福家庭之一，他的幸福由何而來呢？有於下一個記載，卽可概見，史載：「汾陽王宅在親仁里，任人出入不問，他的子弟列諫不聽，他說：「向使崇垣扃戶，不通內外，一怨將起，構以不臣，其有貪巧害能之徒，成就其事，則九族誅滅，噬臍莫及，今蕩蕩無間，四門洞開，雖讒毀欲興，無所加也」。其胸襟與遠見，不僅爲國之福，亦爲家庭之福。」

諸葛亮的家庭

諸葛亮一生事蹟，家喻戶曉，但對其家庭，正史上少有正面記載，不過，從側面上去發掘，諸葛有一個井井有條的幸福家庭以及一位賢德的夫人，大概不成問題。據「三國誌」載：「初亮表於帝曰：臣成都有桑八百株，薄田十五頃，子孫衣食，自有餘饒，臣死之日，不使內有餘帛，外有贏財，以負陛下，至是卒如其言」。言輔佐蜀漢，眞正做到了「鞠躬盡瘁，死而後已」，卽知他平日對家事鮮有過問，全賴其妻（黃承彥之女）操持家政。撫育子女，使亮無內顧之憂，其子諸葛瞻，蜀亡時，爲國戰死於綿竹，父子忠烈，震鑠古今。

崔孝芬的家庭

據「魏書」載：「崔挺（北魏人）有子六人，父歿，諸子承父志，長子孝芬仁慈長厚，諸弟奉兄，亦盡恭順之禮，坐食進退，孝芬不命則不敢，鷄鳴而起，侍候顏色，一錢尺帛，不入私房，吉凶所需，聚對分給，諸婦亦相親愛，有無共之。初父挺與叔振同居，振亡後，孝芬等奉叔母李氏，若事所生，旦夕溫凊，出入啓覲，家事鉅細，一以咨決，每兄弟出行，有獲財物，尺寸以上，皆入李氏之庫，四時分賚，李自裁之，如此二十餘歲。」

樂羊子的家庭

女人是家庭的中心，家有賢妻，卽爲幸福之本，樂羊子妻，可傳千古，以下三則記載，可爲夫爲妻者鑑：一、「樂羊子嘗行路拾遺金，還以語妻，妻曰：志士不飲盜泉，廉士不食嗟來，況拾遺金乎？羊子大慚卽捐之野」。二、樂羊子遊學，一年而歸，妻問故，羊子曰：「久客懷思耳」，妻乃引刀趨機言曰：此織自一絲而累寸，寸而累丈，丈而累疋，今若斷斯機，則前功盡捐矣，學廢半塗，何以異是。羊子感其言，還卒業，七年不返」。三、「樂羊子遊學，其妻勤作，以養姑膳，有他舍鷄謬入園，姑殺而烹之，妻對鷄不餐而泣，姑怪問故，對曰：「自傷居貧，不能備物，使食有他肉耳」，姑遂棄之不食。

晉陶侃的家庭

晉陶侃少時甚貧，母每紡績貲給之，使交結勝己，侃少爲尋陽縣吏，嘗監魚果，以一封鮓遺母，母還鮓以書責侃曰：爾爲吏，以官物遺我，非唯不能益我，乃以增我憂矣。

鄱陽范逵，素知名，舉孝廉，投侃宿，時冰雪積日，侃室於懸罄，而逵僕馬甚多，母語侃曰：汝但出外留客，吾自爲計，母剪髮換來數斛，研諸屋柱悉割半爲薪，剉臥薦以爲馬草，遂具精饌，從者俱給，逵聞嘆曰：「非此母不能生此子」。至洛陽，大爲延譽，侃遂通顯。

徐健庵的家庭

「郎潛紀聞」載：徐健庵（清人）宋元經解之刻，實足津逮來賢，蠶啓一代樸學。其私家藏書曰：「傳是樓」，向不得其解，後閱汪鈍翁「傳是樓記」云：「先生召諸子登樓而詔之曰：「吾何以傳汝曹哉」？嘗慨爲人祖父者，每欲傳其土田貨財，而子孫未必能世富也；欲傳金玉珍玩鼎彝之物，而子孫未必能世寶也；欲傳其園池台榭歌舞輿馬之具，而又未必能世享娛樂也。吾方鑒此，則吾何以傳汝曹哉」！因指書而欣然笑曰：「所傳者惟是矣，遂名其樓爲「傳是」」。

以上所舉六個幸福家庭，雖然在我國歷史不乏先例，以其可傳可頌之處，卽稱之爲典型幸福家庭亦無不可。由以上，故事說明了一個眞理，一個人要享受家庭幸福，應有遠見，有作爲，決非出於偶然，「胡氏家訓」說：「百行孝爲先，而悌次之。善事父母，孝道也，善事兄長，悌道也；有父母不知孝，有兄長不知悌，則大節已虧，其他無論自；故修齊之道，端自孝悌」。欲求得一美滿幸福家庭，夫妻之愛固之一端，然不從孝悌始，做不到這兩個字，其他就談不上了，凡渴望獲幸福家庭者，宜三復斯言。

生活漫談

毛澤東與甜稀飯

粵漢鐵路火車一進入湘潭（毛酋的出生地）長沙等站，鐵路邊上小販叫賣吵雜聲音，會使乘客感到討厭，假定你能聽懂湖南話，尤其長沙湘潭話，能將乘客誘惑得唾涎欲滴。比如賣甜稀飯的，他們喊的是「請吃清甜白糖蓮子、桂元、紅棗、圓粒、糯米稀飯」。其實就是糖精稀飯，偶而有一兩粒碎蓮子，卻喊得那麼動聽！難怪貝波爾說：「商業的本質是行騙。」

毛澤東既生在湘潭，從小又看慣了這種行騙商業的本質，講起話來正像「清甜白糖蓮子、桂元、紅棗、圓粒、糯米稀飯。」連老油條魯迅都上了他的大當。魯迅於入共產黨後，才發現被騙，他致同夥信中有：「糟了，我們這一夥都跌入醬缸裏了。（北方厠所多係大缸）不管你翻上去，或者我滾下來，反正都在醬缸裏熙攘……」。毛澤東竊據大陸後，會來了一手「百家爭鳴、百花齊放」的把戲。說穿了還是賣糖稀飯的一套。口如蜜，心若劍。使若干萬人再次的上當。愈天眞純樸的朋友，被陷得愈深愈難自拔。名報人陸鏗，感到大陸空氣窒息，要求到自由中國去辦報。鳴放還未完，就被毛朝有關機構送往勞動改造，後來就未再聽到他的消息了。

著者居住國外多年，參考資料較多，對毛澤東的政治騙術略有認識。九年前回國曾作環島講學，尤其在澎湖防衛部，國立政治大學研究所及其工作單位等處，就毛的「政治抄襲」，「階段論」和「如何控制思想」等，作詳盡剖析，其中也談到「清甜……糯米稀飯」。毛澤東在宰人的時候，說出的話都是甜的。例：「旣然不能合作，祇好讓他們吻吻頸子了」。「某確是人才，爲了黨紀，祇好成全」。至於共產黨對思想控制，乃完全抄襲中國北方販賣女人的一套方法。（詳見清稗類鈔）

清甜白糖、蓮子、桂元、紅棗、圓粒、糯米稀飯，有關蓮子紅棗桂圓等效用，見生活漫談及五月十一日「乾隆帝嗜八珍糕」，茲從略不贅。値得提高警覺的還是對生着一張甜稀飯嘴臉的毛澤東。他見程潛稱家長，見左舜生稱左家四爹，喊北洋老官僚章士釗爲老太爺等等。不知道有多少老天眞，因愛聽幾句甜言蜜語而上了賊船。李宗仁從美國回大陸，直到人生旅途終點，都是甜稀飯的功效。中國有「士爲知己者死」一句名言；可是毛澤東除甜稀飯外，一生沒有知己。湖南有兩位了不起的政治人物：卽趙炎午與左舜生兩位，卽始終不吃毛澤東的那一套。因未到甜吃味，亦就免却苦果了。

馬騰雲

創業哲學

人格之磨鍊

楚狂人

蘇格拉底認爲患難困苦，是磨鍊人格之最高學府。和孟子所說：「天將降大任於斯人也，必先苦其心志，勞其筋骨，餓其體膚，空乏其身，行拂亂其所爲。」意思大致相同。

根據狂人幾十年體驗，困難愈甚，其成功愈巨。路透通訊社的創始人路透，開業之初，經濟非常困難。窗戶紙被風雨吹破，連買紙張的錢都成問題。被資本家冷諷熱刺，乃至於逐出門外，幾爲家常便飯。新聞界都知道「新聞自由」，就是當時英國政府，因銀行界控訴路透造謠，法庭寃判了路透。事後發現錯誤，爲補償路透所受精神損失，特頒「新聞自由」法令。後影響及世界各國，亦採用此法令。飲水思源，這位新聞界的大功臣，對人類社會的貢獻，勢必與歷史永垂不朽，堪作創業者楷模。

台灣朝野重視的「毋忘在莒」故事發生在戰國。時燕大舉伐齊，連續攻下七十餘城，惟莒卽墨不下。田單施出絕招，用火牛陣反攻，燕軍慘敗，收復齊七十餘城。卽係克服困難，最好的證明。凡作大事，立大業。將達成功時，其困難益增，而成功或失敗就看力於最後幾分鐘了。

第八五七期
中華民國僑務委員會證登台報新字第三二三號登記證
內政部內警台報字第031號
中華郵政台字第一二八二號執照登記爲第一類新聞紙類
（半週刊每星期三、六出版）
每份港幣壹角，台灣零售價新台幣弍元
社長李運鵬・督印黃行喬
社址：香港九龍登打士街91號九樓六座
91 DUNDAS ST, 9th FLOOR, FLAT 6 KOWLOON H. K.
電話：857253　電報掛號：7191
承印者：大同印務公司
地址：香港北角和富道九六號
台灣總管理處
中華民國（台灣）台北市大同街119號
電話：555395・557474
台灣分社：台北市西寧南路110號二樓
電話：三〇三四六
台郵劃撥儲金戶九五五二

國民黨應如何贏得都市民心（上）

○李霜青○

台灣省地方第六屆縣市長與第四屆省議員選舉業已揭曉。在廿個縣市中，省議員計七十一人，國民黨籍當選者六十人，縣市長廿人，國民黨僅有高雄市、台中市、新竹縣等三縣市之失。基隆市則係險勝。此種情形，會使國民黨中央黨部李煥主任甚感詫異。因高雄市由民社黨人當選，台中市由國民黨員違紀競選而當選，新竹縣由無黨籍者當選。

上屆縣市長，省議員選舉時，台中市、基隆市市長均爲非國民黨籍所獲，當時學界人士中，如徐復觀先生，即會爲國民黨担憂，認爲都市民心的動向，足可影響全國人心，值得國民黨當局檢討。此次選舉結果顯示，這種担心是多餘的。中國情況畢竟不與西方相同，且有些縣份，上次爲黨外人士當選者，此次復爲國民黨所獲。

國民黨在廿個縣市中，爲什麼鄉村中獲勝；在都市中反遭失敗？以往有人認爲：是國民黨所推舉的候選人在地方上的聲望關係。這種說法，在此次選舉中也被推翻了。因爲，國民黨此次提名的候選人中，不少是年輕資淺者，較之年老一代的資望是差得多了，但均能在各縣順利的當選。此中原因，分析起來，也簡單，即令份的票源，按職業分類，以農民佔絕大多數，國民黨在台灣所實施的「耕者有其田」政策，是成功的。這是國民黨副總裁陳誠任台灣省主席時的德政。這種「甘棠遺愛」，是農民們所得難以忘懷的。所以，國民黨在各縣份的候選人，很容易獲多數票當選，縱然偶而失利，也可再度從「失而復得」中獲勝，台東縣即是如此。至於在都市中，則不同了，一是都市風氣問題：我們知道，政府在台灣銳意經濟建設，使社會財富陡增，但因分配方面有失公平，有些人的財富且係從不正當手段而來，或投機取巧，或貪贓枉法，過著窮奢極侈的生活。這些敗類背後，莫不有某些政治力量爲後盾。相反地，一個堅守道德崗位的社會優秀份子，因生活清苦，促襟見肘，且被目爲迂腐落伍，不切實際。這種情形，引起安貧樂道的知識份子，普遍淡視政治選舉之活動。二是貧富懸殊問題：自政府推行「平均地權」政策，地主將出售土地所得，轉向都市工商業投資，商戰競爭的結果，造成財富集中，形成甚多暴發戶，此類富戶與上述投機取巧，貪贓枉法者流混一氣，由於他們夜夜笙歌，處處豪賭，影響所及，色情窟與賭場的紛紛成立，而勞工階層收入微薄，仰事俯蓄而無力，形成「朱門酒肉臭，路有凍死骨」之現象。怨懟之心，乃日益滋蔓，而影響及政治選舉。三是失業問題：由於台灣社會正由農業社會進入工商業社會之轉型期。「因貧求富，農不如工，工不如商」（漢書）。形成大量人口向都市集中。然現行市政缺之有效之就業輔導，失業者日衆，遂形成都市之癌的「流氓集團」，作奸犯科，無所不爲。此類宵小，最易嘯聚成羣。彼羣不知自我反省，在求業無路處處碰壁中，早對主政者存有怨心。四是社會秩序問題：由於前述流氓橫行，善良者需求警察保護，警局徇禁流氓只能訴之以法，法院不是罪疑惟輕，便是審判失平，不惟不能保障良民安全，反使流氓藐視法律，更形囂張。於是，善良者非惟不敢開罪流氓，反而不得不向流氓低頭妥協。酒家茶室必請流氓保鏢，崇場攤販必向流氓繳月捐，均乃由此而起。警察當局久而久之，只好視若無睹，甚至有以此類人物爲線民者，名爲「以毒攻毒」，實則「養虎貽患」。觀乎基隆警員捕流氓而被殺死，即乃一例。流氓勢力既成，結黨成羣，包辦選舉，與議員、市長相勾結，益加橫行。歷次都市選舉，凡當選者多需與此輩相勾結。票源必形減少，縱令當選，亦屬險勝。此次基隆市之險勝，即爲一例。五是政風問題：政風之良窳，最易爲都市民衆所感覺。中國鄉村農民迄今只在「種地納糧，養兒當兵」的義務中，方與政府接觸打交道；平時仍然過著「日出而作，日入而息，帝力（政治力）與我何有哉」的生活，政風的好壞，與他們關係不大。都市民衆則不然，建築執照，建屋需通規則，大小便必至有便所，傾倒垃圾需有定所定時，設店擺攤需申請執照許可，衣着需合乎規定，言談行止不得放浪形骸。一舉一動及種種生活瑣事，幾乎都與政府相關。窳吏乘機詐取賄賂，乃屬常有之事。「好事不出門，惡事傳千里」。百分之九十九的良吏，抵不上一個窳吏之敗壞政風。傳聞所及，政譽便大受影響。今日一般官吏，俸不足養廉，在都市奢侈生活刺激下，能保持廉潔者，誠乃鳳毛麟角。而清貧自甘之士，在「笑貧不笑娼」的社風下，又必受俗見之輕視。只要有人在競選中以刷新政風爲號召，縱屬空頭支票，也可博得一部份市民的喝彩。

照說，在政黨政治的概念下，經政黨支持的候選人應該爲羣衆所信賴。因政黨提名的候選人，其政見需符合黨的政策，不會向羣衆亂開空頭支票，這好像經過背書支票，有連帶保證人。而個人身份參加競選者的政見，僅乃個人名義的支票，兌現與否是沒有人負連帶保證之責的。而羣衆投票，也好比存款，政黨提名候選人好比銀行家。個人競選者好比獨資商店，你存款入銀行比存款入商店，當然較爲穩妥，不怕倒閉。但，個人競選者有時勝利，固然說明我們的政黨政治未上規道，也說明了政黨本身尚欠深得民心。

再說：選舉的目的只在「選賢與能」，如果眞是賢能者出頭，不管當選者屬何黨何派或是個人身份參加競選，皆無所謂。但現在事實則不然，一地的賢能者很少有出頭的機會。這就涉及了自治法規的問題。當本屆縣市長、省議員選舉前，政府有修改自治法規之議，我曾撰就「遵照國父遺教修改自治法規」一文說：

根據民國五十六年四月十四日報載：修改臺灣省地方自治法規，省與中央多次會商，已達成初步協議。將積極完成立法程序後，正式公布施行。（下轉第四版）

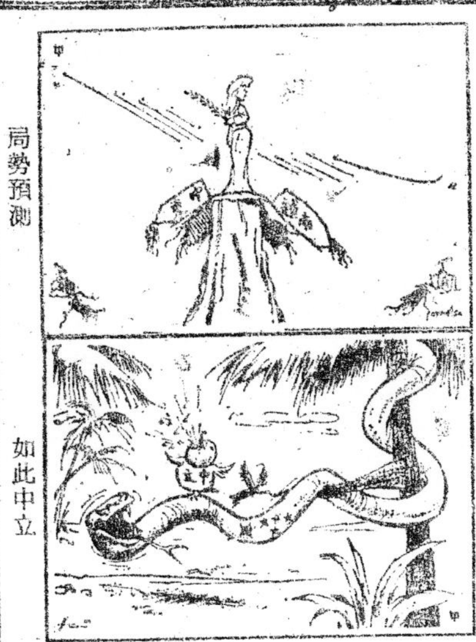
局勢預測

如此中立

昨日與明日

聾子對話的美越談判

美國以戰敗乞和的姿態，在巴黎跟越共胡志明政權談判越戰問題，而欲獲致所謂「光榮的和平」，可謂想入非非的天方夜譚，結果如何，無待龜蓍。

雙方已舉行了三次會議，彼此各說理由，背道而馳，用意皆在玩弄宣傳手段——特別是越共方面爲然。法國輿論指美越和談現象爲「聾子對話」，此與粵諺說「阿聾送殯」——不聽你這支死人笛的意思相同，允屬美越談判情形的寫實語也。

美國眞心求和的意旨，越共一目了然，自必利用敵人的弱點，堅持己見，而以美國先行停止全面空襲，爲進行談判的先決條件，因爲越共最感痛苦的就是美軍不斷地轟炸。如果美軍停止了空襲，則越共對越南地區的滲透行爲，更多便利，和談儘管進行，并不受絲毫影響，反而普莫大焉。

美國的幼稚思想

美國要求越共停止滲透，實爲樸素的幼稚病。安南人在安南境內來來往往，越共游擊隊的臉上又未刻着「游擊」符號，你有甚末方法防制呢？

麥克阿瑟元帥當年主持韓戰時，以白宮害怕蘇俄參戰之故，曾經建議華府五角大廈，可在北韓與俄國邊境六十里以內，撤佈「鈷幕」，俄軍即無法進入。如今美國害怕越共向越南境內活動，似可實行麥帥對韓戰的方略，比較於事有濟；再不然，即效法我國秦始皇防匈奴入侵的政策，在十七度的分界地區，建築一道萬里長城，亦有用處，反正美國不怕花錢，只怕打戰，何樂不爲呢？

越南很有被出賣之可能

美國首席代表哈里曼主張改爲秘密談判，說是可以避免宣傳作用，實事求是。論道理并無不合，看實際情形却有問題。越共提出的四項條件，如戰爭完全停止，美軍全部撤出越南，越事由越人自己協商解決，先組織聯合政府，再舉行全民投票以取決政治制度等等，無論公開或秘密談判，它都是照樣地漫天討價，靜候美方坐地還錢。美國爲着急於求和，對上述越共所提條件，縱不全部接受，至少可以同意聯合政府與全民自由投票之說。因爲美國人素來喜歡這類調調兒，表面上又冠冕堂皇，大可視爲「光榮的和平」。至於越南現政府是否贊同，固屬無關宏旨的。哈里曼過去在寮國參預寮共與傳瑪政府的和談時，即聲稱「美國決不援助不聽話的友邦！」今日對越南政府的態度，亦敢斷言其并無二樣。

因此，越南很可能在美國所期待的「光榮的和平」結果之下，作爲「和平」的犧牲品而被出賣，并不稀奇，不信，請拭目俟之罷！（何如）

自由談

大話怕計數

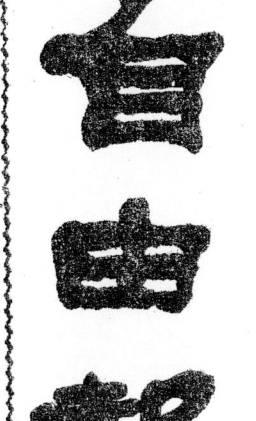

戰後美國以自由世界的盟主地位，致力於援外政策，到處督促自由國家反抗共產極權主義侵略擴張，簽訂了許多雙邊的安全互助協定，表示着替天行道，維護人類自由生活的「泰山石敢當」氣概。

俄共不理會美國這種所謂「安全互助」措施，嗾使中韓共黨嘍囉無故興戎，進攻自由國家，美國雖然出兵參戰，却託詞爲「警察行動」，不求制勝敵人。理由是不願以上駟對下駟，其意若曰：眞要打，就得以蘇俄爲對手，否則便係在錯誤的地方，跟錯誤的敵人，進行錯誤的戰爭。同時又以避免蘇俄介入戰事的理由，制止麥克阿瑟揮軍進佔平壤，且不許空襲中共在東北地區的軍事基地。

越戰發生後，美國亦派軍參戰，依然不求制勝，但其理由却不是害怕蘇俄介入，而係害怕跟那曾經被美國指爲「下駟」的中共直接衝突，將「錯誤的敵人」看成強大的對手了！依此類推，將來泰國若被泰共進攻，美國即以害怕越共參戰的理由，主張兩個泰國，藉以維護世界和平，殆屬義所應爾。

總而言之：美國一面大言炎炎，對俄共集團高倡「雙料報復主義」，強調安全互助之說，迨共黨眞要進攻自由地區時，却不敢履行「安全互助」的條約義務，一是皆以避戰畏戰爲本，還要造出許多口實來解嘲遮羞。所謂「安全互助」的眞正作用，乃是教各個訂約國家，專爲美國的安全利益而服務，事無鉅細，皆得聽美國指示，實際是「安全助美」協定，例如美國制止台灣的中華民國政府反攻大陸，即係顯著的證明。

除非國際共黨直接進攻美國本土，自由國家的安全即不可能得到美國的助力支持，事實俱在，無庸諱言。美國的大話說了一大堆，聲震全球，計起數來得個零字而已。我以中華民國國民一份子的地位，主張廢棄所謂「中美安全互助協定」，希望美軍不必勞駕駐台灣海峽，閒得無聊，別去也罷！

馬五先生

中華民國工商界組團飛日作爲時兩週貿易親善訪問

（台北航訊）中華民國工商界近應日本福岡市長之邀，特組織團前往該地作爲時二週之貿易親善訪問，已於五月六日下午二時乘日航班機啓程首途赴日，該團擁有本省工商鉅子名流多人，並由中華民國工商協進會秘書長汪竹一任團長，全部團員計十八人，該團名單如下：

團長：汪竹一（中華民國國貨館總經理、中華民國工商協進會秘書長、勤益紡織公司董事長）。副團長：吳承謙（華僑百貨公司駐會常董、永利製藥公司總經理）。顧問：馬宣賴（僑務委員會秘辦）。秘書：陳廷寬（中華民國國貨館秘書）。交際：蔡奇文（福岡日華親善協會駐台灣代表）。財務：李上申（中國生產力及貿易中心貿易推廣部專員）。總務：周之甦（台灣華富內衣公司總經理）。總務：孫卓卿（中華民國國貨館秘書室主任）。

團員：汪肖儒（勤益紡織公司顧問）。許自然（自然化工廠股份有限公司董事長）。吳桂堂（永寶企業公司董事長）。許龍馬（台灣省青果運銷合作社聯合社理事）。周子忠（秋金傢具裝潢公司總經理）。黃松源（台灣省青果運銷合作社聯合社課長）。黃梓亭（台灣省青果運銷合作社聯合社理事）。許耀國（南山企業公司董事長）。施天樞（中國生產力及貿易中心貿易推廣部專員）。許清坤（瑞台旅行社總經理）。

論美國當前之危機（續）

・顧翊羣・

（六）富氏論地球乃是一個太空艙，其上有大氣液體，礦物植物各種生物等等，而形成一種生態的 Ecological 能力交換體系。低級的生物，例如蚯蚓將土壤改變，蜜蜂將花粉移殖，對其他生物均有重要性。此種「生態的均衡 Ecological Balance」甚爲脆弱，向來被命名爲「大自然 Nature」。人類在過去與其他生物一樣，在此生態的過程中充任了不識不知的角色。但富氏認爲現代的人類爲了解他在大宇宙中的任務，便開始覺醒，而不再將地上資源浪廢，與大氣染污，以致打破了生態的平衡。

（七）富氏提出他的理論如下：天文學者知大宇宙正在進行擴張的過程，亦卽同時損失熱能的過程，故宇宙亦受「熱定因數增加的定律」之支配。但根據上文四節，凡有正者同時必應有負，故宙宇中現在亦應有某種縮小的過程在進行。富氏認爲地球上面的大氣壓力有張弛的現象，而由此可見到宙宇縮小之過程。我們的地球是不具輻射性的，地球自太陽收到能力，而所散失者則較少，從「地球物理年 Geophysical year」研究中，我們知道地球每日收到約十萬噸的恒星塵 Star dust，故地球與其他相類似的億萬行星，在大宇宙中正担任着緊縮的職務，地面表土接受日光，植物的葉綠素將其能力吸收，而不將之反射出去，土壤中之細菌與蚯蚓乃至地面之生物以至人類等，均在此生態的過程中，盡其職能。人類如濫用能力資源而不知保養，則不僅破壞生態的平衡，而更將大宇宙的擴張與緊縮的平衡破壞了。

（八）生態的平衡如從生物化學方面觀察，則更饒意趣。我們知道，一切生物均繼續不斷的將各種自外界收進來的原子重行安排，而有秩序的將之吸收至本身分子結構之中。每一生物品種，均從遺傳與環境兩方面將所吸進者加以安排，以使其「基因子 Genes」可以適應或變更環境，而環境亦同時影響生物品種之行爲。於此我們可見：太空所有的恒星塵與宇宙放射線 Cosmicrays 及其他幅射等等，均被地面之海陸生物所吸收與有機化。此種生物之生化活動乃係「反熱力消散的 Antientropic」（卽熱能不減低，而反提高之義）地球成爲反熱力消散之中心，其他宇宙之行星大概亦然。至人類則更適用其思想，永久不停的來進行一切活動，以改進其環境。此爲人與其他生物不同的所在。富氏曾說加國麥吉爾大學研究所所長潘菲爾德氏 W. Penfield 係全世界「電極探頭器 Electrode Probers」查驗腦神經之權威者。潘氏等學者業經查出各種「記憶儲藏庫之所在 location of various memory banks」然潘氏特別指出：「假如我們在各種有關神經系統基料 Data 之上另加設定一個現象，而名之曰「心靈 Mind」則我們解釋各種基料之工作，將較祇假定腦神經的存在遠爲容易，何以故？請用比喻來解說：我們雖有電話有電線，有接線機與代收信息器及儲存信息庫等等；但在各電線上所來往進行之各種談話，則無法用「物理的神經反饋作用 Physical brain feedback」來加以解釋，富氏曾就此點詢問多數神經學者，他們提不出反對的理由。

（九）富氏因之認爲心靈現象乃是一種具科學性的「通則化 Generalization」，而是絕無例外的。他又舉出其他的「通則化」，例如：「張力 Fension」與「縮力 Lompression」係「同在的 Coexist」，數學上之函數「同在 Coexist」，爲此推衍上去而抵達量子物理與相對論。富氏認人之推衍通則化之能力，與數學上之「無定因數之增加定律」正相反向而進行。通則化乃是無定因數之減少，亦卽是「進步的規律化之定律 law of progressive Orderliness」，富氏在一九五一年曾發表一書，指出人的心靈乃係宇宙間反熱力消散作用 Antientropy 之最高的表現。如大宇宙正在繼續膨脹之中，則從邏輯而言，必同時有一縮小的宇宙。他設想人的心靈與其推衍之多種「通則化」（無重量的），正在縮小之宇宙中活躍。當前之形上學 Metaphysics 正與物理 Physics 相打對台 Balance。大宇宙之物理的部分依循熱力消散而膨脹，而其形上的部分依循反熱力消散 Antientvopxically 而緊縮。富氏說他所著書出版數月後，有人報告他說文勃氏 Norbert Wiener（註：文氏係麻州理工大學教授，「主宰控制學 Cybernetics」之父，亦係一位怪傑，名氣較富氏更大。）亦曾提出理論，指出「人係最終極的反熱力消散者 Mar is the ultimate antientropy」。富氏於是與文氏約晤，而發現二人大致在同時從不同方面着手研究，而達到同一的結論。

（十）富氏說我們現在可以確認人在大宇宙的任務（或「功能 Function」）了。人對宇宙乃係盡一種「相輔相成的功能者 Complementary Functioning」。此意卽謂大宇宙中之（一切的）人類將自身消滅，而使宇宙中反熱力消散功能，自宇宙中停止之可能性，係等於零，但此並非謂我等地球上的人類不會自殺而絕種，蓋依照劍橋大學天文學者霍艾氏所說，宇宙間有人類的星球，應當以萬萬計數也。更進一步而言，大自然爲了保持生態的平衡不變起見，勢必在各星球上對有希望的品種等增加其中數目，保留，富氏關於此點，認爲恒河沙數之宇宙間有恒河沙數之人在，恒河沙之星球上之說，因保持生態之平衡並非易事，其中失敗者必甚多也。

（十一）最後，富氏指出現代人正在自不識不知之狀況中出來，而對重要的演化事件，來進行下意識的協調，我們曾經犯過多次錯誤，但已開始知道爲何計算，面首次有意識的知道人在宇宙中的責任。富氏對科學技術的發展，甚抱樂觀，其可以使人類不虞匱乏，人類過去對能力 Energy 之利用不充分，且僅限於局部地區（例美國東部）或爲準備戰爭之用。在一九〇〇年全球祇有百分之一人類爲「從事工業之有產者 Industrial haves」。一九一七年一年中，自地下所開採而提煉之銅的數量，超過該年以前全人類所開採與提煉之銅的數量。因銅可備被用於戰爭，更需用以傳送電力。到了一九一九年全球人口使有百分之六從事工業，二次大戰時，此百分比又升爲百分之二十，而屆一九六五年則更升爲百分之四十。（譯註：富氏在講詞中未說明其統計來源，故其可靠性待考）富氏請揚少數之海航國家因其使用五金與發展工業及運輸事業。近年之進步則由於技術之革新，例如僅放送一枚通信衛星發大，便可以替代七萬五千噸之海底電線。人類皆知之當前一項最重要的問題，係如何將現在被使用的五金之工作效用提高，則全人類均從事工業的時代將從速到來。富氏於結束其講演時，表示對戰爭危機之關切，他指出當前地面每一人平均攤到有等於十四噸炸藥的爆炸力，故人類必需在進入烏託邦或遭全面毀滅之間，選擇其一。他對政客完全不信任。但假如世界政權由政客手中，移交與類似他自身之科學家技術師手中，而後者所懷抱之形上的哲學，仍係功利主義實效主義倫理相對主義乃至共產主義時，危機是否可以減輕，抑更爲加大，此點他則未提供說明。（七十七篇完）

析論本屆地方選舉與選民的心理趨向（上）

台北航訊

台灣省地方第四屆省議員暨第六屆縣市長選舉，已於四月二十一日順利完成。

在這次選舉中，執政黨的國民黨仍佔優勢，遙遙領先。在當選的七十一位省議員中，國民黨籍佔六十一位之絕對多數，非國民黨籍之省議員只有十位；在當選的二十位縣市長中，國民黨提名當選者十七位，其餘提名之高雄市長候選人陳武璋敗於民社黨籍楊金虎之手；提名之台中市長候選人林丁山，由違紀競選而被國民黨開除黨籍之林澄秋取而代之；提名之新竹縣長候選人朱育英因大意而由無黨籍現執行律師業務之劉樹燦獲勝。

第四屆省議員候選人登記者有一五九人，中途撤銷登記者三十人，經登記在並公佈之省議員候選人爲一二九名，其中國民黨籍者七十六人，無黨籍者四十六人，違紀競選者五人，青民兩黨各一人。選舉之結果，違紀競選者無一人當選，無黨籍當選者八人，青民兩黨候選人均告當選，執政黨當選的省議員六十一人。

據台灣省民政廳初步統計公佈：第四屆省議員選舉公民人數，全省共爲五百二十六萬六千一百十七人，行使投票選舉權之公民爲三百九十萬零七百九十六人，投票率佔公民總數百分之七十四强。其中國民黨籍省議員候選人七十六名得二百八十一萬五千九百九十九張有效票，佔投票總數百分之七十二點二；非國民黨籍省議員候選人五十三名得九十二萬零八百九十一張有效票，佔投票總數百分之二十三點六；省議員候選人之廢票爲十六萬三千九百零六張，佔投票總數百分之四點二，較歷屆選舉之廢票爲高。

省議員選舉分二十三個選區，其中花蓮縣和山地山胞之省議員候選人都是同額競選。澎湖縣省議員候選人鄭大治之放棄競選活動，是由馬公城隍爺所決定，此乃選壇佳話，民選政治的奇聞，科學時代的「天方夜譚」。雲林縣等於同額競選，由於一位女候選人蔡沈宗香本非林蔡素女之對手。

省議員當選人得票最高之前三名，屬於彰化縣籍現任省議長之謝東閔，呂俊傑（新人）與老省議員陳筆。得票最低者爲北區平地山胞省議員當選人李文正，以七千八百九十七票當選，僅達謝東閔得票數的十分之一弱。

第六屆縣市長候選人登記者六十七人，中途撤銷登記者二十四人，經登記公佈之縣市長候選人爲四十三名，其中國民黨提名者二十人，未經提名違紀競選者七人，青民兩黨各二人，無黨籍者十二人。在二十縣市中有：苗栗、彰化、台南、花蓮和澎湖等五個縣都是一人競選，選舉結果，青年黨兩位縣長候選人全部落選，民社黨一人當選一人落選，違紀競選之七人中僅一人當選，無黨籍之十二人中也只有一人當選，餘均由提名者十七人獲勝。

本報記者　健生

由政大傷寒傳染病談起

○黃秋涵○

近據報載：台北木柵國立政治大學有三位學生，於四月十八日晨因急症到台大醫院急診，經過診斷。初步鑑定屬於傷寒症。又台北市衛生局王耀東局長表示：「截至目前爲止，有傷寒病，疑似患者共有九人。」

按政治大學爲美援撥款所建築嶄新之現代化校舍之大學，其衛生管理，理應與現代化建築物相配合，可惜人謀不臧，管理非人。（總務方面）致造成如傳染病醫師謝維銓所說：「傷寒病在台灣通常都在夏天發生，但像政大這三位同學同時發病都是很少有的現象」之現象。不僅此也，聽說該校近一、二年來在總務方面還發生若干不爲報章及校外人士所知大事，如新建綜合辦公大樓年前大火，把教務處一切文件燒光，把學生成績和教授送審證件，付之一炬。又如去年某次輕微地震，把偷工減料所建成的教室和辦公室震得東倒西歪。以上所發生的重大事情，若果是在法治國家，必然要對有關的負責人（校長和總務長）課以相當的行政責任。聽說政大是有政治色彩的一個大學，一切問題，對人和處事都有另一套作法，不能談是非、善惡；祇能談利害得失。所以學校雖然有大錯大過，也無關係，因爲政大在校外各方面有護航人和保鑣。怕什麽？如房子燒了，沒有人問，房子倒塌了更沒有人相干。祇是傷寒傳染病過於威脅和太危害人類社會，所以才被有關方面據實報導和公開出來了。

學校應該是教育和學術的神聖園地，像這種學校存一天，祇是遺害青年，害國家社會增添麻煩，希望有關方面見微知著，特別加以正視，從速整頓與刷新，國家幸甚！

學人掌故

蔣夢麟單身入賊營

楚材

閏二月二十四日自由報，羊春秋先生搜出「胡適險被抓起」的秘聞，勾引起我想到另外一位學人的故事來，這事發生在民國二十四五年間環境險惡的北平，當時宋哲元被謠傳爲答應日本，宣佈自治之後的一兩個月，先師蔣夢麟先生生前對這件事情的經過，以他自己寫的最眞實，最動人：孟麟先生在「西潮」裏寫道：

「一兩個月以後的一個下午，一個日本憲兵到北大來找我。「日本在東交民巷的駐防軍請你去一趟，談談他們希望了解，並且需要你加以解釋的事情。」他這樣告訴我。我答應在一小時之內就去，這位日本憲兵也就告辭回去了。

我把這件事通知家裏和幾位朋友之後，在天黑以前單獨往東交民巷日本兵營。我走進河邊將軍的辦公室以後，聽到門鎖卡嗦一聲，顯然門已下了鎖。一位日本大佐站起來對我說：「請坐」。我坐下時，用眼角掃了旁邊一眼。發現一位士官拔出手槍站在門口。

「我們司令請你到這裏來，希望知道你爲什麼要進行大規模的反日宣傳」。他一邊說，一邊遞過一支香烟來。

「你說什麼？我進行反日宣傳？絕無其事！」我回答說，同時接過他的烟。

「那末，你有沒有在那個反對自治運動的宣言上簽字？」

「是的，我簽了名的。那是我們內政問題，與反日運動毫無關係。」

「你寫過一本攻擊日本的書。」

「拿這本書出來給我看看！」

「那末你是日本的朋友嗎？」

「這話不一定對。我是日本人民的朋友，但是也是日本軍國主義的敵人，正像我是中國軍國主義的敵人一樣。」

「呃，你知道，關東軍對這件事有點小誤會，你願不願意到大連去與板垣將軍談談？」這時電話鈴響了，大佐接了電話以後轉身對我說：「已經給你準備好專車，你願意今晚去大連嗎？」

「我不去。」

「不要怕，日本憲兵要陪你去的，他們可以保護你。」

「我不是怕，如果我眞的怕，我也不會單獨到這裏來了。如果你們要強迫我去，那就請便吧——我已經在你們掌握之中了。不過我勸你們不要強迫我。如果全世界人士，包括東京在內，知道日本軍隊綁架了北京大學的校長，那你們可就要成爲笑柄了。」

他的臉色變了，好像我忽然成一個棘手的問題。「你不要怕呀！」他心不在焉地說。

「怕嗎？不，不。中國聖人說過，要我們臨難毋苟免，我相信你也一定知道這句話。你是相信武士道的。武士道決不會損害一個毫無抵抗能力的人。」我抽着烟，很平靜地對他說：

電話鈴又響了，他再度轉身對我說：「好了，將校長，司令要我謝謝你這次的光臨。你或許願意改天再去大連——你願意什麼時候去都行。謝謝你。再見」門鎖又卡察一響。大佐幫着我穿好大衣，陪我到汽車旁邊，還替我打開汽車門。這時夜色已經四合了。

第二天下午，宋哲元將軍派了一位少將來勸我離開北平，因爲他怕已無力保護我。我向他的代表致謝，不過告訴他，我將繼續留在北平，負起我的責任。」

當年北平環境的險惡，生命的沒有保障，和日本人的蠻橫，我想在二十四五年間居住在北方的人，恐怕都還記得。我那時尚是稚齡學童，讀報看到這個消息，確實爲蔣先生捏了一把汗。而蔣先生臨難不苟免的大無畏精神，不亢不卑從容應對，眞正代表了中國讀書人的精神，羅家倫先生曾說這事媲美當年郭子儀單騎退番兵，也唯有這種精神，才眞能美化了我們的歷史，延續了我們民族的生命。今天高談復興文化，而不去提倡這種精神，不知道要復興些什麼？至於職司教育，而爲人收買竄改學籍。則個人之賢不肖，何以有如此天淵之差！

張其昀引拿翁語為證

方目

留美記者趙浩生，報導哈佛大學楊聯陞教授主張小學國語應正名爲國文，他說：「最近和他（指楊聯陞先生）通長途電話，又問起他對「國文」「國語」之辯的觀感。他的回答是：『當作課業的名字，我偏向用「國文」。』但他接着指出：『這次論辯的收穫，是大家了解了兩者之間的分別』。」

語言是糟粕　文字是精華

中華學術院院長前教育部部長張其昀說：「國文可以創造語彙，國文可以美化語法，國文可以豐富語言內容，提高語言水準。拿破侖說：『語言是糟粕，文字是精華。』」又說：「國文科正名本是極正當的事」（錄自所著「國文國語平議」，五十七年一月廿七日中央日報副刊）

大學尺牘

張季直家書（下）

鴻

七、除夕元旦及初四日詩訊共五紙，知兒之念父也。皆今日到。兒學山谷書，進步殊速，父心至喜。兒須知父母見子之喜而喜，則不喜之憂可烈矣，詩改好仍寄去兒細味之，即詩之律也。（民四年正月）

八、學山谷書，須知山谷之所學，山谷用俯控之筆，得之瘞鶴，褚河南書永徽聖教序即俯控之筆，可體玩也。山谷書於平直處順逆處須注意，須更觀山谷謹嚴之字，乃能悟其筆法。家中過年有家常瑣事，兒須學習，可於除曆小除夕歸，新年三日到通。到通時路上須帶點心，就雙橋茶館買開水食之。（民國四年正月）

九、凡人年小，須有賢友名師之教乃得正軌，否則須經憂患，乃得困心衡慮之效。父十六歲以前，受鄉里小兒之轢，十八歲後，受通如傖父之辱，故在青年未嘗一日高興。及作客於外，十餘年，身世崎嶇，名場蹭蹬，亦無一日可以高興，以是遂寡少年之過。今父不能常與兒處，每一設想，便覺感慨橫集，覺得兒所處境，磨練之資料太少也。使兒心瞭此理，時時體察國勢之未安，父境之艱鉅，及兒將來負荷之重大，亦得一半理想憂患之資料。（民國四年二月）

十、兒經今年之閱歷，當悟人生信用，作事作人一而二二而一。若人格無虧，則事即無厄，不至失敗，即失敗而非墮落，反是則事敗而人隨之矣，兒須時時加檢。（民國十一年六月）

十一、兒還行後，余後一日即歸，與兒母道兒此行衆人之尊重，即是衆人之督責，兒母亦知此義也。兒至香港而西貢而新加坡遠俱接到，計現航大西洋中，風浪如何？氣候如何？興趣如何？都以爲念。（民國十二年七月時孝若奉派爲實業專使赴歐美考察）

十二、兒見各國元首要人，務須誠篤謙謹而以禮自持，固不可亢，亦不可卑，事已即行，恐多意外。（民國十二年八月）

十三、昨又寄倫敦使署轉兒一訊，連日得在德在荷在瑞寄回之信片，知兒行程速而意興不懸，考察繁而酬應極苦。然做人做事，正須於動中能靜，忙中能閒，方於事有見處，於身有益處，此卻不易。然祇要耐，能耐則自然視忙如閒，視動如靜矣。此須看禮記及儒書，非詩文可助矣。（民國十二年九月）

十四、姑息養姦，柔儒召侮，古人之言，眞龜鑑也。又知古人女德無極，婦怨無終之言，眞不誣也。（民國十二年十月）

十五、我與汝母皆健適，我雖爲紡舉煎熬，然時以讀書酬對古人自慰，亦時吟詠自遣，家用節縮，按豫計尊素濠南濠陽西林每年不過萬元，而濠南居五千，尊素居三千，濠陽一千，東西林合一千，孫輩生自富貴，我以爲慮，當時去訓迪之。（民國十二年十月）

十六、前聞兒言，有若遇機會，亦願久留於外，藉增閱歷之語，我以爲亦可稍避內地塵垢，未爲非計，然所謂機會者，過之云耳。得撫萬訊言，渠已密薦，其告鏡湖又似兒與通問，已有所屬者，此則殊欠審愼，蹈社會之俗例，非我意矣。與人交，豈可使人輕，豈可不自重。兒前訊語我，一國終須有政府，勸勿隨衆建言，我已測見兒之意向，兒詩有養志方爲孝，時危敢好名語。我以爲然，何爲言與行不侔，而汲汲近名也。方當壯年，正宜強自樹立於純白之境，未可妄自菲薄也，千萬愼言愼動，後宜切戒切記。（民國十二年十一月）

歷見來訊，有見道語，有識時語，亦有自喜語。見道識時，庶幾成人。涉自喜，則猶有童之心未化，此大不可。事之得失，寸心自知。自知失，當自砭自救，自知得，可自慰，不可自喜；慰者，謂免於失耳，喜者，乃幸其得；慰與喜，進退祇一步，不可不察，哲學乃各學之空氣靈光，尤不可不知。今以兒回國後所要者，示於後：

一、見人與人談，不可有盈滿之色，高興之態，夸大之語。

一、與省當局宜自處禮讓，不可便爲人請托干求。

一、非確信之事，不可遽發十成語之議論。

一、近聞政府有任爲駐外公使之說，卻可就，以其可學也；可斷世紛也。

一、屬各同行友即分編報告，詩文保之編。

一、到處應酬勿雜，廣衆說話勿多。

一、勿輕聽人上條陳，出主意；說政治，穩靜第一。（民國十十三年四月）

中國女性文藝春秋（續）

周燕謀

張玉孃爲情飲恨（上）

中國女性文藝的大花園中，確有非常美麗的花朵，正如一座百花亭中，植滿了不同顏色，不同形狀，濃艷清淡，各具一色的百花。無論是閑花落花，含苞怒放，在人們欣賞者的眼下，卻各有所偏愛，都有顧賞的價値。我們寫到宋末女作家張玉孃小姐，愈覺得這「女性文藝花園」中，有欣賞不完的奇異花朵。因爲歷代的史家，對於女性的文藝作品，大多抱有一點成見，以爲「女子無才便是德」，率然以此論斷女性的道德標準，這是有欠公平的。因此史家對於女性的傳記多付闕如。似乎女性如見經傳，有沾歷史的令譽。因此之故，女性文學家史傳則十分貧乏。如宋代尚有許多妓女的作品，都可惜史料之闕如，而不敢下筆落墨，這是一種遺憾。縱是正派女性的作品，在道學家的眼下也是不値一顧的，有之，也是以另一種玩賞的觀念視之。

如女作家張玉孃，有「蘭雪集」兩卷問世，在中國文學史上也是一個難得的女作家；可是在中國文學史上，從不見她的芳名。在各種詞選中，也不見選入她的作品，各家詞話裏也未提及過她。她的「蘭雪集」如不是清人孟稱舜替她刊行，有正書局爲之翻印，縱使浙江通志中有她的名字，松陽縣志中有她的小傳，我們絕不會知道宋代女詞人中尚有她這樣一位女作家。因此，我們對於那幾位刊刻她遺集的人，有說不出的感謝。

張玉孃字若瓊，號一貞居士，浙江松陽人。父親名懋字可翁，號龍岩野父，年將半百始生玉孃。玉孃天生殊色，聰慧異常，爲父母所鍾愛。祖父繼燁字光大，由貢員仕拜仕郎。曾祖父再興，字舜臣，登淳熙八年進士第，仕爲科院左迪功郎。高祖父如砥，字京固，以慶恩詔下爲承務郎。照此看來，她是一個書香世家，所以玉孃自幼耽好文墨，尤擅詩詞，並非偶然。時人將比擬漢之班姬。連她身邊的兩個丫頭，都有才色，一名紫娥、一名霜娥。她蓄了一隻鸚鵡，辯慧而曉人意，因號爲「閨房三清」。這是她最値得回憶的童年生活。

笄年以後，她便開始墮入了情網，不如意的環境又緊向她撲來。終於担負不起生離死別的哀愁，縮短了她的生命。古來男女之防，時爲中表兄妹或姊妹所衝破，其原因就是她們除了這些關係人之外，沒有和其他異性接近的可能。

玉孃有表兄沈佺，是宣和對策的第一人沈晦之後，「俊茂不羣」，不同流俗的紈袴子弟。他們因中表的關係，時有會晤之機，於是種下了愛苗。事爲父母所知，便爲她倆訂了婚約。後來玉孃的父母忽又翻悔，玉孃因此起了深濃的哀感。他們本來是一對戀人的結合，想不到嘗到了愛情的苦杯。她聽到父母悔婚之意，看她是如何的哀怨，且形諸詞翰。

白楊花發春正美，黃鵠簾垂低燕子；雙去復雙來，將鶵成舊儔。秋風夜起，相呼渡江水。風高江浪危，拆散東西飛！紅徑紫陌芳情斷，朱戶瓊窗旅夢違；憔悴衛佳人，年年愁獨歸。（雙燕離）

她從「情網」中遂至墮入「愁網」了。在此事尚未解決的時候，沈佺便隨父官京師；又在此突然的生離，更使她悲傷之餘又添相思之苦。最不堪的「重回憶舊歡」，她的全部詞之十之七八，幾乎都在寫這時期的相思和哀怨。且先看她兩首是如何的哀怨吧！

（八十）

國民黨應如何贏得都市民心

李霜青

（上接第一版）擬議中修改臺灣省地方自治法規，對縣市長、鄉鎮市長候選人的年齡和學歷，以及省級以下民意代表候選人的學歷，都有較積極的限制，以提高素質，並促進人事的新陳代謝。據悉：在初步協議中，規定縣市長候選人的年齡不得超過六十歲，並必須爲大專學校畢業。鄉鎮市長候選人，其年齡不得超過五十六歲，並必須爲高中畢業以上程度。省議員候選人之學歷，規定不得低於高級中等學校畢業。縣市議員候選人，其學歷至少應爲初中畢業。鄉鎮市民代表之學歷，至低應爲國民學校畢業。

從這項消息看，我們眞是一則一喜，一則一懼。喜的是：中央及省方已注意及地方自治選舉工作，諒應加以改進。懼的是：擬議中的法規內容完全有背於 國父遺教的五權憲法之精神。

返顧臺灣省實行地方自治的一段歷史，政府由於光復之初，遷就臺灣特殊情況，乃在地方自治人員參加選舉之資格上，特別予以放寬。十多年來，頹風滋蔓，已淺爲識者所詬病。

溯在民國四十六年，筆者即曾就「現行考試制度改進問題」撰文指出：我國既爲民主政治之國家，至以選舉爲主要制度，我國地方自治專家李宗黃氏早已提出：「選舉制度，倘欠妥善，助選國制度，步武資本主義國家之後塵，不合我國國情。候選人資格過於寬濫，致使有權有勢者，得以競爭，有才有志者，無法出頭。如何糾正此種頹風流弊？」 國父早經指示：「當議官和官吏的，必定要有才有德，或者有什麼能幹，才能勝任愉快……但是有這種才德和能幹資格的人，共有五十人，便要照這樣資格的人來選舉。我們又是怎樣可以去斷定他們是合格呢？我們中國有個古法，那個古法就是考試」。蔣總統也曾指示：「國父在五權憲法中所以規定考試權獨立的基本精神，就在於公職候選人必須經過考試，造成賢能政府，以救選舉制度之窮」。

蒔花選石館隨筆。

明初南京太學之規制

・彭國棟・

明代有南北二監，南監在南京雞鳴山下，當即中央大學所在地。皇明文衡有大明勅建太學碑，爲宋訥撰。文云：洪武十四年夏，詔相基於雞鳴下，高爽平遠，與一代學。凡堂有七：彝倫所以會講，率性、修道、誠心、正義、崇志、廣業，則諸生肄業所也。會饌有堂，庖廚有室，井竈有亭，物貯以庫，倫屏蹴園，重門深垣，回廊儲書，兩堂之間，東西有館，助教正錄居焉。東偏列室鱗次，諸生處焉。廟在學東，亢以培萊，大成有門，七十二賢有廡，凡爲楹八百十一有奇，壯麗咸稱。自經始以來，大盤臨役者不一，夫子而下，像不土繪，祀以神主，數百年夷習乃革。明年五月，冬官奏廟學成。

趙善政賓退錄云：太祖初建太學，自往觀之，見其制度宏敞，甚喜。至中堂，發一言曰：天下有福男兒，應得到此。故凡居此堂肄業者，率得登高第，取顯宦。又巡行廊廡，蛛網在焉，怒而叱之曰：吾方構此，汝即來占之耶，言訖，蛛遂自絕。以來，講堂絕無蛛絲，如掃除焉。楊儀明良記亦載此事，謂太祖有福之語，蓋指六堂而言，非止爲廣業也。然玉音既出，廣堂中遂成吉讖。後人亦據此爲故事。

又謂太學之制，廣業最在後，初入監生員，必由此以漸升轉，至率性堂則升諸吏部而銓除之。其後此法不行，人以出入走廁在六堂之後，遂有朝朝一背日，夜夜滿頭霜之嘲。然居此堂者多得高科，如吳文定、王濟遠，皆是此堂出也。太學號房，制度極卑小，止可容一牀一棹而已。鳳陽生員，皆太祖鄉人，相率出怨謗語，帝乃別造高屋居之。今十廟前某字等號房是也。相傳太學成，馬后欲觀之，太祖已令禁婦人入矣，乃簪冠鷄鳴山望之。又馬后憫諸生員貧，欲給與妻小月糧，太祖從之。但謂貯月糧倉屋無瓦奈何！后曰：自有處。乃以棕櫚葉覆之，後旋易瓦。仍給賜花粉鞋布錢。后既崩，太祖微行，知生員妻皆不哀服，遂罷花粉等錢，月糧則仍其舊。

綜此諸說，可知明初入監生員及其妻小，皆由政府廩給，而且有花粉鞋布錢，而監內禁婦女入，諸生眷屬成外住，六堂生員出入，必魚貫而行，故廣業恆在後，此其可考者也。賓退錄又云：太祖因造寶鈔不成，夜夢神告，當用秀才心肝爲之。既寤，以語高后。高后曰：士子苦心文章，則文章即其心肝也。因命取太學課簿，搗而入之，果成。此則近於神怪矣。

文滙樓劄記

談谷氏三昆仲

。文滙樓主。

「枋得爲人豪爽，坦率耿直，一與人論古今治亂國家事，必掀髯往日，跳躍奮發，以忠義自任」。（見宋史謝枋得傳）讀到這一段時，很容易連想到谷正綱先生在南京時，拍桌指罵，乃至於要揍主和代表張治中的愚蠢行爲。

張治中甚麼時候加入共產黨，報導不詳，[illegible]像張治中這一類型的人，多得可以用[illegible]，以用[illegible]頭提，手提是很不難發現的，當其逆謀暴露時，大多已不可收拾，至於如劉斐、吳國楨之輩，已是不可收拾，至於未被發現的張治中型人物，恐怕仍不乏其人；可怕的是要找比較谷正綱這樣坦率耿直，以忠義自任的人就難了，凡和谷打過交道的，當有同感。

「忠臣多出於孝子之門，孝而不忠則甚少」。聽到，貴州安順谷府的滿門孝，鄉里盡知。民國卅八年仲夏，谷正綱令尊憂國逝世，谷正綱著者與毛秉文、徐賓甫、李運鵬及幾位監委等前往悼唁，谷正倫、谷正綱、谷正鼎執古禮，逢人跪拜，「祭曰卒哭」。民俗孝子以磕頭鋪路。貴州某縣令當谷正倫（現任貴州省主席）向其磕頭時，嚇得魂不附體，幾乎昏倒。後查該縣令乃憲兵軍官出身，見「谷閻王」執禮如此，致手腳無措。

谷氏昆仲，以孝著稱，其尊翁篤實儉樸，教子甚嚴，常訓勉三子要爲國家盡其至忠，要爲民族行其大孝，並謂：「一文不值一文」，不妄取。谷氏昆仲在政治舞台數十年的表現，即爲最好的佐證。現上谷氏三弟兄住的房子，如果連地皮搬到台北永和鎮照分期付款方式估價的話，僅可估到新台幣拾萬元左右，不過話又說回來，比陳果夫先生逝世時，家裏窮無棺木，谷府算是稍勝一籌。

孔子作孝經，[illegible]。道，而當作中國文化復興[illegible]，正在推行倡導孝道運動，筆者補記這一段，[illegible]感受到其中的意義，另一方面[illegible]湖北有[illegible]。

孝感縣，台北坊肆有孝感麻糖，孝感縣的來歷，顧名思義，當爲孝所感，昔時王祥之母欲食活魚，王祥解衣臥冰以求魚，未料冰自開，雙鯉跳出；又母想炙黃雀，黃雀復有數十成羣以入宅，鄰里驚嘆（見晉書），以爲孝感所致。謹以此敬獻給判逆子殺父無罪的法官，不孝的達官貴人與不忠的人們。

創業哲學

揮霍與吝嗇

楚狂人

揮霍是創業的大忌，不要以爲喝喝茶，打打麻將，吃吃煙，飲飲酒，或者自以爲「逢場作興」玩玩女人，認爲都無傷大雅，其實有這種想法的人錯了。你應當知道：「聚沙成灘，滴水成河」一個小小的漏洞，會使一隻大船沉沒，李白的：「天生我材必有用，千金散盡還復來」這些放蕩不羈的酒話，創業的人遇到，應當敬鬼神而遠之。要知道沒有任何一種業務，能比得上自己省下來的錢更可靠，西諺有：「積蓄一分錢，就等於賺來一分錢」。中外古今都將節儉當作美德，是有其不變的哲理的。

但要注意，太節儉或者節儉的沒有道理，則屬於吝嗇，湖南首富李向榮，大門後置小便缸，遇客時勸小解，（因湖南土地缺乏鹼性，小便個同水肥）居家則對自己女兒媳婦，供食不供穿，這種悖乎常理行爲，雖積財萬萬，與窮人何異？大陸淪陷李被鬥爭，梟首示衆，李向榮固由於財聚而招禍，縱不聚財，雖亦未必能免禍，但共產黨慘無人道的行爲已事實昭然，未諳一般對汝共還不熱心的朋友作何感想？或者根本不敢想。

大智若愚的右老

大智若愚的美稱，公予右任，五官皆濁五官俱厚，其奇在此，其貴在此。做國民政府監察院院長歷四十年，沒有換過寶座，這不能馬馬虎虎論之，從右老，外愚而內智，外怯而內勇，外弱而內強，追隨六國父與蔣總統前後[illegible]十年，非有超羣絕倫的大才，絕對不能蒙國父的賞識和總統的信任。在民國[illegible]年，右老住在重慶[illegible]，[illegible]作客[illegible]（附匪）[illegible]，巧遇幾位客人，是中央監察委員[illegible]，[illegible]報社長[illegible]，首席編輯及路透社記者，中央廣播電台[illegible]，記者陸鏗[illegible]，[illegible]，正在熱烈[illegible]，有一條大炎熱[illegible]，毛澤東[illegible]，[illegible]右老閉目不答[illegible]：「到[illegible]」[illegible]。

[illegible]右老在亂世中[illegible]，名片不可以隨便[illegible]，李老根源[illegible]，足智多謀，著者曾與[illegible]一系的另一位，于[illegible]，暢論大老古氣的[illegible]。今治亂，有「子治世之能臣」（諸葛武侯）的感覺，[illegible]上舞台，老做長壽，搖羽扇，[illegible]應誰能說富貴沒有相呢？（公陶）

說到天才教育

從十六歲美國女講師

・欣父・

一位十六歲的小姐，居然能從大學裏取得了學士學位，已屬少有，而走出校門之後，立刻走入另一校門，當起講師，爲比她年紀大的後進們授課，這更是少見的事。這件事是最近報上登載過的，並且合衆社還替她發了一張照片，看那張照片，她個子不算小，可是一臉稚氣，但是一副近視眼鏡掛上之後，眞有一派「小先生」的味道。

「小先生」是胡適博士在他「四十自述」一書中用過的名詞，幼年時的胡先生身體比較弱，所以不愛跟孩子們玩，只喜歡看書讀書，所以贏得了「小先生」這一個外號。胡博士終成爲一代學人，不能不歸功於「小先生」時代打下的初步基礎。據胡先生自己說：十三歲的時候，他已經把十三經差不多讀完了，而且興味很濃，十三歲時已有這樣基礎，日後怎會無成？

欲求讀書有成，一方面要靠自己是否有很濃厚的興味，一方面也要靠個人的天賦。胡先生天賦好，現在這位美國小姐天賦也好，所以都能脫穎而出，成爲世人的偶像。

不過，胡先生的成名，還是在北大教書的時候，那時他已廿九歲了，而這位十六歲的少女，一出大學之門，便遠近知名，一方面是因今天傳播事業發達，一方面也是這位小姐的學成經過與衆不同，別人十六年纔走完的全部學程，她卻在十年中走完了。這說明了一件事：現在的教育全程，可能用跳躍前進法，因不必一直學蝸牛，慢慢的向上爬。問題是在受教者本身的資質如何：是跳躍的材料，還是爬的材料。決定了材料，才可選什麼方法合適。

這位十六歲的美國小姐，能夠受完大學教育，便是憑他高達二百一十的智商。聘請一位十六歲初出大學的少女担任講席的學府，也是驚異她的智商之高，非常人所及；而不是信她那一紙大學文憑，和可信又不可信的要人推荐的八行書。當然，也許學校有點宣傳作用，但美國學校聘請老師，是以在校成績爲考慮標準的，如果她在校中成績平常，誰又敢輕易把講師的席位給她？所以，宣傳作用並不是該校聘請這位少女的主要目的，我敢相信。

這種天才兒童露頭角的事例，在中國過去也曾有，比如：秦時的甘羅，十三歲時便授命爲全權大使出使外國，民初，林尹教授以十九歲的年紀居然應聘教大學的文字學，都是先例。將來也或者會有，因爲將來可能改變學制法規。但現在，現在我們的教育，是機械生產式，不論什麼材料，都是切成一樣尺寸，入廠加工，又不論什麼材料，都是同樣打磨，小學到大學一十六年，少一年也畢不了業，那位美國少女，如果生在中國，儘管天資優異，學習能力特異於常人，可是困於法規，她只有在課室裏熬日子的份，又怎麼會脫穎而出？

智商優異，再能培育得宜，及早見用於社會，就他個人說，是幸事，就國家說，也屬國家之福。美國是少年國家，敢作敢爲，所以對天才兒童，另有一套辦法。天才才不會被埋沒和浪費，少女講師就是一例。而我國天才和下愚在教育一律平等，雖然「非池中物」的人，遲早總會「成龍」；可是這種「大器晚成」的想法，總非安置天才兒童之道。何況天才兒童也會因學習不滿，產生惰性，一經影響了進取，變成問題兒童，豈不糟塌了天才？

今年 教育當局已經開始試辦對天才兒童的特殊教育，不論學歷祇要資質優異，便可直接受專科教育，用意至美，不過只限美術音樂方面，我以爲的確是削足適履的規定。所謂天才，具體言之，便是指它學習能力特強，何苦把智商特高的兒童非適向偏才方面發展不可，而不給他自己意向自由，扶助他跳躍前進呢？教育當局對天才兒童處理的方向不改，照舊會浪費天才，委屈天才。

自由報

第八十八期

中華民國僑務委員會頒發台僑新字第三二三號登記證
內政部內警台報字第031號
中華郵政台字第一二八二號執照
登記為第一類新聞紙類
（半週刊每星期三、六出版）
每份港幣壹角・台灣零售價新台幣弍元

社長李運鵬・督印黃行審

社址：香港九龍登打士街91號十樓六座
91 DUNDAS ST, 9th FLOOR,
FLAT 6 KOWLOON H. K.
電話：857253　電報掛號：7191
承印者：大同印務公司
地址：香港北角和富道九六號
台灣總管理處
中華民國（台灣）台北市大同街119號
電話：555395・557474
台灣分社：台北市西寧南路110號二樓
電話：三〇三四六
台郵撥儲金戶九三五二

國民黨應如何贏得都市民心（下）

○李霜青○

國父又曾迭言：「為人民之代表與受人民之委任者，不但須經選舉，尤須經考試，一掃近日金錢選舉，勢力選舉之惡習，可期為國家得適當之人才，此又庶政清明之本也」。「將來中華民國憲法，必要設獨立機關，專掌考選權，大小官吏必須考試，定了他的資格，無論那官吏是由選舉的，抑或由委任的必須合格之人方得有效」。「今若實行考試制度，則一省之內，應取得高等文官資格者幾人，普通文官資格者幾人，議員資格者幾人，就此資格中再加以選舉，則被選舉之資格，限制甚嚴，自能真才輩出」。

而今選舉制度中，對候選人資格。僅出於檢覈規則為之，其取得候選人資格之寬濫，幾同勿須檢覈矣。古往今來，任用地方官吏為大量安置人才之惟一出路，今俱被權勢豪富頑劣強梁之輩，由選舉之途而竊去，何能真才輩出。地方制度者所以固國本而通國情者也，今以當選地方官吏者多懵然無知又無才之人，何以固國本而通國情乎。斯種破壞用才精神之選舉制度，若不速謀糾正，則考試及格之人才將永無出頭之日矣。時人已有讀書人被摒廢閒置之議，今我考試及格人員亦多成為資格考試而已。長此以往，人不能盡其才，則國家政事，何以能辦出成績。當前有關當局，應已注意及修改台灣省地方自治法規，以改進選舉業務。鑒於台灣省區十多年來生聚教訓，教育普及，考試及格之人才，隣里村落，所在多有，正應遵照國父遺教修改自治法規，以發揮五權憲法之「掄才精神」，方是正途。觀乎擬議中的辦法，不禁令人懷疑，參與其事者是否為 國父孫中山先生之信徒？否則何以置五權憲法「掄才精神」於不顧？值此反攻義戰在即，我人自應仰體 蔣總統歷年昭示：建設台灣為三民主義模範省，以作為反攻大陸建設新中國之藍圖，不能乎？不為乎？不知乎？不行乎？吾知其是不為也，非不能也；是不行也，非不知也。然亦果如 國父所言：「知而不能行，只是知得淺」乎？筆者忝居研究 國父遺教之一員，不忍見此關乎未來國脈命運之大事，再行如此草率從事，特獻菲薄之見，甚企有關行政及立法當局有以注意及之也。（民國五十六年四月十七日，民眾日報）。

此文發表後，我曾致函立法委員湯如炎先生，請他在立法院呼籲貫徹 國父孫中山先生的主張，使地方自治選舉納入「人才政治」規道。湯如炎先生復信說：「我們都是紙老虎，抵不上政治的真老虎」。結果，立法院仍只好還就政治現實，通過了現行的選舉辦法。如果我們真能貫徹 國父遺教，國民黨決不用憂慮三民主義政策不能實行；因為，凡考試及格的人，都懂得三民主義的優點。如果凡參加考試者始能為候選人，則決不會有流氓、妓女出身者可以當選的現象。也決不會有必須勾結流氓集團參加競選的現象；因為一個考試及格的人，是不屑與此輩為伍的。

三民主義的人才政治既不克建立，現行法規又可讓無品無學者參加競選，國民黨以堂堂正正之黨既不願勾結流氓集團以求選戰的勝利，在都市競選的條件上便落了下風。高雄市由民社黨籍人士當選，是民主社會主義的政策博得勞工與貧民的贊同。其實，國民黨的三民主義實已包融了民主社會主義的優點。新竹縣是一工業區，無黨無派人士之獲得當選，也是以同情勞工而博得選票。台中市係國民黨人士違紀參加競選，打敗了黨內提名候選人，這種民心的趨向，是值得國民黨人深思的。基隆市是選戰最激烈的區域，國民黨動員八個部長級官員，六個廳處長及所有黨政軍警機關人員與眷屬，還加上各同鄉會各大專同學會及天主教會的全力支持，方勝得對方三千多票。對方只是一個息影政壇八年且曾因走私判刑的人物，只因在已往政壇上抱同情勞工、接近貧民的態度，乃形成廣大群眾的支持。而國民黨所提名的候選人，則以有錢有勢看不起窮人，致僅因清廉而獲得中上層知識份子的支持，所以勝得好險。

國民黨要想在四年後贏得都市的下屆選戰，須針對都市情況作深遠的設計。自台北市升格院轄市後，市長雖仍派原由黨外人士當選者担任，國民黨幹部在市政內所作刷新市政的工作，確可使市民耳目一新。今天，四個省轄市中，基隆市，台南市仍為國民黨員當選市長。國民黨有着先天性的優越條件，那就是偉大的三民主義，如果能像貫徹「平均地權」一樣，大力在都市實施「節制資本」政策，實施民生主義的「濟貧政策」「失業輔導政策」。一方面再以鐵腕刷新政風，建立三民主義的「廉能政治」，掃蕩都市之癌的「流氓集團」，以除暴安良。使法院審判日趨公平，以挽回社會人心。進而崇尚學術，獎勵堅守道德崗位的社會優秀份子。在這四年內，由基隆市、台南市，作出個榜樣來，使台中市。高雄市相形見拙。在下屆競選中，再推舉出都市中的競選，必可勝券在握。當然，「為政在人」。國父孫中山先生主張「官吏是人民的公僕」，如果自持位高權大，瞧不起平民，自必難獲得選民支持。而地方選舉，所推出的候選人是否頗得人望。與競選成敗，關係尤大。此次台中市長違紀者當選，提名者反而落選，即說明了黨方提名的鑑衡失平，未能把握民意動向。近年來，每屆選舉提名，總有謠傳「賣通關節」情事。黨國元老吳稚暉逝世前，即曾於病榻執其弟子蔣經國部長之手，諄告說：「國民黨當多培養堅貞純潔的幹部」。都市今日人文薈萃之地，品德固為觀瞻所繫，學問尤需表率一方。今日國民黨所派都市的黨工幹部，很難符合這些條件。國民黨有全國最多的人才，青壯年中的人才尤較老年、中年以上的人才為多，如能打破老人資格觀念，從學術品德下拔用青壯年人才，必可使地方黨務一新耳目。

（下轉第二版）

昨日與明日

自由世界的逆流

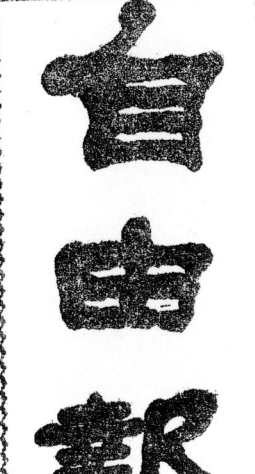

近來加拿大與日本的政治人物，大發其親媚毛共為政權的言論。這兩個國家都是在美國卵翼下的自由友邦，不愧為美國的「馬仔」，居然有此急色兒的親共態度表示，殊堪玩味。

從好的方面看，這是他們認定美國必然不惜代價以求結束越戰，下一步就要向毛妥協接近了。寧為雞口，毋為牛後，不如搶先獻媚毛共，以爭取毛共區域的貿易利益。若從壞的方面設想，他們或許是以「馬仔」地位替美國効勞，試探毛共今後是否願與美國妥協，而以進入聯合國為交換條件？綜合各種情況來研究，後者的可能性比較大些。不管好壞，但對自由世界總是不利的。

日本嘗到了甜頭

上月毛共在廣州舉行的「春季交易會」，日本工商業者派了千餘名代表到粵參加，毛共對他們特別隆重招待，而這羣東洋人的媚共言行，亦使人不勝肉麻齒冷之至。每人持着一本「毛語錄」，清早起來即集體宣讀，晚上又舉行分組研究的「學習會」，還要自行打掃房間，自己煮飯燒菜，表示「勞動改造」的醜態。於是，他們跟毛共簽訂的貿易合同，也比其他各地區來的工商代表為多。

加拿大亦有商業代表參加毛共的「交易會」，以其不如日本商人表示那樣令人作嘔的媚共姿態，因而不能獲得毛共賞識，成交的生意甚少。所以，加拿大總理杜魯道纔急於發表親媚毛共的意見，希望毛共今後另眼看待，給予一些貿易利益。

整個世界局勢的趨向

祇要美國與越共的和談不破裂，東西兩半球許多自由國家的反共意志皆可能搖動。如果巴黎談判真能結束越戰，不管內容如何，世界趨勢即隨着美國的姑息妥協政策，大有利於毛共了。今年聯合國大會期間，一片歡迎毛共的聲浪，一定較過去更為熱烈，殆屬意料中事。

美國既然自慚形穢，負不起自由世界盟主的責任，自不怪許多自由國家的反共意志趨於消沉了。美國對自由世界真是罪孽深重，不自殞滅，以致禍延全球，危害自由人類！

中華民國處此驚濤駭浪國際潮流中，必須以破斧沉舟的決心和勇氣，有所作為；而且要以革命精神來應付這種逆流，纔足以生於憂患之中。假使誤信美國的謊言保證，認為大不了搞出「兩個中國」，亦可以在台灣屹立無恙，那就必有噬臍莫及之憂。老實講，自己的命運須由自己決定，與其被別人出賣，即不如自己孤注一擲之為愈也。

（何如）

鷸蚌爭夫，兩雞所得！

毒龍出海，天下大亂！

自由談

唯皮毛之是務

馬五先生

受任政府公職的高級官員，於就職時必須當眾「宣誓」，這套玩藝，原係舶來品，在吾國傳統文化思想中，沒有這種觀念。

「宣誓」是一種宗教精神，屬於神道設教主義。西洋人大多數都皈依宗教，因而他們的高級官員就職時，很隆重的舉行宣誓儀式，即人們為某項事情「作證」，事前亦要宣誓，法律上對於作假誓的人，訂有一定的處罰條文，決不寬貸。所以，他們重視宣誓，良有以也。

我們却不然。既沒有神道設教的精神，亦無尊重誓詞的習慣，普通民眾為着某種利害問題爭執不下時，信口發誓賭咒，亦如戲詞上所說，「把起誓鬧着玩兒」，心裏並沒有那回事，法律上亦從未聞有因違背誓詞，而受到懲處的。但高級官員就職時，竟效顰「西施」，搞那「宣誓」的把戲，似此不必要的西化主義，誠不知其作用安在？

我們文職官員的誓詞中，最主要的就是「決不妄用一人，妄用一錢」，如違誓言，願受最嚴厲的制裁。試問近五十年來的一般高級官吏，隨便濫用人、濫花錢的情形，不是所在多有嗎？幾曾見有以違背誓言而加以處分的，更不必說「最嚴厲的制裁」了！這證明一般官員的宣誓行為，乃與普通民眾「把起誓鬧着玩兒」的心情，並無二致，何必多此一舉呢？

官吏是否奉公守法，盡忠職守，根本是人的關係，而繼之以功過是非的考核賞罰，大公無私。不從慎選人才，嚴明賞罰設想，而欲乞靈於宣誓的形式主義以求治，這不但是「捨本」，即「逐末」的裨益亦渺不可期，自欺欺人，可哂孰甚哉！

西洋人的事物，未始不可效法，但須於事有濟，不宜專學別人的皮毛。譬如中國人每逢耶穌聖誕節，不管是否宗教徒，亦大散其「聖誕卡」，其無聊程度，殆與官吏就職宣誓相同，是亦不可以已乎？中國人談洋務，講西化已歷六十年，到今日向在積弱積貧的狀態中，唯一的毛病就是專學西洋人的皮毛，非痛加改革不可！

請勿再要製造「半調子中國通」

◁李霜青▷

根據報載：一個以林語堂博士為首的員會，即將着手編寫全套學習中國語文的教材。初稿將以英文編寫，使英語區嚮往漢學的外籍人士，能先睹為快。這部教材發行後，若收效良好，將譯成各種重要的語文，使世界各地的學者，都能研究中國文化。教育部閻部長說：這部教材的編寫方式與內容，將由委員會全權決定。

看了這個消息，使我們一則一喜，一則一懼。喜的是中國文化將又多一點宣揚於世界的機會了。懼的是以出身新文化運動陣營本就對中國文「弗學弗知其旨」的林幽默大師來担任這種工作，是否算「事得其人」？

林幽默大師是主張「文章須幽默」的，寫滑稽突梯的文章，是他的拿手傑作。如果讓他寫「笑林廣記」「聊齋誌異」等類文章，或寫點報屁股「小品文」，可算首屈一指之選。談中國文化，恐非其所長。

我說這話決不是「文人相輕」，是有事實作根據的。遠在作中學生時代，我知林博士主張「月亮是外國的圓」，知他主張中國未來的偉人應是「十足的洋鬼子」，他說：國父孫中山先生之所以偉大乃因是「三分中國人，七分洋鬼子」。中國留學生媚外思想，以他為第一。

想不到在我由中學、大學而服務社會後，在國家遭日寇侵略和共匪叛亂兩次浩刼，大陸變色隨政府播遷來台以執教糊口之日，林幽默大師也正從美國的圓月亮下回到台灣來了，我有幸一再拜讀他的大作於中央社的特稿中。套用別人的話：「以林先生的地位來說，在大家的心目中，原來多少總有點『一言而為天下法』的份量，而他回國後發表的文章和言論，却很使人失望」（寒爵）。

他，我們的林幽默大師，先以紅樓夢中某丫環的頭髮來諷刺「理學」不當主靜、主敬。繼又譏刺天主教神父、修女的生活是「西方的理學」「不近人情」。且謊說國父孫中山先生是不主敬、主靜的。再又把佛教坐禪說成是美國「嘻皮」吃LSD藥丸似地神經錯亂的意識感覺。更給曹雪芹取名「芹芹」，連中國字也認錯了。於是，國內學界人士問他：理學不近情嗎？海內外天主教人士，如日本佛教界、理學家，菲律賓華僑界中佛教信徒，均為文駁幽默大師之妄。大師不理，且自視「我高，我高」。他又介紹曲城說，使文學史上年代倒流，有人且為林大師此種錯誤挺身而辯，罵批評林大師的人都是「文痞」。林大師則直指這是「台灣作風，我看過於嚴肅，過於認眞」。

古人說：「文章千古事，得失寸心知」。連奸雄曹操這位壞人的兒子曹丕，也知道「文章者，經國之大業，不朽之盛事」。看看古今中外的學術巨著，那一本是像林大師這樣的信口而出？林大師最近說他自己，「也不敢輕鬆起來」「所以也會寫過一兩篇這類（指嚴肅文字）文字，『中西思想法之不同』，便是這一套」。且這一套使林大師在訪問日本時，大出風頭。林幽默大師從哪兒學來這一套？原來他訪問日本時，拿了國內學者張起鈞先生的「中國哲學史話」一書，在到處「現販現賣」呢？然而張起鈞先沒說「中國人不重形而上學，不重邏輯」。林大師不讀易經，強說「儒家談形而上學，談來談去談不過釋迦，仍以不談的好」。我借來勸林大師說：「幽默大師談中國文化思想，談來談去，談不過國內學者，也談不過我們眞讀中國書的後學晚輩，還是不談的好」。例如：林大師寫了一本 The wisdom of Confucius 的書，說孔子思想中這也沒有，那也沒有，像是難望外國哲學家之項背似的。凡是讀這種書的外國人，怎能不成為像曾正清之流的「半調子的中國通」呢？

可喜的，林語堂先生已主張作個「堂堂正正的好中國人」。那麼，中國將來的偉人自然不是「十足的洋鬼子」了。但願林語堂先生此次編中國語文教材給外國人看時，能「不恥下問」，向國內精通國學的人士多多請益，免得再多造出一批像曾正清之流的外國人，成為「半調子的中國通」。則中國文化幸甚！

析論本屆地方選舉與選民的心理趨向（下）

選舉縣市長之公民人數，二十縣市共為五百二十六萬六千零五十八人，行使投票選舉權之公民為三百九十萬零八千零五十四人，投票率佔公民總數百分之七十四點二一。其中國民黨籍縣市長候選人二十名得二百七十六萬九千二百八十五張有效票，佔投票總數百分之七十點八六；除五縣一人競選外，國民黨籍縣市長候選人在十五縣市競選，得一百九十三萬九千七百七十一票，非國民黨籍縣市長候選人二十三名，在十五縣市中得一百零四萬五千五百九十六張有效票（佔投票總數百分之二十六點七四）；縣市長候選人之廢票共計九萬三千一百七十三票，佔投票總數百分之二點四。廢票最多的縣市均為一人競選的縣市，如彰化縣，達二萬八千零七十九票之多。幾佔有效票之一成。其次是台南縣，計兩萬零一百零三票。再次是苗栗縣，約一萬七千五百九十四張。在四個省轄市中，國民黨籍市長候選人得二十九萬八千三百四十四張有效票，較非國民黨籍市長候選人得二十九萬六千六百零三張有效票，僅多一千七百四十二張有效票，所佔名額是平分秋色，可[illegible]。但是，國民黨籍省議員選人在四省轄市得三十八萬零二百二十三票，較非國民黨籍省議員候選人得二十一萬四千三百八十三張有效票，要多十六萬五千八百四十票，因此，非國黨籍省議員當選人與提名當選人數是：一與四之比。最有趣的是高雄市省議員選舉，國民黨籍省議員三位候選人得九萬六千七百六十八票，結果全部當選。非國民黨籍的五位省議員候選人得十三萬零九百九十三票，結果僅郭國基一人當選，餘四人落選。

選舉的確是千變萬化，尤其選民的心理眞不可捉摸。從這次各地選民投票率進一步加以分析，可獲得這樣的事實：凡是文化教育水準較高與交通、工商業發達的都市選民，有傾向於非國民黨籍公職候選人的趨勢，而國民黨籍公職候選人在廣大的農村，則獲多數農民與漁民的支持。例如縣轄市的嘉義市，屏東市與三重市等選區，非國民黨籍候選人得票數均超過國民黨籍候選人得票數。此外，如楊金虎、黃玉嬌、黃順興等縣市長候選人，分別屬於民社黨、青年黨，而標榜無黨無派，或隱藏黨籍，這是什麼緣故？為什麼無黨無派候選人超過有黨有派候選人呢？尤其違紀競選者居然獲得選民支持而當選？這頗耐人尋味的問題，將成為研究政黨政治的重要文獻資料。

據一位研究政黨史而現在又從事政黨實務的學者分析，其原因應從多面觀察：一是由於過去政黨所支持而當選的縣市長，如嘉義之李茂松、黃宗焜，如宜蘭之甘阿炎，如高雄之余登發，如南投之李國楨，如台北之黃啓瑞，如台中之張啓仲等，均未終善其職而下台，使選民對政黨候選人失去信心。一是由於在野的青年黨和民社黨內部若干人士，為了個人利益，做出許多違背民主國家在野黨不應做的事，同時，現實環境也不允許在野黨正常發展，致失去制衡作用，而使選民失望。另一是從事黨務工作者，尤其若干地方幹部，平時在民間未建立良好的規範和信守，因而使選民對政黨政治觀念模糊。這都是造成選民對政黨沒有好感甚至仇視的重要原因。是故政府應制訂「政黨法」，並對政黨一視同仁，而促進其正常發展，以補目前之缺陷。

本報記者　健生

台北劇壇動態
「大宛」劇隊緊鑼密鼓

△桂良▽

香港、台北、交通方便，昨年以來，入台仕女更多，香港伶票如馬述賢、唐媲等亦復時來時往，且有在北市彩爨者。如馬述賢女士上月且參加海軍總司令部之晚會，主演「紅娘」，而由「海光」平劇隊名小生劉玉麟與之合演，飾張生，紅花綠葉，享譽一時。

最近台北菊壇，方由聯勤總司令部之「明駝」平劇隊，三位挑樑且角程派青衣古愛蓮主演本戲：「文姬歸漢」、「鴛鴦塚」、「玉堂春」，此三齣本戲的小生左賢王、謝招郎、王金龍，皆係廣東小姐楊丹麗為之搭配，楊丹麗和古愛蓮同係「大鵬劇校」二期高材生，扮像工底俱佳，北平劇校之趙王菁與[illegible]生曹會禧（「上海雅歌集」譚派名票）合演「四郎探母」，再和小武且姜竹華合演「金山寺」、「斷橋會」。姜竹華和楊丹麗合演「呂布與貂蟬」二人份量一般重，自「連環計」、「小宴呂布」、「大宴董卓」，載歌載舞，接演「梳妝」、「擲戟」、「鳳儀亭」，最後由丹麗演大軸戲「白門樓」——呂布歸天！

頃悉，自五月七日起，將由某軍團「大宛」平劇隊公演六晚於北市中華路「國軍文藝活動中心」。

大宛原來擁有響馳美國之花旦戴綺霞、鬚生泰斗胡少安暨他新妻周韻華、武生東桐春（為萬春之二弟）名淨王福勝、名丑周金福「曾隨趙培鑫在港登台），今綺霞辭班，四、廿八、曾演「搭桌戲」七星廟於實踐堂大廈，於是「大宛」衹有青衣一人。

六天戲碼，是：

胡少安、李桐春、王福勝先後合演三場「三國戲」。

（一）「三國志」自「長板坡」起，「漢津口」由李桐春前後飾趙雲與關羽、胡少安之劉備兼飾「舌戰群儒」、「激權」、「激瑜」之孔明、準帶關公冷戲「臨江會」。此齣故都演者不多，自十五年起淨角劉連榮未隨梅派赴美以前，却把它唱紅了。

（二）李桐春與胡少安再合演「三國戲」，先由桐春演開鑼戲「夜戰馬超」，少安接演「取成都」，此齣少安前曾上演，飾劉璋，腔調悲涼，不數十年而劉禪亦離成都，北上為安樂公。桐春接演關戲「單刀赴會」，少安大軸演「逍遙津」飾漢獻帝一名「白逼宮」

旅美散見
吃在美國非常差勁

・張起鈞・

美國文化是現世文化，美國人講的是現實享受。而「飲食男女，人之大慾存焉」的飲食；按說更受重視了。那知事實上竟是大謬不然。

先就吃的種類來說吧。我們中國自南到北，由東至西，眞是千變萬化，不知有多少種類的吃食。有一次，我在夏威夷大學，他們亞語系的某課，要我用北平話講一講北平的吃食，我當然事先要準備一下，核計核計，看有些什麼東西。那知我光寫吃食的名稱，就寫了一下午，還沒寫完。而點心，菜肴還不在內。結果，只有改講其他題目了。足見我們吃食種類之多。美國就不然了。吃來吃去，總是那幾樣；並且還是城鄉一律，各地皆然。我曾乘過長途汽車，自舊金山橫貫美國，直到紐約，沿途隨地下車用餐，不論大城小鎮，吃食可說都是千篇一律的那幾樣。

好享受的美國人，膩不膩呢？大概不膩。那倒不是說美國人不懂得口味，而是他們好像只熱心玩，而不在乎吃。小伙子，粗哥兒們，固然是兩個熱狗，一瓶可樂就算一頓飯，教授學者們，也往往是一杯咖啡，兩塊點心，就算一餐，便接着上課來了。那像我們中國人挑肥選瘦，生煎熱炒的一大堆。就是極豪華的飯店，儀節器皿極盡考究之能事，但餐食本身，仍是粗簡單調。

有一次華盛頓大學的韓院長，請名畫家金勤伯教授和我吃飯。我的習慣，去赴宴前，照例先在家裏吃個半飽，那時金教授住在我處，我讓他吃，他說不必了，韓院長熱誠而好客，飲食一定不壞，用不着先打底了。

那知到了韓家，熱誠是熱誠，飲食也是一大桌子，但在我們中國人眼中，全是些不成文的東西，什麼醃橄欖了，生的洋芹菜了，小塊酥餅干了，而韓太太因為我們是中國人，還特別設計替我們做了一碗「牛奶燜白米」。（我實在不知那應該叫什麼，只好叫牛奶燜白米了）粥不像粥，飯不像飯，放糖固然不成，擱鹽也沒法吃。眞使我們兩人尷尬萬分。我好在肚子還有底。而金教授就挨了巧餓了。回來後大喊上當，我說誰教你不聽我的話，先吃一點呢？

國民黨應如何贏得都市民心

（上接第一版）民初黨國元老中，張知本先生以三十歲年齡即作辛亥革命時政府第一任司法部長，現在許多國民黨的青壯年英才，確是被埋沒浪廢了。國父孫中山先生說：「革命的基礎在於高深的學問」。沒有學問，豈能辦好地方自治建設事業？

本屆選舉已過去了，成敗大局已定，得失正應檢討。我曾為文指出：學界人士近來當担心，我們的工商業繁榮所形成的都市中貧富懸殊現象，及因未實施節制資本所形成的財富集中，久而久之，恐將冲毀平均地權已有的成果。現在，願把這幾句話，獻作四年後國民黨的選戰之警惕。易經云：「知風之漸，知微之顯，可與入德矣」。蔣總統主張「明理於事物始生之處，研幾於心意初動之時」。理即同此。

大學文牘

戴傳賢評述蔡元培

・鴻・

蔡子民先生，當代之大師，而清末之名進士也。既成進士，而更致力於學不厭教不倦。始也竭個人之力，興學於滬上，既也受國家之命，主教於北京。此二地之蔚然爲南北人文淵藪者，是非先生之功而誰與歸。或有以近代思想之雜蕪爲先生過者，噫乎，泰山不讓土壤，故能成其大，河海不擇細流，故能就其深。思想雜蕪，此清末之特徵，而內憂外患所集成之大果也。既非先生啓之，亦非先生成之。先生南，而當時之人南聚，先生北而北聚，此勢爲之，旣非先生之過，亦非先生所得而變之者也。古有言曰：「天下有道則仕，無道則隱」。隱非先生之志，聞子民之號，而先生之無限苦心，可察而知之矣。今先生旣沒，憂患方深，環顧南北，應知民族僅存之元氣，實賴先生之培養。門墻桃李，幾半天下，或以學術，或以事功，各致力於其所應作。是子民先生去，而元培先生則永與中華民國同其無疆。兵法名雜方術，同出於道。雖皆不得道家之本意，而亦無傷於老子之高明。千百年後，讀其書而慕其人，當其在時，時中之聖，百代之師，且就而問禮焉。嗚呼，是可觀可興者矣。

力殲五虎的女武松

○豈心○

美國社會對女人崇拜的了不得，一切都讓女人佔先，在台灣女人的地位也不差，凡一個從國外來的觀光客，甫入國門，第一個印象，發現在任何場合，女人最多，也最活躍，其所受到的重視，並不亞於美國。話雖如此，一般人對女人總有其一成不變的看法，認爲女人體質較爲柔弱，稍爲耗費點氣力的事，應該交由男人去做而女人呢？也自認爲體力不如男子，恍惚有一種弱不勝衣的心理在作祟，一見出力的事就馬上退避舍，譬如，我們看水滸傳到武松打虎那一段，簡直看得津津有味，因爲描寫武松憑一根木棒，居然收拾了一雙吊睛白額的大蟲，眞是人佩服得五體投地，不過，有一個鐵則是必須確定的，那個打虎英雄的武松，必然是一個孔武有力的男子，像這樣出力的事，在女人身邊是不可能發生的。

其實，這又大謬不然，小說上的虎固然是一位男武松打的，在現在新聞上的五雙虎（實際上是六隻），却是一位女武松打的，記得大概是民國三十七年，某報刊載在祁門地方發生一件女武松打虎的故事，情節驚險生動，女武松表現得樣樣出色，不讓鬚眉，事情經過，有如下述：

一天入山砍柴，見有小老虎四頭在大樹底下嬉戲，該女毫不憐憫，舉起柴刀，一個一個的砍死，她剛要喘一口氣，這時候，突然由山上竄下來一條大虎，也可能是那被消滅的四小虎的母虎，女見情勢危殆，急忙攀登樹上，另用腰帶把身子繫牢在大樹幹上，老虎先在樹下向上縱跳嘷嘷，終至無法上樹，兩方僵持約半小時，大虎始頹然而去，女正要趁這段空隙下來，不料又有一隻似傳說中的彪那樣的黑色怪獸，狀極凶悍，發現在距離大樹約有丈餘的地方，一見樹上有人，即向樹幹攀援而上，逐漸的爬近身來，並以兩腳猛抓女肩，女雖惶怖，仍把身子保持平衡，揮動柴刀向獸頭猛砍，獸終不支而下墮，負傷跌斃，女亦昏厥於樹上。

劉姓家人見女久久不歸，知必有故，於是邀集壯丁數人，至山中搜尋，時已薄暮，女漸甦醒，見有人來，大聲呼叫，家人聞聲前往，將女救下，並將四小虎及一黑獸一併抬回城中，當時觀衆如堵，對黑怪獸咸不知爲何怪物，內有一老人說：虎生五子，內有一彪，這一雙黑獸，或可能是彪也未可知。

這個十八歲的女郎，前後遇見大小六隻虎，她不慌不忙，殲滅五隻，看來這位現代女武松，比小說上的男武松，也差不到那裏去。

孟嘗君是鷄鳴狗盜之雄乎

○王淑惠○

王介甫謂孟嘗君賴鷄鳴狗盜之力脫險於秦，特鷄鳴狗雄耳，不足以言得士。嗟乎！士得之士，在臨難運智，化危爲安，豈得以技倆之賤而輕之乎？

况乎鷄鳴狗盜，雖小技，而有妙用；使孟嘗君不得斯力，焉能脫於虎狗之秦乎？命猶不保，尙何言南面而制秦哉？鷄鳴狗盜之客因時適變，妙得其宜，置其主於衽席之上，誠智勇雙全，功不可沒矣。

夫泰山不厭土壤，始能成其高；江河不厭細流，始能成其大；養士不遺卑賤，始能全其用。孟嘗君之終得相齊數十年者，於其門下三千食客中，得力於大才如馮煖之爲設三窟之計者有之，得力於小技如鷄鳴狗盜之爲脫於秦者亦有之。各展其才，各著其功，烏可謂爲不得士哉？

孟嘗君誠豪傑之士，豈可謂爲鷄鳴狗盜之雄乎？（一）

傳記春秋

費子誠先生小傳

・費海璣・

國父說過：「不要立志做大官，而要立志做大事。」江西鄉賢費子誠先生便是不做大官，而志在做大事的人。費子誠先生做過什麼大事呢？現在的中年人當會記得一點，我從同鄉口裏得知了一小點，但這已夠了，子誠先生是夠偉大的了。

那是共匪在江西造反的時候，很多青年被裹脅去做共產黨，中央軍進剿，便捕捉了許多回來。費子誠先生則奉命去感化院教這些共匪俘虜。共產黨員却不是沒有知識的勞工或農民，在感化院裏的匪仔，幾乎全是很有學問的人，他們要造反，有一套理論，而且他們很能雄辯。由此知感化工作是極爲困難的。可是費子誠先生却以滑稽取勝，使感化院裏人人敬佩。當時的感化院，如沒有費子誠先生，可以說完全無效果，那些共匪，寧槍斃也不信三民主義哩！費子誠先生怎樣教三民主義呢？他是把三民主義關起來，而與共匪談水滸傳。我們今天有一本薩孟武著的水滸傳與中國社會。內容和費子誠的三民主義的水滸觀大致相同。不過費子誠先生說的更滑稽。薩孟武先生說忠孝爲紳士觀念，仁義爲流氓觀念。費子誠先生則說忠孝是農民的道德。仁義是牧羊人的道德，農民講仁義就失德，牧人講忠孝亦是悖德，要人行道德就最不道德。道德是自自然然的東西，不是當然的，我如強迫各位行忠孝仁愛信義和平，那我便是太流氓了。我只聽你們自由自在去行。你們是出自農家的嗎？如然，那你就本有忠孝之德了。你們放過牛，收過羊嗎？那就本有仁義之德了。薩先生在殺猪的鄭屠何以能在延安府稱霸裏，說中國人的生財手段是靠政治手段，剝削民脂民膏，剝削之後，並不投資生產，而只放債取息。所以中國的官僚同時又是高利貸者，魯智深所以爲好漢，是由於他反抗高利貸！費子誠先生的講法却不是如此的。費子誠先生說鄭屠在延安府稱霸，原因是會殺猪就會殺人，誰不怕他。但是強中還有強中手，魯智深就孔武有力能制裁他！薩孟武先生的書有許多是共產黨人的話，例如快活林酒店的所有權問題裏，便說原始的資本蓄積這句話，歐洲人莫名其妙，而中國人看來，則史上有不少的例可以證明。又說施恩用武力開設酒店，蔣門神用武力奪取酒店，便是原始的資本蓄積的實例。

費子誠先生却完全不用這一套東西，他的中心思想是逞強者必吃虧，強中還有強中手。而資本的蓄積，亦受一鐵則的支配，就是其悖而入者亦悖而出。所以用強暴手段所得的東西，必然不能持久保有的。費子誠先生並且設過預言，即使日本人強佔中國土地，不久便會被蘇俄奪了去的。薩先生的書差不多是和費子誠先生的唯假論同時出版的，但費子誠[illegible]假論却是流行長江下流的，他這本使無數左傾青年回頭。是一本富有哲理的書，而又是一本富有文學意味的書，更重要的，他的思想比薩先生純正多了。

費子誠先生雖然是一位文質彬彬的人，却有非常的胆量。江西和廣東交界地的人民常常械鬥，政府派人去調解，他們是不理會的，甚至便把調解人殺害了。有兩姓械鬥了幾百年之久，仇恨結得很深，費子誠先生被派去作調解人，他騎了一隻馬，不攜兵，單獨去調解，他用種種有趣的笑話，使兩造的家長悟怨必須釋，最後，他用他那卓越的文學才，寫了止鬥碑文，親自用他那著名的顏體大字寫好，立碑於兩姓邊界上。單單這一件事，也就可以不朽了。

費子誠先生的故事還有很多，在台灣，井巷間仍有許多人見過他，知道他的事。筆者在橫貫公路曾遇見一位工人，便說：「費子誠先生是他所遇到過的幽默大師，費子誠先生一句話可以活許多人，一句話可以挽回不可收拾的場面」。他問我：「這樣的幽默大師，還能從何處找到啊！」

中國女性文藝春秋（續）

周燕謀

張玉孃爲情飮恨（中）

雙天破夜，一陣寒風，亂叩入籠穿戶。醉鬟珊瑚、夢回湘浦，隔水曉鐘聲度。不作高唐賦。笑巫山神女，行雲朝暮。細思算，從前舊事，總爲無情，頓相辜負，正多病多愁，又聽山城戍角悲訴。強起推殘繡褥，獨對菱花，瘦減精神三楚。爲甚月樓，歌亭花院，酒債詩懷輕阻。待伊趨前路，爭如我，雙駕香車歸去，任春融翠閣，龍睿香濃，席前爲我翻新句，依然京兆成眉嫵。（玉女搖仙佩）

且看她「水調歌頭」的「金屋怨」、「不成眠」的悽楚之情吧！

素女煉雲液，萬籟靜秋天。瓊樓無限佳景，都道勝前年。桂殿風微香度，羅襪銀牀立盡，冷浸一鈎寒，雪浪翻屋，身在玉壺間，玉闢愁，金屋怨，不成眠，粉郎一去，幾見明月缺還圓。安得雲鬟香臂，飛入瑤台銀闕，兎鶴共清全。窺取長生藥，人月兩嬋娟。（水調歌頭）

觀她「玉女搖仙佩」一詞中，似有從前「不曾真個」之悔。「水調歌頭」一詞，似欲「突破」「金屋」，效嫦娥之奔月，以選擇她自由的天地。可是那是一種幻想，跌落在現實的面前，却是「粉郎一去」，此願難偕的事實。她除了堅定意志，誓死不變，以待轉機之外，她仍然只好形諸筆墨了，在她的作品中有一首似乎是她對他的誓約：

山之高，月出小，何皎皎！我有所思在遠道。一日不見兮！我心悄悄。采苔采苔，於山之南。忡忡憂心，其何以堪！

汝心金石堅，我操冰雪潔。擬結百歲盟，忽成一朝別。朝雲暮雨心去來，千里相思共明月。

她沒有別的希望，唯一的盼她的愛人回到身邊。可是眼前却是：

極目天空樹遠，春山覺損，倚遍雕闌竹參差，螢變瓊珊瑚。霧飢香，金山玉瑩，蟬鬢亂，巫峽雲寒。拭啼痕，鏡光孤照，辜負青鸞。此時是前月下，問將清冷，細自溫存。顧燕秋勁，玉郎應未整歸鞍。數新鴻，欲傳佳訊；闌兎毫，難寫悲酸。到黃昏，敗荷疎雨，又幾度銷魂。（玉蝴蝶）

她雖對情郎盼望得急，但有時用「魚雁浮沉」，竟至遙消息也茫然。她更加愁腸萬結了。

星轉曉天，戍樓聽，單于吹徹。擁翠被相殘，霜杵尚喧落月，楚江夢斷，但帳底暗流淸血。看臂銷金釧，一寸眉交千結。雨阻銀屏，風傳錦字，怎生休歇？未應輕散，磨寳簪將折。玉京縹緲，雁魚耗絕。愁來休，窗外又敲黃葉。（惠蘭芳引）

可是，她的情郎在那一邊何嘗又不是愛情纏綿呢，沈佺在京師，由於「積思於悒」、「兩感寒疾」，諸醫束手，京師離松陽不遠，玉孃使人問候，僕使往還於道；沈佺的病愈來愈篤了，玉孃知道他是爲自己婚事不偕而起，哀慟不能自已，最後寫信立誓明心：

穀不偶於君，死願以同穴。於是佺心大安，乃勉力答以詩云：

隔水度仙妃，淸絕雪爭飛。嬌花羞素質，秋月見寒輝。高情春不染，心鏡塵難依。何當飲瓊液，共跨雙鸞歸。（八十一）

劇談

前期本刊同文彭國棟先生談平劇「生死恨」，介紹此劇本事出於元陶宗儀輟耕錄，談程鵬舉別妻遺鞋，程既顯，遣鞋覓妻，終獲團圓。結論：此本是喜劇而編劇者故意寫婦病死為結局。綜觀「易鞋記」「分鞋記」，夫妻皆獲團圓，「生死恨」一劇獨否，理宜予以改編云云。

「生死恨」一劇，不但故事悲哀，而主角韓玉娘雖遭金兵擄掠，却極富愛國思想，每思南歸，偕夫婿同逃。名坤伶金素琴屢經演出此劇，人物場子精簡甚多，頭場帶箭逃難之腰腿工夫洗鍊，在難民羣中，便能吸引觀眾注目；逃出尼庵之跑圓場，左右水袖翻飛，美妙無比；「夢會」一場新腔疊出，時悲乍喜之表情，乃全劇之高潮；末場素琴僅表露相見如夢，喜極而昏，並未氣椅與面蓋紅巾，於是刪去程鵬舉削髮為僧之蛇足。

「韓玉娘」革新了「生死恨」

·桂良·

「生死恨」人皆知為梅派名劇之一，係根據明人沈鯨「易鞋記」傳奇而編。編者為北平舊教育部高等教育司高　仙以贈梅徒「斌慶社」青衣俞步蘭，首演團圓劇於大柵欄廣德樓，那時梅派因左右友人如漢奸黃秋岳輩多與日本人往來，為免牽入政治漩渦，乃於九一八之後全眷遷居上海。梅久居上海，無新本戲可排演，乃函北平舊友，遂轉得此一劇本。梅以之轉示海上文友，文友中有習西洋戲劇者將「尾聲」改為「死別」。梅曾以告平友，得覆：「韓玉娘實無死的必要」；因為程鵬舉少不更事，雖然最初對玉娘發生誤會，是劇情發展中的小波瀾，但以後總算都照她的意思做到。鵬舉既南返祖國，又升任襄陽太守，且派僕持鞋北來找尋，緊跟着自己又親身來接，玉娘有何理由不能同去任所？劇中的韓玉娘祇是內憂，並無外感，祇是重溫昨夢，喜極生悲，神智失常；且「夢會」在前一場，便是「畫龍點睛」之筆，又是「相見歡」的倒敘筆法，不落一般「團圓劇」的窠臼。

台北資深的「文華票社」社長鍾啓英五十二年為梅派名坤票王徐增壽排演「生死恨」，索寫劇情說明於我，我依據梅友所談，為之標名「韓玉娘」，並草末段：……僕請玉娘赴襄陽，玉娘流離坎坷多年，偶憶前情，踟躕不前。僕不得已返報，鵬舉親往迎接，相見後，玉娘喜極生悲，神智失常，低廻無已，鵬舉再三撫慰，夫婦愛好逾恒。增壽之師為青衣祭酒，同意如此排演，改說明稿末句為：……玉娘喜極昏倒，全劇終。

如此改良排演，復改戲名為「韓玉娘」，徐露與嚴蘭靜等皆繼踵之，「生死恨」便如此改良了。改得好，讓觀眾臨去時，比較「[illegible]」與末場，之似幻？是眞？於是「韓玉娘」革新了生死恨！」以此敬告彭先生和本報讀者。

婦人七出與再嫁

·許一塵·

在有清一代的學者和思想家中，最喜談男女問題的，應以俞正燮先生為鉅擘。如他所著的兩部書：「癸巳類稿」「癸巳存稿」中，談論男女問題的，也很多很多。俞先生並且常常替婦女們大聲疾呼，為中國婦女幾千年來受不平等的束縛抱不平。所以俞先生眞可以說是第一個提倡女權的先覺者！如他在「癸巳類稿」卷十三云：『古言終身不改，言身則男女同也。七事出妻，乃七改矣！妻死再娶，乃八改矣！男子理義無涯涘，而深文以罔婦人，是無恥之論也。……』這種大膽的理論，在我國舊日的社會中，可謂石破天驚，言人之所不敢言也！

其次為鄭梅軒先生，他也是遜清一代提倡女權最力的學者。如他所著的「一斑錄雜述」（道光二十三年青玉山房刻本）卷七記云：『古禮婦人有七出之條，今不聞復有出妻事，可見古今風俗大不同矣！或曰：不順父母、淫僻、盜竊三者，理論當出，即有三不去，亦何可已！（按三不去，為：共三年喪不去，先貧後富不去，無歸不去。）若嫉妒、口舌，乃尋常婦女之通病，恐不勝其出；豈得不顧門楣，不顧顏面至此哉！至於無子理宜置妾，惡疾理宜醫治，法亦從出，婦人眞不幸也。生女悲酸，莫此為甚！余為別其輕重，亦野人之淺見也。……諸書所記，孔子出妻，曾子出妻，子思出妻，孟子亦幾欲出妻。古聖賢豈乏刑于之化，以敬愼至正之大婚，而輕於棄絕如此！想必多誣。余以為古時婦人寡而再嫁，已多太易；至輕於議出，何薄於夫婦哉？當以今人風俗為正。』鄭先生在此也是不顧舊禮教、舊道德的束縛，很大膽的說出來，這與俞先生主張完全一致；由此可見道光時代的學者思想之開明，文風的激揚！

說到古時婦女的再嫁之俗，社會並不以為恥，這自然與「七出」有密切的關係。因為出妻的機會太容易，再嫁的事兒也必多，完全是因果循環的影響。不過，我國古今社會對於婦人再嫁的觀念，乃大有不同：自從宋代道學家的理論一出，社會上對於再嫁的婦人，便認為不貞；此種思想且一直把中國人桎梏了七八百年，演成了婦女生活史上的大悲劇！所以到了清代，那些思想開明的學者，便對此事加以反對，如鄭先生在「一斑錄雜述」卷四云：『或問程子言：餓死事小，失節事大，然乎否乎？余曰：女子志氣高者，原不事二夫。然君子以中庸之道望人，不以難能之事責人。故先王著禮，亦有同居繼父，不同居繼父之服。女子不幸喪夫，權其可以再嫁而嫁，豈遂同穿穴踰牆而不恥於人乎？古人臨文，亦有不必諱言者；如宋時葉水心翁誌之墓誌云：「女嫁文林郎嚴州分水縣令馮異，異死再嫁進士何某是也。」夫忠臣孝子義夫節婦，古來不知凡幾？其合乎人情者，可以為天下後世法；其過乎人情者，雖大可敬，而不可以為天下後世法。人孰不愛死，以死為極小事？孔子曰：古者言之不出，恥躬之不逮也。程子殆自信其躬之必可逮，故言之不怍！』

讀鄭先生之言，我們頗能探討出我國古代風俗之眞相。蓋當時社會，於婦人再嫁之事，雖不加以非議，但也不肆力提倡；只是站在人情的立場，權其可以再嫁而嫁耳。及乎宋代，那些道學家一出，乃不顧人情與習俗，惟以禮教為標榜，以一頂「貞節」的大帽子，硬壓在婦女的頭上，荼毒婦女，莫此為甚！

又近世學者亦多以為貞操問題，盛行於宋代以後，這也不盡然。如鄧文如「骨董瑣記」卷二云：「南唐纂立後，宰相宋齊丘表請與故吳太子璉絕昏，曰：非獨婦人有七出，夫有罪亦可出。此雖姦一時藉口，大可為今日持女子解放論者張目。當道學未盛行以前，士大夫家絕不以再醮婦為辱；然無故乖離，亦清議所不許。今懲於守節之敝，率爾離異，蹀東西，路人不若，是將何斷人情之薄耶？……」足見古時七出與出妻之俗，雖視之為常，然無故離異，亦清議所不容。凡婦人出或再嫁，大抵皆以人情為本，不能勉強。迨宋代以後，不但勉強婦女「守節」；且更變本加厲，進一步壓迫婦女「死節」。而這個「守」字與「死」字，也是由於程子那兩句話：餓死事小，失節事大所影響的！

搜異錄

紀元前四五〇年就發現了原子能

·沐子·

關於原子能的發展及功用，早已為一般人所耳熟能詳的了；然而這個學說的演變過程，大家不一定都很瞭解，玆僅將原子能理論的來龍去脈，作一簡單而有系統的闡述：

最早發現這項理論的是希臘哲學家安拉沙克瑞斯（Anaxagoras），他在公元前四百五十年，首先創設一種假設，揣測萬物的一切生存或毀滅的條件，都是從不可見的微粒聚散而來的，此種微粒稱之為「精子」（Spermata）。於是在公元前四百年又有一位哲學家德莫克瑞西斯（Democritus），修訂這個學說，他認為宇宙是虛無空間內差不多由無限數不可見不可分的粒子所構成，此等粒子的不同處，僅在於形式、位置以及排列、而物體的成形與毀滅，亦僅由於此等粒子的聚散。此等粒子謂之原子（Atom），其原意即是「不可分的」。到了公元前八十年，一位羅馬衣匹鳩魯學派（Epicurcan School）的哲學家呂克理西斯（Lucretius），在他所著的不朽名作「物性詩」（De Rorum Natura）裏，曾暢論原子的假說，並對氣體有近於今日學者所作的想像。此後數百年中間，哲學家論述原子的文字，時有所見，不盡相同，但都是假說，不切實際。

直至以後的一千九百年，方始有根據實驗，而合乎科學理法的近代原子論問世。

生活漫談

內分泌與發育

·馬騰雲·

男人到了一定的年齡為甚麼長鬍子？生殖器根上為甚麼會生出毛，女孩子到了十七、八歲，為甚麼奶子就長大，人也漂亮了？這些變化當然是神經機構統一管理着的。不過在神經機構下面，尚有很多調節這類變化的小機構，在科學上叫作內分泌腺，內分泌腺庫在產生出一種汁水，叫內分泌，滲進血液裏，隨着血流到全身，在全身，或是某些部份發生一定的作用。

我們的腦子下面，有一個小指頭大的疙瘩，它是一個最重要的內分泌腺，狗，貓，兎，鼠，如果割掉了這個內分泌腺，就會變成公不公，母不母的東西了。如果用這種內分泌腺去餵牠們，牠們又能生長得很好，男人的這種內分泌腺少了的話，他會變成姑娘氣，人體上這種內分泌在一定的時期，能引起生殖器的發育，能引起奶子的發達，能引起感情上的變化，有的人在小的時候，這種內分泌腺病壞了，他就長不高，有的到老亦祇有兩三尺高。如果是男的，聲音亦不變粗，也不長鬍子，如果是女的，奶子不會大，亦不會有月經，假定這種內分泌腺生出的汁水太多，如果是小孩，就會長到七、八尺高，如果是成年人，骨頭就會長得很粗笨。

腦子的後上方，還有一個內分泌腺，它的作用和前面說的一個相反，它限制前一個的作用，它如果有了病，生出的汁水太少，小孩子就會很早發育，長出鬍子變成大人，一般的到了十五、六歲，這種內分泌就慢慢的沒有了，男人的睪丸，女人的卵巢也能產生內分泌，人到了一定的年齡，前面說過那個腦子下的內分泌腺，引起睪丸卵巢的發育，在發育上它就產生內分泌，引起身體上部份的變化，男人生殖器發育長大，生鬍子，音變粗，女人奶子突出長大，如果要將睪丸卵巢割掉，即使有腦子那個內分泌腺，也會長得男不男，女不女。

人的一對腰子上，還各有一個內分泌腺，它在人生氣或特別緊張時，產生的內分泌就增多，刺激神經，使心跳加快，同時使肺部氣管擴大，加緊喘氣，這時全身肌肉亦緊張起來，發生比平時大得多的氣力，有些人在危險的時候，能負荷他不能負荷的重，爬上了他平時爬不上的高牆，消防隊隊員對這類經驗最多，凡這種內分泌腺發達的人，多半性情剛強，天眞耿介，它如果出了毛病，產生的內分泌少，人就感到沒力，脈跳的亦很細。

我們的脖子前邊，有一個紫色內分泌腺，它的內分泌能使身體發生熱和力，它如果分泌少了，身上就怕冷，沒有力氣，同時身體內的養料消耗不了，弄得人腫皮腫眼腫，思想變成遲鈍，我們平時吃的東西喝的水裏面，缺少一種碘質，這種內分泌腺就腫大，脖腫起像個布袋，這就是中醫說的頸袋病，大陸上紹興區域和台灣的蘆洲觀音山一帶，水裏缺乏這種碘質，所以大脖子的人很多，防治的方法，就是多吃含碘質的東西，如海帶、紫菜、髮菜等。

命相與夢話

美男子汪精衛

·公陶·

中國美男子除伶界大王梅蘭芳外，再就是汪精衛（兆銘），他的風頭出了一生，這是盡人皆知的。我們今天是就相論相，不評他已往的功過是非。一個人的成功有早有晚，汪精衛少智精達，上額寬平主少年早熟，印堂豐起必定頭角崢嶸，男女的相最怕太漂亮，看相有一句訣竅「秀中帶濁主貧賤，濁中帶秀是貴人」。澡堂旅館裏的茶房，有很多美男子，道理即在此。汪外貌清秀，最怕某部位帶濁，又兼從側影看沒有屁股，辦事業搞政治，都不會有結果；講話時雙手不斷的搓，表示此人言行不能一致。相法說：「人生當肩臟上必速，惟難持久」。汪精衛在政治舞台上，翻雲覆雨，起仆者再，非無由也。談了汪精衛順便一提其助手陳公博，陳貌從古，形態近怪，皆屬貴相，惜左眼角有數根血絲，鼻樑上起暗筋，雖才思縱橫，仍難逃脫兇終，固由於當時環境使然，相貌如斯，夫復何言？周佛海眼神帶煞，下巴骨削弱，和湖南財政廳長胡邁頗彷彿，晚節多乖亦由前定，姑誌之，以待日後命相家們參考。

自由報

第八五九期

中華民國僑務委員會頒發台救新字第三二三號登記證
內銷證內僑警台報字第 031 號
中華郵政台字第一二八二號執照
登記爲第一類新聞紙類
（半週刊每星期三、六出版）

每份港幣壹角・台灣零售價新台幣弍元

督印黃行奮・社長李運鵬

社址：香港九龍砵打士街91號十樓六座
91 DUNDAS ST, 9th FLOOR,
FLAT 6 KOWLOON H. K.
電話：857253　電報掛號：7191
承印者：大同印務公司
地址：香港北角和富道九六號
台灣總管理處
中華民國（台灣）台北市大同街 119 號
電話：555395・557474
台灣分社：台北市西寧南路 110 號二樓
電話：三〇三四六
台郵撥儲金戶九五五二

宏揚詩教以啓中興（上）

——爲華岡中華學術院詩學研究所成立而作

・胥端甫・

中華民國五十七年三月三十日，台北華岡中華學術院詩學研究所成立，這是一個非常值得紀念的日子。宏揚詩教，運啓中興，這是創始，這是濫觴，希望海內外忠貞愛國的詩人，起而響應，領導青年，共循斯軌，發揮興、觀、羣、怨的作用，振起民族革命的精神，爲復國建國前途在精神上導其先路。

倡導的人，自然是中華學術院院長張曉峯先生，所長爲監察院副院長張維翰、副所長彭醇士，委員兼執行秘書易大德，以下委員則爲丁治磐、木下彪、王家鴻、朱玫瑩、成惕軒、江潔生、李漁叔、吳春晴、吳萬谷、何志浩、李猷、林熊祥、易君左，宗孝忱、林尹、胡慶育、俞大綱、胥端甫、梁寒操、陳逢源、陳定山、陳南士、陳季碩、許君武、張惠康，張泰祥、彭國棟、曾今可、楊仲佐、劉太希、顧翊羣等三十一人，合計三十四人，這與永和蘭亭集會的三十二人是一個巧合。這一天天氣陰沉，煙雲掛樹，站在華岡的右任樓上，遠豁雙眸，則峻嶺崇岡，幽谿迴谷，盡在目前；再登萬里樓前，則俯瞰銀濤煙波萬里。和陽明山的中山樓遙遙相望，鼎足而三。互爲上下迴看，都好像有「雲裏帝城雙鳳闕，兩中春樹萬人家」的氣派，這眞是欲界的仙都，詩人的天國，山陰蘭亭，未必過此。

總統蔣公中正於中華民國五十五年十一月十二日，國父一百晉一誕辰，適中山樓中華文化堂全部竣工時，親臨主持落成典禮，其發表紀念文中有曰：「嗟乎！隔水西望，滿目瘡痍，渡頭落日，青山一髮者，莫非中原，淚枯血乾，死生無告者，莫非吾胞與骨肉焉，是以中正雖歷經艱難險阻，與侮辱橫逆之來，猶予日孳孳，而忘其身之老，責之重也」！今日者，對此陰沉欲雨之天，念及總統「忘其身之老，責之重也」之歎，能不操危慮患，惴惴其慄也哉？是眞有中原一髮，滿目瘡痍，觀景凄然，喜極而悲的感痛了，況且在紀念文裏面，總統更明明白白昭示們說：「毋徒以遊目此璀璨瑰瑋紀念 國父之建築，而樂以忘憂！須知此爲復興基地，重建民族文化之標幟，當益堅其消滅赤禍，重光大陸之信念；惟有我青天白日之光輝，普被於大陸之疆土；倫理、民主、科學三民主義之福址，均霑於大陸全體之同胞，一如今日自由基地之台灣者然；而後始無愧於屋漏，無愧於國父與先妣之遺規」。這是沉痛的訓言，這是光明的啓導，今天宏揚詩教，恰如總統所謂：「且以此爲復興我中華文化，明德新民之契機」。我想詩學研究所之成立，其導源就在這裏，宏揚詩教的內容與目的，也就要從這裏發其端而宏其流，堅其實而收其效！

上午十點詩學研究所成立會開始，首由曉峯先生致詞，繼而張所長、梁委員、何委員對詩教之振興，都有闡述，尤以木下彪氏以異邦人參與斯會，更有沉痛的發言。是梁寒操氏：「疏穢鎮浮宜借樂。廉頑立懦莫如詩，黃魂疲悲羣芳夢，文藝重興要此時」。固不僅是中國人、亞洲人，連整個世界的人類，都在夢中，尤其被共產黨徒的邪說，蠱惑搖撼，人類的自由與生存，等於千鈞一髮之繫，梁委員說：「文藝重興要此時」，這是一點不錯的。各委員致詞後，便是兼執行秘書易大德委員報告籌備經過及今後工作重點。曉峯先生的致詞裏面，扼要報告了六點理由，可說是宏揚詩教的具體意見，也就是重興文藝，宏揚詩教的具體意見：

（一）地理環境　世界的大都市，把名山包含在市區裏面，以詩情畫意的勝境，供都市人士的遊憩，是極爲難得的。有之，當推南京的鍾山和台北的陽明山，而陽明山規模宏濶，園林幽勝，尤過于鍾山。所謂振衣千仞岡，濯足萬里流，西望大陸，江山浩蕩，這正是詩人們俯仰今古，融鑄國魂的理想境界。

（二）時代背景　政府遷台以來，條將二十年，陽明山雙溪上游之松溪，有革命實踐研究院與國防研究院之設置，革命火炬，熊熊上升，最近又有中山樓之創建。華岡壁立於雙溪之上，爲中華學術院與中國文化學院之址，構成一所新型之大學。外雙溪則有故宮博物院，中國歷代文物之寶藏。詩人們淵然深識，定有淸辭麗句，以莊嚴斯土。

（三）緬懷先烈　台灣寶島，當南北兩洋的要衝，昔人稱爲海外乾坤。同光之際，創立新省，實行新政，欲以一偶而基國家以富強。奈東隣侵略，美志未效。寶島淪亡，歷半世紀，全國革命志士爲收復台灣失地而犧牲奮鬥。台省先烈，當淪陷以後，廣結詩社，把民族靈魂，保藏在委婉的詩句裏，來激勵民心，矢志光復。國可亡，而詩不可亡；詩不亡，則終有光復之一日。詩也者，革命正氣民族大義之所寄託，可不永念乎？

（四）景仰前賢　三原于右任先生爲近代詩學之祭酒，亦爲一代之草聖，高風亮節，沾溉無窮。華岡大成館正面四樓，懸右任樓遍額，而一樓接待室，則稱爲草聖堂。今天新成立的詩學研究所，即設于右任樓上，善歌者使人繼其聲，善教者使人繼其志，此實爲本所同人之公意。

（五）宏揚樂教　華岡興學，以文藝復興爲目標。言文則爲詩歌，散文、小說、劇本等，而以詩歌爲至精。言藝則爲音樂，美術、戲劇、舞蹈等，而以音樂爲中堅。古者制禮作樂，以詩歌與樂教合而爲一，而教化大興。中古以降，詩與樂離，詩是詩，樂是樂，而禮崩禮壞。今日欲圖文藝復興，則自必期待於詩教與樂教復合爲一，方爲文化復興可久 久之道。何志浩作辭，賈友棣作曲，三大頌的完成，即爲合作之明證。

（六）獎勵青年　任何學術之傳授，胥有賴於著書講學，作育青年。今天詩學研究所成立，張所長維翰，彭副所長醇士、易秘書大德及各位研究委員與理事諸先生的倡導，深表謝意，日本木下彪先生亦在座，並表歡迎。本人以爲本所當務之急，尤爲募集獎學基金，先從華岡基地開始，凡學士、碩士、博士三級學生，有志於詩學研究與創作，成績顯著者，一年一度，贈予獎學金以資鼓勵。所謂同聲相應，同氣相求，前修未密，後出轉精，假以歲月，定有發揚光大之希望。

（下轉第四版）

自由談

謹防前功盡棄！

中華民國政府在台灣實行的土地改革新政，乃是一項劃時代的措施。農民依照「耕地三。七五減租條例」，達到了耕者有其田的願望，，國父的民生主義，在台灣算是實現了，藉此證明政府要把台灣建設爲三民主義模範省的計劃，不難全部完成，深堪欣慰。

據說，由於人口激增和工商企業逐漸發展之故，台灣的地價普遍增高，而在都市擴充計畫之下，若干農地劃入都市建築土地，範圍後，地價尤其狂漲。於是乎，一般原有的地主，見利忘義，藉詞脅迫農民，毀棄耕地租約，要將土地收回，待價而沽。農民訴之於法，法院每不按照「耕地三、七五減租條例」第十七條和第十九條的特別規定處理，而援用民法或其他的地政法規爲裁判根據，因此農民常告敗訴，耕地慢慢的又將集中於少數地主之手。及其弊也，政府靡盡心力在台灣實行的土改新政，勢必前功盡棄，恢復原狀。我們認爲這是一項嚴重問題，千萬不可忽視。

爲保持土改的成果，政府應該通令各級行政機構和法院，關於農地糾紛的處理，必須以「三。七五減租條例」爲圭臬，在本條例沒有規定的，纔可以適用民法或其他的地政法令。同時，對於農地劃入都市建設地區，亦得妥擬補救辦法，而以保障農民利益爲前提，決不可聽其自然，無所規劃。都市建設若不配合土改政策，那就談不上「三民主義」建設的話，而所謂「模範省」云云，也就是徒託空言而已。

台灣土地改革的成就，相率聳動了國際間的視聽，台灣絕資爲借鏡，也博得了台灣大多數人民的歡心，竭誠擁護，這是我政府在政治競賽中足以自豪的重大績業。假使習焉不察，讓少數地主附級乘隙抵罅，土改政策，乃至於恢復土地集中狀態，豈非極其糟的事嗎？這比地方自治和縣市長選舉問題，重要百倍，不知鐘鳴鼎食的袞袞諸公，亦曾注意及此否？記者心所謂危，故不能已於言者此也。

馬五先生

昨日與明日

法蘭西的悲劇

戴高樂統治法國十年，念念不忘在歐洲稱霸。不但與我中華民國作對，他更反英反美；一面力拒英國加入共同市場，迫英鎊貶值，使威爾遜哭笑不得；一面用「炒金」的手法搞起黃金潮，使詹遜難以招架。又迫北大西洋盟國總部撤出巴黎，這一連串的行動，皆是與自由世界爲敵。

今天，法國學生、工人，正鬧得天翻地覆。花都已滿面麻瘋，垃圾堆塞街頭；法蘭西已在風雨飄搖中。這一次，老戴不但鼻子大，恐怕他的頭也大了，雖然他未倒下來，可是他的老命已去了半條。以往一年多，他是國際第一號搗蛋鬼，但到今天，別人要搗他的蛋了。照我們古聖先賢的說法，就是善惡到頭終有報，老戴作惡太多，今天是他應得的報應。如今，唯一可救之方是趕快回到自由世界，否則，法蘭西的悲劇上演，將是漫長的一幕。

戴高樂何去何從

戴高樂在這次鬥爭中，幷未被鬥垮。而龐比杜內閣在彈劾案中也過了一關。因此，戴高樂政權的前途，就得看下月的法國公民投票。

目前，法國的情勢是：戴高樂若果下台，那末法國共產黨就要來掌握法國的統治權。

法國人民是愛好自由，喜歡享受的，他們不會歡迎共產黨來當政。甚至法國工人，例如天主教工聯會領導的工人，也不會擁護法國共產黨的。在一切事實上的分析看，戴高樂仍然可以佔「贏面」，因爲，法國人民在兩者之間的選擇，仍要支持戴高樂的。

如果，戴高樂不垮下來，將必求助於英美，只要老戴肯張口，英美是會出力幫忙的。而多年來，英國欲加入共同市場的事，老戴不會再大力拒絕，這樣，法郎不會貶值，英鎊及美元亦趨穩定；不但挽救了法蘭西的垂危，也安定了整個自由世界，此乃自救救人之道，希老戴三思之。

（何明）

你死你活

各走極端

本屆台灣地方選舉面面觀（上）

本報記者張健生

第四屆省議員七十一名，第六屆縣市長二十名，已於四月二十一日經全省選民分別於各選區選出，將於下（六）月二日分別就職。

本屆地方選舉確有進步，但這種進步應歸功於選民。

在競選前後的各報地方版的通訊，對若干公職候選人之不法行為，都有報導；在公職候選人公開活動期間，儘管有人大聲呼籲候選人應「守法節約」；應以光明正大的競選態度和寬大恢宏之民主風度，循正常軌道以政見爭取選票，俾改進敗壞之選風。但事實告訴全省選民，公職候選人守法者究有幾人？節約又有幾人？有些公職候選人且認政見不足以爭取選票，爭取選票須採他途，於是賄選之聲不絕於耳，賄選新聞成為民營報爭取讀者的「資本」，這種不良風氣何以不能改革？

我曾於本屆選舉前後，兩次作環島採訪，耳聞目睹的事實，非這篇短文所能敘述於萬一。

「選法」買票所違何法

例如，嘉義縣選舉事務所拒發僑報記者參觀證，為什麼？因為該選務所鼓勵縣長候選人「買票」，而且公開刊印於選舉公報並散發給選民，所謂「選法買票」，究不知「選法」何「法」而「買票」，因此，該選務所拒絕由台北前往之僑報記者採訪，以免此非法行為外洩。這種行為，顯然違背省政府五十二年二月二十五日府民二字第一一八八三號命令，更與採訪自由不合，此事已為監察院所重視。

我說選民進步的事實，是根據報載有趣的投票統計數字分析而來。這次選民投給國民黨籍二十位縣市長候選人的有效選票總計二百七十六萬九千二百八十五票，較上屆（第五屆）之二百五十七萬一千六百七十三票，增加十九萬七千六百十二票，增加率為百分之五點五弱。選民投給非國民黨籍的二十三位縣市長候選人的有效選票總計一百零四萬五千九百十六票，較上屆（第五屆）之六十九萬七千四百六十四票，增加三十四萬八千一百三十二票，增加率幾達百分之五十左右。

投票率顯示了選民進步

第六屆縣長選舉公民人數，全省二十縣市共為五百二十六萬六千零五十八人，較第五屆之四百八十七萬零七百八十一人，增加三十九萬五千二百七十七票，增加率為百分之八點一一。第六屆縣市長候選人所得有效票合計：三百八十一萬四千八百八十一票，佔公民人數百分之七二點四四。第五屆縣市長候選人所得有效票合計：三百二十六萬九千一百三十七票，佔公民人數百分之六七點一二。是故本屆縣市長之投票率高於上屆投票率達百分之五點三二。這顯示選民的進步。

此外，四省轄民投票的趨向：第六屆國民黨籍四位省轄市長候選人得二十九萬八千三百四十四張有效票，非國民黨籍七位省轄市長候選人得二十九萬六千六百零二票，相差不過一千七百四十二票。第五屆國民黨籍四位省轄市候選人得二十六萬四千五百零五票，非國民黨籍九位市長候選人得二十二萬四千八百三十七票，相差達四萬票左右，這也是關心地方自治人士值得研究的有趣問題。

屏東國校停課教員助選

公教人員助選事實部份：屏東市十五所國民學校，自四月十一日至二十日止，停課十天，由教員持「學生家庭訪問表」按學童住址逐戶訪問家長，教員於訪問時明示或暗示各家長須投票選舉縣長候選人張豐緒暨省議員候選人董錦樹等，因而引起屏東市中正路一帶居民之不滿，乃向監察院監察委員陳翰珍等檢舉，陳委員等根據該檢舉書實地抽查屏東市仁愛、中正兩民學校。

據仁愛國校校長余玉碧於四月十八日下午四時許答覆陳翰珍委員等說：該校有教職員一百十餘人，其中五十多人作「學生家庭訪問」，已經好多天了。當陳委員以幽默的口吻說「這次訪問應與選舉有關」？「為什麼在選舉投票前夕作家庭訪問」？「是不是每年都在這個時期作這麼長時間的家庭訪問」？而余玉碧校長對此詢問含笑未否認。

又據中正國校校長吳天化於同日對陳翰珍委員等說：這次屏東市各國校教員之「學生家庭訪問」，係經全市全體國校校長會議所決定。該校有八十多位教員停課而進行「學生家庭訪問」。

由此可知，教員以「學生家庭訪問」之名而助選，固與選舉法規不合，且違背總統之「守法」訓示。這種非法助選的情形，不獨屏東縣如此，其他縣市也有同樣的情形發生。台中市長候選人林澄秋於四月十六日在糖廠中山堂，公開要求台中市選舉監察小組委員翁茹即刻禁止中市國校教員及警員從事助選活動。因中市有十幾所國校已紛紛自動休假，校長並飭令教員前往學生家裏進行助選活動，每人每天可拿到五十元以上的「出差費」。

高市有人冒充警察助選

警察人員有助選的事實？據高雄市民向高雄市警察局第二分局檢舉，並經警方查獲有案者，有男子翁俊男者，冒充台南縣警察局行政課巡官李榮洲，於四月二十日晚上在高雄市鹽埕區一帶為市長候選人陳武璋活動。但新聞報道說，「翁俊男於二十日在鹽埕區一帶，作不利於市長候選人陳武璋的活動，是否係受另一市長候選人揚金虎所僱，為其作非法助選活動，在警方偵訊時，未作明確的說明」，何故？新聞沒有進一步報道；翁俊男到底為誰助選？於冒充一毛四警官的罪嫌有無依法移送法院？警方迄未公布，下文不知。從這則新聞觀察，就是包青天再世也審不清了。

太太為夫助選挨門拜托

非公職候選人登記有案之助選員，不得從事競選活動，此為妨害選舉罷免取締辦法所明定。但事實上，非助選員而從事助選活動者，却大有人在。如基隆市長候選人蘇德夏的太太，和市議長的太太等，公開拉票。當基隆市選舉監察小組張委員於餐會上手持刊載前述新聞之中央日報詢問省政府民政廳長翁鈐是否合法時，翁廳長先則未料張委員有此一問而驚訝，繼則說不合法。

儘管太太為丈夫助選屬於違法行為，然而領導社會輿論的若干新聞記者，是非不分，且加讚揚。如屏東「國民黨提名的縣長候選人張豐緒⋮⋮的夫人亦已露面，連日部份機關首長的太太們陪同，拜訪各方，這支「娘子軍」所到之處，頗受歡迎，對於爭取選票，確有一手。」這是非法助選，而台中某報的新聞標題謂：「張豐緒有個好太太；幫助丈夫覓封侯，結髮妻挨家拜託」！

台省合作金庫應作自我檢討

本報特約記者 司徒雲驤

（台灣通訊）五十五年九月一日轟動全國大新聞「八信合作社倒閉案」，迄至目前為止，在苒三年，尚未獲得澈底解決。

「八信」所有舞弊違法理監事，雖已鋃鐺入獄，但量刑太輕，不旋踵一一期滿出獄，只是苦壞了千百家望眼欲穿祈求早日還欵的受害存戶。

這次受害者雖係由八信理監事為非作歹間接促成，實為省合作金庫之始作俑、合庫具有五十三次不平凡交換之差，打破票據法有史以來所未有之紀錄？按規定交換三次不兌現即違反票據法而退票，不論任何人均應受法律制裁，何況竟有如此煌煌交換之差？倘予早日發出危險訊號，又何致會無辜受害存戶有如此之衆！

之後，事態擴大，請願載途，經官方數次督催開會，始產生由各合作社代表組織之整理復業委員會，處理善後？年下省府暫墊欵二千萬元，發放五十五年度零星存欵，以稍息存戶之怒，目前，整委會構竭力整理出頗多有利資料，顯示接近資產與負債平衡，惟距清還欠欵時間尚有待於兩年之努力！

不過，值得注意的，土地債權大都抵押於合庫，拙價售出之欵，並非優先發還存戶，第一優先是發還清合庫抵押欵後再補償佃農損失，其餘始列入還欵之列。

其次，過去一段時期中，合庫為優先償還本欵，會堅持設定權，已經為市府財局嚴予駁斥，又五十六年度市議會張議長參加調處召開協調會議，決定發還五萬以下存欵，何嘗需扣息二年？試問存戶苦捱二年，毫無利息，而今，再倒扣二年利息，正反相因，在經濟學上是如何計算？這不就是變相壓搾存戶之血汗嗎？合庫方面，更應該自我檢討，立即停止「八信」任何利息，承認五十三次票據交換之差的過失，墊出資金無條件償還存欵，以謝「八信」三年受迫害之無辜存戶，才會與政府愛民便民之德意相符。

何浩若揭發費正清詭謀
王世杰辭職未准將退休
文星書店受輿論影響而停業

台北航訊 中央研究院長王世杰，前一度被人攻擊勾結費正清，接受福特基金，作現代歷史研究之費用。因而對其忠貞表示懷疑。

王氏為自身清白計，曾向總統提出辭呈。嗣經極峯考慮，未予批准，仍將原呈退回。王氏近向人公開表示：「中央研究院為一最高學術機構，不做政治活動，彼與費正清之間，從無交往或聯繫。至於福特基金之補助作專題研究事，全係出之於增進中美友誼及發揚學術之誠意，並未附有其他條件，且此項基金向為各國學術機構所爭取，實不能因此而受責」。王氏並謂「本人行將退休，譭譽榮辱已置之度外，惟盼勿因此而損及此一清高之學術研究機構之聲譽則幸甚矣」。政論家何浩若曾於本年一月中旬，在立法院外交委員會作專題報告，題為「我對美國姑息份子費正清的批評」。復於三月下旬，在國民大會代表全國聯誼會時事座談會上再作「我為什麼提出對美國姑息份子費正清的批評」。該項報告中，會涉及王世杰為費正清親密友人之一，並指出其關係種種。王氏對此從未駁辯，迄至上呈總統辭職，未獲批准以後，始對何氏之言論，首次提出解答。

何氏報告中有謂：「太平洋學會中國分會負責人胡適、蔣夢麟、蔣廷黻、王世杰、周鯁生等因組織關係與費正清、拉鐵摩爾、希斯哲索甫為親密之友人，費正清且自稱為蔣廷黻之學生。胡適在駐美大使任內曾與費正清、拉鐵摩爾合作。費正清等會為胡適活動，使之獲得三十多個名譽學位。當費正清等陰謀顛覆中國大陸之時，太平洋學會中國負責人亦均獲得我政府之機要位置。除胡適曾任駐美大使外，日本投降後，王世杰任外交部長，蔣夢麟任行政院秘書長，蔣廷黻任聯合國安全理事會代表，彼等既為費正清等之密友，又身居我政府要職，何以在其長時期內，對太平洋學會出賣我中華民國之陰謀，毫無警覺？」又謂「我國中央研究院，先後為太平洋學會中國分會負責人胡適、王世杰所主持，故該院與費正清之關係，迄至目前為止，仍極為密切。胡任中研院時，於美國國會宣布費正清等出賣中華民國顛覆中國大陸之後，聘請費正清來台講學。據黎東方在中華雜誌撰文稱：（五卷十一期）費正清來台後，在其主管之福特基金內每年撥美金五萬元津貼中央研究院之現代歷史研究所，其交換條件為獲得我方之一部份檔案。此後費正清即運用此項資料攻擊我國。王世杰接長中研院後，復於五十三年邀請費正清來台，費正清來台後，即策動殷海光、李敖等在文星雜誌發動全盤西化運動。文星雜誌為費正清出專號，稱之為中國問題之權威，應「刮目相看」（七十八期，五十三年四月一日）費正清於此次來台時，又策動彭明敏叛國案。台灣經濟日報五十六年八月二十二日專欄報導謂郭廷以即於此次將費正清說服，係如何將其說服，實堪研究。王世杰於五十六年訪美時，復正式宴請費正清，稱之為中國問題之權威。費正清獲此鼓勵，竟敢於嚴副總統訪美之際，以中國之友的姿態公開邀宴我嚴副總統，擬復施其挑撥離間之詭計，幸嚴副總統予以拒絕。費正清之陰謀，未能獲逞」。

何氏又舉出：「首向知識青年倡導反攻無望及台灣獨立者為自由中國半月刊，其主持人雷震與太平洋學會中國分會之負責人有極密切之關係，繼自由中國半月刊之主張全盤西化反對政府者為文星雜誌，其執筆人殷海光、李敖等亦與胡適、費正清等有不尋常之關係」。另又舉出嚴復之孫嚴僑有二妹，一嫁辜振甫，一嫁葉銘勳。文星雜誌發行時葉任社長，李敖、殷海光同時加入文星集團，辜振甫，辜偉甫，辜寬敏同為日治時大漢奸，辜顯榮（號耀星）之子，以日本為背景之台獨，係以辜顯榮為崇拜偶像，文星集團會為辜顯榮百年誕辰，並為立忠烈祠，後由立法院提出質詢，因將該祠摧毀。凡以榮星二字為首之團體，如榮星保齡球場，榮星歌唱團等均係紀念辜顯榮（耀星），文星與耀星集團有密切關係，因紀念辜耀星故稱「文星」。蕭同茲為文星書店董事長，亦與榮星保齡球場有關係。立法院亦曾對蕭氏與文星之關係，提出質詢」云云。據悉設立台北市峨眉街之文星書店於何氏發表此文後，隨於上月經過大拍賣存書畢。即行停業結束，外傳係因虧空倒閉，證以上情，實因受輿論抨擊嚴重影響，故迫而走向「關門」之路。

本報記者 董書

討伐匈奴有功 衛青與霍去病

·清園·

漢武帝大舉討伐匈奴，使匈奴從此衰弱、分裂，後來且自請歸降。論汗馬功勞，當數衛青與霍去病。衛青字仲卿，他的父親鄭季，河東平陽人。（今山西臨汾縣）他由縣吏派往平陽侯曹壽家做事。壽娶武帝姊姊陽信長公主爲妻，故長公主也稱爲平陽公主。鄭季與公主家僮衛媼私通，生下衛青。時衛媼已有一男三女，男名叫長君，女名叫君孺、少兒、子夫。

武帝有一天到平陽公主家，子夫因而得幸，旋入宮爲夫人；故青冒姓衛氏。青少年時曾回到父親家，父親使他牧羊，鄭氏兄弟都把他當奴隸看待。當時有個會看相的人，看見衛青，一把拉住他說：「你是貴人，官至封侯。」青苦笑着說：「做人奴隸，能免於打罵就夠了，那裏還能封侯？」衛青成年之後，仍回到平陽侯家做騎馬的隨從，他的三姊子夫入宮，青也隨她入宮做點小事。時陳皇后之母，（母爲武帝的姑媽）因妒忌子夫而借故因禁青，幷想殺掉他，幸得友人騎郎公孫敖將他奪回來，青因得不死。武帝且因此而升他爲太中大夫。公孫敖也因救出衛青，更日漸顯貴了。

元光六年，（西元前一二九年）武帝大舉出擊匈奴，拜衛青爲車騎將軍，出上谷；公孫賀、公孫敖、李廣等也拜爲將軍，各統率一萬騎兵，分別出雲中、代郡、雁門，四路同時北進。青曾打到龍城，（今在外蒙古塔米爾河岸，爲匈奴大會祭天之所。）斬獲數百人。這次公孫敖失去七千騎，李廣被俘後逃回，公孫賀也無功，唯青稍有勝利，得賜爵關內侯，這是他首次立功。以後青多次出擊，均大有所獲，虜馬牛羊數萬頭，取河南地，（今綏遠境內的黃河以南地。）置朔方郡，因而得封爲長平侯。元朔五年，青又統率三萬騎兵出高闕。（今綏遠鄂爾多斯右翼境內）匈奴右賢王以爲漢兵不可能到那裏的，所以與衆飲酒而醉。那知漢兵竟乘夜而來，圍右賢王，王獨與愛妾一人，騎兵數百，突圍北去。漢兵追他不到，但得小王十幾人，又獲衆男女一萬五千餘人，畜數十百萬頭，於是大勝而還。天子派使者持大將軍印，拜青爲大將軍，幷令諸將都屬於他，歸他指揮。他三個兒子，也都封了侯。青固辭兒子封侯，幷說：「大捷乃諸校力戰之功也。」於是公孫敖、公孫賀、韓說、李蔡等十餘人，也因此都封侯了；唯有命數居奇的李廣又無功。

這一年霍去病也拜爲票騎校尉，因功封冠軍侯。去病是衛青的二姊少兒和霍仲孺所生的，因爲他是衛皇后（時衛子夫因生了戾太子，已升爲皇后）和衛青的外甥，所以十八歲就做了侍中；又因他善騎射乃以票騎校尉跟從大將軍青出戰，領輕騎八百，追匈奴至數百里外，斬獲很多，所以得封爲冠軍侯。元狩三年春天，霍去病以票騎將軍，統領一萬騎兵出隴西，過焉支山（山在今甘肅山丹縣）千餘里，執渾邪王的相國、都尉，斬首虜九千餘級。這一年夏天，去病又打到南祁連山，「祁連山即天山。北祁連山在今新疆境內，南祁連山在今甘肅張掖以西。」斬獲很多，降者二千五百餘人，共得首虜三萬有零。內有五王，王母、單于友，及王子五十九人，相國、當戶、都尉六十三人。這次漢軍諸宿將多無功。固然去病所統率者都是挑選過的精兵，而去病也心雄膽壯，敢於深入。從此去病爲武帝所器重，竟和大將軍衛青一樣了。以後匈奴單于怪渾邪王無能，想殺了他，他乃投降漢朝，先由霍去病接見，因此匈奴人隨渾邪王度河來降者好幾萬人。至元狩四年，武帝又令衛青、霍去病各領五萬騎，一出定襄，一出代郡，深入匈奴，此次霍去病所斬獲者還多過衛青，武帝時設大司馬，青與病都加大司馬官銜。去病的秩祿，這時候和衛青完全相等了。武帝特爲霍去病興建一所大宅第，令去病親自去看看，去病回答說：「奴未滅，無以家爲也。」可惜去病元狩六年就病故了，年紀很輕，還不到三十歲。死後葬在茂陵，墳墓做得象祁連山，以紀念他是第一個領兵打到祁連山的人。霍去病少年得志，不恤士卒。而也和衛青一樣，不招賢納士，無政治野心。

衛青爲人仁慈，處世善退讓。青既尊貴，時平陽侯有惡疾就國，帝姊平陽公主要改嫁，列候誰賢？左右都以青爲最好。公主笑曰：「此吾家常騎從我，奈何？」左右曰：「於今他尊貴無比」。於是由衛皇后向武帝請求，由武帝下詔娶平陽公主爲妻。青於元封五年病故，時公主已死，乃以青與公主合葬，墳墓做得像匈奴的廬山。青凡七次出擊匈奴，斬捕首虜五萬餘級。從此匈奴衰弱、分裂，及部分投降，大都是衛青與霍去病的功勞。（完）

搜異錄

蛇有兩千五百種

·沐子·

世界上約有兩千五百種不同的蛇生存着。在了解一條蛇生活的過程中，你將會發現許多大自然界裏最使人感到驚異和不尋常的事情。

蛇是永遠不會閉上眼睛的，這是因爲它根本沒有眼簾緣故。它可以吞下比它嘴大數倍的食物，亞洲一種巨大的蟒蛇甚至可以吞食一隻鹿。蛇並不像一般人想像的那麼髒，它的皮是非常清潔而又乾燥的，而且蛇尾也沒有毒針之類的東西。蛇從來不會開口咬着自己的尾巴像鐵環一般的滾動，至於蛇會對小鳥施催眠術，那更是無稽之談。蛇的可怕而又醜陋的舌對人倒無害的。殺死一條蛇，它的配偶不會來報仇。約有十分之九的蛇是無毒的，只有少數會主動向人攻擊。更令人難以置信的是，蛇不受弄蛇者音樂的左右，因爲它事實上聽不見任何聲音。

大學尺牘

陳布雷札記

·鴻·

（民國十一年壬戌三十三歲）

仍在商報館任事，商報館基礎漸立，銷行日廣，余與公展、更生等夙夜孜孜，以充實內容改良紙面爲事。余每週撰評論五篇，星期日撰短評一篇（星期日社論欄載每週大事述評，公展主持之），自以學識寡陋，深自匿韜，社交宴會，不常出席，即同業之間，亦鮮過從。故滬上報界罕有知商報編輯部係何人主持者。爲魯案直接交涉事，與中華新報反覆辯難者約旬日，彼報主筆張一葦（季鸞）君許爲論壇寂寞中突起之異軍。某日轉輾詢問，始知余及公展之名，特往訪談，自此遂訂交焉。

三月中易公司結束，中易公司內容早已空虛，不能復支，承祁憂憤得疾以死，協理俞佐庭事先引退，盛同孫君亦束手無計，會上海證券交易所宣告停市，因之牽動，遂停止營業，宣告清算。開股東大會日，李雲書君主席，衆議紛紜，責難甚烈，幾不得下台，幸甬籍同鄉多人在席上發言，贊助董事會，始獲決議。是日盛君同孫嚴懼不可名狀，余爲會場紀錄，事先備尚周，於股東未散會前，即草成決議案正式謄入記錄簿，由主席請到股東代表二人洪雁賓、烏崖琴共同簽署，議遂大定。散會後即日脫離，自謂此後宜不復再入商界也。（然余所認購之中易股二百數十股，則已成爲廢紙矣。）

自去年以來，所謂「信」「交」事業，紛紛興起，有如瘋狂，至本年乃均牽累倒閉。余家向民新銀行入股最多，計季房七千五百元，仲房五千元（現金不敷，有半數以抵押借欵充之）。至是民新亦被牽累停業，而余個人所購如神州公司及中國商業公司股，亦一文不值，綜計結果，季房部份損失現金五千元，兩家實虧負達一萬七八千金，余個人經濟瀕於破產，而欠人之欵尚在八千金左右，諸弟均幼，宜由余負其責，乃約友好集一錢會（分十會，每年送一會）得五千金，出售仲房在二六市之田產四十畝，得二千六百金，始獲清償。初意原期稍獲盈利以爲諸弟及子女教養婚嫁之資，乃不諳商業，獲此結果；然仲房尚餘田產百畝，大部分尚幸保全，此心亦無所憂戚。獨念先君遺貲，耗損至此，對諸弟殊無以交代耳。

中易公司結束後，改入商務印書館交通科任事，科長莊百俞副科長張叔良，余所任者爲第二股長，司廣告編撰及出版圖書提要審查事。月薪百二十元。

（民國十二年癸亥三十四歲）

仍在商報館任事，湯節之君以營業折閱經濟破產，乃將商報讓渡於新公司（以中國通商銀行爲後盾）。李徵五先生改任總理，徐朗西任協理（一僅擁名義），編輯部中無更動，後以本埠新聞編輯沈仲華辭職，改聘朱宗良君繼任。自本月起，商報論評改用署名制。蓋余等原定不署名者，謂執筆者雖爲個人，而文字則代表報館之意志，故採用各國新制，然於當時中國報界爲創見，外間不察，反謂商報無自撰之社評，乃決定更改以從俗焉。余在日報上署名畏壘，自此年始。（五月十九日）四兒積哲生。

六月辭商務印書館交通科事，改就修能學社之聘爲國文教員，月薪九十元（此欵充滬寓家用，允默「王允默爲陳布雷夫人──編者」節約支持，略足敷用，而商報所入，則以還債且備特支，因館薪常欠發也）修能學社爲秦潤卿君所創辦，馮君木師社長，錢太希、朱炎父、沙孟海爲教員，余每日下午前往任課四小時。是年曹錕進行賄選，商報明揭反對之幟，同人等皆不避艱危，力持正論，甚爲社會所重視。

中國女性文藝春秋（續）

周燕謀

張玉孃爲情飲恨（下）

可是遲來的慰藉，却不能挽回他已入膏肓的沉痾了。沈佺在歔欷長歎中瞑目而逝了。死時年只二十有二歲。玉孃聽到噩耗，悲痛欲絕，從此以後，似乎春不能再在她的面前呈現出她的姣艷，秋月只能照給她以晶瑩的淚光。生離已經難受的了，「死別」對她又是何堪！她的人生恨事，至此無以復加，她作詩痛哭：

中路憐長別，無因復見聞。
願將今日意，化作唱台雲！

×××

仙郎久未歸，一歸笑春風。
中途成永絕，翠袖染啼紅。
悵恨生死異，夢魂還再逢。
寶鏡照秋水，明此一寸衷。
素情無所著，怨逐雙飛鴻。

當春天來時，燕子雙宿雙飛，已是觸目傷心，忽又憶及她已嫁的女弟京孃，此時也正雙宿雙飛，極盡「畫眉」「舉案」之樂。她的宿恨與新感齊集，不禁又吐出她的企羨來：「風紅縷在，獨憐舊事玉京非，蘭閨終日流香淚，愧爾雙飛拂落暉」。（新燕憶女弟京孃）

忽忽又到了秋天，逢銀河耿耿的七夕，天上的牛郎織女又在作一年一度的例會。雖然一年始有一次的例會，却有一定的時間可期。可是身在人間的女作家玉孃呢！却是伊人已逝，永無會期。琴絃斷而難續，相思欲織無成，當此良夜，她又如何消受？還是只好把她濃情注於紙上：

凉蟬吹淚羅衫濕，貪看無眠久延立。欲將高調寄瑤琴，一聲絃斷霜風急；鳳膠難覓令人傷，茫然背向西窗泣。寒機欲把相思織，織又不成心愈戚。掩淚含羞下階看，仰見牛女隔河漢。天河雖隔牛女情，一年一度能相見。獨此絃斷無續期。梧桐葉上不勝悲。抱琴曉對菱花鏡，重恨風重手上吹。（瑤琴怨）

在她的父母方面却自以爲是好意，看她長日悒鬱，便擬另擇佳婿，使她不致辜負了青春。但却使她更煩怨了。她對父母說：「女所不死者，因有雙親耳。……」一夕，夢沈佺駕鸞相迎，便披衣立起，對侍婢女說：「我的意志堅決定了！」遂不食逾月而死。時年只二九。在明人王詔的「張玉孃傳」裏寫她夢沈的事，尤使人興感：

時值元夜，父媼出觀燈，呼詔女強之行。不可，托疾、隱几，忽燭影揮鶴下，見沈郎宛若，囑曰：「若瓊自重！幸不寒夙盟，固所願也。」張且驚且喜。往握其衣，不相迎。顧示燭影，以手擁髻，悽然泣下曰：『所不與沈郎者，有如此燭！』語絕，覺、不見。張悲絕，久乃甦，曰：『郎舍我乎？』遂得疾以卒。……

侍女均哭之甚哀。後雙娥以憂卒，紫娥自縊死。一日鸚鵡亦悲鳴而殞。父母並以之殉葬，名曰鸚鵡塚。

玉孃的生卒年月不可考，大約生於宋末元初。她的遺集傳至京師，學士虞生、歐陽玄非常讚賞，並稱爲婦人女子中所罕見者。（八十二）

「張文襄公治鄂記」重印序

沈剛伯

當前清末造，南皮張文襄公督鄂幾二十年，當排萬難、行新政以爲天下倡，卒能推一省之治以利全國，因一時之宜而策未來；其卓識毅力誠不愧爲社稷之臣。向使湖北無公之苦心締造，則日後革命軍無所憑藉，未必遂能成功。鼎革時，公若健在，則人心有所歸附，權姦有所忌憚，袁世凱必無從覬覦神器，而北洋諸武夫又焉能竊國亂政至十有餘年之久？以一人之生死繫天下之治亂，如公者，殆眞所謂存則政舉，亡卽邦瘁者歟！吾嘗以爲今日若欲治光、宣二朝之史實，宜先究文襄之平生；庶可採其言論以補官書之不足，跡其行徑以察當時各種事變之隱情。清史稿及清史列傳中之張之洞傳均但錄功緒，而未嘗述及公立身處世之道與其通權達變之術。至私家爲公所修之年譜，則限於體例，有類簿書，僅可視爲獺祭之資，實難列入著作之林。求一取材精當，敍事嚴明，語簡意賅，可發深思之作，殊不多見；有之，其爲前湖北通志館編印之「張文襄公治鄂記」一書乎！是書不獨詳公治鄂之績，且於清季朝野上下之積弊陋習與新舊夷夏之衝突激蕩，皆能發其隱而彰其微。讀之，可觀良史之才，可悟旁通之誼，更可了然於百年來世變之所以然矣。作者張春霆丈爲先君執友，余幼奉清塵，頗蒙獎勸；癸未秋，復得一見於恩施，時予方新免於喪，燈下話舊，猶相對欷噓！以後塵事鞅掌，竟未再見，不覺遂已廿年。今丈之姪孫起鈞教授將重刊是書，而先出以相示。余執玩反覆，不能釋手，蓋「仰惟先情」，觸物眷戀，乃益增懷舊之念與去國之悲於無窮也已！

宏揚詩教以啓中興

（上接第一版）

·胥端甫·

除以上六點理由外，他更提到今年八月下旬，第一屆國際華學會議，將在華岡召開。華學範圍至廣，人文學、社會科學，自然與應用科學三大類，將分三年來輪流舉行。今年爲人文學類，包含哲學、宗教、史學、音樂、美術諸部門，乘此良緣，東亞詩人，聯袂接席，共興詩教，鼓吹中興。像這樣的懷抱，眞是遠矚高瞻，確有「振衣千仞岡，濯足萬里流」的氣概啊！

會後，赴陽明山莊梨洲樓午宴，並舉行契（衣旁，下同）集作品展覽。詩題爲「戊申上巳中華學術院詩學研究所成立喜賦」，作品中有詩、有詞、有聯，琳瑯滿目。這是華岡契集的開始，也是宏揚詩教的第一章，特分體引錄如次：

以古風言：張所長維翰云：「末流彌宇宙，乾坤盡聾暗；反覆天地黑，神州盡陸沉；閉關傷晦日，荏苒歲華侵；河山今異域，蒼生弔哭深；傾否時須望，羣心望有仍；宿衞皆勳舊，民喜復盤庚；發憤起頹廢，納誨必延英；掃除開八表，雷雨氣機盈；大化乘陶冶，規模特恢張；山川發秀麗，豁然開明堂；清風播林野，松柏參天蒼；海界看　漾，雅頌同洋洋；異地逢佳節，中原望捷時；已衰晚學問，何意辱干旗；春雨牧山羊，疏韻落芳巵；危難心不怠，小字書新詩。」胡慶育云：「鯤嶼戊申上巳辰，詩人競惜天氣新；所議無非揚雅化；豈必流觴曲水濱；孔門自來重詩教，白圭三復見精神；此風漸泯世風薄，坐令河山據暴秦；中興合從革心始，大人能保赤子眞；清詞麗可亦不棄，兩間正氣雲先振」。朱玖瑩云：「一年三百六十日，安排上巳屬詩人；一觴一詠紀癸丑，右軍染翰傳其神；一千六百餘年後，又値戊申上巳辰；四明偉人倡詩教，黌宮大啓絃誦新；浴沂歸詠都成趣，含英咀蕊莫非春；各有千秋勿白陋，山鳴谷應皆詩；我爲此歌告多士，鳶飛魚躍氣振振」。顧　羣云：「君不見屈子栖栖吟澤畔，楚雖三戶必亡秦；又不見信國慷慨歌正氣，朱明奮起拯斯民。文姬歸漢抒悲憤，少陵北征泣鬼神。中華自古多才士，筆陣每掃千人軍。聯珠唱玉起風騷，縷金奪錦誇鳳麟。橋驢背句有盡，水月鏡象意無垠。佳節上巳陽明會，高軒驄馬車轔轔。張公香山眞國老，居仁由義佩玉紳。彭侯當代推三絕，溪山雲樹寫桃津。寒操漁叔大手筆，蘭亭片紙得者珍。其餘作家均學士，雕龍綉虎世鮮倫。曉峯院長虛舟量，志在大雅扶其倫。復興文化偉業人人責，詞家倡導足經綸。我如爝火處賜谷，登龍附驥甘陪臣。拈毫覓句還自笑。廣文先生腹雖儉兮，架上有書不憂貧。」胥端甫云：「華岡鳴鳳育英奇，契集羣賢競寫詩；一千六百前癸丑，豈如今日肆梟鴟；詩情詩思殊豐贍，騁懷游目非其時；七星大屯峯頭望，神州渺莽神魂馳；血淵骨嶽情何極，人心陷溺自縱賊；詩教由來重六經，中和敦厚邦之則；四明衞道啓黌宮，制仿明堂氣挺特；豈但崇山峻嶺間，鏡敷大洋深莫測；從茲雅化沛羣倫，濫觴戊申上巳辰；韻叶絃歌調律呂，櫻燦流杯艷古春；詩魂國魂相契結，正氣發揚除暴秦；後之視今應警慓，毋使民風遜酒醇。」

以近體言：五律則易君左云：「千仞萬岡立，風騷共一肩。但求金碧柳，莫羨古青蓮。報國賓多士，傳詩望少年。蘭亭新韻起，裊裊夢魂牽。」七律則吳萬谷云：「百代騷魂若可招，詠觴春永和遙。座圍綉虎雕龍手，櫻發流杯撲蝶朝。雅有好風能祓世，會揚英吹欲臘霄。杜陵詩律雨量細，來啓休明奏九部」。張惠康云：「衣冠猶是永和春，今日長安多麗人。賢集右軍煩作主，才輸枚叟愧爲賓。固知薪胆終興越，忍睹詩書竟火秦。願剪後山千尺瀑，稍從吟坫浣微塵」。王家鴻云：「三原沁水芬芳歇，佳日經年罷契觴。賴有清河追白社，肯將壇坫起華岡。風雲際會開新運，俯仰興懷發古狂。此地崇山兼峻嶺，喜隨羣彥共翱翔」。林熊祥云：「廿載烽煙有厥樓，髯翁風範屹千秋。中興自見文章盛，北望行平鄉國愁，吾道兼包懸正鵠，此心各澈漾虛舟。鍥而不捨長相勗，敦厚溫柔耀五洲」。陳穎昆云：「神州詩教早宏揚，風雅而還蔚漢唐。陶冶性靈敦俗化，涵濡禮樂美倫常。時艱但使文猶在，學盛終期道大光。喜見鴻儒主壇坫，契辰觴詠會華岡」。何志浩云：「興觀羣怨孰精研，六義融心意在先。文閣延才傳紹學，士林修契集佳篇。休誇筆落驚風雨，却待神來得性天。欲問參軍何處去？華岡鳴鳳友羣賢」。朱玖瑩云：「送往迎來總是春，永和而後又茲辰；昔賢嚮往風流歇，吟席軒長與會頻；範水模山雖異趣，由今視昔却同因；不知珠玉紛陳座，誰是華岡作序人」。成惕軒云：「層陰消盡照春曦，待與神皋起孑遺；蠶市定知非舊俗，羽觴猶幸及芳時；臨風衣振岡千仞，照座花生筆幾枝；記取孔門溫厚意，默扶元化且昌詩」。李漁叔云；「寒雲昨夜宿長廊，捲幔羣山入莽蒼；肯爲幽花開霽色，愛看細雨濕春光；賢流集契遺徽在，詞客題詩秀墨香；同爲千秋作高會，座中諸老各堂堂」。丁太希云：「禹跡凄緬望渺冥，華岡聲教接蘭亭；九皋鳴鶴聞諸野，八表吟龍走萬靈；世運倘期貞下會，斯文長耀啓明星；扶衰今見堂堂手，得一從知足以寧」。許君武云：「名山釁金最高閣，游藝依仁有典型（所址在右任樓）；仰詠俯觴開上巳，揚葩振藻贊中興；春回洱海持風會（謂張契老），道拓姚江耿學燈（謂曉峯先生）；羣彥清芬吾自愧，追隨溫厚儘猶能」。林尹云：「蘭亭修契集羣賢，盛事風流萬古傳；今日重開上巳會，新詩爭詠艷陽天；歌禽囀囀花濃眼，戲蝶翩翩粉撲肩；坐對華岡春色滿，此身自擬似神仙」。曾今可云：「諸老同登右任樓，開來繼往足千秋。三三詞侶三三樂，點點春山點點愁。氣壯華岡新世運，神馳故國阻歸舟。昌詩自是吾儕責，大漢天聲動五洲」。木下彪一云：「緬想永和三月春，雙溪修契會詩人；羣賢觴詠無今古，四面雲山自主賓；文物所存知有漢，民心得可孰亡秦；由來壇坫多名士，不厭從容步後塵。（用張惠康先生韻，似同座諸老）。二云：「詞客登臨且倚樓，濃春煙景似殘秋（用王漁洋句）；衰遲自愧千金骨，俯仰寧知異土愁？此日琴書來退谷，幾人風雨感同舟；萬株桃李栽公手，贏得聲名偏五洲（用曾今可詞兄原韻奉呈張院長曉公）」。三云：「多謝高人折柬邀，園林勝處得逍遙；天涯詩酒慰亡命，故國風塵懷聖朝；平野蒼茫連碧海，二樓（中山右任）輪奐入層霄；安逢九域澄清日，萬壑松濤比舜韶（用吳萬谷先生韻書感）。李猷云：「契日登臨曉霧重，雙溪飛雪響淙淙；却因風雨添吟興，聊借壺觴訴客　；一室蘭言皆綉口，四山雲氣滌詩胸；待廻麗日揚靈淑，一掃春陰露萬峯」。胥端甫云：「七星大屯氣麟晌。人傑華岡境更新。藻錦山河榮大漢。發皇詩敎滅瀛秦。繁櫻契集春風檻。羣彥情伴曲水濱。共睹黌宮宏雅化，太牟遠覽萬家春」。

命相與夢話

十二屬與五行

·公陶·

中國人算八字，是以年、月、日、時、天干、地支、八個字爲標準。其實就是一種統計學。所謂十二屬者：是以子鼠、丑牛、寅虎、卯兎、辰龍、巳蛇、午馬、未羊、申猴、酉鷄、戌狗、亥猪等十二物來代表。也就是單雙的意思。子時是在亥後，當日的尾，次日的首，故用老鼠作代表。因老鼠的前脚是五個爪（單），後脚是四個爪（雙），換一句話即前單後雙，跨在今明兩日。又例如丑牛，牛蹄爲四瓣；午馬，馬蹄是一個整圓形；未羊，羊蹄四瓣；申猴，猴有五爪；依此類推，甚易明瞭。所謂金、木、水、火、土者，也是一種代數，並非命裏有金，眞有金在體內；或有火，火就在體內熊熊燃燒。術者未盡察，以訛傳訛，將一門科學傳成迷信。歐美人之算命，僅是以出生的那一天，推斷終身禍福，不若中國算命之綜錯複雜也。

生活漫談

從李煥燊談到國醫

馬騰雲

李煥燊先生主持中國醫藥研究所，與台灣的醫藥界如中國中醫藥公會，台北中醫師公會，中國針灸學會，台灣省國藥公會等很多單位不能融洽，筆者偶而看到一份油印列數李煥燊的「庸行」，李究竟怎麼答覆就不得而知了。

據一般說法，李氏是一個勤於治學的人，這種人本身就常有「說我書獃並不獃」的感覺，而對方則認定「書獃畢竟是書獃」，紛歧的意見因之而生；再加以中國醫藥研究所的門戶素不開放，問題就跟着來了。筆者對中醫藥研究垂廿五年，像學司機的一樣，開始胆量很大，把着盤橫衝直撞，記取幾句湯頭歌，就像街頭上的醫生樣，居然敢替人看病，後來醫書讀的多一點，胆量反而小了，直到最近，深深感覺到國醫淵博精深，非經十年以上的研究不能入堂入室，必須分出幾年的時間作分別的研究，再以幾年的時間爲比較的研究，纔能知道國醫的優點與缺點，國藥的長處與短處，究竟是在甚麼地方，然後說出話來或推行一件事，才不至於太外行。單就中醫的五行六氣來說，甚麼叫作金、木、水、火，土，經研究後，說穿了則非常簡單，只不過用來代表心、肝、、脾、肺、腎、五臟的一種符號而已。符號的本身並沒有甚麼意義，但很多中醫尚滯留在食古不化的階段，人體內果有木，豈不是要生根發芽，有火的話豈不怕熊熊燃燒嗎？至於風、寒、暑、濕、燥、火六氣，乃是國醫病理的一部份，其意義在表示氣候的變遷，高濕作用，高氣壓作用，與人體疾病關係和影响，與西醫病理之溫度刺激，空氣感應等作用相同；所不同者西醫認病菌爲致病的唯一原因，國醫則認爲除花柳、瘟疫、喉痧、白喉、霍亂、痢疾、鼠疫、傷寒等病確有病菌的存在與傳染外，其餘的外感時病與內傷雜症，則認定風、寒、暑、濕、燥、火、六氣，爲其致病的原因。這些病，雖亦有起於生理的變化，但究竟是因受外界的六氣刺激而起。台大校長傅斯年謂：「國醫本來既無病理，又缺診斷，無非是一部經驗良方」，這是一種盲目的武斷和錯覺。查歷代研究國醫病理診斷藥物的書，眞是汗牛充棟，從內經，難經，傷寒，金匱，千金，外台，巢氏病源以至於金元四大家，明清八大家，民國來醫藥家，對於病理診斷藥物，皆代有發明，敢請教李煥燊先生能將多年來研究情形見示，筆者或可貢獻一得之愚。

海天詩苑

·莫中令·

蘇花道上

蒼茫雲海太平洋，點點漁舟逐浪狂。隧道洞開明暗裏，沿崖接嶺走羊腸。

碧潭泛艇

綠水波漣映碧空，畫船半繫柳陰中，歡聲四起樂園裏，竹外桃花數點紅。

士林園藝所

夾道棕　一徑陰，清香冉冉撲衣襟。山花紅透竹籬外，葉底蟬聲伴客吟。

八卦山遠眺

登高四望若凌空，天外青峯落日紅；八卦山頭多勝景，巍巍大佛聳雲中。

過基隆港

四山環抱護樓臺，煙雨濛濛霧不開，迷漫海天歸一色，浪花轟起雪成堆。

台東長濱

海風吹雨帶煙霞，潮退漁船擱淺沙；極目江天波萬頃，孤帆遠影淡雲遮。

自由報

第八六〇期

中華民國僑務委員會頒發台僑新字第三二三號登記證
內銷證內版警台報字第031號
中華郵政台字第一二八二號執照
登記爲第一類新聞紙類
（半週刊每星期三、六出版）
每份港幣壹角．台灣零售價新台幣弍元

社長李運鵬．督印黃行齋

社址：香港九龍登打士街91號十樓六座
91 DUNDAS ST, 9th FLOOR,
FLAT 6 KOWLOON H.K.
電話：857253　電報掛號：7191
承印者：大同印務公司
地址：香港北角和富道九六號
台灣總管理處
中華民國（台灣）台北市大同街119號
電話：555395．557474
台灣分社：台北市西寧南路110號二樓
電話：七〇三四六
台郵劃撥儲金戶九二五二

向中央日報副刊抗議

喪失新聞道德．蒙蔽五中全會

‧郭　懿‧

國立師範大學文學院院長沙學浚先生開始倡議小學「國文科」正名，惹起國語專家的強烈反對；國語日報上，黨言婦語一齊上陣，所刊有關論文最多，但「言之有物」的却太少。一位女士叫她讀小學二年級的兒子評評看：是沙學浚先生寫的「老萊子」三字韻文（共十二字）好？還是現行課本中的課文（一八一字）好？那位小朋友說：課文中的好。於是，這位女士便認定是沙學浚先生不對了，眞是幼稚可笑又可憐！這事反映出國語專家的淺薄和悲哀。

張席珍先生直認爲兒童不必讀書記憶，有電腦代替記憶就夠了，致被人譏爲「席上之珍」的笑談。他所作的「可笑的爭論」刊於本年一月十一日中央日報副刊，主要內容是把參加小學國語科是否正名爲國文科辯論的人士比爲列子寓言中「路旁吵架的小孩。」「席上之珍」僞裝中立者，事實上是惡意諷刺沙先生。例如該短文中有下列兩段：「一直爭吵下去，互不甘休，大概在理盡詞窮之餘，只好搬出一些空洞的說詞，例如什麼「我是訴之於良心，訴之於理智，訴之於眞理，向社會交代，向歷史交代……」或者「你是違反常識，不合邏輯，大錯特錯，牽強傅會，大胆專橫……」只不過比一比誰的嗓門兒高，吵個三天三夜，也是難分勝負！」「可是，今天的台北，眞的就有類似的吵鬧。有人說「國語可以包括國文，國文則不能包括國語」。又有人說「國文可以包括國語，國語絕不能包括國文」。先是長篇大論，辯論不已；繼之以廣告張揚，堅持不休；也大有怒目橫眉，比一比誰的嗓門兒高的形勢。這不能不教人想起列子上的那段故事。又不禁教人想問一問：「這種爭論法，比那路旁吵架的小孩，究竟高明了多少呢？」」沙先生因爲重要論文被退稿，才花錢登廣告予以發表，（第一篇是論林語堂先生的「論言文一致」）這就是沙先生「擇善固執」「鍥而不捨」的精神，獲得各方的讚譽和支持。試問沙學浚等十一位教授爲小學「國文科」正名事聯名上書　總統，爲什麼　總統批交教育部「研議」，而不視爲「吵鬧」，予以退回呢？另一方面，參加辯論的國語專家，有文化漢奸梁容若，有邴致賢、張希文、洪炎秋、勞幹諸先生以及爲張席珍字典校訂的趙友培先生，都是年屆五十至七十歲的人了，難道在張席珍先生眼中也都是「路旁吵架的小孩」嗎？可怪且可悲的是張席珍先生這種狂悖無理的「論文」，中央日報副刊竟予以刊載，未免太視學術辯論如兒戲，而喪失報紙尤其自稱「言論公正」的大報紙應該保有的新聞道德。輿論之無是非、不公正、不講理到這種地步，眞令人痛心疾首，悲傷萬分。

關於主張國文科正名的論文，中央日報副刊祇發表過沙學浚先生的「國語國文和國學」（去年十月三十、卅一兩日）和無華樹先生的「正本清源說國文」（去年十一月三、四兩日）兩篇。以後，凡是擁護沙先生主張的論著，任你是大學教授之作，學者專家之文，一律退稿拒登。據所知至少有沙先生的「論林語堂先生的論言文一致」，李漁叔先生的「國語、國文、復興中國文化」（此兩文均在五中全會大會期間被退稿，前者被　轉載於新天地等八種刊物，後者亦刊於新天地等四種刊物）陳適子先生的「國語亟應正名爲國文爲中華文化復興之起點」（此文後刊於香港自由報及大學文選）等三篇。其他被退稿的論文究有多少篇，當然無從查明。

對於反對「國文科」正名的論文，中央日報副刊，採完全偏袒態度，縱使強詞奪理，言之無物，亦儘量予以刊載，在一個月（五十六年十月二十四日到十一月十八日）之內，先後刊登過下列八篇，共有十四個「日次」之多（請閱下表，其中有三天，每天登兩篇）：

（一）包明叔：國語與國文　十月二十三日

（二）張希文：國民學校國語科應改爲國文嗎？　十月二十四、二十五、二十六、三個日次。

（三）梁容若：國語不當改名爲國文　十月二十七日

（四）、新雨：國學的範圍　十月二十七日

（五）、林語堂：論言文一致　十一月五日

（六）、朱文長：脫離了國語言的中國文字　十一月五日

（七）、祁致賢：談「國文」與「國語」—商榷沙學浚先生的八大理由　十月十四至十八日共五個日次

（八）、勞榦先生來函　十一月十四日（按沙學浚先生著有「勞幹先生的錯誤和誇張」一文駁斥之，先發表於「新天地」，後「教育文摘」和「大學文選」）轉載。

值得特別提出的是上述論文中的最後兩篇（第七和第八），剛剛刊於五中全會大會期間（十一月十日到二十三日）而退回沙學浚、李漁叔兩先生的上述論文，也正在這一開會期間。

中央日報副刊這種做法，目的顯然在於蒙蔽五中全會與會人士的耳目，讓他們有一種錯覺：主張保持國語科名稱的人佔數量的優勢，而在五中全會期間，可算是一面倒。

與此蒙蔽手法相配合的是，五中全會文教提案審查委員會中，主張保持小學國語科名稱的人也佔數量的優勢，「裏應外合」，自能達到自私自利的目的！五中全會終於在去年十一月二十一日作成了「國民教育前六年仍維持國語名稱，後三年則仍維持原初中國文名稱」的錯誤決議。此後，國語販子們便拿這個決議做「聖旨」來壓制對方，「挾天子以令諸侯」，聲勢似甚浩大。

但這個決議，對於保持小學「國語科」名稱的理由和否決恢復「國文科」原名的理由，都未有說明，（事實上是無理由可供說明）是其嚴重弱點，因此「能否具有「聖旨」的權威，就大成問題了？

（請參看仲望旌先生著「國語國文兩案含混決議顯然違背國文第一政策」載自由報八四二期，五十七年四月三日）

看看，還敢談和平！

想想，這是做什麼？

昨日與明日

勿剝奪殘障者公權

中國人說：「天理、國法、人情」。又說：「法律不外乎人情」。然而，近來我行政部門所訂的法規，常有既背乎天理，又違乎人情的事。例如：對選舉中的候選人，因殘廢不許參加競選，即是不情悖理的規定。

殘廢者服官　不遜於常人

殘廢者是否享有公權？能否作候選人？憲法第十七條：「人民有選舉、罷免、創制及複決之權」。凡不受褫奪公權之宣告者，均得參加競選。身體殘廢者服官，是否必遜於常人？淡之歷史，遠的不談，即以淸代施仕綸之背駝、手短、腿跛，却以幹練淸廉著稱，造福庶民，爲人樂道。而美國坐輪椅的總統羅斯福。却是歷史偉人。再以我國行憲以來而言，筆者故鄉湖北襄陽縣議長馮子固先生，即乃受日本飛機炸去一臂之人。筆者友人中的退役榮譽軍人，參加台東縣議員選舉而當選的張平先生，也是在戰場失去一臂的勇士，均曾獲得當選，且議壇蜚聲。

選舉不是選美男子或中國小姐

如果我們有心提倡「殘而不廢」運動。如果我們能注意近來立法院通過「特殊教育」法案的旨趣。如果我們能正視現代戰爭之無分前綫後方，且機械使任何人均有成殘的可能。如果我們的選舉不是在選「美男子」或「中國小姐」，而是在選眞能瞭然民間疾苦，同情不幸的「爲民服務」者。勇於担當，不避艱危。因爲，他們是眞懂人生的人，「不在寂寞之谷、淚之谷流落過來的人，懂得人生者少」。

應廢除不合情理的競選規定

照內政部在民國四十八年對殘廢的解釋：「喪失全部視能，或聽能，或語能，或不能行動，致不能勝任職務者」。始構成不得爲候選人的程度。這種規定是對的。民國五十六年九月十六日公佈的「台灣省及台北市公職人員資格檢覈規則」規定應照「應考人體格檢驗規則」辦理。民政廳的解釋及法院的判決則是錯誤的。猶憶當年考試院對榮譽軍人參加考試規定過嚴，經筆者選文力爭，陳以大義，始有現行「榮譽軍人參加考試體檢規則」之頒行。考試院之所以接受此項建議，即因一個服公職人員所需的身體，是其行動足以担任公務即可。如果我們眞懂「殘而不廢」之旨趣，使受「特殊教育」的下一代子女都有出路。這條候選人因殘廢不能參加競選的規定，是該廢除的。

自由談

去你的罷！

有所謂「國際民航駕駛協會」主席巴德斯基（美國佬）也者，對於台北地方法院正在審理中的台北「民航公司」飛機失事案，居然發表談話，要求不可判處被告人郝克斯，杜義（也是美國佬）的罪刑，否則「國際民航駕駛協會」便要採取行動，抵制台北云云。郝克斯以非正式駕駛員而胡亂操縱飛機，以致在台北上空墮毀，發生乘客十八名死亡的慘劇，吾國法院依法訊究，如果被告罪證確鑿，爲甚末不能判刑呢？該巴德斯基竟要求我法院不要審理，且以「抵制台北」相威脅；一種帝國主義者的醜惡嘴臉，可恥可惱已極！試問中國人在美國違犯交通法規肇禍時，我們是否可以要求美國法院不能審訊呢？該巴德斯基只能研究台北法院的定讞是否公正合法，別無置喙之餘地。

在中國境內設置公司，經營航空事業的美國人，因過失而致中國旅客多名喪生，竟敢反對中國的法院過問此事，理由安在耶？香港是英國的殖民地，英國人在香港如有殘害中國人的行爲，亦應依法訊究的，該巴德斯基視台灣爲次殖民地嗎？豈有此理！

郝克斯以非正式駕駛員而隨便操縱飛機，鬧着玩兒，這等於有些美國水兵在香港街上見到黃包車，即強令車伕坐在車上讓他來拉車疾馳爲樂的玩笑行爲，拿別人的生命作娛樂品，若不依法懲處、那還成話嗎？

戰後美國爲着自身的安全和商業利益，實行所謂援外政策，凡屬接受美援的地區，即成爲美國貨品的傾銷市場，表面上給予受援國家的金錢，實際加倍取回了。但他們那種面有德色，頤指氣使的帝國主義形相，令人不堪承教：而所謂「國際民航駕駛協會」主席巴德斯基的信口雌黃，允稱典型之作。希望政府對於法院判處郝克斯等人的爰書，依法執行，毋所顧忌。我們不能被該美國佬的一聲恐嚇，便使國家的法治精神受損害，尤其不能忍受他那種帝國主義者盛氣凌人的口脗。我們是以「打倒帝國主義」爲職志的，何物巴德斯基，去你的罷！

馮玉先生

台北航訊

立委王夢雲發表文字攻擊國代引起紛爭

立法委員王夢雲近曾有對行政院長之書面質詢。並以王夢雲具名，揭載於雜誌上，以至引起軒然大波。該質詞書內分六段，各述一事，互無關聯。例如（一）「用新人行新政」現在已成台灣之風氣，試觀日本明治維新而國強，所決政策，其行者多屬舊臣，亦即詩曰：周雖舊邦，其命維新者也。（二）舞廳夜總會，以及酒吧、茶室、咖啡館、按摩院、土耳其浴池、以及旅社之暗藏春色等等，皆爲誘導淫邪之淵藪。就台北一隅而言，幾十步一樓，五步一閣，耳聞目見，俱爲聲色之徒，流連忘返，通宵達旦，晨舞午舞，隱匿莠民，形形色色，危害國家，實同洪水猛獸，應請政府，將前列之館樓院室，集中郊外一處營業，加重捐稅，寓禁於徵，期能消滅隱患。（三）屬於觀光事業者，有虛張聲勢，擴大其詞之弊。例台灣設籍人士而涉足觀光旅社之多數亦兼爲觀光旅客。（四）讀施政報告，內有「同工同酬」之語，足見嚴院長之爲政，似有不盡人意之處。夫立法院係民主國家之國會，爲世所公認，即　國父五權憲法之主張，乃以行政、立法、司法、監察、考試並列，遍查　國父遺教，並無六權之發現。在遺囑中不過主張「開國民大會而已」。（筆者按：　國父遺囑末段所示：「最近主張開國民會議」。蓋此實非憲法中之「國民大會」，而「國民會議」者，其構成份子爲農、工、商會及實業團體，以及教育會，各大學及自由職業團，以及中國國民黨所產生之代表，其任務爲議訂訓政時期之約法，與建國大綱暨現行憲法中之「國民大會」截然兩事。）該文謂「至於國民大會之權者，憲法規定詳明，其集會日期，亦詳於憲法。茲查立法委員，依憲法規定，每年集會二次，間中應行政院之咨請，通過延長，忙忙終日，甚至夜以繼日，其辛苦之狀，以視相當於民主國家議會之國大，依憲法規定定期開會者，次數甚少，勞逸相差，實同天壤；惟其待遇，又與立委看齊，則彼此工作，允宜同工，而勞逸亦應相等；但實際適得其反，是嚴院長主張同工同酬，全無意義。理應使國代工作，納入正軌，另設機構而理之，縱令待遇高出立委十倍，在此弗恤」。（五）（六）從略。

王委員將上項質詢書全文，總分六則合成一篇，標題則爲「都市誘導淫邪與「國代」「無事可做」」。以「立法委員」王夢雲名義，刋載於中國議壇第十卷第五期，引起國民大會代表全國聯誼會之憤慨，認有公然散佈文字侮辱國家最高政權機關之嫌，會向執政黨中央，提出最嚴重控訴。茲據熟悉內情者云：「就該文言論分析，有謂國大會期有限，無事可做，依據憲法第二十五條規定代表全國國民行使政權以外，動員戡亂時期臨時條欵規定：「國民大會於閉會期間，設置研究機構，研究憲政有關問題」以五十六年度爲例，曾舉行各委員會一五一次，召集人會議一八七次，其他會議一〇三次，合計四四一次，另在光復大陸設計研究委員會參加各項會議，尚不計算在內。是則國大開會亦甚頻繁，次數並不甚少，而且臨時條欵與憲法有同等效力。對其標題所示則有人認爲似屬有意誹謗，構成刑法一四〇、一四一條「對於公署公然侮辱者」「意圖侮辱公務員或公署者」之嫌。但國大聯誼會尚未採取此項步驟，僅對府政黨中央之控訴要求以黨紀懲處，態度則甚積極云。

本屆台灣地方選舉面面觀（下）

本報記者張健生

公教人員非法助選的事例，眞是舉不勝舉。嘉義縣選舉監察小組於四月二十日舉行會議時，該小組委員梁挹清力主取締非法助選及賄選活動，並要警察局長（兼該小組委員）下令取締。當時，另一委員戴桂生律師很含蓄而幽默地說：如果縣警局下令認眞取締不法活動的話，到是件好事。假如警察人員不助選，則非法助選活動可減少一半，這是有事實的，上屆選舉之投票日，我們三人到水上分局時，該分局長即向我們報告說，今晨五時才搞好。這句話的意思用不着解釋，大家心裏也很明白。

戴委員並進一步指出，像監察小組高委員，嘉義縣議會主任秘書，和縣政府民政局某督導，均非法助選；他們的任務是負責嘉義市第五投票所（設在嘉義市和平路九十號慈覺寺內）的助選活動，並雇用車子接送選民。當時會場的氣氛，極爲緊張，因爲高委員也在座啊！

誰在非法賄選？據嘉義縣長候選人許世賢於四月二十四日向嘉義縣監察小組檢舉賄選事實的檢舉書謂：「查四月二十日下午十一時左右，在嘉義市長安里，由選民自發的檢舉縣長候選人黃老達助選員蔡長水之胞弟蔡長用（按：現爲嘉義市民代表），與長安里里長蔡峻義按戶分發味素粉（包裝），每四包挾兩張候選人黃老達（縣長候選人）及蔡錦棟（省議員候選人）宣傳名片，送到長安里民家，由選民檢舉，並由同里里民翁道源當場將賄選者及實物（味素粉）扣押，並由嘉義縣選舉監察小組派委員戴桂生及該小組秘書黎進華、管區派出所警員到現場調查，且製作調查筆錄在案卷，該調查筆錄現存該小組。

公開鼓勵買票

故縣長候選人許世賢請嘉義監察小組依妨害選舉罷免取締辦法規定，報由省選舉監察委員會轉送選舉監督及上級主管機關取銷黃老達之縣長候選人資格。許世賢此項檢舉，僅能道明誰在賄選，及使縣長候選人黃老達難堪而已。

何以故？因爲嘉義縣第四屆省議員暨第六屆縣長選舉事務所編印；主席何茂取（現任縣長）名義發引之「嘉義縣第六屆縣長選舉公報」中，公開鼓勵四位縣長候選人「買票」，「買票」的行爲不但不犯法，而且有「法」可「遵」！至於「遵」甚麼「法」何以「買法」，該公報並未說明，此明文規定，這顯然是見不得陽光的私「法」。後來，經人向監察院檢舉，副本抄送嘉義縣選舉監察小組等機關，該小組竟未依法追究或調查此項不法行爲，且有委員以印錯了爲理由而爲選務所推卸責任：假定說是印錯，依規定不得公開散發；如經公開散發，則該選務所主席何茂取、總幹事趙璞（民局長兼）等應負失職的責任。此外，假如明知錯誤未訂正而公開散發，應罪加一等。從另一角度來觀察，嘉義縣選務所負責人員在心理上是如何的兒戲，視「買票」爲有「法」可「遵」，這是何等重大的錯誤啊！

監委顯屬違法

嘉義縣選舉監察小組之組織違憲違法。

在法理上有重大的瑕疵，其本身組織也不合法。該小組委員十一人原由國黨、青年黨、民社黨、警察局長、地檢處首席檢察官及地方公正人士任之，其中國民黨嘉義縣黨部負責人因故而離開嘉義，其担任之監察小組委員一職，改聘嘉義地方法院院長梁挹清担任。按照法院組織法規定，地方法院院長由推事兼任（第十一條）；地方法院民刑庭長，除由兼任院長之推事充任者外，餘由其他推事中選任之（第十二條）。依此規定，則梁挹清院長「除綜理嘉義地院全院事務」外，並審理第一審法院民事或刑事訴訟案件（第十條），及監督民事庭或刑事庭的事務與定其分配案件。同法並規定「推事檢察官在職中，不得兼任有俸給或無俸給之公職；不得兼任其他公務員不應爲之業務」（第三十九條），觀此可知，梁挹清推事院長担任嘉義縣選舉監察小組委員職務，顯屬違法。

蓋法官（即推事）須超黨派以外，依據法律獨立審判，不受任何干涉，此爲憲法第八十條明文所定。此項規定法官（即推事）獨立審判權，係因司法案件關係人民權利至鉅，爲期平允計，法官須超出黨派以外，不受任何派系所支配，尤須依照法律之規定，獨立行使審判權，不受任何外力之干涉，即武力或行政權或最高司法權亦不得從而左右之，指揮之，上下之。蓋保障審判之獨立，即所以維護司法權之尊嚴也。

今梁院長冒違憲違法之大不韙而担任嘉義縣選舉監察小組委員職務，不但使司法尊嚴掃地，其究有何恃？究有何法律依據而昭大信於國人？尤其身爲法官之梁某，在行使選舉監察委員職權時，因不懂選舉法規而鬧笑話。按規定，公職候選人之助選員，在私辦政見發表會上是可以發表演說的。凡是允許公職候選人私辦政見會之其他縣市都未禁止助選員發表演說，獨嘉義縣公職候選人許世賢之助選員不得在私辦政見會上演講，這就是梁委員的「創例」，此項創例，使省民政廳長翁鈐在基隆被人質問得啞口無言，只好表示要「查究」一番了。

爲維護憲法及司法尊嚴，筆者希望司法行政部應向國人有所交代，並禁止所有法官不得兼任斯項職務。

名册列投票人名

台中市省議員候選人陳永吉對賄選事曾有所抨擊。四月十六日，他在台中市安樂戲院鄭重宣佈：「國民黨台中市黨部應約束黨員，不要從事違法的賄選活動。國民黨中央黨部曾一再表示，要下定決心改善選舉風氣。但是，觀看今日台中市黨部的輔選方式，則令人扼腕嘆息！台中市黨部，應拿出魄力來，約束黨員要守法節約，不要暗地從事違法的賄選活動」。（四月十七日台灣日報）

其他違法事件，如各縣市投票名册漏列投票人之姓名，及投票名冊上姓名與身份證上姓名不相符合；如候選人之助選員於投票日在投票所內公開活動拉票；如投票所人員干涉選民圈選投票或選民公開亮票，台中縣長林鶴年於圈選得公開亮票即是一例。

台北新聞信

盜豆案掀起餘波　監委出來講話了

盜豆案之損失，已由台灣省政府命令鐵路局如數賠償，照道理本案到此已算告一段落。不過問題也還沒有這樣簡單，台灣鐵路局爲公營事業，並無民股，而本身的債台高築，已達到可怕的數字，換句話就是財務狀況並不好，鐵路局對這筆盜豆案，賠欵，羊毛自然要出在羊身上。鐵路局心目中的羊毛就是旅客和貨運，祇有加價「一條通」，而公營事業隨便加價足以損害社會利益。聞監察院陶百川馬公琴已公開出來講話了。

監察院認爲法院對各被告的量刑既不公平又不合理，例：大德源油廠，德源油廠一人處死刑，一人處無期徒刑；永源油廠二人處無期徒刑；大華油廠一人兩審皆處無期徒刑；但經過更審改處十年徒刑，立人油廠受最重者僅爲七年徒刑。同一犯行，處刑偏差不應當這樣的大。監察院認爲盜豆案最先發生者爲立人油廠，時間是在五十三年十二月。一年之後，大德源、德源、大華及永源等案才絡續發生。如果有關當局能採有效措施，後來各案可能不致於發生，而政府在該一年內所取對策，有加以研究刑責的必要。

奇怪的是立人油廠在偵破及審判時，並未追贓追保，殊難使人瞭解。盜豆案損失黃豆及花生共計兩萬八千餘噸，但法院認爲應予追贓者僅爲一百七十五噸，其餘約兩萬八千噸到那裏去了呢，因之法院的認定及其理由，俱不無可疑。又如大德源油廠，德源油廠案，第一審新竹地方法院判決收贓犯計二十六人，應賠償黃豆三百三十餘萬公斤；但第二審高等法院判決二十四人俱無罪，應賠償贓物僅五十五噸；又如永源油廠案，法院認爲黃豆係質物，其所有權應屬於油廠，油廠竊取自己之黃豆，而非竊取他人之物，並不觸犯盜竊罪。這是一個見人見智的問題了，有人認爲是對的，最少站在油商這方面認爲乃公平之論。不過話又說回來，這個公平之論如果能成立的話，則不獨被盜之豆，不能認爲是贓物；且盜豆之永源油廠主人，亦可不負竊盜責任。再擴大演繹，所有油商都不應當判這樣重的罪刑，身繫囹圄的立法委員，監察委員，國大代表們，更是冤枉中的冤枉，簡直使人不敢向下多想。

本報記者一權

東南亞村脚

緬甸人吃飯用手抓

緬甸人的吃飯用手抓，還保持着原始生活方式。其實印度、馬來亞等國，生活習慣都差不多。他們抓飯的技巧，一捏一彈，非常靈巧，這些小動作如請尤伯連納表演，想會更精彩。

緬甸男女都着紗籠，很少穿褲，這樣的男女服裝，對於一切都很便當。筆者曾在緬甸東北重鎮臘戍小住，因到菜田邊去小解，被警察敲去九十盧比（約合美金十五元），照這樣說，緬甸環境衛生非常清潔，違警罰欵也很嚴格了？不，絕對不是，用「聖牛滿街走，大糞多如土」。這句語形容緬甸的髒最恰當了，那麼一次小解怎會被罰這樣多的錢呢？因男人的習慣小解亦須要蹬下，就這一竅未通，而且亦因穿上褲子，一切不方便之故，被警察發現是新唐人（即剛入境的中國人），入境證本來是化錢買的，警察一挑，盡是毛病，錢既能散災，亦無所謂！九十元盧比的標準怎樣定出的呢？這是經過討價還價後的折中數。不過緬甸警察又很可愛，鈔票到手，打躬作揖，左一聲老板甚（就是大老板）右一聲三克由（謝謝你）此乃三等華僑住四等國家的味道。（高舉）

大學尺牘

吳稚暉致書沈玄廬

——談革命工作範圍擴大

玄廬先生：先生今日在報上指我昨天代馮玉祥原諒，說馮在去年「他也料不到曹錕太不做人」，無異去年英國太晤士報的洋大人認曹錕為大總統，「他也料不到曹錕太不做人。」先生譬喻得對了。但我再來加幾句說明，使人格外了然。去年太晤士對曹錕，就無異昨日我的對馮玉祥。太晤士為什麼希望曹能做人，站穩那總統的位置呢？就是曹錕做總統，比較能使英國佔利益。吳稚暉為什麼希望能做人，代用吳佩孚呢？就是馮玉祥代了吳佩孚，如先生昨日講的「革命工作範圍擴大了」。英國多佔利益，是太晤士所希望。革命工作範圍擴大了，是先生與兄弟所同希望。太晤士與我們，雖遣因的是非不同，能得比較「有利」的結果則同。所以兄弟也就用君子成人之美的態度，盡一點筆頭上不費「杭育」，助他代得成吳佩孚再說。好像時事新報一流，失了頭腦，（或者他們害不同）竟開了門，直接幫吳佩孚，間接幫齊燮元，不知是何肺肝？馮吳黑白，本來差得不多者，自然尤是混亂湊成一個馮君不利，代不成功，吳佩孚轉強於先，照先生的論斷反證之，「革命工作範圍縮小了。」豈不糟麼？所以這回的滑稽政變。事情固然是鄰貓生子，却甚不同於隔岸觀火。要責備於馮者，望「革命工作擴大了」的，在這兩天，應該口頭筆頭，助馮倒吳，沒有閒工夫作馮的批評。凡恐怕「革命工作擴大了」不利於己的，由他們去雞鳴狗吠，助吳擁曹，吳強，帝國主義諸國的利益多些，馮代，革命工作擴大了些。些細得失，本也算不了什麼。但「河海不擇細流」，字林、什麼烏龜忘八蛋的國度，都去訂約。難道我們共產黨，要宣傳先生前天揭登的三民主義黨綱不好贊成十八世紀的教士去代用十六世紀的秀才一下麼？所以我替馮君原諒，就是望他成功。

至於我們應持的態度，及應有的希望，我一百二十分贊成先生，祇希望「革命工作範圍擴大」。什麼合作呀，分贓呀，自然一切說不到。然時勢現在也進步了，不但我們黨中無人願提什麼合作分贓，就是進步黨等也不肯說。不過少數不長份子，以個人湊熱傳，仍是再過一千年，任何一黨都不免有此敗類的。或者經先生明白限定了，尤令人頭腦靜定。個人亦少去幾個大陸，起羣而求一貫於太晤士，他們眞也小氣，不管也好。在我個人，則感於陳仲甫先生願停止廣州軍事行動，其理由則「和平」（我的想當然）宣傳，為效較大。若說到宣傳，革命工作範圍，自然愈大愈好。赤俄要宣傳共產主義於世界，故委曲同是先生一言之益。敬叩道安不盡。弟吳敬恆。一三、一一〇、二九。

．鴻雁．

漢之飛將軍李廣

．清園．

歷史人物漫談

「馮唐易老，李廣難封！」這是初唐文壇四傑之一的王勃，在滕王閣序中寫出的警句。馮唐在漢文帝時已是白首為郎，到景帝時要想重用他，而他更加老了。李廣 自漢擊匈奴，無役不從，做過邊境七郡的太守，匈奴畏之如虎，但終身未得封侯，眞是命數居奇。（奇讀羈音，數奇，不耦也。後以命蹇曰數奇。）下面我們就來談談這位名將李廣多采多姿的一生。

李廣隴西成紀人，（成紀，即今甘肅天水縣）父親李信，秦朝時為將，故廣乃將門之後，自幼就會騎馬射箭。漢文帝十四年，廣以良家子從軍，去攻打匈奴，因為他箭法好，射死匈奴很多，所以就派他為郎，常騎馬跟從天子射獵，格殺猛獸。景帝初立，吳楚七國聯合造反，廣為驍騎都尉，隨從太尉周亞夫出戰，取敵旗，顯功名。

廣後為上谷（治設沮陽，在今察哈爾懷來縣。）太守，屢次出與匈奴作戰。當時典屬國公孫氏向景帝說：「李廣材氣，天下無雙，自負其能，恐亡之。」（意謂恐怕因為他太勇敢，可能被殺或被俘去。）景帝乃將他調為上郡（治設膚施，在今陝西綏德東南。）太守。匈奴入上郡境，有三人射傷從廣習戰的中貴人，（內臣之貴幸，奉派監察天下者，時稱為中貴人。）廣即帶領百騎，追趕那三個匈奴人，結果殺死了兩個，活捉到一個。廣隨即登山遠望，看見匈奴數千騎。匈奴看見李廣只有一百多人，以為是誘兵，不敢來打；而且也登山列陣，以待漢軍。

廣所領百多人都害怕得很，想趕快回頭走。廣對他們說：「我去大軍數十里，今回走，匈奴追射我立盡；今我留，匈奴必以我為大軍之誘，不我擊。」於是反令大家向匈奴那邊前進，近到約二里處，才停下來；並令大家下馬，解鞍休息，使匈奴更深信他們是誘兵，匈奴始終不敢出擊，到了夜間，他們反而偷偷撤走了。而廣也於入黑後帶領這百餘騎同走，天明才歸到大軍所在。廣後來歷任隴西、北地、雁門、雲中等邊郡太守。連上谷、上郡、及右北平，共歷七郡。

武帝即位後，左右都說李廣是名將，由是調為未央宮衛尉。時程不識為長樂宮衛尉，他們兩人都曾做過邊郡太守，也都出擊過匈奴。廣處事簡易，對部屬較為放任。而不識則注重法度，約束部屬甚嚴，部屬苦之。但匈奴怕李廣的驃悍，而不怕程不識的穩健。後廣以衛尉為將軍，出雁門擊匈奴，廣受傷被俘，匈奴令其臥於兩馬間而行。廣假裝死了，因為他身傍有一胡兒騎一匹好馬，廣出其不意，忽然騰身其上，一面緊抱胡兒，一面猛鞭這馬，南奔數十里，由是得脫身歸漢。後遷右北平（今河北北部及熱河南部，治設今熱河平泉縣。）太守，匈奴聞知，號曰：「漢之飛將軍，」因此幾年都不敢入右北平界。

廣曾出獵，看見草中一塊石頭，初疑為虎，挽弓射之，中石而沒矢，射後去看看，才知是石頭，再射之，箭便不能入了。古人所謂「精誠所至，金石為開，」就是這情形。

自漢朝攻打匈奴以來，廣無役不從，軍中服其勇，士卒樂為之用。得賞賜盡分給部下，飲食與士卒共，家無餘財。而諸部校尉以下，材能不及中人，然得封侯者數十，惟廣終身不得封侯，眞是命數居奇。元狩四年，廣隨大將軍衛青出擊匈奴，因失道而誤戎機，青令廣到幕府受審，廣時年已六十餘，不願復對刀筆吏，遂自殺。百姓聽說他死了，無論見過，或未見過他的，老少都為他流淚，可見他感人之深。

廣一生歷任邊境七郡的太守，自青年時起，與匈奴大小七十餘戰，到老終無功可以封侯，而且要自殺以死，也不免要為這位名將同聲一嘆！（完）

墾丁公園歌

．易君左

吁嗟乎，昔聞桂林山水甲天下，今見屏東山水天下甲。抱海南馳展圖畫，車中稚子盡歡呼，海天一望無窮極，白雲碧浪共卷舒。恆春半島波心盪，墾丁公園峙其上。吾與家人親友遊，綠陰如水涼颸颸，熱帶森林何蒼鬱，珊瑚礁石成巖丘。闢地四十餘公頃，植木五百四十種，奇花異果滿林香，巨幹橫枝一山擁。南園寶樹天下無，何況勝景集名區：仙洞深入百公尺，壁上遍懸鐘乳石；鬼斧神工鑿不成，雄奇能令鬼神驚。北嶺幽巖一公里，玲瓏礁石不勝美。萬礁構成一綫天，已歷千千萬萬年。更築小亭望大海，高峯觀日飛虹彩。經之營之併力趨，成功不逾十餘載。天下觀光皆在茲，遊人紛紛趨南陲。吁嗟乎復興華夏賴寶島，屏東應是島之寶。吁嗟乎，燕然未勒石，我心終徬徨，為此天下之勝境，偶留大塊之文章。讀此詩者，其奮起而為自由祖國光！

張嘉輝後代說秘史

○豈心○

在我讀中學的時候，同學之中有一位土裏土氣一口肇慶土音的同學，人人都叫他做爵子爺。起初我簡直莫名其妙，因為他是舊生，我是新生，我一時當然摸不清他的底細，及至後來我查問一些高班的同學，才知道他的祖父是前清的一位很有權勢的將軍，當時甚得慈禧太后的寵信，封他為一等公爵，得封三代為侯爵，三代以下的子孫世襲子爵，授職千總，除了以上一連串赫赫的官銜外，還因他祖父護駕有功，被封為乾殿下，特許紫禁城騎馬，知賜黃馬掛。換言之，他祖父就是西太后的乾兒子，由於這個緣故，這個滿身鄉土氣的同學，一時成了全班同學嘲笑的對象，愛玩愛笑的同學總是問他：為什麼不去托你的契兄溥儀去？那個同學常常被閙得滿臉通紅，連連躲避。

後來日子一久，我漸漸與他混得頗熟了，他便向我坦白承認，說同學笑他的話，全都是眞的，他說他祖父就是清代名將張嘉祥，先是屬於太平天國的一員勇將，後來受了向榮的招降，對洪秀全倒戈相向，參加了征剿洪楊之役，屢建大功，因此，也就得到西太后的許多封號與賞賜。

同時，他還告訴了我一個秘密，他本來姓章，他祖父在太平軍中時，原名為章嘉祥，他的投降滿清，在當時是一件大事，章投降，向榮為他申奏清廷時從中弄了一點手法，不說他是投降，却說匪首章嘉祥已被誅戮，而這個執行誅戮的人就是自己部將張嘉祥，被太平軍殺得連番大敗的清廷，也就胡里胡塗被這個莫須有的「張嘉祥殺死章嘉祥」的故事瞞哄過去了。

中國女性文藝春秋（續）

周燕謀

戲曲家葉小紈姊妹（上）

讀到崔信明唯一佳句——「楓落吳江冷」，不禁令人懷及到葉小紈姊妹來。「紅葉」，一葉、二葉、三葉地飄落，不由得引起了一種冷然的感覺，又想到秋天飄拂中的吳江，「楓落」的時節，詩人若詎傾的靈感，像清漣一般的起伏着。寶然的情調，作了「吳江」給予我們的啓示：西面可以窺見隱約的洞庭東山，東可臨澄湖，向南依運河，可以直達嘉興的「烟雨樓」頭。明代唯一的女性戲曲家葉小紈，同以詩詞著名的——她的母親沈宛君女士，以及她的姐姐葉紈紈、妹妹葉小鸞，都在那如詩如畫的境地，渡過優吟低詠的文藝生活。

葉小紈的父親紹袁，字仲韶，又號天寥道人，天啓（一六二一——一六二七）進士，官工部主事。母親沈宛君，名宜修，為山東副使沈珫之女。紹袁生性不耐官式生活，乃告乞隱居，生有五子三女，皆長文學。三女之中，以小鸞最聰穎，她又字瓊章，一字瑤期。她四歲能誦「離騷」，十歲能詩文。當她十歲那年的一個秋夜，父親欣然與她們作「桂寒清露濕」；她立即對道：「楓冷亂紅凋」，詞色甚美。（「遣愁集」載她軼事說：「晨起，未及梳粧，往候其母。母尚未起，揭帳問安，因見其貌美甚，不禁笑語道：「我見猶憐，未識畫眉人道爾如何也？」」（卷十三集風流）年十七，嫁崑山張氏，不幸將婚而卒，著有「疏香閣遺集」，一名「返生香集」。大姊紈紈，字昭齊，適袁了凡孫，死於小紈之前。小紈字蕙綢，嫁沈永禎，獨精曲律，著有「秋言」、「列朝詩集」稱小紈的「鴛鴦夢」雜劇。她們的母親沈宛君，著有「鸝吹集」，同諸女所作，合刻為「午夢堂全集」。

吳梅對於「鴛鴦夢」的批評說：「葉小紈鴛鴦夢，寄情棣萼，詞亦楚楚。惟筆力孱弱，一望而知「為」女子翰墨。第頗工雅。（見中華戲曲概論卷中六頁）蔣瑞藻評為：「殊清警拔俗。惟於北詞格調，不甚相合。」鄭振鐸評為：「此劇除了關埸體例殊異外，餘皆嚴守北劇的規則」。蔣、鄭二人的批評恰恰相反，孰是孰非，我們只有復閱原著，才知道了。

我們看她的「鴛鴦夢」雜劇本事，實在是寫她們三朵姊妹花的事。劇中人物，托為三友：蕙百芳、昭綦成、瓊龍雕，即姊妹三人，蕙百芳年二十，昭綦成年二十三，瓊龍雕年十七，亦皆與姊妹年齡。沉痛悱惻、甚動眞情。惟以仙佛指點為解脫，未免俗套了。首托西王母因三侍女塵緣未了，貶之下界；將二女歸後，復命呂純陽為之指點所遺一女的事說起。這不是南戲的「開場」，又不似北劇楔子，裁體頗殊於衆。繼於其後又來楔子，敍蕙百芳夢見池中一朵並蒂蓮被狂風吹折，一雙鴛鴦也被飛散。醒來時遊於高台，遇昭綦成、瓊龍雕二人，互相傾慕，結為兄弟。

（八十三）

生活漫談

吹的妙用

・馬騰雲・

吹牛和拍馬，表面上像是一對孿生子，其實吹與拍是兩回事，善吹的不一定會拍，善拍的往往不會吹，既能吹又能拍的人，究竟不多，今天我們來研究研究吹牛。

一般的人將大學新聞系戲作吹科，這雖然證明吹並非壞事，但也可以把事情吹壞；美國有一個新聞記者，曾在我國住了十幾年，以中國通自吹；他居然藉此名，發財，其吹的秘訣是一貫的詆毀中華民國，這個人就是在密蘇里學吹科的史諾，他的吹沒有得到正用，却吹壞了我們不少的事情。

伊索寓言裏有段故事，某天，嘜特拉要伊索去買「世界上最好的東西」回來，伊索拿命去採辦，不久果買回一包東西，打開一看都是一些獸類的舌頭，嘜特拉問道是甚麼意思，伊索說：「舌頭能說出世界上最好的話來，一個國家的興盛，有時就是由於一條好舌頭，這還不算是世界上最好的東西嗎？」。嘜特拉難伊索不倒，叫他再去買「世界上最壞的東西」看看伊索有甚麼巧辯，結果又買了一包舌頭回來，於是大家又問：「怎麼世界上最壞的東西又是舌頭呢？」伊索不慌不忙的說，古人不是說「禍從口出」嗎？可見世界上沒有比舌頭最壞的東西了。伊索之會吹，吹到橫豎有理，可稱得上是一位最會吹的人了。

中國歷史上也有一位更會吹的朋友，他姓莊叫周，戰國時宋蒙縣人，當時趙國的國君文王，喜歡劍術，宮廷住的盡是劍客，人數約在三千人以上。這幫劍客，日以繼夜的擊劍，每年傷亡的約在百人以上。趙王看了歡喜此道，弄得民窮國弱，強鄰壓境，太子看到這個情形，非常憂慮，乃令左右懸重賞招賢者來勸止父王，莊周果應太子聘，穿上了一套劍客的衣服，隨同太子去見王，王手執明晃晃的寶劍來迎接莊周，莊緩步進殿，見了王並不下拜，王說：「你先令太子替你介紹。」莊說：「臣聽大王喜歡劍術，現在想貢獻大王幾招。」王說：「你的劍術怎樣制服你的敵人呢？」莊說：「我使起劍來，可以直行千里，每十步殺一人，無人能擋住。」王聽了大喜說：「天下沒有一個人可以同你抵敵了？」莊說：「擊劍的，要先示弱予敵，讓對方佔了這點優勢，反而會上我的當，擊劍要神速，我劍雖比對方後發，但能先達到。」王說：「先請回府休息，等我召集一次比劍的會，再來請你。」王乃挑選劍士，比賽三天，傷亡六十人，選出六位選手，均令其執劍站在殿下，再召莊周來說：「今天我們比劍好嗎？」莊說：「願領命。」王說：「先生用多長的劍呢？」莊說：「長短聽便，但我有三種不同的劍，任由王指定。」王說：「那三種劍呢？」莊說：「天子劍」、「諸侯劍」、「平民劍」。王說：「天子劍」是甚麼樣子？」莊說：「天子劍」是以燕谿（地名）石城（山名）做尖鋒，齊國和岱山做稜角，晉國和魏國做脊背，周國和宋國做劍柄，韓國和魏國做劍夾，用四夷和四時做劍鞘，用渤海和常山做帶，用五行生剋之道來掌，用賞罰剛柔之術來運轉，虛實之理，用春夏溫和之氣來持劍，高揮起來閃避，用秋冬之氣，沒有人能夠阻擋，低下沒有人能夠逃脫的，舞起來沒有人能夠近身，上可以斬斷天上浮雲，下可以斬斷地下的根基，此劍一用，可以使諸侯臣服，天下的諸侯都歸順」……[illegible]」的道理後，大徹大悟的請莊周上殿，並以最上禮賜宴，很慚愧的向莊周表示歉意，下令從今以後不准再作擊劍比賽。上邊這一段故事，[illegible]

搞心理作用的人，如果吹得好，能找到敏才智的人來領導，恐百萬雄師也不是他的對手。

美國諷刺毛澤東所謂豐衣足食，科學進步全是一套吹功，曾有一幅漫畫描寫大嘴巴上唇頂住天，下唇觸及地，旁邊有個人在問「怎麼祇吃天下？」一個人要去了，另一人答道：「還有一張嘴，[illegible]裹，祇要長張嘴會吹就夠了。」

談時代理性

林夏

在科學飛躍昌明，世界文化漸趨滙流的現階段，中國的舊制度多被摧毀了，而新制度又迄未認真建立起來，於是盲目模仿，許多地方顯得不倫不類，光怪陸離；社會活動，漫無規律地爭奇鬪異，即如娛樂場所，幾於盡是接近原始形態的賣座。有人說：「這是真正民主自由的表現。」這種論調，且勿論其是非。其實生活方式之完全脫卸封建時代的衣服，固因時代的不同而異其趣；但各時代還是有它依為法則的時代理性，就中與逐，含有共相與殊相的自然界限，而又以地方風習的不成文規律以為範圍。

西化生活方式，[illegible]有其可變與不變的時代差異。共相的理性是不變的，可變的是依時代理性而通變適度的殊相。如中國舊禮教為不化女子貞操，有男女授受不親的教條；其維護女子貞操是共相，男女授受不親是時代的殊相。純理性的共相，是不因時代而變更的；是可因時代不同而權宜應變的是時代性的殊相。現代否定專制而推行民主，男女公開社交，這是時代理性，自然[illegible]於揚棄授受不親的教條，而難為人們所要遵守了。但維護女性貞操的共相，則無論東西理性（極權國家除外），未可變易，決不能因男女公開社交而擴大其範圍至毫無性別的界限。否則，便是超越了時代理性的領域，是濫用民主自由的罪惡。

時代理性是要有心理衛生的內涵，是和身體衛生同其重要，這精神與物質同爲生活需要一樣；如情緒不平衡，是足以影響身體健康。如何維繫情緒平衡以增進心理健康，特提出如下各點，用供參考：

一、經常反省自我檢討：認識別人難，認識自己更難，因誰都常患爲自我辯護而推銷自己的毛病，這是由於縱容優越感。人皆有長短，殊不知以己之長而自負，須也不必因己之短而非薄。最要緊的是：時存是非之心，也是我之不是的內省，才不犯主觀固執的偏差。

二、保持客觀與樂觀：我們要經常離開自己來觀察自己，同時還要透過別人的心理來對待別人；這樣可以討得許多無窮的樂趣。[illegible]度去服務，盡人事，聽天命，[illegible]要體會人生不能一日無喜神，善養之道，[illegible]自我的胸襟。

三、把握現在面對事實：儘管哲學家不承認有現在，可是不把握現在，未來是決沒有[illegible]不幻想當年勇，不想將來的天堂。遇事務須面對事實，綜積經驗去解決問題；爲着你不能解決你的問題，徒然志大言誇，是無濟於事的。

四、防範觀念誤差：一自唯物辯證法甚囂塵上以來，常使你迷惑得認假爲真，以非爲是，大膽假設之餘，仍須小心求證，客觀的研究，[illegible]而求其止於至善。[illegible]

五、[illegible]

六、維持鎮定與節制：生活應有常規與節制。所謂：事到快意時須住，言到快意時須止。古人說：「甘心傷性，快意斷行」。這是金科玉律。美國伊利契博士說：「我保持健康的方法，是：[illegible]」歌德在煩惱[illegible]是以怡情逸興來驅逐[illegible]所得益而已。

宏揚詩教以啓中興

爲華岡中華學術院詩學研究所成立而作

胥端甫 （中）

[illegible]

自由報

第一六八期

中華民國僑務委員會頒發台港新字第三二三號登記證
內政部登記內警台報字第031號
中華郵政台字第一二八二號執照
登記爲第一類新聞紙類
（半週刊每星期三、六出版）
每份港幣壹角・台灣零售價新台幣貳元

社長李遷鵬・督印黃行衡

社址：香港九龍登打士街91號十樓六座
91 DUNDAS ST, 9th FLOOR, FLAT 6 KOWLOON H.K.
電話：837253　電報掛號：7191
承印者：大同印務公司
地址：香港北角和富道九六號
台灣總管理處
中華民國（台灣）台北市大同街119號
電話：555395・557424
台灣分社：台北市西寧南路110號二樓
電話：[illegible]
台郵劃撥儲金戶九二五二

論自由的代價

・黃公偉・

一、自由與極權應從「本體」說起

當前人類歷史，正在自由與極權兩大陣綫的決鬥中，受着嚴重的考驗與抉擇。然而，爲了基本觀念的漠糊不清，致使某些自由陣綫中的知識份子發生曲解歷史，爲共黨幫腔的傾向，如美國太平洋學會，拉鐵摩爾，及費正清一流人。這對共產黨人來說，正是他們利用言論自由，以混淆眞理，分化離間反共勢力的好機會。這對自由陣綫來說，今天若干不結盟國家，標榜中立路綫，實際上他們不知道他們所以能有「中立」的機會，也完全靠了有強大的自由陣綫對抗共黨，才未被吞併。由此，我們覺得在學理上澄清觀念，確是當前最切要的事。

爲什麼「自由」（Liberty）和「極權」（Dictator）都須由本體論（Ontology）說起呢，那就是「打破沙鍋問到底」的問題。正如世人所熟知，天賦人權也好，生存自由也好，這自由（Feedom）意志，本是本體論的「非決定論」，起自先天所生。和宗教決定論，爲神力所左右的「宿命論」，唯物決定論爲物力所支配，是針鋒相對的。當十八九世紀，西方哲學繼唯神論之後，出現兩種「獨斷論」的本體觀那就立「唯物論（Malerialism）和唯心論」。（Spiritualism）之爭。都有機會論的偏執弱點。乃有「同一哲學」，心物合一論」之代與。如費希特，謝林便是此說之代表。「中立一元論」者懷里德（Whilehead）尤有名於近世。但由於馬克斯（Karl Man）恩格斯（Engeles）襲取自然唯物論以爲歷史唯物論，取機械唯物論以爲辯證唯物論。推本體論以爲歷史，文化，社會，政治，經濟變動的規律，才產生了極權新思想。先就自由論而言，自由先於先天之良知，非蘇格拉底（Socrates），柏拉圖（Plato）所發現，更非近世圭哇里（Alecezis Carrel），「生元有知」說所創見。在中國遠自五帝時代，堯舜即有「明」德之說。亦即儒家所說「智」，「仁」，所謂「誠明」，「良知」。理學家陸王所謂「昭明靈覺」。後世儒道兩家生命論知識論，俱認爲有人先天良知本能，其主要才能是自明，自律，自主的，而非可以神權，外來力量所能控制支配的。所謂「人性尊嚴」，小而人格，大而國格，無不本此以樹立。此自明與自主的精神本能，在人類後天生活現象中，便發生所謂有個人的「自我」，「國家的「自我」表現，自明自主的意志存在，是自由快樂。失去自明是昏昧愚痴，失去自主自治即不能獨立而爲苦難。如陸象山說「自覺爲美，他覺爲奴隸。依盧梭「民約論」，穆勒「自由論」說：自立自治爲天賦權利之；被治與依他即自我的表失。道在中西古今哲學家，早有一致的學理肯定。次就「極權」而言，古代帝王引「神權」爲「皇權」，替天行道，祇有皇權，沒有人權民權。「中國古代桀紂幽厲，秦始皇等暴君政治，近代西方法王路易士，俄皇恐怖者伊凡王朝，乃至希特勒。那是由神權而生的專制霸道政治。自神權而後，便因唯物思想演出共產黨主義的極權。馬恩引用費爾巴赫的唯物論，到改變黑格爾唯心論辯證法，構成「唯物論辯證法」，以「質量互變律」，「矛盾統一律」，「否定之否定律」說明「正」，「反」，「合」三原則之演變。構成「辯證法唯物論」，以物質的變化本於矛盾，內在外在矛盾，次要與主要矛盾爲推動力：循漸變到突變形式，而產生由量度到質變結果。循環不停的矛盾，由低級到高級的發展。由之說明歷史的變化皆出自社會政治的矛盾，階級的矛盾，即是鬥爭。即是革命。故馬氏在其「資本論」「政治經濟批判」，「哲學的貧困」等書中，均以社會經濟矛盾，階級矛盾爲「階級鬥爭」的論據。恩格斯在本「反杜林論」一書中更以物質變化解釋一切政治社會現象。認爲「連精神也是物質的」，一八四八年馬恩共同發表的「共產黨宣言」（Communist Manifesto）標立（一）唯物史觀，（二）階級鬥爭（三）剩餘價值。最後呼籲全世界普羅階級聯合起來。使理論行動化。以致新極權統治出自本體論之由來。

自由主義，個人主義思想固爲民主主義，資本主義之根源。其衍出的弱點非祇一端，而唯物論行動化的毒害則更甚。當馬恩學說取得一九一七年俄國革命的領導權之後，實以托洛茨基（Torosky）孟雪維克黨的工人革命代表馬恩正統路綫。列寧布爾塞維克黨所持之工農聯合」，實施「勞農」政權，厥爲「修正派」。列寧的「國家與革命」足以顯示其右傾。他竄改馬氏辯證法，將「矛盾律」置於「質量律」之上，更明顯表示其修正主義態度，僅屬政策的，策略的。他打擊布哈林的「均衡論」，批評德波林的普列哈諾夫的「經驗一元論」不務實際，犯了玄學的錯誤。列寧用階級鬥爭的武器，反資本家及反宗教反地主，聲言布黨當權，則「一切反對黨必然被關在牢獄裏」。布黨的統治權無限擴大，人民的自由被剝個精光。他創用「格必烏」的恐怖統治。他是馬恩的眞正叛徒，又是沙皇極權政治的新典型。史大林繼其衣缽，再進一步竄改唯物辯證法爲四定律。取消「否定律」而易成「事物聯繫律」，「歷史發展律」。以免布黨政權將來被「否定」。利用貝利亞改組格必烏爲恩克維地（N.K.V.D）加強恐怖統治。他的修正路綫，完全脫離了馬恩學說原位。所以，史氏死後，遭到鞭屍待遇。中共毛共自命爲馬列嫡傳，對馬林克夫，維辛斯基以來的俄共目爲修正派，相反地，所謂「毛澤東主義」如「列寧主義」樣，不過打着馬的幌子而已。實質上全然與馬恩不相干，而是個人英雄主義，皇權統治的翻版而已。毛共與俄共由「解放蜜月」走上敵對之路，當非偶然。列史時代除了策略無思想，毛共則除去暴力無主義。一丘之貉，又爲馬恩共產主義，被其徒孫所毀。

二、共黨主義不是省油的燈

自由和極權不能並存，正爲唯物與唯心的學理無法一致一樣。然而自由陣綫卻忽視了馬列徒衆的本質，是唯物所裝成，根本談不到良知。當一九三○年代到二次大戰告終，史太林的策略在心戰政戰深中西方國家的要害。打着合作的幌子作投機的生意。尤以大戰末期軍事轉機在東方賺到中韓越共的附庸勢力坐大。毛共緊跟着史魔走，抄襲史魔策略製定所謂「武裝鬥爭」（殺），「階級專政」，（暴），「統一戰綫」（騙），三大魔寶。一如毛共自命天才的創造，當一九三五年退守陝北年代，爲了免於被消滅，即展開「民族」統戰的僞裝。（下轉第三版）

噓，誰管你那一套！

好、正好廢物利用！

昨日與明日

戴高樂對共產黨挑戰

法國總統戴高樂於五月二十九日突然離開巴黎而神秘地返回其法國東部的故鄉——可倫貝，對法國目前的紛亂局勢，靜思對策。

戴高樂在鄉間，經過一夜的沉思，於五月三十日在電台廣播中發表了堅強的，勇敢的及對抗共產黨挑戰的聲明：

戴高樂說：法國受到「專制共產主義」獨裁的威脅，因此他不打算辭職。他又說：「在目前情況下，亦將不改換總理。」他更解散國民大會，要求進行國會大選，預定六月十六日舉行的全民投票，也將延期了。

戴高樂這一下打得法共頭昏眼花，因爲老戴這突如其來的決策宣佈，是出乎他們意料之外的。如果說老戴已勝了第一回合，亦不算誇張。

戴高樂手上的兩張王牌

法國的陸軍已聲明保證他們對國家的忠誠，法軍司令們說：他們不會讓一個「革命政權由於街頭暴亂及未經合法選舉便告成立。」

以上聲明是在戴高樂訪問陸軍各單位之後發出的。這一次老戴曾跑到德國及瑞士邊境訪問了慕爾豪斯，及其他各陸軍將領，幷探視保西尤將軍，因保西尤將軍是他的女婿。

目前，不但強大的法國陸軍已開入巴黎地區，效忠於戴高樂，同時在巴黎街頭更出現了百萬羣衆舉行擁戴反共示威，左翼聯盟主席米特蘭被羣衆圍困，馬賽曲高唱雲霄，三色旗到處飄揚；法國人要自由，不要共黨獨裁，因爲法國人是「不自由，毋寧死。」

法國強大的陸軍及廣大的愛自由的羣衆是戴高樂手上的兩張王牌，老戴有了這兩張牌，所以開始反攻了，在法軍支持及羣衆擁護之下，老戴將重建其統治權力。

戴高樂最大的隱憂

目前，亂潮雖漸告平息，但不能認爲法國就從此平安，戴高樂政權便可高枕無憂，今後的法國，仍有一段長時間的動盪不安，而法國本身的經濟問題是老戴最大的隱憂。

如今在國際上，法郎無人問津，瑞士銀行官員們說，國際評準銀行停止支持法郎的行動，西德人瘋狂地將法郎變換馬克，聯邦銀行亦已遭受到法郎問題的壓力，商業性銀行亦不得不拋出其在中央銀行儲備法郎。若這樣演變下去，西方幣制可能會崩潰。故老戴今天最大的與最重要的要務是與新財長共商大計，如何解決法國經濟問題，如何安定世人對法郎的信任，否則，不但法蘭西的末日不遠，自由世界亦逃不了混亂及黑暗的日子。（何明）

自由談

報載：監察院以台灣省府對於黃豆被盜案的賠償問題，處理失當，特予糾正。指出省政府將黃豆貸欵一億五千餘萬元台幣的銀行金庫損失，勒令鐵路局貨運服務所賠償，而其賠償總數；又非爲應貸欵額，乃係質物「即黃豆）全價，且須爲油商負担鉅額利息。當時鐵路局曾提出倉庫責任限度，油廠借欵情形，以及行庫違失責任等事由，予以抗辯，省府當局拒加研究，一意孤行。鐵路局本身無欵可賠，唯有增加貨運，將此項非法的負担，轉嫁於老百姓身上。

盜豆發生之初，台省府不查整個事件的內容如何，也不待法院偵查訊處，即以行政命令，迫使鐵路局賠償一億五千餘萬元的公庫損失，事實上就是要老百姓代替盜豆的人犯掏腰包。似此顢頇操切，欺人民以無知，非法瀆職，情節顯然，台諫可以僅事糾正，而不提出彈劾呢？

未可糾舉了事

行庫與鐵路局都是政府的機構，把行庫的損失責令鐵路局賠償，即令是左手交給右手的轉帳行爲，亦非爲政之道，有失體統，而乃勒令路局取之於民，且替油商負担鉅額利息，寧非豈有此理乎？價值以億計的黃豆存放在省屬倉庫中，省營金融機構又有貸欵關係，然堆積如山的黃豆，竟被盜賣淨盡，事前毫無覺察，事後對於追贓，追保等應有責任，置之度外，却亟亟於以貨運加價的方法，彌補行庫損失，這不僅處理失當，尤屬措置乘方，其過失視民意代表爲黃豆問題說情受賕，尤爲重大。然民意代表已受到嚴重法制裁，而瀆職病民者，行爲無事，豈得謂平？

台諫御史的糾正案，其作用止於「下不爲例」的警告而已，對於商民不應該負担的鐵路貨運加價，幷不發生影響，說了等於沒有說。近十餘年來，監察院所提出的大小糾正案，至少亦有幾百件了，效用顧安在耶？小事固不妨馬虎，如斯關係國言民生的大事，台諫諸公對於糾正案的效果如何，未可忽視吧？

禹王先生

文字學會請政府速宣佈
國民小學「國語科」應正名爲「國文科」
同時宣佈執行國語政策不變

　台北航訊中國文字學會五七年會員大會（五月十二日）提案：爲實行中央政府集性之決定，擬請建議行政院儘速命令教育部宣佈國民小學「國語科」正名爲「國文科」，並爲避免曲解與誤會，應同時宣佈推行標準國語政策絕不改變，且更趨積極，是否有當，敬請　公決案。說明：民國十二年，北洋政府惑於陳獨秀等「以語言爲主」，「言文一致」等謬誤主張，貿然宣佈小學「國文科」改稱爲「國語科」，既名實不符，亦不合邏輯，更違反　國父遺教和普通常識，以致引起世人對語言文字之觀念混淆和誤解，尤其貽害兒童教育與社會文化實深且鉅，在謀復興中國文化之今日，糾正此項錯誤。實爲當務之急。理由分詳如下：一、總統　蔣公「國文第一」之政策必須切實遵行：早在民國四十四年，總統　蔣公即已提出「國文第一」政策；本年二月十日手令對教育指示，又一再強調「注重本國文字」，「著重國文程度之提高、民族文化之發揚」，當然包括小學教育在內。本年四月十二日手令復提及「國民教育小學和中學……除國文爲基科目之外，歷史、地理亦爲關鍵肯綮之所在」，明白指出小學與中學之國文課同爲基本科目，教育部竟不予以重視。二、行政院法令必須嚴格遵守：今年一月二十七日　總統明令公佈之九年國民教育實施條例，有八條規定「國民教育之課程，採九年一貫制」。依此規定，小學「國語科」正名爲「國文科」，與中學相同，始可表示「制度」之「一貫」。此項條例先經行政院命令，立法院通過，後經　總統明令公佈，何等重要，教育部竟不遵守上規定，仍稱小學國文科爲「國語科」，實屬不合。三、「教育部施政報告」教育部首應自加尊重：去年送立法院之「教育部施政報告」，「中小學方面」只有「國文科」之名稱，並無「國語科」。今年元旦忽公佈小學「國文科」爲「國語科」，前後自相矛盾。

提案人：李曰剛、方遠堯、江應龍。決議：交理事會辦理

六鄉鎮改隸地皮飛漲
先下手者一夕成暴富

　自從六鄉鎮劃歸台北以後，眞可說是「幾家歡樂幾家愁」，歡樂的是有不動產的人，因爲六鄉鎮的土地和房子，一日千金，古語說，一登龍門，聲價十倍，六鄉鎮一旦被列入台北市門之內，就立刻漲了二倍，接着，十倍，二十倍，目下還有繼續上漲的趨勢，原來二百元的地現已有人叫價六千，可見今天的台北市門，已經媲美古人所說的龍門了，鯉魚還是舊鯉魚，還未入門，却已身價大有不同了，可見操縱地價的情形之嚴重。在這漲風中，既肥了一批地主又刺激了一批房東，害了一批房客咬着牙，任憑房東搬家和加房租，房客們大都變成了太空鎮改隸台北市以後的最早的「魚肉」，任憑人家宰割，還不敢說什麼。因爲的確這六鄉鎮的地都漲了，房子當然也不能例外，想搬走已經沒有可能再回到改隸前的廉價房子了，這實塊地，搭了高可不再受氣，改隸前還容易，如今更沒有可能；因爲地價漲的已經超過了以往蓋棟房子的價錢，不要說蓋，連地皮都買不起了。

　以木柵區來說，電力公司南郊分處附近原來是颱風期排水用的窪地，去年不過二百多元一坪，現在不但打破了二千，靠馬路近點的地方，已經過了四千大關，再以埠腹旁的河邊的一片沙地來說吧，過去電力公司是不肯接綫過去的，因爲那是河濫區，不能允許蓋房影响排水，所以沒有人想要，現在也成了建築商人們的寶地，大概部位一經改市，河水便不再泛濫了吧，現在也已經竇到一千五了，聽說最近又有一大批已經成交。以木柵區來說：買地的人大都是台北來的營造商，少數是土著地主，蓋多半的是公寓或是樓房，一動就是三四層的建築物，儘管有些地方出路窄的可憐，可是一經興工，原有的小路，全給建築材料填塞滿了。一遇雨天，更形成一片泥淖，附近住戶出入雖然不便，却又奈何不了他們，因爲他們要利用這個空隙了。利用地皮，向上發展。再看這一批一批建築商經營的公寓，已一批又一批賣給了台北市的市民，盈花別人的錢發了筆小財，可是一經完工，這條景美木柵的公路，運輸的問題，可夠交通機構頭痛的。現在公路局的車子已經時常在上下班的時間，看着堆滿黑鴉鴉的一片人羣的車站，神氣驚揚的不顧而去，急着趕時間回家或出去幹事的人，在站台上大聲咆哮，或低聲抱怨，將來，這批公寓的主人一旦加入候車的行列，怎麼會不倆碎它的玻璃。或大罵公路局的人員不珍惜旅客時間呢。

　六鄉鎮改隸遲了一年，建築商就要錢不管人命的亂買地皮，抬高了沒理由高到這種地步的地價，眞是罪過，埠腹路和電力公司兩區，三年前因爲淹過二次水，房價大跌，有人把一棟一房一廳的房子，以一萬五賣出，比這還有少的，有一棟十五坪地的小房，連地八千元就成交了，當日買主現在也居然以五倍賣價賣出，一買一賣之間，淨得了幾萬塊，也算運氣得不錯，可是雖然說賺了，可是房子是不用想再買到了，因爲賣的價錢。已經沒有第二份了，這麼說來，賣主還是吃虧的。

　在六鄉鎮改隸、的這段時間中，有的一夜之間，變成暴富，擁有荒地的人一下子有數百萬的財富，說起來，發行獎券可以養成人的僥倖心，對社會有弊，現在六鄉鎮的暴發戶，可眞不少，有人爲了發展當地的文教事業需要地皮，也教喊出的大價給嚇住了，爲了發財，不顧社會福利，這種人眞該得其教訓才對。

　國父的民生主義裏，曾經舉澳洲一個實例，說明一個地主受社會因素影响造成地價飛漲，這個地主不勞而獲發了財，他對土地根本沒有利用過，竟大收土地的漁利，這是不公平的。所以，國父主張漲價歸公，防止這種不公平的發生，可是今天台灣是我們心目中的模範省，這種無理的土地漲價，與盲目濫建的事竟然如此風行，與　國父主張竟全違反，身爲娘家的縣府，竟然一任其自由發展，台北市府雖一再要求却沒管，這豈不是濫給了一些人過度的自由而妨害了民生？既違反了三民主義，也對不起高瞻遠矚的　國父？當年對房地問題的公正完美的設計。

　現在台北市府的挑戰書已經下來了，對濫建的風氣是挽狂瀾於既倒，對於投機份子是一記棒喝，値得稱道，不過站在旁觀者清的立場來看這件事，只恨管晚了，因爲先下手的已發了財，後下手的却來背黑鍋，不是也教人埋怨「厚此薄彼」，怪投機不早嗎？

世隱閑話

葉公超適宜作專欄作家

　每一個人有一個最適於他的職業。用之得當，可得最大的成就。

　筆者感覺到我們最大的缺點，就是無論對什麼人，只要欣賞他，就逼他從政。其實政界是一大洪爐，又是一個大染缸，有些人是不適合的。

　筆者嘗感覺到我們現在最感缺乏的，是國際知名的專欄作家。在外國，專欄作家借「專欄公司」（Feature stury syndiate）的媒介，一篇文章，可以同時在幾百家報紙刊載。他所持的見解，立即影響到幾百萬，幾千萬人。政治上任何角色的言論，決無他文章同等的影響力。於是他們的見解，在本國問題乃至國際事件上，形成一種壓力，使人家不能不接受。

　舉一兩個實例，如美國遠東問題專欄作家張伯倫、李普曼兩人，他們文章所生的影響力，就決不會比一位參議員乃至國務卿小。又如有關金馬應否由我保持的問題，在七八年前，在美國會一度成爲爭辯的焦點。美國國會中有許多議員爲我們說話，認爲金馬應由自由中國掌握。都受到姑息份子的攻擊。周以德、謝蘭等人，都吃了大虧。但當「紐約時報」軍事記者鮑爾溫民（現已退休）以專欄作家的身份來過一趟金門，寫了一篇「金馬的戰略價值」的文章後，金馬必須掌握在自由中國手中，即成定論，誰也不敢挑剔反駁了。

　專欄作家的功用，在於①他是國際馳名的。②他是以某項問題「專家」的姿態出現的。因此，專偏重知識的今天，他的文章遂具有高度的權威性。

　我們過去就吃虧在沒有這種專欄作家，因此，我們縱有百分之百的充足理由，却無法使人家相信。更明白的說：當敵人在國際上信口雌黃時。我們都「沒有聲音」。如今反攻機運已經爛熟。爲了配合本來的軍事行動，培養够得上與歐美專欄作家一較身手的專欄寫作人材，實不能再緩了。

　如果有人問：那一類的人可膺此選，筆者願向他推薦：喬治葉；理由何在，知道他的人，一定會微笑頷首。（完）

厚安

東南亞行腳
小攤販的可愛處

　台北馬路邊的攤販，最近被警察趕得光光的，連想到仰光、曼谷、新加坡、孟買、西貢、曼德里（瓦城）等幾個大城市，攤販對消費者所給與種種方便，和若干好吃的玩意率多在這些小攤子上。

　仰光百尺路轉角冰攤上的四果冰，清涼可口，色香味三者俱全，是外交官何景同，僑領王世勛逛街常作小東之處，四十條街，印度人的油炸蝦，是吳琪、陳江山、簡如茂與筆者小飲的地方，於今回憶仍有餘味，曼谷耀華力（等於香港的中環，台北的西門町）有三個小吃攤使我難以忘懷，用涼凍燕窩湯（筆者與內政部長鑾素那經常光顧，香港紅星李麗華、尤敏、林翠、葛蘭等也都趨之若鶩）。紅燒牛腩攤（國家沙媽欺粮食公司總經理丘創志請筆者小酌於此，與抗戰時在重慶吳稚暉老先生常光臨的上清寺牛肉湯攤有異曲同工之妙。粿）條攤，我常與本報泰國代表人秦斌來此宵夜，十有五次總是遇到電影皇后威萊旺、國民黨元老蕭吉珊作東、此外劉峙將軍也在這個攤上品嚐佳味。）

　因攤子上吃東西的習慣是在外國養成，故對攤販小買賣的人，不免有着好感，回祖國後習慣難改，最近因找不到攤子吃所要吃的東西，而引起回憶，又想到小攤子正是都市另一面的良好點綴處，是上列瑣碎回憶的主力，未審有關當局是否想到這些。

○高舉○

台北新聞信

爲台北小販請命

—本報記者柳一權

　台北街頭約有若干萬小販被逐，不准在街頭擺攤，突然之間是寧靜了一陣，不過並未收美化市容的效果，相反的予人有凋零之感，忽略了「克難運動」，忘記了維持窮人生活，即是幫取台灣的安全。

　筆者到過很多國家的大都市，巴黎大學附近，到處都是咖啡攤座，每天有四萬多學生，大部份的時間消磨在咖啡攤上，讀書寫字，知識交換，乃至於談情說愛，彼此埋頭於自己的工作或享受，一律互不侵犯。還有孟買、加爾各答、新加坡、馬尼剌、仰光及其故都瓦城、（又稱曼德里）到了傍晚，轉彎抹角都是攤販、冷飲和小吃、琳琅滿目、經濟實惠。忙了一天的小市民，到了晚上都有就地納凉，吃吃喝喝的方便，曼谷與印尼、菲律賓市民同樣對攤販的東西特別感到興趣，事實上好吃而有特別吸引力的食品，往往都在攤販上發現，國家的高級官員，駕着汽車停在攤子旁小吃，幾習以爲常，電影皇后威萊旺，喜歡在小攤子上作東道，相信李麗華、尤敏、李媚、葛蘭、林翠、樂蒂、趙雷、陳厚等都叨擾過她、國民黨元老蕭吉珊就請過劉峙將軍在曼谷耀華力路攤子上吃粿條，以證明攤販並未醜化市容，且替街頭頻增甚多誘的鏡頭。

　曼谷幾家第一流大旅館，如五馬路的皇家酒店、和愛侶灣大酒店，每當「白日依山盡」的時候，門口臨街的椅座都擺起來了，冷飲與茶資都很公平，叫一瓶可口可樂（約新台幣三元）百事可樂（約新台幣三元）綠寶桔汁（約新台幣二元）七喜汽水（約新台幣二元）可坐上好幾個鐘點，並不覺得如何使人討厭，「夜半歸來月正中」，不過兩元消費，其樂融融。

　基於各國的習慣，我們不僅希望整個台北攤販能恢復營業，且呼籲台北市政當局對消費的市民能行行方便，對欲謀生的市民找點生活，劃定若干條較寬的馬路旁，及淡水河若干地帶，規定時間攤販可以營業，也是一種小仁政。老實說都市失業人口減少，即等於社會獲得安定力量，同時萬不能因幾棟高樓大廈建築得好看，就將小販們認作爲眼中釘，這是錯誤的，反克難的，不合時宜的，願市政當局能三思我言。

（上接第一版）

一九四五年後又放出「民主」統戰的毒素。誘惑世人，所謂「變民族的勝利為階級的勝利」，「變民主的勝利為解放的勝利」，這兩階段的統戰，為他的軍事擴充，政治劣勢獲得可觀的暴利。毛共的退守，相持，反攻三段論法，亦聯合亦鬥爭，幾乎全不外一騙字。騙來的政權，則不外用「殺」的恐怖手段，實行極權的統治。從一九四九年對內用「殺」，「暴」，對外還放出「和平共存，互相監督」的騙術。直到所謂「反修正」的鬥爭開始，這個「統戰」的技倆才黔驢技窮。演為今日對俄共，歐共，乃至東西方自由國家，「四面楚歌」的孤立形勢。因而，巧奪豪取二十年的暴力統治權，不得不面臨「內在」，矛盾，「外在」矛盾的夾攻，毛共的「矛盾論」，推廣局，再由階級矛盾重回到自由與極權相抗的根本矛盾了。毛共誠然不是省油燈，他想用盡中國人的膏血塗亮「殺」，「暴」的刀鋒，絕想不到這把刀也會有一天操在自由人的手中，把個人英雄主義者，送上斷頭台，像過去的暴君下場一樣。說什麼「毛澤東主義」，冒牌的馬列主義，馬列地下有知，也嗤之以鼻。

三、自由的代價就是拔除極權的根

西方人說過，「自由為人生第二生命」，也說過：「不自由毋寧死」。為爭自由而流血的革命，在歷史上，三代桀紂好暴，民不解命，所謂「時日曷喪，吾與汝偕亡」，湯武革命，弔民伐罪，一舉成功。秦皇好暴，天下共誅之，陳涉，吳廣，揭竿起義，而秦政以亡。近代國父領導革命，推翻滿清，建立民國，蔣總統堅持八年抗戰，終於贏得勝利。中國反專制反侵略的革命聖戰，無不為爭取自由光耀史冊。西方亦如此，過去一切反神權，反皇權的宗教戰爭，民權戰爭有過三十年戰爭，百年戰爭。反侵略的民族戰爭，也有過二次歐戰勝利。那些暴君、獨裁者皆受到最終的制裁。其中轟動歷史的如波蘭的獨立，法國革命，都由「自由」，「平等」，「博愛」的呼聲，冲毀了橫行霸道的極權魔王。埋葬了一切戰犯。

論自由的代價

·黃公偉·

今天，共黨國際土崩瓦解，在人類自由良知普遍覺醒之下，共黨的滲透，顛覆離間分化的統戰陰謀已盡計窮。共黨所謂經濟恐慌，階級對立，在新工業制度，土地制度之下，已不存在。故「階級鬥爭」的理論已失論據。因此自馬恩主義以下至於列史所利用之「矛盾律」，已全然為「同一律」所代替。共黨的根逐漸被拔除了。所殘餘的軀殼祇是少數野心家，個人英雄主義的自我陶醉了。共黨慣以客觀條件決定行動。今天，他們的主觀理論既全破產，客觀條件又全部喪失，他們空喊「民族解放」，「階級專政」，實為「困獸之鬥」的自欺之論。共黨除了還握有不足憑藉的武力而外，再也找不出其他自存的生路了。也就是說，俄共毛共的全盛時代已全然消失，惡貫滿盈的暴力統治，已在舉世自由，民主洶湧浪潮下戰慄了。一九五六年，匈牙利的抗暴革命，最近十年中國大陸的反毛反共的革命。和最近波蘭學生大示威，都是顯示暴政的末日到了。

最近幾年，亞洲區域性反共聯盟已擴充為世界性反共組織，去年並且發表了「自由宣言」。在宣言裏針對馬恩宣言，提出「全世界愛好自由民主的人們，聯合起來」。希望這個宣言，一如過去「人權宣言」，能廣泛而深入的發生教育性，啟發性，促進自由民主反共聲勢的茁壯，化言論為行動。全人類一致團結起來向共黨討還血債。把共黨的空軀殼徹底消滅。這樣，人類的自由天賦，自由生存，才得到永恒的保障。那麼，「自由宣言」的價值，將與人權宣言永久光耀人類歷史。共黨的死亡，就是自由重建的最大代價。

漢武帝時的名臣

汲黯與公孫弘

·清園

汲黯為人君所敬畏，公孫弘為人君所喜愛，因為他們一個正直，一個柔順，同為武帝所信重。而他們兩人私交也很好，所以我將他們拉到一起來談談。

汲黯字長孺，濮陽人。（即今河北濮陽縣）武帝即位後，由太子洗馬轉任謁者。（謁者、官名，掌賓讚受事及奉使。）河內火燒千餘家，武帝使黯往查看，他查看後回報說：「家人失火，屋比延燒，不足憂。臣過河內，河內貧人，傷水旱萬餘家，或父子相食。臣謹以便宜持節發河內倉粟，以振貧民。請歸節，伏矯制辠。」（辠，古罪字）武帝認為他做得很對，並升他為中大夫。後調為東海太守，他以清靜為治，責大要，不苛細，東海大治。武帝乃召他為主爵都尉，（掌管列侯事）位列九卿。

黯為人倨傲，好面折人，不能容人之過。時太后弟田蚡為丞相，後衛皇后弟衛青為大將軍，黯見蚡、青未嘗拜過，只作揖而已。有一天武帝在朝會時說，我欲如何如何。黯插言曰：「陛下內多欲而外施仁義，奈何欲效唐虞之治乎？」這眞是誅心之論，無怪武帝大怒而罷朝。當時公卿都為黯担心，或責黯不應如此直撞。黯說：「天子置公卿輔弼之臣，寧令從諛承意，陷主於不義乎？」幸而事後武帝不但沒有責罵他，反而稱他為社稷之臣。武帝非常敬重黯，每當衣冠不整時，便不敢見他。惟武帝方好儒術，欲積極圖治，而黯則素習黃老，主張清靜無為，所以為當時所不容。乃由公孫弘建議，將他調充右內史。（右內史後改名為京兆尹。）

當初黯為九卿，而公孫弘、張湯還是小吏。沒有過幾年，弘升為丞相，湯升為御史大夫。黯心地本褊隘，不能無怨言，有一天他對武帝說：「陛下用羣臣，如積薪耳，後來居上。」武帝以後很不喜歡他那種傲慢的態度，也不再重視他的議論，乃改派他為淮陽太守，歷十年而卒。像汲黯這樣對皇帝面折廷爭，毫無保留；不為爵祿着想，甚至不顧性命的人，歷史上很不多見。汲黯不但是其中之一，而且是最突出的一個。

公孫弘菑川人，（今山東壽光縣）年少時家貧，牧猪海邊。到四十餘歲，始學春秋雜說。武帝初即位，招賢良文學士，弘年六十，徵為博士，並出使匈奴，因回報不滿上意，上以為他無能，免職家居。過了幾年，菑川國再薦舉他，他不敢接受；但國人堅持要推他，他只好硬着頭皮再到京城去碰運氣。時武帝又策問治國之道，弘的對策大意如下：

一、「是故因能任官，…去無用之言，…不作無用之器，…不奪民時，…有德者進，…有功者上，…罰當罪，…賞當賢，…凡此八者，治之本也。」

二、「臣聞之仁者愛也，義者宜也，禮者所履也，智者術之原也，凡此四者，治之本，道之用也。」

我們認為他們上面所說的話，並沒有什麼獨特的見解，無怪太常把他的對策列為最下。可是武帝看了之後，竟然改為第一，召見時又看到他容貌甚麗，乃再授以博士。由此一帆風順，由博士而左內史，而御史大夫，而丞相。每次朝會時，公孫弘總是開陳其端，使人主自擇，不肯面折廷爭。武帝以為他謹慎，明習吏事，並飾以儒術，所以很喜歡他。弘常與汲黯一起去請和皇帝密議，總是黯先發言，弘隨聲附和，武帝也很感高興。有時候他和公卿商議好了，到皇帝面前，往往違背約言，以順從皇帝的意思，由此可知他是十足的官僚。

汲黯曾當衆斥弘不忠，皇帝責問他，他說：「夫知臣者以臣為忠，不知臣者以臣為不忠。」皇帝反以為他說得很對。有一天黯又對武帝說：「弘位三公，奉祿甚多，然為布被，（以粗布為被蓋）此詐也。」弘竟當皇帝面前承認是飾詐以釣名。武帝以為他謙讓自承，更加愛重他，後且封他為平津侯。丞相封侯，自弘才開始，以前有以列侯為丞相，未有以丞相而封侯的。

弘曾請歸還侯爵，辭相位，武帝不許，年八十而卒。弘每餐只食一葷菜，吃粗糙小米飯，俸祿都分給故人賓客，家無餘財，這是他的美德。他為人外寬內深，誰和他有嫌隙，一有機會，必予排斥報復。他在皇帝面前，則多阿諛順從以求悅，可說是一個官僚的典型，後世取法他而得到高官厚祿的大有人在。（完）

時花還石館隨筆。

梁任公游台逸詩

彭國棟

任公海桑吟五十六首，為辛亥游台所作。余已載入廣台灣詩乘中。近讀清末國風報有滄江游台五信，麗以詩篇，滄江郎任公也。詩多載海桑吟，惟第四信中有斗六吏等三首，為海桑所無。殆因議及日人，台灣遺老不敢錄存歟。其斗六吏云：警吏陣斗六，數百如合圍。借問此何者，買地勞有司。赫赫糖會社，云是富國基。種蔗當得田，官價有程期。小人數畝田，死父之所遺。世守亦百稔，饘粥恆斯於。願弘一面仁，貸此八口飢。欲語吏先嗔，安取閑言辭。府令即天語，豈天乃可違。衆雛各有命，何不食肉糜。出卷督劃諾，附後吏執持。捫印朱爛縵，甘結某何誰。昔買百緡錢，今賣不半。便願不取直，方命還見笞。一日買十甲，一月千甲奇。冬秋風起，餓莩闐路歧。會社大烟突，驕作竹筒吹。

墾田令云：府帖昨夜下，言將理原隰。自今限民田，人另過十甲。聞官方討番，境土日安集。墾草宣待人，官甯親畚插。官云汝母國，齒稠若地窄，苟蕕此原田，將以世其業。舊田不汝追，帝賚已稠疊。安得非分求，無厭若馮鋏。貴人于于來，生事須長鬣。汝能勤四體，自足丐餘汁。吁嗟討番軍，巨萬費秘帖。借問安所出，吡隸與蠶妾。舊田寶已空，新田取難襲。鬻身與官家，救死儻猶及。悠悠彼何人，哀哀此濕東。

公學校云：道周逢童童。人言是學生。借問何學級？所學程？此間有良校，貴人。島民賤不齒，安得抗顏行。別有號公學，不以中小名。學年六或四，入者吾隸萌。所授何讀本。新編三字經。他科皆視此，自鄙甯足評。莫云斯學陋，履之如登瀛。學塗盡於斯，更進安所營。貴人豢我輩，本以服使令。豈問擾牛馬，乃待書在楹。漢氏厲學官，自取壞長城。秦皇百世雄，談笑事焚坑。

讀此三詩，可知日人治台之酷虐。任公信中有云：吾旬來驚心怵目，無淚可揮。擬仿白香山秦中吟，為詩數十章記之。右詩不過舉其一二事，即一事亦不過其內容之百一，實則重傷累感，豈筆扎所能傳者。台灣自有所謂收用規則者，與日本現行之土法收用法迥別。凡官吏認為公益事業所必要者，得任意強取人民之所有，而所謂行政訴訟行政訴願者，絕無其途。前年斗六廳下至出警吏數百合圍強擾，猶其著者耳。

其他類此者日有所聞。台灣人之財產所有權，因無一時可以自信自安也。至於教育事業，則更如兒戲。詩中所言，乃其學制耳。若夫學校教授管理之內容。乃更有意想所萬不及者。要之台灣識字之人本少，更復十年，則非惟無識中國字者，亦將並無識日本字者矣，寄語中國父老兄弟，勿謂亡國二字為口頭禪，勿謂為大國順民，可以耕食鑿飲也。任公此函，至為沉痛。若將台灣光復後之情景，與當日相較，眞不啻天淵之別。國之不可亡也如是夫。

中國古代文藝春秋（續）

周燕謀

戲曲家葉小紈姊妹（中）

第一齣敘中秋日，蕙、昭、瓊三人同遊鳳凰台，飲酒賦詩為樂。

第二齣敘第二年的中秋日，蕙氏苦思昭、瓊二友不得相見，又是夜雨空階，秋燈瘦影，益增憶舊之情。

「煞尾」本待翻書解悶消寒漏，卻教吾對景無言憶舊遊。則被那鐵馬兒聲嘶鬥，怪殺啼蛩四壁啾，一盞孤燈兀自留。香霧濛濛籠畫籌（巾旁），玉漏迢迢二更候，一夜西風已涼透。細雨絲絲如九重，蕉雨蕭蕭不奈秋。我也可斷腸從春去後，那其間更比往日的淒涼今日最陡。

第三齣，敘第二天家僮來報，瓊龍雖於昨夜病逝，蕙氏連忙去弔臨，正在撫棺慟哭，家僮又報昭素成噩耗。

第四齣，敘蕙百芳自瓊、昭二友亡後，遂悟生死靡常，自是逍遙雲遊，訪道求眞。聞說終南山有一道者，便去求訪，這道者就是呂純陽。經他指點，蕙氏便知回頭，復與昭、瓊二人相聚一處，同到瑤池，為西王母獻壽。

小紈作此劇時，大約尚未適人。她下嫁沈永禎後，她的生活不知是否能如處女時的豐腴？卻值得我們懷念。

明亡後，她的父親棄家為僧，那時的她，大概還在盛年。在歷經滄桑之後，不知她再有心情，把當時的流離顛沛，捉來寫成她的文學嗎？這也是值得我們繫念的。（八十四）

禪與哲（上）

莫動是非人我念　此中無有利和名

記戊申春禪宗打七法會

▲鶴齡▼

正當禪學蜚聲國際的聲中，在這復興中華文化的基地——台灣，曾有一次非常有意義的禪學活動，那就是在舊曆新春時，一羣中美人士舉行的禪宗打七法會。他們借用台北近郊一個佛教居士林，由航業界耆宿，立法委員楊管北主辦，敦請國內禪宗大德南懷瑾教授，主持教導這一個禪宗的打七法會。雖然他們盡量避免外界人士的騷擾，絕對謝絕參觀，但經記者通過友好的關係，終於找到那個鬧中取靜的道場。在一個微雨濤塵的下午，車子沿著林蔭濃翠的山徑，到達山門緊閉的臨時禪院，通過應門人的引導，悄悄的踏入那周圍二十多人，低眉靜坐在蒲團上的禪堂。除了一縷香煙飄逸，引人悠然入勝的氣氛外，眞是鴉雀無聲，大家正在享受著靜中的樂趣。

在禪堂的四壁，還貼著南教授臨時所作的禪語楹聯四幅，都含有諄諄告誡的禪味，如：

「如求有所得；何必入山來。」

「莫動是非人我念；此中無有利和名。」

「坐萬丈塵中，但放下萬緣，半點紅塵飛不到；住一眞法界，肯單提正念，十方世界現全身。」

「放下萬緣，還我本來面目；掃空三界，做個超格凡夫。」

禪堂中間，有供棹一張，右邊放置一部禪宗的經典，主持禪七的南教授，面前放著一隻如劍形的香板，上面寫有慧板二字，他也跏趺端坐在坐位上，隨時注視著大家靜坐中的情形。大約盤足靜坐到半點多鐘，聽到三聲清越出塵的引磬響聲，大家便搓熱兩手，猶如乾洗面目一樣，舒展四肢筋骨，就依次起立，魚貫圍繞禪堂團團而轉，據說這叫行香，或名經行。在行香的當中，大家目不邪視，端容正直，瀟洒而行。往往正在行走的時候，忽然聽到主七人的香板拍地一響，猶如平地一聲雷，大家便保持原有的姿勢，寂然立定，靜聽他的開示法語。這時的南教授，有時引經據典，講解佛法要義，與眞修實證的配合方法，有時又舉出古代禪師們開悟求道的公案，或加以批判，或提示其要點，要大家切身去體會參究。如此晝夜十五、六個小時，除了吃飯、睡眠以外，無論打坐、經行，隨時隨地都得檢束身心，專心參究，聽取主七者的指示。據參加過這種禪七法會的人說：每天由早晨五點半起床，到晚上十一點止，除了半點多鐘打坐，半點多鐘經行，隨時聽到南教授耳提面命的法要精華，大家都有勝讀十年書的感覺。

宏揚詩教以啓中興（下）

——爲韓國中華學術院詩學研究所成立而作

胥端甫

詩是最精簡的語言，這種語言，就是人類情感的發抒，人生志趣的表達，她的作用，就是描寫社會，反應時代，指導人生，所謂教育性的作用就在這裏。朱熹在詩經傳序，對於詩教的解釋說：「詩者，人心之感物而形於言之餘也，心之所感有邪正，故言之所形有是非，惟聖人在上，則其所感者無不正，而其言皆足以爲教；其或感之之雜，而所發不能無可擇者，則上之人必思有以自反、而因有以勸懲之，是亦所以爲教也」。詩大序更說得異常確切，它說：「詩者，志之所之也，在心爲志，發言爲詩」。又說：「情發於聲，聲成文謂之音。治世之音安以樂，其政和；亂世之音怨以怒，其政乖；亡國之音哀以思，其民困。故正得失，動天地，感鬼神，莫近於詩。先王以是經天地，成孝敬，厚人倫，美教化，移風俗」。這些話，把詩的發生，詩的徵象，詩的功用，都指示得明明白白。前所引孔子說的興，觀，羣、怨、將詩的功用，更說得深切著明。在今天這種時代環境中，從她的功用說來，更顯得詩教的重要。文學藝術是民族文化的精髓，詩歌更爲文學藝術的結晶，這裏面就包涵着「成孝敬，厚人倫、美敎化」的民族精神，也就是人文精神。所謂宏揚詩教，以今天的話來說，就是要發揮詩的崇高精神，傳播於國家社會，以表現人性眞、善、美的德性，所謂「溫柔敦厚，詩之教也」。由道個「溫柔敦厚」發展出來，就是正義、公忠、眞誠、和平、愛美、偉大、懇切；表現得熱烈一點，就是犧牲小我，完成大我，慷慨悲歌，當仁不讓。我嘗說：我們一般所謂詩，只是一種形式的古體、近體，五言、七言、新詩、舊詩、中國詩、西洋詩。要是僅有這種形式，而無上述的內容的詩，那就不是詩了。反過來說，一個人的作爲，只要具有詩的崇高精神，「發乎情，止乎義」，合乎「溫柔敦厚」之旨的就是詩人。像岳飛、文天祥、蘇武、班超這些人，他們的作爲，就是詩人、就是一篇好詩。今天我們要宏揚詩教，就要有這種觀點，這種看法，來指導社會，感召人羣。這種詩的崇高精神，在中國文化中就很充實完美，所以共產黨徒要從事文化大革命，就是要消滅這種精神；總統提倡復興中國文化，就是要復興這種精神。所以我們今天要復興這種精神，就要從宏揚詩教着手，才能以啓中興，以廻世運，以救人羣，步入大同世界。

台灣在鄭成功時代是海外扶餘，日據五十一年，竟成爲詩的世界，民族革命的種子就孕育其中，這是有他的歷史淵源的。遠在明鄭時期，沈光文來台就以詩鳴，鄭亡清領，又和季麒光等創立東山吟社，後來遊宦寓公更揚風抱雅，台人之能詩的也就一天天地興旺起來。到乙未年日據台灣，凡一般能詩而有志節的人，都懷於亡國喪家之痛，將其愛國保種之思，懷鄉去墓之情，被髮左衽之痛，與夫所有抑鬱悲涼的情感，都一寄之於詩，於是詩風大啓，詩社林立；如台中櫟社，台北瀛社，台南南社，是最大的三社；如邱逢甲、連雅堂，林癡仙，林南強等都是最富於民族革命的詩人。綜計五十一年期間，作詩團體，共達一百三十一社，詩家共達一千三百五十餘名，擊鉢聯吟，遍及城鄉小鎮。台灣同胞之不爲日本的政治壓力所屈服者，就是詩教的精神力量在其中發生作用，所以台灣雖割而得以光復，民族雖絕而得以復興。我們今天要反攻，要復國，要中興，也要靠這種精神力量。台灣既爲詩的世界，那末，詩的種子，詩的根芽，到處皆是，只要春風吹拂，陽氣上騰，再加以灌溉培養，那詩界之花，自不愁燦爛光華，發生感染作用。詩學研究所不但每年定期，或不定期舉辦詩學座談，專題講座，分組研討。且就各大學，中國文化研究所，或國文系優秀青年，對詩學有根柢的人，都須給與獎學金，以鼓勵其深造，這是最好不過的辦法。只是詩的本身的形式問題，在今天要算是最重要的課題了。舊的詩，自然有些人要揚棄她，但新的詩，廣大羣衆，也無法接受。其最重要癥結，就在形制上的名稱、格式、和詩韻的改造等等，的確要下一番研究的工夫。顧名思義，詩學研究所，就要盡到研究的責任，新的詩歐化式，哲學式的詩，使人不知所云；舊的古典式，象牙式的詩，凑字凑韻，故爲艱深僻海，使人雖懂，都非時代所需要，都非大衆所歡迎，都不能產生詩教所要求的效果。葛連祥中國詩論的最後一章，中國詩的前途，以爲「中國詩到了今天，舊的須繼續保存並發揚，新的須創造，因此提出「綜合」二字，這種綜合，係取衆長而去其短，集大成，與中國傳統的精神是相當的」。因此他提出言志與緣情的綜合，唐宋詩派的綜合，文言詩與語體詩的綜合，和中西詩的綜合。我想這些都是需要急切研究的課題。遊澄清湖、阿里山、日月潭、橫貫公路、以及趕陽明山的花期，都是人人的精神嚮往，也人人都有詩的靈氣，心魂都有美化的需要，他們在遊覽觀光的時候，心靈絕對是純潔空明，所以有好的詩篇，他們也絕對能夠接受。在詩學研究所成立的開始，我就提出上項意見，希望從作詩者的本身研究改造出發，才能宏揚詩教啊？

中華民國五十七年四月一日於芝山精廬

奉讀江昭彥君新著現代日語表現法一書率題四絕

瀛海槎還學有成。江郎喜夢筆花生。
文壇小試雛龍手。雛鳳清同老鳳聲。

潛心日語探音源。妙句瀾驚舌底翻。
文化交流通氣脈。但憑斯道振黃魂。

驥子龍文德最優。東鄰騰采動詞流。
梯航重譯茲先導。一卷風行屆遠陬。

致知格物羨精勤。電子機能獲異聞。
餘事語言還獨擅。彼邦專對契同文。

劉宗烈初稿

現代日語表現法序

江應龍

中日兩國，歷史文化，淵源極深；而境土比鄰，隔海相望，恍若戶庭。近百年來，世界安危，人類禍福，與中日兩國邦交之善惡，有其密切之關係。彼邦人士，對於我國語言文字，潛心研討者踵相接。東洋學者，對於我國文化、學術、藝術、文學，皓首窮探，若癡若狂；所謂「漢學」學者，備受其國人敬禮，享譽極隆。舉凡書道、棋道、花道、茶道……無不踵事增華，變本加厲。事實具在，無待曉曉。吾人對於此一唇齒相依、休戚與共之鄰國之一切，自亦不能熟視無睹，掉以輕心。且日本自明治維新以來，勵精圖治，其於工業建設，物質文明，在東亞諸國中，有足多者。「他山之石，可以爲錯。」故吾人對於彼邦語文之研究，不但刻不容緩，且應蔚爲一時之風氣。然聖人有云：「工欲善其事，必先利其器。」故優良日本語文教材之編著，實爲當務之急。昭彥兒中學時代，即喜塗抹，論文散文，發表於國內各報紙雜誌。民國五十五年交通大學電子研究所卒業後，應日本愛知電機製造所之聘，離家東渡，入該所研究。渠對日語，有極濃厚之興趣，工作之暇，搜羅日本語文書籍，寢饋其間，移晷忘倦。又以旅日期間，下榻該所社長箕浦鑛一先生家，昕夕問難，獲益良多。乃就實際體驗所及，寫成「現代日語表現法」一書，別出心裁，另闢蹊徑，簡明生動，取精用宏，與坊間一般日語讀本大異其趣。書成之後，曾經箕浦鑛一先生及日本友人三品善昭君等審閱。五十七年四月，昭彥兒返國省親，是書亦適於此刻修訂脫稿，爰付剞劂，或對於國人之學習日語者，不無小補也歟！是爲序。中華民國五十七年四月二十九日。

創業哲學

理想與事實

楚狂人

創業的朋友們，要想創造出自己的事業，必先有一套自己事業理想，一般的說都是理想與事實有一段距離，事實能超過理想的雖然有，但究竟不多，發國難財，糊塗財，走私財，殺人財，放火財，印假鈔及販毒財那是例外，因爲三百六十行中沒有這幾行。

拿破侖征俄，自標祇是打到俄京，認爲俄國必降，未料事與願違，弄得高處不勝寒，拿氏雖在沙皇床上睡了八十三天，最後終被俄趕走。希特勒征俄又步向拿破侖覆轍，也認定兵臨城下，俄必降服；可是祇打到莫斯科的外圍，看到莫斯科的電燈光亮，就無法再前進了。連沙皇床上過英雄癮的資格都未取到。眞是乘興而來，敗興而返。

不過話又說回：就事論事，拿破侖與希特勒都是有遠見的人。他們認爲這個冷酷的俄羅斯民族性，不加修理的話，始終是人世間大患，祇可惜他們未將解放全俄作爲戰爭目標，[illegible]史上一件憾事。比起二次大戰的羅斯福，打的是不折不扣的勝仗，抱着祇此一家別無分號的原子彈，而未順便去解決俄羅斯，地球反被史魔割去大半個，拿破侖希特勒的棋又比較高了。

女人小論

・老宣・

一位美術批評家威克曼說：「色可助美，但美的本質並非色，而「在於形」。

× × ×

色彩的印象，最先跳入心靈，同時也能鮮明而深刻地留在記憶之中。

× × ×

女性如詩歌，男性則像散文，這句話爲千古不移的眞理。

× × ×

情操高潔，而富於理智的女性表情，有獨特的魅力。

× × ×

心情上的美謂之內在美，但不能反映到容貌上去。

自由報

第八六二期

中華民國僑務委員會頒發台報新字第三二三號登記證
內政部內版警台報字第031號
中華郵政台字第一二八二號執照
登記為第一類新聞紙類
（半週刊每星期三、六出版）
每份港幣壹角・台灣零售價新台幣弍元

社長李運鵬・督印黃行畬

社址：香港九龍登打士街91號十樓六座
91 DUNDAS ST. 9th FLOOR, FLAT 6 KOWLOON H.K.
電話：857253　電報掛號：7191
承印者：大同印務公司
地址：香港北角和富道九六號
台灣總管理處
中華民國（台灣）台北市大同街119號
電話：555305・557474
台灣分社：臺北市西寧南路110號二樓
電話：三〇三四六
台灣郵政劃撥儲金戶九三五二

科學發展帶來的苦果

論美國危機之一

・顧翊群・

編者按：本文與連載之「論美國當前之危機」係前後相承，聯貫為一者。茲特將其重要部份，提出分篇發表，以使讀者先睹為快。

一般人都艷羨美國的科學發達。但天下事往往都是利害並具。美國今天的富強固是科學發達之所賜；同時却也由於科學發達，帶來無限的痛苦和危機。下面根據事實記載，指出這些問題的嚴重：

一、在一九六五年十一月某日，美國東北部地區自紐約州起，而直至加拿大邊境，忽然電力傳遞發生故障，而八萬方英里的區域，包括紐約城與波士頓等大城市在內，全部陷於黑暗。當時電力工程人員張惶失措的情況，在數日後出版之某雜誌上一張照片上全部顯現出來。該照片顯示，在電力公司總管制中心的工程人員多人，站立於紐約州電力系統操作總圖案之前，而面部表現出惶惑不解的情況。該雜誌在照片旁加以說明曰：「東北部電力總通路Northeast Grid乃是一座綜合的，互相通聯的通電路體系。但祗有執行管制的各種機械，能在其中相互的進行通訊與呼應，而與人的責任毫不相干。無人能提供此通路何以忽然中斷的理由。」孔蒙勒B. Commoner教授在其所著之「科學與人的生存Science and Survivaz」書中論曰：「假使文勒教授尚未逝世，他當可對此次機械失靈之事件提供解釋。文氏係主宰控制學 Cybernetics的創始人，而複雜的電力通路之被電子計算器所管制之設計，係根據於此一門科學的。」（註：可參閱本文上篇有關文氏之報導。）文氏於該事件發生前六年，曾經對能下棋的電腦有所解說。此電腦於開始下棋時，尚常時發生錯誤，而為其對手方棋師所敗。但經過十至二十小時的比賽後，電腦對於對手下棋步驟有充分記載與了解，而其計算較對手方既迅速復準確，遂迭次獲勝。文氏指出：從技術觀點而言現在已可製成自動運轉的機械，而此機械可以肯定的逃避製造該機械的技師等全面有效的管制。孔蒙勒氏謂美國東北部傳電發生故障之事件，即屬於此種性質；因負責管制總電力通路的機器、在設計該機器之工程師等尚未來得及了解與改正其訓令以前，已經自作主張的接受到原設計的規則命令等。而採取了與工程設計人員原意不相符的行動了。華府人口研究局幹事長柯克氏R. Cook於介紹孔氏著作之文中有以下一段議論。近年來科學的擬力所給予了魔術師之徒弟們的困擾，越來越顯明了。對科學的成就之贊美，成為例行俗套。但有誰注意到科學進步之長期的後果呢？現代科學技術之發展，其對於人類之大環境之後果，是甚為複雜而多危險的。我們已知追求權力係屬狂妄。但有誰了解對環境變動的無知之危險呢？當前眞正應注意的，乃是從技術權力增大後，而對生態變動毫無所知的危險性。

二、對生態變動之無知ecological ignorance 可能引致嚴重後果，請看下舉的幾項例證：

（一）在美國東北部電力傳遞故障事件發生後兩月，美國猶他州鹽湖城有九名兒童被送往醫院去檢查他們的甲狀腺所發生之細微腫瘤，以察覘其屬於何等性質，是否係癌症抑係無毒性的。在此事件之前十五年（即一九五零年），美國原子委員會專家等，曾在內瓦達州試驗原子彈，幷聲明其安全可靠後果。但於多年後發現在試驗後的降落塵中，有碘同位素第一三一號隨大氣運轉，而散落在猶他州牧場草原，為乳牛等吞下，更經由牛乳傳入兒童們的甲狀腺中。此種連鎖反應Chain reaction，對科學技術的進展，投下陰影，使人類對未來懷抱不安全之感。

（二）在過去百萬年中、人類的祖先、與動物微菌及空氣與水土等，同存共榮，而過一種中國道家所憧憬的大和諧的生活。但自大規模工業制度興起後，工業廢棄物不斷增加，形成嚴重問題。我們知道每焚燒一噸木柴或煤或柴油或天然氣等，便產生了數噸的二養化炭、而進入地面上大氣中。從一八六零年迄一九六零年百年之間，過去向來成分無多大變更的大氣，已因工業發展而致其中二養化炭增加了百分之十四，現在仍繼續增長。二養化炭與花房中之玻璃窗相同，善能將各種透過之光綫吸收下來。冬日的花房中溫度較外邊為高，即係由於此種原因。大氣中二養化炭氣之不斷增加，使得地面溫度漸增加，而影響各種生物的環境。

（三）內燃機自發明以來，雖不到七十年，但其將大氣染汙之情況則甚為嚴重。自四鉛乙院基Pb(C2H5)4 被加入汽油中之後、四十年來地球表面連同海上與人身血液中，均有鉛的踪跡，與中毒水準相距不遠。美國大城市為紐約、落桑磯及芝加哥等城，因汽車日夜行駛不停，而天空中黑烟Smog密佈，陽光不易透過，影響人的健康。

（四）硝酸肥料為增加農業生產所需要。但過度的硝酸鹽進入人身，則影響健康。飲用水每百萬分中，如有八分硝酸鹽，可使嬰兒呼吸器官生病。百萬分之五分則可危害家畜的生命。美國因農業發達，現在硝酸鹽在飲用水中已昇到百萬分之三，尚在繼續增加之中。

（五）近年自重石油中所提出之化學洗濯劑 detergent已取代了肥皂之地位，而可用於硬水中以清除污垢。僅在一九六零年美國便消耗了洗濯劑三十五億磅之數量。但其與肥皂不同之處，乃在肥皂水流入地下後、土壤中的微菌能迅速的將其炭水化合分子分裂，而將之吸收。但洗濯劑則因其炭水化合分子之構造中，有「分支連鎖branch chains」，而微菌中的酵素enzymes無法將之分裂吸收，遂引致地下水河水乃至自來水管中此等物質之無法清除，與產生大量的氣泡。經過公私各方檢討後。自一九六五年七月一日起、新上市的洗濯劑中將炭水化合物分子中之「分支連鎖」除去、情勢較前為佳。但在使用單獨地下化污糟之家庭（佔全美國家庭三分之一），則困難依舊。美國北部太湖中之伊利湖，因其週圍化學工廠甚多，而幾乎成為化污池之狀況。

（六）美國女科學家卡遜氏 R. Carson在逝世前著一書，命名為「無歌聲的春天」。她在書中痛言殺蟲劑之濫用，使土壤中微菌死亡，土壤變質，而引起了一連串的陸水空中生物之生態的變化，平衡之破裂等現象。孔蒙勒氏書中述及第二次大戰時，美國空軍首次噴放殺虫劑 DDT將某海島上蒼蠅全部掃除。但過了一週後，海灘上發現了巨量殺虫劑中毒的死魚，而吸引從大陸上飛來的蒼蠅，重新盤據該海島。孔氏又述及南美玻利非亞國因用DDT殺除瘧蚊虫，而連帶的將大批家貓害死，結果則引起來甚多攜有斑疹傷寒微菌的鼠類，而害死若干村莊中大多數的民衆。

（下轉第二版）

學潮
工潮
大鼻戴

鼻大脚大，行不得也！

民主自由之花

鐵踏失效，大勢已去！

昨日與明日

立法委員何可違憲

我國五十八年度國家總預算案業於民國五十七年五月廿八日經立法院三讀通過，完成立法程序，並附幾點意見，請行政院注意辦理，其中有一點是：立法院和監察院事務費，應比照行政院調整。我們看到這條新聞，駭異萬分。根據我國憲法第七十條：立法院對於政院所提預算案，不得為增加支出之提議。立法院這一決定，豈不是「違憲」？數百立委，濟濟多士，難道沒有一位懂法律的，何以能令這樣一個明顯而性質極端嚴重的違憲法案，獲得全院通過。據我們記憶所及，以往立法院對於行政院所提預算案，從來沒有提過增加的建議，這次何以突作這項建議；外間傳說事關立監委出席費之故。這種專顧本身利害，不顧國家大「法」的作風，難獲國民諒解。國勢凌夷至此，社會動亂如此，原因多端，而國家綱紀不立，人們循私罔法，應當算是最基本的原因。我們向立委們質詢：立法委員何可違憲?!

賦稅改革的要點

政府為改革租稅，已成立行政院賦稅改革委員會，任命計量經濟專家劉大中為主任委員，農業問題專家蔣彥士，金融問題專家張茲闓等為委員，已開始工作。賦稅改革之所以重要，因它事關政府之收入，人民之負担；而當前稅法，稅制以及稅務稽徵又頗多問題。政府此舉，可謂切合事宜。本來，改革租稅的主張，不斷有專家學者提倡，可惜的是：主張儘管主張，主管官署却殊少注意。財政稅務大計，不像自然科學，會有什麼新發明，我們也不相信，賦稅改革委員諸公會發明新稅制，新徵稅武器。問題的重點，仍然在：如何一方充裕政府的收入，一方使國民負担獲得公平。更進一步地建立健全的賦稅制度，建立健全的稅務人事制度，以及嚴密的稅務稽征方法。隔行如隔山，我們也不相信：金融問題專家就是租稅問題專家，而電腦處理資料，雖然符合若干科學原則，知也解決不了稅務風氣問題。賦稅改革委員會還應當多延聘深悉內情的專家學者，多處理實際的問題，數學公式還不能算做萬靈藥。（曹）

自由談

戴高樂已嘗經濟苦果

去年十一月英鎊貶值，法國推波助瀾，對英國幫了倒忙；現在法郎也要面臨英鎊同樣命運了。據巴黎五月卅日法新電：瑞士、西德、比利時、荷蘭四國已停止兌換法國法郎，位於瑞士巴塞爾的國際清算銀行已停止對法郎的支持，同時瑞士若干大銀行業已停止法郎的正式交易。這表示：國際間對法國貨幣已不相信，法國貨幣的法郎已陷於不穩的狀態。

這可以說是這次罷工大動亂的一個結果。根據英國經濟學家的分析，法國這次動亂，也肇因於經濟問題。戴高樂政府過分重視國際經濟方面，而忽略國內經濟。法國稅制，很不公平。法國政府歲入，僅有百分之十七點四來自所得稅（西德則為百分之三十點二），那就意味着：窮人的負担反而比富人為重。隨着生活費用的高漲，法國人民失業情形非常嚴重，就是有工作的工人，每月所得，折合美金平均還不到三十五美元，生活自不好過。人民對戴高樂政府不滿情緒，由來已久。一旦爆發，乃造成八百多萬人大罷工，全國經濟陷於癱瘓的局面。法國政府同工會談判，雖然允諾提高工資但若干工會仍不滿意。看樣子，戴高樂政府的前途眞不樂觀啊。（松）

（上接第一版）

（七）在除蟲劑之外，現代對於防止作物病害劑亦大量使用。此種藥物常時由田野流入河水，再進入海中，而為實現光力生長作用之綠色矽藻Photosynthetic diatom所吸收。矽藻為海中魚類吞食後，魚中遂含有大量藥劑。但人類所需之大氣中的養氣，主要來源係依賴矽藻所共應。計每兩千年為一週期。假定矽藻因海水中流入大量防止作物病害劑，而減少產量，則大氣中養氣之供應亦有減少之可能。似此養氣漸減，而二養化炭漸增之大氣，遲早將使工業文明社會作某程度之調整。故當前對生態體系的運轉與持續之了解，有其迫切的需要。

三、我們從以上數項例證中，深切體會中國古代，「道高一尺魔高一丈」的說法。在此科學技術突飛猛進的二十世紀，我們面對的問題，不是應否利用科學技術的知識，而是如何利用此種知識。

現代的各種知識是彼此相關聯的。祇用專家的眼光來從事一項計劃或

科學發展帶來的苦果

顧翊群

工作，以追求利益，而不研求其實現後所產生連續不幸的後果，是不明智的舉動。生命世界biosphere中各種動向的後果，是異常複雜的，且有累積性的擴大趨勢。例如假定每一克gram泥土中有一單位的殺蟲藥劑，則生於土中的蠕蟲，於吸收此種藥劑後，每一克蠕蟲含有十至四十單位的藥劑，待到山鷸鳥Woodcock將蠕蟲啄食後，則此鳥身中之每克重量中將含有約二百單位的殺蟲劑。此即是說：在生命界中，整體永遠是大於各部分的總和的。更應注意的一點，即是生物受過一次殺蟲劑的損傷之後，於第二次再受到後，感應性可能加劇。故常時自然界於局部受到傷害後，發生連鎖作用，全部便即崩潰。例如將保護土壤受侵蝕之綠色作物拔除後，表土即逐漸消失，作物無法生長，而土地終成為不毛。我們不應為了殺蟲劑之暢銷，而犧牲鳥魚的生命；亦不應為了汽車之暢消，而犧牲大都市人民之健康。美國現在學術界中有心者，開始注意到了資源消耗，以及生態失去均衡之危險，而著書立說，主張有意識的維持生態的均衡。著名的物理學者兼數學柏克奈氏L. V. Berkner認為人類為智識女神所降福，自陋室的仙特維拉女士，而變為美麗的公主之時期早已過去。現在到處皆是陋室，午夜鐘聲即將到來，不能不從速準備。生態學者凱因氏S. A. cain則謂美國過去開採地下資源、與浪費地面表土，其經濟的進步是犧牲大自然的資本所換取的。短期的成就確是顯著，但現在不能不注重長期的後果，而力求生態體系ecosystem之平衡安定了。

（完）

台北市政計劃經緯

市民每年每人負担一千三百元
支出部門有很多地方值得檢討

（本報台北航訊）自今年七月一日起，原隸屬於台北縣之景美、木柵、南港、內湖、士林、北投等六鄉鎮，將併入台北市行政區域，以區為行政單位。因此，台北市的行政區域面積由六十六點九八平方公里，增至二百七十二點一二平方公里，較台北市原有面積大了三倍；人口由原有之一百二十二萬四千六百四十二人增為一百五十二萬四千五百六十三人，計增二十九萬九千九百二十一人。原台北市都市計劃必須合併六鄉鎮之土地面積及人口，將重新設計規劃，現正由內政部督導台北市政府積極辦理中；關於大台北市都市計劃之綱要計劃委託經合會都市建設及住宅計劃小組研辦，可望於六月底完成。此一都市計劃規劃完成後，可容納二百萬至兩百五十萬人口。

改制後的台北市，行政區域為十六個區公所，及陽明山管理局，至於劃歸台北市之六鄉鎮，定於六月二日辦理交接，此項交接事宜，由台灣省政府及台北市政府會同研訂交接辦法報呈內政部核准，俾作交接之依據。

院轄市的台北市第一屆里長將分期選舉，第一期選舉訂於今年六月間辦理，並於七月十六日就職。而台北市的里長，其法定地位相當於縣的鄉鎮長。第一屆市議員選舉，如果籌劃工作順利的話，可能於今年十二月初舉行。然而根據目前種種跡象顯示，極可能於明年三月間選舉。也就是農曆明年正月底。

原台灣省立台北醫院暨該院城南分院，於今年五月一日正式移交台北市政府，並易名為台北市立中興醫院。至省立台北婦產科醫院及省立兒童醫院之歸轄問題，現由行政院核辦中。台北市原有之人民團體，一律升級，退出省社團之組織。並設置台北市社會福利基金管理委員會及社區發展委員會。

五十八年度（自五十七年七月一日起至五十八年六月底止）台北市地方總預算歲入歲出各二十億零五千六百萬元，較上年度增加八億一千四四百餘萬元，計增百分之六五點五六。此項總預算包括陽明山管理局及六鄉鎮收入在內。

新會計年度之施政日與重點，係以繼續建設台北市成為一個理代化的都市，適應戰時之需要為最高準則，並以實施九年國民教育，增強社會福利措施，加速市區工務建設，改善交通秩序，整頓環境衛生為重點。

總預算之歲出部份：按政事別分析，教育科學文化支出達九億餘元，佔歲出總額百分之四四點三；經建交通支出列兩億二千八百四十八萬二千三百四十八元，佔百份之十一點一一；衛生保健支出核列一億零六百七十五萬七千二百三十九元，佔百分之五點一九；社會救濟支出列一億四千九百五十九萬七千八百八十二元，包括社會福利事業基金一億零八百餘萬元在內，佔百分之七點七七；一般政務支出列五億一千萬元左右，佔百分之二四點八；市營事業基金支出列五千九百萬元，作為市立銀行基金。

就用途別分析，計：人事費列六億一千二百七十六萬九千八百二十七元，佔歲出總額百分之二九點八；業務費列十三億四千六百四十八萬五千五百七十三元，佔百分之六五點四九；補助費列九千六百七十四萬四千六百元，佔百分之四點七一。

歲入部份：稅課收入列十六億八千三百四十一萬八千元，佔歲入總額百分之八一點八八；非稅課收入包括：工程收益費、罰款及賠償、規費與財產、營業盈餘及事業收入、其他收入等九項共核列三億六千億餘元，佔百分之十七點五一；補助收入列一千二百五十萬元，佔百分之零點六一。在稅課收入中，直接稅之所得稅列一億一千三百三十八萬七千元，遺產稅列三百零四萬二千元，合計為一億一千六百四十二萬九千元，佔稅收總額百分之七左右。包括中間稅在內之間接稅計十五億六千六百九十八萬九千元，佔稅收總額百分之九十三強。

台北市改制後包括陽明山管理局及六鄉鎮之人口為一百五十二萬四千五百六十三人，而新會計年度之總預算為二十億零五千六百萬元，依此計算，則台北市民每年每人之負担總預算為一千三百五十元。就歲出之分配言，第一是人事費用最多，約六億一千二百餘萬元，第二是設備費列三億二千一百餘萬元，第三是施工費的二億八千二百餘萬元，第四是事業列一億六千二百餘元，第五是補助費列一億四千六百餘萬元。此項分配，是否合理，值得研討。台北市政府的消費支出為十三億一千七百餘萬元，而資本支出看七億三千八百餘萬元，屬於貨物與勞務購買，由租稅結構與稅收額度之龐大，因而影響民間消費與投資，進而影響生產、國民就業與國民所得之永準，故值得檢討。（本報記者張健）

台北新聞信

風風雨雨話報銷

本報通訊員　柳一權

曾任香港政府一位高級官員和記者談過：「英國的法律，不許人們藉口於命令而作不法之事，任何人都沒有服從不法命令的義務。」

因之使我聯想起我國各機關「造報銷」問題，報銷既是造出來的，故往往構成不法，台北有一件駭人聽聞的「造報銷」事件，某議長競選包括吃、喝、嫖、賭，乃至於償還自己私人債務，數目達幾百萬新台幣之鉅，他神通廣大，竟在公車處動腦筋報銷了。當[illegible]的市黨部主管是王成章負責簽名蓋了章，這是王親口告訴過一位朋友，王雖死去，全案尚在，可以稽考，絕對不是捕風捉影之談。今日台灣各縣市類似性質的報銷，正向首府台北從前的惡例看齊，這是多麼可怕的一種風氣。

昔日的捐班官員，其被人瞧不起的原因是官階係用錢買的，而捐官大體上率多不學無術或者有術無學之流；祇是憑藉自己的財勢而已。捐班既被朝庭定為制度，在污水可以肥田的原則下，政府將這筆收入，列入國家正當用途，也不失為一大德政。而捐官本身既然都是有錢的衣食足[illegible]，禮義也就跟着興了，不像現在的若干選官，吃政府。用政府，罵的仍然是政府。這個樣子的選班不如捐班遠矣，敢請教執政黨諸公，我們為甚麼要這樣做，

我們親眼看到一些不成東西的社會害蟲，從前皆貧無立錐，一些日治時代上海浪人之輩，既不賢，也不能，政府捧着他們作為寶貝蛋，於今皆由餓臭蟲變成百萬千萬富翁了。從這次選舉成績看來，正符合孟子說的：「萬乘之國，弒其君者必千乘之家」。如果不相信的話，記者願將事實資料整理，作有系統的報導，必為廣大讀者所歡迎。

台灣有兩種現象，可作為民意測驗：一是武俠小說的盛行，正統的中央日報也得向讀者遷就，人民雖看不到替天行道的劍俠義行，白紙黑字過過癮也是好的；第二就是教會林立，為亞洲國家冠，充份說明人心苦悶。執政黨歷次對選舉的費力，並非黨外人士真有甚麼力量，而是執政黨支持的選官低能或壞的太不成材料，弱點恰被對方擊中；尤其公帑萬不可被私人用作競選之費用。台灣既是三民主義的模範省，希望台北成為三民主義的模範市，明年能把選舉搞好，試試不「報銷」公帑，能否辦理美好的選舉，這樣做老百姓才會沒有怨言呀。

有關台北幾百萬台幣的「大報銷」，希望當局能追個水落石出，向納稅及乘公車的市民有個交代。十五年前吳國楨時代的官員李君（統一飯店主任秘書）貪一點小小數目，去年都被人檢舉拿問在監，政府為甚麼不處理一些老百姓心中不平的事呢？

語文的笑話

一段學語文的笑話
過去的都學錯了！

日前在街頭遇一亞洲某國觀光客，問我「懷特波立斯」飯店在什麼地方，他說了幾遍我都聽不明白，後來他寫下原文，我才知道是指「白宮飯店」。當[illegible]我想這位先生的英文發音可能是跟師娘學的！

頃閱報載：外交部次長楊西崑，在該部所辦外語訓練班成立典禮中，講到在非洲利比亞中國大使館所遇見的一件趣事。原來他在那裏看到館員們正在學阿拉伯語文，他問他們學的怎樣了，答曰還是不行！他說你們不是都在國內學過兩三年嗎？怎的還是不行呢？再答曰過去都學錯了！

這件事在表面看來，和我所遇到的那一件有異曲同工之妙，可算得是一件小事，本不值得大驚小怪。但是我們要問問：這幾位館員在國內學習阿拉伯語文，到底是在那個學校學的？或是在那個補習班，那個訓練班之類的地方學的？假如堂堂學府或補習單位開了這種課程，而隨便找一個騙飯吃的糊塗蟲來詐欺莘莘學子，則學校和補習單位要負法律責任，這關乎整個的教育信譽和教育道德問題，實在是很嚴重的，我們有權力要求教育部查明真象，追究責任，不能聽任這種歪風發展下去，以免更多的學生在不同的情況下受相同的欺騙，而造成惡劣的後果。在教育圈子裏，本來溫故而支薪（知新）的人，就越來越多了，再進而賣膏藥，販假藥，盲人瞎馬的誤盡蒼生，這真是編寫新儒林外史的好材料。這件事只是教育界的怪現象之一而已。

假如這幾位館員跟一位什麼專家學的，無疑的這位專家要負責任，這種臉厚心黑的人，也假充斯文，騙財肥己，實在應該捉進有司，打屁股板子若干，判令其從此改行賣菜，不得再瞞心昧己，誤國誤人！

再假如這幾位館員在國內學的時候，因為吊兒郎當沒有學好，到了外國才開始惡補，次長動問之下，竟詭稱在國內學錯了，無意中賈禍於人，這也是不可原諒的，雖然這種可能性很小，但外交部要查明真象，以勵來茲。絕不可說說算了！（廣第）

陸皓東傳

陳固亭

甲午（一八九四）中日戰爭的結果，清軍在平壤大敗，退守鴨綠江西岸，旅順、威海衛相繼淪陷，京津危急。清廷的腐敗，暴露無遺，人心憤激，羣思傾覆清廷，藉圖振作。國父二十九歲，以國勢臨危，非從事革命，不足以挽國運，即往美洲檀香山，創立興中會，號召海外華僑，準備革命。次年（一八九五）國人更憤清廷喪權失地的馬關條約，上海革命黨人宋躍如，函促　國父返國，密謀光復。　國父乃偕鄧蔭南、陳南、侯艾泉、李純等返國，欲襲取廣州，作為根據地，因開乾亨行於香港，為秘密策動機關，由鄧蔭南、楊衢雲、黃詠香、陳少白主持。又設農學會於廣州，以陸皓東、鄭士良，與歐美技師及將校數人協助，籌備起義。

國父往來香港、廣州，策劃一切，擬由汕頭、西江、香港，三路進軍，一舉而佔領廣州。黨人已預備武裝響應。九月九日因運械失慎，海關搜獲手槍六百餘枝，不幸洩露，先烈陸皓東被捕，為國殉難。　國父讚揚陸烈士為吾黨健將，且稱此為中國有史以來為共和革命而犧牲之第一人。

蔣總統在「復興中華」一文說：「這次的革命運動，雖因事機不密，歸於失敗，但當時　總理和一般先烈為國犧牲，臨難不苟的最高人格和革命精神，實足以鼓舞羣倫，造成時勢，為後來辛亥革命成功立下一個最初的精神基礎，更為本黨革命同志留下一個奮鬥犧牲之永遠的典型，這就是第一次革命最大的成功。」

陸皓東先烈生於民元前四四年——卒於民元前十七年為人真樸忠勇有胆有識，青年時期與　國父共同計劃革命，為生死之交。青天白日革命軍旗，即其計劃制定。他被捕的供詞，堅決悲壯，情文並茂，是他強烈革命精神的表現，也是愛國熱忱具體的流露。供詞的全文，珍藏於中央黨史會，南投史庫，僅照錄如下：

陸浩東烈士供詞

「吾姓陸名中桂，號皓東，香山翠微鄉人，年二十九歲。向居外處，今始返粵。與同鄉孫文同憤異族政府之腐敗專制，官吏之貪污庸懦，外人之陰謀窺伺，憑弔中原，荊榛滿目，每一念及，真不知涕淚之何從也。居滬多年，碌碌無所就。乃由滬返粵，恰遇孫君，客寓過訪，遠別故人，風雨連床，暢談竟夕。吾方以外患之日迫，欲治其標；孫則主滿仇之必報，思治其本；連日辯駁，宗旨遂定，此是孫君與吾倡行排滿之始，蓋務求警醒黃魂，光復漢族。無奈貪官污吏、劣紳腐儒靦顏鮮恥，甘心事仇；不曰本朝深仁厚澤，即曰吾輩踐土食毛。詎知滿清以建州賊種，入主中國，奪我土地，殺我宗祖，擄我子女玉帛；試思誰食誰之毛？誰踐誰之土？揚州十日，嘉定三屠，與夫兩王入粵，殘殺我漢人之歷史，猶多聞而知之，而謂此為恩澤乎？要之，今日非廢滅滿清，決不足光復漢族；非誅除漢奸，又不足以廢滅滿清。故吾等尤欲誅一二狗官，以為我漢人當頭一棒。今事雖不成，此心甚慰！但一我可殺，而繼我而起者不可盡殺；公羊既歿，九世含冤，異人歸楚，吾說自驗。吾言盡矣，請速行刑！」

讀了上述的供述，足見陸烈士臨陣當先，見危授命的精神，這樣「有死之榮，無生之辱」的志節。殊堪為今日革命青年為實踐　總統訓示，努力奮鬥，完成反攻復國的楷模。

生活漫談

打通西域的張騫

·清園·

人們一談到匈奴，很自然就想起蘇武，因為他被拘留在匈奴十九年，受盡熬煎而不屈。可是張騫出使西域，兩次被匈奴逮捕，也先後被拘十幾年，卻很少有人注意到；如果一談到西域，那麼稍有歷史常識的人，便都會想起張騫來。

張騫，漢中人。漢武帝即位後，匈奴投降人說：「匈奴攻破月氏，（月氏原居今甘肅煌、祁連間。）殺了他們的王，以王的頭蓋骨作酒杯。月氏餘衆遁走，（大部份逃至今克什米爾、阿富汗及附近地區，號曰大月氏。其留在今甘肅張掖及青海西寧間地區者，號曰小月氏。）而心怨匈奴，只是沒有找到跟他們共同去攻打匈奴的與國。」漢武帝正要攻打匈奴，聽到這些話，便決定派遣使者去連絡大月氏。張騫和堂邑氏奴名甘父者，一同應募前往。路經匈奴，被他們逮捕，送到單于所在。單于對他們說：「月氏在吾北，（其實是在他們西邊，）漢何以得往使？吾欲使越，（指廣東而言）漢肯聽我乎？」於是軟禁騫十年有零；但也配給他妻室，還生了兒女。騫所持漢節，始終沒有失去。日子一久，匈奴對他監視也鬆懈了，他乃得與部份屬員向西方逃走，走了幾十天，到了大宛，（在今新疆之西）大宛願遣嚮道送他們到康居，由康居轉至大月氏。時大月氏人已佔領大夏土地，地肥沃，無寇盜，因此他們志在安樂，無報復匈奴之心了；又因距漢太遠，也不願和漢人結盟。騫留在大月氏一年多，終不得要領，只好回漢。這次取道南山，想經羌中，以避開匈奴，而終于又被匈奴捉去。過了一年多，匈奴內亂，騫乃乘機攜胡妻及甘父逃歸漢。武帝拜騫為太中大夫，甘父為奉使君。騫為人強有力，寬大信人，蠻夷愛重他。當初騫出使時，隨從有一百多人，去了十三年，只有兩人得還。

騫身履其境的有大宛、大月氏、大夏、康居，並聽說旁邊尚有五六個大國。騫對武帝詳細陳說西域形勢，並云：「臣在大夏時，見邛竹杖、蜀布。問安得此，大夏人曰吾賈人得自身毒國。（即今之印度）……今身毒有蜀物，此其去蜀不遠矣。今使大夏，……從蜀宜徑，（徑、直接的近路）又無寇，……誠得而義屬之，則廣地萬里，……威德徧於四海。」武帝很高興，乃由蜀發間使四出，都各行一二千里，因此而通滇國，朝廷再經營西南夷。

騫以校尉從衛青出擊匈奴，他知道地形，使軍隊得以不乏水草，乃封騫為博望侯。後二年，再出擊匈奴，因誤期，貶為庶人。又過了二年，漢已驅匈奴於幕北，幕南已無匈奴。武帝幾次召見騫，問西域情形，蓋欲打通西域，以斷匈奴右臂。騫因而主張先連烏孫，則烏孫以西大夏各國，都可招來。武帝以為然，以騫為中郎將，帶領三百人，先到烏孫，（在今新疆境內）並分遣副使至大宛、大夏等國。烏孫因而派遣使者帶領數十人馬，送騫回漢。（武帝拜騫為大行，猶今之大使）一年多後，即元鼎三年，騫卒。由他所分遣的副使，後來大都與各國使者俱來，於是西域才與漢通往來。漢代的疆域及文化，因此得向西擴展至葱嶺，以後宣帝曾設西域都護於疏勒。

西域的打通，首功應歸於張騫，騫以冒險犯難的精神，帶領少數，出入匈奴及西域十餘年，被俘而凡逃亡兩次，他所遭遇的困難，我們可以想像得到的。他始終能以堅忍不拔的毅力去克服，尤其令人欽佩，所以他對中國歷史有莫大的貢獻。就精神方面說，他比蘇武也無多讓；若就事功方面說，他比蘇武還要高出一等。（完）

中國女性文藝眷秋（[illegible]）

周燕謀

戲曲家葉小紈姊妹（下）

小紈的父親本是個愛好自由，不願為五斗米折腰的人，母親是一個思想極開豁的女性。她曾說道：「昔和凝有句云——『春思翻教阿母疑。』余已為破瓜之年，亦何須疑，直是當信耳」！她的姐妹都長詩文，全家充滿了文學氣氛，何怪她在妙齡時已有文學的創作精神了。她的詞也清麗可誦。她的妹妹小鸞，有侍女隨春，一名紅于，亦為小鸞所愛，嘗為作「浣溪紗」詞，紈紈和小紈都有和作，紹袁亦和二首。紹袁「冶史」有云：「侍女隨春，年十三四，即有玉質，肌凝積雪，韻仿幽花，笑盼之餘，風情飛逗。」可以想像她的風姿。

小鸞死後，歸於龐氏，別字元元。小紈的和作云：

鬟薄金釵半彈輕，佯羞微笑隱湘屏，嫩紅染面太多情。長怨曲闌看鬥鴨，慣嗔南陌聽啼鶯，月明簾下理瑤箏。（浣溪紗）

明末亦有人作「鴛鴦夢」，與此不同。黃文暘「曲海」云：「明末蘇州人作，自稱採芝客，未詳姓氏。演『秦璧』、『崔嬌蓮』皆在夢中相會，故曰：『鴛鴦夢』。鑿空結撰，非實事也。（今本曲海總目提要卷十二）這本『鴛鴦夢』作者的時代和小紈同時，而蘇州和吳江又相距不遠。如小紈原作已不存，必致令人指鹿為馬。劇情很複雜，但也不離當時戲曲家悲歡離合的常套。

沈宛君和二女——紈紈，小鸞的詩詞，都清新淡雅，沒有脂粉香膩的閨閣氣習，下面酌錄一二欣賞完節吧！

沈宛君立秋夜感懷

涼夜悠悠露氣清，晴蟲淒切草間鳴，高林一葉人初去，短夢三更感乍生。自恨迴波千曲繞，空餘殘月半窗明。文園多病悲秋客，搖落西風萬古情。

沈宛君浣溪紗

淡薄輕陰拾翠天，細腰柔似柳飛綿，吹簫閒向畫屏前。詩句半緣芳草斷，鳥啼多為杏花殘，夜寒紅露濕秋韆。（八十五）

大學文牘

不希望放開大肚皮

沈玄盧覆書吳稚暉

稚暉先生；讀手書很佩服先生「君子成人之美的態度」，我鄉間有一句俗語；「彌勒治世天下太平。」先生或許就是那位彌勒臨凡，放開「大肚皮」與人為善。在我看來，如果現當真有個彌勒，他底肚皮，倒許是氣大的吧！先生主張「助他（馮玉祥）代得成吳佩孚再說」，應該口頭筆頭，助馮倒吳，沒有閒工夫作馮的批評。先生怕的是「馮代吳不成，吳轉強於先……吳強，帝國主義諸國的利益多。」

如先生所主張而顧慮的，雖不比用洪憲代宣統；卻絕像用袁世凱代溥儀。固然是袁世凱這一代，結果把洪憲也代掉了，可是洪憲就從這「一代」而胎生出來的。國民經過的痛苦，或吃貴鹽這點上也應該每飯不忘的。馮吳交惡，他們各有所為，各有所恃。所為的，支配中國政權；所恃的，背後帝國主義。先生也說「馮吳黑白，本來差不多。」既不相差，那末，先生用以瞭見時事新報助吳抑馮的眼光，就會成為泰晤士河口的燈塔。

一切軍閥，都是帝國主義諸國底虎閥，都是人民的公敵。我們國民黨宣言上打倒軍閥，是打倒一切的軍閥，不是打倒軍閥中的那一個或那幾個，留些蒂兒，受東方政治祭台上的供養。先生和我，同是接受國民黨網的黨員，正應該在軍閥交惡的時期，口頭筆頭，努力宣傳他們一切殘民禍國的惡行。使一般民眾，了解軍閥的作惡；然後民眾才會密集到國民革命旗幟下而來。國民黨是為民眾而革命的政黨；口頭筆頭，是到民眾去，不到軍閥去的。革命路途正遙遠，應該民眾底思想領通，不該領到半路徘徊着。在一般民眾，未能辨識「軍」和「軍閥」的蒙昧時期，口頭筆頭，尤其應該劃清分際。

至於我們黨誠然有聯合張盧作戰的事實，這正是表現國民自己力量底薄弱，（國民黨力量薄弱，是國民不普遍了解國民革命意義的原故。）才會使國民自己的黨，採用這些策略，我們負口頭筆頭的責任的，是該拿黨議對國民宣傳呢？是該拿策略對國民宣傳呢？而且一般軍閥，朝為袍澤，暮作寇讎，原是他們奇蠢不過的野心所致。可是他們凡有大舉動，背後總有帝國主義者牽綫。何擇於馮吳。那末，我們口頭筆頭，在軍閥也是被動的行為上，顯得出什麼力量；民眾祇有我們搖筆弄舌的才奉為主人。在一切軍閥；看民眾如待宰的犧牲罷了。

「革命工作範圍擴大了」，我所講的，是指宣傳的工作，因為過於秘密的地位，雖也有團結堅強的好處。但是宣傳的工作，卻利於公開，這是東方的「言論自由」的現象。馮起，一時許不會和真正的國民革命團體過不去，所以我們對於他表示攻吳的同情，誰能担保馮不作吳佩孚第二。沒有這個保證，我們在他未曾死心場地投到國民黨旗幟之下的時期，總歸認識他也是一個軍閥。他背後也有帝國主義的洋大人，他如果真先生願「成美」了，（這美祇要不是美國的底美）那末，我們就再說得露骨些也說他不着，不然，我們憑口頭筆頭，抬舉他到天國底屋頂上去也白勞筆舌。

「少數不良份子，以個人湊去傳熱。」這確是一件最痛心的事。一個黨的進行，和長途電車一樣。隨便有人上，隨處有人下。在主觀上，如果一個黨，自己不能淘汰不良份子，結果就會反背原來的意義，傷心哉，袁世凱起，替我們淘汰了些。岑春煊起，替我們淘汰了些，黎元洪徐世昌起，又替我們淘汰了些。乃至於醜劣萬狀的曹錕起，也替我們淘汰了些。以後如何，我願先生施廣長舌，喚起羣迷。不希望先生放開大肚皮，包容萬彙，先生是我們先進者，祝先生健康，沈定一上。

。雁鴻。

中西藝術之欣賞

·田曼詩·

編者按：此一問題係作者即將於本年八月在台北舉行之國際華學會議提出討論者，茲承先將要點提出交付本報發表，謹此誌謝。

一、藝術的兩大傳統

世界藝術的兩大主流，西方文化以希臘、羅馬爲主體，東方文化以中國、印度爲主體。它所不同的，希臘藝術表現得一瀉無遺，毫無餘味，希臘造型藝術表現人物時，大半經過兩種理想化，一爲模型，男人多力士，女人多美人，再爲表現本已理想的人物和形體時，藝術家又加一番理想化，把普遍的精要的地方提出，將個別瑣細的地方丟開。中國藝術的優點，在給人一種只可意會不可言傳的氣氛，使人心領神會，回味無窮，它所給人的印象是無窮的境界，無限情感的起點，和一種強有力的啟示，中國藝術最重含蓄美，尤其中國山水畫，是與文學、詩詞、書法有着相輔相成的關連，中國畫最初的階段，雖然也是基於模仿，但模仿的目的，是爲了熟練技巧，養成得心應手的習慣，然後通過某種境界，經由心意和腕底傳到筆端，才創造出神逸不朽的作品。

近年來西方藝術評論家，對於中國繪畫的反映非常良好，他們覺得中國畫淡雅中有渾厚，簡單中有意境，有靜態美，有動態美，也有如音樂一樣的節奏，可是，西方人士研究漢學的，研究東方某一問題，某一朝代的藝術的學人們，他們不是去日本找資料，就是去印度作研究，沒有把我們中國當作導師看，這實在是很遺憾的事，我們極應該運用我們雄厚的藝術力量，對全世界作主動的推進，對全世界作最多的文明貢獻，並且多多少少也應該給他們一種糾正的作用。

二、精神與物質的分歧

中國藝術遠承上古，五千多年來，藝術發展的最終目的，都是着重於精神的解放，都是以發揮人性的至愛爲中心，中國藝術就是人性的文化，中國藝術的內涵，最主要的就是禮讓與和諧，西方文化注重的是物質文明，藝術的表現，忽畧了人性和心靈的問題，也所以他們藝術的表現過份諷刺、誇張，過份個人和團體的貪婪，自私與殘忍，他們競爭、衝突，各走極端。他們物質文明的神速，原科學的發展，固然爲人類帶來了文明，也爲人類帶來無法遏止的摧殘。並且摧毀了人類多少文化和藝術。

中國藝術有一種善於自我調節，和促使社會產生一種自發的安定作用。中國藝術是要把萬物都賦予生命，賦予情感，用藝術家的超然意志，與天地萬物及大自然相結合，它是提高人性，使人享受到精神文明，也把人類生活帶到至聖至美的境界，這實在是只圖歌頌物質文明的西方世界所難比擬的。

三、文化交流的影響

十四世紀時，歐洲很多畫家的作品，都顯著的接受了中國繪畫的感染。意大利畫家 Duccio 的作品，他的風格，就是中國繪畫的白描，線條明朗純淨，絕不同於當時其他西方的畫家。我們以爲宋人作品之流入歐西是很可能的。明神宗萬曆八年，意大利人利馬竇 Mattio Ricci到了中國，在中國傳教廿年之久，他本人不但擅長繪畫和音樂，還把西洋樂器也帶入中國來。清朝初年，意大利傳教士郎世寧Pere Attiret 神父和艾啟蒙Pere Castiglione 神父，由他們開始，正式以歐洲風格的繪畫傳入中國，其中郎世寧對中國繪畫的影響尤爲重大。現代大專藝術系課程，很多都是接收了西方藝術的傳受。我們所遺憾的只是我們接收了很多，吸收了很多，而我們自己的却很少推廣出去。文化交流的意義是互相觀摩，截長補短，才有促新改進的機會，我們在這方面還要努力。

四、西方藝術的氣氛

歐洲藝術的一般情形，可以說法國藝術的概況，就是整個歐洲的概況了，他們現在藝術的發展，已經與機械工程有了不可分離的密切關係，他也可以說是與抽象的理論與背景大致相同的藝術。藝術家本來就是比較敏感的人，藝術家的表現形式，也就視他們當時的態度和當時的感受而決定，西方現在抽象藝術的蓬勃，正可以顯示他們這個時代的精神。

中南美洲各國的藝術氣氛，相當放蕩，藝術家本身也很束手無策似的，拉丁民族與白種人的藝術，還沒有產生出一種持久性和普遍性的融合，也沒有產生出一種純一趨勢的根源。美國本土的藝術，已經到了極尊重抽象畫的程度了。他們作品的表現，很明顯的都受了歐洲藝術的影響，現在歐洲藝術的精神，正配合着美國人的天性愛好新奇，性格活動，勇於嘗試，而在奇突的發展着。並且從美國的情勢看，將轉移法國的藝術前哨到美國，而成爲一個國際化的藝術中心是很可能的。

一般說來，西方藝術家都有着一種說不出的苦悶，他們總覺得是在找一種課題，找一種東西，却又不知在找什麼？也因此一些有思想的觀察家指出，特別是美國人，很可能在未來的時日裏，產生出一種新的藝術形式，美國藝術家在新的意識環境給予的刺激，和未知的領域裏，很可能是一個成功的開拓者！

五、光芒應自東方照過去

時代的藝術，應該有着普遍性，應該有着把人類團結起來的功效，用藝術的傳染力量，用藝術與時代的價值，用藝術所傳達的思想、情感，來鞏固人世間的和平團結，來達成全世界人類的共同發展，化一切怨尤、仇恨，和消除一切人爲的矛盾，必須應用東方文化藝術的光芒，應用中國文化的道統，和應用儒家的中庸教義，以倫常道德，以王道政治約束西方對物質競爭的發展，緩和西方原子科學的利用，才能挽救人類的厄運，才能挽救文化藝術之日趨衰落！（完）

古今大家書畫聯展序

謝鴻軒

余自束髮受書，游心玩藝。壯歲值鯨翻東海，狼突中原，遂懷四方之志，而萍浮南北矣。癸未有渝州之行，丁酉與新軍之役，丙戌復作匡廬之游，戊子首赴金陵之會。所遇名公巨卿，高人逸士，輒求墨跡，期留爪痕。既而敬恭桑梓，樹藝枌榆，收拾後先之珍藏，得數百家。無何紅流泛濫，赤縣沉淪，刦後餘生，自是蕭然囊橐。遯夫羈旅三臺，兼敷五教，退食之暇，優游宿好。託興於詩書，寄情於翰墨，尚友古人，涵養清德。是以銖積寸累，心曠神怡，雖清茗一盅，亦陶然自醉耳！

吾友蕭子正山，風雅士也。嚮以游於鹿洞，結文字緣，駒光荏苒，於茲二十有三年矣。躋廊廟議壇之上，感故國之多艱，爲綢繆天下之大計而同憂也。居庠序講席之中，知後生之可畏，爲培育天下之英才而同樂也。是則憂以天下，樂以天下，志意相投，肝膽相照；所以昕夕往還，習同好。語云：「與善人交，如入芝蘭之室，久而不聞其香」，其信然矣。

慨夫赤眉披猖，黃圖板蕩，近放恣，中風狂走，斯文之刦，甚於秦火！幸賴奉化 蔣公，力阻橫流，拯蒼生於水火之際，興文化於煨燼之餘。斯則吾儕之珍存文物，篤守詩書者，庶乎若符微旨焉！

遯以士林有慶，爰與吾友正山共檢明清暨當代大家書畫精品數十幀，舉行聯展。藉以宣揚中華文化，公諸時賢清賞，一則以副元戎之號召，一則以應同仁之雅命。知我如洛九、靜閣、伊平、載春諸君子，將不知何以錫教於不佞也；是爲序：中華民國五十七年歲次第一戊申春暮皖南謝鴻軒識於臺北鴻廬。

禪與哲（下）

▲鶴齡▼

莫動是非人我念
此中無有利和名

記戊申春禪宗打七法會

參加這次禪七法會的，有男女老少二十多位，包括大專研究所的畢業生、大學教授、中學教員、公教人員、社會人士，還有三位美國朋友，一位是美國海軍的退休少將（W.A. Sherrill），曾經遍遊過歐洲、日本，學過瑜珈與催眠術，以及中國的道家工夫二、三十年，而且對於中國的易經很有研究。他是不遠萬里而來，專爲參加這次禪七法會；並且要跟南教授學習研究易經、禪宗和道家的。一位是哈佛大學畢業的美國青年學者（Stepher M. Lovett），另一位也是畢業於哈佛大學，留學台灣，學習中國文學多年的美國青年（Douglas A. White）。據他們的心得報告，對於這次的參禪，都是極有成就，尤其那位美國的退休將軍，在結束的總報告當中，當著大衆，極其懇切的向中國朋友說：用他的三十年學道的經驗作證，推崇南教授爲當世獨一無二的正統禪宗學者，希望能夠聽懂他親口說法的中國朋友，不要輕易放棄老實學習的機會。他們因言語隔閡，還須通過翻譯，然而已有很多可以見證的成就云云。這次擔任翻譯的，是由一、二位大專青年自動幫忙。但最主要的翻譯，完全由任輔大教授的劉世綸女士（即葉曼女士）自動充任。劉教授除了一面自己用功參究外，一面又須同時爲美國朋友翻譯，她很自謙，說她的英文程度是不能擔任這種艱重的翻譯工作。另外一位美國青年的報告，認爲這次南教授主持的禪七，是世界上最難得、最實際的教授法，不是知識的教育，而給予人安身立命的實證教育。同時他認爲，幾乎不敢相信這個世界上，還有一個地方，有若干男女老幼，年齡、職業、人種、國籍不同的集團，而能彼此生活在一起，和諧相處，毫無條件的互相照應，彼此互助，達到和平相處的使人忘了人我的界限。他說：他將畢生難忘這一段在台灣的學習經歷，希望培養這種人性的慈愛和諧精神，溝通中西文化，貢獻給全世界的人類。

禪宗的修行法門，在宋、元以後，一般都主張用參話頭的方法。現在日本的禪學，也有用參古人悟道的公案的。這次南教授提出一個特別的話頭，要大家去參，那便是「釋迦爲什麼拈花？迦葉爲什麼微笑？」據說，在這個禪七法會的終了，經過七天的參究，能夠眞正參通悟道的人，幾乎很少很少。拈花微笑的公案，古人很少把它當作話頭去參的。經過這次參加的參禪耆宿們的討論，認爲從表面看來，非常容易解答，而經南教授運用高明的禪宗教授法一駁，幾乎百無一是，所以最後大家都五體投地的深深感覺到此中大有眞意，頗不容易作口頭禪的知解了。筆者對於禪宗還是一個門外漢，不過從側面看到參加本次法會的臺北市上詩人周夢蝶的另一首偈子，約畧可以體會到此中有眞意，欲辯已忘言的禪味。周的詩偈說：「無情說法一聲聲，絕妙獅絃聾亦聽。一會靈山花作雨，拈來誰得是南能。」不過，雖爲禪宗門外漢的我們同去的兩三人，在當天晚上，悄然離開那個爲學禪基本而練習的禪堂，踏著泥濘的歸路，走向燈火闌珊的鬧市歸途時，仍然被那種莊嚴肅穆，而清靜和諧的氣氛，深深扣心弦，一聲聲的青磬香板，彷彿啓發了人生一些什麼似的，深深覺得這是一種最爲良善的教授法，這是一個完整的教育楷模，它究竟會給予人生什麼？實在如一個頗費猜疑，而又捨不得放棄追求的謎！當我們在告辭的時候，想請教南教授一些問題，他立刻微笑謙遜著說：「我那裏懂得什麼是禪，只是他們自動在集體同修，缺乏一個主持其事的人，要我來臨時冒充禪師而已。過一天，下山後，又要恢復寒假已過的教書生活去了；其實，人生就是那麼平凡。」他又順手送了我們每人一本六祖壇經，即握手爲別。於是這個平凡的謎，更令人雋永難忘，好像有書爲證了。

命相与夢話

段祺瑞與陳大榕

·公陶·

子羽是春秋武城人，孔夫子的學生，狀貌甚惡，初事孔子，孔子以爲材薄，既受業，退而修行，孔子說，以貌取人，會失去子羽這樣一個好門生（見史記）。再造共和的段合肥（祺瑞）鼻樑生得畧向右傾，但段氏正直果敢，爲國人所共仰，香港天文台報社長陳孝威將軍，鼻與段同，陳一生文章報國，效法先賢忌言人之不善，現任監察委員陳大榕（壽辰）眸子不正，可是陳氏正直無私飽學之士，在國內早著賢聲，其主持湖南日報階段，導俗以正，對社會貢獻尤多，夫子謂：「以貌取人失之子羽」，確含有至理。

讀張文襄公家書云：「此次科試安陸府所取鍾祥，京山，天門三縣案首，皆是眇一目，可謂罕有僅見，然論其文藝，實無出其右者，勢不能以貌取人，致蹈澹臺子羽故事也。」據說張之洞即生一副猴相，如果輕衣簡從過市，誰也不會相信他就是閎規遠慮冠絕當世爲一代名臣的湖廣總督張南皮也。

自由報

第八六三期
中華民國僑務委員會頒發台教新字第三二三號登記證
內政部登記證內警台報字第031號
中華郵政台字第一二八二號執照
登記為第一類新聞紙類
（中週刊每星期三、六出版）
每份港幣壹角・台灣零售價新台幣貳元
社長李運鵬・督印黃行奮
社址：香港九龍登打士街91號十樓六座
91 DUNDAS ST, 9th FLOOR,
FLAT 6 KOWLOON H.K.
電話：857253　電報掛號：7191
承印者：大同印務公司
地址：香港北角和富道九六號
台灣總管理處
中華民國（台灣）台北市大同街119號
電話：555385・557474
台灣分社：台北市西寧南路110號二樓
電話：三〇三四六
台灣郵政劃撥儲金戶九三五二

配給制度亟應廢止

・成公・

政府為了體恤公教人員，按月派給米、煤、油、鹽等實物。這雖是一德政，但天下絕無不變之法，此法行到今天，是否還有必要，實在值得檢討。

在古代素樸的農業社會，大家以耕得食。為官的既然無暇去耕，便勢必要給予適當的糧食，以作其服務而廢耕的代價；因此古代官吏所得的俸祿，就每叫作「代耕」。孟子並明白的說：「祿足以代其耕也」。而實際所給予的，也就眞是糧食，甚至漢朝的官階，都用糧食的數目代表，例如「二千石」是也。

但是也誠如孟子所說：「一人之身，而百工之所為備」。光發糧食是不能解決問題的；而勢必要以所發的糧食「紛紛然與百工交易」。因此當貨幣的使用發達之後，政府就勿須乎再發實物，而只要給予俸金，一切聽任員工自己去購辦，或儲蓄就是了。這是經濟發展的必然現豪，中外各國鮮有例外。所以在抗戰前我們只聽到說作事領薪水，從未聽說領東西的。

我們實行這套配給的辦法，是始自抗戰的時候。那時政府西遷，從沿海繁華地帶，退至鄉僻之區。物價高漲，貨幣貶值。公教人員不僅收入微薄，無力維生；而那些窮鄉僻壤，就是有錢也無處去買；再加上某些惡勢力，操縱壟斷，無所不為。如其放任不管，那可能會把公教人員活活餓死。幸賴政府實施配給制度，計口授與米、油、鹽等生活必需品，才使公教人員能生活無虞，免於凍餒，而能安心工作支持抗戰到勝利。當時不僅配給米、油、鹽；有些地區還配給布匹、肥皂等物，眞是嘉惠不淺。但時過境遷，到今天這善政，不僅褪了色，並且還成了政治上的贅疣。

須知一切政府措施，都貴乎能對症下藥。脫離了現實背景，就全失去意義。首先就大的環境來說：抗戰時我們所處的是一個古老的農村社會，而今天則是一個工商業的社會，不僅物質充斥，交通發達遠非當年的四川雲貴可比，並且海舶四達，無遠弗屆。任何物資缺之，只要有利可圖，准許進口，商人們馬上便可以海外批販而來，那裏是抗戰時山嶺鎖國所能比。再就生活水準講：抗戰時大後方的人全都過的是最樸實的農村生活，米糧油鹽，都是養命之源，最為重要。而今天則過的是近代化的享受生活。三十八年政府初遷台灣時，生活還相當樸實，而今天由於工商企業的發達，生活水準飛漲高昇，（這當然是進步的好現象）大都市裏已經是家家冰箱電視了，就拿「吃」來說：在重慶時，（特別是民國三十年以後）親友訪候，若提去一兩斤肉，那是最受歡迎的禮物了。今天在台灣則許許多多的公教人員都已見肉而畏。不是怕血管硬化，就是怕發胖；而很少要吃肉。講衛生的，要吃水菓，維他命之流；而西化的人物，更是洋貨不離嘴。在這種情形下，還有誰希罕每月發一把粗鹽，半瓶花生油。

不希罕不要緊；而問題是政府為了推行這套配給辦法，不知浪費多少人力財力，不知造成多少流弊損失。先說浪費：為了辦理配給，從中央省級，一直到各機關都有專設的人員辦理此事，例如行政院，便設有「配給室」，統籌中央各機關的配給事宜。而此一業務，又事小而難辦，以運儲到配送，不知要費多少手續。龐大代價所換來的成果，不過是隨便可在商店裏即可買到的一點小東西。例如鹽，也不過是兩三塊台幣的事。費了力氣是否能把事辦好呢？結果是遠不如在市場上自由買賣的好。我們空口說，恐怕會有人認為是偏見，請看行政院出的「中央配給通訊」第二期自己說的話：

「……故配給食米，不論品質與期別，由於外銷政策及倉儲制度，自難與市場自由米品質相同。」（按：意指品質劣於市場自由米）

「本年（按：指民國五十三年）四月台北地區配給花生油，即因品質不合標準，原已配發，再經收回調換。此項措施，究屬事後補救，影響所及，難免啓人竊竇。」

只此兩節，即可看出，配給的問題，實在並不簡單。經辦此事，實是費力不討好。至於冒領、謊報、經手人員的貪汚取巧，還不在此例。因此政府當前實在沒有再推行此一過時制度的必要。我們建議政府，最好把這一辦法整個取消，而將省下來的錢，給公教人員多加點薪水，豈不省事除弊，皆大歡喜嗎？

自由獻

美國參議員羅拔・甘納第因從事競選總統，被刺殞命，實屬駭人聽聞之事。關於甘氏的政治思想與作風，是是非非，皆無所謂，可歎而又可慮者，乃是美國的國民道德和社會風氣問題。

無可懷疑，美國的民主生活為全球之冠。民主生活的唯一軌範，就是理性與法治精神，凡事如不尊重理性與法治，對於自己所不滿意的人與事，動則採取激烈手段，必以摧毀為快，這不能叫作民主，而是暴民專制了。美國由於太過民主自由之故，人民可以隨便持有武器如手鎗、快鎗之類，商店亦可以公開販賣槍支，郵局且可寄送的。大家若不尊崇法治，而亂用武器以對付異己，那還成甚末世界呢？前年美國報載，有青年子弟向母親索錢不遂，竟持鎗射殺其母，亦未聞法律上對逆倫青年，有所懲處，難怪甘納第總統暨其弟弟皆遭到暗殺之禍。這便是美國國民道德與社會風氣，大有問題，即表現教育政策之失敗，對國家前途的嚴重性，令人不寒而慄。

美國的隱憂

美國開國不到二百年，教育方針專講功利主義、實驗主義，以及為目的不擇手段的倫理相對主義，我們東方學人所闡揚的禮義廉恥、忠孝仁愛這類做人的哲學思想，在美國似視為迂腐不足道。所以，美國的科學與技術教育，特別發達，加之以重商主義，國富乃日增，國力亦特强，稱雄世界，莫之與京。可是，國民道德之墮落，社會風氣之澆薄，亦為世界所不及，而以在任總統和爭取總統提名候選的甘納第兄弟之被暗殺，為其顯著的例證。

因此，今日美國最大的敵人是內在，而非外來的。美國富强甲於全球，決不怕外來勢力之攻擊，但其缺乏深厚的文化基礎，又沒有普遍的民族精神——只有狹隘的種族優越感，日積月累，整個社會將趨於惡化狀態中，而國危矣。這好像一頭大象然，身健力强，刀鋸挺擊皆可抵抗，如有老鼠或蟲豸潛在它的身上，朝夕蝕蛀，雖有長鼻巨足，亦無所施其技，終使全身腐蝕潰爛而後已。這纔是美國莫大的隱憂和危機呀！

馬五先生

乾坤口袋儀裝

木馬屠城重演

昨日與明日

國父遺教與憲法規定

國父孫中山先生曾說：「中國古時舉行考試和監察的獨立制度，也有很好的成績」（民權主義六講）。「考試如果屬行政部，那權限未免太廣，流弊反多，所以必須成立獨立機關，才得妥當。」（三民主義與中國民族的前途）。「將來中華民國憲法，必要設立獨立機關，專掌考試權，大小官吏必須考試，定了他的資格，無論那官吏是由選舉的，抑或委任的，必須合格之人，方得有效，這便可以除掉盲從濫選，及任用私人的流弊」（同上）。

我國憲法十八條：「人民有應考試服公職之權」。是指人人得以「人民的身份」憑能力去應政府所舉辦的考試。憲法第八十五條：「公務人員之選拔，應實行公開競爭之考試制度」。即是讓全國人民憑能力去公開競爭。政府有權按職位等級去訂定所需人才的學識能力之程度，使人民可以逐級參加公開競爭，不得拘於學歷資格等等，而杜絕才智之士於考試門外。

違遺教，違憲法！

考試制度何竟畸形發展

可惜者，我國考試制度近年來作畸形發展。首先，是考試院頒佈高於高等考試之考試規則，對於應考資格規定為必大學博士、碩士或副教授以上之人士，始存資格報考。最近所頒佈的「分類職位公務員考試」，分為十個職等，初中畢業限考第一職等，高中二、三職等，專科四職等，大學五、六職等，碩士七、八職等，博士九、十職等。我們知道，人才的特性，可貴者是其自我奮勵、自我教育、自我完成。處此印刷術大昌之世，人人可靠自修讀書而成飽學之士。照現行考試規定，則范仲淹生於當代，尚不夠參加第一職等考試的資格。以「初識字」自謙的飽學冠稱一代的王雲五先生，也不夠參加第一職等的考試資格。如此，則必造成「上品無寒門，下品無貴族」的「人分十品」的階級閥閱門第，無異給共產黨徒的「階級鬥爭論」火上加油。寒門聰慧子弟，既無幾十年悠閒時間與充足金錢，供其讀到碩士、博士學位，則永無出頭之日而心灰意冷矣。此與　國父保留中國古代考制之精神，背道而馳。亦殊違憲法「公開競爭」之旨趣。中國古代取士，即在於能使人才從層層考試中脫穎而出。

置考試院於何地？

其次，是台灣省教育廳另起爐灶，自行舉辦了國民中學校長考試。資格是由教育行政機關自行規定。這種作法是不當的。因為：（一）違反　國父遺教：犯了　國父所言：「考試如果屬行政部，那權限未免太廣，流弊太多」的毛病。也違反　國父所示「設立獨立機關，專掌考試權」的本意。（二）違反憲法「公開競爭」之精神。試問：國民中學校長，是不是教育行政人員？既是，則每年高考及格之教育行政人員何以棄置不用？如果各機關都這樣另起爐灶，自訂考試用人辦法，則置考試院於何地？考試院豈不是關門大吉。

結語

國父遺教不遵從，　總統訓詞不遵從，憲法規定置之腦後；這種畸形發展的考試制度，何以善其後？

李霜青

訂閱本報

本港及國外讀者直：函香港九龍登打士街九一號十樓六座自由報社電話八五七二五三。電報掛號七一九一。

台灣各地讀者：可直函台北大同街一一九號電話五五五三九五、五五七四七四

萬戶運動連絡中心：台北市成都路十二號二樓連絡電話六[illegible]二二。三〇三四九。三八四三三。

台北縣選事尚未了
廖銘義提無效之訴
指蘇清波涉嫌非法當選

台北航訊：台北縣第六屆縣長落選人廖銘義，忽於日前向高等法院民庭提出告訴，控告當選人蘇清波涉嫌「非法」，指出蘇在競選期間，利用縣長職權，由公教警察人員助選，並以金錢、味精賄賂投票人，以達其非法當選目的，訴請判其當選無效。廖並同時提出告訴縣選所法定代理人兼縣選所主席李儒聰，主辦縣長選務，未能做到「公平」，涉嫌「違法」辦理選務。選務所於計算廢票，廖之廢票數達一兩萬張，而蘇則寥寥無幾。與監核法不符。至政見發表會時未依規定予以順序發表，限制廖發言時間。而對原告推薦監察員，並未照指定之投票所辦理。

台北縣議會審議縣政府新年度預算「僵局」，經議會黨團幹事會一再斡旋，於上星期日邀請各「主力派」議員與蘇清波開會協調，在討論中，因各執己見，曾在火爆場面出現脣槍舌劍，直到深更半夜，仍無結果。親蘇派議員之副議長呂芳契所領協調小組，於昨晨至蘇寓秘密協商勸說，蘇清波終於退讓，允許議員們三項附帶條件，方告解決。使新年度預算，進至大會二讀程序。據悉，蘇縣長所接受之條件是①由縣府自行調整議會預算編列，較原預算數增加二十五萬二千元。②議員每人無息借款三萬元，改由縣府一次頒撥各議員全年車馬費，研究費及開會出席費，供議員先行領用。③每一議員援照往例分配五萬元經建分配款。縣府同意在新會計年度開始後，辦理一次追加減預算時，予以補列。又據外傳，中央級民意代表，近曾有向商業銀行各貸一至三萬元之款，月息一分三厘，手續均照一般信用保證辦理，而台北縣議員中之家無恆產恆業者，即乘機「效尤」，並一日哨定援例每人無息借款三萬元，使縣民聞訊，莫不深置憤慨云。

本報記者　藍書

新竹客運漏稅案又掀起高潮

兩立委促請行政院將全案移送調查局
保存證據查明真相依法執行

本報記者　青山

北訊　一、新竹客運公司申請複查所提供之担保為房地產，車輛財政部賦稅署陳少書分飲肥水後竟以「情形特殊」無理由予以特准。顯然故意為逃稅人製造有利機會與有利藉口，查所得稅法施行細則依中央法規制訂標準法第八條規定，亦具備法律性質，為政府公佈之法令一種，法律之前人人平等，財政部何竟同情逃漏巨額稅款新竹客運公司，曲予優容？而不惜破壞法令之尊嚴！特予不法商人別開方便之門，究竟說項人，是否為中央級民意代表，何許人也。除上述主管財稅官員外，迅即到地檢處投案，姑息養奸，即是慢性自殺。

二、依所得法第八十二條及細則七十八條規定，房屋車輛不得作為担保，新竹客運公司於獲准改用房產車輛為担保後，再度向省財政廳申請複查，但較法定期限遲的兩天，發生爭執，財政廳乃呈請財政部解釋，據悉賦稅署長，串通同鄉藉，中央級民意代表等，共同收受逃稅人賄賂後，乃將這件公事，在財政部積壓半年以上，對於這樣大的一宗逃稅案，財政部主管官員明知逾限兩天，絕無複查機會，因商人肥水攻勢，沖暈腦子，由死案改為活案。執行人薛家樣等由五千萬元減為一千萬元，實有縱容圖利之嫌！請有監督權的賦稅署長與周廳長扶胸自問，怎對起國家，更怎對起蔣公總統對您們培植之原意。

三、尤有使本席無法已於言者，中央政府五十五度國家總預算赤字之彌補，財政部不惜增稅加捐發行公債，會經多方設法彌補，各項臨時捐即使稽徵順利，每年也不過三五億萬元，而新竹客運公司一家逃稅即達二億元以上，應課罰金五千萬元，華僑俱樂部逃稅罰鍰一千萬元以上，上海商業銀行逃稅以港紙計一千一百萬元，保險業逃稅五億以上，迄未送法院依法執行，如果財政部把這宗大戶二十二家欠稅迅速追繳，對於國家預算赤字定有絕對補益，財政部對於二千元以下之欠稅遲繳不到一年之小戶，皆已移送法院執行，何以厚與大戶，而薄待小戶，主管人如非有別具用心，為什麼一方面增稅加捐發公債，另一方面縱容不守法之商人逃稅，這是什麼財政政策？隨着民國五十五年度中央政府總預算案而併送本院審議的財稅法案（發公債、增稅、加捐）有五個之多，本院委員深為財稅立法所困擾，心力交瘁，為國家奠定反攻大陸基礎，我們無話可說，如果是少數財稅官員設局欺上瞞下，企圖中飽絕對不應該，因此我目睹國家利益，被少數無恥稅官剝奪時，吾人等，只知維護國家權益，無法考慮個人利害得失，或顧及惡權勢，吾人等事前會深思熟慮，最後決定遵奉　蔣公總統在五十七年文告稱「以不屈不撓的革命勇氣」把這些在國家利益中找利益者，連根拔掉它，當吾人在各個角落中或報紙上發見財政廳或財政部庇護，逃稅商人毫無理由的，對罰金由五千萬元減為一千萬元，感到心情沉重十二份，為國家痛心，並為少數財稅主管前途惜。

四、本案檢舉人據悉係調查局桃園站會參與檢舉，彼時並參與審核逃稅實情，財稅主管當局對調查局工作同志，此種誠懇為國家除害行為，不予重視而輕議核減罰金數目，非但不予感激獎勵，而且反之不採納忠實同志所決定意見，殊屬遺憾。

五、台北市成都路巷內「國光飯店」經理人因逃稅被課罰金一百餘萬元。當時「萬華分處」主任劉某某，現任國稅局審核兼秘書，為幫忙逃稅人開脫繳納罰金，故意將國光飯店「金女」經理逃稅案，延壓二年以上，另一方面教使逃稅人隱匿全部財產，即至法院查封逃稅人財產時，法院竟無法覓尋逃稅人財產，因此今如未罰，恐怕到今天仍無法追納，少數財稅主管，以此種方法，避開繳納罰金者不知凡幾，新竹客運公司逃稅案，不幸的很，因有各類人等串入其中，既已分得肥水，所以已使情案變質，繼使主管把長官變為無知無能。已將本案拉入國光飯店所走的路綫，因涉嫌人等有錢有勢，兵多將廣且異常活躍，可能有三種自圓其說的說法，反並有四種嘴臉予以擊非，請焦首席出馬，自動偵查，恐難有是非。

六、為證明少數財稅主管，對於調查局去檢舉之財稅人員貪污案件依法處罰者有之，但「虎頭蛇尾」，而「中途不予以開脫罪責」，層出不窮，例如「五十二年嘉義稅捐處課長申玉坤君等，因貪污案被調查局嘉義站檢舉，第十一審，判處有期徒刑二年，足證明賍證確鑿，上訴發還，有判決，推來拉去，減有加，嗣經台南高分院宣判無罪，涉及說項人之多，內情之複雜，如果趙檢察長或沈局長不信的話，不妨請調閱申玉坤原卷一查，當可證明並不虛言，吾人無意檢舉申案，然吾人對於財稅主管不重視調查局檢舉案件，表示遺憾，按「確定判決之刑民事案件在時效未完成前祇要發生新證據或發見其判決為違法」一並不受確定判決拘束。有解釋可稽。

光復大陸設計會
通過五院權責運用方案
被人議為飛象過河

（台北航訊）光復大陸設計研究委員會綜合會議通過一項「五院權責協調運用方案」，送請有關方面參考採納。該案內容幾全部是針對立監兩院而言，是欲使有關法令，應加修改。並經指出：（一）行政院長無列席監察院各種會議義務。（此就四十六年時行政院長俞鴻鈞四次受到監院邀請，就杜絕浪費調整待遇之糾正案接受查詢，俞氏以無法可據拒未出席，終被彈劾。）（二）立法院不宜在預算案中為附帶事項之決議。（三）立法院議事規則，對外無拘束力（按憲法第五十七第一項：行政院有向立法院提出施政方針及施政報告之責，立法委員在開會時，有向行政院院長各部會首長質詢之權。立法院議事規則第六十七條後段：「其他事項」有疑問，得提出口頭或書面質詢。（四）彈劾案應重立程序，應再求慎重，予對方調查事實陳述機會，並嚴守秘密。監委行使調查權，如有調閱機關文卷之必要，應以不妨礙政令執行為先決條件，如遇封存或携去，其期間應有適當限制。（五）法院不得調偵審中之案件，以免影響審判或查詢心理。此一方案提出後，由台北某報研討該案若由國大憲政研討會提出，便不會被立監委議為「飛象過河」了。雖然光復會多數成員係由國代兼任，但對該會所研究五院權責方案，自知不以為然的發出了「飛象過河」之譏。（碧天）

台北新聞信

偏愛美片監委光火

本報通訊員　柳一權

教育部文化局，剝削正當片商配額，較已往不合理之日片代理權利，尤有過之。該局對輸入配額處理，不但沒有防止弊病和漏洞，反有鼓勵亂來之嫌，措施顯然違法，監委們光火了，指責文化局的失當，且函行政院查辦。

事實是五十七年會計年度，外片輸入配額總數三〇四部，美國出品的片子，佔了一百八十四部，管理衆人事的衙門，這個樣子的不合乎情理，怎麼能行得通呢？佔總額百分之六十的美國片子，已難謂為公允。而一八四部美片中，由八家美商享有一五七部，約佔百分之九十五，華商祇享有二十七部，約佔百分之五，華商行號共有四百餘家，苦樂不均的情形，一目瞭然，尤其美國五大公司在大量減產計劃下，全年總產量遠不及此數。名為限額，實係保障，又法律條文硬性規定各國祇准進其本國影片，華商一向遵守，且政府也從無通融餘地，不過話又說回，在官言官，中國官連中國商人都吃不住，做官就沒有甚麼大意思了，可是花樣來了，美商因產量不足，每年除以遠年舊貨（不是紹興遠年花彫）重復進口外，並將歐洲小國家名不見經傳的片子，拿來頂替，用代理或合作的名義實則就是佔據配額，當然為法律所不許，這究竟是驢子不走，還是磨子不轉，頗使人有些蹊蹺，問號都從這個角度跳出。

又國家於拍攝影片，投資的數目相當大，而收效實是「天曉得」，「西施」雖失敗了，但確不准人講失敗，其餘的如「還我河山」等，當然更不准講，大有北方學肆「禁談國事」的味道，這些拿着鷄毛當令箭之輩，殊不知早違背了蔣總統剴切訓示的話：「不怕人批評，祇怕人不批評」，還有反共復國基地，為全世界人的眼睛所注視，連一部無折無扣的反共電影都拿不出，恐怕沒有比這再丟人的事了，吃這行飯的先生們，相信一定討厭這些不三不四的消息，至於外國風風雨雨紅色綠色的傳說，事出有因查無實據，也就是岑春煊奏呈太后的話「行賄之事，對口面嫌不密，豈肯以憑證示人」沒了套江湖一句俗聯，為這篇通訊的結束：讀者喜我講真話，貪官貪報洩天機。

旅美散見
庭園全是草代花

張起鈞

中國人由於受了道家自然主義的影響，特別喜歡林泉雅趣，雖是結廬人境，也必蒔花疊石，享其自然之樂，幾千年流傳下來，遂在這方面，大有考究，尤其對花卉的品賞、培植更是內容豐富，什麼艷陽桃李，雪嶺梅花，什麼夏賞荷塘，秋飲菊酒……真是樣式繁多，各有品題。但是在美國卻沒有這一套。美國似乎是對舖草地遠較種花卉來得更熱心，只要稍微像樣一點的家庭，無不推着把剪草機，嚕嚨嚕嚨以在推草。而卻很少看到種什麼花，不要說是普通家庭了，就是紐約聯合國大廈，也是只有草地，而沒有花。我曾經問聯合國的辦事人，你們為什麼不種點花呢？他們說：「好！在美國，人工這麼貴，誰養得起花匠啊？也就只有舖點草，點綴點綴罷了」。其實就是有花，也都一律是我們所謂的「草花」：那有梅蘭蓮菊……那些上品的花。

代郵

柳一權先生：新聞蘇清波競選花邊新聞，鏡頭甚佳，搭綫人為誰，希見示。又第一、四兩段經手人須說明，時間、地點及經手人趕速補告。

孫家勤先生：本報巴西航空版，擬以本報第二版一半作巴西當地僑社消息，籌備勿忽略。

秦斌先生：本報泰國航空版，泰國編何新聞可歸併在泰國中，馬來航空版正籌備中，敬希諒察。

鄭炎先生：駐港代表人選已定，須辦妥法律手續，才能預備入境，但繼續照台港完成法律手續，無礙於台端發佈消息。編者

天津和上海

費海璣

筆者在中央日報副刊發表過一文，指出不愁經費無着落的推動文化復興的工作是印鄉梓文獻。拙文一出，立刻得到各省同鄉會的耆宿讚許。如今四川省的縣志，山西省縣志，紛紛印影問世了。

今自由報索稿於余，我想到談大城市的著作實在太少了，應寫一文提倡提倡。

我的近代史札記中有關於天津和上海的幾十節，這幾十節今天可以點鐵成金了。

天津部門，我錄的是張燾的津門雜記九十六則，上海部門是黃協埍的松南夢影錄六十一則。

這些都是清末民初的記實文字，如今讀來，甚感有趣呢！

在西籍導讀的計劃中，有曾選了笛和燕先生的英國社會史，認爲愛好西籍的朋友，應把這書看看。這書圖文並茂，眞正是好書。我們把張燾和黃協埍筆記和笛和燕的巨著比較而觀之，則可以把一八九七年倫敦街景作天津街景看，把一八七六年英國女學和自由學塾的各種圖片作天津的女學和學塾看。

今因篇幅所限，畧舉數則爲例：

張燾寫天津：「實水陸之通衢，爲畿輔之門戶，冠蓋相望，輪蹄若織，雖大都會，莫能過焉。」

他首先記書院，並表揚邑紳查爲義，因爲他捐地基創建了問津書院。此事是乾隆十七年的事。查笛和燕曾特別表揚James Gibbs於一七二三年建王學King's College之功，今看見王學圖片，想像一七五二年的問津書院，氣派似乎相當。

張君次叙稅關、兵營、義學、育嬰堂、粥廠、恤嫠會、救生會、掩骨會、存育所、恤產保嬰局、保赤堂牛痘公局、廣仁堂。足見他重視社會政策下之諸種施設，僅次於財政及軍事呢！查笛和燕英國社會史卷四，也有育嬰堂，平民餐廳，平民家庭的音樂教育，義學，以及一八六四年倫敦街頭巷尾髒孩子圖。

張君接着述機器局，電報，開平礦務局甚詳。機器局製造洋槍洋礮架，兼製小火輪船，工匠六七百人者在城南，工匠二千人者在城東。電綫設於光緒四年，（一八七八年）後經李爵相奏准擴增，及於通州保定江寧蘇州上海乃至閩粵。開平礦務局條下，他說：「日可出煤五百餘墩。將來更當日新月盛，取之不盡，用之不竭。」

然後叙民俗方面的事，如廟會，孟蘭會，妓館，小班，下處，戲園，雜耍館子。接着即寫租界，將租界之治和非租界之亂，作一對照。天津之有租界始於一八六〇年，自紫竹林前至東北沿河一帶爲法國租界，自招商局碼頭以下，地名杏花村之處，爲美國租界，居中爲英國租界。他說：「街道寬平，洋房齊整，路旁樹木蔥鬱成林，行人蟻集蜂屯，貨物如山堆壘，車驢轎馬徹夜不休，電綫聯成蛛網，路燈列若繁星，製甚得法，清雅可觀，亦儼如一小滬瀆焉。」租界禁烟館，禁娼妓，禁乞丐，禁便溺，禁攀折樹枝，禁捉拿飛鳥，禁隨意停放車輛，故秩序井然，張君更詳記租界工部局巡捕、郵政局、病院、婦嬰醫館、外國花園、盆湯。其旨意顯然爲主張採歐美之長，革中國之敝俗及舊習慣。

黃協埍寫淞南說：「富麗繁華，甲於天下。」

他先叙租界中無業流民，羣聚不逞，遇事生風。次說烟館之害。然後及於各國租界之比較，英第一，法次之，美爲下。次叙外國人之墓地，影戲，保險行，小押店，意在述其繁華。而中間插了一段美總統格蘭脫訪華盛況，甚爲有趣，此事爲光緒己卯六月之事，他說：「米總統偕夫人來游滬上，以海國之雄才，登大邦之實位，政聲卓著，中外同欽，凡部下臣民無不望之如神明，愛之如父母，至是帷戾止，縱覽物華，英美法三租界中，家家懸綵，戶戶燒燈，自小東門外至裏虹口，光明照耀，恍游不夜城中，兩國樂工，更絃管鏘鳴，合獻萬年之樂，誠通商以來第一勝會也。如是者凡三日夜，白撞小竊，錯出其間，半老徐娘，小家碧玉，遺細墜釵，失子女，書不勝書，沿途鳴鑼，甚至遺終不免樂極生悲耳。」

接着述美國人車利尼的馬戲團，英國人點石齋之石印，一品香洪園華衆會，閬苑第一樓等彈子房，蘭花會，菊花會，以及其他游冶之事。對英領事署之提倡盆花欣賞，尤拳拳致意。至於西妓之在二洋涇橋一帶者，則以幽默口吻言：「華人之能效洋語者，亦可洞入迷香，花眠柳臥，然其人大都歷齒蓬頭，無異藥叉變相，獅王一吼，見者寒心。」

談到酒館，則暢言我國烹調之佳，如紅燒魚翅海參炸八鴨舌之類，腥濃饜飫，下箸萬錢。

黃君言華人之患在嗜阿芙蓉，西人之患在酗酒。故對耶穌教中某西士設總會戒酒以果之法大爲稱賞。

黃君述水菓云：「本邑之水蜜桃，洞庭之楊梅盧橘，天津之雪梨葡萄、羊城鮮果如蜜橘香橙甘瓜椰子之類，應有盡有。而舊金山之蘋菓，一枚只需錢五六十文，鬆如嚼雪清勝餐花。」

黃君次言：「徐家滙之博物院，羅致珍禽奇獸毒蟒巨蛇，剝皮裝架上或浸酒置瓶中。並考其出處，別其性情，貼說繪圖，著成簡帙，近則華衆會主人做而行之，具體而微，終不及徐家滙之無奇不有也。」

黃君言上海之有德律風，始於壬午季夏，謂十二時內可傳遍地球五大洲。有兩局，南在十六舖，北在正豐街。

上海客棧，黃君估計不下一千家，其中如萬安樓吉星公長發義和之類，高樓大廈，舖排綽濶，一寓之大，可容千人。每人需房飯錢二百八十文，次者自備食用，每日房錢百文或八十文。車夫水手落宿，至下者日收二十八文，多至四十文而已。

租界自來水創於壬午仲夏，成於癸未新秋。後有海關道邵小村觀察擬師其意於城內設廠，竟阻於紳議，有識者咸惜之。

黃君對西國之司法，尤致讚嘆：「西律無笞杖徒流之罪，或罰鍰，或監禁，各隨罰之輕重以爲衡，即操刀殺人亦不過監禁數年，罰作苦工而已。其訟師須精通律例，由國家給與文憑，始准應人之聘，不如中國痞棍，稍識之無，便欲舞弄刀筆也。」

此爲我們的祖父輩的觀察家所作的判斷，我們必不可忽略了它。

多年來中副常刊談北平社會瑣聞的文字，爲讀者所稱道，筆者亦曾收集此類文字，知中副所刊乃言民國二十五年左右之北平者，故盼望旅台之北方耆老，繼續撰文，將書本上所沒有之知識公諸後生。

中國之現代化是義無反顧的，決不能不勇往直前，尤不能迂迴躊躇。張燾黃協埍雖非赫赫人物，而實爲中國現代化運動之里程碑。我國如有社會史學家如笛和燕其人者，諒必以吾言爲然。

我願借自由報爲媒介，獲知熟於清末津滬舊事的老前輩的寓所，以便登門叨教。亦願讀者如我一樣，對此發生興味，遇有機會，決不錯過，虛心請益，帶錄音機把老年人的話錄下來。

在法蘭西學院經常有童顏鶴髮的老學人演講十九世紀巴黎的見聞，每一條街，每一條巷，均如家珍一般娓娓的談。這也是可以效法的！如今台北台中台南高雄花蓮……均在突飛猛晉中，各地耆老談談所目擊的進步情形，也很有趣呢！

注：笛和燕Trevelyan（1876—1962）是著名的英國社會史學者。（完）

大學尺牘

張季鸞歸鄉日記（一）

（三十三年十二月廿五日載國聞週報）

鴻雁

我的人生觀，很迂淺的。簡言之，可稱爲報恩主義。就是報親恩，報國恩報一切恩！我以爲如此立志，一切只有責任問題，無權利問題，心安理得，省多少煩惱。不過我並無理論，不是得諸注入的智識，是從孤兒的孺慕，感到親恩應報，國恩更不可忘。全社會皆對我有恩，都應該報。現在中國民族的共同祖先正需要我們報恩報國，免教萬代子孫作奴隸！人們若常常這樣想着，似乎易於避免墮落，這是我的思想。

國慶日傍晚，我們全家到了多年不見的榆林城。榆林附近，是一片沙漠，我看見多年不見的沙邱，反感到一種愛慕。夕陽將下之時，隔着榆谿河，遠望沙邱起伏，一片通明。目力所及，有看不盡的烽墩，沙隨風舞，猶如海中波浪一般，這是怎樣雄偉的風景呀！離城二十里，即遇故友新知之來迎。師長井崧生先生，是辛亥前的舊友，令弟勿幕，留日同學，親如兄弟。他是辛亥革命的陝西領袖，民國七年，遇害殉國了，崧生在榆林二十年，雖晉信少通，但常常關切我，私交極厚。前年我買墳地，承其親自調查多日，情尤可感。是日崧生偕財政專員杭勁夫先生及同學至友張翊初景岩徵兩先生遠道來接我，及到城邊，天已昏黑，有一般親朋與本城諸位當局之候迎。我在萬分感激中，步行入城，夾道人滿，擁擠不通。故鄉人們，給我這樣同情，將使我永遠感愧。

先父誕日，是陽歷十二月剛剛趕上。是日在戴興寺設位致祭，收到的紀念文字數百件，陳掛寺中，承全城親友與各校學生，參加行禮，如此三日。戴興寺是明代武世家戴氏私祠，戴氏在明代以武職顯者十餘代，都是効力邊防的。我們先世幾代，常在該寺做佛事，所以論公爲榆城名勝，論私有幾代因緣。紀念日既過，全家謁墓，準備立碑。從蘇州運回的碑，是承傅宜生先生派副官張君耐寬從包頭河上冒險運來。其到府谷縣亦爲十月十日，但其後之陸行費時一月之久。榆林各界，爲先父特贈一神道碑，與墓表同日揭幕。我竭誠致謝，畧述先父晚歲思鄉，求歸不得，現在承故鄉父老這樣褒揚，先父在天之靈，一定萬分感激；至於所給予不孝個人之深厚的同情，惟有此後更謹愼地做人，勇敢的服務以爲答報。誠然！這是我此次歸鄉之根本感想。對於故鄉的廣大同情，此後將如重負在身，惟有勉力在服務社會上圖報。

陝北邊僻，墓表墓誌，皆不常見。此次先父墓表，太炎先生之文，右任先生之字，與蘇州之精刻，故鄉各界皆認爲難得，所以鬨動一時。社會最近，頗不講此種舊事，我也無意去特別提倡牠，在我只是行其心之所安。本來報恩之道，人各有所宜，不必一律，我只希望大家都親親而仁民，推廣骨血的至情，涵養愛人愛國的摯感，我想這或者不是違背時代潮流。

中國女性文藝春秋（續）

周燕謀

吳蘋香詞曲「嗣響易安」（上）

吳藻字蘋香，自號玉岑子，浙江仁和人。她的家庭狀況已不能詳考了。以前我曾發過感慨言之；女性能詩文的，根本不受社會的重視，所以許多女性文藝作家的一切，都似諱莫如深。因此，我們後人要研究她們生平，簡直無可稽考。現在我們只能知道她的父親和丈夫都是商人，丈夫姓黃。她自幼好讀詞、曲，後乃自作，便爲人所稱譽，傳誦一時。杭州府志載她的作品有：「香南雪北廬集」，題仁和吳藻蘋香撰。（卷九十四藝文八）「花簾詞」、「香南雪北詞」，題仁和吳藻撰。（卷九十五藝文十）

除了女性作品不大爲士林重視之外，戲曲和平話也是不受士林重視的，以爲「不可登大雅之堂」，也不把它列入四庫書目，因此各地方志的藝文門，也不大受理這一類藝文。杭州府志不載她的「飲酒讀騷」劇，並不是偶然的誤漏，所以她的詞集，至今仍在流傳，可是在台灣却找不到的。

清代提倡女性文學的人始漸抬頭，最著者如袁子才和陳文述，隨園之收女弟子，曾經受到當時一般所謂「正人君子」者流的非難和攻擊。陳文述較晚於袁枚，風氣漸開，反對者勢弱。吳藻生逢陳文述提倡女性文學之時代，所以她雖是商人之女妻，亦得置門吟風弄月的作品，而被我們現在所公認爲當代的時代文學——戲曲和小說。所以她的作品，却由時人譽之爲「嗣響易安」。她又作「飲酒讀騷」劇，且曾「備之管絃，一時傳唱」。可見她在當時文壇確有她的貢獻和他位。

中國女性在我們的禮教社會中，一直是被壓抑着的。時代演至宋代，愈形加重，也可謂是頂點；自宋而降，則女性漸抬頭；她們似有反省與自覺了。我們從清代的小說中可以看到點端倪。那一時代的幾部小說女扮男裝主角，都是女子怨恨老天不把她們變成爲男子，去做男子一般能做的事業。如陳端生的「再生緣」、「雙鳳珠」、「文武香球」：都可說是女性嚮往變爲男性一般的權利和自由。

尤其是吳藻這部「飲酒讀騷」作品，也是一部嚮往和男兒一般的「志在四方」的心理的代表作。可惜她的這部作品，我們已不能窺其全貌，只是知其爲：「嘗飲酒讀騷，小影作男子裝，自塡南北調樂府，極深淋漓之致。託名謝絮才，殆不無天壤王郎之感耶？（西冷閨詠卷十六）

又嘗作「飲酒讀騷長曲」一套，因繪爲圖，已作文士裝束，蓋寓「速變男兒」之意。余爲題句云：「南朝幕府黃崇嘏，北宋詞宗李易安」，蓋非虛譽也（見兩般秋雨庵隨筆卷二）（八十六）

自尋死路的人

諸葛文侯

自從毛共竊據大陸，僭制稱尊以來，千千萬萬的知識份子慘遭殺戮者，不知其數。普通人昧於共黨的殘賊性，以爲毛共政權亦跟歷史上換朝代的情形一樣，祇要安分守己作個順民，便告無事，因而把性命送掉，其情殊可憫。但有曾是共黨分子，中經脫離關係，且在國民政府治下從政有年的，亦竟莫名其妙的呆在大陸上，坐待殺身之禍來臨，如吾嫡親表弟胡濟石者，其愚眞不可及也。

胡幼年在家鄉從愚受學有年，人頗聰敏，性情亦純謹。繼赴長沙肄業嶽雲中學，於畢業後秘密加入了共黨，我並無所悉。民國十八年我在南京供職內政部，胡亦寄居吾寓，正擬託人給他介紹工作，忽有鄉人急足來京，密語以湖南省主席何鍵命令吾縣縣長，指胡係共黨，嚴飭緝捕，縣府勒令胡家限期交人，否則拿辦其親屬，情勢甚嚴重。愚聞訊大驚，即詰胡是否眞的加入了共黨？他承認屬實。我要他向政府自首，可免禍事，他表示猶夷不決，爲免使我受累，他馬上離開南京，當時我亦不忍檢舉他，祇對他講說共產主義絕不適宜於中國的道理，希望他仔細思量，迷途知返而已。過了兩年，他在外窮無所歸，再來見我，說他已與共黨脫離了關係，我有些懷疑，即教他經常跟我一道工作，暗中偵查他的行動，經過了三四年的考驗，果然未曾發現他與共黨有暗通情迹，而其才識頗不平庸，心裏爲之安慰了。

迨對日抗戰發生，吾友黃少谷兄受任湖南第四區行政督察專員，函囑我代爲物色一位具有行政經驗的主任秘書，即舉薦胡君以應之。少谷甚加信任，曾函達我，有「強將手下無弱兵」之語，胡亦因少谷的關係，出任湖南「桂東」「桂陽」各縣長，政聲並不壞，尤其在桂東縣長任內，以肅清土匪有功，深受省府獎許，那些土匪之中，有許多就是共匪，胡當然明白的。越民國卅八年春間，中央政府遷至廣州後，少谷担任行政院秘書長，有意邀胡君來幫忙，此時他在衡陽開設布廠經商，由我函胡示意，詎他不特婉却，且復函勸我勿再爲國民黨効力，我很詫異，即長書警告他不要幻想對共黨續修舊好，自尋死路，他仍不同意我的看法，說毛共標榜的「新民主主義」，與三民主義並無兩樣。從此我和他消息隔絕，不通音問了。

毛共在大陸厲行「三反」「五反」的暴政後，有人從衡陽逃來海隅，說胡君已被殺了，共黨是用清算鬥爭的方法，把他押解到桂東縣，交由羣衆審判槍斃的。我還是將信將疑，曾變名致函家鄉詢問胡君近況，久久沒有答復。大約經過一年之後，胡的外甥由家鄉致函避難在海外的親戚，只說「舅舅的墳墓跟外公的葬地相鄰」，是纔證實了胡君的死訊不虛，而以其懵然死於非命之爲可哀也。

友梅軒吟稿序

· 陳邁子 ·

夫詩者發之情性，洽之德義，該之萬彙，鳴之天籟，而通乎人情物理之間者也。故比類引喻，義歸諷諫。辭微而指深，言邇而意遠。音諧物我，妙造自然。識宇宙之奧秘，贊天地之化育。興觀羣怨，無施不宜。溫柔敦厚，涵閎光大。文寓哲理，以求其眞。義重褒貶，以求其善。辭貴典雅，以求其美。爲文學最高之形式，亦藝術極妙之創作。名之詩教，冠之六經。傳之家邦，首之三禮。斯乃中華文化之特色，爲並世諸國文學所未有者也。詩傳序曰，人生而靜，天之性也。感於物而動，性之欲也。夫既有欲矣，則不能無思。既有思矣，則不能無言，既有言矣。則所言之不能盡而發於咨嗟詠歎之餘者，必有自然之音響節族而不能已矣。此詩之所以作也。旨哉斯言。文心雕龍明詩篇曰，大舜云，詩言志，歌永言。聖謨所析，義已明矣。是以在心爲志，發言爲詩。舒文載實，其在斯乎。其義殆亦如是。觀沁芬（林咏榮）之所爲詩，益信而有徵，不亦可傳之作乎。

沁芬本法學名家，執教庠序，曾攝縣篆。於役閩桂湘粵之間，僕僕風塵，勞勞車馬。山川博覽，襟抱開拓。復歷抗戰戡亂諸役。丁紅羊換刦之年，値海沸山崩之異。世變天荒，亘古未有。凡所以搖蕩性情，寄託吟興者，一一發之於詩。或紀事以修辭，或婉諷以陳義，或抒感以騁思，或即物以鬱采。日居月諸，篇什遂繁。白屋坐寒，青燈照寂。空山月落，午夜夢回。寫臆掬懷，情可尙矣。而遣辭酌句，復出以平易淺近。陳言務去，自出心聲。尙清新曉暢之文，無艱澀奧晦之筆。凡餖飣獺祭，詰屈聱牙之習，皆避而遠之，若恐浼其篇章者然。情詞眞摯，性靈無隱。雅淡宜人，自鳴天籟。白傳通俗，老嫗都解。青蓮飄逸，天馬行空。方之沁芬，其亦景行行止之微意歟。

知沁芬之所爲詩，蓋有其志，有其志，乃動其情。動其情，乃有其言。其志何也，乃其法學之思想也。其法學之思想何也，乃淵源於我中華文化之傳統精神也。夫國之天地，必有與立。而立之之道，必以其民族文化精神爲其主宰，而後始可以言獨立於天地之間也。民族文化之表徵爲何，即民族之自尊心自信心也。無民族自尊自信之心，必不重視本國之文化精神，復何民族獨立之可言，豈非他人之附庸乎。故一國之法制律令，必須由其傳統文化歷史背景出之，始符國情，適風尙，洽民意，而與其社會傳統無忤，俾合規範羣倫之用。斯乃國家社會進化之常道焉。此萬國之所以各有其法律，而法律各有其不同之思想也。要之，貴在合其一國之禮俗民情而已。我國自鼎革以還，言法制者，受西潮之衝擊，惟洋化之是圖。忘本無我，一味盲從。舉我國數千年來之固有法制傳統，固有倫常道德，以及固有之禮俗風尙，皆悉棄之而弗恤。昧於民族大義，闇於國情民俗，強以歐美之法，加於我國之上，剽竊剿襲，罔顧國本。國人亦懵然從之，莫知所以。沁芬都講上庠，既有年矣。傳道授業，學術蜚聲。復本其法學之深詣，愛國之熱誠，獨到之卓識，奮袂以起，辭而闢之。纂著德禮法一書，膾炙人口久矣。近復立爲專論，以申倫常禮俗入法之義。報章騰載，法界震驚，而士論多之，莫不刮目以視沁芬。議院因重其說，邀其演講，君復試擬法條以進，以爲討論更易之資。觀此，亦可知君之志之所在矣。以此志、此情、此言爲君詩之骨，宜其所沈潛涵泳者既深且大，而發之於詩歌者皆爲惓惓忠愛之音，寧無充實光輝之美乎。吾於沁芬之詩，其所以傾折者，蓋以此也。頃沁芬出其友梅軒吟稿，謀付剞劂，屬序於予，予既重其詩，復美其志，爰書所感並揭斯義歸之。質之世之讀君詩者，其以予言之爲然耶，否耶。是爲序。

陳邁子戊申春暮於東吳大學

小論政治現代化

劉杰

依據金耀基先生在東方雜誌一卷八期上的所謂「政治現代化」，首要的條件，就是認同。認同的範疇很大。可以由人與人的認同，進而家與家的認同，社羣與社羣的認同。但我認爲：政治現代化可以不走「認同」的路子，而走教育的路子。爲什麼呢？我的理由如下：

一、小學起就培植政治現代化的常識與知識。所謂政治現代化，就是趕上時代，然後超越時代。在這個時代裏，人們所崇尙的，就是自由。要使政治現代化，首要的就是「自由」。培植政治自由的概念，就從小學生做起，甚至於把在學校的組織，列爲政治化。如此，方使培養起政治自由的意識，也就自然走上政治現代化了。

二、從社教做起。各地普設社教館。並由社教館推廣教育，舉辦民衆訓練班，培養政治自由的觀念。在此項教育中，我認爲政府要大胆的放手。這也就是說，祇要本着「政治自由」的原則，那就不要干涉，甚至取銷干涉。此理如同扶植的小孩，祇要站了起來，那就放手。如此，才可使「政治現代化」步上至善的境地。

三、擴大宣導。利用各地的傳播工具，而把「政治自由」列爲頭條新聞。如是，則廣大民衆接受常識，並在常識中而鑑別出「政治自由」的需要與價值。

倘能把上述三點做到，那「政治現代化」就非常容易達到。依目前的台灣教育水準而言，在此項教育推行中，並不十分困難。今天的課題，是在革命情勢下，是否需要「政治現代化」？「政治現代化」有它的優點，亦有它的缺點。優點是：

一、政治再不把民衆當做小孩子了，而是當做成年人，所以處處都是相敬的態度出現。

二、言論上有自律，但政府不管制。這就達到了純眞的言論自由。

三、民衆沒有恐怖及壓制的感受，一切作爲都本着自己心意去做。

缺點呢？上述的優點，也就是它的缺點。因爲有了上述的優點，對統治者而言，則是一種「威脅」。當初袁世凱解散國會，廢除約法，就是不受「威脅」。清末的光緒卅四年制定君主立憲，後被廢除，也就是削弱皇帝的權勢。所以政治現代化，就使力量分散，政府權力削弱。基於此，所以強調政治現代化，祇是一種精神，並無實質。

依時代潮流而言，政治現代化乃是必然的。故我們今天討論此一課題，亦是有其必要了。

劇談

清風亭

· 許一塵 ·

「清風亭」一劇，事出唐朝「北夢瑣言」。略謂有張仁龜者，本張尙書之次子，因係庶出，爲嫡不容，乃使遠爲張處士之子，有手書爲據。仁龜稍長，漸知己爲尙書子，乃竊據逃之京師。既登第，仕爲官，遂忘處士扶養之恩。後仁龜出使，自縊驛亭，相傳爲處士冥訴陰譴之報。

「曲海總目提要」中所載之「合釵記」，其劇情則與「北夢瑣言」所記者，大相異趣。如云：西京薛榮，贅於梁氏，後復騙娶陳州洪女，歸爲大婦不容，榮乃脫身別去。洪產子，婢救而棄之，爲王翁所收養，取名王寶兒。後榮官荊州刺史，去書接眷，梁氏之兄名崇，唆妹使婢以毒酒鴆洪，婢告而縱之，洪乃赴東京尋夫。蓋以爲榮纔往東京會試故也。過清風亭，遇王翁子，疑爲己子，勘之果然。遂攜之同行。道遇伊兒習仁之僕，引謁習仁居陳州，改名薛夢祥。久之，令入京赴武試，擢高科，授官招討以平史思明之亂，屢建殊功。後奉母赴京，榮時也遷官還朝，與夢祥同抵長樂驛，互爭館舍，已而詢之爲父子，洪乃與榮復聚。而梁與兒同行訪榮，爲史黨甄無敵所得，在賊營中。後夢祥平賊，崇兄妹及婢，皆以俘囚被放。梁自分必死，而洪待之如初，使夢祥迎洪王兩翁，並享榮貴。原報婢而遣崇，以薄懲之。……洪氏棄兒時，匣內置釵，後來得見，釵乃復合，其與兒遇於清風亭，故名。

縱觀上述兩則故事，前者乃一悲劇，後者乃一喜劇，劇情也完全不同；所以一般人謂「清風亭」即「合釵記」謬矣。按今日所流行之「清風亭」一劇，係取「北夢瑣言」張仁龜負義忘恩之故事爲經，而以「合釵記」洪氏棄子及後相遇於清風亭爲緯；至其中間穿插，則又襲用弋陽腔之「琵琶記」陳套，並增一老旦，而爲老生張處士之陪襯。所以劇中夫妻望子因而惹起爭吵一場，乃與「琵琶記」中第十一齣「蔡母嗟兒」之唱做，極爲相似。蓋二黃系統下之搖板及四平調（本係另一種獨立腔調，尙早於二黃，今在習慣上已納入二黃範圍以內），固係脫胎於弋陽腔者也。此劇無論川調、漢劇、及陝南二黃三種唱法，均與平劇相若。

相傳今日流行之「清風亭」劇本，乃係清乾、嘉間之徽班伶工郝天秀所改編（見「鞠部叢談」）。又清儒焦循於嘉慶間所刊行之「花部叢談」，也曾紀及此劇。其原文云：「余憶幼時隨先子觀村劇，……演「清風亭」。其始無不切齒，既而無不大快。鐃鼓旣歇，相視肅然；罔有戲色，歸而稱說，浹旬未已。彼謂花部不及崑腔者，鄙夫之見也。……」據此，今日之「清風亭」一劇，乃係出自郝天秀手所編，似屬可信！

又現在之陝南紫陽縣，尙有清風亭之遺址；川調劇詞中，也謂事出紫陽縣，並有往湖廣及四川去的兩條道路之語。平劇戲詞中乃改爲洛陽縣永壽街誤矣！

自由報

第四六八期

中華民國僑務委員會僑報台教新字第三二三號登記
內政部內警台誌字第031號
中華郵政台字第一二八二號執照
登記為第一類新聞紙類
（逢週三、六出版）
每份港幣壹角，台灣零售價新台幣弍元
社長李運鵬．督印黃行書
社址：香港九龍登打士街91號十樓六座
91 DUNDAS ST. 9th FLOOR, FLAT 6 KOWLOON H. K.
電話：857253　電報掛號：7191
承印者：大同印務公司
地址：香港北角和富道九六號
台灣總管理處
中華民國（台灣）台北市大同街119號
電話555395．557474
駐台灣代表人辦事處
台北市公園路二十八號四樓
電話：20454．62625
台灣分社：台北市西寧南路110號二樓
電話：三〇三四六
台灣撥儲金戶九二五二

談當前國文教學應走的路向

·高瞻·

有關小學國語的正名問題，曾引起一番熱烈的論戰；雖說原則的確立，是語文教育的大前提，不容忽視；但如僅止於名言的爭辯，而不在教材教法上，改良翻新，那麼對於當前國語文教育的諸多問題，也不過是一陣點綴性的小風波而已，根本無補於實際。

多少年來，我們喊過「國文第一」的口號，但擺在眼前的事實，是學生國文程度的普遍低落。他們能講滿口流利的國語，卻寫不出一篇通順的文章。記述是筆流水帳，按條陳列；說理老是前後矛盾，抓不住中心；描景是出於想像，遠離事實；抒情則是無病呻吟，落入俗套；形式結構上，千篇一律，不知章法；實質內容上，人云亦云，缺乏性靈。五四新文學運動以後，我們好不容易才掙脫了文言八股的束縛，沒想到現在的學生們，竟自動的套上了白話八股的枷鎖；而這就是經過了十幾年的國語文教育所有的成果。

究其原因所在，從學生來說，他們只求分數及格，只想在升學考試中順利過關。他們認為國文容易及格，是無足輕重的科目，反正分數之差距有限，不致於動搖全局；而英數理則得分不易，差距亦甚大，才是決定成敗的關鍵；所以英數理能門庭若市（大事補習），國文卻乏人問津了。從老師來說，他們但求輕鬆，死守教本，講授的只是皮毛的解釋與翻譯，考題也盡是公式化的填充與默寫（求閱卷簡便）貧乏而無趣味，機械而缺生氣；試問教學情況如此，學生的趣味，只有日漸消減，以至蕩然無存，那能談得上培養或增進？在學生的心目中，國文不過是一套死板背誦的老調，他們只有失望厭倦，那能激起他們學習的熱忱？只要一本翻譯書在手，已足夠敷衍過關，自不必忍受老師的嚕叨了。也無怪乎國文一門，要讓青年學生們打入冷宮，成為古董般去孤芳自賞了。

打從小學開始，我們的學生就在老師們的急功近利主義下，背誦那些沒有生命與個性的「模範作文」。進了中學，首先面臨的難題，就是國文老師的方音太重，他們早已聽慣小學老師的標準國語，一時竟有不知所云之感！好不容易才習慣成自然，摸熟了老師的腔調，但又發覺老師講課，只有課文的複誦，零碎的注釋，與膚淺的翻譯，沒有思想，不知變化，與小學國語之教育，相去無幾，學生聽來索然無味，只好閉目養神（他們還算客氣，美其名為催眠曲），要不就身在此中而心遊於外（胡思亂想，樂在其中矣），甚至乾脆偷溜走私，大抄其數學作業，或沉迷於小說之中（尤其武俠小說）。

文學本身，總是活躍的生命：有熱烈的愛，有感人的情術，有高尚的情操，有幽雅淡遠的境界。可惜我們的國文課，完全抹煞了這些特質，上起課來，如同置身於肅穆的教堂，語調平板，大傳其「道」，使學生視為畏途。只看他們寧願戰戰兢兢的偷看那些武俠小說，就可知國文教學的全盤失敗了。

我們不必嘆息「魔長道消」，也不能苛責學生「孺子不可教」，而應該檢討自身，在教法上力求改進，充實教學的內容，只要教師能言之有物，循循善誘，學生們自會改變態度，熱愛文學；否則的話，幾千年來的文學精華，竟抵不上時下中學生的武俠「作品」，豈不是絕大諷刺，無限可悲。

是以問題的癥結所在，不在學生的趣味低級，而在老師拿不出趣味高級的東西來。不是國文本身不好，而是教學不得其法。要知道中學生不再像小學生，把老師奉若神明，他們知所選擇，不再無條件接受，國文沒有吸引力，沒有值得深研探討的東西，我們怎能要求他們，虛心學習？事實上，不是學生對不起老師，而是老師浪費了學生的大好時光，誤掉了他們的錦繡前程。身為國文老師，可曾捫心自問，是否善盡了自己的職責？

筆者從小學、中學，以至大學，對於文學，都在自力摸索中前進，書不分大小好壞，碰上就看，到了大學，才知道自己虛擲了多少寶貴的光陰，才知道自己錯過了許多值得一看再看的好作品，回首前塵，不禁大為傷感唏噓！我們都敬愛老師，唯獨對於老師不指導我們讀書，而難以釋然於懷。

我們的作文題目，年復一年，盡在「我的家庭」、「我的志願」、「我最敬愛的一個人」、「我最難忘的一件事」、「青年節感言」、「如何慶祝國慶」、「新年新希望」、「忠勇為愛國之本」中往復循環，少有自身的體驗與感受，久而久之，早已落入固定的模式（白話八股）。只要身陷其中，幾乎是難以自拔。

老師批改作文，也只是圈圈點點，訂正錯別字，然後給個等級就算功德圓滿。批而不改，又不加評語，學生不知道自己好在那裏，錯在何處？老師平時講課，也從不分析文章的結構，從不說明文章的作法；學生作文都有「不知從何下筆」之感。如此之語文教育，縱令在時間上延長一倍，亦屬徒然！

現在高中所採用的四書教本，大都是為學生方便的翻譯本（說正確點，是為了老師講課方便）。我們不知學四書，而不讀朱熹註解，如何能得四書的精義？假如四書也是解釋翻譯的話，那麼國文教本業已足夠，何必多此一舉？反而讓學生誤解固有文化，以為孔子的思想，也不過如此而已！

即使是大學中文系的課程，也有許多叫人不敢恭維之處，教授也是幾紙講義（十幾年來，一字不改），略加翻譯，引經據典而已！支離破碎，盡是前人註釋的大拼盤，或者乾脆閉門造車，穿鑿附會，終不能自圓其說？真正使學生心服的，那真是寥寥幾位而已！我們不在乎「新舊」，只求「有所得」，但是就連這一點可憐的希望，也終告破滅。結果，不用功的同學，自是求之不得，大學四年一混就過去了，用不着費多少力氣，可以輕鬆地去渡過他們的「黃金年代」。但是，他們一畢業，又是另一羣中學生的老師，又是另一場學術悲劇的開始。國文教學，又那能成功？

我們認為國文教學，在教材方面：要慎加選擇，求其精要，求其質，而不求其量多，否則，加上四書，老師上課為了趕進度，只好偷工減料，草草了之。在教法方面：形式上要說明「字」的用法（尤其虛字），「句」的文法，同時分析各段與全文的結構，講解作法，尋繹理路；內容上要了解為什麼要這樣安排，中心主題何在？都要詳加論列；並要了解作者的生平，以作者的整個時代背景，來讀其作品；

（下轉第二版）

似戰非戰，休而不休。騎在頭上，管你死活。

昨日與明日

美國人假聰明？

美國人未將舉世公認無法避免的一場戰爭，引發到美國大門口去打，祇此一點可謂聰明透了頂。適時把握機會，防患未然是正確的。

諺云：「白手而成千金之業者，皆非常人。」何況自開國迄今，從未吃過敗仗。但這次從越南這場戰爭看來，「戰爭目的在不求勝」這些奇奇怪怪倒行逆施的搞法，我們為世界愁，我們為和平憂。談美國本身猶屬餘事，勢將禍延人類與世界歷史改變，莫非美國人是假聰明？

美國人真糊塗？

攻勢國防幾為兵家公式，美國四星上將麥克阿瑟也作如是觀。「戰爭目的在不求勝」根據邏輯學和兩端論，不求勝一定求敗；求敗何必勞師動眾遠涉重洋，將數十萬大軍浩浩蕩蕩開到越南戰場，美國人莫非真糊塗嗎？

不過話又說回來，共產黨始終是不糊塗的，他們要用極大努力推翻亞洲現狀，他們要將東方力量打入西方，較日本軍閥的田中奏摺猶有過之，事實演進嚴重程度業已超過二次世界大戰時的珍珠港事件，美國今欲拂袖而去，非糊塗而何？

中共「統帥」態度

共匪「統帥」部，對其自己同志指示：「共產黨人在任何場合，對任何事項，皆以鬥爭為原則，翻雲覆雨，昨是今非，但期能損人利己，無所謂信用條約，殘酷譎詐，陰險毒辣，為共產黨人最崇高之道德」云云。

美國軍隊在韓國吃的虧不談，在越南戰場領教「崇高道德」，不止千數百招，經常弄得祇有招架之功，沒有還手之力。這個樣的搞法，而又出自一流大國，是多麼尷尬的一件事，如不及時檢討，改正錯誤，前途豈堪想像？

美國朝野錯覺

美國朝野有一種莫明其妙的錯覺，就是一切不能解決的問題，冀圖留待毛澤東老死後，中共的統治權將移轉於較為合理的人，美國可能與他們達成協議。這種幻想被「北京」指責為「不要鼻子」，譏笑為「單想思」和「立直了做夢」等。

中國有句俗話，「龍生龍，鳳生鳳，老鼠的兒子會打洞」。毛澤東是共產黨，下一代換湯不會換藥，美國人也醒醒吧！（何中庸）

自由談

豈可不了了之？

一個曾在台灣販賣毒品，被法院判處徒刑十二年的美國流氓白濟傑，於刑期未滿而保釋出獄後，又夥同另一美籍歹徒郝斯克，在台北板橋地方從事盜墓的非法行為，亦已判刑在案。然這兩個暫予交保的囚犯，最近潛逃失踪了！

台灣四面環海，旅客出入境的管制很嚴密，這兩個外國籍的犯人，決不可能勾通華人的漁船潛行出境，乃可斷定。他們究竟是怎樣逃走的？治安機關應該徹查明白，把內容公佈，俾眾周知。判處重刑的罪犯，為甚麼可以隨便交保？交保後既有屢犯的罪行，何以聽其逍遙法外，不予囚繫？我不懂法律，對於這種情形殊感惶惑。過去中國籍的犯罪人李裁法，潛逃出境後，通過國際刑警組織，終於緝獲歸案了。如今這兩個外國犯人的逃走情節，較易偵查，他們除非搭坐享有外交特惠權利的機船，絕對逃不出去的。

我們政府對於外籍人的罪犯，依法秉公究處，無形中且有優容的作用，如民航公司飛機失事慘案，即其例證。然有所謂國際航空駕駛協會主席也者，竟發出恐嚇的聲明，指稱我法院若對外籍犯罪人判處刑責，就要利用國際航空協會的權力，對我們有所報復。可是，毛共在大陸上隨便把美國人拘囚判罪，根本就沒有道理可講；韓共把美國的兵艦和人員隨便捕捉不放，還要美國政府認錯道歉。美方卻唾面自乾，向中、韓共低頭告饒之不遑，一些由美國人士主持的所謂國際機構，更不敢說一句抗議的話。可見外國月亮是烏垂垂的齷齪相。我們越是論友誼，講邦交，遇事對他們容忍禮讓，他們那種「老子天下第一」的醜惡面目即越見顯露呢！

因此，這次美籍流氓白濟傑等人的潛逃事件，我們必須追究其所以然，弄個水落石出。兩個流氓潛逃出境，尚屬次要問題，我們自己的法治能力和政府信譽，關係的重大，如其不了了之，勢將貽患無窮，那還得了嗎？

馬五先生

監委洩露司法評議秘密

台北司法官爲之譁然

台北航訊

台南縣新化鎮長林進丁當選就任視事僅一月有餘，卽被台南法院判決當選無效。林進丁對此深表不服，以其無上訴可能，會向監察院，司法行政部請願，籲請查明事實，予以補救，以昭公允。嗣由查良鑑部長發表說話，表示今後對選舉訴訟一審判決之法律問題，徐圖從長研議，謀適當之修訂。監察院則由輪值委員陳慶華對該請願案，予以調查，並向院會提出報告後，卽發表談話一則。此項談話，引起台北司法官認爲有洩露法官評議紀錄秘密，故爲之譁然。

陳慶華之簡短談話，係說明外傳台南地方法院，在審理該案時，受到外力干擾之說不確。談話中謂「……主張維持林進丁當選有效之推事董修平，是中國國民黨員，而主張林進丁當選無效之審判長鄭學通，則爲無黨派人士。他們說，絕未受到外力干擾」云云。台北司法官們認爲推事董修平及審判長鄭學通之主張，可能是紀載於評論簿中，而爲監委陳慶華調閱全卷時閱悉。也可能是陳委員詢問二人之談話。如果陳委員，洩露評論紀錄之秘密，則他本人似乎有違反法律規定。

司法官們引證了法院組織法第八十條之規定：「裁判之評議，均不公開」。同法八十三條規定：「評議時推事之意見，應記載於評議簿，但應嚴守秘密」，除上列兩條規定評議內容不得公開外，並沒有任何條文再規定在何種情況之下，可以將評議內容公開。此外更引證了一些法學理論：「關於裁判之評議，應絕對採取秘密主義，而不公開之理由：若使其隨意洩露於外，不但推事易於恩怨，而當事人亦得預爲趨避矣。」再以林進丁案爲例：法院判其當選無效，最多對法院有此怨懟，而無仇恨之心，因沒有仇恨對象，今陳委員洩露評議內容，使林進丁得知主張判決當選無效之審判長鄭學通，使林進丁有了仇恨對象。評議內容之應嚴守秘密，旨在使法官在評議時暢述意見，使裁判易於獲致公平，如不能守秘，則法官在評議時，爲了免招仇怨，有許多話都不敢說，則裁判因而難得公平。其影響之大，可以想見。更有些法官提出警告說：監察委員沒有公開秘密之權，希望監委今後對法院查案，應嚴守秘密，對法官給予保障，對監委本身也是一種保障。

（本報記者董書）

台北新聞信

學人看本報

本報通訊員　柳一權

財經學權威劉振東教授說：「自由報是一份知識份子必讀的報，我每期均從頭看到尾，立論公正，文章皆言之有物」。

心戰學家曹敏先生說：「我看普通報紙，祗須化一兩分鐘，所謂走馬看花，可是自由報就不同，每期的內容都確富有吸引力，使我篇篇讀完，但這幾十分鐘受益太多了。」

權威地理學家，國立師範大學文學院院長沙學浚教授說：「自由報是一份講眞話的報紙，是一份求眞理的讀物，不登黃色和黑色新聞，更富革命精神如能持之以恆對轉移風氣，貢獻必多。」

國學權威，中華民國國文研究所所長高明教授說：「自由報自改組後辦得很進步，是一份對讀者有益的報刊，我已決定參加寫作。」

名學人顧翊羣博士，於百忙中仍替自由報經常寫作；且希望能寫稿的朋友支持這份有前途的報。顧博士强調說：「我是自由報十幾年的老讀者，報紙於讀完後，再加貼郵票寄到美國給朋友們，因爲他們對這張報都非常欣賞。」

國立師範大學畢業生指導部主任侯璠博士說：「在我公餘的生活中，自由報和下圍棋各佔去一部份時間；前者是智慧進口，後者是智慧出口。」

名詩人，國學權威陳邁子教授說：「五十七年度使我最高興的事情，就是看到報壇怪傑李運鵬兄主持香港自由報，預祝能與反共大業同低於成。」

國立政治大學黃公偉教授說：「報紙的淨化，是現社會辦報的難題，自由報毅然走這條道路是值得欽佩的。」

清華大學陳光棣教授說：「自由報的優點和高水準，形成爲知識界的恩物。」

名報人劉光炎教授說：「我願全力支持這張對大衆眞正有益的讀物，相信這份報將由這影人中興」言語之間充份流露出光炎先生的「寶刀未老」。

輔仁大學國文系主任王靜芝教授，中興大學郭垣教授、及中央幹部學校政治系主任葉祖灝教授同認爲自由報正向「苟日新日日新又日新」的路上邁進。三位教授均參加了自由報寫作。

前倫敦大學教授伍振鷟說：「就報紙淨化這個角度看，自由報是成功的，猶其能導俗以正，不登黃色黑色新聞，政府更應該特別獎勵。自由報給全球各地華僑的印象太好了。」

醫學博士林谷普教授說：「在美國的華僑精神糧食非常缺乏，有人說：「有華僑的地方，就有自由報」但還不夠普遍，比如我訂的這份自由報，有三十幾個朋友輪流看，自由報爲甚麼不在美國各州普遍發行呢？」

大文學家，香港清華書院院長熊式一博士說：「從自由報組成份子看自由報前途，成功是必然的。總主筆雷嘯岑，乃當代大政論家，一言一行，均把握着海內外人心趨向；老莊哲學權威張起鈞（與式一同在美國夏威大學執教）和從事辦報有三十年實際經驗之李運鵬教授相拍擋，爲中國報業史上的奇葩再加上名報人程曉華，李洛九等左輔右弼，光明在望，殆無疑問。據我所知道的支持該報寫文章的學人報人，政論家有百餘位之多，如非經常有名作在該報發表，幾乎使人不置信。」

現任醫檢人員資格何時了？

立委徐中齊五次質詢

（台北航訊）立法院第四十一會期二十四次會議，立委徐中齊以去年七月一日醫檢管理規則頒佈之不當，乃於七月二十二日向行政院提出五次書面質詢，原文於次：

四月十日接到貴院，對醫檢管理規則質詢的答覆。顯係主管部門，仍未對現實，解決問題。殊覺遺憾！我在前四次書面質詢文中，對該項人員所面臨的諸問題，已依據情理法說明了。

我贊成「確定醫檢人員專業法定資格」；現不在談該等人員開拓此業之功勞，僅依目前情勢來說，這些所謂「不合格人員」，遍佈各大公私立醫療機構，且係醫檢主體職務，『他們作業是否直接影響病患之健康與生命，』不但有事實可稽，更有記錄可查，難道貴院承認，既往是毫無制度與管理嗎？（見第四次質詢第二頁第一二行：在未有管理規則公布前，衛生主管部門也沒有這一類的規定；但久已被政府任命銓敍爲醫檢人員，實地從事各公立醫院檢驗室作業。私立許可之檢驗院，亦經衛生主管官署，准予執業在案。）

關於資格部份仍待『當與考試機關研商。又在檢覈辦法中將作適當之規定。』乍看起來，頗覺合理，然基於醫檢規則本身，明明具有職業法之性質，但貴院不求修訂醫檢管理規則之條文，反而推由考試機關研商。是以我不得不提出考試院給我的一封信，來證實貴院之敷衍塞責。

考試院秘書處五十七年四月十六日考台秘一字〇七〇三號函：

查醫事人員檢覈辦法之擬訂係依據各職業法之規定無職業法者依考試法之規定考試法第二十七條第二十八條及各職業法或管理規則除助產士法外所定應檢覈資格均爲各有關醫事學校畢業或領有外國執業證書經中央主管機關認可者兩項醫事人員檢覈辦法修正草案第九條第二款：「在前款所列學校或講習所修習不滿二年但在助產士法施行前已執行助產業三年以上者」係依據助產士法第二條第二款所定：……

當我看完了這一函件，才恍然大悟，其癥結問題，仍存於醫檢管理規則。

查考試機關所持理由，本於職業法或管理規則之未明訂，則無法理依據，無憑辦理。如此一來，貴院之答覆，窺其結果，只是浪費時間而已，現任醫檢人員欲得資格必然又等於零。

考試院已剴切指明檢覈辦法受各職業及管理規則所制衡，而貴院在答覆上，不能不承認撩了一招花槍，使人陷入迷惘之中。我歷次質詢所提醫檢人員諸端？均係有本而發，無不事證確鑿，貴院既未坦率承認，亦未明白否認，竟又如此這般！焉能不使人耽憂，有失負責者應有的態度。本席就此特提第五次書面質詢，按照貴院四月十日之書面答覆，倘確有改善敬業之誠意，應請先行修訂醫檢管理規則資格檢覈部份，爰照助產士法第二條第二款所訂增加項目，切勿推由考試機關研商，再事延宕。舉凡人民確定了的法益，不能作不合理的變更，否則後果不堪問的。

（本報記者震君）

新舊混淆該拆不拆

台南縣取締違建出花樣

（台南縣訊）政府爲取締違章建築，曾一再三令五申，並嚴格規定，凡地方派出所警員在其管轄區域內發現違章建築，如不予在二十四小時內報告層峯拆除者，將遭受嚴厲議處。可是前些日子，省違章建築考核小組巡視台南縣境，曾嚴厲批評及指責地方當局對取締違建不力。事實上在台南縣取締違建聲中，竟有很多陰陽怪氣的現象發生，一是取締違建的台南縣警察局其本身竟也違建（卽警察宿舍第二新村），此經新營鎮民沈羣鵬向省方及中央等有關當局提出檢舉，各主辦官員遭到記過了事。一是依照省規定：凡是四十七年二月十日以前違建者，屬舊違建，可暫緩拆除；同年二月十日以後違建者，卽視爲新違建，應卽予拆除。而毛病卽出在此處，新營派出所調查三仙里三十三號住民袁沈埔柳違建案件時，一意避重就輕、有證不採，祇憑空聽取袁某不實的口供，硬指爲四十六年以前舊建物，致一拖二年之久，使袁某免遭拆除的厄運。其實該違建案，日前業經新營鎮民蔡丁貴予以從新揭發，人證物證俱在，不容袁某空言狡飾。據蔡某在檢舉書中列舉事實指出，袁某在新營鎮民權路民權旅社北面空地，（在約三十坪土地上）擅自違建，這是在四十九年七月十五日的事，因該塊空地原屬新營鎮三仙里八十號住民蔡技德所有，也是蔡某於同年間租與他晒東西的（有租約可證），而蔡某亦坦然供認不諱，所以依法應視同新違建予以拆除，但警方卻有意爲袁某脫罪，指鹿爲馬，存心何在？令人費解！

本縣警局接受蔡某檢舉後，像煞有介事地派出一位方姓警員，去找違建人講話，輕描淡寫筆錄一番，內稱：違建人袁沈埔柳供認於四十六年所建，惟當時未立租約，至四十九年度始立租約，故該違建應屬舊建物云云，可見該警員蓄意從中「護短」，仍然有證不採，着樣子該違章建築是拆不了。的一個堂堂主管全縣治安的警察局，竟寧願一錯再錯，眞是令人難測高深了。（本報記者清河）

台北航訊

銓敍部搶先實施職位分類

石覺表示沒有理由不先作

行政院人事行政局，於去年九月中旬成立，在將及十閱月過程中，首要工作，厥爲三卡制推行。現該制已上軌道，對一向之洩沓政風，確已振作不少。惟該局之職掌與考試院銓敍部之權責尚多矛盾之處，在立法上迄未有謀補救之策。當在本年二月該局爲推行訓用合一政策，成爲一種永久性之用人制度，俾於任用前詳加考核，以便因材器使，期使人與事密切配合，特舉辦五十六年度高普考及格人員職前訓練時，適銓敍部通令各機關人事單位，五十六年度普度考及格人員，應由該部統籌分發，否則不予審查。同時分函正在人事局接受訓練之高普考及格人員，候令分發。若干受訓人員於接到該項通知後，認爲銓敍部既已決定分發，受訓已無必要，曾有請求退訓之舉。人事局一時頗感困擾。訓練仍如期完成，分發雖依考試院與行政院協商辦法予以決定分發，但雙方之歧見，並未由此消釋。

人事局前會有人事行政改進方案，經報請行政院及考試院核備。該方案中之第五項：「實施職位分類，革新人事基礎」。經行政院考試核定行政院秘書處，財政部及人事行政局自七月一日起開始第一批實施職位分類，並卽研議調整待遇。但考試院銓敍部已於四月一日開始搶先實施職位分類。該部此一措施，事前事後，均未對外宣揚。直至最近銓敍部長石覺，列席立法院一項會議中，答復委員詢問，始予證實。外傳銓敍部搶先在行政機關之前實施職位分類，是爲了與人事行政局「鬥法」。報載石部長表示，「銓敍部實施職位分類，是奉考試院核准的，其所以要在行政機關前實施，主要是「因爲我們要奉行中央機關先行實施的決策，以及立法院所通過之法律，同時銓敍部是全國職位分類之主管，沒有理由不先作。何況職位分類係一種新的人事制度，銓敍部希望在實施過程中，瞭解困難，發掘缺點。以便及時加以改善和補救」。據悉銓敍部雖自四月一日起實施職位分類，但在待遇上並未增加分文云。

李幼吾

（本文上接第一版）要把同期的重要作家加以比較，對於今古不同，中西相異之處，也要詳加分析，使學生能體會作者的感受，能了解作者的精神，能爬登作者的意境。

此外，作文題不要老是在濫調老套中打轉，只能配合他們的趣味與經驗，要能寫出他們自己的感想與看法；批改作文，要有眉批及評語，指正他們文字的錯誤與文句的不通之處，告訴他們不同文體的寫法。論說文要如何確立命題，擴大論點，與增強氣勢！記述抒情描寫，要如何把事、情、景、物三者融會一體？如何描寫人物個性？如何表現中心主題？如何使文章有逸趣韻味？勿讓學生一味拾人牙慧，流於口號式的八股。只有培養他們基本的寫作能力，才是語文教育最大的目的。

談當前國文教學應走的路向

高曉

四書教學，要著重在思想的講授，與美德的培養，從孝弟、忠恕、仁禮、內聖外王幾個重要觀念，去了解儒家的思想與精神，探討中國文化的特質，與西方文化不同的地方。不要讓孔子成為一個酸儒學究，或者成為一個「教主」，那就差之毫釐，失以千里了。

最重要的，要輔導學生閱讀課外書籍，鼓勵學生逛書店，跑圖書館，小說、散文、遊記，以及哲理小品，只要引導他們投入其中，自會欲罷不能；否則男學生徘徊街頭巷尾，蹲在屋簷的一角，大看其連環圖畫，武俠小說；女學生則躲在家中，看社會通俗言情小說，不僅光陰虛擲，反而有害身心。現在一般中學圖書館的藏書甚為貧乏，不是充斥了人情小說、推銷格調不高的社會言情小說，或升學參考書；就是排列著經、史、子、集，學生望而卻步的國學叢書。前者學生讀之無益，後者學生沒有興趣，也非學生的能力所能及。是以圖書館只是虛有其表，成為老師的專利品，學生借書手續煩瑣，而且常常借不到書（為老師長期借用），在接二連三的碰壁之後，學生就完全失去了上圖書館借書的興趣；也難怪他們要向外發展，走入低級趣味了。只有大量購置適宜學生閱讀的有益書籍，指導學生廣泛的閱讀有價值的課外讀物，才是提高學生國文程度最有效的途徑。

當然，我們不否認有不少熱心負責，勝任愉快的國文老師，也有許多辛勤耕耘，程度很高的學生，但是他們畢竟極為少數。今後，要提高學生國文程度，不在舉辦象徵性的幾次徵文比賽，或者是幾次舞台表演式的演說比賽（沒有內容，只有服裝聲調與動作的表演）；也不在「國語」與「國文」之正名，或是「白話」與「文言」之爭論；而是在教材教法上，徹底改頭翻新，充實國文的教學內容，激發學生的學習興趣，指導學生廣泛閱讀課外讀物，才能解決得了國語文教育的根本問題。（完）

鄭板橋與農民

立人

我國古代不僅重農，「天子親耕，后親蠶」。而且尊農，「舜發于畎畝之中」孟子說：「舜耕歷山，三十徵庸」。歷山在今西省冀城縣東南七十里，山上有「舜王坪」就是大舜當年耕種的所在。

名垂宇宙的諸葛亮早年隱居南陽，每天不辭勞苦親自肩着鋤耙從事田間耕作，就是後代的許多大賢人也莫不皆然。可知我們古代的生活方式，一向是手腦並用的。他們以為書本是人們精神食糧，農作是人們的衣食基礎。所以「古者一夫授田百畝」，每一個成年男子，幾乎都是農民，古諺又說：「一夫不耕，或受之饑」也可以說耕田是個人和家屬生活的來源，同時也是對于社會人羣的一種義務；因此我國有一句古訓，就是「耕讀傳家」這四個字。

鄭板橋是清朝最有名的清廉官吏，也是一仁慈的學者，不但字寫得好，畫也畫得獨具一格，他的書畫，是我們中國的瑰寶，而詩也作得清新脫俗，有其不可與衆的眞氣眞意，眞趣三絕之妙，所以在三四百年來之讀書人中，最為我們所推重。

鄭板橋有一首寄弟四言詩云：「學詩不成，去而學寫；學寫不成，去而學畫。日賣百錢，以代耕種；實救困貧，託名風雅。免謁當道，乞求官舍；座有清風，門無車馬」。這裏正好表現眞性情好品格。他的文藝也正如他的生活一樣出于眞情與至性而充滿人道主義的色彩。

鄭板橋名燮，字克柔，楊州興化人，清乾隆丙辰進士，生于清康熙三十二年癸酉（一九六三）卒于乾隆三十年乙酉（一七六五）。他出身貧苦，故能了解下層社會的實況；尤其對于農村與農民最為重視。他主張把農民應列為四民之首，而把士列為四民之末；因為農民是生產份子，終歲勤勞，耕種收穫，以養天下之人。如若沒有農夫，恐怕舉世有饑饉之憂。所以他有許多首詩，把農夫困苦生活描寫淋漓致盡。

他在范縣署中寄給胞弟的信中說：「要須製碓、製磨、製籮、簸箕，製大小掃帚、製升、斗、斛，家中婦女，皆令習舂揄蹂簸之事，便是一種靠田園長子孫氣象。天寒冰凍時，窮親戚朋友到門，先泡一大碗炒米送手中，佐以醬薑一小碟，最是暖老溫貧之具。暇日咽碎米餅，煮糊塗粥，雙手捧碗，縮頸而啜之，霜晨雪早，得此周身俱暖。嗟乎！嗟乎！吾其長為農夫以沒世乎！」

因為他同情農夫的困苦生活，所以他對于農夫特別尊重。此外，他以為工人製器利用，商人互通有無，都有便民之處，惟士于民大不便。本來士人如能敦品勵行，達則兼善天下，窮則獨善其身，未嘗不高于農夫一等；無奈士人一捧書本，便想得科名，升官發財，觀念根本錯了，所以結果愈弄愈壞。在舉世熱中功名的時代，板橋獨能有這樣的思想，實足令人欽佩！他又說：「我想天地間第一等人，只有農夫，而士為四民之末。農夫上者種田百畝，其次七八十畝，其次五六十畝，皆苦其身，勤其力，耕種收穫，以養天下之人。使天下無農夫，舉世皆餓死矣。」「愚兄平生最重農夫，新招佃地人，必須待之以禮。彼稱我為主人，我稱彼為客戶，主客原是對待之義，我何貴而彼何賤乎？要體貌他，要憐憫他，有所借貸，要周全他，不能償還，要寬讓他。」這一番話，對于農村生活的觀察，描寫得不但深刻，對于農民工作，又說得何等重要。

大學尺牘

張季鸞歸鄉日記（二）

鴻輯

我在家鄉住一個半月，享受了多年未經之舒適生活。一院舊房，日光充足，空氣新鮮，而且榆林飲料是最好的泉水，所以極適於健康。里居期內，不紊心職務，早起早睡。假若不是家內殤了一個有望的姪孫，假若陝北是安居樂業的樂土，我將有最幸福愉快之感了。陝北農村破產，秩序紊亂，但在都會的榆林，還看不出來。一個多月中親友歡讌，忙碌異常，受不盡的歡迎與招待！我這短期的故鄉生活，在我雖充滿了感謝滿足之情，但同時認識在陝北人中，這完全是一個例外。

居鄉月餘的感想

我在鄉間盡做些個私人事，訪尋老親戚，謁師會友，業師田善堂先生，年近八十，今還健在，登堂拜見，悲喜交加。我此次曾謁過生平未到的老祖塋，在榆谿河西的沙中，差不多快要埋沒了。最欣幸之事，是在族兄處尋到一部分家譜，知道原籍是米脂縣，明嘉靖年間一位祖先來榆林衛從軍，轉戰陣亡，這一支就做了榆林人。家譜上有幾代都是從軍，明末一代外祖是位總兵，他是李自成之役，守城殉難的一員大將。清代以後的祖先，也是武職多。我現在從先父起，可以往上數到十三代，都清清楚楚了。這是此行在辦理私事上最有意義的收穫。

游覽之事不多，只是曾偕総生諸位，登過鎮北台。此台在城北十餘里，為明時駐兵防蒙的重地，其下為欵貢城，是當時漢蒙互市之地。附近有雄山寺，為榆林勝景，倚山臨河，崖上刻滿了明清兩代名人詩詞，先父有贈劉總兵厚基七律兩首，也鐫在寺壁上，是自己寫的。先父手筆榆林刻石不少，此次拜觀幾處，不勝孺慕之情。在鎮北台上，四面遠望，但見成列的烽墩，向東西兩方無限展開。向西一直通寧夏，向東到黃河，看這四百年前軍事上的偉大設備，令人想見祖先們保邊衛國的辛苦。再往上想，從周秦以來，吾族祖先們在這萬里邊塞之間，不知流了多少頸血，受了多少艱苦！一代一代地這樣守禦着，奮鬥着，榮枯興衰之間，不知犧牲了多少仁人志士！我在鎮北台，對着荒沙殘照，不由得泛起種種思潮。因為現在國難當頭了，這種外患，恐怕是從幾千年來祖先們從未遭遇的嚴重問題。

自東北淪陷以來，敵蒙地，刻刻可以不保，沿邊一帶，又恢復到明代的要！我對榆林學生常說，從前是偏僻內地，現在國防前綫了，但是我們有設施呢？除過沙漠之外，些殘破窮困的鄉村，因的農衆，這種事實，是可放任的了。我在榆林學校曾對學生說過，要立志：把沙漠變成黃金，要趕緊興產業，把這地建設起來。現在的陝北，我想是一時的現象，建設，纔是根本問題。

在榆林聽見友人們說縣許多苦兒，大概情形，大公報發表，不再贅言。目前在最窮困紊亂之時，我想這畢竟有解決之日，現在省府已一切負責，[illegible]禁止了，此後一定漸有轉機，最要緊的還是如何興產業，養人才！

中國女性文藝春秋（續）

吳蘋香詞曲「嗣響易安」（下）

周燕謀

這種說法，正是我前言之註腳。「飲酒讀騷」又名「喬影」，實乃寓「香裝影隱」之意。幸而她除「喬影」之外，還有其他散曲，使我們可以窺見其作風的一般。當陳文述為西冷十三女弟子：汪端、吳藻、小青、菊香、雲友修墓，徵集題詠，一時閨秀如汪逸珠、方若徽、鈍蓮因、沈采石等……均有題詠，頗極一時之盛。文述乃彙刻成編，名曰「蘭因集」。在這集中，載有吳藻的南北曲一套，錄之以概：

「一步嬌」：金粉難消湖山路，草綠裙腰露。竟陵落日初，一片傷心，美人黃土。何處叩蘼蕪？把香一名例兒從頭訴。

「醉扶歸」：一個葬秋墳冷唱鮑仙句；一個對春山悶臨西子圖；一個簾垂畫閣綠陰疏；怎蓮胎生逝薄心苦！最憐他寒香冷翠強支吾，最傷他蘭因絮果調護。

「皂羅袍」：日日畫船簫鼓，問湖邊蹤跡，說亦模糊。桃花三尺小墳孤，棠梨一樹殘碑古。春烟楊柳，秋風荻蘆，紛痕蝴蝶，紅臉鷓鴣，玉鈎斜記遺招魂賦？

「好姐姐」：有個謫仙人，轉蓬來故都，愛一帶春山眉嫵，平章花月，把嬋娟小傳，詩硯悟，重留片石將芳名補。

「尾聲」：珊瑚環佩歸來否，早註入碧城仙簿，則問他曾向詩人下拜無？

陳文述是嘉慶時舉人，西子湖畔是其故鄉，作有「西泠閨詠」、「西泠仙詠」等書，搜採湖上軼聞、遺事不少。吳藻身列門牆，和他們同為鄉人。吳藻晚年移家南湖，古城野水，地多梅花，取釋典語意題其居為「香南雪北廬」，她的「香南雪北廬集」的自序中說：「憂患餘生，吟事遂廢。因檢殘叢臘稿，恕而存焉。自今已往，掃除文字，潛心奉道，香山南，雪山北，皈依淨土，『幾生修得到梅花』乎？」所謂「憂患餘生」，她的際遇亦當有難言之痛，但決不是朱淑眞一般那樣「翻嗟流水琴中意，難向人前取次彈」，而是屈靈均的懷才不遇。所以她唯有飲酒讀騷，託寄男子之感。今人吳梅評她的散曲，以為「飲酒讀騷」劇，復題「香南雪北廬」以寄寓此恨，而於她的「浣溪紗」詞也生出同樣的哀吟：「一卷離騷一卷經，十年心事十年燈，芭蕉葉上幾秋聲。欲哭不成還強笑，諱愁無奈學忘情，誤人猶是說聰明。」

吳藻的詞，已被譽為「嗣響易安」，實在有其特殊生命。清人的詞曾有「詞的復興時代」之稱，然最著名的朱陳村詞，都是詞匠的堆砌，如幽空的樓閣，很少清新雅麗之音。獨吳藻能追蹤易安的自然，不同凡俗，但也是受了她愛好南北曲的影響。我們再來一讀她的「浪淘沙」吧：

蓮漏悄迢迢，涼館燈殘，畫屏秋冷一枝簫；眞箇人不見，月轉花梢。何處暮砧敲，黯黯魂銷，斷腸詩句可憐宵？欲向枕根尋舊夢，夢也無聊。

這雖然不是劃時代的文學，然在清代一切詞人中，不可謂不是「空谷足音」了。雖然還有她的佳作，我們在此不過只品嘗她鼎中之一臠，就可知味其他了。因為嘗多令人之味口。（八十七）

朝山與觀潮

◁羽衣▷

台灣的老百姓最喜朝廟，與西藏人朝拜佛寺和浙江人的觀寧海潮，同樣具有相當的風趣。

在西藏，每逢春秋佳日，便是郊遊拜山的季節。因為春秋兩季特別華艷，一切的菓實，一切的野草閒花，都在這時繁榮滋長，萬紫千紅。因此人們有的便在郊野撐起帳棚，作短距離旅行。有的却準備好乾糧，騎馬，或是步行，去朝拜名山古寺。他們在深山裏，荒野間，一連不停地奔波着，去岡底斯山（外喜馬拉雅山）及喀日、雪山等地朝佛進香。

他們朝山的目的，一方面是西藏人觀念中神秘的宗教意識的促使，據說朝過某某名山，則可以消災滅罪，並可於來世投生山川秀麗之地；但另一方面，也因為當八九兩月，秋高氣爽，農耕閒暇，借旅行遠足，瀏覽名山大川風景，調劑疲勞的心情。假使他們的目的地，山勢愈險惡，則愈神秘，越是神秘，好奇心也越大。

人們爬過那重重疊疊的山，走過那曲曲彎彎的路，不但不感疲倦，而且精神更為煥發；因為人們朝山的目的和觀念各有不同，因此對於一路上自然美景的發現、欣賞、了解與反應，也就各有不同。相傳一羣香客有一次走上一座極神秘的高山朝佛進香，居然就有人發現白光一道，有人發現了觀世音菩薩，更有人遇到了妖魔鬼怪。這些無稽的傳說，雖屬迷信，但在某一方面用心理學來解釋，却是虔誠心靈所反應的一種幻覺，這種幻覺造成的傳說，增加了山寺的神秘，更激起人們的朝山熱。

筆者，曾邀摯友數人，策馬作噴噶之遊，噴噶在康定西南百公里處，主峯拔海七千六百公尺，向有世界第二高峯之說。見噴噶山雪峯林立，高出天外，插入雲霄，半山香霧祥雲，迷濛掩擁，人行及山腰而不可再上。仰視山峯，高不可見。俯覽溝壑，幾疑置身天外，驚心動魄。噴噶橫視成嶺，側看成峯，偉大壯觀，幽靜神秘，山形隨人立足點之視綫而變化，更兼變幻莫測之雲烟繚繞其間，實令人有「不識廬山真面目」之感！

記得此刻正是郊遊朝山的季節，那時我正在所謂「人間天堂」的杭州。為了要看看轟動已久的錢塘潮，以六元的代價購安公路局觀潮專車的車票，去海寧觀潮。

晨九時由杭州出發，一路上觀潮專車絡繹不絕。據云今年錢塘大潮，為五十餘年來所僅見之壯觀，因此觀潮人亦多如海潮！

車抵海寧城外，觀潮人熙熙攘攘，觀潮車羅列道旁。進城即見海寧荒涼冷落的面目。抵海塘，見石碑一塊，上鐫「壯觀」二字。塘岸上一字兒排設看台，自鎮海塔起，一連好幾座，看台上支起涼席棚，羅列長凳茶几，賣水果、賣潮景照片的小販，在人叢中穿來穿去地兜攬生意。看台上的人們，各自聊天談笑，靜待大潮的來臨，在這裏形形式式的人，各式各樣的服飾，種種不同的方言，假使你是個畫家，這裏有許多的臉型、表情、姿態，供給你豐富的素描材料。

帶照相機的人，不時地在對距離，取鏡頭，不時地和親友們拍攝着海潮的紀念照。望遠鏡這時也走了紅運，人們不時互相傳遞着向遠處瞭望，看台上的人們，一個個互相答問，儘是些「潮什麼時候來？」「快來了……」「還早啦！」一類的話。

潮訊傳來，下午二時三十六分，人們一個個聚精會神地瞧着遠處，潮頭果真來了。

隆隆然的吼聲先潮而來，在觀衆尚未看着潮頭的時候，先聞隱隱約約的吼聲，自遠而近，由小而大，竟比雷聲還要振耳。接着江的盡頭，天水一色的遠處，一條隱隱約約的白練，逐漸推進而來，似向江岸作大包圍的姿態，恰如千軍萬馬，疾馳奔逐。忽而分作兩路，南潮似為主力，挾其雷霆萬鈞之勢，首先鼓噪奔騰來臨，岩岸激起兩丈多高的浪花，接着向後退去，整個錢塘江，就在這一拍擊之間，彷彿變了顏色似的。看潮人全都目不轉睛地凝視着這一奇觀，心弦也跟着浪潮，一弛一緊。南潮退後，江心中白浪如奇峯突起，動人心魄，剎那間，北潮復排山倒海而至，如大軍右翼突進，衝破岩石抵抗，橫掃奔騰，一遇岩石阻路，即發怒似地激上兩岸。但見一團錦繡，作一迴旋，便在自身的激怒中，散為水花，將白沫濺上遊客的衣履。觀潮人一天苦苦的等待，換得了十餘分鐘的奇觀。潮退了，人也散了，潮來潮去，人來人去，世間之流，也就在「一拍步來一拍步去，一重浪滅一重生」之中漸漸地消逝。一年一度的錢塘江潮，不知影響了多少英雄豪傑和騷人墨客？

蘇東坡有詩云：
江邊身世兩悠悠，
久與滄波共白頭；
造物亦知人易老，
故教江水向西流。

有人說：少年人看潮，易激上勵，勇於進取；老年人看潮，易起回憶，轉為淒涼，人道是造物弄人？抑是迷於物？

不論朝山與觀海潮，總有許多不可思議的神秘，這些神秘，永久是被探險家和好奇心的人們發掘不完的奇蹟！（完）

負債最苦！

錢一釗

猶太經

小至一家，大到一國，不可以負債，負債的痛苦，相信很多人都嚐過，用站着比人矮，睡着比人短去形容，不算是太過份吧！

倉頡造字，就缺德透頂，亦可說提高人的警覺到了頂點，「債」這個字，從左邊看是貴人，從右邊看是人責，責人者，所謂債權人，受人責當然是債務人，不管責人亦好，人責亦好，其對象都是債務人，所以我們說「負債最苦」。

當入不敷出的時候，怎樣才能夠不負債，這是在大學課程裏，或者在經濟學裏，不容易找到的學問，說穿了又簡單，先倒掉三碗「麵」再量入為出；自然不會負債，這三碗甚麼麵呢？就是「體面」「情面」「場面」。

世隱閒話

黃少谷掃蕩「新華」

厚安

當年在大陸上的報紙中，軍報佔很重要地位。而在軍報中，以「掃蕩報」為其翹楚。「掃蕩報」創辦的時候，是國府由南京撤退至武漢時，共黨的「新華日報」，也在那時創刊。賣報童子，嘗手持「中央日報」、「掃蕩」、「新華」三報，高喊：「中央掃蕩新華」，頗使共匪感到頭痛。

「掃蕩報」是對開的大型報，與「中央日報」格式相同而版面則比較活潑，不但在軍中很吃香，在社會各階層，也都很受到重視和愛護。

「掃蕩報」初期，由丁文安氏負責，當時大將，如程曉華兄，現在還在台北，主辦「中國世紀」，寶刀未老，令人折服。

「掃蕩報」的出色當行，並擴充為一個報團，——按「掃蕩報」全盛時期，在全國有十二個單位，而且都是大型的，銷路都很不錯。台北當年，就有一個單位，社址在今衡陽街「中國皮鞋公司」——是黃少谷氏的勞績。黃氏先任職政治部「第三廳」，是一個主管軍中文化，新聞乃至一切宣傳，心戰的機構，後來出長「掃蕩報」。他合力以赴，以其如椽巨筆，每每在報社工作到深夜。那時共黨逆謀已露，但因多種關係，國民黨的黨報「中央日報」不便出面指斥，而其他民間報紙，又多為「前進」之說所惑，以反共為「頑固」。這，的「掃蕩報」，成為一個孤臣孽子。他以中流砥柱的姿態，在社論中對共匪禍國殃民處，極盡誅伐。當時與黃氏共負艱鉅的，還有李士英兄，刻尚在台北，以國際問題專家身份，經常為文。

「掃蕩報」除了擴了十二家大型報外，還辦有「掃蕩簡報」，數目在六十至八十之間，分佈各戰區，對於鼓舞士氣，揭發奸邪，作用甚大。

當時還有「前綫日報」等軍中報紙，也具相當規模，但都不似「掃蕩報」之堂堂之鼓，正正之旗！（完）

村居八首

吉人

①忽忽村居又一年，老懷豪宕倍從前；縱橫議論析詩事，不愛烏紗不要錢？

②眼底微名豈足奇，問君戀得幾多時？量今酌古情何限，惟有當官不自怡？

③樓上佳人架上書，胸無萬卷待何如？官情不及閒情熱，筍紅蓴白薦鱸魚。

④可憐世味太津津，伏枕何須夢假真？歷盡悲歡並喧寂，惟餘白眼對清貧。

⑤滿樓空翠濕烟鬟，一種清流孤不閒？門外秋風飄落葉，屋邊流水夢潺潺。

⑥亂鴉撲碎夕陽天，葉落霜凋伴稻田。最愛卷簾高閣上，看書倦伴枕頭眠。

⑦萬丈才華總不如，閉門掃地足閑居。拈來舊稿花前改，學斷牙鬚拂蠹魚。

⑧窗外梅花當早餐，蘆華斐斐鏡中寒。一杯濁酒家千里，進又無能退又難！

（集板橋句，丙午）

清代名曲家吳震生小傳

鏡笙

清代十三種雜劇的作者吳震生，雖經人攷出，其生平仍是粗枝大葉，不甚詳悉，然大致上總算有一個輪廓了。

據「杭州府志」載：「吳震生字長公，仁和貢生，才氣坌涌，千言立就，入貲為刑部主事，獄無冤濫，未幾乞歸，詩詞以外，尤工金元樂府，熟南北宮調。」

較詳明者為杭世駿所撰的吳震生墓表：「比部吳君葬其元配程恭人於×口，復於左築壙，乾隆歲在己丑，君年七十五矣。末疾不慎，遂至不起。君諱震生，字長公，可堂其號也。姓吳氏，望出延陵，遷歙。君才氣坌涌，千言立就，從武進藥孝廉，富壁學為制舉文，紓餘卓犖，遠有家法。弱冠受知江夏胡公潤，鬱為選首，五躓省門，薦而未售，遂棄去。入貲為刑部貴州司主事，比獄無冤濫，以獄吏少和氣，不可久居，乞歸，不復出。樂湖山之勝，買宅太平橋側，築樓，匾楹額，曰舟庵，擔公為字號，曰：「五公魂魄，不應戀此也。」性耽吟詠，詩不下千百餘篇。尤工金元樂府，凡古今可喜可愕之事，悉為之倚聲，諳南北宮調，分刌節度，竟入酸甜之窟，行世者凡十二種。嘗與厲徵士，丁隱君買舟同遊山陰，盡覽越中之勝而還。唱和詩，早傳夕徧，一時紙貴。少嬰疾疢，博綜醫術，著「莽書」或問「數篇，又著「吳氏先塋志」，讀莊有「摘莊」一書。別有「性學私談」、「太上吟」、「金箱妙言」，「豐南人事攷」已行世，晚年編竺覽之書，著「大藏摘髓」。君卒於五月九日。越日余往哭之，君初娶率溪程氏，生一子慶貽，旋殤，繼以無錫秦氏，一子即封英也，翰林院侍讀。一女名蕙貽，側室盧氏出，適布政司理問程璧。孫三，揚宗、和宗、翁宗。卜以乾隆三十五年某月日，反葬於休甯。」

由此可知，「杭州府志小傳」，就是從杭世駿墓表上節錄下來者。「中國人名大辭典」上的小傳也是從杭世駿著作上摘錄下來的；並且，他住在杭州太平橋，或許「太平樂府」這書名就是因地而得名！

至吳震生所著十三種雜劇，從道咸間姚伯梅「今樂攷證」云：「吳可亭一種，地行仙，一名後雲花，署曰：玉勿詞客十三種之一」，同卷云：「吳子翁一種，換身榮」，又引「笠閣評目」無名氏院本有：天降福，世外歡，秦州樂，成雙譜，樂安春，生平足，萬年希，鬧華州，臨濠喜，三多全等。

戰前「劇學月刊」載有杜穎陶的「現存雜劇傳奇版本攷」，除地行仙外，「換身榮」及「笠閣評目」十一種均入，合稱為「太平樂府」。過去南京國學圖書館有藏本，他將此十二種列入元雜劇之末。

再據「曲海揚波」卷四著錄清人傳奇「太平樂府」一種，有東城旅客序，又題玉勿十三種，實錄十二種，仍未收地行仙。言言堂藏曲目稿本亦有此書，地行仙他亦有藏本。直到葉子振根據厲鶚的「樊榭山房集」和史震林的「西青日記」方攷出這十三種雜劇的作者就是這位名曲家吳震生是也。

創業哲學怎樣致富

古人有「巧不過運，強不過命，勝不過天，能不過錢」的名言，演變到現階段，金錢萬能，誰也沒有方法推翻。致富之道，各人有各人的看法：專利，壟斷最合乎工業社會的致富方法，但必須備有足夠的條件，及某種程度的冒險，非每一個人都能做得到；所謂不勞而獲，遺產是坐享其成，但很少能守得住，和創業有同樣的艱難。努力也是致富方法之一，所謂大富由命，小富由勤。能夠克勤克儉，最起碼可以小康；倘再能假以時日，伺機以從中富到大富，並非絕對做不到，創業打天下，必須用出盤根錯節的精神，始能有濟，也才可持久。

孔夫子談致富之道：「生財有大道，生之者衆，食之者寡，則財恒足矣！」就是說發財要正大光明，吃飯的人要少，做事情的人要多，自然會有錢發財。孔夫子所指示的方法，台灣朋友的不僅懂得，且在力行之中，商店的家庭化，即其一例。外省人就差一點，馬路上擺一個餛飩攤，往往請一個助手，他們未算出每天先得奉獻三到四十碗餛飩賺的錢給助手，多餘的才輪到自己。

孟夫子對發財的看法，與孔夫子有很大距離，他說：「得利不可再往」，意思就是發大財的人，很少是規規矩矩賺來，做一次就得洗手，戀機就會出毛病，不相信的話，看八信等合作的餘……

中華民國五十七年六月二十二日　THE FREE NEWS　星期六　第一版

自由報

第八六五期

中華民國僑務委員會僑發台數新字第三二三號登記
內政部內版台報字第031號
中華郵政台字第一二八二號執照
登記爲第一類新聞紙類
（半週刊每逢星期三、六出版）
每份港幣壹角，台灣零售價新台幣弍元
社長李運鵬・督印黃行審
社址：香港九龍登打士街91號十樓六座
91 DUNDAS ST. 9th FLOOR, FLAT 6 KOWLOON H. K.
電話：857253　電報掛號：7191
承印者：大同印務公司
地址：香港北角和富道九六號
台灣總管理處
中華民國（台灣）台北市大同街119號
電話555395・557474
駐台灣代表人辦事處
台北市公園路二十八號四樓
電話：20454・62525
台灣分社：台北市西寧南路110號二樓
電話：三〇三四六
台郵劃撥金戶九二五二

論「復國建國之根本」的教育

——革新教育三大文告讀後感

・褚柏思・

總統蔣公，以耄期高齡，於日理萬機中，仍致力於復國建國之根本的教育大業，眞令吾人萬分感動。五十六年六月二十七日，宣佈：應繼「耕者有其田」政策推行成功之後，加速推行另一政策——國民教育九年制。五十七年二月十日，頒佈革新教育注意事項手令，首言：「教育實爲復國建國之根本」；接着，分列小學、中學等各級教育之主旨，作爲研究整理教育政策、制度、設施之參考。

五十七年四月十二日，復手令教育部，認爲：「國民教育」，爲建設現代社會，與復興民族文化之張本；旨在教育學生成爲一個活活潑潑的好學生，堂堂正正的中國人。「前者，必須着重生活教育，與人格教育；後者必須着重民族精神教育，與民族道德教育。然此並無輕重先後之分，徹上徹下，仍屬同條共貫。」

讀此三大文告以後，深感 總統的偉大，承先啓後，至矣盡矣！但在細節小目上，以及進度過程中，仍切望有關人士，「都能切實研究，提供其應興應革之意見，使能澈底檢討與改進！」基此，略抒讀書、教書五十餘年的所見所感如次：

一、教育制度

今天，中西各國的學年，大致上多爲十六年。過去，中國爲六、六，四制；今後，國民教育，延長爲九年，算是一大進步，已可與歐美各國幷肩比美了。我們認爲倘能改爲十年將更理想。國民小學五年，國民中學五年，六歲入學，十六歲畢業此十年，是一個「好學生」與「中國人」的基礎教育。十六歲以後，應有知識與決斷，志於學，抑或志於業了！

高級中學及高級職業教育，三年，十九歲畢 業。二十歲，爲服兵役 年，一律服役一年，期滿或入大學深造，或入社會就業。大學與研究院（所）均改爲三年，二十三歲，或二十六歲，可以修畢全部學程，此後則爲壯行時期。過去的六、六、四制是抄襲歐美的；這一個新改革，是基於中國文化與社會經濟諸背景的。十年國民教育，一年軍事教育，作爲一個現代的國民，已經是術德兼修，文武全材了！一個二十一歲的青年，步入社會，父母與國家，亦都可以放心了！亦都算是盡了教養的責任與義務了！

二、教育性能

關此， 總統已有了詳細的指示。吾人於此，擬強調學前教育的兩點：①胎教，此點本爲中華文化早已有的，如大戴禮保傅：「古者胎教，王后腹之七月，而就宴室。」新書雜事：「周妃后妊成王於身，立而不跛，坐而不差，獨處不倨，雖奴不罵，胎教之謂也。」②嬰兒教育，「嬰兒初生時，頭腦和神經系統，大部份都還未得到發展。他的腦容量，還不到成 人的三分之一，出生後新 細胞才迅速增加。這些新細胞的排列與連結方式，大部份依孩子所獲得的經驗而定。」…實驗證明，貧民窟兒童，四歲至六歲，造成「笨蛋。」因此，他們主張：「三歲開始上學。」（美國，邁向大社會，教育篇）基此，我們建議：師範學校，應多培植幼稚教育師資；地方政府，應多創辦幼稚園，尤其是鄉鎮與農村。

此外，家庭教育，亦應予以大力的提倡。在美國，華僑的家庭教育很爲美國人所稱讚。但是，在中國，反而被忽畧了！貧窮家庭父母忙於生計；富有家庭，父母忙於交際；因此，均忽畧了家庭教育，這便是不良少年，太保太妹產生的主要原因。對症下藥，應從提倡家教做起。…

這裏，又聯帶提起了社會教育。有人說：「學校即社會」也有 人說：「社會亦學校」。中國對此，已具備了形式，但內容仍須改進。比如社會教育館、圖書館、博物館、科學館、藝術館與體育場等。各縣市的較大城市，均應予以普遍之設立。以輔助成人的繼續受教育。此外，音樂、歌唱、戲劇、電影等，均應使之教育化，不可任其自由發展，散播毒素，爲害社會。

三、大學教育

總統對此，提示兩點，至爲重要。（一）「目前一般大學教育與社會觀念、過於忽視人文社會科學，尤其不注重本國文字：…若干年後，勢將無第一流文法政經人才可用！此種隱憂如何消除？」（二）「今日大學教育……更無一套以三民主義爲中心的建國思想之大學用書。…教育部應即突破一切困難，從速編訂一套以三民主義的精神爲體系的哲學：以確立三民主義建國的教育思想。……但各種大學用書，則應儘量減少使用原文本，而代以譯文本：而應參酌國家民族之特性，根據三民主義之準繩，予以改編。目前大學用書之流弊，即在以西方資本主義觀點，以與我三民主義之觀點，相互混淆甚至牴牾相反，以這樣食而不化之課本與教育，而欲求建立其三民主義的新中國，豈非南轅北轍？」（革新教育注意事項）

這些話，不是人們見不及此，便是見了不敢說，說也說不到如此透澈！誠所謂：「一鞭一條痕，一摑一掌血」也！今天，由 總統手令寫出，相信今後必能革新大學的教育，行見統一的、三民主義觀點的大學教科書，即將面世矣！

四、三民主義教育

民國十七年起，即已推行三民主義教育了。初以共黨的破壞，繼以抗日的戰爭，未獲實現。那麼，什麼是三民主義教育呢？

（一）民族主義的本質，爲倫理；民族主義教育，便應以培植倫理精神爲中心，故須特別注重中國的倫理哲學，來確定我們的趨向。」（救國的教育）

（二）民權主義的本質，爲民主；民權主義教育，便應以培植民主精神爲中心，故「我全體青年，必須涵養民主的風度，培植法治的精神。」（告全國青年書）

（三）民生主義的本質，爲科學；民生主義教育，便應以培植科學精神爲中心，故「必須利用科學，始能建設民生。」（三民主義的本質）

以上是分說，如合起來說：三民主義的本質，是倫理民主與科學，那麼，三民主義教育，便是倫理的，民主的與科學的教育。有中國文化的優良傳統，更有世界的潮流，與時代的精神。是一個綜合的、高級的發展；這樣的教育，不是歐洲派，也不是美國的，而是堂堂正正的中國派，它不僅將現實之於中國，且將推行之於世界。

教育是立國的百年大計，更是思想與觀念培植的場所。今天，反共抗俄大業，便是一個思想與觀念的鬥爭；戰場上的勝利，是一時的；政治經濟上的勝利，也是局部的，必須思想與觀念上的勝利，始是根本的，澈底的。怎麼樣取得思想與觀念上的勝利呢？豈必文化與 教育乎？此亦 蔣公三年來所以致力於中華文化復興運動與夫三令五申革新教育之至意也！（完）

昨日與明日

美軍能撤走嗎？

毛澤東瘋狂的做法，要將地球重新調色，要把人類歷史重行改寫，昭然若揭，盡人皆知，莫非美國還不太清楚。

美軍撤出越南的想法未錯，可是毛澤東怎麼肯呢？在毛心目中，中共掌握越南戰場可以以逸待勞，運兵不勞海空大駕，地點又置在別人國境以內，這可以奮不顧他人之身，退呢？事後又可博得先見之明，沒有比這個算盤再如意的了。

同時越共套用一些中國古老戰術，竟使美國捉襟見肘，而美軍也很天眞的承認自己的敗績和所受的損失。毛澤東這多年來，在越南檢到一些意想不到的便宜，食髓知味，怎會讓美軍隨便撤走？

和平絕望已久

如果說美軍對毛澤東瞭解不夠，那又錯了。魯斯克和麥納瑪拉曾在證詞裏，三番五次的說過：「對毛共不應稍存幻想，如果對蠻橫的中共讓步，而圖得到亞洲和平，會導致世界局勢更形緊張」。且認爲毛澤東一心要做強國中的領袖，共黨集團裏的「龍頭大哥」。基於美國人自己的看法，世界和平絕望已久。

毛澤東於最近復引證馬克斯的話，答其高級伙伴說：「一件事物發展到頂點，即被其自己含有之否定所否定。美帝已發展到頂點，戰固垮，不戰也垮」。未審美國執政諸公，對此有何感想？或者根本不敢想！

用兵最忌猶豫

猶豫不決，用兵大害，狐疑不定是三軍的大災。目前越戰場美軍，正犯了兵家大忌。同時我們連想到中國政府在大陸剿共過程中，國防部負責指揮對共作戰的軍事幕僚劉斐，竟是一位有二十年黨齡的老共產黨員：因之我們也懷疑，懷疑美國政府同樣有劉斐一型的人物，滲入了美國政府各部門；否則美國眞像一隻紙老虎，那就慘了。

中共對美戰畧

毛澤東對美國的戰畧是：「你打你的，我打我的，打得贏就打，打不贏就走」。換句話就是不打美國有準備的仗，反過來說，專門打美國無準備的仗，打無準備的仗還附帶有修件，即「打得贏就打，打不贏就走，」循延安老巢時代成事不足，壞事有餘的傳統。美國人越係心急，越顯得共黨的戰畧成功，這其中奧妙，非專靠宗教，移民，財富所組成的新興國家能對付得了。

由於馬歇爾政策失敗後，再加上艾契遜的所謂「塵土落定」。美國人於不知不覺中，陷入了長期危難。應付這個危難，必須將與各有關友邦切實合作，不斷地努力，持久地運用，俗語說：「要行山上路，須問打柴人」。別再稍存任何幻想；尤其出賣朋友的事，再搞不得了。

（何中庸）

自由談

法律問題

法律對於人類的生活行爲，儘管多所制約，有時候幷不發生作用，徒喚奈何；甚至於增加糾紛，徒亂人意。

我國的法律規定夫婦有同居之義務。於是，夫婦間如因感情破裂，男方或女方自由行動，不願與對方燕爾相依時，對方即可依法要求同居，法院亦如法判令對方應該履行同居義務。可是，男女同居之雅，是基於情感的關係，不能以常理相推測論定的。男女任何一方，若認爲無法同居而拒絕法律裁判，法院即束手無策，所謂「強制執行」的法律手段，對夫婦反目問題，完全不適用了。

法律上對於公務人員收受賄賂的瀆職行爲，明定刑責，有犯必懲。可是，一項「與受同科」的條文，即使貧官汚吏逃避了責任，縱然賄賂公行，亦復肆無忌憚。因爲行賄的人同樣有罪，誰也不願舉發作證，自找罪受；而受賄者亦不會隨便給人予以物證的。所以，社會上對於某些官吏的貪汚事實，儘管瞭然在胸，歷歷可數，却視爲極尋常的情况；且對一般大貧大污的官員，認爲是了不起的幹濟之才，表示讚佩，而懲治貧汚的法律乃等於具文！

法律上的誣告罪，表面規定着嚴重的刑責。然對於構成誣告罪的行爲，却很難依法成立。因爲誣告是懷疑對方有某種意圖，或可能有某種企圖，都不爲罪。譬如有人隨便向法院指控某男某女通姦。縱屬虛構 捏誣，但男女通姦的意圖，由於各有慾念與淫具之故，誣告者以懷疑心情而控告之即與法律意旨脗合，幷不犯罪。等由准此，凡屬以推測、懸想、恐防別人有某種非法行爲，皆不妨任意指控，毫無所謂。法律明文規定的誣告罪，永遠不會發生作用，徒然引起人間許多糾紛。是一項有害無益的條文，要它幹嗎？

法令愈繁密，空文即愈多，而人間的是非糾紛亦因此層出不窮。結果乃是獎勵壞人，打擊好人。此老聃所以有「盜賊多有」之歎也。依我之見，現行的法令儘可廢棄一大半，社會風俗與世道人心，包管比較更見善良些。教育的功用大過法令若干倍，疏於教養而唯嚴密法令是務，可謂舍本逐末也矣。

馬五先生

鐵幕管窺

匪區大學生酷愛舊文學 厭惡「文革」及毛酋著作

潮汕地區禁地方古裝戲演出

（本港訊）據三月十五日匪「中大紅旗」刊物透露：廣州匪中山大學一般學生近對「文革」運動極感厭惡，學習毛匪著作與「教育革命」更是提不起勁頭，但對外國十八、十九世紀和中國近代史，現代文學作品却發生極大興趣，紛紛前赴校內圖書館爭先借閱，自去（56）年十二月至本（57）年二月止，在三個月內，該校圖書館共借出圖書二六、二六九册，其中文學一六、一○七册，佔總借書量百分之六一．三一。此外，該書庫中的紅樓夢、水滸傳、三國演義、西遊記、儒林外史，二十年目睹之怪現狀，以及巴金的家、春、秋與法國莫泊桑、巴爾扎克、羅曼羅蘭、英國莎士比亞、俄國托爾斯泰等作品，均被搶借一空。至金瓶梅、三言二拍、笑林廣記、紅與黑、十日談等黃色書籍，亦有人要借；而封有禁借之外國黃色畫報，經常被人偸走，因此，匪認為事態嚴重，故借用「革命羣衆來信」名義，在「中大紅旗」報公開發表上述情況，指出這是一場無產階級和資產階級爭奪下一代驚心動魄的階級鬥爭，要求該校革命師生，煞住這股歪風，並協助圖書館做好圖書流通工作。

（又訊）廣東潮汕地區匪自「文革」以來，地方古裝戲均被禁止演出，全部改演穿着時裝之「現代戲」，並裁併劇團，淘汰演員。凡被淘汰之演員均下放農村加入「醫療隊」或「合作社」，担任助理護士或勤務員，但需參加「紅色宣傳輕騎隊」，經常隨隊下鄉演出，如澄海縣匪「怡香」及「稻香」兩個潮劇團近被合編為「澄海紅色潮劇團」，不適演「現代戲」之演員，則被分配「醫聯隊」或「供銷合作社」担任助理護士或勤務員職務，仍支原工資。同時，規定上述人員每隔五、六天應配合當地「文化輕騎隊」演出街頭劇一次。

新西遊記

富有古老神話色彩的 流沙河與晒經過

我的「西遊記」雖比不上唐三藏的，但也極富紀念價值，因我所經之地，無不與古老神話有關。我到達漢源，以此為起點，馬路為兩歧，西向經打箭爐，南向西昌。出東門背後有城牆矗立山上，大有出塞之感，走三十里到富林，有夷人甚多，為漢夷分界處。至此，我們因為漸次深入夷區，所以沿途上警戒情緒，漸次勝過欣賞情緒，可是偏在最常出事的危險地方，往往是風景最為豔美，雄壯。這不由聯想到「西遊記」上，描寫許多妖魔鬼怪，不是有神通廣大的孫行者保駕，唐三藏是萬萬到不了西天。我們這次的途程，傳說上正是昔日唐僧到印度所經，那神秘的妖魔鬼怪雖不會有，可是桀傲不馴的黑夷，在深山幽谷中出沒無常，擄人掠貨，可怕的程度，倒不減妖魔鬼怪。出了富林不到五里路，我們居然走到了西遊記中的名地——流沙河。

流沙河 舟楫難渡 並非虛構

由一條乾涸了的河床，大概有一里多寬河面，上頭盡是大小不等的砂礫，經太陽晒着閃爍發光。砂礫中間有幾道窪下去的溝紋，大約是水淺時僅留河道。據說這就是流沙河，看來名符其實，因為大塊小塊的石頭，從遠處向下看，的確像滾滾的流沙。踏過沙灘三四里，便進到另一條了河。即地理上所謂大渡河。我看那條河的形勢，水全是碧油油的，有十丈寬，由上到下坡度非常陡，所以水流十分湍急。我們一到渡頭，便有船伕來招呼擺渡。渡船有十餘隻，式樣甚為特別，船高高翹起如彎弓，船尾平削，船的大小，可以容兩三乘滑竿。我們上了船，仍然可以安坐在兩頭架在船舷的滑竿上。過渡時船伕向上流拉索行五六里，然後放索，船像箭一樣，取對角綫溜到對岸。記得「西遊記」所說的流沙河是舟楫難渡，幸虧千年修鍊烏龜才把他們馱在背上泅過了水。故事當然是小說家加上了神秘色彩，不過當日難渡的情形，由今觀之尚非虛構。若值山洪暴發，再加上那條涸了的支河水量，洶湧澎湃，就恐怕非此秃尾渡船所能為力了！這樣若叫大渡河為當日流沙河，倒也實符其名。

晒經關 山石光滑 似經摩挲

過大渡河到大樹堡，是一條長街，足有一里多路長，一帶山家，門前栽種桃李，想像春天到來，也還有幾分風味，由大樹堡上陸坡二十里，又到了「西遊記」中的名地「晒經關」，照小說上說，唐僧一行回到此地，因為忘記在佛祖前為大龜帶信，大龜一怒便沉入水去，唐僧一行便隨經入水，因為他們見過佛祖，身體已不同凡人，經這最後一劫功德圓滿，竟會騰空回到這山頂，打開包袱在石頭上將那浸濕了的佛經晒乾。我們到關頂祗看見一所關帝廟，廟裏有一塊黑石，大小可坐三人，二尺多高，光滑像油地好像經過多少人摩挲過似的。石面有萬曆戊戌間題碣，據說這便是當年唐三藏晒經的石頭了。事雖不必眞，惟在荒涼中，得有故事傳說的點綴，至少也可以安慰行客的枯燥精神。

下山二十里，到河南站。兩旁的山勢非常峻削。中間夾着澗谷，路有時要穿過澗石，四圍草樹雖不多，但孤旅更勝行森林中。離河南站前，有五里平原。站上客棧和麻柳場差不多。建在一條單調的街，記得我住的那間小屋子是用兩張破凳架着一塊棺材板當桌子，半夜裏醒來，實有點害怕。回想起來仍覺得毛髮直豎！（光華）

新竹縣長最長一日 縣議會圍攻劉樹燻

新竹航訊：新竹縣議會於此次大會最後一天之質詢中，亦即於閉會之日：對第六屆縣長選舉，忽掀起萬丈波濤，使甫上任僅一日之新竹縣長劉樹燻，在議員圍攻之下，只有招架之功，並無還手之力。

議員會勝榛說：此次地方選舉後，多少留下了一層陰影，茲就兩點請問劉縣長：①在選舉期間，劉縣長夫人朱明英以及助選人員，向鄉鎮選民播說：劉縣長被某機關軟禁，行方不明，究否有無此事，希望坦白公布出來。②劉縣長不大喜歡發表政見，將來本縣任何選舉，也可以不要這政見發表。

何禮杞說：劉縣長在競選期間，好像意志不大堅決，中途好幾次變卦，而且改了很多花樣，深恐今後劉縣長對執行縣政時也是如此，那就令人担心了。

郭清科說：你（指劉縣長）當選了縣長後，本有一部份人造謠生事，製造是非，把省議會副議長許金德弄垮了，相信本縣在這一百年內再也沒有人，可以做到省副議長了。

請劉縣長把這些製造是非的人趕走。郭俊萍說：本縣選民有眼光，才選到劉樹燻這樣的人做縣長，這也是福氣。

郭議員在大會中並對某方極力攻擊。此外吳立賢。黃巧雲等議員會就劉縣長主張政見以及親民堂接見縣民事，有所表示。

最後劉樹燻縣長答覆：①本人在競選期間，並未失踪，也沒有遭到任何人軟禁，全是出於誤會。②當時因事在台北，所以在縣長政見發表時，趕不上參加。③本人沒有錢去買票，也沒有去拜託任何人幫忙競選縣長。④郭清科議員所說的，謝謝他的指教。

本報記者碧天

台北新聞信

「第三種人」在台北

本報記者柳一權。

在台北茶館酒店舞場歌廳常見到一種人西裝華挺，皮鞋擦得黑亮，講起話來喜歡挾用華文單字，對政府西人幾無不識，有時還可當場表演，拿起電話筒，甚麼委員呀！首長呀！而對方也確有些雞毛狗蒜一事扯扯拉拉，就憑這一套竟能賺到吃，且生活過得似乎還很濶，也有人說這種人吃在肚子，穿在身上，果如此，則很像上海的「白相人」。不過他們既不政又不黨，農、工、商、學、兵樣樣不是，但每一行業似乎都非常熟，包括各大中小學，各地方衙門，各稅務機關，猶其對司法圈圈的人，推事，檢察官的來龍去脈，個個性作風，如數家珍，上焉者可與達官貴人為友，中焉者進出法院，像煞有介事，下焉者自己製造小罪，所謂不入虎穴焉得虎子，住進看守所後，與壞律師勾結，騙取的對象是同監難友，三五個月時間，騙到十萬八萬不等，這些司法界的小污點，可能尚未被人注意。

還有色情的販賣，也常與這些人有份，「小電影」，放映的地點常置在管區或治安機關附近，演的片子有法國，泰國，馬來，印度及台灣，電影的內容眞是五花八門，極盡宣淫傷風敗俗之能事。每張票五六十不等，觀衆中有達官貴人，也有民意代表，紳士富商公務員，總之他們是麻將裏的百搭張，舉凡進「地獄門」的路無所不通。

舉個實例，有福州周姓夫婦，（上海時吃過白相飯）在長安西路虛設行號三家，計「子午」、「四方」、「仲泰」，資本額登記數百萬元，實到乃寅支卯糧分文莫明的人，除公司登記費及經濟部有關科秘有紅色錢外，全靠女人出面騙，運氣不壞，竟騙到新台幣一百幾十萬元，除掉幾十萬用作打官司，一百萬算是淨賺的三個公司近皆歸之大吉，皆未循法定途徑，經濟部有關科秘，不知如何自圓其說，法律專懲未送紅包的人，那就太不公平了。

不過話又說回，在台北這種人相當有苗頭，計分冒充高級官員，冒充僑領，冒充××工作人員，事實上也確能調動幾個打手，到現場助陣，周妻閔氏老太妹型，（空軍子弟學校教員）會佩短刀囚禁過索債的某君達一小時之久，聲稱空軍誰都得讓幾分，這種無法無天的特殊人物，既非正式公務員，又非工商界上列各種類型，我們統統呼之為「第三種人」，第三種人在台北，已構成社會一害，治安機關，應該到注意的時候了。

文滙樓別記

湖南通俗日報

文滙樓主

湖南通俗日報創刊於紀元前三年，（清宣統元年）當時主辦機構為湖南學台衙門，滿清被推翻後直到民國十六年從未中斷，國民革命成功，該報仍屬教育廳，在中國有三十幾年歷史又從未停刊過的日報，除上海租界幾家大報如申報，新聞報外，恐怕要算湖南通俗日報。

在中國內地各省於抗戰前能發行上萬份報紙的並不多，發行萬份以上而又能深入農村的更少，民國二十九年到三十一年，湖南通俗日報發行數字達一萬九千份，益陽一個小縣（桃花江所在縣）和衡陽附近一個小縣常寧（現任內政部次長唐振楚早年做過該地縣令）益常兩地各發行通俗日報五百份，說來幾乎使人不能置信，該報董事長朱經農雖已作古，社長李運鵬與編輯主任馬彬（即南宮搏）分在港台可證，該報總編輯李曉清（中央政治學校畢業）兼總主筆俞頌華（前上海申報總主筆），大陸淪陷未及逃出，皆犧牲於鳴放引為恨事。

湖南通俗日報以通俗著稱，小學生皆能讀，當時湖南省政府兼主席是薛岳、教育廳長朱經農、工作指示上有共同觀點，即文字雖通俗，執筆和編報的人，必須要有國學根基，兼富新思想，可以說連校對中也找不到一個「牧童騎在牛背上，一邊走一邊吃草」之輩，通俗文章，幾篇篇可讀，所謂深入淺出，言之有物，最高領袖蔣委員長特頒「導俗以正」鼓勵訓勉全體同人，該報眞所謂名實相符？

筆者連想到搞國語和辦通俗讀物，最大的本錢，還是國學根基，沒有國學根基而從事教育工作，就等於電影裏的「山歌姻緣」，那眞是「假如電影院像教室一樣」這和用刀殺小孩子沒有太大的區別，朱經農先生說：「小學的課本雖簡單，我們不能以中學生來編小學課本」，換句話就是寫小學課本和著大學叢書沒有什麼兩樣，如果這一點都弄不清，所謂教育焉者都是騙飯吃，難怪某教授作打油詩說：「銀幕變成黑板，觀衆都變兒郎，明星扮演老師，舞台上面開講，門窗一律不關，冷氣何必開放，老闆像煞校長，稅吏難打官腔，免除所有特捐，那怕影響國防，黃牛改行代考，代票小姐查堂，五十個人滿座，一個鐘頭一場。嗚呼噫嘻！邊令男女分班，生意一落千丈」，這個樣子的文化復興，我們將為中國文化復興前途哭。

陶淵明高風清節

陶潛，晉尋陽人，今屬江西九江縣治，一名淵明，字元亮，為侃之曾孫。性高曠，崇尚簡樸，曾為彭澤令，郡遣督郵至縣，吏白應束帶見之，潛歎曰：「吾不能為五斗米折腰。」因棄官去，在官八十餘日。「歸去來辭」即為此時所作。

潛家貧而樂道，以詩酒自娛，時無以自給，正如其五柳先生傳：「家貧不能常得，親舊知其如此，或置酒而招之，造飲輒盡，期在必醉。環堵蕭然，不蔽風日，短褐穿結，簞瓢屢空，晏如也。」

與其子儼等疏：「汝輩稚小家貧，每役柴米之勞。」可知其窮困落拓之情，但並未因窮困而稍殺其「樂道忘勢」！仍然遊山觀水，徜徉自適；至宋元嘉四年卒，世稱靖節先生。顏延之取諡法寬樂令終曰：「靖好廉自克，曰；節合二字之美諡焉。」享年六十三歲。

靖節先生畢生，燕居之日多，為仕之日少，樂天知命，不因仕而稍移夙志，故能有「北窗下臥，遇涼風暫至，自謂是羲皇上人。」之情趣。顏延之誄曰：「視化如歸，臨凶若吉。」所為詩，沖穆淡遠，妙造自然。東坡所評最為切實允當：「淵明作詩不多，然其詩質而實綺，癯而實腴，自曹、劉、鮑、謝、李、杜諸人，皆莫及也。」又景慕其為人曰：「孔子不取微生高，孟子不取於陵仲子，惡其不情也。淵明仕則仕，不以求之為嫌；欲隱則隱，不以去之為高；飢則扣門而乞食，飽則雞黍以延客，古今賢之，貴其真也。」究其去彭澤也，不知者以為真不能為五斗米折腰，或以為其妹程氏之喪也！即以王維少時，亦以靖節一生向人告貸，何不向督郵一折腰；殊不知靖節之意，則有在矣，適斯時，劉寄奴自以復晉鼎於桓氏竊據之餘，規模所建漸廣，決非臣事晉者，故靖節見機而作耳。觀其誚顏延之曰：「獨正者危，至方則礙。」然先生之不欲為苟去，豈非得明哲保身之道哉？（見陶集）

東坡之於靖節，景慕之深，見諸字裏行間：「吾之於淵明，豈獨好其詩也哉，如其為人，實有感焉。淵明臨終疏告儼等

·賡華·

：『吾少而窮苦，每以家弊，東西遊走，性剛才拙，與物多忤，自量為已，必貽俗患，僶俛辭世，使汝等幼而饑寒……。』淵明此語，蓋實錄也。」東坡自謂：「吾真有其病，而不早自知，半世出仕，以犯大患，此所以深愧淵明，欲晚節師範其萬一也。」

靖節為人貴有真誠

靖節之為人，貴有真誠，正如孟子所說：「彼以其富，我以吾仁，彼以其爵，我以吾義，吾何慊乎哉？」故能一生守正不渝，所謂：「君子素其位而行，不願乎其外。」劉後村曰：「士之生世，鮮不以榮辱得喪，撓敗其天真者，淵明一生，惟在彭澤八十餘日涉世故，餘皆高枕北窗之日；無榮惡乎辱，無得惡乎喪，此其所以為『絕唱而寡和』也。觀其貧士貴子與其他所作，當憂則憂，當喜則喜，忽然憂樂兩忘，則隨所寓而皆適，未嘗有擇於其間，所謂超世遺物者，要當如是，而後可觀。」至當之言也。

葛常之韻語陽秋曰：「淵明讀史九章，其間皆有深意，其尤章章者，如夷齊、箕子、魯二儒三篇，夷齊篇：『天人革命，絕景窮居，貞風凌俗，爰感懦夫。』箕子篇：『去鄉之感，猶有遲遲，矧伊代謝，觸物皆非。』魯二儒篇：『易代隨時，迷變則愚，介介若人，特為貞夫。』由此觀之，則靖節委身窮巷，甘黔婁之貧，而不自悔者，豈非以恥事二姓而然也。」東坡亦曰：「讀史述九章，夷齊、箕子蓋有感而云，去之五百歲，吾猶識其意也。」觀乎此，當知靖節先生之「絕唱寡和」蓋來之有自矣，故其氣象不能不高曠；趣味也不能不能嚴明。其與子儼等疏曰：「余嘗感孺仲賢妻之言，敗絮自擁，何慚兒子，但恨鄰靡二仲，室無萊婦，抱茲苦心，良獨內愧……。病患以來，漸就衰損，親舊不遺，每以藥石見救，自恐大分將有限也。……汝等雖不同生，當思四海皆兄弟之義，鮑叔管仲分財無猜，歸生伍舉班荆道舊，遂能以敗為成，因喪立功，他人尚爾，況同父之人哉。」

士之難能可貴處，在於能棲守道德，而不因一時之寂寞，易其操守，故士君子不尤人，但當克己，不尤人，德則益宏，能克己，則學益進；

靖節之一生促落，固是數之不偶也。抑為困頓終生者，多為造物所忌乎？

李公煥曰：「靖節當易簀之際，猶不忘詔其子以人倫大義，欲表正風化，與夫索隱行怪徒潔身而亂大倫者異矣。」張自烈曰：「與子一疏乃陶公畢生實錄，全副學問也，窮達壽夭，既一眼覷破，則觸處任真，無非天機流行，未以善處兄弟勸勉，亦其至情不容已處，讀之，惟覺真氣盎然。」

靖節之異於宋人物，在於榮利不足以易其操守，聲色不足以累其真誠，不足以撓其心志，即悠然而自得之；却也因不免而「絕唱寡和」了。反觀晉宋人物，雖尚清高，然不忘權勢；清談，然又招權納貨。靖節當身無所遇，而必出於守先待後，豈也窮於一時，而不窮於後時也。

音樂年談音樂家

淺人

今年，是文化局所創導的音樂年，足證音樂家在社會上的地位是很重要的；所以，我就在這個音樂年中談一談音樂家在社會上的地位。

音樂家是一種職業，可是社會對於音樂家的看法，似乎異於其他的職業。試看：愛因斯坦發現相對論，使人類的思想界起了激烈的變化，可是未見有人稱他「數聖」，愛迪生發明電燈，以及留於人類無數的恩物，也未見稱之曰「聖人」，可是貝多芬是人所共知的「樂聖」，他的功績與給予人類的影響，雖很難決定與前者比較輕重，但說一定超越前二位，則吾未之能信。

這個例似乎社會很重視藝術，但還有相反的例。

百業職工都有工會，記得十年以前某大報有一段花邊新聞，標題是「洋琴鬼也要組織公會」，內容報道華籍樂師組織協會的消息。其實毫無比他公會不同之處，這個標題，毋乃侮辱太甚。稱為樂師，樂工，甚至倡優使人（如唐代的「坐部使」、「立部使」以稱樂人。）都還不失人格，惟叫做洋琴「鬼」，則已淪入鬼籍（昔年曾有人被誤傳在舞場裏担任洋琴鬼者，因而大登廣告，聲明近況雖甚坎坷，尚不到淪鬼籍地步云云。）鬼而也組織公會，很有詼諧性，所以團上花邊，當作趣聞。

上面二例，可見社會對音樂家的人格看法的二方面：尊之者捧做神聖，卑之者，打入鬼道。「上窮碧落下黃泉」，吾輩音樂家之足跡，獨不見於人間世。

神權時代，封建時代，迷信世紀都該過去了，音樂家無非社會的一份子，我們要為音樂家力爭人格，但也願對自我陶醉的藝人們痛下鍼砭。

職業是應當尊敬的，不論是作曲家，演奏家，音樂教師，歌劇演員，樂隊樂師，不管他服務的場所和演奏的內容，都是一種音樂職業者，與新聞記者，老闆，工人，律師，茶役，官吏，等等一切的職業，都是社會有機體中的一個細胞，都為人群服務，以其所得，易取所需。在國民的立場而言，大家是平等的。但是聖賢智賢不肖，則仍階次層然，不容越級。這不是指道德而言，乃是指智力與技藝之高下，以決定他在社會中的重要性。

書經：「夔曰，於！予擊石附石，百獸率舞。」想上古的音樂，只須擊之附之，這種簡單的技巧，是不需多少時間便可會了的，和近代的鋼琴家相比，雖逃不出擊之附之的基本動作，但技巧的艱難，非十載寒窗不能勝任，而且非有天賦的樂才，還要徒勞無功。則一位鋼琴家的成功，自然當受衆敬仰，和戴上藝人的榮冠了。

倘有狂人，略知皮毛，上不足以言藝，下不能勝技，掛上音樂家的招牌，擺出藝術神聖的尊容，以之欺世盜名，此亦為吾人所不可忍者，必加之以口誅筆伐，務使其無所逃形而後已，則有待乎當世的賢士君子，肩起這個輿論的責任。

不安份的現象，在其他職業界是不多見的，藝術家中獨多假藝術家的緣故，是因為社會太把藝術做職業的人見神見鬼的看法，實為根本的原因。其實音樂職業很多，大可不必（其實也不能）每人都是演奏家和明星，舉凡天賦較差，學習較短，造詣較低的音樂家，很多的位子等着他們，像教師伴奏者，合唱隊員，甚至跑馬路的吹鼓手何嘗不好，只要社會別拿瞧不起的眼光來歧視我們，好像別的學校教師，商店職，掮客等職業一樣平等的看法，就沒有人以為在小舞場裏做樂師為羞愧了。

伊圖爾維（Itwhi）和西姆利斯特（Simqslist）都曾在咖啡館舞場裏奏過藝，莫差特（Mosoyt）還坐在他的顧主——爵爺的馬車夫旁邊吃過飯呢，這豈足為我們的羞愧！

「職業是平等的。」我們這兒重複說一遍：「音樂家也祇是人類職業界的一份子而已。」

大學文牘

張季鸞歸鄉日記（三）

鴻軒

近年西北建設，高唱入雲，但是大力量還沒有用上，就榆林一帶說罷，有牧畜皮毛鹽鹼之利，有煤有水，人民有工藝才，許多工業可以辦，許多學校可以設。更可注意的，陝北廣大的青年層，在將來甚有希望，大概皆聰秀而勤樸，體質亦好，對國事熱心。陝北中學生誤投共黨的不少，但原則上責任不在本人。我在西安慶祝剿匪勝利大會上，被邀講話，有這樣幾句：「我們可惜青年入了歧途，但是我們應該指示他們正途何在。這幾年的各地不良行政之下，假若有青年問我：現在的狀態，是否為正軌？青年們應該怎樣效力？我實在答不出來。」誠然：凡熱心青年，都是民族的好份子，問題在如何親切地領導他們，使得成為有用之才。就陝北說：這幾年民窮財盡，官貪紳劣，青年們國憂家難，重重苦悶，倘不頹唐消極，便誠恐思想惡化。

此次榆林中學學生給我出了多少問題，有一題是人在受非法壓迫窮極無法之時，是否應該反抗。當時問題多天晚，沒有說到這裏，現在回想起來，却不易作答。譬如那不種烟也逼攤烟的苛政，論情論法，都可以反抗，但是平和的合法的反抗，怎樣實行呢？我想全國問題，都是一樣。只要政治好，軍紀佳，賦稅公允，一面竭力培植人才，共同發救國宏願，領導青年前進；我想不但能解決了思想惡化問題，一定能喚起青年的志氣，一致跟着走。我此次歸陝，特別對青年問題感着興味與責任。我不是特別注重青年職業的出路，此次在榆校答覆問題，曾說到：「只說青年無出路，好像中年老年或幼年都有了出路。現在問題，是大家無出路，不是某一部份人無出路。我們要為整個民族，為一般同胞，求得出路，我們自己的出路，就在其中。」這是我向來的看法，小飯碗不成問題，要鞏固大家的大飯碗。現在，亡國就是砸大飯碗，你看東北的墾民，無端剝奪了墾殖權，華人商業，完全一落千丈，可知現代的亡國，比過去更苦，不但政治上失自由，並且經濟上作奴隸。

所以中國的亟務是喚醒並領導青年，共同發願，以維持民族生存為惟一的目標！換句說，就是維持大飯碗，尋求總出路。再專談西北問題，就是盼望政府與海內實業界，對此國防地帶，應該迅速地加一點重量，先在主要各地辦一點工業，提倡牧畜與農業，一面設二三完全的專科學校，多培植一些人才，同時設法獎勵邊地優秀青年，多考入都會專科學校。我想開發地方的根本條件，是培植人才。

此次在榆林臨行，與商學界友人發起了一個小小的獎學基金，友人們都熱心贊助，但是財力皆微，現在只有五千餘元，我以後自己定陸續盡力於這個事業，更盼海內賢達們同情此舉，賜以援助！同時望西北各都會，都有這樣施設，務必設法扶持天才的寒士，為地方多造些專門人才。至於提倡工業之事，惟盼大有力者加以注意，更非吾輩力之所及了。

中國女性文藝春秋（續）

周燕謀

通俗小說家汪端（上）

中國通俗小說在民間最占勢力，明代是通俗小說的鼎盛期。男性作家固不乏其人，女性小說家却寥寥可數。在明代女性小說家可以說還找不出一個像樣的來。有清一代，努力於提倡女性文學的，前有袁隨園，後有陳碧城。當時能文的士女都以身列門牆為榮，所以袁、陳二人的女弟子幾遍於全國。但袁子才的弟子都是詩人，而陳碧城的門下則有詞人、曲家、小說家。本文所介紹的汪端女士，就是陳碧城的媳婦，著有「明佚史」，為通俗小說盛行時代僅見的女作家，她又選「三十家詩選」，見解高卓，尤為當時一般女子所不及。（八十八）

譚人鳳革命軼聞

諸葛文侯

民國肇建伊始，我方童年，入長沙就學，常聞師友長輩艷稱當時在任的「長江巡閱使」湖南安化譚人鳳革命事蹟。未幾，譚自漢口解職還湘，對人述他作巡閱使的觀感，認為只有一樁遺憾的事，即他曾將武漢三鎮碼頭上專事欺凌敲詐旅客的地痞流氓，調查清楚，開列名單，逐一緝拿懲處已逾半數，忽奉令去位，以致除惡不盡，所志未酬，深感殘念耳。心儀其風範不置。嗣後不時在報紙上得見譚氏姓名行蹤記錄，却始終未見其人，僅從革命黨前輩人士口中，聆及譚氏為人風操骨鯁峻裁，儕輩皆敬憚之而已。

近讀「太炎文錄」所載譚氏墓志銘，叙其革命軼事，有世人所罕聞者數端，章太炎係同盟會老幹部，與譚氏暨黃興等革命黨名人素多往還，其言自非道聽塗說之談也。據章氏言：「會丹徒趙聲以標統處廣州。趙聲者，軍中言光復有顯名者也，君（指譚人鳳）潛往為計事，事覺，聲亡抵香港。居一歲所，與興（指黃興）謀集敢死士發難廣州，以新軍防營應之，以湖南屬君，……議既定，君潛入長沙，部署稍就，復赴香港，與遽起襲兩廣督部，敗走。諸興、聲（趙聲）所為，胡漢民及弟衍鸞（按即胡毅生）輒撓之，以至於敗，聲發病死。君始知廣東事不足與。北歸至夏口，遇焦達峯及子二式，中部同盟會始成。」此述辛亥三月廿九日廣州革命之役，未能獲得粵省同志一致支持，證以事後黃興指出陳炯明率領的部衆臨時爽約不參加情節，乃知是役之所以敗績，革命黨內部意見不協調的關係亦甚大也。

辛亥八月武昌義軍起，湖南繼之。譚氏由滬抵鄂，旋往湖南助焦達峯籌畫援鄂軍事，既而達峯遇害，譚返至武昌，而北軍馮國璋部攻陷漢陽。據章氏言：「是時黃興來守漢陽，漢陽陷，興與都督黎公謀東行，且移軍械九江。君詰興曰：公不留武昌待援，將何之？興詭曰：僕赴廣東，以機關銃來禦寇耳。君曰，廣東水陸軍李準龍濟光主之，安得機關銃與君？無已則往上海，謀速取江寧為根本，軍械當以其半授我。興曰持械安往？君曰持以守岳州。興笑曰，人皆向外走，公獨向內走耶？君怒罵興曰：洪楊之役，武昌凡三陷三復，非湖南誰為援者？今江寧成都督未下，湖北失，不守岳州，湖南相繼失，兩廣雲貴亦不支，九江尚足恃乎？公往廣東，且為廣矣。興卒去，黎公亦趣葛店，以君為武昌防禦使兼北面招討使。當是時，微君武昌幾殆，事稍定，黎公返，公亦以議和代表東下矣。」譚氏晚年居家上海，與章太炎過從密，此段經過情節，當係譚氏道出無疑。世人祇知當年漢陽失守後，黃興黎元洪皆潛離武昌，而不知尚有譚人鳳以「武昌防禦使」坐鎮不去之一幕，譚係文人，胆識乃視武人壯健，殊堪讚佩。章氏又言：武昌首義後，清安徽巡撫滇人朱家寶抗命不從，雲南軍政府拘繫朱氏家屬，譚馳書予以解救，朱甚德之。及癸丑二次革命失敗，袁世凱索捕譚氏急，賴朱家寶從中斡旋，譚氏家屬得不遭禍云。譚於民國九年四月逝於上海，生前指定須由章太炎譔墓銘，由譚延闓書之，迨章氏譔就墓銘時，馮國璋正得勢，延闓竟不敢書，此亦係太炎在文錄後附記之語，不失歷史價值，故贅述於此。（完）

從窗口說起

勞克

我的窗口堆滿了書本，亂七八糟。我的同事見到這些，就皺眉頭，並對我說：

「快些整理，把這些書本堆的次序來。」

我沒有回答同事的好意，却笑同事的幼稚。

在同事認為的次序，就是如科學家的分類。把同類的東西放在一起，然後按數字編好。那的確是有次序了。但那種次序，祇是有形的，就像我們今天談民主，就列有形式上的：開會啦，選舉啦！

但我認為無形的次序，是非常重要。無形的次序，亦就是心理上的次序。這種次序，乃是一種自然，一種自由的傾向。

我在讀大學時，租住新生南路的學生宿舍。我的房間，有名的「亂」，那就是桌上是書，床上是書，床底下是書，連枕頭也是書。而且這些書沒有分類的次序。但我需要某種材料，某種參考書時，我就知道在那裏，伸手就取了出來。所以我很崇尚這種亂，亂的可愛。

有一天，我從學校歸來，房間內整理的有次序。床上的書，和床下的書，整齊的放在床的右面。而書桌上也堆放的既整齊又美觀。同時分門別類，那些是文學書，那些是哲學類，那些是政治類。這種整理工作，是我的房東的張小姐，她那時剛高中畢業，和我建立起「邦交」的友情。

照常理言，我對她如此的熱誠工作，該好好的感謝一番。但我沒有，原因是：因為整齊而把我心理的次序弄亂，所以我要找一本參考書，那就動腦子，找上好半天啊！

由這一個例子，說明無形的次序比有形的次序的重要。所以我的窗口的書本雖然亂，那並不是一種缺陷，而是一種藝術，總比那些喊口號，貼標語的「標記」政治與民主，要勝過多少倍啊！

×××

一到下午四點鐘的時候，我的窗口出現了很多蒼蠅和蚊子。有一天，我的同學從台南來看我，對我窗口這些蒼蠅和蚊子，就提出改善的意見。他說：

「到鎮上買點蚊子藥，那這些蚊子就不會再來了。」

他這種消滅的辦法，乃是非常的好。但我對他笑笑，並沒有採用，原因我尊重蚊子和蒼蠅的權利。

我所以尊重牠們，並不是牠們的侵擾，而是來諷刺這可憐的人類。

當我們天天喊着和平，崇尚眞理。而又都是努力製造殺戮的刺激。這就是我們的過份自私。當別人侵犯了你，你就沒法容忍；當別人不侵犯你，而你侵犯別人，你就認為那是一種心安理得的事兒。這是多麼的不公平啊！

由於這些不公平，人類也就有了紊亂，戰爭的殺戮了。

倘若我們有高度的容忍。當別人侵擾我們，我們以禮待之，那別人也就自然退去。就是不退出去，也會相安無事，共生共存。就如我窗口的蒼蠅與蚊子一樣啊！如我把這些蚊子與蒼蠅消滅，其蒼蠅與蚊子的同類，就視我為敵人，那就時時存在着「攻擊」我的意識。如今，我容許牠們存在，那就和平的原則下，彼此存在，是一種多麼美好的局面。

那些從事政治，從事戰爭的朋友，應該向這些蒼蠅和蚊子學習啊！

×××

我窗口邊上，擺了一張書桌。我書桌上，擺的抽屜內，擺着我所愛好的相片、稿紙、雜誌，以及我的面霜，手電筒等等。

有一天我從嘉義回來，發現我的小剪子不見了。我到處尋問，他們都說不知道。我把抽屜內的東西，全部倒出來找，仍然沒有。

—我記得是放在裏面的。

於是再找，又把桌上的書，窗口邊的書翻了又翻。於是，又問常常光顧的一位朋友。仍然得不到結果。這使我非常苦惱，而且意識到；不安全的現象來。

聯想到安全社會，必須靠高度的羣性道德。這就是說，你的就是你的，我的就是我的。不能因為你的，而我就取了過來。同時愛護你的，珍惜你的，就是道德的最高表現。

今天社會上不安定，就是羣性道德的破產。大家祗在自我主義下生存，而忽畧了彼此的幫助與依賴。而這些的改善，有賴於兩方面：一是強化社會教育，促使人人良心發現：一是強化安全社會的管理。這兩者乃是相輔相成，互為因果。

×××

我喜愛我的窗口，我更希望我上述的感想，能夠早日實現啊！

「學文集」序

沙學浚

吳自甦學友所著學文集一書，包含長短文章四十四篇，大都為其親身經驗的記述，閱讀之餘，頗有所感。

吳君素有愛國、愛人、尊師、愛友之熱忱，且表現於實際行為。此熱忱在本書字裏行間到處流露，予人以深刻印象。

吳君平日喜讀中外文史哲典籍。又好學深思，故本書各文言之有物，且富筆鋒帶有感情，自能引起共鳴。

吳君雖生長於此大動亂時代，且歷經艱苦，但能振奮而不消極，勇往而不退縮；平日喜與青年為友，對青年心理與生活有較深了解。相信青年閱讀本書，必將受其感染而振奮、勇往。

五十七年二月於國立台灣師範大學

世間閒話

「狗屁中央日報」！

厚安

「中央日報」是官報，官報有些地方不為人所喜，理所當然。但醜詆出自中央常委之口，則是怪事。

原來汪兆銘當行政院長時，對所屬部會，極力庇護，違法失職處，均不許他人置評。時鐵道部有些地方，太不像話，監院于院長看不過了，乃於院會中提出彈劾，並予糾正。會後把消息送各報刊登。汪兆銘竟嚴令各報，不得刊載。時「中央日報」主持人為程滄波兄。他不管汪的禁令，仍由「中央日報」刊出。見報恰是星期一，政院例舉行紀念週。汪見報後，大為光火，到禮堂門前，恰逢事務科長外出，找不到鑰匙開門。迨科長倉皇趕來，汪就給他一個耳光。作紀念週時，他以中央常委的身份，又破口大駡這個黨報，有「狗屁中央日報」的下流話。這一切失態，當時傳為笑談。

程滄波兄乃以「狗屁中央日報」為題，寫社論一篇，以答汪兆銘。其文犀利尖銳，鋒芒畢露，得未曾有。閱覽之下，令人有並哀剪黎之感，為近年來很少見的一篇好社論。

程氏本想把這篇文章，就在「中央日報」社論欄發表。後因汪兆銘究竟是中央常委，要為他留一點面子，遂由王公弢兄拿去，在他所主辦的「朝報」上發表，也放在社論欄內。「朝報」雖然是四開的小型報，但也有一萬多份的銷路，且為小市民階級極端喜愛，一時汪院長打人罵報的消息，不脛而走，成為大家茶餘酒後的好談助。

這篇社論發表後，大家都以為汪見了必更為憤怒；誰知竟了無聲息。過了幾天，汪兆銘並且寫了一封親筆信，與滄波兄拉關係。這封信我還看見過，一共有三頁，好一副簪花妙格。由字體的姿媚，和其欺軟怕硬的個性，對汪兆銘的為人，思過半矣！（完）

創業哲學

不祥之兆！

楚狂人

齊景公出外打獵，行至山上，遇見老虎，走到水邊碰着了一條蛇，認為乃不祥的預兆。召見宰相問道：「今天我去打獵，山上遇虎，水邊見蛇，是否不祥之兆？」

宰相回答的很好：「為君的不知國中賢人，不用國中賢人，不信任國中賢人，纔是國家的三大不祥。至於山上遇虎，水邊見蛇，乃極常見的事，因為山上水邊原是牠們的居處，怎能說是不祥呢？」

今日社會的不祥，乃是工商界率多不循正規奮鬥，突然之間變成百萬千萬富翁。做官的人，祇要有機會，心狠手辣無錢不要；教書先生要懂得惡性補習；搞文化的朋友，（包括電影、雜誌、報紙、書籍）不黃就得黑，不黑就得黃；如果要行正軌，就像一個正常醫生進入瘋人院，會被瘋子們鼓噪譏笑為不正常。風氣走到了這個角度，中國文化復興運動雖是一副解救良藥，不過並未看到誰在認眞推行。

自由報

第八六六期

中華民國僑務委員會頒發台僑新字第三二三號登記
內政部內警台報字第031號
中華郵政台字第一二八二號執照
登記爲第一類新聞紙類
（半週刊每星期三、六出版）
每份港幣壹角，台灣零售價新台幣弍元
社長李運鵬　督印黃行齋
社址：香港九龍登打士街91號十樓六座
91 DUNDAS ST. 9th FLOOR, FLAT 6 KOWLOON H. K.
電話：857253　電報掛號：7191
承印者：大同印務公司
地址：香港北角和富道九六號
台灣總管理處
中華民國（台灣）台北市大同街119號
電話555395・557474
駐台灣代表人辦事處
台北市公園路二十八號四樓
電話：20454・62625
台灣分社：台北市西寧南路110號二樓
電話：三〇三四六
台灣郵政劃撥金戶九二五二

爲提高國文程度復興中華文化向行政院建議書

——各大學學院國文教授一六二人簽名（五十七年六月六日）

總統蔣公五十七年二月十日手令「革新教育注重事項」，其中強調「養成民族倫理與固有文化——即四維八德之習向」「注重本國文字」與「着重國文程度之提高民族文化之發揚」諸端，本年四月十二日手令教育部，復指示「至於民族精神教育、民族道德教育，除國文爲基本科目之外，歷史、地理亦爲其關鍵旨趣之所在。」語重心長，令人萬分感奮。我國數千年典籍，爲固有文化之所寄，全爲文言文。國父及革命先烈著作，絕大部份亦爲文言文。因此，中國人必須學習文言文，始能閱讀典籍，以了解中華歷史文化，保全民族精神遺產，並進而受其薰陶，養成中國人之優良品質與意義。兒童有極強記憶力，應善加利用。故傳統教學法之啟迪兒童，必先教識單字，而後熟讀韻文（此爲中國文字之特徵與優點，使學習容易）與文言教材，以爲認識本國文字、文學與文化，奠立其基礎。

民國十二年，北洋政府教育部，依照陳獨秀等「以語言爲主」「言文一致」「從完整語句開始」等或適於教西洋文字、極不適於教中國文字之謬誤主張，先則宣佈小學「國文科」改稱爲「國語科」，次則以語體文代替文言文，編寫所謂「國語課本」。現行國語課本內容空洞，取材庸俗，諸多豬叫狗跳之教材，毫無教育意義與價值。張其昀先生評爲「淡而無味」。沙學浚先生評爲「文字庸俗拖沓，不精美，難讀難背誦，反全無內容，背棄優良傳統原則，小學生識字太少（二年級讀完僅學七三四字，四年級讀完僅學一七七四字），國文基礎很薄弱。」李漁叔先生評爲「缺乏中心思想，文字拖沓冗長，語句欠通之處很多：（若干部份）俗惡不堪，類似乞丐所唱之蓮花落。」中華日報副刊「筆陣」評爲「缺少一根『吾道一以貫之』的鏈條似的。」

由於小學生國文基礎很薄弱，中等學校及大專學校學生之國文程度每況愈下，普遍低落，低落到十分嚴重的地步。既不能閱讀中國典籍，而表達能力更差，竟不能寫文字通順之信件、文書者，比比皆是。

爲實現 蔣總統上述訓示，下列各事，擬請政府立即付請實施：

一、宣佈繼續推行標準國語政策，絕不改變。

二、由於近四十多年以來，小學國語科教學慘重失敗，禍國害民，極其嚴重，行將導致中華文化大毀滅，必須立即予以「革新」，包括：

1.現行國語課本，應即宣佈廢止。

2.今年元旦教育部公佈之國民小學暫行課程標準，關於國語科部份，乃由教育部國語課程標準修訂委員會（其委員，雖通曉注音符號、能講標準國語，但缺乏國文修養的人士占大多數）仍舊根據陳獨秀等謬誤主張所制定，應即宣佈廢止。

3.嚴重損害兒童身心健康之「家庭作業」，尤以國語科貽害爲最大，包括「填充」「選擇」等一套「煩瑣」的考試方法，應遵照 蔣總統手令：「規定抄國語生字及造句十多課：比正式課本，皆煩苛至六七十倍以上：助長惡性補習：定爲禁律」之訓示，應即宣佈禁止。

4.小學「國語科」應即正名爲「國文科」，理由有下列四點：

甲、民國十二年小學「國文科」改稱爲「國語科」，原係嚴重錯誤，既違反常識，更不合邏輯。

乙、國文科不正名，違反中央政府政策，指 蔣總統「國文第一」之訓示與行政院去年八月國民中小學「課程採九年一貫之精神」之令。

丙、今年元旦教育部公佈小學「國語科」無根據，不合法，既與五十六年十一月送立法院「教育部施政報告」中所載「在中小學方面」只有「國文科」並無「國語科」之事實，互相矛盾，且未經課程標準修訂委員會國語小組與全體會議討論決定。

丁、張其昀先生說「國文科正名本是極正當的事」楊聯陞先生（美國哈佛大學講座）說「當作課程的名稱，我偏向用國文。」

三、爲提高國文程度，擬請政府聘請有深厚國學修養之學者多人，主持國民中學與國民小學九年一貫國文教學革新事宜，並由其推薦對國文教學研究有素與認識正確之教育心理學者與中小學國文教師（其中部份小學教師須通曉注音符號與標準國語），分工合作，集中精力，限期完成下列兩事：

1.採用中國傳統國文教學法之優點，制定國民小學國文課程標準；而後據以編撰國民小學國文課本，教材精美課文簡明，規定學生必須背誦、默寫，以代家庭作業；如此，自然易教易學，且根絕惡性補習，而國文程度及一般教育程度必能提高。至於一年級前十週，照常教國語注音符號；而低年級必須特別注重多識字，以奠立學習國文之基礎。另編語體文精美課外讀物（分加注音與不加注音兩種）以供閱覽。

2.修訂今年元旦所公佈之國民中學暫行課程標準國文部份；而後據以編撰國民中學國文課本。該課本應全爲精美文言文，並規定學生必須背誦、默寫；另編語體文精美課外讀物，內容比同年級國文課本多十至二十倍不等，以供閱覽。背文言文、閱語體文同有助於學寫好語體文。

國父孫中山先生極力讚揚中國文字「富麗殊絕」，盡善盡美。秦以後中國國家統一實以文字統一即「書同文」爲基礎。拿破侖說「語言是糟粕，文字是精華。」足見無論中外，立國必須首重文字；而教育宗旨尤當取法乎上，精進不已。敬請政府採納輿情，當機立斷，鼓勵全國兒童與青年努力學習國文，吸取中華文化之精華。果爾，吾人深信 蔣總統復興中華文化之理想必能在短期內實現，自與大陸上「文化大革命」實即文化大毀滅，成爲強烈之對照，教育幸甚，國家幸甚。謹呈

行政院院長 嚴

副本分呈立法院、監察院、司法院、考試院四院院長，立法院監察院兩院教育委員會暨教育部部長。

（簽名單轉第二版）

豺性難理喻

象笨無親疏

昨日與明日

悼張道藩先生

中國國民黨中央常務委員，前立法院院長張道藩先生，本年六月十二日因心臟病逝世於台北，一代人傑，溘然長逝，國民黨海內外同志，及其友好莫不同聲一悼！

道藩先生一生，功多於過，氣節之高，操守之堅，堪稱爲國民黨同志中最難得的一個典型，其堅貞淸白將永留人間。

嗚呼！先生去矣！這樣一個龐大而又有悠久歷史的政黨，除國父與 總裁特別賞識少數又少數同志外，能如先生者幾希？

同志仍須努力

民國二十九年，道藩先生任職中央政治學校訓導長時，於重慶小溫泉校本部語筆者謂：『國父昔年邀其參加革命，道藩問，革命時間須要多久？國父說：「於最短期間促其實現」。經過這麼多年，革命尚未成功……』語言之間流露出革命任務的艱鉅、同志仍須努力、距離成功還遠得很，如果同志不努力，或努力搞別的花樣，那就更不堪設想了。

道藩先生孤忠

有關道藩先生的孤忠，厚安先生講得很多，詳見本報「世隱閒話」，不贅。欲補充者，即爲從道藩先生口中的 蔣總裁，他說「總裁閱報，雖極細微處，均甚注意，尤其中央日報，一字之錯，大早就打電話來。（詩民國三十二年道藩先生正任中央宣傳部部長）。

從上列談話中證明 蔣總裁重視輿論，尤以對黃色與黑色報紙非常討厭，且拒看和題字，因其一飲一食，乃至行住坐臥，皆勉力爲善。孔子說顏子三月不違仁，殆又過之矣。怎麼會看不三不四的讀物呢？

張道藩獎學金

道藩先生富革命熱忱，一生對金錢觀念是：「苟取一文，不值一文」，平生效法總裁，以禮義廉恥，親愛精誠，待人律己，堪爲黨人楷模。爲紀念道藩先生的德行，其治喪委員會、應該成立張道藩先生獎學金，至其基金如何籌募，更應硬性決定，藉慰道藩先生之靈。（何中庸）

重要補正

五十七年六月十二日（即八六二期）本報第一版頭條顧詡羣博士著：「科學發展帶來的苦果」第八欄第六行第二字下漏排「中的紅外線」特此補正。

——編者

自由論

和平豈是嗟來食？

美國與越共的巴黎和談，彼此胡扯了一個多月，還是各執一詞，專說廢話，但越共對西貢的軍事進攻，卻更激烈了。

越共以美方停止轟炸爲和談的先決條件，而美方乃以越共不向越南境內滲透攻擊，爲和談的誠意表示。祗就雙方討價還價的「盤口」來觀察，美國即已處於「執輸」的劣勢之下，不成其爲對等的條件了！

越共份子亦係安南人，他們以本國人來往本國境內，你有甚末方法能夠監察誰爲游擊隊，誰是良民呢？否則最近西貢市區的戰火，便不應該發生啊！教越北的游擊隊不再潛入越南，這等於教住在三藩市或芝加哥的美國人民，不再私自進入紐約、華盛頓區域，豈非大大的笑話嗎？美國憑着這種急於求和的可憐相，而希望共產黨人誠意談判，對方如果眞的接受，那就不算是共產主義的信徒了。因爲共產主義者心目中的和平生活，是以征服整個世界爲原則的；資本主義社會尚未被他們全部埋葬以前，即無眞正的和平生活可言：和平與戰鬥是他們活學活用的兩套手段罷了。

然則美國若對越共加緊空襲，是否即能夠壓迫對方誠意言和呢？不能！絕對的不可能！不以優勢的陸軍力量，憑着陸地戰徹底摧毀敵軍而佔領其巢穴，決難使敵人屈服的。光靠轟炸，二次大戰時，希特勒對英倫狂炸的史事，即是顯明的例證。

白宮當局目前表現告饒式的乞和態度，如其旨在應付國內的選舉潮，又當別論。假使是決心求和，雖以「紙老虎」自居，亦所不惜，那就適合咱們中國的一句諺語：「壽星佬嫌命長——自己上吊」。不出十年的時間，新大陸上若不遍插紅旗，那纔怪呢！

和平生活決不是嗟來之食，美國大少爺未免太過於天眞了！

馬五先生

整頓交通秩序利弊參半 困擾工商活動影響失業

台北航訊

本報記者碧天

台灣省區、台北院轄市遵奉行政院令，規定徹底整頓交通秩序，以保障交通安全，就目前觀察，台北市區推行，較爲徹底。從客運方面，已進入汽車時代；在貨運方面，已進入卡車時代，而市容方面，使沿街固定區域之小攤販，被掃蕩一空，而流動小販亦迫而斂跡。在片面管制下，卻帶來了工商交困，失業增多之嚴重問題，茲誌管制實施情況如後：

台北市區自三月一日起，加強管制交通，首取締了各重要街路人力三輪車，因準備尚早，一面用現金收買車輛，一面扶導人力車伕，改業計程車司機，對業者損失尚小，雖有少數失業，尚不致形成問題。但在市民交通必需上，則非乘坐計程汽車不可，而費用則加重一倍至數倍，以今日國民所得計，實有不勝負担之感。規定排氣量在五十西西以下之機車，禁止載坐二人，並不得在快車道上行駛。能載坐二人者，亦均須戴上騎士盔帽，使經營五十西西機車商，一度貶價由平時每輛台幣一萬三千元，降至七千元左右。生產商爲補救業務，乃鑽法令漏洞，將原五十西西機車汽缸之排氣量磨成五十西西以上而出售。關係機關對此正謀對策。在馬路規畫上又增加更多單行道，擴大牛車、人力板車、脚三輪車、馬達三輪貨車之禁行路綫或限制通行時間，工商貨運須一律改用卡車，小型工廠驟增資本，自屬困難。而大卡車亦增訂禁行路綫，可行路綫也有限制其停車上下貨的時間於深夜至清晨，非一般營業時間內，如此措施，不僅困擾工商正常活動，更將影響貨運暢通，扼殺經濟，減少稅收，增加運工失業隱伏危機至堪憂慮。甚至更有「西門町禁區」在黃金地帶，黃金時間內，實施交通戒嚴。

再由市區通往人口擁塞之中和鄉，爲公路局行駛之班車，則爲報廢而留用之破舊車輛，班次既少，脫班又多，重慶南路之起站，每日上下班時，公教人員和學生亂擠一團，爭先恐後，吵鬧事件，時有發生，從無交通警察置理，而南門勢角至外南村，景平路至中和鄉一段馬路，因路面之全毀，自來水管露骨破裂，車行頻繁，泥水飛濺；一遍髒亂，自冬迄夏，尚無人過問。而永和鎮之交通咽喉，晨晚擁塞長龍，秩序混亂，尤令人不寒而慄！但在台北市區內與交通秩序稍有連帶關係之走廊下飲食攤販以及擦皮鞋者（包括新公園之內），均納入交通管理之下，有如秋風落葉被掃一空，使一般慣常在攤上就食之中下級公教人員以及小市民則改入飲食館，負担增重。在此禁令完成後，形成衆多失業，不免抱怨，雖迭向有關機關請願，但尚無補救辦法。

這是一個謎！行政院新聞局到底有多少官員？

〈本報記者張健生〉

魏景蒙局長說：行政院新聞局「共計預算員額一百零一人」。他在答覆立委吳延環時說：「關於員額，本局原編制是六十三人，所謂七十九人，是加留學生十六人的數字。另外經行政核准增加的臨時員額有二十二人，共計是一〇一人」。是包括不支薪的九位顧問在內，因修正案第十五條規定顧問簡聘支薪者五人，其餘九人不支薪，新聞局將不支薪的顧問九人未予列入，故爲一二三人。原說明列一二七人，係因修正案中對雇員額未有明確規定，乃酌以四人計算，共計應爲一二七人」。

新聞局的黑市官員固然不少，新聞局長一職，由簡任改爲特任，其地位與部會首長相同。據人事行政局長王正誼在立法院法制委員會審查新聞局組織條例會議上說：新聞局原來編制只有六十三人，實際上現有一百三十人，也就是說其中臨時人員六十七人，此次增加的員額，就是把原來的臨時人員納入編制，並不增加新進人員。行政院各部會都有二位或三位副主管，爲了應付日漸增加的工作，新聞局擬增加副局長一人（現有副局長一人）。增列處長一人，參事二人，副處長四人，主任二人，簡任秘書一人，編譯四人，專員十四人。

關於新聞局長官等與各部會首長不同之處，王局長認爲：新聞局業務也很重要；新聞局長官等不妨予以特任。行政院希望新聞局長官等能與其他各部會首長一致，俾將來實施職位分類時，不會遭遇困難。

但銓叙部次長曹翼遠的意見，與人事行政局長的意見不一致。曹次長說：在職稱方面，中央機關的職稱，經過多年來的演變，也有趨於紊亂之勢，這次新聞局增加參事二人，但行政院所屬單位只有部會有參事，至於根據行政院組織法第五條所設之處與局，則是沒有參事編制的，如果新聞局設了參事，會引起連鎖反應的，其他單位是不是也要設參事，這是值得注意的。在職等方面，新聞局原來編制是六十三人，現在增加[illegible]十四名，在這六十四人中，簡任二十九人，薦任也是二十九人，但委任只有六人，這與新聞局臨時編制相差很多，原來是低職的人多，現在新編制是高職多，簡任，薦任人員與委任人員不成比例，這是應該考慮的。至修正案第十五條有顧問若干人，其中五人規定是簡聘，其他幾人未說明是什麼樣的性質，是簡聘？簡派？或者兼任，支不支薪？應有明確規定。

關於新聞局長特任的問題，及新聞局增設參事與副主管的問題，立委吳延環認爲「這完全是向部會看齊的意見」。於是，吳委員幽默地說：「如果有必要，新聞局不妨改爲新聞部」。至增設副主管的問題，吳委員指出：任何機關，如果管人的人多了，就不免發生問題，此次新聞局增設副局長一人，副處長四人，這些副主管，很難免會打局長或處長的主意，同時如果局長或處長有了遷調，新任局長或處長與原來的副主管不一定能相處得好，這樣會形成人事鬥爭，對業務影響甚大。增加副主管如果沒有必要最好不加。

立委黃通說：行政院新聞局擴大編制，是適應當前實際需要，但據魏局長的報告，以及站在我們法制立場，新聞局爲什麼經過這樣長的時間，用了這樣多的黑市人員，到現在才提請修改組織法，這是一般行政機關所沒有的現象。同時，修正案通過後，並無新人可增，而是把既成事實要法律承認一下而已。如此作法，很不妥當。新聞局究有多少人？其中有多少人是經銓叙合格而取得任用資格的？有多少人沒有任用資格？現有人員都有任用資格？真正支薪人員有多少？新聞局真正的工作重點應在國外，而新聞局大部份經費也是化在國外，國外的新聞機構及人員，應該有一個組織通則，不知現在有沒有？駐外新聞參事並無外交官身份，他們的法律地位是什麼？根據什麼法律派出去的？駐外各地區辦事處是根據原則組成的？均無法律根據。國際文化宣傳我們做了多少。

關於國際宣傳事務，黃委員也提出嚴厲的質詢。他說：共黨在美國的活動非常厲害，也是我們最重要的文化戰場。我們對這些文化宣傳工作是誰作的！教育部的國際文教處僅是管管留學生而已，沒有作文化工作。新成立的文化局，對這類工作做的也不多。現在，美國各大學，甚至中學，都開關中文課程。

（下轉第三版）

新店建中央軍公教住宅 公共設施七月底前開工

三千户住屋可望農曆年前竣事

台北航訊

行政院中央軍教人員住宅興建，運用美國物資貸款，於台北縣新店鎮收購土地，大規模集中興建中央軍公教住宅，進行情況，業誌本報。茲將近情採誌於後：

行政院興建會於去夏得新店鎮長卓定俊之全力協助，於衆多業主之手，首批購得土地三萬九千五百坪，平均每坪四百五十元，忽引起台北縣長蘇清波之嫉視，竟自作威風，運用舊有法令，強令該所屬鎮公所，不得繼續擅自協助收購農地建屋，限旬日停止，否則即予懲處。（適又遭遇別具陰謀之謠言，實則毫無依據）。竟使購地進行擱淺。及至本年二月，台灣省政府復奉行政院令，轉飭台北縣政府，令轉新店鎮公所協助興建會繼續收購土地，鎮長卓定俊於百忙中，日夜奔馳於各業主之間，從事協商接洽，頗費周折，在業主方面，對卓鎮長爲繁榮地方，推行中央社區政策，極表贊同，無惟去年成交之地價，業主獲得後，可轉向較僻處所換購一坪有餘之地。現本鎮地價亦隨各處地價增高，其中政府又公告調整一次，若照去年坪價，業主損失至重，情殊可憫。後經興建會、卓鎮長、業主三方開誠協商結果，續成交一萬八千坪，每坪現價一千元，較去年每坪增五百五十元。此新增價欵，亦將分攤於住屋軍公教人員之身，使其平白增加負担，故對縣長蘇清波之官僚作風，莫不深置憤慨。

此次購價雖較去年增加一倍有餘，但較台北市新轄地區內湖新建社區之土地購價猶低，實應歸功鎮長卓定俊人傑地靈之惠。該項建地總計需六萬六千坪，除已購妥六萬一千五百坪外，下餘四千五百坪，正協商增購中，日內即可成交。現在行政院興建會，已督同省公共工程局，決定於本年七月底以前，對已規劃竣事之該建宅區公共設施，包括馬路、國民中小學、幼稚園、市場等工程，先行施工，廢隨開始建築房屋。如天氣良好，預計一百八十個工作天，即可完成三千戶住宅。據熟悉內情者談：行政院對該批建宅工程，進行頗具積極，亦可表示中央推行社區政策之決心。預料本年農曆新春之前，凡已登記之軍公教人員，屆時即可遷入，誠企望獲得住宅者一大佳音。

記者又從側面獲悉：該批住宅開工興建，已臨密鑼緊鼓階段，惟其中尚有較小難題，即該區對外必行之十二張路，刻已計劃拓寬，共需工程費九百萬元，經議定由行政院補貼全數四分之三，台灣省政府補貼二分之一，餘四分之一，由台北縣政府，新店鎮公所平均分貼，惟縣長蘇清波仍冷漠視之，表示困難。彼今重登縣長寶座，四年以後，依法不得蟬聯。當在二月間，省府又飭協助新店續購土地時，因其連任競選正面臨劣勢，固對該項政令快速下達，期邀好一般人心，以利選舉。現又復萌嫉視成見，預料又將「硬朗」一番矣。在青年銳氣旺盛之卓定俊心中，該批軍公教住宅建成，爲一最具規模之嶄新社區，對本鎮商業之繁榮，文化之發展，將獲得欣欣向榮之勢。新增三千戶，平均以每戶五人計，在人口上將增加一萬五千人，合現有八萬五千餘人口計將爲十萬人口以上，洽合縣轄市之條件，故對地方之前途，實有無限之裨益。

又訊：台北市民生東路所建中央公務人員住宅，部份承購人有將房屋頂讓及出租情事。行政院嚴院長特手諭，着司法行政部轉飭調查局查辦，此項住宅係政府運用美國貸欵，批建造，以分期二十年付欵方式，價售予公務人員，政府按月所給之房租津貼，仍照常發給，條件極爲優厚。依據行政院輔助中央軍公教人員購買住宅辦法中之規定，在價未繳清前，不得出租或出售，須俟全部價欵一次繳清後，承購人始得自行處分房屋。（董書）

為提高國文程度復興中華文化向行政院建議書——簽名單

（本文自第一版轉來）

一、國立政治大學中國文學系教員：

邵鏡人、章斗航、嚴恩波、楊淑蓀、裴午民、丁宜孝、羅宗濤、潘光晟、王志忱、朱守亮、宋海屏、侯志漢、楊向時、舒衷正、吳德風、范覺非、馬小梅、東崇遠、許德屏、閔孝吉、陳穎昆、成惕軒、劉太希。

二、國立台灣師範大學國文系教員：

李曰剛、戴培之、林明波、方遠堯、江應龍、唐傳基、陳蔡煉昌、王更生、陳泮藻、魯實先、李[illegible]、左松超、曾忠華、饒 彬、邱燮友、李國英、黎建寰、周 何、鄭奮鵬、賴橋本、陳滿銘、陳致平、陳弘治、金夢華、何錡章、余培林、劉正浩、宗孝忱、張起鈞、徐文助、閻汝賢、阮侗劍、林耀曾、李漁叔、東漱六、陳新雄、劉宗烈、吳 璵、徐 紀、弓英德、楊宗瑩、白文卿、尚達齋、吳耀玉、何宗周、王熙元、傅隸樸、戴璉璋、許炎輝、劉昌星、于培欣、

三、台灣省立成功大學中國文學系教員：劉本棟、汪 中、施之勉、于維杰、謝一民、沈秋桂、杜學知、張一蕤、宋子開、趙吉士、黎在衍、趙璧光、李 勉、黃振民、許景重、卓秀巖、趙海金、尉素秋。

四、台灣省立中興大學中國文學系教員：王禮卿、許祖成、朱元懋、王仁祿、伍天緯、賈書法、蔡愛仁、蔣尚禹、萬心權、黃變三、溫肖城、曾厚成。

五、私立東海大學中國文學系教員：江舉謙、蕭繼宗、陳問梅、徐復觀、周文傑、朱 雲、蔡仁厚。

六、東吳大學法學院中國文學系教員：洪陸東、周鼎珩、申 丙、林至信、周虎林、黃登山、華仲麐、劉克雄、陳邁子、

七、私立靜宜文理學院中國文學系教員：彭醇士、曾振生、楊昌年、史宗周、吳蕙英、陳嫻員。

八、私立中國文化學院中國文學系教員：許慈多、李信隆、李道顯、陳介白、莊嘉廷、李殿魁、洪順隆、葉詠琍、陳品卿、王忠林、楊叔籌。

九、台灣省立高雄師範學院國文系教員：胡自逢、孫嘉祥、馮紀澤、徐美菊、徐瑞祥、李金城、郭清寰。

世隱閒話

張道藩的耿耿孤忠

・安厚・

張道藩先生已歸道山。他一生耿耿孤忠，很少為外人知道。

當抗戰最艱危時，他曾受最高當局的命令，從事文化人的聯絡工作。那時共匪也在大事爭取文化人，其所施用的是銀彈政策。例如郭匪沫若，剛回上海，就由「新民報」的陳逆銘德加以包圍，迎接在家中住。共匪立即送上十六根金條，作為「頂屋費」（按，那時在上海租房子，都要先付出一筆可觀的頂費）。對於這個好色貪財的文棍，一下便擊中要害。道藩先生那時雖長中央文化運動委員會，但以抗戰中費用浩繁，經費奇缺，連請一次客都沒有預算，那裏能與共匪拼（國民黨一向走的是正路，也不屑如此）。

盾藩先生的作法是這樣的。他一本至誠，與文化人聯絡。他以中央常委之尊，不惜抒尊降貴，和文化人周旋。他經常拜訪他們，一談就是老半天。談餓了，就陪他們上小館，掏腰包請客。吃完了，陪他們回去，常常步行。他這種至誠的作風，雖使很多文化人感動。但是：銀子是白的，眼珠是黑的。空口說白話，終敵不過銀彈的威力。許多文化人，仍舊這樣走上賊船。年前毛匪清算三十年代的文化人時，道藩先生會為此大為傷心。因為那些人都是在抗戰前後走上賊船的。

道藩先生服官數十年，不但是書生本色，而且性情率真。有一次，在國民黨的中央黨部，為了某一件事與人意見不合，發生爭論，曾當着大家面前，摔掉一隻茶杯，拂袖退席。大家雖因而愕然，但對他的耿耿孤忠，却反而更加敬佩。

他其實應該作一位藝術家。他回國為在交通部次長任內所編的「密電碼」劇本，有很高的藝術價值。他手繪的貴州風景（山水素描）畫，非常逼真，以較張穀年氏的橫貫公路寫生畫，並無遜色。（筆者親自看見過）因為走錯了路，竟在官場中渡過了他的一生，對於他本人，是一種虐待（按，他時常有一種憤憤不平的感覺），對於中國藝術界，也未嘗不是一種損失！

（完）

歷史人物

武則天與兩位奇人

・傅久・

新唐書方伎傳中的袁天綱傳，對於替武后看相這一件事，記載得很詳細。所謂「奇人」應該是袁天綱。天綱的聲名，本來在我國社會裏，早已膾炙人口，但是他的事跡以及與武則天的這層淵源，可能未為一般人所注意，因此順便把他的生平，作一番簡畧的紹介。

天綱，成都人。曾仕隋為鹽官令。在洛陽與杜淹，王珪，韋挺等交遊甚契。精風鑑，善相人，曾相初唐名臣竇軌，岑文本，張成行、馬周等，無不驗。太宗召之入朝，對他說：「古有君平，朕今得爾何如？」天綱答道：「彼不逢時，臣固勝之！」可見他善於詞令，實具備了大相士的基本條件。當時的尚書右僕射高士廉曾經開玩笑似的問他：「君終作何官？」天綱道：「僕及夏四月，數既盡。」果如期以火山令病卒。

當武后幼時，天綱見其母道：「夫人當生貴子。」及見二子元慶，元爽說：「官三品，保家主也」。見武后姐韓國夫人說：「此女貴而不利夫」。武后時最幼，乳母抱而見，紿以男，天綱詳視其肩與目，驚曰：「龍瞳鳳頸，極貴驗也；若為女，當作天子。」再查武后父武士勤傳：士勤早娶妻相里氏，生子二：長元慶，次元爽。又娶楊氏女，生女三：長女妻賀蘭氏早寡，即天綱所相之韓國夫人。次女即后，幼女適郭氏不顯。元慶，元爽弟兄於士勤卒後，因對繼母楊不禮，為武后所銜，武后僭位，弟兄均被擯為三品散官，後均因罪流邊郡，終其身未封王，後始追贈。天綱之相人，靈驗如此。矣，可算是奇人了。

士勤傳又載：武氏本并州富賈，士勤曾仕隋為鷹揚府隊正，喜交結，高祖領屯汾晉，常休止其家。義兵起，士勤以大將軍府鎧曹參軍從平京師，封光祿大夫，義原郡公，累遷工部尚書，進封應國公，歷任利、荊二州都督，於荊州都督任內卒。士勤卒後，貞觀十一年，太宗聞其女美，始詔入官為才人，其時氏后年方十四歲。三思，乃士勤長子元慶子，后之姪，非其兄也。

李淳風，在唐與天綱齊名，亦為婦孺皆知之風鑑家，岐州雍人，貞觀中，為太常博士改太史丞。後因與諸儒修書，選為太史令。他與武后也有一段淵源，而且直接影響到唐室的國運，值得一記。

通鑑載：貞觀廿二年，即太宗死前一年，太白屢晝見，太史占云：「女主昌」。民間又傳「秘記」云：「唐三世之後，女主武氏代有天下」。武太宗聞知，極為厭惡。某次，太宗於宮中宴諸臣，行酒令，命諸臣各自言小名。對左武衛將軍武連縣公武安李君羨入值玄武門，亦在座。君羨曾自小名「五娘」，太宗聞之愕然，其後乃笑道：「何物女子？乃爾勇健！」又因君羨官稱，封邑及籍貫皆有「武」字，深惡之。後貶君羨為華州刺史，後復藉口其與妖人交通，不軌殺之，並籍沒其家。

太宗當又以民間所傳「秘記」之事，密問太史令李淳風。淳風答道：「臣仰稽天象，俯察曆數，其人已在陛下宮中為親屬，自今不過三十年，當王天下，殺唐子孫殆盡，其兆既成矣。」太宗又問：「疑似者盡殺之何如？」對曰「天之所命，人不能違也，王者不死，徒多殺無辜。且自今以往三十年，其人已老，庶幾頗有慈心，為禍或淺，今借使得而殺之，天或生壯者，肆其怨毒，恐陛下子孫無遺類矣！」太宗乃止。

明王船山的讀通鑑論，因此對李淳風大加抨擊，說他回答太宗的這一話，「搖四海之人心，傾方興之宗社，使李氏宗支，駢首以受刃」。以為天下臣民，於前聖秘記及上天垂象之說；任令其武士肆其欲，堅而不敢犯。其實，我總覺得淳風的話，意思不是那麼簡單，相反的看法，却是淳風想藉星象之說，先期消滅武氏亂源，不過沒有成功罷了。

大學尺牘

今秋我因先父百年紀念，與先母三十週忌辰，回籍謁墓，承海內諸前輩諸親友同情，賜以紀念文字。國府諸位先生，也特有文字之惠贈，外國使節之賜教者，有蘇聯大使，日本公使，而日本報界二三老友也有所惠贈。現在謁墓歸來，義應有所報告，為酬答各方同情，除關於旅行見聞之新聞性質的紀述，已見大公報外，謹撮述個人還鄉經歷，及感觸者，籍本報發表，權做報告海內親友的一封書。

我想應該從我的家世與思想說起，十月間，榆林各界給我開歡迎會之時，我大致說過這一段話：

我的家世

我對於此次回鄉謁墓，應該自己加一點說明。我對家庭的觀念，一方面說很重，一方面說很輕。為甚麼很重呢？就是一個老孤兒，父母去世早，罔極之恩，無法報答；加以家運甚壞，人口單薄，自己常常感到嚴重的責任，與孤獨的悲哀，多年不能回家看看，常常不安，近年尤甚。對國家社會一點未盡力，更感到公私兩負，有背親恩。為甚麼說很輕呢？我從沒有治產求富的一套觀念，事實上我父子兩代，沒有增加過財產，只有減少些，現在所住的一院舊屋，還是乾嘉時代的祖產。現在是甚麼時代！中國不保，那裏說到家庭？大家不得了，一家怎樣獨樂？所以我的思想，是贊成繼待中國的家族主義，但是要把牠擴大起來。擴大對父母對子弟的感情，愛大家的父母與子弟，擴大而為報共同的民族祖先之報恩。這種思想，是很對很需要的。同時，應該排斥只知自私的錯誤的家族主義，不要只求自家繁榮，甚至於不惜損人利己。

張季鸞歸鄉日記（四）

鴻雁

我的思想

我的思想，大概在這一段話中。我父親翹軒先生是一位老進士，一世清廉剛直，庚子冬六十六歲上，病故在濟南。那時家眷住甯陽縣，我只十三歲。得訃之後，同先三兄大舍姪，即日奔喪，時值殘臘，在大風嚴寒中，騎驢旅行三日，趕上啓棺含殮，哭拜最後的遺容。這一幕悲劇，三十幾年來，常常憶起，常常悲痛。先母王太夫人是繼配，是一位極慈祥平和的女性。母家住山果沂水縣，先父去世後，一貧如洗，多勸她就住在山東，先母不肯，一定要扶柩歸葬。領着我們小兄妹三人，到沂水拜別了先外祖父母。辛丑冬，帶全家回榆林，一路的困難，不必說了，到家即發生生活問題。全家箱篋中，只有幾只元寶。有一處夥開的商業，被人乾沒，成了訟案，先母自己上堂，而我早出遊學，艱難家計一身承當。又死了我一個妹妹，先母身心憔悴，遂以不壽。我最後見面，是清光緒三十年正月，我又要到三原宏道學堂，臨行拜別，先母倚窗相送，面有笑容，誰知即此成了永訣！

到校兩月，即接到訃聞，待我奔喪到家，先母死，只見到三寺中停寄的薄棺一口！先母死年才三十七歲，今年若在，不過六十七歲，這尤是我終天大恨，三十年來，時時想起，不由得感到無可如何的悲哀！我的家世，大概如此。這二三十年中，兄嫂皆故，男女兄弟共八人，現在只餘我與季妹，姪男三人，只大姪健在。家庭種種的不幸，常常使我感到對先世對父母的重大責任。我的人生觀，很迂淺的。簡言之，可稱為報恩主義。就是報親恩，報國恩，報一切恩！我以為如此立志，一切只有責任問題，無權利問題，心安理得，省多少煩惱。不過我並無理論，不是得諸注入的智識，是從孤兒的孺慕，感到親恩應報，國恩更不可忘。全社會皆對我有恩，都應該報。現在中國民族的共同祖先，正需要我們報恩報國，免教萬代子孫作奴隸！人們若常常這樣想着，似乎易於避免墮落，這是我的思想。

（卅三年十二月廿五日載國聞週報）

這是一個謎！

行政院新聞局到底有多少官員？

（本文接第二版）共匪乘機運往大批廉價教課書，書內有很多簡體字，其內容也是為共匪宣傳，這是一件非常重要的問題，如此下去，美國人把中國人的歷史完全曲解了。現在美國各大學研究所都研究中國近代史，如抗戰、剿匪的史實，因為我們沒有整套的資料供應，都由共匪及美國親匪人士所供給的，完全是歪曲事實，這種基本的文化宣傳工作，不知新聞局做了沒有。

魏景蒙局長於答覆黃委員質詢國際宣傳問題時說：對國外文化宣傳，新聞局是責無傍貸，但目前所供應的資料都是沒有系統，如果要有系統而且是整套的東西，一定要由國立編譯館及有關單位共同組織一個翻譯機構才行。新聞局現在所做的，都是一些簡單的東西，如中國字如何寫法，刻圖章的藝術，清明上河圖的介紹，以及磁器、銅器與中國人生活的情形等。

中國女性文藝春秋（續）

周燕謀

通俗小說家汪端（中）

陳碧城名文述字雲伯、錢塘人，著有碧城仙館詩鈔、頤道堂集、西泠閨詠……等。他的夫人龔玉晨字羽卿，亦能詩文，如夫人文靜玉字湘霞，管筠字湘玉，蔣蕊蘭字玉嫣，薛纖阿字雲娵。此公艷福不淺，如夫人四位，皆能詩文。他的女兒華娵、麗娵，無不能詩，汪端是他的兒子裴之之妻，字允莊，幼即聰慧異人，七歲賦「春雪」詩，時人評以為「不減謝道韞之「柳絮因風」」，因呼之為「小韞」。她學詩於梁楚生，嘗取唐、宋、元、明及清人詩，閱過即棄去，只留高青邱、吳梅村兩家而已。已而又去吳梅村之作，以為「梅村濃而不骨，不若青邱淡而有品」。後來讀明史，見青邱為魏觀牽累被害，大恨之，然尚希望危於遭際，而不危於聲名；及觀七子標榜成習，錢牧齋「列朝詩集」，沈歸愚「明詩別裁」，都推崇夢陽而抑青邱，又大恨之。乃立願翻詩壇冤案，選「明三十家詩選」，丹黃甲乙，晨書瞑寫，盡五六寒暑，始得竣事。此書長處，梁楚生在序中說得最切合：

「……允莊所選，以清蒼雅正為宗，一掃前後七子門徑；於文成、青邱、孟載諸人、表彰尤力。至於是非得失之故，與衰治亂之源，尤三致意焉。讀是書者，不特三百年詩學源流，朗若列眉：即三百年之是非得失，亦瞭如指掌。選詩若此，可以傳矣」。

（八十九）

惠訂本報 通訊電話

一、台灣各縣讀者惠訂本報，請以明信片通知台北大同街一一九號。

二、台北市讀者惠訂本報，請撥電話：五五五三九五。五五七四七四。六二九二二〇。三〇九四九。通知台北連絡中心：台北西門町成都路十二號二樓。

禪話自由人

·林夏·

禪宗是講究頓悟，極忌依他起念。對大學的「格物以致知」，嫌得不夠乾脆伶俐；因此，對於所有「存在決定意識」的純客觀主義論，更自判若涇渭。其實，禪宗尚不止此，還進一步要求「人境俱奪」。這情形可從禪宗傳說一段來說明：六祖對明上座說：「還我明上座父母未生時面目來。」為着父母未生時，並無明上座，既無明上座，自無明上座此人之境。令明上座還其父母未生時面目，就是令其人境俱奪。人境俱奪，是與「無」同體，謂之默契；忽然默契，便是頓悟。此默契的活動，是一切意識根本的中心，即為知情意未分以前的一叢意識，自然純正，不着於是非善惡。因為一般意識，自被劃分為知情意三者，乃互呈相反的作用，破壞了統一，而產生物我的對立，難免心為形役，墜入煩惱的境域而無法自拔。

至於頓悟之所知，和普通的知識不同，通常所謂知識，是有「所知」與「能知」的對立。而悟是沒有「能悟」與「所悟」的對立；因為沒有對象，所以說是無知。但悟又不是普通所謂的無知，悟是非有知，非無知，是所謂無知的知。如南泉云：「道不屬知不屬不知，知是妄覺，不知是無記。若真達不疑之道，猶如太虛廓然，豈可強是非也。」這意思是說，知道的知，不同普通所謂知識的知那樣有「能知」「所知」的分別，有所知的對象，而流於妄覺。頓悟的能所不分，也不是不自覺的，若為不自覺的，便是原始所知，為一團混沌，一個「頑空」；所以說「不知是無記。」這種境界，歷來曾被唐三藏所道破。他說：「智與理冥，境與神會時，如人飲水，冷暖自知。」

禪宗所最忌諱的是執着，這其中又似有賴統一為之轉化的微妙作用。所謂現實「極高明而道中庸」的意味，也就是統一了高明與中庸的對立。我們看龐居士偈云：「神通並妙用，擔水及砍柴。」意示：擔水及砍柴，在凡夫為之，只是擔水砍柴，在聖人行之，便是神通妙用。為着聖人雖作平常人所做的事，但不執着於事，致為事所累。所以黃檗說：「終日不離一切事，不被諸境惑，方名自在人。」雲門（文偃）亦說：「終日說事，未嘗掛着唇齒，未嘗道着一字。終日著衣吃飯，未曾觸着一粒米，掛着一縷絲。」還有洞山語錄有段說的最幽默：「師與密師伯過水次，師問：『過水事作什麼』？伯曰：『不濕腳』。」我們看：既過水而腳不濕，還不就是暗示作事而不沾滯於事，不為事所累？聖人就是這種自在人，禪宗便稱為自由人。

自由人作事而不沾滯於事，在修行上謂之「無修之修」，就是以不修行為修行的方法。這情形似於馬祖語錄有段交代：『問「如何是修道？」師云：「道不屬修。若言修得，修成還壞，如同聲聞。若言不修，即同凡夫。」』意示：得道的方法，是非修非不修。非修非不修，就是無修之修。為着有修之修，是有心的作為，就是所謂有為；有為是生滅法，所以修成還壞。黃檗對於修成還壞，認為是屬於因緣造作之故。因緣若盡，還歸無常。所以他說：「諸行盡歸無常，勢力皆有盡期。猶如箭射於空，力盡還墜。如此修行，是虛受辛苦，不解佛意。」為着有心的修行，不是禪宗所謂不與萬法為侶的無為法。黃檗曾說：「若未令無心，著相皆屬魔業。乃名佛障，障汝心故。被因果管束，去住無自由分。所以菩提等法，本不是有。如來所說，皆是化人。隨緣消舊業，莫更造新殃。」不造新業，所以無修。然此無修，亦非不是修，而是作事以無心。且不修亦非不作任何事，謂無修而修之修，就是於事上不着善惡，也就是無情繫。百丈懷海語錄云：「有情無佛性，無情有佛性。」無情、無心，就是以無念。為着禪宗從來即以先立無念為宗，無相為體，無着為本。於諸法上念念不住，無罣無礙，此即來去自如的自由人的真面目。

送謝冰瑩教授出國訪問詩（并序）

邱燮友

今天是民國五十七年（也就是一九六八年）六月五日，下午，我們邀約了戲劇家熊式一教授、師大國文系哲學教授張起鈞先生和幾位同學（包括汪中、林明波、李、劉正浩、方祖燊、鍾露昇、張孝裕、黃英華和我──編者按：此處所謂「同學」，乃對謝冰瑩教授而言，實則皆是卓越有成之學者。其中汪中先生已為正教授，餘者均為副教授，並皆馳譽士林），在台北舉行了一次小型的歡送會，歡送我們的老師謝冰瑩教授的出國訪問。謝老師這次訪問的地點是美國。同時，我們也很榮幸地邀請到了謝老師的先生──賈先生也參加了我們的歡送會，使我們今天的聚會，顯得格外地親切，格外地富有意義。

謝冰瑩教授不但是國內知名的女作家，同樣地，在國外也有不少愛好她的作品的讀者，她可稱得上是國際知名的女作家了。她早年的作品很多，像從軍日記、前路、湖南的風、在火線上、在日本獄中、女兵自傳等。尤其女兵自傳一書，民國二十九年便被美國出版界翻成英文本，同年，英國倫敦書局，也出版她的女兵自傳，三十九年，日本岩波書局翻印成日文本，五十五年韓國乙西文化社翻成韓文本。

民國三十七年，謝老師來到台灣，講學於師範大學國文系，開有「新文藝習作」這項課程，鼓吹以文藝復興中華，使後進得親聞她的教益。來台後，她的作品更加的豐富了，像愛晚亭、紅豆、聖潔的靈魂、霧等，都是膾炙人口的作品。同時，她致力於提倡兒童文學，寫了不少的童話和寓言，給小讀者們讀。像動物的故事、愛的故事、太子歷險記、我的少年時代等作品，啓發兒童的靈思。後來，她到菲律賓、馬來亞等地去講學，也到過日本、韓國等地去訪問。她真做到「行萬里路，讀萬卷書」的古訓。同時，她更能做到每天不斷地「爬格子」寫作的有恆精神。所以她近年來的新作品不少，像菲島記遊、碧瑤之戀、馬來亞遊記、我怎樣寫作、作家印象記、海天漫遊等作品，不斷地出版，真真像一泓泉水，不斷地流出清泉來。一個作家，有時也有他的「創作季」，作品豐富；有時，也有「枯水季」來臨的時候，連一篇文章也寫不出來。然而謝老師，卻是一直在創作季中，像百日紅一樣，四季都開著燦爛的花朵。

後天六月七日，她便要離開台北，到美國去訪問了。臨行前，我寫了一首小詩，送她遠行：

台北的晴天，有時綠得像一片森林，
台北的風，多麼地暖，多麼地輕，
像一支熟透了的歌，舒暢地流過你的心。
這兒的人，你隨時都能喊出他的名字，
在街頭巧遇，上郊野登臨──
這兒有你熟悉的山，熟悉的海，熟悉的城。
也許在美國也有晴天，也許也有風，
也許匆匆路過街頭，也能遇上熟人，
你也會在美國的大港口眺望，
上摩天樓登臨──
在心境裏，是否有一支音樂，一片森林，
一刻無比優美的寧靜？
記得前年夏天，我跟你參加了救國團舉辦的日月潭旅行，
經過南投，我們走過一片芭蕉林，
我說：「你何不寫一篇『香蕉林的故事』，
讓外銷的香蕉，更加馳名，
讓吃香蕉的人，也分享到一片綠蔭，
也分享到一份採蕉人的風土人情。」
今年的夏天，一樣的藍，風一樣的輕，
有說不盡的心情，送你遠行；心頭祝福你，一路順風，
把這兒的鄉土，這兒的鄉情帶走，
把遠方的情，遊子的心，帶回自己的國境。

幸好她很快就要回來，她只是利用這暑期到美國訪問，在這兒我們虔誠地祝福她旅途愉快，訪問成功。

六月五日下午

生活漫談

李合肥喜食麥芽糖

馬騰雲

前清名臣李鴻章最嗜食其家鄉（安徽合肥）麥芽糖，且勸別人多吃，謂「有百利無一弊」，故其桑梓親友晉京，每多帶麥芽糖饋贈，李鴻章嗜食狗肉，世人咸知，李鴻章喜吃麥芽糖外間甚少知之，因吃狗肉在外交上鬧過笑話，所謂「好話不出門，壞話行千里」，故古今中外為政者，均特別注意若干小動作，非無由也。

用糯米飯加入麥芽，可使之「糖化」而成「飴糖」；用其他含有多量澱粉的物品，如大麥、小麥、粟、玉蜀黍、薏米等加入麥芽亦可製成，但以糯米製成者為佳。飴糖（即麥芽糖），舶來品麥精魚肝油，曾在我國賺去大錢，就是麥芽糖製劑，有很好的溫補作用，他含麥芽糖及炭水化合物約百分之八十九以上，還有蛋白質及小量的酸份。他的主要原料，就是糯米和麥芽，蓋糯米有補中益氣之功，麥芽有健脾化食之利，且麥芽所含之維生素B、C甚多，其他還有脂肪、卵磷脂、蔗糖等，無怪這兩種東西製成的飴糖，對人體有這種的補益了。麥芽糖為平常一般人食用的糖類，它有緩和及調整人體內臟不足的功能，凡是營養不良，胃部常感不舒適或刺痺冷痛的慢性疾患，不妨常吃麥芽糖。本草謂「飴糖」和中，潤腸、補虛、止痛、益氣力，治唾血，故中醫每用他配合藥物，以作補中益氣療劑，如古方有名的建中湯，就是配合麥芽糖為主藥，可使人體內的新陳代謝加速，我們可以吃一些麥芽糖，不僅能增加營養，且有歛汗止渴防喉頭發炎的效果，若遇乾燥性的咳嗽，吐痰不易，發音嘶啞，煩渴，麥芽糖亦有良好的效果。但麥芽糖的糖份太多，對胃腸消化障礙，故胸膈常感苦悶或脹滿者則不甚適宜。即為補益問題而食用，也不能太多，如以淡的開水混和飲用則無妨，如果用後脹滿及痰液增加，及有酒患及糖尿病者，尤不宜食。

名醫雜論有一段記載：謂有一婦人終年胸部不舒暢，常常覺得「有氣出無氣入」的樣子。頭常眩，小腹每感急促的劇痛，病了相當時日，一次偶然間，飲了很多酒，吃了一些肉，而痛則稍止，從此，婦每不適，則飲酒吃肉，痛苦即能稍止，但無法以「飲酒吃肉」可使病痊。其後就診於一位名醫，診斷結果，謂她心肺胃腸元氣均衰，婦人且因吃藥太多，致胃腸「麻木」而一反應全無，酒下去，雖然興奮，一刻卻不能持久使元氣恢復，乃命該婦今後停止吃藥，每日食飴糖四兩，吃時不可急速吞下，要將飴糖含在口中，任它與津液互相溶化，然後再小小的咽服，經數月的服用，該婦衰損的元氣恢復，頑病果被根除。

台北劇壇動態

遠駐台中市之預訓部「干城」平劇隊曾於二月二十五日至三月三日在台北市公演七場，曾由當家花衫徐蓮芝主演全部「大英節烈」，本戲：「李十娘」──三上轎──和頭二本「虹霓關」。麒派鬚生周麟崑主演全部「薛家將」，「落馬湖」、「古城會」全本「鹿台恨」。徐周二角又合演全部「慶頂珠」，由「河下」撒網、「起」，演至丁府「殺家」後，帶「蕭恩遭困」、「桂英救父」、「刦法場」、「花逢春」完婚」，全鬚全尾，甚為膾炙人口。另由擅唱鬚生曲復敏主演「長亭會」與「斬黃袍」。武生張學武去「趙雲」，曲復敏之劉備，徐蓮芝之糜夫人合演「長坂坡」，周麟崑去關羽，陣勢紫硬，七晚好戲，如火如荼，演上漢津口，上座鼎盛。

如今才兩個月，「干城」定於六月份在台北中華路「國軍文藝活動中心」連演五晚

「干城」公演佳劇

桂良

，戲碼為：徐蓮芝與小生曹復永合演「紅娘」，以往琴茱係復興劇校丑角高材生，蕭復山，「復興」受訓期滿，上期「鳥倦知還」，仍回「復興」去了。「干城」上期公演，丑角為票友崔增棋，今丑角為新人吳國良。徐曹與張義秋、水奎同合演弋腔戲「害相思」一場「打櫻桃」，與「紅娘」者相同，「打櫻桃」的場子，想今是得「紅娘」抄了「打櫻桃」。弋腔明代已有，故此兩齣可並談之。徐曹再合演「呂布與貂蟬」，末齣反串「白門樓」，唱工繁重，為絕妙好戲。

麒派鬚生周麟崑此次主演封神榜中戲，聞太師「征北海」接演「大回朝」，「係他拿手戲」「比干挖心」「鹿臺恨」之尾聲，前次「回朝」，今次補演「聞太師征北海」，成為他拿手戲打戲，想見麟崑腹笥之寬。「追韓信」可再唱、做、唸白，麟崑可稱與蓮芝，欲復演派名劇，者不可輕易錯過。「臨江驛」與「兩齣中途遇盜」「趙五娘」、「描容上路」之二黃慢三眼「手提着毫筆思前想後」與張廣才之大段慢流水「叫一聲五娘且慢行」……可聽得聲淚俱墜，麟崑之「掃松」更是絕唱。

「臨江驛」是南派戲，生旦並重，唱作俱佳，旦角「起解」一場諸般身段，但需丑角若得好解差，必獲紅花綠葉之美。至於麟崑之崔文通討俏處甚多，持傘走「吊毛」：一麟崑走得乾淨俐落與公堂一段白曰：「你若做了一個晴川知縣，你就六親不認，你連祖宗都不祭了嗎？」皆能得滿堂彩聲，相直罵得小生崔通啞口無言。

武生張學武之「白水灘」、「挑滑車」與武淨義張義奎等合演之三本「鐵公雞」是短打，勇猛火熾。

自由報

第一六八期

中華民國僑務委員會認登台秋新字第三二三號登記
內政部內僑警台報字第031號
中華郵政台字第一二八二號執照
登記爲第一類新聞紙類
（半週刊每星期三、六出版）
每份港幣壹角，台灣零售價新台幣弍元
社長李運鵬‧督印發行者
社址：香港九龍登打士街91號十樓六座
91 DUNDAS ST. 9th FLOOR,
FLAT 6 KOWLOON H. K.
電話：857253　電報掛號：7191
承印者：大同印務公司
地址：香港北角和富道九六號
台灣總管理處
中華民國（台灣）台北市大同街119號
電話555395，557474
駐台灣代表人辦事處
台北市公園路二十八號四樓
電話：20454，62625
台灣分社：台北市西寧南路110號二樓
電話：三〇三四六
台郵撥儲金戶九二五二

美國的種族糾紛
——論美國當前危機之二

顏翊群

隨着國際局勢的日趨緊張，美國國內的種族糾紛也愈來愈嚴重，近些年來不僅問題表面化，形成公開的衝突，並且每到夏天便四處暴亂、燒搶橫行、此起彼應，具體的損失還是事小，而影響美國的國本，更屬事大；以致引起世人普遍的注意，甚至有令人談虎色變者。這一問題並非偶然產生，實有其深遠的背景，今可分別說明如下：

（一）種族歧見是伴隨白種人海權擴張與大帝國之建樹而幷起的。現代美國白種人心理中之「內感威」（Sense Of Guilt）來源悠久、不易忘懷。美國人之祖先自十七世紀初年起、開始侵奪印第安人的土地。合衆國成立後，此趨勢日益加速。從一七九五年至一八零九年、十四年間印第安人之領域被奪去四千四百萬英畝。此時忒肯姻石（Tecumseh）與膽斯克瓦太瓦（Tensk Watawa）昆仲二人，起而號召各部落，組織聯軍奮鬥，但祗得戰士四千人。而美政府在俄亥俄河流，即可徵召白人戰士在十萬人以上。一八一一年冬間，在狄比堪奴戰事中，哈禮遜將軍轉敗爲勝，成爲白人民族英雄之後，十九世紀大批白人向西推進，將所有與印第安人訂立之「隆重的協定」完全破壞，而直達加利福尼亞州與俄勒岡州。印人雖於一八七六年卡斯將軍戰死後，亦無力挽回頹運。時至今日，全美純印第安人僅約五十三萬人而已。我們對印人之正直勇敢誠實的美德，尚可從詩家如郎法羅，作家如古柏，以及柏克曼等人之作品，乃至西部之電影及民歌中，略見其端倪。

（二）關於黑人之被奴役及爭自由與求平等之經過，乃一長逾四百年的一篇血淚的史詩，而直至今日尚未達到終篇。一九六零年倫敦泰晤士報文藝週刊曾刊行一本美國文藝論文專集。以下三段係自該書中一篇「紅與黑 Red and Black」論文中所節取。

「我們無法確知數世紀以來非洲黑人被作爲奴隸而運出之總數。最高的估計爲兩千萬，但事實上曾抵達美洲港口的，尚不到半數。此因從非洲鄉村中捕捉後，而驅到海邊加鎖登舟，然後飄洋來美，損失生命甚多。奴隸船之臭味在下風處若干哩外，便可覺察。被上了手鐐腳鐐的奴隸，成排列坐，從船板到頂板之高度，有時只有十八英寸。

「奴隸等先送至西印度羣島。除中途死亡及上岸後發現生病者外，其餘者發給衣服，傳授英語，教習農場工作，並命其信仰上帝（然後送往美國）。一八三零年奴隸數目約爲兩百萬人。內戰開始時則幾達四百萬人。」

以下是該文中所引的一段廣告：「女奴出售、年歲約二十歲。維吉利亞州生長，攜帶所生兩女孩四歲與兩歲。此女奴除出過天花之外，身體一切均屬正常，向未生病，兩女孩健康亦佳。凡購進此奴者，保證可得到一個人口衆多的奴隸家族，以備驅使。」

（三）美國文人向來主張放奴。從斯陀夫人而到福克納，作品中對黑人都表示同情。黑奴從主人處聽到音樂與歌聲，將之改造與粗野化，而衍成爵士樂與悲愴歌謠。著名童話作家哈里斯 J.Charris，所寫關於兎子，狐狸，小袋鼠等故事，據哈氏自言，係選取秉性純良而喜惡作劇的黑人性格，來寫成他的故事的。現代美文化中音樂、戲劇、雕刻、舞蹈，無形中已受了黑人的粗綫條作風的影響。

四百年的血淚痛苦在今天爆發，而背後又有國際共黨作祟，自然一發而難以收拾。黑人作家如萊特（R. Wright）與波爾溫（J. Bald Win）可以寫出大多數美國黑人在鄉下無田園、在都市無產業、而徬徨失意的心理。但提出具體計劃、要求實際行動的，則係左派接近共黨的青年人物。近十餘年來、伴同國際上帝國主義之解體、與非洲各國黑人政權之抬頭、而美國黑人對百年來放奴後之「二等公民」的積怨、大事發洩。政府方面，自一九五五年大法官等宣佈黑白分校係違反憲法開始，而進行對黑人一聯串讓步的措施。例如：部長、大使，將軍等重要職務，選黑人充任。通過禁止差別待遇的法案；法院宣佈禁止種族通婚之各州法律爲無效；取締商店、旅館、餐館等對黑人之歧視等等，各大工商企業以及工會等，亦着手糾正過去對黑人之歧視，但社會阻力重重、白人中頑固派在南方各州根深蒂固、不肯讓步、黑人中過激派亦認爲成就緩不濟急。因南方各州與全國各大城市中，黑人狀況仍漸趨惡化，而對緩進派如全國黑人改進會總秘書威爾金斯與自一九五五年起即在各地領導非暴動性的遊行示威領導者金路德氏、多所指摘。黑人中主張成立獨立政權之回教徒阿黎於聲望正高時爲同黨人所妒嫉而遭暗殺。最近金路德氏復遭白人暗殺，其信譽乃由低潮急速上騰、成爲殉道者。此後過激派如勃朗氏及卡邁爾氏等青年示威領導者乃至主持「革命行動運動」而被中共奉爲上賓之威廉氏、以及失意政客如坡威爾等勢必大肆囂張、故局勢不易好轉。

「黑人作家波多溫氏在三年前出版之「即將爆發之大火」一書中、指出「美國人的迷夢」業經破碎，白人不能以小恩小惠，收買黑人之歸心。非洲各國黑人政權之樹立、使美國黑人認爲放棄對黑人無實質援助的基督教，而改奉伊斯蘭教、爲獲救之要圖。波氏幼年曾被一位愛爾蘭出身的紐約警察所戟指大罵，令他「滾回哈蘭區（黑人集中地區）去」。到他三十八歲時、在酒吧前又被一位白人酒保奚落，說他恐尚未滿十八歲，依法不應飲酒。他的著作風行全球、爲左派作家中最走紅的人物。有一評論家指出美國左派以抱自卑感之猶太族文人居多數；過去專捧無產的工人階級、但當前大衆文化中之美國工人，大都頗有身家而形成小資產階級，態度漸趨於保守。於是左派轉而贊助黑人，認其乃「道義的支撐者」，凡其所要求均應完全予以實現。

（下轉第二版）

始作俑者！

夕陽有限！

昨日與明日

消滅死角

龐大博雜的社會，詭譎叵測的人心，演出林林種種的現象。其顯著者大衆易知，亦不難說明其是非眞僞；但其隱晦者便非常人所能察覺，而窺出其利害得失。

對于一般事情，人們每習焉不察，所以再三出現，也不以爲異，等到積之既久，就鑄成了一個死角。一時要想把此已成的死角予以消滅，那好像狗咬刺猬，實在不知從何處下口。這就有待于當局明察秋毫，毋徇情偏私，而以霹靂手段，快刀斬亂麻，方可清理骯髒，開展美境，復興文化，捨此莫由；否則侈言運動，只是痴人說夢。目前震天價響似乎宣傳的有聲有色；同時也彷彿實行的有板有眼；但是我們總有點杞人憂天，以爲若不先將文教上幾個死角加以根本鏟除，僅不過「飾舊汚以爲新治」（國父語）而已。再講一句惡毒話來形容時，那就是「糞坑上炒菜」一方面固然香噴噴使人垂涎；一方面也不免臭轟轟令人作嘔。

專家政治

國父主張萬能政府，復倡導專家政治，意欲各機構多用專家辦理業務，才可把政府造成萬能，爲人民謀幸福。中國亦有政務官與事務官之分，政務官雖毋須樣樣精通，但也非麻木不仁之所能勝任。若僅以官運奇佳，得到垂靑，這豈不是令泥水匠去設計建造太空船嗎？大家對於今日的教育部有沒有這樣的感覺呢？從官架十足，所有部長皆瞠乎其後，在表面上亦假門假市貼了很多漂亮的金紙，然骨子裏却若隱若現幹了不少見不得人的勾當。譬如在十數年河南大學畢業生名冊上用新墨補塡一個新畢業生姓名。這事顯然觸犯刑法第二一三條所規定的罪狀，主管竟推得一乾二淨，毫無關連，甚至行政責任也沒有一點，實在說不過去。況且這位新科進士，又是同鄉，並爲當年威風凜凜，大名鼎鼎御史之裔，這樣一來，我們這位禮部大人居然逍遙逍遙大裝其馬虎。

利吾位乎？

再加上槍手案的襲擊和困擾，使得此公，面帶慚愧，而不得不惺惺作態，表示辭職。但由於中國官場慣例，而加以慰留，至於抓幾個乘人不注意搞出幾文的黃昏三鏢客關於入牢獄，開除幾個沒出息肯花鈔的新潮派子弟，固難引人同情垂憐，更不會使達官貴人貓哭耗子，表演慈悲；因爲這些羔羊，既罪該萬死，又身份渺小，梁惠王還未看見哩！梁惠王所關心的；祇是「亦將有以利吾位乎」別的全無興趣。（沙草）

自由談

「提高生活水準」這調調兒，是美國人士首先唱出來的。他們認爲人民的生活水準提高了，共產主義的邪說詖詞，即無從煽惑社會大衆，因而强調「貧窮是共產主義溫床」之說，振振有詞，頭頭是道。

美國物資豐裕，科技發達，生產力强大，國富充盈，本土又未曾遭受過戰爭摧殘，人民生活水準隨之提高，儘量講求享受，殆爲勢所必至，理有固然。若夫一般產業貧乏，工商企業基礎很薄弱，而又時時發生鋒鏑之災的所謂「落後地區」，社會動亂不安，羣衆生計艱難，一般社會大衆的起碼生活水準，亦復左支右絀，不易維持，「提高」云乎哉！所以，有美國的生產力和環境，纔可以談提高生活水準的話，否則非愚即妄也。

談提高生活水準

美國人的生活水準，不外乎家家戶戶有私用汽車，有現代化的電器設備，社會上有各式各樣的色情娛樂，還有供應人們奢侈享受的生產品，只要有錢，需要甚麼就有甚麼，美國拜金主義之流行，良有以也。

至於一般「落後」國家，生產力既不發達，又隨時受着共禍威脅，戰亂不息，如亞非各自由地區的人民，養生不易，救死不遑，那裏談得到提高生活水準的話呢？有之，便是一些接受美援的都市生活，遵循美國人士的生活軌範，從事各種高度享受的建構，輸入各項奢侈的日用品，百肆陳列，引人健羨。於是乎，大家不擇手段的追求財富，笑貧不笑貪，而美其名曰「提高生活水準」，却不管自身的生產能力爲如何？於是乎，官吏貪汚風氣乃勃然而興，沛然莫之能禦。及其弊也，大家視貪汚爲作官應有的行爲，廉潔自持的即是不知提高生活水準的蠢材笨伯，政風自然趨於腐敗了！

美國以自己的尺度，衡量別人，游說、教導自由國家，必須提高人民生活水準，作爲反共的主要條件，而不問該國家的生產力是否相適應？因此乃導致一般都市奢侈浪費生活的畸形發展，不但產生不了反共的功能，適所以腐蝕社會大衆反共鬥爭的精神和勇氣，舍本逐末，吾未見其可也。

蔣總統以「毋忘在莒」告誡國人，毋忘在莒的生活是刻苦自立，生於憂患，却不是專講個人享受的美式生活標準，大家應該愼思而明辨之。

馬五先生

美國的種族糾紛

・顧翊群・

（本文自第一版轉來）

（四）再者當前最棘手的問題乃是：「儘管在原則上一切平權，且相互通婚，爲天經地義。然人的天賦卽不同，且嗜好亦互異，而造詣亦不會相等。黑人指摘白人歧視與不給予平等機會。白人則指摘黑人自甘下流，不求上進，且謂烏鴉如肯努力，自可成爲鳳凰，而舉出歐洲亞洲來美的白人黃人移民，來美到相當時期後，便與白人社會水乳交融；且猶太人，愛爾蘭人，意大利人，中國人，日本人的後代，仍多少保留其文化風俗特性，並不急於要求整合，以駁斥黑人之過分要求。我們從公平的眼光來評論，認爲在十九世紀與二十世紀初年，美國白人對華人的歧視，係鐵定的史實，而無可否認的。故在原則上對黑人爭取平權運動，深表同情。但在另一方面，我們深願美國華裔公民，仍能保存中國文化精神，與鄉土善良風俗之特質，以作爲中西文化交流之契機與媒介；而不願華裔成爲百分之百的美國人。此外美國白人中有少數人認爲當前黑人種種過分的要求，有時會引致與原要求相反的結果。例如：黑白同校後，使平均成績水準下降，售屋的房主對買主不能自動拒售後，使若干地區房產價格下跌等等。但黑人方面亦舉出最近總統所派的全國暴動調查委員會之報告，以相反駁。該委員會指出：美國十九世紀後半之工業進展時代，因白人（連同北方工業區者在內）抱偏見，不肯雇用黑人，而大批雇用海外來的移民，以致黑人在十九世紀留滯在鄉村做工。二十世紀的工業則需要高度技巧的工人，由南部田園進入大都市的黑人，在此自動機械化時代，亦難覓到工作。歐洲來美的移民，在各大城市中很快的與當地政客結合，而成爲特殊勢力；黑人則僅能向市府領取失業救濟金與福利金。尤爲不幸的，則因城市中黑人男子長期失業，而放蕩無行，家庭的責任完全爲女人所担負，於是黑人家庭大多係屬女性族長制的 Matriarchal，而與歐洲來的移民家庭係男性族長制的 Patriarchal，結構，大不相同，後者勇於負責，而辛勤努力以起家。報告中曾引用一位參加第一次歐戰之黑人的話：「我曾經爲美國出力打仗，現在是山姆叔叔爲黑人出力的時候了。我的槍法甚佳，如有必要將我是不會逃避爲黑人爭權利的責任的」。又有一位好鬥的黑人言道：「我是對白人懷恨的，他們將黑人自非洲運來美國，三百年來我們受盡災難，現在是翻身的時候了。上帝會得照應我們的。不久的將來，大災難將會發生，但上帝的選民（黑人）會得到安寧的。」總而言之，美國黑人問題之嚴重性，縱無國際共黨在暗中煽動，已不易解決。近有人論路德氏遭暗殺後，因各方措置得宜，各地雖有暴動，但此後美國局勢便可好轉云云，恐祗係皮相的觀察。美國黑白問題，乃係十六世紀以降白種人濫用權力，大肆狂妄 Hubsis 所造下冤孽債的後果。二十世紀英法德意荷等帝國已先後「還舊債解冤孽。」當前則美國正在還債中。不久的將來，共產的俄帝國，亦會得對其近多年來在世界各地所造之惡業還債的。此並非本文作者的迂腐之見解。美國名作家羅斯突氏，於金氏遭暗殺而美國若干大城市有暴動搶刼事件時，正在歐洲，所遇之各國友人均引證過去歷史，謂美國此後局勢當格外嚴重。羅氏返國後，發現美國人仍然自信堅强，充滿樂觀氣象，而撰論承認美國民主政治，正在受嚴重考驗中。本文著者相信美國仍應有遠大的前途，但應當從歷史中覓教訓，而將偏鋒的哲學改變。此點將另爲文申論之。（完）

野火燒不盡，春風吹又生！

色情泛濫勢如奔馬

陶百川認政府無決心整飭
監察院決議派員進行調查

・李幼吾・

台北航訊：台北市在三四兩月中，會動員警察，整飭風化，對泛濫之色情人物與場所，予以雷厲風行之掃蕩，但在五月以後不知何故竟虎頭蛇尾，完全停頓，使一時消聲匿跡之各形各色黃色角落，又告復活，誠令人莫測高深！黨政當局日前研議整飭社會風氣決策內容：

一、以重稅多限，遏止色情泛濫。

二、以嚴防走私，遏止奢侈浪費。

三、以認眞執法，維護善良風俗。

四、以正當娛樂，匡正國民生活。

刻已通令省市遵行此一決策，在治本方面，恰合社會要求。立法委員王化南於十日院會中，曾以如何遏止色情泛濫，向行政院提出質詢，爲指出：「現今咖啡館、茶室、由鬧區發展到小巷，由都市蔓延到鄉村，原因是不肖之徒利用此種行業掩護其陷害青年以圖利之罪行，由娛樂消閒場所，轉變爲色情場所，因此要求政府有更具體之辦法，以消滅這些黑暗角落。」實則一般鄉鎭農村，縱或偏僻，已早就有了「花茶室」、「私娼館」、「陪落池」等平民化淫樂鄙野之設，而目前都市之咖啡館滲入鄉村，當係農村經濟發展使然。無足爲怪！據悉，台北市近鄰鄉鎭其操賤業之婦女，類多以都市謀生不易，迫於環境，於暗中轉入，至販賣色情之「業主」，又多有「紳士」靠山，若在鄉鎭取締色情，警察則較爲辣手。

監察委員陶百川昨在院會中提案稱：「本省色情泛濫，已經是有目共睹之事，政府對此似無決心整飭。故而提案，希望監院派員調查後，送交政府糾正辦理。其中指出要點有：①本省公娼制度是否可以廢止？②女侍應該如何淘汰？③色情與經濟繁榮，究竟有何關係，如果以此來刺激經濟繁榮，是否因小失大？④色情與觀光事業有何影響？如果以「以廣招徠」，是否得不償失。當經院會討論決定，即將派員調查後，提案糾正。

與管理交通秩序並行之整飭風化，掃蕩色情，確有勢如旋風，頗收急效。例如台北市警察局自三月一日起開始「向黃色進軍」運動，成績驚人。連同十所分局在內，統計全市在三、四兩月中，計有一百八十一家地下色情場所，或違反規定之特種營業，因違規販賣色情，及八百三十四名違背規定之風塵女郎，受到五日拘留處罰，違規者，冶遊者均予鍰罰，其中三分局管轄中山北路及南京東路一部份之色情場所，居然別開生面，有所謂理療院脫衣按摩，理髮店代客按摩，宵夜店脫衣陪酒，以及行動最積極之五分局有一重要收穫爲破獲電話色情站，查出連絡旅館，浴池，以致該項場所，一時幾乎門可羅雀。其中有在學之大學生及社會人士，租用旅社房間而與女友幽會者，亦遭違警處罰，且有公布其姓名者，毀損其人格尊嚴，引起社會對警方之矯枉過正表示不滿。例如中央日報專欄，主張處理旅社風化案，應以處罰旅社業主較爲適當」。自立晚報，則引證司法界認爲警方以違警罰法六十五條第二項「以猥褻之言語，或舉動調戲異性者」，來裁決在「純吃茶」、「咖啡館」熱情相擁相吻之男女，表示懷疑。並建議警方「應記取昔年某一對未婚男女教員，幽會於旅社，被警查出，指責女方身份有問題，因而羞憤自殺。此一悲劇產生出警察人員不得查旅社房間之禁令。因現有之「純吃茶」等場所，涉足其間者，有大學生職業婦女，以及羅敷有夫在外偷情者，如對其名譽有所損害，難免走上極端，發生可怕後果。」台灣日報社論謂：「如小情人在咖啡館內擁吻，被當作色情交易，依違警罰法處分。如護士關門爲求診者按摩被拘，法無明文可罰，則請示上級，希望以命令補法之不足，一若非教人看看顏色不肯甘休然。即屬嫉惡如仇而不惜累及無辜，亦係過份的作風，未免事屬遺憾！」此外最近中國國民黨舉辦廣徵民意，五百二十餘件來信中，有云：「警察的旅館檢查，沒有整套辦法。人民本有居住自由，租了房間，在室內之行爲，應屬私人行爲，不應被視爲妨害風化」。

據悉，北市警四分局安東街派出所值勤警員於上月十四日深夜，在信義路市立高工校內草坪上，發覺學生張男周女談情擁吻，被其帶所，擬加處罰，請示分局，經違警組人員，調查全案後，翻遍所有明文法令，但却找不出一條制裁條文，適合取締這兩名青年男女。遂在調查報告中指出：「談情擁吻，雖屬不雅，但夜深人靜，人之常情，以社會客觀標準論斷，係習慣上所容許，而無背於公衆良俗，不可指爲行爲不檢，查無處罰明文，故抄件存查」。此又一「色情」事件，姑記如上。

國大憲政研討委會主張輔導海外反共愛國報刊

台北航訊　國民大會憲政研討委員會第七次綜合會議通過：第九研究委員會報告「發展海外僑胞文教事業問題」一案。該案關於「擴充僑胞新聞廣播事業」部份，提出研究結論。

該委員會認爲：在反共復國的戰鬥裏，海外報刊，宣揚愛國思想，促進僑社團結，增進國際友誼，揭發共匪罪行，闢斥奸邪謬論，伸張正義力量，無不克盡極大努力，其對祖國對僑社和國際間的貢獻，至足令人敬佩；尤其與海外匪僞份子的搏鬥，更是短兵相接，備歷艱險，充分表現了海外文化鬥士的忠貞義勇，與至大至剛的浩然正氣。

據統計：至民國五十五年截止，散佈全球三十五個地區之僑報及雜誌，共有三七六家。反共日報九六家，反共雜誌一四八家。立場不穩定之日報三五家，雜誌四十家。中共匪僞機關日報四十家，雜誌十七家。就單位數量或發行數字，或地區分佈上來說，反共報刊陣容，雖佔壓倒優勢，但其本身，尚有許多困難問題，實爲發展過程中的一可慮現象，必須加注意。因各地僑報創辦之初，大多抱持服務僑衆的心情，不計經營條件能否充足具備，不計將來之成果如何，所以在工作人員方面，祇得就地取材，資金方面，則靠熱心捐助，至資料來源，機器設備，更少刻意營求，較之現代報業企業化精神，自難免有點落伍，加以各地政府諸多限制，無法羅致國內報人，而中共推行海外文化統戰，又肆加搖撼、破壞，因之海外報刊在經營上，普遍感到吃力。基於以上各點，可知目前僑報刊物處境，已日趨艱難，針對其所面臨困難，採積極手段，力求補救辦法。

國民大會憲政研討會主張：政府對海外反共愛國報刊的業務輔導，應使其堅定立場，繼續爲配合討毛反共國策，闡揚民主自由而努力；尤應增進當地人士對我民族美德的深切認識，使僑胞與僑居國人和平相處，共存共榮。僑報經營方式的改進，應邁向企業組織，單獨或聯合成立公司，使能充實資金，增加設備，以確立永久根基。在同一地區報界同業，爲謀互助發展，應在保障雙方權益原則之下，共商聯營辦法。

僑報在內容方面應充實，在電訊供應上，應請中央社增設海外分社，並加速各項特稿之供應。凡中央社未能就地供稿僑區，可洽請我領使，或領使館或政府其他機構，設法收錄新聞電訊，分發僑報。資料供應，則由僑委會商請有關機關，將祖國建設進步資料及照片定期供寄各地僑報。此外，國內主要報紙，可與各地僑報交換新聞資料，由僑委會從旁加以促成。培養新聞人才，除予招收海外有志新聞事業青年，以專業訓練，然後返回僑居地担任新聞工作外，而以僑報和國內報社交換工作服務員，以交流經驗，增進見識，或由僑報推選人員，至國內報社作研究性的服務，可收觀摩砥礪的實際經驗。

關於輔導僑報的問題，自陽明山文教會談始，便有具體的意見，方案和決議文；但僑委會到底做了多少，外人是無法知曉的。議而不決，決而不行，行而牛步化，乃我國政治藝術上的特色！政府對輔助僑報事業，亦復如斯！

本報記者　劍聲

旅美散見

唯一的暖水瓶

——張鈞起

中國人喜歡吃熱的東西，喝熱的茶水，所以暖水瓶，便成了必需之品。尤其台灣輕工業發達，暖水瓶價錢便宜，於是暖水瓶就家家都有，人人皆備，並且往往不止一個，香港家庭裏有半打以上熱水瓶的。

但在美國就不同了，美國人喜歡吃冷食喝冷飲，一年四季大吃其冰激凌，隨時隨地都供飲冰凍了的涼水（Ice water），幾乎任何公共場所都有冰涼飲水的設備，把手一按，就可免費牛飲一番。在這種場合，不僅家家都無暖水瓶，並且也幾乎可說是很難買到暖瓶。至少我從夏威夷經舊金山直到紐約，任何地方的大百貨店都曾去過，包括紐約那座世界最大的百貨店十層樓的「美色」（Macy）百貨店，但從未看見過一個暖水瓶。

我在美國只看見過一次暖水瓶，那便是在華盛頓我們的大使館：那是民國四十九年四月，那時還是葉公超先生作大使，我到華盛頓去開會，當然要去拜會葉先生，到大使辦公室後落座相談，突然使眼睛一亮，原來葉大使座椅後面的牆邊，放着一隻暖水瓶，——這使我在美國唯一僅見的一次了。

大學尺牘

李書華記一段革命歷史
我是怎樣認識中山先生

我知道中山先生的姓，是在戊戌以前。彼時我雖已自命爲維新黨，其實傳統的腐敗頭巾氣習，沒有一毫變動。所以什麼申報等等，講到孫文，都要把文字旁邊加上三點水，作汶，形容他與強盜亂賊一樣。我的意中，也就以爲這位姓孫的，有什麼紅眉毛，綠眼睛，是最利害的公道大王。想不到他是一秀而文，眞是不愧名文。

於是再過了四五年，經過了孫文在惠州起義等等，身分便大了。我的心中，就不當他是個綠林豪傑，以爲他確要成功洪秀全第二。但其時我雖然也進了一步，從溫和的維新黨，變了劇烈的維新黨，我終還忘不了要扶持光緒皇帝。（我却不是保皇黨）覺得那種反叛的事業，做呢未嘗不可做，終爲像不正當。常想讓孫汶去做罷，我是不做。因此辛丑的夏天，我正爲劇烈的維新，逃在東京，所與往還的：什麼小石川的清華派，如范靜生呀，蔡松坡呀，蔣百里呀，蔣伯器呀。又本鄉的大學派，如章仲和呀，吳止欺呀，曹潤田呀。牛進的士官派，如吳綬卿呀，藍天蔚呀。又不定派，如鈕惕生呀，程家檉呀，戴元成呀。又有小弟，張溥泉錢稻孫等，不必細表。

當時要算清華派最激烈。他們都與橫濱居住的梁卓如，消息靈通。我看他們是半反賊，我的程度，極要想企及到他們。然而還不敢冒昧的許可，忽有一天聽說應加三點水的孫文，也到橫濱，正與梁啓超天天談說，他竟敢不贊成梁啓超。梁啓超很笑他海濶天空的說大話。與孫先生往還的，止有程家檉同吳祿貞。程吳天天上我們家裏來，（我與惕生同寓神田區明凌館。）談說這種新聞並且他們要邀鈕惕生同到橫濱去看孫文，惕生要我同去，我說我梁啓超還不願去見他，安可竟見孫文。我今天要上上野公園去，我下午六時一定在精養軒候你，同吃夜飯罷。惕生便與程家檉同赴橫濱。下午六時惕生果然回到了精養軒，我急切問他，孫文究屬是什麼狀貌？他說，『像一個書生，他的氣度溫和端正得很，我生平未見第二人。』我說『眞的麼？』我雖問他，我的心上很相信他。因爲惕生是我們南菁書院的高才生，向不妄語。於是我乃大吃一驚。孫文的資格，便不知不覺，在我心上躍到洪秀全之上了。疑心他或者勾得上劉秀鄧禹。（這是頭巾語，）然而我畢竟不願去見他。

再過三年，到了甲辰，（西歷一九〇四）我已居英國兩年，我也已經自命爲革命黨了。一天，有一個人敲我的寓門，說是孫逸仙。他問了留學生，才知道我寓址的。我才初見十年中意想的孫汶或孫文。他的溫和端正，我是不吃驚的了。我早由我的朋友鈕惕生，在三年前告我，其實他住倫敦西城『肯星敦』。第二天我去看他，他同我去看他的老師『康脫利』，在康家吃晚飯，康夫人也厚待得很。孫先生引我去，因爲他馬上要赴美洲。託康先生夫婦緩急招呼我也。

以上是我認識孫先生的歷史。（下略）』

·鴻雁·

歷史人物漫談

節義可風的蘇武

·清園·

我們談張騫的那一篇，筆者曾說過：「就事功方面說，他比蘇武還要高出一等。」因爲他以冒險犯難的精神去打通西域，不僅推廣了中國的疆土與文化，而且還開闢了一條西方史學家所謂的「絲道」，使中國的絲綢，間接達到西歐，中西因而能通商貿易，文化交流。因此張騫在世界史上也有一點地位。而蘇武則只是在精神方面有較爲完美的表現，但並無顯著的業績。蘇武在匈奴被拘留十九年的故事，我們知道的人很多，但若問他的家庭身世，以及他的結局如何，則又不是人人都能道的，所以我們還有談談他的必要。

蘇武是杜陵（古縣名，在今陝西長安縣東南。）人，他父親平陵侯蘇建，以右將軍出擊匈奴，因過失而被貶爲庶人；後爲代郡太守，卒於任所。武兄弟三人，他的哥哥和弟弟，都不如他有名。

當漢武帝時，與匈奴連年作戰，雙方都拘留了使者。天漢元年，（西元一〇〇年）匈奴且鞮侯單于初立，恐怕漢軍要乘機打他，乃放回了漢使者路充國等，以示友善。漢武帝因此就派中郎將蘇武，持節送匈奴使者回去。武與副使張勝，屬員常惠及士卒一百多人到了匈奴，單于反而驕傲起來，不如當初所希望的並即將遣送武等回漢。時匈奴有人謀反，主謀者前曾投降過漢朝，並曾與副使張勝相識，勝乃瞞住蘇武與他們通謀，不久謀反失敗，牽連張勝。單于並令丁靈王衛律審問張勝及蘇武，武說：「屈節辱命，雖生何面目歸漢？」即引佩刀自刺。衛律忙抱住武，並召醫生來替他治傷。單于想要蘇武投降，衛律乃連坐恐嚇武，並舉劍威脅他，可是他毫不爲動；又以利誘他，他也不應。衛律知道蘇武終不會屈服，而單于更加想要他降，於是將他關到地窖裏去，不給他飲食。這時候是冬天，武只有抓地窖門口的雪和氈毛一起吞吃充飢，居然也能活了好多天而不死，匈奴以爲他有神助。隨即遷他到北海（今餓屬西伯利亞貝加爾湖）上無人處，使牧公羊，並對他說：「公羊生出小羊時，你才得回去。」公羊怎能生出小羊？這分明是決不放他回國了。

蘇武手持漢節牧羊，從來不放開它。苦過了幾年，衛律又暗中派人去偷他的羊，使他更窮困，有時要掘野鼠，或草實來吃。

當初在漢朝時，蘇武和李陵都是做侍中，武出使匈奴的第二年，李陵戰敗被俘，而即投降了匈奴。單于乃使陵至北海會見武，三番兩次勸武投降，武堅決不肯，並欲以自殺來表明心跡。陵見其至誠，歎爲義士，並送武牛羊數十頭。以後陵又去到北海，告知他漢武帝已死。他即南向號哭，從此早晚都哭，哭了幾個月。

漢昭帝接位後，過了幾年，匈奴與漢和親，朝廷要蘇武回國，匈奴初詭言武已死，後常惠知武未死，密告漢使者，於是匈奴不能不放回他。他所帶去的隨員及士卒一百多人，除已降及死亡的外，尚有九人隨武回國。朝廷各予封賞，任武爲典屬國，秩中二千石。常惠爲中郎，惠後來且官至右將軍，封列侯。武留匈奴十九年，初去時，年方四十，身強壯；回來時鬚髮盡白，已成六十老人了。宣帝神爵二年病卒，享年八十一。武在匈奴曾娶胡婦，生一子名通國，後隨漢使回來，朝廷也授以官職。

宣帝甘露三年，匈奴單于來朝，宣帝爲酬謝輔佐之功，乃建造一麒麟閣，畫功臣於其中，以霍光爲首，最後爲蘇武，共十一人。漢書蘇武傳後贊曰：「孔子稱志士仁人有殺身以成仁，無求生以害仁，使於四方，不辱君命，蘇武有之矣。」筆者以爲我們當道義所在，以身殉之不難，若長期處於折磨中，加之不時的利誘下，而仍能堅貞不移，這是很難的事。蘇武身受其苦，歷十九年而不變，所以能成爲一個節義可風的歷史人物。（完）

文滙樓別記

孫碧琦風流妙語

浙江奉化孫碧琦先生，才思縱橫，學貫中西，對玩橋牌、及烹調、術有專長，女人與酒更有研究，在駐泰公使任內，留下很多艷跡，於今僑社仍傳爲美談。

孫碧琦在政壇爲甚麼不出毛病，即是出點毛病很快化解於無形，論者有謂係受上峯偏愛，其實不然，據樓主的看法，乃得力於黃老之術，而能夠政通人和，換句話就是，他懂得我國駐泰使節究竟是爲了甚麼。有人認爲是替三百八十萬華僑積極造福，有的人則認爲係爭取友邦同情和支持我國貫徹反共主張；就兩大問題的比重來說，當然後者的途徑佔多，前者的成份也不能說沒有；祇是泰國的國策對中國僑民的管制另有一套，凡事通過中華總商會，亦非孫碧琦力量所能突破。這是中泰外交上的公開秘密，樓主曾曼谷，風風雨雨聽到很多，不過孫處是非之地，又逢是非之時，是非是無法躲避的。因之感覺到他的「有暇各勤爾業，無事休進此門」的做法，有其不得已的苦衷。

僑社喜歡告狀，不！應當說僑社搞黨務的人喜歡告狀。這其中也有先天因素，搞黨的人很清苦沒有待遇，比起外交官當然差得很遠，孫碧琦公使任內，國民黨駐泰國總支部負責人是梨和蔡學餘等，梨和蔡都是小心眼朋友，斤兩計較猶餘事焉；常爲芝麻大的問題，不惜下人毒手。所謂成事不足，壞事有餘，如果沒有幾套的話，眞不是他們對手。

孫碧琦能立於不敗地位，和官運直綫上昇，固由於才華使然，亦政治環境有以致之。今年事漸高，黃老思想，更臻成熟，外交手法已達爐火純清之境，遠使非洲爲國宣勞定多建樹。惟昔年孫氏有一語論其不主張朋友偕太太旅行，謂：「旅行帶太太，等於包着便當進菜館」。孫碧琦風流瀟洒，充份表現於語言之間，欣聞今已修正很多。其夫人係美國某富商小姐，克勤克儉才德兼備，相夫教子頗著賢聲，在一般外交官夫人中，堪稱楷模。

·文滙樓主·

中國女性文藝春秋（續）

周燕謀

通俗小說家汪端（下）

汪端因明太祖待靑邱殘酷，感吳王張士誠待士之賢，乃節錄明史，搜採佚事，用平話著成一書，卽「元明佚史」，凡十八卷。此書曾否刋行，現不可考。中國歷史上所謂「正統」的史法，「成則爲王敗則爲寇」，除却司馬遷之外，其他都難脫此窠臼。張士誠在元末，在一般史家看來，不過是割據羣雄之一，並無特別表彰之必要。殊不知張士誠在吳，頗得民心，其待文士之賢，吳人至今猶甚敬之。

汪端的著「元明佚史」，以表彰士誠雖是有感而然，但究竟不是空中樓閣。我們不妨把他拿來和梁啓超作的「王安石傳」，胡適之替王莽作翻案文章作一例觀。「明三十家詩選」例言中有論詩一段，可以代表汪端的文學見解

嘗謂詩不可不「淸」，而尤不可不「眞」。「淸」者詩之「神」也。王、孟、韋、柳，如幽泉曲澗，飛瀑寒潭，其神淸矣。李、杜、韓、蘇，如長江大河，魚龍百變，其神亦未嘗不淸也。若神不能淸，徒事抹月批風，枯淡閒寂，則假王孟而已。「眞」者，詩之「骨」也。詩以詞爲膚，以意爲骨。康樂跅䟚，故其詩豪邁；元亮高逸，故其詩冲淡；少陵崎嶇戎馬，故其詩沈鬱；靑蓮嚮慕仙靈，故詩超曠。後人讀之，想見其人性情出處，所以爲眞詩。若乃生休明之世，而無病呻吟，處衡泌之間，而恣談國是，則爲少陵而已。

所謂「淸」，就是有意境，所謂「眞」，就是有情感。汪女士在烏烟瘴氣的十八世紀時代，竟然有如此大胆的文學見解，難怪她之能重視通俗小說呢！

汪端對於當代詩人，非常愛重二王，卽王仲瞿和王井叔。王仲瞿名曇，著有「烟霞萬古樓集」，是秀水人氏，好遊俠、通兵家之言，善弓矢，上馬如飛，慷慨悲歌，不可一世。下第過穀城，招琵琶妓三十二人，祭西楚霸王墓詩三首，中有「如我文章遭鬼擊，嗟渠身手竟天亡」之句。悲壯蒼涼，不啻爲自己放聲一哭。所著尚有「神史」一百卷，「居今稽古錄」若干卷。又善塡詞，有「一幅紅裙，包裹了十二萬年靑史」之句，頗爲奇特。他的繼室金雲門善於畫梅，後寓居西湖紅柏山莊，皈依淨土。雲伯之妾文靜霞爲之輯刋其遺詩，名曰「秋紅丈室遺詩」。井叔名嘉祿，長洲人，著有「嗣雅堂初二集」若干卷，「桐月修簫譜詞」若干卷，尤工駢文。雲伯嘗爲議客楊州玉樹堂，他在座間替雲伯作「秣陵集」駢體序，援筆立成，洋洒千言，座客皆驚嘆。

阮梅叔當衆誦讀，至「李供奉脫裘換酒，百年三萬六千場；杜司勳蠟屐尋詩，南朝四百八十寺」、令人爲之擊節，比之王勃的「滕王閣」詩序。先娶王壽玉，爲大藏書士禮居主人堯圃之女，故善別板本，婚後一年卒。井叔賦「悼亡詩」百篇，寫「眉奩殘月圖」以寄哀思。繼娶曹小琴，善書，爲墨琴夫人弟梧岡之女。我們在此詳述二王身世，只爲王二皆爲當時奇特之士，她獨爲之推崇者，由此可以想見她的胸抱。她嘗集二王詩集於案頭，呼之曰「老王先生」、「小王先生」。仲瞿臨終時，以詩稿付裴之。尚未整理，而裴之遂卒。汪端乃爲之選定。裴之嘗欲刻井叔詩，亦未遂。汪端乃加甄錄，於病中請於雲伯許諾，不數日汪端亦卒。（九十）

半痴詩禪抄

半痴詩禪卷頭語

·詹勵吾·

半癡居士曰：佛言度衆生，又言實無衆生可度，蓋示轉衆生百千萬億幻相而還一清淨本相也，含識之倫，念念流注，一念一相，當念認有，念歇認無，生滅循環，究其實都出之顛倒夢想耳，由有此顛倒夢想，而造天堂地獄諸相，生喜樂、悲憂、恐怖、無境造境，無事生事，亦云勞矣！半癡顛倒人間一甲子，纏愛生情，緣情成句，號爲詩禪，成於去國前者編而名之曰故國集，成於去國後者曰海外集，近於談禪一類者曰龍山集，蓋以紀念余於鄰尼亞加拉大瀑布之龍山山中所闢之詩禪精舍，三集共得長短句若干首，若以佛眼觀之，悉皆妄言綺語，然半癡復不忍捨棄之，遂印以貽世間同好。今喜此障了却，願長藏身山中，作獨覺仙人，享大無礙自在。

（丙午春日，半癡醉書）

息心銘三解

龍山有老農，年逾九十，猶力田不輟，余深愧之，頗思重有所作爲，但又自知有作必敗，故書息心銘三解，每日自誦以遏妄想。諸方大德見之，必嗤半痴居士道行之不足道也。

髮白言休不肯休
要學九十田翁驅鐵牛。
未是半痴有所求。

髮白言休便好休
東拈西扯莫再誤從頭。
免得他時涕淚流。

髮白言休徹底休
偷心除盡安穩住龍邱。
飢食困眠眞自由。

題幼兒志一畫圖

幼兒志一作圖祝余六十一壽，畫几上置一麵包，並酒二瓶，一酒杯方傾覆，酒注几上。余詢其義，答曰：人生不免有缺陷，正如此酒杯傾倒耳！余訝其言，因作詩題之。

人生遭缺陷　正似酒杯傾
杯傾莫煩憂　猶存酒盈瓶
兒病苦久纏　九死慶復生
有會成斯圖　慰我過甲齡
同參百年幻　不作流電驚
因緣聚一時　祇犢且歡情
渾忘頭上白　還認褓中嬰
慨然賦新詩　聊以酬淵明

（註：淵明有責子詩，實亦愛子心切耳，少陵未會此意，笑陶公「有子賢與愚，何其掛懷抱！」可謂有乖人情。）

題聖蓮室奠基石偈

爲報盧雲老和尚法恩，暨先父蘊齋公慈母洪氏雲秀[illegible]育恩，特於台灣省台中市菩提救濟院建此聖蓮室，謹請周居士宣德代表奠基，願以微末功德，迴向一切有情，同登極樂。敬述偈曰：

爲報師親恩　建此聖蓮室
願諸有情衆　皆從苦聚出
一念蓮花開　同登安養域
吾親早得度　吾師本成佛
南無薄伽梵　般若波羅密

（附記：此偈衡山趙恆惕老居士代書鐫石）

談鬼

·林夏·

五月間台北盛傳鬼事。緣於前年聯誼舞廳被燒，一批舞迷舞女同葬一火窟。現該廳重修後，恢復娛樂營業。某晚散場後，有一仕女如廁，攬鏡自照，瞥見鏡中竟突現一形同焦炭的燒死鬼，面目黧黑，且謂「你看我漂亮嗎？」該仕女驚駭昏倒……。自此一奇聞傳出後，我連接各方友好來函，詢以人間究竟有鬼無鬼？我因不及一一函復，特作本文，用代酬答。

鬼之有無，是個千古不決的公案。有的言之鑿鑿，有的掩耳不聞。尤其在今所謂科學的時代中談鬼，害怕別人譏諷他思想落伍，乃心知有鬼而噤口不言，至多搬出孔子，呻吟一聲「子不語怪力亂神」來自我交代。而我呢說實話，從來已久便同意左傳「子產立良止以安民」章的看法。內容是：鄭卿孔伯有（即良霄）被殺後，常白日出現。有的夢見他披甲而行，且曰：「壬子日我將殺駟帶，明年壬寅日，又將殺公孫段。」奇怪的帶與段兩人都應期而死；子產因立伯有之子良止爲大夫以事安撫。游吉問故。子產說：「鬼有所歸，乃不爲厲，吾爲之歸也。」（所歸，可解作所甘心。）後來子產赴晉，趙景子詢以：伯有眞能爲鬼嗎？子產率直的答道：「能」。並爲之解析說：「人生始化曰魄，既生魄，陽曰魂。用物精多（指營養好），則魂魄強。是以有精爽至於神明（精是神之未著，爽是明之末昭）；匹夫匹婦強死（指無病而亡），其魂魄猶能憑依於人，以爲淫厲，況良霄。……其用物也弘矣，其取精也多矣，其族又大，所憑厚矣；而强死，能爲鬼，不亦宜乎？」

此外，韓詩外傳有段類似的文獻：「人死曰鬼，鬼者歸也。精氣歸於天，肉歸於土，血歸於水，脈歸於澤，聲歸於雷，動則歸於風，眼則歸於日月，骨歸於木，筋歸於山，齒歸於石，膏歸於露，髮歸於草，呼吸歸復於人。」這種見解，是論人死的自然歸化，與物理學所論「物質不滅」，若合符節。這是對照子產所言非強死有所歸而言。子產所論是指枉死而冤魂不散，因以爲厲。關係這類掌故，不勝枚舉。今就史書所記，略述數則，引以爲證。

一、左傳：齊襄公淫乎其妹，冤殺彭生以掩恥，後襄公田獵於貝丘，見大豕如人立而啼，從者均稱爲彭生。豕嚙襄公之屨以去。後齊宮變亂，覓襄公不得，忽然此屨出現，亂黨因屨搜得襄公，遂遇害。

二、左傳：晉景公誤信讒言，寃殺趙同趙括。後二年，晉侯夢一大鬼，披髮至地，以手擊肘而踊躍，且曰：殺予孫不義，予已訴冤於上帝。景公醒後召巫者卜吉凶。巫言公將死，不得食新麥。後果於將食新麥，陷廁而亡。

三、墨子說：「周宣王無辜殺杜柏。」後宣王田獵於圃，見杜柏執弓矢以射宣王，宣王伏弓衣而逝。

四、漢書：田蚡爲相，曾誤殺竇嬰及灌夫。未幾，蚡周身盡痛；狀若有人毆擊，呼伏謝罪。武帝使能視鬼者瞻之，曰：竇嬰與灌夫同在笞擊。不久，田蚡暴卒。

五、漢書：劉根有神術，太守史祈以爲妖，執而數之曰：「若有神，可顯一驗。」根曰：「頗能使鬼。」乃左顧右嘯，瞥見祈之亡父，反縛在祈前，向根叩頭曰：「小兒無狀，分當萬死。」且叱祈曰：「汝子孫不能光榮先祖，而辱如此，何不叩謝之。」祈哀驚悲泣，頓首請罪。

六、後漢書：王忳爲令時，至斄亭。午夜聞一女子稱冤，聲言爲亭長遊徼所殺。忳執遊徼鞫之得直，遂誅遊徼。

七、晉書：鄒湛嘗見一人，自稱「甄舒仲」，餘無所言。如此非一，久之乃悟曰：宅中有積土，敗瓦其中有死人；甄仲舒者，予舍西土瓦中人也。檢之，果然。厚加斂葬畢，遂夢此人來謝。

八、五代吳越備史曰：太學博士丘光庭，校書於樓中。高澧（湖州刺史）屢往視之。一日，澧密登樓，而光庭不覺；忽回顧見一青面鬼，驟而大呼。俄而見澧撫之曰：謹勿外洩。以是知澧爲鬼。（人名辭典亦記有澧常食人何。）

個人所親歷作真實報導

以下數事，爲我個人所親歷，順此眞實報導：民十九年，旅居贛州同學陽長機家，夜見兩鬼闖入，一持繩，一執棍，我亟起趕之出，因而大噪。陽同學馳出，詎正發現其妻在懸樑，因急解救，得不隕命。

二十年秋，我於故鄉剿匪，時有同隊王鼎陣亡。即夕夢見其趙前跪告，伊有父仇未報，死不瞑目。且言謀害其父者爲一綽號雷公之劉某。我當時約以明日出發，冀其顯靈相助。翌日，我率隊進剿。此役格斃一匪，檢視，正綽號雷公之匪徒。

二十二年夏，我供職河南開封，賃居民家，該室後進有樓，我愛其幽靜，隻身臥此樓中。夜半，我尚睡臥閱讀，突見一年約廿許之女子，迎而緩步近前，時我心忖或爲如聊齋之狐仙，詎於相距一碼許，我即口噤目眩，全身癱瘓，祇見此女邀前端坐我床沿，欲語無聲。約半小時許，倒退而逝。翌日以告房東，房東笑語：「君適所見實非狐仙，是於去年在此樓中自縊身死之女子，其年貌與君所見恰似。」

卅年我奉命駐戍昆明，賃居沙朗巷八號。或謂此爲鬼異時現之凶宅。夜靜我亦依稀若聞哭泣之女聲，但未見其形。不久，日機轟炸，該室西墻被炸傾圮，有隣婦適於墻根鼠穴，拾得一金鑲玉之耳環，由是道出一段沉冤故事。原來五年前該房主婦遺失此耳環，誣指其婢所竊，拷掠備至，婢無所計，遂自縊死。自此該室每晚即聞該婢哭聲，且常屢顯慘容，因此闔家遷徙他去。我以該室賃金低廉而房址寬敞，遂定居寓。惟自隣婦於鼠穴拾得此耳環，衆認此即當時此富主婦所遺，而爲鼠所銜入穴中，婢冤獲雪後，該案已不再聞鬼哭聲。（完）

世隱閑話

羅君任當外長時的委曲

·安厚·

在外交首長中，羅君任是很特出的一位。他曾以金佛郎案，受人詬病。關於那一件案子的情形，論者已經很多，這裏不想贅論。在這裏，只談有關他的一兩件瑣事。

羅君任氏的酒量很大，他的嗜好，是白蘭地。那時南京下關方面，賣洋煙洋酒的店子還不少，在城內，只有內橋邊的一家。羅氏派他的副官去該店買白蘭地，每次一瓶，隔兩三天就去一次。店中老闆與他已經熟悉，又知道來頭是赫赫有名的外交部長，就建議不如整箱的買，一可省來往跋涉之煩，一可打八折，比較經濟。但副官並未接受這辦法，仍舊隔兩天來買一瓶。店主詢問究竟，才知道這是羅氏的意思。因爲他自知酒量很大，如果整箱的買，可以隨便取用，很可能一次就罄一瓶。爲了限制並節約計，所以只好婉却主人的美意，仍舊是一次一瓶的買了。

南京外交部的大廈，雖然在建築方面，比不上薩家灣鐵道部的美與美侖，更比不上交通部的後來居上，但在其他各部會的官舍中，仍有鶴立鷄羣之概。（按南京在國民政府建都時，仍是一片殘破）但很少人知道在這座大廈的建築經費中，有一部份是出於羅氏的捐獻。原來當時外交、財政兩部的首長，都有一筆可觀的特支費。羅氏在任期間，對這一筆特支費，絲毫未曾動用，後來都充了這所大廈的建築費。他的廉介，知道內幕的人，都很贊美。

羅氏當外交部長時，最感困擾的事，是見不到行政院長。原來汪兆銘那時雖主政院，却很少召開院會，他自己一天到晚躲在薩家灣的鐵道部一號官舍，門禁森嚴。外交部長那能不見行政院長？羅氏往往費了很大力量才能與汪在官舍中見一面，却談不上幾句話，就被「院長太太」陳璧君以「院長健康不好」（汪有糖尿病）爲理由，把汪從會客室生生地拖進去，讓外交部長一個人在客室中吹鬍子，瞪眼睛，無法可施。（完）

生活漫談

陸小曼愛吃豆乳

馬騰雲

陸小曼愛吃豆漿，「愛眉小扎」裏談的很多，徐志摩說，牛奶有羶味，不若豆漿之清甜可口，言之成章，條條是道。

今特將豆漿的效力加以敘述：一、豆漿的滋補，比飲牛乳多一倍，與牛乳同功，對人大有補益，兼可嫩肌駐顏。二、因多食鹹味而引起的哮喘，用豆漿加白糖少許，早晨服一大碗，一百天可癒。三、痰火哮喘，用飴糖二兩，豆漿一碗，燉化服數日自癒。四、婦人血崩，尤以老年婦女噤口咬牙，冷汗如雨，用生豆漿一碗，加韭菜汁半碗，入豆漿內空腹服一次或兩次自癒。五、產後虛弱用豆漿一碗，二十片桂圓肉，豆皮一張，生鷄蛋一個打碎充入豆漿，滾服食用，補力渾厚。六、中國古方，有肺病、咳嗽痰紅，或吐膿痰，乃至肺葉潰爛，用生豆漿，沖陳芥菜滷半酒杯，服後可感覺胸中有一塊塞上塞下，塞至數次，方能吐出惡膿，漸漸自癒，（陳芥菜即北方人家常醃的壓紅菜）芥菜滷含有甚麼成份，會有這麼大的力量，不得而知。還有一件不可思議的奇蹟：是作者所目睹的事實，某君腎囊腫大如斗，曾住醫院三個月，經名醫多人會診，束手無策，適該邑有一江湖醫生，傳單方，用生豆腐渣，包敷，三日後果有奇驗。該名醫將豆腐渣寄往北平協和醫院化驗，一無所獲。古老的文化之邦，有很多用科學無法解釋的東西，比如治狂熱病的「人中黃」就是用人糞製出的藥，活血、明目、瀉熱、殺蟲的「夜明砂」就是蝙蝠糞。藥典裏計有五十三種動物糞的藥物。

如豆漿吃不完時，剩下的豆漿可以蒸蛋食用，半磅豆漿一個鷄蛋打和兩三分鐘，加葱花、味精、畧加一點麻油、豬油皆可。蒸熟後加胡椒粉、醬油少許，食用時，吃不出豆漿的味道，既營養又美味。

自由報

第八六八期

中華民國僑務委員會頒發台狀新字第[illegible]號登記
內銷證內備警台報字第031號
中華郵政台字第一二八二號執照
登記爲第一類新聞紙類
（半週刊每星期三、六出版）
每份港幣壹角，台灣零售價新台幣弍元
社長李運鵬・督印發行者
社址：香港九龍登打士街91號十樓六座
91 DUNDAS ST. 9th FLOOR, FLAT 6 KOWLOON H. K.
電話：857253　電報掛號：7191
承印者：大同印務公司
地址：香港北角和富道九六號
台灣總管理處
中華民國（台灣）台北市大同街119號
電話555395・557474
駐台灣代表人辦事處
台北市公園路二十八號四樓
電話：20454・62625
台灣分社：台北市西寧南路110號二樓
電話：三〇三四六
台郵撥儲金戶九二五二

展望反攻復國的前途

・錢穆・

反攻復國不僅是海內外幾千萬同胞之所熱烈嚮往，就是大陸全體同胞也一樣希望我們早日反攻勝利。而這反攻復國的重大責任，首先就落在我們反攻基地全體軍民的肩膀上。我對當前的政治、軍事、外交，乃至大陸的匪情，知道得太不夠，不能從多方面來討論這問題。今天我只是站在一個書生立場就自己所知一點歷史知識來談談。

我們得首先看一看我們國家民族的前途。倘使我們國家民族有前途，我們就可向此前途努力。若我們國家民族沒有前途，我們就無法努力，一切努力都成白費，變爲一種無意義無價值的努力。所以開始討論這問題，就該先看我們的前途，然後始有努力的方向以及努力的意義與價值。首先，我們對前途要有信心，有了信心，才能產生力量。我們看古今中外歷史，許多民族、許多國家，他們的命運碰到了挫折，便倒下去，爬不起來，就是它沒有前途了。爲什麼呢？我們可以說，就是他們對自己這個民族國家的前途沒有信心了。沒有信心，就沒有力量。沒有力量，就沒有前途。像古代埃及希臘羅馬，都是文明古國，有其燦爛光明的歷史。但是遇到了挫折，光輝黯淡了，命運中斷了，再沒有它的前途。我們可以說，最大病根在他們對自己民族和國家前途已失掉了信心。遠者不論，像近代蒙古人建立了一個大帝國，其版圖之大、地域之廣，史無前例，到如今西方像俄羅斯人談到蒙古人，還有他們祖先遺傳下來的恐怖心理存着。但現在的蒙古人已經融合爲中華民族的一部份，他們已不再有重新建立往時般大帝國的想望和信心了。更近如大英帝國，有「日不沒國」之稱，可是經過兩次世界大戰，大英帝國沒落了，只存一個聯合王國的軀殼，再隔若干年，聯合王國也要肢解，到今天，英國人再沒有恢復往昔大英帝國的美夢，換言之，他們已沒有以往那般的信心了。像蒙古帝國，像大英帝國都建立在一個不合理的基礎上，所以倒了下去不可能再爬起來。其他有些國家，經過兩次世界大戰，他們對自己國家民族的前途，也沒有像以往那般的信心了。我們却不免要問一句，今天像美國，像蘇維埃再過五十年或一百年，或兩百年，他們對自己國家民族是否能常保持像今天般的信心，不再喪失呢？我們雖不敢遽作定論，但我們可以說，只要這一個民族和國家把它們的前途建立在一個不合理的基礎之上，受到挫折，便會失掉信心，而前途也就開沒了。所以要保留信心，還在自己的文化傳統上，不在當前的遭遇形勢上。

我們看古今中外各民族各國家、對於他們自己民族國家的信心，最堅強，最牢固，消失不了的，只有我們中華民族。五千年到今天，雖則我們也曾經過很多艱難困苦，甚而倒了下去，但到底還會站起來。衰弱了下去，又會再興盛，爲什麼？簡單一句話，我們有信心。歷史經驗愈長久，我們的信心就愈高、愈堅固。最近這一百年，西方帝國主義到東方來，從鴉片戰爭起，連續不斷的許多喪權辱國的戰爭，我們的民族和國家又像要倒下去了。民國以來，我們的艱難困苦依然存在，而且不斷加深。但我們對國家對民族前途的信心則並無動搖。這從那裏看出呢？我想舉一個簡單的例。我們中國人到南洋去，已經影幾百年，時至今日，他們的處境眞是萬分艱難。在印尼，在新加坡，在馬來亞，在泰國、越南、緬甸，華僑到處被壓迫，被排斥，目前他們大多數已改了國籍，但在他們心裏，總覺得他還是一個中國人。改變國籍，改變不了他們的內心。或許在南洋各地的民族，比較上文化不如我們，但我們一看美國檀香山、舊金山、紐約等各地的唐人街，我們華僑還是堅持要做一個中國人。這種心理世代相傳，沒有忘懷。五四運動以來，一般知識分子覺得中國人樣樣不如外國人，有的要我們全盤西化，將中國字拉丁化，要打倒孔家店，不要中國傳統，但這只是少數。像夏威夷、舊金山、紐約，許多中國人開飯館，開洗衣店，生活艱苦，他們還是守舊，還是要做中國人。深一層言之，這就是他們對民族還有一個自信。他們心中還有一個民族前途。

中國有兩位著名學者在舊金山公開演說。向我們華僑講：「爲了他們的幸福和前途，爲什麼不入美國籍？入了美國籍，好叫子孫有條出路。你們既在美國，縱不入美國籍，也該叫你們的子女好好學英文，還要什麼華文學校，化費青年兒童十分之三乃至十分之四的精力來學中國文字，學得半通不通，使他們的英文也不能徹底學好。你們要有理智、不該再開華文學校，最好教你們子女能學好外國文」。一般華僑聽了這些話，很不高興。因爲這些華僑，他們知道自己是中國人，對自己的國家民族前途有信心。爲什麼有這樣的信心？我們可以說，這就可以證明中國傳統文化之偉大和堅強。不然，不會使大批人有這樣一個信心。英國人跑到美國，就成美國人。德國、法國人跑到美國，也就成了美國人。只有中國人仍然是中國人。艱難困苦離開了中國，到海外去謀生，忍受種種壓迫欺侮，而他仍覺得是中國人，希望我的兒子也還是中國人，希望世代傳下還是中國人，所以要學說中國話，學用中國文字，保持中國的一套。任何人不能因此而怪我們的華僑「頑固」、「守舊」。若是不頑固、不守舊，我們還能有一個五千年綿延的民族嗎？還能有一個五千年長存的國家嗎？還能有一個血統相傳下來的七億人口嗎？我們的僑胞不僅在夏威夷、舊金山、紐約等地如此，開洗衣店、開菜館，父傳子、子傳孫，還在那裏奮鬥，堅定要做一個中國人。到歐洲也是一樣。在巴黎，在倫敦，零零散散的中國人，你問他住了多少年，有的說住了一百年，或者一百年以上。他是跟他父親，或是他祖父去的。不像在美國、在南洋，有一個華僑大團體，但也係存着中國人的習慣，中國人的文化，不以做一個中國人爲恥。就可以告訴諸位只有中國文化，最堅強，最持久，最能在艱難困苦的環境中殺開一條出路，中國文化的偉大價值便在此。若非有一合理的基礎，何以能有此現象。所以我說，只要我們民族國家有信心，自會有出路，有前途，自會有一個努力的方向。這是我先從大外遠外來講是如此。

你爭我奪

鹿死誰手

昨日與明日

謹向台灣讀者致歉

這一個半月來，本報自香港空運到達台北機場後，因有關方面對本報某些觀點有所請示，故一連有幾次延誤發出時間八至三十小時不等，事非得已，有勞讀者紛紛函電查詢，除表示由衷感激外，特向台灣地區讀者諸君，謹致萬分歉意！

講真話、求真理

本報是以闡揚民主自由、反抗共產極權爲目標，在精神和風格上與原來的「自由人」是完全相同的。同時，一般作家仍多爲「自由人」時代之健將。迄五十七年元月改組後，又增加了一批國際知名教授，和若干新聞鬥士，這些作者全都是以維護中華民國的生存發展爲前提，故對於祖國的庶政得失，大致抱着講眞話求眞理的態度；做到知無不言，言無不盡，冀能與復國大業同底於成。因此我們對國內政治人物及海外僑領或不免有率直的批評，而純然出自坦誠與善意，是不容有何懷疑的！

寄稿[illegible]件離奇遺失

本報由台灣寄往香港的稿件一批（八六三期）包括馬五先生逕行寄發的稿件竟全部遺失，內有幾位教授和記者連載的文章。這樣一來，等於有的去頭、有的腰斬、前後難以銜接，以至被攪得秩序大亂，最後祇好分別向作者道歉，請求補寫。雖經緊急處理、仍延遲兩天出版。我們所遭受的損失眞是太大了！

寄港稿件爲什麼會遺失？這是一個謎。不過此期稿件中、有一篇「高成器外又一章」，內中對高市長的家庭教育所暴露的病癥不免有所針砭，自問純出諸於善意，但由於事前未知會經有人四出拜托，要求多講好話，而我們竟與「此旨」背道而馳，因此，可能由某些人從中施了點小手法，也是說不定的！以常理而論，希望這一次稿件之遺失，與這些雞毛蒜皮的事應該沒有什麼關連才對。

請求港台郵局調查

末了，我們希望，台北和香港郵政當局、向寄信的客戶有個交代，不能因未掛號就推得一乾三淨。郵局日常平均一百封信中就有九十幾封未掛號的，因未掛號而得不到合理保障，那是落後又落後的國家才有這種事。相信台港一向以進步著稱的郵政，諒必不會這樣開倒車吧！

自由談

武俠小說和影劇，近來鴻運高照，大行其時，這種違背時代進化律的荒誕玩藝，居然有人—而且有不少的人樂意觀覽，此係亂世人心的反常狀態，與文化或文藝不相干。

十年前本報創刊之初，亦登載一篇武俠小說，胡適之先生見着我就問道：「你辦的報紙爲甚末亦載武俠小說？」答以基於生意眼，不得已而爲之。他佛然曰：「你是爲賺錢而辦報呢？抑是爲發揚文化思想和社會教育而辦報？人類生活已進化到原子時代，你們報紙上還是宣傳「飛仙」「劍客」那套陳腐而怪誕不經、幼稚而陋可笑的所謂武俠技藝，實在太不像話了。」我聽到他這樣義正詞嚴的說法，祇好把那篇武俠小說立即停刊，嗣後決不登載這類作品了。

所謂武俠電影片，內容視武俠小說更糟，男演員盤着道士式的頭髮，穿上不知是何朝代的奇裝異服，手執一柄木質的刀，跳蹦打鬥，總是那幾個固定的動作。女演員裝扮花技招展，體態嬌妖，很像「長堤選美」大會上的摩登女郎，却表演往古神話中的飛仙劍客，而動作生硬，形同兒戲。這類影片，只有殘害青少年人的心身，痲痺中年以上人士的智慧，連消遣娛樂的價值亦沒有，台灣方面有民意機關主張取締武俠電影片，允屬明智之舉。

封閉的社會狀態

亂世人心由於生活環境之苦悶刺激，每以逃避現實，自我麻醉爲得計。致令報紙上的政治新聞千篇一律，形同刻板文章，而相率彈精竭力於社會新聞之爭妍鬥奇，誇大渲染，藉以迎合反常的羣衆心理。加之以武俠小說與影片之氾濫流行，粗製濫造，乃表現着一種脫離現實生活，充滿乖戾之氣的社會教育作用，而「封閉的社會」狀態即此構成了！所謂「戰時生活」和「總動員」的精神，從何產生呢？

就中華民國的現實情形設想，不特武俠小說和影片應在限制或取締之列，即如台北社會上現時那種紙碎金迷，奢侈浪費，即如舞迴金蓮步，歌囀玉堂春的太平盛世的生活情調，亦復不足爲訓。似此違背總體戰的社會風氣，任其發展下去，實係反共救國前途的一大暗礁，可不懼哉！

馬五先生

從坍方看公路局

台北航訊

最近台灣各報紙對公路鐵路的坍方迭有指責，且因是坍方對交通工程而言相當嚴重，不但滯事延時，且與人命攸關，實不能等閒視之；而我們的交通事業處在今日工業社會裏，竟會經不起考驗，亦是值得隱憂的。再者，這次的陣雨或霪雨，原屬季節雨，應是意料中事，然而據報導稱：公路坍方多達十一處，如北段和東西段的橫貫公路僅祇三處，公路局方面解釋係路基不穩和工程艱險之故。可是六處的崩場，與兩處的橋斷，始終無法自圓其說，換言之，即是不該坍方之處照樣崩場不誤，令人費解。

因此與論界對公路局的措施頗不滿意，大致分兩種說法：一是養護安全的不能處常應變，另一則為人謀不臧。前者勉強可用台灣的斷層地質原理答辯，如山高坡陡，河川短促，容易山洪暴發成災等，問題是工程係以科學方法將損害減至最低限度，更何況過去四年經濟建設投資公路費用不少，主管部門居然毫無作為，讓人不無感慨；後者直接批評人事處置不夠理想，調配欠周妥善。

經記者多方接觸後，發現其中果大有文章，部份傳聞尚留待證實（如公路鐵路不分家等），因為養護安全和人謀臧否，主要關鍵在經費，而公路養護與經費及人事又是一種連鎖反應，按在新建、養護、安全中，工程設計位居首要，據說設計的費用是到議會預算審查時才列入的，平時等於暗盤並不發給，直到要追加預算編製，方臨時拼湊抄圖，計算自然錯誤百出，毋怪連普通的檔土牆都會倒塌，遑論安全矣。結果所造成的，往往是人為的災害，同時，最微妙的是，這筆費用不知去向，既未用於員工福利，亦未見養護和改善，否則便不至於弄得坍方了。由此可見問題並不單純，單位主管尤不能辭其咎。

在本月中旬，省府宣稱：五十八年度預算編製內，將以三億九千餘萬元的鉅欵，辦理多項公路建設，據公路局局長林家樞表示經費來源，係包括中美基金貸欵四二百萬元，汽車燃料使用費（按：以汽缸和稅率計）分配收入一億七千七百三十萬元，省庫普通基金一億七千一百三十五萬九千七百一十六元。他說：在道路橋樑新建及改善工程方面，合計支出一億九千七百萬元，道路的養護為一億三千六百四十萬元，此外，準備用一千三百三十萬元辦理公路交通安全。至於剩餘四千二百萬元，林家樞並未詳細說明，希望能有適切的處置，並盼能確保台省公路動脈的暢通，則納稅義務人幸甚！

本報特派員呂一銘

水泥發生暴漲原因 完全由於政策不當

監委熊在渭調查報告

本報記者健生

（本報台北航訊）關於水泥發生暴漲的原因，業經監察委員熊在渭提出調查報告，完全由於政策不當，運什費用提高，以及貨物稅計算標準不合理所致。該調查報告由財政、內政兩委員會於六月十二日第十七次聯席會議討論決定：推熊在渭、葉時修、陳大榕、余俊賢、金越光委員等五人審查，提案糾正。

據調查報告指出：水泥為民生日用必需品，台灣光復之初，年產量不過九萬七千餘公噸，至民國四十七年時，年產水泥已達一百萬公噸以上，僅足供給台灣省內之需要，其後為配合經濟建設計劃之實施，除由政府依照水泥成長情形與市場分析，核定每年生產及內銷外銷數量外，水泥工廠亦每年審度各自生產能量，協訂內銷與外銷成數俾資遵循。五十三年前，水泥內銷增漲率，平均每年增漲約百分之十。五十四年增為百分之十六，多達一百七十餘萬公噸，而五十五年較上年度僅增百分之七，內銷一百九十餘萬公噸。五十六年原計劃生產三百九十萬公噸，外銷一百六十萬公噸，內銷二百三十萬公噸，預計內銷增漲率為百分之十五，但因停電限電等原因，實際生產三百六十八萬餘公噸，外銷一百三十二萬公噸，而內銷則達二百三十五萬餘公噸，內銷增漲率高達百分之二二，較預估之增漲率超出百分之上，且有供不應求之勢。

在五十六年外銷水泥一百三十二萬餘公噸中，銷往越南者約八六萬公噸，惟運輸水泥之船舶由買方支配，越南受戰事影響，船期甚難確定，因是省產水泥之輸出，隨越南船舶之有無，而張弛，張則省內供應不足，弛則內銷有餘，此一外在因素，亦使省內水泥市場變動很大。

今年水泥產銷，經建計劃中原擬訂生產四百四十萬公噸，內銷二百八十萬公噸，外銷一百六十萬公噸，經濟部因五十六年水泥供應失調，擬將產量修正為四百二十萬公噸，內銷二百九十萬公噸，外銷一百三十萬公噸。由於台灣省產水泥價廉物美，所以外銷市場激增。

政府所訂獎勵標準之行政命令與所得稅法及獎勵投資條例不合。凡股份有限公司組織之營利事業，自其產品開始銷售之日或開始提供勞務之日起，連續五年內免征營利事業所得稅；其係經增加資金擴展設備者，其新增設備使其生產能力大於增資擴展前百分之三十以上時，自該增資擴展部份之機器設備開始作業之日，或開始提供勞務之日起，就其事業全部所得核算新增之所得，同受免征五年之待遇，此為所得稅法第四十條及獎勵投資條例第五條明文所定。而行政院依據前述法條訂定之「減免營利事業所得稅獎勵標準及類目」均規定水泥工廠增資擴建者，應以當年度原有設備與新增設備同種類產品合計數為計算比例之基礎，以外銷超過年產量百分之五十以上者，方能享受免稅優待，此一行政命令，顯與母法相違。

去年三月九日台泥、亞泥、環球三公司，以按各廠新舊設備總產量二分之一以上外銷，勢必發生內銷供應不足，導致缺貨漲價等不良後果，經呈有關機關迅作合法合理之修正。經濟部與經合會等機關雖予同意，但主管財政者則以：「獎勵類目中有關外銷百分之五十限制的規定，如屬增資擴建事業，依獎勵標準第九條規定，應以新增設備與原有設備之生產量合計數為計算百分比基礎，此項規定，旨在獎勵外銷，但受獎勵之新增設備與其原有設備之產品，如係相同，而原有設備之產品已有外銷者，如照經濟部等單位主張按新增設備產品為計算外銷基礎，則因新舊設備產品無法劃分，生產事業須將原有設備產品之外銷移作新增設備產品外銷量，即可達到獎勵目的，獲享免稅待遇，則此項百分之五十外銷限制，即失其意義，似非獎勵標準鼓勵外銷原意。而獎勵類目中即無外銷限制之規定，至有外銷限制者，自宜依照現行獎勵標準第九條規定辦理，以杜流弊」為理由，迄未同意修改，這種違法之理由，顯屬不合。

由政策各行其是，造成水泥暴漲，影響國計民生，此咎應由誰負？監察院調查報告亦有說明。且認財政當局之失職。

去年九、十月間，水泥市價暴漲之主要原因，實由於各水泥公司依照國外訂購契約之規定，提運水泥出口所致，幸經環球、亞泥什受違約罰款，而以水泥三萬公噸轉供內銷，風潮始漸平息。惟環球、亞泥什受罰款之一要求，即為主管當局承認，此項轉供內銷之水泥，仍列入各該公司外銷數額之內其所以如者，蓋為達到獎標準二分之一以上外銷之目的，冀以獲致免稅優待，倘台泥、東南等悉按獎勵標準外銷，則需輸出一百五十餘萬公噸，內銷水泥不及二百萬公噸，市場動盪，當更形加厲，乃財稅當局竟以新舊設備產量無法劃分為由，拒予修訂，不僅與經濟部、外貿會所採取之措施，步調不能一致，形成政出多門之不良現象，即今年水泥市場能否保持穩定，甚可疑慮！

暴漲另一原因 運費雜費增加

水泥工廠之主要設備為生料磨、旋、水泥磨、在製造過程中，各種機件之操作，原料之消耗，半製品與成品之產量，以及電流之強弱，燃煤之熱量，均有顯明號誌，自動記錄，不特駐廠稅務員一目瞭然，即根據報表查賬稽征，亦可分辨新舊設備之產能，依照獎勵投資條例第五條「審查該項新增設備部份之實際生產」，核計所得即可。則財稅當局所謂「新舊設備產品無法劃分」之辯解，顯屬昧於實情的天大笑話。

蓋經濟之發展，須犧牲部份稅收獎勵輸出，若獎勵不得其法，不但危害經濟之成長，且使稅課作無謂之犧牲。就去年出口水泥一百一十餘萬公噸計免征貨物稅二億二千一百二十一萬餘元，其他營業稅、印花稅、所得稅等尚未計算在內。從增加庫收着想，財政亦須與經濟配合，修訂現行與法不合之獎勵標準，兼顧省內與海外之需求。

台灣水泥工廠，大部份設於南部。就產量言，南部地區所產水泥估產量總額三分之二，北部包括花運等地約佔三分之一。但消費市場，則以北部為主，約佔銷售總量百分之六十，而苗栗以前內銷量僅佔百分之四十。去年北部產量一百五十九萬公噸，本可自給，但因亞泥增加新設備後，須將總產量二分之一以上外銷——約四十萬公噸，遂致供不應求。（下轉第三版）

「紅包」頹風冲激桃園 教育界烏烟瘴氣

弊案迭起省府派員調查接踵而來

女教員撞車自殺案舊事重提

桃園快訊

桃園縣每屆一年一度國校校長與教員人事調動與升遷時，端賴「紅包」與「醇酒美人」在中間發生作用，否則即遭主管百般刁難，把一片清白教育淨土被攪得烏烟瘴氣，素為社會所詬病。前曾有人列舉事實，向省府檢舉，省府特派視察白以宜蒞縣，以八日之時間，坐鎮縣府安全室，作深入之調查，約談被牽涉在「紅包」有關校長人員，其被約談者計有教育科國教股長許中庸，桃園國校校長簡衍慶，東門校長林元義，內壢校長黃崇光，教育科額外督學邱傳統，前縣府機要秘書陳維仁，前教育科長林乾祜以及財政科某股長，教育科某督學，縣府收發人員等十餘人之多。均經白以宜視察個別詳細談話，提出指控事證反復詢問，使涉嫌者無可狡辯。

再白視察對前大竹國校女教員周瑞英於去年申請復職未遂，因受「紅包」困擾憤而在台北縣汐止隧道撞火車自殺命事件，亦經予以調查。據悉周瑞英自殺之導因是否如外傳由於籌不出一筆「意思意思」的紅包，但現雖死無對證，而白視察已向有關機關，查明底細。其中有一事可以確定的，即周瑞英於前年因病就醫請假，於去年病癒申請復職，桃園縣府竟批駁在先，核准在後，其後既經核准復職，却又遲遲不予分發。內中是何把戲，死者今在九泉之下不能揭發，究否係由「紅包」作祟？抑或另有他因？

若以桃園教育風氣之惡劣現象論，白視察當可就事實予以明斷，為此寃魂予以昭雪。

白視察剛離縣返省復命後，教育廳視導俞澤豐，檢核室主任馮文質又相繼而來，繼續調查桃園縣各級學校，竟有虛報班級，領取增班費舞弊等案。由於桃園近年貪污舞弊，屢見迭出，尤以收受「紅包」案，更形普遍。在陳長壽縣長卸任後，就遭縣民紛紛檢舉。其檢舉項目多達四十餘種，但其中有三分之二係屬於縣府本身附屬單位人事調動及發放補助欵項，以及經常費等，均須收取「紅包」或「回扣」疑案。其中有一條，某校長出國縣府發放補助費時，也遭主辦人員勒索了一份「回扣」。當在省府視察人員來縣調查教育界弊案接踵而來之際，有高義國校校長郭城，因挪用該校修繕費，被駐縣司法調查站約談之後，竟敢擅自攜帶校印及公庫支票棄職潛逃，一時該校員工生活大受影響，校務因陷入停頓狀態，刻正由治安單位分途查尋中。一般認為目前桃園教育界現象，勢非澈底加以整頓不可，企望省教育當局拿出魄力來，否則糜亂下去，將不可收拾！

據記者歸納桃園教育腐敗情況，不外三種因素：一是縣長親信人員，助選功臣，以及大權在握之督學與股長，對其有密切關係的校長教員於考績時得分最高。二是經常曉得送「紅包」的校長。三是能對監校「視察」的上級人員之招待週到或「孝敬」備至者，其得分也高，考績也好，否則其考績一定是「低和壞」。記者深察此種現象，已不僅桃園如此，對各縣已有燎原之勢。現今一般不肖主管教育員司，每至華燈初上，多在酒家舞廳，沉迷於紙醉金迷中。而校長調動，教員升遷，悉以「紅包」為慣例。上下其手，不以為恥！某卸任大員，曾以貪缺貪瀆被貶下來，却仍居學府要職，而政府竟視其為「教育專家」，近將派赴國外考察。另一某教育科長由某縣貪污著名復轉調於某市，因其腰纏累累，控案盈尺，因見後台跌入油商賄案長期繫獄，實則以千萬投資，自辦五年制職業專科，搖身一變而為學閥，倖獲名利雙收！由此兩例，即為促使教育腐敗風氣之原因，勿怪各方無不引以為憂也。

本報記者碧天

吳稚暉先生年譜（一）

陳凌海編撰
陳洪校訂

先生名朓，幼名紀靈，亦稱寄舲，字稚暉。後改名敬恒。別字朏盦，旅居海外時署名訒菴，對日抗戰時化名翰青，晚年自稱朏盦老人。

吳氏先世，原係望族，世祖高嵡公，周太王次子仲雍之後。累傳至元末明初，為避兵亂，始由蘇州山塘里順編木為筏，舉家乘之溯江西上。出滸墅關，拆而南行，止於太湖湖濱陽湖縣（今武進即常州縣）之雪堰橋（原名雪堰鎮），迄今五百餘載。子孫繁衍，累世以耕讀傳家，為善於鄉閭，曾祖玉裕公，字鳳喻。祖治永公，字繼壽，工書善算，性眞至孝，父有成公，字屺峯，性嚴肅剛直，無兄弟，傳至先生凡十九世，已四世單傳。

民國紀元前四十七年——清同治四年，乙丑（西曆一八六五年）先生誕生一歲。

二月二十八日（國曆三月二十五日）丑時，先生誕生於陽湖縣之雪堰鎮南街老宅。其時父有成公年二十三歲。母鄒氏吳太夫人年十九歲。吳太夫人係出無錫望族，當先生誕生時，外祖母陳氏鄒太夫人因已喪二子一女，故隨其女同居。

民國紀元前四十六年——清同治五年，丙寅（西曆一八六六年）先生二歲。

民國紀元前四十五年——清同治六年，丁卯（西曆一八六七年）先生三歲。

是年七月二十四日先生大妹美宜生。

民國紀元前四十四年——清同治七年，戊辰（西曆一八六八年）先生四歲。

外祖母陳返無錫居住。某日先生隨母歸寧，同至無錫北門外江尖嘴外婆。其母置先生坐矮凳，兩手撫膝莫敢動，此為先生晚年對其母唯一能記之童年回憶。

民國紀元前四十三年——清同治八年己巳（西曆一八六九年）先生五歲。

民國紀元前四十二年——清同治九年，庚午（西曆一八七〇年）先生六歲。

先生二妹殤。閏十月先生三妹生，先生母因二妹不育，悲傷患痢，因以致疾。卒於是月二十六日，享年二十五歲（一八四六——一八七〇）。據先生自述云：先生母臨危時，同居之人，命先生藉帚跪於庭院中石上，禱天以乞先生母命，卜禱罷至房中，見其母氣正喘，倚在成公身上，外祖母陳以指按其人中，大聲呼其蘇醒，未幾，其母逝世，先生駭極不敢視，外祖母陳痛哭不已。先生之三妹生，隨外祖母陳，亦不育。先生暨大妹美宜隨外祖母至無錫北門外江尖嘴鄒宅。時洪楊之亂已平，外祖母陳以子女俱殤，故撫先生暨大妹美宜二人如己孫，愛之深而督之嚴。先生之父有成公旋亦赴無錫，經理外祖母陳所經營之陶器店務，是年吳氏第九次續修族譜成。

傳記春秋

我所認識的：馬星野先生

・程其恒・

馬星野老師在中央政校服我們講「新聞學概論」、「新聞事業史」，我想凡是接受過他的教育的人，對他都是很尊敬的，他的講義，我們只拿到一部份，而我們拿了他那一部份的講義，田玉振同學到萬縣私立上海學院報業管理專修科，去担任科主任，筆者也在重慶私立民治新聞專修學校兼了課，同學們遇到時，常常笑稱「馬派新聞學」，（抗戰勝利後，儲玉坤同學在上海私立中國新專教書時恐怕也不能例外）。馬先生治學嚴謹，除了以上兩本講義，還有「編輯與採訪」「評論寫作」等著作，已完成了近卅年，又修改又修改，訂正又訂正，但是到現在還沒有看見它出版，大概是預備「藏之名山，傳諸後世」了，無論如何，我們仍希望它早日與世人見面。

馬先生平易近人，從不發怒，筆者有幸，除了做他的學生而外，還做過他的部下，三十二年，馬先生出任黨中央宣傳部新聞事業處處長，在最不高興的時候，也只是自言自語說：「該死！該死！」從來不打官腔罵人的，這是消極的一面，積極的一面，馬先生能夠從善如流，當年筆者在該處指導科服務，科長一度是錢滄碩先生，是新聞界的老前輩，但是對公文的處理並不內行，他喜歡把承辦人擬辦的意見塗塗改改，這是做慣了編輯的動作，在機關裏是不作興的，科長有意見可以另寫，不必塗改承辦人的意見，筆者不便直接向錢先生說，為糾正此事特別上了一個簽呈，並請錢先生轉呈，馬先生親批：「各科長傳閱。」錢滄碩先生就把老習慣改過來了。但是科長做了沒有多久，就出任昆明中央日報社長去了，大陸淪陷後被匪殺害。

抗戰時期，大家的生活都很艱苦，馬先生也不例外，每每在星期六下午下班時，提了油罐子和配給的鹽，糖等，帶回南泉的家裏去。當時筆者因為營養不佳，身體受損，有時抽香烟提神，他只說了一句話：「其恒：你還抽香烟呀」？就憑馬先生這一句話，使我抽香烟的習慣延遲了十年，一直到民國四十一年我卅五歲的時候，纔重新開始抽烟，到現在居然有十五年的歷史了。

馬先生深深希望學新聞的同學，以新聞工作為終身職業，這一點，筆者因為身體的關係沒有做到，但是大部份的工作時間沒有脫離新聞崗位，不過是辦的新聞行政罷了。馬先生對同學的事情都是很關心的，筆者沒有結婚，馬先生一直詢問了多年，近年來纔沒有問，大概是覺得太煩了，或者是預料再問也不會有結果了。

馬先生到那個單位工作，那個單位工作情緒就高漲起來，這就是他成功的地方，他在中宣部新聞事業處時，同學中參加工作的，除了筆者外，有凌遇選，陳褚清，李荊蓀，李蔭梗，資宗默，吳俊才，陳楷，姚永泰、承紀雲等，（筆者與蔭梗原即在部，筆者而且第一個到處工作，其餘同學均在馬先生手中任用）大家都是竭盡能力協助馬先生，近年來，馬先生執長中央通訊社，該社的工作情緒立即高漲，這是社內的工作人員告訴筆者的，也是有目共睹的事。

馬先生做人也是很成功的。他決不佔人家的便宜。抗戰時期，他在四川生第一個男孩時，同學們湊了少數的錢買一點嬰兒衣服及奶粉之類的東西送他，學生送一點東西，照理不必回，可是當彌月時，馬先生竟請全體同學到中蘇文化協會餐廳，大吃一頓西餐，吃得我們眞不好意思，但是老師請客又不能不去。在台時，政府徵召馬先生為駐巴拿馬大使，學新聞的同學，預備在自由之家設宴歡送，可是馬先生堅拒，因為宴會時間本已預定，臨時取消，部份同學通知不及，來者竟由馬先生招待茶點。馬先生在台唯一的一次接受學新聞的同學公宴，是他交卸中央日報社長以後，地點在鎮翼食堂，那確是一次值得紀念的聚會。

馬先生由巴拿馬回國出任中央通訊社社長以後，腳部開過一次毛病，厲害的時候不能走路，他住榮民醫院治療的時候，千叮囑，萬叮囑中央社的同人保密，不要讓人家知道，免得費時間費金錢去看他，等到他出院了，中央通訊社的朋友才透露出來，這足以證明他做人的作風。

馬先生有一個美滿的家庭，夫人幸祖文女士，係政校大學部第五期行政系畢業，大公子已在美獲博士，二公子庚在美獲工程學士，小公子物理學士，女公子大安在台大外文系攻讀，曾獲台北扶輪社英語演講比賽冠軍。馬先生自己是廈門大學，中央黨務學校，美國密蘇里大學新聞學院畢業，浙江平陽人氏。

大學文牘

張季鸞歸鄉記（五）

鴻雁

我於立碑後約一星期，在親友們盛大歡送之下，再辭了故鄉。臨行叩別祖先，不禁感到惜別的酸辛。現在意思二三年後，汽車路如通，要常回故鄉住住，但不知是否為事實所許。此次最抱遺憾的，是未得到最窮的鄉村去看看。榆林以北沿邊的農村生活最苦，本來無食無衣，還要受烟欵剝削。還有強迫放高利貸的，春間強貸以一元，秋後要鴉片鮮漿七八兩，村民忍從不敢聲張。這些最苦的農村實況，惜乎未得親睹，至於途中所見，則蛭蝻等一帶，已充分表現亂世災民的景象。村民大抵逃空，只餘破屋，這一帶已是匪區，常常越貨殺人。此次離榆東來，是走綏德一路，到四十里舖，正遇行刑一匪，係兩日前由村民自己縛送來的，此人曾做十幾起殺人案。是晚到綏德，聞城南四十里處，有一連軍隊，正與匪作遭遇戰。

綏德南鄉若干村，久成匪區，已在分配土地。總之，現在陝北正赤化蔓延，到處恐怖，大概明春纔能改觀。

綏德黨政軍各界與幾位教育友人，挽留翊初與我，住了一日，全城表示歡迎，各界在師範學校開會設讌，在地方不靖之時，受綏德父老的隆重招待，更覺不安。我在會場致謝了幾句話，又招幾位學生特別談了一談，榆林綏德各男女校學生，都關切國事甚為熱烈，學風一致樸厚，求知之慾甚為發達。我現在見不着這些青年，願遙為他們祝福。從綏德首途，兩天到河岸，是吳堡縣境，受縣長陳先生招待，知道該縣近日尚稱平靖。過河行一百里，到離石縣，即乘太原綏署秘書長賈煜如先生派來迎接汽車而赴太原，陝北旅行，以是告終。在長安住一星期，有些印象，已載大公報，我這裏再感謝長安各界對我的厚意。

現在再寫幾句話，結束此文。我未回鄉之前，對友人說過，將以此次謁墓立碑，結束前半生，以後將從頭努力。此次回鄉，對家事實際無所布置，但精神上感覺了事一宗。此將仰賴先父母的叮護，生着海內前輩故鄉親友所給的同情，在個人修養上，在事業上，都想新求一些進步。這一篇拉雜無章的紀事，只是當做告各地親友的一封私信。這淺陋的人生觀，迂闊的舊思想，和一些關於西北邊防的斷片，若干對青年問題的認識，倘能供本報一般愛讀諸君萬一的參考，那更是榮幸之至了。此文見報，正是二十四年元旦，且謹祝全國同胞，發願救國，各求進步，不負謹願隨同胞之後塵。

水泥發生暴漲原因完全由於政策不當

（上接第二版）

南部雖供過於求，但因運什費用高昂，車輛調配困難，致不能大量北運，調濟市場需要。去年九、十兩月間北部水泥市價暴漲，而南部仍保持不動，原因在此。

各廠每公噸水泥（每包淨價為三十六元二角五分；每公噸水泥二十包）淨價為七百二十二元，其中包括運什費用約一百二十元，因而運什費用愈高，水泥供應之範圍則愈狹。鐵路運什費去年七月一日提高之後，八月一日又提高一次，今年三月復再提高一次，如此任意加價，顯然妨害經濟發展，影響民生，這就是違背企業經營管理之鐵證，完全是以財政本位主義之觀念，使經濟政策等於零。

高雄至嘉義的運什費用：去七月一日，一百一十公里，每噸水泥運什費六二．九二元，平均每公里為五角七分二，一個月後，即八月一日提高為六八．九二元，較七月一日增加九．二二，計增六元。今年三月，再提高為七〇．二七元，較去年七月一日增加一一．六八，計增七元三角五分。

文滙樓別記

小鐵面包遵彭

安徽定遠包耀祖先生，憑其神來之筆，服務桑梓，任職蚌埠大淮報總主筆（民國廿五年）兼替京滬各報寫稿，署名鐵面，文章犀利有力，對貪官污吏，口誅筆伐，甚得廣大讀者擁戴。小鐵面者乃耀祖先生公子，筆劍啓掄，藍勝於青。即今日國立歷史博物館長，中央圖書館長，即羅馬教廷爵士兼輔仁大學訓導長，已紅到發紫的包遵彭是也。

耀祖先生摯友，今居台港者，計有皖北日報社長潘澤鈞，現任中央黨部第二組副主任，皖北日報社長李洛九，現任國民大會代表，仍以文章報國。大淮報總編輯岑文華，在台經商頗有成就，京滬平津各大報駐蚌記者李運鵬，現執教香港清華書院國文系，兼自由報社長，這些朋友對包遵彭的縱橫有術，左右逢源，沒有不欣賞的，尤其能榮膺羅馬教廷爵士，似已臻於志成圓道之年了。

皖北平原上，代出奇才，有正史可考者，計有政治家管仲，道家李聃，陰謀家曹操，名醫華陀，平民革命領袖朱洪武，明代開國大將軍常遇春，前清名臣李鴻章，再造共和的段祺瑞，伏頭軍馮玉祥等都是了不起的人物，且都出生在這方圓幾百里區域之內，有人說智慧與水土有很大關係，張君俊博士在其上海中華書局出版之「中國民族之改造」一書，曾反復論及，非無由也。

就包遵彭今日職位來說，[illegible]

[illegible]

（文滙樓主）

娛樂場中歷險記

諸葛文侯

在娛樂場中，我曾經遭遇過兩次極驚險的情況，幾乎身敗名裂，思之頗堪發噱。一次是在重慶市小教場某妓家，一次在台北市新北投的「鳳凰閣」旅館內，都與憲兵警察攸關。

吾國對日抗戰中期，筆者於役軍事委員會重慶行營，首長是顧默三（祝同）將軍。那時行營職員並不佩帶出入公廨的證章，每人發給一張「派司」，上面註明職銜，黏貼相片，置之懷中，必要時，給守衛的士兵檢視之。蔣委員長兼行政院長於民國廿七年到達重慶後，厲行戰時生活，整飭軍紀政風，曾手令治安機關，凡有行營職員涉足嫖賭場合者，一經查覺，即拿交軍法處嚴辦，行政院參事羅君强以携帶女人出入茶樓而受到撤職處分。某夕，我和兩位穿長衫的朋友，偶赴小教場娼寮中冶游，我穿的是便服中山裝，行營的「派司」亦放在衣袋裏的。當我們躺在妓女的鴉片煙燈旁，談笑作樂時，忽有憲警四名叩門進來了，而該妓住宅並無後門可以潛出，實逼處此，唯有挺身應付。憲警詢問兩位長衫客的職業，答以商人，也就無事，我的裝束不像是商賈市儈，憲警盤查忒甚，他們索取我的名片，我說未帶在身旁，他們不相信，要檢查身上，我想到上峯的手令及其後果，不禁惶駭萬分，情急智生，乃爽然謂：「各位同志到此執行任務，是對的，我今晚亦是來此執行任務的，請諒解則個」。他們聽罷，「哦」的一聲就走了。這因爲我知道「特工」人員可以出入娛樂場所，百無禁忌，只好臨時冒充「特工」以解厄，否則即有受軍法懲處之虞，如何得了呢？

民國四十二年春，我初次來台灣出席國大代表會議時，人地生疏，一切習俗皆昧昧然。老友談榮章（軍統局台中站負責人），特到台北來招呼我。一夕，他邀我赴新北投洗溫泉澡，在「鳳凰閣」旅館開房間寄宿，隨便寫個假名登記旅客簿內，又叫一位女郎陪伴消遣。晚十時後，他接得電話，有要事即須回台北，即把他的軍統局服務證交給我（上面貼有相片），說是憲警來稽查旅客時，只將服務證對他們「亮」一下，保管沒事。屆時我如法泡製，詎料他的照片是光頭，我却留有頭髮，憲兵一眼瞧到了這點破綻，將服務證接持着，大聲詰問道：「這是你的證件嗎？完全不對！你究竟是幹甚末的，老實說罷，否則請你跟我一道走！」頗有懷疑我是「匪諜」，捉將官裏去之勢。我自知情虧理屈，亦不便據實答復，祇好表明「國大代表」的眞正身份。但憲兵仍不相信，教我找一個住在北投一帶的熟人來證明乃可。這時已是深宵了，我汀同鄉老友王夢熊（雄伯）住家新北投，乃舉王君爲證，憲兵到王宅說明情形，雄伯急來旅舍，笑謂「是你在這兒出了事啊！」我祇好報之以苦笑而已。一幕驚險鏡頭，在將近黎明時總告終止，那位「草山女郎」（她以日語告訴我，家在草山），早已嚇走不知去向了。次日我埋怨談君荒唐誤事，他連說「意外意外」不置，且謂改天再好好的玩過，我以驚弓之鳥畏聞秋，脫餌之魚怕見新月的心情，再也不作此想了。

飲酒吃肉

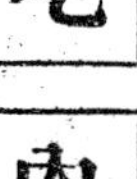

·方龍榮·

中國人喜歡吃；談到吃，眞是菜樣百出，雞鴨魚肉不必說是酒席上的常肴；就是貓狗蛇蟲有時也列爲吃的珍品。吃的時間之長，也是夠人吃驚的，古時有所謂「長夜飲」；今人宴會八道十道菜上來，起碼也得吃它二三個小時；這樣的酒香肴美，過量飲食，當你走出酒樓菜館，難免不有外國的一些醫生所說的吃中國菜會引起二種併發症的情事：頸麻臉紅，頭昏眼花，甚而在酒後若非散散步，則不足以「消食」的現象。像這種盛宴參加多了，你若不鬧胃病，自不免要變成腸肥腦滿或大腹便便的俗物了。現在台北街頭，菜館林立，這當然是表示社會的繁榮，生活的安定，人們可以「各樂其所，親友相禮」了。

講究營養，適合份量的吃，對身體的健康，是很重要的。蘇東坡說：「無肉令人瘦。」尤其是當青少年發育的期間，更需要肉的滋養。我國現在青年男女的體高，比起生長在抗日艱苦的時代裏的，平均要高出半個頭兒。何以能如是？蓋今「食有肉」也。顏回才高而短命；我想這和他的「一簞食，一瓢飲」有關係，雖說在精神上「回也能不改其樂」，但是物質貧乏，營養不良，終於造成英年凋謝，令人嗟歎不已。所以我有時也常常與友好上館子大嚼一頓，吃各地名菜，以快朵頤。孔子說：「食不厭精，膾不厭細。」正顯出中國人吃的藝術；當然「大碗喝酒，大塊吃肉」，也是我們另一種豪放的吃法。我國過去的文人更不諱言「吃」，也在他們詩文中常提到「食事」。宋朝有名的蘇東坡先生對於飲食之事，亦多饒有情趣與見解的言談與逸事傳世，可供酒後談資。

先說飲酒，古時的文人多能喝幾杯，但東坡的酒量很淺，起初是望見酒盞而醉，後來也只能勉强喝三金蕉葉（酒盞名）罷了。他自己說：「天下之不能飲，無在予下者」；所以東坡在黃州時，潘長官以爲他不能喝酒，每次飲宴都只替他準備淡淡的醴酒；東坡稱它做「錯著水」。有一次，他參加何秀才的集會，食油果很酥；他問主人：「爲甚酥？」當時座客就用「爲甚酥」作油果之名。一天，東坡又想起油果的酥味，他就寫下這樣的一首詩：「野飲花前百事無，腰間唯繫一葫蘆；已傾潘子『錯著水』，更覓君家『爲甚酥』。」我們曉得街談市語，東坡都可以入詩；這首詩雖一時戲言，也可以看出他鎔化俗語的功夫。

東坡雖酒量極淺，但是他却喜歡別人喝酒，他說：「見客舉杯徐飲，則酣適之味，乃過於客。」所以他閒居常自釀美酒以待客。他嘗著有酒經，談釀酒法。他每月用米一斛，釀得「和而力，嚴而猛」的酒六斗，再加別人贈送給他的酒，平均「每日有三升五合，盡入野人道士腹中矣」。他在濁醪有妙理賦中說：「濁者以飲吾僕，淸者以酌吾友。」又說：「閒居未嘗一日無客，客至未嘗不置酒。」飲少而多釀酒，勞己爲人，實取與人同樂意，東坡在「酒道」上，亦可謂一「妙人」也。他並作虞美人詞一闋：

「持杯遙勸天邊月，願月圓無缺。持杯更復勸花枝，且願花枝長在莫離披。持杯月下花前醉，休問榮枯事！此歡能有幾人知，對酒逢花不飲待何時？」

跟詩仙李太白的將進酒：「人生得意須盡歡，莫使金樽空對月」，詞意相類，都是曠達者達士之觀。

東坡酒量雖窄，却喜歡吃菜，嘗作「老饕賦」。他認爲要有庖丁一樣的好刀工來割切，易牙一樣的好廚子來烹煮，水要新，釜要潔，火惡陳，薪惡勢；並且認爲最好吃的菜，是「嘗項上之一臠，嚼霜前之兩螯，爛櫻珠之煎蜜，杏酪之蒸羔，蛤半熟而含酒，蟹微生而帶糟」。是聚食物的夭嫩鮮美，可饗老饕的饞口健腹。他大概也善於烹飪之道，細水慢燉的「東坡肉」，也極有名。有他戲作食猪肉詩一首爲證：「黃州好猪肉，價賤等糞土。富者不肯喫，貧者不解煑。慢著火，少著水，火候足時他自美。每日起來打一盌，飽得自家君莫管。」

文字看來很是滑稽突梯，不過由此亦可見東坡先生好吃的一斑。關於吃之道，古今中外，一致也。就是素食的出家人，也不能免於偷偷地「抹油」。如「謂酒爲般若湯，謂魚爲水梭花，雞爲鑽籬菜」；更何況於我們俗家人呢？凡是人，未有不好吃也。「民以食爲天」，的是名言。我們由此可以明白「民食」的重要，在經濟繁榮，所得增加的時代，希望大家都能「飲酒食肉」。（完）

譯者按：

筆者在本報上曾連載了吳師經熊博士所著「禪的火花」一文。該文本爲吳博士「禪學的黃金時代」中之一章，因其中包含了三十餘個公案，非常生動，所以筆者把它譯出來，貢獻給本報讀者，想不到連載期間，頗獲各界推許，希望筆者能把全書譯出，以便刊印流通。本來吳博士早有此意，只因筆者疏懶，遲遲未能動筆，現在既蒙讀者厚愛，編者催稿，只得再度野人獻曝。不過筆者學識淺薄，掛漏之處甚多，將來刊印單行本時，再懇請吳博士潤飾，及各位讀者賜正。

又本文之編號，純爲了連載方便起見，原書並無此分段，故割裂之過，只得遙請吳博士原諒。

禪學黃金時代

禪的起源

（一）

禪學，像所有活潑的傳統一樣，他們的起源，都是充滿了許多神話和傳奇，因此禪的開展，也自然和釋迦牟尼發生了關係。

據說有一次，釋迦牟尼在靈山會上說法，他拿着一朵花，對着大家，不發一語。這時聽衆們都面面相覷，不知所以。只有迦葉會心的一笑。於是釋迦牟尼便高興的說：「吾有正法眼藏，涅槃妙心，實相無相，微妙法門，不立文字，教外別傳，付囑摩訶迦葉。」

因此禪便在一朵花和一個微笑之間誕生了。你也許以爲這故事太美了，可能不是眞的；而我却認爲正因爲它太美了，不可能是假的。無論是誰創造了這個故事，顯然他已把握住禪的精神——因花微笑，由笑傳心。

吳怡譯　（一）

譚天雕空集

談吳佩孚與道義

鄒眼

吳佩孚，當年人稱玉帥，又稱孚威上將軍，他誠然出身於吳長慶、袁世凱、曹琨一系的北洋軍人。但他之與衆不同者，厥爲其秀才起家。在北洋老輩軍人中，固不乏學養有素之士，而與吳氏比肩的將帥中，則實乏有其匹。吳氏追隨曹琨，智勇兼備，當其統領第三師長時，人稱「吳小鬼」，可見其不同凡響。民十五六年間，氏據保定，長駐長辛店。與奉張聯合却走馮玉祥之「國民軍」。掛起「討賊聯軍總司令」之招牌。時靳雲鶚爲其幕府，常通電鳴「不白之寃」，辯「求全之毀」。即爲乃兄雲鵬故。時鄂督蕭耀南，豫督張福來，皆爲吳氏患難交。平漢綫幾全屬吳氏掌握。馬吉第任保定警備司令，楊虎臣、楊清臣、田維勤，爲其得力部將。某次，氏由洛抵保，步出花車，在軍警政紳商學歡迎人羣暨軍樂聲中，檢閱儀隊獨未見馬吉第。不數日而田維勤部接防保定之命下。氏發覺馬氏留戀北平花叢，乃調昉高碑店以示薄懲焉。

時奉張搜查過北平俄國大使館（加拉罕任大使），吳子玉在保定討伐馮玉祥，亦聲明「討赤」，爲的是馬二先生天開基督，新信馬克斯故耳。由是馮瑞（瑞伯）由南口退入西北，而去俄。孚威亦受奉張之壓迫而失勢。「九一八」後，吳氏隱居燕京什錦花園，嘗輕車簡從至燕大講演，一口蓬萊話，由川人某任翻譯。引爲笑話。嘗以「內聖外王」爲題，大背其「左傳」，蓋吳氏生平最得心之學爲「春秋」也。其「循分新書」亦即此時所成。時黃郛任華北政委會委員長，何敬之任軍分會主席。氏對蔣介公主席恭維倍至。知其已深受國民革命之洗禮也。

然吳氏晚年多病，無復當年之英氣勃發。對日本之侵畧，共黨之滋蔓，均深惡痛絕。常對來客揮毫，輒以楊椒山之「鐵肩担道義，辣手著文章」二語以爲酬。可見其肺腑之一般。豈料民國廿八年竟死於日醫之手。英雄末路可慨也已。

命相与夢話

蔣經國先生命造

·公陶·

相信命理和關心國事的朋友，多喜歡談國防部長蔣經國先生的八字，公陶根據相貌參於命理，綜合研究必爲同好所樂聞也。

經國先生，生於一九零九年，（即清宣統元年）己酉屬雞，己巳月，丁卯日丙午時。丁火生初夏，値戊土當令，天干地支兩巳並透，已酉會金，秀氣逾常，這和他的「鳳眼與鳳音，必位極人間」，有連帶關係。大造時上歸祿，四言獨步說：「祿居時上青雲得路」古賦說：「祿歸時貴重，爲人所欽敬」又說：「青雲得路祿歸時，凡命逢之貴且奇」，三十一歲行乙丑運，小試長才，賢聲卓著，公陶即知未來必成大器，因他曾說：「法紀不能做人情，名分不能做人情，聖賢道理不能做人情」，見江西正氣日報。四十一歲接行甲子運，木火通明再加上己酉會金秀氣，文武兼資，鴻圖大展，目的在民，目的在國，轉行癸亥，五十一歲到六十一歲，土利癸，亥卯會，縱橫政壇，光輝萬丈，成爲中國歷史上一傳人，殆無疑問。其鼻挺直，又與命配；眼神烱亮，雙顴豐突；這和每處理一事，百折而不回，千撓而不屈作風有關。且在癸亥運內，必有助於中興，促成反攻，事實如何？容後可證。

自由報

第八六九期

中華民國僑務委員會頒發台號新字第三二三號登記
內政部內警台報字第031號
中華郵政台字第一二八二號執照
登記爲第一類新聞紙類
（半週刊每星期三、六出版）
每份港幣壹角・台灣零售價新台幣弍元
社長李蓮洲・督印發行者
社址：香港九龍登打士街91號十樓六座
91 DUNDAS ST. 9th FLOOR,
FLAT 6 KOWLOON H. K.
電話：857253　電報掛號：7191
承印者：大同印務公司
地址：香港北角和富道九六號
台灣總管理處
中華民國（台灣）台北市大同街119號
電話555395・557474
駐台灣代表人辦事處
台北市公園路二十八號四樓
電話：20454・62625
台灣分社：台北市西寧南路110號二樓
電話：三〇三四六
台郵撥儲金戶九二五二

展望反攻復國的前途（續）

・錢穆・

現在談到第二點，我所要談的本題，就是我們反攻復國的展望。當然，我們今天的前途，不是專指少數事態的發展而言。我們的前途，是指當前國家民族整個前途，連大陸，連此地，連海外都在內。我們的前途，同在大陸上共匪的成敗是密切相關的，我們要有前途，就先消滅共匪。大陸初變色，我流亡到香港，聽到很多人稱道共匪，看重毛澤東，認爲他有辦法。我說毛共愈有辦法，其滅亡將會愈快。中國相傳有南轅北轍的故事，有一人駕了車要到北京去，可是他往南跑，別人說你這樣跑，跑不到，他說我馬好，車又好，怎會跑不到？那人說，你的馬愈好，車子愈好就是愈無辦法，你離開你要到的地方將會愈遠愈跑不到，所以我們大陸的共產黨愈有辦法。什麼道理呢？因其同我們國家民族歷史文化傳統背道而馳，所以愈能走、愈不行。

到現在，我們不用再講毛澤東非倒不可這一層。我在香港，常聽到很多人討論，毛澤東倒下來以後的中國怎麼樣？是劉少奇上台呢？還是周恩來上台？還是軍閥割據？還是其他什麼情形？我說這只是眼前事變，誰也不知道，沒有十分把握去推想。但有一個結論却可預言：即共匪僞政權定在最近將來會被人民所埋葬，讓我們回過來想一想，毛澤東自己要倒嗎？一個人站在那裏不會自己倒。是美國人力量要倒毛澤東嗎？我說不是。是蘇維埃力量要倒毛澤東嗎？我說也不是。除掉美國、蘇維埃，世界還有其他國家要用力量來倒毛澤東嗎？我說都不是。毛澤東之倒，不是倒在國外的力量，國外沒有力量要他倒。那麼諸位說不是劉少奇，鄧小平，所謂他們的當權派要他倒嗎？我說劉少奇鄧小平的力量也不能倒毛澤東。那麼還是共匪的黨政軍幹部，或是在大陸共匪統制下的軍隊，會聯合起來要他倒呢？我說不是。目前劉少奇、鄧小平被關在北平中南海，匪黨的中下級幹部大部份已經被鬥倒，軍隊也不見有決心來倒毛澤東。那麼我們爲什麼說毛澤東一定要倒呢？我認爲這是在中國社會上的共產主義動搖了。共產主義動搖了，共產政權也跟着動搖，而後毛澤東的地位也跟着動搖。因爲中國社會上的共產主義要崩潰了，所以共產政權連帶要崩潰，而毛澤東的地位才崩潰。目前的現象，所謂劉少奇、鄧小平走了「修正主義的路綫」，各地軍隊形成割據，乃至於工農階級普遍反毛，一切的一切，一言以蔽之，是中國的共產主義動搖了。共產主義動搖，乃是一個原因，毛澤東倒台，是一個現象，是一個結果。從這些現象上，可以證明共產主義之破產。等於一個人患了肺病吐血，吐血只是肺病的徵象。病在肺，不在所吐的那口血。那口血，只是病的現象發出來了。今天的毛澤東倒台，只如病人吐了一口血。我這樣講法，是不是比較合於現實呢？劉少奇鄧小平要倒毛澤東，軍隊要倒毛澤東，黨幹部要倒毛澤東，全國工農大衆要倒毛澤東，這都是共產政權動搖和崩潰的現象。我們再進一步講，共產政權統治中國已經十八年，有什麼東西去搖動它？毛澤東運用「紅衛兵」來搞「文化大革命」，正爲共產主義政權之動搖，其根本原因在於中國社會上一股傳統文化之潛在力起了作用，像鄧拓，像吳晗諸人，他們都是重要的共產黨員，但他們都根據着中國傳統文化的意識來反對毛澤東，或許他們是不自覺的，然正可證明傳統文化之潛在力量埋藏在中國社會人人心中一種深厚的程度。

大陸同胞今天全都對共產黨和共產主義失掉信心，也並不是他們要來提倡中國文化，他們亦只是不自覺的，由中國傳統文化一股潛在力量自然影響了他們的思想和行爲。現在我們再複說一遍，由於共產思想動搖，而影響到共產政權之動搖。由於共產政權動搖，而影響到毛澤東地位的動搖。這樣一個過程，我們在這裏有人看不清楚，在大陸的人也沒有看清楚，但此過程之必然表現，則爲毛澤東先倒了，接着是共產政權倒。共產政權倒了，接着是共產主義在中國社會消失了。應該是這樣看法，才能尋究共產政權毀滅的病根所在。從病根反映出病象，從病象認識了病根。一個患肺病的人的病象是咳嗽，而病根在肺。毛澤東之倒，最多不過是咳嗽兩聲而已，不能說咳了兩聲嗽，病便好了。共產主義不能在中國存在，正因爲中國有一傳統文化力量在作共產主義的尅星。我們此刻不必多舉例，更淺顯的，共產主義講唯物史觀，中國人一向講「天人合一」。物有兩種，一類是自然物，一類是人造物。人爲天生，即是大自然中一份子，而大自然又可由人類來作主宰。西方人反對馬克斯，因爲馬克斯不信宗教，不講上帝，中國人講天，是將「自然」與人合在一起，天表現在人身上，人的表現即是天的表現之一部份，這個理論同唯物史觀的理論正相衝突。我們說，歷史決定在人，不是決定在物，人怎能決定歷史？因人可以合天，合此大自然之理。蒙古帝國由人以武力創造，但不合此大自然之理。大英帝國也是由人以武力創造，但也不合此大自然之理。所以終要衰落。中國文化主要在講人道，講天理，正同共產主義水火不相容。只要中國文化存在一天，共產主義終非消滅不可。中國在美華僑面對着現代物質文明最進步的美國，還是這樣「頑固」、「守舊」，已如上述，更何況其對毛澤東的三面紅旗呀！其實毛澤東也懂這個道理，而且身受這種壓力，所以這一次要來一個「文化大革命」，要「除四舊」，他惟恐中國固有文化之存在。

現在我們的反攻時機已經迫在眉睫，而最先最大的責任則落在三軍身上，三軍是反攻大陸的先鋒。但戰爭的勝負却不能全恃武力，武力祇是政治的後盾，是致勝因素的一部份。

（下轉第四版）

毒的禮物！

慘的成果！

昨日與明日

大學教授的廣告

本年五月二十四日台北中央日報第一版出現台大教授傅啓學具名的一則啓事，是以廣告方式刊出的，內容大致爲：「台大政治系一部份同仁合編「中華民國監察院之研究」一書，係由啓學領銜主持，因匆促出書，未及詳加校閱。事後承監察院友人指示，始發現觀點錯誤，事實不符之處頗多，深覺遺憾。頃與編著同仁決定，將未發出書籍，概行保存；已發出少數書籍，申明作廢，並對愛護友人敬誌謝忱」。這項啓事刊出後很引起人們的注意。因爲傅啓學教授是學府人物，大學教授和文化人士對於大學教授具名刊登的啓事，自然很注意。啓事涉及一本書：「中國監察院之研究」，又談到承監察院友人指示云云，可見涉及監委，當然又會引起關心政治人們的注意。

這究竟是啥事體呢？

應該從一本書先談起。原來在數年前，美國哈佛燕京學社便曾與台灣大學政治學系談到學術研究合作的事。這項研究計劃，終於在民國五十五年六月雙方同意，簽訂合同，由台大出人，哈佛燕京出錢，共同從事一個專題研究：「中華民國監察院之研究」。台大方面是由校長錢思亮博士代表簽約的，哈佛則由燕京社負責人代表簽約。這裏我們須加以說明的哈佛燕京社不是哈佛大學，與費正清也無關係，費正清是哈佛大學的教授，與燕京社風馬牛不相及。

雙方簽約以後，於當年七月即展開研究工作。研究方法兼採制度及行爲方法：一方面研究法律、規章、文獻及檔案、另一方面並從事調查、訪問、統計等工作。訪問對象，主要爲監察委員，前後計達四十四人；次爲與監察院有關人士，如審計部、公務員懲戒委員會、監察院等機關職員，甚至專訪監察院的新聞記者，可謂理論與事實並重。

一本書的概要

全書共分八章、第一章中國監察制度之沿革、賀凌虛撰，第二章、中國監察制度理論與外國監察制度，賀凌虛、陳文仁合撰、第三章現行監察院之組織、張劍寒著、第四章監察院之職權，張劍寒、徐松珍合撰、第五章政黨及利益團體與監察院胡佛撰、第六章、監察院組織及功能之評價，傅啓學撰。全書二十四開本，一、〇八。頁、八十多萬字，可謂洋洋大觀、浩浩鉅製。就政治學的觀點言，它的確是一本很有價值，足供研究中國現代政治參攷的偉著。不過，書中所列若干事實，涉及內幕，或所採觀點、有所觸怒，（譬如第三章將監委分爲八種角色：一、基本角色、二、代表角色、三、領導角色、四、壓力角色、五、聽用角色、六、對立角色、七、特異角色、八、混遁角色等）遂使其「申明作廢」，不能流傳。

有聲有色的讚美

不過傅教授在最後一章，對監察院曾有贊美：「監察院近十餘年來表現得有聲有色、或能伸張正義，或能昭雪冤屈。監察委員大多數是國民黨員，均能視國家利益超出黨派利益，決不因被糾正者係國民黨當權黨員，而有絲毫顧忌。這是一個政黨黨員在職權上的正當態度，也就是國民黨數十年來迭遭挫敗，迄然存在的主要原因。」記者獲悉：人民對於有風骨的監委，欽佩備至，而執政黨的國民黨對於不肖黨籍監委如孫玉琳等的整肅，也獲得人民一致的讚揚。（艾民）

自由獻

越南政局隨着美國哀求越共談和的關係，最近動盪不安。總統阮文紹與副座阮高奇之間，齮齕暗鬥，日益激化，前者願意和談，後者主張戰鬥；因而自內閣總理以及文武大員，皆有人事變動的，阮高奇頗爲不滿，西貢乃有「政變」的謠傳。去月十六日美聯社西貢電訊報導：美方很「委婉的」告知阮高奇，如果越南發生政變，「立憲政府」被推翻，美軍即將撤退。這是對主戰的阮高奇派，實施威脅手段，教他非跟着美國的路綫走不可！

我以歷史教訓慘痛的經驗，替越南前途慄慄危懼；

爲越南前途憂

因爲今日美國這套作風，完全是抄襲廿年前美國對咱們國共之爭的舊文章。當年中華民國政府不願與毛共言和，組織聯合政權，美國特使馬歇爾及其軍事代表團即行撤退，停止對華援助，聲言「一筆勾消」，而中國大陸很快就淪亡了。越南政府如果遵循美國意旨，與越共妥協言和，結果只有走進死胡同而已。

美國對於反共的自由國家，一面給與援助，同時口口聲聲說是決不干涉別國的內政，表示道義之交。可是南韓總統李承晚，越南總統吳廷琰，一個被逐放，一個遭殘殺，都是由美國在幕後策動政變而然的。如今對越南反共最堅決的阮高奇，又提出嚴重警告，暗示着如不聽話，後必有災的大老闆氣概。似此肆意干涉別國內政的傑作，視俄帝對其「兄弟之邦」的言行，厲害多了！

美國人士每責怪一般接受美援的自由國家，常有反美心情，認爲是把美援「投入鼠洞」，很不滿意。行有不慊於心，則反求諸己。美國如其稍加反省，檢察一下自己對受援國家，即不難了然那種頤指氣使的唯我主義，那種偏離於自由世界的前途，亦將只在一念之間，就看美國當道的智慧如何了。

馬五先生

林進丁當選無效之判 查實無政治黨派干涉

丁表演拳術證明殘廢非事實 審長判被控由嘉義地院偵訊

台北航訊：台南縣新化鎮長林進丁前於當選就任月餘後，因被落選人王萬洲以其「身體殘廢」不堪任職，提起訴訟，被台南地方法院判決當選無效。林進丁曾分向立監兩院暨司法行政部請願，以其身體並無不健之處，而法院判決認定患有「強直脊椎炎」，顯屬殘廢」絕非事實。立法院司法委員會於開會審查該請願案時，林進丁當場表演拳術，證明身體並未殘廢。司法部長查良鑑亦列席備詢，對林極表同情，以台南法院之判決，在調查採證上似欠過詳，但選舉官司，一審判決終結，將無法補救。立委溫士源認該案爲三人合議庭，其中一人是國民黨員主張林進丁當選有效，另二人爲無黨派，主張判決當選無效，故無政治黨派干涉。李公權，梁肅戎，徐漢豪等委員，均指出判決違法，且有故意顚倒是非曲解法令之嫌。林進丁獲得上項之輿論鼓舞，遂認審判長鄭學通涉嫌枉法判決，具狀台南高分院，經裁定移轉管轄，發交嘉義地檢處偵辦，該處已指定檢察官高法宗負責進行辦理，即將開庭偵訊。預料此一訟案，將轟動社會，亦可打破選舉訴訟一審判決確定之前例。（董尙書）

水泥發生暴漲原因完全由於政策不當（續）

監委熊在渭調查報告

・本報駐台記者張健生・

高雄至台中計二一〇公里，去年七月一日每噸水泥運什費九七・九二元，平均每公里爲四角六分六・繼提高爲一〇八・九二元，較七月一日增加一一・二三%，計一十一元，今年三月又提高一一〇・一七元，較去年三月一日增加一二・五一%，計增一十二元二角五分。

高雄至苗栗計二七〇公里，去年七月一日每噸水泥運什費一一八・九二元，平均每公里爲四角四分强，八月一日提高爲一三二・九二元較七月一日增加一一・七七%，今年三月提高爲一三四・一七元，較去年七月一日增加一二・八二%，計增一十五元二角五分。

高雄至台北計三八〇公里，去年七月一日每噸水泥運什費一五七・二九元，平均每公里爲四角一分四弱，八月一日提高爲一七七・四二元，較七月一日增加一二・八〇%，計增二十一角三分，今年三月元間提高爲一七八・六七元，較去年七月一日增加一三・五九%，計增二十一元四角七分。

由此可知，鐵路運什費用提高之標準不一，而每公里之運什費用也不劃一，且任意提高運用，究依據什麼法令而如此？這不僅不能貨暢其流，監察院應查究其主管人員有無違法失職之行爲，非糾正便可了事！

稅課不當而影響水泥市價：水泥非管制物資，任何人均得自由買賣，不受限制，惟目前內銷市場，水泥業者採用批發與零售二種方式，批發：由各廠直接經辦，零售：則由部份建材商經銷。

水泥淨價自民國四十七年一月以來，每噸——二十包——售價爲七百二十五元六角。迄今未予變更，而課物稅則每月調整，因是售價每月不同。例如當時貨物稅水泥每公噸爲一一四・四〇元，連同水泥淨價七二五・六〇元，站庫交批發價每噸爲八百四十元，每包爲四十二元。

（下轉第三版）

烟酒公賣年有增益 經營管理尚欠妥善

官文書列出了一筆濫帳

（本報記者健生台北航訊）根據官文書顯示，台灣省烟酒公賣局五十六年主要產品之烟酒成本，大部份較五十五年增加；而烟之銷售量也有部份不如上年，但該局五十六年的不法支出，計有：一、雜項支出科目列有獎金估計數五百萬元，此項支出沒有預算及法令依據；二、交際費科目中列支贈送有關人員的禮品約有一萬六千餘元；三、該局王局長赴美之不法開支三千餘元，列入旅費科目支出；四、業務推廣費列支委託省府員工福利社代辦廣告預付費五萬元；五、宣傳用之記錄片尚未拍攝，而先付兩萬元的費用，因而被有關機關查出，分別糾正剔除，或予修正改爲盈餘。

五十六年烟酒成本較五十五年增加者據說約有二千萬元左右，烟類以雙喜之成本每箱增加三十餘元爲最多，其次是新樂園每箱成本增加十五元多。酒類以清酒每公石增加成本六十餘元爲第一，次爲紅露酒則每公石增加四十餘元。而成本減低者爲長壽香烟每箱成本減少七元多，啤酒每公石成本減少十一元，太白酒每公石成本減少一元多。

該局營業收入與營業收支之經營比率爲三一・五五%，即每百元營業收入祇須支出三十一元五角五分的營業成本。五十六年包括事業外利益在內之淨獲純餘四十四億四千三百八十六萬餘元，每百元成本可獲利潤二百五十元左右，較上年之利潤略有增加。

該局五十六年產品銷售降低者，計有：雙喜香烟較五十五年減銷九萬餘箱，減銷率達五八二%，幸福減銷三十餘箱，新樂園減銷二萬餘箱，吉祥減銷四萬餘箱。而長壽香烟則增銷將近七萬箱左右，增銷率達五十八%強。在銷售比量方面，新樂園佔銷售總量百分之三十一強，吉祥佔百分之十五強，長壽佔百分之十三強，幸福佔百分之六點六三。至於酒類，除太白酒減銷外，餘均增銷。

由此可知，高級烟酒增銷，顯示台灣人民因經濟發展而所得增加，由於所得增加而生活水準提高，是故高級烟酒增銷，使公賣利益年年增加，而政府財政收支得以平衡，不過，烟酒公賣局之營運尚未完全企業化，浪費在所不免。經營管理效能若能做到妥善，則其經營可能更令人滿意。因爲這是獨家生意。

萬孫秀蘭被誣帮助販毒案 陶百川爲民辯寃

提案送請檢署提出非常上訴 指責台南分院判決顯屬違法

台北航訊　監察院司法委員會於六月十二日舉行第二二七次會議，會中通過陶百川委員所提審查報告，由監察院將萬孫秀蘭呈訴被誣幫助販賣烟毒案，送請最高法院檢察署檢長趙琛依法提起非常上訴。因爲台灣高等法院台南分院之判決：「以無爲有，以僞亂眞，顯屬違背法令」。

萬孫秀蘭涉嫌所謂幫助販賣烟毒一案之事實，該案第一審法院於五十五年二月四日判決萬孫秀蘭無罪。二月十五日，法警吳天成即將該判決書送達夏靑檢察官。乃夏檢察官竟擱置七十天後，於同年四月二十六日方提起上訴。此一事實，迭經台南高分院及監察院調查委員查實，即夏檢察官本人也不否認，是夏檢察官上訴之違法，自堪認定。

夏檢察官上訴何以違法？上訴期間爲十日，自送達判決後起算。此爲刑事訴訟法第三百四十九條明文所定。此爲不變期限，且與國家社會及當事人之法益所關甚大，刑事被告固應遵守，而檢察官也不例外。依據司法院解釋：檢察官聲明控告，依照通常上訴期間，則僅十日（民國八年統字第九九二號）。最高法院對此亦著有判例。倘刑事被告或檢察官違背該法第三四九條規定之上訴期間，法院不得受理，此事甚明，不容曲解。

夏檢察官以所謂「人數甚多」，或所謂「案情複雜」，或所謂「尙有一、二被告未經判決」，或所謂尙須「調閱全卷」爲理由，顯不足採。這些理由皆不能認其有阻却逾期上訴違法之效力。反之，如果判決有罪之被告，不於判決送達後十日內提起上訴，而在兩個月後亦以同樣理由：「人數甚多」，「案情複雜」，「尙有一、二被告未經判決」，或尙須「調閱全卷」，要求准予上訴，法院亦能許之乎！

至於所謂「惟法警於第一次送達時未將送達留置，作成送達證書附卷，亦難生送達效力。」對此論據，監察院調查報告論列如下：「查留置送達，依刑事訴訟法第六十二條準用民事訴訟法第一三九條之規定，須應送達人拒絕收領而無法律上理由者始得爲之。夏檢察官既未拒絕收領，法警吳天成乃向檢察官夏靑之辦公室送達，又不能爲留置送達。因此，第二審法院關於上訴逾期與否之認定，殊值研究。」據陶百川委員之瞭解，夏檢察官既未拒絕送達，亦未拒絕收領，自不合留置的條件，且根本無留置的必要。而夏檢察官僅謂：「人數太多」「案情複雜……」不能如期上訴，彼何嘗否認送達及收領！故法警不留置云云，作爲解除夏檢察官逾期上訴之違法，似有未合。

就該案實體部份言，據監察院調查報告載：「查萬孫秀蘭於五十四年十一月十五日向台北地檢處自動報案時，檢察官張酒艮詢以：「你（指萬孫秀蘭）是否介紹謝昌勳向王武雄買嗎啡」？萬孫秀蘭答：「沒有此事」。

同年十二月三十日，檢察官黃綠星訊問萬孫秀蘭：「你在台南涉嫌販毒，其事實如何」？答稱：「謝昌勳係於本年七月間開始吸毒，以後隨吳南周等到台北縣向萬天助和我介紹向王來傳（即王武雄）購買嗎啡，先後三次。」詢據台北地檢處檢察官黃綠星稱：「筆錄內容，均係依當時訊答情形記錄，並經應訊人認爲無訛後當場簽名。」惟台南地檢處檢察官之起訴書內關於犯罪事實之記載：「謝昌勳係於本（五四）年七月間開始吸毒，以後即隨吳南周等至台北縣向萬天助及萬孫秀蘭介紹向王來傳購買毒品共先後三次。」與台北地檢處訊筆錄相較，僅將「向萬天助及萬孫秀蘭」一句內之「萬孫秀蘭」改爲「我」字，其餘別無關於犯罪事實之詢問，則此訊問筆錄，當係照當時庭呈之起訴書抄錄，要無疑義。

監察院調查報告因此認定：「第二審判決之主要根據爲該被告萬孫秀蘭在台北地檢處之投案訊問筆錄；即第二審法院原判決書所云之「自白」，然此項「自白」，係台北地檢處檢察官黃綠星根據台南地檢處檢察官夏靑之起訴書抄錄，已如前述。該萬孫秀蘭是否知情而幫助犯罪，第二審法院亦未詳加審究，率以台北地檢處檢察官轉錄，台南地檢處起訴書之筆錄，爲該萬孫秀蘭判罪之主要依據，殊嫌未盡調查職責。」

陶百川委員認爲此項判決顯屬不合，應依非常上訴程序予以救濟。

本報記者碧天

台北新聞信

反共戰綫缺一門——反共藝術

本報六月十五日「偏愛美片監委光火」報導引起台灣廣大讀者注意，有一位署名譚大川的讀者來信說：「看來看去，祇有貴報是講眞實話的讀物，而我所認識的幾位朋友，幾乎都訂有自由報，他們都是高級公務員，有的在大學教書，一致稱讚貴報的正統作風。我很奇怪，在這個反共國度裏，爲甚麼沒有反共藝術，是不敢反呢？還是搞藝術的朋友思想上在開邊門，希望貴報能出來倡導倡導……」

譚大川讀者的意見很對。就反共國度反共藝術來說，可謂荒蕪已久。在政治重於軍事，宣傳重於作戰的原則之下，爲甚麼沒有反共藝術？如話劇，電影，地方戲，漫畫，乃至於引古以證今的歷史平劇。寫到這裏就會想到「西施」等幾部片的拍製，這個玩笑就開大了，失敗無所謂，是因爲成功的媽媽，是失敗，問題在失敗硬說是成功的，且像北方茶館似的「禁談國事」，不准人批評，理由是總統都看過了，怎麼能算是失敗，如果持這種見解，搞藝術，那祇「無語問蒼天」了。

總統對部屬外嚴而內寬，教學生更然，（詳見民國三十五年九月二十四日戴季陶述蔣主席平生爲人及其思想行爲要點）總統的寬大從北伐到抗戰勝利，及對日本人民廣播一切言行，沒有給人過不去的事。在輕鬆心情下欣賞一次國片，總統的習慣上總是說「好，好，很好」，也是歷史大政治家的風範。我們如果將別人的客氣話，都視爲工作成績，乃至於失敗了，也不准人提出批評，批評的話就觸犯了「禁談國事」教條，這個樣子搞藝術怎麼行呢？

當前台灣的反共藝術，正面臨着急不容緩，否則精神未能動員，怎麼會產生健全的行動呢？今日社會各種各樣的奇形怪狀，嚴格的說來，都得歸咎於精神渙散，平劇裏的「閒來無事到烏龍院走走」即心情刻劃最好的證明。台北的國立藝術館未遵照總統育樂兩篇指示，吃飯不做事，主管喜歡玩，早應該關閉。最近聽說請請客，送送禮又穩住了。電影和話劇界不能再向國立藝術館看齊，如何發動劇作家寫反共劇本，反共話劇的巡迴演出，反共電影的加速製作，都是反共精神動員的中心課題，要把對日抗戰初期的革命熱忱拿出來。藝術界祇是作大腿，色情，女人淚的推廣，幫閒誤國，那怎麼能使人不講閒話呢？

本報通訊員柳一權

大學尺牘

評「中國哲學史話」的缺點

——陳立夫先生致張起鈞函

起鈞先生道鑒：奉讀四月二十日手教，深佩虛懷若谷，則弟自當以千慮一得之愚忱，謹將所見率直陳之如下：前面所稱「優點極多，缺點甚大」者，以大著條理明晰，文字流暢，使讀者不僅易於了解，而且感到興趣，其方法合乎科學，其態度甚爲公正，雖以儒爲正宗，而不露出成見，由于博讀西書，故能近取譬相互比較，使迷信全盤西化者無所藉口以作攻擊。其最大之貢獻，在能將數千年之思想變化來源去脈繪成一表，使讀者易於尋覓途徑，作進一步之研究，此爲優點之最著者也。惟以言道統不能自孔子始，以言哲學不能避易經不談，以言思想，不能摒棄孫中山先生而稱有所待，無頭無腳，僅得其中段，好比食魚，其味雖佳，終未得其全也，稱之謂「史話」則可，稱之謂「史」則尚有待于充實者也，故曰「缺點甚大」，茲再詳述之如次：

（一）孔子自稱述而不作，蓋欲說明彼之工作，爲整理祖先所遺留之文化資料，使之成爲有系統之典籍，俾便利後來學者之研讀與實行，由于文獻不足，故僅能上及于堯舜，堯之傳于舜也，僅有「允執厥中」之四字訣，舜之傳于禹者，則有「人心唯危，道心唯微，唯精唯一，允執厥中」之十六字訣，蓋于「中」字之外，復加一「誠」字，「唯精唯一」者誠之定義也，及湯而復執中，降及文王亦以其德之純一爲稱，以其政之仁爲頌，均以中與誠爲傳國之寶訓而遵守弗渝者也。中庸一書，爲孔子門傳授之正法，其內容亦無非誠與中二字之闡明，故以言道統，必須以誠中爲基礎，而仁則爲誠之行，故曰「誠於中形於外」，又曰「智仁勇三者天下之達德也，所以行之者一也」，一者何，曰誠是也，大學又以誠意正心爲修身之本，蓋誠非爲僅爲人道之始基，亦可稱之爲天之道也，故曰「誠者天之道也，誠之者人之道也」，故弟認爲不可以仁及孔子爲道統之本者在此，而作如下之結論曰：「吾中華民族之所以能集結六億人民爲一家，持續五千年光榮歷史而不墜者，以吾祖先發明人類共生共存之原理，垂教後人遵守弗渝，此一原理，稱之曰道，於己而言，稱之曰誠，於人而言，稱之曰仁，於事而言，稱之曰中，綜合其應用而言，稱之曰德。孔子承襲吾祖先所遺下之偉大發明而予以整理，使之成爲有系統之學術思想，其原理見諸中庸，其應用見諸大學，其詳釋見諸論語，至于詩所以道志，書所以道事，禮所以道行，樂所以道和，易所以道陰陽，春秋所以道名分，孝經所以道人類生命延續之大本，皆所以弘道與明德者也，所謂道統者，即指此一共生共存之原理之垂統不絕耳」（編者按：見作者所著「國父思想及其對今後世界之影響」。原文載於「國父百年誕辰紀念冊」），「誠」之爲天道，又爲人道，前已言之，可以「中」亦曰道，可以「道之不行也吾知之矣，智者過之，愚者不及也」證之，仁亦曰道，可在論語中隨處見之，仁則稱爲有道，故不仁則稱爲無道，故弟認爲誠、中、仁、均爲道之稱謂，因對象不同而有別，其理在此。因之歸納孔子之道爲「本于大公，發于至誠，歸于求仁，成于力行」十六字。

（二）然則吾祖先何以能發明誠中爲人類共生共存之原理？則不得不溯源於易。易爲中國最古之一書，傳爲伏羲所首創，起初僅有八卦，六十四卦爲後人將八卦重之而成，相傳文王作卦辭，周公作爻辭，孔子作十翼，爲古代四聖人之集體寫作，合天人之道而爲一者也。既合天人之道而爲一，無疑爲一部哲學著作，故弟認爲舍易而言哲學，在中國，無異舍本而逐末。且老子之「有無相生，難易相成」等等之相對論，即出諸兩儀之互爲消長原理，其「正復爲奇，善復爲妖」之互變論，即出諸易之物極必反原理，其主張無爲及順乎自然，即出諸易之易而不易律，而孔子之中和論，亦不過從易之動的方面闡明宇宙及萬物存在之原理（在動的均衡狀態中觀察得之），仍不能離開六十四卦之動變法則，「誠」是動能，人秉之以生，故曰「至誠無息，不息則久……成物也」，「中」是調整，使之恰到好處。共生共存（仁在其中），無動能則無宇宙，無調整宇宙亦難長存！故「誠」與「中」爲「天地位焉，萬物育焉」之鎖鑰。總之老子着重在宇宙變化之體的方面之觀察，孔子着重在宇宙變化之用的方面之觀察，要皆以易爲思想之基礎也，孔子心物並重（天生蒸民有物有則）格物之目的在正心，理論之偏于物質方面者，墨子爲代表，理論之偏于精神方面者揚子爲代表，各有所長，但終不及中之能左右逢源，心物兼賅，可大而又可久也。後來諸儒之相爭者，實爲各持（陰陽）相對之一面，例如人心道心之爭，心與物之爭，心與理之爭，理論與實踐之爭，雙方均僅各得其一體，爲極無聊之舉動，若彼等眞能了解孔學之全體大用，則無所可爭矣，若眞能了解孔子與老子之着眼點不同處而同歸于易理之偉大則亦無所爭執矣，無怪乎孔子喟然嘆曰「道之不行矣夫」「道之不明也吾知之矣，智者過之，愚者不及也，道之不行也吾知之矣，賢者過之，不肖者不及也」[illegible]

[illegible]……敬盼賜復爲幸！專此，敬請

陳安

弟　陳立夫　敬啓

吳敬恒先生年譜（二）

陳凌海編撰　陳洪校訂

民國紀元前四十一年——清同治十年，辛未（西曆一八七一年）先生七歲。

正月，先生始就業師張鼎臣啓蒙，讀方塊字。開學之日，先生推說腹痛，企圖「賴學」（逃學）。爲先生父有成公所朴責，自後即不敢再犯。二月，改從鄒翰卿讀。

民國紀元前四十年——清同治十一年，壬申（西曆一八七二年）先生八歲。

先生仍就業師鄒翰卿讀。鄒業師每早必外出，臨走，戒同學不許輟讀。然嚴師不在，衆皆嬉戲。先生初至且年幼，不相應和。一日，呆坐桌傍，矚望窗間。忽見紙糊長窗之小孔中有眼內窺。先生誤以爲頑童，戲以點書之筷指之曰：「戳瞎你的眼睛」。豈知推窗入內者，即爲業師，致受重責十板。自此先生即不敢再有玩意。

民國紀元前三十九年——清同治十二年，癸酉（西曆一八七三年）先生九歲。

先生改就業師鄒錫安讀。鄒師後爲外祖母陳所不喜乃赴北塘改就業師陶志伊讀。陶師設館於無錫北塘上某綢緞莊之後進。該店中有一刺（病壳，以下同）瘌學徒，先生每日上學見之，覺其可惡，即以三文錢購一遊戲文章名「刺瘌經」者熟讀之。每當進塾時，且走且唸。藉使小刺瘌學徒火冒萬丈爲樂。事隔數十年，先生猶能脫口背誦。時時用以證明幼年熟讀之詩文，確能終身不忘，對於寫作，必定有益。刺瘌經原文如下：「南無勿識刺瘌經，疑是光朗尊者松林，透出萬道毫光，遠爲麒麟，近爲刺狗者也。雪進刺，霧堆刺，焦斑刺，紅筋刺，一切刺也。只因前世，插金帶銀，討盡頭髮的便宜，今生果有此報，擾呀！擾呀！抓呀！抓呀！有人尊敬刺瘌者，要做刺總兵之職，有人不尊敬刺瘌者，要做刺賊，刺強盜，刺烏龜、刺狗，刺衆生。」此雖是惡作劇之小品，然先生却由此悟出讀書作文之大道，認爲：「凡事熟能生巧，不論讀國文或外國文，苟能熟讀，即可終身受用不盡」。

民國紀元前三十八年——清同治十三年，甲戌（西曆一八七四年）先生十歲。仍就業師陶志伊讀。

民國紀元前三十七年——清光緒元年，乙亥（西曆一八七五年）先生十一歲。仍就業師陶志伊讀。

民國紀元前三十六年——清光緒二年，丙子（西曆一八七六年）先生十二歲。仍就業師陶志伊讀。

民國紀元前三十五年——清光緒三年，丁丑（西曆一八七七年）先生十三歲。

仍就業師陶志伊讀。先生當時學識之增進，得力於陶師者殊多。在當時商家子弟，頗少應科舉者。故陶師亦謂先生曰：「汝欲應科舉，無望。不如習錢莊爲佳。」先生不以爲然，「放年學」（放年假）返家，忽忽不樂者累日。

民國紀元前三十四年——清光緒四年，戊寅（西曆一八七八年）先生十四歲。

（自第二版轉來）

五十六年十一月，水泥貨物稅每公噸爲二三五元，淨價仍爲七二五元，售價爲每公噸九百六十元每包五十八元。觀此，水泥價格不變，完全因貨物稅之增加而增加。

按理說，水泥廠價不變則貨物稅不應有變化，但貨物稅條例規定完稅價格，應按照生產附近市場每一個月平均批發價格，減除其原納稅欵之數及運什費用之淨價，爲完稅價格計算標準。水泥生產，台灣南部佔生產總量三分之二，北部佔三分之一，但南部市價變化少，較有安定力，然而實際上，主管機關所查者，一爲報載市價，一爲以台北市棒山町一地之價格爲計算完稅價格之標準，故計算偏高而又極不合理，台灣省稅務處亦承認應加改善。同時，水泥商每月至二十日以後，即不出售水泥，其價格必漲，十天後之下月初，便可坐享因上月底水泥價格上漲而增加貨稅之利潤，於是形成惡性循環。

儘管永泥淨價不變，但事實上卻有三種不同的價格，一是軍用永泥按淨價七二五元批售，不計稅欵。二是公用水泥，按民國五十五年六月民用水泥批發價每公噸八八六元，減除當月貨物稅一五五、〇四元後九六折，加購買時貨物稅，例如，今年四月份公用水泥向水泥工廠直接訂購者，每公噸八五七、七元，包括貨物稅每公噸一七五、一八元在內。三是經銷商按水泥淨價九六折後加貨物稅，自今年三月一日起每公噸加裝車費三元，手續費一元五角後爲八六七、八元。水泥零售商之銷售量約佔內銷總量百分之十五左右，依合約規定，廠方每月供應零售商水泥一五〇公噸，營業費用與捐稅等項，則由零售商自負，故在正常情況下，水泥零售商應較批發價爲高，惟零售商之對象爲一般零星用戶，購用之數量，多寡不一，且不乏一包、二包，或三斤五斤者，由於需要量無法估計，故滯銷時零售商不得不減價拋售，每當旺季則又奇貨可居，且有坐待貨物稅提高後出售者，因之水泥市價變動不一。此外，零售商之水泥亦有來自工廠批購之直接用戶，蓋因水泥不能久貯，超過二月即結塊凝固，而工程進展常不如預期，故有將批購之水泥交由零售商週轉待需用時而後取回者，亦有假手水泥黃牛高價賣出，低價買進者。

水泥暴漲發生原因
完全由於政策不當

據監察委員熊在渭調查的結果，並無人利用權勢壟斷哄招情事。並調查報告認爲水泥貨物稅之課征，於法於情於理，均有不當。然而政府爲解決財政問題，而調整貨物稅稅率，並擴大課征範圍，水泥貨物稅稅率由百分之二十四提高爲百分之三十。已經政府公布自六月十五日起施行。

監察院調查報告不僅指出水泥貨物稅稅率爲高，並抨擊財稅機關非法課征，對生產事業與一般人民之稅負，已嫌苛重，且又不顧法理，並向各水泥工廠課征營業稅，追溯自五十五年一月一日起征，雖輿論譁然，財稅當局也不反省。夫營業稅爲省地方稅，依貨物稅條例第十三條規定：「完納貨物稅之貨物，運銷國內，地方政府不得對該貨物重征任何稅捐」。水泥在出廠時，已照價課征貨物稅，自不應以各廠發貨爲營業行爲，再按貨價課征營業稅，此一問題，征納雙方爭執達數月之久，財政部竟根據營業稅法第十七條第三款「原始繳納貨物稅之工廠，生產人或進口商批售其已納貨物稅之貨物免征營業稅，但零售已納貨物稅之貨物，不在此限」的規定，解釋「凡由原始繳納貨物稅之工廠，出產人或進口商依照貨物稅稽征規則規定之完稅數量，持憑完照出廠銷售，其所開統一發票抬頭爲：營利事業、軍公教機關團體等，應屬批發，依法免征營業稅」，[illegible]……平服人心。

展望反攻復國的前途

〈本文自第一版轉來〉

如今天美國人在越南的戰爭，有強大的海、陸、空軍，以這樣一個全世界科學文明最進步的國家，來對付一個物質條件最落後的北越，等於以石擊卵，一打就破的，可是打了幾年，兵力逐年增加，到今天，美國人還沒有絕對勝利的把握，可見戰爭在武力外還有其他因素。即如美國空軍對北越實施大轟炸，我們要知道，它一顆炸彈落下，胡志明馬上就告訴北越人說這是美國帝國主義來侵畧，我們不要單看這一炸彈有多少噸重，放下去有多少殺傷力，但胡志明這一句話，——美國帝國主義來侵畧——就可把炸彈的威力打折扣，甚至把來消滅，更甚而發生一個相反的作用。毛澤東也懂這一套，毛澤東從頭到尾就怕我們反攻，他定要把我們同「美國帝國主義」聯合起來講。我們空軍飛到大陸，丟下炸彈，毛澤東說「美國帝國主義來了」，可是他這句話不能發生作用，因為今天大陸人心乃至共匪中大多數，他們都了解，我們一架飛機飛回大陸，一顆炸彈丟下，這是表示了一個最有意義的信號——這信號是說我們要回來了——大陸民衆知道這個信號，絕不會聽信毛澤東說是美國帝國主義來侵畧了。我們和大陸同胞同是中國人，我們是一個傳統的中國人，代表着中國傳統文化的中國人。我們回大陸，也就是我們中國傳統文化回大陸，這事最能深入大陸同胞心中，成為我們　總統號召要復興中國傳統文化最大力量，遠勝於一顆炸彈之物質力量。今天此一號召，不僅以此時此地為限，在此時此地祇是一個開始，我們要復興中國傳統文化，要以大陸全民族為着眼。近來中東戰事，以色列空軍建立了，人家沒有想到的功績，但以色列空軍之炸埃及，絕不能同我們的空軍回去炸大陸相提並論。這其間有完全不同之處，以色列空軍炸埃及，固能得到軍事勝利，而我們的飛機回去炸大陸，實有更大的意義，必然更能獲得輝煌戰果。毛澤東沒有辦法抵擋，只能欺騙大陸民衆說美國帝國主義來肆侵畧了，大陸再不信此謊言，則毛澤東也就更無別法抵擋我們。

講到這裏，也許要問我們明天就回去不好嗎？這也並不是一件輕而易舉的事。在戰國時，有人問孟子，天下烏乎定，孟子說「定於一」，那人又問孰能一之，孟子說「不嗜殺人者能一之」。可是秦始皇最愛殺人，終在他手裏統一了。其實孟子的話並不是說錯了，秦始皇雖統一了中國，並未能使中國安定，秦始皇死了不到二十年，中國又亂了，劉邦與項羽爭天下，大家都說劉邦不喜歡殺人，因而他定了天下，孟子那句話終還是驗了。可見歷史還是決定在人道與天理，不決定在物質與強力。

今天，我們自由中國的軍民在偉大的領袖領導下，正邁向勝利成功的大道，我們不僅有解救大陸同胞的責任，更負有將中華文化發揚光大的責任，願我三軍將士奮勇精神，為此神聖的任務而戰鬥。

．錢穆．

談陸榮廷

諸葛文侯

陸榮廷出身綠林，原在廣西龍州一帶打家劫舍過活，安南邊境的法國人，亦常常受到陸氏這羣　火狐鳴之輩的鈔掠，無可如何也。譚浩明（曾任湖南督軍）陳炳焜（曾任廣東督軍）原係龍州地方的船伕，長時夥同榮廷行劫者。

清末蘇元春以「太子少保」領軍駐防龍州時，陸榮廷因劫案被捕，依法應處極刑，蘇觀陸氏面貌英俊，有意貸其一死，乃告語陸氏：如在七天之內，能將安南境內法國兵營中的鎗械盜取一百枝以獻，即可宥免死罪。陸慨然應諾，不到一星期，即把一百枝法國快鎗，如數奉呈了。蘇大喜，正式招安陸氏及其徒衆，編為正規部隊一營，巡防桂境。

宣統三年辛亥大革命發生，西南各省率先響應，廣西地處邊徼，雖有滿清綠營駐防，然窳敗無戰鬥力，官吏聞警多潛逃，陸氏乘機附和革命，佔領南寧，進而襲取桂林，初奉巡撫沈炳堃為都督，竭力擴充武力，旋迫沈去位，取而代之。自民國二年至民國十年間，陸由廣西都督洊任至兩廣巡閱使，中經護國、護法之役，勢力伸張湘粵兩省，昔日的船伕陳炳焜、譚浩明居然貴為湘粵督軍，而以廣東受陸氏控制最久，陳炳焜去粵，又繼以莫榮新。國父孫先生在粵開府護法時，曾憤莫榮新之不合作，率艦隊砲打督軍署，後來莫氏為着敷衍孫公，避免粵人反對，總將省府所屬巡防營二十營（省長係吉林人朱慶瀾），改編為援閩軍，由孫公派陳炯明（競存）統率入閩，成為革命武力。最後驅逐莫榮新，進攻廣西，打倒陸榮廷的，便係陳炯明所率領的這部革命軍。

民國十年陳競存揮軍由閩回粵驅莫之際，桂軍實力超過粵軍數倍，本不易取勝的，但戰事一起，陳部奄有破竹之勢，桂軍節節敗退，實與兵力無關，乃陸榮廷女婿馬濟憒事所致也。陸有女婿二人，蘇子美馬濟是也。蘇以文人不問軍事，馬於民六桂軍進佔湖南時，即任旅長，以貴戚關係，權力在譚浩明上。迨民十粵桂軍戰爭發生，馬在粵擔任莫督軍的參謀長，實際就是代表陸榮廷監督在粵的桂軍，因此，對於前綫抵抗粵軍的各部桂軍所下命令，馬氏竟不署莫督軍名字，逕以馬濟名義行之，各將領皆忿懟，說是不願替參謀長馬某作戰，粵軍來，即不戰而退，任其長驅直入。莫榮新本沒有甚末知識，祇好讓馬濟越權胡來，把廣東地盤斷送了。往後陳競存進攻廣西，桂軍精銳僅餘沈鴻英林俊廷兩部了，沈林亦不滿馬濟之專橫，意力避戰。這時陸榮廷年事已大，財富亦多，早在蘇州置有別業，乃離桂赴蘇州作寓公，桂事聽由沈林應付，馬濟以泰山崩塌，自難立足桂省了。

越民國十一年，桂省新興人物黃紹竑李宗仁等，起而與沈鴻英林俊廷角逐爭雄，終將沈林各個擊破，而陸系力量即從此掃蕩以盡，廣西直至民國卅八年大陸淪陷，皆由李黃白控制着，舊時的陸系人物無論文武，靡有殘存者，可見陸榮廷左右毫無人才也。（完）

命相與夢話

鄭品聰與林謨

．公陶．

平劇中的臉譜，實則就是紋理，又名皺襞（襞者，布帛之摺疊紋也）現於額上眼尾及口唇兩側者居多，其發現之時，大都在三十歲前後，平戲的臉譜，乃是將紋理刻劃得更清楚，一如今日舞台上話劇電影化粧術，從舞台下看上去正合適，如果到後台看，就不近情了。

每個人都有臉譜，而紅代表忠義，面白代表奸詐，花臉是粗綫條，扁鼻又像小丑，不規則的紋代表邪惡，黑臉表示剛直，行碎步多為惡人，祇鬚生的臉是正常的。薩孟武老教授，雖飽學之士，對臉譜相法欠缺研究，於劇談中講出一兩句外行話，同時對凌波捧的太過火，引起海外不少僑報，當時的筆尖指向賢者，引為憾事。平劇中婦女臉譜變化很少，事實上女人臉上的紋，沒有男人多，假定婦女臉上有強大的紋理，其性行必類男子。

平劇裏的包公，黑臉額角上有月牙紋。公陶研究相理有年，遇見過七位以上額角有月牙紋的，經調查率多剛直堅貞，正派無邪。近年在台北又遇到兩位有月牙紋的：一是立法委員鄭品聰，印堂上生月牙紋；一是台北地方法院推事林謨，額角上生月牙紋。而且紋理都非常清楚，據說鄭很正派，林甚剛直。紋理與人品有這樣顯著關係，怎麼能不相信臉譜呢？

譚天雕空集

陰曹會審毛魔記

．鄒眼．

「毛澤東死」，到了陰曹地府，正值東嶽大帝招待外賓，座上有釋迦牟尼，耶穌，穆罕默德，舉行「高層會議」，由玉皇大帝任司會，十殿閻君列席。驀地，四值功曹由夜叉牽進一新鬼，到玉帝面前跪下。報告：「十惡元凶毛澤東拿到」。玉帝問：「你就是毛魔王澤東嗎？」，答：「小的不敢，正是毛澤東，曾任中共主席」。玉帝怒云：「好哇，你居然會把人間變地獄」，後，揮手指五殿閻羅王云：「先把此惡鬼押到十八層地獄，和史太林、東條、希特勒關在一起。待我提交會議定罪」。不久，國際審判大會舉行一千九百六十八次會議，由東嶽大帝主審。玉皇先提到馬克斯，史大林，陳獨秀，及有關人作證。並由孔子，康德，盧梭，老子，王陽明等上卿陪審。會址設於「三十三天帝釋宮」。玉帝首宣布罪犯毛澤東十大罪狀，然後大帝問：「馬克斯，史大林，陳獨秀，爾等倡唯物共產，毛鬼是爾等徒孫否？」馬等搖頭。再問：「孔康盧老王等，卿等以為毛鬼有人心肝否？」齊聲應：「可照唯物試驗，剖腹查看」。於此，玉帝命閻羅王喚地獄掌刑官剖毛腹，取出心肝，向上報云：「原是狠心狗肺」。調查完畢，進行辯論，由列寧代毛辯護。老子指控毛施恐怖統治，違反自然。康指控毛喊階級專政，泯滅理性。盧指控毛推行階級鬥爭，戕賊自由。王指控毛殘害生靈，為天理所不容。最後孔子痛罵毛鬼殘仁賊義，沒有人性。列寧均無詞以辯。大帝宣布辯論終結。待開合議庭定罪。

案提國際最高法庭審議，假高層會場舉行。場設「夜摩天宮」。玉帝宣讀毛案後，穆聖指示：「毛鬼乃一妖物，橫凌回教，應處凌遲罪。」耶穌指云：「毛鬼毀瀆神聖，滅絕人倫，應下永久地獄。」世尊稱：「否，毛鬼獸心人形，原係畜生，應入畜生道。」又云：「即打入十八層地獄，施以萬刦，亦不足洗其污垢。」決議：「交付五殿閻羅王先行洗腦，再送入輪廻畜生。轉生兎子，作為核子試爆試驗品。使其一嘗唯物論之眞味。」馬史列等一干人證還押。散會。附注，此訊當待人造衛星轉播證實。

禪學黃金時代

禪源起的

吳怡

迦葉，據說是印度禪的初祖，在他以後傳了二十七代，至達摩是第二十八祖，也是印度禪的最後一祖。自達摩來到中國後，便成了中國禪的初祖。所以達摩在禪宗史上，可說是溝通中印思想的一座橋樑。

印度禪的這二十八祖的法統據考證是後人捏造的（譯者按，胡適在荷澤大師神會傳中曾有考證），在梵文中也沒有印度禪宗法統的記載。禪宗的這個「禪」字本來是從梵文「禪那」的音譯變來的，但其間意義上有很大的差別。「禪那」是指一種精神的集中，是指一種有層次的冥想，而「禪」，以中國祖師所了解的，那是指對本體的一種頓悟，或是指對自性的一種直觀。他們一再的提醒學生，冥想和思索，都會失去了禪的精神。

胡適博士曾發揮說：

「中國禪並不來自於印度的瑜珈或禪那，相反的，卻是對瑜珈或禪那的一種革命。」

也許這不是一種有目的的革命，而是自然的轉變，但無論是革命或是轉變，「禪」不同於「禪那」卻是事實。鈴木大拙博士曾說：

「像今天我們所謂的禪，在印度是沒有的。」

他認為中國人把禪解作頓悟，是一種創見，也足證中國人不願囫圇吞棗似的吸收印度佛學，他說：

「中國人的那種富有實踐精神的想像力，創造了禪，使他們在宗教的情愫上得到了最大的滿足。」

（二）

生活漫談

沈劍虹未老先脫髮

美國一家雜誌徵文，題目是「世界上最尷尬的事」，某讀者描述「一位未老先脫髮的朋友，前頂祇有一根頭髮，理完髮後，拜託理髮師說：請替我分作兩邊」以此應徵而得頭獎。

外交部次長沈劍虹，立法委員黃通，及前路透社記者樂恕仁等，都是用腦過度的朋友，雖皆白面書生，但均未老而髮已脫，為健康上一大煩惱。一般因防止脫髮，已用各種脫毛藥劑，生髮藥劑，乃至於過份重視，毛髮不敢用梳篦去梳，有的不敢用手去觸，其結果頭髮掉的更多。

當斬亂麻，用快刀。凡遇頭上脫毛時，亟除去要脫之毛，否則病髮會阻礙好髮再生。頭髮脫後，促進再生的方法：一、常用指頭摩擦頭肉，使髮根受刺激而恢復健康，二、每晨宜用清水及肥皂揉洗，盡除去脫髮，去污垢，有維持氣空之功用，三、頭皮有因癬或細菌癢和痛，均阻礙毛髮之發展，宜用清水加適當石灰酸洗之，洗後倘有不適，是髮根受刺激，繼續一個月，自然習慣，四、早晚用冷熱兩盆水交替浸頭，冷熱的程度以受得了為原則，不要為洗頭而受痛苦，家庭間洗頭如不方便的話，可用兩塊毛巾，一浸於冷水，一浸於熱水，取出輪流覆於頭上，亦可得相當之效果。每天早上或晚上冷熱交替蓋五次，非常有效，冷熱交替對身體絕對沒有甚麼妨礙，但能刺激頭皮，使血循環加強，頭髮自然新生。

保護頭髮亦很要緊，下列數點須注意：一、欲使毛髮健全，最好是勿戴帽子，因日光為生活力不能少之因素，尤其嘉惠頭髮最多，不論冬夏，如能將頭髮常親近日光，髮的光澤一定可愛，英國紳士和美國華爾街大亨，個個都有戴帽習慣，其結果十有七八頭頂光亮可與汽燈媲美。印度、泰國、馬來亞、緬甸、印尼、巴基斯坦、菲律賓、太陽下邊很少有人戴帽，遇雨時也少用傘，這些地方無論男女老少，幾無一人毛髮稀薄者，就是因為他們不戴帽子。

人體各部門，沒有一樣不具獨特的功用，毛髮的光澤，當然亦必有一部門專司其功用者，昔美國有一位羅連博士，發現咽喉第三骨輪，與毛髮的色澤有很大的關係，故行咽喉緊張運動，同時摩擦該骨輪，三個月間竟使頭髮黃亮可愛。中國一位學者，台山溫宗堯先生，民國六年過着生活，滿頭白髮，頹然將老，後採用此種摩擦咽喉輪骨運動，朝夕行之，果見自己毛髮，又變為黝黑，貌亦漸豐腴。日本健身院裏，最近多增加頭髮摩擦法，先由頭的後部，反覆摩擦，然後及頭的前部，再由兩耳的上部摩擦然後再至頭頂摩擦，各動作約五十次，最多十分鐘做完，其目的莫非亦使血行盛旺而已。

．馬騰雲．

自由報

第八七〇期

中華民國內政部登記證內警台報字第031號
中華郵政台字第一二八二號執照登記為第一類新聞紙類
（半週刊每星期三、六出版）
每份港幣壹角．台灣零售價新台幣弍元
社長李運鵬．督印黃行書
社址：香港九龍登打士街91號十樓六座
91 DUNDAS ST. 9th FLOOR, FLAT 6 KOWLOON H. K.
電話：857253　電報掛號：7191
承印者：大同印務公司
地址：香港北角和富道九六號
台灣總管理處
中華民國（台灣）台北市大同街119號
電話555395．557474
駐台灣代表人辦事處
台北市公園路二十八號四樓
電話：20454．62625
台灣分社：台北市西寧南路110號二樓
電話：三〇三四六
台郵撥儲金戶九二五二

憲法、法律、行政命令　守法

——從私立學校規程修訂案就教閻部長

楊涓藻

最近教育部擬就呈請行政院頒布之私立學校規程，經監察委員張建中、立法委員何景寮、黃玉明等在立監兩院分別提出，認為違憲。大華、自立兩報將此一消息刊露後，已引起各方重視，尤其全國私立學校創辦人等亦深感不安。如果該項規程不重新依法合理修正，不僅現存私立學校捐助人的應有權利受到侵害，且已侵害到司法及立法權。未來創辦私立學校者，從此亦將視該項規程而却步。故該項規程，實質上，已成為阻滯教育發展之障礙。不特與我國教育政策相違悖，且與憲法、法律嚴重抵觸。此種抵觸，除已見張，何，黃委員等指出部份理由外。吾人願就其未指出部份，依憲法精神，法律明文及總統平日指示為基準，分析該項規程之若干條欵，得失如下：

（一）財團法人在憲法，法律上的地位及其權利與義務。憲法第十五條：「人民之工作權、生存權、財產權應予保障」。廿二條：「凡人民之其他自由及權利不妨害社會秩序及公共利益者，憲法應予保障」。第廿三條：「以上（即廿三條以上各條本文畧）列舉之自由及權利除妨礙他人自由，避免緊急危難，維持社會秩序或增進公共利益所必要者，不得以法律限制之」。這三條已明白而肯定的指出人民的一切自由活動及財產權利，祇要不妨害社會秩序及公共利益，政府應予以保護，法律且不得加以限制。

從民法而言，民法謂：法人者，非自然人。法人是依法律之規定為權利之主體也。法人之中，復有社團法人與財團法人之分。社團法人又分公益法人與私益法人。私益法人是以營利為目的，財團法人則完全以公益為目的。

社團法人是以社員集會為基礎。財團法人是以捐助財產為基礎。無論捐助財產或集會社員之法人皆有其共同之意志，集共同意思為目的。無論公、私兩者，皆以共同認定的組織，為手段實現其目的。在私者言、依法担負國庫的財稅義務。在公者言，實現救濟、慈善、衛生、教育為義務。換言之，其目的之實現，亦即社會義務之達成。私益者除掌握其組織，運作，製造，管理方法外，尚有盈餘之利潤。公益者，無盈餘可言，除擴大其目的外，僅有的權利為實現目的完成社會義務的「組織管理方法」而已。因此，我們可以確定，盈餘、及組織管理方法，而者為公私益財團法人的利益與主權，受到憲法的保障，為不可侵犯的基本權利。同時，民法承認財團法人等，為一種現行的社會制度，意即瞭解此一制度的社會價値，所以，制訂法律以鼓勵它的發展，保護它的地位，已無疑議。它有一定的範圍，在它一定的範圍內，充份享有他的主權，也可以充份自由運用它的權力。在未超出其本身範圍妨害他人自由，或導致緊急危難損害公共利益之時，法律不能加以干涉與限制。更不能侵入其範圍，剝奪其利益，攫奪其主權。此理至為明顯，毋容贅述。以上是財團法人的地位及其權利與義務。

（二）行政命令可否違反憲法，法律及其對法人的能為量？我們申論了財團法人的權利與義務之後，現在，再來探究兩點：第一點：行政命令是否可以抵觸憲法及法律之規定？第二點：行政機關對於可以節制的財團法人能夠施展運用行政權力有多大？關於第一點，從中央法規制定標準法第五條謂：「應以法律規定之情事，不得以命令定之」。第六條：「各機關發布之命令得依其性質，稱規程、規則，細則，辦法」。同法第四條第二款：「關於人民權利義務應以法律定之」。由於以上這四條條文明白而嚴格的規定，已可以看出行政機關的命令，依性質祇能稱為規程、規則、細則、辦法。這些命令或規程與辦法，概不能違反憲法與抵觸法律。且有關人民權利義務的事應以法律規定之，此乃法權也，不是行政命令可以解決的。此理亦至為明顯。關於第二點，行政機關對於可以節制的財團法人可以施展的行政命令能有多大？對於這一個問題，法有明文，我們也可以擇出它地不可動搖的根據。從教育而言，憲法第一六二條：「全國公私立教育文化機關，依法律受國家之監督」。準此，我們可以知道，辦教育的財團法人於所創設的私立學校依法祇能受到主管官署的監督，而不受其管理，此理亦至為明顯。至於監督的程度與範圍有多大？這就是要估計到法律不會規範的空間來決定。換言之，凡未涉及到法人法權的範圍，就是依法可以監督的範圍，也是行政權可以運用的範圍，行政命令下達生效的範圍。反之，其行政權力與命令便不能發生作用。此理亦至為明顯。至於監督的具體對象是什麼？我們也可以列舉一部份為例：如教授、教員的資格，學生的學分、成績，學校的環境與衛生，教職員的行為人品及有關各種攷核，學校在社會上所引發的風問題等等，如果有不良的情況出現，小者主管機關可以警告糾正。大者，撤銷登記，使其自然停辦。這是主管官署應盡量發揮監督權的地方。也是行政權力命令下達生效的實質對象。超出這些範圍，便侵害他人權利與自由，構成非法的行為。據此，我們已可看出，行政命令規程，規則等之類，不能違反法律的道理。行政機關對財團法人組織私立學校之監督，應保有的分際與尺度。

（三）規程與憲法、法律相違反及其不可避免之後果。討論了上述財團法人的法律上的地位及其權利與義務，明白了行政命令不能違反憲法，以及法律對法人的權力能量之後。現在我們進入實際問題的探討，分析教育部將頒佈之對私立學校的規程及條欵。依上述中央法規制訂標準法第六條的規定，換言之，就是教育部對私立學校所下的命令。現在，研究這一命令的內容，它是否違反憲法，與法律的規定抵觸衝突，以及其將來必然產生何種後果。

新定規程第五條規定：「私立學校（院）長，應為專任、其資格須符合法令的規定，並須呈報主管行政機關核准備案」。此一條文，不僅違反大學法第八條，且意在以行政命令取代法律地位，這是不可否認的事實。大學法第八條：「私立學校（院）長應為專任，校（院）長資格須符合法定的規定，並須呈報教育部備案」。這證明大學法規定，僅「備案」已足，該規定非「核准」則不可，此即謂抵觸法律。同時，侵害私立學校立法權，假定資格合法，經校董會聘請，而該校董事會與主管意見不同，而有此操縱情況，主管取決了權，侵害董事會的自由，且亦奪取了人的主權與私立學校之間，造成主管機關與學校之間的紛爭，對教育發展及學校影響後果，無待述矣！此不當者一。（下轉第二版）

昨日與明日

「不留級，不開除！」

自九年義務教育方案確定後，各方的反應都非常熱烈。當然，這是一椿好的政策，也是政府一項賢明措施。

當這些即將在暑期過後着手開辦的國民中學，雖然校舍，教室、師資均已有相當準備；可是有些接踵而來的問題仍不免令人感到困擾。這個理論與現實相矛盾的問題，就是將來的國民中學有着「不留級和不開除」的規定。各縣市教育當局，對這個新規定在將來事實上是不是完全都能夠做到。或多或少都有些辣手，譬如：一所再好的學府，用功的好學生雖然佔絕大多數，但不用功而或受多方面環境所影響的壞學生也不是完全沒有。在以往，學校方面的處理，對過失輕微的是申斥、記過；嚴重些的便是留級，開除。現在的國民中學既然有了這次新規定，許多人認為這樣會產生許多流弊。因為既不留級，也不能開除，學生家長們對於他們的子弟就減了注意；因此也就形成了壞學生的比率增加，致使一般太保阿飛之流就會肆無忌憚成羣結隊的打入學校。認為反正有學校可進，只要取得學生的身份，混上三年五年都無所謂。

雖然這些都免不了是今後實施國民中學義教的困擾，可是這次困擾不是不可以克復的；換言之，負教育責任者決不能因噎廢食，不去設法尋求解決。

應從改變氣質入手

教育的意義是本着「有教無類」的，原則去實行的。教育的目的也就是將好人教到更好，將壞人教成好人；將有用之材教到更有用，將無用之材改造成為有用之材。使得每一位接受了九年義務教育的國民，將來都能成為國家合格的公民。如果連這個基本要求都辦不到，對認為不好的學生動不動不是留級就是開除，這與教育的目的豈不是背道而馳了嗎？應知學生教不好，身為老師的人是難辭其咎的。因為一個學校多幾個品學兼優的學生并沒有什麼了不起，因為這在老師的身份上是應做到的。如果一個學校能夠根本上去改變青少年的氣質，把一般人認為的壞學生改造為好學生，使國家多幾根棟樑之材，這就真值得誇耀了。這樣一來，所謂「不留級，不開除」的眞實意義表現得再明白也沒有了。

（李羽）

自由談

洋鬼子的心聲

美國「紐約時報」最近發表社論，主張美國改變對中共的外交政策，說中共「希望洋鬼子幫忙文化革命」。這種言論表面似乎是沒有常識，太可笑了，實則這是「洋鬼仔」的由衷之談，并不奇怪。

過去一百多年以來，西方洋鬼子竭盡氣力，要把地大物博的中國淪為次殖民地，相率助長中國內亂，實行分而治之的帝國主義政策，甜頭吃得不少。迨一九二七年中國人民覺醒起來，以革命手段打倒帝國主義，隨而廢除不平等條約，收回租界，剷除洋鬼子在中國的一切特權。他們乃感覺文化基礎深厚的中華民族，一朝獨立自主，憑着固有的智慧和資源，終必成為不可輕侮的世界強國，使洋鬼子甘拜下風，永難重溫過去在中國所為欲為的舊夢，不禁憂心忡忡。所以，近年來美國即有人重彈「黃禍」的舊調，表示對中國人怨恨而又畏懼的心情。

詎料中國共產黨托賴美國的鼓勵贊助，控制了中國大陸後，對於洋鬼子并無好感，使他們大為失望。如今毛澤東忽然進行「文化大革命」，要把中國固有文化徹底消滅，這在西方洋鬼子看來，正合孤意，中華祇要消滅中國固有文化，喪失民族精神，自然相應，再也沒有反抗西方帝國主義侵略的能力了。這不是西方洋鬼子求之不得的一大喜事嗎？紐約時報代表西方一般洋鬼子的思想，唯恐毛共的「文化大革命」尚有不徹底之處，很願幫助毛共一臂之力，使中國文化能夠斬草限根，不留痕迹，實行全盤西化，善莫大焉。但紐約時報的先生們便直接自告奮勇，希望參加毛共亡國滅種的文化革命運動，而以自作多情的口脗故意說毛共希望洋鬼子來幫忙，所謂不敢請耳，固所願也。問題在毛共是否接受美國洋鬼子這番好意？

天下烏鴉一般黑，帝主義并無新舊之分，亦無所謂民主與不民主之別，要把資源豐富的國家淪為殖民地，以便傾銷商品，掠奪物資，增加財富而已。紐約時報的言論，我們認為樸素而幼稚得十分可愛也！

馬五先生

憲法、法律、行政命令、守法

——從私立學校規程修訂案就教閻部長

△楊洧藻▽

（本文自第一版轉來）

規程第十九條，「……董事會應在當屆董事任期屆滿前三個月開會選舉下屆董事。新董事名單應呈請教育行政機關核定」。這種規定，不僅違法侵權，且謂之爲小題大作，試觀我國省縣首長及議員的選舉，依法在舊任屆滿前一個月，總統的選舉也不過是前三個月而已。如今小小的一個私人董事會的選舉，何必要在三個月以前辦理，這規程就算能夠成立，將來實行徒增他人困擾。況董事會之選舉，分明爲法人之事，上文已有說明，至當選者，教育行政機關無權否認，至不能當選者行政主管官署亦不能幫助其當選。一定要操此「核准」權，如無題外文章，教育部擬此規程意向何在？此其不當者二。

規程第二十條：「關於董事長，董事在任期中出缺，或左列情形之一應解職」，其中包括「被處有期徒刑以上之刑」者在內。這一規定根本侵害立法權，褫奪私權。蓋私立學校董事會，係財團法人之組織，任充董事長，董事是私權，而非公權，應不受刑事處分的限制。從褫公權而言，刑法第三十六條定有明文的，亦不能涉及到人民的私權，此理亦至爲明顯。此其不當者三。

同條三欵與十條已經重複，有此必要嗎？同條第四欵規定董事無故不出董事會議連續達三次者，解職。亦同犯侵害法人私權之弊。這是以行政命令抵觸憲法，法律對人民私權的侵害，此其不應當者四。

規程第二十二條：「經改選補選之董事長或董事均以補足原任之期爲限」外，並規定「當選董事必須出具同意書」，且要「經過教育行政機關核准備案生效」。這種規定，失之過嚴，董事當選與否，爲法人主權內之事，教育行政機關祇能接受備案已足，超備案而欲握核准之權皆屬違法。同時董事依法當選即生效何須核准。省，縣，市各級人民首長及小學生代表之當選，祇要當選之後向各主管官署備案了事，也沒有須要填同意書才生效的，由此可見此條欵之不當者五。

規程二十四條：包括四欵……（一）董事之解選，補選：……（二）校院長之選聘解聘：……（三）經費之籌劃及管理：……（四），董事會章程之修訂，類皆硬性規定必須經董事會三分之二出席，並經出席董事三分之二票決方爲有效，這四欵又顯與民法六十二條抵觸。按：民法六二條：「組織管理方法由捐助人以捐助章程定之。捐助章程所定組織不完全或重要之管理方法不具備，法院得因利害關係人之聲請，爲必要之處分」，可見法有明文，董事會之組織管理方法，董事屬法人之主權，除法院尚可因利害關係人之聲請可以主張外，行政機關僅具有監督權力而已。這種規定是行政機關的行政命令取代了法人的主權，成爲越俎庖也取代法院的地位。此其不當者六。

規程第二十六條規定：……「董事會遴選之校（院）長，第十五條已有指出此不贅述。同條第二欵謂：「不合規定者，董事會應重新選聘報核，必要時主管教育行政機關得派員暫行代理」。這種規定，違法的情形固不必論，就按常理講，凡不具備校長條件者，（包括學問條件及法律條件）固然不能報聘，即使報聘，當然也不能獲准，故這類規定，如無題外文章，也屬多餘。至於派員代理，這分明又侵入奪人私權的範圍。縱令該校有任何特殊事故發生，教育行政機關，可以輔導者依法輔導，如其不能，亦可以警告、糾正、或限期整理。假定上項行政權力仍不能使該校就範，尚可撤銷其登記，解散其組織，而不可作侵害私權，派人代理之舉。此其不當者七。

規程第三十五條：「財團法人申請登記前應將捐助章程及財產清冊之類呈報主管教育行政機關經許可驗印後再持向法院辦理登記」。這是錯誤的，按民法第五九條規定「財團於登記前應得主管官署之許可」。又按，民法總則施行法第十條明定「財團登記爲法人事務所所在地之法院主管」。在這兩條法律對照之下，我們便可以知這，一者是承認法人的目的，法人的意思辦學或救濟等；一者是承認法人的法定地位，財團組織之類，兩種性質，迺然不同。依本條欵的規定，是教育行政機關把法院的事也要一手拉過來辦。竟自定預行審核法院辦「法人登記之職權。」不僅是越俎代庖，且有夜郎自大之嫌，於事無補，於法不合，徒增人民手續上之煩擾，那裏算是便民及輔助私人興辦教育的作法？此其不當者八。

規程三十六條：包括三欵，第二欵規定：「財團法人之捐助章程中的組織管理方法，必須要依學校法人董事會的章程規定」。這裏我們可以看出，按照這種規定，簡直可以說是本末倒置的事。就財團捐助人而言，捐助章程，爲捐助人之意思，捐助章程上的意思，先董事會而存在，董事會是後來推行捐助章程意思的人。捐助章程正如一種憲章，它有一種固定性，不容他人任意更改。民法六二條：「財團之組織管理方法，由捐助人章程定之，捐助章程所定之組織不完全或重要之管理方法不具備者，法院得依利害關係人之聲請，爲必要之處分」。此不僅證明捐助章程內的一切合法規定，董事會無權更改與違反。抑且，民法六四條規定：「財團董事有違反捐助章程之行爲時，法院得因利害關係人之聲請，宣布其行爲爲無效。」更足證明董事會與捐助人之間，他們彼此的地位與關係。如果按照新訂規程的規定，無異如國民大會制訂的憲章，制度要依內閣會議的辦法來擬就，閻振興先生主持教育部的一切綱領措施計劃，要依教育廳的規程來擬訂。閻部長是學科學的，難道這種規程是符合科學邏輯的嗎？

同條各欵：凡規定財團法人登記及變更事項概依董事會的章程之規定，都是犯了上述的毛病，應概歸民法辦理，此其不當者九。

規程第四二條、四三條，對於董事會不健全，學校發生糾紛時，教育行政機關，放棄其正大可行的警告、糾正、甚至撤銷登記的權力而不用，規定屆時派員整頓，管理，預設估有或處理他人財產權力的規定，純屬錯誤。試問，這樣的規定，將來還有什麼人敢於捐資興學呢？

從前文討論到此，分別瞭解了，一、財團法人的法定地位及權利義務。二、行政命令對財團法人興辦的私立學校監督的尺度。三、新修規程與憲法，法律的相悖性及其後果。我們現在來總結全文：從憲法第一六七條的角度看，「國內私人經營之教育事業成績優良者……及於學術或技術有發明者，予以獎勵或補助」。又一百六十四條。從中央以下到地方對於教育之預算，皆估國家任何事業之首。再四說明對教育的補助，而無對教育的阻礙，裁制之意。由此，我們反觀到上述的規程，非獨不是促進教育發展，且侵害司法與立法權，處處都顯示一種管理與衙制？這與憲法精神究竟如何？讀者自不難明瞭。總統平日也一再指示守法，以守法而固邦本，我們爲這部憲法才能苦守孤島，維護這部憲法才能返回大陸，才能維繫海內外千萬自由人之心。它是我們苦守苦鬥的精神元素，忽視它的尊嚴無異宣告海內外人民之精神解體。故違法的態度與措施實不宜多有，更不宜爲文亂法紀、武犯禁條、開來者之路。或謂：法因時移，禁依世變，可以修改。然則，此次規程之修改並無這麼大的時變以資藉口。縱令修改，亦不能違反到憲法的基本精神。我們　總統對閻部長之信任不淮不深，從近年來教育界屢次發生的若干事件，　總統對閻部長一再優容足可看出。故規程之修改，今日之主事者輕受任何言論與私見之影响，垂不義於天下、後世，亦智者固有所不爲。此時此地如辜　總統之倚重，與望厚尤屬錯誤。諸葛武侯有云，「受任於敗兵之際，奉命於危難之間」。因此，時處今日，一切措施與責任，都負有歷史的意義。「人不患無位，患有位之不能立」，願閻部長有以勉之。（完）

台北航訊

銓敘部與人事行政局

年齡限制案發生歧見〔上〕

人事行政局於去年九月十六日成立，首以推行「三卡制」爲人事革新之張本。數月以來，甚爲積極，使一向洩沓之政風，雖已有起色，但仍不免困難重重，該局本身人事，多屬青年經考試合格者，顯得朝氣蓬勃，頗有決心衝破難關，達成革新任務。

局長王正誼近於其機關刊物上撰文說：「在反攻復國的總目標之下，在現代化和科學化的要求之下，人事行政之革新，是絕對必須的」。他說：「人事局已擬就『人事行政改進方案』一種，並已呈請行政院及考試院核備。該方案中共分十項：一、健全人事機構，培育人事人員。二、改進機關組織，機動調整員額。三、加強任免考核，厲行獎賞。四、推行考用合一，擴大延攬人才。五、實施職位分類，革新人事基礎。六、改進退休保險，促進新陳代謝。七、規畫待遇福利，實施單一俸給。八、修訂人事法規，儲備各項人才。九、舉辦訓練進修，增進工作效率。十、建立人事資料，有效管理運用。」他並指出：「這一方案，對人事行政上，應興應革的切要事項，都包羅在內，可稱爲人事行政全盤的革新計劃。」由此可以窺見今後人事行政內容之一斑。

當「三卡制」積極推行時，却有不少的干擾，年前某日，王局長於七時五十分到辦公，八時十分因參加會議外出，適有人冒充監委員陶百川來一電話，對王氏於上班時間不在辦公室之行爲，大加叱責，未待接話人員解釋，對方電話即告掛斷。王氏獲悉後，乃晤及陶委員，以事出誤會，加以解釋，始知陶委員並無致電王局長之事，冒名趣劇，始告揭穿。

人事局爲推行考用合一，特假該局大禮堂舉行五十六年度高普考及格人員職前訓練開訓典禮，報到參加受訓學員三百五十人，由行政院嚴院長主持典禮並致訓詞，考試院副院長楊亮功代表孫科院長參加並致詞祝賀，來賓有考選部長李壽雍，考試院秘書長鍾天心，總統府副秘書長鄭彥棻，政治大學校長劉季洪等人。

監察院十五日院會，監委孫式菴提案：「考試院對高考人員之報考，向無年齡限制，高考及格者即具有薦任任用資格，普考及格者即具有委任任用資格，而行政院人事行政局之新規定，雖高考及格，而年齡超過四十歲者即不予任用，普考及格，而年齡超過三十五歲者，即不予任用，實與考用合一制度，大相違背，且年齡在三十與四十歲期間，正是年富力强，經驗豐富，且距法定退休年齡，相差甚遠，若一概棄而不用，實屬不當」。（待續）

本報記者董書

高雄航訊

高雄新任市長楊金虎

婉謝「府會一家」惡例

民社黨員本屆高雄市長楊金虎，自當選就職以還，公務勞碌繁忙，終日拜會應接，紛至沓來，席不暇暖，雖年逾古稀，而精神充沛，公私應對毫無倦容。當他走馬上任第一炮，就提出了一個明確的原則，在就職典禮上當衆宣佈說：「中華民國的憲法，是由國民大會接受全體國民之付託，基於　國父遺教三民主義制定的。凡屬中華民國人民，無分男女，宗教，種族，階級，黨派，在法律上一律平等，金虎爲國大代表，推行憲法，從來未敢落後，今後遵循憲法實行三民主義，更是責無旁貸」。這段話充分的表明了他今後施政方針與實行地方自治的態度。這當然爲全市市民及上級政府所歡迎，他作了這項宣佈以後，關於市政措施，又作了兩項明智的決策：

一、楊市長在高雄市議會婉謝了議會「府會一家」的要求的說法。他說：議會有「權」，政府有「能」；「權」「能」必須分明，不容含混。既各有所司，何須「一家」？不過他又委婉的說：市府絕對尊重議會；如反之議會也必須尊重市府；如是始可發揮政治上的「制衡」作用。這一番話，不啻給議員們上了「何謂民主政治」的一課。至於「府會一家」一詞，倡始何人不悉，但在理論與事實上均行不通，若府會眞正做到一家；市（縣）政府如添翼之虎，百姓何堪？曩者「府會一家」，做得相當澈底的縣市政府，官員們貪贓枉法，肆無忌憚，一旦出了紕漏，有的是議員護航保鏢；反之，議員之所需求者，政府不惜非（違）法予以方便賄賂，結果，皆大歡喜。楊市長因此而倡言「制衡」，不無原由也。

二、楊市長上任之日，即將關閉二十來年的市長室全部大開，歡迎市民出入，市長室在實施地治以來首次開放，在第一個禮拜四即實踐「民衆時間接見市民，要求見市長者比向市議會「請願」人更多，這是「直接民意」，楊市長聆聽市民的苦訴後，立刻令單位主管或承辦，切實辦理，在這一天即有市民向楊市長檢舉財政科市場管理股黃水木索取紅包，當場揭穿。「民衆時間」之所以被重視，市府貪官無不誠惶誠恐。「民衆時間」在台灣地治史上創一先例，它的力量不僅止於「嚇阻」，而且隨時有提進官裏的危險。

楊市長也非常重視輿論，每日八時上班，即閱讀各報有關市府的新聞，一有問題，馬上傳喚所屬查明處理報核，因此他對新聞界也異常尊重，任何記者去訪，有問必答，絕無保留；因此新聞記者對楊氏的民主作風平易近人態度殊深敬佩。好的開始，成功一半。今後四年若能眞正爲市民服務，保民，利民，親民的作法，必然爲各縣政府所效法了。

本報記者謝家驊。

吳敬恒先生年譜（三）

陳凌海編撰　陳洪校訂

外祖母陳經營之商店收歇。先生學費無着。外祖母陳欲為擇適當之錢莊，學習技業而不得。適父有成公佐宜興鮑某經理陶器店于蘇州黃鸝橋，先生隨父之蘇州，時有楊某者，習舉業。聞先生讀「啓悟集」，聲出金石，大為讚賞。勸有成公命先生從名醫陸鳳石之子習醫。惟每年需繳納學費六十元。有成公以籌措學費為難而罷。又回無錫，改就業師龔春帆讀。束修六元，膳宿其家。猶感籌措不易而張羅為難焉。

民國紀元前三十三年——清光緒五年，己卯（西曆一八七九年）先生十五歲。

外祖母陳負債甚多，情況窘困。二月，先生赴蘇州省親。寓吳趨坊。四月返。是年先生隨父有成公居無錫城內，仍就業師龔春帆讀。

民國紀元前三十二年——清光緒六年，庚辰（西曆一八八〇年）先生十六歲。

有成公仍在無錫經商。先生隨父居宿。仍就業師龔春帆讀。

民國紀元前三十一年——清光緒七年，辛巳（西曆一八八一年）先生十七歲。

先生仍居無錫城內，就業師龔春帆讀。先生試作八股文。是年外祖母陳携先生大妹美宜居無錫城內中市橋表姊夫馮華廢家。

民國紀元前三十年——清光緒八年，壬午（西曆一八八二年）先生十八歲。

先生始設館授徒於無錫城內中市橋馮宅。學生六、七人。時先生處境驟寒，開館之日，衣敝不能至塾。輾轉無可為計。外祖母陳質其外衣，為買一布袍，勉能至塾。時外祖母陳境況亦至困，所居僅一廛，簞食瓢飲。先生隨外祖母陳同居，安斯食斯，怡如也。先生自箴有云：吾祖死，貸人松木板作棺，棺縫糊以紙。吾母殮具，不能實棺，以稻草足之。吾甘長貧賤，擁破書，作村學究。首以授徒束脩所入，為外祖母陳添一新棉被，因老被寒如鐵，外祖母陳年邁不勝寒。於此可見當時先生經濟情況之艱難矣。其後先生授課餘暇，每常至無錫崇安寺「春源社」品茗，與裘可桴（葆良）、丁寶書（芸軒）、孫揆均（叔方）、許同范、陳育（仲英）、楊子鈇、高伯安、俞復（仲還）等談論八股文，交換各種新知識，頗多啓發。

民國紀元前二十九年——清光緒九年，癸未（西曆一八八三年）先生十九歲。

先生在無錫北門外江尖嘴外家，鄒姓家祠設館授徒。是年先生偕孫協占、俞三蔭、俞仲培、莫獻之、竇俊甫等至江陰院試。九月，偕秦杏生、孫仲秀遊金匱縣屬之東亭。

國旗的來龍去脈

梅公

青天白日滿地紅的旗幟，由陸皓東先生設計，經興中會可決，用之於第一次乙未之役。在同盟會時代，總理孫先生（向幹部提出），定為國旗，幹部意見未能一致，因成懸案。迨武昌起義，自造一種紅地中綴十八黑星，取義以鐵血光復本部十八行省，各省響應，有遵用者，有自樹一幟者，如青天白日旗，井字旗，五色旗。上海獨立，邀請各省臨時代表，集議組織中央政府，在江蘇教育總會開會，選舉中華民國大元帥後，續議各種旗幟，以五色旗為國旗（江蘇都督代表提），以武昌起義十八星旗為陸軍旗（鄂軍都督代表提），以青天白日為海軍旗（福建都督代表提）。擬議後，由余交由新選大元帥黃克強先生核閱。黃先生慎重考慮到同盟時代孫先生曾經欲以青天白日為國旗，而今則祇用於海軍，遲疑不敢圈定，而上海各報，次日即全部揭載。黃先生召余，出示各報，愕然久之。黃先生曰：既經露布，用不着我核定。況國旗應由法律定之，只好待諸異日。臨時政府成立，參議院議決以五色旗為國旗。孫先生殊不謂然，即以大總統名義，函覆參議院，書曰：「貴會咨來，議決用五色旗為國旗等因，本總統對於此問題，以為未可遽付頒行，蓋現時民國各省已用之旗，大別有三，武漢首義，則用內十八省之徽誌，蘇浙則用五色之徽誌，今用其一，必廢其二，所用者必比較為最良，非有絕大充分之理由，不能為折衷定論，故本總統不欲遽定之於此時，而欲俟滿虜既亡，民選國會之後，付之國民公決，若決定於此時，則五色旗遂足為比較最良之徽誌否，殆未易言。一、清國舊例，海軍以五色旗為一二品大官之旗，今黜其國旗而用其官旗，未免失體。二、其用意為五大民族，然其分配代色取義不確，如以黃代滿之類。三、既言五族平等，而上下排列仍有階級。

夫國旗之頒用，所重者有三：一、旗之歷史，二、旗之取義，三、旗之美觀也。武漢之旗，以之為全國之首義，尚矣。蘇浙之旗，以克復南京。而天日之旗，則為漢族共和黨人用之南方起義者十餘年。自乙未年，陸皓東身殉此旗，如黃崗防城鎮南關河口，最近如民國紀元前二年，廣東新軍之反正，倪映典之流血，前一年廣東城之起義，七十二人之流血，皆以此旗，南洋美洲各埠華僑，同情於共和者，亦已多年升用，外人總認為民國之旗。至於取義，則武漢多有極正大之主張，而青天白日取象宏美。中國為遠東大國，日出東方，為恆星之最者。且青天白日示光明正照，平等，自由之義，著於赤幟，亦為三色。其主張之理由尚多。但本總統以為非於此時決定，則可勿詳論。因而知武漢所主張，亦有完滿之解說。究之革命用兵之際，國旗統一，尚非所急，有如美國亦幾經更改，而後定現所行用之旗章。故本總統以為暫勿頒定施行，而俟諸民選國會成立之後。謹覆並頌公安。附粘天日旗樣式兩紙。」今日適得武昌來電，則主張用首義之旗，亦有理由非經將來大會討論難決定也。」同時囑鄧家彥據理力爭，並命余邀集同盟會議員疏通。結果，參議院議而不決。

公論報前社長張某冒國大代表馮某圖章作保。

＊銀行貸款二千萬＊

（本報航訊）台灣公論報前任社長張某，私刻旅港國大代表馮某圖章作保，向各家銀行陸續貸款兩千萬元以上，經馮某查悉，即檢獲一切證據，通過治安機構依法偵查後，再移送法院訊處。現張某聞訊，急對馮某告饒，謂私刻馮某之圖章係用別號，法律上無責任，馮亦表示不願深究，但治安機關認為查禁銀行呆帳，責有攸歸，未使中途擱置不問。詳情俟另篇敘述以饗讀者。（柳一權）

大學尺牘

戴傳賢愛才若渴　陳遵子推崇蕭瑜

（一）

振東先生惠鑒，

敬啓者，四川侯風君，儀隴縣人，成都大學哲學系畢業，留學法國，入巴黎大學，習社會學，在巴黎時，曾任華僑學校校長，回國後，亦從事於學校教員。其夫人王藹史，浙江上虞人江蘇省立第二女學校高中文科畢業，入巴黎大學，習新聞學，曾任南洋羣島中學及師範教員，中華日報副刊編輯，文學優長，常識豐富，在新聞記者中，可謂為相當之好人才，況於女子則尤屬難得，若以比之京中尋常女職員，雖不能謂為鳳麟，亦堪稱翹楚者矣。而此伉儷兩人皆閒居甚久，京中欲得一職務，目前乃難於登天，弟亦為之留意，終未得就。本校用人甚多，不識現在尚有可用之餘地否，請先生切實斟酌為之設法。若不能兩人同用，則設法一人亦所感激。俟得覆時，將另作書囑其持往奉謁也。挹案先生前，亦乞代為致意。此兩君於弟皆非有素，特愛其才學，頗有可用，復憐其久困京華之非策，故為奉求也。即頌大安。

弟戴傳賢敬啓（民國廿三年八月廿九日）

（二）

運鵬吾兄惠鑒，廿三日惠書敬悉，弟可為貴報撰稿，惟是否每月能按時繳卷，則不敢必，弟當勉力以為之也。現時因審查國家總預算，甚為忙碌，下月初六又允為行政院人事行政局職前訓練班作專題演講，是以恐須在下月中旬，始能有稿交兄也。拙著承[illegible]閱，並希多賜指正，[illegible]勛祺！

弟振東敬[illegible]　日

（三）

運鵬社長吾兄著席：層擾盛讌、飲食和德杯酒暢譚，欣快無已，感念之私，何可言宣。辰維興居清嘉，譚第多祥為頌。一昨接立法委員任培道女史來函，內附旅居烏拉圭之蕭瑜教授上總裁書鈔件，囑為轉寄吾兄惠予刊登自由報（編者按：已刊本年五月四日第一版）鼎力主張並為社論以資倡導，尤為感幸云云。特為轉附原件，敬請登納，任為多年之台北女師校長，現為立法院有力之教育委員會委員，可為吾人助力之一，況蕭之所言學問深厚，極有遠見，亦屬難得之文，似宜予以吹噓之也。任之通訊處為本市承德路四號電話四三一五八號，兄可直接與之聯絡也。另不日于右老九十冥誕將屆，弟撰文為之紀念，（編者按：文載五月八日本報一版）於其事功學問道德文章詩書，均有所論評，以與古人相比擬，自覺當能表現其偉大之價值，並以附奉，敬請教正，倘刊為幸，專此不盡一一，特頌文祺！

弟陳遵子敬拜　四月十五日

劉振東李運鵬來往函件

開國內閣名單

·袁輔·

民國臨時政府組織大綱，大總統提名各部總長，須得臨時參議院之同意。大總統就職伊始，第一次提出名單，宋教仁為內務總長，會場反對者，叫囂「不同意！」「不同意！」「不同意！」大總統聞知，派黃興為代表，將全部名單撤回，再提第二次名單：陸軍總長黃興，海軍總長黃鍾瑛，內務總長程德全，外交總長王寵惠，財政總長陳錦濤，司法總長伍廷芳，交通總長湯壽潛，教育總長蔡元培，實業總長張謇，經代表會同意特任之。但是各部總長，舊時大官名流，多持觀望，不肯接任，如內務總長程德全，交通總長湯壽潛，實業總長張謇。（伍廷芳來京就職，即將印携回上海，不視事，經呂次長往返說明，始交出），乃本諸初議，次長必用同志，不必由總長推荐，雖是到任總長，亦不能例外。於是蔣作賓為陸軍部次長，湯薌銘為海軍部次長，魏宸組為外交部次長，居正為內務部次長，王鴻猷為財政部次長，呂志伊為司法部次長，于右任為交通部次長，景耀月為教育部次長，馬君武為實業部次長，宋教仁為法制院院長。當然，宋以內務總長被屈，同志有為宋抱不平者，找宋說話。宋曰：總長不總長，無關宏旨，我素張內閣制，且主張政黨內閣，如今七拼八湊，一個總長不做也罷。

金聖歎何所歎？

·羽衣·

關於金聖歎的傳說，甚多紛歧，不獨其死期生日，就是他的姓名所傳不一，比較可信的，張若來另有其人，他仍是姓金名采，廖燕的金聖歎傳載：「鼎革後，絕意仕進，自號人瑞[illegible]聖歎，除與友朋談笑外，一人自坐堂中，讀書著述自娛，人或問「聖歎」二字何意？先生引「論語」「喟然歎曰」對。在孔為歎聖，在余為聖歎，予其為其流亞歟？」這分明他是以聖人自居了。

據「辛丑紀聞」謂：「金聖歎名喟，子名人瑞」別書從未提到他名喟的事，也許因聖歎而聯想到「喟」字而已。我以為聖歎的歎，在其「祭孔文」中表示得最為具體，內云：「祭祀了，忽聽得西廊下吵吵閙閙，爭胙肉的你搜我肥，爭饅頭的你大我小，顏回德行人，見了微微笑，子路好勇者，見了心焦躁，夫子喟然歎曰：「我也曾在陳絕糧，幾曾見這餓學。」他這一歎，正連頭都歎掉。

於是，有人說他前世是孤人，又有說他前生是和尚，因為他被殺時在順治十八年七月十三日，與他同案有十八人，和金壇鎮江兩處犯人共一百二十一人，已時都在南京三山街砍頭也，這記載也見之於「辛丑紀聞」，或較可信也。

陳明仁由失意而變節

海峽書談會

諸葛文侯

投共的軍人陳明仁，原係民國十三年以前，在粵參加革命的湘軍程潛部隊所招收訓練的學兵隊員。當時各個革命軍皆自行辦理軍事教育，並不一致；嗣以國府實行統一軍政，凡各軍訓練尚未完畢的士官，一律歸併黃埔軍校，繼續受訓結業，與一般黃埔軍校學生同等資格，陳明仁是屬於第一期畢業的。

陳氏自參加討伐陳炯明的東征之役起，以迄北伐、剿匪、抗日諸役，驍勇多戰績，從下級官逐漸陞任至陸軍第七十一軍軍長，第一兵團司令，而以在東北「四平街」大戰共匪得勝一役，著聲中外，膾炙人口，然亦因此種下他變節叛國的惡果。

民國卅七年陳率部戍屯遼北四平街，遭遇共匪大軍進襲，苦戰兩月餘，獲得勝利，厥功甚偉。當時中樞派赴東北勞軍之青年團中央幹事馮漪，於戰事停止的次日，即飛至四平街慰勞，見陳氏鬚髮毿毿，蓬首垢面，蓋已兩月餘未曾沐浴整容矣。戰事初起時，遼北省府諸行政官以非戰鬥人員，皆欲避赴瀋陽，陳氏禁制不許，責以患難與共之義，諸官員無詞推卸，然內心對陳氏不免恨怨也。

中樞對陳氏敘功嘉獎之餘，即明令調升陳氏爲東北剿匪副司令（總司令衛立煌），另派劉安琪接任七十一軍軍長，事前未與陳氏商洽。陳素性狷急而憨魯，認爲本軍對國家既卓著戰功，新任軍長人選，自應由該軍各師長中遴用，藉彰公道，明賞罰，至少亦應跟他商量決定纔是。今如此，實使他對部屬說不過去，一時忿不能平，竟抗命拒絕移交，軍人原以服從爲天職，中樞以陳恃功驕蹇，違抗軍令，乃予以撤職查辦的處分，陳更憤懣，即將軍服與勳章，以及一切軍事書籍，盡付一炬，表示終身不再從事軍旅生活，一度赴南京覲見最高統帥後，馳回湖南澧陵鄉間，決心歸隱了。

繼而白崇禧担任華中軍政長官，主持剿匪事宜，洞悉陳明仁失意快快，不勝抑鬱，乃特加聯絡，嗾其再起，而畀以兵團司令之職，陳亦樂於受命。初領軍駐鄂中，繼移駐長沙，時程潛以湘省主席兼「長沙綏靖主任」，程與陳原係小同鄉，且有長官和部屬的舊誼，彼此相處頗驩洽。迨程投共叛國後，陳持觀望態度，適白崇禧棄華中退守長沙，即保薦明仁爲湘省主席。詎白氏對省府人事，自秘書長以至各廳處長暨省委等，一概指派無餘，陳氏僅作一名光桿主席而已，心裏自然不高興，因而給程潛以游說策反的機會。然陳仍首鼠莫決，而廣州國府又派黃杰鄧文儀至長沙宣慰陳氏，陳答以待集中部隊再定行止。最後即有黃埔軍校第一期同學黃雍語陳曰：「當年你在四平街打了大勝仗，而校長蔣公主政中樞，結果還受到撤職查辦的處分。現在校長已引退了，你縱然替國民黨効力，萬一「四平街」的史事重現，校長已不在位，誰能保障你的安全呢？」這番煽動言詞，擊中了陳氏的心裏宿疾，再有程潛李明浩（亦係陳的小同鄉）等人力加蠱惑，於是乎，戇愚成性的陳明仁，終於喪其所守而投共了。

陳投共後，毛酋初時仍命其任兵團司令如故，部隊移駐粵境，未幾即解除兵柄，過着降虜生活，現在下落如何，未可知也。（完）

當心，夏令的食物！

・指荣・

我們中國人對於飲食方面特別講究，可是一般人對於營養與衛生觀念卻又沒有什麼深刻的印象。時值夏令季節，各種飲食物容易腐蝕，各類可感染疾病的細菌飛揚之際，除了年年屆時注射預防針之外，還得時時留心注意對食物的清潔與消毒。

近年來，由於國人收入較豐，飲食業者日趨繁榮，大飯店大食堂遍佈都市城鎮，而街頭巷尾擺設的所謂「露店」小食攤也舉目皆是。但不論是大飯店大食堂也好，街邊小食攤也罷，到了每年這個季節，食物中毒甚而集體中毒的事件難免時有發生；這些人爲的疏忽，並不限於何時何地任何那一家一店。

前幾天，台中市的一家飯店，接連二天連續發生客人集體中毒現象，引起了各方面的注意，而一些專家們，尤其是主管衛生部門的官員們更重視它發生的原因。

一位衛生官員分析食物中毒的原因，大概可以分成爲三種類型：

第一種類型即是所謂「化學性中毒」，這種食物中的化學成份如糖精、色素（有毒）、木精、農藥、防腐劑、殺虫劑及金屬等的含量，已經達到了妨害人體的程度，這種中毒症狀大半是屬於神經性方面的。

第二種類型是「動植物食物性中毒」，這種類型大家比較明瞭，也就是如那些含有毒素的動植物；魚、蝦、河豚、茸、菇、樹薯等等。

第三種類型則是「細菌性中毒」，但由於在細菌性中毒的現象中，而「帶菌體」所帶的細菌不同，致使中毒的症狀也有很大的差別。所以這類中毒的現象中，又分爲「沙門氏菌」、「葡萄球菌」、「肉毒桿菌」等三式。

不論是何種類型方式的中毒，反正是已經中毒了就得趕快到醫院作緊急處理。而其中毒的原因，這位官員說：

「目前本省最常發生的食物中毒現象，多數是屬於『葡萄球菌』的感染，因爲許多業者都是將食物先行作好了的，有顧客進門以後才再回鍋加熱，自以爲已經作好食物的衛生工作了，事實上，細菌已沾染在食物中變成了毒素，無論如何熱，人們吃了仍然會發生中毒現象。」

這位官員順便呼籲國人：爲了要防止這種中毒現象的發生。他說：

「首先要注意到食物新鮮及清潔。在保管中，一定要擺入在冰箱內，使它不與任何帶細菌的蒼蠅、蟑螂等接觸；同時，對從業員工的身體檢查，以及盛放食物的器皿及包裝紙等，均要詳細檢查並確實消毒，這樣當不致於發生食物中毒現象了。」

論伴奏

・羽衣・

從元曲到崑曲，以及現在的大鼓，平劇，無不需要伴奏。現在先說元曲崑曲：按元雜劇的伴奏本以弦索爲主，與南曲之用笛和不同，明沈德顧曲雜言云：「南教坊頓仁，隨武宗入京，盡傳北方遺音……」。弦樂與管樂，在南北曲的音樂上，當爲最顯明的分別。故明王元美論南北曲云：「北曲字多而聲調緩，其筋在弦，南曲字少而聲調繁，其力在板。」而臧晉叔卻駁他說：「若板以節曲，則南北皆有力焉。如謂北筋在弦；亦謂南力在管可乎？」足證南北曲不但音調不同，即伴奏的音樂亦各異。自崑曲興起，乃專用管樂，寖至清代中葉，場面情形，乃如揚州畫舫錄所載；然而，與崑曲具有同等歷史的弋陽腔，却因聲調高亢，不用伴奏。以用金鼓鐃鈸之類以示節拍。湯顯祖宜黃縣戲神清源祖師廟記云：「江西以弋陽，其節以鼓，其調諠。」蓋即指此。迨亂彈腔得勢，聲調繁雜，伴奏的音樂，乃亦趨於混亂，揚州畫舫錄載：「花部爲金笛者，秦腔，弋陽腔，梆子腔，羅羅腔，二簧調，統謂之亂彈。」其間用笛者，不僅羅羅、秦腔，弦索與笛兼用者，如梆子腔。不用伴奏者，如弋陽腔（京腔即弋陽腔）二黃調即黃腔，亦即今日皮黃劇之「黃」，其初伴奏亦係用笛。老伶工王鴻壽說謂「二黃從前也用笛子，以正宮調爲主，而唱腔屬於調面。」係指西皮調，其源出自秦笛，西秦即以笛爲主樂。今之皮黃劇，伴奏既用胡琴，笛子僅用於吹牌子時；可見舞台上的音樂，因腔調之不同，也經過幾度變遷。

再說平劇與大鼓的伴奏。唱平劇裏的青衣，除了用京胡襯託以外，現在又用一把「二胡」爲之配奏，兩把絃子，同起同落，如出一轍，實在非二人訓練純熟，不易討好。

那一把「二胡」的利用，說起來，眞是平劇音樂方面的一大進步。我們平日聽「京戲」獨奏，總覺得它有些兒激而不和！但是再來這一把「二胡」，合奏起來，卻不然了。聲音就和諧了！韻味也「儁永」了！再要唱者的音甜潤，我們豈有不爲之倒？唱大鼓，單獨用一把「長三絃」來伴奏，固然也行；可是究竟在音調上，似乎覺得不完備。若再來一把「四胡」配奏，一搭一擋，同起同伏，比平劇中的「京胡」「二胡」之滋味，更來得醇厚，使你有咀嚼不盡之感！

伴奏大鼓中的「四胡」，在技術方面畧有不同。左手按絃的功夫，固然要比平劇的「二胡」，來得複雜，且變化又多得異常。右手拉弓的功夫，更要帶有頓挫的特質。有時來一頓，去一頓，一下一下的拉，方見精彩要！有時要稍停一下，再拉下去。有時「剛」，有時要「柔」。有時「長三絃」用高音，「四胡」卻用低音。「長三絃」用低音，「四胡」卻要用高音。方見精彩！我們細細研究起來，大鼓中的「四胡」，的確比平劇中的「二胡」來得有趣些。

我很早便說過！「長三弦」好像是「點子」，而「四胡」卻是一條「線」。二者合奏起來，眞能打動人的心弦，此種特質，在音樂方面，已奠定了大鼓藝術的穩固基礎了！

故都劇譚

麻叔

故都北平之八大胡同者，鶯燕羣棲之歡樂地位也。民十六年以前，北京爲首善之區，冠蓋如雲，物華盈溢，八大胡同中，遊人往來若織，酣歌恆舞，「城南遊藝園」在其旁，三教九流，隨興尋樂，而韓家潭胡同口之恩成居小酒樓，尤令余感莫忘焉。

余於民國十四年秋初，自海外至北平，執教鞭，青年好動，喜聽皮簧之聲。然城內諸歌票價昂，非寒士可常臨者。時孟小冬尚無藉藉名，出演城南游藝園，宗余叔岩偶偕友往觀其藝，歎爲奇才，遂不時遊園，寖成癖好。深宵曲罷，便赴恩成居小酌。酒樓非閎敞，然飲者踵相接，其食品以「炸珍肝」「醋溜魚」「爆雙脆」尤膾炙人口。樓上祇一單房，餘爲散座，壁間懸胡琴，客之嗜歌者，每攜韓家潭一帶名姝來，酒酣耳熱，一曲遣興，四座歡然。蓋北里佳人，多爲此道能手，且有宗派，迴異尋常也。余以不需費用而得飽耳目之福，三日不至恩成居，皇皇若有所失矣。

一夕更深，與朋友廖君自城南游藝園來飲樓座，忽聞清曼之音，發自單房中，入耳欲醉，侍者輕告曰：「王瑤卿先生正爲梅老板（蘭芳）說戲，試新腔也」。余狂喜，非俟王梅下樓不忍離去。然梅每夕待獻藝完畢後，方迎師入恩成居酒食承教，客非悉此情者午夜多散歸矣。洎是余常於深宵一時許來聽義務戲，附近有名校書北人翠英者，酷嗜梅派戲，與余同寅董君暱，而其香閨在咫尺間，余等每先赴翠英處消閒，迨至恩成居聆新腔歸，彼姝必調琴高歌模仿，用力至勤，習久幾可亂眞也。

民廿一年春，重至故都，當晚即偕妻往恩成居，則市招如故，而門面已新，樓房孔多，地位寬敞，然烹調侍應遠遜昔時，且人聲嘈雜，俗塵萬斛，追憶前情，不勝滄桑之感矣。

禪學黃金時代

禪的起源

以筆者的看法，禪宗的形成最早是受到大乘佛學的推動，否則單靠老莊等道家思想的復興，實不足以構成禪宗那種生龍活虎般的精神。不過禪宗雖受大乘佛學的推動，但卻復興了老莊的道家思想。湯姆士默燈先生曾極有見地的說：

「唐代的禪宗是受到莊子思想和精神的影響。」

我們也可以說，禪師們最根本的悟力是和老莊的見地一致的，道德經的第一、二兩章便說出了禪的形而上基礎。至於禪和莊子的關係，鈴木大拙博士分析得非常清楚，他說：「禪的最顯明的特質是在於強調內心的自證。這種自證，和莊子的坐忘，心齋，朝徹是如出一轍的。」

如果這種說法不錯，那麼莊子的根本精神便是禪的核心。唯一的不同，是莊子仍然停留在純粹的悟力中，而禪則發展爲一種導致開悟的訓練；這種訓練也是今天日本禪的特殊貢獻。

因此懂得莊子心齋，坐忘，朝徹的境界後，將有助於我們了解禪的本質，下面筆者將分別予以說明。

（三）

吳怡

詠史

王彥

漢武帝

雄才大畧浩如雲，天與多情善屬文；落葉秋風無限意，鳴蟬歸雁自爲羣。經營華夏提封外，成就驃姚拓殖勳；千古深衷人不識，胡塵滿地始憐君。

漢光武

猛雨雷風最憶君，亦仁亦勇亦溫文；聲驅儒學三千輩，氣壓昆陽百萬軍。老吏欣欣垂涕拜，連營寂寂雅歌聞；中興氣運元無盡，豈獨雲臺再造勳。

唐太宗

裼裘人去幾千年，展卷英風尙颯然；隆準或言同豁達，虬髯何物與周旋。九州一德新酣戰，百濟三韓舊拓邊；憶奏秦王破陣樂，蠻夷慓慓國門前。

自由報

第八七一期

中華民國僑務委員會頒發台報新字第三二三號登記
內政部內警台報字第031號
中華郵政台字第一二八二號執照
登記爲第一類新聞紙類
（中週刊每星期三、六出版）
每份港幣壹角・台灣零售價新台幣弍元
社長李運鵬・督印發行者
社址：香港九龍登打士街91號十樓六座
91 DUNDAS ST. 9th FLOOR, FLAT 6 KOWLOON H. K.
電話：857253　電報掛號：7191
承印者：大同印務公司
地址：香港北角和富道九六號
台灣總管理處
中華民國（台灣）台北市大同街119號
電話555395・557474
駐台灣代表人辦事處
台北市公園路二十八號四樓
電話：20454・62625
台灣分社：台北市西寧南路110號二樓
電話：三〇三四六
台郵撥儲金戶九二五三

對越戰和談的觀感

——在台灣國立師範大學朝會講演

・雷嘯岑・

校長，各位先生，各位同學：

今天承貴校孫校長邀約參加朝會，談談個人對於越戰和談問題，至感榮幸。

越戰之所以發生，是北越共黨政權悍然破壞一九五六年「日內瓦協定」的南北越分疆而治的國際條約。當年美國代表杜爾斯曾以「觀察員」的立場，在「日內瓦協定」中簽了字，美國政府又繼續倡導創立「東南亞公約」，以保障越南和寮國地區的安全。北越共黨政權無視國際協定的疆界，而大量的游擊隊進襲越南，美國基於國際條約的義務和責任感，出兵協助越南政府抵抗越共侵略，是應該的。可是，越戰搞到目前這種結局，殊出意外，最大原因是美國的人謀不臧，政策錯誤。

越共釀亂的方法，是襲取中國毛共所謂「以農村包圍城市」的游擊戰術，當年越南總統吳廷琰，即沿用我國軍過去在江西勦共的堅壁淸野策略，實行「戰略村」制，教民衆在鄉村間各自組織，成爲戰鬥單位，嚴密防範共黨份子之滲透。所以，越戰初起階段，美軍入越參戰者不過幾萬人，而越共游擊隊在越南境內，決不像今日這種無孔不入，連首都西貢亦到處遭受攻擊的情況。可是，美國人好談「民主政治」——而且要別人按照美式民主制度，如法泡製，作爲接受美援的主要條件，否則認爲不值得援助的專制獨裁政治，而且非把那友邦政府的領導人打倒不可！南韓總統李承晚就是在這種情形之下，被迫去職，老死異域的，南越總統吳廷琰更是美國人在西貢公然策動政變而被殘殺的。吳廷琰政府垮台後，各地區的「戰略村」制整個崩潰了，越共的滲透行動即隨之激化，而美軍亦從此陸續增派到越南作戰，到現在增加到了六十萬人，然越共的戰禍更見擴張，使美越聯軍疲於奔命，常常處於挨打的劣勢境況中，若非大量空軍出動轟炸，西貢早已被越共佔領了。這是美國對越南問題的政略錯誤，貽禍至今維烈！民主政治原不是一蹴可以幾及的，在產業落後，文化淺陋，社會結構不健全，而又膺受戰亂的地區如越南這類國家，人民謀生不易，救死不遑，生存第一，安全至上，根本就沒有實施民主生活的環境，美國硬無以揠苗助長的方法，强使其在四郊多壘的戰爭時期內，實行美式民主制，這有如教那剛剛解放了纏足布的女人，穿着高跟鞋去跳舞，焉有不蹎蹶傷身之理呢！

所謂游擊戰，必須具備着幾種性能：戰鬥人員都是輕裝的，只攜帶少數械彈而已，行動飄忽敏捷，不可捉摸，一也。跟地方人民結合一致，隨時隨地可以取得給養，且利用地方民衆作耳目，以獲得敵人的眞確情報，二也。游擊隊一定在有敵軍的地區出沒作戰，俾能從敵人手中奪取軍火補充，三也。要遂行這三種戰術，更須具有一項基本條件，即游擊隊員和地方民衆的種族、膚色、語言、文字以及風俗習慣，都是相同的，否則即沒有從事游擊戰的資格。詎料美國不明瞭游擊戰的本質是甚末，美軍竟在越南跟越共進行游擊戰，甘廼第總統在生時，且揚言美國已在國內訓練游擊戰的部隊，當時我瞧着這項新聞，覺得好笑之至。美軍在越南要想取勝，祇能以優勢的實力，對越共實行掃蕩性的陣地戰，捕捉敵軍主力而殲滅之，却絕對不能跟共黨打游擊戰，因爲美軍對於上述各項游擊戰的性能和基本條件皆不具備也。他們出發作戰之際，不特械彈粮秣必須充分攜帶，連「可口可樂」、「盤尼西林」，乃至於香烟和收音機亦應有儘有，跟越南人民更沒法「沆瀣」一氣，有甚末資格進行游擊戰呢？所以，美軍在越南雖然增加到六十萬人，還是備多力分，到處吃癟。美國人乘坐的汽車，周圍皆裝上鐵絲網，以預防越共游擊隊之襲擊；軍人在西貢長堤住所的餐廳內用膳，左手亦得托着卡賓槍，唯恐有共黨游擊份子來突襲；西貢市內的大街小巷，徹夜電燈明亮，以免游擊隊潛踪活動。似此戰略戰術，可謂用其所短，難怪美國當局發明「戰不求勝論」以解嘲啊！

目前美總統詹遜以告饒姿態，跟越共在巴黎進行和談，如果這是爲着美國大選關係的一種政治手腕，又當別論；若美國志在避戰乞和，我敢斷言，除非美方無條件投降，而將南越斷送給共黨，眞正和平是絕對不會實現的。理由很簡明，共產黨人遇事堅持着基本原則，萬變不渝其宗，他們視戰爭與和平爲一物之兩面，打打談談，談談打打，貫徹其基本原則不止。越共的基本原則是控制全越，否定「日內瓦協定」的十七度疆界綫，美國要求越共不再向南越境內滲透，作爲和談的誠意表示，這是一大笑話！越人在自已的國境內來來往往，原屬應有的自由權利，游擊隊分子的臉上并未刻着標誌，從何鑑別呢？游擊隊分子滲透與否，關鍵在南越民衆是否接受越共的煽惑，決不是一紙國際談判的協議書所能規範的。越共提出以美軍全面停止轟炸爲和談的先決條件，在理論上即比美國所提越共停止向南越滲透爲正大，在宣傳上足以聳動國際視聽，而又符合共黨談談打打的基本原則。再看越共所提和平的四項條件，如外軍全部撤出越南，由越人自已解決本國問題等等，皆屬冠冕堂皇之詞，容易博得世人的同情。美國如其不擇手段、不顧一切的要與越共言和，結果只有退出越南，而將東南亞地區整個淪入共黨之手，連澳洲和印度亦保不住，非律賓更岌岌可危，最[illegible]（完）

諸多困擾！　如是慰問！

昨日與明日

整頓社會風化

台北最高當局，近數月來，就整頓風化一端，迭有指示，並經主管部門，飭令遵照實施，一時雷厲風行，甚有劍及履及之概，識者無不稱快。此一問題，引起當軸的重視，可見其嚴重的程度。我們一向認爲：社會風氣的腐化，足以挫喪人心士氣，蛀蝕建設成果，對於政府在台灣近二十年的反共復國的努力，在在產生了莫大的抵銷作用，是殊值警惕的。多年來，在朝野一致的努力下，台灣社會安定，經濟欣欣向榮，已確實在國際上享有相當的聲譽；但，不必諱言的，這充其量仍不過是個小康局面，衡之以復國建國大計，僅止於方奠根基而已，實不容有所自得自滿。然而不幸的是這種短暫安定的態勢，却造成了大家的錯覺，人人以爲風雨已過，大可享受艷陽天，只見處處歌舞不輟，粉飾昇平，縱情聲色，醉生夢死，風俗日趨澆薄，民情愈形浮華，這種現象，發生於尚在實施戒嚴法的地方，顯然是極不調和的。

配合文化復興

台灣的社會風氣，較諸其他國家，還並無太說不過去之處，只是計及國家的處境，與橫在眼前的歷史任務，就絕不容我們耽溺於這種情況之中。從這方面去着想，我們就可了解，針對時弊，整頓風化，改善社會的頹風與陋俗，進而砥礪反共復國的意志與氣節，在此時此地，是有着何其迫切的需要，與深長的意義。尤其際此倡行中華文化復興運動的時候，整頓社會風化，更有其積極的意義。社會風化，亦爲文化內涵之所由表現，目前社會的種種邪風，無不違背我國的文化禮教傳統，如任其蔓延或猖獗下去，那固有的淳風美俗，勢將被破壞無遺，這對復興中華文化，簡直是一大諷刺。因此，欲使推行文化復興的工作順遂無礙，整頓社會化，更是當務之急。

不過，整頓風化這樁工作，所涉及的範圍至爲廣泛，非有周密的計畫與多方的配合不爲功，茲就其犖犖大者，聊獻一二拙見，備供參考。

變壓抑爲疏導

色情氾濫，是時下不良的社會風氣中最嚴重的一個環節。色情場所，充斥各地，或明或暗，有增無已，這正是罪惡的淵藪，泰半的社會問題，皆導源自此。情欲原是與生俱來的，這種本能的需求，本質上並非罪惡，只是氾濫成災，影響非同小可，但如果採取壓制的手段，反而容易生流弊，因此最爲有效可行的方法乃是設法予以開導、疏通，諸如[illegible]的。須知色情場所，尤其最容易戕害青少年的身心，今後整頓的重點，必須着眼於此。請掌要諸公，抱着悲天憫人的情懷，來救救下一代吧！

（程長風）

再談台灣土地問題

前談台灣實行土地改革後，農民依法享有的耕地，由於地價急劇高漲之故，地主每以各種理由，要求收回原有土地以致構成爭訟，而法院或行政主管機構，不按照「耕地三、七五減租條例」處理，地主常獲勝訴，農民的法定權益漸告喪失。我認爲有悖民生主義的本旨，及其弊也，可使土改政績，前功盡棄。現在再談都市的土地問題。

台灣各個都市的土地價格，逐年高漲不已，私人在三五年前購入的土地，按照目前市價，上漲十倍以上的，比比皆是也。但未聞政府對於地價問題有所管制，即土地增值稅亦漠然置之，根本就沒有調查統計，更談不到實行民生主義所指示的法度，「三民主義模範省」云胡哉？徒見其爲因循舊有資本主義社會不合理的發展現象而已。

次則台北市郊區最低窪的地段如「江子翠」一帶是絕對不能建築房屋的。但已有若干高樓大廈式的建築物出現了，嗣經民意機構提出異議，輿論加以指摘，政府乃頒佈禁令，視爲「違章建築」應予拆除。可是，原已動工營造的房屋，據說照樣興建不誤，而且隨便違制增高，煌煌禁令并不發生作用。可見這些敢於抗拒政令的房地產所有人，决非普通民衆，而是享有特權，或擁有惡勢力——包括金錢勢力——的特殊階級份子，他們有所恃而無恐，我行我素，滿不在乎，輦轂之下，乃有這種非法蔑紀的現象發生，還講甚末「法治」？[illegible]

[illegible]

馬五先生

評議會輕率決議 送交中常會參攷

五位評議委員對國文科正名提案

仲望旌

（一）梁寒操、張維輪、賀衷寒、冷欣、羅列等五位評議委員聯署關於小學「國語科」是否正名為「國文科」，中國國民黨五中全會之決議，與組織之歷次訓示，未能一致，引起海內外議論紛紛，國人無所適從，擬請評議會重新慎重考慮，再請 總裁作最後決定，俾能平息此一歷時已久之爭論，是否有當，特提案敬請 公決。

茲探悉其說明於次：

關於小學「國語科」是否正名為「國文科」一案。

一、本黨五中全會所作之決議，小學「仍維持國語名稱」，與 總裁「國文第一」訓示相違，此訓示當然包括小學，而且以小學為基礎。

二、中央政府之政策性決定，以有下列三種根據，「國語科」理應正名為「國文科」：

1.總裁「國文第一」訓示同時是中央政府的最高決策。今年二月十日與四月十二日 總統兩次手令，一再強調「注重本國文字」「著重國文程度之提」，「中學和小學……國文為基本科目」；但無一言提及「國語」。

2.行政院有「國民教育之課程採九年一貫制」的令；故惟有小學「國語科」正名為「國文科」和初中「國文」相同，才能成為一貫的制度。

3.教育部施政報告（去年送立法院）中提及「在中小學方面」，只有「國文科」，並無「國語科」之事實。

三、孔孟學會與中國文字學會本屆會員大會，均通過小學「國文科」正名提案。『（附件一、二）』

四、海內外學者都主張「國語科」應正名為「國文科」，所發表之論文非常之多，以沙學浚、仲望旌諸先生之意見為最完善、正確：

『1.沙學浚等十一位教授上 蔣總統書（附件三）
2.沙學浚 論林語堂先生的「論言文一致」（附件四）
3.沙學浚 小學國語科應正名為國文科——十點理由簡述（附件五）
4.沙學浚 尊重蔣總統正確國文政策行講理政治才能爭取人心（附件六）
5.仲望旌 國語國文兩案合編決議顯然違背國文第一政策（附件七）』

（二）原提案被刪減竄改。

中國國黨中央評議會，今年五月二十二日在台北市開會，梁寒操等五位評議委員於五月十六日向該會提出上列提案，其目的在於糾正去年五中全會關於國語、國文兩案錯誤決議的嚴重缺失（請看附件六）。但開會時分發的提案，事先未曾取得提案人同意，把原提案中的兩部分（用『』劃出）刪除。這種刪減提案，便是竄改提案，其目的顯然在於蒙蔽評議委員。這與中央日報副刊拒刊主張國文科正名論文，以蒙蔽五中全會，有異曲同工之妙。

該提案僅有五百餘字，主要內容在七項附件，共有一萬餘字，竟橫被刪除，眞是豈有此理。而且「以沙學浚、仲望旌諸先生之意見為最完善、正確」一語，也就無着落、無意義了。

上述附件，除「附件四」外，均在自由報本年各期刊載，特列舉於後，請讀者參考：

附件一：八六一期（六月八日）
附件二：八五三期（五月十一日）
附件三：列於附件六（下內）（一月三十一日）
附件五：八一九期（一月十三日）
附件六：八二三、四期（一月二十七、三十一日）
附件七：八四二期（四月三日）

「附件四」由於中央日報副刊拒絕刊載，沙學浚先生於去年十一月二十二日在中央日報、二十三日在該報國際航空版廣告欄！發表其摘要。（郭懿先生的「向中央日報副刊抗議」一文——自由報八六〇期，六月五日——曾提及此事）。嗣有香港華僑日報、台北自立晚報、新天地、教育文摘、大學文選、醒獅、中國語文月刊、學粹雜誌等八種報刊，先後刊載其全文，可以想見其重要性之高，中央評議會豈可加以刪除！

（三）王星舟推夾纏手法，何應欽不付表決。

在開會討論時，數位評議委員，包括梁寒操、張知本兩先生發言，認為該案關係重要，理由正大，應予通過。讀者詳閱此案原文，一定會相信絕無被否決的理由，事實上竟輕率的作成：「交中央常務委員會參攷」之決議。這是王星舟、何應欽兩位先生的「成功」，却是中央評議會的敗。

王星舟先生發言，認為標準國語已相當成功……故意文不對題，胡言亂語，用夾纏手操縱政治會議，混淆與會人士的觀念，以阻止學術問題本身的正常討論。這原是淺薄的國語專家所用的戰術，王星舟先生竟也學會了。

更值得注意的是，對於這一重大提案，主席何應欽竟違反國父「民權初步」的規定，並不提付表決，在僅僅少數人鼓掌聲中，即獲得上述不合理、敷衍式的所謂「決議」。此種草率、兒戲的作法，完全違背 蔣總統慎重、公正、客觀、民主的精神。孔子說：「無是非之心，非人也」。「無是非之心」將何以立黨、將何以立國？

關於小學國文科正名的建議，中華民國政府或執政黨只有下列兩條路可走：

（一）如果是拒絕的，須公開對主張正名的，各項理由，一個一個的加以駁斥。

（二）如果是採納的，應該立刻公開宣佈。

現在却悶聲不響，用不了了之的態度，這是解決問題的方法嗎？

台北航訊

銓敘部與人事行政局 年齡限制案發生歧見〔下〕

孫委員於提出上案後，要求院會推派委員進行調查，經院會討論決議，交由內政委員會處理。次日報載後，人事局發言人汪國璵即表示：該局決定加強實施考用合一制度，祇要高普考及格，並接受職前訓練，不問其年齡大小，均一律分發任用，並未對新進人員年齡加以限制，此次報到受訓者，三百五十人中，高考及格者，三十一歲至三十五歲者七人，三十六歲至四十歲者八人，四十歲以上者四人。普考及格者，三十一至三十五歲者九十六人，三十六至四十歲者三十一人，四十歲以上者二人。

人事局當此考試及格人員職前訓練時，既將受監院調查，是否有年齡之限制，而忽又發生銓敘部通令各機關人事單位，五十六年高普考及格人員，應由銓敘部統籌分發，否則不予審查；同時分函正在人事局接受訓練高普考及格人員，候令分發。據說、若干受訓人員於接到銓敘部通知後，認為該部既已決定分發，受訓已無必要，曾提出退訓要求，人事局對此頗感困擾。據報載考試院某高級官員指出：對五十六年高普考及格人員之分發任用，銓敘部與人事局雙方俱有法律依據，銓敘部依據前幾年考試院與行政院協商的一個辦法，是一個行政命令，人事局組織規程，則是 總統依據臨時條欵而公布施行的，具有法律上的效力，本諸後法優於前法，命令不得抵觸法律原則，人事局之措施，並無不妥」。但銓敘部與人事局之間，對考試及格人員之分發任用權，顯已發生歧見，則屬事實。

又悉，行政院將依據臨時條欵第五項「總統為適應戡亂需要，得調整中央政府之行政機構及人事機構」，及將增設四個機構，除其中之人事行政局，業已成立外，尚有法制局，首任局長已內定由政務委員董文琦兼任，研究發展委員會，尚在籌議中，上述四機構之組織法，均預備送立法院完成立法程序，所增設機構之組織法，仍須送立法院審議者，是依據臨時條欵第四項規定之「本憲政體制」而來，而人事局組織法交付立法程序時，與現有銓敘部有關職掌之畫分，以及現行任用法之關係，連同各機關人事單位之隸屬，與人事局對銓敘部之聯繫，均將有一番新的改變，因其多方牽涉現有法律，在立法程序上固不免繁複遲緩，而現時相互間所發生之歧見，亦將待周詳適切之立法予以澄清也。再如確須「本憲政體制」，則公務人員任用年齡之限制，勢必不可有違憲法原則，而目前傳說中之任用退休問題，亦均須有所明確決策，否則長期紛擾不安，影響國家前途，實非淺鮮矣！

本報記者董書

擴大課征貨物稅 導致市場物價波動

工商業發達反而降低直接稅 戶稅雖免征房捐却增加數倍

台北航訊：政府為彌補財政赤字，於六月中旬咨請立法院審議各項稅法，先通過了電力電燈臨時捐徵收條例，其捐率為：電力百分之八，電燈百分之十五，並明定自本年六月二十八日起至五十八年六月二十七日止，[illegible]待審議之海關臨時捐條例，[illegible]限。其次為貨物稅條例，自民國四十一年以來第六次修正案，原課征稅目僅十二項，現擬擴大至二十八類之多。再次為香蕉、洋菇、蘆筍臨時捐條例。單就貨物稅增加收入，專賣是七億餘元。當在法案進行審議時，[illegible]表示，烟酒專賣品暫不調整，[illegible]貨物稅條例修正後，指示台灣鐵路、公路、電力等，不得[illegible]調整鐵路公路票價。[illegible]

[illegible]貨物稅條例之先，曾與立法院約定雙方絕對保密，而且其對象不僅包括[illegible]立法委員[illegible]。[illegible]六月十一日由財政部[illegible]委員入議場開會後，才各發一份，[illegible]審查[illegible]請不要帶出，僅費時三日，此一要案[illegible]迅速，行政院遂提前於十五日公佈施行。

在立院財委會審議該案時，各委員亦曾盡心表示意見，並[illegible]草率。僉認政府課征之直接稅應以公[illegible]平、合理，[illegible]收入，始為正道，今寄望於間接稅，雖其情有可原，但不可在一般小市民身上增加負担，例如電鍋、電扇、收音機、縫級機等均為小市民及軍公教人員所需要，因此將電扇、收音機、縫級機稅率予以降低，而且否決了電鍋一項稅目。在剔除幾千萬元數字後，各立委認原案中對塑膠及輪胎百分之十七稅率，並未調整，因其營業發達，獲利甚豐，所以最後決定將塑膠稅率調整百分之二十三，輪胎調整至百分之二十。統計該兩項即可增收七千多萬元，除了因抵銷否決電鍋及降低電扇等稅率短少外，還可超出二千多萬元。故有人說，該案之修正通過，不僅達到了政府願望，也符合了人民的要求。

三民主義為建設國家之原則，載諸憲法。國父於民生主義第一講中曾明白指示：直接征稅是最進步之稅法，也是國家最大財源（包括遺產稅），稅源多由資本家而來，因其入息極多，多取而不為虐。因舊稅法之錢糧關稅，悉取之於一般貧民，使資本家對國家只享權利，毫無義務，何得公平？德英兩國行直接稅於前，使國家歲入，約自百分之六十至百分之八十。美國繼行於後，使國家收入，逐年大形增加。歐美各國自實行直接征稅，國家財源充裕，故有財力改良種種社會事業……。我政府之財政決策，為使租稅負担趨於公平，亦曾以直接稅為主體。在實際上卻適得其反。據悉目前直接稅在稅收中之比例，反較十七年前降低，但社會經濟已有顯著發展，為何直接稅收反而逐步降低？就一般觀察所得，自政府課征營利所得稅以來，一誤於不肖稅吏之收取「紅包」，使其短報漏稅，再誤於工商業者道德之墮落，現今之公司行號店舖，雖有售貨之統一發票，虛虛實實，幾成對比。而營業假帳公行，使從事會計職業者，以替作假帳為收入最優之行業。據熟悉內情者透露：一般商店所僱用之製造假帳人員多兼負交際應酬管區稅務員之責，在包辦致贈「紅包」之下，尚可有「回扣」之利，以致假帳行為形成普遍現象，其侵害國家利益之嚴重，[illegible]以是增加[illegible]如法炮製，病國擾民，誠屬遺憾！

年前政府宣佈自本年上期起，免征台灣省地方之戶稅，納稅人俱以為喜。詎自本期起，戶稅固實已免征，但房屋捐率，却增加數倍，按記者本身上年下期房捐為一百八十元，本期即增加為五百九十八元八角。較上期增加兩倍有餘，而新增之教育附加捐為房捐百分之二十。房捐係以房值為議稅率之例，而又因地區所在價值有別，故稅率多少各有不同。據報載有增加至三十倍者，在此項征收時，引起若干紛擾，申請復查者有之，請願減者有之。自各項稅法公佈後，已導致市場物價波動，立監兩院將召集會議，邀請政府有關首長列席報告穩定物價措施。政府雖已指派經濟監視市場物價上漲，嚴禁囤積居奇，但因商人將所增貨物稅予以轉嫁之故，所以凡是征稅貨品，價格都比以往為高。

本報記者碧天

吳稚暉先生年譜（四）

陳凌海編撰　陳洪校訂

民國紀元前二十八年——清光緒十年，甲申（西曆一八八四年）先生二十歲。

先生在無錫應童子試。被人告發爲冒籍，不得已返陽湖縣應試。亦爲先生日後口頭上常說「我俚無錫」而籍貫則必書武進之張本。五月，偕莫獻之等赴江陰縣試。十一月，先生赴蘇州封門訪親。是年先生仍在無錫北門外江尖嘴外家，鄒姓家祠設館授徒。學生六七人，束脩二十千錢。先生於是年學古文詞，雖懷篤好之精神，惟用心尚不能專。並於是年始寫日記，數十年如一日，或詳或簡，極少間斷。

民國紀元前二十七年——清光緒十一年，乙酉（西曆一八八五年）先生二十一歲。

先生仍在無錫北門外江尖嘴外家，鄒姓家祠設館授徒。先生於是年起，收藏親友函牘。是年無小考。

民國紀元前二十六年——清光緒十二年，丙戌（西曆一八八六年）先生二十二歲。

二月，先生以縣試，先由本籍近鄉之下埠，再至常州。三月，偕吳族文、吳景臣、吳竹禪、吳郁峯、毛子翔、張翔植等同赴常州府試。五月，偕陳育（仲瑛）、丁寶書（芸軒）、莫獻之、俞仲培、秦麟祥、周仲生、吳學銘、唐某等赴江陰院試。是年先生仍在無錫北門外江尖嘴外家，鄒姓家祠設館授徒。先生大妹美宜于歸馮翔九。

民國紀元前二十五年——清光緒十三年，丁亥（西曆一八八七年）先生二十三歲

二月，先生偕吳景臣、殷彥聞應考陽湖縣縣學。住陸念和家。獲售。返無錫。四月，同事偕丁寶書（芸軒）至無錫縣屬之東北塘俞肯巷。五月，偕殷竹梅、殷彥聞、顧養輿、張子惠、曹衡之等赴江陰南菁書院應考。九月，與高伯安、表兄陳煥之、表兄陳育（仲英）、王道平等遊蘇州。時閶門外酒肆之賬房，對客人所付之酒資，不論其爲數若干，皆能一目了然，毋用點數。先生等常以大小錢雜而置之，且有時故意增減，皆能立刻出其多若干或少若干。先生頗以爲神奇，常述說之。是年楊模（範甫）聘請先生與丁寶書（芸軒）爲西席。附學者有先生表弟浦應龍（子敬）等。

民國紀元前二十四年——清光緒十四年，戊子（西曆一八八八年）先生二十四歲。

論劉玄德（上）

思祖

三國時代，大體上說，是一個人才出頭，英雄得志的時代。這時外戚宦官的勢力已經崩潰，那些僅憑門閥貴胄的勢力以生存的人，也相繼地倒了下去；即使稍有才華如所謂「四世三公」的袁本初兄弟，在這大時代中，也經不起考驗，致被喻爲塚中枯骨。「天下英雄使君與曹耳。」曹操這話說得何等氣概！他把自己和劉備都看成新興的人物，竟將那些舊時代的殘渣統不放在眼裏。當時劉備新敗於呂布，寄跡許都，以曹操這樣不可一世之雄，爲什麼獨獨看得起他呢？除了想利用他聲望收拾徐州以外，劉備爲人的不同凡俗，也是一個原因。

劉備的身世，三國演義特別標榜他是漢帝宗室，其實這一點并非劉備所獨有。當時州郡長吏如幽州牧劉虞，荊州牧劉表，益州牧劉焉，兗州刺史劉岱都是宗室，而且都有土地人民，不似劉備之毫無憑藉。然而這些人都無所表現，一開始就爲人所吞併，不如劉備之橫行天下，終能建功立業。然劉備也非如近人所謂是出身於市井。他雖因少孤而貧困一時，曾與其母販履織席爲業，但他終是落魄王孫，世大夫家世。三國志本傳載：「先生祖雄，父弘，世仕州郡，雄舉孝廉，官至東郡范令。」所以他十五歲便開始遊學，與公孫瓚俱事九江太守盧植。盧植是漢末名臣，曾統兵討黃巾，曹操征烏桓時，還派專使去祭他。玄德少時能事盧植爲師，則決非一般市井可比。且玄德有大得、心處，其對人接物，儀表風範也與衆不同。本傳載他少年時的風度：「先主不甚樂讀書，喜狗馬音樂，美衣服，身長七尺五寸，垂手下膝，顧自見其耳，少語言，善下人，喜怒不形於色，好結交豪俠，少年爭附之。」這正是領袖人物的風度。自他少年時即爲人所愛慕，他叔父曾說：「吾宗中有此兒，非常人也。」本傳又載中山大商張世平、蘇方見而異之，多與之金財。及至起兵討黃巾，雖地位低微，但卻名望甚高，爲多少英雄流所崇拜，舉其大者如下：

一、得關張死力事奉，以關羽之剛烈，曹操尚不能駕馭，但劉備能得其死力。

二、孔融，公孫瓚均傾慕先主，與之連合，二人均爲漢末名臣，孔融尤高傲，常譏諷曹操。曹操征劉備時，他曾說「以至不仁伐至仁，焉得不敗」，致遭殺身之禍。

三、華陽國志載東漢名賢陳登，有儁才，輕天下士，然獨仰慕劉備，曾謂：「雄姿傑出，有王霸之略，吾敬劉玄德。」

四、徐州牧陶謙臨終以徐州相讓，謂別駕麋竺曰：「非劉備無以安此州也。」

五、至許昌，曹操表爲左將軍，禮重之，出同輿，坐則接席，青梅煮酒，以當代英雄相期。

六、兵敗投袁紹，紹遣將道路迎奉，身去鄴二百里與之相見，傾心敬重。

七、南依劉表，表自郊迎，以上賓禮待之。

八、諸葛亮高曠之士，亦感其三顧之誼，出而爲之効力，至願鞠躬盡瘁，死而後已。

九、益州法正、孟達、張松等傾心服計，協助其取益州，即劉璋本人，亦甚崇拜先主，迎之入川，使北討張魯。備後雖敗盟，是爲天下大計，不得不爾。所謂：「今不取，後必爲他人所取。」

十、魯肅雖爲孫權重臣，但對劉備亦多迴護。勸權助備抗操，並勸權借荊州與備。

十一、孫權敬畏劉備，進妹固好。

劉備眞是具有吸引力的人物，他能使天下英雄爲之傾倒，這是他成功的基本原因。所以自來談三國的人皆謂魏得天時，吳得地利，蜀得人和。天時地利，運氣好了，遇上機會，雖中人之才，如孫權者，亦可坐享其成。惟人和則非自己建立不可。劉備那種韌性作風，勝而不驕，敗而不餒，流離而不散，至誠感人，正是他得人和的主因。曹操那裏的人才，多半是功名利祿之輩，氣節之士殊少，即有操亦不能容。如關羽之終於去操歸備，荀或、孔融終爲操所殺即是一例。劉備之所以必須獨樹一幟，諸葛亮、關、張、趙雲、龐統之所以必須輔佐劉備立基業，其原因亦在此。三國志作者陳壽評劉備與曹操敵對之故云：「揆彼之量，終不容己，非唯競利，且以避害云爾。」

此外，劉備還有更偉大處。曹、劉、孫三人，只劉備有抱負，曹操是野心家，所謂亂世之奸雄。孫權只是自守之徒，地方勢力，根本無遠大的謀畧，與前二人不能同日而語。曹操據有中原，挾天子以令諸侯，「奉辭伐罪」的口號雖然響亮，但那只是政畧的運用，與其本心是相違的。有識之士，早已識破，諸葛亮就說他「名爲漢相，實爲漢賊！」所以他終於走上篡弒的道路。劉備則隱然以漢家正統自居，其[illegible]有效法西漢朱虛侯扶助濟傾，撥亂反正之志。後見漢祚已亡，遂又效法光武，中興漢室。其諡曰「昭烈」，蓋即暗射光武之意。他在隆中對諸葛亮說：「漢室傾頹，姦臣竊命，主上蒙塵。孤不度德量力，欲申大義於天下！」這是劉備的抱負。當時羣雄，除曹操外無人有此志願，但曹操是言行不一致的，而劉備因是宗室嫡係，故能名正言順做去。

紅花崗四烈士

手刃孚琦的溫生才

竹羽

編者按：紅花崗在廣州東門外數百武，民國七年非常國會議長林子超增修黃花崗，兼修紅花崗，就棄葬處封築四墓（溫生才，林光慈，陳敬岳，鍾明光）墓邊植木棉無數，花時紅霞一片掩映崗頭。

談起革命先烈人物，沒有人不知道溫生才。五十七年前在廣州刺殺孚琦那種英雄氣概，在五十七年後的今天，猶使人覺得虎虎有生氣！

溫生才烈士，號練生，是廣東梅縣人，六歲時死了父親，雖然有個大哥，但早年便到南洋去做工謀生，和家裏斷絕了聯絡。因此，他和寡母形影相弔，做些小販生活的困難，自不必說，幸賴鄰家的兒童，個個都上學讀書，因此他也請求母親讓他上學，母親爲了生活已感負荷很重，那有餘力供他讀書呢！但又經不起他屢次的糾纏，最後，聽說鎮平的天主教堂辦了一所新學校，是完全免費的，他母親便托人帶他到鎮平天主教的學校去就讀。他在這個教會學校裏讀了好幾年書，識了不少的字，信也寫得很好了。

二十四歲那年，他母親叫他到南洋去尋訪他的大哥，但是沒有找着，又回國來侍養老母。後來爲了學習謀生技藝，曾來台灣，在台北一家機器廠裏當學徒，學成之後，又往南洋霹靂高啤山做工人。那時，國父倡導的革命運動，已激盪着國內外的人心，南洋的華僑也紛起響應，組織革命團體，高啤山的同志辦了一間書報社，以利鼓吹革命，溫烈士在工作之餘，常到書報社去閱讀書報，頗受革命運動的感召，於是，便加入同盟會從事革命工作。

民國紀元前一年的春天，黃興等人在廣州籌劃舉義，溫烈士也從南洋返廣州參加活動。因爲他有個堂兄弟在新軍中任排長，所以他常常有機會和新軍們接近，暗中向他們鼓吹革命，新軍中受他運動而同情革命的很多。清政府的廣東水師提督李準，是個頑固份子，常和革命黨人爲敵，手段兇狠，動不動就捕殺革命黨人。溫烈士覺得非先把李準幹掉，革命的活動便受阻礙。這年三月十日，李準要到東門郊外去參觀飛機演習，溫烈士知道了，便藏了一枝手槍，在東門外諮議局對面一家茶館裏等候，一直等到下午五六點鐘的時候，一乘大轎子在一羣衛士前呼後擁下，遠遠而來，溫烈士估計這準是李準的轎子，於是便等到轎子來近了，出其不意的從茶館裏衝上去，用手槍向轎裏連連射擊三槍，前後的衛士頓時嚇得手足無措，張皇躲避，轎夫也拋下轎子，拔腳奔跑，溫烈士得手後，還從容不迫的向荒僻的街道奔逃，後來，清吏在全城佈防警戒，大事搜查，纔把他抓到了。

在庭訊的時候，清吏問他爲什麼要殺死將軍孚琦？他這纔知道殺死的不是李準，連稱：「可惜！」便說：「我要殺是李準，想不到孚琦竟做了替死鬼，不過，也總算沒有空手，好讓滿清的走狗們寒胆。」清吏又問他和李準有何仇怨？爲什麼一定要暗殺他？他說：「我是明殺，不是暗殺。滿清政府專制腐敗，外侮日亟，國勢日危，中國政治非革命不足以挽救，殺一個半個李準孚琦之徒，雖無補大局，也足以喚起天下人都起來共殺漢奸，推翻專制！」他的供詞，說得慷慨激昂，清吏最後判了他死刑，而且還決定在孚琦被擊斃的地方行刑。溫烈士面不改色，臨刑前罵不絕口，要未死的人覺悟起來共圖革命，他死時，四十二歲，遺體被收葬在廣州郊外的紅花崗，後來人們稱爲紅花崗四烈士之一。

大學文牘

王雲五從政非所宜　致書陳副總統請辭

鴻雁

『辭公兼院長賜鑒：謹啓者，雲五擬作是函，二、三年於茲矣。終以追隨左右，承公推誠相與，禮遇有加，中道請辭，實孤　厚意；握管屢擱，職是之由。茲悉　公有倦勤之意，以　元首倚賴之深，固難邀准；然乘時對政院局部改組，輸入新健血輪，實有其必要。數年以來，雲五雖矢志贊襄，愧鮮建樹，今已行年七十六，讓賢讓壯，義難再緩。近兩月間對兼任各事，已早爲部署，陸續交代。國有財產審議會亦決定於本月內結束。至本職所掌，除經授權處理日常公務外，較繁重而固定者，一爲近年經常代表我　公列席立法院，雖應付尚無失當，然能得一外圓內方之人任此，實較雲五爲優；二則年度及追加預算，雖稍爲　公分勞，實已開罪朋僚不少，現幸漸上軌道，主計與財部在　公領導之下，均優爲之。故一旦去職，耿耿於懷者惟經濟動員計劃委員會之任，倘　公以計劃聯繫，有賴熟手，不願易人，雲五亦因有關係反攻復國，匹夫與有責任，況忝爲國民代表，於解除副院長職務後，如　公仍令負責，竊願繼續恭其義務，不敢言辭。雲五賦性落落，從政非其所宜，卸職以後，雖仍須自食其力，甚或更形勞苦，然因講學寫作，習慣已成自然，且均出於自發，雖勞猶樂。趁此年事漸高而身心尚健之時日，爲餘生作多少較有意義之貢獻，夙承　關愛如　公者，當荷贊同。茲鄭重懇求　公於請辭大任之日，同時爲向　總統陳情，俾遂初服，感激無暨。本年七月十五日爲雲五重游政院五周年，私意極願於是日解除副院長之職，千乞賜予玉成。屆時有關行政改革建議案檢討小組工作，資料業已大致搜集研究，以近來公忙，未能悉力以赴，當於卸職後一月內補撰報告，提供　鑒察，合併陳明。手肅，敬頌　公綏。

王雲五敬上（五二年六月廿四日）

市場學研究的重要性

·郭垣·

在現代社會科學領域中，市場學是發展最晚的一門學問，但也是發展最為迅速的一門學問；同時，更是現代世界上發展中各國家最為注意的一門新興學問。

市場學的研究，何以遭人如此重視？原因可謂多端。就總體經濟的觀點來講，其中最顯著的是：

（一）現代經濟，實則始於市場營運，社會一切經濟活動，都倚賴市場營運而存在。反之如無銷售活動，社會經濟將毫無活動，工商企業也將根本不會存在。

（二）經濟學家所謂四種基本效用：時間效用、地點效用、持有效用和形式效用，其中前三項，都是藉着市場營運而創造的。後者形式效用的創造，則通常被視為生產或製造的活動，實則，此種生產或製造活動，也受市場營運法則所導引，使可利用的貨品適時和適地為消費者所需要後，然後完成銷售交易，對購買者提供持有的效用。這也是市場營運最主要的精神。

（三）市場營運在吾人經濟社會中是個營求或調整的力量。由於消費者需求而產生的產品規格和訂價，使市場營運具有資源配置的功能。

（四）在現代化的機器大量生產之下，今天經濟問題已不是生產問題，而是分配問題；換句話說，今天生產現代化的國家，所焦慮的問題，不是生產不足，而是生產過剩；也就是說：今天的經濟問題，不是如何增加生產，而是如何增加銷售。本世紀二十年代世界經濟大恐慌，充分顯示出這項事實的眞實性。唯其如此，市場推銷和市場學的研究乃為現代化國家人士所特別注意。

（五）今日世界各國，已發展國家無不力求經濟的成長，與國民生活水準之更為提高；而發展中國家也無不力求經濟的發展和工商企業經營的現代化。市場學的研究實為達到此項目標的必經途徑之一。

就個體經濟的觀點來看，市場營運的重要性也頗為明顯。它是人民就業最重要的園地。社會上無數個人的工作機會是在市場營運領域內，或間接與市場營運有關。其次，經濟社會中的公司行號，唯一所得泉源是在市場營運，如無銷售，就無所得；沒有所得，公司行號也就無法存在。因之，市場學的研究，就個人或某一公司行號的立場講，也是極端必要的。

市場學本英文"Marketing"的漢譯。但此一名詞，究應如何譯釋，問題很多。筆者數年前參加美國市場推銷專家席爾斯(Allen N. Seares)所主持市場推銷研討會(Marketing Seminar)時，與會研討人士曾提出此一問題討論，始終未獲結論。把它視為一種學科，固然可以譯為市場學，但如果把它視為一種經濟行為，就不能譯為市場學，而應當譯為：「市場營運」、或「市場活動」、或「市場推銷」、或「市場經營」、或「市場管理」、或「市場銷售活動」，本人在所著現代市場學一書內，在多種情形下，譯為「市場營運」，以其更具有概括性；在某種情形下，也有時譯作市場推銷，以期適應當時的情況。市場學本來是新興名詞，非我國所固有，實在不易找出一個非常恰當的中文譯名，因之，在西德和墨西哥等國就乾脆沿用"Marketing"原文，而不譯為本國語文。從此，也可以看出市場學「新」的程度了。（完）

事過境遷

喜劇三幕　熊式一

說明書

史健旺先生由澳門到香港來找包仁翰先生，先碰見了小話匣子包露茜小姐，口也不停的把包家的事完完全全告訴史先生。她說她的嬸母從前嫁過一位姓宇文的，後來宇文死了，再嫁給她叔叔包仁翰，她自己也想早早嫁給青年天才畫家趙太極，可惜她叔叔是一個老派人，不肯讓他們訂婚。他們家中不但不掛一張新派畫，連洋式家具也不准進門，包太太要裝新的衞生設備，包先生聽了氣得面無人色！

包仁翰夫婦接見了史健旺之後，談話之中無意發現了一件驚人的事，原來史健旺認識包太太的第一個丈夫，這人前不久還同他一塊兒到澳門，同住在一家旅館呢！這個晴天霹靂，鬧得包家天翻地覆，偏偏姑老太太何夫人又來看她的姪兒子和姪媳婦，這更使得包仁翰急得發昏！以一位堂堂的太平紳士，居然和一位羅敷有夫的女人結婚，這件事簡直沒有方法收拾了！

好在到了山窮水盡疑無路的時候，發現了柳暗花明又一村！各種不幸的事，都因事過境遷，迎刃而解。不但如此，而且家中所發生的一切恐慌，結果反變成了塞翁失馬，焉知非福呢？所以他們大家和好如初，包太太既沒有犯重婚之罪，包先生也沒有娶有夫之婦，包小姐和新派畫家趙太極，也準備定期結婚，在香港先開一個盛大的展覽會，馬上到意大利去深造，包先生並且一面通知包工的人，馬上改造浴室，一面購買各種新式家具。

時　間——現在
地　點——香港山頂的一座花園洋房中大廳
第一幕——天朗氣清的上午
第二幕——同日下午
第三幕——同日

劇中人（出場序）

阿　詩……（包宅之僕）
史健旺……（事過境遷之過客）
包露茜……（十七八歲之少女）
趙太極……（抽象派畫家，露茜之愛人）
包太太……（露茜之嬸母）
包仁翰……（露茜之叔父，太平紳士）
何夫人……（仁翰之姑母）①

驕騎的「黃金年代」

◁左曙萍▷

在詩壇上大多數高喊着苦悶，悲哀，虛無的時候，有一個人卻用他的彩筆繪出了「金色年代」。

「金色年代」是青年詩人驕騎的作品，初稿完成於四十一年十月，經八次修改，今始定稿出版，中間經過十多年的琢磨，寫作態度之謹嚴，實使人心儀。

驕騎先生的詩，健康，明朗，暢達，絕無時下一般人矯揉做作的浮詩，故弄玄虛的晦澀，更無目前流行的頹廢，痛苦竊鬧的病態。他的詩，昂揚而肯定，堅實而硬朗，但卻非口號，標語。例如：

走進去，在
這所瑰麗的大廳裏
陳列每個人的心靈吧！
基於光線所反映的明暗。
啊！呀呀！在這裏，
黃帝之子，把我的名字創造得多麼響亮。

他歌頌民主，讚美表現民主精神的會議廳，他熱愛自己的國家，歌讚為國家爭取榮譽的人，但在他的筆下寫來，揮灑自如，絕無半點做作或勉強。再如：

我們這個系統繁榮了，
孩子們成長起來的繁榮，
民族站立起來的繁榮，
這數繁榮循環着久遠的年代。

他自傲於自己的民族，自傲於自己國家文化歷史，情摯意眞，盡興披露，自然暢順，讀來，令人心志不覺亦為之所落。

驕騎先生是一位上進，勤奮，有理想，有志向的青年，過去，他沒有值得特別炫耀的學歷，但是由於他的努力，不輟的努力，前年又考上了大學攻讀機械工程系，在繁重的工作與功課中，他仍然讀詩，寫詩，並且還出詩集，就憑這股勁，就值得人讚佩了。因為他肯上進，所以他在作品中所表現的，也都是蓬勃的生氣，進取的精神，向上的意志。例如：

眞理永遠不改變，也不致
退縮到虛無，
為所有人們供應的光與熱，
那些燃燒自己身子的殉道者喲！
在天空閃爍的七十二顆星星，
彼此都表現眞切。
假若我們眞正有退後的那種悲運，
我便制止我靈魂的脚步了。……。
我堅定地站在陽光下，
我使我自己的志願去歡呼一切眞切，
我安臥在大時代的懷抱裏。
堅強，融和，我們是兄弟呀，
我們都以志願守望着一個信念呀！
歡樂，仍無任何使我們所悲怨。

崇奉眞理，篾視虛無，歌頌殉道的烈士，不讓自己脚步後退，不讓自己的靈魂墮落，堅定的站在青天白日旗幟下，勇敢去完成一個信念，放眼目下從政的青年，有幾人能有他如此的胸襟懷抱呢？

惠特曼的一代，曾喚醒了美國的聲音，在我這個時代裏，不知驕騎先生的聲音能激起怎樣的回響？

我非常樂意為驕騎先生寫序，因為他不僅是一位嚴謹健康的歌者，更是一位上進的青年，同時，我堅信他的詩，於這時代是絕對有益的，不過我的筆拙，恐怕有很多優點之處，無法介紹出來，不過都由讀者自己來品嘗，詩味也許更濃郁。

最後，我希望驕騎先生在我們詩壇上，成為消除不良現象的健者，為發揚健康作品而努力，眞正成為七十年代黌宮的驕騎。

章太炎心目中的曾國藩

海嘯樓談薈　諸葛文侯

曾國藩以書生提練湘勇，敉平洪秀全的革命運動，使垂危的滿清王朝，得以延續半個世紀以上。後世昌言排滿興漢者，皆詈曾氏為不明種族大義的漢奸，如黃克強等革命黨人，在文字上每稱國藩為「賊」。然章太炎所見却迥異，他對曾氏於消滅太平天國後，鐫刻王船山遺書行世，認定國藩並非不知種族之辨，夷夏之防，而以曾氏初起兵抗洪秀全的檄文中，但言「拒妖教，保桑梓」，「維持名教」等義理，却不用「大舉義旗以申天討」這類詞句為證。事後刻王船山書，並無所刪削，僅將書中所指清帝暨貴胄醜名，代以空格，表示不欲厚誣昔賢，固以自道其志。章氏謂：「論國藩者，如公羊之賢祭仲，漢史之與平勃可也」，其言殊平允。

章氏所撰「書曾刻船山遺書後」，託名「衡湘士大夫」的說詞，為國藩辯解興兵抗洪的志事，其言曰：

「夫國藩與秀全，其志一而已矣。秀全急於攘滿洲者，國藩緩於攘滿洲者。自湘淮軍興，而駐防之威墮，滿洲人亦不獲執兵柄，雖有塔齊布、多隆阿伏匿其間，則固已為漢帥役屬矣。自爾五十年，虜權日衰，李鴻章、劉坤一、張之洞之倫，時抗大命，喬然以桓文自居。巡防軍衰，而後陸軍繼之，其卒徒皆漢種也。於是武昌倡義，盡四月而清命斬，其端實自國藩始」。

這項論旨頗為深刻，且有事實足資印證，此與辛亥年袁世凱不讓馮國璋軍於攻陷漢口後，渡江進佔武昌以消滅革命軍的用意相同，皆在傾覆清室。所異者曾氏係為後人設想，而袁氏則為本身富貴計耳。

章太炎指曾國藩昧於外交策略，「事事縮肉」，認為沒有愛國思想。且譏曾氏設江南製造局於上海以儲兵械，而不知內就奧區，若外敵突至，適以其械資寇也。這意見固不錯。但越八十年後，民國二十一年陳公博在南京國府作經濟部長時，亦決定創設硫酸錏廠於南京對岸的浦口鎭，瀕臨大江邊，倘有外寇入侵，僅以一艘小型兵艦從江邊發砲，即可化為灰燼，於曾氏又何足責乎？

總之：曾國藩是個深謀遠慮，頗工心計的內向型人物，試看他於平定洪楊革命政權後，即以湘軍不堪再用的理由，自動要求遣散，藉以消弭若干不可測的後患。這一着，便不是尋常的功名之士所能想得到，辦得了的。若以不讀詩書而未聞大道的一般現代軍人處此，絕對不會有此居安思危的智慧，殆可斷言。所以，章太炎對曾氏的評論，不失為史家榘範也。（完）

禪學　黃金　時代

禪的起源

吳怡

①心齋：

「心齋」見於莊子人間世中孔子和顏回的一段對話，據說顏回有一次要到衛國去遊說，孔子澆了他一盆冷水，認為他本身的功夫還沒有做到純一不亂的境界，如果冒然去進諫，非但無益，反而有害。於是顏回便向孔子請教方法，孔子告訴他要「心齋」說：

「一若志，無聽之以耳，而聽之以心，無聽之以心，而聽之以氣，聽止於耳，心止於符；氣也者虛而待物者也，唯道集虛，虛者心齋也」。

②坐忘：

「坐忘」兩字的原意，萊濟（Legge）翻為「我坐着而忘了一切」，伽爾斯（Giles）和林語堂翻為「我坐着而忘了自己」，馮友蘭翻為「忘了一切」，鈴木大拙翻為「心忘」。我認為這個「坐」字不應從字面上來解，而應從象徵上去體味，它的意思，可以說是坐於忘，或沉入於忘的境界。這個忘的範圍很廣，包括了忘己和忘物，不僅要坐着才能忘，而是在任何情形下都能忘。下面是莊子描寫有關坐忘的故事：

有一次，顏回告訴孔子說他的功夫大有進步，已忘了仁義，孔子認為他還不夠深刻。過了幾天，他告訴孔子說他已忘了禮樂，孔子仍然沒有加以讚許。再過了一段時間，他又告訴孔子說他已「坐忘」了。這境界連孔子也有所不知，反問顏回，顏回解釋說：

「墮肢體，黜聰明，離形去知，同於大通，此謂坐忘」。

（四）

第八七二期

中華民國僑務委員會頒發台新字第一二二三號登記
內政部內警台報字第031號
中華郵政台字第一二八二號執照
登記爲第一類新聞紙類
（半週刊每星期三、六出版）
每份港幣壹角・台灣零售價新台幣弍元
社長李運鵬・督印黃行臺
社址：香港九龍登打士街91號十樓六座
91 DUNDAS ST. 9th FLOOR,
FLAT 6 KOWLOON H. K.
電話：857253　電報掛號：7191
承印者：大同印務公司
地址：香港北角和富道九六號
台灣總管理處
中華民國（台灣）台北市大同街119號
電話555395・557474
駐台灣代表人辦事處
台北市公園路二十八號四樓
電話：20454・62625
台灣分社：台北市西寧南路110號二樓
電話：三〇三四六
台郵報門金戶九二五二

倫理道德與文化復興

・黃公偉・

倫理（Ethics）道德（Morality）成爲獨立的學科，由來已久。但論其品質之高明，義蘊之深長，莫如中國倫理學。原以世界文明先進民族，恆以精神文化之開闢創造，爲其民族智慧之特徵與生存繁衍之憑藉。中華民族立國五千年，夙以文物最古之上邦雄視瀛寰，馳譽四域。試就世界文化之策源以觀，則其學術思想源遠流長之跡，尤能與希臘，埃及印度齊驅以媲美。其影响所至，且有過之無不及。埃及印度固無論矣，希臘羅馬文化號稱歐洲近代文明之母體，然今已有落日黃昏之感。中國文化五千年來，迭經外族政治勢力之踐踏，外來文化之侵蝕，而其倫理文化非特顚撲未滅，抑且能遠播異域，衍爲亞洲各國共守之生活信念。洵知吾先聖先賢，殷憂啓聖，智慮精博，燭其先機，對宇宙人生所締造之偉大學理，其價值愈久而愈顯，爲希臘印度所不及。

世謂中國倫理道德，範圍未免狹隘，似無如西方倫理之周延。第質諸西方近代哲學，如德之康德（Kante），羅哲埃（Lotze），英之培根（Bacon），斯賓塞（Spencer）穆勒（Mill），法之盧梭（Rousseau）之所謂倫理，已非希臘三聖之倫理。其所謂「新道德」也者，捨神格而由物格以推見倫理，含攝個人家族，社會國家，人類萬有之義。以言政治法律，財富教育，權力義務，特以個人主義，功利主義，現實主義爲出發點。務經驗而忽視理性，尚自由而輕規律。捨本齊末，已離古人所謂「天人合一」，「體用一致」之原理。如與中國傳統之倫理道德，由天道說人道，由人道以見天道之道統相比，其相去直不啻幾千萬里。詎自近世紀以還，東方學者不加深思，每惑於西方所謂「科學文明」，而竟見獵心喜，如日本政治維新時期，即極重視倫理教育。專家之著論，如井上哲次郎，山邊知春，中島邊造，山本吉良等實繁有徒。大抵以步西學之後塵爲能事，鮮見中學之眞價值。中國學者，自「五四」諸人以次，標榜新文化，凡講倫理道德之學者，亦隨聲附和，羣趨時髦。不惜遷就西學，漠視固有道德價值。置之於時潮之外。此等見「利」忘「義」，捨已由耘人田之愚昧，正所謂「大惑不解」之甚者。[illegible]尤有認賊作父之徒，狂揚「非孔」，「反孔」之旗幟詆毀倫理道德，妄謂傳統文化爲「封建」思想，皈依「唯物」史觀而不知自反。下喬木入幽谷，尤屬可悲。豈不知即晚清所謂「經世致用」之學，如張之洞者流，倡「中學爲體西學爲用」之說，採用西學亦未廢中學。如張之洞云：「講西學必先通中學，乃不忘其祖也」。（勸學篇自序）渠痛切指出時潮之弊云：「今日無志之士不悅學，離經叛道者尤不悅中學。因倡爲中學繁雜無用之說，殆欲廢中學而後快」。（守約篇）依是以知民初所謂「新文化運動」諸人，醉心西學，以反禮教反傳統，非忠非孝之謬論，爲蠱惑社會革命之工具，直傳統文化之刽子手也。其淺薄無知，數典忘祖之舉，寧非得中西學之毒；何竟出此。應知中國倫理文化，自五帝三王創道垂統，無不本於天人關係之常道而立，根深蒂固，絕非暴力所能撼動於萬一。以言物理世界之「生理」，則曰「知天」「明天」，由格物致知，以究自然現象之底蘊，所謂「道學問」，「致廣大而盡精微」。故曰「道心惟微」不足蔽。其精神是科學的。以言精神世界之生理，則曰「知性」，「知命」，由「明明德」，而「率性明誠」，以推心性稟賦之先天本能。所謂「尊德性」，則「極高明而道中庸」，故曰「人心惟危」不足患。其精神是哲學的。惟其科學與哲學之合一，以自然爲體以人生爲用，用由體來，故由「究元」以明體，明心見性以見精神之價值。是爲「知本」。體中見用，而後人生實務以生。由人倫得用之實踐，乃因知分知位，知倫知職發於行爲，是有盡性盡人，斯爲「達用」。達用之極，盡性盡天，體由用見。故人德立而天德不失。天人一致，體用無間，世人倫所以合於天倫者，莫不引爲古今之「天理」。古儒謂「天道遠人道邇」，求天道於人道之中，故「道中庸」，即所以「極高明」。此豈西學所謂「經驗」，「唯物」，「功利」所能望其項背者哉。

時至今日，西方科學文明已進入「太空時代」。儘管太空之奧秘，尚未探測其萬一，而人類功利思想已使人欲之泛濫，登峯造極。如物質器用之講求，權力之爭奪，致人性之淪落愈陷愈深。値茲時際，中國傳統倫理道德乃不啻「黑暗世紀」之燈火，沙漠中之綠洲。乃有所謂「現代化」者，多謂傳統文化乃農業社會之遺產，不足以爲工業社會生活之準則，懷寶違邦，妄以西學糟粕爲進步。此又不能不爲西人之羣起研習中國文化所竊笑也。瀏自廿世紀初葉至今，「唯物」論者視人類爲草芥禽獸，猶如恩格斯云：「宇宙由物質以構成，連精神也是物質的」，（反杜林論）列寧說：「宗教是人民的鴉片」，（國家與革命）完全否定人類精神生命的存在。如此，則資本主義文化偏於「墮落」，共產主義文化失之「慘酷」，均非人生之正途。惟中國傳統文化取「天人合一」，「心理合一」之宇宙自然觀，適足以匡其偏弊。中國文化之復興，可謂史例匪鮮。如春秋戰國有霸道功利思想之流行，而後有孔孟倫理道德思想出而淑世。有秦皇之任法，而後有漢代之尊儒。有兩晉六朝之虛無思潮，而後有[illegible]以去[illegible]，而人獸之間乃分。科學與哲學相輔爲用，而自然人生之全體大用，盡在其中矣。今也中國文化正逢亙古未有世變，所謂「文化復興」，[illegible]任重道遠，[illegible]三原則以言，則[illegible]傳統文化之全部精華，與現代政治思想主流，相結合，即足以爲天地立心，爲生民立命，爲往聖繼絕學，爲萬世開太平」矣。誠盛事也。

編者按：本文係摘自黃公偉先生近著「中國倫理學通論」自序，黃先生著述甚豐，此書係繼「人生哲學通義」，「佛學原理通釋」，「[illegible]」之後出版[illegible]；另有兩史（中國哲學史、中國文學史）早已問世。皆爲研究中國固有文化者之良好參致，對將提倡復興中國文化之偉業大有助焉。

力不從心！

諸多困擾！

昨日與明日

加強學校品德教育

我們認爲學校的品德教育，應徹底檢討、改善。社會原是個大染缸，一個純潔的青年，踏出校門，進入社會，被染污的可能性固然很大；但如在學校裏奠定了品德基礎，就不難減至最低程度。不幸的是現在我們的學校已往往成爲製造問題青少年的所在。我們學校的公民道德教育，至今仍滯留在口頭說教的窠臼裏，實在無法適應時代的要求。今後學校的導師制，應設法加强，不妨酌減導師的授課時數，讓他們有足夠的時間來關照學生。而這類導師人選，應可能遴選有教育熱忱與責任感，對於心理學、犯罪學一類的學科有研究的人來充當，俾能時時關注所屬學生，注意發掘學生的問題，幫助學生解決問題，以同情愛護與了解來取得學生的信任和愛戴。如此自可化莠爲良，不然老是開口孔子說應該如何如何，閉口又是誰說應該怎樣怎樣，這些方法未免太落伍了。在社會風氣日漸腐化聲中，青少年犯罪的比率正與日俱增，我們必須正視這個事實，急謀補救。首要之圖，還是從改進學校品德教育着手，並與家庭教育，社會教育密切配合，以求實效，絕不可徒託空言。

整飭警察風氣

其次，就是要整飭警察風氣。在台灣，警察機關，常爲民衆所詬病，究其原委，實不外於執法時有所偏差。執政的國民黨，於去年九屆五中全會時，就會檢討這個問題。我們以爲警察或爲生計所迫，收納一些人情上的額外利益，偶而幹些徇情示惠的事，並非罪不容赦的大過；倒是自毀立場，與犯法者勾結舞弊圖利，那才是罪大惡極。我們不想在此揭發一些什麼，事實上，明眼人一看，就可思過半矣。就像一些色情、賭博的場所，這類藏污納垢的地方，只要是稍盡責的管區警員，沒有不瞭若指掌的，但爲什麼終無法予以壓制或取締，箇中原委，是耐人尋味的。一句話說穿了，還不是因爲有利可圖，便裝聾作啞。[illegible]種必須持之以恒，方能[illegible]警察的通力合作，徹底執行[illegible]功。若不然，[illegible]那所有法令，使形同具文，不過是徒喊口號罷了。

以上所述，雖嫌簡畧，但却是平實可行的要着，若捨此弗由，而徒在咖啡室燈光太暗，椅背太高一類微末細節上動腦筋，而要求社會風氣的改善，實在渺不可得，所謂整頓也者，亦不過是一派欺人之談而已。（長風）

自由談

急須複決的法案

國大代表對國家的大經大法，具有創制、複決權能，且設置着「憲政研討會」，如果眞要發揮一點法定的職權，而又得中肯綮，於事有濟，我認爲大家集中精力，把現行的法令，爬羅剔抉，仔細研討後，予以複決，其功即不在禹下了！

中華民國現行的法令，計有軍政時期—即民十五六年大革命時期頒訂的；有訓政時期—包括勦匪、抗日時期由國府或軍事委員會陸續制定實施的；還有民國卅八年實行憲政之治以來，由立法機關審議通過的。琳瑯滿目，可謂集法令之大成。然其性質各別，有的不合時宜，有的違背憲政精神，有的等於贅疣，有的更互相衝突，完全不適用了。可是，行政機關和法院，一例援引如儀，方便之至。所以，官吏對於管理衆人之事，無論怎樣處理，甚至於營私舞弊，瀆職殃民，皆有煌煌法令可資依據，誰也不能說二話，老百姓縱受冤屈，只好忍氣吞聲，無可申訴，至於國家所受損害，更沒人過問了。

國大憲政研討會不妨蒐集現行法令，分門別類，交由各個研究小組，縝密審核何者宜廢止，何者應修正，何者可以照樣實施，提出意見，作成結論，然後爲研討會綜合審議，詢謀僉同，定期召集國大代表臨時大會，爲最後之複決，總以符合憲政之治爲原則，咨請政府明令頒佈施行。這項工作不但是意義崇高，對國家和人民更有莫大裨益，庶不愧爲恪盡職責的國民代表，何樂不爲呢！像現在憲政研討委員會各單位所研討的問題，都是一般行政事務；例如改進稅收制度，革新教育法規……之類，乃屬立法機關應有的職責，瑣碎枝節，國大代表似可不必過問，祇要把全盤法令來一次複決就行了。

不過，這種複決工作，不宜草率從事，非經過深入的研究檢討不可。一千八百名代表之中，擧有專長的自然不少，尤宜殫精竭慮，共同努力於這項時代使命，即足以向選民有所交代，表示大家并非專事投票選擧而已，可不勉乎！

馬五先生

文教界三百餘人向孔孟學會兩度提案

請建議政府從速宣佈正名國語科爲國文科

（台北航訊）本年四月十四日爲正名小學「國語科」爲「國文科」，已由熊公哲，任培道，李日剛等三百餘人向孔孟學會年會提案，案經大會通過，決議交下屆理事會研究辦理，（名單畧）復於本年五月十二日孔孟學會舉行會員大會，又由方遠堯，江應龍、李日剛多人提案擬請建議行政院儘速命令教育部宣佈國民小學「國語科」正名爲「國文科」，並爲避免曲解與誤會，應同時宣佈推行標準國語政策不改變，且更趨積極。已獲大會通過，決議交常務理事會辦理，特誌其「說明」全文於次：

民國十二年，北洋政府惑於陳獨秀等「以語言爲主」，「言文一致」等謬誤主張，貿然宣佈小學「國文科」改稱爲「國語科」，既名實不符，亦不合羅輯，更違反國父遺教和普通常識，以致引起世人對語言文字之觀念混淆和誤解，尤其貽害兒童教育與社會文化實深且鉅，在謀復興中國文化之今日，糾正此項錯誤，實爲當務之急。理由分詳如下：

一、總統蔣公「國文第一」之政策必須切實遵行：早在民國四十四年，總統蔣公即已提出「國文第一」政策；本年二月十日手令對教育指示，又一再強調「注重本國文字」，「著重國文程度之提高、民族文化之發揚」，當然包括小學教育在內。本年四月十二日手令復提及「國民教育小學和中學……除國文爲基本課目之外，歷史地理亦爲關鍵肯綮之所在」，明白指出小學與中學之國文課同爲基本科目，教育部竟不予以重視。

二、行政院法令必須嚴格遵守：今年一月二十七日 總統明令公佈之九年國民教育實施條例，第八條規定「國民教育之課程，採九年一貫制」。依此規定，小學「國語科」正名爲「國文科」，與中學相同，始可表示「制度」之「一貫」。此項條例先經行政院命令，立法院通過，後經 總統明令公佈，何等重要，教育部竟不遵守上述規定，仍稱小學國文科爲「國語科」，實屬不合。

三、「教育部施政報告」教育部尊應自加尊重：去年迄立法院之「教育部施政報告」，「中小學方面」只有「國文科」之名稱，並無「國語科」。今年元旦忽公佈小學爲「國語科」，前後自相矛盾。（仲旌）

逢甲學院案又起高潮

蕭一山杯葛閻振興

偽造河大學籍案筆跡尚未鑑定

陳會瑞揚言尚有更驚人之舉發

本報記者董雲

台北航訊：由於逢甲學院糾紛所引起之陳會瑞檢舉教育部長閻振興涉嫌偽造于冠英河大學籍案，曾經轟動一時，迄至前教育部長趙冰清被發現涉有重嫌，即被檢察官收押，迭經偵訊結果，趙冰清被提起公訴，閻振興宣告不起訴處分。趙於兩月前被保釋在外，因偽造學籍案，經鑑定筆跡，並非出自趙冰清之手，究爲何人，目前尚未查出，地院於旬前開調查庭，原告陳會瑞到庭作證，陳當庭質問趙冰清，被控閻振興係獲趙同意後行事。趙除承認同意是實外，並否認該偽造學籍案與彼有關。庭諭原定六月二十九日繼續開庭調查，頃悉又經改期。該案既因逢甲學院糾紛而起，而陳會瑞所掌握教育檔案（來源詳一月三十一日本報）並不止于冠英一椿，尚有其他更較嚴重者，年前陳會瑞曾在會賓樓王果正所約之餐會上，當教育部次長高化臣之前，即席提出各項弊端，最具體者有安大××××淡江×××之實例。迭經調人勸解，使事態勿再擴大，閻方代表人高化臣會允待向行政院請示復文下來，即行改組逢甲董事會，詎延至現在尚未實行，據悉創辦人蕭一山曾以（57）辰世代電閻部長催促，頃將屆滿一月，仍無下文，茲將蕭一山致閻部長原電採誌於下：

「五十一年逢甲學院奉命改組時，高信自稱代表張曉峯與陳會瑞洽談合作，協議「新舊董事會除創辦人外，雙方各爲半數，新方出資四百萬元担任院長，創辦人蟬聯董事長，陳會瑞董事兼總務主任原職不動。」當時雙方本擬成立議書，弟以教育界人士首重品德，不應爾虞我詐，形諸筆墨，予以阻止。但陳會瑞仍請高信致函本人保證「創辦人仍任董事長」「先行籌措二百萬元，以百萬元還債，以百萬元建築，始克順利移交，」該項函件，雖非本人辭去董事長時附於文卷中被高信隱匿，但揆諸常情，自無平白請其出任院長，移交圖書儀器財物現金之理，有逢甲學院董事會現任秘書許志遠致本人函說明：「諸多措施未符當初協議原則」之原文可證。許函又云，高信竟敢盜竊曉公之名，以巧取逢甲之實，殊堪誌於今世之儒林外史，教育界人士竟有此敗行，尚復何言……弟亦於貴部通令公務員不能兼任大專院校董事後，與謝澄宇聯名致函吾兄說明逢甲學院高信等過半數董事均具有公務員身份，依令不得兼任，必須依照董事會章程立即改組，嗣又將擬聘局部新董事名單由韓德勤，葉秀峯兩先生面交商洽，事隔經年，均未奉復，去年十一、二月間，兄及化臣次長，迭次告以一俟向行政院請示復文下來，即令逢甲學院創辦人改組董事會，以解決多年糾紛，本年二月，行政院貫切前令之公文下達，貴部亦於本年三月通令各校重申前令，但對於改組逢甲學院董事會一節，則以再請示釋示公務員範圍爲由，予以推拖，且有逢甲學院並糾紛之說，自欺欺人，法令之精神安在，特電請從速專案依法處理，以盡職責爲禱」。

又調解韓德勤，葉秀峯二人同時致函行政院嚴院長畧云：「前爲陳代表會瑞與逢甲學院高信董事長糾紛一事，特遵鈞囑與閻部長洽談一次，迄未得解決。其經過演進情形如下：①閻部長面稱：行政院令雖經轉令遵照，但事實尚有困難，業經簽呈請示，俟奉復後再議。②逢甲學院創辦人蕭一山，謝澄宇先後致函閻部長以該院歷年賬冊應報而不報，財團法人迄未登記設立，學院糾紛內外迭起，報章騰載，輿論譁然。以及現任董事過半數係現任公務員不得兼任，請依章改組各點，閻部長迄未處理。③陳會瑞檢舉教育部偽造河南大學學籍案後，據蕭一山面稱：「閻部長陳政委（雪屏）高次長等迭次與其洽談，最後並邀劉校長季洪參加，均言政院批復教育部請示公文下達後，即令該院改組董事會，以解決多年糾紛，藉以緩和陳代表不再舉發新案」。陳代表亦面稱：有閻部長同學王果正校長等與閻部長會商後，亦曾與其洽談多次，其內容一如閻部長與蕭創辦人之協議④行政院貫徹前令下達後，閻部長邀請顧墨三先生及德勤等餐叙時述及：「教育部除再以通令重申前令，並就公務員範圍如何，及舊董事會可否遴聘新董事問題，再次向行政院請示。」又說：「縱我下令改組逢甲學院董事會，高信亦將以其他私立學校，均未遵辦爲由抗不接受」似無解決問題之意。（中畧）⑤德勤等認爲政府維持威信計，法令必須貫徹，教育部可援照行政院令先例仍令蕭一山創辦人改組董事會，但爲兼顧事實起見，謹提供折中方案：「由教育部下令蕭一山創辦人會同高信董事長改組董事會，解決多年糾紛，依法改進院務。惟閻長當局者迷，恐難當機立斷。擬請我公鼎力支持。「由行政院指示教育部採取比項處置」俾閻部長有所依據，免除人事上困擾，方能促其實現，則逢甲糾紛得以解決，吾公之承諾及德勤等參與調解人士所負之道義責任均可了却」云。

又訊：當陳會瑞掀起教育部偽造大學籍案時，並對外聲稱：「于冠英案係一最輕微者，尚有更驚人之舉發」，再有各方爲維護教育尊嚴計，故有韓德勤、葉秀峯、劉季洪、顧墨三等人，以及王果正校長等，出面調解，促悉以釜底抽薪辦法，將逢甲董事會組織問題癥結，即可打破，但現尚無解決之望，外傳陳會瑞正醞釀採行另一途徑。（完）

台北新聞信

結婚廣告在台北

通訊員　柳一權

每讀台北中央日報的結婚廣告，十有八條都是在美國結婚，到台北來登廣告，如果追究這些在美國的結婚戶頭，除極少數公教人員或富商外，太半是要人先生的子弟，本報一向講直話，求眞理，自不能三緘其口與裝聾作啞。

一般的說，要人子弟非本身在美有何成就，據有關方面調查，十有五六爲貪官污吏哲嗣，因而連想到台灣有很多奉公守法廉潔自持的公務員，都在過著活受罪的生活，所謂「貧賤夫妻百事哀」。反過來說，一些貪墨之徒，不但妻兒飽暖，且將貪污所得，先行運往國外，所謂「一人有福，福在滿屋」風氣所播，成了今天的奇形怪狀，大有要人們的子弟，不在美國結婚，就不能榮宗耀祖，結婚而不在台北登出廣告，猶若錦衣夜行。

根絕這種社會醜陋面，一般認爲最好的辦法，就是嚴懲貪污，追查貪污。我國古代懲治貪污是非常認眞而嚴厲。漢「贓值十金，則至重罪」且法有明文規定，貪官的子孫三世不得做公務員，或被抄家者。兒孫坐享祖先之利，本應分担祖先之罪，由於三世禁錮，可使人不敢枉法貪贓，貽害子孫，其刑雖苛，其事則慈，也就是一路哭，不如一家哭的做法。我們今天不僅要懲治貪污，「禁姦止過，莫如重刑」[illegible]，更得追查貪污，追查要人子弟在外[illegible]的，雖不能「贓值十金，則至重罪」[illegible]論界精神上先予制裁，使貪官們能夠歛跡和瞭解，美國雖好是他鄉，錯將羞恥當光榮。

今日台灣，貪官污吏有一共同公式，即將貪污所得，用其妻妾兒女名義，買地皮，蓋洋房，現款存入銀行，然後設法套滙到外國，萬一東窗事發，妻妾兒女財產可以保全。例：台灣勞工保險局一位陳姓出納，一次硬吞了公款五百餘萬元，而這些公款，統統很巧妙的轉入妻子兒女戶下。又台灣某黨官於幾年前，貪了幾筆賄選大款，今成爲學店教育家矣！腰纏萬貫，左右逢源，誰不尊而敬之，難怪于右任先生在彌留前，老是喊：「國危矣！」

揭發貪污，照道理當局應當鼓勵，但事實與理想往往相反，總以爲「家醜不可外揚」這種觀點上的偏差，乃由自官官相護，紅包如果不修正的話，廉既無賞，貪又無罰，紅包滿天飛，如何得了？司法大廈前的黃牛陣到處亂竄，非無由也。

中華函授學校

下學年度招生

（本報訊）台北市中華函授學校，專爲教育全世界各地華僑或華人子弟而設，採取通訊方式，實施各學科教育。該校下學年度（由本年九月始業至明年八月結業）設國語等進修科及國語初修科、農、工、商、新聞、家事等十一科，每科分設三至十一課，可由學生選修，每月分發講義一次，每次講義印附習題，由學生解答後，將答卷寄至該校，即由該校送請專家批閱，記分後，分次寄還學生。年度終結時，該校核算成績，及格者發給結業證書。該校在台灣復辦後，十二年來，海外各地青年曾接受該校通訊教育者，已達八萬餘人。下學年度招生，原定本年六月底截止，惟因該校以遠地青年未及辦理報名手續，紛紛請求該校將報名日期延長，該校不願使有志進修之青年失望，乃將截止報名日期延至本年七月中旬。爲便於註冊準備開學，有志參加該校進修者，可向中華民國駐當地使領館或保送僑生來台升學負責人詢取報名表，或逕函該校索取。該校通訊處爲台北市長安東路二段十號二樓。台北市郵政第二四〇二八號。台北市電報掛號第二三四

此爲義務教學　不收任何費用

及人中學建校

破土興工秋季開學

（台北訊）教育界聞人現任國大代表盛莊及其夫人史丹光，爲響應政府提倡私人捐資興學之號召，曾在台北市近郊永和鎮創辦私立及人小學一所，十餘年來成績斐然，該校歷屆畢業生，每年皆以最優異成績，最高比率——百分之九十八以上升入公立中學讀書，獲社會好評，遠近負笈趨至。盛氏爲進一步作育人材，擬創辦完全中學一所，去年承新店鎮長卓定俊之協助，於台北縣新店鎮碧潭風景區及永和之安坑地萬坪，作爲建築及人中學校址，並經呈奉教育部核准，當即破土興工，本定於本年秋季開學，第一年招收新生初中四班高中二班，男女兼收，並擬訂有各種優待辦法。所聘教師均一流優秀人選。該校小學畢業生可以直升，各方向往者甚眾。該校址依山帶水，風景殊佳，地當北新路迴線，預定孔道，交通方面，除該北新客運車經常行駛外，現有台北客運車常川其間，兩線行駛，極稱便利云。（仙）

論劉玄德（下）

·恩昶·

其次劉備行政，對人的態度。亦能夠不拘形跡，一本至誠，寬仁弘毅，情義深重。吾嘗想曹、劉、孫三人，曹操平定中原以智力馭衆，孫權承父兄餘威，以氣勢馭衆，劉備則以情感結衆心，與前二人不同。陳壽謂劉備「有高祖風」。然劉備可說兼高祖與光武二人之長，只以逢時不利，遇到敵手，致未能統一天下。如當時人物傅幹即謂：「劉備寬仁有度，能得人死力。」劉備有愛人之德，當其自新野南奔時，百姓從者十餘萬人。有人勸他棄百姓先行，他說：「濟大事必以人爲本，今人歸我，吾何忍棄之。」晉習鑿齒讚曰：「雖顚沛險難，而信義愈明。」

先主與羣臣如關、張、諸葛、趙雲等人均以情感相結，知心之交，不同於一般君臣。張飛守下邳，爲呂布所襲，城池失陷，不聞其加罪於張飛。關羽降曹甚久，且爲之建立戰功，後逃歸，先主不疑。孫權襲殺關羽，劉備不顧一切爲之復仇，致有猇亭之敗，這都是劉備重感情的表現。這是他的長處，自然也可以說是他的短處。其臨終託孤諸葛亮云：「君才十倍於曹丕，必能安國終定大事，若嗣子可輔則輔之，如其不才，君可自取。」亮涕泣曰：「臣竭股肱之力，效忠貞之節，繼之以死！」這一段對話，非君臣間一片至誠毫無疑忌不能道出。雖孫盛曾謂昭烈此言爲不當，但陳壽卻認爲是：「心神無二，誠君臣之至公，古今之盛軌也。」這話也只有在蜀漢那種環境裏才能說，說了上下亦均無疑忌，若在魏與二國，此言一出，必起疑忌，必興大獄。

劉備還有更偉大處，是他已覺悟到漢末政治上的病症，而有從新建政治風氣的願望。三國志龐統傳引九州春秋云：「統勸備西取益州，權借以定六事。」備曰：「今指與吾爲水火者曹操也。操以急，吾以寬，操以暴，吾以仁，操以譎，吾以忠，每與操反，事乃可成耳。今以小故失信義以天下，吾不取也。」這或許就是劉備的本心。他本想擒賊擒王，先將曹操打倒，輔佐天子，澄清朝政，天下可傳檄而定。及至隆中對後，諸葛亮根據實際情形，分析天下大勢，始知直接與曹操爭中原爲不可能，不得已思先跨荊益，爲北伐的基礎，這已大違其本願了。他提出「寬、仁、忠」三字來對曹操的「急、暴、譎」的作風是有其淵源的，蓋自漢末桓靈以來，不管是宦官、外戚，或清流的士大夫，其處事總脫不急、暴、譎的作風。這是因爲當時善惡清濁，互相激盪，各走極端，意氣用事之故。

每一朝代末年的政風，往往如此，無可救藥，終至同歸於盡，誠堪浩嘆！東漢末年的小人，宦官勿論矣，即以當時名賢如汝南功曹范滂，南陽功曹岑晊，太原太守李，東海相黃浮等人，捕殺宦官親友，或在赦後故意違法捕殺，或株連無度，不分良莠，「家屬無少長悉按棄市。」致造成宦官與清流的深仇，促成黨錮之禍。及至宦官得勢，清流被捕，「范滂等皆三木囊首暴於階下」。寃寃相報，戾氣盈朝廷。及靈帝即位，竇太后臨朝，太傅陳蕃，大將軍竇武竟奏請太后盡殺宦官，太后說：「但當殺其有罪者。」蕃等之見，竟不如一老婦人。事急生變，反爲宦官所殺。從此殺風更熾。靈帝死後，大將軍何進，司隸校尉袁紹，竟致召西涼將董卓入京盡誅宦官。事情鬧到這步田地，國家焉得不亂！

曹操是東漢末年的青年官吏，他識見雖高。但終不免沾染上「急、暴、譎」的風氣，他征徐州時，爲報父仇，所過屠戮，使泗水爲之不流。他南征荊州，南陽、新野的民衆十餘萬人，隨劉備撤退流亡而不願歸附，也是懷其殺戮之殘。劉備帝室之胄，生長民間，深悉時弊，故提出「寬、仁、忠」三字來糾正曹操的「急、暴、譎」作風。可惜他的憑藉太差，不能得志於中原。然而西蜀的文人政府，是當時效率最高，風氣最好的政府。魏吳二國不久即又重演暴君權臣相殘殺的話劇，但西蜀直至亡國，却上下有序。這不能不說是劉備的人格召感與諸葛亮所建立的制度使然了。

由於劉備有這樣的器度，他才能做出一件振古鑠今的事來，那就是人所艷稱的「三顧茅廬」。由於這屈尊三顧，求出一位澹泊名利的大賢出來協助他。這件事與漢光武嚴子陵的故事一樣爲人所樂道，但較嚴子陵的事更有意義，更能影響世道人心。所以劉備的成功，於其說在事業上，不如說是在教化上。他所建立的制度，竟能在那舉世滔滔的亂世之中，留下段清白的紀錄，使後世讀史的人，於扼腕之餘，不禁生同情與敬慕之感。這才是劉備成功的地方。

太平御覽引張輔名士優劣論云：「世人見魏武據有中土，莫謂勝劉玄德也。余以玄德爲勝。夫撥亂反正之主，當先以能收將護相爲本，一身善戰，不足恃也……：今玄德據有中州，將與周室比隆，豈徒三傑而已哉！」

郝經曰：「昭烈天資仁厚，守量弘毅，以復興漢室爲已任，崎嶇百折，傾而益堅，顚沛之際，信義愈明，故能終繫景命，信大義於天下，任賢使能，洒落誠盡，使諸葛以死自效，復見三代君臣，高光爲不亡矣！」

蘇東坡云：「街頭聽人說三分，聞劉玄德勝皆喜，聞曹操勝皆怒。」

歷來人均同情劉備，非僅因其爲漢家正統，其爲人天資仁厚，使人敬愛，也是一大原因。

吳敬恒先生年譜（五）

陳凌海編撰　陳洪校訂

先生遵外祖母陳之命，與無錫袁聖祺先生之長女蘊生結婚於雪堰橋南街老宅。夫人少先生一歲。夫人爲人善良聰慧而平易，具我國婦女固有之美德，爲一秀外慧中之賢妻良母也。七月，偕朱錦露、施惠齋、施頌君、曹翼臣、孫景濤、孫揆均（叔方）等赴江寧鄉試。至奔牛鎮，先生因病折回。是年鄰人慕先生名，遂紛送子弟前來就讀。東脩總數增至八十千錢一年。

民國紀元前二十三年——清光緒十五年，己丑（西曆一八八九年）先生二十五歲。

先生自幼愛寫篆字，且長於史論，自信對「皇淸經解」等，考據有把握。遂偕孫揆均（叔方）、裘小翰、高集安、俞復（仲還）、杜香如，表兄陳育（仲英）等投考江陰南菁書院。孫揆均等皆嫻詩賦。先生則略窺桐城門徑，止作精短史論兩篇。全部以篆字書寫。督學部種爲廣東茂名楊頤。閱先生卷者，爲甯波章一山，對先生所論，疑爲老宿，甚爲賞識，遂以正取第一名錄取。據先生自述赴考情形稱：「余偕表兄陳育等係乘無錫胡橋陸姓之船，其主有女十六七歲，玲瓏俏麗，凡赴考者爭屆之。是日考畢史論，午後即交卷而出，適値大雪。登舟。彼姝殷勤燒水洗腳，間涉游詞，斯時裘小翰亦交卷而至。彼爲翩翩少年。余自知非敵。遂相互談題紙矣。」此爲先生日後語人之「所謂桃色新聞」也。先生因考取南菁書院，即將所設之館收歇，並將學生遣歸。（是年外甥蔣東孚始就先生啓蒙。）遂與表兄陳育赴江陰南菁書院肄業。住訓字齋。先生在南菁書院名吳朓，字稚暉。因於二十歲前，偶得謝宣城集精本，雅好其詩，遂又以稚暉爲字焉。七月，先生偕張馥初、朱錦露、俞仲培、孫揆均（叔方）、王九如、王驥臣、顧子臣、高伯安等由無錫乘輪赴江寧參加第一次省試。秋，鈕永建（惕生）至無錫，由李景韓介紹，在無錫惠山天下第二泉亭與先生訂交。十月七日（國曆十一月九日）女公子芙（孟蓉）生。時先生在江陰南菁書院。

民國紀元前二十二年——清光緒十六年，庚寅（西曆一八九〇年）先生二十六歲。

先生仍肄業江陰南菁書院。二月，返無錫家中，始見其女芙。四月，先生與鈕永建（惕生時名鐵臣），楊積齋、田自芸（其田）、孫揆均（叔方）由江陰渡靖江乘輪赴海，首次遊春申江畔。住三洋涇橋。先生參加第二次鄉試。先生軀體脩偉，生命力充沛少時酷愛結伴撲鬬，難免暗傷，益以讀書過勤，是年夏與由自芸偶作遊戲，致患咯血症。外祖母陳乃送至某家祠靜養。因環境優美適宜，尤注意飲食起居，不久即告康復。先生日後常語人曰：「肺病吐血諸大症，果能得一適當環境療養，實易於痊癒。」蓋爲自身之經驗談也。十一月，甥女馮元養生。

紅花崗四烈士

林冠慈視死如歸

·竹羽·

林冠慈烈士，原名冠戎，廣東歸善縣湖梅鄉人，家裏以農爲業。少年時，因爲看見淸政府派來催徵粮稅的吏役，氣勢洶洶的逼迫鄉民，心裏很是不平，於是使暗裏買了一把利刀，準備他們再來時，便給鄉民們打不平。後來聽人說起俄國有個虛無黨，用炸彈炸死官吏的故事，他又想炸彈比利刀更痛快。他以爲凡是西洋人都會製造炸彈，有一次，有個基督教的牧師到鄉間來傳道，對待鄉人態度和善，林冠慈以爲他一定是虛無黨人，也一定會造炸彈，便請求入教受洗禮，其實，他的目的是在學習造炸彈的方法，當他提出了這個請求時，被牧師申斥了一頓，纔茫然若失而退。

後來他又聽說國父孫中山先生倡導革命，革命黨人在香港活動得很厲害，他就到香港去想加入革命黨。有一天，在街上見到走江湖賣藥郎中在演說，態度慷慨激昂，他以爲他就是革命黨人，向他請求入黨，賣藥的弄得丈二金剛摸不着頭腦，同時恐怕惹禍，便搶白了他一頓，收拾東西走了。他碰了這次釘子後，不敢逢人就講革命黨的事，但，想加入革命黨的決心，却更加堅强，一方面不斷的在找參加革命的路子，後來，總算「皇天不負苦心人」，經過了朱述堂和高劍父的介紹，加入了劉思復等在香港組織的「支那暗殺團」。

所謂「暗殺團」的目的，是專門在對付滿淸官吏，凡新入團的必先受觀察，經過半年的時間，認爲忠實，才得爲正式團員，分配任務和教授製造炸彈的方法。「三、廿九」之役，革命黨人進攻廣州督署失敗後，暗殺團便開緊急會議，決定暗殺兩廣總督廣總督張鳴岐和師提督李準。林冠慈認爲這是他大顯身手的機會，自告奮勇，願担任暗殺張李的任務。團方便先派朱述堂、李熙斌等先入廣州佈置一切，佈置妥當後，便催冠慈赴省，香港的同志們設宴爲他餞行，他慷慨激昂的說道：「我以身許國，早已視死如歸，這次去廣州，沒有一點別的繫念，不過老母在家未及見一次面，是一件憾事，然而我有哥哥在，我可以放心，我死後，希望不要發表眞姓名，以免我母親傷心；」爲了這原故，林冠慈纔把原來冠戎的名字改成「冠慈」。

離了香港，他扮個西人厨工模樣，携了網籃，帶了許多吃的東西，炸彈藏在麵包肚裏，神不知鬼不覺的趁輪往廣州，上了岸，先到沙面，再折往河南伺機而動。李朱兩人則天天在偵察張鳴岐和李準的行蹤。一天，聽說張鳴岐要出城去，林冠慈便帶了炸彈在油欄門一家茶館裏伺候，當張鳴岐經過時，恰巧老百姓們在遊神賽會，人很多，他不忍波及無辜，不曾下手，以後便常常沒有機會。後來他知道陳敬岳也在謀殺張李兩人，便和敬岳合作，由敬岳負責城外，他負責城內。一直到那年閏六月十九日，李準從永師公所進城，敬岳開訊趕去時，李已進城。冠慈在雙門底一家商店裏等着，李準轎子經過時，便把炸彈抛擲過去，當場炸死了衛士和轎夫十多人，李準只傷了腰部，沒有死。不幸的是冠慈自己也被破片擊中，傷重倒地而死。當時竟沒有人知道他就是炸李準的人。遺體經後人遷葬在廣州郊外的紅花崗，稱爲紅花崗烈士之一。

王雲五從政非所宜
再致書陳副總統請辭

辭公兼院長賜鑒：

謹啓者，雲五於六月二十四日曾致書我公，請准於雲五重游政院五周年，即去年七月十五日解除今職，理由具詳該函。前函送達後甫數日，我公即承 總統給假休養一月，並令雲五代理院務，責無旁貸，祇得勉留。嗣以 公續承給假兩月，仍由雲五代理，前後合計三月，雲五不敢因去志而稍懈，幸免遺誤，代理之期，以至提前銷假而畧縮短，則又因立法院復會，在本院提出施政報告後，通常質詢歷時一月左右，雲五以 公健康雖已康復，尚有許多政務主持，不欲勞 公每次列席，故決計俟立法院質詢結束時重申前請。昨日全部質詢業已結束，雲五不得不續請俯念雲五去志堅決，勉以成全。雲五年滿七十六，雖賤體尚稱頑健，畢竟歲月迫人，集中意志精神以處理一事，尚能勉應付；惟本院副院長職務，依近年之演進，頗感紛繁，實非雲五目前精力所能繼續担任。

趁此立院質詢已告結束，下年度總預算尚未開始編製之時，我 公當有愼選賢能之餘裕，謹以至誠，繼續辭去副院長之職，務懇先爲呈請 總統照准，免除雲五職責，俾得安心休養。雲五並擬自明日起，暫先請假，不到院辦公，俟明令照准，立即辦理交代。雲五辭職以後，當以餘生從事於講學寫作，並擬於今後兩年以內，完成一種二三百萬言之著作，亦惟趁此精力勉能應付一二單純工作之時爲之，過此恐不復有此機會矣。區區微誠，務乞鑒察，有以成全之，則感荷無既矣。 手肅，順頌

政祺！

王雲五

十月廿三日」（鴻）

大學文牘

三幕喜劇　事過境遷

熊式一

第一幕

（包仁翰的別墅，大廳向着海，正面是高大的法蘭西式玻璃窗。在天氣晴朗的時候，可以把它當做大門用，除了僕人之外，大家都由這兒進出的。可是左邊有一道門通到大門口，右邊有一道門通到書房，飯廳和樓上的寢室等處。）

（大廳裏的家具，全是紅木的舊式硬桌椅几櫈，古色古香，十分好看，可是用起來極不方便，更不舒服。牆上的字畫，和桌上几上的陳設，不消說，也全是古董，珍貴無比。總而言之，這是一幅高大寬敞的古式洋房，除了建築是照着最古老的西式之外，其餘一點一滴洋東西都沒有，表示主人是一位保存國粹的中流砥柱。）（阿詩一隻手拿着一封信，一隻手推開門，引了史健旺先生進大廳來，請他到上首的紅木椅子上坐下。）

詩：史先生，先請坐下，我馬上就去稟告太太——太太還在寢室裏沒有下樓來——再到後面狗窠裏去找找我們的老爺，我想我想我們的老爺還在後面的狗窠裏……

史：（剛剛坐下，一聽之後，嚇得大驚跳起來）你說什麼？你們的老爺長住在後面的狗窠裏的嗎？

詩　不是長住在那兒，不過每天上半天都在那兒………

史：每天上半天都在狗窠裏？

詩：（一面敬烟，一面說）對了，史先生，請先抽一支烟，我回頭再去替你拿茶來。前幾天才養下了一窠小狗兒，黑的，白的，花的，一共七八隻，剛剛開眼兒，老爺正忙着呢！

史；你的老爺養下了七八隻小狗兒……？

詩：噯！我們老爺怎麼會養小狗兒？他是男人，那是阿花養的，我們老爺最喜歡阿花，昨天大家還說老爺喜歡阿花，比喜歡太太更厲害。怨不得太太要吃醋……

史：太太吃醋？阿花是你們老爺的姨太太嗎？

詩：史先生，別打哈哈了！阿花是我們家裏所養的看家的狗，怎麼是我們老爺的姨太太呢？史先生，你是那兒的人，打那兒來的呀？

史：我是番禺人，剛從澳門來，我也到過澳門，也到過番禺，就從來也沒有聽過澳門番禺有過姨太太養小狗兒的事！

史：對不住，我說錯了！還是請你去通報老爺，說有一位史先生看他，我姓史。叫做史健旺，……不過說他也沒有用，他根本不認識我，我帶了一封何伯文寫的介紹信給他，（找信，找不着，大窘）糟了！糟了！那封信那兒去了？我記得淸淸楚楚帶了信來呢，剛才我下纜車的時候，還拿在手裏問路的呢？現在就丟了嗎在那兒丟的呢？

（2）

評「庸齋談藝錄」

——容天圻著．商務印書館印行

．孫旗．

這是一部想認識中國藝術必讀的書。書名雖屬平凡，而著者所表現的見解，多爲時賢所未道者。

容天圻在六十八篇文章中，所討論，介述的人與問題儘管不同，但是以文人畫家陳衡恪所揭櫫的文人畫要素，爲其基本態度；文人畫要素首爲人品，所以他每論藝人均先提出其人品，此與西洋「就事論事」的旨趣不同。就科學而言，以事論事是不錯的；但是人文科學則不然，必須由其人品出之。這人品可說是作品的坐標軸，例如鄭所南的畫蘭不畫土，讀其畫油然而體味其忠義塡膺慷慨激昂的愛國情操；再如明亡後的遺民畫家石濤、八大、石溪、梅清等，抗節孤注，寄託遙深，觀其作品之奇肆豪放，一片高潔幽懷的愛國情操，沁人心肺。反之，降元之趙松雪（孟頫）書畫於「藝」可爲後世楷範，然其嫵媚之賤氣，總是不免。

這是時下論藝所疏忽之要點。中華民族的靈魂，中華文化的精神，均於文人、藝術家的人品中俱見之。

著者識廣見遠，本書所論範圍，由書畫而琴曲、金石、剪紙、年畫，可以說括盡中國藝術各部門，除此以外，旁徵博引，如曹娥碑「黃絹幼婦，外孫齏臼」，曹操與楊修一段故事，不在藝術書中；又如焦尾琴，引證後漢書等，雖屬普通，但非博讀典籍者不能辨。至於見解，他對揚州八怪先天的缺點，批評爲造就公式主義，貽害後世傳摹抄襲之風至大，這與時賢奉古人爲神聖，自不可同日而語；不久前，有人論張大千從曾農髯，李瑞清學習繪畫，一讀著者「清道人逸事」、「曾農髯書合南北」等篇，可知曾、李皆清末民初書家而非畫家也；自來論文人畫者，語多不詳，但著者則以「主要是因爲中國歷代畫家以文人佔絕大多數，中國文人與六朝老莊學說以及唐代的禪宗思想結下了不解之緣，因此文人多含有超脫世俗的思想而寄情於高曠清靜之妙境，這是中國文學藝術的特色。」（一〇二——一〇三頁）中國文人畫「詩書畫三位一體」，揭櫫畫家的偉大鵠的與途程；我們只知張大千的繪畫譽滿國際，但不知其兄張善子畫虎，著者說其畫虎各態，配以「西廂記」詞句，如「怎當他臨去秋波那一轉」、「羞答答不肯把頭抬」等，妙趣橫生，是我們所少見者；關於古人云：「外師造化，中得心源。」時賢的解釋，多爲主客觀二元論，造化是造化，心源是心源，這是與我國主客混融，物我不分，物我爲一的旨趣不合的，著者解釋爲「所謂造化者即是指自然界的事物，所謂心源即是指內心的思考，以自然界爲樣本而加以描述，則自然是客觀的題材，在自然中選擇其美好者加以描繪這是屬於主觀的思考，故找尋題材必需觀察自然而思考加以選擇。」（一八六頁）確是高明之見。關於國畫的題欵與題跋，一般人極少注意，常以爲無傷大雅，著者提出配合諧調之主張，並列舉倪雲林的書法天眞幽淡與其逸筆草草之畫調和，石濤的書法眞率古厚，與其超妙入神的蘭竹相得益彰，四王題字蕭洒雅緻與其畫互映，吳歷之字蒼勁跌宕，墨光可鑑，惲南田字宗鍾王與其花卉之淸逸相稱……都可表示著者識見精微，至於金石（印章）著者提出其刻法：一指、二腕、三背、四丹田，及恪守「細心落筆，大胆着刀」要訣，要大處見體態，小處見精神，刀法起落磅礴渾厚，爲傑構。（一九四頁）著者識見精微，余與金石權威王王孫先生交往，覺其可當之也，亦證著者識見與時賢不可同日而語。

其次，本書的缺點，是論證有重複之處，據「後記」著者寫作時間不同，非一氣呵成，所以這是難免的！再其次，本書初由宏光出版社出版，各文末附有參閱圖片字樣，但無圖片，商務版也沒有，在讀者的感覺中不無「紙上談兵」的缺憾。尤其對於愛好中國藝術及初學者，認識傳統文化者，眞是一大缺憾。

著者在「後記」中說，他是在大學中農科的，於中國藝術的興趣得力於其外公，家學淵源，著者也從事繪畫，無師自通。我認爲於無師自通方面，與溥心畬先生相類似，而博讀經史，文學藝術用力之勤，則又與山水畫大師黃賓虹相似；據與容天圻晤面的友人函告，容天圻是青年才子，學養深厚，識見高遠，余於十年前讀其文，總以爲此人係一年長者，因其文筆蒼勁，推想容天圻當爲一狷之士，他在「後記」中說：「我覺得如其蒙上眼睛被人牽着走，倒不如由自己在光天化日下慢慢地探索較爲自得些。」眞所謂：狂者進取，狷者有所不爲。對於革新國畫或矢志現代繪畫、發揚傳統、復興中華文化者，似乎應該一讀本書也。

五十七年四月廿四日午於台北

生活漫談

鐵人楊傳廣胃口特別好

馬騰雲

鐵人楊傳廣，四肢發達，大腦後退。四肢發達，主要因素就是胃好，大腦後退呢？因不肯用腦力，說出一些容易傷衆的話，乃至於悔恨自己出生在台灣，今天研究胃的問題，有關最近楊傳廣一些不三不四的事，從畧。胃是人體中的鍋爐，不得不特別注意，應當隨時檢查，有毛病的話，得馬上修理，鍋爐不壞，機器壞的可能比較少，機器能耐久，即等於所謂長壽。

胃口就是食慾，食慾强就是胃口好，食慾不强就是胃口差，消化器强的人，不僅欲食，且能多食。如果受病症之影響，則消化力量阻滯，胃口頓減，就是勉强進餐，形同煤炭倒入爐裏不燃燒相彷彿，鍋爐自然失去作用。諸葛亮飯量小，而業務煩，司馬懿認爲諸葛亮食少事煩，不能久壽。食少就是因爲胃口差，胃口差即鍋爐有問題，鍋爐有了問題，怎麼能持久呢？

胃生在心窩那兒，所以一般人將胃痛認作是心痛，俗稱作心口痛，心氣痛。我們在人體圖解裏見到的胃，很像一個橫着喂奶的瓶子，又像是猪肚子，這完全是根據西醫解割，胃的筋肉鬆時的樣子，中醫認胃，基本上是立着的，也沒有那麼大，偏在心口左邊一點。胃裏產生出一種很酸的水，來消化吃的東西，有很多東西在嘴裏未嚼碎，在胃裏則會消化，變成一種能吸收的東西，以便輸送到身體裏去。

同時胃尚能自己扭動，把吃的東西和酸的東西混和，吃的東西裏面有很多細菌，在胃健康的時候，就是胃口好的時候，一般的細菌會被酸的汁水殺死，胃在不健康的時候，很多痢疾菌，傷寒病的細菌，在胃裏如果沒有被殺死，而步向腸子裏，這些細菌，就要造反了，會引起拉痢疾和害傷寒病等。

怎樣才能保持胃的健康（就是鍋爐堅固）第一是不要受涼，家裏有老年人，總是囑孩子們睡眠要蓋好肚子，肚子不要受涼可以保護胃是對的，殊不知脚上受了涼同樣會影響胃的消化。我們平時提倡洗冷水澡少穿衣服，其目的在鍛練身體，使身體不怕受涼，胃亦就不容易受到影響了。如果平時鍛練不夠，就得小心不要受涼，尤其睡覺的時候，要蓋好被子，保護這人體的鍋爐——胃。

第二是少吃冰水生冷和不容易消化的東西、黃瓜、香瓜、和不熟的果子，這些不但皮上細菌特別多，裏面苦澀的汁水，會損傷危害胃的消化力量。猪肉和肥的牛羊鷄鴨肉，都很難消化，油大的葷菜點心，及油炸的東西，最好不要多吃；如果吃慣了，則不在此限。據說乾隆皇帝胃口特別好，喜歡吃油炸的食物，所以能活到九十歲，應當完全歸功於他的鍋爐好。夏天來了，少吃油葷，多吃淸淡，絕對正確的。

保護胃最基本的療法，就是精神愉快，氣量要大，心境要愉快，精神愉快，則胃之運動自然活潑，消化力量因之加强；精神上有抑鬱，則胃的運動必遲緩，消化就生了障礙。我們平日倘能多歡笑，多興奮，少考慮若干沉鬱的事，和不能解決的一些死結，則精神愉快，胃口自增。如果你不相信，請試看，凡患有胃病的朋友，多半是想不開，和氣量窄的人。

禪學黃金時代

禪的起源

③朝徹

「朝徹」是道家修鍊的一種境界，莊子曾描寫過一段有關朝徹的故事．有一次，有人問女偊（人旁，下同），爲什麼他年紀那末大了，但容貌還是嫩得像小孩子一樣，女偊告訴他這是得了道的功效。那人又問女偊：是否可以學道呢？女偊說：不是學道的材料；接着便把自己教學生卜梁倚的經過告訴他說：

「以聖人之道，告聖人之才，亦易矣。吾猶守而告之，參日，而後能外天下；已外天下矣，吾又守之七日，而後能外物；已外物矣，吾又守之九日，而後能外生；已外生矣，而後能朝徹；朝徹而後能見獨，見獨而後能無古今，無古今而後能入於不死不生。」

上面，我之所以冗長的引證了莊子的這二段文字，乃是因爲其中包含了很多禪的種子。當然我們不能否認禪師們都是佛家，但他們對於老莊思想的偏愛，却影響了他們在佛學中選取了那些和老莊相似的旨趣，而作特殊的發展。

此外，莊子「眞人」的思想也深深影響了後代的禪師，最顯著的是臨濟義玄，和他開展出來的臨濟宗都以眞人爲最高境界。莊子最重要的一個觀念是「夫有眞人而後有眞知」，這是强調存在先於知，這也是禪的一大特色——先存在而後能知。禪的思想正好和笛卡兒的「我思故我在」相反，而是「我在故我思。」

（五）

吳怡

馮玉祥

張信

馮玉祥是個善變的人物，民國以來的內戰，沒有一次他未參加，倒來倒去這段歷史，人皆能詳。抗戰以後，政府派他出洋考察水利，他卻無心於此，高唱民主，批評當軸，策動聯合政府，道出蘇聯連續着反叛行爲。「反叛」兩個字在中國封建社會意識裏，自然是不道德的，但是人與人，人與事之間，應以服從眞理爲第一義，除去十足奴性的人才肯永遠服從於主子以外，果以眞理來衡量馮玉祥的反叛性，勿寧說是他粗淺的毛病，實在無所謂道德與不道德！

馮玉祥因爲自己出身貧民，知道貧民的疾苦，自然看不慣官場中的汚陋習俗，假如他沒有獨特的性格，或者他早已屈服於一個主子而趨於沒落，但馮玉祥偏偏認眞，勇於學習，慣於向人民看齊，最初他不滿意於滿淸政府的腐敗。

（上）

自由報

第三七八期

中華民國僑務委員會頒發台僑新字第三二三號登記
內銷證內僑警台報字第031號
中華郵政台字第一二八二號執照
登記為第一類新聞紙類
（半週刊每星期三、六出版）
每份港幣壹角，台灣零售價新台幣弍元
社長李運鵬·督印黃行耆
社址：香港九龍登打士街91號十樓六座
91 DUNDAS ST. 9th FLOOR, FLAT 6 KOWLOON H. K.
電話：857253　電報掛號：7191
承印者：大同印務公司
地址：香港北角和富道九六號
台灣總管理處
中華民國（台灣）台北市大同街119號
電話555395、557474
駐台灣代表人辦事處
台北市公園路三十八號四樓
電話：20454、62625
台灣分社：台北市西寧南路110號二樓
電話：三〇三四六
台郵撥儲金戶九二五二

在國際傳播上一個不可忽視的問題

·劉光炎·

前不久，立法院對行政院新聞局的職掌，有一次討論。現在我們想對我們的國際傳播事宜，講幾句話。

老實說：我們過去有關國際方面的宣傳，是作得不夠理想的。因此，我們八年抗戰，對亞洲乃至大平洋的和平，貢獻卓越，而國際人士，並未認清。在現在大學一年級所採取的那本「二十世紀與歐洲」英文西洋史中，對於太平洋大戰中我們的貢獻，只用一行亦即十多個字來敘述，其蔑視可見。由於共匪的歪曲，美國甚至有些人以為對日抗戰是共匪打的，國民政府並沒有打。這天大的冤枉，從何造成，一言以蔽之，是我們過去在國際上的傳播工作，做得不好，做得不夠。

為什麼我們在國際上的對外傳播工作，做得不好，做得不夠呢？說來話長，不是這篇短短文所能概括的。現在長話短說，且分如左數項，向讀者作一個交代。

一、舊觀念的錯誤

我們向來是着重「謙」的。易經就最重謙德。由「謙」字出發，所以我們向不喜作自我表揚。即是有了什麼貢獻，也不肯說。「自晦」成為君子的美德。好的著作，也拿來「藏之名山」。所以孟之反不伐，奔而殿，入門，策其馬曰「非敢後也，馬不進也」，在四書上受到讚美。而在東漢時的將軍馮異，也是有功不居，在眾議爭功奪賞的時候，他一個人躲在大樹下，滿不在乎。於是人稱他為「大樹將軍」，後世傳為美談。

基於這種舊觀念，所以我們在八年抗戰中，雖然立了許多功勞，對亞太區的盟國，乃至對美國的安全，有了卓越的貢獻（按：在太平洋大戰初起時，日本本擬由中國戰場調回一部份日軍，在美國西海岸登陸，因我主動發動第三次長沙會戰，才把日軍牽制着，不果行。）而我們却不從主動去自我表揚。最明顯的例子是有關緬甸的戰役，美國人說她的對緬甸戰有大貢獻，英國人也自吹有貢獻；獨有對緬甸戰有貢獻的中國人，事實有貢獻，却噤若寒蟬。西人的習性，做了什麼，表白什麼，即使稍為誇張一點，也認為是合理的。如果你根本不說，他們自然認為你沒有做。我們抗戰八年，貢獻如此卓越，居然有些人誤認為抗日是毛共獨力担任的，即因我們欠缺自我適度表揚的原故。

二、技術上的未能講求

國際傳播的成功與否，和是否講求技術有很大關係。我們過去主觀主義太重，且由於過度保密，於是忽畧了西方新聞作家技巧上的所謂「五個W」和一個H」，乃致所報道的戰訊，空空洞洞，即使花了大的氣力，傳播到國外，送到別國的報館和電台上去，也不為人所採用，其一般批評是：「缺乏新聞價值。」

在抗戰期間，我們曾聘請和派遣許多有素養的專家，到各國尤其是美國去作國民外交。現今尚在台北的于斌總主教，即是其中的一員。據他回國報告：美國的許多報館和電台告訴他：並不是他們對我們的戰報有成見，而是我們的報道技術太差，不合他們的條件。他們也有一二家，為了同情我們的原故，加以採用，但到第二天，便會有許多讀者打電話或是寫信來責難他們。美國的新聞，傳播機構都是商辦的，一切以賺大錢為目的，當然不能違反讀者和聽眾的意見（那時電視還不十分發達。）

有一家哥倫比亞廣播公司更作得好。他告訴于主教說：「我們十分同情中國的抗戰，極需要廣播你們的戰報，苦於你們送來的報道，都不合我們的標準，所以無法採用。為了表示對你們的同情，我們曾經有一個時期，連日本方面發來的戰報，也不為廣播，以表示公平。但是這種辦法那能持久！所以最基本的辦法，還得由你們自己改變作風」。

三、單綫進行而不是多角發展

我們在過去對於傳播事宜，還有一個觀念，也是十分陳舊的，即是：我們只重視文字宣傳，而不顧其他。甚至連圖片都不去注意，更無論其他的各種方式了。似這種「單綫進行」國際宣傳的時代，早已過去。現在在國際傳播工作中，要達成自己的鵠的，要採用「萬花筒」的方式，由四面八方，以包圍式的陣容，把所欲影響的人士，困在其中的。「單綫工作」的時代，早已過去了。

好友崔書琴先生（按，他在反共宣傳上，一向為國際學人所重視。來台研究中共問題的歐美人士，任何疑難，都由他一字而決。）生前環遊世界後回來告訴我：他在西德，有一位教授堅邀其往郊外住宅飲茶，並云：將播放中國音樂唱片，以饗嘉賓。在國際禮貌上這是最崇敬的表示，被邀者照例是不能謝絕的。崔博士當然不例外。但當他坐了幾十分鐘的車，又走了十多分鐘的路，到該教授家中，某教授鄭重其事拿出來播放的唱片，却是中共的出品，而且是匪的所謂「國歌」，眞叫崔博士啼笑皆非。為什麼匪的唱片會被人誤會為我們的唱片？即因我們在這一方面，不太注意，留下一片眞空

四、多一事不如少一事的心理

「多做多錯，少做少錯」，是中國鄉愿做人的祕訣，不幸這種作風，竟浸入各階層。大家都怕事，大家都不願惹事。例如從前在大陸的時候，軍調會三人小組中，有一個派到東北工作的唐將軍，被共匪刦殺了，而且被剝了皮，手段慘酷。唐將軍在美友人甚多，這正是一大好宣傳資料。有關方面向東北去要資料，要了好久都沒有。這就是怕事心理在作祟。友人祝振華兄在美國讀書時，有一位美國校級老軍官。

（下轉第二版）

蠶食政策

人彈主義

昨日與明日

敬告紐約時報

美國紐約時報主張毛共進入聯合國，承認北平為大陸政府所在地，恨不得馬上屈膝投降。

本報謹向紐約時報作最坦誠之忠告，你們去月二十四日的社論：「把中共帶進這個世界」的觀點錯了，因中共「革命」最大的目標，就是「打倒美帝國主義」，早昭告世界，盡人皆知，從美國國會歷次文件裏，都記載得很週詳，紐約時報為甚麼要裝糊塗呢？

一個國家的外交，有利弊輕重可分，才能有政策的決定，今日美國，由於昔年對華政策的基本錯誤，道致了目前尷尬局面，進既無決心，退又被毛共拖住，已壓迫到沒有選擇利害輕重的機會，照紐約時報所主張，屈服，最多祇能將美國本身的大禍向後延幾年而已。

應知中國歷史

紐約時報既然論到中國問題，不能不知中國歷史，否則儼若「盲人騎瞎馬」徒會若干笑料、還是小事，誤己害人，更是大事！

中國秦朝時最覇，但秦未亡於兼併六國之前，而亡在侵吞六國之後；隋朝時最强，隋朝沒有亡在南北未統一以前，而亡在南北已被統一之後。中國讀書人，對中國共產黨的看法，軍事成功，政治失敗。遠者不論，從向俄共攤牌起，到秧歌王朝奪權運動，白刃相見止，中共正向着滅亡的道路邁進，絕對不是你們所想像的「擁有核子武器和十億中國人」那樣可怕；因十億民心，始終傾向自由，這是無可否認的事實，也是紐約時報疏忽，或者忘記寫的一段。

軍事成功，照中國傳統觀念「佳兵不祥。」政治失敗，就是根本錯了。紐約時報的筆者，因受識域所限，才寫出這麼一篇不三不四的社論。不過話又說回，美國立國不到兩百年，文化基礎非常脆弱，雖有廣度但缺乏深度，美國人民又是多種民族的結合體，自難產生民族思想。反共鬥爭的眞實力量，是以文化精神和民族思想為泉源，光靠軍事金錢與宗教是不夠的，紐約時報那裏會知道這麼多？

報紙應有正義

紐約時報在「把中共帶進這個世界」闡揚了很多歪論，為了美國本身想在越南退出，又主張「應考慮促請　蔣總統的軍隊，撤離金門與馬祖外島之暗示，」其實金馬兩小島，於今已難滿足中共世界革命和打倒美帝的慾望遠矣。

紐約時報應當向自己政府建議，為了解決越南美軍問題，可將一八六七年三月從俄國手裏以七百二十萬美元購進的阿拉斯加半島，面積約一百五十萬公哩，按照原價轉讓中共。既可以加速毛俄敵對，所謂兩虎相爭，必有一傷，又可迴避懦他人之概帝國主義，作風之嫌，表現出決決大國風度猶餘事焉，坐操勝算，不亦樂乎。（何中庸）

自由談

談華僑歸國投資

馬五先生

近在台灣報紙上看到所謂「有關機構」的首長們，向立法院僑政委員會報告對於改進華僑歸國投資辦法的情形，洋洋灑灑，成績斐然，且舉出連年來僑資投入台灣的逐年增加數字，眞是至矣盡矣，蔑以加矣？總統應該特頒明令，嘉獎他們一番，亦不妨把他們這些勞績宣付國史館，以彰忠藎焉。

不過，在咱們僑居海外的中國人士看來，那些好聽的報告，實係報喜不報憂而文過飾非的一堆廢話。粵語謂之「車大砲」，川諺叫作「你喝我不懂」，我們湖南話所謂「扯卵談」是也！

海外華僑歸國投資所遇到的意外麻煩和困擾，根據歷年來許多的人證與事實，說來令人咋舌搖頭，太息不已。誠如某位立委所指出：「手續以外的手續，稅捐以外的稅捐，政策以外的政策」，所在多有、政出多門。去年五月後，由於香港共黨暴動的威脅，不少的僑商想轉移資財到台灣經營工商企業。可是有人到台灣住了兩個多月，塡送了幾十套申請表格，走遍了若干道衙門，消耗了可觀的交際應酬費，還是不得要領。他準備在台灣購地設廠，曾向主管單位詢問地價，得到的答覆是「早晚市價不同。」因此知難而退，再不敢作歸國投資的幻想了。即此一端，可概其餘矣。

古人說：「為政不在多言，顧力行何如耳」。今之官吏却不然，為政不但是專好多言，而且多訂法令，多搞統計，說來天花亂墜，美不勝收。談到力行呢，對責任互相推諉，對職權彼此爭持，而以開會為服務之本，請示為責任之本，整人為快樂之本，弄錢為作官之本，無所謂責任感，也沒有甚末羞惡之心，祇要把「擁護英明的總統」這句口號，經常掛在嘴唇上就得了。對於處理華僑歸國投資問題的作風是如此，其他一切政事亦莫不如此。憑着如此的行政人才與作風，而求其打倒共匪，還我河山，實在教人難以想像吧？

新竹客運逃稅案掀起餘波
兩立法委員自相火併
導火線起自「某機關調查報告」

台北航訊

怪事處處有，立院特別多。新竹客運公司逃稅案餘波盪漾！

鬧得滿台風風雨雨的新竹客運公司逃稅案，經監察院委員吳大宇等提出調查報告後，實已接近尾聲。殊料立法院有兩位委員於五月間提出質詢後，另一立法委員即遽以顏色，將新竹客運公司代表人許楊金浤揭發陳金水等敲詐不遂之內幕陳情書交由立法院議事組留置於簽到處，由立委自由取用，因而發生風波，原質詢委員一而再的提出質詢。

人民有向立法院請願的權利，此為有關法律所定。惟人民之請願書，可否經委員介紹或囑立法院議事組職員留置於議場委員簽到處自由取用，這是值得研討的問題，留待專家們去討論吧！

不過，立法委員「自相殘殺」並見諸於文字而刊於「立法院公報」，這是少有的事。為了這件事，立法院公報委員會第二十次會議經討論決議：「委員質詢文件刊登公報半周刊以三千字為限，超過三千字之質詢，應請質詢委員摘要刊登公報，此項決定，應先報告院會備查。」此項決定的理由「立法院公報半周刊之印行，在預算及設備上，每期均以六十頁左右為準，篇幅過多，則不勝負荷」。

此一風波的導火綫：原質詢文中指「某機關最近調查報告，並有意將責任轉壓下級主管，以『不無疏失』擬避開平飲肥水的刑責，又稱『案情頗複雜』，用意暗示內有民意代表，故意幫忙主管洗刷責任，殊屬遺憾」云云。

所謂「某機關調查報告」，係指監察委員吳大宇、王澍霖、張一中於今年四月間向監察院財政委員會提出政府機關處理新竹客運公司漏稅案的調查報告而言。監察院是在五十五年二月間接到陳金水的陳情書後，派吳委員等調查的、陳金水原係新竹客運公司的監察人，當他退出該公司後，即向各有關機關檢舉的，依照陳金水檢舉書所指各節而計算，該公司漏稅達五千餘萬元。後經財稅機關的審核，核及該公司依法提出行政訴願，審核其漏稅為一千多萬元，按理說，這個案子，經監察院調查的結果，認為「主辦機關的台灣省財政廳，尚能認眞處理，反覆求證，一再推敲，期求允當。」應無問題。其所以發生問題者，因為「獎金」作祟。蓋檢舉漏稅案，原檢舉人可獲鉅額獎金，如漏稅數字大，則獎金多，反之，漏稅數字小，則獎金少，故發生漏稅五千餘萬元與一千多萬元之爭。易言之，檢舉人為了獎金，為了所謂「恩怨」，不得奔走呼籲。

原質詢委員為增加國庫收入，而支持「本案檢舉人」，曾「參與審核逃稅實情，財稅主管，對：此種誠懇為國家除害之行為，不予重視，而輕議核減罰金數目」，「殊屬遺憾」。

至於將「新竹汽車客運公司陳情書留署簽到處請各位同仁（立委）自由取用」的委員是許紹勳。該陳情書沒有提到原質詢委員，也未有正面駁斥原質詢內容，而陳情「陳金水敲詐不遂證告漏稅之經過」。事實上，陳金水並未「誣告漏稅」。陳金水所不服者為主管財稅機關輕核罰款。

最使人注意的，是原質委員以「叫陣」的姿態，指名道姓說：「許委員紹勳與新竹客運公司究竟是何種關係，滯延執行，顯係有意予逃稅人以活動機會……」。這種質詢內容，也是空前的創舉。因為原質詢委員不顧相處二十年同仁之情誼，鐵面無私的指責許委員代發傳單之不當，故屬難得。若就個人之「修養」與「風度」而言，恐怕難免其德受累！

總之，租稅制度，及檢舉漏稅逃稅的獎金制度，政府應該檢討，並向好的方面有所更張。

本報記者　劍聲

為整頓交通一交警殉職
亟應戢止暴戾之風
違警罰款太濫乃為結怨主因
警察忠於任務司機應合作

（本報記者董尚書台北航訊）當在政府全面實施整理交通秩序下，台北市於六月二十三、四兩日中，連續發生計程車司機因違規被取締，竟以暴戾兇殘手段報復，用汽車撞斃及撞傷交通警察事件。一為華山車行司機劉禮水（福建人，年三十一歲），因違規停車，經交警李勳楠告發後，竟蓄意謀殺，趁李警員騎腳踏車返隊途中，駕車從後猛力將李警員撞倒地上，然後又拖出五十公尺之外，使頭部破裂，腦漿四溢，當場慘死，然後停車逃去，至晚始被逮捕。次為長發車行司機陳富雄（本省人，年三十一歲），因反向停車，被警員古志文取締索取駕駛執照時，陳富雄突然開車，將古之右手擦傷，忽又急轉灣，車對古警員撞來，幸迅速閃避，未遭毒手，至次日凌晨始被捕獲。上列兩宗兇案，雖有法律懲治，但在整頓交通紀錄上，此為最可慘痛之一頁。在目前計程車司機中少數不服取締者，思加報復，曾有猛速開車，將警員拖上幾十公尺，乃至使警員受傷，惡例重演，實肇因於取締違規車輛時，有時失之過嚴，而對拖傷警員之司機，其處分又復失之過寬。以致演變目前之瘋狂行為，如不急謀有效制止，坐視交警在不眠不休中如臨風聲鶴唳，誰敢再認眞執行取締，一任市虎傷人，實令人不寒而慄！

取締計程車違規
李勳楠殉職

台北航訊：因取締違規計程車遇暴殉職之交警李勳楠，業舉行公祭後火葬，儀式隆重，參加祭禮者約四千人，嚴副總統頒「勳事殉身」輓帳，內政部追贈四等三級警察獎章一座，以表彰其職守。

同業譴責有失人性

記者近日於乘計程車之便，從二三司機口中得悉，對劉禮水之兇殘暴行，均認為有失人性。但對交警執行取締時，只注重違警獎金，片面裁定，不容申訴，輒遭重罰，以兩日之收入，尚不足繳納罰款，甚至不肖警員有勒索紅包情事，此為司機與交警結怨之主因，希望以警告申誡紀錄，再犯從罰為宜。」復據台北市警局交通大隊長張延秀於李勳楠殉職後之表示稱：「希望違規計程司機，不要為被警員取締，而懷恨遷怒警員，因取締交通違警，為政府交付警員之職務，目前交通秩序較前已有改進，應為取締之效果。至警員執行態度問題，警方早已注意改善，但常因司機態度惡劣，以致二十歲左右之警員忍耐力不夠，時常引發不愉快情事。最為市民所詬病之違警獎金，已因受到各方指責，政府已決定自七月一日起取消。至交通警員之處理違規事件，絕非為錢而作。關於警員處理事件之態度，曾一再囑咐，應考慮到情理、法三方面：在情的方面，並非說可以講人情，而係情有可原者，應先予以告誡。在理的方面：應容違規者先申訴理由，然後再行處理。在法的方面：如遇有應予嚴重處分者，即應依法嚴辦」，李隊長之言論，頗合實際，交警如能切實做到，自可減少事端。

市府撥欵優郵死者

警備總司令劉玉章上將，曾鄭重提出警告：「如再有任何司機不守交通秩序，不服取締指導，復有傷害執行勤務之交警時，絕對嚴辦。整理交通秩序為政府與國民共同要求，而交警任務艱苦，以最少人力，辛勞不休，近來台北市交通秩序大有改善，大家都應感謝他們。不幸有少數司機，違規不服取締，竟蓄意將交警撞死或撞傷，而達報復企圖，這種野蠻行為，出現於文明社會，誠屬遺憾！已飭台北市警局對殉交警家屬及受傷個人，優郵照料，對肇事人等決依法迅予嚴懲，今後如有類似事件發生，當依法嚴辦不貸」。立法院交通委員會召集委員楊寶琳，主張對該司機故意撞死交警，應受法律嚴予制裁，社會尤應遏止這類暴戾之氣。台北市長高玉樹令由市府撥發五萬元優郵李勳楠家屬。台灣省主席黃杰頒贈二萬元，市屬十個警察分局共湊集一萬六千餘元。皇家計程車公司致送五千元，仙樂斯舞廳致送兩萬元，慰藉其遺族。此項捐贈，聞將有繼起。

害群之馬乖戾行為

以上兩事之發生固為不幸之至，但在良莠不齊之計程司機中，自三輪車取消後，輒有屢見不鮮之狂悖行為，夜間遇車路較近之女客，善則拒絕乘運。或至輕挑侮謾一番，否則亂兜圈子，若有詰問制止，竟將拖至淡水河畔，使令啼笑皆非，任其駭汗驚魂下車自去。在車禍方面致人於死或重傷而未查獲者有：①六月二十一日晚重慶北路民權路口，一位五十歲左右男子，被車撞倒重傷，駕駛揚長而去，傷者被路人送醫不治而死，因死者未帶身份證，致令無法查知其姓名。②延平區大拜拜時，一位年十七、八之少女，被汽車撞倒，迄尚昏迷不醒，餘情如上。③沅陵街有日本大使館職員被車撞倒，待從地上爬起，遍身是傷，肇事車輛逃逸無蹤，迄難查出，一任逍遙法外。類此事件，迭有所聞，足證交通警力之不足，而取締行車違規亦欠周密。由此更可見少數計程司機，不僅無營業道德，一遇嚴格取締，動輒以死相拚，此種無法律觀念之野蠻行為，不僅可恥尤為可怕。在台灣地區，每多兇殺、姦殺、毀容案件，頗有感染性存在，每因報章繪形繪色擴大渲染，影響暴徒心理，如法作奸犯科，危及社會安全，識者莫不深抱隱憂！故有主張對感染性之犯案者，應作詳細之心理調查，以科學分析，作為個案，俾作防範戢止對策。交通主管機關若為李勳楠慘案善後計，應設法輪流集訓司機，施以短期教育，和品德之查攷，此外再加强司機工會之組織，實施小組聯絡訓導，並將會員一律納入社會保險，使在教育上生活保障上，均有憑藉。

計程司機好人好事

在計程司機中亦不乏拾金不昧，聞於外邦人士，而見義勇為之好人好事，尤足可取。政府主管今後對此，應優予表揚鼓勵，並將具體事實，編印成冊，廣為傳播，擴大影響。當在交警與違規司機感情低落之時，於六月二十六日在台北市武昌街二段，卻發生一新耳目之模範事件，緣有一小包車，停放在豪華戲院斜對面空地上，司機他去一小時，返身開車回家，忽發現車座上有一名片，上印着「台北市警局五分局潘永珠」名銜，背面書寫：「此處不得停車，請馬上開走，請以後不得再停，拜託！」短短二十字中，有兩個「請」字，一句「拜託」，這位司機就馬上打電話給潘警員，問他既已違規停車，抱歉不在，如果要處罰，他便即去派出所接受，但潘警長答說：「不用！不用！只希望以後不要在那裏停車，謝謝您你的合作！」這位司機除感動不已外，並即向新聞記者發表消息，願載報章，傳為佳話。值得交警和司機相互取法，蔚成警民相親風氣。女立法委員楊寶琳說：她希望交通警察和司機，要互相看成朋友，共同維持良好之交通秩序，誠一針見血之言，願化戾氣為和氣，把一切仇怨，指向毛𧎽才是！

（完）

在國際傳播上一個不可忽視的問題

（文自第一版轉來）

因為同情我國堅強反共的精神，向他要一些資料，願為自動轉發。此人友人甚多，且在社會上多居要津，可發生效果。祝氏十分興奮，結果要了一陣，一點資料也沒有要到，反被其美國友人嗔怪，以為不信任他。祝氏只是啞子吃黃蓮，苦得說不出。

五、沒有充足的經費

拿破侖說「戰爭只是錢，錢，錢。」我也要說：「辦好國際宣傳，非錢不可」。比如說：像「中央社」這種機構，如能進一步成為世界性的通訊社，與「美聯」，「路透」，並駕齊驅，必能對我國的政策，方針及需要的伸張，有很大幫助。然而，錢呢？又如，友人張任飛兄獨力辦的「自由中國畫刊」，一般認為具有國際水準。但落得滿身是債，辦了兩年，再也辦不下去了。豈不令有心人長太息。

當然，現在國家經費不充，但辦好國際傳播事宜，在今天比什麼都切要。再花多少錢也是值得的。否則我們又會與以前一樣，在其他方面，成功，在宣傳上，失敗！

另一個大浪潮，就要來臨了！以匪的倒行逆施，以我的養精蓄銳，對復國建國工作的順利完成，我們應當有信心。但個人所感到不安的是：不要蹈上次的覆轍，只是埋頭苦幹，而不去作適度的有效的自我表揚，使我們對世界和平又一度的貢獻，被別有居心者歪曲乃至中途刦為己有！那就慘了！阿門！

（完）

匪酋林彪的過去現在及將來

◁摘自美國陸軍雜誌▷

（上）

·劉珍瑰·

在中國大陸上地位僅次於毛澤東的林彪，是一個憤世而充滿仇恨的人，同時也是一個令人憎惡而失去理性的人，如果將來他繼承了毛澤東的位置，則很可能他會隨時以其龐大數量的軍隊來對付西方。

韓國的劊子手

那是一個嚴寒的韓國冬天，一切事物及每個人都顯得慵懶不安。在這種沮喪的時候，再加上前天晚上師部曾遭受中韓共軍炮火的轟擊，因此在韓國前綫上的聯軍士兵們，心中也老擺脫不去一道陰影。荷蘭軍第二團團長奧登上校和一位美國軍官在帳蓬中喝咖啡，因爲研究着一張地圖，突然有一名傳令兵進來報告說：「團長，有一支大韓民國的軍隊剛抵達，他們的領隊說要見你。」

奧登上校和那位美國軍官走出來會見這些南韓軍隊，他們穿着草綠色軍服，領隊的一名軍官操着從美國大兵那兒學來的英語說：「我們缺乏軍火，請立即支援我們。」奧登上校巡視一下這支南韓軍隊的裝備，然後與美國軍官走進帳蓬，但却被那名南韓領隊從後面拔出手槍所射殺。傳令兵目睹此景時嚇得目瞪口呆，動彈不得，因此也被刺了一刀。當周圍的荷蘭士兵搞清楚發生了怎麼一回事前，已有四十個人在被突擊中喪生，另外還有幾十個人受傷。後來在未死的荷蘭士兵盡力抵抗和反擊下，對方才開始逃遁，從他們遺留下來的屍體中，發現原來他們是僞裝成南韓軍的中共軍隊。

當時另有一團荷蘭海軍陸戰隊駐紮在附近，該團團長普勒上校聽說前面發生慘劇時，憤怒地用左手緊握着右拳口中迸出「林彪」兩個字。普勒上校是一位中國通，他瞭解像這種狡猾的滲透突擊正是林彪所慣用的一套鬼域伎倆。當時林彪統率所有在韓國的中共「抗美援朝志願軍」，他具有游擊戰、滲透、僞裝和破壞行動方面的鬼才。

今天在越南，越共所採用的恐怖手段和游擊戰法，大部份都是自林彪那裏學來的。林彪是有名的韓國劊子手，現在是共匪的國防部長，其權力之大僅次於毛澤東。在許多權威的觀察家眼中，一致認爲林彪將是毛澤東的繼承人，假使中共政權一時不會垮台，他將來就要統治中國大陸上七億人民，而成爲一個全球性的混世魔王。

林彪極端反美

林彪——這個在將來最使西方國家感到頭痛的人物，是個極端排外的共產黨徒，尤其是反美的。一位最近曾在北平逗留過的英國外交家返回倫敦後說：「林彪有野心嗎？當然，他希望看到中國共產黨征服亞洲，繼而統治全世界。他積極整頓軍備，並傾全力從事反美宣傳，即使是兒童也被他教育成對美國充滿仇視。」

林彪最近曾在廣播電台中叫囂道：「別讓美國人以爲可以躲藏在隔海的那邊，別以爲新大陸和亞洲隔得很遠，必要時，我們將把戰爭帶到美國本土去。」

總之，林彪是自由世界的死對頭，在最近的將來中，他必會瘋狂地運用個人權力和美國作對。這個世界上最具危險性的人物，一九○八年生於漢口附近，當時中國是世界上最衰弱的大國，在西方勢力的侵略壓迫下，整個沿海地區都被外國人的勢力所籠罩，貿易也被外國人所壟斷，國勢危在旦夕，而滿清皇帝却仍醉生夢死，一天要換三次床單，一星期要換三名婢妾，過着奢侈靡爛的生活。

城中暴動失敗

一九一二年滿清政府被推翻了，中國成爲民主國家，但是不久又演變成軍閥混亂割據的局面，不過只有一件東西是中國人所共同痛恨的，那就是洋鬼子。

林彪的父親雖然是個小公務員，但却給他的兒子接受了新的教育。年輕的林彪具有精明的頭腦，當時在中國這種男孩子的命運顯然註定將來是要打洋鬼子的。他在十六歲時就進入黃埔軍校，這是一所類似美國西點軍校的高級軍事學校，僅是平民階級的林彪必須花比他人多一倍的時間去用功，以求趕上那些高級軍官，同時他在校內是一個十分活躍的人物。

那個時候共產黨已滲透進黃埔軍校，由周恩來所領導，且正如火似荼地在暗中擴展組織，共黨份子使林彪相信國民政府是不準備和洋鬼子作戰的。就在一九二五年離畢業不久，林彪加入了共產黨，並且成爲前進派，運用他的拳頭和舌頭使許多意志不堅的同學也加入了共產黨。

一九二七年共產黨向國民政府宣戰，林彪參加了上海的行動。但是整個中國大城市中的居民是反對共產主義的，當林彪他們和政府軍展開巷戰時，居民們都在窗口向他們倒沸水、磚瓦、空酒瓶、乃至澡盆；林彪的一個手下就是被一張桌子打死的。

上海市場完全是效忠於中央政府的，市民們甚至出動了救火隊來幫助政府打擊共產黨暴徒。有一次林彪即會被救火隊的高壓水柱冲倒在地上，並且碰到牆上，差一點被牆角撞死。

紅軍在城市中受阻，毛澤東得到「共產黨要想滲入城市還不到時候」的結論，於是決定轉往山中去打游擊，因爲鄉下人容易被共產黨的花言巧語所欺騙。這些中國的紅軍均係襤褸不堪，物質十分缺乏，在中國南部的一塊荒涼偏僻土地上建立了「中國蘇維埃人民政府」。其實整個政府僅有一些破爛的茅屋，屋頂多的是跳蚤，地上全是穢土。在一間茅草屋裏，二十歲的林彪第一次見到了毛澤東，一碗麵條和一瓶酒之間，林彪成爲毛澤東的寵兒。

突圍流竄延安

中央軍在三次進攻未獲進展之後，最高軍事當局從德國請來西凱特將軍爲剿共顧問，這位戴着手套穿着黑長靴的西凱特將軍，開始在井岡山周圍建築起石頭的碉堡，然後計劃以百萬大軍封鎖出口。當時倫敦每日新聞曾以頭版大標題寫着：「蔣主席正預備着歷史上最大的捕鼠計劃」。

於是毛澤東頭痛了，他十分懊惱，在沒有辦法繼續累下去的情況下，決定將整個軍事力量移往西北山區的延安去，那裏土地十分貧瘠荒涼，並且容易逃脫國軍的追擊。林彪開始執行突圍的計劃，在第二天早晨吃過早飯後開始行動，以出其不意的重點突圍攻擊，終於逃脫了國軍的包圍。

有一天晚上林彪及其手下突然闖入貴州省長的寓所裏，這位省長正在享用他十五道菜的廣東式晚餐。據一位手下的記憶，林彪只問他沿途截擊紅軍的中央軍位置，當這位省長拒絕回答時林彪便把他推倒在地板上，一個共軍士兵用脚踏着他的肚子，另一名中共幹部把一根尖筷子刺進他的耳朵中。沒等到另一隻耳朵也被刺穿，這個省長只好透露了中央軍的情報，林彪乃把他綑在馬上，帶着他一齊走並由他帶路，這個被嚇壞了的省長只好帶着突圍的紅軍逃出中央軍的掌握。

這次突圍大撤退就是所謂「二萬五千里長征」，紅軍殘衆一共走了三百六十八天，他們僅有十幾輛卡車，絕大多數的人是用脚走路。中央軍之所以未能有效地阻止他們逃竄，是因爲共產黨實在太過狡猾的緣故。

紅花岡四烈士

誓報國仇的陳敬岳

·竹羽·

陳敬岳烈士，字接祥，廣東梅縣人。孩子時候在學塾中讀書，喜歡發問。有一天，他指着大學裏面「在止於至善」這句，請老師解釋意義，老師竟被他窘倒了，解釋不出一個所以然來。那時的讀書人大多是爲了要想應科舉考試，來學做八股文章，陳烈士對於科舉並不感興趣，所以也不屑於學做八股文章。不過，他很用功，好學不倦，就是在幫助家裏人到田裏工作時，也常帶着書本去，以備在休息時讀。因此，村裏的人便把他和古時的朱買臣媲美。

那時，滿清政府腐敗，國勢頹弱，常受到列强欺侮，陳烈士是個有志氣的青年，看在眼裏，憤怒在心裏，他認爲國家多事的時候，在家裏種田是沒有出息的，大丈夫應該向外發展，於是，他便到了南洋羣島去教書。在學校裏，他常常訓勉學生應敬愛祖國，他說：「中國所以到了這種貧弱的地點，完全是滿清政府的腐敗有以致之，中國要想圖强，非推翻滿清政府不可！」

就在這時候，國父倡導的革命運動，已像海潮一樣湃澎到了南洋，各地華僑都起來響應，紛紛組織中國革命同盟會分會，陳烈士毅然加入同盟會爲會員。民國前一年「三·廿九」之役，黃興先烈們所策動的革命行動失敗，造成了歷史上有名的七十二烈士殉國的偉跡，消息傳到海外，華僑們都扼腕不置，據說，這次起義所以失敗，廣東水師提督李準是個最兇狠的敵人，陳烈士知道了，恨得牙癢癢的，發願一定要把李準殺死，以爲革命除去障礙，於是，便動身返國，到廣州和同志們商量要組織暗殺機關。

·他打聽到李準的參議吳錫永受傷在韜美醫院，李準常常去看吳的傷勢。他便僞裝病人在韜美醫院留醫，以便伺機刺殺李準，不料李準再也沒有來過，而吳錫永也已傷愈出院了，這計劃又沒有達到目的。後來又聽說李準要到順德縣去辦理清鄉，陳烈士認爲機會又來了，他化裝成爲一個討飯的叫化子，沿路伺探李準，結果又是一場空，他不得已便失望地回到廣州，天天注意李準的行蹤，知道李每天都要從城外師公所進城至水師行署，因此，他又決計在半路上伺候。那時要謀殺李準的還有林冠慈，他和林約定通力合作，由林冠慈負責城內的區域，而他自己則負責城外。就在民國前一年的六月十九日下午，他用裝呂宋烟的箱子，藏着炸彈，帶到天字碼頭去等候李準，不料李的轎子很快便走了過去，他追到大南門時，林冠慈已在雙門底用炸彈把李準炸傷了。

當李準被炸的時候，馬路上一時秩序大亂，行人紛紛奔避，擲炸彈的林冠慈也被彈片擊斃，沒有人知道他是「兇手」，清吏也便嚴密佈防搜查。陳烈士因路途不熟，身上穿着西裝，辮子早已剪去，手裏又提着一個沉重的箱子，行動有點慌張，引起了崗警的疑竇，便上前向他盤詰，陳烈士還來不及將手中的箱子拋棄時，巡警早已一擁上前把他捕住，清吏們用嚴刑拷訊，陳烈士直認不諱，把殺死李準的原因和計劃，一起說了出來。這件案子一連審訊了好久，一直到九月十七日纔行刑，陳烈士的被害，距辛亥廣州光復僅有兩天，民國成立後，追念烈士爲國犧牲，遷葬於紅花崗，並建立碑亭以爲紀念，後人稱爲紅花崗四烈士之一。

吳敬恒先生年譜（六）

陳凌海編撰　陳洪校訂

民國紀元前二十一年——清光緒十七年，辛卯（西曆一八九一年）先生二十七歲

二月一日，先生偕鈕永建（惕生），杜香如赴蘇州遊覽，參觀紫陽書院並考證該院修建經過。外祖母陳病痢，返家親侍湯藥，朝夕不輟。七月十四日外祖母陳逝世。先生以養育之恩未酬，驟遭大故，撫棺痛不欲生。八月，先生偕孫少溪、俞仲培、丁寶書（芸軒）、孫仲蕃、孫揆均（叔方）、袁小翰、顧子成、高伯安、杜香如等赴江寧省試。九月，先生與鈕永建赴寧看榜，鄉試膺荐，中舉人。返雪堰橋家中待魁。先生父有成公大慰。惜外祖母陳已先逝，不及見，甚以爲憾。此次省試，閱先生卷者，爲廣東金葆泰、江西李盛鐸。

民國紀元前二十年——清光緒十八年，壬辰（西曆一八九二年）先生二十八歲。

二月一日，先生第一次至北京會試。先生與王英冕（曼卿）自江陰束裝就道，經靖江轉上海，鈕永建（惕生）、杜香如過江相送，宿王家店。抵滬，住三洋涇橋長春店。六日乘招商局輪赴天津轉北京，參加會試。所購統艙船票，計銀七兩。先生試卷，經「堂備」。未中進士。此次會試，閱先生卷者，爲安徽洪榮（大理寺少卿）及高陽李鴻藻（即李煜瀛之父）。五月，回南菁書院。以江陰知縣乘輿過孔廟未下轎，同學田自芸（其田）、康浩鎖、王英冕認爲「非禮無法」，攔輿質詢，以石投之。先生暨鈕永建和之。

知縣怒拘田自芸入縣署。先生率同學擁往交涉。知縣承認拘捕舉子爲非法，乃以轎送先生回南菁書院。但山長黃以周（玄同）不滿先生之所爲，遂回無錫。惟先生對黃以周所作座右銘：「實事求是，莫作調人。」認爲確係做人應有之準則，服膺甚深，終身實行之不輟。先生在南菁書院所寫讀書記，有云：「拼命讀書，不免傷身。意不靜專，不能省記。然則既節去閒話、閒游、多事三者矣，時間已多出幾倍，儘夠讀書。何必顛倒晨昏？夫學問之道，藏修息游，祇須行之有恒，不貪進銳之功，每日眠起有常度。今約：晨八時即起，夜十時則息。倘有未了之功課，俟明日補之，如遇萬不可俟者，仍當日了之。若眠起無度，必致精神昏怠，讀書不精，一弊也。爲學而無專精之意，雖白首不名一技，不能循序漸進，必致顧此失彼。應當立志選擇攻讀，則得寸則寸，得尺則尺矣。」

先生於某日，忽動立名之心，慮家貧無書，擬節衣縮食購之。先行開列書目數十種，備日後購讀。是年先生手訂雪堰橋吳氏第十次續修族譜章程。又作吳氏先祖墓塋考。外舅袁公謝世，殯葬於無錫惠山，先生親往盡禮。

事過境遷

三幕喜劇

熊式一

詩　（示信）史先生，是不是這一封？
史　（大喜）是呀，你在那兒找着的呢？
詩　（毫無表情）不是你一進門就交了給我，要我送給老爺看的嗎？
史　（高興）對了，對了，我記起來了，我一進門就交了給你，我記得清清楚楚了！原來我沒有把信丟了，怎麼還常常有人說我記憶力不好，不是忘了這個，便是丟了那個呢？
詩　史先生，請坐坐吧！（放信於桌上，出大廳）。
史　（見信）喂！喂！請回來！
詩　（回來，不高興）甚麼事？
史　（指信）你把我這封信忘了……。
詩　（且走且言）我沒有忘，我是去替你拿茶來！（下）
史　好厲害！（坐下揩汗）
露　（由門口入）阿詩！阿詩！
史　（起身，鞠躬如儀）阿詩出去拿茶去了，包太太，你好？
露　包太太？（自覺十分好笑）我像包太太嗎？
史　（尷尬）嗳……嗳……不大像？不像！一點兒也不像！
露　一點也不像？
史　（尷尬更甚）嗳……嗳……並不是一點兒也不像……嗳……有一點兒……一點點兒……。
露　得了，用不着再廢話了吧！我是包太太包先生的侄女兒，包露茜。
史　哦！對不住，包小姐……。
露　得了，別叫我做包小姐吧，我最怕人叫我做包小姐，包姑娘，我叫露茜，你是我的朋友，就叫我做露茜，不是我的朋友，誰也不用叫誰，見了面，高興就點點頭招呼招呼，不高興一翻眼，誰也不用理誰！
史　（欽佩）好，痛快！包小姐，嗳不對，露茜小姐，當然我們算是朋友，露茜小姐！
露　對了，我們算是朋友，你貴姓？
史　我姓史……。
露　叫甚麼名字？
史　我叫史健旺……。
露　那一個史？是歷史的史？
史　對了，歷史的史。
露　健旺呢？怎麼寫的？
史　康健的健，興旺的旺！
露　康健的健，興旺的旺，這到好記！我的名字是露水的露，草字頭，下面一個東西的西字的茜！
史　草字頭下面一個西字念倩，我們都念茜……
露　不管你們念它做甚麼，我們一向都念西，和東西南北的西一樣念，只是加一個草字頭！原來我的英文名字叫路西，路字加一個雨字頭，西字加一個草字頭，寫出來好看一點，反正原來是Lucy.
史　原來英文叫露西，中文叫露倩也不要緊……
露　（正顏厲色）史先生，我們要不要做朋友？
史　要！要！要！
露　那就不准再叫我做露倩了，全香港的人，只有我叔叔一個人叫我做露倩，要是他不是我的叔叔，我早不理他了！（阿詩送了茶來）
詩　史先生，請吃茶。（欲下）
史　（放下茶）喂，這封信……我這封信請你不要忘了……。
詩　（不高興）我沒有忘！我是先上樓去禀告我們太太，再下樓來把信拿了，送到狗窠裏去給我們老爺看！（瞪史一眼下）
史　（不敢再辯）是！是！
露　（同情）阿詩兇極了，我都怕她幾分。

（2）

孫伯謇教授墓誌銘

• 黎玉璽 •

孫敎授伯謇先生，以字行，世居安徽壽縣，壽縣舊稱壽春，綰西北要樞，東南重鎭，自古號勝兵處，肥（水旁）水之戰，晉只八萬珍苻秦百萬之師，八公山草木皆兵，勁氣英譲，千秋想望。先生旣藉山川之助，益以世第清華，故耳聞目染迥異尋常。南開大學卒業後，留美獲普林斯頓大學經濟學博士返國受聘於暨南大學，嗣兼文學院長與他公私立大學敎授，轉歷少中將軍職，歷經抗戰戡亂兩役中，調社會部勞動局局長，抗戰勝利調聯合國善後救濟總署中國代表團代表，兩年返國主聯合國中國勞工調查救濟主任，中外同欽幹畧。

三十九年春先生隨政府展轉來台灣，家人已先六月至，遂定居於高雄市。海軍總司令桂永清上將，方駐節左營，常相過從，屢敬畀重任，顧先生榮利淡泊，惟只受聘爲海軍軍官學校敎授，主講國父遺敎，旁徵博引，語益無窮，先生談天下事，如數家珍，善占我敵得失之機，每授課餘隙，羣聚環請，剖析世局，雖立談匆匆，而譬劾珠璣令人抵掌稱快，間陳至計於幾先，事過盡如所料。歿以中華民國四十六年十二月二十九日，得年五十有七，由海軍總司令梁序昭上將爲營喪葬之事，明年元月七日卜葬於台灣省高雄縣烏松村前澄清湖之陽，墓地縱廣約一畝，柩引至，無人解形象徵，不知穴於何處，客有指牛臥處，而呼曰：昔陶太傅有牛眠之異，得無冥冥中有示此以爲吉穴者乎？」遂盡畫臥牛處以窆焉。夫相墓干福之法，雖通儒不廢，然幽隱難言，若夫湖光山色，相映終古，名賢埋骨，勝概益增，先生亦可以長息不朽矣。配王桐心夫人，懷寧名孝廉王公佩秋之女，卒業北平女子師範學院，嘗主壽縣啓明女子中學，溫柔靜約，承夫以順，勵子以善，先生不以家爲恤，蓋有恃於夫人之善相也。子三，綸方，綿方，統方，女四純方，綺方，縝方，倫方，純方，綺方均留學美國，綿方縝方均留學加拿大，統方就讀台灣淡江文理學院，倫方，綿方，純方，綺方均獲博士學位，長媳杭韵德歷部長大使杭立武之女，次媳馬玲玲，現任總統府參軍馬公亮中將之女，純方適劉耀廷博士，綺方適張學法博士，孫以仁以義，一門秀發，葭莩連美，一人以爲先生仁厚之報云。先生叔祖家鼐，清文宗時，以進士第一人，敭歷中外，屢掌文衡，德宗時，歷禮、工、戶、吏、刑各部尚書，晉登揆席，管理京師大學堂，學務資政院總裁，祥和匝第，數世同居，先生猶及睹家門之鼎盛，自謂生長富貴，席豐履厚，最時豪氣，不可一世。自來台灣，身無長物，兼以家口蕃孳，日用食衣之資，時虞匱乏，而意度豁如，不以縈於心，崢嶸洗盡，胸次曠然。平生學養，至是始見受用處，使天假之年，所就當更有可觀也。寧和遂止於此。玉璽向駐左營，間與先生執手留連，因獲暢聆議論，精思長算，深有味乎其言。今玉璽不意承命衔鉞之任，方當醜類茶毒益肆，覆亡有徵，安得博學長才，如先生者，匡輔左右，備詢時督之宜，用裨總率三軍，一舉盪夷，念先生之不可作吾孰與乎？茲緣諸孤之請，爲立石墓上而鑿以銘，距先生之歿，忽忽十年矣。銘曰：

「我思君子兮，亦輔之良，獻替無及兮，忽閟其光。諸孤壯游兮，旣實而昌，求藏厥初兮，徵我銘章。」

（中華民國五十五年十二月）

禪學黃金時代

禪的起源

最近美國佛吉尼亞州（Virginia）有一位墨芬蒂（William C.Mcfadden）敎授，曾召集了一個爲期三日的各大學學生會議，討論目前大學青年緊張心理的因素，他在「是什麼使他們煩惱」一文中簡述會議的經過說：

「當一切可能的緊張因素都列舉出來後，一位學生說：「這些原因統統是，又統統都不是。我總覺得還有一個別的原因」。另一位附和說：「我也覺得有那麼一個說不出的東西使我煩惱」？又有一位說：「這個令人煩惱的東西，好像是虛空無物的，但是如何才能描寫這個虛空呢？還有些人認爲是缺少眞，或美所致。但這些看法都立刻被否定了，大家都覺得這個東西恍恍惚惚，不可名狀，最後有一位口若懸河的學生作了如下的結論，他說：「在我們的心靈中，總覺得欠缺空間，使我們透不過氣來」。

墨敎授接着發揮說：

「人類心靈的不安由來已久，他們尋求絕對，尋求不朽，尋求永恆，尋求無限。但事實上這個絕對是無限的話，那麼一定是不可捉摸的，不可界限的，是一種類似虛空無物的東西。這個無限如果可以界限的話，那就不再是無限了。」

這位作者並沒有想到禪和道家。但他却揭出了一個極爲生動的看法，使我們了解爲什麼禪和道家是如此的吸引了西方青年，他們希望從禪和道家中去尋求那個使他們煩惱的東西。他們已厭倦那些旣定的觀念以及傳統的宗敎信條。傳統的神學對他們來說，好像幾何學一樣，只强調那些可以傳達的，而完全忽畧了那些不能傳達的。這個不能傳達的東西就是禪和道家探討的天地。禪和道家並不是眞能傳達那個不能傳達的東西，而是他們有方法把它引托出來，使我們的心境開濶，有更多呼吸的空間。（四）

吳怡

生活漫談

孔夫子不食市脯

馬騰雲

今天將爲提出中毒食物的有效治療法，相信爲一般所樂聞。不管吃了相尅禁忌食物中毒，還是吃了不清潔的食物中毒，或者是冷凍經年的牛羊猪肉中毒（澳洲與南美洲輸入的）解毒須注意的，最忌渴熱飲料，熱湯熱水入腹後無救。在中毒而未服解藥前，最好多飲泉水，或者是冷開水，這樣可沖淡毒的成份，然後再用綠荳煮湯，或生甘草煮湯，或馬蹄煮湯都是冷服有效，中毒後如果神志不清，胡言亂語，用蘆根或茅根水解，再嚴重一點的話，用馬蹄薺皮與紫浮萍，烘乾研末用冷開水冲服，勝過西藥的洗腸，孔夫子說，味臭不食，色惡不食，就是不吃過夜和不新鮮的肉類。假定古代有澳洲、南美洲運來已經過若干月的牛羊猪肉，論語上必然會多一句話「凍肉不食」。因爲中國古代對過了夜的肉，有專門名稱，叫作鬱肉，屋漏沾着，雨水或被雨濕過的肉，叫作漏脯，認定是有毒的，中了鬱肉和漏脯的毒，用韭菜汁冷飲可解。

中國家庭的傳統，鷄鴨鵝不買別人家殺好的，孔夫子的「市脯不食」所謂市脯，包括大菜館的菜在內，統視之爲市脯，認爲是不衛生的，攤販上賣的鷄鴨魚肉熟菜，更不在談之內了。

蟹與柿同食有毒，經專家試驗的結果，並沒有毒，這樣說來，難道是古人搞花樣嗎？不會的，最少不是故弄玄虛，因蟹的本身是有毒的，孟詵食料本草說：「蟹鹹寒有小毒」又謂「蟹未經霜食之有毒」，中國人之吃蟹，擇定在菊花時節是很科學的，蟹的腹部有風虫，狀如木的魚子很小，大發風毒，蟹與柿同食有毒，可能是以訛傳訛，如果食蟹中毒，用蘇葉三錢、生薑五錢，煎湯服之即解，孔夫子吃飲「不撤薑食」蓋魚肉之類中毒薑可化解，生薑所含的生薑辛味油Shogaol生薑酯Zingeron都是夏令時藥所必需的原料，生薑的功用健胃、驅風、散寒、止嘔、鎮咳、去痰、與濟衆水，仁丹之類的仿單，不謀而合。關於甲魚與莧菜同煮有毒，但經專家實驗並沒有毒。甲魚俗稱作鱉，有一種甲魚爲蛇化生的，確實有毒，並非莧菜同煮有毒，中了甲魚毒，以泉水作牛飲可解，或以少量藍靛汁飲之則解，冷鹽開水亦可解，但不能服熱湯，另一民間單方，中甲魚毒，過烈，飲白馬尿立消，藥典謂白馬尿辛寒殺虫，破癥積，治反胃，祖台志怪書上載，若有人將小鱉投入馬尿，未幾鱉化成水，馬尿可治鱉毒，從此相傳。中國藥物奇與，有時中國人亦難置信，比如人中黃（人便壺劑）萬年霜，又稱秋石，（是老年人便壺裏自然沉結之固形物）以桐城產者爲佳，都是治險病的藥物，但講起來很不科學，但中藥店家家有寶，中醫師授徒乃必需上的一課。

詩選

火窟殉身曲

胥端甫

中華民國五十七年農曆四月十七日，台北士林大南路三十四號偉大茶莊，於凌晨二時發生大火。燒斃十四人，三人重傷，乃士林有史以來第一次慘劇。二三樓之王兆鎧跳樓受傷，妻王龔寶三十二歲，子女王素錦十二歲，王素月九歲，王懷萬三歲，王懷德二歲，徐兆鎗三十四歲，妻徐林葱三十一歲，子女徐素琴九歲，徐健鎰七歲，徐健峯五歲，徐素玉三歲，均全部死之。較幸運者王兆惠（金旁）於濃煙混亂中救出妻子王黃秋娥及三歲幼女王嬌華，惟長子王懷清四歲，來不及救，其餘死者爲曹萬吉，韓化昌，眞極人間之慘狀。先一日余往基隆訪貧女林雲仙，即以其高居四樓，火災爲慮，詎料不幸事件，翌日竟應驗於士林，憑弔火場，心竊哀之，爲作此曲。

戊申四月晨二時，茶莊失火人不知；沉沉俱入華胥境，鄰工飛磚空爾爲。秋娥雖醒感地震，兆鎧惡熱奪門馳，可憐兒輩已窒息，初如熏鼠繼燃眉。茶煙迷竅心神亂，熊熊如血烘魂斷，當時慘狀難畫描，樓高無睹無聲喚。人間弗再有清涼，綠水青山看不見，無路求生子母殉，骨肉頃刻成焦炭，狹巷空勞救火車，觀者牆如呆眼歎。前夜妻兒娶一樓，兒嬌女慧悶知愁，大者咿唔小乳抱，頻爭餅餌淡娥羞；融融洩洩家庭樂，誰想瓊枝戒且休？街頭竹馬誰相伴，枝內兒歌孰與謳。天胡不仁至於此，人寰何處有天理？戕我孩提痛澈肝，紅日燒窗呼不起，一回想像一悲懷，雙眸不禁盈盈水。基隆曾記訪雲仙，全家五口四樓裏，上下危梯曲折扶，大雜院形莫可擬，敏感心怀作杞憂，胡期竟驗士林市，塵中何處求安全，交州正寫流亡史。

自由報

第八七四期

中華民國僑務委員會頒發台僑新字第三二三號登記
內銷證內警台報字第031號
中華郵政台字第一二八二號執照
登記爲第一類新聞紙類
（半週刊每星期三、六出版）
每份港幣壹角・台灣零售價新台幣弍元
社長李運鵬・督印黃行耆
社址：香港九龍登打士街91號十樓六座
91 DUNDAS ST. 9th FLOOR,
FLAT 6 KOWLOON H. K.
電話：857253　電報掛號：7191
承印者：大同印務公司
地址：香港北角和富道九六號
台灣總管理處
中華民國（台灣）台北市大同街119號
電話555395・557474
駐台灣代表人辦事處
台北市公園路二十八號四樓
電話：20454・62625
台灣分社：台北市西寧南路110號二樓
電話：三〇三四六
台郵撥儲金戶九二五二

國史規模的宏偉

——國史漫話之一——

・錢穆・

作者前言

作者按：此稿成於雲南宜良。在國史大綱成書之後。繼史綱引論發表於昆明之某報，爲張君起鈞所剪存。張君携之以赴重慶，又轉恩施，並挾之以赴北平。嗣又携此稿來台。輾轉數萬里、歷時三十載。張君檢以示余。余已久忘其稿，重獲展讀，深感張君鄭重此稿之美意。張君重欲將此稿刊布於自由報、特爲附識此一段因緣以告讀者。

去年五月中旬，始草國史大綱，（以下簡稱史綱。）迄今年六月而成。惟史綱辭尚體要，意有未盡，重爲漫話。

草史綱既竟，特標四信念於簡端，曰，凡讀吾書，請先具下列四信：

一、當信任何一國之國民，尤其是自稱知識在水平綫以上之國民；對其本國已往歷史，應該畧有所知。（否則最多只算有知識的人，不能算一有知識的國民。）

二、所謂對其本國已往歷史畧有知者，尤必附隨一種對其本國已往歷史之溫情與敬意。（否則只算知道了一些外國史，不能算對本國史有知識。）

三、所謂對其本國已往歷史有一種溫情與敬意者，至少不會對本國史抱一種虛無主義。（即謂本國已往歷史，無一點價值，亦無一處可以使彼滿意。）亦至少不會感覺到現在我們是站在已往歷史最高之頂點，（此乃一種淺薄而狂妄之進化觀。）而將我們當前種種罪惡與汚點一一諉卸於古人。（此乃一種似是而非之文化自譴。）

四、當信每一國家，必待其國民備具上列諸條件者之比數漸多，其國家乃再有向前發展之希望。（否則一切改進，無異於一個被征服國或殖民地之改進，此乃表示其國家民族文化之墮退與消失，並非表示其國家民族文化發皇與向前。）

右列四信念，標之於今日，似爲突兀。然靜待時間之經過，此四信念者，終將爲我國人所首肯而接受。否則，久而久之，竊恐所謂中國史者亦將追隨於埃及巴比倫之後，爲世界熱心考古之士提供以一種所謂東方學之資料而已。既根本無所謂國史，則自談不到上舉之所謂信念。懷不能已，復標舉之於吾漫話之首。義取共鳴，無煩詳說。

治國史有一首先應當注意之點，即國史之大是也。所謂大，並非故自誇大。乃有客觀事實，可以數字明確指陳者，要言之，一則我國史所包疆域之廣，一則我國史所含人口之多。中國爲一廣土衆民之國家，自古迄今皆然。此實使我翹然特立於並世之故。若不注意於此，則對我國史已往之精神與意義，每將索解無從。西人治史，多盛推羅馬，又以羅馬建國，與我秦漢畧同時，故中西論者、亦喜以羅馬與秦漢相擬。其實羅馬立國規模與秦漢大異，（此史綱引論中已及之。）即就大小一端而論，便見兩者迥乎不侔。羅馬初創，版圖不過四百方哩，以孟子公侯百里伯七十里，子男五十里之說繩之，則畧相當於我春秋時期一子男之國如鄭許之類，羅馬之擴大，始於腓尼基戰役開端之後，第一腓尼基之戰，羅馬圍攻阿格立眞坦Agrigen-tum，陣亡及病疫而死者不下三萬人。第二腓尼基之戰，康納Cannae之役，羅馬大發祿爲漢尼拔所敗，羅馬軍隊之陣亡者可五萬人，俘虜亦萬人。量其情形，約畧相當於我國初期梁惠王稱霸前後之列國兵爭。一若就時間上橫切面言之，則第一次腓尼基之戰，正當於中國史有名的秦趙長平之戰、秦將白起坑趙降卒四十萬於長平。（此年即羅馬海軍邁利之戰對迦太基獲第一次勝利之年；）第二次腓尼基之戰，則當於我東方豪傑革命亡秦楚漢相爭之時代，就鴻門宴之一時言之，項王兵四十萬，而沛公兵十萬。（漢尼拔撤馬Zama之敗，戰於迦太基之附近，則正值項王垓下之圍之年。）夫連兵之衆，殺人之多，殊不足爲其民族國家歷史之榮耀。然場面之濶大，牽動之繁複，亦不失爲估量當時之才力意氣之一種標準。楚子玉過三百乘，則不能以入，而韓信自許將兵多多益善。且不僅於此。而此組織之後面，正可推想其政治組織力之强弱。抑且羅馬與迦太基，爲兩個民族發展之鬥爭，爲羅馬歷史之向外發展而戰國史上之秦趙相爭，以及秦漢之際之楚漢相爭，則爲中國史上之內部變動。（惟其爲向外發展，故經三次腓尼基之戰而迦太基歸於毀滅，惟其爲內部變動，故秦趙相爭之後，繼之者爲東西凝合而造成中國之統一政府，並非秦民族或秦國將趙民族或趙國打倒或毀滅。至於項王與沛公之爭，則如龐培之與愷撤而已。）若再助以地圖之繙閱，試將羅馬與迦太基三次戰爭牽涉之地方，約畧以紅筆劃一圓圈，再就戰國史秦幷戰國乃至漢代創建之地理，亦約畧以紅綫劃一圓圈，東西對照比觀，即可知我所指當時雙方大小不侔之眞相。即以羅馬極盛時代而論，雖地跨亞歐非三洲，然亦限於地中海四圍之附近而已。東不越幼發拉底河，北不越來因多腦河，截長補短，仍不能與秦漢疆境相擬。（手邊無書，不能爲詳細之估計。）夫歷史上某一民族某一國家疆境之擴大，固亦並不足以即指爲其歷史之光榮，然論者謂羅馬自三次腓尼基戰爭以後，不僅迦太基從此毀滅，而羅馬人自己之自由，亦從此摧毀。自是以往，羅馬人兵力所達益遠，羅馬內部政治則黑暗益甚。是羅馬既以武力毀滅他人，更復以武力破壞自己。故名爲四百年莊嚴燦爛之羅馬史，及其覆滅，徒貽後代以一段長時期之黑暗，與夫黑暗中對於神聖愷撒之一片想像而已。論羅馬之立國，本爲一種希臘城邦式的貴族共和國之模形，及其擴土益大，力征經營，成一外表莊嚴燦爛之大帝國，而實未嘗與此大帝國以相符之內容。返以與我秦漢大一統政府之政制相較，則秦漢政制實爲有一日之長。（此層俟更端詳論。）自羅馬覆亡以後，西洋史重返於破碎，直至最近、中國之廣土衆民，猶足爲並世之冠。然則如何凝成此一個和平統一的大局面而使之綿延不壞，其間自有種種苦心，種種特點，用以造成我國史獨有之風格者，固當首先指出，爲治國史者所注意也。

昨日與明日

籌備十月慶典

十月慶典，轉瞬又到，有關部門正在於籌備中。

今年的慶典，希望能推陳出新，展出絕招，化繁雜爲力量，加强大陸各項地下戰鬥工作，才是我們當前急務。各地華僑不必接待回國，如在美國者，能就近糾正美國輿論界的偏差，旅居東南亞各國者就地反共即是力量，何必拘泥於一定的地域和形式。

更要緊的是，反共門戶絕對開放，「不是敵人就是同志」小圈圈千萬別劃得太多太深，嚴格規定用革命果實建立革命關係，萬不可以寶島現況爲滿足，置臥薪嘗胆於腦後，那就完了。

所謂僑領焉者

九年前的十月，筆者與一位、、在台中市一條馬路散步，忽聞背後有人叫喚，但並不相識，初疑爲是認錯了人，未料對方竟叫出筆者在海外職銜，且介紹自己身份，這才瞭解，對方是從前靠近國外舍間擺設咖啡攤的小販。

小販回到祖國，權充僑領本無所謂，這些人且有聽話的長處，問題在他們來的任務，自己也搞不清楚，祇知道屈指計算：一、食住有人招待，二、飛機票又有補，三、可携帶若干萬元的貨品不納稅，及到處參觀遊玩等。

不過話又說回，這還算上焉者，等而下之的，旗桿裏裝嗎啡，聖經內頁挖空帶毒，假旅行支票，小春宮電影，淫穢汚齪，應有盡有，這些所謂僑領焉者，召他們回國幹甚麼？

工商業觀光團

所謂僑領焉者，已如前述。僑委會在陳清文委員長任內，有某地工商業回國觀光團，團員們的良莠，不擬多加研究，副團長乃當地擺設馬路攤的江湖朋友，既抵國門，大擺烏龍，果變成爲台灣朝野二等半嬌客。三日一小宴五日一大宴，祇未能上馬金，下馬銀而已。

日子久了，紙裹自難包火，慶典剛完，正欲送客之際，而客人已在台北市的鬧區，高懸「哲學家」的招牌，能測過去未來，替人推算禍福，各院部首長合拍的許多照片，全部出籠藉壯聲勢，再配以：「信不信當場試驗，靈不靈事後方知」一副妙聯，可謂倒足了胃口。

僑委會這個樣子的搞法，是自欺呢？還是欺人？或者是雙重都有。

應當就地反共

辛亥革命怒潮澎湃的時候，上海有三千青年，欲赴武漢參加革命，要求名報人于右任予以支持成行，于立電國父據實報告。國父回電指示：「既有三千人，可在滬就地起義。革命無分地域界綫」。未幾上海果然起義，攻打江南造船廠及督衙等處，對國民革命前途影響甚大，發揮了無比的宣傳與啓迪作用。

反攻復國，雖祇是時間問題，但必須要付出眞實代價，如能拿出一九二六年六月　蔣總司令領導的國民革命軍，在廣州誓師北伐的精神，和以組織配合宣傳與行動，定能摧毀毛共政權。否則就不堪想像了，質諸高明，以爲如何？

（何中庸）

自由談

法家不能用人才

古之所謂法家，其思想體系是集權主義，其求治之道是令出必行，其用人標準是以對上官表示贊歎悅服者爲幹才，凡屬有自己的見解和個性者，皆所不取。管仲商鞅李斯之流，即係法家的典型人物，但其澤業及身而斬矣！

諸葛亮亦是法家，他綜持蜀國政務數十年，一旦逝世，便沒有一個可當大任的幹部，足以繼踵前修。他所賞識的蔣琬，費褘等人，都是唯唯諾諾的平庸人物，因而他一死即表現着「人存政舉，人亡政熄」的局面，蜀國乃日趨式微了。

在集權主義之下，眞正的人才必不容易得當以自見。因爲有才幹的人，即有他自己的見解和個性，出處進退，一是皆以政見爲本，遇事勇於負責，有所不爲，這也就是官僚政客與政治家的分野所在。

亂世之治不但需要人才，而且要有傑出的非常人才來担當大任。他以「致君於堯舜」、「救民於水火」的志願和勇氣，不惜摩頂放踵以利天下，個人的休戚榮辱，無所容於心。可是，像這類的豪傑之士，必不爲法家者流所信任，法家治國臨民的原則，既要作之君，又要作之師，予智自雄，頤指氣使，對於有抱負有卓見的人物，一來害怕你不服從上峯的意旨，難於駕馭，二來提防你功高望重，或萌「彼可取而代之」的野心，三則其他的一般官僚政客，必以嫉忌的心情，羣聲攻訐，多方掣肘，迫使你一籌莫展，知難而退。齊桓公和劉備如果是個法家，決不會信任管仲諸葛亮，殆可斷言。

所以，非常人才每感遇合之難，尤難於取得統治者之始終器重。唯有梟雄或英明之主，前者如秦皇漢武，後者如漢光武唐太宗輩，具有「天下英雄盡入吾彀中」的氣魄，傑出人才方不致埋沒草野間，撫髀興嘆。若夫法家者流，固不足以語此也。

馬五先生

台北航訊

向黃色進軍，頗有斬獲！

南港某代議士妻竟經營賤業　公館暗藏私娼被警一網打盡

與整理交通秩序並行的「向黃色進軍」運動，自監察委員陶百川建議院會議決進行調查以來，社會對廢止公娼制度與澈底撲滅色情泛濫，見仁見智，主張紛歧，足見警察於執行取締時，不免遭遇困擾。此一運動在台北方面一陣消沉後，近復有零星行動，警察一分局，曾破獲色情站一處，逮警人等均被處罰，八分局於順河街堤岸鴛鴦洞裏，捕獲了正幽會的一對未婚夫婦，依風化違警予以拘留裁決，被輿論指責認為處理不當。省當局近曾宣布對特種營業之舞廳、酒家、咖啡館、茶室、娼寮等設立，決予限制，已領有執照者應嚴格管理。省民政廳前據嘉義縣政呈請釋示，妓女算不算一種職業，轉奉內政部釋示：「依照我國現行職業定義解釋，妓女不得視為職業，但特定營業之酒家、茶室服務生，則係有業人口，兩者性質不同，其國民身份證職業欄，應據實登記。」上項釋示傳布後，亦有疑問發生，所謂妓女係指領有營業執照者，既憑照執業，焉得又不算職業？凡酒家茶室服務生以及公娼均須按照規定依時檢查性病，酒女、茶女、妓女名異實同，何得厚此而薄彼，引起閒話不少，姑不多贅。

省議員陳華宗、陳慶春等人，昨在民政質詢時，對理療院裏色情泛濫，應促請警察和衛生兩單位，研究加強管理辦法，和對色情嚴予取締。警務處長黃對揮於答復時表示：理療院非屬特種營業，係由衛生機關發照主管。衛生處長許子秋表示：理療院申請開業，衛生處係憑其醫師資格，發給診所開業執照，以物理治療病患，至於開業後，變相色情，非衛生機關取締權限。主持會議之議長謝東閔，立即作成結論：「由警務、衛生兩處，對於理療院之管理整頓，迅即協調，嚴予取締色情活動」，是理療院裏之色情泛濫，已成不可否認之事實，有玷涉醫師、護士之清白聲譽，殊為遺憾！

台北市取締色情之旋風，雖似過去，但在省屬各縣市，却正積極推行，據悉基隆市警局，近將私娼大本營之鐵道街六十號某代議士如夫人公館所暗藏之私娼悉予逮捕，那位如夫人在警鐵面無私下，予以裁決拘留五日，該地「同業」睹勢，已知難而退，轉移陣地，化整為零，另謀發展。當警察進入「六十號」淫窟時，鄰居一般人均驚異地說：「誰敢到這裏來抓人！」由此話下，足見其來頭不小，結果警察不賣人情，終於一網打盡，最令人驚愕的這家私娼館有三個「龜頭」，其中李糖公然嚷叫：她是大名鼎鼎市議員陳榮強的太太，一時驚動警察人員，頗直不敢相信，因崇高的代議士如夫人，竟然在經營賤業，基隆市尚無前例。案發後陳議員羞慚滿面，駭汗交流，黑夜冒雨，奔到警局，聲請保人，結果竟被嚴峻拒絕，該案公事公辦，却樹起了警察的風範。記者記憶中台市某議員去歲為連續刼持輔導館被保護妓女，再入火坑，沾上刑案罪責，丟「官」丟「人」。此類「民意」人士在外縣以及鄉鎮，專為私娼館，花茶室撑腰，遮風雨作靠山，大有人在。護衛色情者有兩類人物，一為串官府之「紳士」，一為保鑣之流氓，流氓內有如此下流階級基礎，有者亦可被選為「代議士」，一體兩面，大吃軟飯，霸道橫行，平分春色，此中黑暗重重，只是警伯望而生畏，莫敢如何而已！不料基隆市警察，倒有這樣鐵腕作風，值得「叫好！」

據悉苗栗這個山城，警察局近對黃色進軍，亦頗有斬獲，日前在風化區有查獲十八名暗娼中，竟有失去「青春」本錢，仍依戀琵琶巷裏欲作終身皮肉生涯之私娼，居然有超過六十多歲之老神女，她們是六十四歲的羅邱某，邱琳某，六十三歲的劉黃某，以及六十一歲的傅秋某，警局調查這四名年逾花甲之暗娼，悉為生活所逼，長期淪落風塵，實為人間悲劇，待將其身家查明後，擬輔導其從良轉業。可見色情泛濫已浸至每一角落，毀道德，毒害青年，莫此為甚，正本清源，實應掃除普遍「笑貧不笑娼」之墮落風氣，庶可有所裨益！

·公孫熊·

新竹學校假「謝師宴」斂財　強迫學生繳不樂之捐

家長紛提檢舉縣府下令澈查　例規由來已久各縣如出一轍

新竹快訊：新竹市東門國校，假家長會名義通知應屆畢業生家長，強令每人參加「謝師宴」，繳費六十元，不參加者需繳納三十元。交該校校長楊火木辦公室收。被人檢舉，因其有違省教育廳法令，縣府教育科正令徹查中，消息外洩，各報披露。引起各中小學家長之注意，紛紛續提檢舉，指證出「謝師宴」不僅各國校強令應屆畢業生出錢，各中等學校亦不例外，有令各繳五十元、六十元不等宴席費，非畢業生亦需繳二十元不樂之捐，中學方面，如有學生不繳者，校方便不發「離校手續單」，出錢就可買到一張離校手續清結證明，否則就不能消災。據統計每一國校應屆畢業生及在校學生，每人平均四十元計算，每校最少有一千以上學生，總計就有四萬多元，除十五桌酒席費多算亦不過每席千元，合計一萬五千元，餘下二萬五千元，究應作何開支，校方從未公布，此種例規，由來已久，並非新竹一縣如此，各縣類似情事，如出一轍，規費歲收，亦從無人注意。新竹縣却因東門國校事發，引出其他中小學校之涉嫌違法斂財，連帶遭殃，治安司法機關特為重視，正展開嚴密調查。

記者平日考察各大學每年亦照例有應屆畢業生之謝師宴，以及在校學生之歡送畢業生同樂會，類多由同學自行主辦，向無斂財情事，但在部份縣市立中學及私中，其弊端則與新竹相等，形式或有不同，謝師方面：有操謝師宴者，有分贈老師紀念品費連同畢業同學錄印刷費，悉由校方主管部門經辦，其間中飽回扣，不一而足，但此雖係小焉者，似不值一論，其損害教育風氣，敗毀師道尊嚴，則甚嚴重。

再就記者憶所及，台北有某一私立「規模巨大」之「商業性」、「商業專科學府」，每屆畢業生，例須謝師宴出錢，捐獻紀念品給校方出錢，尤須各生新製畢業典禮所穿之校定禮服出錢，花費下來，總在二千五百元上下，以五百人計算，合共一百五十萬元，悉由其校長操縱，利落獨吞，經手員司，不敢分肥，較其新竹國校情弊，不啻小巫之較大巫也。當在五十三學年第一學期，分兩張單據收費，其一為教育部法定學雜費共計新台幣一千九百二十元，雖有浮收名目，但其數尚微。另一收據為公然私擅收費（台灣地區所有私立大專院校，均無此現象），名為代辦費。包括「學科增補鐘點費」，「日記、週記、課外作業批改費」。「寒暑假課外閱讀考試費」，「學科水準測驗閱卷費」，「實習機件修護費」等共計新台幣五百一十元。此外尚有勞軍費，校徽費，學生手冊費等三十元，另發收據，至於學生制服，則屬備妥衣料，約較市價高出三成有餘，硬性規定，注冊時當場現款交易。以當時學生數日夜間約三千人計，額外收費，亦在一百五十三萬元之巨。被教育部主管司查實，某公正要員頗為震怒，嚴令組成專案小組督該校分別悉數退還學生，但此項消息，除大華晚報有隱約輕微記載外，其他各報，均無記載，時有讀者投書，亦如石沉大海，未見報章刊出。家長雖有風聞，但恐妨礙其學生安全，遭其蠻橫處罰，故莫可如何，據該校學生在校外私自透露，該項退費校長已向教育部另有推說，拖延了一些日子，也就烟消雲散，該項巨款，從無下文。嗣後歷年，另出掩飾花樣，實際浮收不誤，部方亦再未主動監查。

據悉該校創立後，教務主任一職某名流專家博士掛名，有薪無職，樂得悠然自，從不到校過問教務。訓導主任原由北大出身之某教授受聘，其人耿介負責，即到職問事，詎遭其校長之百般掣肘，乃拂袖辭去。該校之突出獨特行事，要為其校長之善於招搖假藉權勢，校內設有強壯駐衛警察一班，武裝齊備，若有家長去校接洽事務，與校長稍有拂意，一聲鈴響，駐警即趨前逡巡，使人畏勢不敢側目，再其校長之出身不但無法定任職資格，察其平生連小學教員也未做過，今竟僭稱大專校長（現正催請升格為學院中），因其財勢膨脹，形成富有「學閥」，神通廣大，自有人暗中撑腰，而且某權威督學亦在該校兼課，待遇優厚，並可使夾帶中人，隨時介入任職。總觀該校之處於「優越」，在於輿論既不監導，上級又被蒙在鼓中，故其根深蒂固，徒使有識人士憂疑憤慨不置云。（本報記者碧天）

國立師大文學院決遷公館新校區

（本報訊）本（七）月五日中央日報刊載「師大文學院將遷新校區」之消息，茲查明其經過如下：台灣省政府主席黃杰前鑑於台灣師範大學學生人數日增，而和平東路校本部空間太狹，無法發展，前年秋間指撥台北市公館區農林廳桑蠶試驗場為該校新校區，以供擴充科系之用。該校於去年春間曾向有關方面提出文學院與理學院遷往新校區兩個方案（教育學院決定不遷）呈請核定；長期慎重研究，近已作成文學院遷移之最後決定，有下列五點理由（一）就新校區建築費每一學生分攤數大小比較：文學院概算為一億一千四百多萬元，學生二千八百人；理學院概算為一億一千八百多萬元，學生二千人；每一學生平均分攤數：文學院為四萬零七百元，理學院為近六萬元，約為二與三之比。（二）就學生宿舍容納人數多少比較：文學院多於理學院八百人。（三）就容納僑生多少比較：遵照政府優待僑生政策，師大必須有宿舍供每一僑生住宿。現有僑生人數，文學院為四三七人（佔全學院學生四分之一），理學院為一〇五人（佔全院學生十二分之一），前者為後者的四倍強。文學院遷移後，校本部學生宿舍能空出四三七床位，較之理學院所能空出的一〇五床位，多出了三三二床位。（四）就舊設備拆遷重裝費用比較：文學院遷移，只須遷運圖書、錄音器、打字機、鋼琴、畫架等，費用極少。反之，如果理學院遷移，須增加兩種費用：一為全部舊設備拆除的費用，二為全部舊設備遷移到新校區，重新裝置的費用，總數很大，均未包括在理學部概算之內。理學院不遷移，可繼續利用費了許多金錢所裝置的原有設備，合於經濟原則。（五）文學院設有九單位即國文、英語兩研究所，國文、英語、歷史、地理、藝術、音樂六系和國語中心；多年來該院各單位感到房荒十分嚴重，如不遷移新校區，維持現狀都不易，更談不到發展。文學院遷移後，所空出的許多房舍，由教育學院和理學院（設數學、物理、化學、生物四系）分配，故對全校發展十分有利，各方咸認上項決定合理明智。

（省）（政）（閒）（話）

◁本報特派員呂一銘▷

中興大學衙門化

省立中興大學化費六千元購置十個烟缸，終被省議會教育預算審查小組剔除，台灣兩家日報均以醒目標題刊登二版，因是該校自林致平辭職，和湯惠蓀故世後，幾成蜀中無大將局面，加上政行趨向衙門化，又未能使校務步入正軌，招致關心教育人士的不滿。

紅葉落在渾水裏

關於最近台東紅葉國校棒球隊拍攝電影一事，成為台灣各報熱門的新聞，大家原意藉此鼓勵體育起飛，可謂用心良苦，惜不得其法，反引起商人的生意眼，弄縐一池春水廣徠宣傳，教育廳廳長潘振球一看情況惡劣乃召見該校校長胡學禮，當面指示不得有任何商業行為，以免失去教育意義，且易影響球隊的業餘資格，並於十九日在台中教師會館由該廳第五科科長主持一項臨時會議，當場決定四項原則。

胡學禮中了圈套

據記者側面獲悉：由於胡學禮忠厚老實，竟中了商人圈套，簽訂了合約，雖曰私人關係，然仍有法律責任，何況此事若非同業大事渲染，又何有今日三家電影公司窮追不捨呢？於是解鈴還是繫鈴人，跑省聞的同業果然不凡，提供意見參考，即：倘該商人不肯放棄，則請教育廳暫將胡學禮他調，待風波平息再說。

文化局多管閒事

不過，記者認為教育當局早應負責處理妥善，亦不能常用亡羊補牢之下策，徒消耗人力，物力，時間，同時，文化局更不該湊熱鬧發表意見，實屬不智之至，為何不事先與教育廳磋商協調，這未免是多管閒事了罷。

有一位省新聞處影片主管說得妙：商人腦筋動得快，加上新聞界的朋友免費宣傳，已成未映先轟動之勢，看來是欲罷不能的了。然而可憐的是把紅葉國校的師生作了犧牲品。

匪酋林彪的過去現在及將來

（下）

◁摘自美國陸軍雜誌▷

．劉珍魂．

這支逃竄中的紅軍由林彪的第一軍帶頭，開始出發時共有九萬人，但是後來只有三萬人逃抵延安。在這段逃亡的苦日子中，很多紅軍士兵被國軍所追殺，更多人死於沿途各部落的矛刀和箭上。在經過西部山區雪地時，當地土著為了保護自己的牲畜而和共軍流血苦鬥，因此使紅軍平均每獲得一頭羊或牛，就得用一名士兵的生命去交換。在逃竄途中經常缺水，紅軍時被迫喝自己的小便解渴。

天堂地獄之間

到了延安後，紅軍住在簡陋的窰洞中，在這荒涼之地上，林彪找到他的伴兒；當時他組織了一個軍事專科學校，教導部下軍事方面的知識，放學後他又把戰畧運用到一個女學生身上，這個名叫劉杏的女學生，後來就把他一輩子需要的東西給了他。

之後，中共軍隊一方面不時襲擊日本人，但是另一方面仍和中央軍作戰。有一次，林彪在作戰中受傷了，乃不得不乘火車經由西伯利亞鐵路到俄境去醫治。當他回到中國時，世界正在酣戰中，倫敦慘被轟炸，隆美爾正在埃及作戰，美國的海軍也以全力在對付日本。這時中共為了擴充自己的勢力，乃對國民政府說：「讓我們只殺日本人而不互相殘殺，一切賬留到以後再算！」

自然，一等到日本人投降後，林彪就飛往東北組織遊擊隊，又開始攻打派往東北接收的中央軍，同時在俄軍的幫助下逐漸在東北戰場上掌握了優勢，且勢力南進，最後並佔領了北平，使毛林及同路人從此抬了頭；他們曾在貧困匱乏之中渡過了二十二年艱苦的歲月，如今總算成為世界上四分之一人口的暫時暴力統治者。

有一天晚上，毛澤東在北平城內的「人民大廳」上，盛宴欵待史達林派來的大使，晚宴中有五千名貴賓，聞名中外的佳餚珍饈把他們全都塞得飽飽的，如烏舌頭、蛇肉、烤蚱蜢和烏龜肉等，毛澤東命令留在北平城裏的名廚們使出了全身解數。最後一道菜裏是一張小紙條，上面寫着：「戰爭雖然是地獄，但勝利却是天堂！」

林彪入韓幫兇

不幸的是林彪並未能好好地享受這些資本主義式的天堂生活，六個月後，北韓向南侵畧，並且於數天後就佔領了漢城，美國總統杜魯門因此大為光火，於是就派遣軍隊和聯合國軍隊前往救援南韓，進行一場「警衛戰爭」，麥克阿瑟將軍將北韓軍隊趕出南韓，並且更一口氣追逐至中韓邊界的鴨綠江畔。毛澤東覺得這是他在國際上揚名的好機會，於是不顧中國大陸人民的活死，派遣林彪率領百萬「抗美援朝志願軍」進入朝鮮半島為北韓幫兇。

林彪讓士兵們在晚上行動，並且不走在大路上，白天躲在小村落裏以防被聯合國偵察機發現。他們在荒禿的山上行走時，就像螞蟻爬行在籃球上，每晚平均只走十八哩路。這樣走了十五個晚上，他們終於從黑暗中現身出來，突擊聯軍的陣地，以二十對一比例的人力優勢對付聯軍。

在頭幾天中，聯軍士兵嚇得不知所措，陣勢大亂，林彪用他那德國製的望遠鏡在一旁觀戰。之後，他狡滑地將部隊調往高地上，駐紮在沿庫尼至上陣之間的五哩路上，這是當時美軍第二團撤退時所能走的唯一途徑。最先，林彪按兵不動，直至所有第二團的卡車全到了他們的山腳下，正如一個美國大兵所說的：「天啊！怎麼中共部隊飛到山上去了，前頭的幾輛卡車都被破壞而停在路中，我們前後路被封死，看樣子馬上就要進墳墓了！」

在另一場作戰中，林彪殘酷地派軍隊去爆炸水壩，洪水排山倒海似地直冲而下，淹沒了很多美國部隊，大水從坦克車頂注入車內，裏面的人都被淹死了。在嘗到這些甜頭後，林彪興奮得跳了起來，於是他要再進逼釜山，要把洋鬼子趕入日本海，他仍用他的老法子作戰，他要用速戰來打擊聯軍，他要集中全副兵力去對付一羣羣的聯軍小部隊，實施其以大吃小的人海戰術。

但當這一切進行得有聲有色，並自以為勝利在握時，林彪的進展突然受到了阻礙，因為他的軍隊隨身携帶的幾天糧食已經吃光，饑餓降臨到他們的身上，軍火也已枯竭。中共後勤部隊本已極端低劣，加上又遭到空軍的猛烈轟炸，因此在林彪得到軍火和食物的補給以前，聯軍部隊已安全地撤退至漢城以南的一道堅強防綫上。

紛向美軍投降

在新防綫上，聯軍的火力能夠使得中共軍隊抱頭鼠竄，就像在槍口前奔逃的鳥羣。當林彪軍隊敗逃時，聯軍統帥李奇威立刻命令所屬追擊，並拼出全力把中共軍隊打得落花流水，終於迫使林彪撤出南韓。此後中韓共軍變成了胆小的貓，特別是在沒有飯吃的時候。美國海軍第一陸戰師的士兵們，永遠忘不了有一天早晨的情景：一羣前夜前來襲擊的敵人，這時又跑來大嚷大叫，但是這回不是叫「殺！殺！」而是喊「飯！飯！」

據一名中共俘虜在受訊問時說，前天晚上已經是一粒米都沒有了，每一個人都在想美軍投來的傳單，上面畫着蒸好的大鍋香甜白米飯，於是一大羣人忍不住就跑來向美軍投降。

在林彪兵敗撤退時，他成了嗜殺成性的劊子手，先前他殺人僅在作戰時，或在威脅居民以求合作時，但是現在他在盲目的仇恨以及挫敗的情況下，却瘋狂地屠殺居民。

最危險的人物

後來毛澤東解除了林彪總司令的職務。在韓戰中共匪的狂夢變成了泡影，傲慢尖刻的林彪，首次遭受到重大的挫敗，因此意志消沉但却將失敗歸於毛澤東，沒有以充分的飛機和坦克來支援他作戰。在此後幾年中，林彪銷聲匿跡。之後，由於蘇俄供應現代化武器，頭腦較新的共軍將領們着手整頓其軍隊，計劃把年青的一代訓練成流綫型的精良部隊。七年以前，當中俄共經過數年的公開抨擊以及指名罵姓後，終於關係破裂，數千名在中共軍隊中担任顧問的技術人員均撤返蘇境。這時林彪的照片又在報紙頭版的地位中現出，並於一九五九年成為中共的副主席，此外，他還處心積慮地計劃奪得毛澤東的繼承權。但是只要毛澤東一天當權，林彪就只能把他整個的時間花在軍隊上。自從和蘇俄破裂後，中共軍隊受到了很大的打擊；由於汽油十分缺乏，以致軍中要用馬來拉卡車。其他裝備也大都破舊不堪，因此使共無力再從事國外的戰爭。

中共的海軍力量微不足道；他們的空軍力量也不足畏，其所擁有的一些米格機，只要一遭遇到中華民國空軍的戰鬥機，就無法招架而被擊落。但是他們的陸軍却是世界上最龐大的，二百五十萬正規軍再加上後備軍人，如果開赴越南作戰，必將使越南人民遭遇到更慘的殺刦。

林彪目前已間接殺死了許多在越南的美軍，他至少派遣了六萬名技術人員前往北越，幫助北越共軍操作對空電導飛彈，或搶救被美軍炸毀的路面橋樑。林彪對這些派往北越的部隊加以哄騙，他讓手下的高級軍官對部隊解釋說：「當我們和美國空軍遭遇時，他們往往控制了空中優勢，但是我們不要怕這些美帝的鐵鳥，儘管他們投彈掃射，但也不過像蟲咬一樣，無論如何是威脅不了我們的。」可是會在韓戰中，被美國空軍打得落花流水的中共老兵們却揭穿了他的謊言。

總之，無論如何有一件事是可以確定的，那就是這個最危險的人物一旦取代了毛澤東的地位後，自由世界和中共間衝突的機會將大為增加。（完）

紅花崗四烈士

豐城劍渺海珠空，忍看生靈飽毒龍，我便安羈制將去，不辭蹤跡血腥中。

黃花共醉不須疑，腸斷秋聲事可知，寄語隔離同調者，碎拳遮莫怨鍾期。

「以上七絕二首，是鍾光明烈士在黃花崗起事前所作自輓詩。

為國忘身的鍾明光

．竹羽．

紅花崗四烈士中，溫生才、林冠慈、陳敬岳，都是在民國建立以前參加革命行動而犧牲的，只有鍾明光是在民國四年間為了反對袁世凱稱帝，暗殺龍濟光被捕遇害的。

鍾烈士名明光，字達權，廣東興寧縣人，幼時死父，家境貧困，他母親茹苦含辛撫育他，送他入學讀書，他也很用功，很得母親的歡心，因此，他母親不論生活如何艱苦，也總在為他籌措學費，不使他的學業停頓。後來遇上了荒年，生活實在支持不了，不得已纔停止讀書，改行學習做買賣。因為是一種流動性質的販賣，使他東奔西走，他曾到過江西，福建，湖南一帶，後來又赴南洋。

清末時期，列強常常欺侮我國，而清政府又腐敗昏聵，積重難返，以致人民生活日困，國家形勢日危，一般有志之士，莫不悲憤填膺，紛紛起來做救國運動，參加了 國父倡導的中國革命同盟會。南洋的華僑愛國素不後人，也到處組織同盟分會，以進行革命運動。鍾烈士這時恰在南洋做生意，他也就毅然加入同盟會為會員。

民國前一年，武昌起義，清帝知大勢已去，與革命軍議和，宣告退位，於是民國遂告成立。那時大家認為帝制推翻了，共和政體建立了，國家也將從此安定建設了。只有鍾烈士抱有隱憂，他認為革命未能徹底，將來恐怕要鑄成大錯，他賦詩中有句云：「大局重為和議誤，中原多難此登臨」。果然，當袁世凱以清廷內閣總理身份當了總統後，並不忠於民國，常常想實現他做帝皇的美夢。國民黨同志那能眼睜睜地看着剛纔建立的民國，被袁世凱所斷送，於是，在民國二年七月組織討袁軍，起來討伐袁世凱。鍾烈士這時在南洋，也就趕回祖國參加討袁運動。不料只返抵香港時，各地的討袁軍都已失敗了，國民黨也被袁氏解散，同時逮捕黨員甚急，他不得已又重返南洋去。

民國四年，日本乘第一次世界大戰在歐洲爆發，西方列強無暇東顧的時候，進兵山東，向我國提出廿一條無理的要求，逼袁世凱承認，而以承認袁氏帝制做為交換條件。這件事被全國人民知道了，每個人都萬分憤怒。只有廣東的督軍龍濟光居然擁護袁氏，勸進帝制。鍾烈士對於龍濟光的喪心病狂，切齒痛恨，決心把殺死，為民國除害。他回國後，便裝扮賣水果的小販，每天肩挑着果籃，在督軍的衙署附近叫賣，果籃裏暗藏炸彈，準備等着龍濟光出衙時，把他炸死。誰知等候了一個多月，連龍濟光的影子也等不見。一直到了七月十七日那天，他探知了龍濟光要到他哥哥龍觀光家去的消息，便携帶炸彈，在龍濟光必位的積厚坊等待，等到龍來到相當距離時，從容不迫的把炸彈抛出去，想不到龍濟光並沒有被炸死，僅僅只是炸傷了左脚，龍的衛隊則傷亡很多。當然，鍾烈士便當場被捕，翌日，龍派部下來審訊他，問他為什麼如此做？有什麼人主使？與龍有什麼仇怨？鍾烈士侃侃而談道：「我要殺龍賊是為了替國家除害，如果問我是否有人主使，那應該是全中國人民所主使，我和他沒有私人的仇怨，有的只是國家民族不共戴天的仇恨！」龍濟光終於殺死了他，死才三十五歲。遺體後來遷葬在紅花崗，和溫生才、林冠慈、陳敬岳合稱為紅花崗四烈士。

吳敬恒先生年譜

（七）

陳凌海 撰　陳洪 校訂

民國紀元前十九年——清光緒十九年，癸巳（西曆一八九三年）先生二十九歲。

一月，先生偕杜香如、高伯安、孫揆均（叔方）赴蘇州參加紫陽書院甄別考試。復與杜香如赴上海。後即入紫陽書院攻讀，與王英冕（曼卿）同住。是年袁夫人家人，在無錫北門外江尖開設商店，經營商業，以維生活。先生寫癸巳日記，並按日附讀書記。時先生言談稍嫌尖急，認為不雅，宜戒之。乃自箴規曰：「（一）吐詞氣，務自然安詳；（二）寡言，言不妄發，則自然鎮靜；（三）忠厚，言不求尖新，則自然順適。」是年先生次女蘧生。

民國紀元前十八年——清光緒二十年，甲午（西曆一八九四年）先生三十歲。

正月，先生偕王英冕（曼卿）再入京會試。先生仍未中進士。英冕中進士點翰林。寓朱市胡同鎮江會館。六月，次女蘧殤。先生聞訊，因念其慧，不怡者累日。七月，中日交戰（即甲午戰爭）致函陸爾奎（煒士）論中日之戰應採對策。先生至北洋學堂任教。旋回北京，住錫金會館。八月又至天津。是年八月，俞仲培、孫揆均（叔方）、龐泉（南湖）皆中舉人。九月，由陸爾奎之推薦，汪洵（淵若）聘先生為西席。教其子祖桓、姪祖槃。時，尚有一女生陪讀，未入聘書，蓋女生乃陪讀生也。歲奉束脩秦關之數（即一百二十元一年）。嗣因局勢關係，汪家避地保定。先生於十二月由天津再至北京，寓錫金會館。同鄉徐仲虎每日至榮祿處，常晤先生談清廷種種措施。先生聞後，對清廷政府，漸有疾惡之意。二十四日，在北京菜市口見殺衛汝貴。先生於是年日記自箴中，有曰：「以『忠孝勤儉』為自立之箴，『閎達沈毅』為勉之箴。」

民國紀元前十七年——清光緒二十一年，乙未（西曆一八九五年）先生三十一歲。

春，中日和議成。先生偕俞復（仲還）參加會試。又未中進士。康有為中進士。並聯合會試士子，公車上書。先生亦簽名於其上。此為先生最後一次之應試，試後於五月九日返上海。寓中和棧。六月九日與杜孟兼赴丹陽，謁亡友王英冕（曼卿）母，並為王英冕整理遺稿。九月，龐泉（南湖）聘請先生在無錫永獺橋廉宅教授其弟。每月致送聘金八元。實際上由裘小翰口頭約定為秦關之數。先生博覽羣書，為我國一大思想家，治皇清經解有功力，擅長桐城古文筆法，對詩亦頗有研究，是年偶得「何典」一書。其首兩句有曰：「放屁放屁，眞正豈有此理。」先生認為此乃為文應有之氣勢。自此以後，先生為文之格調，為之一變。冬，國父第一次革命於廣州，消息畧載上海申報，先生不知其詳，認為此種革命，又是一次洪楊而已。

三幕喜劇　事過境遷

熊式一

史：　是！是！

露：　我叔叔更兇·阿詩就怕他！

史：　呵！

露：　我嬸嬸更厲害·我叔叔只怕我嬸嬸一個人。

史：　（胆怯）眞的嗎？包太太那麼厲害嗎？

露：　那還不算·她從前做宇文太太的時候更厲害！她丈夫宇文得標嚇得不敢回家！誰都怕宇文太太！

史：　宇文太太？

露：　對了·那就是她，她從前的丈夫姓宇文·名叫得標。你認識我叔叔·怎麼不認識我嬸嬸？

史：　我連你叔叔也不認識·不過你怎麼知道我不認識你嬸嬸呢？

露：　假如你認識我嬸嬸·我一進門你怎麼會把我當做她呢？

史：　對了！

露：　你既然是連我叔叔也不認識·那爲了甚麼你又來找他呢？

史：　我自己雖然不認識你叔叔·我舅媽的表嫂的弟弟·有一位小學的同學·他認識你叔叔……

露：　呵！你這位舅媽的弟弟的同學是誰呀？他姓甚麼？我一定認識他……。

史：　我忘了他姓甚麼·不過你一定不會認識他的！

露：　怎麼呢？

史：　你別這麼急·我的話還沒有說完呀！我不是說我舅媽的弟弟·我是說我舅媽的表嫂的弟弟·他有一位小學同學！

露：　他認識我叔叔？

史：　他並不認識你叔叔！

露：　怎麼啦？不是你方才還說了他認識我叔叔嗎？你就忘了嗎？

史：　我的記憶力好得很·方才說的話怎麼會忘記！我還沒有說完·你就打了岔兒·我是說：他認識你叔叔在桂林同屋住的好朋友……。

露：　對了·我雖然沒有在桂林住過·我知我叔叔在桂林有幾位好朋友·你認識那一位？

史：　我認識的是——（望一望露）——你叔叔同住的好朋友有一位姐夫（又望一望她）這位姐夫的妹妹有兩個兒子·大的他不十分熟·（再望一望她）小的可和他很要好·由他轉托他的舅舅……。

露：　慢來！慢來！我鬧不清·他是誰？

史：　誰是誰呀？

露：　我不知道誰是誰呀？又是舅舅·又是姐夫·又是妹妹·又是弟弟·還有表嫂·反正我鬧不清·你隨便說吧！

史：　（一本正經·點着手指頭數）所以由我舅媽的表嫂·叫他弟弟·找他的同學·小學同學·托這位小朋友·請他媽媽·托她的姐姐·姐夫的好朋友何伯文寫了一封信給我，由我面呈給你叔叔·這不簡簡單單·清清楚楚嗎？

露：　（一點也不清楚的樣子）清楚極了！簡單極了！你剛從桂林來呀·就在我們這兒住一會兒呀？

史：　我一生也沒有到過桂林·也不知道桂林在那兒·我是特別來見見你叔叔·馬上就要走的·包小姐。

露：　史先生·怎麼你又忘了！千萬別再叫我做包小姐！

史：　對不起·叫你做……做……。

露：　露茜！

史：　露茜！對了·不是露倩！

露：　好！可是你別忙着走·多耽耽，我要請教請教你一件事！

史：　呵？甚麼事呢？包小姐——對不住·露倩——呵？又說錯了！露茜小姐，有什麼事我可以效勞的請隨便講吧！

露：　（小聲音）我剛剛訂了婚！

史：　眞的嗎？恭喜恭喜！

露：　史先生·小一點兒聲音·別讓人聽見了！現在暫時要守秘密！

史：　呵·我一定替你守秘密！　④

重整道德標準的變與不變。

·林夏·

我們生活在這時代的逆流中，新老制度過渡的現階段，誰都感覺得徬徨、虛空、疑惑和一籌莫展。統觀十九、二十世紀以來，一些哲人碩士以及精神世界的先知先覺，都渴想將控制人類生活的道德標準，加以極大的改革爲之重整。諸如洛克、勃克萊、休謨、達爾文、馬克斯、亨利、喬治、易卜生、尼采、霍布斯、謝林，托爾斯泰等人，常見毫不留情地將過去所認爲不可侵犯的信仰，加以破壞，批評國家與政府可不存在，財產權的傳統爲不道德，攻擊現社會的家庭聯繫，致有如尼采在德國所發起的運動，即哲學狂士所謂「重新估量一切道德價值」的趨勢，這主張是認一切舊的傳統道德，都已被時代的進化所否定，必須澈底加以改革，爲此擾攘紛爭，經過一段漫長的時間而無所適從；甚至發生如列寧所盲目叫囂的「爲達到目的，不道德也是道德」的大逆不道。

在我們除感覺一種特殊的不安和困惑之外，空無所有。但如純粹科學的基礎，能爲騷亂的精神所寄託時，則純粹科學必能如萬應靈丹的應付裕如。可惜所謂萬能的科學，畢竟無法製造出一個螞蟻。至於莊嚴神聖的宗教，因其資以信受奉行的經文，常因玄妙莫聞過份抽象，不易實驗與考證，而發生難可安命的懷疑。尤其在此可見與不可見的衝突中，愈發使人捉摸不定。若沒有眞正的道德標準以權度其價值，則科學與宗教同樣毫無意義。可見道德標準的本身被懷疑時，任何方式都不足予人於心靈的寄託或信仰。

我們不否認傳統的道德標準，有些地方應該修正，可是我們也亟需要一個新的領域，因此少不了爲尋求此道德的新領域而努力。對於傳統的古道德有無必要重加估計與珍惜？我認爲最好是參酌現代的生活方式，爲之承先啓後權宜以應變；經過檢討、分析、與比較使之過濾昇華。誠如春秋鄭子產說的：「其所善者，吾則行之；其所惡者，吾則改之。」所謂善與惡，當以適應與不適應爲條件。易曰：「窮則變，變則通，通則久。」周易言變，其變之實中容有不變的原則在，而不變中又有其可變的成分存；所以周易有三，分簡易、變易與不易。換句話說，就是原則不變而方法可因時空之不同而變。我認爲對傳統道德正宜秉持這種態度。從「在而不實」與「實而不在」的理哲看，人間實容有永恆不變的理性在，如四時行，生死一（律）；我們應該經始一條善導人類實際生活到達安心立命的道路，儘管這條道路是如何地曲折迂迴與崎嶇，我們相信遲早必能發現一條確定的形式和傾向，給予我們一種完成的影像和啓示。

年來留學國外載譽歸來的「彥士」們，尤於專攻社會人文的，每於參論時政，靡不舉其個人於國外之所習見，思以一成不變地效顰提供，結果常因南轅北轍而流弊百出。誠如壽陵餘子的不得邯鄲之步而有匍匐之嗤。諸如年來忍將大陸法制改向海洋法制看齊，甚有叫囂檢察官須降尊與被告併列陪審之乖誕呼聲；這不顯然是濫用民主而至亡本盲從？搞得盜賊充斥，法紀不彰。殊不知檢察官係代表國家尊嚴，豈可抹煞？革新創造，是要守正以持經，知機而達變，豈可數典忘祖，離經叛道而擬以不倫？這無疑地是變善政爲秕政，變正路爲邪路了，顯失綱常。庸詎知立言垂教，萬世準繩，怎可扭於風頭主義而逞奇釣譽，迎合低級趣味信口胡柴而殃民誤國？

根據安特恭尼所謂：「道德標準不能有新舊可言」，則道德標準的修改決難完全和過去脫節，不是可以用「否定之否定」的辯證邏輯來處理；而是容有「肯定之肯定」的意義，相當湯盤銘所有「日新又新」那種百尺竿頭更進一步的方式來改進。所謂「革故鼎新」，也只是保留在適應時代環境一種方式上的修正意義而已。修正不是破壞，內容上存有「落花不是無情物，化作春泥更護花」的意味。這很象徵埋葬祖先的屍體，而又保持着祖先所遺留下來那種傳統精神而發揚光大的做法（相傳胡適先生的中國哲學史大綱便基於此做法而產生），充分表現綜積經驗爲之繼往開來的作風。基於這種觀點，我特提貢幾點意見，以作重整道德標準作參考。

一、綜積過去的經驗，審度現在的環境，博訪週諮以創造未來全民的幸福。

二、結合理想與實際，發揮科學的形而上學，就其當然而致其必然。

三、重整道德宜有遠大的目標，應以增進全民的生活及創造繼起的生命爲中心。

四、道不遠人，道德標準應以忠孝仁愛信義和平八德爲最高原則。

五、要綜覈名實，適應時空與全民的實際要求而切中肯綮，未可盲目鶩夷。

六、創制不可與大衆生活習慣相游離，應面對事實爲國計民生新闢坦途。

七、設制在原則上要使權利與義務相平衡，在方法上要有相反相成的制衡關係。

八、道德標準應能使人養成誠實無欺、純潔無邪、公正無偏、親愛無間的高尚人格。

以上八點，僅就個人一時觀感之所及，尚望高明，不吝指正。

生活漫談

暑天多吃寧波菜

馬騰雲

黃帝內經裏說：「春不吃肝，夏不吃心，秋不吃肺，冬不吃腎」心肺在台灣攤子上很多，天天有賣，從不分夏秋，而肝腎則四季咸宜，每次酒席均不能免，黃帝內經其所以要這樣說，細研究，仍合乎現代膳食原理。例春天爲肝發育的時候，如果春天再多吃肝，就會造成不平衡的現象，以此類推有其至理。

今天我們談夏令補品，首先得瞭解中醫中的外因六氣，風、寒「暑」、濕、燥、火，和內因六氣風、寒「暑」、濕、燥、火，外因的暑，暑爲日光反射作用，夏令氣候炎熱，日光射於地上，發生最高的溫度，中於人體，發生急性的胸溢血，或腦溢血，以致頭暈面赤，身熱肢冷，昏倒無知，中醫謂之中暑病，西醫謂之日射病。內因六氣中的暑，六氣雖分內外二因，但中暑一項，則以外因爲主，至於內因，或以素有內熱，或以脂肪過多，或以體氣虛弱，亦足以誘至外因，以上將六氣中的「暑」致病的道理，略加說明。夏令的補品，不外祛暑爲先，所謂補品就是營養品，營養品之最合理者，應爲適口而富於營養，一面加上藥物之效力，能防止疾病，冶食藥爲一爐。中國菜的食品中，如佐食的大蒜、葱、薑、辣椒之類，可以殺蟲、利水祛毒，健胃，夏令食品中，如本版前載過的，長沙清甜白糖蓮子桂元糯米稀飯，和二十幾種粥類，都是早上夜間最適宜的補品，今天特再介紹幾種大衆化的夏令營養品。

寧波菜清淡可口，如油燜大頭菜，油燜筍、冬菇烤麩，淡菜猪脚湯，菜苔，臭菜管，蠶荳芽，筆者認爲寧波菜頗合夏令營養，夏令食品中的菜服燒肉，可以防止腸胃炎，臭荳腐可以防止發痧，荷葉稀飯可以防止中暑，綠荳湯能解毒消暑，排骨燉藕，清火祛暑，吃涼拌菜的作用，在多吸取大蒜芥末，大蒜和芥末的功用已一再敘述過，不贅。其次就是多吃水菓，和喜歡吃的蔬菜，盡量吸收維生素C，因維生素C在食物中分佈最廣，差不多所有的水果蔬菜，都含有豐富的維生素C。

飲料與食物的溫度，應該和體溫相近的溫度，不宜過冷，亦不宜過熱，才容易被吸收，而且體溫才不會受影響，而致很快的升降與脹縮，兒童容易得腸炎，就是冷的東西吃得太多。食物的粗細與軟硬，亦得注意，常吃過於細碎容易消化的食物，則腸胃工作太少，足以減少他的功用，太粗硬的消化費力，容易引起口臭及放屁。青菜有人主張吃生的，可以多得許多完整的維生素，好萊塢的星羣，幾乎習以爲常，但在中國行不得，也，水的不清淨，種植的肥料沒有改良，環境衛生水準不夠，爲了一點維他命而送掉自己的性命，這個損失太大了，夏令的營養品，總以淸淡祛暑清火爲原則，銀耳燕窩雖清補，但未能大衆化，恕不介紹。

禪學黃金時代

禪的起源

中國精神的最大特色·是不喜作有系統的觀念說明，我們最動人的詩·就是那些「言有窮而意無盡」的絕句·能夠用字·聲、色所表現的·都不是最眞實的。中國精神是超字·聲、色之上·它是借字以寫無限·借聲以說無響·借色以明無形·也就是借物質以烘托精神。

斯曲蘭催（Lgtton Strachey）讀了伽爾斯所翻的中國詩後·曾比較希臘和中國詩的差別說：

「希臘的藝術·在文字方面的造詣·是世界上最完美的·它永遠在尋求最好的表現·在希臘詩集中最精彩的抒情詩·實質上都是格言式的·這和中國的抒情詩大不相同。中國詩不是格言式的·它要留下一個印象·這個印象不是終結的·而是無窮的境界。不是完整的·而是偶然的意境。它完全是呈現在一種不可思議·只能意會不能言傳的氣氛中。」

譬如李白的那首五言絕句：

「美人捲珠簾，深坐顰蛾眉，但見淚痕濕，不知心恨誰。」

斯曲蘭催曾評讚這首詩說：

「突然的，簾子捲起來了，一剎那間，呈現出一幅動人的圖畫。使我們的心靈化作一隻遊艇，在不可思議的，愈流愈廣的想像之河上飄盪。這一類的詩，富於寫意，但並不是一種攝影式的紀錄，而是對於切身體會到的經驗，用微妙的筆觸表達了出來。」

這就是中國的詩，畫和生活藝術的風格，這也就是禪的風格，在這方面，禪可以說是中國精神的象徵（七）

○吳怡○

自由報

第八七五期

中華民國僑務委員會頒發台僑新字第三二三號登記
內銷證內僑警台報字第031號
中華郵政台字第一二八二號執照
登記為第一類新聞紙類
（半週刊每星期三、六出版）
每份港幣壹角・台灣零售價新台幣弍元
社長李運鵬・督印黃行書
社址：香港九龍登打士街91號十樓六座
91 DUNDAS ST. 9th FLOOR,
FLAT 6 KOWLOON H. K.
電話：857253　電報掛號：7191
承印者：大同印務公司
地址：香港北角和富道九六號
台灣總管理處
中華民國（台灣）台北市大同街119號
電話555395．557474
駐台灣代表人辦事處
台北市公園路二十八號四樓
電話：20454．62625
台灣分社：台北市西寧南路110號二樓
電話：三〇三四六
台郵撥儲金戶九二五二

反毛烽火燃遍東南西北　毛幫已根本動搖

反攻復國此其時矣

・曉　天・

從各地傳來消息，各種文件證明，和月來港澳海域不斷發現五花大綁的浮屍，無一不足以證明大陸各地武鬥激烈，反毛鋒火燃遍東南西北，毛幫已根本動搖。溯毛幫自竊據大陸以來，施於人民的毒辣手段層出不窮，先是「三反五反」繼而所謂「大躍進」「總路綫」「人民公社」等毒策，已不知荼毒多少人民犧牲多少性命？而最近的又來一個「文化大革命」這雖然目標不是專對人民，而是毛幫自己的爭權奪利，互相殘殺。正因為如此是毛幫的自己反出來人民才有機可乘，和毛幫算總賬，行報復，而加快毛幫的崩潰。如果說：毛幫政策是以「三反五反」開始的，那麼現在可以說：毛幫在不久的將來必以「文化大革命」來送終的！

抗戰八年毛幫籍國難而「起家」。更且刼取勝利成果而竊據大陸。先以「三反五反」清除異己，犧牲富裕中農之少數人，而取樂於貧下中農之多數人。而以為已立定羣衆擁護基礎。繼而行「大躍進」，「人民公社」等虐政，直接實行奴役所餘下來的貧下中農，使民不聊生，衣不蔽體，這樣一來已不知犧牲了幾百幾千萬的人民。毛幫的糖衣毒藥，一開始就什麼都掛上「人民」大招牌，叫着人民的口號，如「人民政府」「人民解放軍」「人民……」「為人民服務」「一切都為人民」……眞是動聽堂煌！事實一切正與所掛招牌所喊口號相反。所謂「人民政府」其實只是「毛幫政府」，「人民解放軍」實是「壓制人民軍」至於「為人民服務」「一切為人民」更為離譜，其實是「奴役人民」「騎在人民頭上」「一切為榨取人民」！至此毛幫的猙獰面目已暴露無遺。民衆已恨之入骨。但已入其彀中，悔之晚矣，暫亦無可奈何。只要有機可乘，揭干而起滅此朝食，以迎王師是必然之理。

毛幫自「文化大革命」進行奪權反奪權的鬥爭以來，經過五個回合了，據他自己發表的統計，被指為走資派、修正主義、黑幫、毒草而揪出鬥掉的共有三十六個中委，十一個候補，七個政治局委員，八個中央書記，三個候補，四個中央監委，三個高級黨校長，所有華北、西北、中南、西南四局的一二書記，及北平上海和各省市自治區的十二個第一書記，還有中央區的六個副委員長，七個副總理，一個秘書長，四個副秘書長，三個辦公室主任，十四個副主任，二十五個正副部長，國防委員副主席五個，副部長五個總參謀長三個，還有其他的所謂「變色龍」，「小爬虫」被鬥掉的實不知多少。換上一個又鬥一個、今天說「某某是好同志」，「某某是忠實信徒」，明天說「某某是毒草」是「兩面派」，「牛鬼蛇神」，鬥了「小窩飯」的，又鬥「大窩飯」的，舊的鬥掉，新的又要鬥。眞令觸目驚心，敵人何其多，鬥長有。就地區性來說：新疆的王恩茂始終是「長期以來中國赫魯曉夫」在新疆代理人：……把新疆變成水潑不進，針插不入的特殊地區……」。內蒙烏蘭夫的潛勢力還是根深蒂固的，加上蘇修蒙修的支援，一直在激烈武鬥中。湖南出現「保衛中國赫魯曉夫」的口號，匿跡已久的反毛組織「紅保軍」又出現了，廣西柳州桂林武鬥，死傷慘重，桃州燒剩一條街，廣東武鬥，死傷遍地，無人收拾，計飄入港澳水域的浮屍已有卅餘具之多。北平是毛幫的心臟，毛林的命脈所在地。三月間余立金，傅崇碧幾乎發生兵變，現在還有「揪出軍中走資派的總後台」「打倒病夫林彪」等標語出現。甚至連毛林一手創造出來的「紅衛兵」也不聽指揮，連毛西的親信，毛婆江青的心腹謝富治，「小將」們也要揪鬥一番！由此可見毛幫面臨衆叛親離之境，所有的都是「兩面派」「扯起紅旗反紅旗」人物。明的一面，因為要生存要保命，非扯起紅旗來擁毛（自我掩護）不可；暗的一面，個個都是兩面派的反毛林分子，眞正的變色龍。一有機會可乘；就隨時作出再造反來—反毛林。

反攻復國　時機已到

海內外同胞心目中日夕所寄望於政府在台整軍經武已十九個寒暑於茲，歲月無情，時機難再。今日毛幫政權已露岌岌可危之勢，毛西夢想一手遮天，倒寫歷史，奴役同胞狂妄野心已證明全部失敗，距離最後之毀滅時間、就快到了。這是我們反攻復國救民代罪千載一時之機，千萬不能隨便放過。

歷史雖不能重演，但可借鏡。昔文王弔民代罪以解倒懸，卒奠定八百載基業，觀乎「簞食壺漿以邀王師」的熱鬧情形，今與昔比恐將更有勝千百倍也。時代雖不同但民情民氣之激昂則更有甚焉。今毛幫之濃泡已潰爛，將至無可收拾之境，人民無不有「時日曷喪，願與偕亡」精神。語云「雖有知慧，不如乘勢；雖有鎡基，不如及時」，今日形勢已成，時機已熟。無所期待，無所倚望，更無所傍替。自助即天助、世無有自己的事而由外人操縱代庖而望有成的，前者八年抗戰光榮勝利因受外人操縱「和談」而成慘勝繼而更成慘敗；近者越戰之實例更令心寒，殷鑑不遠豈能一誤再誤，坐失良機耶！

自由談

國際共黨的大恩人

二次大戰末期，納粹德國的敗徵已經顯露了。邱吉爾高瞻遠矚，主張盟軍應從希臘登陸，進入巴爾幹半島，堵塞俄共勢力問鼎東歐之路。然美國不同意，非從諾滿第登陸不可。迨俄軍乘機進薄波蘭捷克地區時，美軍已佔領捷克布拉格，邱吉爾又密電美總統杜魯門，主張美軍切不可撤出捷京這一戰略重鎮。然美國置之不理，令飭艾森豪把捷克美軍全部撤退，讓俄軍獨佔東歐各國，貽禍西歐，至今維烈。

古巴共黨頭子卡斯特洛亡命在美國時，表面以民主進步人士自居，美國當局大為激賞，而指摘古巴總統巴斯蒂獨裁，千方百計地贊助卡斯特洛回到古巴革命，奪取政權。於今不但美國自食惡果，使共產主義的野火燒到了自己的後門口，即南美各邦亦大受其威脅，美國却無可如何。

一九三八年—九年間，毛共在中國積極釀亂之際，美國一面指摘中華民國政府貪污低能而不民主聲言一筆勾消援華政策，停止軍用物資運輸來華，即中國政府斥資在美國價購的軍用品，亦不許運出，又以雅爾達密約迫使中國斷送外蒙古大片領土給俄共。一面贊揚毛共是社會改良主義者，是民主進步的政治集團，唯恐毛共不能竊據中國大陸。迨韓戰發生，毛共以大軍進入北韓參戰，與美國敵對戰鬥，然美國仍不許美軍轟炸毛共的軍事根據地—鴨綠江南岸，因此且將統帥麥克阿瑟撤職。但直至今日，毛共總是以美國為頭號敵人，非打倒不可，而美國亦誠惶誠恐的對毛共表示告饒乞憐，却把中國和東南亞各國人民害苦了，尤以中國人受害最深鉅！

綜觀上述事證，即知目前共禍瀰漫於全球，可說是叨着美國多方鼓勵培植之賜。美國罪孽深重，不自殞滅，以致禍延自由人類，嗚呼哀哉！

美國在兩次世界大戰中，憑藉地緣政治的便利，不但是本土免於戰火摧殘，且大發其戰爭財，一躍而居於世界領導地位，幸運極了。可是，一般知識份子以其淺薄的文化基礎，對共產主義的本質，無所知，偏要強作解人，瞎三話四，隨時為共黨張目助勢；一般政客則扯起開明進步的旗號，言行故意左傾，隨入了共黨的宣傳陷阱而莫名其妙。這便是世界大亂的眞正原因所在，曷勝慨歎！

馮五先生

昨日與明日

知識份子不讀書

少識字

四十年前，章太炎著「救學弊論」，瀝述近代中國知識份子不讀書、少識字的弊害，而歸咎於新興學校的教材和環境關係，其言深切著明，至今亦不失為眞知灼見的讜論也。

他認為：「凡學先以識字，次以記誦，終以考辨，其步驟然也。今之學者能考辨者不皆能記誦，能記誦者不皆能識字。所謂無源之水，得盛雨為潢潦，其不可恃甚明：蓋學問不期於廣博，要以能讀常見書為務。宋人為學，自少習羣經外，即誦荀楊老莊之書，自明至清初，雖盛稱理學經學者，或於此未悉矣。」因此，他舉例說：「吾嘗在京師聞高等師範有地理師，見日本人書嚴州宋名睦州，因記方臘作亂事，其人誤以「方臘」為地名，遂比附希臘焉。而大學諸生有問朱元晦是否廣東人者？有問段氏說文註是否段祺瑞作者？此皆七八年前事，不知今日當稍進耶？抑轉劣於前耶？」

生在四十年前的學生，大多數於幼年時期尚讀過三字經、千字文或論語之類的舊書，而教師們更對舊書多少鑽研過，然其結果乃如此可哂可悲，而令人扼腕太息不置。若夫生於民國十年以後的人，自幼只是唸「鳥兒叫，狗兒跳」之類的所謂標準國語課本，進入中學大學後，由於一般高級知識份子鄙視舊學而崇尚洋化之故，雖有「國文」一門課程，亦等於餼羊告朔，聊備一格而已。國文教師誰都可以担任，學生不讀書，少識字，固無所謂，如上述章太炎所舉出的笑柄，比比皆然，何足道哉！

談學弊

教育行政莫名其妙

近來吾國元首倡道復興中國文化，主張國文第一，然文教界猶有「國語」「國文」的爭訟，教育行政當局亦莫名其妙的岡知糾謬改正，仍斤斤於「國語」課本之編纂，而又使外行人司其事。我曾經發現以「教育部標準教科書編纂委員會」撰定的「亞洲地理形勢概況」課本中，竟沒有中國在內，為之惶駭不已。懲前毖後，對於目前教育部編定的所謂國語課本，恐怕不會比四十年前的「人，手，足，刀，尺」小學教科書高明些，甚且「轉劣於前，亦未可知啊！

既以紛華變其血氣

談到近代學校的環境問題，章太炎認為：「凡學者貴其攻苦食淡，然後可任艱難之事，而德操亦固，漢宋之學者益然」。「自湖北始興學校，他省效之。講堂齋廡，備極嚴麗，若前世之崇建佛寺，學子家居無是也。僕從周備，起居便安，學子家居無是也。久之政府不能任其費，而更使其家任之（按指隨便收取學費）。學子既以紛華變其血氣，又求報償，如商人之責子母者，則趣於營利轉甚。其後，學者益崇遠西之學，其師或自遠西歸，稱其宮室與馬衣食之美，以誘道學子慕之，惟恐不得當，則益與之俱化，以是為學，雖學術有造，欲其歸處田野，則不能一日安已。自是游惰之士遍於都邑，唯祿利是務，惡衣惡食是恥，微特遺大投艱有所不可，即其調處恒人之間，與齊民已截然成階級矣。向之父母妻子，猶是里巷翁媼與作苦之婦也，自以階級與之殊絕，則遺其尊親、棄其伉儷者，所在皆是。人紀之薄，實以學校居養移其氣體使然。」

有乖「毋忘在莒」精神

章氏這番見解，對於尚以農業經濟為生活主體的中國社會情形，言之深中肯綮，允切時弊。而在業產發達，科學進步的工業社會中，固屬未可概論也。無可諱言，中國社會到現在還是處於農業經濟生活階段中，若一般學校的環境與日常生活程度，必求踵事增華，媲美西洋工業社會的建樹，而於應有的圖書、儀器設備，多付缺如，當然發生「既以紛華變其血氣」的弊病。區區是生長在農家的，當年脫離學校生活回到家鄉時，即感覺家裏一切不各理想，而大倡家庭革命之說，曾受到祖父和父親的斥責，至今引為罪過。前兩年我在本報指摘台北社會人士的奢靡浪費生活，認為有乖「毋忘在莒」的口號，而一個中級公務人員的家中，每具備電視機，電冰箱以及其他的電氣化設備，適所以助長貪污風氣。詎有人在台灣報紙上譏刺我反對人民改良生活水準，此即反證上述章太炎氏所指出的學弊，實係正確不刊之論。一般知識份子祇知游情於都邑，唯祿利是務，惡衣惡食是恥，侈言「毋忘在莒」，高談反共救國，不亦大可噴而可哀乎！習俗與國家民族的生存發展關係，迥不相侔，這不是現代教育政策的大失敗嗎？

（何如）

鼓勵華僑回國投資 設立聯合服務機構
入境證期限延長六個月

台北航訊：立法院僑政委員會於六月三日舉行會議，委員黃哲眞，陳祖貽、鄒志奮，陳素，吳望伋，滿擎雲等曾向被邀列席之經濟部長李國鼎，僑務委員會委員長高信提出質詢，要求政府從速訂定投資審查標準，使投資人有所遵循。李部長答說：「經濟部爲加強經濟建設，爭取華資及外人投資，計畫大量設置工業區，並仿照高雄出口區辦法，設置工業區管理處，行政院已在原則上予以同意，部方現正着手擬草工業區管理設置條例，報院核定後，即咨請立法院審議。管理處設置，一定選擇交通便利，靠近新社區地方，並設若干分處，對投資者亟待解決土地、水電、交通等問題，將提供最好之服務，並協助其解決財稅，環境衛生問題以及一切困難問題」，李部長又說：「據統計華僑回國投資歷年均有增加，證明政府鼓勵僑資政策正確，爲解決華僑回國投資困難，政府已成立了聯合辦事機構，隨時爲投資人服務，並籲請有意回國投資華僑，今後直接與聯合辦事機構接洽，不要再找那些不相關的人，化錢請客，以免受騙」。高信答復說：迄至五十六年華僑回國投資設廠共三百九十四家，資金約八千六百餘萬美元，但僑胞仍感手續過多，法令太繁，尤其若干地區都市用地，尙未明確劃定，有盟公布土地及其性質，使用類別，以免收購土地時有糾紛，現在政府，已大加改進，華僑多希望將入境證改爲一年，現在政府規定每一居民可以保證僑胞二十人，僑生五十人，至入境證限期，業已延長爲六個月。」經濟部次長張繼信說：「自民國四十年到去年底止，在三百九十四宗，八千六百餘萬美元華僑投資中，以香港來的最多，不過今年已有減退現象」。（幼吾）

訪靑年哲學家成中英博士
原任教夏威夷大學回國半年 任教台大主授「廿世紀哲學」

·沈謙·

哈佛大學的盛名，可謂無人不曉。但是，如果要問，哈佛出身的哲學博士中，中國人有那幾位，恐怕鮮有人知。據趙元任先生透露：中國學人，在哈佛大學取得哲學博士學位的，截至目前爲止，只有五位，那就是趙元任先生、俞大維先生、鄭華先生、王浩先生和成中英先生。我們這次所訪問的，就是其中最年輕的成中英先生。（編者按：即本報前駐夏威夷代表人）

成博士現在夏威夷大學任敎。這次回國，是應國家長期發展科學委員會邀請，在台大哲學系担任半年客座敎授，主授「二十世紀哲學」，兩年前，成博士亦曾返國任敎。據他表示：在哈佛取得學位後，選擇夏威夷大學爲任敎處所時，就曾考慮到兩點。

第一，中國人在國外，總是關懷國內，總是希望自己所學的一點東西，能對祖國有所貢獻。夏威夷離國門較近，有機會可以常常返國。

第二、敎書的現實問題，要想找一個中西兼顧的學術研究中心，也唯有夏威夷大學；除了西方的東西之外，也同時具有東方哲學的背景。

求學經過

首先，我們談的是成博士的求學經過。他是在台灣唸中學、大學，而後才出國的。在學生過程中，並不像現在的學生，全部規規矩矩，按步就班的慢慢來。成博士在建中讀完高二，就以同等學力的資格考進台大外文系，大學畢業後進入台大哲學研究所，也只唸幾個月就出國了。

在學生時代，成博士的愛好是多方面的，他對於做一個文學家、思想家、政治家，全都感覺到興致盎然。在大學裏雖然是在外文系註冊，却選修許多哲學系的課程，等於是同時唸了兩個系。不僅如此，成博士還在數系選讀微積分等，這對於後來在美進修近代數學，也有莫大的幫助，是始料未及的事。

同時，更妙的是，成博士對外交官的興趣，也不只是空想而已，他在大學畢業後，考取了外交官，但是沒有走上這條路。

當我們說到成博士如何走哲學之路時，他用回憶的口吻說：「我本來是對英國文學最感興趣的，尤其是十九世紀的浪漫文學，像詩人濟慈、華斯的作品，都是很喜歡的。但是後來，逐漸發現，自己對於哲學的興趣也很濃，因爲眞正對生活本身的感受，不限於文學情緒。而是思考，深深思考的境界。五四以來，中國文化、科學、玄學；人生觀，都發生問題。中國將來的出路如何？文化取捨方向、價值、都是問號，我們要給自己滿足，要想眞正做事，還是要肩負文化使命，爲中國解決問題。因爲在這個思想變遷的時代裏，中國最重要的是在精神方面，要求得一種領導人類的正確思想。」

成博士又繼續說，在大學時期，台大哲學系的方東美先生，對他的影響很大。那時候，方先生敎他們哲學概論，頗有所啓發，成博士跟方先生學了好幾年，直到出國才分手。

哲學思想問題

在談到哲學思想問題時，成博士表示有兩點：

（一）瞭解自己文化價值。

（二）瞭解西方精神的眞正精華處。

有人說，西方人對中國的瞭解是由女人——文學——思想，慢慢深入的，瞭解思想文化是最困難的。同樣地，中國人也似乎不會深入瞭解西方的眞正精神，大家懂得的都是些皮毛。成博士到美國留學的主要目的，也是最大收穫，即是對眞正現代西方精神的體認。

成博士的爲學，對於中國和西方的哲學思想，各有所偏，西方比較偏於現代，中國則著重先秦。他告訴我們，最不能忘懷的是原始儒家精神，那是理想主義、生命主義的一種思想，對於戴東原的「善」的概念，也很感興趣，他曾經將「原善」翻譯成英文。最近，成博士正在研究名家、墨子等思想學說，以期考察中國古代的邏輯思想。

中國哲學思想在世界地位

一般人都比較關心中國哲學思想在世界上的地位。成博士表示，西方人對中國哲學思想瞭解太少。因爲他們摸不到眞正精神，要想中國的哲學思想，對當前世界哲學主流提出貢獻，唯有先認識西方，透過西方的觀點和思想方式，來傳播中國的哲學思想，如此才較易爲西方人士接受，瞭解。因爲哲學思想的產生，受生活環境和文化背景的影響非常大。生活環境不同，文化背景不一，要瞭解人家的哲學思想，不是一件簡單的事。

我們都知道，哲學思想是指導人生的。但是，現在一般人似乎都已經和哲學家們脫節。成博士表示，一直困惱著他的一件事就是：

哲學如何影響社會

「哲學本身應該如何實際上影響社會？」

成博士認爲，哲學要和社會聯在一塊。而不是關起門來，建造一座美麗的象牙塔。哲學家們，也不是與衆不同的怪人。要做哲學家，必須先在社會中做一個人。因爲哲學的目的，在解決人的問題，要尋求合宜的哲學思想影響社會，而不是哲學歸哲學，社會歸社會。

跟戴中英博士一席話，雖則是時間匆促，不夠深入，但是卻足以令人感覺到：中國這一代的年輕學人，已經在國際學術界打開了中國人的天下。更難可貴的是，他們不但才華洋溢，更具有腳踏實地的爲學精神，稍假時日，一定會放出萬丈光芒的。

旅美散見
意外之聲

·張起鈞·

文化的發揚、實有賴於國勢。當年法王路易十四時代，國際的文書固是通用法文，而歐洲的高級社會也都以講法語爲榮。後來法國國勢蕭條、法語也就隨之而沒落了。

中國近百年來，國勢不振，受盡了苦難。因此中文華語也就隨着貶低了身價。華洋雜處時，總是中國人迎合着外國人講洋話，幾乎可說絕沒有洋人講中國話的。甚至許多洋人在中國住了很多年，而一句中國話不會講。那倒不是他們太笨，而是不屑於學這種低級話。（？按：直到二十年前，都還是如此）。因此我們遇到外國人，潛意識的就視爲他不懂中國話。

我上次初到夏威夷時，住在「你好你好路（Liho Liho）」，一天我與同事張君從市內乘計程車回來，我們一路高談濶論、旁若無人，因爲司機是個美國年青小伙子，等於沒有人。那知當車快到「你好你好路」時，那小伙子突然回過頭來，用極清脆的中國話問道：「往左拐，還是往右拐？」這破空而至的語聲，直把我和張君嚇呆了。

「怎麼？你會講中國話？」「唉，我到過台灣，我的太太是中國人。」「噢？你太太是中國人？」

「是、我們是在台灣結婚的。我太太是×大社會系的學生。」「那你怎麼在這裏開計程車。」「我們婚後回國，走到夏威夷沒有路費了，所以開車維生。」

於是，我的驚嚇，頓時轉化成感慨。在我腦海裏浮起的是一節反映當前世象的小說。我可以想像到一個能說英語，活潑開通的女孩子，如何得意的結交上了美國朋友，得意的嫁了這現代的「金」龜婿，更在親友同學艷羨的目光下，踏上黃金「天」國的歷程。那知未抵國門，即床頭金盡，淪到開車渡命。正是「無端嫁得金龜婿，豈料竟成街車婦。思想起來好不傷感人也……」。

三日春秋
魏景蒙苦心豎鷄蛋

·厚安·

現任新聞局長魏景蒙氏，是一位很得人緣的人。不論中外記者，都稱他爲「傑朱」爲不名。

魏氏在台的時候，就創辦英文中國日報，起先是油印的，後來改用鉛印，內容很精彩，很叫座。他起初事爲躬親，賣力得。後來事情忙了，無法分身，才交給鄭南謂氏去辦。鄭氏不但英文造詣很深，地方情形也熟習，早在陳儀生台時，他就來了。要他接長中國日報，可謂得人。

魏氏接著出任中國廣播公司總經理。中國廣播公司，有悠久的歷史，也有優良的傳統，它的工程部，由國際馳名的馮簡博士主持，但巧婦難爲無米之炊，中廣剛搬來台灣時，一切都不夠理想。他接長後，而各方交涉，（尤其是美國方面），獲得很好的成果。

有了好的設備，就能揮高的效能。馮簡博士率領他的高（按中廣工程部，有許多高手，爲國際間爭取對象。其中有一位王姓的工程師，有美國無綫電公司出最高薪爭取他，而他寧願回來，拿不到二千新台幣一月的待遇，因爲他們不能忘記老師，「爲國服務」的訓誨）。把中廣辦得有聲有色。共匪爲了對付中廣，特指定那個強力電台來壓逼我們，想把它壓到黃河以南，但中廣的大陸廣播，有時卻可送到新疆。

他在重慶國際宣傳處服務時，任務爲對待洋記者。這般洋記者有一個共同的特性，是需要好的新聞。因爲不如此，他們不好向老闆交賬。而在抗戰時期，有的時候，也會很岑寂，沒有什麼新聞可以奉告。但共匪卻會揑造。爲了滿足這般洋記者，我們的「傑朱」大費心思。有一天，適逢冬至。「冬至到而葭灰飛」，本縣中國古俗。他忽然一想，鷄蛋是不是可以在冬至這一天豎起米？試了幾次，居然可以豎立在桌上。他於是請洋記者來參觀，告以鷄蛋在冬至可以豎起來與「一陽生」及「葭灰飛」的道理出開連著的。洋記者聞所未聞，大發消息，前後忙了好幾天，連「生活」都鄭重其事刊了出來！這件事當時在重慶的人，諒還記得？（完）

節育人口研究中心
實行三三制計劃

台北航訊：政府自實施加速經濟發展政策以來，並一面注意人口問題，曾經倡導試行節育，由各地衛生所，免費爲需要節育之婦女，裝置「樂普」以避受孕。且在高中公民課程有關經濟建設篇章內列舉：「本省目前人口之密度，幾近飽和點，依賴現代科學，固不致即有飢餓恐慌，但亦由科學知識啓示，似有實行計畫家庭之必要」。近由節制生育人口研究中心，提供「三三制」家庭計劃，擬使每一家庭，有三位子女。結婚後三年始生，隔三年後再生，又隔三年爲最後一胎，其母齡爲三十三幾，就不再生了。台北市衛生局定自七月一日起至八月三十一日止，選定古亭、延平兩區、作爲免費裝置樂普示範區，凡居住該區之已婚婦女，可就近向當地衛生所接洽。又衛生局備有內服避孕藥劑，免費供應，年前洽領者尙稱踴躍，本年已逐漸減少。

據悉嘉義省立醫院，爲推行三三制節育計劃，別開生面，於七月一日創立家庭計畫門診部，專爲有效節育或久婚不孕，均將視所需要獲得滿意結果。至於診治久婚不孕方面，除檢查男女生理構造，是否有其不可矯正之缺點以外，並將創立「人工授精站」覓取強壯智慧對象之男士，採取其精液，用人工注入無法受孕之婦女，使其順利懷孕生育，以解「無後爲大」問題。（碧天）

獨往獨來的王荊公

◁一峯▷

「獨來獨往」是一種卓高的人生態度，絕不盲目的或狹窄的偏急之見，而是一種對眞理負責的不苟精神，也唯有具有獨來獨往的性格的人，纔是一個眞心的戰士，一個完人。（雖然往往也是失敗英雄。）他們處亂世，臨危境，絕不會隨波逐流，見利忘義，相反的可以見其高風亮節，大義凜然。古謂「狂狷之士」庶幾近之。

這種在歷史上，獨來獨往的人，本應是一種可愛可敬的典型人物。但我們的歷史家大多具有一副以成敗論英雄的頭腦，因此對於這種獨來獨往的失敗英雄，不是抹煞，便是故抑，以致殊不多傳或曲直不分。我個人認爲歷史上獨來獨往的人物，宋代的大政治家王安石應是最值崇敬的一個。雖然晉朝的陶淵明，最爲人所稱譽，但他僅能做到退則獨善其身，並沒有進而兼善天下的大志，和積極入世的思想。王荊公却不然，他有遠見，有抱負，絕對眞實負責，絲毫不苟。他爲了舒展抱負，施行新政，欲起宋室於積弱，絕不顧慮重臣及一般士大夫如富弼，韓琦，司馬光的反對。而且他更知道非做宰輔重臣不足以實現主張，所以當仁宗璽即上萬言書，抒述其救國的大志，而仁宗幾度處判官，修起居注等不甚重要的官做，他都拒不奉召，即使齋冊吏拜而求之，他也一樣不賣帳，直到神宗起用他爲江寧府而繼授翰林學士，可以遂行其主張時，他寧可野居而不做官，這種精神，是何等可愛！雖然結果因爲用人不當，而至新政失敗了，還落得個「拗相公」的罪名，但是檢討這失敗的責任，反對派的元老和重臣們却負大部份的責任。假使當時元老重臣，能與他們合作或至少不到處阻礙他新政的推行，那麼宋代南渡之禍，也許可以免除的。

荊公在少時，詠石榴花即有名句云：「濃綠花枝紅一點，動人春色不宜多。」可徵其風味不薄，及其狂狷精神的蘊蓄。及新政推行，多方遭受壓制的時候，他不僅不畏縮不前，而且以瑞雪自況云：「勢大直疑埋地盡，功成才見放春回，村農不識仁民意，只望青天萬里開」。這又是何等胸襟！令反對者望而却步。及其新政失敗而下野，他也許爲其心血結晶的新政失敗而痛心，但絕不爲其本身得失而沮喪。他以「青山捫虱坐，黃鳥挾書眠」的怡然心情自處，亦可見其心地坦白，了無塵俗，這與當前一般不甘寂寞的失意政客，鬻宦鑽營的作風，相去奚啻天壤。

大難不死必有後福的漢宣帝（上）

清園

漢武帝時的巫蠱事件，我們前已談過，因這不幸事件而自殺死的戾太子，只剩下一個孫子，也就是武帝的曾孫，史稱皇曾孫。這個孤苦零仃的皇曾孫，便是後來的漢宣帝。俗話說：「大難不死，必有後福。」宣帝幼遭大難，長而爲帝，眞是後福大矣！

宣帝諱詢，原名病已，因幼小時多病，而取這名字。他的祖母史良娣，母王夫人。他生下來幾個月，他的祖父戾太子因巫蠱事件而自殺了，祖父母及父母都遭殺害。宣帝當時雖是幾個月的嬰兒，也被關在監獄裏。幸而遇見丙吉這個好心人，他做建封監，處理巫蠱案件，很憐憫皇曾孫的無辜，令女犯趙徵卿、胡組二人乳養他。他有幾次病得很重，幾乎死了，也靠丙吉私下請醫生買藥來治療，並時常給衣服、食物照顧他，對他很有恩惠。

巫蠱案件連年不斷有發生，至武帝後二十一年，有看氣的說：「長安獄中有天子氣。」武帝即遣使分別到長安各官府監獄中，諭令監獄官員，不管犯人罪行輕重，一起都要殺了。時使者郭穰夜至丙吉所管的監獄，吉閉門拒絕他進入，並說：「皇曾孫在。他人無辜者猶不可，況親曾孫乎？」天明使者回報，武帝也有些悔悟，並嘆一口氣說：「天使之也！」因而赦天下，在獄者，皇曾孫也賴此得生。

丙吉聞史良娣（宣帝之祖母）有母貞君及兄名史恭者在，乃將皇曾孫（宣帝）付託給她。後來孝昭皇帝下詔將他交掖庭撫養，並登記爲劉氏宗正。時掖庭令張賀，曾事戾太子，思念舊恩，哀憐皇曾孫，奉養極爲謹愼，並以私錢供給他讀書。曾孫既壯，賀想以孫女給他爲妻，賀弟張安世爲右將軍，輔佐昭帝，聽到這消息，怒氣冲冲對賀說：「曾孫乃戾太子後也，幸得以庶人衣食縣官（此縣官指天子而言）足矣，勿復言予女事！」賀見他兄弟這樣說，也就算了。時嗇夫許廣漢有一女，年方十五六，賀欲成人之美，特對廣漢說：「皇曾孫昭帝近親，最下可爲關內侯，可妻也。」廣漢許諾，賀即以家財爲皇曾孫娶廣漢女爲妻。宣帝因而得依廣漢兄弟及外祖母史家，受良好的教育，因此他有高材好學，時人稱美的好名聲。然而他也喜歡游俠、鬥鷄、跑馬；並詳知閭里姦邪，吏治得失。他好幾次上下諸祖宗陵墓，走徧三輔地區，特別喜愛杜、鄠之間的風景，所以多半住在下杜，即長安南靠山邊的地方。有時因要隨宗室參加朝會，到長安來便住宿於尚冠里。他是一個民間長大的皇帝。

元平元年，（西元前七四年）昭帝駕崩，無子，輔政的大將軍霍光，請皇后（后爲霍光的外孫女，以後便是太后了。）徵召武帝的孫子昌邑王劉賀嗣位，賀做皇帝後，淫戲無度，迷亂失態，不到一個月，便被霍光廢了。於是諸大臣議立新君，丙吉向霍光建議說：「……遺詔所養武帝曾孫名病已，在掖庭外家，至今十八九歲，通經術，有美材，行安而節和。願將軍評大義，……先使入侍，令天下昭然知之，然後決大策，天下幸甚！」於是霍光等便先朝太后，奉迎曾孫，先由太后封他爲陽武侯，這樣他便不是平民了。隨後即由羣臣奏上皇帝璽綬，即皇帝位，是爲孝宣帝。（待續）

譚天雕空集

閣員捉弄議員術

鄒眼

貴爲內閣之一員，出將入相，自古位極百官之上。周旋動容於廟堂之間，接待外賓招待記者往往舌辯滔滔，長才肆應不遑。登台致詞，發表談話，口角生風引爲能事。但最感頭痛之事莫如列席議會「備詢」，在五百羅漢面前，則常有「滅盡威風」之感。因爲議員亦非弱者，多屬飽學異能之士，對於質詢，有時「打破砂鍋問到底」，引經據典，詞鋒凌厲。倘部長逞其雄辯與議員發生舌戰，引起爭執，更易形成圍攻劣勢。結果，在車輪戰法情形下，如因犯受審者然，則閣員必致窮於應付。場面尷尬，失盡體面。此誠民主政治最難上的一課。

因此，在「民主課案」表現不同風度的，不妨分爲前輩型，滑頭型，柔型，剛型四特出格調。其以老前輩姿態出現者目無餘子，議員縱不耐煩，爲格於特殊關係，終無可如何。若屬資望不足，即難免當場出醜。此謂前輩型。次則八面玲瓏，處處打圓場的報告說明，講來風雨不透無懈可擊。即使疲勞質詢，亦能化疑難爲歡喜。是爲「滑頭型」。此議會屢見不鮮之兩型面孔，蓋不足爲奇焉。然議員亦有時碰到難以招架之對手。那即是剛柔兩型老牌閣員。當使羅漢失色。其屬於前者，例如馮玉祥在南京，以副院長身份出席議會備詢。議案中提出增加議員待遇之討論案時，羣議要與日本議員看齊，主席指名煥章發生者屢，馬二先生總是默然不應，靜聆會場高論。無已，乃起立以諷刺語調陳述原則甚贊同。但指出日本議員如何克盡擴張國勢，侵華有術，享受高薪待遇，理有應得。繼則謂諸公誠能領導國人，收復失土，使國威顯於三島，則煥章保證建議中樞，爲諸公增加待遇在日本議標標準以上。此語一出，羣聲默然。終至原案擱置。此種「硬功」，可謂剛型一例。

反之，又有某外交部長，最擅辭令，折衝國際坫壇，有譽於時。深知議會質詢例有時限。先作報告，後提質詢。於是，部長登台大放厥詞。國勢現勢妙語如珠，以博議員一粲。實則東拉西扯，聲東擊西，不著邊際，在施拖延戰術。等到時間所餘無幾，書歸正傳，三言兩語，而不待質詢，已屆散會。不過，此術不能慣用，並議員識破，即失效矣。此雖屬「軟功」，差近「滑頭」一型，究有欠「老練」，不足道也。

在議會最能施展「柔道」功夫，而捉弄議員的還有某老牌部長。此公資深望重，深得「調胃口」之妙用。每次登台報告，呢喃自語，語無倫次。出言緩慢，絮絮如老婦。句法缺頓點，使聽者不易了解。在不亢不卑腔調中，雜以鄉音土語，既感煩厭又找不到重點。如此，在衆羅漢前，大擺「裝蒜」姿態，全部時間，就此「磨話」一番過去。焉有質詢與趣與空閒。於是，部長夫子自道，台下接頭接耳。部長辭畢，議員如釋重負。是則又比滑頭一型棋高一著矣。

家庭制度研究

吳自甦

社會學家對「家庭制度」的研究，列爲社會制度的重要部分，孫墨楠（Sumner）教授分社會制度爲四大類，其第二類社會自續（Selt-Perpetuation）即包括家庭與婚姻；崔賓（Chapin）教授分社會制度爲家庭、教會、政治、商業等；烏格朋（Ogburn）與倪閣夫（Ninkoff）教授分爲經濟制度、政治制度、宗教制度；修斯（Hughes）教授分爲家庭制度、政治制度、經濟制度、與教會制度。再如海芝勒（Hertzler）教授於社會制度的分類中，列有婚姻與家庭制度、倫理制度。狄比其（Tibbitts）教授根據一九六一年美國出版的六種重要的社會學刊物所刊登之論文，依其理論、性質而分門別類，藉明當代社會學研究的領域，關於社會組織與制度列有「婚姻與家庭」。

龍冠海教授新著之「社會學」，特將「家庭——親屬關係的體系」列爲專章。另著有「家庭研究的發展」一文，以雷柏萊（Le Play）爲十九世紀中葉開始應用科學方法研究家庭的第一人，並指出近二、三十年，來美國社會學家與心理學家，特別注重家庭關係的研究。謝徵孚教授認爲「社會學討論社會組織問題，首先所要指出的就是家庭問題」。衛惠林教授於所著「社會學」書中，以飽威爾（Powell）教授「社會學是研究社會制度的科學」之說法：分社會制度爲「婚姻制度、親屬關係制度、經濟制度、習俗、道德、法律、宗教」等。因此可見中外社會學者，對社會組織與制度的銓釋莫不包括婚姻與家庭。而所謂社會自續制度，乃係適應人類繁衍子孫，綿延種族需要所產生的制度，就我國家庭制度而言，自應包括家族制度、婚姻制度、大家庭制度等。

關於我國家制研究，較早多自「禮」着手，講究名分、愛敬，以及冠、昏、喪、祭、儀章、度數，而歸本以修身、齊家、愼終、追遠，由人道而通天道，此亦爲我國儒家傳統思想的菁華所在。而與西方家庭研究的重點，迥然不同。西方學者的論題最初集中於人類社會是亂婚的或一夫一妻制的，以及人類家庭是父權的，抑係母權的。本世紀初，則將家庭視爲一種社會團體或是一種社會制度，而研究家庭中互動的人格，和家庭的功能及其變遷。

我國家庭研究受西方社會學影響較著者，溯自「五四」前後，但此一時期亦爲我國家庭制度遭受有理或無理破壞的「革命」或否定時期。一般學者大都認爲要解決中國社會問題，則先解決家庭問題，隨即乃集中攻擊傳統的中國家制，蓋鼎革以後，社會變遷，文化失調，家庭勢必解組。

共匪於近三、四十年來，對我國家庭問題，更是乘虛而入，以「反封建」爲名，將家族列爲「革命對象」，竊據大陸後由大力推行「新婚姻法」，迄至實施「人民公社」暴政，將中國家制，摧殘無遺，中國人的「家」，均成待罪之羔羊，然對共匪與人類家庭爲敵有較深刻認識者，無論國人自己或西方學人，則幾若鳳毛麟角。

至此，中國家庭研究理論之建立，實迫不及待，而中國社會學者的責任尤其重大。筆者對家庭問題發生興趣，開始搜集有關資料，是在抗戰勝利還都南京，隨（中大）業師孫本文先生研習社會學之時，嗣後大陸變色，轉徙來台，服務於省立師院，一心創辦人文學社，激勵民族精神，而每念「匈奴未滅，何以家爲？」迄至四十七年匪公社暴政，妄欲徹底毀棄中國家庭，復啓家制研究之思，五十年國慶前夕，得與陳，成婚，現已組成「折中家庭」，故對家制益作較深之體驗。去夏執教之餘，獲暇續理舊業，寫成「中國家庭制度」一書，由商務「人人文庫」出版，付梓之際，承（台大）朱教授岑樓兄在百忙中惠予撰序，謹此敬致謝忱。當今中華文化亟待復興之日，尤盼諸師友不吝指教，以期同爲我國家庭制度之重建，而作最大的努力和貢獻！

讀胡適的詩

◀陳宗敏▶

到現在我讀到胡適先生的詩集，有兩種本子，一種是文星書店出版的胡〈選詩詞部分的本子，另一種是平平出版社文雷先生編的胡適詩選。這兩種本子，所收集的詩大部分都相同，文星版計收詩七四首，平平版收一三三首，這自然是平平版收集較爲詳盡，但文星版的本子中也有少數的詩是平平版所沒有的，例如「回向」這首好詩，平平版的本子就沒有。

所讀胡先生的詩，已經不只一次了，從胡先生這些詩詞中，我又進一步瞭解胡先生的思想，性情。古人說「詩言志」，在胡先生的詩詞中，我又得到了一個明確的證據。在這些詩詞中，使我喜歡的詩很多，但使我很受感動，印象最深的是底下兩首詩：

謝皐羽西臺

富春江上煙樹裏，石磴嵯峨相對峙。
西爲西臺東釣臺，東漢嚴家西謝氏。
子陵垂釣自優遊，曠觀天下如敝屣。
皐羽登臨曾慟哭，傷哉愛國情靡已。
如今客自桐江來，不拜西臺拜釣臺。
人心趨向乃如此，天下事尚可爲哉！

回向

他從大風雨裏過來，
向最高峯上去了。
山上只有和平，
只有美，
沒有風和雨了。
×××
他回頭望着山腳下，
想起了風雨中的同伴。
在那密雲遮着的邨子裏，
忍受那風雨中的沉暗。
×××
他捨不得他們，
但他又怕山下的風和雨。
「也許還下它哩？」
他在山上自言自語。
×××
他終於下山了，
向那密雲遮處走。
「管他下雨下雹！
他們受得，我也能受！」

這兩首詩，第一首「謝皐羽西臺」，文雷先生的編年本子及文星版的本子都說是民國前五年（一九〇七）丁未五月的作品，這時胡先生十六歲。由這首詩中，我們可以看出少年的胡先生，固然也敬重那「曠觀天下如敝屣」垂釣優遊的嚴子陵，然而他的內心却更欽佩登臨慟哭，忠愛國家的謝皐羽，縱觀胡先生的一生言行，更可以看出他始終寧願做謝皐羽。

白話詩「回向」一首，是糜文開譯泰戈爾「頌歌集」中的「跋」：「選出的」糜先生說：「我在印度國際大學時曾看到胡適之先生在秦翁六十四歲生日送給他的祝壽詩，題名『回向』，就是讚美他回向民間的。這詩爲胡適文存及其他任何書中所無，現在一併抄錄在這裏，以供參考。」其實這首詩作爲賀詩哲秦翁的詩看固好，作爲胡先生的思想人格的說明，一首詩看也未嘗不可的，他寧願下山來，他不願留在山上，這種精神，不是救苦救難的入世精神是什麼？

胡先生在中國哲學史一書中，評論先秦諸子，他最佩服孔子、墨子的爲人，他這樣寫着：

「孔子又說他自己道：『其爲人也，發憤忘食，樂以忘憂，不知老之將至云爾。』這是何等精神！」

「論語說：『子路宿於石門，晨門曰：奚自？子路曰：自孔氏。曰：是知其不可而爲之者歟？』知其不可而爲之，七個字寫出一個孳孳懇懇終身不倦的志士。」

胡先生說：孔子對於老子、鄧析的極端破壞派，及對於隱世埋名，不肯干預世事的極端厭世派，都不贊成。又說孔子對於那幾個辟世的隱者，雖很原諒他們的志趣，終不贊成他們的行爲。我們想想這些話，想想謝皐羽西臺一詩，胡先生的生平抱負及其處世態度，我們便會有更深刻更淸楚的認識了。

哲學史的另一段，胡先生稱贊墨子是一個救世家，稱贊墨子那種「摩頂放踵利天下爲之」的精神人格。

讀這些詩和文，我更明白胡先生爲什麼在「淮南王書」一書中極力的批駁道家的無爲思想，爲什麼寧願一輩子做人家討嫌的啼鴉。其實胡先生的人生觀及爲人處世的態度，最爲接近孔子，在先秦諸子中，胡先生的性格也和孔子最爲相似。「回向」一詩的情感，正是孔子「吾非斯人之徒與而誰與」的情感。

另外，我們若要從胡先生的詩中去了解胡先生性情的一面，我們可以看出他那一份淳厚與眞摯，特別是在「許怡孫」、「我們的雙日——贈冬秀。」「虞美人——戲朱經農。」「別賦」，「三年不見他。」「獅子」，「哭丁在君」諸詩中。

創業哲學　貨賣識家

楚狂人

台北中央財務學校馬駿校長，向名教授張起鈞詢及狂人，並謂「創業哲學」之作，甚有意義，受到廣大讀者的注意等，因之連想到歷史上一段貨賣識家的故事。

貨賣識家是商場上的術語，其實人與人間，乃至於國與國間，都可以比作商業行爲，戰國末年，秦國有一個王孫名叫異人，被當作政治抵押品留在趙國，由於異人是秦太子安國君所生，既不是嫡系，他的母親夏姬又不得寵，因此，趙國對他很冷淡，呂不韋和其父由韓國來到邯鄲做買賣，看到異人的情況，靈機一動，暗暗的在想「此奇貨可居也」，立即用商業上慣用的鑽營手段，把異人弄回秦國，做了太子，更繼了王位，呂不韋搖身一變，由商人而政客，累官到太傅、文信侯、相父，編著「呂氏春秋」給後人不少貢獻。呂不韋雖未能善終，就動腦筋這個角度，是相當高明，且遺臭萬年，也不是普通人所能做得到。不過我們對呂的這些政治手法是鄙視的。如果以買賣人的立場看呂不韋，則非常成功，因商業的眞精神就是頭腦敏捷和貨賣識家。

唐明皇是打球健將

．松士．

蔣總統在其手著「民生主義樂育補述兩篇」中論及中國古來的娛樂，是在戶外的，所以國强民强；其後，慢慢由戶外移到戶內，以致國弱民弱。過去不說是民間流行戶外娛樂如打臘跑馬射箭等等，即貴爲帝王亦躬親領導。

許多人都知道唐明皇是一位「風流天子」，但他却是一名打球健將。

唐明皇在年輕時，以體力强健，精通各種技藝著名。「唐書」說他「性英斷，儀範偉麗，多藝」。「唐代叢書」梅妃傳更說他自任博州別駕以來，即以豪偉聞，馳騁犬馬鄠杜之間，與俠客游。這些都是最好的明證。至於敘述他擅長打球，曾擊敗吐蕃名手多人，則「封氏聞見記」上有詳細的記載：

「景雲（唐中宗年號，景雲元年即中宗景龍四年，公元七一〇年）中，吐蕃遣使迎金城公主，中宗於梨園亭子賜觀打球，吐蕃贊咄奏言：臣部曲有善擊此者，請與漢敵。上令內試之，決數都，吐蕃皆勝。時玄宗爲臨淄王，中宗又令嗣號王邕，駙馬楊愼交，武秀等四人，敵吐蕃十人。玄宗東西驅突，風回電激，所向無敵，吐蕃功不獲施。中宗甚悅，賜絹數百段，學士沈全期，武平一等皆獻詩。」

「封氏見聞記」所載，本來都是可徵信的掌故，這則紀述唐明皇擊敗吐蕃打球名手的經過，則更是可信的，蓋沈全期和武平一的觀打球詩現仍存在，沈詩云：「今春芳苑遊，接武上瓊樓。宛轉縈香騎，飄颻拂畫球。俯身迎未落；迴風逐傍流。祇得看花鳥，時時誤失籌。」武詩云：「令節重遨遊，分鑣戲綵球。驂驔迴上苑；蝶跳繞通溝。影就紅塵沒；光隨赭汗流。賞闌淸景暮。歌舞樂時休。」兩詩均把打球的情形描繪得很淸楚，足證「封氏見聞記」所載是不虛的。這一場打球比賽雖是表演賽，但却是國際賽，而且中國以四人敵吐蕃十人，居然能夠以少勝多，誠是難得的。而中國隊四人中，最得力的却是唐明皇，他「東西驅突，風回電激，所向無敵，」如改用現代的術語來說，則是所謂「走全場」了，是則中國隊所以獲勝，差不多完全是靠他的。據此，足證唐明皇在當時是一名出類拔萃的，不可多得打球健將，故能建立如此卓異的功勳。

際遇與運氣

諸葛文侯

馳逐於名利場中的政治人物，其窮通貴賤之際遇，每爲意料所不及，而有幸與不幸的結果自古已然，於今未替。

吾國對日抗戰時期，潘宜之受命爲經濟部次長，住家重慶上淸寺一帶，宅第雖非宏敞而頗輝煌，僮僕三數，日常勤於灑掃庭除，侍應賓朋，不失爲侯服玉食人家氣象。某日，最高當局赴司法院長王寵惠私邸訪晤，乘車經過潘氏住宅，以其外表精緻，且有傭保在庭苑中修整花木，知非尋常百姓所居之地，乃詢侍從人員係何人住此？答以潘次長宜之公館。繼抵王院長寓所，入門見一老婦向僕執帚掃地，別無僕役接待訪客，即邀趨堂與尋晤王院長，談次語以盧用高年老嫗服役，得無失職之處耶？王謂：「寒舍生活簡單，並未雇用傭僕，適間打掃庭除者，乃係老妻，彼每日固以此習勞，久成慣例，亦無所苦也。」當時聆悉其情，印象甚深，亦未作他語，但憶及潘次長公館之豪華景色，深以王院長之刻苦精神，足以矜式羣倫，激勵流俗；而認潘氏之家庭生活，實非戰時公務人員所應爾。未幾，經濟部改組，潘氏即告去職，從此不復再起矣。

三民主義青年團在重慶創立之初，以康澤爲書記長兼組織處長，康氏曾請白崇禧推薦桂省籍之幹部人物來青年團服務，白氏即舉程思遠以應之。蓋程適從意大利游學歸來，時方壯年，而桂省政界尚無相當職位可以安置也。程被派任青年團組織處副處長，然職務極淸閒，伴食而已。久之甚感無憀，乃蕭然引退，遄返桂林居住，別謀出路。逾年後，康澤辭去青年團職務，改由張治中承其乏，對於團本部人事，擬加以調整，報告團長請示，團長問曰：「有個名叫甚末思遠的人，還在組織處長職嗎？」張揣摩團長意旨，[illegible]各方人才，共赴事功，[illegible]室主任，超升一級，[illegible]於從命。[illegible]於黨政顯要人物之間，[illegible]會副秘書長，繼任中央黨部[illegible]白崇禧言，殊出意外也。[illegible]幸運非常。

諸葛文侯曰：信乎曾國藩之言：「不信命運，當信運氣」。彼昕夕患得患失之官僚，以自苦者，[illegible]，觀此可以憬悟矣。

生活漫談　炎暑幾種便藥

．馬騰雲．

紅花油、白花油、黃花油、藍花油，統計起來有百種以上，其所含主要成份，大體畧同，牌子賣出名的，祇白花油、紅花油、百花油、萬金油，還有匯區輸出的一兩種油，當然仍以萬金油一路領先，英國日本商人在這方面動了很久腦筋，但都未成功，萬金油未來的勁敵，仍舊是日本，新加坡藥商曾將日本木村廠出品的萬人油，和永安堂萬金油，互易比較，「人」「金」難分，英商對中藥隔行，還談不上競爭。

上列的一些成藥，適用於各種輕微的病象，一般的頭痛眩暈，中暑發痧，作嘔暈船，筋骨酸痛，即所謂能治百病，其實眞有病，眞得請醫生看才會好，否則社會上多了一個問題，那就是「醫生失業」，不過這些便藥在落後國家，亦却有很多方便，換句話就是國家越落後，成藥越盛行，如果你不相信的話，高級知識份子和外交官們，身上很少裝這一類的藥，尤其在國際應酬場合，最好盡量避免，這是過來人的話，有位美國高級外交官，曾親口問過著者，擦便藥與西洋人士嚼檳榔，是否同一味道，著者回答說：「一個民族有一個民族的習慣，英國王夫將鋸下的椅子腿，謂和犀牛角有同樣的效用」引起全球華人的軒然大波，原因是王夫沒有中國常識，該外交官雖立即表示歉意，著者從那時起，亦就不再用便藥，因深知他們看[illegible]上將用便藥與嚼檳榔同樣的。

上列便藥，分固體液體兩種，但效用大同小異，可作外擦，亦可內服，因其成份爲薄荷油，硼酸粉（份量很微）揮發性油，白樟腦油（即赤樟腦油）丁香油，綠薄荷油，如製固體，就以按葉油與蜂蠟的。其中按葉油，係美國出產之按樹鮮葉，爲淡黃色的液體，有樟腦的爽味和薄荷的清涼，置空氣中漸呈褐色。在酒精裏可隨意溶化，主要成份爲按葉油精（Encalyptol）係製作香水、牙粉、原料，在醫療上用作流行性感冒吸入劑，外擦又治神經痛。綠薄荷油爲綠薄荷之帶花葉近地面部份，用蒸餾法得之，爲一種揮發性油類，係一種淡綠色的液體，有鮮嫩薄荷特殊的香味，製造糖果牙膏之必需品，市上賣的「留蘭香」糖，就是這玩意。

[illegible]便藥商自己取的名，紅黃藍白，乃至於萬金獅子老虎，萬人這些都是商標名稱，並非紅花油裏就有紅花，白花油裏就有白花，[illegible]虎脂肪，上海利發[illegible]藥廠出品的一種「白濟衆水」，[illegible]國人多少錢，後來發[illegible]酒精[illegible]的高粱酒[illegible]便藥[illegible]這一種成藥出來，很[illegible]台灣商家很多藥廠把[illegible]偷工減料，[illegible]立在貨眞價實上[illegible]另一個牌子[illegible]精益求精上[illegible]呢？[illegible]價實和[illegible]

自由報

第八七六期

中華民國僑務委員會頒發台教新字第二二三號登記
內銷證內備警台報字第031號
中華郵政台字第一二八二號執照
登記為第一類新聞紙類
（半週刊每星期三、六出版）
每份港幣壹角．台灣零售價新台幣弍元
社長李運鵬．督印黃行舍
社址：香港九龍登打士街91號十樓六座
91 DUNDAS ST. 9th FLOOR,
FLAT 6 KOWLOON H. K.
電話：857253　電報掛號：7191
承印者：大同印務公司
地址：香港北角和富道九六號
台灣總管理處
中華民國（台灣）台北市大同街119號
電話555395．557474
駐台灣代表人辦事處
台北市公園路二十八號四樓
電話：20454．62625
台灣分社：台北市西寧南路110號二樓
電話：三〇三四六
台郵撥儲金戶九二五二

社會犯罪與所謂「新道德」

——論美國當前危機之三——

·翔群·

伴同黑白種族問題而來之美國青年犯罪亦逐年增加。此次金路德氏遭暗殺後之暴動，以及去歲夏間若干大城市所發生事變，最初起因每由於少數青年兒童在商業區與學校拋磚石破門窗等小事開始。本年初出版的「亂法者」一書，指出美國的犯罪暴行，伴同財富增加，而急激上騰。總統所指派之「法律與正義維護委員會」，在其一九六七年年報中聲稱「美國的罪行日益增加，被告的案件數目，與破案的數目，均年年打破紀錄。…嚴重罪行在大城中，小城中，郊區中，鄉村中全部都增加，財產罪案也在增加中。青年被捕的人數，以及各種犯罪次數逐年的以及在全國各地繼續上騰。」該委員會在一項調查中，發現被調查者中三分之一聲稱晚間單人出行係不安全的；三分之一以上的家中藏有槍械，以防強暴者來襲；百分之二十八則養有守夜犬，以資保護；此外被調查者百分三十五聲稱他們不再與面生人接談；百分之二十則作遷地之打算，因怕遭到強暴。紐約華爾街日報所刊行之全國觀察週刊估計全國各大城中，有半數居民晚間不敢在路上行走。華府國務院在河邊辦公大廈中，有特別警衛專為保護女職員而設。國際貨幣基金與世界銀行女秘書等，遇加班放值後，由機關雇用計程車送回家中。豪斯敦婦女等一次搶購了一千枚類似水筆型的催淚彈。紐約、德拉斯、聖路易、芝加哥等各大城市中居民，均組織有各種自衛團體，購置手槍以資防衛。根據聯邦司法調查局一九六五年年報、青年罪行為執法者最大的困擾問題。一九六四年犯加重傷害他人之現行犯中，十八歲以下者較上年增加百分之三十二，成人犯則增加百分之十六。強姦罪犯百分之六十二在二十五歲以下，百分之四十在二十一歲以下，百分之十九在十八歲以下。又據最近美國廣播稱：去歲（一九六七年）全國罪行較前歲增加百分之十六，而在大城市者增加百分之二十三。近年來青年吸毒販毒、濫交、與同性愛，乃至奇裝異服、毆打殺害父母，對學校當局及師長反抗與罷課，以及參加反對越戰示威遊行、反對服兵役示威等等，花樣百出，舉不勝舉。過去洛桑磯，芝加哥，底特律，最近孟斐斯城等暴動，死亡及被捕青年甚多。財產損失自數千萬元而至十億元以上。金路德氏被殺後，保險公司立即通知各城市「危險區」商店臨時停保。暴動後甚多小商店主人畢生辛勞積蓄付之一炬，而欲哭無淚。華府於金氏死後第二、第三日，西北區第七街到第十四街區大火，「K街」有如一座大煉鋼廠，把白宮以東之鬧區化成地獄，其亂也猶如世界之末日」（據四月十八日臨時聯合報所載吳堯峯君華府通訊。）

美國青年問題之癥結，在於「新道德」之掘起，而「新道德」之來源，由於「進步教育派」之把持全國中小學教育。我們對於美國在二十世紀之「反形式主義」大師們如和謨斯、杜威」等人的哲學思想，留待本文末段討論。現在擬對「新道德」與過度的社會福利之引導至青年犯罪與思想左傾，略加介紹：

「新道德」內容不易確定，依照佛萊徹博士Joseph Fletcher的解釋，新道德家對基督教的道德教義認為「有用Useful」，但不妨依「情況Situation」之需要而準備「妥協Compromise」，或將之捨棄，如果因此而「戀愛Love得以進展」。（見一九六六年出版之弗氏著情況倫理學Situation Ethies第二十六頁）。弗氏的論調在學府中頗受歡迎，因之而婚前性行為，同性愛吸毒等等均為被容許。蓋此等行動對增進愛情是有用的。然在有的舊派學者之觀念中，所謂「新道德」也者，祇不過為獲得「快感Kicks」的藉口而已。一般嬉皮的花花公子，「扭扭女郎go-go girls」，下流的佈道者，吸毒的聚會者等等，都是「新道德」的實行家。他們的道德信念，隨時隨地可以改變，惟一條件是獲得「衝動impulse」之滿足。他們所表現的，不像是道德，而實際是傷風敗俗。請看以下一段洛桑磯「自由報」所登廣告：「哥兒們，姊兒們請快快來到搖擺舞的天堂。你們是否係無責任感的，而且年青與可愛？你們是否能追求通宵的野會，大叫大跳，大彈樂器，搖擺發狂，以及參加所有的團體活動，而完全不理會旁邊的老迂腐怪物？我們「賽悅廣場公寓」專門歡迎花花公子們，前來租住」。

再看以下一般報紙記載：「洛桑磯城警官費斯克氏聲稱、一九六五年洛城所逮捕的三千零七十三起同性愛犯人，祇不過是一種象徵式的取締而已。假使我們有十倍的警員，我們便會拘捕到十倍的犯人」。此種「盡情享樂的道德觀」，有甚多護法的大法師。例如宣揚服用L.S.D.而知名之前哈佛教授李萊T. Leary，以印行淫書而被判入獄之秦士柏A. Ginsberg等多人。但最知名的當推「研究性行為權威學者金賽博士A.C. Kinsey。此外如法國作家錢納Jean Genet，雖其品格卑下，我等不便形諸筆墨，但其著述為抱持無神論的實存主義大師薩特所激賞，美國書評家等亦隨聲附和，讚賞備至。他的作品之在美暢銷，既使書商大發其財，且鼓勵種種離奇的「改革reforms」之建議，例如取消對淫書之禁印，放棄對電影製片商之同業公約，廢止有關青少年犯罪之法律，取消對同性戀愛之法律上的限制，以及將吸用各種毒品合法化等等。著名作家李普吞氏L.Lipton在其新著「愛情的革命」書中愉快的指出「新道德」業經在美國文化中生根，而建議下開之社會的與法制的改善，「取消一切禁止婚前性行為之法律與章則，將法定的婚姻制度改為任意的性質，其儀式可有可無，取消禁止同性愛的一切法律章制，由公家負擔平民之避孕與打胎的費用。（以及其他建議等等）。

（下轉第二版）

自由談

莫名其妙的法規

自民國十六年以來，我國經過立法程序而由政府頒佈的法令，可謂繁複滋彰，人民深感困擾了。更糟糕的，還有許多行政官署，隨便製訂一些單行法規，通令實施，名義是在補救國家大法的缺陷，實際乃係濫用職權，增加民間的疾苦，病民擾民，不一而足。如教育部最近修訂的「私立學校規程」，即其最著的例證。

獎勵、扶助私人興學，原係政府應有的職責，這與民間一般經營工商企業的情形未可同語。換言之，政府對於私立學校，應該獎勵多於箝制，扶植多於摧殘，纔是發展教育事業的正道。創辦私立學校的主體人是各個董事，他們担負學校經費的籌措責任。董事會是民間的職業團體，并非行政機構，政府主管官署祇是依法監督學校是否合乎設置的條件，如有藉興學而斂財的情形，即予取締，甚且明令停辦均可。至於董事的人選，祇要符合法令規定須有三分之一以上是從事教育工作的人，即不應該再加甚末限制。然教育部修訂的私立學校規程，每個董事既須呈候核定，又須每人出具同意書方能生效，而對於董事長人選且可以自由否定，却無任何標準可言。似此則民間任何社會團體的構成份子，如婦女和文化、工商業聯合會之類的成員，政府皆可自由去取，橫加干涉，這成甚末體制？又有甚末正大的理由？擴而充之，人民的家庭組織，政府亦盡可任意干預了，憲法上賦予人民結社集會的自由權利，為之剝奪殆盡，這與共產主義的極權統治方式何殊乎？

不特此也，私立學校規程更居然限制曾受刑事處分的人，不許担任董事，可謂昧於法學，一竅不通！凡受刑事處分者，祇是在一定期限內褫奪他的公權，如作官吏或參加選舉等等，刑法上說得很明白。學校董事是私權，人民的私權，行政官署竟以命令式的單行法規，妄加妨害，這是根據世界上那一派的法學理論而然的，何況刑事處分的性質亦大有分別，乃不分青紅皂白的一律看待，眞是荒唐之至！

總之：政府機關管制人民的法規越多，整人的手段就越方便，營私舞弊，開闢財源的門路亦愈多，條條大路通羅馬，而貪污腐敗的政風即根深蒂固了。「烏龜不笑鱉，大家泥裏歇」，此老聃所以發生「法令滋彰，盜賊多有」之慨歎也歟？

馬五先生

用恐怖答覆和平！

以爆炸表示停戰！

昨日與明日

談尼姑思凡英譯

林語堂先生「尼姑思凡英譯」七月一日經各報發表後，其反映甚為激烈。讀七月十五日中央日報副刊「到此為止」簡直怕的不得了，左一句中央社特稿右一句各報副刊都登過，意思就是讀者們為甚麼不找別報，而專找中央日報。

就事論事「尼姑思凡」不過是一篇舊作，舊作中佛經裏有甚多比喻，比「尼姑思凡」還要黃色，為甚麼未聽說有人攻擊佛經呢？基督教聖經亦然，且早有英譯，正如給中央社封公開信所說的：「叔嫂通姦與翁媳亂倫…之類，毋庸再勞林語堂翻譯了。這和蘇俄不僅有信教自由，也有污辱宗教的自由」簡直風馬牛不相接，問題越扯越遠了。

講幾句公道話

讀完「尼姑思凡英譯」後，比起市上賣的名著黃色小說，祇算是小巫遇見大巫，與水滸傳看佛牙那一段還差得很遠，竟會被人罵到無恥下流：實乃有欠公允。

台灣各報對該文皆有登載，讀者為甚麼單獨對中央日報「責難交至，百身莫贖」這就叫作愛之深、言之切。也正是林語堂向來主張「不罵我們所看不起的人」，佛門子弟對林先生這樣的重視和看得起，人生七十雖剛開始，下筆還是慎重一點好，問題少年則無所謂，問題老年是很難聽的。

佛經裏的小故事

佛經裏的小故事，泰國（佛國）世界日報，香港星島日報都連載過很多，其黃處有如性史，頗受廣大讀者及佛教徒所歡迎，並未聽說有人向報館提出嚴正抗議及調查原作者動機等情。

那些廣言，寫來飄飄然，節節引人入勝後，再勸人歸善，每一句話每一個字都扣緊讀者心絃，搔到心底癢處。舉例：昔時有位帝王，王后六旬未出過宮門，某日借太子出遊，照法令后須披紗蒙眼不視俗人，否則觸犯死刑，既抵市區，偶犯禁令，回宮後太子左右為難，報則母死，不報自刑，乃單騎入森林深處，作冷靜考慮。遠見一道人行色匆匆而來，太子避窺，見道人擇一平坦草地，將身懷葫蘆取出，念動符咒，果有美女從葫蘆出，男女發生性關係後，道人疲倦入睡，美女也從懷中取出葫蘆，喚美男出，性交後將男裝入葫蘆，道人醒來又將女裝入葫蘆，原文可謂淫穢到頂點。後該道人被帝王逮捕嚴訊，直認不諱，帝王慨然嘆曰，男女之間秘密到藏在葫蘆，葫蘆又藏在懷中，春風尚可洩漏，乃下令廢除宮禁，解散三千嬪妃。

有人說泰國當年元首乃砲是耶暖上將，從善如流，一次解散全體妾氏達十七人，即與世界日報那篇文章有關。佛門弟子不僅沒有感覺到該文的刺眼和滿臉通紅，且絕大多數認為是勸人歸善有益之作，筆者擬將原文找出、再刊登一次，以饗讀者。（何中庸）

社會犯罪與所謂「新道德」

——論美國當前危機之三——

顧翊群

（上接第一版）

在此「新道德」之背後，乃是一套新的哲學，為學府中之心理學者例如勃朗氏Norman O. Brown所鼓吹。他是主張將人的下意識中之「壓抑repression」解放的。此種哲學同時引導至新的「上帝業經死亡的神學God is Dead- Theology」。後者正在英美兩國風行一時。

美國之青年數目激增，其思想行動之日益左傾，與政府所發給之貧窮福利金制度有關聯。著名作家戈德曼Paul Goodman曾有雋語，說學校教育的目的，係將家庭的不良影響糾正，而社會生活的目的在於糾正學校的不良後果，但當前美國實際情形，與戈氏所言並不相同，大體道來，一般青少年 adolescents所高喊的，係要求「權利」而不談「責任」；注重當下享受而不注重自身而努力。此風氣並且波及到成年人。最明顯的例證，乃是社會福利國家的現象。

過去清教徒經由華盛頓富蘭克林等人中產階級的價值觀念，例如勤勞、努力、誠實、守法、克己復禮等美德，均被現代的教育「理念idéology」及福利國家制度，連根拔除。福利的觀念，係與中產階級的價值，不能共存的。因其將努力與懶惰同等看待，並特別照料無能力且不願努力者而將此種情況延長下去。一般領取貧窮補助金者，大多不復再去覓求職務並因所生子女增加後，可多領福利金，於是雖在無丈夫的家庭中，兒童仍照樣增加，長大後成為不良少年。美國當前大都市如紐約芝加哥等所發公債，債信下降，主因由於市府的收支不敷，福利金支出不斷上騰所致。第一位被舉為賓州法官之黑人斯多特女士J.K. Stout 曾指出貧窮救濟之結果，為受領者不願工作。她主張改訂法律，將福利金與受領人覓求工作聯繫起來，但未成事實。加州有一雜誌登載一篇文字，說有六對青年男女係「無職業的」搖擺舞人。他們每人每週領到五十五元救濟金，加起來的共合二千八百元一月。因之他們共住於一華麗公寓之中享受日光浴游泳池，而羣居終日言不及義。迨其中有人覓到工作而退出後，則自有候補人頂升上去。

哲學家羅素曾經指出：如現代國家將父親的職務取而代之，則此制度結果勢必推至於全國。過去父親的功能，係對子女之保護與養育。現在保護工作已有警察担任，如養育職務再歸國家，則父親不發生作用，舊道德勢必改變，而為「新道德」所替代。我們知道羅素從兩歲起，而至今日九十六歲，其家庭生活是不快樂的。他的哲學思想中以討論婚姻與道德方面者最遭受批評。他與其夫人所創辦之畢肯山小學（Beacon Hill School），以提倡灌輸「新道德」為宗旨者成績甚不理想，與我國教育界名宿陶行知先生之曉莊鄉村師範，同為教育史上試驗失敗之例證。羅素雖承認國家代替父母，不一定即是好事情，但其施教仍與杜威博士同調，以任令生徒自由及反抗傳統為主。本文作者深信人類知識愈進步即愈需要智慧的約束與指導。「明禮義守紀律」為當代青年之迫切的需要，羅素杜威兩大師對此一時代青年之放縱在道義上應負責任。

自甘迺迪總統以迄詹森總統，福利國家大社會的救貧工作，雖有甘氏妹夫許萊福氏，與其同志等之辛勤努力，但仍然事與願違。大批資金為事務費所消耗，而各州的政客與特殊努力亦趁機牟利而成積不顯，國會議員嘖有煩言。自今年起許氏移轉職務後，其機關有改組縮小之可能。至於各地方政府之福利支出亦不易繼續增加。孔子云：「博施濟衆堯舜猶難」，此語完全適用於今日之美國。（中篇完）

為了三年前一篇舊作　陶百川遭遇困擾

侯立朝指陶氏與費正清有關　陶立時申辯認為係無中生有

台北消息：何浩若曾於本年春間，先後發表有關美國姑息份子費正清等的批評的兩次報告文字，其中涉及已故學者胡適、蔣夢麟、蔣廷黻、周更生等，和現任中央研究院長王世杰，以及文星集團中之殷海光，李敖等，迄至影響了文星書局之關門。經過情形，曾誌本報。繼有侯立朝、周之鳴、何平等人，發表費正清「助共滅華」之事實言論，其中侯立朝於現代雜誌上發表文字，涉及監察委員陶百川，前三年留美時所發表「費正清對華言論的再檢討」一文，會針對陶之聲明指稱：「這篇文章的「對」和「錯」，是爭議的主題。如果陶百川此文是「對」的，那麼，一千數百位大學教授給美國人民的公開信，就有「錯」了。如果陶百川此文是「錯」的，那麼，一千數百位大學教授的公開信，就「對」了，事實本來，就這樣簡單。」當在六月六日，陶百川曾致函全體監察委員並附舊作油印品，聲明事實眞象，因該函兼發其他單位，復引起侯立朝，再於現代雜誌上，提出辯駁文字，題為「我們對陶百川『六六函件』的聲明和檢證」之長文，茲誌陶百川致監委聲明原函如：

「各位同仁：近來有人翻出第五十五年五月二十八日在美為徵信新聞報所寫一篇舊作——費正清對華言論的再檢討」作為口實製作謠言，對弟橫加侮衊，以攻擊費正清之罪名，如「台灣獨立運動份子」加諸於弟，弟正查其陰謀背景，以便採取法律步驟。乃此一謠言攻擊，近竟侵入本院，同人紛紛以此垂詢，於是弟更不敢緘默。茲將該文油印呈閱，以明眞象，並候明教。順頌勛安。弟陶百川，六月六日」。

再陶百川於六月二十二日，曾專函致侯立朝云：「三年前我在美國得悉，你在一本小冊子中，誹謗我是文星雜誌的一枝「毒草」，台北友人告知你是中央黨部第二組的職員，要我特別注意。我以為你既是本黨同志，不宜相煎太急，而我那時適在異國，回國後又找不到你的小冊子，無法與你交涉。但你迄今仍須負誹謗的罪責。不道你竟以我的寬恕為懦弱，近在你發行的月刊中，發表「特別聲明」，對我大肆侮衊：『一些無恥無知的中國院士、教授、學者等，沒有能夠認識到費正清這種掛華反漢的卑劣意識，反而做了他的「金元政策」的哨子，應聲蟲和打手，如文星集團，彭明敏、陶百川、殷海光、王惕吾、何炳棣、吳相湘等，此即「文化漢奸」或「政治漢奸」，是令人痛心』。你這樣無中生有，含血噴人，嚴重損害我的名譽信用，和其他重大法益，使我不能緘默或寬恕。在同一期刊物中你們在費正清「對於中國新思考」譯文前加一按語，又說：『由此文來看陶百川於一九六六年六月六日在「徵信」新聞報發表的再檢討一文，使我們有理由說他是費正清的監察委員，不是中國人的監察委員』。你們那裏有什麼「理由」！你們這樣信口雌黃，蓄意破壞我的名譽信用，和其他重大法益，你和加按語的譯者，都須負誹謗的罪責。茲特具函要求你在本市各大報封面登載啟事，向我鄭重道歉，並請轉知那位譯員，同樣辦理，啟事文稿，並請先徵我的同意。此致侯立朝先生」。

侯立朝接陶百川函後，即在前述之辯駁文字末尾贅以「特別聲明」，除將陶函照登外，並即答復如下：①三年前我的一本小冊名為「文化界中一株毒草」，根本沒有提到您。您看都未看那本小冊子，您要我負罪責，您眞是太上老獨裁的監察委員。②我的發言與我的黨籍和工作毫無關係，正如羅拔甘迺迪一樣，我就我個人的立場發言寫文章。我是以研究中共問題專家身份，參與中央二組研究，我現在沒有一點行政工作關係。③從您再檢討一文之後，「現代」才開始檢討您的「再檢討」，我的檢證和聲明已於前文，您看我們是「含血噴人、信口雌黃、無中生有」呢？④當這篇聲明您讀過之後，應該趕快認錯，將盡百年之身，回頭猶未為晚。您應理做到下面三事：第一、您要是愛護您的黨，您應該向　蔣總裁公開悔過。第二、您如果是愛國的，您應當向全國人公開道歉。第三、您如果珍惜您自己百年的人格，您應該把「知識份子十字架」、「為人權法治呼號」、「回國前後」、「美國對華透視」、「我在美蘇采風錄」這五本書收回燒掉。⑤如果不服氣我這篇檢證，您可以提您的證據，我們留給您版面。必須說明，我還有證據，題目已經擬定：『陶百川向費正清豎起白旗！』如果您能「聞過則改」，做到第四點三件事，我就不再動筆了」。云云。（董尙書）

惠訂本報通訊電話

一、台灣各縣讀者惠訂本報，請以明信片通知台北大同街一一九號。

二、台北市讀者惠訂本報，請撥電話：五五五三九五。五五七四七四。六二九二二〇。三〇九四九。通知台北連絡中心：台北西門町成都路十二號二樓。

台北航訊

台北市長高玉樹年前批准29路公車由外雙溪綫士林終站，延長至延平北路圓環，被「特權」民營之中興巴士之市議長張祥傳所反對，公車處終於折半至台北橋，以平息張議長怒氣。春節特高市長以公車處長江成濤，業務課長高崇仁，不遵市府計劃，擅自縮短公車路綫，各記大過示儆。另則宣布市區公車局部開放民營。因此便激怒了張祥傳，蓋張曾為三重客運公司籌備處李炳盛請求高市長同意開放一條民營路綫，迭商結果，獲致默契，該公司始獲准省交通處登記。詎高玉樹復拒絕開放路權，遂使該客運營業擱淺。張祥傳於是大肆煊染，市議會將如何如何對市長提出不信任案，並將把市府提案全部退回。演成府會關係惡化，勢趨嚴重。詎春季市議會大會時，對市府雖有枝枝節節之挑剔事件，但並無張祥傳所預言之嚴重，斯時忽發現三重客運，營運於台北市區矣。迄至前月公車處長江成濤因與秘書爭奪印章，竟爾登報作廢情事，被市長高玉樹將江調職為市府視察，並限於兩日內辦理移交，江於移交後呈辭新職，竟未獲批准，內情複雜之狀，漸形暴露，致社會揣測紛紜，莫衷一是。

三重客運有人撐腰　假道北市違法營業

市議員潘雪梅等向監院檢舉

三重客運通行市區營運後，市議員中有人為此向市長提出質詢，未獲答復。議員潘雪梅、孫文章、陳連祿：陳鐵科、陳瑞卿、林中、楊烱明、王松琳、周得福等九人，以三重客運公司借道台北市，竟然違法營業。該公司董事長即議長張祥傳，大股投資者有市府高級人員。特為列舉違法事實，向監察院檢舉，檢舉書副本抄呈行政院。該院當將該案交由吳大宇楊貽達兩委員調查，吳委員等於十二日邀集潘議員等九人到院備詢，並查核名章是否屬實。均核對無誤。

檢舉處指出：三重客運公司之所以敢「大胆」違法營業，係因「市府高級人員，市議會某高級人員均有股份在內」，認有「官商勾結」之嫌。檢舉書並附有三重客運公司各種違法營業照片，以指證市府涉嫌包庇該公司之違法事實。所列四項：一、三重客運經過台北市，乃以借道行駛而獲准，依汽車管理第二十五條規定：「公路汽車客運等經營路綫，如有一部份跨越其他公路汽車客運業所經營之路綫時，在其跨越區段內，不得發售區間票，在借道路綫內亦同」，然三重客運則套上借道行駛之美名，却再做違法營業之行為。二、所謂借道行駛，是指汽車由甲地出發至乙地時，途中必經過之地而言；而三重客運經營之路綫，實際上由台北縣進入台北市後，即由原綫折回台北縣，其主要用意在沿公車招呼站旁，設立該客運招呼站搭載乘客，並不符合借道行駛意旨，該客運之行為顯然違法。三、依據道路交通處罰條例規定，三重客運所設之招呼站及該客運之車輛停車，均違背規定，台北市政府雖明知而不予取締，其中必另有隱衷，顯然有包庇之嫌。四、該客運公司為賺錢而不採手段，連中山北路綠島上亦設有該公司招呼站，以致乘客踐踏花草妨碍公共設施，且影響交通要道之車輛行駛匪淺。市政府坐視罔顧，據說市政府高級人員及市議會某高級人員均有股份在內（記者按：市議長張祥傳既兼中興大業巴士公司董事長，又兼三重客運公司董事長，事實俱在，何須隱諱。）——以致該公司敢予大胆而為，其中莫非有官商勾結之嫌云云。

當江成濤被調職後，江曾向監察委員陶百川指陳一些民營客運之不當。實已包括三重客運在內，因當時江高糾紛正烈，外人不便介入，監察院只從打造車身延緩案，進行調查。此次市議員潘雪梅等九人亦曾推派一人為代表，去見陶百川，對陶委員陳述本案內情甚詳。陶委員曾表示：江成濤的指訴和九位市議員檢舉，可以併案辦理。

適於此時，台北市府對市公車處的購料舞弊案，市府已將進一步的積極調查結果，即將移送司法機關依法處理。據悉：舞弊疑案共分兩部。第一是公車處所採購之材料，其價格遠超過市面的價格，甚至其中有一部份材料的價格，超過市價達一倍半以上。第二是標購的材料中有一部份與原來標準規格不同，但公車處已驗收通過。市府對本案調查已告一段落，連日集合各有關人員，連續會議，研討調查結果，獲得結論後即移送司法機關偵辦。按江成濤前請辭新職未獲高市長批准之原因，曾指名江任期中有案未了，本案即所指因案未了之一。

本報記者碧天

大難不死必有後福的漢宣帝（下）

歷史人物漫談

清園

漢宣帝即位時，年纔十八歲，一切都委任霍光，天下事權，仍在霍光手中。

首先我們談談宣帝立皇后的事，公卿都心屬霍光的女兒成君，霍光夫婦也一開始就有此意。可是宣帝忽然吩咐下詔找尋做平民時的一把舊劍，使大臣知道他重視糟糠之妻的意思，乃請立原妻許氏爲皇后。從這一事來看，宣帝顯貴不忘微賤時的妻子，而以找尋故劍來諷諭大臣，可見他重視情義，心思深遠。這十八歲民間長大的小伙子，確也不含糊，來日一定大有作爲。

宣帝即位六年後，霍光逝世，他才親自主持政務，於是選用賢能，厲精圖治。可是這時候朝廷內外都被霍氏宗族親屬所盤踞，因爲霍氏從武帝死後，昭帝即位，就執掌朝政，至此有三十年之久了。宣帝在這種環境下，如果沒有才能，是很難有表現的。他首先遭遇一件不幸的事是許皇后被毒死。這件事，發生在霍光未死之前，而發覺則在他已死之後。光妻霍顯總想使她的女兒做皇后，可是立了許皇后之後，這美夢便無法實現了。後來許皇后懷了孕而又有病，光妻即買通女醫淳于衍於藥中放毒，皇后吃了中毒而死。霍光知道後，本想告發而又不忍，當案奏上時，光乃批：「衍勿論。」次年即送他的小女入宮，立爲皇后。

到了地節二年，霍光死已經兩年了。宣帝知道霍氏掌權太久，又微聞光妻顯毒殺許皇后事，於是稍奪霍氏的事權，這樣一方面免得他們陰謀叛亂；一方面也可保全功臣之後。霍氏見權勢日削，這才知憂。但他們不謹慎安分，反而密謀叛漢，企圖再借重外孫女青年皇太后的地位，廢了宣帝，立光子禹做皇帝。廢君立君，霍家已做過一次，可能他們認爲已有經驗，此次再利用太后這張王牌，也還是輕而易舉。那知這事早被宣帝發覺，霍氏一家及親族都被誅殺了。司馬光在資治通鑑中評論說：「夫以顯、禹……之罪，雖應夷滅，而光之忠勳，不可不祀，遂使家無噍類，就宣亦少恩哉。」我對於「孝宣少恩」的評論，不盡同意，因爲起初早已發現他們有廢立陰謀，宣帝就會不予窮究，但只防範而已。而他們硬要依恃勢力，竟想先動手殺丞相魏相及平恩侯許廣漢，再進行廢立，實在是罪大惡極，依法不能不誅滅。若說宣帝寡恩，何至於等到霍光死了兩年才抑制他們？當初聽說許皇后是被光妻毒殺的時候何不徹底追究？可見宣帝並不寡恩。實在是因他們太驕橫，太惡毒，才招致這滅門之禍。

下面我們再談談宣帝的業績。神爵元年，將軍趙充國討平了諸羌的叛亂。神爵二年，騎都尉鄭吉攻破車師，威震西域。乃封吉爲安遠侯，拜爲西域都護，都護府設於烏壘城（今新疆輪台縣東）督察烏孫、康居等三十六國。至是匈奴更弱了，不敢與漢爭西域。西域都護是宣帝創設的，鄭吉則是第一個做西域都護的人。都護的權責爲：「動靜有變以聞，可安輯則安輯之，不可者則誅伐之。」漢朝的號令，這纔能班行西域。

甘露三年，正月匈奴呼韓邪單于來朝，稱藩進貢。二月派董忠將騎上一萬六千人，送單于回國，並留在匈奴護衛單于，幫助他誅伐不服的人。宣帝以夷狄賓服，思念輔佐功臣，乃建麒麟閣，圖畫他們的相貌於閣中，署明官爵姓名，以霍光爲首，對他特別尊崇，稱官爵姓氏而不名。其次是張安世、韓增、趙充國、魏相、丙吉、杜延年、劉德、梁丘賀、蕭望之、蘇武共十一人。

宣帝時號令班行西域，匈奴稱藩進貢，諸羌也討平了，漢業之盛，已達顛峯狀態。須知這都是他曾祖孝武帝用兵於匈奴，遣使西域打下的基礎。宣帝不費大力，便收穫了這麼的果實，所以我說他後福大矣。

宣帝對百姓關懷備至，常將「假公田、貸種食」辦救濟，免賦稅，重視教化，獎勵義行。因此他的時代可說是國泰民安。

黃龍元年十二月，宣帝駕崩。他十八歲即位，在位二十五年，享壽四十二歲。班固於漢書中贊曰：「孝宣之治，信賞必罰綜核名實。政事、文學、法理之士咸精其能，……亦足以知吏稱其職，民安其業也。……功光祖宗，業垂後嗣，可謂中興，侔德殷宗周宣矣。」班固對他沒有一字之貶，而他也的確是一代賢能之君。（完）

中國哲人簡介之一

楊朱

張起鈞

前言

編者按：作者張起鈞教授嘗著「中國哲學史話」一書，馳譽中外。三年前國防部且曾批購六千冊分贈三軍高級將領。因請其就此題材，撰寫「中國哲人簡介」，以饗讀者。同時爲避免呆板，並增加趣味起見，人物之取捨，先後之排定，並不悉循常例。譬如孔孟之偉大重要，然以其家傳戶喻、人盡皆知，故暫存而不論。其他體例亦皆猶是。

×　×　×

當孔子率領學生，奔走天下的時候，就有些散居各地的隱者，對孔子的救世奮鬥，時加譏諷，對孔子的「知其不可而爲之」，採取了相反的態度。他們隱居山林田野，悠遊自得，只求獨善其身，而不問世事。

這些消極避世的隱者，就是道家的前驅。他們的思想，經過楊朱的一番整理與發揮，才有系統的學說出現，一時使道家思想流遍全國，與儒墨兩家爭奪天下。

就由於楊朱是一個不求聞達的隱者，所以我們對他的身世，毫無所知。他的著作，也早已失傳，今天我們只能在孟子、淮南子及呂氏春秋三本書上（因爲這三本書都提到楊朱的思想）去揣摩他學說的大畧輪廓，體會他救世精神的所在。

他認爲孔子與墨子的苦心救世，對於多事的世局，不僅無法解決問題，反而更加深了紛擾與不安。儒家尚「禮治」，墨家倡「兼愛」，必使社會日趨複雜，人人相互干擾妨害，試問如此，天下那會有安寧的時候？依照楊朱的看法，天下所以大亂，就由於大家不安份守己，妄圖干涉別人的緣故，所以他們大唱反調，提出「爲我」的主張。

他要人人自愛，各自爲我，誰也用不着管誰，不用愛別人，也不要干涉別人，人人守在自己的小天地裏，聽任自己的愛好，去度過自己寧靜的一生，那麼天下自然太平。

大辯論家孟子，攻擊楊朱是無政府主義，破壞了國家，與獸無異。因爲楊朱太過於自私，自愛自己的毫毛，而不顧整個天下人羣而安危存亡，但楊朱的學說，能夠籠罩天下，決非偶然，一定有獨特的道理存在。試想人人都已知自愛，又何須互愛，這個世界本就多事，人再想去愛他人，利天下，反而會得到相反的結果，害了他人，亂了天下！倒不如人人自愛，各自爲我，大家相安無事，反而可以在根本上，消除了人間一切矛盾問題的存在。

就拿孟子罵楊朱的那句話說吧，「拔一毛而利天下、不爲也」，這就是個頂好的說明，這句話表面看來是自私自利達於極點了，但眞要推行起來，却是一套救世的辦法。怎麼講呢？原來「拔一毛」是說害之小者。「利天下」是說義之大者。花費一點微末犧牲，以換來利天下的重大收穫，這是太合算的事了。但是楊子的主張是「不爲也」。因爲一毛雖屬微末，乃是「我」的一部份。利天下雖是大義，却是身外之物。爲什麼要爲一件身外之物。爲什麼要爲一件身外之事，而來損害自己呢？這在「爲我」的主義下，是不允許的。因此才不管收穫多豐，利益多大，都是不要去作了。——這是「拔一毛而利天下不爲也」的字面意思。我們若從此意引伸，則拔「一」毛都不肯，那麼拔「兩」毛，拔「三」毛，當然更不肯了……如此推下去，若到很有犧牲的事，那就絕對不肯了。如此兩面對照來看，試問若從「爲我」之道；誰還肯勞心費力，去作於世無益之事？誰又肯損人害己，去作傷天害理之事？同時假如有國家的話，又那個肯去興師動衆肆行侵掠？因此依照楊朱的看法，假如人人都信奉「爲我」主張，都能作到「拔一毛而利天下不爲也」，則世間便無紛擾侵害之事發生，既無紛擾侵害之事，豈不天下太平，歸於寧靜？到這時，人們所面臨的水深火熱局面，自然可以平息，一切混亂嚴重的問題，自然不解決，而自得解決。而整個的世局，便可以得救了。試看這是多麼簡單易行的辦法啊？正因爲說得如此動聽，所以才「天下之言不歸楊則歸墨」了。

隱者的思想，由楊朱開始，已成爲救世的主張，他要人人恬淡自足，就是自救救世的秘方。

墨家是儒家的反動。楊朱又是墨家的反動。墨家有火一般的熱情，楊朱却像水一般的冷靜。墨家的「兼愛」，是「摩頂放踵，利天下爲之」；楊朱的「爲我」，是「拔一毛而利天下，不爲也。」在學術思想史上，這是兩大極端，但在救世的精神上，却是異曲同工，各擅勝場。他們的學說，雖然各有偏頗流弊，難以通行天下；但在亂世中，墨家會給我們熱情的鼓舞，在絕望中，道家會給我們精神的安慰，使我們能再鼓舞起勇氣，運用高度的智慧，重新邁向坎坷漫長的人生旅途。

三日春秋

薩孟武與地心吸力

·厚安·

台灣大學名教授薩孟武，爲人很幽默。

他生平無別的嗜好，只喜歡打打小麻將。他的技術並不太高，牌品也不錯，所以「搭子」很多，久賭神仙輸，他每個月在牌上送出去的錢可不少。有些人很替他覺得可惜，因爲這些都是辛辛苦苦得來的。但他並不作如此想，並且說：「這沒有什麼！我的錢，由黑販進，由白板出，是很公道的事。」

因爲打牌，有時夜晚睡得很遲，如果早上頭一堂就有課，便會顯得有些忙亂。有一天，他睡失了時候（即是在應該起來的時候誤了時），他的責任心很重，怕誤了課，忽忽忙忙地拉一件藍布大褂穿在身上。因爲太忙，大褂的袖子是穿進去了，內衣（小褂）的袖子並未穿進，只是貼在大褂子內。路上坐在車中，還沒有什麼，到了講堂，人一走動，手臂一上一下揮動，那件白洋布小褂就不客氣了，於是漸漸下移，最後落在地下。學生嘩然大笑，他很鎮靜地說：「這是地心吸力太大！」

他爲人的機智與幽默，常常是這樣的。

我與他訂交在三十年以上。開始是我主編「中央時事週報」，由王新甫兄介紹，去向他拉稿，他住在田吉營，樣子同今天差不多。答應給我寫一個長篇，就是「水滸傳與中國社會」，那是一篇很好的文章，一共列了二十多期，當時十分叫座。他是治社會史的，他用中國社會史學者的眼光來看水滸傳，說出些人家說不出的道理，析解入微而又頭頭是道。不是像他那樣精通的人，是無法辦到的。這本小冊子現已在本省的三民書局出版，讀者如果有興趣的話，不妨買一本看看。

他近年的力作，是中國社會思想史，是一部很成熟的作品，曾得到中山文化學術獎金五萬元。最近手氣不大好，大滿貫都報効在白板上了。

他雖然素性平易，但頗富正義感。在某些集會上，他常大聲疾呼，圖挽頹風。他的爲凌波加冕，出於玩世，也由於無聊，因爲他本是一位有抱負而熱血的人！（完）

政院省府均有改組訊

台北市長易人說不確

·董尚書·

台北消息：傳聞中之行政院局部改組說，近又囂塵上，據說：副院長黃少谷專任國家安全會議秘書長，將免去政院副院長一職。內政部長徐慶鐘將被調任有教育部長閻振興，內政部長徐慶鐘。其次爲台灣省政府主席黃杰，將調任爲行政院副院長，國防部副部長馬紀壯，調任爲台灣省主席，再爲台北市長高玉樹將與內政部長徐慶鐘對調，亦有與僑務委員連震東對調之說，或繼杭立武之後出任駐泰國大使，惟上項傳說，尚難求得證實。

省府，前此有所聞，近又繼起此說，似非空穴來風。至台北市長易人之說，曾有人士分析，高玉樹續職事，求諸決策方面人士證明，並無此說，惟因其傳說循環，來由偶爲對其左右表示倦勤之意，故其左右即爲假想其出處，因此有此傳說。據一般推斷，北市升格，將逾周年，一切在初造，但亦歸併之六鄉鎮，亦始完成建制，高玉樹市長對建設之著意，亦甚積極，所傳調職說，目前似不可能。

狂牛掙扎曲

◁胥端甫▷

戊申六月十四日晨三時四十分、台北蘭州街屠宰場一頭待宰水牛，見已宰之牛羣滿地，一片血腥並聞牛哭猪號，突然牛性大發，遂掙斷繩索，作死亡之最後掙扎，在屠場狂奔三小時，六時三十分，衝出屠場，奔跑達十餘街道，驚動北市三、五、七、八等警分局、受彈十八發，最後到昆明街倒地，已十二時三十分矣。據徐萍華女士言前上海電屠場、牛排隊待宰，一牛跪地、眼淚橫流，某君見之，終身不食牛肉。內子云：巫溪與奉節交界，有地名五里碑，巫溪不食牛肉，牛皆販入奉節屠宰，而牛一到五里碑，即跪泣不走、是天下物豈人獨靈哉。是日天文台報有牛生日之記載、是牛也，又何幸歟？六月二十日中央日報載響還寫「牛鑑」者，蓋以作人鑑矣。曲曰：

物豈人獨靈，人靈莫牛篤；有足不解蹄，有角不皆觸（陳造東堰牛詩原句）；物豈人好生，有生皆惡死，食牛寢其皮，圓顱殊冷齒。一自虞舜耕歷山，從古不辭稼穡艱。日引耒耜給穀粟，於人有德嗤冥頑。更美太牢肆刀俎、屠門臭嗜血腥斑。臨危掙踏瀛洲市，閧風倜倜愁心顏。畢竟難禁槍彈利，那緣萬鈞力已孱：嗟爾靈性殊儕輩，浩然牛性留兩間。我讀溫公冤牛問，槃虎護主忠勇奮，主活功牛竟殺身，精衛冤禽留古韻。痛以人牛例胞與，牛見殺身何足數？君不見今古人屠盈史書，又不見大陸山河縱豺虎，同類相殘更眼前，滅性何分智與魯，開燈重讀雁南飛（余舊作調名），心傷拚落淚如雨。欽狂牛、氣虎虎、爾淚咽不彈、淚多我愧汝，幸與不幸間，更見牛有譜，牛有譜，人忘祖，牛鑑文、義堪取、痛物傷人夜更深，起聽鄰更正五鼓。

中國文化十講序

——文化千頭萬緒並非一成不變

·錢穆·

我去年八月曾在空軍松山基地作過一次講演，題爲反攻復國前途的展望。十月來台定居。十一月又赴空軍各基地作巡迴講演凡八次，以中國文化爲中心分講八題。空軍總部政治作戰部整理各次錄音，送我校改，集爲一書。並增附我在三軍聯合參謀大學一次講演，題爲中華文化中的武功與武德。取名中華文化十講。

講述文化，必從兩方面入手。一則文化千頭萬緒，必其從各方面各部門分別探究，而認識其相互匯通，以合成一大體系。二則文化非一成不變，必從其歷史演進中分別探究其隨時因革損益，以見其全體系之進向與其所以得失長短輕重之所在。我在對日抗戰時期曾寫中國文化史導論一書，即從此兩點着眼。

共匪竊國，初次來台，曾在師範大學及陸總政戰部作過兩番連續性講演，均記錄成書，一爲文化學大義，一爲中國歷史精神。嗣又在國防研究院講民族與文化，亦將講演記錄成書。此次空軍講演，乃我對中國文化作有系統講演之第四次。每次所講內容，均從某一角度，偏重在某一方面發揮。雖可相通互足，而其着眼與側重點則並不全同。讀我此十講者，倘能再看我以前之各集，庶於我所闡說有一更完備之瞭解。

我此次徧歷空軍各基地，獲與各地官長士兵接觸，參觀其各項設備與活動，深信我空軍健兒精神飽滿，志氣壯旺，退足以保安全，進足以勝任反攻復國之大命。並使我更益深信我中華傳統文化精義，實無背於時代潮流，而仍有其更高更大之啓示。即以我所目視之空軍生活而言，亦可有不少之例證。

我常愛讀唐以下各派禪宗祖師們與宋明理學諸儒之語錄，尤其關心性修養方面，認爲此乃我中華文化傳統精要所在。此次到空軍各地，雖屬匆促經行，却覺空軍生活實有堪與禪宗理學之所揭示相證發者。從前禪宗及理學家修心養性，有一共通主要之點，厥爲空諸所有，繫心一處。理學家說敬說靜，敬即教人心主一處，無時無地而不心主一處。靜則教人心主於一了，更不爲其他外物所動。理學家所反對於禪宗者，禪宗祖師們只求繫心一處，而不復求此心之用。故理學家謂之有體而無用。有此能繫一處之心是爲體，而此心落於空虛則無用。故又謂其彌近理而大亂眞。今我所視空軍生活，其實亦是要緊心一處，然而却緊在一眞實有大用處。試問駕駛飛機，升空臨敵，在箇人則是一死生關頭，在國家民族文化傳統則是一存亡絕續關頭，豈止軍事上之或勝或敗而已。若非心在一處，焉能勝任而愉快。

我觀空軍各休憩室，均稱待命室。一當命下，即有緊急之動作隨之，其間不容以瞬。

孔子曰：不知命，無以爲君子。人生實各有一大責任大使命。若我們知得有此大命在身，自然會無朝無夕，無憂無怨，而此心常主在此。常動即是常靜，常靜即是常動。動靜一致，使此生命永恒圓滿，無虧欠，無間斷，此乃人生最高境界，亦即人生最高理想。

空軍某一軍官告我說：每一基地，地勤空勤，各有分職，而莫不緊密相關，聯成一體。若一人一職疏失，即可影響到全體之各部。我又參觀某一基地，其士兵終日夜坐暗室中監視雷達，稍有蹤影，即徧告各地。其所任職務，極單純，又極嚴肅。若論其部隊之本身生活，則可謂乾枯之至。然其在全軍中之任務，則實是機動之至。空軍後方如前線，平時如戰時，故能使其全部隊人人具有緊密聯成一體之警覺。使人人各自繫心一處，而其各別繫心之處，則相互會合，融成一體，而後可以完成空軍全體之一大使命。

我又參觀空軍架機升空之種種衣裝設備。在其一身，自頂至踵，幾成一機器人。其機上座位四週，則完全是一機器世界。人則在此機器世界中，全仗一心指揮運使。科學愈進步，機械愈發展，在此愈益唯物之環境中，乃愈見心靈活動之重要。物則依心爲主，心則與物爲體。宋儒萬物一體，民吾同胞物吾與也之格言，在空軍生活中，豈不更易具體指陳其內涵意義之眞實性。

我因此次到空軍各基地，遂更親切悟到中國禪宗與宋明理學家所發揮之心性修養，實非僅在深山寺廟中與夫私人之書齋書院中的一番閑談論閑工夫。即這現代最機械，最緊張的鬥爭場合中，依然同樣需此訓練，同樣合此教義。空軍如此，海軍陸軍事可例推。軍隊如此，工商實業界亦可例推。軍事與經濟如此，政治教育乃及其他一切文化要項，同樣亦可例推。要言之，我們歷史上唐宋元明四代禪宗理學家所言心性修養工夫，既可通之現代最機械最緊張之空軍生活，豈有不能通之其他職務乃及一應日常人生之理。我中華文化傳統中所言之心性修養，更當上溯之於先秦儒道兩家，而更主要者則爲孔孟教義，此誠我中華文化主要精義所在。只要我們每一人從其各自崗位上，能善加體會，善加推擴，上達至於全民族全人類之文化大體系上，而心知其意，則凡我中華先民哲之所啓示，其在人類心性精微處，在人類生活廣大處，早已提綱挈領，抉發出大義，揭露出其要旨，爲我們奠下了一基礎，指示了一大道。

莫要說我們今天該是一民主社會了，其實民主社會仍需要此一套人生之大理論與大方向。莫要說我們今天該是一科學時代了，其實科學時代亦仍需要此一套人生之大理論與大方向。而要走上此大方向，實現大理論，則有特於吾們人人各自有其一番心性修養。惟此最爲我中華文化傳統對全世界全人類文化前途有其大貢獻之處。我此十番講演所特別着眼注重之點，亦正在此一角度上。因此在本書出版之前，即本我此次講演時親所悟得，略加闡說一。以備關心文化復興一大任務者繼此作爲其同進一步之研究。

我此講演集之得以問世，首當對空總政戰部之邀約，及其錄音整理成爲初稿，以及其後代爲出版諸事，敬致我衷誠之謝意。

——中華民國五十七年二月二十一日

錢穆識於台北金山街寓廬

詩選

大貝湖歌

易君左

君不見：台灣南部有名湖，厥名「大貝」人爭呼，我來屏東市數日，首遊此湖一家俱。環湖一週車行徐，湖波瀲艷垂楊舒，紅蓮一片萬花發，青青蓮葉露含珠。十年不見江南景，此景不與江南殊。西湖歌舞成陳迹，此地亦非宋南都。漢有昆明與昆陽，中興大業在茲乎！湖風不吹遊人醉，遊人自醉堪欷歔。秦人不使六國哀，六國自哀將如何？遊斯湖者有同慨，但能惕奮即歡愉。樓臺猶識漢旌旗，花木似垂唐流蘇。重耳去國十九年，文王百里殷爲墟。放懷今古一長嘯，易車而步路盤紆。張君殷勤爲導遊，以湖養湖佩辛劬。三日不見當刮目，何況離台十載餘。高歌一曲五雲開，江山錦繡文章鋪。

生活漫談

應酬不赴「鴻門宴」

——「空城計」裏無美酒

心理衛生，又名作精神衛生，（Mental hygiene）它的功用是保持心理的或神經的健康，進而達到生理健康。心理不健康的人，身體很少會健康的，因之凡注意身體衛生的，就必須要講求心理衛生。

人類的主要情緒，大體上分喜怒哀樂等，這些情緒都可以直接影響於身體的各種生理機能，營養爲食物對於生理上的一種綜合作用，所以直接受情緒的影響，如果人的精神很壞，無論吃甚麼好的東西，營養亦不會被吸收，換句話說：就是無補於身體。

吃飯的時候，精神必須愉快，絕對忌諱在飯桌上考慮嚴重問題，及討論不愉快的事件，歷史上的「鴻門宴」和「空城計」裏所備的珍饈美酒，作爲政治工具則可，眞要吃那種情緒下的菜和飯，吃下去腸胃不會消化的，而且會嚴重的妨礙消化和吸收機能，減少食物的營養價値，所謂不消化者，就是腸胃被緊張的情緒影響，蠕動會停止，消化液的分泌減少，這些話並非如小說家的想其然也，而是研究心理衛生及生理衛生所得的結論。

賢能的父母親，決不在進餐時及飯前飯後教訓和責罰兒女，或討論有關子女訓導事項，以免兒童消化不良，做父母的在吃飯的時候打孩子，即等於替自己的孩子增加暗病。這暗病甚麼時候發不得而知，有的會待成年後才發現，但暗病的播種，得歸功於粗魯的父母。賢能的父母不僅不在吃飯的時候責孩子，而且對於兒童的選擇，配合與烹調，都必須隨時變換，使色香味美觀又可口，以增進兒童欣賞食物的興趣，而促進其食慾。

聰敏的醫生，對胃病的治療，必先使病人的注意力轉移到其他事項，忘記自己的病症，這種心理治療又稱作精神療法，往往比藥物治療還有功效，有些消化不良的病人，對自己的食物圈子越劃越小，結果被認爲可吃的食物，極端有限。像這樣生活於很有限的幾種食物的人，他們所得的營養素，尤其是鈣及維生素，必感缺乏，往往引起營養不良，而使精神系統受不良影響。爲醫生的人，如果不除去病人這些恐怖心理，豈不是病愈演愈重嗎？

國民黨的功臣陳果夫先生，早年二十歲左右時，就患了結核病（Tuberculosis）結核病由於受桿狀結菌之害，爲一般人所熟聞而恐懼者，凡患有結核病的人，尤其早年得的，很少能活過四十歲的，可是陳果夫的堅强意志戰勝了病魔，直活到六十幾歲到台灣後才去世，陳先生戰勝病魔全靠心理衛生，對醫生所囑的遵守事項，聽得很少，醫生要他少說話，他偏要淘淘言講兩三小時。不過陳先生營養學很注意，平日吃飯對維生素AD及磷、鈣，均很豐富，多食牛奶及魚肝油鷄肉蛋之類，一生不食有刺激性食物，烟酒、濃茶、咖啡等。由於懂得講心理衛生及注重營養關係，早年患肺結核而能活到六十幾歲，可算是長壽的人了。

——馬騰雲

禪學黃金時代

壁觀婆羅門——達摩

我們都知道，禪宗的眞正開創者是慧能，但在當時已有達摩及其後繼者的傳說。由於前人對達摩的記載紛紜不一，因此今天我們已無法知道他究竟是誰、究竟在什麼時候來到中國。有人說他是波斯的和尚，在西元四八〇年來到中國，也有人說他是屬於南印度的波羅門族，在西元五二七年來到中國，死於五三六年。在本書中，我們無須去爲這兩種說法辯證，不過後一種說法在慧能當時已流行，而且確認達摩曾見過梁武帝。究竟這種傳說含有多少史實，雖不可知，但卻爲唐代的禪師們所公認，把它當作活的傳統。

依據這個傳統，達摩於西元五二七年到了中國南方，便被梁武帝邀到了首都南京，這位信佛虔誠的皇帝便問：

「自我登位以來，建了不少廟，印了不少經，供養了不少和尚，是否有很大的功德」？

達摩回答說：

「沒有」。

梁武帝奇怪的問：爲什麼沒有呢」？

達摩回答說：

「因爲你所做的只是一點世俗的小果報而已，談不上眞功德」。

梁武帝又問：

「那麼，什麼才是眞正功德呢」？

達摩回答說：「眞功德是最圓融純淨的智慧，它的本體是空寂的，你不可能用世俗的方法去得到它」。

梁武帝又問：

「那麼，什麼才是聖智呢」？

達摩回頭說：

「廓然無聖」

梁武帝不禁詫異的問：

「既然無聖，那麼？你是誰」

達摩回答說：

「不認識」。

達摩發現梁武帝和他沒有緣份，便渡過長江，到了河南的嵩山，住在少林寺中，據說他整天的面壁而坐，有人便稱他爲壁觀婆羅門。①

·吳怡·

自由報

第八十七期

中華民國僑務委員會頒發台穀新字第三二三號登記
內銷證內僑警台報字第031號
中華郵政台字第一二八二號執照
登記爲第一類新聞紙類
（半週刊每逢期三、六出版）
每份港幣壹角・台灣零售價新台幣弍元
社長李運鵬・督印黃行審
社址：香港九龍登打士街91號十樓六座
91 DUNDAS ST. 9th FLOOR,
FLAT 6 KOWLOON H. K.
電話：857253　電報掛號：7191
承印者：大同印務公司
地址：香港北角和富道九六號
台灣總管理處
中華民國（台灣）台北市大同街119號
電話555395・557474
駐台灣代表人辦事處
台北市公園路二十八號四樓
電話：20454・62625
台灣分社：台北市西寧南路110號二樓
電話：三〇三四六
台郵撥儲金戶九二五二

善變日新的中國

——國史漫談之二——

・錢穆・

通籀國史，覺我民族實爲一善變之民族。而我國之所以歷久不弊，亦唯我民族善於自變以爲適應之故。輓近國人每疑自己爲一頑固守舊，不喜改進之民族，此固由於淸季海通以來國人求變之心切，（至於最近我們何以急切不能變出成績來，則當另論。）而另一原因，則由於輓近國人不悅學之風氣，對本國以往歷史實少研尋也。

國人每謂我立國於東亞之大平原，環我而處者皆蠻夷，其文化力量遠不逮我，遂以養成我固步自封，自尊自傲的態度而永不變進，其實任何一民族一國家，其政治文化，並無歷數百年而不弊之理。若待其民族國家內部之文化政制等已臻腐敗，則如果熟魚爛，並不要外面再有他力，其自身生命即趨毀滅。當希臘人戰敗波斯之侵畧以後，其外面亦何嘗有文化力量更高於希臘之民族。然而一馬其頓即足以呑併希臘而有餘。當羅馬人戰敗迦太基之勁敵以後，其外面亦何嘗有文化力量更高於羅馬之民族。然而北方蠻族即足以蹂躪羅馬而有餘。何以故，由於當時希臘羅馬內部文化力量早已腐敗衰息故。且希臘爲馬其頓所併，羅馬爲蠻族所破，此後即難再起，何以故，亦由其內部文化力量早已腐敗衰息故。希臘畧當我春秋時期，當時所謂南蠻北狄，中國之不絕如綫，微管仲，我其披髮左衽矣。當時中原諸邦雖遭外患，而猶能保全自己文化維持於不弊。及秦漢之際之匈奴，更爲中國當時之大敵，試問萬里長城之國防工作，較之羅馬之驅逐高盧人於波河與阿爾卑斯山之外者，其艱鉅之相異爲何如。

阿提拉之統率匈奴人以縱橫馳騁於歐洲大陸者，其先則由爲漢人所逼而西遷。可見中國之所以得保存其文化，維持其國家，歷久而不弊，並非在四圍之無强敵，乃在其自身內部之別有一種原因。此原因維何，即其文化力量之不致於腐敗衰退是也。何以希臘羅馬之文化力量經過一相當時期即歸於腐敗衰息，而中國獨不然，則以中國民族較爲善變之故。請再具體詳言之。希臘之有雅典與斯巴達，可謂其城邦文化發展之極至矣。然城邦文化發展至一相當時期之後（即發展至一相當程度之後）此種文化即難再繼，雅典斯巴達人不能再從城邦文化變進，而終自束縛於其城邦文化之故套中，則宜乎其卒歸於毀滅。

若論春秋時代中原諸侯之去國規模，亦與希臘之所謂城國者相等耳。（此層史綱已言及）其後經戎狄侵陵，而諸夏大結合以爲抵抗，於是有齊桓晉文之霸業，此則如希臘諸城邦之有伯羅奔尼撒聯盟，及後來亞該亞聯盟及揆陀利亞之聯盟也。然春秋諸夏之聯盟，爲由城邦轉進入於新軍國之一種過渡。（此層史綱已言之）而希臘諸邦之聯盟卒無成就。是春秋時期中國民族之善變，而希臘人之不善變，即可知也。故希臘人之文化，始終狹窄在各一城圈之內。雅典爲其最大之一城，其居民最盛時，殆不過三十萬。其他則鮮有過五萬者。其中半數或大半數爲奴隸與客民，平民中三分之二又爲婦女及兒童。

春秋初期中原諸侯，其國家規模亦復類是，（此層史綱亦畧言及），然至戰國則大不然。即就臨淄一城言，已達七萬戶，戶三男子，勝兵者二十一萬人。（此皆平等之公民）而齊之爲國共有七十餘城。（中央之與地方，亦異於征服者之與其領土）試讀蘇張策士之文，其估量各國之疆土財力與武備者，可見其時新國家之外貌，與其精神，固已煥然與春秋時代不同。惟其經此一變革，遂使當時中國民族之文化益得發皇滋長，而無淪亡於蠻族之懼。今人讀希臘雅典斯巴達之紀載，輒驚異歎賞其文化之高。其時當爲中國諸侯魯衛齊晉宋鄭諸邦，亦復各有其獨特面貌（此層史綱亦畧言及）惟不知希臘諸邦之趨於極端，故能調和能變通，以開後來之新局。

蘇格拉底柏拉圖在雅典之講學，亦爲治西史者所豔稱，然以與臨淄齊威宣王時之稷下先生講學事業相較，則規模之大小，亦迥不相侔矣。（此專就外面世態言。並未涉及所講之內容。重在證明當時中國人意態之開展。至關於稷下講學詳況，拙著諸子繫年，有所考訂，茲不贅述。）總之，希臘人未能超出自己城邦之範圍，故其演進不得不告一段落。中國則自城邦躍進而爲新國家，故其文化猶得綿延，此即兩民族善變與不善變之客觀事實也。

再就羅馬論之，羅馬其先亦希臘式之一城邦耳。其後乃力征經營而成一大帝國，然馬上得之，不容以馬上治之，昔人之所以告漢祖者，而惜乎羅馬人不之知。羅馬政制，非此所能詳論，姑就其軍隊一端言之：羅馬軍隊本由農民武裝而成，軍罷則解甲歸田，無所謂傭兵。逮第二次腓尼基戰後，而始有特別屋養之長期兵，自有此種軍隊，而漸有所謂軍閥出現。迄乎其後，則軍人即成富人，而軍閥則爲皇帝。皇帝常爲軍人所擁戴，而富厚之騎兵，即以軍閥而兼財閥，掠奪各方之貨賁，盛養奴隸以事生產。所謂軍以此始，亦以此終，羅馬之驕奢淫佚以趨於滅亡者，大要在此。

反觀中國，秦人雖稱以兵力滅六國，然秦政府之卿相大臣，所與謀國事者，如呂不韋以及李斯之類，皆東方之遊仕也。（秦政府乃東方文化與西方武力合組而成之政府，此層史綱已言之。）此已與羅馬社會之付希臘奴隸以教育之權者意態遠別。秦人不久而亡，此不詳論。漢興，軍人世襲封侯，與宗室外戚分握政權，而社會上則商賈遊俠，（變相之富人。）各摻一部分之勢力。然一到武帝之世，漢與未百年而政治社會上下形勢俱已大變。在上則宗室外戚功臣（即軍人）皆已消失其特殊之地位，而在下則商賈與遊俠，亦復消聲匿跡，蓋漢廷已確立一種新的文治政府矣。（此在史綱已詳言之）漢人內部之問題既解消，乃得轉移其精神與力量以對外，（此猶羅馬貴族平民之爭得一解決，乃得展擴其國力向外與迦太基爭衡也。惟羅馬尚在城邦時代，而漢武帝時已爲大一統之全盛期，此其異。）然武帝一面出師討伐匈奴，而一面則獎與文治，晚年栽抑商人，並下輪台之詔。至其昭宣，承之而有不斷向外發展之武力，仍可能，則已力求節制，而漢廷之文治之派，（如宣帝[illegible]廷臣對陳湯甘延壽之意見可見）。

（下轉第四版）

你禁我不禁

各懷不測心

昨日與明日

閒話台北市政

作爲一個台北市民，提起台北市政，眞是感慨萬端，忿懣莫名。如果我可以實施罷免權，一定提議罷免現任市長高玉樹；如果再度選舉，我決不再投高玉樹的票。不幸，由於台北市升格爲特別市，台北市長升格爲特任。區區市民的基本兩權：選舉權和罷免權都喪失了。雖非自願，但也莫可奈何。不過，言論權總還沒有喪失，故而漫話台北市政，敬請高明指教。

髒與亂

用髒與亂來形容大台北市，無人認爲過份，甚至連台北市長高玉樹在內。環境衛生之壞，交通秩序多糟，是最受人指謫的。這樣一個髒兮兮、亂糟糟的市容，高市長常常遊列國，曾經看過有多少國家的大都市如此？像這樣的都市，怎能算做現在大都市的水準？如何積極解決這髒與亂、應是台北市政最切要的工作。

擠與急

擠與急是台北市民另一感受。百三十多萬的市民，半數以上都是靠「大巴士」來解決他們行的問題。可是台北市公營的公共汽車辦理的最洩氣了，市民們乾脆叫他們爲公共「氣」車。車輛供不應求，車內經常擁擠不堪，而且車次不夠，常令顧客焦急等候，往往超過十多分鐘，甚至半小時也不見來車蹤影，而過站不停，乘客沒有上好車，或沒有下好車，車掌就按鈴開車，致造成摔傷人的慘劇，等等情事，更不一而足。現代人的生活，行的問題該是何等重要。都市公共交通工具，攸關大衆福利，又是何等重要。坐小汽車的市長已忘淨爲大衆謀福利的競選誓言乎？

何必表面文章

台北有幾條大馬路的人行道，近來都改鋪了紅磚，甚至原來修得好好的柏油馬路，都被毀破，改鋪紅磚，如總統府門前大馬路是。市民非常懷疑：這是必需的嗎？爲美化市容嗎？既非事實，也無必要。這簡直花的冤枉錢。納稅的市民舉手反對。台北市政急待舉辦的事項太多了，何必來此表面文章？我們也要質問台北市議會諸議員：你們那裏去了，爲什麼不替市民多講幾句話。（敏）

敬質台北郵局

台北郵局局長先生：本人在本年六月初用郵局劃撥方式存入新台幣二百元與貴局集郵組帳戶，註明購買清明上河圖郵票，遲至七月十五日纔收到貴局集郵組寄來該項郵票一套。中間曾電話詢問，承貴集郵組人士見告，至少可寄十套。結果祇見寄一套。不知貴局如此辦理，有何根據？本人寄存二百元，寫得明明白白購買清明上河圖郵票，爲何少寄？是否因爲市面發生黑市，經辦人員另有別情？本人爲愛護我國郵局名譽，敬請局長先生徹查並公開名覆。

正義　七月十七日（讀者投書）

自由談

不忍卒讀

書報雜誌原是知識份子的精神食糧，不可一日不閱讀也。但有幾種文字我實在不忍卒讀，只好割愛了。

一是達官貴人的文告或講詞，長篇累牘，說的不是官樣官腔，便係反共救國一類的八股制藝，陳腔濫調，不知所云。或勉强而讀之，胃病即爲之大作，甚至發生嘔吐現象，有碍衛生。

二是行政機關的工作報告書，資料看似豐富，圖表統計應有儘有，印刷亦極精美，有些還附譯洋文，表示摩登進步的色相。實際盡是些欺天下人以無知的宣傳品，東拼西湊，空言廢話一大堆，與事實相距不知有若干萬里之遠。浪費公帑，糟捌紙墨，教人看了就會冒起無名之火，乃以免看爲佳。

三是有些號稱爲「敵情研究」的文章，總是先作出「共匪崩潰在即」的結論，再找過去若干年月間的舊材料來說明。數年前，我在台北一種公共集會場合，恭聆某敵情專家的報告。他把共匪攪「鳴放」時期的一些婦孺皆知的事情，對聽衆滔滔解說，自鳴得意，眞所謂肉麻當有趣也。如此的敵情研究文字，稍有常識的人，亦不會感覺興趣的。

此外還有關於光復大陸後怎樣處理庶政的研究設計文章，說來頭頭是道，實則大陸上的一切社會結構，以及制度文物，早已面目全非了。對於大陸上的現實狀態，缺乏眞確的瞭解，光是憑着舊有的知識和觀念，閉門造車，結果是牛頭不對馬嘴，徒然災梨禍棗而已。

爲節省人力物力起見，以上這些文字大可以不作，更沒有印行之必要。仔細核計一下，消耗在這類作品上的印刷費，委實可觀，談到效果，乃等於零，是亦不可以已乎？

馬五先生

林語堂英譯「尼姑思凡」
僧徒憤責穢瀆佛門
函質中副為何刊載黃色文章

台北消息：林語堂自回國定居後，除經常爲中央社特約專欄撰稿外，曾於「小學國語科應正名爲國文」論戰期間，隨着「日本文化與支那文化」和「牧童騎在牛背上，邊走邊吃草」的兩大「權威作家」之後，嘔出了心血結晶的「言文一致」的高論，替「衙語」方面作了有力支柱。近且將清人錢沛思所輯之傳奇選本綴裘書中的一首「尼姑思凡」曲，譯成英文，並於曲前贅有言文一致的叙文，開頭就說：「文勝質則史，質勝文則野。古代文學觀，常重文輕質，因而成爲士大夫文學，詩詞文章是給士大夫唸的，不免逐漸脫離平常人生活及平常人的通感。只求典贍綺麗，風雅蘊藉，而內容日漸貧乏枯乾。又因此歷朝民間歌詞取而代之，英華山畿，烏夜啼之類。這些起自民間的歌曲傳奇，是充滿人生味道的，與孔子所刪的三百篇相同。尼姑思凡曲，便是屬於這一類，恐怕是以前的士大夫所不屑道的。……開場白數語，總括這曲的大意：「小尼趙氏，法名色空，自幼在仙桃菴出家。終日燒香唸佛，到晚來孤枕獨眠，好淒涼人也……見幾個子弟們遊戲在山門下，他把眼兒瞧着咱，咱把眼兒瞧着他，他與咱，咱而他，兩下裏多牽掛。冤家怎能夠成就了烟緣，就死在閻王殿前，由他那碓來舂，鋸來解，放在油鍋去煠，阿呀，由他……阿呀，由他！」曲分十闋。記者特錄內五：「又只見那兩旁羅漢，塑得有些傻角，一個兒抱膝舒懷，口兒裏唸着我，一個兒手托香腮，心兒裏想着我，一個兒倦眼半開，朦朧的覷着我」。內六：「惟有布袋羅漢笑呵呵，他笑我時光挫，光陰過，有誰人，有誰人，肯要我年老婆婆」。內八：「佛前燈，做不得洞房花燭，香積櫥，做不得玳筵東閣，鐘鼓樓，做不得望夫台，草蒲團，做不得芙蓉軟褥，阿呀，天啊！不由人心熱如火，不由人心熱如火！」末十：「從今去把鐘樓佛殿遠離却，下山去尋一個年少哥哥，憑他打我罵我，說我笑我，一心不願成佛，不唸彌陀，般若波羅。」

林先生抄下這十闋尼姑思凡曲，登載着七月一日的中央日報副刊下，惹得此間淨覺佛院僧大不耐煩，憤責中副竟然刊出林語堂的黃色文章，穢瀆佛門，特推派學僧代表多人持函前往報社交涉，中副遂將該函原文於七月九日刊出畧云：「……近日閱中副刊載，林語堂英譯「尼姑思凡」一文，使我們大失所望，因貴報向來不登這類黃色文章，也曾率先提倡報刊自淸運動者，現在居然刊登這類穢瀆佛門的低劣文章，實爲貴報貶價不少。總統蔣公提倡復固有文化，及極力改革社會風氣之際，請貴報中止發表這類穢瀆佛門文字，以免影響社會民心爲感！署名者爲淨覺佛學院學僧悟文、寬淨、宿慧等四十五人。

又中副同日載有張某爲「揚棄辯正」一文，大意云：許多報刊，都把「揚棄」、「擯棄」二字，當作「放棄」、「拋棄」的意義用。也看見一篇堂而皇之的文告，所用「揚棄」二字，竟當作「發揚」之用，而且還有高明作家，大塊作家，大學園名教授，也把「揚棄」當作「拋棄」之用，這一辭彙係創始於左翼文壇，乃襲取於黑格爾的辯證哲學，原音譯爲奧伏赫變，後改意譯爲「揚棄」。中華書局出版之辭海：揚棄，即奧伏赫變，其意「含有廢棄與表揚雙重意義，黑格爾謂一切事務，一切思考，必有矛盾，綜合相反之二思考，棄置其不合理部份，而取合理部份伸引而表揚之，即得一較高級一新思考，此種綜合之變遷過程，即爲奧伏赫變。因爲商務印書館出版之辭源，尚缺「揚棄」以及「奧伏赫變」二辭。致以訛傳訛，不求辯正。王雲五先生近發表「孔子的政治思想」一文，內有「更進一步提出舉用賢臣」，「不賢臣的辦法。這一段解釋對論語原文，當然十分正確，惟「揚棄」不賢臣定是「擯棄」之意。王先生在此地何以不用「擯棄」而用「揚棄」，是否更有深意存乎其間？抑是如一般文壇流俗的用法，而人云亦云呢？

·公孫熊·

立院修正通過勞保條例
缺點優點兼而有之
增加率太多勞工負担加重
與憲法法令頗多牴觸之處

台北消息：（本報駐台記者張健生）剛由立法院修正通過之勞工保險條例，優點與缺點兼而有之。其中最大的缺點：是被保險人所繳生育、傷害、殘廢、老年及死亡五種給付之保險費由現行之百分之三增加到百分之五，增加率爲百分之六十七，疾病給付由百分之一增加到百分之三，達兩倍，另新增加失業保險百分之二。其次是沿海養殖漁民八萬四千多人的保險費，毫無條件的由遠洋及近海漁民負擔，這是非常不合法理邏輯的立法。再次是福建省金門縣、馬祖與台北市的勞工保險業務，修正案規定由台灣省辦理，顯與憲法第一〇八條第一項第二款規定之「行政區劃」不合。

按照修正後之勞工保險條例第六條規定，勞工保險由台灣省設勞保局，辦理勞保業務，而不是由中央委託台灣省代辦金門、馬祖和台北市的勞保業務。依照現行省、院轄市、以及縣組織法規定，是不可以的，台灣省有權辦理另一個省或院轄市行政事務之權嗎？憲法和有關法令都無這樣的規定，獨修正之勞工保險條例有此例外規定，而這種例外規定之所以產生，顯示若干立法者的無知與低能。

該法之優點則包括：增列失業保險一項，擴大勞工保險之對象，增列公司行號員工在十人以上者，政府機關、學校之技工、司機、工友，均應參加勞保，而私立學校教職員、新聞機構員工、公益事業及人民團體之工作人員，均可自由申請參加勞保（按：非強制性）。增列疾病門診治療，而住院限期亦取消。所謂優點，亦係「羊毛出在羊身上」，因爲被保險人之保險費率增加了。

立法院此次修正勞工保險條例之基本立法精神，一是遷就現實，一是商業觀念，且處處爲財政而立法，致使此項有關現階段民生主義社會福利設施的政策，名不符實，極爲遺憾！

立法院會議在討論時，有兩種不同立場的意見，一種是遷就現實以盈利爲主並漠視「行政區劃」；一種是維護體制、立法政策及勞工利益爲前提，這兩種意見由辯論而「扒糞」，由「扒糞」而鬧出不爲外人所知的醜聞。

至於醜聞，是在討論吳延環委員等一百十八人所提復議第六條第十八條時，朱有爲委員的一段話，耐人尋味。他說：「大家絕不能因爲到外面去吃一餐飯就提一個復議，再吃一餐飯又提一個復議，如果這樣將置立法院於何地？立法院是國家的委員的？不是你們少數吃飯委員的？」於是，立法院又多了一個「吃飯委員」的名稱了。

立委王長慧一語道破勞工保險條例修正的主要動機和目的，是「保險費率的修正」。關於保險費率，現行法爲百份之三，行政院修正草案增加到百分之五，而立法院內政、財政、司法委員會審查時增加爲百分之八點五。俗語說：要五角給一元了。保險費提高增加勞工的負擔，可是保險人給付勞工的項目未比例增加。因此，若干立委在廣泛討論時，紛紛提出指責。

郭登敖委員說：保險制度，簡單言之，在生活方面說，是有飯大家吃；在疾病方面說，就是公醫制度。國父認爲民生主義就是社會主義，其涵義就是如此。民生主義的最高境界，是做到有飯大家吃，疾病公家醫，必須的需要公家給，這目標不但是共產國家如蘇俄在這樣做，而西方自由經濟國家，如英美亦在這樣做，而且做得甚爲澈底。保險的概念，第一、保險給付要夠，第二、財源從何處來？自由經濟國家，大概取自所得稅，有工作的人負擔沒有工作之人的生活，這就是有飯大家吃的意思，將所有有工作的人抽其所得若干，撥入保險基金內，則其基金自然充足，給付自然足夠。

郭委員認勞工保險條例修正案內容，第一給付不夠，第二保險費的財源，其一爲僱主擔百分之八十，這規定是否合理？對資方生產有無影響？有盈餘之僱主，或可負擔，但有虧損之僱主，或感負擔過重。此外，無僱主之工人，係由省市政府補助百分之三十，此實空洞之詞，究竟省市政府有無此財力，該項費用共需多少？有無考慮？否則，所謂由省市政府負擔百分之三十云云，豈非落空了嗎？而無僱主之工人，自己負擔百分之七十，那一個工人願意每月負擔偌大之保費？故將來的財源不可靠？至於失業保險問題，勞工保險條例很輕鬆的在第八五規定保險費爲百分之二，但實施地區與時間及辦法，授權行政院另以命令定之，等於虛幌一槍，並未接觸到實際問題。

關於保險費率問題：佘凌雲、郭中興、冷彭、張志智、崔唯吾、郭登敖委員等均紛紛指責。他們認爲：行政院原草案係按被保險人當月之月給投保工資百分之五計算，立法院審查會則將其提高百分之五點五，另外，對於疾病門診治療之保險費率增加百分之三，合爲百分之八點五。在立法體例上，立法院替老百姓減輕負擔的地方很多，可是加重老百姓負擔的地方，這還是第一次。立法院審查會爲何要增加？其用意何在？（勞工保險條例第十七條）。（待續）

台灣板橋鎮訊

別有洞天轎車接送！
中和鄉破獲豪華賭場
縣副議長呂芳契等人說情被拒

台北縣警察局刑警隊近拿出鐵腕作風，在中和鄉圓通路八十九號，破獲了大有來頭的豪華賭場一所，於九日凌晨被當場捕獲男女賭徒二十二人。其設備豪華處，除備有小轎車接送賭徒外，場內供應洋酒洋烟，招待周到，應有盡有，賭徒身份包括富商、公務員、權門妾婦、海員、農民以及交際花等，有遠至淡水鎮和台北市區賭徒由小轎車接運而來，賭具多爲骰子及牌九，每千元輸贏由賭場老闆抽頭三十元，日夜之間頭利數目，平均少則在四、五萬元，多至七、八萬元不等，堪稱豪華獨有。合資經營者爲林進國、吳大國、吳國華三人，並雇有著名流氓林阿松、陳榮吉爲保鑣。

該賭場被破獲後，竟有中和鄉所選出之縣議員兼副議長呂芳契，議員林建業情邀趙長江、洪吉春、曾植等議員趕到刑警隊說情，要求保釋被捕押之賭場老闆以及賭徒等，但被警方所婉拒。呂芳契雖爲呂姓大族亦爲中和鄉之「地頭蛇」，但無恆產恆業，由「氓」而「紳」而「縣議員」，因與縣長蘇清波交稱莫逆，故本年竟躍登縣議會副議長寶座，赫然炙手可熱；林建業爲南勢角新社區之土著，在中和鄉並未列入准許特種營業之規定下，而南勢角街裏竟自去夏以來創設了咖啡館，娼寮休息旅社，特種酒家二、三家之多。當林德喜新任鄉長後，曾呼籲警方，取締上項特種營業，以免都市色情泛濫，侵入善良住宅區域，以保中和淨土，因警方南勢角派出所主管與呂、林二議員交篤私厚，故林鄉長之呼籲，徒令負而已。

此次圓通路豪華賭場之被縣警刑警隊破獲，地方即盛傳，該賭場之如此囂張，顯見幕後有「名人撐腰」，迄至「副議長」呂芳契，縣議員林建業邀同趙、洪、曾議員公然出來爲賭場主人及賭徒作保，所謂「幕後名人撐腰」，固不難查出底細，但縣刑警隊能拒絕「名人」說情作保，亦屬難能可貴。據悉，這一賭場在今年二月即已開張，只是曾數易地點而已。

但何以迄今始獲破案，個中原因頗多曲折，而警方中和派出所與賭場近在咫尺，爲何沒有察覺，竟由縣刑警隊來勞師動衆呢？據說：破獲該賭場刑警隊，其中主辦本案之一位刑警，是最近由中和鄉的員山派出所主管調到刑警隊的，這位在中和作了幾年主管的刑警，他對該鄉地理環境非常熟悉，所以本案由其主辦，自然是一網成擒了。但該賭場爲永和分局轄區。該刑警過去在派出所主管任內，是屬於永和分局，這次破案，自然使得其過去上司感到難過，其中恩怨，由此更可窺一斑矣。又悉，該案主犯（賭場老闆吳國華等）已移送台北地方法院檢察處法辦，其餘賭徒二十一人均裁決五日拘留。

本報特約通訊員張樹人

英國詩人麥克尼斯

何非

麥克尼斯

英國詩人路易斯·麥克尼斯（Louis Macneice）以癌症不治於去年九月初逝世，享年五十五歲。近年來麥克尼斯的創作活動幾乎陷於停頓狀態，頗乏新作問世，所以漸漸不為青年一代所注意了，但在三十年前，麥克尼斯也是英國詩壇上最活躍的青年詩人之一。

我們都知道，在一九三○年左右，英國詩壇上突然出現了幾個年輕人，他們是牛津大學的畢業生，這一小羣最有前途的青年詩人形成了愛畧特後的新的一代，以奧登為領袖，路易斯·麥克尼斯便是他們中間的一個，此外還有斯般德，台·路易斯。這羣青年人也是背叛者，他們反對英國的現存的一切制度，思想上有些偏左，雖然在二次大戰期間他們都成了唾棄共產主義的知識份子，而且都趨於保守。

麥克尼斯是愛爾蘭人，一九○七年九月十二日生於貝爾伐斯特。他的父親是位基督教的牧師。十歲時，麥克尼斯被送到英格蘭的瑪爾巴羅學校讀書。從一九二六到一九三○年，他在牛津大學摩爾頓學院研究古典文學和哲學。一九三○年同一位叫做吉歐瓦納·瑪麗·苔麗斯·伊茲拉的小姐結婚。牛津大學畢業後，即去伯明罕大學做講師，教授古典文學，一直到一九三六年，離開伯明罕後，便去倫敦大學貝德佛女子學院去教希臘文學。同年，他同妻子「散夥」，她生了一個兒子。一九四○年他去美國，在康乃伊大學任特別講座，教授英國文學。他沒有像好友奧登和伊休胡德那樣永久留居美國，歸化美國，他又回到英國去服兵役。

除了教書寫詩之外，他還給許多雜誌寫書評，這些雜誌包括著名的「新政治家與民族」，「觀察報」，「新寫作」，「倫敦水星」，「泰晤士報文學副刊」等。在牛津讀書時，影響他最深的作家有愛畧特，喬義斯，勞倫斯（誰不受他們的影響呢？）他不大讀小說，雖然他自己也寫過三本「很糟」的小說，他認為世界上最偉大的一部小說是托爾斯泰的「戰爭與和平」。[illegible]的興趣轉移到歷史，傳記和[illegible]面。

在政治上，他「不信任任何政黨，資本主義制度必須廢除」，「反對愛爾蘭分治」，在英國總是投工黨的票，雖然他並不完全同意工黨的主張。曾參加西班牙內戰。這正是三十年代青年人流行的思想。奧登和斯般德也是如此，後來他們拋棄了左傾思想，斯般德的一篇文章敘述他為甚麼反共，收在「失敗了的神」中，這也代表他們那一代的共同的聲音。

麥克尼斯也是位勤奮的翻譯者，曾把許多希臘名著譯成英文，愛斯吉拉斯的「亞格曼農王」即其一，這個劇曾在倫敦演出，但不成功。他還寫過許多批評方面的文章，如「論現代詩」、「葉芝的詩」等。

雖然他是愛爾蘭人，但他自十歲離開家鄉後，便一直在英格蘭居住。一九三七年他曾同奧登同去愛爾蘭旅行，還合著了一本「愛爾蘭書信集」。

中國哲人簡介之二
老子

張起鈞

道家的思想，到了老子，可以說是爬登了智慧的高峯；也由於老子的道德經問世，才能使道家思想，永遠留傳後世，影響了幾千年來的中國。

道德經是本奇書，雖然寥寥，但字字珠璣，句句發人深省，那是老子高度智慧的流露，與人生深刻的體驗。對於人類的生活，以及發展的方向，都有它永遠存在的價值，足與記述孔子言行思想的論語，並列為中國思想史上最重要的兩部寶典。

過去我們中國人，對於道德經的研究，只是註解便有六百來種；而世界各國的譯本，也有數百種之多，流行的廣泛，翻譯文字之多，僅次於基督教的聖經。

道德經一方面盛行國內，成為家傳戶誦的典籍，一方面暢銷國外，備受全球學人的推崇，但是美中不足的是，到了今天，我們對於這部偉大經典的作者，還是一無所知，依然是一團解不開的謎。就連漢朝的大史學家——司馬遷，也只能在他的巨著史記裏，談談有關於他的傳說而已！不過，道家的學者，身世一向都是神秘難測的，今天我們只要知道，他就是老子，一個智慧無雙的老人，就夠了。

就因為他是一個歷盡滄桑的老人，所以他對於整個宇宙人生的現象，已看得太透徹了；也因為他有太超絕智慧，所以對於整個宇宙人生的流變，有極深刻的心得。

他彷彿高高地站在人世的最高峯，來俯視山峯底下的萬事萬物，覺得人間而奮鬥追求，不過是人們愚蠢地自尋苦惱而已！他就把這些經驗的精華，與智慧的結晶，寫下了道德經，讓自以為聰明，其實愚蠢無知的人們，能夠猛醒覺悟，而去找尋內心的平靜，與安寧的人生。

他看到整個宇宙間，充滿了美好與秩序：天地的運行，四時的更換，與晝夜的交替，莫不井然有序，偉大壯觀。可見在這茫茫的宇宙中，必有一股無形的支配力量，與永恆不變的法則。這股力量，這套法則，就是自然，也就是老子所說的「道」。

萬事萬物，都由「道」產生，在自然前進的歷程中，逐步出現。人類既出於自然，就不能與自然的力量相違抗，所以他要我們「順乎自然」。世上一切禮法制度，使我們遠離了自然與秩序，使我們違背了自然的法則，不僅不能給我們幸福，反而給我們帶來了無邊的苦痛。只有回返自然的懷抱，才能各得其所，自得其樂。

自然的運行，到了一定的極限，又會回返。所以四時變換，與晝夜更替，永不停地在流動變化。人間的強弱成敗，也是一樣，強會轉向弱，弱反而變成強，成會落於敗，敗反而走向成。我們立身處世，也要遵循這個法則，必得先處於自己所不想要的這一方，才可走向自己所想要的那一方，要想爬高，就先要居下，要想成功，就得先立於失敗的地位。

他說：「禍兮福之所倚，福兮禍之所伏。」當你失敗痛苦的時候，你不必悲傷，只要你能記取教訓，以前車為鑑，不重覆轍，雖然目前你是處在苦難災禍的困境，但「失敗為成功之母」。無形中你已一步步地走上成功坦途。相反的，當你成功得意的時候，你且慢高興，假如你安自尊高，躊躇滿志，不再努以向上；雖然現在你志得意滿，享受榮華富貴，但自驕必敗，失敗的陰影也會悄悄地掩進了你的後門。這就是老子告訴我們的「物極必反」的道理。

他又說：「堅則毀矣，銳者挫矣！」那種極堅銳的東西，最容易破毀折斷；只有柔弱的東西，才能適應環境，永遠存在這個世界上。試看颱風來時，挺立不屈的大樹，往往連根拔掉，而柔弱搖擺的小草，却安然無恙。水看來最是柔弱，永遠向下流動；不過大水來時，却足以沖垮萬丈高樓。所以老子要我們向水學習，趨下不爭，但不爭並不是失去鬥志，柔弱也決不是懦弱，只是不輕易與別人相爭，徒逞氣力而已！只有柔弱的，才能真正堅強，只有不爭，才能屹立如山，永不動搖。這就是老子啟示我們的「以退為進」的旨趣。

這個世界上的財富，本極有限，而人追逐名利的慾望，却是無窮盡，向外追求與競爭，最後必定是失望與痛苦，不如回過面來，保持自己內心的寧靜，無所求也無所爭，不為外物所誘惑干擾，無憂無慮地過了一生，才是眞正的幸福。

老子「清靜無為」的思想，用在政治，就是漢朝的「黃老治術」。西漢的「文景之治」，與東漢的「明章之治」，都是學習老子的智慧，與民生息，輕徭薄賦，不好大喜功，不妄事征伐，結果國泰民安，造成兩漢的盛世。相反的，秦始皇與隋煬帝雖不失為英明的君王，但築長城，開運河，修道路，建行宮，東征北伐，民不聊生，終於驟歸敗亡。老子的「無為」，其實就是「無不為」，不妄圖建功立業，而偉大的功業，却常常因此造成。

今天，我們學老子，並不在於他的消極不爭，而是要積極地把智慧與經驗，活用在人生的各個角落，恬淡自守，忍讓無爭，不爭小名小利，逞血氣之勇；而要「大智若愚」，懷着理想，默默苦幹，有朝一日，終會登上了成功的顛峯。

楊朱「為我」，要人人自愛，老子「清靜無為」，要人人泯除欲望，知足常樂，他們不談救世，却一樣懷有救世的精神，這就是他們的苦心與偉大的所在。

歷史人物漫談

麒麟閣中居首位的霍光

劉子清

西漢之後，我們論忠於社稷的人，每喜以伊、霍並稱。伊尹相湯王，湯崩，曾放逐無道的太甲，俟太甲悔過，再請他回來為王。霍光於武帝崩後，輔昭帝，昭帝崩，無子，光乃立昌邑王，王無道，光又廢了他，改立宣帝。他們二人為保全社稷，都曾廢君立君。這正如孟子所說：「民為貴，社稷次之，君為輕。」如為百姓，為社稷，而廢無道之君，那是儒家認為正當的行為，所以伊、霍為史冊所讚美。

伊尹乃商代人物，我們不談，我們現在要談談霍光。霍光字子孟，是霍去病異母的弟弟。他父親霍仲孺，被縣令派在平陽公主家供職，與女侍衛少兒私通而生霍去病，後來仲孺回家娶妻，又生霍光。去病為票騎將軍，過父家，帶霍光到長安，當時霍光僅十餘歲。武帝任他為郎，後還升至光祿大夫，出則奉車，入侍左右，出入禁闥二十多年，小心謹慎，極為武帝所親信。武帝晚年病重了，命人畫周公負成王朝諸侯圖，以賜霍光，欲立八歲幼子為嗣，要霍光輔佐他。武帝臨崩，遺詔以光為大司馬大將軍。昭帝即位後，光盡心輔佐，政令由光出。光為人沈靜詳審，出入行止，不失尺寸。他皮膚白皙，疏眉目，美鬚髯，天下人都想望他的風采。

左將軍上官桀與霍光為兒女親家，桀子安，娶光女為妻，安有女，和昭帝年齡差不多，同時也是光的外孫女，因此得立為皇后。桀、安父子，想藉椒房之親，與霍光爭權。御史大夫桑弘羊，也與桀、安通謀，並欲殺光，事被發覺，光以謀反罪名，殺桀、安父子及桑弘羊，光因而威震海內。

元平元年昭帝崩，光承皇后詔，迎立昌邑王為帝，不到一月，昌邑王以淫戲無度而被廢。至是由丙吉建議，立武帝曾孫宣帝，宣帝即位後，一切仍由光處分。光的夫人霍顯，欲納幼女為宣帝的皇后，而宣帝則立原妻許氏為皇后。顯後來乘機毒殺許后，乃使她的幼女如願以償。古語說：「福為禍之始，」這件事是霍光死後滅門的導火綫。當時光已知毒殺許皇后事，而又不忍心告發；並且贊成立自己的幼女為皇后，這是他一生最大的過失。

宣帝初立時，前往祭拜祖廟，霍光驂乘護駕，宣帝因光威震天下，內心有些怕他，和他坐在一起，好像有芒刺在背一樣。後來車騎將軍張安世代光驂乘，宣帝從容隨便，甚為安適。光死後，宗族盡誅，故世俗傳說：「威震主者不畜。霍氏之禍，萌於驂乘。」光每朝見，宣帝對光甚為禮敬。光於地節二年卒，葬儀隆重。光秉政前後二十年，「黨親連體，根於朝廷」，所以光死後，他的妻與子婿等，因怕毒死許后事被發覺，竟敢一不作，二不休，公然謀反，所以才有滅門之禍。光此時已死了三年，與他生前驂乘有何相干？世傳他滅門之禍，萌於驂乘，則有些誣枉宣帝了。

甘露三年，匈奴來降，宣帝建麒麟閣，畫功臣的像於其中，並書明官爵、姓名，以霍光居首位，對他只署官爵、姓氏，而不稱名，這表示特別尊敬他。就保全漢室社稷而言，霍光的確有了不起的功勞，麒麟閣以他為首，可以當之無愧。班固在漢書中贊曰：「……受襁褓之託，任漢室之寄，臨大節而不可奪，遂匡國家，安社稷，……雖周公、阿衡，（阿衡，即伊尹）何以加此！然光不學亡（亡同無）術，闇於大理，陰妻邪謀，立女為后，湛溺盈溢之欲，以增顛覆之禍，死財（財同才）三年，宗族誅滅，哀哉！」諺云：「妻賢夫禍少，子孝父心寬。」霍光死後，宗族被滅，固然他自己持權太盛，且有陰妻湛溺的錯誤，而最大的原因，還是他的妻不賢，子不孝，否則必不會有這滅門的慘痛結果。（完）

詠史

王彥

漢高帝

風起雲飛又一奇，四方猛士汝何之，英雄謾罵疑無賴，婦女識帝師丰姿，爾輩纔堪作吏耳，斯人何用讀書為，兩川曾是興王地，回首京華無限思。

成吉思汗

上帝之鞭得意初，冰霜肅肅護儲胥，樓船不放波濤沒，夷種應悲臣虜餘，今古風雲無去住，廢興人物有乘除，江山未必長如此，千丈峨眉柱太虛。

善變日新的中國

◁國史漫話之二▷

（上接第一版）

其後對於過份之富力與武力，不斷有所裁抑；（如王莽之新政與光武之拒絕西域來朝則爲其極端之例。）羅馬亡於富人政治，而漢不爾，西史家因疑漢代只在以物易物之時代，並無貨幣之發明。然西人並不明中國史，固無足怪。以求社會上各方面合理之進展。還視漢初，非宗室不得王，非有功（專指武功）不得侯，又復即以諸王侯操政治與財富之大權，如賈誼鼂錯之所痛哭流涕太息而道者，若一直如此做下，則不僅漢代政治終走不上文治之境，而我民族整個文化是否終於將爲北方匈奴人所蹂躪而毀滅，亦遭羅馬同樣之命運，實在不可知之數也。故中國文化得繼續保持乃復發揚光大而不至於澌滅消散者，就秦漢一段歷史言之，正因中國民族之善變，此又一至顯之例矣。要言之，羅馬政治上之成功，仍不脫希臘式城邦共和制之成功，而又加之以一種武力上侵畧之成功。繼此以往，則軍事與政治皆未有一種新成功以與其新環境相應，此即其不善變。

而中國則自春秋戰國，以迄秦漢，一千年之時期，其內部自身實不斷有一種努力，不斷有一種革新，以與外面（亦可說即是內）環境相適應，故得從無數小城邦逐次轉變而凝成一個和平的大一統的民族國家以直至於今而生機猶健旺也，（史綱謂秦漢統一的與文治的政府之創建，爲中國史上之奇蹟，若以希臘羅馬對比。知其言之就非虛也。）就羅馬情形與中國相擬，與其謂與漢代相似，勿寧謂其有一部分近似唐代。如羅馬政治之破壞於武力過分向外與大量之雇兵與軍閥，則其近似唐人之一端也。（漢人絕無此病。）然唐代藩鎮之禍，僅限於邊隅，驕兵之擁立留後，而尚未能染指問鼎於中央之王位。直至五代之際，則所謂中央王位，始亦由軍人所擁出。而於是有契丹耶律德光之入汴京。然周世宗宋太祖能繼續對驕兵加以裁制而重新走上文治之運，中國文化終於復興。就中國史上眞有所謂黑暗時期者，則只於五代之際之數十年中，熙乎近之。羅馬人生活之驕奢，亦似與唐人爲近，然一至宋代，即風格一變，正如蒸之盛夏。轉而有寥亮之清秋矣。西洋史必待走到極端後由他一種生機來爲之改變，如羅馬生活之後繼以基督教之修道院生活是也。而中國則仍在其民族文化之內部自身自變之。昧者不察，遂謂中國民族爲一頑固不肯變的民族。其實若照唐時之武力與生活奢侈之兩形態，繼續不變，一直走到盡頭，則即成羅馬之末日矣。此與中國之大亦有關。自一方面言之，大則不易變，小則不易變；但自另一方面言之，小而不能變，易趨滅亡消，大則一部分不能變者滅亡，而尚可希望其新失機之從別一部分中萌茁。（錢穆）

桃花江是美人窩
井帶胭脂土帶香

「桃花江是美人窩」這幾句靡靡之音，是早在三十年前由一位無聊的作曲家黎錦暉出手的，也確風行一時，現在老調翻新重來一次，在四十歲左右的人聽來，委實有些不順耳。

不過所謂「桃花江」是否有這個地方？「美人窩」是否有這回事？現在我要介紹讀者的，地方是有的，「美人窩」却是虛構，不過，桃花江雖不如歌曲所指出產美女，而女人們顏色都不壞，清潔俐落，倒也給人留一個不壞的印象。究竟桃花江在什麼地方呢？爲什麼會帶上羅曼色彩呢？諒爲讀者所關注，特簡介於次：

桃花江就狹義解，是指湖南益陽鄉間的一個市集；就廣義言，是指益陽近郊一帶的資江，昔人登益陽城樓詞云：

「桃花江上，向西風落葉，敵樓孤愁。尚有秦時明月在，點點殘山相映；桂郡南通，零陵西拒，地制湘東命；幾多蝸角紛紛，蠻觸爭併……」

是的，在這裏有甘興霸的千秋故壘，有魯子敬的蜿蜒長堤，我來江上，恰是「西風落葉」時節，聽夜月寒濤，猶作金戈鐵馬聲，這兒又何嘗有「井帶胭脂土帶香」的痕跡！

這裏不但不是鄭國的溱 之洧，相反的，却是自古人文薈萃之地。有遜清一代名臣陶澍的印心石屋，有胡林翼讀書之處的箴言書院。

竹羽

生活漫談

馮玉祥嗜食煮南瓜

·馬騰雲·

安徽巢縣伙頭軍馮玉祥，從小就喜歡吃南瓜、直到官拜總司令時仍常以綠豆煮南瓜饗客，有些高級官員對馮這一套，簡直吃不消，可是馮玉祥最怕吳稚暉揭瘡疤，這眞叫作「蛇服叫化子玩」。

南瓜果肉，含有豐富的營養成份，及胡蘿蔔色素，（Carotin）維生素B1，C及脂肪（Fat）等，瓜子仁含有脂肪(Fat）酶（Urcase）及維生素B．C．蛋白質（Proein）等。南瓜子在中藥的名稱作番瓜子，繼南瓜子。

南瓜肉極富營養，在大陸上若干缺乏糧食的地區，即以南瓜代飯，所以又稱爲飯瓜。日本侵華戰爭的末期，日本軍人在前方作戰，搜刮不到火糧，一班人發幾個大南瓜，他們就用刺刀一塊一塊切下充飢，南瓜在很多種蔬菜中，是比較有營養價値的一種，內含有維生素A．B及炭水化合物，可作菜，又可作糧食，湖南人用作飼豬，再和以米湯，(湖南人吃蒸飯，米湯藥作養豬之用），因爲這個關係，湖南的豬肉香嫩肥鮮，駕乎金華豬肉之上。南瓜子爲有效殺虫藥，南瓜肉，繼蟲照樣討厭它的味道，故常食南瓜，纖蟲被迫……[illegible]

[illegible]

三幕喜劇
事過境遷

熊式一

露：史先生，你懂得畫嗎？

史：懂得懂得，廣東話全懂，國語懂得一大半，上海話也懂得一點兒。

露：不是這些話。

史：英文嗎？我不懂英文。

露：不是什麼廣東話、上海話、英文，是圖畫的畫！

史：圖畫的畫！我表叔是開裱畫舖的，他有很多古畫；可惜假的多，我畧知一二。

露：這和中國畫有點兒不同，現在有一位天才藝術家。

史：是畫工筆的、還是寫意？

露：油畫算是工筆還是寫意呢？他畫的是油畫；從前也畫過水彩和炭筆！

史：油畫！油畫！我看過！我看過多次！可以算是工筆寫！工筆寫最好！好！好！工筆寫最好！包小姐，你……

露：史先生，怎麽又叫我做包小姐。

史：對不住，露……露西，你是不是和一位畫工筆寫的油畫天才藝術家，秘密訂了婚？

露：對了，噯，對……對了！不過暫時不能宣佈、除了我們兩個人之外。只有你一個人知道！

史：榮幸之至！榮幸之至！

露：別講了，有人下樓來了！

（兩個人立刻望着門。阿詩上，取信。）

詩：太太馬上就會下來見你，我現在到後面狗窠裏去找老爺去（下）（兩個人看見她出了門才敢呼吸。）

露：史先生，你對於人生經驗，一定很豐富，對於婚姻問題、一定很明瞭！

史：不敢！不敢！我畧知一二。

露：我要請教你、男女的年齡要相差多少，才算理想？五歲呢？十歲呢？十五歲呢？

史：（茫然）哦！怎麽呢？

露：照我的經驗看，十歲，男的比女的大十歲，最爲理想！

史：大十歲吧？包小姐、不是、露西小姐、你對於婚姻居然有很多經驗嗎？

露：對了！你看！從前那位姓宇文的、比我嬸嬸大五歲，結果很不好；後來我嬸嬸和我叔叔結婚、我叔叔比她大十五歲、結果很好；可是還不算最好，現在太極比我剛好大十歲、愛我愛得要發狂了，豈不是最理想嗎？

史：太極是誰呀？

露：就是這位天才藝術家呀！他姓趙。

史：畫工筆寫的西洋油畫的嗎？原來姓趙。

露：先是未來派、後來改爲抽象派，你說他是工筆寫、對不對？

史：未來派？抽象派？我看雖然沒有看過，倒是常聽說抽象派、最時髦、最時髦！

露：從前有一位甚麼牛綿斯馬綿斯的，現在有一位畢索加、都是世界有名的大藝術家！

史：牛綿斯，死了，死了！畢索加，死了！死了！

露：據說牛綿斯早死了，不過畢索加還沒有死！

史：死了，死了！

露：史先生，你知道他最近死了嗎？聽說他八十多歲，可能最近死了。

史：誰人八十多歲？

露：畢索加呀！他死多久呢？

史：他死了嗎？我不知道呀？

露：你方才不是連着說「死了、死了」嗎？

史：對不住，我是嗎？我忘了貼郵票，就把一封很重要的信，扔進郵筒裏去了！

⑤

禪學　黃金時代

壁觀婆羅門——達摩

關於「壁觀」兩字，有人就字面上解釋，也有人從精神上了解，例如鈴木大拙認爲「壁觀」的意思是精神集中，屏息諸緣。他把壁觀解作金剛經中所謂的覺照，這是一種開悟的境界。筆者的看法，這個「壁」字，是指我們突然面臨着一片懸崖絕壁、無法以普通方法攀援而過。這使我們想起了顏回向孔子問學，到最後耗盡了心智，好像突然面臨着絕壁時，不禁歎着說：「旣竭吾才，如有所立卓爾，雖欲從之，末由也已」。在這裏，我們無須去辯證「壁觀」究竟應從字面上來解，或從精神上來看，也許兩者都兼而有之。

最値得注意的是，達摩並不反對讀經，而且還熱心的以那部充滿了玄味的楞伽經教人。事實上，他是印度人，脫不了印度教的傳統，所以他之被認爲婆羅門教徒，也不是無原因的。（2）

△吳怡▽

金錢論

羽衣

[illegible]

自由報
第八七八期
中華民國僑務委員會頒發台僑新字第三二三號登記證
內銷證內僑警台報字第031號
中華郵政台字第一二八二號執照
登記為第一類新聞紙類
（半週刊每星期三、六出版）
每份港幣壹角・台灣零售價新台幣貳元
社址：香港九龍登打士街91號十樓六座
91 DUNDAS ST, 9th FLOOR, FLAT 6 KOWLOON H. K.
電話：857253　電報掛號：7191
承印者：大同印務公司
地址：香港北角和富道九六號
台灣總管理處
中華民國（台灣）台北市大同街119號
電話：555395・557474
台灣分社：台北市西寧南路110號二樓
電話：三〇三四六
台郵劃撥儲金戶九二五二

這樣的美國，能維持多久？

·劉光炎·

美國毫無疑義的是一個得天獨厚的國家。兩次大戰，她不但未受絲毫損失，反而從一個普通強國，一躍而為世界強國，再躍而為首席強國。不過，中國有句話：「其興也勃焉，其亡也忽焉？」美國會不會犯這毛病，這裏將畧予檢討。

平心靜氣來說：美國並不是一個壞國家，當然也不能指為有什麼帝國主義的行為。美國所給予人的第一個印象是蠢，而且蠢得莫名其妙。在雅爾達會議中，平白地背棄中華民國，讓史達林檢到那大便宜，是蠢，是莫名其妙。在柏林之戰時，臨時會巴頓將軍，勒兵不動，等了近一個星期，等紅軍來了，才一同入城。因而造成今日柏林割裂之局與夫不斷的發生「柏林危機」，是蠢，是莫名其妙。在協建大韓民國時，蘇俄本來能插手的，無緣無故地請它來，才造成今天南北韓分裂之局，是蠢，是莫名其妙。至其對我們中國大陸，一力支持共匪，結果才造成今天東亞方面無窮無盡的災禍。而在共匪初起，尚未形成氣候時，不立予撲滅，却製造一個什麼「圍堵主義」，把自己手腳束縛着，眼看把這個惡勢力養成。這一切都是蠢，都是莫名其妙。

不過，僅只是蠢，是莫名其妙，還不要緊，也還能夠獲得人們的原諒。因為美國本是一個新興的國家，她建國的年齡尚幼，她的經驗不夠，做起事來，當然顯得幼稚愚笨，這是可以原諒的。但是，只要一旦經驗足了，智識充分了，她就不會再蠢了。

不幸的是：美國除了「蠢」字以外——還犯了另外一個病，「刁」。

說美國「刁」，我們並無意誣栽，有事實證明。美國有一所大學，名叫蘇斯卡那。這所大學的外交系很出名。它奉國務院之命研究美國對遠東的政策時，曾提了這樣一個報告。主張在我們的友邦當年中，應於其現政府以外，支持另外一個政黨，或是團體。其理由是：「萬一」在現政府因突然事變而告垮台時，我們可以用這個政黨或團體代替。（二）可以使現政府更加聽我們的話（大意如此，原文不在手邊）」。起初我們看了這個報導，竟不敢信以為眞。到了後來，韓國，越南，相繼發生政變，全由美國導演，其情形與該報告所說的，如出一轍，且有過之，故是許多與美國合作的國家，都因此寒心。他們才曉得美國這個國家、表面上看來很蠢，似乎天眞無邪似的，而內中却很「刁」，有的時候，令人可怕！

美國在處理世界問題上，有了上述兩個毛病，已經很夠使她所向輒阻，但她還有另一毛病，即是剛復自用。美國近年以來在國際間的所作所為，正可用陸放翁在「釵頭鳳」當中所說：「錯，錯，錯！」三個字為寫照。但是：朋友們，你們聽誰見過美國認錯了沒有。儘管一次一次上當，而每一次所上的當與上一次都是同樣的，但是，她却從沒有認過錯。也從沒有停下來切切實實地反省一下，檢討一下。

她不但不檢討，不反省，她並且認為她的一切，都是最好的。美國的政治制度，是世界上最好的政治制度，美國的生活方式，是世界上最好的生活方式。誰要援受美援，誰便先要援受這兩件寶貝——美國的政治制度和美國的生活方式。儘管現在暗殺四出，嬉皮橫行，她還是老起臉皮，自以為「世界第一」，要強調着「民主輸出」！

中國古書說「人孰無過，過而能改，善莫大焉」。反過來說：「過而不能改，惡莫大焉」！美國有過而不能改，甚至不願改，所以永不會有希望。

有了上述三種毛病已夠使人灰心了。最近，我們還發現美國另外一個大毛病，而這一毛病，却比上述三個還要大，且為一切毛病的根源，即是缺乏道德、勇氣、和責任感。

更明白直說：前述三者的錯誤，還是氣質方面的，而後一項的缺點，則是心性上的本根方面的。只要心性本根方面善良，氣質方面的惡，是不難隨時糾正改革過來的。反之，為是這惡意在心性的與本質，無法改正，新的缺點，還會層出不窮。

美國這種缺乏道德勇氣和責任感的地方，在發表白皮書與今日進行越戰時，表現得最為強烈。不是我們要算老賬。事實太明顯，不是美國當時強插一手，我們是不會敗在共匪手中的。這一點美國人並不是不知道，但沒有承認的勇氣。為了解除其政治上的責任，却反而在我們播遷台澎，喘息未定時，趕着替我們發訃文——白皮書——試問：勇氣何在？友道何存？

越共本是共黨中的下駟，而美國自認為民主世界中的上駟。以上駟對下駟，本來是不成比例的。正因為判斷得這一仗是輕而易舉的，所以美國才「挺身而出，勇於任事」，才把吳廷琰一手抹煞。由於自己愚笨的「不求勝」的戰略，看看失敗，情急求和。巴黎談判未見端倪，越南美國大兵，竟有腳底揩油之勢！做人這樣尚不可，而況為國？

在過去，我們看見很多人不信任美國，看見很多人對美恩將仇報，總有些為美國鳴不平。但越來使人越覺得不無道理。

美國還有一個隱憂，即是：什麼是美國的文化？美國是由歐洲來的。短短的一百多年，她並未構成一個自己的文化。她所有的，只是歐洲大陸的文化、還有來自其他地區民族原有文化。這些文化採和而成的。美國文化，並未形成。美國今日所有的，只是基督教的文明而不是眞正美國文化。基督教的文明，在美國開國初期一切還是單純的時候，似乎還充實光輝，但在今天千頭萬緒，問題最雜的情勢，它已顯得空洞稀薄的！美國在開國初期的剛勁雄適而在今日的浮靡無力，這大概是主要原因之一。

文化，因為沒有自己的文化，所以在生活方[illegible]

不可收拾

苦了人民

昨日與明日

昨日美國

[illegible]

今日美國

[illegible]響所及，「埋葬美帝國主義」竟不幸言中，眞不知如何善其後。又一旦被煽動罷工，頃刻之間可使全美進入癱瘓，數十百層樓上下交通首先斷絕，內憂外患，而臨着今日美國。

明日美國

美國走向世界和平的三扇大門，都關閉和封鎖了。第一扇門，美國未採取渡過鴨綠江北進計劃，否則中國必以「黃河為界」，南北分治，美國不會陷人今日的窘況。第二扇門，當毛澤東「百家爭鳴，百花齊放」時，美國未能與國軍配合，本着壞事有餘的原則着手革命，第三扇門，當大陸核子基地尚未隱定前，未能接受我方建議徹底予以毀滅，遺禍於美國朝野的怪喊亂叫。

明日美國，祇有一扇窄門可走了，幾乎沒有考慮餘地，那就是共產與反共產。參加共產非常簡單，因魔鬼的大門始終敞開。反共產的話，則非支持中華民國政府不可，因蔣總統有卓越軍事天才，和五十年反共鬥爭實際經驗，捨此而欲另起爐灶皆屬不智。（何中庸）

自由談

何其衰也！

馬五先生

以紐約時報為中心的美國姑息主義者的思想體系，他們自稱為「Accomodat」，即想方設法要把共黨——特別是毛共——的暴力擴張主義予以和緩，但求避免戰爭，不惜任何代價。

可是，姑息份子這種框怯自私的心情，毛共洞若觀火，「美帝」越是表示遷就，它的氣焰就越高。白宮會要求毛共派記者到美國來參觀大選情形，所得到的反應是嗤之以鼻；聯合國秘書長宇丹，遵循美國的意旨，正式致函毛共，請它派人參加日內瓦的國際裁軍會議，結果是原函退回，置之不理。毛共且聲言美俄如果發生戰爭，它即跟俄共併肩作戰，否則它對「蘇修」還是不安協的。這一來，乃使美國的姑息主義者大為惶惑，不知如何是好！

當一九四九年毛共竊據中原之初，美駐華大使司徒雷登奉命留在南京不走，大力向毛共伸出友好之手，聲稱美國願以四十億美元援助毛共建設「新中國」，毛共如有跟美國安協的意念，這時候，即係接受大量美援的好機會，何樂不為呢？現在它把美國畏戰乞和的「空心大佬信」本質，觀察得清楚明白了，基於擒賊先擒王的世界革命原則，即令白宮當局向它叩頭作揖，百般遷就，它亦決不理睬的。可憐紐約時報派的姑息份子們，既不知彼，亦不知己，憑着一廂情願的幼稚思想，妄自菲薄

[illegible]

蔣夢麟當年節育主張 首遭反對現逐漸實現

李國鼎指出將降低人口自然增加率

徐巽華建議中央早日頒佈人口政策

本報記者頃向台北消息：台灣省衞生處人口研究中心，近於家庭計劃工作檢討會上提出書面報告說：「自五十一年起至本年五月底止，全台灣地區裝置子宮環的累積數已達四十三萬零五百六十五人約佔全省二十至四十歲有偶婦女的百分之二十六點五」。報告中指出，「本年五月份，全省共有一萬零四百二十位婦女裝用了宮環，較四月份減少三一三人，也較去年五月份減少七十七人，究其原因可能受綿綿霪雨及停辦全額補助之影響。又五月份在本省地區發出口服藥共有二萬零四百五十五人份，創下歷年發出量的新紀錄，也較四月份增加二千零九十一份」。由此一統計資料，可窺六年來台灣節制生育運動推行之一斑，且係倡導試行性質，將待正式製訂人口政策，而作全面之實施。

追溯本省節制生育之由來，係肇自故中國農村復興委員會主任委員蔣夢麟博士於四十八年四月十三日於主持農復會十週年時提出「讓我們面對日益迫切的台灣問題」一文，他指出台灣人口，照現在出生率推算，十年後將達一千五百萬人，不出二十年將增至二千萬。此種現象，乃台灣經濟發展中之一種「隱憂」，實非即注意尋求辦法來解決此一嚴重問題不可。他特別提到，台灣每年所增加的人口，等於一個高雄市；增加人口所消費之糧食，乃一個石門水庫增產之糧食，並謂依現在每年百分之五的糧食增產率，推算台灣人口之增長，到一九六二年，台灣已無餘糧可供輸出，再下去糧食生產即不足應人口需要。一旦意外或荒歉來臨其境遇「將非常危險」。他於本文結論中強調如果台灣不立即厲行節育政策，讓人口繼續增長，則「自然調節便會起來發生作用，如大規模的饑荒、疫病、生物間之自相殘殺等。」蔣氏言論發表後，頗引起各方之注意，社會人士持反對論者，以張鐵君爲代表，張曾著論說：「三民主義對人口問題之解決，走的是社會生理道路，對社會病理學的道路是堅決反對的，始終一貫。現有人口問題專家，其思想基礎，還以馬爾薩斯學說爲依據，依舊是病理學的，馬氏的人口幾何級數增加率，早被人口現實統計推翻了，以人口增加快速的美國，人口論發表後一百餘年前，從九萬人起，依馬氏學說每二十五年增加一倍，應增至五億七千六百多萬，但美國實際人口祇有一億七千萬，世界人口三百年來祇增加了四倍，依馬氏幾何級數推斷，應該增加十二倍，可證馬氏之人口增加率是十分錯誤的。糧食方面，所謂算術級數增加率，也毫無事實根據。一七八七年美國的鄉村，十九個農民的剩餘糧食，才能供給一個市民，到了現在一個農民便可供給十五個人了，那算術級數的增加率，又到那兒去了」。「關於節育，我們承認在某些範圍內是正當的而且是必需的。一個孱弱的婦女，健康爲病魔所損害，不能再生育，家庭子女已經過多，父母已無力教養，這些人祇有節育，甚至某些重大遺傳病的人，不僅應當節育，而且國家還要使他絕育，這都是對的。若超此範圍，那就牽連到許多複雜的問題了」。當時反對節育言論甚衆，所持論點，都未超出張氏範圍。

蔣夢麟博士之節制生育主張，雖然反對的人多，但在經濟決策方面，却甚爲重視，除一面針對人口增加率加速經濟發展外；並由台灣省糧食局，製訂增加糧食對策及努力目標，爲未雨之籌謀。在節制生育上，實則早已應運而生矣。就經濟部長李國鼎於七月中旬在行政院國際經濟合作發展委員會第二屆全國人力研討會所作結論有關人力規劃，曾這樣舉出：「確立人口成長率，逐漸降低人口自然增加率至千分之二十以下，並設法擴大育齡婦女生育距離，降低婦女生育率，使每一育齡婦女由目前平均生育四個子女，逐漸減爲三個子女。加強宣傳與教育，改變我國多子多孫傳統觀念，使一般人注意提高子女品質之重要，與父母所負教養責任，自動實施家庭計劃。實施避孕方法之指導與廉價藥物之供應，普遍深入鄉村，指導婦女避孕，擴大生育距離。限制高中以上學校大量擴展，並提高女子勞動力參與率。配合統計技術之發展，早日策劃戶口資料，利用電子計算機處理」。觀此可知，節制生育人口研究中心所謂「三三制」計劃生育，將形成爲一新的人口政策。

台灣省府人事處長徐巽華，曾於上月應邀赴日本及韓國考察問題及優生保健方面，各項措施，向省府提出考察報告認爲：經濟發展與提高人口素質同等重要；否則，經濟發展成果，將爲人口膨脹所抵消，因此建議：①請中央早日公布人口政策綱。②在基本法中對優生保健問題，作明確規定。③自明年一月一日起，將目前負責家庭計劃的臨時人員納入編制。④有關優生保健之行政經費，列入衞生處年度預算，並向國際機構爭取援助。⑤仿照韓國辦法，由民間組織推動家庭計劃。（完）

光大民族傳統美德 泰華推行守時節約

（曼谷航訊）全世界各國的華僑有一千七百萬，而泰國華僑佔了三百七十萬，是華僑最多的國度。

泰國華僑中以潮州人最多，次爲客籍、海南籍，然後才是廣肇籍和其他省籍。爲着加強團結和謀取同僑的福利，各籍的僑胞都組織會館或同鄉會，如潮州會館、海南會館、客屬總會、廣肇會館、雲南會館、江浙會館、台灣會館、潮陽同鄉會等。

近年來，泰國僑胞在我國駐泰大使館的指導下，頗能表現團結互助的精神，更能配合中泰兩國政府的國策，致力反共大業。

五年前曾有曼谷各僑團聯合發起，推行守時節約運動，法良意美，足以矯正僑社的不良風氣。可是，當時響應者雖不乏人，但切實照行者却鳳毛麟角，這由於不守時的習慣，已根深蒂固，非一朝一夕所能革除。而俗尚侈奢，婚喪慶弔非鋪張揚厲，無以表示其交遊廣闊，公私宴會，非菜餚豐富，用以表示主人對賓客的盛意，於是守時既無可能，節約亦談不到，事隔五年，這種不良的社會風氣依然存在了。不久前，於屬僑團常年聚餐會舊事重提，認爲有重新推行的必要，遂將五年前的守時節約公約再行發表，由當地各華文報刊載，廣爲宣傳，查該公約共有四點：

（一）集會爲求準時參加，因事未克參加，或須延緩出席，應須先以書面或電話通知。

（二）宴客請柬，應確定恭候時間及入席時間，最好書明「未克出席請覆」，俾主客兩便。

（三）婚喪慶弔禮節，宜刪繁就簡，以節省時間及不必要的開支。

（四）宴客、筵席最多不超過六菜，烟酒以平產爲宜。

上述四項，前兩項爲守時，後兩項爲節約，本來簡單易行，無如積習已深，直到現在，不僅無法革除，甚且有變本加厲之勢。

勤儉刻苦，爲中華民族的傳統美德，先僑梯山航海，別井離鄉，到東南亞各國謀生，飽嘗艱難險阻，其中僅有極少數成家立業，大多數却是老死異鄉，然而不管其成敗如何，仍能保持勤儉的美德。現在時代不同了，南洋各地已非華僑的樂土，謀生固不容易，求利更爲艱難，然而社會風氣反而趨向奢侈，已失去先僑當年披荊斬棘，勤勞刻苦的精神，圖逸樂，慕虛榮，婚喪慶弔之力求鋪張，富裕者固無問題，中產之家却是難堪負荷，故此節約運動之推行，自屬刻不容緩。

至於遵守時間，並無難事，然而社會上不守時者，却以在社會上有地位者爲多，例如每一次喜慶宴會，普通賓客都能準時到臨，反而那些有社會地位的人，姍姍來遲，使先到者浪費時間，此種事實，遂普遍養成無需守時的心理，欲革除此種風氣，必須有社會地位者以身作則，相信必能革除此種不良的習，而爲僑社建立一新風氣。（本報記者盧偉林）

台北區防洪計劃 未能切實推行

所謂治本計劃束之高閣

立委五十一人聯署提質詢

（本報記者劍聲台北航訊）政府對台北區防洪計劃未切實推行，並公布板橋等六鄉鎮爲洪水平原管制區，限禁建築，因而引起立委蔣肇周等五十一人連署提出質詢。

五年前，由於葛樂禮颱風襲台，造成重大災害後，始有所謂台北區防洪計劃，採治本分流案，分十二年完成，需款三十餘億元，除已完成大同堤防與關渡口拓寬工程外，餘如河口段至關渡工程、大科次（山頭，下同）溪、新店溪、基隆河等四大部份，迄今已逾五載，均未繼續施工。則所謂治本計劃，竟束之高閣，如此頭痛醫頭，脚痛醫脚的臨時措施，固難收一勞永逸之效，且自亂步驟，徒增紛擾。

因此，立委蔣肇周等五十一人，提出四點質詢行政院。

該質詢對江子翠防洪問題指出：政府明知大科次之水，在堀子圳疏洪道未開發前，江子翠地區勢必成爲大科次之洩洪區，自應事先明白指示江子翠地段之防洪措施，何處宜建，何處禁建，佈告週知，俾人民有所遵循，乃計不出此，直到華江大橋行將完工之際，一般營建商人，均茫然無知，紛紛在江子翠大興土木，興建數千棟高樓大厦，驚醒了政府大員，弄到手忙脚亂，始則全面禁建，繼則分批解決，現已劃爲洪水平原二級管制區，然若堀子圳疏洪道不開闢，各項治本計劃不繼續實施，大科次溪之洪水，一旦暴發，江子翠雖劃爲二級管制區，終非善策。

關於三重等六鄉鎮市實施洪水平原管制問題：蔣肇周等認爲此項計劃，實受江子翠大興土木所影響，政府思前顧後，恐淡水河左岸一帶地區，重蹈江子翠之覆轍，乃於今年五月十三日公佈：「洪水平原管制辦法」，此項辦法頒佈後，六鄉鎮市人民，惶惶不可終日，此種治標計劃，確不能解決淡水河之洪泛作用，祇有增加人民的困擾。

洪水平原管制時間問題，政府預定五年至十年，並非長期實施管制，此項管制是否根據五十二年北區防洪治本計劃去實施？當時，北區防洪小組召集人沈怡（前任交通部長）曾向立法院提出報告是項治本計劃，分作兩期，十二年完成，第一期工程開闢堀子圳新河道與疏濬淡水河床，現已拖延五年，尚未動工。今年六月間，政府宣佈北區防洪計劃中的主要工程堀子圳疏洪道，經水工模型試驗結果，證明無法開闢，因此變更計劃，將大科次溪和新店溪上游，各開鑿攔洪水庫，以代替先開闢疏洪道的方案，請問何以拖延五年，？不切實去研究？待洪水平原管制辦法實施之同時，經水工試驗，始謂堀子圳出口淤泥嚴重，又有海水倒灌現象，水政當局祇重視人工設計的模型試驗，而不去實地重作堪測，且竟一拖五年，貽誤治水大計，責任究應誰負？又堀子圳疏洪道既因上述理由無法開闢，政府爲何又公布堀子圳兩岸之土地列爲一級管制區，絕對禁建？

此種自相矛盾措施，焉能使人民信賴？再以淡水河來說，泥沙逐年增高，堆成沙洲，積成平原，幾使滄海變爲桑田，更有些地方蓋有建築物，或栽種植物等等，凡經過中興大橋，都歷歷在目，然而地方政府（台灣省政府、台北市政府及台北縣政府）竟視而無睹，不聞不問，任其發展，焉能有洩洪作用？堀子圳新河未開，淡水河又被泥沙及建築植等物所阻塞，浚渫工程，刻不容緩，至今依然如故，又如何自圓其說。台灣省水政當局難辭其咎，審查小組亦難卸責，請政府對於堀子圳疏洪道計劃，如確已放棄，所謂洪水平原管制時間五年至十年，對人民有何保證？

對於淡水河防洪之主張：政府劃三重等六鄉鎮市爲洪水平原管制之目的，一則謂防護台北市的安全，一則謂保護沿淡水河左岸較低窪地區人民之生命財產免受洪水泛濫之危險。就保護台北市安全言：近年來淡水河一帶，每遇颱風來襲，水位較前增高，實受淡水河日久不疏，泥沙淤塞，河床漸高之影響，並非因淡水河左岸一帶，低窪地區之建築所造成。

蔣肇周委員等認爲：新莊、泰山、五股、蘆洲等鄉鎮，均非都市計劃區而係村莊農田，故殊無管制的必要。

訂正

（一）七月三十一日，本報第八七六期，張起鈞之「楊朱」一文，倒數第二欄第十四行，「如此兩面對」之前，漏排「一同時再就另一方面看、利「天下」尚且不屑於爲，那麼利「天下之半」，利「天下之少半」，利「天下之少許」，自然也不屑爲。推而極之，至於對天下並無利益，甚或對天下有害的事，當然就絕對不屑於爲了」一段。

（二）七月二十七日第八七五期，「訪青年哲學家成中英博士」一文內第六欄第一行「女人」二字係「語言」之誤，合代訂正。

中國文化與人文修養

·錢穆·

應該怎樣做人？這是人類一個最切要最重大的問題。任何一個民族，一個社會，都有教人怎樣做人的道理與方法。中國文化中心，就是在指導人怎樣做人上。孔子教導人的方法與釋迦牟尼和耶穌不同，釋迦牟尼和耶穌的教導形成了宗教，孔子則不然，孔子所講則只是一種人文修養。所以，要了解中國文化，必須了解中國傳統的人文修養。

中國文學上的最高理想，在以自己人格融化在作品內，因此，如不能了解作家，便不能了解其作品。如作品中無作家，則作品無意義，不成其爲第一流作品。例如屈原與宋玉，屈原是以自己人格融入其作品的，宋玉不然，因此屈原作品是第一流，宋玉的最高也只能算第二流。我們讀西廂記、水滸傳、紅樓夢等，不必了解其作者，因爲那些作品，本不是要把作者人格融入的。因爲中國傳統文化着重人文修養，所以中國人對文學的評價，以屈原一派爲高。

歷史是一種人事的記載，必先了解人物，才能了解歷史，中國的歷史，即以人物列傳爲中心，因人能主宰歷史，而歷史不能主宰人。我們一定要了解人的忠佞賢奸，邪正誠僞，然後才能了解當時的歷史。如不了解王荊公、司馬溫公的人格，則無法了解他們當時的歷史。又如岳飛、文天祥、史可法，我們稱之爲民族英雄，並非因其死了才完成其爲岳飛、文天祥與史可法的。人的死生在歷史上是一個機緣尚留人選擇之自由，岳飛、文天祥，與史可法在他們的機緣中可以死，也可以不死，但他們選擇了死選擇了忠、賢、正、誠，這一個選擇就是他們人格的表現。

中國教育向主張身教重於言教。身教乃以身作則，以人教人，他的思想、理論，都是他全部人格的表現。

正如文學不僅重在作品，更重在人與文之合一。

所以，如不了解教育家的人格，則無法了解其教育事業與精神，如孔子、孟子、程朱陸王，他們都是以整個人格來發揚其教育精神。

因此，如不了解每一個人的人格，則不能了解中國的文學與歷史與教育，這是中國文化的特點。

現在再說何謂人文修養。易經上說：「觀於人文以化成天下。」什麼是「文」呢？物相雜謂之「文」，即俗話所謂「花樣」、或「文彩」。中國人講天文、地文、人文，男女相雜就有了花樣，成爲夫妻、成爲父母，這就是「人文」，先「化」而後「成」。今日的天下，則都是經過「化」而完成的天下。

以全部人文講，最主要的是時間與空間，二者相雜，形成了今天的社會，就如一經一緯，相交織而成人文，好像一面「世網」。一座花園是在同一空間的，但其中有幾個月長成的草，也有幾百年長成的樹，更有才開放幾天的花，由時間與空間交錯構成了一座繽紛燦爛的花園。今天社會上所有的文學、宗教、政治、經濟等等複雜的現象，經緯萬端，也是由它們相互交織而構成了社會的人文的。

那麼何謂修養呢？如花木長了要修剪，要培養。

中國人講如何做人有一個最重要，最基本的道理：就是人應該參入社會人羣來做人。若脫離了社會人羣即不成其爲人。人必在物相雜的社會人文中修養，所以，中國文化是一種人文精神或人文主義的文化。

西方宗教的最高理想不在生前，而在死後進天堂，入天國，中國則着重處身的社會，因人死後社會仍然存在。所以中國的人文精神是教人在社會上做人，做一個社會的「人」，同時即是要做一個歷史的「人」。

那麼，怎樣做「社會人」、「歷史人」呢？人若知道他本身便是一個社會人，歷史人他便知道如何做人了。做人的道理，是爲普遍一切人，而講的，因此知識呀，職業呀！以及一切一切的分別都不計在內，講人如何做人的道理應該是無條件的。又因爲做人是一貫的，做人要做一輩子，因此講人如何做人的道理，更應該不附有其他任何條件。論語上孔子說：「弟子入則孝，出則弟，謹而信，汎愛衆，而親仁，行有餘力，則以學文。」弟子就是泛指年青人，人一生下地，便做了弟子，便已有他做人的道理了。

我們且拿「親」、「愛」兩字來解釋，任何人有了親人，愛人，則總會感覺到愉快，沒有了則感覺到痛苦，人以親愛待我，我以親愛待人，在其心上則無不感到快樂。孝弟二字則不過是親愛二字別名而已，所謂孝弟即是親愛他的父母兄長。每一個人都有心之所欲，孝弟親愛正是本心所欲，所以我們應就心之所欲去做。

孔子說從心所欲，此四個字，也可說即是中國人教人做人的方法。沒有「心」便不成爲「人」，心必有欲，人都想從心所欲，所以從心所欲便是做人的道理了。眞能從心所欲則成了聖人。此事最易也最難，最淺近也最高深，要做「人」，做「聖人」，除了從心所欲，也沒有別的方法。孔子又說：「吾道一以貫之。」曾子說：「夫子之道，忠恕而已矣！」盡己之謂忠，推己及人之謂恕，忠恕也就是自己的心。人只該讓自己的心來作主，才能好好做一個人。

心乃是天予的，人進入了社會，應該「不怨天，不尤人，下學而上達」。

上達到從心所欲的最高境界，則眞乃「知我者其天乎！」人學做人，須從自己心上學，要「從心所欲」，更要「不踰矩」，此矩則仍在自己心中，此所謂「心矩」。歷史上任何想違背人心以建立世界的，必然會失敗，這是大自然所賜予的法則，可以說是天則。從心矩則可以致天德，所謂「直上達天德」也。宋人講「天理」，天理的對面是「人欲」，所謂天理即是「欲」合乎「矩」，所謂人欲即是「欲」踰了「矩」。在此規矩中間的其實也都是人心之所欲，所以天理人欲並非完全相違背，正如孟子所說：「求其放心而已」。把放在矩外的心重新放到矩內來便是收放心。

朱子在大學補傳中講格物致知的道理，也不過想要認得此矩而已。陸象山以爲朱子所[illegible]，因此批評他說「易簡工夫終久大，支離事業竟浮沉」。象山主張「心即理」。接下去王陽明講良知，陸王都是從孟子[illegible]張來。[illegible]

[illegible]失。孔子說：「知之者不如好之者，好之者不如樂之者。」[illegible]講思想，講做人，躬行實踐，[illegible]魚、我所欲也；熊掌，亦我所欲也；二者不可得兼，舍魚而取熊掌者也。生，亦我所欲也；義，亦我所欲也，二者不可得兼，舍生而取義者也。」這中間就有了抉擇、有了取捨，抉擇取捨，也在躬行實踐上見。孔子說：「吾十有五而志於學」，從志學開始，到從心所欲而不踰矩終，即是孔子自己的一番人文修養之路，[illegible]也大體脫不了此一大路向。

老子哲學評介

·吳森·

大約三年前，張老師送給我他所著的「老子哲學」一書。我當時曾花了幾個晚上的功夫把它看了一遍。但覺得結構嚴謹，首尾相應，行文上清如水，並無半點滯筆。其實我在那時候只會看文章，不會讀哲學。到了目前，我雖然還是一個哲學的門外漢，但當我再仔細閱讀這本小書時，所發現的不只「結構嚴謹，首尾相應，行文一清如水，並無半點滯筆」了。

這本小書雖然只有薄薄的一百一十三頁，除了附錄之外，僅得八十六頁，但它的價值並不像它的篇幅這麼少；反之，它直可以儕於有關老子的第一流著作中，毫無愧色。

中國文化數千年來一脈相承，有着完整的體系。就哲學而論，其間雖有佛學輸入的一段插曲，但毫不干擾它本身演進的歷程。可是到了今天，由於人類進化的結果和人類本身的需要，世界上各文化系統再也不能界綫分明地保有自身的體系。當然中國文化不能例外。就哲學而論，自從中西文化發生交互影響以來，我國哲學上有名的著作像胡適、馮友蘭、范壽康等所著的中國哲學史，都採取西洋哲學的觀點和方法。但採用西洋哲學方法來研究我國專家哲學的並不多見，而在不多見當中，「老子哲學」是其中一個不可多得的代表。

許多人以爲把西洋的一套學術名詞用到中國學術的園地便是學貫中西，如什麼「浪漫派的李白」、「寫實派的杜甫」、「經驗派的朱熹」、「理性派的陸九淵」等。其實這都不過是皮相的小把戲罷了。眞正能善用西洋方法的，主要是擷取它的精神。本書從老子的形而上學說起，一層一層的演繹下來，由形上學演成人生思想，又由[illegible]人生思想和政治哲學，好比形上學是樹幹，而人生思想和政治哲學是枝葉一樣。有些人研究老子思想，也像「宇宙論」和「人生論」這樣的分類，可是老子的人生思想和他的宇宙學有什麼必然的關係，却不能說出來。本書最大的特點就是溝通了老子的宇宙論和人生論。在本書第二篇第一章「從形上到形下」，演繹得非常自然，絕無一點牽強。倘作者缺乏西洋哲學方法上的修養，老子宇宙論和人生論間的橋樑是架不起來的。

我們從第一篇形上學開始，一口氣讀到第三篇末，好像欣賞了（姑且用欣賞二字）一個很長的算式一樣，其間逐步逐步的演算，沒有絲毫的紊亂，也沒有一點的顛倒，彷彿是數學和文學打成了一片。從這一點可以看出作者對西洋邏輯技巧的熟練和對老子思想體會的深刻。

[illegible]候，處處都覺得[illegible]的至道了。可是讀到第四篇（末篇）「老學的評價」時，老子哲學本身的矛盾和在實踐上行不通的地方都一一現出來了。這都是作者運筆的技巧，在闡述老子哲學的本身時，處處替老子講話，好像作者的思想便是老子的思想。可是到了「老學的評價」時，作者跳出了老子思想的圈子，用旁觀者的態度去批評，老學本身的矛盾，在邏輯的照妖鏡下一一現形了。由於對老學的批評頗得中肯，作者在他另一著作「老子」（協志工業振興會出版）的最後一頁中說道：「書中（指老子哲學）第四部份老學的評價……自信在學術史上足與天下篇，六家要旨之評老語，鼎足而三焉」。這絕不是過分的自誇，而是作者對自己嘔心瀝血之後所應得的代價的一種信念。

不過，這書並不是一本研究老子哲學的入門書籍，因爲本書用純哲學的方法來闡發老子思想，而闡發的方式並不像宋代理學家（如朱熹）解經一樣。而是以老子的哲學精神來構成一部老子哲學，再引用老子本身的章句[illegible]註腳。[illegible]下了不少功夫，對五千言的一字一句都有所了解，加以在西洋哲學方面有相當基礎，那麼本書會給你很大的啓示。

孟嘗君為雞鳴狗盜之雄乎

·吳金城·

（一）

世皆謂龍驤鳳翥之士，可成大事，雞鳴狗盜之徒，則敗事有餘，是言可信乎？曰：不可信也。蓋孟嘗君被囚於秦，若無雞鳴狗盜之力，豈能安然脫於虎狼之秦？而雞鳴狗盜之徒，必足智多謀之士，不然，安能有此巧妙之安排，而使孟嘗君脫離險境，孟嘗君豈得謂雞鳴狗盜之雄乎？

（二）

彼龍驤鳳翥之士，自以才高過人，洋洋自得，一旦臨危，計無所出，尚不如雞鳴狗盜之徒，悲夫。

（三）

王介甫謂孟嘗君爲雞鳴狗盜之雄，此言誠過矣。若孟嘗君乃寬大慷慨能容人者，故善得士，是以士皆歸之。

（四）

王荊公謂孟嘗君爲雞鳴狗盜之雄，殊不當也。戰國之時，養士之風甚盛，諸侯皆以得士爲榮，且以備患，孟嘗君亦善養士，士之歸之，雖雞鳴狗盜之徒亦歸之，且雞鳴狗盜之徒，安知非[illegible]之士，[illegible]

孟嘗君門下之食客三千，不乏有才之士。如馮驩者，爲之市義於薛，爲之游說於秦，而非雞鳴狗盜之徒。夫雞鳴狗盜之事，用於脫險之時，非拘於下等之行爲，論其功實高於龍驤鳳翔之士也。今觀孟嘗君之脫險，此爲得士之表見，可謂之雞鳴狗盜之雄乎？

（五）

王荊公謂孟嘗君特雞鳴狗盜之雄耳，誠哉其言。[illegible]

[illegible]太史公過薛，[illegible]其門，此士之所以不至也。不然，以齊之強，得一士焉，遂可[illegible]假雞鳴狗盜之力哉？

逛境遇事（三幕喜劇）

熊式一

露：（笑）嚇了我一跳，我眞以爲畢加索死了呢？史先生，你怎麼不看看信上有沒有士丹就把它扔進郵筒裏去。

史：（作手勢由口袋中取出信來）我下了電車，走幾步，看見了郵筒大家急急忙忙的路過去，我從口袋裏掏出信來，把一封交給你叔叔的留下，把一封等着要寄的就扔進郵筒了！

（說話之間，他從口袋中掏出一封信來，仔細一看，喜出望外）好了！好了！原來並沒有扔！還在這兒！

露：（笑）史先生，想必是你心裏想扔，手却來不及扔，就丟了郵筒了！

史：對了！對了！不過，我得馬上把這封信發了才好？山頂上有郵政局嗎？那兒有郵票賣？

露：纜車站那兒就有士丹賣！

史：纜車站那兒有甚麼賣？

露：「士丹」嗎？你不是要買「士丹」嗎？

史：「士丹」是甚麼？我要買「士丹」嗎？

露：你不是說要發信嗎？這封信上不是還沒有貼「士丹」嗎？

史：「士丹」可以當郵票的嗎？

露：「士丹」也有人叫做郵票呵！叔叔就老是說「郵票，郵票」的！

史：呵，我明白了！我想你叔叔在後面狗窠裏一時還不會出來的，我先去把這封信發了再同來見他。（向門下）

露：（帶他由窗口下）打這兒去，快一點！（趙太極跑了進來）

太極，快來見見史先生，史健旺先生，這就是太極！

史：呵，錢先生？你好？

露：錢先生？他姓趙。

史：對不住！我記錯了！趙先生，你是畫印像派油畫的天才藝術家，對不對？

趙：（不高興）印像派！那是十八世紀的老古董！現在沒有人畫了！

史：（把趙太極的深綠絲絨西裝褲，大紅色襯衫，大綵帶領結打量一番）印像派還算是十八世紀的老古董？難道你是畫一個女人兩個鼻子三隻耳朵四張眼的新畫家嗎？

趙：那算甚麼？一個人八個鼻子也不算多，只要這張畫有靈魂，一臉全是鼻子也不要緊！假如它沒有靈魂，半個鼻子都太多了！

史：高明！高明！一切都是靈魂至上，對不住，我要發信要緊，我去買………買………「丹士」去！

趙：買「丹士」？

露：買「士丹」！

史：買「士丹」！「士丹」再見。（下）

趙：這小老頭兒有點兒毛病！

露：別去管他吧！他一點兒毛病也沒有！可惜你沒有聽見他一口氣說一大串舅媽，表舅，表哥，表嫂，姐姐，姐夫，同學朋友的關係呢？我的腦筋轉不過來，他可說得清楚極了！太極！不要講他，我現在正生你的氣！

趙：生我的氣？好妹妹，爲甚麼呢？

露：（故意沉着臉，但忍不住微笑）你叫了我做好妹妹，比先略微好一點兒，可是還叫我生氣！你爲甚麼不一見了我便摟着我親一親呢？剛剛一定婚，馬上就對我冷淡多了！

趙：你這個傻丫頭！（他走到她身邊匆匆的摟抱她一下，四面望望，怕有人看見）不是我們講好了，等到你叔叔答應了我們才公開嗎？

露：（仍然不大滿意的樣子）我以爲你今天一早上陪着他，早已和他講妥了呢？

趙：我一早上老陪着他，他一早上老陪着阿花一會兒又是小花兒，二花兒，三花兒，小黑兒，二黑兒，小白兒，二白兒，左抱抱，右抱抱，離也不肯離開狗窠……。

露：你應當趁機會對他提一提我們的事才對呀！

⑥

二十年來發展驚人　南伊利諾大學

・寧文・

南伊利諾的歷史學家艾倫先生(John W. Allen)，曾在他的大學生活日記中，對一九〇八年的南伊利諾大學作如下的記載：

「教師和學生每日定時集會一次，會中宣佈學校活動，並作禱告，四月八日，柏金森校長(President Daniel Bald win Parkingson)甚爲自豪地宣佈：『截至今天爲止，本校學生人數共爲三百二十八人，其中包括中學生在內』」。

六十年後的今天，南伊大學生人數超過二萬七千人，並不包括附屬中小學的學生在內。六十年來，南伊大學由一所僅有四幢建築物的「師範大學」（筆者按，實爲師範學校），擴展爲擁有二個校園（一在碳谷(Carbondale)一在愛德華城(Edwardsville)，一所職業專科學校以及在海外設有五個技術援助機構的國際聞名的學府。

南伊大的前身是南伊利諾師範大學(Sonthern Illinois Normal Unioersity)，它於一八六九年立案。伊利諾州議會於是年決定該校宗旨爲培養伊州南部的師資，並定碳谷(Carmabondale)爲校址。由於建校基金的缺乏，建校工作的進行，幾經波折，第一幢大樓（即Old Main Building）遲於一八七四年七月正式落成。七月一日的落成典禮，是當年伊州的一大盛事，伊州州長以及當時的西北大學校長都親臨盛典，南伊師大第一任校長(Dr Robert Allyn)也在典禮中宣佈就職。第一期學生五十三人於次日正式入學。在初期聘請的十二位教師中，僅有十位具有資格任教大學課程，校長本人兼授「邏輯」和「英國文學」。

南伊師大雖爲培養師資而設，早期的畢業生獻身於教育者，爲數寥寥。在一八七四至一八九四的二十年內，共有二百四十人畢業，其中只有二十人終生在教育界服務，餘者皆在政治、法律、商業、農業及新聞界工作。

一九一三年，南伊師大開始作建校以後的第一次擴展。新任校長（第五任）史奈克博士(Dr. Henry W. Shryrock)有鑒於師資和課程未盡符合教育學院的要求，着手作全面而溫和的改革。首先他推廣對地方的服務，設立「農村師資訓練所」，以爭取地方上人力和財力的支持，進而吸收優良師資，增設教育課程。史校長就任兩年之內，學生人數由五百五十二人，增加至九百五十人。一九二八年，南伊師大經美國教育學院協會承認爲「一級學院」，一九三一年正式開始授予教育學位。

由於地方上對其他人才的需要，南伊師大的教育宗旨逐漸有所改變，課程的範圍也隨之而有所擴大。文學、社會科學以及自然科學的課程年有增加。同時，地方人士及新聞界積極地鼓勵南伊師大改制爲普通大學，俾爲伊州南部的三十一郡（County）培養多方面的人才，提供更多的服務。二次大戰後的經濟繁榮，以及退伍軍人的復學，使南伊師大的擴展，更形迫切。伊州議會終於一九四七年通過南伊師大改制爲普通大學，正式命名爲南伊利諾大學（Southern Illinois University)。

現任校長（第八任）毛里斯博士(Dr. Delyte W. Morris)，於一九四八年接長南伊大，這是南伊大歷史上一大轉捩點。這位出生伊州南部的語言學教授，以改進伊州南部人民生活和創辦一所優秀學府的雄心接辦南伊大。他理想中的大學，不但是具有優良學術水準的學府，也是「平民化的大學」。在這個宗旨之下，他禮聘各校退休的老教授來南伊大任教，其中包括當代神學大師魏曼教授(Dr. R. Henry wieman)，二十世紀建築設計家和思想家佛勒教授(Dr. R.Buckminster Fuller)，和教育學家包沁博士(Dr. Nelson Bossing)等人；也就在這個政策之下，他成立「職業專科學校」，其訓練對象從美容師，飛機及汽車修理人員，至殯儀館技師。二十年之內，南伊大學生人數從三千人，增至二萬七千七百人，佔全美大學第二十一位。單在碳谷校區內，毛里斯校長完成了六十幢大樓，其中包括三幢雄視伊州南部的十七層學生宿舍。南伊大今日在美國大學中的地位，也是可從下列的數字中，知其梗概：

一、教職員人數四千三百七十人，担任教職者一千六百九十六人，其中百分之六十以上擁有博士學位，居全國前百分之十五。

二、聯邦支持的研究計劃，由一九六六年七月至一九六七年底，共二百五十八項，獎助金一千零八十萬元。

三、圖書館藏書一百二十五萬冊，其中包括愛德華校區的三十萬冊。

四、一九六七至六八年預算：七千五百八十萬元。

五、一九六七年授予學士學位二千八百七十名，碩士八百六十名，博士六十名。

六、現有技術援外計劃：

越南——小學教育計劃，顧問十二人。

馬利(Mali)——一般教育計劃，顧問十七人。

阿富汗——職業教育計劃，顧問七人。

尼泊爾——職業教育計劃，顧問十人。

奈及尼亞(Nigeria)——「英語」訓練計劃，顧問三人。

七、外國學生人數，八百三十人，包括中國學生一百六十人。

最近二十年來，美國各大學無論在學術上或學校的規模方面，都有長足的進展，而南伊大的擴展，固也是必然的現象，但其發展之速，遠在一般學校之上。南伊大今日的規模，非但是艾倫先生在六十年前所夢想不及的，也是筆者在四年前初進南伊大時所不敢奢望的。今日的南伊大，固非美國第一流的學府，但它之所以能夠吸引全美五十州和海外八十五個國家和地區的學生，至少代表着一個事實——它的設備和環境足以滿足這些莘莘學子求知的慾望。

南伊大在近二十年來的發展是驚人的，無怪乎年逾八十的艾倫先生曾經感慨系之地說：「我希望再活二十年，來看這個學校的擴展」。

三日春秋

馬星野和中央社

・厚安・

筆者和星野兄的訂交，在他還以馬偉的名字寫文章時就開始了。那時他在美國留學，而不成材的我，則在「中央日報」當主筆，兼編「中央時事週報」。

馬星野兄的桀桀大才，是新聞同業中所耳熟能詳的。他出長中央社，應該是一件可以慶幸的事。但我却不爲他慶，却爲他憂。因爲，辦一個通訊社，是一件非常艱苦的工作。以中央社今日的一切，要來担負中央社應担負的使命，是絕不可能。

通訊社本有三個等級，第一級是地方通訊社，第二級是全國通訊社，第三級是世界通訊社。個人意見，中央通訊社已具全國通訊社的規模，在今日，應向世界通訊社目標前進。我講這話並不是好高騖遠，而是確有必要。因爲抗戰八年，我們對世界和平的貢獻，所以未爲各國所認識，吃虧的就是沒有一個世界性的通訊社。在剿匪期間，我們吃虧的，也在這一點。如今反攻機運在即，鑑往知來，建立起一個世界性通訊社，使我們在世界上有聲音，能夠爲自己辯護，比什麼都重要。今天世界各國，連加拿大都有一個世界性的通訊社（加拿大通訊社），我們怎可沒有。

當然，這需很多錢，但再多，也是值得的。如像今天的中央通訊社：原本想以報社合作的方式來辦的。但是，要有力量的報紙，團結起來，和衷共濟，出錢出力，支持一個通訊社，這構想現在已證明太天眞了。照目前的辦法，成爲教育部的螟蛉。在中央社感到有不能施展縛手縛腳之苦，而在教育部則感到這個義子的胃口太大，幾乎佔了它的一大半的預算，實在是兩俱失之。

其實，辦一個世界性的通訊社也並不是太了不起的事。美國的合衆國際社每年經費四千多萬，合新台幣一百多億。若以中國人的標準，加上克難的方法，與星野兄的幹練，五分或六分之一的錢也就夠了。二、三十億新台幣的錢，我們並不是負担不起的。觀念重於一切，關鍵只是大家認爲是否有此必要！（完）

文滙樓別記

學人扶乩問國事

・文滙樓主・

民國三十八年仲夏，南北各地撤退抵湘的幾位學人，因關懷大局，又悶得無聊，乃假座衡陽江東岸某公館，邀李憲民先生，（中華時報採訪主任）扶乩卜長沙保衛戰的前途，經過一陣儀式後，請到濟公臨壇，他在沙盤上寫出「軍師九十九，未戰先龍休」有人主張停止扶下去，蓋九十九者乃百字去掉一劃，成爲「白」，時華中行政長官白崇禧將軍，恰駐扎衡陽五桂嶺。未戰先能休，當然是不會打的意思，所謂長沙保衛戰者，乃叫叫而已，實則還是繼續保存實力。大家都現出焦灼的心情，再問濟公，國軍何時可以揮戈北指？沙盤上的筆，繼續揮動寫出：「性急馬行延，水豬是佳期」意思當然是別焦急，照詞意推測，壬爲水亥也水又屬豬，不啻告訴了遇到水年或豬年，就會出現希望了。

又見香港民國四十七年二月六日出版的論語雜誌，第二卷八期載勞士先生寫的「扶乩記異」也有類似事實經過，特將該段原文簡錄，以饗本報讀者：

「赤禍瀰漫大陸的幾個月，我們感到很徬徨失措！我的鄉村呂純陽廟，很著靈異。可是這次他不管老百姓陷於水深火熱之中，尚有閒情逸致和仙侶們下象棋取樂，任由我們怎樣迷迷失失跪在蒲團禱告！並一面添香奉茶不迭，乩盤仍然掉劃那不經意的字眼：「下棋忙，下棋忙！」就這樣約莫一個時辰，他老人家興闌，才寫下這首詩云：「白卒過河不足奇，祇怕旁人下一棋！馬入中央將護草，殺盡紅車復國基。」我此時尚不滿足，竟問到我們要到那個時期回家安居樂業？那枝錐又動了，劃着「黑着，白着七。」我苦着臉對扶乩的同伴說：「照乘數看，二七一十四，莫非要我們推足十四年回國不成？」

自由報

第八七九期

中華民國僑務委員會頒發台教新字第三二三號登記證
內銷證內警台報字第031號
中華郵政台字第一二八二號執照
登記爲第一類新聞紙類
（半週刊每星期三、六出版）
每份港幣壹角，台灣零售價新台幣弍元

社址：香港九龍登打士街91號十樓六座
91 DUNDAS ST, 9th FLOOR,
FLAT 6 KOWLOON H.K.
電話：857253　電報掛號：7191
承印者：大同印務公司
地址：香港北角和富道九六號
台灣總管理處
中華民國（台灣）台北市大同街119號
電話：555305．557474
台灣分社：台北市西寧南路110號二樓
電話：[illegible]
台郵撥儲金戶九二五二

斲喪民族生機的節育運動（上）

·南州客·

近日看到有的報紙，逐日刊載節育經驗徵文，不由的怦然心動！節育的潮流，眞是驚濤駭浪，萬夫莫禦，終不免淹沒了此一寶島。

節育一事，從開始時暗中進行，到公開的作爲一種運動來宣傳，現在更加以由過來人現身說法，正貫穿了我們自三十八年逃離來台這一期間。十幾年來，節育運動，由宣傳而進入實行，各醫院多公開代裝樂普，自都市以至鄉村，無疑的構成了復興基地自滅人口的人口政策，古人「十年生聚，十年教訓」的明訓，好像對我們現在的處境，沒有發生影響。我們在「臥薪嘗胆」的環境中，而行有違於「生聚教訓的政策，能不令人興「親者痛而仇者快」的感覺？其間雖不免有識之士，發爲文章，大聲疾呼，立法院也有人提出質詢，但舉世滔滔，終不能挽狂瀾於既倒。筆者對此，雖滿肚皮不合時宜，然一向持緘默態度，自知人微言輕，無補時艱；而事實却愈演愈烈，心以爲危，故不能不抱「知其不可爲而爲之」的精神，甘冒天下之大不韙，以抒個人之所見，目爲諍言也好，目爲狂語也好，毀譽在所不計也。

節育的觀念，自西洋傳入，其起源不能不推本於個人主義的哲學；由此所演成的國家觀念，社會組織，一以個人爲單位；不論在家庭中，社會上，都以個人爲本位，來衡量權利義務的關係；這樣，所謂夫婦、父子、兄弟者，只不過是權利義務相對待的組合，便無法構成一種有機的整體；因之，家庭對國家說是沒有地位的，而只是公民個人、對國家才能發生關係。

這一情形，和中國的傳統，完全相反；中國向來是以家庭爲構成國家的單位，所以「國家」二字連言，便表示「國」以「家」爲本，而不是以公民個人爲本的；家庭的組織，無論是夫婦、父子、兄弟，任何一倫，都是一個有機的整體，個人都要被沒入這一整體裏面；不管是夫唱婦隨，父慈子孝，兄友弟恭，都是以整個家庭爲目標而定的規範，應不是站在個人的立場，從權利義務的對待上，所建立的關係。家庭組織的唯一功能，便想藉此來建立一種完密的生育制度，所謂生育，更包含的生活生命在裏面，因爲要有生活，才能夠負起生育的責任；有生育，才能夠推進繼起的生命。生育制度，就家庭說來，的確是一最爲煩瑣的活動，不論是勞力上、資財上，都係在向此一生育制度的中心而進行。上帝似乎怕人類沒有此一毅力，故先賦與人類一種本能的力量，使每一個人都繇於經營家庭生活；但人類畢竟是有意志的動物，未必都依賴着本能去行事，所以一些想逃避生育責任的人，便不肯成立家庭，情願過着「孤家寡人」的生活，所謂「一人吃了一家子飽」，也樂得逍遙自在，無牽無掛；這雖是少數人的少數，但可藉以說明生育確是人類的一種責任。現在因爲科學的證明，雖經營家庭生活，也同樣可以逃避生育；即使不完全逃避，然就權利義務的衡量上看，生育子女，養之教之，除了一大堆的義務外，還會有什麼權利呢？中國過去有「養兒防老」的說法，現在社會變了，眼看養兒已不能防老，則於生育制度，在只有義務而無權利的狀況下，自然與其多多許，不如少少許了。所以西洋的社會，不必來什麼節育運動，每個家庭早就力行節育，在不影響個人生活程度的條件下、生有一兩個子女，便達到了子女繞膝之樂，也就滿足了本能上的要求；「兒多業多」，在個人主義的觀點下，還有誰肯犧牲個人的幸福、家庭的幸福，來多多的生子育女呢？流風所及，遂造成人口生殖率的急遽下降。就個人說，就家庭說，雖然減輕的負担，達到了「幸福」的目的，但就整個國家民族說，則因爲人口的萎縮，一切都造成了問題：從國防上看，因爲兵員的缺少，則國家民族將不能自保；從經濟上看，因爲人力資源的缺乏，則凡百事業也將隨之凋敝；這樣，即使全國的人，教育的水準高，生活的標準高，就算是一隻一隻的鳳凰，將見鳳凰一隻，實抵不過烏鴉一窩了。所以有的國家，不得不以政府的力量，來推行獎勵人口的政策。

中國的家庭，一向是一有機的整體，「不孝有三，無後爲大。」生育制度，就是家庭說，傳宗接代，要向祖宗負責；就國家說，人口繁衍，對民族也有交代；這其間沒有個人抉擇的餘地，所以「有子萬事足」，必須生育子女，才能對得起祖宗，對得起民族，個人也才能在家庭中社會上有了地位，這還不算，進一步更要求「多福多壽多男子」，以爲「兒多」才能「福多」；雖然過去在農業社會，人力資本是很重要的，所謂「有人斯有財」，自然免不了有「養兒防老」的觀念，但比較起來，仍是犧牲多獲得少，若以權利義務來衡量，當然是得不償失；中國人向來沒有個人主義的計較，爲了多生育子女，不惜犧牲一切，忍受着物質上的貧乏，只要子女教養成人，便一切都得到了補償；（待續）

如此和談！

這樣和平！

昨日與明日

考試制度今後工作重心

考選部長李壽雍，在主持考選部五十七年度工作檢討會上，對考選部今後工作重心，提示三點：（一）在考試方面對優良傳統之公開競爭、機會均等、杜絕情弊，固須保持發揚，但對考試方法與技術，必須謀澈底的、全面的革新與改進。幷擬訂計劃與進度，逐步推行。（二）須研究創造多種考試方式，使各種人才均能透過考試，擢爲國用，俾野無遺材，朝無倖進。（三）國家處境，時值非常，凡有助於國家復興，光復大陸之實際問題，需考試方式解決者，應竭智盡能，負起責任。

李壽雍部長，於抗戰勝利時曾任國立暨南大學校長，桃李芳非，遍海內外。在當今部長中，他是以學者從政而公正廉明爲人所樂道之一。遠在七年前，他就任考選部長時，有記者問他中國人才政治何日實現；他答：以考用合一之目光而言，必二十年後，蓋今日儲登合格之士，人數仍多，不能不用之故。七年來，他對中國人才政治，曾有不少努力，如推荐遴用考試及格人才，發掘考試制度上既存之問題。此次工作檢討會上所提示的工作重心三點，即根據中山先生的五權憲法以發揮考試權之精神，一方面確能把握中國文化之優良傳統精神，一方面確能符合國父遺教所示「本舊礎而加以新法」。如果這三點均能達成，無疑的，中國考試制度，將邁向一新境界。我們所不能已於言者，即是此三點工作重心之發揚，必將不可避免的遭受若干既存或新起的阻力。

應本舊基礎加新法

就考試制度之公開競爭、機會均等、杜絕情弊等優良傳統之保持而言，首先所遭遇的阻力，是已頒佈而正施行的「高於高等考試之考試」的法規，及現正擬施行的「職位分類」的「人分十品」的考試辦法，"這兩者現"是絕對破壞了中國傳統的公開競爭與機會均等的考試精神。使人才不能憑自我努力來突破層層考試以自現。而此二法規之訂立，據云：是某些任教研究所的人士，掌握立法之便，爲提拔他們的學生而協力主張訂定的。如此，則此二種法規本身已參有「情弊」在內，大本已失，杜絕小的考試中請託！偷看等情弊，則已「捨本逐末」矣。

其次，研究創造多種考試方法，實乃「本舊礎而加以新法」所必須。觀乎歷代考試制度，掄才之精神一貫，方法不妨因時而異。唐代考試雖襲隋制，然增列科目，以網羅各種人才，使兎園蛙鼓，均可稱藝，乃極一世人才之盛。今日西方學藝：光、電、化、醫藥、生物、政治、經濟、法律、教育、諸種分科教育，均加輸入。而考試制度如何趕上時代，自應加以講求。而新法測驗、電腦閱卷，使應考人可隨到隨考，以加速時效。均爲不可緩者。如此，則又必使若干考試委員及襄試委員、巡場之排場與閱卷之收入，均無形減除。彼等必將形成新的反對阻力，乃可斷言者。

中國人才政治之出現

再次是如何以考試制度有助於國家復興與光復大陸之實際問題。單就現行考試法規只以博士、碩士始可參加最高考試及十職等以上考試而言，是否可行於大陸？即爲最大問題。昔我抗戰勝利，政府對陷區青年，標示以「只有僞學校，沒有僞學生」之口號，使陷區青年普遍歸心戴德。今日共匪學校，均無博士！碩士之設，共匪對我國民黨後裔，均在查階級之制度下，不許升入高中，如何爲我大陸上忠貞後裔中聰慧無學藉之青年，留一考試奮進之途，並號召大陸億萬青年歸心，當前新頒考試法規，實有修改以恢復傳統「公開競爭」「機會均等」精神之必要。清代亡國，即因八國聯軍後，五年停止考試，青年無路可走，乃步入革命之途。我們的考試制度，豈可不以大陸億萬青年前途爲着眼點，而令大陸青年失望乎？

蔣總統曾說：以不怕我們勝利來得太遲，只怕我們制度未立，基礎未固」。我們切盼考選部能排除阻力，爲建立新考試制度而創下不朽盛業，進而導致中國人才政治之出現。

（李霜青）

自由談

領袖與英雄

政治上的領袖人物和一些英雄豪傑之士，都是社會上的特殊人才，允稱時代驕子。但其風格迴不相侔，而成就亦大異。前者有若大海汪洋，衆流奔赴，後者殆如山洪騰發，突起突落。

領袖對人處事，虛懷若谷，而勁氣內歛，求賢愛才，唯恐弗及。英雄却不然，予智自雄，目無餘子，認爲天下人都屬庸庸碌碌的凡夫，只有他纔是救世主。所以，中國古代的楚項羽，西洋的拿破崙，乃至於現代德國的希特勒，蘇俄的史大林等人，都是些英雄豪傑，不配做領袖，因而他們的事業，亦僅曇花一現而已。

歷史上最傑出的領袖人物，就中國人說，當以漢末的劉備和唐初的李世民爲首屈一指。劉備起家微賤，憑着桃園結義，關羽張飛兩個打手，馳逐於亂世，到處挫敗受屈，寄人籬下以圖存。然大智若愚，志向宏遠，而孜孜汲汲於物色人才以資輔弼，公爾忘私，決不貪圖近利，苟安自娛，終能白手成家，創建三國鼎立的蜀漢政權。李世民位居秦王時，即留心人才，秦王府的十八學士，盡係高級知識份子中的佼佼者。迨繼承大統後，不特求賢任賢，唯力是視，而且虛懷納諫，從善如流，乃能造成貞觀之治，垂範後世。可見作政治領袖的條件，除却求賢任賢，立德尚誠而外，最重要是在天下爲公，豁達大度。否則無論你本身的才能怎樣優越，充其量不過成爲一時的英雄人物，談不到領袖羣倫，創業垂統的話，這是定律，決無例外。

領袖地位之所以構成，是由許多事實經驗而來的，不可倖致，不能自封，大家心悅誠服地一致推戴，所謂實至名歸是也。驗觀現代中國的士大夫，每有三五人以上的團體組織，內部即發生爭取領袖地位的惡作劇，令人齒冷。中國政黨政治永遠沒法奠立，知識份子利慾薰心，不知自愛自重，連作時代英雄的條件亦缺乏，實係一大因素，可哀亦復哂已！

[illegible]王先生

改善交通部份措施未盡允當

監院請政院督飭改善

•本報記者羽衣•

（台北消息）：台北市自强制收購大批營業三輪車及限制運貨小板車行駛時間以後，繁營鬧區交通紊亂情形已大見改善，交通事故亦已顯著減少，但一部份有關措施未盡允當，監察院特提案糾正，應請行政院督飭改善，其改善之點，約有五端，列舉於次：

一、台北市原有三輪車一萬四千零一輛，每日夜每輛以載送二十人計算，應共爲二十八萬人。三輪車廢止以後，此每日二十八萬人之交通問題，其嚴重可想而知。代替之道，除計程車負載一部份外最大多數仍有賴於公共汽車。台北市政府雖有新增二百輛公共汽車之計劃，然迄今尚未實現。以致公共汽車之負載量，二月份平均每日尚爲八十一萬人，然已擁擠不堪，而三、四月份竟激增爲每日九十餘萬人，五月份且有一日超過百萬人者。主管當局爲改善交通及觀瞻而取締三輪車，用心固未可厚非，但對公衆交通之善後問題，亦應預爲籌謀，應由行政院直接督飭辦理，妥爲解決。

二、本於上述情形及理由，行政院如果認爲基隆、高雄、台中及台南四市之三輪車亦須以行政權力限其淘汰，則已在台北市發生且甚嚴重之三輪車夫轉業問題及公衆交通問題，亦須同時妥爲解決。然在事實上該四市交通情形並不如台北市之紊亂及擁擠，三輪車尚無即時禁止之必要。如果督促車夫保持車輛及衣服之整潔，則三輪車之存在對市容及觀瞻固亦無甚妨害。

三、台北市營業三輪車一萬四千零一輛，年來收購結果，僅剩二千六百三十七輛。今年二月底前之轉業補助費尚爲每輛六千元，但現已減爲二千元。迭據三輪車夫呼籲，而其要求亦非無理由。（中畧）。

四、運貨小板車包括三輪馬達貨車、人力三輪貨車及小輪手拉車，台北市政府目前並不收購，但限制其通行時間爲夜間十一點至清晨七點，殊不足以應衆運輸之要求。其實日間上午九點至下午三點，交通流量較小並無禁止一千餘輛小板車通行之必要。

五、五十西西機車後座禁止載人其目的在防止車禍減免危險，用意固未可厚非。但機車駕駛人每日送子女之上學，主婦日常之購置諸端，向賴機車代步，此亦可解決三輪車淘汰後之一大部份交通問題。且已往後座載人，行之有年，並未發生任何危險。現全省共有機車三十餘萬輛，倘於三輪車停用之後遽爾禁載，則以最保守之估計平均每輛每日二人，總共每日六、七十萬人不能利用其機車，其影響可想而知。况車禍之發生其關鍵在駕駛員之技術與行車之速度，後座載人可促駕駛人注意減低速度，實有助於安全。且政府爲加强駕駛員之管理，已將五十西西機車由乙種提升爲甲種，駕駛員亦以經考驗而取得執照者爲合格，此後因技術不良而發生車禍之顧慮可望減少。最近交通警官會對五十西西機車後座載人問題作重新考慮之建議，亦可見此一問題之嚴重。

又五十西西僅費百元左右稍經改裝，即可成爲六十西西。則政府對其後座載人，是否亦加取締？如對六十西西即不限制，則對五十西西之限制便無理由。如亦一併限制，則朝令夕改，殊非所宜。日本機車限制載人乃爲近五年之事，足見社會經濟條件亦應加以考慮。

以上五端，俱應迅予改善，監察院特依監察法提案糾正，已送請行政院依法處理。

列舉五項

一、公衆交通問題未能解決
二、車夫轉業補助費用銳減
三、板車行駛時間限制過苛
四、限期收購四市之三輪車
五、禁止五十西西座後載人

立院修正通過勞保條例

優點缺點兼而有之

增加率太多勞工不勝負荷

與憲法法令頗多牴觸之處

（續）

就法理言，被保險人之勞工，與保險人之勞工保險局，係根據雙方簽訂之勞保契約而發生權利與義務關係，若被保險人未盡義務當然不得享受權利，而保險人亦無權要求某些被保險人負担契約外之義務或給予特別權利。然而勞工保險條例竟規定遠洋及近海漁民要負担沿海養殖漁民保險費率百分之五十，如此立法，誠立法史上之創例，開議會政治惡例之先聲。

因此，立委崔唯吾抨擊說：依保險法的精神，保險是契約行爲，權利與義務必須保險人與被保險相互協議，決不能以另一法律作硬性的規定而違反保險法的原則！所謂「保險費備付金」，顧名思義，原是預備交付保險費的；保險費交多少，並不一律，保險費交得多，保險給付就多；交得少，保險給付就少，權利義務是相等的。決不是有的人不交保險費，或者只交一半，其餘的竟要其他被保險人代爲負担！况保險費不是稅欵，尤其不能用徵稅扣繳的辦法來收保險費的備付金！把保險費視作稅欵，甚至於還訂有强制執行的辦法，這更是古今中外沒有的惡例！

遠洋及近海漁民，十五年來所交的保險費備付金，高達一億多元，而用於這些被保險人的保險給付，大約只有百分之八，其餘百分之九十二用到那裏去？據崔唯吾委員指出，既不公開帳目，也沒有得到交付備金的這些被保險人的同意！當初扣收備付金，原以由遠洋及近海漁民勞資雙方代表參加監理委員會爲條件，未及一年，竟予撤銷，遠洋及近海漁民所盡義務是百分之百，而所享受權利還不到百分之十。凡事不平則鳴，所以他們公開刊登啓事，向立法院請願，過去，他們曾三度向立法院請願，立法院有關委員會根本不理，不僅沒有要他們到立法院審查會列席報告，在程序上也從未報告院會，這那裏是我們民主憲政體制下立法院對選民所持的態度！原來他們每人每年所交的保險費備付金是兩三千元，現在修正扣繳率以後，每人每年這些保險費負担，高達五千元以上，這豈是這些收入微薄的漁民所能負担？這是我們的勞工政策嗎？

按：遠洋及近海漁民約五萬五千餘人，沿海養殖漁業漁民約八萬四千多人。遠洋及近海漁撈，係以兩船爲一組，每組船員二十四人，船長二人。去年各生產及消費魚市塲成交魚貨售價總值超過新台幣二十九億元，遠洋漁業在國外銷售總額約新台幣七億二千五百萬元，合計爲三十六億二千五百萬元，若以此爲基數，依照立法院審查會修正之每百元抽取三元計算，則全年撥付之備付金達一億零八百七十五萬元。而遠洋及近海漁民每年須負担一養殖漁民保險費三百餘元，全年達二千六百餘萬元。於是形成遠洋及近海漁民每年需負担險費高達五千元，漁船每組每年需負担十五萬元。但保險給付反較一般勞工爲少。

關於勞工保險事務費在保險費內提成開支問題：立法院審查會修正案第八十條規定勞工保險之事務費，由保險人按上一月應收保險費百分之八之數額編製年度預算送請勞工保險監理委員會審核通過，並轉請行政主管機關核定後，在保險費內提成開支。前項事務費提成不敷成時，得請行政主管機關補助之。」如此規定，旨在減少政府負担。但現行法及行政院修正案都規定由政府核撥的。若于立委認爲：勞工保險是社會事業，其事務費應由政府負担，如由保險費內提成開支，是絕對不合理的，政府願意負担事務費，而審查會說不要，不知立法院審查會修改第八十條是什麼意思？眞使人大惑不解。

據勞工保險局總經理所著的「各國社會保險比較」一書所述，歐美各國對勞保事務費都是規定由政府負担，只有法國例外，至於泰、越南各國的勞保事務費，係由僱主担負，亦不由勞工担負。如事務費改在保險費內提成開支，則保險工作就不能做了。是故，郭中興委員說：要勞苦工人去負担勞保事務費用，無異剝削工人，吮勞工們的血，這是絕不可以的。

行政區劃的問題：中華民國憲法已有明文規定。蓋地方行政單位爲省、市、縣，其名稱疆域、區劃，均有一定，不容紊亂，管轄應統一，毋許紛歧。而勞工保險條例修正第六條竟規定由台灣省設勞工保險局，並辦理非台灣省行政區劃之金門、馬祖及台北市的勞保業務，顯與憲法規定抵觸。

爲此，立委們在院會討論時，曾引起激烈的辯論。最使人感到驚訝的是立委吳延環，他於立法院本會期第十八次會議中，極力主張「中央設中央勞工保險局，統籌辦理全國勞工保險業務並爲保險人，負盈虧責任。」反對「委託省辦」。其理由是：「如中央不設中央勞工保險局，將來我們返回大陸時，別的省要辦理勞工保險則又如何？是否四分五裂，分別委託各地辦理，而中央並無統籌機構？」

殊料，吳延環委員等一一八人復於第二十九次會議，對二讀會通過之第六條，提請復議，其條文：「中央行政主管機關，統籌全國勞工保險業務，視全國勞工分佈實況，劃分地區，由各該區內勞工人數較多之省（市）政府，設置勞工保險局，辦理各該地區勞工保險業務，並爲保險人；必要時，由中央設局辦理之。」此一復議，與其先前之主張，顯有極大之區別。

總之，修正後之勞工保險條例，增加勞工負担，但給付並未比例增加，尤其增加率超過政府之請求，而政府自願負担之勞保事務費，立法院改由保險費內開支；其次是同一被保險人之權利義務竟相異，實創立法之惡例。由此可見，立法院實在「老態龍鍾」了。

（續完）

．本報記者張健生．

偽造河南大學學籍案

陳會瑞提出新證據

閻振興再度被告發

台北消息：陳會瑞檢舉教育部長閻振興涉嫌偽造于冠英河南大學學籍案，自趙冰清涉嫌被提公訴，而閻振興宣告不起訴處分。各情業誌本報。該案於七月十七被告趙冰清，原告陳會瑞均到庭應訊及作證。庭訊後陳會瑞以發現新事實，特具狀聲請將教育部長閻振興，依法列爲被告，予以傳訊調查，或發回重新偵查。茲錄該陳會瑞聲請理由稱：（一）七月十七日上午九時庭期，被告趙冰清當庭供稱：「陳會瑞告發閻振興與偽造河南大學學籍案，事前是我同意他告的」。有趙冰清親簽之筆錄可證，與會瑞之證詞，完全相符，足證本案確係閻振興所爲，實難卸脫偽造文書瀆職之刑責。（二）查會瑞告發閻振興之前，曾就本案面詢趙冰清是否有「我奉閻部長之命，調出河大文卷，交付閻部長，他如何添改，與我無關，你告他好了」……以後雖有認罪自白，但趙冰清在地檢處及在鈞庭作供時言出諸脅迫，且查明亦非趙冰清之筆跡，予以推翻。檢察官限於時勢，竟不採信趙冰清最初不利於己之供詞科罪閻振興，於情已屬失察，復對閻振興於部屬三次簽請法辦擱置二年四個月不辦之瀆職事實，認定閻振興雖因部屬三次簽請法辦而知有犯罪情事，但因不知係何人所爲。」爲理由，予以不起訴處分，於法尤屬不平，縱元兇於法網，雖收效於警誡，何以肅政風而振人心，興文化而利反攻耶。（三）聲請依閻振興與列爲被告，予以調查，或依法將本案發回重新偵查，以宏法治。

記鳴遠外語專校教部延擱立案經緯

台北新聞信

通訊員柳一權

現已歇業的台北「自由太平洋文化事業公司」，係天主教徒段宏俊於四年前創設的，經營出版事業，兼發行「自由太平洋月刊」雜誌，而前南京區天主教副主教兼益世報社長牛若望任該公司董事長，但其登記有案的發行人，曾在內政部登記，該公司印行之書籍上，皆註明「發行人牛若望」字樣，並無異議。牛氏對段亦信任甚專。

民國五十三年初夏，[illegible]與段爲[illegible]吾國建[illegible]之雷鳴[illegible]，發起[illegible]私立鳴[illegible]專科學[illegible][illegible]

[illegible]

……營造商向法院控告牛氏詐欺，段某因此被判處徒刑九個月。牛氏又向內政部具呈否認係自由太平洋文化公司發行人，內政部會飭治安機關搜查該公司，追繳登記證。校董會乃一面將段某之總幹事解職，一面清理段某所開空頭支票，凡與學校有關，且有事實證明者（如建築校舍的營造欵），一律承認支付（對營造商已付出三百餘萬元），其與學校無關者，由段某私人負責，聽候法院裁判。此項辦法，迭由校董會議議決執行，涇渭分明，並呈報教育部查核，應無紛可言矣。（上）

吳敬恒先生年譜（八）

（續七月二十四第八七四期）

陳凌海編撰　陳洪校訂

民國紀元前十六年——清光緒二十二年，丙申（西曆一八九六年）先生三十二歲。

陸爾奎（煒士）推薦先生至吳縣（蘇州）陳容民家爲西席。（陳容民隨鴻章二十餘年，係李鴻章之幕友。）所遺廉氏館，由丁賓書（芸軒）續敎。先生所敎學生僅一人，每月束修十元。在當時爲極優厚之待遇。某日乘船回錫，同舟者詢之，據實以告。聞者面露訝色，以爲虛誇焉。先生在陳容民家爲西席時，[illegible]中，每日必有荳芽菜，久之，先生甚厭之。惟因觸靈感，遂創拼音字母一套，名之曰：「荳芽字」。敎授其文盲家人及親友拼寫方音，作爲通信之工具。先生之「荳芽字」和盧戇章之「第一快音新字」，同開中國拼音字母之先河。「荳芽字」，於先生全集中，留有鱗爪。

二月二十二日，清明，先生遊蘇州山塘。觀祀壇諸神過。三月二十五日授又公子芙三字經圖說。四月二十四日，先生自蘇州返無錫，在老渡口遇鄰居張聽喜告語，始知公子薔（叔微）已於四月二十二日誕生（國曆六月三日）。並已由其大妹美宜名之曰：「祥麟」。先生對公子薔寄以殷切之期望（先生後因公子薔，凡事好詳，故改名爲詳。）於是寫亮儕兒曰：「吾兒亮儕，庶志諸葛之所志，學諸葛之所學。且字曰：亥伊。將以天下爲己任。」七月，先生爲龔成秀才妻錫圭及程李絢瑞作哀鳴集序。三十日，有成公與吳韻韶同舟返故里小住。八月十五日，偕表兄陳育（仲英）、裘小翰、杜孟兼同遊無錫惠山。十二月編諸葛武侯年譜。先生寫丙申日記。是年康有爲在上海立「强學會」，創辦「强學報」，先生認係得張之洞之同情。梁啓超（任公）旋亦在上海辦「時務報」。同時鼓吹維新。嚴復（又陵）、孫寶琦等在天津辦國聞報，響應梁啓超。皆受國人歡迎。冬，國父在倫敦蒙難，先生認有洋人保護，國父必能安全獲釋。冬，先生患濕瘡。

民國紀元前十五——淸光緒二十三年，丁酉（西曆一八九七年）先生三十三歲。

先生在蘇州陳容民家敎書。因患濕瘡，歷久不癒，遂辭館返錫。療治數月後始痊癒。三月，鈕永建（惕生）訪晤先生，談武備事，言之娓娓。九月，（國曆十一月）先生由無錫赴天津電報學堂任國文敎員，至則敎席已爲他人所佔。適北洋大學堂新開鐵路班，邀先生充漢文敎習（先代陸爾奎煒士，後敎正班。）因先生敎國文用新法，北洋大學堂總辦寧波王修植（菀生）頗爲賞識，約先生明年敎北洋高級第三班。由丁酉十月至翌年戊戌六月皆在北洋任敎。在校時曾訂「游戲功課册」備查。薪金原定每月二十元，嗣改爲每月三十兩。北洋大學係光緒二十一年成立，設頭等學堂（本科）二等學堂（預科）。總敎習爲美國人丁家立（Charles— Tiney）、頭等學堂總辦爲王修植。二等學堂總辦爲崔述堂。王寵惠（亮疇）乃頭等學堂第一班學生。王正廷（儒堂）乃頭等學堂第三班學生。與先生同時在北洋任敎者有薛竹書、陳錦濤、溫宗堯等。

荀子的自然學說

・饒彬・

在荀子學說裏，表現得最爲突出的是他的天道觀。荀子以前的人，大都把天視爲有靈性有人格有意志的東西，並且認爲人的一切皆由天爲之主宰，而人只應絕對無條件的服從天的意志。孔子所說的，「獲罪於天，無所禱也。」（論語八佾）「天生德於予，桓其如予何？」（論語述而），「天之將喪斯文也，後死者不得與於斯文也：天之未喪斯文也，匡人其如予何？」（論語子罕）以及孟子所說的「若夫成功則天也。」（孟子梁惠王下）都是表示這種意思。到了荀子。這種曾長時間支配着中國人心的舊傳統，被他粉碎了。他提出了一種新的觀念：他以爲「天」只是一種自然現象，其本身是不知不識的，是沒有意志的。他以爲天只是按照着一定的法則而周流進行。宇宙萬物，在自然大化中，受着大自然各種條件的浸潤化育，而各獲其養，各遂其生。

他說：「天行有常。（天論篇）又說：「星遂旋，日月遞炤，四時代御，陰陽大化，風雨博施，萬物各得其和以生，各得其養以成。（天論篇）

天既是一種自然現象，所以其本身的存在與其運行演化，都是無目的的。它不因人事界任何的變化，而改變其常道：他不因人的好惡，而變更其常態常行。荀子說：「天行有常，不爲堯存，不爲桀亡。」（天論）又說：「天不爲人之惡寒也，輟冬。地不爲人以務遼遠也，輟廣。」（天論篇）

由於荀子把「天」視爲一種自然現象，所以他以爲天的本身也就不能作福於人。們以爲人的福祉，完全是由人所積聚；而禍災，也完全是由人所招致。決不象常人所說的「禍由天降」、「福自天申」。他以水、旱、寒、暑、癘疫、凶咎爲例，來說明這些都是人自使之，而非天所使之。他勸人「彊本節用」，「養備動時」，「脩德循道」，而不可以一味怨天。

他說：「彊本而節用，則天不能貧；養備而動時，則天不能病；脩道而不貳，則天不能禍。故水旱不能使之飢渴（王念孫云，渴字爲後人所加），寒暑不能使之疾，妖怪不能使之凶。本荒而用侈，則天不能使之富；養略而勸罕，則天不能使之全；倍道而妄行，則天不能使之吉。故水旱未至而飢，寒暑未薄而疾，妖怪未至而凶。受時與治世同，而殃禍與治世異，不可以怨天，其道然也」。（天論篇）

這裏所謂「其道然也」，也就是說自然之理如此。自然之理既是如此，那又何怨何尤呢！荀子稱此爲天人之分，認爲是人所必須辨明的一件事。

至於國家的治亂興衰，有人也以爲與天道有關，以爲國之將興，天必示之以吉，國之將衰，天必顯之以凶。其實自然界的現象，完全是自然形成的。有時，因有不尋常的現象發生，人們就難免詫異驚怪，而認爲是凶禍即將來臨的兆徵，對之產生一種畏懼的心理。這在荀子看來，以爲簡直是庸人自擾。他曾以「星隊木鳴」自然界罕有的現象，常爲人們所畏懼一事爲例，來說明人畏之之不當。他說：「星隊木鳴，國人皆恐，曰，是何也？曰，無何也。是天地之變，陰陽之化，物之罕至者也。怪之可也，畏之非也。」（天論篇）

「怪之可也，畏之非也」，那就是說對於這些自然界罕有的現象，以爲是一種怪異，是可以的；若因而對其發生畏懼之心，那就全錯了。荀子以爲自然界怪異現象的發生，與人事界並無必然的關係。有之，無傷於治；無之亦無益於亂。他說：「夫日月之有蝕，風雨之不時，怪星之黨見，是無世而不常有之。上明而政平，則是雖並世起無傷也；上闇而政險，則是雖無一至者無益也。」（天論篇）

荀子以爲作爲人的主宰的還是人。國家的治亂興衰，主要的全視人謀的臧否，與天並無若何的關係。所以他說：「治亂天耶？曰，日月星辰瑞歷，是禹桀之所同也，禹以治，桀以亂。治亂非天也！時耶？曰，繁啓蕃長於春夏，畜積收藏於秋冬，是又禹桀之所同也。禹以治，桀以亂。治亂非時也！地耶？曰，得地則生，失地則死，是又禹桀之所同也。禹以治，桀以亂。治亂非此也！」（天論篇）

荀子這裏所謂「天」、「時」、「地」所指的都是自然現象。他的這種說法，與英國哲學家培根所說的一段話，極爲相似。培根說：「居於歐洲最文明地方之人之生活，與居於新印度最荒野之處之人之生活大異。如有人見他差異，而以此二種人所受之幫助利益及生活情形加以比較，彼將知『人對於人是神』之言爲不謬。此二種人之生活之所以有此不同者，非由於土地，非由於氣候，非由於種族，而乃由於「技藝。」這裏所謂「非由於土地」、「非由於氣候」，與荀子所說的「非時「、「非地」的意思，完全是一樣的。因爲在荀子看來，國家的治亂興衰，與人事的吉凶妖祥，完全由於人爲，完全要看人的努力。所以他們看重自己，看重本身的力量，而不必徒慕天功。他說：「君子敬其在己者，而不慕其在天者。」（天論篇）

由於荀子以爲人可以主宰自己的命運，所以他呼籲人要以人力「制天」。他說：「大天而思之，孰與物畜而制之？從天而頌之，孰與制天命而用之；望時而待之，孰與應時而使之；因物與多之，孰與騁能而化之；思物與物之，孰與物而勿失之也，願於物之所以生，孰與有物之所以成。故錯人而思天，則失萬物之情。」（天論）

「錯人而思天，則失萬物之情。」這意思就是說，人若忽視本身的力量，放棄本身的責任，而一味依賴天功，那便是不了解萬物之情了。遠在紀元前三世紀的荀子，對於「天」的觀念，竟能與十五世紀的西方哲人——培根，有同樣的見地，這實在太令人驚奇了。所可惜的是：荀子這種超時代的思想。並沒有能受到後世中國人的重視，讓古老的傳統，天即天帝的觀念，繼續把中國人心支配了二千多年，致使我們一切的科學遠落人後，實在是太對不起這位先知了。

李茂相法

銘石

定州守楊秀實，正大中權刑部主事，供輸關陝。相者李茂，自南中來，相人言休咎殊驗，官府以其惑衆羈管之。楊與之熟狎，私自言：「此人言休咎，或壽永，末路榮顯，差以自慰；如言前途不遠，或曰久他難，只增憂撓耳。」因與茂食次問曰：「休咎不願知。但某離老母十月，見面當在何時？」茂且食且笑曰：「君三日當拜太夫人矣」。楊竊謂「關陝去京千里餘，三日何緣得到？」食未竟，平章滿公急召楊，驛奏邊事，三日未日中至家，楊至此以爲奇。范後入京，寓惠安寺，朝士爭往叩之。近侍焦春和，甫入門，茂即言：「五品五品，恨來處不高耳。」焦本世宗家僮，聞茂言深恥之。茂未幾被戮。年三十三。

——續夷堅志——

三日春秋

張季鸞文章報國

・厚安・

以「一筆」爲筆名的張季鸞先生，當年在「大公報」的文章，擲地作金石聲，與署名「畏壘」的陳布雷先生，南北輝映。

季鸞先生當年辦報時，曾許下「文章報國」的宏願。他眞眞實實地實踐了諾言。在抗戰未開始前那一階段，共黨藉抗日爲名，鼓動風潮，使政府無準備時間。在那時候，敢揭櫫「安內攘外」之義，以告國人的，只有季鸞先生。也只有他至公的立場，與雄偉的文筆，才能在既倒狂瀾中，作中流砥柱。

季鸞先生，以報爲家，他對報社同人，愛護得無微不至。報館經理曹谷冰氏，爲一幹練而誠樸的報人，因爲手面稍寬，薪水不夠用，到了節下，私自返回家鄉，賣了幾畝田來還賬。這件事讓季鸞先生知道了。他邀了報社幾位同人，在一塊吃飯，當場提起此事，他說：「天下那有在外面做事而還回家賣田的。更何況谷冰兄的開支，也有一部份是爲報社用去的。你有困難不告訴我而自己去賣田，是不把我張某人當朋友，該罰」。說過以後，就提了一筆錢，派一個人到曹谷冰君的家鄉，替他把田贖回來。

季鸞先生對後進的訓練，煞費苦心。范長江在中央政治學校畢業後，張先生帶他四面出去拜訪，介紹於名公鉅卿之前，使他在很短的時期內，變爲「名記者」。王芸生學寫社論，時間不太長，張先生那時已經有病，經常在南岸休息。每天，張先生與王芸生商定社論的題目，擬定了內容，指示了細節，叫王芸生去寫。脫稿以後，在榻前一再商酌，一字一句，絕不放鬆，常常數易其稿，不厭其煩。眞所謂「循循善誘」。王芸生經過名師心傳，才能脫穎而出，這兩個人都對不起張先生。現在均遭整肅，捫心自問，當爲有負恩師而痛哭。

張先生爲人十分率眞。米蘇里大學以新聞獎頒給「大公報」時，張先生當衆致詞。他並不像普通人所想像的那種虛僞的客套，却板起面孔說明新聞事業的艱辛，與此獎得來的不易。淺見者或以爲失之過傲，實則此正先生可愛處。

一部晚清的小說

·許一塵·

上月到北部時，無意中在牯嶺街的舊書攤上購到一部頗有歷史價値的晚清小說，書名叫做「繪圖中東大戰演義」，是光緒二十六年仲春月香港中華印務局刊行的，作者洪興全。全書凡四冊，報紙石印本，合共三十三回，自朝鮮東學黨叛亂起，至中日通商條約訂立止。（李鴻章出使俄國慶賀俄皇加冕禮，派張侍郎樵野參加會議，光緒二十二年六月十一日，條約告成。）第一回是「東學黨無端生叛變，朝鮮國平地起風波」。最後一回是「淡仕途劉將軍喜歸珂里，息烽火大清主樂享太平。」篇首尚有作者的自序：

「從來創說者，事貴乎實，不宜盡出於虛。然實之中，虛亦不可無者也！苟事事皆實，則必出於平庸，無以動詼諧者一時之聽；苟事事皆虛，則必過於妄誕，無以服稽古者之心。是以余之創說者，虛實而兼用焉。至於中日之戰，天粧台畏敵之羞，劉公島獻船之醜，馬關條約，台澎割地，種種實事，若盡將其詳而使載之，則國人必以我爲受敵人之賄，以揚中國之恥。若明知其實，竟捨而不登，則人又或以我爲畏官吏之勢，而效金人之緘口。嗚呼！然則創說之實，不亦戛戛乎其難之矣！至若劉大帥之威，鄧管帶之忠，左夫人之節，宋官保之勇，生番主之橫，且其餘所載，劉將軍用智取勝，樺山氏遣使詐降等事，余亦不保其無齊東野人之言者。余也，非讀者也；然事既有聞於前，反有一點能與中國掩羞者，無論事之是否出於虛，猶欲刊載而存於後，此我國臣民之常情也。故事有時雖出於虛，亦不容不載。余之創是說，實無虛妄之言，惟有聞一件記一件，得一說載一說，虛則作實之，實則作虛之。任教稽古者，詼諧者互相執博，余亦不問也。謹誌數言，以白吾志。』

作者寫這篇「序言」的目的，是在「以白吾志」。故他特別在故事的虛實上立論，反覆申說，其實，是大可不必的！小說的生命，本來就在事實的「逼眞」，而不必盡如歷史傳記的正確。寫歷史小說，只要大體不與史實違背，也就行了，何必去注意細節，有時恐怕還得加上一些有趣的細節呢！據我的看法，作者怕得罪當時的權貴，有意閃躲，倒是有之，但我們也不能太責備他，因爲環境有以使然。不過，這篇自序，事實上做得並不好，內容空洞，還是第二層，首先在字句上就有許多毛病，讀者是不難看得出來的。而且那股酸溜溜的勁兒，眞令人有點忍俊不禁哩！

我們再來細讀全書。因爲書名叫做「繪圖中東大戰演義」，所以正文之前，就有日本天皇、天下第一大臣（李鴻章）、日首相伊藤博文、朝鮮王、日軍陸軍提督大山岩、丁禹廷海軍提督汝昌、日本海軍提督伊東裕亨的畫像。每冊前面還有兩幅與本書無關的繪圖。其行文是用一種白話和文言混合的體裁，回目中作者並喜歡用「有詩爲證」，「後人有詩嘆之」，或者「有詩讚之」，「正是……」等的呆板寫法。所引的詩，也大半是古人之作。

本來，這次大戰，有許多材料是値得描寫的；如像鄧世昌與左寶貴之忠烈殉國，馬玉崑之盜馬背屍，左夫人之爲夫復仇，吳大澂之言過其實，丁汝昌之懦弱無能，劉永福之威震台灣，李鴻章之委曲求全等等。但是，因爲作者的文筆不很高明，只一味平鋪直敘，故把幾個十分動人的故事，都完全寫得失敗了。其中惟有諷刺吳大澂的那一部分，雖然是輕描淡寫，倒也頗有趣味，尤其是那篇堂堂皇皇的告示，和後來大糕台大敗對照着看，意義更爲深刻。這位巡撫大人的佈告，値得抄在這裏：

「幫辦軍務大臣頭品頂戴兵部尙書兼都察院右副都御史湖南巡撫部院吳爲出示曉諭事：本大臣奉命統帥湘軍五十餘營，訓練三月之久，現由山海關拔隊東征，正二兩月，必當與日本兵營決一勝負。本大臣講求槍炮準頭十五六年，所練兵勇，均以精於槍炮爲前隊。堂堂之陣，正正之旗，能進不能退，許勝不許敗。湘中子弟，忠義奮發，合數萬人爲一心。日本以久頓之兵，師老而勞，豈能當此生力軍乎？惟本大臣以仁義之師，行忠信之德，素以不嗜殺人爲貴；念爾日本人民，各有父母妻子，豈願以血肉之軀，當吾槍炮之利？迫於將命，遠涉重洋，暴師在外，値此冰天雪地之中，飢寒亦所不免！死生在呼吸之間，晝夜無休息之候，父母愁痛而不知，妻子號泣而不聞。戰勝則將之功，戰敗則兵之禍。拼千萬人之性命，以博大鳥主介之喜快。念日本之賢士大夫，未必以黷武窮兵爲得計。本大臣欲救兩國人民之命，自當開誠佈公，剴切曉諭：兩軍交戰之時，凡爾日本官兵，逃生無路，但見本大臣所設投誠免死牌，卽繳出槍刀，跪伏牌下。本大臣專派仁慈廉幹之員，收爾入營，一日兩餐，與中國人民一律看待，亦不派做苦工；事平之後，卽遣輪船送爾歸國。本大臣開誠曉示，天地鬼神所共鑒，決不食言，致傷陰德。若竟迷而不悟，拼死拒敵，試選精兵與本大臣接戰三次，勝負不難立見！至迨該兵三戰三北之時，本大臣自有七擒七縱之計。請鑒前事，忽貽後悔！切切，特示。」

這位有宋襄公作風的吳清卿先生，吳縣人，名大澂、號恒軒，同治進士，歷官湖南巡撫，而且是一位清代赫赫有名的金石書畫家，著作甚多。但甲午之役，督師山海關，慘敗得不堪言狀！又是一位給中國大丟其面的官員。據說，那次他還是自己請纓的，平素的純盜虛聲，也就可以想見！從一個封疆大吏的作爲，我們便可以看出當時滿清政治及軍事的窳敗了，後來焉得不發生革命哩！

書中還有些文獻，如伊東褚亨「致丁汝昌勸降書」，以及丁汝昌的投降文，覆伊東褚亨的信等，（書中丁汝昌，均作丁禹昌），因爲文字過長，怨不能抄錄。此外尙有一副對聯，據說是李鴻章與日議和時，在天津一個佳家的門口上出現的：「宰相合肥天下瘦，司農常熟世間荒。」但這個也早已爲我們所熟知了。

其他如李鴻章與伊藤及陸奧的談判情形，書中也照抄，在第二冊中竟估了十二面之多，第三冊估了一整本，這可見其內容之貧乏，以及作者選擇材料與整理的手法，是多麼的拙劣與呆板了！而且有一些可以作爲小說題材的可歌可泣的事蹟，又平白地被作者稽塌了，揚棄了，遂使這部演義，毫無特色！不過，從它出版的年代，和作者的企圖來說，其技巧雖然很幼稚，但在晚清小說史中，其歷史價値，始終是不能一筆抹煞的！何況，它還保持有很多寶貴的史料哩！

海天詩苑

七十自述

魏清德

賤子年七十，歲月愧蹉跎，賦性因愚魯，謀生受折磨，瓶如諸有粟，手敢歎無柯，朋舊日以少，鬢髮日以皤，還恐來日難，世上苦人多。

賤子髫齡時，慈親卽見背，父書命我讀，耳提而面誨，兒賢思與齊，此志竟未逮，但知全吾眞，有責敢傍貸，匹夫匹婦微，事繫邦興廢。

兩男撐門戶，五女聊慰情，婚嫁未及半，念念心常縈，兒孫列滿前，祝我以長生，亂瘼何由靖，蕪穢何由清，欲爲身家謀，先計國開明。

深荷皇天慈，尤人更不敢，居安毋思危，茹苦偏嘗膽，唐虞世已遙，史籍空傳覽，百川同味鹹，山泉清且澹，吾生信有涯，亦復多逢坎。

我家本新竹，離鄉卅餘年，猶存先人廬，參差瓦數椽，弟也小四歲，式好無尤愆，時時邀我歸，風雨對床眠，得朋叙家常，此意良欣然。

壯日游四方，風塵牛馬走，歸來仍故吾，賣文以糊口，緬懷故侯瓜，亦慕先生柳，人世幾滄桑，白雲幻蒼狗，恩貴及身酬，睚眦怨無有。

樓頭數架書，堆積飽蠹魚，蠹魚仙不得，與我日相於，多亡爲厚藏，知足常有餘，物我互消長，日月送居諸，短短百年內，乾沒將何如。

創業哲學

律師的立場

楚狂人

站在律師的立場，沒有不能打的官司，照律師接生意時對當事人的語句，犯任何罪都不能成其爲罪，全台灣各地監獄客滿非無由也。

美國名將格蘭統帥，他最不喜歡律師，有一次偶然走進國務院一間休息室，遇到幾位律師圍爐閒話的，格蘭正欲迴避，可是已來不及了，他們都知道格蘭是個性，其中有一個向他開玩笑說：「將軍你是戰場上的過來人，我們如果說你是地獄中的過來人，該不致相差甚遠吧！」格蘭笑着回答說：「戰場是像地獄一樣」。那個又問：「格蘭統帥能否將地獄情況見告嗎？」格蘭說：「同眼前的情況沒有太大的區別」格蘭慢吞吞的又說：「就你們律師方向地位來說，他們在地獄裏也是這麼圍着火爐的。」

一般人對律師的看法，雖不像格蘭統帥心目中這麼低，但律師的話確不能作過高的估計，否則會誤你的大事，當然正直無邪的也很多，可是委託律師的當事人在習慣上都喜歡捧着鈔票買回來一些胡說八道，陶醉在自欺欺人的氣氛中，多麼可憐和可笑。

戒訴訟

衛理爵士敬告別人說：「無論你要做甚麼，切不要訴諸法律，忍受任何難堪和壓迫，切不要將自己的精神和錢袋消耗在法庭上。」

中國民間亦有：「窮死勿作賊，冤死不告狀」的名言，喜歡告狀的人當弄到傾家蕩產，身敗名裂，台北的中國醫學院涉訟立法委員罷勤和名醫賴少魂等兩造都未討到便宜，就是一個最好的例子。除非你是靠訴訟爲生，如司法黃牛，以詐欺爲常業，地痞之輩，那是例外。長安西路有一家貿易公司，倒別人兩百餘萬，老闆是福州男子周╳祥者，所發出支票不僅不兌現，所有持票人，十有七八都被他先告了，最後自己雖然敗訴，但經兩二年的纏訟，眞正的商人，還不是自認倒霉算了，也就是民間亂源所在。本報通訊員柳一權將道種社會敗類名之曰「第三種人」，闢治安當局業已開始注意。

居家處世絕對戒訟，與人有銀錢往來特別審愼，寧可在事前得罪人，勿在事後打官司，卽是你百分之百的有理，也得要想到衙門八字開的可怕。

事過境遷（三幕喜劇）

熊式一

趙：他不停口的老談母狗養了七八隻小狗兒，我難道可以對他說：「叔叔」，你老人家一提起母狗養了七八隻小狗兒，叫我想到了請求你老人家，允許我同令姪女結婚」。

露：（大笑）太極！我想假如你不畫油畫，演滑稽電影一定會成功，比梁醒波還要滑稽了！

趙：（一點也不笑）他每一句話不離狗！對我談了半天養狗的事，回過頭去，還要去和狗談話！先和老母狗談：「阿花，你好呀？我得恭喜你呀」？阿花說：「汪、汪」「阿花，一添就添了七八口兒，忙得過來嗎？」阿花說：「汪，汪，汪！」他和阿花談了半天，又要和那一堆小狗兒一個一個單獨談話，叫我實在忍無可忍，只好偷偷的溜了！

露：（安慰他）太極，別生氣，我們只好先和我嬸嬸談談，好讓她去替我們想法子！

趙：我老早就主張先和你嬸嬸談談，你嬸嬸好辦多了，可是你偏偏不許我開口！

露：誰叫你對着嬸嬸老提紅木家具不衛生，沙發椅子多舒服，還要提………還要提………

趙：抽水馬桶………

露：（變臉阻止他）太極，不准說，衛生潔具：

趙：好，就說是「衛生潔具」！

露：叔叔爲了這些事，正在生嬸嬸的氣呢！叔叔說，咱們從祖父手裏起，就住在這兒，用這些家具，洗臉盆、洗澡盆、甚麼，甚麼，幾十年以來，老早就是最新式，最考究的，決不可以在他手裏，破壞祖上傳下來的遺法，你想，他們兩個人之間，現在正有一點兒小小的意見，嬸嬸怎麼可以幫我們的忙，對叔叔講我們的好話呢？

趙：你不是常說嗎？你叔叔就是怕嬸嬸一個人！

露：不過這一次爲了………爲了………爲了洗臉盆、洗澡盆、甚麼，甚麼的事，我叔叔眞生了氣，一點也不怕我嬸嬸了，所以就是我嬸嬸答應了也沒有用，只好等她慢慢的替我們想法子，我們先得守秘密，誰也不可以告訴的！

趙：我相信你心裏早就想要秘密訂婚，叫我千萬不可以告訴人，可是你見一個人就告訴一個人，說是我們秘密訂了婚！

露：沒有的話，我才不會呢？

趙：我不相信！

露：信不信由你，不過守着秘密多麼好玩呀？誰都不知道我們訂了婚，只有我幾個最好的朋友先知道，等到我們結婚的日子，有的人收到了請帖，這才說她本來早就知道，因爲是我們的好朋友，所以一向都替我們守秘密………。

趙：我早知道，你口口聲聲要我守秘密，自己却急於告訴人。

露：沒有的話，不過難道我嬸嬸還可以瞞得住的嗎？她是天底下第一有眼光的人。無論甚麼事，在發生之前十天，她就先看穿了。我叔叔在發生了十天之後，你不對他直說，他還不會注意呢？你旣然對我叔叔不好開口。回頭等我嬸嬸下樓來了，讓我先告訴她吧！（包太太進來了，她一點兒也不可怕）

包太：我已經下樓來了！露西，你有甚麼事先告訴我呀？（望着他們笑一笑）我想用不着你們先告訴我，在十天之前，我早就猜到了，太極，你們打算甚麼時候請我們喝喜酒？定了日子嗎？⑦

自由報

第〇八八期

中華民國僑務委員會頒發台教新字第三二三號登記證
內政部登記證內警台報字第031號
中華郵政台字第一二八二號執照
登記爲第一類新聞紙類
（中週刊每星期三、六出版）
每份港幣壹角．台灣零售價新台幣貳元

社址：香港九龍登打士街91號十樓六座
91 DUNDAS ST, 9th FLOOR, FLAT 6 KOWLOON H. K.
電話：857253 電報掛號：7191
承印者：大同印務公司
地址：香港北角和富道九六號
台灣總管理處
中華民國（台灣）台北市大同街119號
電話：555395．557474
台灣分社：[illegible]西寧南路110號二樓
電話：[illegible]
台郵劃撥儲金戶九二五二

斲喪民族生機的節育運動（下）

・竹州客・

這種一切爲了下一代的犧牲精神，完全是貢獻的，毫無私利之心存於其間，人類唯在這方面表現得最偉大，因爲家族才能得到綿延，民族才能得到發揮。中華民族所以能夠永隆於世界。歷萬刦而不衰頹，固然原因很多，然此一多子多孫的優良傳統，確實具有很大的關係。

自海禁大開以後，中華民族第一次喪失了自信心，在自然科學方面，我們不如人家，這是有目共睹的事實；至於在社會科學、人文科學方面，我們有五千年的蘊育發展，是否也不如人呢？實有深入衡量的必要。但百年來號爲維新之士，都犯了躁急病，不管自家的東西，是好的還是壞的，是有用的還是無用的，一古腦兒摔脫開去，更不加選擇的移入西洋的一切；現在只要聽到說文化大革命，都不禁爲之心悸髮指，實際上，百年來的許多措施，早就革固有文化之命了。在這期間，西洋的個人主義思潮，也就大移植到中國，最先破壞了家庭有機的整體性，見之於法律上的，如夫婦財產的各自獨立；如子女成人（法定年齡）後，在家庭中的獨立性；甚而一人有罪一人當，雖親如父母子女，也不負連帶的責任。

至於父債子還，那更不必談了；於是家庭變成了合同式的組合，夫婦的關係，憑一張結婚證書，父子兄弟的關係，憑戶口名簿的記載；在這裏的情形下，把最原始的生物性的家族連鎖弄鬆弛了，每個家族成員，將不再爲整個家庭設想，一切的行動，但就自己的立場，爲出發點，自然不能不有權利義務的衡量，誰還肯貢獻一己的生命而作偉大的犧牲呢？男的治外，應當在社會上活動，女的要向男的看齊，自不甘被關於家庭之內，於是生男育女，便覺是一個很大的拖累；同時子女長大以後，高足遠飛，既不能養兒防老，又何必生育教養呢？所賴上帝的恩賜，人類因爲具有人性，不會作此極端的行動，但節制生育，既是合情合理，又是合於權力義務的衡量，所謂「兩害相權，取其輕者。」人既然不能不生育，與其多生育，便不如少生育的合算。於是人類羣起節制生育，中國因接受了西洋的個人主義觀點，也隨着節制生育，所幸鄉村的風俗質樸，還保有傳統的觀念，甘願犧牲自己的幸福，家庭的幸福，而多多培育下一代；不料一些「先進」之士，自己在家裏實行節育還不算，還要作爲一種運動，向鄉村推行，極其所至，恐怕有一天，政府也要拿出大量的金錢來獎勵生育了。

以上所述，爲節育說的思想基礎，然恐實行節育的人，絕對不肯承認，於是推行節育運動，不得不另覓藉口，最主要的，如說人口無限制的膨脹，會對經濟的發展，造成一種很大的壓力；意思就是說，經濟發展一點成績，乃被增殖的人口給抵銷了，甚至還會超過經濟的發展，其結果，不是迫使經濟發展停頓，就是迫使經濟發展下降，則國民所得之指數，不但達不到較高的標準，甚且變得更低落了。爲此說者，雖所言不無理由，然不免犯了短視之病。他們忘記了經濟的發展，還有人的成份在內，如果以限制人口的手段，來換取經濟發展的提高，誠無異殺鷄取卵。我們認爲，無論在任何情形之下，人力本身便是一種財富，雖然人力資本不如物力資本得利快，但我們能夠把眼光放遠大一點，只要暫時的勒緊褲帶，將下一代培育成人，不用等他們去創造經濟的成果，我們便已經獲得了財富，因爲他們都是人力資本，有了資本，便可以再創造經濟價值，所謂人力資源，還不是最可靠的財富嗎？所惜一般經濟專家，不把人力資源計算在經濟發展的指數之內，只論物資的利潤，所以說眼光不夠遠大，此其一。又或說：即使培養了豐富的人力資源，假使沒有豐富的物質資源相配合，則英雄無用武之地，如何能創造更大的經濟成果？就以台灣本島來說，雖不免有此顧慮，但中華民國的領土，不只台灣一島，我們還有廣袤的大陸，正須要廣大的人力來整頓，自不應以目下侷促海島，便覺人口的壓力，冒然的實施節育，以貽無窮的後患，足見眼光不夠遠大，此其二。有此二者，則以人口的增殖，會阻止經濟的發展，是沒有理由的。

節育說的第二個藉口，便是針對家庭的幸福，爲了父母的幸福，爲了整個家庭的幸福，絕對不能夠無限制的生育。這樣說來，自然比較容易動聽，因爲說生育子女會影響經濟發展，大家以爲和自己的關係疏遠，便會漠不關心；若說影響自己的幸福，這問題可大了。誰都知道，生育子女是父母的重担，爲了減輕父母的負担，既然有科學的帮助，或口服樂丸，或安裝樂普，絕對用不着淸心寡慾，便可以達到計劃生育的目的，更美其名曰「家庭計劃」所謂計劃也者，只能有把握的減少生育，不能有把握的增加生育，於是在家庭計劃、家庭幸福的口號下，羣趨於節育之途。但我國五千年的傳統，認爲生育的計劃，是操在「天命」的手裏，生育多少，不能由人，所以絕對沒有逃避責任的打算；現在蒙科學之賜，給予片面的節制的有效辦法，責任既可減輕，還有誰樂意多負責任？此其與傳統觀念不合者一也。又傳統上認爲多子多福，如果以子女的教育成人，便是國家的人力資源，那麼，確是多子多福；如果以生育子女、教養子女，爲父母、或家庭的負担，那麼，節制生育，減輕負担，便是家庭之福了；這是對「福」的看法的不同，並不是絕對的眞理。我會看到一位朋友，從大陸逃來，子女有七八位，開初一個階段，父母以敎書所得，供給這麼多的子女讀書，眞是歷盡辛酸，艱苦備嘗，所幸頭大的兩個子女，很快的大學畢業，都找到一個事情作，以分父母之憂，接着老三老四，到美國讀學位。（下轉第三版）

所爲何事？

原來如此！

昨日與明日

何貴乎有司法？

國家設司法機關，爲保障人民權益之最後保壘。人民與人民間之糾紛，不得其平，最後訴諸於司法；人民與官間吏的爭執，得不到結果，最後亦訴諸於司法。司法官員在人民心目中，視爲神聖不可侵犯之後盾。如司法人員不自檢束，而有貪污枉法瀆職等事件叢出，則人權將失去保障，國家又何貴乎有司法？

不幸；我們的台灣司法人員，處處與人民之利益爲敵，說來眞令人痛心。最近的曹祖慰李子初之瀆職貪污，其罪證之確鑿與案情之重大，日來已散見於各報，而因曹祖慰祖之被押，雲嘉受害民衆有集體放爆竹慶賀之表現，尤見民間怨毒之深。筆者過去曾聽一位省府官員說：「他會因查案赴鄉間與一世故極深之老人談話，老人問他說：你知道台灣人爲什麼現在還在懷念日本人的奴化統治，對我政府反爲不滿呢？原因就是日本人雖是奴化統制。還講眞是眞非，我們政府官員，則拿了紅包便可集非成是，不拿紅包則以是變非。」這一段話不就是指的司法官員的行爲嗎？其影響之大將使我政府整個政治建設被民衆否定，可怕孰甚？

行事多牛步化

據筆者研知：司法官員爲執行民事案件而出差，在其所屬機關已[illegible]出差費，但到達某地執行某案[illegible]，則指定當事人負担，公開需索，[illegible]辦案人員仍不脫封建官僚之[illegible]氣使，當事人爲求其法益得到[illegible]敲剝，無力反抗，但恨在心頭，[illegible]和血吞而充好漢耳！吾人試思[illegible]，對此等司法官員之觀感爲何[illegible]司法官員處理案件，其行事多[illegible]一案拖數年而不決，當然我們[illegible]遇複雜案件，求證求實，不能[illegible]時日，方能水落石出。但極簡[illegible]刑事執行和判決，一審即可終[illegible]可結案，而仍脫不了牛步化以[illegible]一拖數年，如某甲借合會之[illegible]行狡詐，逃避責任將財產隱匿，保人受其連累，合會基於規定訴請法院執行保人之財產，經保人查明指封其財產請求法院執行竣事，則保證人之責任已終了，法院應即通知保人，撤消其假扣押，但我們的法院往往忽略此點，將保人之財產長期封存，一拖數年，不予通知註銷。此等些小之事，大抵如此，受害人之觀感如何？當不言而喻。

亟待加以整頓

以上不過畧舉小例證，以證明司法制度之瑕疵，司法人員行爲上之病態。其他則司法方面所適用法條之多，簡直如汗牛充棟，尤其程序法（即手續法）不僅普通人民無法了解引用，最好的名律師，往往也不知所從。因此？整頓司法，必須將民刑法及訴訟法以及各種單行條例和法規，予以爬羅剔抉，使其簡明易行，這又有待司法部門咨請立法諸公憚精竭慮以遂行之了。

總之：司法關係人民之生命財產，與人民之權益息息相關，過去既已種下若干惡果，使人民之怨毒已深。故亟待加以整頓。查部長被人譽爲法學權威，還望其大刀濶斧，刮垢磨光，再能作一個司法界權威。好在有一個守正不啊的司法調查局爲其耳目，倘能指揮如意，多方清理，當可煥然一新也，企予望之。

（劉砥中）

自由談

美國的大選觀

美國總統競選事宜，現在踏進最後投票逐鹿階段了，究竟鹿死誰手，固不可知，但就兩黨公開出面競選人所表現的政綱政策，以及他們每個人的資質才具來觀察，我認爲無論那位當選，對美國和國際局勢，都不會有旋乾轉坤的奇蹟產生、必可斷言。

在二次大戰之前，美國內部發生經濟恐慌，其嚴重程度，和今日的黑人暴動情形差不多。當時，富蘭克林、羅斯福起而競選總統獲勝，受命於危難之際，以其大政治家的本質和抱負，先把國內的經濟恐慌問題設法解決，奠定的信譽與聲望後，次見納粹德國希特勒崛起，向外擴張侵略，靡有止境，他怵目驚心，高瞻遠矚，第一步乃以「防疫」理論，喚起民衆警覺，造成反極權侵略的輿論同情，迨大戰發作，即毅然以美國爲「民主國家兵工廠」，實行參戰，終將希特勒打倒，使美國躍居自由世界盟主地位，所謂英雄造時勢，決非偶然幸致的。沒有羅斯福的雄才大略和魄力，美國的新孤立主義早已實現了！

目前美國以及國際局勢，跟卅年前相彷彿，而其國內的新孤立主義者暨共產黨同路人－即所謂開明進步的新自由派份子－的潛力，瀰漫一時，積非勝是，遠此羅斯福時代的反戰姑息主張爲甚。咱們仔細觀察現時兩黨競選總統的人物，如尼克遜，洛克菲勒，韓福瑞，麥卡錫諸公，即使現任總統詹遜亦算在內－可能臨時被民主黨大會徵調他繼續出來競選－不管誰個進入白宮主政，相信能有轉捩國內外各種危機的希望嗎？

從韓戰到越戰，已考驗出現階段的美國沒有一個政治家，除却一些政客官僚在政壇活動外，就是一般患着樸素幼稚病的高級智識份子，刦持輿論，鉗制政治措施，對自由人類前途產生不出一綫光明的希望，我們自可不必對目前美國競選總統的人士作左右袒而有所好惡。這是上帝安排的美國國運所在，也是自由人類的命運坎壈，或許是中古黑暗時代之歷史事實重現吧？

馬五先生

玩法貪黷，橫行十年！

曹祖慰終作階下囚

嘉義首席檢察官任內無惡不作
政府應普施鐵腕整飭司法風紀

本報記者顧碧天台北航訊：台灣高檢處檢察官曹祖慰於嘉義地檢處首席檢官十年任期內，因涉嫌種種貪污瀆職，經司法行政部調查局數月之查證，認為嫌疑重大，於七月二十三日將全案移送台北地檢處，由承辦檢察官會隆興開庭偵訊後收押。調查局於曹案中發現現任台中地方法院推事李子初於任嘉義檢察官時，與曹祖慰上下其手，共謀貪黷，亦於七月二十六日，在調查局約談後，移送台北地檢處偵訊後收押，現時曹祖慰，李子初在看守所分別獨居一室，均被停止接見親友和對外通信。

此一重案，自被調查局查實，交付法律懲治，使沉寃十年，呼天無路，籲地無門之雲林縣　桐鄉一帶農民，鳴炮誌慶，使他們昔日以為這一輩再也看不到天日，種種誤解，種種怨懟，想不到霹靂一聲，知法犯法的人終逃不過疏而不漏的法網，如同撥雲露見青天，怎能不深致感謝。故有人大呼：「調查局就是「現代包公」呢！於是使一般含寃者，紛起再度申請昭雪。

紀明收購砂糖　向曹行賄就釋

據說，曹祖慰在嘉義地檢處任內，曾遭到多次檢舉，當時因證據不足，故未揭發，對其涉嫌貪黷，只是止於傳言而已。曹被調升現職，再度受到檢舉，案經調查局積極查證有據，始被破案。茲分誌案情如下：

（一）民國五十一年間，台北市議員紀明在嘉義購買砂糖二千包，價值四百萬元以上，時值國防臨時特別捐征收期間，嘉義地檢處以囤積居奇的理由，乃主動予以偵訊，承辦檢察官對紀明原擬不予收押，而曹祖慰則堅持將人貨一併扣押，並親自批示。企圖沒收砂糖，可提獎金三成約在一百萬元以上，紀明被押四十多天，其中僅提訊一次，亦僅問一句話，紀明也僅答一個字，後來紀明迫於權勢，只好以二十萬元向曹祖慰行賄，因獲交保釋放。紀明終被判無罪，部份砂糖已經融化，損失慘重。

建疏散屋經費　挪用放高利貸

（二）曹祖慰曾以嘉義地檢處建築疏散房屋經費無着，向嘉義雲林兩縣請求協助，該兩縣允以代辦興建性質，由嘉義縣撥付八萬元，雲林撥付六萬元，作為建屋之用。欵到地檢處後，興建事如石沉大海，竟被曹本人將欵挪去放高利貸，嘉、雲兩縣對於該欵無會計科目，無法出帳，但因迫於權勢敢怒而不敢言，後因有人向監察院及調查局檢舉，曹始將該欵吐出，但已逾四年之久。

低價强租民田　轉手獲得暴利

（三）嘉義農民會將石頭的山頭犂平經過辛勤操作，變成農田，曹祖慰看中了這塊約三十多甲的田地，竟用其妻洪道瑜名義，以低價向縣府承租，當其接收時，有農民悲憤不捨睡在地上，不令曹使用，後來動用警察壓力，才將農民驅散，而曹於承租後，由於土地漲價，轉手間獲得暴利。以上三案均為有證據之事實。正積極查證中之控案為：①雲林縣桐、林內鄉、六合、重興村大埔尾、烏頭仔段國有原荒地約六十多甲，經當地原耕作農民二十餘戶，辛勤開墾，種植農作物，並陸續興建竹造住屋。四十六年六月經原耕作農民聯名以自力開墾政府公有荒地，申請雲林縣政府予以優先承租合法權利。嗣奉雲林縣府層奉內政部函，「上項保留征用土地依防空疏散建築用地征用領用條例規定，應禁止為妨碍疏散建築之使用，故未核准」，但並未限制原耕作農民繼續開墾耕作。迨至四十七年四月間，突有嘉義地檢處退職書記官劉迪生（係曹祖慰之直接部屬及同鄉）者，聲稱已向雲林縣政府承租上項土地，縣政府地政科長劉如東和地檢處首席曹祖慰都是自己人，要農民知趣退讓，旋即將農民歷盡艱辛所開墾之耕地，悉為劉之農耕機整翻，地上農作物化為烏有。

首席赫然震怒　派警濫施扣押

現耕農民以公有荒地繼續開墾達十餘年之久，且向政府申請承租在先，自非竊佔他人之不動產可比，發生爭執，亦屬民事範圍，乃劉迪生秉承其主子曹祖慰之導演指示向地檢處出面提刑事告訴，曹「首席」據以下令雲林縣警局派出武裝警察，出動紅色警車，連同該鄉鄰近之派出所員警，荷槍實彈，日夜搜捕農民，濫施扣押，號哭奔逃，聲聞數里，所受恐怖壓迫，歷時逾兩月之久。大部農民懾於曹、劉之淫威，任由宰割，不特農民改良土地所付出之血汗代價及地上農作物，毫無補償，甚至强制威迫蓋章，從事和解。而美其名為「合作開墾」。自是曹祖慰運用劉迪生出面，以虛設之所謂「土地利用合作社」名義，向雲林縣府申請承租該地，並盜用嘉南水利會濁水溪幹綫開圳灌溉農場，且對連帶受益之附近農民，征收水費。曹祖慰又以其農場土地二十四甲種植甘蔗為由，用劉迪生名義向虎尾糖場農務科强行借欵三十萬元。迨至曹調升高檢處，對其巧取豪奪之農場，自顧權力有所不及，管理困難，乃由劉迪生名義於辦理承領手續，取得產權後，再逐次以高價賣出，約以六十甲計，承領時平均每甲僅五千元，出售時每甲平均逾十數萬以上。

鄭玉蘭自殺案　沉寃十年莫白

②雲林縣水林鄉鄭玉蘭命案發生於四十八年四月十三日，當時被認定是投水自殺身死，而鄭的家屬則認為係他殺。鄭女與其夫李榮祥已經離婚，但兩人仍保留性愛關係，案發當日，鄭李同睡一床，鄭女被發現沉屍水底時，李榮祥身上留有剃刀割傷，據李說係於沉睡中被鄭女砍傷，鄭女因畏罪而跳水自殺。嘉義地檢處認係自殺結案。其中有鄉民代表某某。適過李宅，聞哀叫聲曾窺見鄭女死在床上，當庭作供證詞，反被「偽證」罪嫌羈押，地檢處迫使李某改說鄭女係自殺，否則將治以偽證罪，李某被押十餘日，迫不得已，只好改變原說被釋。因死者家屬苦於寃案難訴，乃向縣議會陳情，經組成專案小組調查，提出十五點疑竇結論，具文地檢處，但未被採納。

教唆攀誣縣長　故意入人於罪

③黃宗焜當選嘉義縣長時，曹祖慰介紹「主任秘書」以及關說復用某公車處長事，租用風景區土地，請求補助費二十萬元等，均未被黃接受，後遇嘉義市長蘇玉衡案中，教唆市財務課長鄭橫攀誣黃縣長，入人以罪，鄭在地院庭訊中，良心發現當庭說：「我在地檢處所作對黃縣長不利供詞，都是曹首席要我那樣說的」。④前省立嘉義中學校長蒼寶忠，於四十五年嘉義地區首次聯合招生，曹祖慰的兒子落第後，曹某要求蒼校長設法予以收容，未被應允，曹乃恨之入骨，適考生家長中傳說試題有洩事，曹認報復機會已到，乃假以秘密投書，傳訊蒼校長，以及家長會長林國川，當被收押了四天，於提訊時令蒼帶上手銬，不准乘坐車輛，在烈日薰蒸下，逼迫遊街，使白髮皤皤之蒼校長滿頭大汗，挨步走向法庭，路人見之莫不潸潸淚下。曹却躊躇滿志，顧盼自豪，大言不慚地說：「今天該認識我曹祖慰吧！」

有人說地檢處　陽光照射不致

當曹祖慰瀆職案發被扣押後有人記起當時也在嘉義任地院院長的焦沛樹，曾對同僚含蓄地說過：「陽光每日照臨地方法院各辦公室，各法庭，惟獨照射不到地檢處」，自立晚報記載了這個說法，並附帶發出感想：「既然當時的焦院長知道嘉義地檢處，是如此黑漆一團，而且有如此的不勝感慨，竟然獨善其身，聽任曹首席如此無法無天，達十年之久，實在是不可思議……。」次日該報即載出焦沛樹之更正原函，謂上項言談，從未說過，請予更正，以免誤傳。再中央日報曾記載：當時嘉義地院院長焦沛樹，與曹祖慰首席，共處一大厦辦公，由於「道不同不相為謀」，幾乎「不相往來」。

焦院長談平劇　要人分辨善惡

某年司法節司法同人在嘉義中學禮堂由胡少安出演平劇「四進士」，焦院長於簡單講演中說：「所點了這齣戲，是要大家能夠分辨善惡，因為四進士同為進士，却有忠奸不同，希望司法同仁，要學忠的不學奸的」。贏得全場鼓掌，曹祖慰坐第一排，却滿臉通紅，未待晚會結束，藉故而去」。大華晚報載：「一位老法官說，司法風氣之政善，要靠司法同仁自己來督促，司法圈子裏有一個通病，即是大家自己不願作惡人，祇要自己將本份之事作好，自己不貪污就得了，別人貪贓枉法，儘量少管，假如大家都抱這個觀念，不肯出來檢舉，那瀆職事件根本就不容易被揭發。大家聽到什麼消息，獲得什麼資料，應隨時揭發請上級查辦，這樣才能維護司法聲譽，才能端正司法風氣。為什麼有些司法官生活潤綽，有些司法官每年為了孩子們學費在担憂？大家薪水相似，生活情況，這樣懸殊，其中奧妙，不難想象」。

法官夫人之言　司法風氣惡化

記者復從聽聞上獲得某廉正法官夫人說：「我先生每日公餘還須替孩子洗尿布，他所屬的執達員，竟能在外面包酒女。」從這些言論中更可窺出司法風氣之惡化，已足影響國家之安全。因司法置人民是非曲直之裁判已失公平，猶同社會失去正義準繩之維護，社會焉有不混亂之理？輿論有謂：「今政府為懲辦一曹某而大快人心，甚且收攬人心，振奮人心，願對政府當局以及調查本案之調查申致誠摯愛戴與欽敬之忱。然而司法人員之涉嫌貪污瀆職者，又豈止曹某一人而已哉？曹某作惡多端，而任職達數年之久，主管迄未察覺，旋又詞職達數年之久，亦未經主管予以查究，又豈能斷定包庇無人，寬縱無人乎？如言整飭司法風紀，究辦曹某固具有懲一儆百之意義，但如對其他不法人員網開一面，又豈可謂之公平乎？用盼有關當局一本查究曹案之決心，普施鐵腕，嚴懲貪污，挽救頹風，振奮人心，當可益形鞏固我們復國建國的精神基礎」。以上言論，實可代表一般人民心聲，故特為記述。（完）

旅美見聞　原文照抄

·張起鈞·

下面是美國某華文報紙刊登的一段有關美國大學的消息。僅錄於後，以知美國風氣的一斑。

民國五十五年四月二日我到紐約參加第十八屆亞學年會，在舍親董恆震家看到四月二十一日的「聯合日報」（紐約許多華文報紙之一），第三頁刊登一則消息，原文一字不改，照抄如下：

「每日新聞一日訊：家長協會昨日透露即將在長島的霍士特勒大學內成立節育俱樂部，使該大學學生得獲知有關女性產卵週期，使用避孕儀器藥物、和性病危險知識。此對為全國各大學內成立節育指導的第一個組織。據該會一項非正式統計資料顯示，該大學男女學生，有百分六十有與異性交接行為。該節育指導機構表示：希望可於旬日內獲得布碌崙學院與皇后學院主管當局核可是類俱樂部的設立。該協會發言人解釋：節育指導並非意味鼓勵男女性行為的放任之謂」。

讀者諸君看了這條消息，作何感想？您相信那位發言人「解釋」嗎？

台北新聞信

記鳴遠外語專校教部延擱立案經緯（下）

不料牛氏忽於五十四年十二月以養病為名，馳赴嘉義隱居，藉口段某空頭支票問題，對校董會應進行事宜，一律拒絕蓋章，嗣常務董事在台北召開會議，協商立案問題，牛亦公開發佈通函，指為非法，此外竟私自從嘉義密呈教育部，謂本校基金短紺，請予制止立案。身為創辦人兼董事長，既不顧為學校籌措分文經費，又以基金短紺理由；請求主管機關制止學校立案，似此荒謬舉動，實屬駭人聽聞！就牛氏之荒謬行為，不僅此也。越民國五十五年四月，牛由嘉義遄返台北，召開校董會議，堅請辭去創辦人兼董事長職務，經會議通過，牛所墊付之息金六萬元亦如數案回，另選新董事長何龍承其乏，旋由校董會登報聲明牛氏已辭職外，並由牛與新任董事長聯名呈報教育部查核，依法牛已無權過問學校事宜矣。詎過了三個月後，彼又以創辦人兼董事長名義，私自與大達營造廠工程人員某某簽訂文件，證明該校校舍係某所建築，而方某即持文件，向台南法院請求拍賣該校校舍，以便淸償債務，同時大達營造廠經理王雄飛亦向高雄法院訴請拍賣校舍，俾償欠債。凡此意外之無理糾紛，雖經校董會依法解決，實由牛若望而釀成，平滋若干困擾，且使該校信譽大受損害。不特此也，今年一月間，牛若望又以「第一任董事」名義，私自具呈教部，聲請將該校轉議他人接辦，其他董事皆不知情。光怪陸離而不近情理的舉動層出於牛若望一人，乃使教育部誤認該校糾紛孔多，對立案事延擱莫決。外界人士更多揣測疑問。綜觀牛若望所行所為，完全以搗亂手段，破壞自己所倡設之鳴遠外語專校，——且係紀念天主教神父之學校。（完）

吳敬恆先生年譜（九）

陳凌海編撰　陳洪校訂

十二月十五日，北洋大學放寒假後，先生由天津赴北京訪友。十七日偕廉泉（南湖）紹興陶杏南同至米市胡同南海會館訪康有爲，論除三害。詢中國現在何事最壞？康答稱：「一、女人纏小脚；二、吸鴉片；三、考八股。」先生慨然曰：「小脚不纏，鴉片不吸，八股不作，那不就好了麼？」康有爲伸出兩拇指大爲稱贊不已。此爲先生與康有爲首次相見，亦即生平僅一次之會晤。先生曾與康有爲約自明年戊戌起不再參加會試。先生在北洋任教時，常與嚴復（又陵）等談論，斯時亦自以爲維新黨。是年袁夫人大病。

民國紀元前十四年——清光緒二十四年，戊戌（西曆一八九八年）先生三十四歲。

正月，先生在北京擱某公與，上力請變法摺。嗣先生出京回津，仍任北洋教習。時京奉鐵路火車已由山海關通至北京永定門外。先生某次爲北洋大學堂學生出漢文題目：「率土王臣論」，學生認先生思想陳舊，文中頗多譏論。先生在每本後各批數百至一千餘字，大意均爲「烈女不事二夫，忠臣不事二君」一類之道理。旋將各卷送與總辦。過日總辦批曰：「率土王臣，乃詩人怨幽之詞，猶言徧地都是你的人，爲何獨苦了我，故下文曰，我從事獨賢，又曰或居室，或鞅掌，皆怨詞也。後人以此說明天臣天下之義耳。爲詩作料，非當時詩人之本旨也。古者，不得志於翌君，則有去國之義。若必墨守「率土王臣」之說，則孔子之周流，孟子之歷聘，皆爲不軌於大道矣。故善讀古人之書，不可拘於一端之論也。」先生因與總辦意見齟齬，遂託父病，辭職返上海。先生於五年後（癸卯）五月一日在原題紙上註曰：「此種議論，當時發之，甚以爲天經地義。逮己庚之間，已知其非矣。今日觀之，迨放屁也。不知再過數年如何？」可見先生之思想隨時代進化而轉變也。

先生日後嘗謂：「在甲午以前，但慕咬文嚼字之陋儒。經過甲午慘敗，始覺中國不能不學西方工藝。對於興學實刻不容緩。」夏，先生由友人孟浛之薦（係孟森之弟，爲先生鄉科同年），任上海南洋公學國文教習。每月薪金四十兩。住上海徐家滙師範學堂。南洋公學係光緒二十二年成立；置師範院，外院（附屬小學），中院，（中學）及上院（高等學堂）。設總辦一人主持校務，學監（教務長）一人以美國人福開森（John C. Ferguson, 1866—1945）充任；學長三人，由陳頌平、張一鵬、朱樹人分任之。時南洋公學有師範生十人，師範生讀書亦教書，章宗祥、夏循均（堅仲）、馬裕藻（幼漁）、胡敦復、會鎔浦、沈步洲等皆肄業該校。

中國哲人簡介

墨子（上）

張起鈞

在至聖先師孔子帶着弟子從事救世的奮鬥之後，不到五十年，這戰火瀰漫的時代裏，又出現了另一支積極救世的大軍，那就是以聲勢壯大著稱於世的墨家。

墨家的創始人是墨翟，墨不是姓，而是道術的專稱，因爲他們都以工匠的「繩墨」，爲立身處世的指針，隨時自惕自勵，勇往前進，這一個學派，就稱爲「墨家」。

墨子大約生於孔子死後的十餘年，死於孟子生前的十餘年（約公元前四七九年至三八一年）。他是一個平民，但生在文化的搖籃——魯國，從小就受了文化的薰陶，使他有了豐富的學識，與驚人的才慧，終於懷着滿腔的熱血，與偉大的抱負，緊隨着孔子的脚步，邁向救世的征途。

他組織了當時勞工階級的志士集團，形成了一支鋼鐵般的隊伍，高舉反儒的大旗，奔馳於列國間，從事於積極的救世行動。

孔子的救世主張，是以傳統制爲基礎，向政治舞台進軍，以謀求全面的改革，恢復舊有的秩序，實現天下一家世界大同的理想；墨子的救世奮鬥，則是徹底地站在平民的立場，反對貴族，並以有力的實際行動，爲廣大人羣而效力。儒家以周朝禮制爲理想；墨家則寧願崇奉夏禹，效法大禹治水，在外十三年，三過家門而不入的自我犧牲精神，拯救世人的危難。

他做過宋國的大夫，而出身不過是一名工匠而已，他會做木鳶在天空飛翔，木事可以載重行走，與當時的巧匠公輸般均名重一時；但兩人的作爲抱負，却成爲異常鮮明的對比。公輸般全力爲楚王製造殺人侵略的利器，是戰爭的罪人，侵略的工具；墨子就只爲弱小國家，設計防禦守城的器具，則是一位救世的聖者，與和平的功臣了。兩人的技藝雖同，但態度與精神，直有天壤之別。

有一次，公輸般爲楚王製造攻城的雲梯，準備侵略宋國。這時，墨子遠在千里之外的魯國，聽到了這個可怕的消息，就立即動身，晝夜不停地趕往楚國，以挽救宋國的危亡。他走了十天十夜，雙脚都起了一個個的水泡，脚趾完全破爛，還是不肯稍做休息，仍然不辭辛勞地繼續趕路。到了楚國郢都後，便責難工匠祖師公輸般，不該只爲一己的榮華富貴，斷送宋國無數的生靈；並力勸楚王放棄侵宋的野心。楚王以爲有了雲梯，業已勝利在握，當然不肯接受；墨子就當塲表演守城的戰術，來禦公輸般攻城利器的衝擊，公輸般攻擊了九次，終告技窮；而墨子的防守，依然堅固如常。公輸般妒恨交加，以爲只要請求楚王殺了墨子，就可以按照原定計劃，大舉侵宋；但墨子的心中，早已料到公輸般的企圖，就告訴楚王說：他墨家的救世集團，早已列隊防守在宋國的城牆上，等等候楚國的大軍了。結果，楚王只好絕望地打消了侵宋的行動。

墨子在那時，就這樣熱心縱橫列國，以力量作後盾，來消弭戰爭，維護國際間的和平。

這一支平民的救世大軍，所以能有這般強大的影響力量，主要的是他們不僅有嚴密的組織，與嚴整的紀律，而且更有不計犧牲的殉道精神。就在孟勝當「鉅子」（墨家的領袖）的時候，與楚國的陽城君，交情很深。後來陽城君爲了參加楚王的喪禮，就請孟勝代爲守城；那時前往參加喪禮的一些大臣，因圖謀攻殺大將吳起以致傷犯了楚王的遺體，事情過後，凡是參加作亂的羣臣都被判了叛國犯上的罪行，陽城君也被牽連在內，被誅除國。楚國就派遣軍隊前往接收陽城君的封地。這時孟勝明知以墨家有限的兵力，決難抵當楚國的大軍；何況陽城君已死，不再有代守的必要？但墨家的精神，正是信守不渝，不能以任何原因，放棄諾言，因此終於義無反顧地率領徒衆，一齊戰死，試看這集體殉道的精神，是何等的豪壯！

（待續）

三日春秋

曾養甫的傻勁和幹勁

·厚安·

當年在馬標軍官團當教官時，最令我不解的是曾養甫兄（他是本團政治部主任，程天放兄是我們的頭兒「主任教官」）。因爲，像他這樣厚厚實實的一個傻大角，却時常睡在床上，裝起「多愁多病身」。後來賴景瑚和端木愷兩兄私下告訴我，才知道他原來還有一位「傾城傾國貌」。

故事是這樣的。當年他當窮學生時，死追一位在中央黨部工作的迷司陶。無奈這■兒生就「勢利桃花眼」，看不起這窮小子，未能如願。後來他回來了，又是留學生，又是廳長，又是總政治部主任，儼然政要，迷司陶反過來追她。曾兄雖然心喜，但想起前事，總有些不甘心。這事終於未成。他就這樣硬，這樣傻。不過，他後來要馮軼斐的弱妹爲妻，德容兼備，可以無憾。

他當浙江建設廳長時，黃紹雄當主席。他奉蔣主席之命，要造錢江大橋。黃賊自恃是主席，以「軍人政治家」自命，視中樞命令無物，百端阻撓。曾見不顧一切，力障狂瀾，終於完成這一在軍運上有重大意義的鐵橋，使抗戰初期，一切軍運，得以按原定計劃實施。

抗戰末期，美國要炸日本，苦無基地，於是決定由我供飛機場，地址在新津。主其事的人，是曾兒（他那時是交通部長，又是中國工程師學會的會長。）

那個時候的物資奇缺，不能夠用鋼筋水泥。美軍自帶的鋼板，則只可供小型轟炸機的起落，像B25空中堡壘的升降，負荷力是不夠的。於是由老遠炸山，採取大青石條塊（要經過好幾百里路）來鋪跑道。

千辛萬苦，好容易快收工了。美方工程人員忽起異議，說是照目前厚度，不能負荷，他不肯簽字。這時更換已來不及。曾兄乃毅然獨負其責。就在他簽字後的第二天，美機到達，經過升降測驗，一切O、K、他心中一塊石頭才落下來。他在接獲成功消息時邀我們幾個人在上淸寺小宴，喜上眉梢，豪放之情，歷歷猶在目前。

（完）

（本文接第一版）

斲喪民族生機的節育運動

老五老六也都進了大學，父母相繼獲得退休，在家養老，內孫外孫，承歡膝下，二十年的茹苦，爲父母者，雖垂垂老矣，然換來此一美滿的家庭，會引起許多朋友的豔羡？試問子女多生活貧乏一點是福呢？還是子女少生活寬裕一點是福呢？最公平的判斷；子女多，先苦後福；子女少先福後苦；俗語說：「少時貧，不算貧，老來貧，貧死人。」我們中國人，一向都把幸福擺在生命的後一階段，那麼，多子多福，確實有他的道理。現在養老雖由國家負責，如果子女少，常常看不到摸不到的，即令子女都是鳳凰，也補不了老境精神上的空虛。是故節制生育，此其與傳統觀念不合者，二也。有此二者，則以家庭計劃、家庭幸福的口號，來推行節育運動，也是沒有理由的。

此時此地，而推行節育運動，則一定認爲生育太多，人口過剩。然就時間上說，我們當此生聚教訓之會，神州陸沉，河山待復，自然須要絕大的人力；又大陸同胞，於水深火熱中，死亡枕藉，正須要海外人力去補充；及河山破碎之後，也須要大批的人力去整頓；當此在在須要人力的時候，國家應當拿出力量，獎勵人口，猶恐不能救急，今反而節制生育，顯與生聚教訓之義不合。若謂從節制生育，以提高國民生活水準；則吾人當此臥薪嘗胆、砥礪志行的時候，雖短期間挨受困乏，亦爲全國人民之所願，自不斤斤於生活之豐厚也。況且生育子女，養以教之，父母犧牲一己之幸福，而求下一代之發展，此蓋人類的天性如此；人類的進化，社會的文明，都是由此一原動力，創造成功的，所以父母爲了生育兒女，在物質上吃點苦，算不了什麼，何況還有精神上的補償呢？由此看來，當此之時，沒有任何理由，可以節制生育的。

再就地域上說，台灣處理亞熱帶的氣候圈，一般說來生育率高；這是實情；然就生物學的觀點看，繁殖力強，正是優良的種族，獎勵之尚恐不暇，豈可以人力橫加節制？若謂台灣地方太少，無限制的生育下去，將有人滿之患，屆時雖人力的資源豐沛，其奈物力資源的缺乏，不但經濟上得不到發展，而人的本身，怕也要被餓死了；這一憂慮，好像馬爾薩斯的「人口論」，不免杞人憂天；因爲人是有生命有意志的，隨時會適應當前的情況，我們的推測，未必能合乎事實，即令眞的有那麼一天到來，人也不會坐困而死，世界之大，何處不能生活？「此處不留爺，自有留爺處。」近世紀來，中華民族，自動自發，赤手空拳，往海外各地打天下，不但沒有被餓死，反倒都有很大的成就；以前大英帝國自語：「凡有太陽的地方，都有英國的國旗。」現在我們也可以誇口：「凡有太陽的地方，都有中華民族的子民。」中華民族，不但歷史文化悠久，從人種學上看來，智慧超越適應力強，不論是自然的界域，人爲的環境，都能生存下去，入土生根，以至傳宗接代；這些先驅者，已爲我們開的先路，必要時，我們還怕走投無路嗎？實際上，從台灣到美國去的博士們，爲了學有所用，不惜長居異邦，便是一種高等的移民。

然而也許有人會說：我們所培養的人員，我們所造就的人材，移居海外，去爲他國效力，我們不是先蒙受了損失嗎？從近處看，人材外流，人力資源他遷，誠然是無可彌補的損失；若把眼光放遠一點看，散居於全世界的中華民族，都是黃帝的子孫，雖身居異地，而心响祖國，只要國家須要他們時，他們隨時可以貢獻一切，如國民革命和對日抗戰，華僑所獻出的力量，便是一例；近如留美的學人，紛紛回國講學，協助科學建設的發展，則又是一例。所以海外移民，無異是國家人力的一種儲備，必要時，大可由政府的力量，協助向外遷移。這樣看來，台灣雖小，自無慮於人口的增加，我們應以全世界爲無盡之堅，來宣洩我們過剩的人口；故應藉此機會，將優秀的中華民族，廣布於世界，以期奠立人類和平大同的境界。

此時此地，既不應節制生育，已如上述；另一方面，我們正應獎勵人口，以應時勢之需要；而實際上，我們走上一個極端的反對方向，結果所至，不但不能以應時勢之需要；而中華民族，由於大陸人民的被摧殘，台灣人口的被節制，生機斲喪之後，將百世而不能復，瞻念前途，能不令人爲之痛心嗎？

（完）

事過境遷

三幕喜劇　　熊式一

趙：　嬸嬸，日子還早呢，是今天早上才決定的，露茜要我們暫時守秘密，等我和叔叔講妥了才告人。
包太：可是露茜已經告訴了幾個人呢？
趙：　現在還沒有，我們剛才決定呢！
露：　嬸嬸，我眞沒有告訴誰！您的確是頭一個人！
包太：你決定了之後，就沒有碰見一個人嗎？
露：　（坦然）沒有！只是碰見了阿詩，我沒有告訴她，我可以對天起誓，我今天對她提也沒有提！
包太：那眞怪了！
露：　不過她早知道的，我們根本就瞞不了她！
包太：（微笑）呵！還碰見了誰呢？
趙：　還有那個小老頭兒，露茜，你總不至於告訴他吧！
露：　沒……沒有直接告訴他，他一猜就猜着了。不過我說過這是要守秘密的！
包太：（笑）對了！大家都要守秘密的！
趙：　守甚麼秘密呢？誰都知道了！
露：　還有叔叔不知道呀！
包太：對了！只要仁翰不知道，大家都要守秘密的！
露：　太極，你方才說甚麼來？嬸嬸不是來了嗎？你求求她呀？
包太：求我甚麼事？
趙：　你的主意，你求吧！
露：　本來是你的主意，應該你求！
包太：（笑）不用你們說，我知道了！你們自己不敢對叔叔開口，要我先在仁翰面前講幾句好話，對不對？
露：　嬸嬸眞聰敏！
趙：　嬸嬸眞是好人！
包太：我當然會想法子！（他們兩人高興極了）可是現在正好不是時候，第一，你叔叔養了那麼許多小狗兒，小花兒，小黑兒，小白兒，一天忙到黑，離也離不開他的狗窠，無論你同他講甚麼事，他全聽不見，只想聽阿花對他多叫幾句！第二，我為了……為了……為了……洗澡房裏要換換……要換換。
露：　（趕快接着，怕她嬸嬸說出來。）衛生潔具的事……。
包太：對了，因為這件事，鬧得他心裏很不痛快，我看這兩天你們還是暫時不提吧，免得碰他的硬釘子。
露：　暫時守秘密！嬸嬸，您也贊成我們大家暫時守秘密嗎？（包太太笑而不答）
趙：　大家誰都知道了，還守甚麼秘密，一家人個個都知道，只是叔叔一個人不知道，假如他一聽見，那更糟了！
露：　還有姑奶奶不知道，怎麼可以說是一家人個個都知道呢？
包太：姑奶奶還沒有來呀！說不定她今天會來，她一來了，露茜還忍得住不告訴她嗎？
趙：　不如我再去找叔叔，對他說香港發生了狗瘟，也許他聽了會嚇得把大狗小狗全扔了，再不到狗窠裏去了。
包太：那糟了，香港的名醫，他一個個都要請了來替他的阿花，小花兒，小黑兒，小白兒打預防針，看脈，吃藥，更要忙壞了他，半步也不肯離開狗窠了，他心裏一着急，脾氣更壞！使不得，千萬使不得。
露：　那不如對他說，新界的狗肉漲了價，他看見阿花替他增加了這麼許多財產，一高興也許會答應我們的……。
包太：那更糟！狗肉漲了價，他更怕有人來偷他的小狗兒，說不定晚上都要搬到狗窠裏去睡覺，好看着他的寶貝呢！我聽見他來了！露茜，太極，當心一點，千萬別提狗肉……。

⑧

修鞋記

文文

今天上午把皮鞋送去修，皮鞋匠取過去左一看右一看，又用手在皮鞋的底上面左一扳右一扳。這位皮鞋匠戴着老花眼鏡。在他做完這些動作，眼睛抬了起來，習慣的把皮鞋放在腳前。

我說：「可以修吧？」

「功夫要大一點。」

「多少錢？」

他的眼珠在玻璃片內眨轉了對住我，他說：「老主顧了，算卅元。」

「這祇是修理一下呀！」

「這是大功夫。除了上面不動工，其他都要動工。等於給你做了半雙鞋。」然後，他又拾起鞋子，用手比划着說：「你是老主顧，我才算這樣便宜。要是別人，非四十元我是不修理的。」

我想想：自我買了這雙皮鞋，就花了不少的修理費。在去年這個時候，我到旗山一家××皮鞋店，我坐下後，一位白臉孔，就像畫片上的美人兒一樣，走了過來，笑着要我買一雙皮鞋。還把她這皮鞋店，大事「廣告」一番。加上她的倒茶遞烟的招待，使我不好意思起來，（非買一雙不可）。

「這雙鞋多少錢？」我指着橱窗內一雙皮鞋問。

她把它取了出來，又要我先試試，然後才講價錢。試」脚非常合適。

她說：「這雙鞋做廣告，祇收成本錢，一百五十元就好了。」

我心底喊：她是多麼會做生意啊！

但我還是說：「能不能改個口嗎？」

她遲疑了好一會，然後才說：「希望你為我們多介紹生意，這一雙就算一百四十元。」

就這樣，我買了下來。

三個月後，鞋底就有了一個洞。我送到皮鞋店去修理。說是要換底，我問多少錢？

「有兩種底。一種三十元，一種四十五元。」他又把這兩種底說明了一番，並把材料拿給我看。他還補充說：「四十五元的鞋底，包你穿半年。」

「那末，卅元的鞋底呢？」

「難說。也許一個月，也許半個月。」

我思想了一下，便下了決心，換了四十五元的底。可是不到三個月又壞了，又換了一次，花了三十元。再過了兩個月，重新換底，卅元又送了出去。這是第四次的換底了。

我當時對這皮鞋匠說：「我眞不想換底了。我買這雙鞋，不過一百四十元。在這一年來，換了四次底，就花了一百四十五元，可以再買一雙新鞋啊！」

他也許有意要賺我這卅元，所以他打動我的心，他說：「除了鞋底，這雙鞋還是很好呀！」

我還是考慮了一會兒。倘若把這皮鞋棄掉，而再買一雙新的。可是，眼看這雙皮鞋除了底壞還可以穿，這樣棄掉是非常可惜。再說這雙鞋跟着我有一年的歷史，在感情上也捨不得棄掉。

這樣一考慮，我就下了決心，我說：「好吧！但必須給我修理好！」

「我還要做第二次生意啦！」

回來後，我把這事告訴朋友，朋友就張口大笑，弄得我有點「那個」。笑過後，朋友就說：

「你是眞正的中國傳統人物。」

「為什麼？」

「三國時的曹操，在作戰時下的口令是雞肋，當時被軍師楊修知道，立即命令部隊撤退。曹操知道，就質問楊修。楊修說：『雞肋食之無味，棄之可惜，所以就說明這地方守不住。』你捨不得棄掉皮鞋，就是這種不正常心理，因之也就使花了很多的錢，而穿的是舊皮鞋啊！」

我沒有做聲，他繼續說：

「這對你的事業有很大關係。今天要做事，就要有敢作敢為。如果想做而又怕做，這就成了前怕狼，後怕虎的現象，結果呢？一事無成。為了你的未來前途，你就要有壯士斷臂的決心。」

我點點頭，表示他的話說的有道理。

「在我們今天的社會上來說，就因為畏首畏尾的人太多，所以就成了絆腳石。我們要剷除這類人，首先就在思想上，觀念上教育他們。不然，這種惡習繼續下去，那就是巨大的悲哀啊！」

由這次修鞋所得到的教育，我決定以後要改正自己，檢討自己，再來健全自己了。

龜戲

冰輪

余在杭州時，嘗見一弄百禽者，蓄龜七枚，大小凡七等。置龜几上，擊鼓以使之，則第一等大者，先至几心伏定，第二等者，從而登其背，直至第七等小者登第六等之背，乃豎身直伸，其尾向上，宛如小塔狀，謂之烏龜疊塔。

又見蓄蝦蟆九枚，先置一小墩於席中，其最大者乃踞坐者，餘八小者，左右對列。大者作一聲，眾亦作一聲，大者作數聲，眾亦作數聲。既而小者一一至大者前，點首作聲，如作禮狀而退，謂之蝦蟆說法。

至松江，見一全眞道士，寓太古菴，一日取二鰍魚，一黃色一黑色，大小相侔者，用藥塗利刃，各斷其腰，互換接綴，首尾異色，投放水內，浮游如故。郡人衞力中，以盆池養之，經半月方死。

疊塔說法，固教習之功，但其性蠢蠢，非他禽鳥可比，誠難矣哉！若夫斷而復續，死而復生，藥歟？法歟？是未可知也，但劇戲中似此者，果亦罕見哉。（見「輟耕錄」）

創業哲學：腦筋要清楚

楚狂人

創業為官，腦筋都得清楚。清庚子拳亂，宣戰聖旨到湖北，兩湖總督張之洞接旨後，繞屋徬徨，數夜不眠，幕僚獻策說：「可徵詢粵督李，江督劉意見」，張認為有道理。劉復電，語氣模稜兩可，李回電則甚肯定，「此亂命也，不可從」。

就腦筋清楚這個角度說，李瀚章勝過張之洞和劉坤，「此亂命也，不可從」沒有絲厘油條氣氛。西安事變，劉峙將軍命令就近兩師勁旅，以高速度夜行軍扼駐潼關，乃擭制服張楊關健，這是劉峙的腦筋清楚使然。至於抗日和徐州剿總，情形復雜，非三言兩語所能釋，也是要靠腦筋清楚才能應付的。劉峙在狂人舍間作客歷兩月，窺其文韜武署均有殊見，猶以日記，數十年如一日，祇「恒」字這一點，普通將領甚少能做到。劉峙的孤忠較張道蕃先生猶有過之。

創業的人，腦筋不能糊塗，像李玉堂，徐會之等若千將領，死得糊裏糊塗，認為妻子不檢點，充其極離婚而已。想不到涉及匪諜事發。離婚都來不及了，腦筋不清醒可帶來殺身之禍，創業的人，怎能不特別注意。

禮以情為本

曾昭旭

據禮記檀弓篇的記載，有一次孔子經過衛國的時候，剛好遇上他前次到衛國時奉衛君命侍候他的館人去世了。孔子進去弔唁，不覺得哀慟流淚。出來之後，就叫子貢解下自己坐車的一匹馬送給喪家。子貢心中有疑，就問孔子說：「老師在門人死的時候，都不會解下坐騎來作賻禮過，現在對一個關係很疏的舊館人如此，不會太重了嗎？」孔子說：「我本來只是進去弔唁他罷了，可是我沒想到他家人對我的弔唁是那樣的感激哀敬，使我也深感他的厚情以致流淚，我不願我的哀情沒有實質上的表示，你還是把馬送去罷！」

× × ×

孔子和舊館人間的關係本來是很淺，恩情也不厚，本來談不到送什麼賻禮。但人心的相感相通只要找對了通路，便是很容易的事，而人間最易得也最可感的通路只是這一點情。孔子當時，純因主人所表示的深摯感激與哀敬之情，即於當時使彼此之心有一誠通相感，相摩相盪，相映相照，其情遂厚而至於哀慟流涕了。而情深如斯，外在的禮便也應附隨而隆重，這樣的禮，才是有根的禮啊！

可是我們今天尋常慣見的所謂禮，何嘗有多少眞情呢？靈堂之外，但見人們在交際談笑；毫沒有半點誠默哀戚，那麼他來是幹什麼的？婚禮堂上，但見人們在大吃大嚼，喧嘩吵鬧，不見有幾個人帶一腔祝福去注意婚禮的進行，那麼他來又是幹什麼的？人心之無眞情亦已久矣！禮也只是個屍骸罷了；而隨着工業社會的冷漠機械，人之眞情將愈流而不返，這不是大可哀之事麼！

愛惜時間

從七月十六日起，台灣各機關改用夏令時間，上午辦公下午休息，換句話就是一個禮拜祇辦三天的事，對與不對，狂人不疑置評，今天僅就時間與創業的關係隨促談幾句。

一寸光陰一寸金的觀念，用今天行政院人事局的尺度去衡量，大禹作風落伍久矣，可是創業打天下的人，不僅要愛惜寸陰，且得向故伊麗沙白女阜的：「一分鐘我惋惜如百萬鎊」看齊，另一個大財神富蘭克林，則認為一個今日勝過兩個明日，這些眞知灼見，其成鉅富，營大業非偶然也。

創業哲學是寫給創業朋友作參考用的，凡懷有大志者，不能忽視時間，浪費時間，比浪費金錢的習慣更壞。一個具大智慧懷有大抱負的人，常將時間看作比生命還重要，彼得大帝的時間觀點是：「將睡眠縮短而等於生命延長」。許多人在理論上都不願荒廢時間，事實上每一個人每一天都在或多或少的荒費他自己的時間，所以歌德損失了時間，幾痛不欲生，時間的重要性既如此，我們怎麼能不愛惜呢？

自由報

第八八一期

中華民國僑務委員會頒發台僑新字第三二三號登記證
內銷證內警台報字第031號
中華郵政台字第一二八二號執照
登記為第一類新聞紙類
（半週刊每星期三、六出版）
每份港幣壹角・台灣零售價新台幣弍元

社長李運鵬・督印黃行奮

社址：香港九龍登打士街91號十樓六座
91 DUNDAS ST, 9th FLOOR, FLAT 6 KOWLOON H. K.
電話：857253　電報掛號：7191
承印者：大同印務公司
地址：香港北角和富道九六號
台灣總管理處
中華民國（台灣）台北市大同街119號
電話：555395・557474
台灣分社：台北市西寧南路110號二樓
電話：三〇三四六
台郵劃撥儲金戶九二五二

綿延悠久・歸於自然

—國史漫話之三—

・錢穆・

中國史之久，每易為人所忽，如言古代，則往往以秦漢與羅馬相擬，言及近代，亦常以中國與英法德日諸國相擬是也。中國史之變，亦易為人所忽，如常覺中國老是那樣不變是也。其實所講中國之不變者，乃其民族文化生機之與時俱新，歷久不弊。外面若不變，非眞不變也。

今言中國史之悠久，則一經提醒，似乎盡人俱曉。古代文明故國，至今多已滅亡無存，而今之新興國家，又多無源遠流長之觀。獨中國為不然，彼固至少擁有四千年以上綿延不斷之歷史矣。此則盡人皆知，無煩詳論。然有一點當加申說者：國人每謂國史綿延雖久，而歷代文物留傳至今者則頗少，以此又為文化自貶主義者所喜。竊嘗思之，若論留傳迄今之古代文物，其偉大膾炙人口，應莫逾於埃及之金字塔。然金字塔何足貴，供後世漠不關切者之好奇憑弔則可矣。若埃及遺民之見此等怪物，則當知埃及之古代文化，正為此等怪物所吞滅，正葬送於此等怪物之腹中。埃及所謂金字塔時代，自西元前三千年至二千五百年間已有五百年之時間。而自始有金字塔以至止不復造，則應有千年之遠，古埃及人似乎以金字塔之偉大自喜，不惜繼續耗巨量之人財力以從事於此。然金字塔不僅為古埃及帝王之墳墓，實可謂是古埃及文化之墳墓。

人類心理，自莫不要求其生命與事業之傳後與可久，埃及人陵寢之講究以及木乃伊之製造，可謂代表此項思想之一方面之極端，而中國則頗似乎在別一方面之彼端也。何以言之，不孝有三，無後為大，有後亦有為中國人最所希冀之一事，而中國人之所謂後，則不屬當身而屬之於其子孫，季札之葬其子，大為孔子所稱賞，以為人死則歸於土而魂氣無不至，故對於遺骸及墳墓，視之忽焉。司馬桓欲為石槨，孔子則謂死不如速朽。墓祭乃視為野人無文化者之行為，墨子雖主明鬼，亦言薄葬，耶穌以天國大義詔告其弟子，近人頗謂與墨子相似，然耶穌死後，其弟子門徒，深信耶穌之將復活，因此巴力斯坦之聖墓，不絕招致後世基督教徒之瞻拜敬禮，竟由此而引起長期之十字軍戰爭。至於墨子身後一坯黃土，則絕不見有人能稱說其何在者。此非墨子門徒之遽忘其師，諒由彼輩觀念之不同也。即如曲阜孔陵，迄今猶存，然中國士人尊信孔子者，頗不以躬赴曲阜瞻禮膜拜為重，而所重者轉在曲阜孔氏衍聖公之家世，緜延百代，至今勿絕，此眞可代表中國人之意境矣。

然則中國人之所希望傳後與可久者，乃不在死的如墳墓與屍體之類，而乃在活的如子孫，後嗣之類也。（曲阜孔家之嬗衍勿絕，此非孔子私人之要求，乃東方民族一種公同要求之表現，耶路撒冷之成聖地，亦非耶穌私人之要求，此亦基督教民族心理之一種公同要求之表現也。）商周鐘鼎彝器，其流傳迄今者多矣，工藝製造之精美則有之矣，然以言貴重則亦尋常耳。（此指當時製造所費之財力與物質上之價值言之。）其欵識必曰世世子孫永寶用，然則此等器物，在當時既求傳之子孫，又必求子孫之能實際利用，超過於能實際利用以外之人造的偉大與永久，似不為中國所重視。因此中國當時人所言三不朽者，乃於子孫家世傳衍不絕之上而有所謂立德立言立功。（此非私家的，而為社會的。）則仍重在活的用的方面也。

秦人統一，開國史未有之環境，秦人頗以此自誇揚，其阿房宮驪山墓之建築，乃超過於中國人心理要求之上，咸陽三月火，付之一炬，在當時人若不甚顧惜者。然秦代大一統政府之一切規模章程，固已為漢人所承襲而實用矣。（如蕭何張蒼叔孫通諸人，皆於此有大功。）漢代諸帝墳墓，乃絕不再有如驪山墓之偉大。其陵寢移民之制度，乃借帝王陵墓修建為政治上活的應用也。秦始皇偉大工程之為後世所承襲而不廢者厥惟萬里長城。繼秦始皇之後，開第二次中國大一統之盛運，而一時誇揚為過分之興建者有隋煬帝，然隋末之亂，亦一切破毀無遺。江都迷宮之類僅見之於傳說記載而已。然隋煬帝偉大工程之為後世所承襲而不廢者，厥有汴渠之運道。此可以見中國人之意態矣。

羅馬有圓劇場，Amphitieater亦為言羅馬建築藝術及羅馬文化者所稱道。然至於劇場中以活人與猛獸相博鬥，乃至於數百千角鬥士以某項節目出現於角鬥場中，相互屠殺，斷肢決胸，殘肢體之慘象，為當時羅馬貴族賞心樂事者，則並不能與其用堅固石料所建造之劇場同樣保存留傳，以迄於今。中國戰國時，王國宮廷亦有劍士比武之游藝（如莊子說劍篇所載。）漢代亦有猛獸入閘，（如漢文帝入虎圈。）亦有因犯罪而使人格鬥之罰，（如竇太后使轅固入圈刺彘。）然此不為中國人所喜，因此並不能繼續進展，而有羅馬戲場之偉大創建。且秦漢定都長安，終南山咫尺在望，堅固精緻的石料（所謂南山之石）並不缺乏，然中國當時似乎絕少以石料為建築之用者。

中國人的藝術觀念，似乎重於沒入自然與自然相暗合，所謂得自然之天趣，使中國趨向於愛生動，逼眞，樸素，存靈氣，不見斧鑿痕，等等，而堅剛耐久歷劫不磨，以及偉大雄壯，至於似乎可以與自然割席而宣告獨立之創作，中國人乃不喜為之。（下轉第三版）

各有所施

各有所謀

昨日與明日

司法風氣革新

蔣總統諄告國人：「民主國家所賴以綱維者，就是法律與制度，要尊重法律與制度，更必須使之成為一種生活方式，養成一種民主與法治的風範」（四十九年對憲政研討會致詞）。這種民主法治觀念，恰與大陸共匪暴政的無法無天，成了強烈的對比。

法律是維持社會安定的公平有效工具。「法者，所以興邦懼暴，定份，止爭也」。法不得其平，則社會必亂，人心必變。維持法律的公平，靠司法機關的制度與司法人員優良的工作態度。中國古代民間一方面痛恨「衙門朝南開，有理無錢莫進來」的腐政；一方面渴望「官清民自安」「賢者在位」。孔子即有「苛政猛於虎」之嘆。因為法律僅是一種規矩、繩墨一種工具。運用是否得其平，全存乎運用者之一心。一個公正的司法者是「我心如秤，不可以移斗斤」。縱然威脅利誘當前，也是富貴不能淫，貧賤不能移，以表現大丈夫之氣概。此種修養，非獨藉外力的他律，尤賴乎良心的自律。楊震卻人之賄賂說：「天知，地知，你知，我知」。是自律他律并用。歸有光在「鳴機夜課圖記」中，說出他父親夜斷刑案時，他母親常攜他站在父親旁邊說：「請以此兒為念」。以諫勸勿作有傷陰騭之事。這是以他律而激發自律。

厚其祿，嚴其防！

自律的養成在良心教育，我國近代法學教育的失敗，熊十力氏早會慨乎言之：「今大學、法學院，在學生只有終南捷徑之心，冀得文憑，為仕進地。……至於克己奉公，與仁民愛物，及犧牲身命以利國家之精神，凡古代賢將相及循吏終身之所持循，賢師儒之所終身切磋，而不敢背所聞者，……今法學院有是乎」？

他律的「天知，地知」早被無神論破壞得乾乾淨淨。言及「人知」，既然行賄與受賄同科，量你不敢舉發。這就成了天不怕，地不怕，人不怕。且今日社會風氣「笑貧不笑娼」，清議不存，公道已泯。笑罵由他笑罵，貪官我自為之，有何不可？

革新司法風氣，衡諸當前情況，一方面固需鼓勵司法人員讀聖賢書，喚回其良心，養成其自律精神。一方面當從法律制度上着眼，例如：厚其祿使不願貪，嚴其防使不能貪，嚴其罰使不敢貪。今日司法人員待遇已較其他行政部門為優，今日貪污治罪條例所罰不可謂之不嚴，司法人員中之敗類，仍敢逆行妄作，實因他們知道法律漏洞，才敢頑法弄權。故當從下列各點以嚴其防：（為加強行政監督以汰劣存優。

家有黃金，鄰有戥秤！

老實說，今日行政首長對僚屬，或同事間，可說是「家有黃金，鄰有戥秤」，誰貪誰不貪？均皆瞭如指掌。只要訂出制度，使他們可以上下監督，彼此監督，貪污之徒，便很難不露原形的。二為建立公務人員私產查核制度，此制行之英美，頗著績效，欲杜絕貪風，亟應仿效施行。三為建立陪審制度，今日司法人員敢於大胆貪墨，乃大權在握，鍛鍊週納，輕重權衡，悉聽司法我便之故。如仿效英美陪審團制度，使司法權公開化，又可削減不少弄權弊端矣。

司法風氣已到亟需改革的地步。法治雖非中國政治哲學之理想境界，但法治之良窳，確關乎國運之盛衰。我司法界當如何仰遵蔣總統「知恥，知病，求動，求新」之訓誨，大力革新司法風暴，乃今日萬民所翹企未已者。（霜青）

自由談

最近蘇俄與東歐各個附庸政權，對捷克人民的自由運動問題，舉行高層會議後發佈聲明，指摘美國有從中「顛覆」捷共政權的行為。這原係俄共集團一貫的世界革命策略，擒賊擒王，要以「美帝」為頭號敵人，凡屬對共產世界有不利的事情，不管是非眞假，一概推在美國身上，認為是受了美國的教唆而然，也就是間接對美國強大力量的恐懼心理表現，所謂色厲而內荏是也。

然美國務院即皇皇然聲明，說美國決無涉及捷克人民自由運動的情事，唯恐揹上了解放共黨奴役之下的人民的聲名，避之若浼，而表示其潔身自好的態度，可哂孰甚哉！

英首相邱吉爾於韓戰和談時，在美國跟國會議員談話，說是板門店談判如果破裂，英美即採取迅速堅決而有效的聯合行動。他回到英倫後，工黨議員貝凡在議會嚴詞質問他，所謂「迅速堅決而有效的行動」是何用意？乃責怪邱氏不應作此開罪俄共集團的言論也。邱翁答道：

沉不住氣的大少爺

「我不這末說，難道要我說英美將採取遲鈍鬆懈而無效的行動不成！許多事情不必洩底，讓敵人猜猜不好麼？」可惜美國的政治人物就沒有這種智慧休養，一派天眞幼稚的心情，發洩無餘，使敵人如見肺肝然，知所對付。而美國乃遇事處於下風，連宣傳戰亦一敗塗地，無可救藥。

「許多事情不必洩底，讓敵人猜猜」，這是高度的政治技術，非老練而有雄才大略的政治家，不足以語此。美國人一般的性情就是衝動而沉不住氣，遇着陰險沈鷙的俄共對頭，便祗有吃癟的份兒，試看當年俄共搶先放射了一枚人造衛星進入太空後，美國朝野上下急得像熱鍋上的螞蟻，然，頹喪吵鬧不已，英國人却悶聲不響，祗是努力偵查俄共放射的人造衛星在太空中的活動情況。前者是大少爺脾氣，後者是紳士派頭。作為自由世界領導者，大少爺的脾氣怎末行呢？美國應向英國老大哥多多學習纔是！

馬五先生

「養樂多」含毒風波 可能掀起另一高潮

——本報駐台記者曼城——

酵母乳「養樂多」含毒，有害人體健康，最近可能在台灣社會掀起另一風暴。

一般認爲，台灣主管衛生單位，在「養樂多」含毒風波前後發佈之消息相互矛盾，令人費解。

據傳該公司對「養樂多」含毒新聞經台北×報發佈後，所採之處理手法，與日本養樂多株式會社，同出一轍，即是以銀彈攻勢來平息這場風波，並不惜化錢請託刊登大幅廣告，以維持該公司現在台灣日銷二十萬瓶的廣大市場，繼續實行其「朦蔽客戶」，「欺騙大衆」，「不顧商德」，獲取暴利的目的。

事實俱在 還要騙人

民國五十五年元月二十八日，「養樂多」獲得中央標準局准於專利十五年，其製造方法的名稱爲「乳酸菌飲料速成製造法」，並說明「養樂多」在製造過程中，要添加「氯化錳」助其發酵，以期「在短期間內促進菌增殖」，「養樂多」加「錳」製造，明明記載在中央標準局申請專利的文件中，而「養樂多」公司竟敢在報端刊登廣告「在製造養樂多的過程中，因爲無需錳的成份，所以不摻入錳」，而其在中央標準局專利申請文件中，很明白的說明「養樂多在製造過程中，要添加氯化錳，助其發酵，以期在短期間在促進菌增殖」，這前後兩種說法將如何自圓其說，該公司爲了在台灣獨佔整個市場，因而以速成發酵法獲得專利摻錳（有毒化學元素）製造，爲了對飲用客戶「增加信念與消量」，「繼續獲取暴利」，竟不惜以「謊言騙人」。

飭令改善 置若罔聞

據台大生物化學權威教授董大成博士的說法，在日常生活中，各種生物食品，都含有「錳」的成份，而足夠維護健康的需要，如果，超過入身體內適量的「錳」，對身體是有害無益的。

吸取過量的「錳」，對人體肝臟，中樞神經系統，生殖機能……等，都能發生侵害作用，而台北縣衛生局在今年元月份固已發覺「養樂多」呈含「錳」的成份，層報台灣省衛生處，奉轉飭改善，並要該公司說明「養樂多」含「錳」原因，直至「養樂多含毒」被報紙揭發當時仍未正面答覆，很明白的擺在面前，該公司這種「作風」「不是把主管官署」，根本不放在「眼裏」，就是另有文章。

唯利是圖 摧殘幼苗

根據醫統計報導台灣肝臟疾病患者，依據人口比例計算，台灣地區百分比最高，而且近年來孩童感染，肝臟疾病者亦有增加，然而台地區的人民收入，根據統計每年平均每人都有增加，生活水標每年都在提高，當然國民攝取營養亦在每年增多，而且醫藥進步，應該是病患減少，爲什麼會有甚多肝臟疾病患者，究其原因，不外乎——工作疲勞，飲食不當之故，因爲根據董博士的說法，我們不能不懷疑到人體攝取了過量的「錳」的上面去，我們再根據「養樂多」在電視台的廣告推測，很多家庭爲了自己兒童的健康，很多訂購「養樂多」給兒童作爲飲料，我們再根據「養樂多」在中央標準局專利申請的文件中，「添加氯化錳在短期內促進乳酸菌增殖」，又不能不懷疑人體「攝取了過量的錳」，照這樣推算，「養樂多」公司是不是不顧人的死活，在「摧殘民族的幼苗」！

商德敗壞 社會公敵

「養樂多」在今年五月初開始的台灣大風波中，連續在台灣各報大幅刊登廣告，其大意爲「在製造養樂多的過程中，因爲無需錳的成份，所以並不摻入錳」，對在中央標準局專利申請文件所記載說明的要添加「氯錳速成製造法」，不作正面的說明，對台北縣呈奉台灣衛生處轉飭改善未作答覆亦隻字不提，該公司在事被揭發後，一方面在報端自我宣傳，混亂飲用客戶視聽，另方面以拖延戰術及玩靈技巧，等待衛生機關抽樣化驗，發表化驗結果，該公司這種作風，明明對「添加氯化錳速成製造法」及台北縣衛生局呈奉台灣衛生處轉飭改善，不作說明及答覆，無法自圓其說，偏偏又要在各報刊登廣告自我宣傳，這是敗壞商德的行爲，實在是社會的公敵。

化驗結果 令人懷疑

「養樂多含毒」問題，在今年五月份由報端揭發後，台北縣衛生局，賴局長亦曾發表談話：「養多樂」含「毒」在本年元月份該局即以公文通知台灣養樂多公司，其產品內含有「危害人體的毒」，飭令即加改善，迄未得該公司正式答覆，該公司對主管官署公文書不作重視的態度，我們很感奇怪：爲什麼主管官署明明知道「養樂多」已危害人體，該公司對主管官署公文書，竟已置若罔聞，而不作再抽樣檢驗，斷然措施，公諸社會，却在事隔四月之久，經報端揭載之後，社會喧騰之時，才說明經過，台北縣衛生局的態度實在令人不解。

再據台灣衛生處五月十五日發表「養樂多」的化驗結果爲：五月七日抽樣檢查的結果，養樂多含毒量爲○、○三七五PPM，五月十日抽樣檢查的結果爲○、三六一PPM，在此大家十目所視，十手所指的時候，如再作抽樣檢查，時間是否適當，難道說養樂多工廠在過知抽樣檢查期間還會加錳速成製造嗎？其中是否有虛應故事，官樣文章的感覺？

根據內政部訂頒之食品添物規格標準指出，食品及酵母乳之製造加工過程中均不得摻入錳化合物。「養樂多」含「錳」問題，怎能掉以輕心，視同兒戲！

國民健康 難以確保

根據以上對「養樂多」製造過程加「錳」的分析，主管官署發覺「養樂多」含「錳」危害人體措施的經過，我們懷疑「東亞病伕」羞辱的稱號，何時才能變爲陳跡。根據台北縣衛生局賴局長發表今年元月即通知「養樂多」改善而未作進一步的處理，繼續任其售危害人體的「養樂多」達四月之久，國民的健康，將如何確保。實在令人憂慮！

養樂多含毒問題，早經日本國會議員阿野正在國會提出質詢，蓋養樂多原屬中日技術合作，台灣養樂多公司之製造原料菌種，均採自日本進口，在日本既然發生問題，難道台灣會沒有問題嗎？立委諸公在現環境下不要忽略了關係國民大衆的健康問題及其他因素。

旅美見聞 富豪之校

·張起鈞·

這個學校不僅非常豪富，並且學生們都是富豪。

前年五月我到達默斯學院（Dartmouth Collage）去講演，這個學校位在紐罕姆什爾州，漢諾威城（Hanover）。由這個學校國人雖不熟悉，但在美國却是有名的長春籐七校之一。（另六校是哈佛、耶魯、康乃爾、哥倫比亞、普杜斯頓、賓夕凡尼亞）。不僅歷史悠久，地位很高，並且還是有名的貴族學校。大富豪洛克斐勒等，以及日本的三井父子都是此校畢業。因此風氣所及，全是富豪子弟，據主邀我去講演的陳榮捷教授告訴我大學生中本人已經身爲百萬富翁的，據校方所知已在五十人以上。校方不知者，以及將來子繼父業的，尚不計其數。

美國的私立學校都要靠捐欵維持的。此校在校的學生，畢業的校友既都是富豪，因此捐起欵來，眞是又多又方便，於是學校許多設備便極盡豪華之至。我至那裏時有兩個工程正在興建，一個是世界上最好的體育館，一個是著麼考究的「學生中心」，前者不論，就說後者吧，這學生中心，在前面看一點也不巍峨高大，看來只像座不太大的平房。但是進去後却是愈走愈深，愈走愈遠。眞是左灣右轉如入迷宮。而設備之精緻考究，更具見財力之雄厚，就拿鋼琴一項來說吧。美國的鋼琴原不太貴，普通有五六百元就以買一架了。而日本在美傾銷的山葉鋼琴，還更要大大的便宜。但這一學生中心有練琴室五十間，每間一架鋼琴，而這鋼琴的價格却是每架五千元。只是這練習用的鋼琴一項便是二十五萬美金。據陳教授告訴我，全部建好，連同設備佈置，預算高達八億美金。好，只這一個「學生中心」，在我們要辦多少個大學。

養樂多含毒嗎？請馬騰雲分析

（台北消息）台北「養樂多」含毒風波，可能掀起另一高潮，本報爲求對讀者忠誠服務，特聘在台港各大報寫「生活漫談」之醫藥理論家馬騰雲先生，就養樂多是否含有毒素問題，加以詳盡分析，由本報獨家登載，敬希廣大讀者注意。

北婆羅洲各民族的風習（上）

·王一士·

這作者曾於一九六二年，泛遊過南洋星、馬、北婆三邦等地。在馬來西亞成立以前，並承北婆羅洲（一九六三年八月，該洲自治，更名沙巴州）僑領邱錫洲（現任該州副首席部長）羅思仁（前任該州首席部長）彭德聰（現任該州交通部長）諸先生，邀往作客，並徵詢個人對行將成立大馬聯邦的意見。因之，作者駐留洲巴州的時間，也比較長，將近一年。對於北婆三邦實際情形的瞭解，也較有輪廓。

通常說的「婆羅洲」很多人對界限意識的劃分，常欠顯明。我們知道：南洋羣島，包括散佈在東南亞洲的島嶼，在這數約九千的島嶼中，面積最大的，就是婆羅洲。南部是印尼的加里曼丹省，亦稱南婆羅洲。我沒有去過，（因此地有印尼共產黨很多）不太瞭解。北部稱爲北婆羅洲，原爲英國殖國民地，分爲三個行政區：一爲砂勞越；一爲婆羅乃又名汶萊；一爲北婆羅洲。故此婆羅洲，爲此三邦的統稱，亦爲其中之一部的特稱，即今日之沙巴州。杜先生所說的「婆羅洲」，似祇限於婆羅洲的北部中之砂勞越與汶萊，更未包括南部印屬的加里曼丹。

馬來西亞聯邦創議之初，北婆羅洲三邦，原來都是包括在內的。但至簽字定議之時，汶萊因政治和經濟兩方面的問題，未得到圓滿的協議，以故臨時退出，仍爲英人的保護國。砂勞越沙巴則各成了馬來西亞聯邦十四州（後新加坡退出，實爲十三州）之一州。北婆三邦，砂勞越、汶萊、沙巴，今雖政治組織系屬各別；但三邦地理環境相連如一，過去在英國殖民統治之下，所有政治、經濟、文教等設施情形，至今仍是相通的。尤其在這三邦土地上所居住的民族，以及風俗習慣，這亦大體相同。在北婆三邦所居住的民族，異常複雜，將近有二十之多。但其中以華、巫、印三大族佔最多數，算是三邦的主要民族。其次爲達雅克人和魯順人等。

同時，我要聲明的：本文所叙述北婆三邦的風習：但不包括華人生活風俗在內。其次，所叙地的風俗習慣，亦祇於幾個主要的民族。再次，北婆羅洲這名字，今日雖已成了歷史的陳跡：本文爲顯明統攝起見，故標題仍祇好沿而用之。

巫族，就是馬來人。他們的祖先，據說是由中亞細亞，經過印度南方，移植到蘇門答臘，以後逐漸散到各地，也就到了北婆三邦。近五百年來，他們已成了奉信回教的民族。現在幾乎清一色的是回教徒。不過在此以前，馬來人却受過印度教和佛教的影響很大。他們亦有本身特有的民族性格。因之，不僅與印度人有很大距離，由於長期的住北婆，受了特殊環境的影響，所以他們的生活和風習，也與印尼、菲律賓等國的馬來人，不盡相同。

馬來人姓氏的構成，與華人根本不同。華人的姓氏，是固定的，世代相傳，永無改變（除特殊原因）。而馬來人，通常是以父名爲姓。以父名爲姓，姓氏除同胞兄弟姊妹之外，即代代不同。他們姓名的寫法，是名在前、姓在後。名與姓之間、男人要加「敏」字，女人要加「敏迪」字樣。如係蘇丹皇族，又要加「依尼」字樣。如到過麥加朝聖的人，男的又加「哈芝」，女的則加「哈查」。如與皇室有親戚關係，也要加字；如有被封賜的，也要加字；如係蘇丹或各州統治者，都要加規定的特殊字眼。總之，馬來人的姓氏和稱呼，是任何外來人，不易弄得清楚的。也是使人最難記憶的事。甚至連他們本族的人，也常覺得有點頭痛。所以馬來人。雖做了大官或議員之類，大都不去印製中國式拜客用的名片。方德原先生（國會議員）曾說：這是因爲他們窮。其實，他們的姓名，常常長達幾十或百數字，印名片也是一相當麻煩的事。我的朋友通訊錄中、沒有馬來人，這自然也是原因之一。

前面說過：馬來人幾乎清一色是回教徒。回教徒是被允許多妻的，一個男子，可以同時擁有四個妻子。離婚也相當容易。男女雙方或任何一方不滿意時，就可提出離婚要求，經過簡單的手續，就可分道揚鑣。不過離婚後，如要再娶或再嫁時，却要相距一百天之後才行。因此，他們很少有追婚的現象。回教徒，不論種族或國籍，婚禮總是要按回教一般形式和習慣進行的。一般說來，他們的婚姻，是不重視貧富和門第的觀念。手續上，不論是媒灼之言、父母之命、自由戀愛。却都得到雙方家長的同意；也要經過訂婚和交換信物，擇定吉日良辰；男家送聘禮、證書由雙方家長簽字；這大體與中國人的風習相同。祇是證婚者，多是回教長老；主持婚禮者，則爲女家，在女家舉行；與華人的風習，却又不相同。馬來人結婚，有一項重要和有趣的儀式，叫「並坐禮」即一對新人，並坐在一座特製的花座上，接受親朋們的祝賀。花座旁列男女賓相，持薄扇爲新人扇涼。賀客一面致賀，一面戲謔百出，爲婚事帶來更多的快樂氣氛。

馬來人的喪禮，非常簡單。他們對於死去的人，既沒有如華人那樣「號啕大哭」的表現；也沒有「祭奠多時」和「大排儀仗」的舉動。死者在臨終之前，家人祇請一個回教教士到家，誦唸可蘭經（回教一經典之一）。等他死後，便將其屍體移置到特備的床上，取其右手疊於左手腕之上，用一張白巾，蓋着其身體，即準備出葬。

吳敬恒先生年譜（十）

陳凌海編撰
陳洪校訂

五月初，光緒召見康有爲。六月頒維新上諭，同時撤禮部等六堂官。八月西太后幽光緒於瀛臺，垂簾親政。殺譚嗣同等六人。康有爲、梁啓超（任公）遠遁。是爲戊戌政變。先生曾與胡兩人（胡敦復之叔）論變法。先生說：「變法就是要保存這條辮子」。先生父有成公始病中風，常歸侍湯藥。在上海曾與陳懋治約不再讀綫裝書。旋又改今名「敬恒」。其意蓋謂關敬與恒，不足以任己以天下之重，故自名之以示警。是年先生敦促表兄陳育（仲英）及無錫友人丁寶書（芸軒）、俞復（仲還）等在崇安寺創辦三等學堂，實施新教育。

民國紀元前十三年——清光緒二十五年，己亥（西曆一八九九年）先生三十五歲。

先生仍任教南洋公學，並繼張一鵬爲學長。先生在南洋公學提倡羣智會，行學生在教室輪講制。又手訂諸生起居、記事、飲食、保護公物等各項規約，嚴命諸生遵守，違者必罰。先生迎父有成公自無錫至上海就醫。乘船坐車，均躬親抱負之。晨夕隨侍，竭盡供養。先生之眷屬亦同時遷居上海。是年公子詳患天花。

民國紀元前十二年——清光緒二十六年，庚子（西曆一九〇〇年）先生三十六歲。

義和團事發，八國聯軍圍攻北京。南洋公學總辦何梅生慫恿盛宣懷（杏生）電張之洞請南中國中立。張之洞商於兩江總督劉坤一及兩廣總督李鴻章，遂宣告中立。鈕永建（惕生）、陳景韓同由陸軍小學前來南洋公學任教，建議學校購買軍火，將南洋公學學生加以訓練，組織軍隊。何總辦雖表同情，然對學校組訓軍隊，事出創舉，未准實行。先生因許學生組織軍隊事不成，故辭去學長職務。改教四班國文。閏八月，先生大妹美宜逝世，遺女元賽。十月二十五日夜半，先生在南洋公學宿舍，突爲閽人阿二相招，驚起。詢問。始知家中見召。急披衣歸，則見父有成公閉目不開視，喉間作異響，喚之不應，知爲中風復發。翌晨延請南洋公學校醫黃醫師診治。無效。延至十時半溘然逝世。享壽五十九歲（1842－1901）。先生哀毀盡禮。由滬扶柩還雪堰橋與先生母合葬於把構頭新塋。

民國紀元前十一年——清光緒二十七年，辛丑（西曆一九〇一年）先生三十七歲。

中國哲人簡介

墨子（下）

張起鈞

墨家一方面以生命與熱血，從事於救世的奮鬥；一方面又以偉大的人格與精神，高唱「兼愛，交相利」的學說。

墨家爲了建立自己的學說，首先大舉攻擊儒學，第一他們攻擊儒家的仁愛，是有分別差等的愛。在墨家的眼中，這種愛不夠普遍與徹底，終是天下的禍源。試想，人人都以自己的身家爲重，勢必助長人類自私與自利的心理，終究會引起衝突，而走向戰爭，使整個天下動盪不安，造成國破家亡妻離子散的慘劇。所以他們主張「兼愛」，那是極端徹底，毫無分別差等的愛國—不分親疏，同等相愛，愛他人的父母家國，就像愛自己的父母家國一樣。唯有如此，才能使天下永遠太平，人人相安無事。

其次，墨家攻擊儒家的「禮樂」，流於奢侈，而不切實用。儒家爲了喪葬，要大事鋪張，舉行繁複的喪禮，又要廬墓守喪，三年不能遠離；不僅對人事一無補益，而且浪費了有用的資財，與寶貴的光陰。所以墨家主張「非禮」「非樂」，「節用」「節葬」，轉移有用的財力，與寶貴的生命，爲天下人民謀求大利。儒家的言行，是出於我們內心的自覺，眞情的流露，只因爲那是我們所應該做的，所以我們去做，厚葬久喪，是爲了孝思與不忘本，只有那樣做，我們才覺心安，自然不必去計較利害與得失的問題了。墨家的作爲，是出於利害得失的衡量，而抹殺了內在的感情，只有對天下有利的事，才值得我們去拼命苦幹，人死就死了，薄葬短喪，草草了之即可，何必再事浪費，自尋煩惱；儒家反戰，是因爲戰爭殘酷，不合人道；墨家「非攻」是因爲戰爭因小失大，得不償失。他們是完全站在功利與實用主義的立場，來反對儒家的仁義道德。

墨家「兼相愛」的呼聲，響徹雲霄，「交相利」的主張，也處處引人入勝，使平實無奇保守持重的儒家學說，顯得黯然失色，墨家的思想，遂風靡一時，取代了儒家的地位。

但是響亮的口號，往往會有偏差，動聽的主張，也不等於眞理，墨家把父母與路人同等相待，根本違背了人類的自然情感，也毀棄了家庭的倫常關係，理想雖高，卻不能實行；同時墨家事事求利，而不問是非，大大違背了他們「兼愛」的本心；且人人爭利，恐怕天下就要從此大亂多事了。

幸好五十年後的孟子，重張儒學的旗幟，來抨擊墨家的學說：才使世人知道了他們的偏差弊端，而制止了她們風靡的洪流。不過，他們的學說雖不健全正確，但是他們那種滿腔熱血，獻身救世的精神，卻不容抹殺。每一位墨家的徒衆無不都懷着救世的熱情，爲天下大利而犧牲自我；他們也眞有「兼愛」的偉大情操，爲廣大羣衆而奉獻生命。他們毫無條件不計犧牲的奮鬥精神，古今中外，沒有一個學派，可與他們相提並論。他們的精神，到了今天，依然是那麼壯烈感人；他們的熱力，依然震鑠古今，永遠是我們的好榜樣。

綜觀墨子，他們的學說，儘管美麗動聽，他們的精神，也儘管壯烈感人；但「兼相愛」破壞了家庭，「交相利」給人類帶來無窮的爭端。他們又崇向苦行，使人生沒有溫暖，缺乏安慰，而墨家雖能坦然力行，但天下人心卻難以忍受。所以這個學派，雖然轟轟烈烈，影響下代，但終於如同美麗的曇花，一現即逝，很快地就失傳沒落了。只有他們積極救世的態度，與自我犧牲的精神，永遠在我們的心中激盪迴旋，在我們的血液裏奔騰跳躍。

今天我們生逢亂世，祖國多難，只有效法墨家的精神，勇往直前，永不後退，才能拯救祖國的危亡，並進一步謀求世界人類的和平與幸福。（按：本篇係張起鈞口述，王邦雄執筆）

王九逵應該回來

厚安

青年學人王九逵因爲回國以來，遇見許多不如意事，揮淚出國門，宣稱「不再回來」。

王九逵氏的服務祖國熱忱，值得欽佩；他的受挫折，值得同情，但他最後的表現，卻使人不敢恭維，因爲：「兒不嫌娘醜，狗不嫌家窮」，這是普通人都知道的道理。祖國雖然在許多地方落後，但祖國的地位，是無法被代替的。

在這裏，我想講兩個故事給王九逵小老弟聽聽。有一位姓王的工程師，到美國去實習。美國最大的一爿無綫電廣播公司看中了他，願意付出王先生自己所能提出來的任何代價把他留下來。（按，這爿公司，有好幾千工程人員）理由是：它那爿公司裏，像王君這樣經驗的人很多，但沒有同時具備他這種學力；與王君學力相等的人也很多，但沒有同時具備這種經歷。王君因爲具兩者於一身，所以值得爭取。但王君的答復是：他要回國。爲自己的國你服務。

又有一位張先生，所學的與王君的相同。香港政府素仰自由中國的進步，要建立一座無綫電廣播台，不相信自己的工程師，巴巴的來到此地，把張先生聘去，爲期一年。期滿後，電台建成後。港政府願出八千港元一月的代價，留住張君。但所得的答覆是：「不行！我的國家還需要我！」

張君和王君，現在都還在此間的一爿廣播公司工作，這公司是民營的，也是與政府有關係的。其所遭遇到的類似王九逵君所遭遇的困擾，一定很多。而且他們都沒有兼差，每月薪津，也只新台幣二千元左右。他們並未與其他機構（如美援機構）看齊而發牢騷。他們又是普通工程師的職位，還不如王博士受到台大重視，一回來就登上系主任的寶座。王、張兩位工程師所以有如此正確的觀點和強烈的祖國愛，都出於他老師馮簡博士的啓迪。關於馮簡博士的爲人，三日春秋隔天再談。

（完）

綿延悠久・歸於自然

（本文自第一版轉來）

中國人之觀念，似謂最偉大而最可久者，莫如自然也。因此不僅中國建築不愛用堅久之石料，乃至如希臘人之人像雕刻之藝術，將人類活的姿態，深深琢上石塊，以求其永久保留之觀念，中國人似亦無之。（漢代亦有石刻，然不能與希臘雕像相擬。）中國人之傳神阿堵，乃好施於絹素，以絹素之繪事與精石之琢工相比，自見素絹更富於自然之天趣，即若更不見人力之生造也。（其實石塊乃自然物，而絹素乃人工之精製品。）可見中國人之希望可久與傳後者，乃並不在此等處著想也。

秦始皇始有刻石頌功德之舉，然漢人並不熱心爲之。下逮東漢，碑墓之風一時盛行，然其著重點已在碑文而不在碑石。（即謂可久者乃文字而非石塊。）往嘗讀漢魏以下人詩，想見北邙山爲一時王公貴人琢墓所聚，意想其地必崇山深谷，葱葱鬱鬱。而遊洛陽，乃知北邙山特一帶迤邐之陂陀耳。今自東漢以至北朝，在洛陽附近出土之碑碣何限，亦多長方一二尺厚不及五六寸之小石版耳。以視雲岡門之石佛，明屬兩種意境。雲岡之與龍門，在中國藝術史上，要不失有一種新鮮異樣之感。隋唐財富物力，遠勝北朝，崇佛亦未見驟衰，然雲岡龍門之盛事，當時後倦爲之，至於墓中之碑碣，其風依然勿輟。可見雲岡龍門造像，非合於中國藝術進展之正宗也。（佛教藝術中如塔的建造，乃頗合於中國人之意味，故石窟造像之風中途卽歇，而塔之建造，自唐以下至今未斷，然如北平西山之碧雲寺乃至北海白塔之類，則非其例。）

今從興造方面言之，則中國人對物質上之營造，似乎自始卽不含有一種堅久長存之想。而自承襲方面言之，則中國人對已往物質營造之陳迹，亦自然並不十分熱心謀爲保存，此乃一種心理之兩面，無足怪也。此並不爲董卓黃巢之徒，對於洛陽長安漢唐文物，破壞之罪狀作開渡。惟遊洛陽長安者，往往易於聯想而及埃及金字塔羅馬圓劇場種種之遺迹，而深怪中國人對古物古迹不知愛護。（其實彼輩同時又罵中國人篤於好古不知創新。）而致疑及於中國史文化傳統之悠久之一特點者。

則我請爲進一解。蓋由中國文化所理想爲傳後可久者，並不在金字塔圓劇場同樣相類之一種事物也。然則中國文化新理想爲傳後可久者其物何在，曰在投入自然，與自然相訴合，在能世世子孫永寶用。（在此點言之，中國宋以下磁器之精美發展正可與商周之青銅鐘鼎相媲美矣。）具體言之，則此林林種種之四萬萬五千萬所謂黃帝子孫者，正我先民所謂最可傳後經久之一種活古董也。（此非戲論，讀者若細細參透上文陳說，自可知之。）若使此輩活古董常得食息生養於天壤之間，而繼續發皇舒暢，則亦何必有金字塔之死堆，圓劇場之殘骸，爲後來別人憑弔之資乎？（在洛陽長安擺上幾個金字塔圓劇場，換卻四萬萬五千萬目下之活古董試問值得與否。）

又其次，我汗牛充棟，架牀疊屋，舉世莫京之文字史記（如上舉鐘鼎欵識以及碑碣文字皆其類也。）又古人先民所謂最可傳後經久之物也。今國人方深鄙本國之文字與歷史，以爲無足深究，而又致憾於少一些金字塔圓劇場之類爲點綴。豈不可惜之甚，（遊長安者，若能熟誦杜甫數首詩，亦能遊神於盛唐之聖境矣。所謂詩卷長留天地間，此非一種傳後經久之寶物乎？若國人不讀杜詩而習沙士比亞，乃致憾於長安之無伊利薩伯時代之建築，則圖未如之何耳。）又其次則爲制度文物（此所謂物，乃指活的用的物，與金字塔圓劇場一類物不同。）一切文化傳統，此亦我先民所努力其爲傳後可久者，如漢官威儀，北朝君臣之遷都洛陽者承襲之。唐六典制度，宋人之移居汴涼者仍因之，此如長川水流，後水非前水，而逝者如斯，不捨晝夜，此又我先民所想像爲最可傳後經久之境界者也。

國人苟明夫此理，則自可深切瞭解中國史之悠久之一特性，而不以中國之無金字塔圓劇場之類爲疑。

以上所論，似乎有意比長絜短，又近似揚己抑人，而其實則在說明一個民族一個國家之文化歷史，各自有其個性與特點燕瘦環肥，鶴長鴨短，然鴨不自續其脚以效鶴，環不自削其肉以慕燕，言之不莊，恐觸國人崇拜歐化者之怒，因竊自比於東方朔之滑稽，要不失爲一種忠告耳。（史綱已有樂師與網球家之喻，可以互明。）

（完）

盲人的蝙蝠耳

盲人走路一向是靠手杖來摸索前進的，自然非常不便。科學家現在已爲盲人們設計出一種指示前途的耳機。這種耳機的原理和蝙蝠在黑暗中飛行的原理完全相同。由盲人身上的機器發出超音波，遇有障碍物立刻反射而回，耳機也就馬上告訴盲人趨避。因爲這種識路法是蝙蝠發明的，所以稱這種耳機爲「蝙蝠耳」。（今龍）

瓷器之由來

許一塵

關於我國瓷器之起源，向來有二說：一曰始於漢，一曰始於晉。主後說者，謂許愼之「說文解字」一書，均無「瓷」字，故疑漢時尚無瓷器。文「太平御覽」七百五十六行魏武內誡令曰：『孤有逆氣病，嘗儲水臥頭。以銅器盛臭惡！前以銀作小方器，人不解，謂孤喜銀物，令以木作。……』曹操初以銅器盛水，嫌它久儲了發生惡臭，便改用銀器，但因此却被人誤會，說他喜愛銀物，生活奢侈，乃令人再改用木製。是可見漢時尚無瓷器，否則，曹操爲什麼捨瓷器而用木器呢？這無論從那一個角度來看，瓷器都是較勝於木器的；而且照常理來說，曹操使用瓷器盛水，老百姓也決不會說他閑話的。

又考我國字書之最早載有「瓷」字者，其爲呂忱之「字林」。呂忱，晉人，曾爲義陽王典祠令。而義陽王者，就是晉武帝次弟安平獻王孚之次子，名望。望出嗣於伯父朗，武帝受禪，封爲義陽王。泰始七年薨，子奇襲爵（事見「晉書」「宗室傳」）又以郭璞注「爾雅」引「字林」證之，呂忱當爲西晉人無疑。故論者謂我國之有瓷器，實始於晉代。但潘岳「笙賦」云：『傾縹瓷以酌醽醁。』唐人之詠瓷者也有：『與稽中散門遺杯』之句。是故西晉時，瓷器在我國各地已很盛行，非開始有而已！

因此，主前說者，謂許愼所著之「說文解字」，實以漢之「倉頡篇」及揚雄之「訓纂篇」爲藍本，二篇以外之字，皆不錄。而賈魴「滂喜」篇所錄字，即出二篇之外。「字林」多收「三倉」中字（「滂喜」列爲「倉下篇」）。則「瓷」字或出自「滂喜」。考賈魴，爲漢章帝時人，則由此可證漢代已有瓷器。又「西京雜記」引「鄒陽賦」也載有瓷字。雜記或謂葛洪所作，或言吳均所撰，要之即非劉向之書，故所引鄒賦不可能爲僞作。可見瓷器在前漢已發明。

又潘岳賦中所謂「縹瓷」者，縹爲青白色，即今所說的青白釉。釉爲俗字，若尋其本字，即說文之髹也。髹者桼也，即今言油漆之油本字。如「漢書」趙皇后傳曰：『殿上髹漆。』髹字爲省譌，髹漆，即今言油漆也。可見瓷器上之釉，與木器上之髹，實同語根。如「御覽」引韓非子曰：『堯有天下，飯於土軌（爲甑。），飲於土刑（金旁）。舜作食器，斬山木而材之，削鋸修其跡，流漆墨其上。……』足證漆器遠在三代以前已有之。又「御覽」引史記曰：『通邑大都，木器髹者千枚。』（髹，即髹）由此可知漆器在我國西漢時代，正極盛行。而瓷器之發明，即由漆器之於木上加髹而仿造者，故其名因之。但以瓷器係出於「燒土」，乃因瓦作字爲「瓷」。如「周禮」巾車載：「髹飾」。鄭玄注：「故書髹爲次（車旁，以下相同）。」杜子春曰：「次讀爲桼之桼。」而桼垸實爲由漆器而過渡爲瓷器之物。據杜說，古讀次桼同，次從次得聲，次桼晉音清紐。又「後漢書」郡國志載：『蘭陵有次室亭。』地道記又說：『故魯次室邑。』按次室邑者，即「列女傳」漆室之邑。瓷也從次得聲。則知古謂瓷無異漆器，只有一瓦木之分而已！

總之，無論如何，則瓷器在我國漢代已發明可以想見；只因文獻記載不足，才使後人頗猜疑。蓋瓷器到了晉代已十分盛行了；如潘岳「笙賦」就屢次提到：『披黃色以授甘，傾碧瓷以酌醽。……』依照歷史進化的軌迹，舉凡一件事物由發明至成功而推廣，必經過一個很長的醞釀階段。倘瓷器是在晉代才開始有的，決不可能跟着又盛行了！

新＊廿＊五＊經＊序

正經裏沒有二十五經，二十五經裏沒有正經，新二十五經不是鶴立鷄羣，乃是鶴羣鷄立，鶴立鷄羣固引人注意，鶴羣鷄立猶如人咬狗變成爲新聞一樣，更能引人注目，這就是從反面寫正經的本意。

太保太妹寫成爲經是創舉，性學孕育寫成爲經是大胆、吃、喝、嫖、賭寫成爲經，更是創舉兼大胆，他如公開詆毀有虎在堂及妒婦尚嫌不足，又不廻避疎不間親之嫌，插足於別人老夫婦或是新戀人之間，指東劃西，談長論短，再雜以酒話連篇，吹牛亂彈，可謂不禮貌到了頂點，放蕩不羈，猶餘事焉。

新二十五經裏的風月經，不謂不黃，而這種黃乃屬於教育性的或摘自一代完人吳稚暉先生私函，或出自一流大報專研究漢醫漢藥寶貴資料，這和舊小說裏西遊記一樣，政論家讀後認爲是諷刺腐敗政治的一部著作，文學家認爲是一部深入淺出的文學佳作，野心家最欣賞齊天大聖的「玉皇輪流坐，明年到我家」一股豪氣。街坊俗人讀西遊記後，腦子裏留下的祇有孫悟空大鬧天宮，猪八戒高家莊招親，鐵扇公主，蜘蛛精一些荒唐怪誕的故事，名學人薩孟武（臺灣大學法學院院長）寫了一部「西遊記與古代政治」就是從反面寫的正經書，不過薩的生花之筆，高深的寓意，則爲筆者望塵莫及。或許有人嗜辛成癖，區區之見，偏登大雅，有感很多中西名醫及國內外權威教授與知識界人士常將拙作剪貼存藏，因而鼓起筆者勇氣而有本經之撰述。

總之，新二十五經當作歪書來讀，或當作正經來看，這是讀者見仁見智問題，姑無論從甚麼角度去看和讀，均請不客氣的指教批評，這部遊戲之作，倘對讀者能有涓滴貢獻，乃至於有一點點小用，那就是本人最大的願望。

・馬騰雲・

貪風五字歌

宋以敏

貪污惡風氣，自古有先例，往昔不足道，今日特別妙！名目立得巧，回扣又紅包，越來越精彩，愈演愈熱鬧，個別而集體，機關而學校，公教既有之，主官也不少。官商齊勾結，勝過原子砲！其中多要角，手段更高超！各人顯神通，設法搞鈔票，起碼數十萬！硬是有一套。大的大貪污，小的小舞弊，好像在競賽，看誰拿錦標？貪官見了面，彼此發謬言：「當官不貪污，白菜煮豆腐；做官不弄錢，枉自讀聖賢」，互誇說得對，相勉找機會。官場傳奇聞，汚吏力奉行，所以敗類多，有此座右銘。政府倡節約，口頭頌正確，言行兩回事，貪贓爲享樂。表面頗淸高，其實最不行，大取非禮財，嫖賭任逍遙。善於喊口號，錢少他不要，聽說酬金多，眉笑眼睛小。鮮廉寡恥徒，錢已迷心竅，凡是貪墨者，不必關監牢，臉厚心又黑，才敢吃民膏，腦滿油水飽，正好作肥料。反攻救同胞，肅貪乃首要，亂世用重典，保險收宏效。

大學之友

愛蘭娜教授覆函蔣夫人

美齡夫人尊前前奉
賜示敬悉
惠贈　傑作繪畫兩册比已先懸寶蓀
培道兩先生代伸謝悃畫册係隨去年
祝壽畫軸兩箱同（?）寄運奉到頗遲拜
展之下不勝欽馳近年寰球各報舉舉
夫人爲當代十大女傑之一然有繪畫
天才而又卓然成家者　夫人實爲諸
女傑中之惟一女傑也　賜册爲敝院
珍藏之一寶島勝感幸後學自創中山學院傳授
三民主義文化學生頗有進步今年每週週末又
去阿根廷教授中國書畫並畧講中國畫史最近
又在阿根廷舉行一中國書畫展覽會藉以一開
風氣並以上副
裁成厚望於萬一茲將歲杪謹肅專柬敬賀
總統
夫人聖誕　新年新禧　後學　愛蘭娜叩
一九六七年十二月十二日於孟都

三幕喜劇　事過境遷

熊式一

仁：（由窗門入，長袍小帽，旱烟袋十足的老古派）怎麼哪？有一個桂林來的朋友要找我，把信送了給我，怎麼不把我的眼鏡子帶來呢？沒有眼鏡子，我怎麼能夠看信呢？我不記得我在桂林住的時候，認識一個姓史的朋友！快去替我把眼鏡兒找來！

包太：（望着她丈夫笑）仁翰：你自己不是戴着了眼鏡兒嗎？

仁：（示以空盒）這是空的！我沒有帶到狗窠裏去！

包太：仁翰，你戴在頭頂上！你自己摸一摸。

仁：（由小帽子上移下眼鏡來，不做聲看信）唔……唔……！

（大家偷偷的忍住笑，也不敢做聲）

包太：仁翰，這個姓史的是誰呀？我下樓來他又走了，阿詩說他在這兒等的呢？

露：他出去買士丹發一封信，馬上就會回來的！去了一會兒，應該回來了！

仁：原來是何伯文的好朋友，留他吃中飯，問他在那兒住！他要我寫一封介紹信，介紹他去見民航局的局長，這一點事情容易幫忙，容易幫忙！回頭他來了留住他，我忙着呢！狗窠裏有一點兒透風，我要找幾塊三夾板補一補漏縫，別讓小花兒，小黑兒，小白兒着了凉，傷了風……。

（他把信放回信封中，交給包太太，轉身要想出去）

露：（對太極示意）快說呀！

趙：（勉强上前來）叔……叔……呵，哼！包先生，包老先生！

仁：（不大高興的樣子止了步）你有甚麼事情對我講？

趙：（遲疑）嗳……嗳……我想……。

仁：快講呀！我有事呀！我忙得很呢！

包太：仁翰：你別忙，坐下來，慢慢的講！

仁：（有一點好奇的樣子坐下）吓？有甚麼事？要緊不要緊的？

包太：當然要緊的……。

仁：要緊？不是關於我這些小狗兒？

包太：不是關於你的寶貝小狗兒！

仁：（放了心）那就不要緊！甚麼事，快快的說出來吧！

趙：（偷眼望一望露茜）包……包……先生……呵哼……呵哼……包老……老……老……呵哼……呵哼……。

仁：趙太極，你有毛病嗎？

趙：沒有！

仁：說話呀！老呵哼呵哼的做甚麼？

趙：我……我今天……一早上……想對包先生……包老先生說……。

仁：現在說呀！甚麼事呀？

趙：包老先生忙得很，我……我沒有機會……沒有相當的機會……。

仁：我天天都忙，不過現在你有機會說，你就別老繞灣兒，快說吧！

趙：我想……我想……我想……。

仁：想甚麼？想甚麼？快說你想甚麼！

趙：我想！我想和露茜……。

仁：露茜？露茜是誰呀？

趙：對不住，我說錯了，是包小姐……。

仁：她的名字叫做包露茜，倩！你想和露茜上那兒去？　⑨

搜異錄

麥斯麥里催眠術

〈方洲〉

西曆一千七百六十六年，德意志有一醫士「麥斯麥爾」氏，研究動物磁氣。而試以學理的說明以爲動物磁氣與今日吾人所謂催眠術同其進化。麥氏者，歐洲來因河上流之一貧家子也。幼習法律學及天文學。而天性頗好哲學。成年後，習醫學，爲醫士。遊學奧國瑞士，營醫業，研究天文星辰學，晚年專攻動物磁氣學，動物磁氣說由麥斯麥爾氏研究而出，故以「麥斯麥里擦姆」名之。

麥氏最初由巴拉舍爾撒氏所主張之占星術之理而考出動物磁氣。即考日月影响於潮汐云干濡。及磁石與鐵之關係。用磁石與鐵而治療疾病，乃現出意外之效果。於是益行其治療法，乃考出治療之效果不在磁鐵之效力。而在於人體內藏有之磁氣力傳於病者。病因以治也，於是不用磁鐵。惟以手向病者下撫。亦得奏同一之效。其原理由術者之手傳動物磁氣於病者，故病者所患得以治療也。

麥氏始行此術以治病也。大受病者所歡迎。門前如市。於是當時醫學界大發牢騷。或攻擊之，或贊成之，紛紜不知所歸。好奇乃人之常情，麥氏之治療法，實際功績顯著，病者集於麥氏之門益夥，不遑一一施以一術，而使用數多之磁氣桶，一次得施術遍於三十人，猶告不足，終爲一次施術數千人之裝置，吊磁氣桶於一大樹，樹附以繩，數千人握其繩，一次得移磁氣於數千人之病者，因以治病，而盛行其方法。麥氏此種治療法，現此盛況，就他之醫士診察者，日益減少，以此爲一原因。當時醫士全體同盟，而大攻擊麥氏，麥氏一時陷於困難，乃遊學他國，以避其攻擊。而醫士中之賢者，以麥氏治療法效果之偉大，就麥氏習得療法，施行麥斯麥里擦姆之療法而致富者，日現於各地，此麥斯麥里擦姆所以得盛傳於歐洲也。

然則所謂麥斯麥里擦姆之學理的說明如何，其要曰，在宇宙間，比較以太有更精微之一種瓦斯體充滿之，術者凝集心力於被術者之一身上時，由術者之體內發生磁氣，此種磁氣影响於精微之瓦斯體，而惹起一種活動，通於被術者之體內，遂呈感應之現象，亦如天體與於吾人一種影响也。如此人人相互間有磁氣之感應，亦如鐵與磁石無異，吾人由此作用，能與影响於他人之身心，或在遠隔地之病者，亦可得而治療，在今日哲學上解釋催眠術，可謂汲源於麥氏之解法者也。

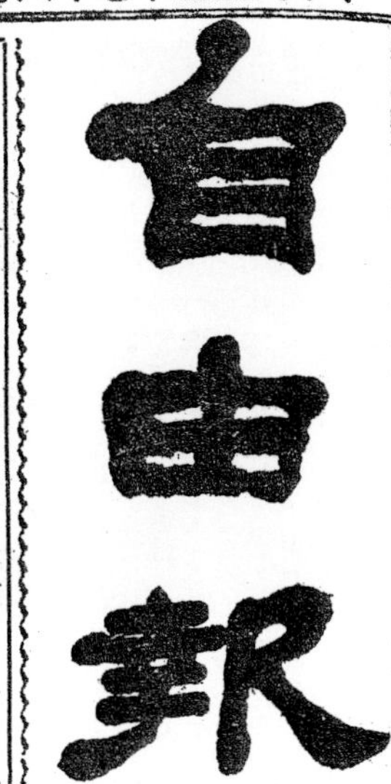

第八八二期
中華民國僑務委員會頒發台報新字第三二三號登記證
內銷證內警台報字第031號
中華郵政台字第一二八二號執照
登記為第一類新聞紙類
（半週刊每星期三、六出版）
每份港幣壹角・台灣零售價新台幣弍元
社長李運鵬・督印黃行奮
社址：香港九龍登打士街91號十樓六座
91 DUNDAS ST, 9th FLOOR, FLAT 6 KOWLOON H. K.
電話：857253　電報掛號：7191
承印者：大同印務公司
地址：香港北角和富道九六號
台灣總管理處
中華民國（台灣）台北市大同街119號
電話：555395・557474
台灣分社：台北市西寧南路110號二樓
電話：三〇三四六一
台灣郵政儲金戶九二五二

本報啓事

本報台灣區代表人鄭炎君因事不能兼顧自即日起解除本報職務所簽合約同時廢止此啓

分合與一統

——國史漫話之四——（上）

錢穆

治國史者，必始自唐虞夏商周，迄於秦漢以至今茲。我國家一綫相承，其間如春秋戰國，五胡之紛擾，十國之割據，乃其一時之變態。轉而治西史，則見其頭緒紛繁，錯綜複雜，分合無常。蓋我以一統為主，以分裂為變。彼則以分裂為主，以一統為變。故一統者又中國史一特點也。

我前言希臘以諸小城邦分疆角立，迄未能凝成一國，遂趨滅亡，說者每謂此由希臘地形使然。然希臘固已統一於馬其頓之掘起，又復統一於羅馬之東侵，又復統一突厥之統治。及其力抗突厥而獨立，血戰六載，終脫羈軛。今日之希臘，固明明一統一之國家，而希臘之地形如故也。希臘可以統一於後，烏在而必不可統一於先。然則古希臘之不能臻於統一，非盡地形之限制而必別有其原因明矣。

羅馬帝國雖煊耀一時，然羅馬版圖之統一，其性質乃與秦漢大殊，（此層引論已詳）故羅馬帝國僅如曇花一現。說者每以羅馬之分東西，猶如兩漢之後、繼之有南北朝。不知兩漢以後，雖有王朝之更迭，而中國精神已確立。故漢室雖亡，而中國則不亡。羅馬覆滅，則非王朝之更迭而屬帝國之瓦解。東方之拜占庭帝國，稍後之神聖羅馬帝國，謂其竊借羅馬帝國之名號則可，謂是羅馬帝國之依然存在則大不可也。

以中國史大體與西洋史相擬，則中國史乃一個國家統治相承之歷史，秦漢興亡不過其王朝更迭中之一幕。西洋史則為許多國家交錯複合之歷史；羅馬興亡則為其列國興亡中之一國也。

何以歐洲列國並立，不能如中國之一統，說者亦每以地形之破碎，民族之複雜諸端說之。然以地形言，多惱來因河之長短闊狹，較之長江黃河淮水漢水遼河珠江諸水為何如？比里牛斯阿爾卑斯山之高低大小，較之陰山太行熊耳桐柏五嶺諸山為何如？試披歐洲歷史地圖，其列國疆城之變動，倏起倏滅，忽彼忽此，烏嘗見有一自然必分不可合之界綫。荷蘭與比利時可分江蘇浙江何嘗不可分。德法可分，山西河北何嘗不可分。謂歐洲以地形關係，故使列國分立，實未見其必然也。

以民族言之，中國何嘗非諸族所凝合，歐洲何嘗非出於一源。論其語言，則同於雅利安語矣。論其歷史，必同溯於希臘羅馬矣。論其宗教，又同為信奉一耶穌矣。論其社會習慣美術科學，亦何莫不彼此相同。今歐洲任何一國，固不能擯斥他國人之成績而獨自寫一科學發達史，或藝術演變史。彼中常謂羅馬帝國之不能凝合，由於其時印刷術未發明，鐵路交通未創起。然同時中國秦漢何嘗不爾。大陸交通未見較海上為便。中國之語言文學未見較拉丁為易。羅馬帝國卒不能凝成一堅固之國家，而中國能之。以今日言，歐洲文字之傳播，交通之貫，徹較之羅馬時代，所勝何啻千萬倍。然歐洲諸國之分疆角立如故。中國自秦以下至於清之中葉，其文字之傳播固為稍便，交通之進展則未見大異於昔也；然中國之凝合為一亦如故。其間有人事焉為研究歷史者所當考究，固不得專從地形民族等外面的條件說之也。

所謂人事者，亦可以東西兩方面比較推論之。竊謂西方民族，亦未嘗不時時有一種要求合一之趨向與努力也。其見諸史乘者，大較有二。一曰羅馬帝國之政治，二曰耶穌之教義。此二者皆可以使西方趨於合不趨於分之一種力量也。然而其力量皆不夠，於是其歷史乃常分而不合，至今猶然。所謂羅馬帝國之政治者，其實乃一個城邦勢力之伸展而征服別個城邦，又加之以摧毀與朘削，壓倒與踐駕。此則馬其頓已為其先導。自亞力山大至於愷撒，逮查理曼，拿破崙為之後繼。以後其他氣魄力量不如此諸人者，皆是也。明白言之。羅馬帝國人統治，即近代歐洲帝國之前身。羅馬政治，乃一種城邦政治而加之以向外的武力侵略耳。其先希臘大哲柏拉圖，創為理想國，以為一完美國家之民權，應在一千人之限。（其後別為一書，乃增其數為五千〇四十人。）亞里斯多德嘗謂，人乃政治的動物，然亞氏之政治學書中，亦謂求為司法及公民權力分配起見，正當人口不宜太多。亞氏並主世上有天然為奴隸之人。則亞氏之政治意見，其想像與理解，並未超於柏拉圖之上。其心中之所有，亦仍是當時一城邦而已。

古希臘最高哲人如柏拉圖亞里斯多德，其對人類政治之想像與理解，不能超過城邦形式之上，則無怪古希臘之終於自囿於城邦共和以自絕其文化之傳衍也。羅馬武力培養，亦培養於希臘式之城邦共和，然羅馬仗其武力而有超希臘之版圖，羅馬並不能相應於其武力而有超希臘之智慧。故羅馬有踰越城邦之帝國，而並未有踰越城邦之政治。徒見羅馬軍隊，源源四出征服外圍，而外圍富強，則源源集中，運輸達於羅馬。羅馬更以四圍之財富增強其盛大之雇兵。此輩雇兵則繼續外出，陵吸四圍之財富以益增進羅馬生活之奢侈。大隊之俘虜，多量之奴隸來自四圍，以為羅馬人作生產之工作而供其享樂。至於希臘之學人，亦復以奴隸之資格而來為羅馬貴族之家庭教師焉。要之羅馬帝國之精神仍不過希臘城邦制之變相。特於希臘城邦之上塗之以腐化與惡化幾種色彩而已。而羅馬帝國之命運亦終於此武力向外，財富向內，腐化惡化之形下消滅。

北方日耳曼蠻族之嶄然崛起，則顯露其頭角於歷史，則亦惟承受希臘羅馬之遺產。羅馬在上者不斷希冀為羅馬大帝愷撒神王之光榮，在下者則不斷想望於希臘市民之自由與共和之古時期。此兩種趨嚮，則不外此兩種政治形態，兩種要求交互起復，相為消長。凡有志於效羅馬大帝愷撒神王之光榮者，充其極不過加之以歐洲史多少之紛擾與創傷，其力量不足以大凝合西方諸城市，固為不可煩深論之而理由得也。足以刺激羅馬帝國之後，內心之一，可使西方歐洲人凝合者，惟耶穌教。耶穌教訓，宣傳其天國上帝，人有博愛之心，知使人類之平等，不知貢獻其一已於大羣之義務。此種力量影響於西方文化之深廣，殆於不可估量。（待續）

零星落索！

禍起蕭牆！

昨日與明日

變相關閉文法學院之門

毛澤東竊據大陸後，百般作為，莫不倒行逆施，違悖人性，乖格天理；尤其對於教育文化一類的措施，更是一反常軌，剛復自用，任性胡為。從民國五十一年起，開始搞所謂「文化大革命」後，青年學生就一直僕僕於外，「停課鬧革命」，充他奪權鬥爭的工具，不能安定下來讀書。如今大專院校復開學的希望，仍極漫茫，毛澤東却又再發出「指示」，一句「理工科大學還要辦」，輕描淡寫地便否定文法一類學院價值，等於變相的予以關閉。就此一事件的性質言，仍屬於毛澤東種種摧殘文化，扼殺教育的一系列的工作，但其發展殊足令人駭異？教育工作原係百年大計，為國家民族命脈之所繫，毛澤東為逞一己之私，竟爾不顧後果，肆意摧殘，後世所蒙受的禍害，將不堪設想。僅此一端，毛澤東即已淪為千古罪人，此乃無俟蓋棺即可論定者。

逞一己之私

事實上，毛澤東並非不懂教育文化的價值與作用，只因我國固有的文化，一向契合理性，順乎人情，與他所標榜的那一套邪門左道的勾當，大相逕庭，殊不利於他的罪惡統治，遂被視為心腹大患，心欲破壞殆盡而後已。教育有啓發思想，開導理性、灌輸知識的功能，尤以文法一類的院系，在毛澤東看來，更具有激起政治自覺的危險，對於他的罪惡統治，一樣的構成嚴重威脅。這樣，教育與文化就成了毛澤東的死敵。為了排除這些障礙，償遂其政治野心，毛澤東便處心積慮、不擇手段的予以摧殘，美其名為「文化大革命」、「學校教育革命」，實際上全是糖衣毒藥，其居心之險毒，實屬史無前例。外國人眩於表象，或以不可一世的梟雄視之；國人擬之不倫，亦有比諸秦王政者，實則彼此相去甚遠。蓋毛澤東只為鞏固其個人權位，便不惜置國家民族於不顧，其為害之烈，遠在歷史上任何暴君及亂臣賊子之上，從其忍心摧殘文化、扼殺教育一事上看來，便可獲得確切的證明。

全力維護固有文化

此外我們要鄭重提出，大陸上的人文領域，在毛澤東的蓄意破壞下，早已日趨荒蕪；如今只剩得毛語錄一書充斥大陸各地，勢將取代了百家之言，幾十年過後，更必如同絕源之流，斷根之木。此一歷史性的浩刧，正是我中華民族的最大厄運。因此，我們要寄望海內外的朝野人士，能認清這個事實，遺大投艱，在教育文化上多多致力，以維護固有文化的道統於不墜，這也正是我們十多年來，生聚教訓，奮發圖強，所要完成的一大歷史任務。（文叟）

自由談

法官吏生活

據我個人的體驗所得，人類三百六十行的職業之中，最足以泯滅良知，毀壞人格的，即莫過於吃政治飯的官吏生活了。為着弋取富貴功名，邀寵固位，良心上不願說的話，非說不可；不忍做的事，非做不可。袁中郎描述官吏生活為「侍長官如奴，候過客如妓，諭人民如開山老祖」，這是古代的官吏有然。若夫現代的官吏，其卑污苟賤的情形，尚不止此，其五花八門，一言難盡，說一句失敬之至的話，如果沒有一副昧良鮮恥、男盜女娼的心情和勇氣，就休想在官場中有所發展，縱使取得一官半職，包管永遠沉淪下位末秩，死而後已。

從前我不十分明瞭作官的眞實情況，瞧着一些朋友在野，義凜然，遇事血性充足，有所不為，一旦走入官場，取得了相當地位後，性情即為之大變，前後判若兩人，談起話來，哼哼哈哈，官腔十足，幹起政治來，矯揉造作，完全見不到一點眞性情了，心裏總覺得很詫異。既而自己亦在官場中混過一段期間，纔知道身歷其境，古人所謂「作吏一有經驗，便無足觀」之說，確行至理名言，可圈可點，因而自慚形穢，趕緊謝絕那「所可道也，言之醜也」的官吏生活，還我清白之身。

中國士大夫每每強調着「讀聖賢書，所學何事」這兩句古人垂訓的格言，相予勸勉，實則這是講究做人的道理，非所語於官吏生活也。要想做人，即千萬不可做官，人格與官位是具有排斥性的，自古以來，幾曾見有博學於文，行己有恥的士大夫，能夠在政治上飛黃騰達，有對國計民生眞有建樹者？偶然有近似的人物出現，亦必以悲劇終場，最上者不過作一名清客罷了，而下者道似賈似道一式的角色，一生得意，皆能名利兼收，主要原因就是抹煞人格，罔顧廉恥。

有政府組織，即不能無官吏，我不反對士大夫幹政治生活，又以正人君子自居，却討厭有些既要作官又要表現着「笑罵由人，好官自為」的俗士鄙夫，眞能表現老實態度之達官顯宦，比較是可取的！

馬五先生

專家與學者發表高見「尼姑思凡」并不黃色

純係遊戲文章決不能錯怪林語堂　應受檢討是違反人性的尼姑制度

（本報記者健生台北航訊）幽默大師林語堂把一齣崑曲「尼姑思凡」譯成英文，由中央通訊社以「特約專欄」發表經台北各報刊載後，引起佛教界不滿而向林氏提出抗議，並認「尼姑思凡」為「黃色作品」之「下流無恥」，「有害社會人心」，「違反政府提倡道德教育之宗旨」。

為此，記者特走訪此間專家、學者，下面是他們的意見。

（一）名教授毛子水對本報記者說：宗教信仰自由，載諸我國憲法，這是每一個人都有的，我們應該尊重。而任何宗教的衆多信徒中，好人固然很多，但壞人也不是沒有，這是難免的事。如大學教授中，難免有一二人斯文掃地，這種敗壞教育風氣的事，能怪報紙刊登嗎？這一二人的不良行為，能影響全體教授之名譽地位？「尼姑思凡」是一齣崑曲，約有一二百年的歷史，毛氏從小在家鄉就看過這齣戲，從來沒有聽說有人指責。如沙士比亞的戲劇中，就有一齣戲是專門譏諷猶太人的，到今天為止，並沒有看到猶太人提出抗議。

毛教授認為「尼姑思凡」不但不是黃色作品，且在民俗學上佔有相當地位。林氏有權把「尼姑思凡」譯成英文，介紹外國漢學家，法律沒有禁止。假使「我做和尚，我不會計較；我是和尚的話，我一定反省並檢討尼姑制度是不是妥善；我相信每一宗教都有嚴格的教規。比如，儒林外史是專門諷刺我們教授的，教授們有權消滅它嗎？又如，官場現形記是批評貪官污吏的，做官的有權消滅它嗎？所以我做和尚，絕不生氣。」

這位蜚聲於國際的台大教授，指「尼姑思凡」是一齣發揚人性的曲劇，蓋有些女孩子從小就被父母送到尼姑庵去做尼姑，當然非其自願，更非自由意志，試問，做父母的有剝奪女兒終身幸福的大權嗎？我—「假使我做法官，我一定宣判還其自由身」毛教授是一位虔誠的佛教徒，他的藏書中有三分之一的書是佛經，但他未強迫其女兒信仰佛教，相反的，他沒有反對女兒信天主教，不過，他反對天主教徒的子女不得信仰其他宗教而從小信仰天主教，他也不同意天主教神父不得結婚的制度，他說：「假如我是教皇，首先廢止神父不得結婚的制度。」當然，佛教界有權向林語堂提出抗議，誰也無權阻止。所謂「禁載禁閱」尼姑思凡的作品，法律有此規定嗎？

最後，毛教授說：「中國的唸書人，都是孔子的信徒：我也是孔子的信徒，若人罵我，我是不會生氣的。就是有人批評或痛罵孔聖人之非是，我當然不會計較，如罵的對，若孔子還在人世間，我相信孔子定會贊成；如罵的不對，當他放屁可也，這是儒家的恕道。因為這種『狂人』可以不理會。而做文章的題目，也是無法干涉的，最好是聽其自然。」

（二）「報紙是不宜刊登文純學作品的；純文學作品由文學雜誌發表為宜。」這是沈剛伯、孫邦正兩位教授共同的看法。

沈剛伯教授認為：文學作品本身的好壞，與在報紙上發表是兩回事。報紙發表的作品不一定都是好的，未經發表的作品也不一定是壞的。是故作品之好壞與發表與否不可相提並論。什麼叫做黃色作品？「尼姑思凡」是黃色作品？假如認「尼姑思凡」為黃色作品，則「金瓶梅」一書作何解釋？夫文學作品描寫越深刻而又細膩，其對教育的影響越大。像「尼姑思凡」這種遊戲作品，用得着抗議？該作品本身未攻擊尼姑個人，而尼姑出家至中途返俗者，亦大有人在。

師大教育系主任孫邦正認為「尼姑思凡」本身是我國民間流傳的純文學作品，從純文學觀點來看，等於我國的紅樓夢。假如「尼姑思凡」不刊於中央日報，或刊於晚報，或刊於純文學刊物，則風波不至於如此之大，因為日報、晚報及純文學刊物的讀者對象不同。

孫教授幽了林語堂一默。他說：佛教界的抗議不能怪，因為我們的社會太保守了，社會上一般人都信佛教，尤其正值全國人士宏揚中華文化之際，有闡道德之衛道者多於反道德者，況我國一向是以文載道，持這種觀念的人多，且不注意比較文學，故發生抗議事件，不過，出家人以慈悲為懷，要心鏡無塵，要不動嗔念，並要做到忘我無我的境界。

「我們也不能怪林語堂，他有權把尼姑思凡譯成英文，作為外國漢學家研究之參考。怪則怪選文章的人——上菜找錯了對象，等於江浙人吃四川菜，但明明這是一道名菜，吃的人硬說菜不好，這不是錯怪了菜嗎？大師林語堂以來，繼曼殊大師之後，無人把中國純文學譯成英文。林氏把「尼姑思凡」譯成英文，對國家的貢獻是很大的，我認為這篇遊戲文章站在純文學觀點，對佛教界並無不敬之處。」

（三）立法委員丑輝瑛是一位退休的音樂家，她認為「尼姑思凡」是我國民間傳下來的歌謠，非黃色作品，較之現在的流行歌曲「郎呀！郎呀！……」要含蓄！我們不能以世俗眼光視之，它是民間藝術，且根本沒有侮辱出家人。出家人既看破紅塵，一笑置之不比抗議高明嗎？這位女立法委員說：從小出家的女孩子，當非其本意；大多係中年因某種刺激，或憤世出家，惟當時決定出家後，或受環境引誘，或因俗念而中途還俗者，並非永久堅定不變的。一個人有思想，尼姑是人，更是一個女人，不能例外。其遠者如上例，報紙上登載幾年前和尚與尼姑通姦生子的緋色醜聞，不是新聞嗎？這類新聞當然不是每個出家人都是如此，但亦非沒有，對尼姑思凡呀？（八月三日）

香烟濾咀製造與購買的內幕

·本報記者曼城·

台灣省菸酒公賣局為購買香烟濾咀而外間傳說紛紜，對濾咀製造與購買內幕，本報記者經深入採訪所得報導於后：

香烟濾咀頭原料之專利，據說祇有美國「Celanese」與伊斯曼柯達克二家化學公司，中美用的原料是「Celanese」的出品，富泰用的原料是伊斯曼柯達克的出品，所謂與中美、富泰二家投資合作的外資，實在並非直接與該二家美國的專利公司合作，而是另有其人的；據說中美公司投資的外人（現任中美公司董事長），原來是「Celanese」派在日本地區的負責人，其在日本負責該公司業務期間，每個月大約有一半時間是在台灣，進行其私人的交易行為，他假公濟私投資中美設廠製造香烟濾咀頭，在表面上看來，他可代表「Celanese」公司簽訂投資合同，其實這裏邊完全是他私人行為（亦即私人投資），因為「Celanese」負責當局發覺其這種行為後已予解聘。再者該中美公司現任董事長，在日本負責「Celanese」的業務期間，薪俸每月高達美金五千元左右，其敢冒喪失優厚薪金的危險而投資中美，可見濾咀頭在台灣暴利的一般；提起所謂富泰投資合作的外資，情形就更複雜，因為世界各國，不論自由國家或共黨集團，現在製造香烟都用濾咀，美國的經濟政策，亦與我國同樣不與共黨做交易的商人往來，而伊斯曼柯達克產的濾咀原料「Tow」完全由英國的「Cigarettes Components」經銷，而共黨集團和其附庸國所使用的濾咀原料是向「Cigarettes Components」購買的就因為如此，所以美國就不與「Cigarettes Components」作交易上的往來，該英國公司為求與自由國家商業往來，就出資由美國人出面另組「Filtrona」公司向自由國家進行推銷濾咀原料，富泰與「Filtrona」合作製造濾咀，實際上讓英國商人騙取了國家的外滙，與我國的經濟政策有所違背。

台灣省菸酒公賣局使用香烟濾咀頭，由每年七千二百萬支迄已增加至每年九億支，而且還有繼續激增的趨勢，現在新樂園香烟亦已使用濾咀，據估計每年將共消耗約二十億支，在表面上看起來，原料進口稅率為百分二五，成品進口稅率為百分四五，原料進口價格更比成品進口價格為低，當然能節省消耗外滙，殊不知該中美、富泰二家濾咀工廠，均有外人投資約佔百分五十（根據經濟部資本登記計算，二家工廠外人投資最多約共新台幣五百萬元），根據來華外人投資條例例盈餘及技術外滙結滙部份及成品價格（包括關稅在內）換算結果，每年以二十億支濾咀計算，據某權威人士估計，政府要吃虧外滙最少達新台幣四千至五千萬元之譜，今公賣局竟不以有利之經濟原則進口成品或設廠自製加工，任意圖利他人，請問這是有利的條件嗎？財政與經濟當局應該有所決擇了。

製造香烟濾咀的機器，僅機器的機頭部份為美國伊斯曼等二家公司的專利，機器操作並不煩雜，每台機器僅須的包裝工人及裝運工人最多約為四人而已，這些工人大多是公賣局退休及解僱的，所謂技術亦不過是在包裝的操作上能控制適當的數量而已，並無特殊技術可言，況且中美與富泰二家工廠，連增加的設備在內，也不過共有八台機器（中美五台，富泰三台），就業的人總共不到四十名，請問他創立了多少的就業機會？在工業方面做了多少起飛的工作？像這種反而增加消耗外滙的工廠，有關部門是否對中美，富泰等工廠有從新考慮繼續訂約製造購買產品的必要？民意代表們是否亦有提出研究檢討的必要？有待見仁見智者去決擇歟！

又據外傳公賣局局長王紹堉有為其家屬偽造學歷證明等不法行為，記者業已作深入採訪，俟確切掌握事實，當另文報導之。

北婆羅洲各民族的風習（中）

·王一士·

出殯前，再用肥皂洗淨屍體，洒上一些香油和檀香粉或沉香粉等，穿上白外衣和紗籠，並戴上頭巾。富有的人家，自己購製棺木。貧寒者，則向教堂借一張靈床。棺內置有草蓆和枕頭，屍體放在裏面。經過教士誦讀禱文之後，便由教士和親友，慢慢抬到回教墳場，掘好一個墓穴，輕輕放下去，覆土掩之。然後由回教長老在墳前誦唸可蘭經，並豎立碑碣，葬禮算是完了。此人大事，也就全部了，再沒有如中國人死後的那些幾年不斷的花樣。

回教徒有件「一生大事」，也是回教徒的宗教禮節，那是「割禮」這種禮節，目前雖有少數受過相當教育的人，不願踐行之外；大部份比較保守和虔誠的回教徒，還是堅守着這種禮節。並視之為一種「聖行」。如果外族或外教人士，要歸化或加入回教，這種割禮，更是一項先決條件。所謂「割禮」，我在很久以前，就已聽人說過，原視為是一種很神秘的事。其實，在馬來人中是很平常，不論男孩或女孩，都要經過一次。不過女孩要比男孩簡單得多。依照他們的習慣，女孩誕生後約四十天，就可施行割禮。僅在其小陰唇或陰核部份，割損一點便成。男孩子則在七歲到十歲之間。行禮時，也比較隆重。這天，家長須設宴招待親友，當作孩子的喜事。宴後，才行割禮，由「割禮師」主持。先將男孩下部，置冷水中浸數分鐘，（似為凍結血液），然後割禮師用一碗唸過咒語的清水，洒在孩子的身上，隨將孩子包皮的最外部份，割去少許。塗上一些止血藥物，將傷口紮好，便告完成。據說：這能促進生殖器官的發育；也比較衛生；似很合乎科學的道理。

馬來人一年之中最重要的節日就是「禁食節」和「開齋節」。禁食節，開始於回曆八月末，新月出現的那天。為時一個月，至回曆九月末，新月出現時止。這個月，他們叫作「巴沙月」。所有回教徒，除病人、孕婦、小孩之外。在禁食一月之內，由日出至日落，這段時間中，一律禁食任何物品與飲料。夜間（日落以後，日出以前），才可照常飲食。如果有人違背或破壞了這些規定，而被人發現檢舉時，他即將接到「破戒」的罪名，接受回教法庭的處罰。禁食節期滿後，便是「開齋節」。這是馬來人最興高彩烈的日子。其熱鬧的情形，較之華人的「新年節」實有過之無不及。開齋節的前幾日，家家戶戶都忙着張羅，準備糕餅食物，洗刷打掃房屋庭院和用具，添製新裝鞋帽，以待開齋節的來臨。在北婆三邦，開齋節並規定為公共假期，像我們春節三天的例假一樣。這時他們的男女老幼，都停下工作，穿上新裝，女之更打扮得鮮艷奪目，互相到親友家中拜賀並贈送禮物，亦和華人春節拜年，似無二致。

馬來人的傳統服裝，亦有其獨特風格。這風格，可說是受了印度的婆羅門教、興都教、佛教、西班牙、葡萄牙、荷蘭等國的影響而形成的。換言之，他們男女服裝的款式，還是由十五六世紀時代沿襲下來的，又寬又長的上衣、紗籠和褲子。十八世紀以後，男人的服裝，雖極講究：但上身穿着無領的半開襟衣，款式仍是寬且長，垂及臀部，袖長至手腕。這種服裝，他們稱之為「峇由」。下身則與峇由一色的寬大綢褲（亦有特名，我忘了），褲外則圍上一條紗籠，包住上衣所垂下的部份。這也有一個特殊名稱，我記不起來。女人服裝的形式，與男人大體相同。祇是下身只穿紗籠，沒有長褲或圍巾。上衣叫「卡峇家」，多用鮮艷顏色，無領，全開襟。胸前則扣上數塊金或銀或銅質的扣牌。出門時，頭上一定要圍上一條頭巾。現在也間有不用的。凡是到過麥加朝過聖的人，受人特別尊敬，服裝亦與一般人又略有不同。「哈芝」（男人）上着白衣，下着紗籠，頭戴一頂白色尖頭帽。「哈查」（女的）亦白色衣，頭上纏白紗巾。

（下轉第三版）

北婆羅洲各民族的風習

王一士

（上接第二版）上述馬來人的服裝款式，至今仍是非常普遍的。近若干年來，由於受了歐化影響，也漸有了改變。一般公職人員，特別是青年人，亦多西裝革履。女孩子，亦多穿西洋女裝的。他或她們，雖漸有摒棄傳統服的趨勢，却仍不如我們講求洋化衣着風氣之盛。

飲食，在馬來人是隨便的。沒有華人那樣講究。他們吃飲，不像華人要用筷子也不像歐人要用刀叉，却和印度人一樣用手指。初看來，似不合乎衛生；但他們已習慣了飯前一定洗淨雙手。抓食飯菜，亦僅限用右手。食具也很簡單，很少湯食，也就不必用碗了。用瓷盤盛飯，菜着即置飯上。食時不用椅桌，蓆地而坐，大家圍集在一塊。馬來人和印度人一樣，辣椒是不可或缺的食品。「咖喱」、「三峇」，也是他們所最愛的。除猪肉是回教忌食的食物外，他們最愛以鮮魚、牛肉、羊肉煮咖喱。「三峇」是用蝦糕、蝦米、魚乾、辣椒和製而成。據說最能刺激人的食慾。還有「椰漿飯」，也是他們特有的食物。作法：在飯將熟時，加入一些椰子漿。飯好了之後，再加一些三峇與黃瓜，用香蕉葉包成三角錐形。「沙爹」為馬來人最有名的食品。是用牛肉、羊肉、雞肉、切成薄片，穿於竹簽上成串，置水爐上烘熟。配合沙爹的食物，通常是椰葉包好的白米飯四角粽。這種沙爹，我在台北西寧南路馬來西亞餐廳，也吃過幾次；但沒有所謂四角粽。他們的飲料，普通人家多用自來水，鄉間則取之於河中井中，都不煮沸。酒則為馬來人的禁品。

北婆三邦的住宅，由於生活習慣的不同和地理環境的不同，各民族的居住方式，也有顯著差異。馬來人，是一個海島民族，最初的生活，多以捕魚為主。因此與海的關係，極為密切。為生活上的便利，房屋即多建築在海濱或河畔。復以潮水的漲落，常威脅到他們居住的安全。而北婆三邦，地處熱帶，又向無颶風一類的狂風侵襲。為適應環境的要求，便想到「高脚樓」的建築，可以防止潮水高漲時的侵侵害。世代相傳，直到今日，雖環境已變，而高脚樓仍是馬來人住宅最普通的建築形式。若干華人住宅，亦多採仿其式。

中國哲人簡介

莊子

張起鈞

老子的道德經，雖是著眼自然，但依然回到現實人生；莊子的南華經，則更進一步，永遠向上奔放，為我們打開了廣大無限的宇宙新天地，把我們引進了層層無盡的超人境界。

莊子是一個偉大傑出的思想家，同時也是一個獨步千古的大文豪。他以生花妙筆，寫出了他那絕頂的天才，與超人的想像。在他神出鬼沒的筆下，使南華經充滿了無窮的韻味，成為兼具哲理與文章雙重特色的不朽巨構。他的整部書，都用寓言寫成，寓言雖屬虛構，却寄託了他的理想，勾繪出超人世界的遠景。

莊子，名周，宋國蒙人。與孟子同時，兩位奇才，南北輝映，只是地理環境的差異，使他們有迥然不同的風格。孟子生長在原野高曠的北國，秋風淒涼、荒漠無垠，氣勢雄渾的大自然，產生了宏衛聖道的大辯家。莊子則生長在山明水秀的江南，楊柳拂面，春風醉人，與妙神奇的大自然，產生了卓立不羣的哲人。孟子好辯，莊子善嘲，是中國歷史上的雙璧，也是中國學術史上的一大奇觀。

莊子一生窮困潦倒，對於功名利祿，却異常淡薄。楚王欣賞他的才氣，派人去禮聘他，他却寧願寒江獨釣，不願為五斗米折腰。梁惠王看他不修邊幅，麻衣破鞋而來，就問他：「先生，你是那樣的潦倒嗎？」他却泰然自若地加以譏諷：「人不能實踐道德，才是真正的潦倒呢！」他也曾周遊列國，但不像孔子與孟子一樣，在找尋理想的政治舞台；眞是隨自己的興緻，四處遊歷，去看看人間的可憐相罷了！

她的妻子死了，他還是一如往昔，敲著瓦盆，唱歌自樂。他的好友惠施看他一點也不哀傷，就責備他過於冷酷，缺乏夫妻的恩情，莊子却回答說：「人本是無形無影，在自然的孕育中，而有了生命，如今生命終了，又回到自然的老家去，也許現在她正恬然安眠，為自己離開了苦惱的人間而高興，我反而去為她號哭掉淚，豈不是大大可笑嗎？」他把生死都不放在心上，這種胸懷，是何等的達觀。

他是一位曠世的天才，在他的眼中，世間是太狹窄渺小了，人類也太愚蠢可憐了，所以，他要海闊天空，振翼高飛，逍遙於無憂無慮自由自在的新天地；他憤世疾俗，玩世不恭，嘲笑著古往今來幼稚無知人物。

他認為宇宙間，空間無限大，時間又無限長，而我們的生命，不過是短短數十年而已，我們的天地，也只限於這個可憐的小地球上，永遠也不能跨越時空的界限，去窺視宇宙的全貌。可笑的是、現在的人們，尚不知自己的渺小與無知，妄想以本身極有限的空間與時間，去探測宇宙，建立知識，這真是永遠也不可能的夢想。其實，人間成敗得失與生死是非的觀念，都是起於人們的錯覺，假如站在無限的宇宙看來，該是渾然一體，毫無差別的。所以，他要我們打破人間一切的界限，衝出世俗的樊籬，忘了自己，忘了死生，與萬物打成一片，逍遙自在，偕天地同遊。

可嘆的是，後世學人，不了解莊子的理想，以為莊子逃避現世，崇尚虛無；甚至有人誤解了莊子的精神，走入了消極悲觀，流為魏晉的清淡，反而為隨唐的佛學舖路，達觀如莊子，恐怕也會大感痛心吧！

事實上，莊子的玩世不恭，正表示他對人間的失望；他的憤世疾俗，也足見他內心的深憂，他打開了宇宙的新天地，就要揚棄人類的罪惡，而把人類推上理想的境界中。這種精神，何來逃避？這份苦心，又怎能說是虛無？今天，他們要學習莊子的達觀，要有莊子的胸懷，開濶心胸，高瞻遠矚，使生活過得更有生氣，我們要隨追莊子的腳步，向宇宙進軍，但不是把太空發展的優勢，用來自相殘殺，作為戰爭的後盾，而是宇宙一家，與天地同遊。今後的世人，必須有莊子的精神，才能達到莊子那純真至美的理想境界。

綜觀道家，楊朱主張「為我」，老子主張「師法自然，清靜無為」，莊子的主張「與自然合流，與天地同遊」，從思想演變的趨勢看來，似乎是漸入消極與悲觀。其實，他們與儒墨兩家一樣，也在混亂的世局，謀求解決的方案，為苦悶的人心，找尋適當的出路，只是他們不從正面發揮，而從反面著手，使天下在無形中漸歸寧靜，這就是道家一貫的精神。（之三）

華僑志士

救國忘家的林修明

竹羽

在革命先烈中，有不少人是出身於富裕的家庭環境之中的，只要他們肯庸庸碌碌地過活，在物質上的享受都是很舒適的，可是，他們都不甘自棄，他們認為成仁取義的意義，遠比物質的享受偉大，同時，他們認為救國家救民族，遠比留戀家庭的溫暖為崇高，於是，便都紛紛爭先恐後的投入了革命的行列。林修明烈士便是其中之一。

林烈士是廣東蕉嶺縣人，名修明，號德昭。他從小就生就一副健壯的體格，長大後個子魁梧，神氣凝重，因為生性誠篤，不喜歡隨便多說話。他父親是南洋的老華僑，由於經營得法，賺了很多錢，成了華僑社會中的富商。林烈士生長在這樣一個優裕的家庭環境中，照理言，該是嬌生慣養的了，可是，實際上，他却沒有絲毫有錢人家子弟的習氣。那時候，南洋的華僑團體，組織很散漫，常常受外國人的欺侮，林烈士看在眼裏，憤恨在心裏，但，沒有辦法對付，於是，一怒之下便自己跑返祖國來，在他故鄉的蕉嶺，拜了一位同鄉林岳東的為老師，林岳東是蕉嶺道德高尚，學問很好的一位老先生。林烈士在林老先生的教導下，學業進步得很快。這時，清廷昏庸無能，官吏貪污腐敗，政治攪得一團糟，常常受外人的欺侮，林烈士看了，更是氣憤萬分，因為他在海外是為不願受人欺侮，纔回祖國來，誰知祖國清廷政府又是這樣不爭氣，一樣要受外人欺侮，因此，他覺得這樣的政治，非實行革命是沒有辦法挽救國家的危運的，從那時起，他便立志要獻身革命。

不過，他認為革命事業是相當艱巨的，自感學識不夠，為了充實自己起見，便決計東渡日本以求深造。在留學日本期中，他在校裏潛心研究科學，尤其注重體育。畢業後回到家鄉，從事教育工作，起先在蕉嶺中學當教員，後來又應松口公學之聘，執教該校，他想從教育上向學生們作思想的灌輸，因此，常常把立身處世的道理和做新事業的理想來勸勉同事和學生。後來，他的同事和學生之中，受了他思想影響，聽了他的說話大為感動以至盡力於革命事業的很多。

林烈士因為關心國事，對於革命思潮的澎湃，接受得最早，在學生時代便已參加了革命的組織，但是，一直都沒有機會參加直接的行動。民國前一年的春天，黃興和趙聲等烈士，在香港設立革命統籌部，籌備餉械，聯絡黨人，預備在廣州做大規模的行動，想奪下廣州做為華南的革命根據地。因為清廷的新軍中，也潛伏有不少革命同志，他們早已活動好了一些同情革命的新軍，作為內應，一方面，革命黨人在廣州的機關部，也加緊策劃，不料因為有部份同志行動不密，走漏了風聲，引起了清廷官吏的注意，於是，在迫不及待的情勢下，便爆發了歷史上有名的「三、廿九」之役的革命義舉。

在起義前，林烈士知道了，只恐錯過了機會，於是便急急忙忙的辭掉了教員的職務，急到廣州參加革命籌劃工作。在三月廿九日那天的下午，林烈士和一百多位的同志，跟着黃興先烈，進攻兩廣總督署，他們以很少的人數，很劣勢的武器，去打倒優勢的清廷官兵，眞所謂以寡敵衆，以一當百，但是為了革命的目標，使他們都視死如歸，這一次的義舉雖然失敗了，但，却震撼了清廷的政治基礎。林烈士等在大量清兵的增援下，轉戰到雙門底一帶，力戰而死，遺骸與其他七十一位烈士合葬黃花崗。

歷史人物漫談

為人深厚不自伐善的丙吉

·劉子清·

我們可以說：「沒有丙吉就沒有漢宣帝。」宣帝幼時一條命，完全賴丙吉而得救；他後來能做皇帝，也靠丙吉向霍光建議。其中事實的經過，我們前談漢宣帝時，已說得夠清楚了。從那些事實中去看，「沒有丙吉就沒有漢宣帝」這句話，一點也不誇張。

丙吉字少卿，魯國人，因曾研習律令，而得做魯國獄史，後升為廷尉右監，於巫蠱案件中，盡力保護幼小的宣帝；並於昌邑王劉賀被廢後，建議霍光迎立宣帝。丙吉為人深厚，不自我表揚，對他如何庇護救助皇曾孫的事，絕口不提，故後來朝廷很少知道他對宣帝幼時的功勞。吉後由太子傅升為御史大夫。這時候掖庭宮婢有一個名字叫做則的，教丈夫上書，說她對宣帝幼時曾有保育之功。書交掖庭令查問，則說丙吉知道當時的事情。掖庭令把則帶到御史府，請丙吉辨認。吉看見則，還認識她，並對她說：「汝嘗坐養皇曾孫不謹，督答汝，安得有功？獨渭城胡組，淮陽郭徵卿有恩耳。」於是宣帝親自省問這件事，纔知道丙吉對他有大恩而從來不說，因此認為丙吉是一個大賢人。隨即下詔給丞相魏相說：「朕微眇時，御史大夫丙吉，與朕有舊恩，厥德茂焉！……其封吉為博陽侯，邑千三百戶。」吉上書固辭，以為「不宜以空名受賞。」宣帝答覆他說：「朕之封君，非空名也，而君上書歸侯印，是顯朕之不德也。方今天下少事，君其專精神，省思慮，近醫藥以自持。」這是多麼親切感人的語句，當然丙吉也不好再辭了。

過了幾年，丙吉繼魏相為丞相。吉本為署通法律，管理監獄的小吏，後來學習詩、禮，都能領悟它的微言大義。做丞相後仍本其深厚的德性，尚寬大，好禮讓，椽史有罪或不稱職，只是令他去職而已，從不查辦。有一天丙吉外出，正逢清道，而有很多惡少在路上鬥毆，打得「死傷橫道」，吉不聞不問，椽史以為奇怪。吉再前行，見鄉人所趕的牛，氣喘吐舌，吉令停車，使人問鄉人牛走了幾里路。椽史更以為丞相前者應問而不問，後者不應問而問，兩者都錯了。吉知道他們有這種批評，便向他們解釋說：「民鬥相殺傷，長安令、京兆尹職所當禁備逐捕，歲竟，丞相課其殿最，奏行賞罰而已。宰相不親小事，非所當於道路問也。方春，少陽用事，未可太熱，恐牛行近，用暑故喘，此時氣失節，恐有所傷害也。三公典調和陰陽，職所當憂，是以問之。」椽史這才心服，認為丙吉能識大體。

宣帝五鳳三年（西元前五五年）丙吉病危，宣帝親往省視，並問誰可以代他的，他謙讓不言，宣帝再問，他乃以杜延年、于定國、陳萬年三人對。後來這三人都做了御史大夫或丞相，而且都很稱職，宣帝曾贊美丙吉有知人之明。吉薨，謚為定侯。

班固於丙吉傳後贊曰：「孝宣中興，丙、魏有聲，是時黜陟有序，衆職修理，公卿多稱其位，海內興於禮讓，覽其行事，豈虛乎哉！」不錯，君明臣賢，再加上黜陟有序，公卿也自然稱職，庶事也自然得理，又丙吉不問路人鬥毆而問牛喘，傳為千古佳話。須知這正是各有其責，各司其事，不必拾小故，而求察察為明，時人稱贊他識大體，我亦云然。（完）

三幕喜劇　事過境遷

熊式一

趙：我……我……我想和包小姐結婚！

仁：你想做什麼？再說一遍我聽聽！大一點的聲音說！

趙：（極小的聲音說）我想和包小姐結婚！

仁：（大驚）你想什麼？

趙：（鎮定大聲）我想和包小姐結婚！

仁：你想死？

趙：我一點也不想死！我想活，活着才可以和露茜結婚！

仁：露茜！－（咬牙齦齒）

趙：露茜！正是露茜！（居然誰也不怕了）

包太：大家別動氣！好好兒的講！

露：叔叔，我求求你，你別生氣！

仁：我一點也不生氣！（他氣得直瞪。）我覺得好笑！（他一點也不表示好笑）好笑極了！眞要把我笑掉門牙！

趙：這並不是好笑的事兒，男大當婚，女大當嫁！這有什麼好笑？

仁：男大當婚，女大當嫁！你多大？露茜今年還不到十六歲，還是小孩子！

露：我老早就不是小孩子了，我何止十六歲，我叫名十八歲，過年就算十九歲了！

趙：露……包小姐十足歲數也快十七，不能算小，可以結婚，我早已二十六歲三個月零五天，十年前就不是小孩子了！

仁：你二十六歲三個月零五天，是不算小，我要問問你，你有甚麼資格和我姪女結婚！

趙：我又不想考香港大學，要甚麼資格？

仁：你養得起我的姪女嗎？

包太：他的畫也有人喜歡呀！

露：對了！去年二月間，有一位美國的遊客，買了他一張畫，得了五十塊美金，合三百塊港幣！

包太：三百塊一張畫，價錢不算壞，呀！多少畫家，兩百塊一張畫，還要托人情才有人要！

仁：（算了出來）照今天的行市，五十塊美金只合到二百八十二塊五毛錢，最近又落了，才五十六塊五毛錢十塊；你知道不知道？

露：兩百八一張畫也不少呀！你不是常說，咱們那張趙孟頫的馬，才二百五十塊錢買的嗎，趙太極的畫，比孟頫的畫還更值錢！

仁：那是幾十年前的事，怎麼可以比！我要問問你，趙太極，打去年三月間起，你一共賣了多少畫。

趙：沒……沒有……。

包太：美國的遊客，不是天天有的！就有，也不是每個人都能夠欣賞他的畫呀！

仁：好！去年三月到現在，一共是十四個月，賣了一張畫，全部收入二百八十五元，每月平均入欵二十元，還想討老婆？

包太：不能那麼算，他是剛剛開始呢！

仁：十四月賣一張畫！

露：你五十多年才買趙孟頫一張畫，平均算起來，趙孟頫的收入，一年還不夠五塊錢，一個月還不夠四毛錢呢？

仁：趙孟頫的畫，一張可以値幾千，有多少，人家要多少，眞是好東西！他的畫像些甚麼東西？山是斜的，雲是三角兒的！你出去看看，我們的山是不是斜的？斜了怎麼可以在上面蓋房子？

包太：不要緊，把它填填平，還是可以蓋房子呀！香港到處有人填山呢！

仁：廢話！他的畫不對！

包太：假如從今天起，他畫的山全不斜，那就可以讓他們結婚了！ ⑩

我與電影

陳宗敏

我喜歡看電影，開始得很早，早在抗戰時期。那時我纔七、八歲，跟着外祖母，母親躲避日本鬼子，住在鼓浪嶼。我有生第一次看電影，就在那兒看的。記得大人們帶我去看，看的是個沒有彩色的片子，演李三娘的故事。是國語或者閩南語發聲的，我已記不起來了。可是我對於當時影幕上放映的由遠而近很大很大的人像鏡頭，那種又驚又怕又新奇又狂喜的童稚心情，却是清清楚楚的至今猶印在腦子裏。現在我看過的電影已不下數百部，可是却沒有一部能比得上第一次的影像使我記得那麼清楚，那麼長久！

到第二次大戰發生，鼓浪嶼也淪陷在鬼子手裏。我們便接不到父親從非律賓寄回來的僑滙，爲了一家人的生活，我和舅父就只好去做小販，賣包子油條來渡生活。後來又回到家鄉金門耕種田地。這時金門也是淪陷區，在鬼子的佔領下，我們過着長久又窮又病的孤苦生活，當然是甭想看電影了。

我和電影再做好朋友，而且愈來愈「相親相好」，是我讀高中以後。民國四十年，我轉學到台灣台中的省立清水中學讀書。那時候清水鎮上有兩家戲院，一家常演歌仔戲、歌舞團，一家經常放映電影。我只偏愛電影，尤其和它有一種「似曾相識」的故友親切之感。那時的電影票價很便宜，記得每張票只一元或二元。有時候放映西部片，沒有人看，只五角錢。我又偏偏最喜歡西部片，只要放映西部片，我一定出席報到。當時的清水中學對於學生的管理相當嚴格，規定非禮拜日不得看電影，有時還派有糾察在電影院附近巡查。可是，俗語說：「道高一尺，魔高一丈。」我還是常常摸黑翻牆溜出去看，只要當天有好片子，我便心猿意馬的安不下心來唸書。

讀大學時，我的經濟情形並不富裕，但仍然撙衣節食的省下錢去看電影。不過當時的台南電影，一等的電影院也不過一張票五塊錢。我考上成大那一年，正是工學院改制爲大學的時候，學校一切都在草創，新生也因改制而增多，沒有宿舍可住。學校只好就在教室裏爲我們安排了一些雙層竹床讓我們暫時住宿。我喜歡看電影，但是每天晚上都到圖書館看書，到了九點鐘，我纔離開圖書館，去看十點鐘最後的一塲，等到電影散塲走回宿舍，已經十二點多了。宿舍的燈已熄了，同學們都鼾聲如雷的睡了。這時，我像一個小偸一樣，在黑暗中悄悄的爬上竹床去睡。竹床做得不堅牢，有時不免要吱吱的叫，睡下舖的同學在夢中喃喃的罵着，我只好閉着嘴，忍着笑，摸着枕頭睡下來。

到現在，我還是經常的喜歡看電影。我喜歡它，倒不是因爲把電影院當課室，把影片當教本，可以學英語，或者可以學得許多東西。我看電影，說實在話是完全爲娛樂，增廣見聞之其次。例如不久之前，我看過一部「阿丁苦學記」，這是一部嘻嘻哈哈的該諧影片，但在這些嘻嘻哈哈之中，却含有諷刺。我不會吸煙喝酒，又不會跳舞，但是在電影來說，我却是電影的好朋友。

恭頌于總主教

林慰君（于加州）

①儀表才華世無雙，學識言論冠五洋。
紅塵富貴如敝屣，抗倭反共効祖邦。

②無論平坦與坎坷，不顧荊棘抑蹉跎。
跋涉萬里如反掌，芸芸魔鬼莫奈何！

③世道崎嶇無曙光，前途希望兩茫茫！
若非主教說眞理，何分地獄與天堂！

新廿五經之一——麻將經

△馬騰雲▽

有中國人的地方，就有賣燒餅油條的，有中國人的地方，就有麻將牌，燒餅油條留待日後再談，今天祇談麻將。

曼谷的娼館和香港的麻將學校，可以向重慶的茶館看齊，每條街幾乎都有。筆者的行脚遍及天涯，最感方便的是麻將搭子，隨呼隨有，隨邀隨到，有時不呼也有，不邀也到，更有趣的常會被人拉拉扯扯上了牌桌。搓麻將是一般的俗語，別號「方城之戰」「竹林之遊」「手談」「摸八圈」「三缺一」等不一而足，統爲麻將戲賭的代名詞。

嗜好麻將的，上至達官貴人，下及販夫走卒，無分貴賤，無分貧富，無分男女，無分老少，爲追逐那一百三十六張變幻莫測的牌，經年累月，日以繼夜。麻將使很多人放蕩不羈。麻將使很多人業荒於嬉。麻將也拆散了不少美滿的家庭。不過靠麻將起家的朋友也大有人在，姑蘇吳家元就是其中的一個，吳府豪富，吳家元自幼聰明過人，乃父認所遺財富，吃不窮、喝不窮、吹不窮（鴉片）、嫖不窮、祇懼賭博能使窮。吳的父親，老謀深算，延聘專家授以賭技，後果得其中眞傳，眞是行行出狀元，「學會文武藝，賣給帝王家。」吳憑一手好牌，週旋於北洋軍閥，公侯將相之間，竟然官拜山東省鹽務總辦，雖屬命運兼亂七八糟社會有以致之。精練的賭技乃政治上最有力的跳板，相傳張大帥打麻將，例規要贏，有吳家元在坐就不會使張掃興。某日，吳未能在側奉陪，張大帥獨聽二條很久，老是沒有機會和牌，有人打二筒，張宣告和了，並定牌名叫作「小鷄吃燒餅」後另一位將軍效法大帥，張立時漲紅了臉罵道：「媽的皮，祇一個小鷄能吃幾個燒餅」。這種患有賭錢能贏不能輸毛病的，在中國社會眞可以用車載、用斗量，豈止張大帥一人而已。筆者十年前在馬來亞經營進出口業務，與某權威學者的媳婦在一齊打牌，這位女士就有輸了錢罵三門的脾氣。雖不像媽的皮張大帥那樣粗俗，可是大鈔幾乎也都要出籠了。

麻將的本身是一副心理刻劃圖解，迎合羣衆心理趨向，比如從一條到九條，條刻劃成繩索，從前有眼的錢，是用繩索串起來的，有聚零爲整的含義。從一筒到九筒，筒的形狀完全是錢，從一萬到九萬，不僅是錢，而且是麥克麥克的錢，萬貫家財的錢。「紅中」紅在中國習慣是吉兆，（但現在大陸的紅則是國人最倒霉、最頭痛、最不吉兆的自當除外）「中」是中狀元，中翰林，中進士，中舉人乃至中秀才、中彩、中獎等，勉強也可扯到中庸，但這樣的扯法頗像跑野馬。「發財」更是開門見山，直截了當，象徵着每個人的需求與渴望。「白板」似一塊玉，也可說促使人能潔身自愛的意思。東、南、西、北，更是多方面的與英文的N.E.W.S.一個意思，適用於農工商學，各色人等。懂得看風，所謂識時，看風馬上轉舵就能避風險，識時務者爲俊傑，多少人因不識時務而跌下來，而受到牢獄之災，而家敗人亡。曾國藩幫助滿淸消滅太平天國，淸政府要加封曾國藩王位的時候，他上奏說：「此次消滅洪匪，上仰萬歲德威，下賴將士用命，與國藩何干！」國藩倘可封王，天下封王者多矣。」更懼功高震主，建議淸廷速以淮軍代替湘軍，這是中國歷史上最會看風的人。李鴻章接見　國父孫中山先生，國父告以三民主義可救中國，李鴻章順着長鬚頻頻點頭，意思就是暗示　國父「余老矣！救中國是你們這一代的事了」這也是識時，換句話就是懂得看風。航海家除靠經驗看風向外，還得以天文儀器用科學的方法幫助看風。生意人的掌握漲風，適時拋盤；種田人的觀風向，猜天時，種植栽培、調劑閒忙。有關看風的例子，舉不勝舉。麻將裏「淸一色」最難和，爲了和淸一色，常致全功盡棄，牌興盡失，有勉人「天下人才，天下共用」「天下人才，天下惜之」的意思。就是說一件事業，不必拘泥於親朋鄉黨。「不求人」多一番「全求人也多一番，暗示人品淸高「此路不通」，卑鄙一點就能夠「大吉大利」。「一條龍」最寶貴，「姊妹花」人人愛。他如一般高呀，缺一門呀，各有其深奧含義及其藝術思構。總之麻將是一塲攤開研究的心理學，是社會百態的縮影，不然不會吸引這麼多的人愛好它，用「人情如紙張張薄，政治如棋局局新」兩句話去形容麻將倒很恰當。在麻將桌上的幾小時，會意味到人的一生窮通得失，有些人當在麻將桌上觀察人的品德，是很合乎選輯學的。雀戰和作戰一樣，聽當勝勿驕敗勿餒，表示君子風度，有關搓麻將的技術，「三人行必有吾師」，恕不「班門弄斧」兼限於本書是反面的正經，適可而止。

三日春秋

公務員的悲哀與人才外流

·厚安·

暑天無聊，偶翻手頭書得輓聯數則，錄以實本報。

吳子玉鎮洛陽時，慶五十慶，時子玉事業，如日中天，康南海壽以聯云：「牧野鷹揚，百世功名才一半，洛陽虎視，八方風雨會中州。」雄奇可喜。後二年，退守岳州，事業已萎謝，趙恒惕壽以聯云：「平生憂樂關天下；此生神仙醉岳陽！」亦恰到好處。

王湘綺氏，一代奇才，身後毀譽不一，哀輓聯中，以吳劭之一聯最爲平允，其文曰：「文章不能與氣數相爭，時際末流，高壽大名皆爲累；人物總看輕唐宋以下，學成別派，霸才雄筆固無倫。」這幾句話，可作湘綺傳讀。

段合肥爲北洋耆宿，死後楊雲史挽以聯，亦佳。曰：「佛法得心通，知並世英雄，成敗一般皆畫餅；人間誰國手，數滿盤勝負，江山無限看殘棋。」聯中以佛法哲理入文，令人增感。實則老段於佛於棋，兩固不通。

教育部老督學許蓮溪，曾任河南教育廳長，以廉能著稱，來台後，奉公守法，兩袖淸風，不似他人之亦商亦賈，坐致多金。實行「三卡制」以來，過份緊張，一跌而逝（因平日血壓即高）。其友某君已退休，輓以聯云（聯文係在本屆聯考閱卷時聞諸同科閱卷委員，確否待證）「君因趕公跌一跤，三卡三考，送掉老命；我已退休拿八萬，一分一厘，了此殘生。」此聯上聯語意甚明，無待詮釋。下聯係某君自指，謂退休以後，得退休金八萬，存在台灣銀行公務員「優利存欵」項下，每月利息「一分一厘」，可倚以爲活，了此殘生。夫以八萬元而孳乳於一分一厘，月不過八百八十元，在目前生活，已極淸苦。何況近頃政府以減輕國家負担計，已將此項利息減爲八厘，則每月僅能孳乳爲六百四十元，而最近物價又揚，是已不足以「了此殘生」矣！噫。

友人由加拿大來函，凡在加工作者，月繳保險金三十五元，五十五歲即可退休，每月即可領取五百五十元直到老死。懸殊若是，又奚怪人才外流。

（完）

自由報

第三八八期

社長李運鵬・督印黃行奮

91 DUNDAS ST, 9th FLOOR, FLAT 6 KOWLOON H.K.

電話：857253　電報掛號：7191

承印者：大同印務公司

地址：香港北角和富道九六號

台灣總管理處

中華民國（台灣）台北市大同街119號

電話：555395・557474

台灣分社：台北市西寧南路110號二樓

共匪轉性

竟施壓制

分合與一統——國史漫話之四（下）

・錢穆・

然耶穌之教訓，終於為一種帶有出世意味之宗教，其於人類地上政治之創建，非其所重，故耶穌對人類之觀點，其眼光固遠超於希臘大哲柏拉圖亞里斯多德之上，然耶穌對於人類政治之理論，則並希臘城邦之規模而無之。欲求將耶穌教旨轉移運用於人類政治方面，其間尚有重重障隔先待打通。

歐洲中古時期之教皇，以宗教領袖而兼顧塵世之權益，結果則惟見其有損於宗教之精神而非長進。羅馬教皇與神聖羅馬帝國之皇帝相互關係之事迹，遂佔歐洲中古時期歷史一段重要之篇幅。然羅馬教皇理論上縱可以有加冕於羅馬皇帝之權。教皇固不能捨棄其宣揚大國教義之重任而下同於地上之皇帝，親身預聞塵世帝國之事務。然則耶穌天國之福音，如何滲透羅馬皇帝之良心以遍布於帝國之境內。中國古訓所謂徒善不足以為政。於羅馬帝國之上，加一神聖之名號，亦僅止於一名號而已。故耶教之在西方，其於凝合人類為一體之任務，亦終未能達其任務也。

至於自文藝復興以還，希臘古籍逐漸光昌，不僅神聖帝國終於解體，即耶教亦有逐步沒落之勢。於時則個人主義扶搖直上，城市新興即古希臘城邦之復活也。現代新國家絡續成立，雖其規模較希臘古城邦，遠為恢宏，然此特文字傳播交通貫徹之效，其國家內部莫不以公民參政權為之主腦，此即希臘城邦共和之擴大也。其對外則莫不以發展殖民地為其國內營養之資，商人之後繼之以腠刺，此即羅馬帝國之姿態也。羅馬帝國之核心為希臘之城邦，希臘城邦之主腦，為各個自由之市民。今歐洲新國家精神所寄，仍不越此。所由與羅馬異者，羅馬帝國一時無兩，今則多效羅馬同時並起。又藉科學工具發明新式，可以不再畏蠻族蹂躪。又非澳美亞諸洲之廣土，可以任其侵略，各肆嚙攫，一時遂若海闊天空，橫厲無前，可以並行而不悖。然四洲肥美，轉瞬日盡，而一九一四年之大戰遂以開始，雖創鉅痛深之已極，今距一九一八大戰休止未三十年，而第二次大戰之禍又迫在眉睫。（編者按：此文發表於民國廿八年間其時二次世界大戰，尚未正式揭幕）又各國內部貧富界綫距離日遠，勞苦民衆之騷動，日日而起，使其國家不務於向外之奪取，即必從事於向內之彈壓。兩途之間必擇其一。此雖光怪陸離，錯縱複雜，而剝去外皮窺其內髓，實不外古希臘羅馬之兩傳統。一曰個人自由，一曰武力向外，財富向內之二端是已。惟其多效羅馬同時並起，故古羅馬一統之希望遂絕，（德前皇威廉第二及今執政希特勒，則皆有志於打倒許多新羅馬，以再造一個古羅馬之豪傑也。）惟其個人權力財富的自由之野心甚熾，故對於耶穌天國博愛人類平等之教義，漠然淡然。

至於近代西方科學方面之突飛猛進，此亦導源於古希臘亞里斯多德諸人之所研求。然於人類之為凝合與分立無預。汽船鐵路電報飛機種種交通工具之進步，並不能促進人類之凝合，化學聲光熱力之學之應用，徒資個人主義者攫奪財富之便利。兩者相並，徒使人類關係日趨緊張，戰爭需要益形逼迫，而人類相互屠殺，亦愈藉科學而益趨殘酷。今試於西方歷史中掩去耶穌教義及其索連發生之影響，僅從希臘古城邦（個人方面）之自由與共和，科學與藝術，再加之以羅馬帝國（政治方面）之軍隊與統治，奴隸與財富，試一設想，今日之西方社會，將為一何等之社會乎？今再分析而綜言之，西方社會之對外物資方面之勝利，則由其科學方面之成功。其人事方面之錯縱複雜，則有二大潮流交灌互注，一曰希臘城邦之個人自由，加之以羅馬帝國之武力外向與財富內向之政治，一曰耶教之天國博愛與人類平等之教義也。

若西方社會之眞相既明，則返而觀我東方，有恍然易辨者。我看春秋時代之諸侯，固與希臘古城邦相似。（此層已於漫話第三則論之。）然諸侯之內部，其卿大夫士民相凝合以共戴一君主而祭其境內之名山大川，（諸侯代表全境為一整體而主祭，卿大夫士民各不得自由私祭。）故各諸侯雖各為一城邦，而城邦之上有共主，自與希臘城邦之各自獨立者不同。各諸侯既相互聯繫共戴天子以成一整體，故當時對整體之概念為一大羣之世界，而非各各之個人。此與希臘城邦之以市民自由為出發點者亦不同，惟其春秋時代之各諸侯，其意義早自與希臘城邦不同，故得遂自凝合而仍成為一整體，則即秦漢統一是也。就秦漢政制言之，全國民衆負担同額之租稅，服同等之勞役。漢高祖五年即帝位，是年即下詔解兵卒歸田畝，中央政府宿衛之兵（南北軍）每年由各地方輪番上值，則亦不過數萬之兵額而已。又各地方各得選派其優秀之青年以上受國家之敎育而服務於政府，（此即博士弟子補郎補吏之制度，即平民參政權之公開成立也。至東漢明定二十萬戶察舉一孝廉，其詳均見於史綱）此與羅馬立國遠乎不同之要點也。羅馬之國境，以其兵力之所到為界綫，漢人之國境，則並不以兵力之所到，乃以其地能納同額租稅，能服同等勞役，能受同樣敎育與有同樣之參政權而定。故兩漢國土之西境，止於玉門關而已。新疆三十六國[illegible]於葱嶺以西，雖[illegible]漢聲威所及，雖[illegible]亦派官吏，遺戍[illegible]然漢人目之為化[illegible]終不以為我國家[illegible]部分也。若以羅[illegible]之國家觀念衡之[illegible]我兵力之所及，[illegible]朘削其財富以利[illegible]而彼不能抗，此[illegible]國家之屬地。此[illegible]日英人之於印度[illegible]人之於安南，莫[illegible]然。印度安南何[illegible]英法人民受同等[illegible]過，然而英法人[illegible]指印度安南同樣[illegible]國上之一部，此[illegible]態淵源於羅馬，[illegible]溯之，則古希臘[illegible]邦也。今國家之[illegible]民地，正如古希[illegible]有天然的奴隸其[illegible]惟美國政制差為[illegible]。（美國各聯邦[illegible]國內各有同等之[illegible]，聯邦之外並無[illegible]，其偶有例外，[illegible]加入為聯邦之一[illegible]，則必許之以將[illegible]自治，如美之於菲律賓是也。此畧如[illegible]之對朝貢國。）

（下轉第四版）

昨日與明日

曹案驚動社會

台灣司法風氣敗壞，由來已久，所謂冰凍三尺，已非一日之寒是也。因此，前嘉義地方法院首席檢察官曹祖慰違法瀆職一案的發生，只不過又是一個被揭發的執法者玩法的惡例而已。既非空前，也不至於絕後，本不足以這般驚動社會。而今事實如此，誠殊堪玩味。不過畧加揣摩，即不難明其究裏。質言之，曹案所以駭人聽聞，乃在於涉嫌貪污受賄之外，更甚而蔑法濫權，魚肉百姓，陷害善良，其惡性之重大，尚屬少見。案經揭發後，受害的地方百姓，有燃放爆竹慶祝者，實前所罕聞，其冤抑之深，不難想見。曹某造孽若此，可謂至深至重矣。

破壞法律威信

崇尚法治，是民主社會的一大特質，而法治的建立，乃植基於法律的無上權威。至於法律的權威性如何，却全視執法者的態度如何而定。法官，警察一類職司風紀的人，如能潔身自愛，一秉大公來處理公務，不為利誘，不為威屈，使得訴訟兩造，皆相信能得到合理的仲裁與審判，而達到「法律之前，人人平等」的地步，法律才有尊嚴可言，才博得人們的信賴，遇有事故，便可放心聽憑法律解決，社會上一些訴諸暴力的行徑，也自可相對減少。要不然，執法者徇私枉法，必致了無是非，黑白顛倒，則法律便形同具文，威信掃地，長此以往，社會秩序，不問可知。因此曹某位踞地方法院首席檢察官要職，冰清自矢，秉公折獄，唯恐不遑；焉可利令智昏，恃權胡為，幹下如許違法勾當？殊不知破壞國家法律的威信，是無從彌補或挽救的。此案日後定讞判刑，充其量只可為玩法者戒，却難補償國家法律所遭受的嚴重損害於萬一。可悲者在此！可恨者亦復在此！

司調局打老虎

有關曹某違法瀆職的情形，刻正由司調局偵辦中，畧假以時日，眞相當可大白於世。司調局成立以還，着實已有一番作為，國人多刮目相看。此案的揭發，又再度證明渠等是敢打「老虎」的。但有一點最讓人疑惑難解的是：曹某作案迄今，歷[illegible]四載有餘，在此一期間內，歷有受害人向有關機關提出檢舉，為何却遲遲未見受理，以明虛實而平羣情？到底有所顧忌？有所祖護？抑或調查不力，虛與委蛇？甚或自貶身價，以為此類案子非司調局莫辦？且留給司調局來担當？如在司法行政當局，此番也表現出不凡的胸襟與魄力，一任司調局硬幹到底，俾使向社會交代。若不然，被剝奪權益而控訴無門的一羣篤農、以及不少過去在曹某淫威下飽受寃屈的訴訟當事人，勢將飲恨難雪；而喪盡天良之一手遮天如曹某者及一批所謂司法黃牛之流，却反逍遙法外。是非不清，黑白不明，社會果眞混亂至此，那就更可悲可嘆了。（文叟）

自由論

滌盪貪污之道

人人痛恨貪官污吏，譏美廉潔政府，然古往今來，所謂「清明之治」，祇是由於一時的政治風氣之影響，貪官污吏稍為斂跡而已。

記得民國十六年國民政府奠都南京之際，革命精神極充沛，一般黨政軍各機關人士，皆砥礪廉隅，力爭上游，而視貪污勾當為奇恥大辱，即日常飲食起居，亦相率以儉樸自安。如川省革命同志曾擴情在南京購置了一椽西式小屋，客廳裏擺設着一二種假古董，即被儕輩指為腐化官僚生活，迫其立將房產出售，回復原有的旅客情調。所以，在那一階段中的政治風氣，確屬大法小廉，表現着新興氣象的時代精神。

泊後年深月久，政風漸趨澆漓，而貪官污吏乃時有所聞了。但有兩種公職人員依然涅而不淄，保持着清廉節操，即黨務教育界人士是也。至於司法官吏，亦很少發生貪瀆的情形，迨對日抗戰結束後，行政界首先出現化公為私，五子登科的「刼收」「怪象」，司法界繼踵後塵，實行「有條有理，無法無天」主義，而貪風為之大起，加以內亂頻乘，生計維艱。於是乎，人慾橫流，紀綱廢弛，政治基礎因腐蝕而趨於潰爛，植下了神州陸沉的禍根。幸而黨務與教育界人士尚未同樣墮落，使中華民國的生機不致汨沒，以待復興。

假使當年在大陸上黨務和教育事宜的人，也與一般貪墨官吏同流合污，不知恥，咱們今日欲求取海外扶餘的一片乾淨土以作復國基地，亦不可能，因為整個國家民族的生機已告腐爛無餘了！

明乎此，即知貪污風氣之貽禍甚為深鉅，非大力整飭不可，而其基本對策，厥為重視一般公職人員的良心血性，多使有所不為的自愛之士，擔當國事，發展抱負，養成一股新興的時代精神。然後繼之以「治亂用重」的懲治貪污手段，輔之以摘姦發伏的輿論潛力，庶幾有濟。否則在大陸上的覆轍堪虞，將使後人復哀後人，可不懼哉！

馬五先生

張祥傳旗下三重客運巴士 與公車爭站起衝突

本報記者顧碧天台北消息：台北市自將景美、木柵、南港、內湖、士林、北投六個新行政區併入後，使北市面積由原來六十七平方公里左右，擴大為四倍，人口亦由原來之一百二十三萬八千六百餘人，增為一百五十四萬五千二百餘人，從全面發展和建設來說，將是一個新的起點，單從原有的市區以及市郊交通現象來說，已是擁擠不堪，而市公車處幾長期被困於低氣壓之下，很難撥開陰霾而見晴朗，原任處長江成濤因「奪印問題」被調職後，代理處長袁緒，接任月餘以來，遭遇之困難較江任時代，恐將更甚。

公車處目前最感困擾者首為開放民營，由於十五家公司來勢洶洶，使得原先對公車開放民營已有異義之市公車管理處，更為焦慮惶惑，但開放民營已成既定政策，無法轉向，且不能公開反對，但為維護公車處既得之利益，又不能不對建設局有所建議要求，擬請在該處公車沒有大量增加以前，暫時將市區及郊區內重要路綫予以保留給該處，並禁止民營公車在市區主要道路如中正路中山北路等道路上行駛。此一要求並未獲建設局同意。次為三重客運公司之特權壓力，却將使公車利益，受到嚴重打擊，該客運公司，董事長為市臨時議會議長張祥傳，總經理為省議員李炳盛，均為顯赫之「民意」權要，而張祥傳主持之中興大業巴士公司，早已搶得優先之民營客運，而張祥傳復又攬獲三重客運公司董事長以假道北市，造成違法營業之既成事實。（經台北市議員潘雪梅、陳連祿等九人，向監察會檢舉情形，詳七月三十一日本報），該兩公司所獲得之營運路綫，均包括中正路、中山北路在內，現該兩公司又由張祥傳負責申請民營於十五家公司之內，顯見有步步囊括新重要路綫，操縱營利之勢。中興巴士既已「强制㉙公車延長路綫於前，三重客運復與公車爭奪地盤衝突於後，茲誌近情於下：

自從三重客運公司開始營業迄今，已與市公車處發生糾紛已達六次，其中有兩次引起毆鬥事件，公車處長袁緒深以為憾。袁對外表示：三重客運公司司機六次糾紛之起因，均係三重客運，隨意在公車站前爭載客人。公車處原經公路局有同意在三重市設有六個站，而該客運則未設站，竟而皆佔用公車站停車載客，此一行動不僅影響司機、車掌的載客獎金，而且有違交通法令。袁代處長希望上級機關對此一糾紛加以重視，以維公車處之權利。

㉔路公車司機楊建華於八月一日，在三重市正義路與司機黃秋金因爭載乘客發生毆鬥，楊被毆受傷，住進三重外科醫院。三重客運方面認為係由公車司機蓄意尋釁，而發生此一事件客運班車在正義北路縱有不依照規定行為，公車司機僅可提出檢舉，無權直接干涉。除就經過情形書面報呈主管機關外，並請取締違法設立之正義北路公車站，及嚴辦肇事人員。當地警察分局對該項衝突案，除刑事部份，將予依法處理外，已於一日起派遣員警在正義北路加强巡視，由於三客運之營運路綫，迄今並未奉准在該路設站，今後如發現有停車載客情形，將予當場取締。

據悉，目前台北市政府建設局，雖然已完成初步審查十五家民營客運公司之申請登記，距離決定階段，尚非短期可以實現，一般揣測，公車開放民營後，公車票價亦將上漲，目前中興巴士票價，即較公車票價高達三倍之多。市建設局負責人表示：實施公車開放民營，便絕對不會偏袒公車處，過於壟斷本市各地區好路綫，務須做到公營在公平合理原則下，加强服務，改善營運等來競爭生意云。

北婆羅洲各民族的風習（下）

·王一士·

高脚樓的建築有幾種好處：形式簡單，建築容易、材料節省，拆遷方便。通常脚高三五尺或七八尺不等，通風透氣，最宜於熱帶地區。人居其上，更不易沾染濕氣。縱然比較簡陋落伍；但馬來人仍多愛不忍捨。高脚樓不但可以避免水患，樓下層又可作爲飼養家畜或儲放雜物之用。上面住人，下面飼養家畜，理想固好；但常因構建簡陋，臭氣薰騰，就不免有背衛生之旨，乃其最大缺點。三邦被西方殖民統治之後，歐化建築，才漸傳入。今日一些富有的馬來人，也懂得住現代化的洋樓，有新式設備，電燈、電扇、電冰箱、收音機（尚無電視）等，究竟還是不多。三邦所有大的華麗的住宅，十之八、九，還是屬於西洋人或華人。

馬來人，也是一個好動的民族，但動的方面，不是生產，而是享樂。娛樂方面，有戲劇、舞蹈、電影、足球、陀螺、鬥鷄等。舞蹈以「弄迎舞」最爲普遍流行，不論男女老少或貴賤，大都會跳這種舞。因之，凡有集體性的娛樂場合，或晚會茶會之中，亦常會出現。「弄迎舞」是一男一女搭檔共舞，視場地大小，可由很多對舞伴，同時進行，中途也可以互相交換舞伴。但這種舞蹈，卻不許貼身、牽手，自然更不許摟抱。通常伴奏樂器，多爲小鼓、小提琴、喇叭、銅鑼等。戲劇不常有，我也從未見過。電影大都爲過時的老片子。外地香、澳的馬戲團、雜藝班、或歌星舞娘等，即全是三四流的貨色，常去三邦淘金，也能滿載而歸。亦足見三邦娛樂性的玩意兒，實太貧乏。

二、印度人的風習

印度人是北婆三邦第三位的大民族（華人第二位）。印度原是一個種族極爲複雜的國家。因之移居北婆三邦的印人，也自然不全是純粹的一族。除極少數一二族的血統和信仰有點差異之外，其他各族在膚色和風習上，也大體相似。印度人一般都信仰興都教或佛教。巴基斯坦人，通常雖包入印度種族，則多信仰回教。印度人移居北婆三邦的歷史，據說早於華人的移入。在公元後的初期，他們在和馬來亞，都有過一段輝煌的史跡。一般印度人，都是皮膚黝黑，頭髮曲，體格健壯。有些人非常刻苦耐勞，有些則懶怠無比。他們在三邦所幹的工作，經營工、農、商、企業者很少，從事苦力勞動者，則居多數。但是他們勞動的習性，並不受人恭維，在勞動力缺乏的地方，沒有辦法，又不得不借重他們。

印度人的飲食，有許多情形，是與馬來人的飲食相似的。譬如喝未經煮沸的清水；喜愛辣椒、咖喱；主食米飯等。同時，亦有很多相異的地方。如印度人除回教徒忌食猪肉以外，多數印度人都愛吃猪肉，尤其是山猪肉。相反的，却不愛牛肉。因爲印人多認牛是一種神聖不可侵犯的聖物。印度人非常嗜酒，特別是「椰花酒」。每當發薪水或領到工資之日，椰花酒店，無不高朋滿座，痛飲椰花。常常喝得酩酊大醉，致有許多不愉快的事發生，乃印人生活上的一大缺點。

在北婆三邦印度人的衣着，受過英文教育的男子，由於歐化的影響，則多喜愛西裝革履。一般比較保守的印人，則仍留着他們傳統而來服飾。此種服裝，即下身圍以紗籠或布巾，上身纏以白布，或穿長衫的所謂「甘地裝」。印度女性，最喜愛她們傳統的「紗麗裝」。紗麗裝，是印度女性的主要服裝，多以絲織物製成，形式很美觀，華麗端莊，兼而有之。而且非常輕鬆和舒適，最適合於熱帶氣候。印度人沒有戴帽子的習慣。也不愛穿鞋襪。除少數富有階級與受過相當教育之人士外，一般貧苦人和勞動者，經常都是「赤脚大仙」。即使在烈日當空之下，或雜草亂石之中工作，也不穿着鞋履。因此印人無論男女，脚皮都顯得特別粗厚。

印度人在北婆三邦，都有過一段輝煌時期。那時他們的職業情形，已不可知。而今日在三邦的印度人，大部份是貧乏的勞動份子。大多數的職業，是做大園坵的割膠工人，築路工人，清道夫，園丁，雜役，苦力，理髮匠，洗衣匠，衛生夫役等。他們也大都是未受過教育的文盲或知識水準很低的人。有些受過高深的英文教育的知識份子，則多任職於三邦的政府機關、洋行、醫院、工廠的高級職員。比較華人，更爲吃香。此外還有許多從事律師業務，私人醫生或專人替人家打字或寫公文函件等。與華人之專門營商或開山芭者，情形又完全兩樣。（完）

貨物稅擴大課征後果堪虞 物價上漲如脫韁之馬

財經當局至今仍無有效對策 糧價尚稱平穩政府可以掌握

自擴大課征貨物稅後，物價即步步上漲，初時由立監兩院集會，聽取財經當局，防止物價上漲對策，政府雖有種種措施，但物價上漲，幾如脫韁之馬，卻未因而停步。所漲物價，悉爲民生日需之品，政府擴大貨物稅範圍之始，原有企業鉅子，附和聲稱：「可能不予轉嫁，以穩定物價」，但在事實上，以生產成本關係，自然水漲船高，而益以其他捐稅，均隨之增加。例如調整公告地價，田賦等則，房捐稅，香蕉、蘆笋、洋菇等之特種作物開征臨時捐，電燈、電話、電報之臨時捐，普遍使稅率提高，直接刺激物價，影響民生。食米蓬糙，雖因軍公教人員而有實物供應，漲幅至目前止，中部貨開三六五元至三三五五元間做出，較前市升一元，南部產以三五四元至三五八元做盤，北部貨做三五六元至三六六元間做出，均較前市高升一元。省主席黃杰於六日特對糧商提出警告：「糧商對糧價切勿壟斷操縱，造成人爲糧價波動。如果糧商一味哄抬糧價，且居間剝削農民及消費者，政府即將採取必要措施，於必要情況下，將取消糧商制度，由政府直接向農民收購糧食，以口計糧配給消費者，不過這種措施，非至萬不得已，政府決不會冒然從事。」基此可窺，糧價平穩，政府實可掌握。

目前最影響民生者以猪肉之漲幅特高，肉分上中下三等，上肉由每台斤二十六元跳至三十元，現漲至四十元，中肉由二十二元漲至三十二元，下肉由十六元漲至二十六元，鷄、鴨、牛肉等均隨漲每斤二元至三元不等。據觀察所得：食米價在最近五年間，上漲率爲百分之三十，肉價理應隨米價爲轉移，但其波幅尚小，試以五十三年八月北市毛猪交易牌價爲例，最低爲每百公斤一、九四〇元，同年最高爲二、一二〇元，之迄五十六年，毛猪交易之牌價始終徘徊在一、九二〇元至二、二一〇元之間，若依米價爲基準計算，上漲率百分之三十，而毛猪牌價在過去二十多年來應該調整漲幅爲每百公斤增加五五〇至六〇〇才算合理，即交易價格應爲二、五三〇至二、五八〇元，但事實上，迄今年五月十九日爲止，毛猪牌價不過二、二三〇元，此一價格一至維持到七月十六日，但其他各價格上漲率却往往超過百分之三十幅度，但在消費者感覺中，似無深感，可能由於近年國民所得增加，生活水準相對提高緣故。然而最近毛猪牌價連續調整，却刺激了整個社會消費心理，自七月十七日至八月一日爲止。會連續調整四次牌價，三漲一跌，十七日由原每百公斤二、二三〇元，調整爲二、三二〇元（漲九十元），二十二日跌三十元，二十七日調整爲二、三七〇元（漲八十元）八月一日再升七十元，調整爲現在之二、四四〇元，由七月下旬至目前爲止實際上漲每百公斤二一〇元。其他蔬菜均同時上漲，但幅度不及去年及前年同時漲幅爲大，雖有漲幅較高者，但又隨時平穩下來。經濟部表示，目前中南部毛猪生長至五十公斤、六十公斤很多，再過三個月即可生長至八、九十公斤，屠宰上市，屆時肉價即將下跌。

奶粉罐頭，均因關稅附加臨時捐之提高，而調整盤價，例如金山奶粉、阿華田、克寧奶粉、森永奶粉等，每打均漲五元至十元不等，建築材料之鋼筋、水泥、紅磚等漲價問題，經濟部物價問題專案小組，已決定從改善交通，支持擴充設備，給予技術協助，改良設備等辦法，予以緩和漲價云。（碧天）

新竹鐵路一命案 被告狡辯不起訴

（新竹訊）五十六年十二月四日有竹南君毅中學學生戚華南，自竹南搭乘下午十七時四三分第一二六次學生通勤車，北返新竹，當途經山佳里陸橋時；不幸頭部撞及橋柱而告不治。

緣苗栗去年十月三日大拜拜，四日食客疏散，因而該次車非常擁擠，學生無法搭乘，車開行在即，該朱戚華南及同學數人，因無法登車，適見行李車廂僅有乘客七八人，即一同擠入，不意被查票員黃金章發覺逐出車外，戚等無可奈何，只得手攀車立於踏板上，至釀成慘禍，頭部受傷至爲嚴重，迄車至崎頂站，同學陳家豹迅即請求該站站長處理急救，該站職員竟視若罔聞，未予置理，致該戚華南因遲延急救時期致失血而死！現慘事發生已逾八月，鐵路當局亦未聞派有任何員司至死者家中慰唁！草菅人命，莫此爲甚！

死者家屬曾具狀新竹地院檢察處告訴，並經高院發回再議者三，均以採證不足而不起訴處分，記者曾往訪人學生陳家豹、錢孝紀、丁宗權等三人出證時之情形，據云：均採信被告之狡辯，而未採信證人之證詞，致使死者冤沉海底，我們不禁爲司法嘆！爲人命惜！

研究生強制住校的商榷

◁高曉▷

今夏，台北某學院向各級研究生發出通知，謂下學期開始，一律強制住校，與不得在外兼職。凡離校區，必須經過請假手續；否則，於校外住宿者，第一次儆誡，第二次記小過一次，第三次記小過兩次，第四次以後記大過，記大過滿三次者，即「開除學籍」。研究生註冊，都得填具志願書，如校外兼職查明屬實，應受「退學」處分。

該校董事長奔走創校，嘉惠學子良多，向為學術界所推崇；此番措施，更顯示其鐵腕作風及決心。然光談理想，可謂絕高，涉及實際，則有待商榷。

該校董事長深深感到，該校研究生「拆濫污」、「混文憑」、「在外兼職」，而不全心全力研究，是以對症下藥，強制研究生住校與不得在外兼職。當然此舉尚不失為一可行辦法，然若謂必能藥到病除，則令人十分懷疑。

依筆者淺見，研究生「拆濫污」、「混文憑」，癥由學校負全部責任，由於學校缺乏一良好的學術研究風氣，也由於學校排不出堅強的教授陣容，沒有研究室的設置，課程又大都是大學時代的老調重彈，研究生就想要全力以赴，亦為之氣餒，而且頗有懷才不「遇」之感！同時依筆者所知，該校研究生就曾極為失望地向該校董事長提出全面的改進意見，均甚具體而富有價值。試問沒有好教授，沒有新課程，沒有研究場所，那能從事專精學術的研究？未料該校董事長，不此之圖，反而「獨」出心裁，突出「絕」招，未免有負「氣」用事之嫌。

試想，假如他們想「拆濫污」，那會提出檢討，與請求改進？他們又為了什麼要「混文憑」，該學院的碩士文憑，不一定就有「混」的價值。多少人身為碩士，依然呆在初中教書，若不是自己想力求上進，誰願意花寃枉錢，混這張難以為「憑」的文憑。

難道研究生擠進了十二個人一間的小宿舍，就能身心愉悅，培養好的讀書風氣！難道大家衣食無着，或者深懷家室之憂，還能全心全力探究深研？他們終年居於山上，聽風狂雨嘯，與教官為伍，接受所謂的「軍事管理」，而却無專任教授駐山指導，就能在學術研究上，更上一層樓？除非該校董事長本身，率同各研究所主任及各教授等，也能一起屈居山上，與學生聚集一堂，朝夕相處，匯成一股學術研究的壯大浪潮，那麼，勢必贏得舉世喝采，引為學術界的一大盛事；而「世界漢學中心」的豪語，又何愁不能實現？

抑有進者，環顧全球，各大學以及研究所，均鼓勵學生半工半讀；而學生本身，也以自力完成學業為榮。除非接受學校全部奬學金，否則憑什麼禁止學生兼職？只要不妨凝課業，只要力之所及，學生兼職，又有何罪過？我們留學生，可以在外國端盤洗碗，完成博士學位，為什麼我們國內研究生，就不能在學校兼幾堂課？姑不論大學生可以拍電影及在夜總會獻唱，究乎教學本可相長！如果怕學生不專心，何不加重功課，聘請學術界的權威學者，來指導教授學生，並嚴格審核畢業論文，使學位通過考試，不流於形式。那麼，拆濫汚者，就得拆毀了自己的前程，混文憑也就混不成了。

何況，強制住校與軍事管理，在中學已不多見，大學可謂絕無，研究所更是只此一家而已！這是一個創舉，惜乎徒具形式，而缺乏實質的內容，於事何補？殊不知研究生要常與各專家學者接觸，請教與切磋；逛書店，跑圖書館，與參加學術演講會，如終年禁足山上，閉門造車，就算面壁兩年，能有何成就？

學校取消公費，學生為生活煩心，那能全心讀書？況且大部份研究生，均已成家，強制住校，豈非不合人道？他們都負有家庭經濟之責，強制不得兼職，無異於強迫他們自動退學，而當初該校研究所招生，根本無此規定，殊難令人心服。

當然，該校董事長也顧慮到此一問題。他大聲宣稱：「沒有錢者，可以休學；等賺夠了錢，再來讀書。」他也功德無量，以月息一分，貸欵給學生，然一年五千元，光向學校繳納學雜費，論文指導費及住宿費都已不夠，那能活下去？那能負担家庭生活？如此論調，已然是「學店」作風，該學院爾後無異是富家子弟的特權學校了，也無怪乎他們今年要擴大招生，研究生錄取名額整整增加一培，寧濫勿缺，蓋窮苦學生，謝紹入門，有錢子弟，多多益善。

假如該校非得強制研究生住校，始能扭轉學風，而該校研究生非經軍事管理，即不知動奮向學，那麼該校研究所不辦也罷！

由上分析，我們覺得，顧慮學生不全心研究，本意甚佳，然強制住校與不得在外兼職，不僅不是治本之方，甚且為開倒車，違背時代潮流之舉，因為這不是軍事學校，亦非神學院。其根本要圖，當在加重學校課程，敦請名家學者，嚴格審核碩士論文，及執行學位通過考試等，那麼，學生自不會拆濫汚，而該學院的碩士文憑，也才能得到普遍重視，才有混下去的價值。

我們願意在此誠懇呼籲；各研究所的負責人，要能高瞻遠矚，讓年青的一代，在國內也能研究深造，別逼着他們只有出國一途；那麼，我們又憑什麼去苛責他們一窩風的往外跑。

吳敬恆先生年譜（十一）

陳凌海編撰　陳洪校訂

正月，南洋公學總辦何梅生逝世，由張元濟（菊生）繼任南洋公學總辦。張原為翰林，戊戌變法時與六君子齊名。時先生主張由教習及學生治校，與張元濟意見不合，因請求學堂補助旅費赴日本自費留學。獲允。三月，先生攜眷由上海乘輪赴日本東京。（時由上海至日本長崎三等艙船票為大洋十四元）此為中國第一批留日學生。先生與鈕永建（惕生）同住東京神田區明凌館。每月食住費用日金七元五角。稍遲，先生入東京高等師範學校。鈕永建為先生南菁書院老同學，欲入日本士官學校而不得，故在東京守候。先生入東京高等師範後，刻苦研究，對淵博之知識，與正確豐富之革命思想，始奠基礎。一日程家檉（韻笙）、吳祿貞（受卿）邀鈕永建同訪中山先生於橫濱。鈕永建邀先生同去。先生拒之。但先生與鈕永建約定是日晚在上野公園養軒相候，同吃晚飯。迨鈕永建回精養軒，先生詢問孫某為人如何？鈕答稱：「他是氣度溫和端正，我未見過第二人……」。於是先生大吃一驚。然先生居留日本時，終不願去見中山先生。直到一九〇五年在英國倫敦初次晤面。

是年冬，接陸爾奎（煒士即辭源作者）信，由常州方子仁推荐「方君時為陶模（方之）之幕僚」，介紹先生去廣州籌備廣東大學堂。鈕永建籌備廣東武備學堂。十二月，先生與鈕永建回到廣州，住總督衙門西花廳。廣東人稱先生及鈕永建為「洋先生」。先生所籌備之廣東大學堂，校址在廣雅書院舊址。先生辦理招考，考取者有古應芬（襄琴）、胡毅生、楊永泰等；未考取者有汪兆銘（精衛）等。後來廣東大學堂與其他各省大學堂，均改為高等學堂。鈕永建所籌備之廣東武備學堂在黃埔，後來黃埔軍官學校，即係利用前武備學堂舊址。先生於草擬章程招生完畢，即行辭職離粵。時陶模任兩廣總督，沈贊清（濱公）與方子仁充陶制軍幕府。沈贊清延聘胡清瑞（胡漢民之兄）教授其子覲恒、覲鼎。胡漢民（原名衍鴻字展堂，廣東舉人。）時任閩敏學堂教習及閩敏報之記者，亦往沈贊清家私塾教書。常往督署西花廳晤先生。先生力勸胡漢民赴日本留學。同時先生結識沈贊清，向沈反覆說明：「日本明治維新後與國情形，上下埋頭苦幹，值得中國效法，應該早送子弟去日本。」沈贊清深為感動，遂決意送沈覲鼎兄弟去日本留學。並請先生教其兩兄弟念日文初步，作為預備。是年先生在東京，常至清華學校（初名大同學校）與范源濂（靜生）、蔡森波、蔣百器、蔣百里等往還。該校乃由梁啟超（任公）暗中主持。梁啟超聞先生將赴廣東籌備大學堂，特自北海道返東京，約先生至校相見。先生至廣州後，梁啟超屢函先生，托由廣東藩臺李端棻轉致。

三日春秋

蔣百里的絕世才華

·厚安·

蔣百里先生，是我國曠代一出的兵學家。也是中華民族智慧的結晶。

他早年在德國留學，在德國最高軍事學校，以最優秀成績畢業。學校當局為了獎勵他，就在德皇蒞校舉行大檢閱時，派他作為御前大檢閱官。對於一個外國學生來說，這是不世的殊榮，是從來未有的。所有的人都投以欣羨的眼光，他和平時一樣。

檢閱後賜宴，德皇在筵席上問他說：「德國預言家說過：五百年內，東方必有將才（德國人把將才看得比相才更重要），想不到應在你身上。你學成回國，一定大用。將來如果中德交兵，中國方面，一定是你作統帥，你與朕相遇於疆場之上，要怎樣呢？」百里先生就以左傳上晉文公對秦國的那一段故事以對。德皇聽了，不但不見怪，反而更加佩服，叫左右的人記下來，並且說：「到底是文明古國，對任何的處置，都這樣有道理。」

誰知百里先生回國以後，所如輒阻，過了好久，才弄到一個保定軍官學校校長。他是一位負責的人，當就職的一天，他與全校師生約法三章，他要大家辦到幾件事，他自己也當衆宣誓要辦到幾件事。誰知社會黑暗，他根本摸不着邊，經費一個也領不着，校務無法開展，諾言無由兌現。三個月下來，痛苦萬狀，終於在一個朝會的時候，向大家承認失敗，拔鎗自殺。幸而彈雖穿腹壁，却未傷要害。

歷史上有數兵的李廣，百里先生庶乎近之。他有這好的學養，又生在這偉大的時代，竟不得一展其抱負，實在令人代為不平。

不過百里先生後來已變為一純然的兵學家，再進一變而為靄然儒者。他的言論，不但鼓吹中興，更為抗戰木鐸。所謂：「勝也好，敗也好，只不和他言和」，這幾句話在震撼危疑的時候，發生過多大的作用。

百里先生的兵學，至今還未大放光芒，古之學說，有在其身後數百年始光昌者，亦有經千年方發皇者，以彼例此，百里先生將為孫子後第一人，吾有堅信。（完）

華僑教育家　羅仲霍

·竹羽·

「十年恨不早焚書，閱歷浮名盡子虛，未許豪奴共肝胆，苦無善價買頭顱；關前戎馬胡塵起，海內風雲大刼初，安得美人具俠骨，香囊寶劍好隨予。」

辛亥年三月二十九日黃花崗七十二烈士，全是四方的俊彥，民族的精英，由於他們具有一種抑鬱不平之氣，所以，大都能發出慷慨激昂，扣人心弦的詩句。羅仲霍是其中擅長作詩的一個，當然不算奇，奇的是，他的職業是教育家，是報館主筆，居然能夠寫出，未許豪奴共肝胆，苦無善價買頭顱」之句，可見一個人受了革命風氣之鼓勵，連一個文質彬彬的書生，也很快的一變而為浩氣磅礴，壯志凌雲的豪俠之士了。

羅仲霍烈士名堅，別號則君。廣東惠陽縣芳隴鄉人，生於民國紀元前三十年（公曆一八八一年），他進入學校讀書，一般同學都很辛苦很刻板的研讀八股文，預備應科舉考試，而仲霍雖未成年，他却明瞭八股文是清政府用來牢籠一般青年人的，以消磨他們的志氣，只有他才不朝這方面鑽，另外學習古文。年甫二十歲，父親逝世，全家的經濟負担都落在他的肩頭，自然不能繼續上升，本來他就沒有「學而優則仕」的觀念，不能讀書，就乾脆以教書為業，再利用餘空的時間，努力自修，研求經世之學，他對母親很孝順，由教書所得的學費，儘量奉養母親，而自奉甚儉，他的孝心，贏得了鄰里親朋的稱道，這時候，他的母親為了抱孫心切，一定要他弄一房妻室，他不肯拂逆母意，事實上他家門衰祚薄，人丁缺乏，他一出去教書，家庭也就顯得十分寂寞，這樣他就結了婚，而且不久還生了一個孩子，家庭是顯得熱鬧了，他的母親再也不感到孤單了，可是因家庭用度，亦隨之浩大一點教書收入，又怎能敷一家四口之用，為生活所追，不得已單身赴安南及南洋各地謀生，經過了他的奔走與努力，總算使他一家人勉強獲得溫飽，可是他是有抱負的人，決不以生活有了辦法，就感到滿足了，他的求知慾受時代的刺激，越來越旺盛，趁着生活稍有裕如，仍舊設法繼續其學業，民國前六年，入檳榔嶼師範學堂，他知道求學不易，乃發奮鑽研，不肯隨便浪費光陰，他畢業時，成績最優，離開學校，在吉隆坡籌辦尊孔學堂，又到荷屬火水山舉辦中華學堂，歷充兩個學堂的校長，為華僑青年造就了不少的人才，而他的聲譽亦在華僑社會一天天響起來，恰恰這個時期，國父孫中山先生正來到檳榔嶼與吉隆坡一帶宣傳革命，他聽到這個消息，大喜若狂，趕忙跑去拜訪，於是他親身接觸到國父的風采言論，[illegible]他又聯合同志在吉隆坡辦了一張報紙，鼓吹革命，[illegible]索性把學校報館事務，交給同志，[illegible]冒險犯難，回國担任秘密工作，[illegible]將近十年，沒有和妻兒相聚，他的妻子帶着兒子來找他，[illegible]忙於工作，分不出時間來會晤他的妻兒，後經同志們安排才會了面。

到了三月廿九日，參加黃花崗之役，偕同黃興與各同志進攻總督署，他奮勇衝鋒，殺敵無算，不幸，左脚中彈重傷，血流如注，因行走不便，而落伍，誤入旗人街，被清兵捕獲，清吏提審時，他毫無懼色，對清吏，侃侃而談革命道理，并慷慨激昂痛罵滿奴，上至官吏下至士卒，都為之動容，被害後，遺體葬於黃花崗，永為後人憑弔。

分合與統一

錢穆

（上接第一版）

我之立國，可以不藉兵力壓制，而廣土衆民自成一體以長治久安者，其道在此。此等立國規模之終於完成，則由於一輩哲人學者之盡力倡導，而尤著者則儒家也。孔子在春秋分裂之際，有久矣不復夢見周公之歎。（夢見周公即夢想統一。其周遊列國即超脫狹義之城邦觀也），曰天下有道丘不與易。（即欲聯城邦為統一也。）既不得志，歸而著春秋（春秋大一統，故曰王正月）曰其事齊桓晉文，（齊桓晉文即為聯合城邦以重返統一之領導者，此史綱已言之，孔子政治理論之哲學根據，亦詳史綱我，此不再著。）孟子繼之則曰保民而王，莫之能禦。（王天下即大一統，保民而王則與羅馬帝國主義迥別。）凡縱橫兵農刑法諸家，皆為孟子所深斥。（此諸家則以武力外交隱謀為兼幷，即羅馬式之力政經營也。）而楊朱墨翟，乃更為孟子所反對。（以楊朱墨翟之道，近似眞理，而走不上人類之大凝合。較之縱橫兵農刑法諸家更為難辨，故孟子更力斥之。）楊朱為我拔一毛而利天下不為，提倡一種極端之個人自由，為孟子所反對宜矣。墨子兼愛，摩頂放踵利天下為之，其精神意趣頗似耶穌平等興之博愛（至於墨翟耶穌之異點，史綱已辨之。）何以孟子亦反對之。蓋儒家之理論與趨嚮乃求修身齊家治國平天下面面俱到，而又一以貫之。（大學雖晚出，然為儒家理論無疑。）墨家思想，未免與此背馳也。（孟子斥墨子以無文，即指其破壞家庭。許行亦墨徒，孟子力辨其政治思想之行不通，則推行墨子思想亦將無以治國。墨子之道蓋徑以個人直接到天下，此亦頗與耶教相似。惟耶教無力凝合西方之社會，成效可觀，已如前論，則孟子不為徒斥也。）若以孔孟之政治理想與希臘古哲柏拉圖亞里斯多德相比，即知希臘之何以終於為城邦之散立，而中國之何以終於凝成一統之局面矣。（至先秦其他諸家思想，有助成中國此後一統之功尚多，此於史綱已詳之。）秦漢政制本於晚周之學術，（此層史綱亦言之。）則宜其立國規模與羅馬判殊矣。

自此以往，中國士民莫不信守儒家之教義，故政家雖有搖動，王朝雖有更迭，而中國立國之大本大原，終於持守勿失，此中國史之所以長成其為一種凝合於統一之趨勢也。

故羅馬之立國，其實即希臘古哲所理想之一種城邦政制也，不過其外面又加之以多少之塗附而已。中國秦漢隋唐之盛況，亦即中國古哲所理想的一種平天下之境界也，不過其外面尚留有些許之未盡而已。（此就古代交通未發展時之觀念言之，今則五洲棣通，世界形勢驟變，然因不必執今日之見解以笑古人）蓋我儒家思想者，實兼羅馬人高掌遠蹠之氣魄，與夫耶教平等博愛之心胸，包舉融並，會而通之，我國家數千年來政府上縣延不斷的大一統之光輝，固非偶然也。

惟上之所述，僅就中西政府組織之沿革以及其後面之理想而畧為比較，至於政治理想之高下，與夫對外力量之強弱，固不必即為一事。力量原於組織，而城邦之向外發展，有時以組織緊密而有力，平天下之理想，有時以組織鬆疏而失敗。（且為平天下之努力者，亦不復有用力對外之想，此層在引論中已具。）

輓近中西相遇，我乃敗衄披靡，一再一四而不可止。則尤有一至要之異點焉，即雙方科學程度之不相等是也。（此中理由，尚待更端論列。）乃國人以躁急之心理，為漢漫之破壞，其先以孔子為教主，而尊奉之，其次，則以孔教為宗教而排斥之。一時慕尚歐化，襲取淺薄之個人主義憑權利自由之新論的為強暴奢侈之比賽。擲國家大量之金錢，競買軍火相屠殺，各擁兵力逞淫歡。國家破裂，各地割據，一時城邦四起，儼若有多數羅馬貴族之湧現。乃曰我國家固是數千年來一封建社會之國家也。於是而又激起階級鬥爭之仇恨，屠殺之後，文繼之以屠殺，肝腦膏草野，骨肉為淵邸，猶曰我民族乃困於數千年專制黑暗之下，為封建社會之奴隸，何不能奮起從事於革命。在若是之景況下，而求科學之發展，固不可得，則曰我固謂非毀滅我一切已往之不為功也。嗟乎此三十年來之實事也。我明明目擊而身當之，然而持此義也。遍國中求一解者，而奈何其不可遇也。（完）

事過境遷

三幕喜劇

熊式一

仁：天下那有三角兒的雲？哪，你望望前面的天上，有一片三角兒的雲嗎？

趙：包老先生，我現在並不畫斜着的山和三角形的雲了！那是未來派，立體派，我早已轉變為抽象派！一切的一切，全是抽象的！

仁：抽象？那我也算是大藝術家了！（向空中做手勢）我說我這兒有一張抽象畫，畫是抽象的，畫框子也是抽象的，一切是抽象，容易得很，只怕到了人家來買你的畫的時候，給你的錢也是抽象的！「喂，這是五百塊錢，給了你了！」假如他給你一千抽象的，要你找回五百不抽象的更糟了。

趙：（認眞）包老先生，你不明白我們藝術家，都是一種境界的創造者，和現代的文學一樣，都要先向各方面去嘗試嘗試，體驗體驗，才能夠得到學問。修養修養才能得到智慧，再去創造自己的天地！

仁：好！你要先去嘗試，體驗，却偏偏挑了我的姪女去嘗試，體驗，一年零兩個月，賺了兩百多塊錢，還想要老婆？一定會餓死的！

包太：那只要你給你姪女一兩幢房子賠嫁，他們就不會餓死了！他們可以多多的嘗試嘗試，胡大博也是全靠嘗試而成名的！

仁：胡適之鬧文學革命，不知道害死了多少青年！

包太：胡適之害死了人？

仁：教他們一天到黑做些什麼的的的的白話詩，寫些什麼的的的的白話文，到了現在的新詩新文，連胡適之也看不懂了！再說我那兒有富裕的錢給露茜賠嫁呀？稅常常的漲，差餉常常的加，東西天天的貴，工價不停的往上升，我的收入，却一年比一年少，再這樣下去，難保沒有破產的一天！這都是你們鬧出來的事！

包太：（看見她丈夫指着趙太極罵，大驚）怎麼？趙太極，你做了甚麼！

趙：（茫然）我沒有呀！

仁：全是你們這一班青年，每件事都要翻新花樣，這個要改良，那個要革命，把全世界弄得處處都快要天翻地覆了！

包太：（放了心）原來這樣呀，當初把我嚇了一跳！我看你暫時還不至於破產，姪女出嫁給他們兩夫妻一兩幢房子，也無傷大雅！

露：叔叔，那眞好，我們會感激不盡的！

仁：別感激我，你去感激你嬸嬸吧！

露：嬸嬸你眞好，我們眞要感激你！

仁：這是她的主意，問她要房子得了我是沒有房子給你們！

趙：我們並不要你的房子！

仁：只要錢！

趙：也不要錢，我們都可以做點小事，決不會餓死！大不了，多畫點商業廣告一類的俗東西，少去嘗試新創造算了！我們只要請你答應一聲，以免人家說我們違背了你的命令！

仁：你們這就根本違背了我的意思，不聽我的命令，我怎麼能夠許可！你養你自己一個人都養不活，怎麼還想要老婆！

趙：包先生，你開口也提到錢，閉口也提到錢，好，你不妨把數目定下來，要我賺了多少錢之後，才肯把姪女嫁給我，我一定在一年之內，賺給你看看！ ⑪

新廿五經

風月經

馬騰雲

宋朝的名妓李師師，與宋徽宗熱戀，皇帝因常臨妓院感到微服夜行的不方便，乃下聖旨築一條地下道從皇宮直達師師的家，金兵打破汴梁（今開封）將宋徽宗擄去，主帥欲生得李師師、張邦昌奉命佈下天羅地網，將她捉到獻入金營，師師圖刺殺金兵主帥未果，乃折金簪吞下而死，誰說妓女沒有殉節的呢？

師師高雅俊逸，其艷麗國色天香，用出浴楊妃睡未醒，去形容師師的美到很恰當。徽宗皇帝更賞識其才華，有一天帶着番屬邦國進貢的水果去看師師說：「龍袖藏貢果」，師師立即對出「纖指撥香橙」。像這個樣的風月場合，眞所謂生命的樂章，是多麼的陶醉人、漣漪人和迷惑人。從前一位學人張潮說的對「月的顏色，花的香味，文人的韻致，美人的姿態，都足以攝召魂夢，顛倒情思」這些觸景生情的幻覺寫生，都是出自靈感，祇可以意會，形諸筆墨時，就像讀翻譯文章似的，味道就不對了。

中國大都市的高級妓院，常保持着一些樂而不淫的傳統，師師是有其出處的，師師與徽宗間，就是一種精神偶像，不像本港及台灣，即是很高級的娼寮，進門三言兩語就得解褲脫衣，沒有甚麼風趣情調纏綿可言，包括××魘下的羣雌們也很少能夠例外，當「趕快」兩個字喊出時，化錢的老爺們，口味可謂倒到萬里長城山海關外。在抗戰前上海英界租界內有位名妓叫作華芳，她的本名是潘雪艷，一副造型可以說完全出自上帝的傑作，或者是偏愛，她那對汪汪的鈎人靈魂的眼睛，就是吸引異性最有力的武器，可以說任何男人都受不了那一招。華芳一張菱式的大嘴，所表達的性感，遠超過其他女人任何可愛部份，該凸的地方凸，該凹的地方凹，猶餘美為。她曾向人說：「我為我的美麗和可以迷人的地方，付出過相當大的代價。」她又說：「每個男人見到我時，就很自然的向歪路上想，乃至於就想得到我」雖然如此，華芳祇不過是美麗的標幟，她在精神上的苦悶，生活上的寂寞，心靈上的空虛，常年在痛苦中打發日子，她曾非常傷心的說：「漂亮的女人，會遭天妒，我所需求的是：『狂熱的愛，和眞實的滿足。』但我很少有這種機會」。上海英美烟草公司出品的華芳牌香烟，付出了一筆很高的商標費，為了以廣招徠，定出辦法，用華芳牌香烟盒皮若干個，可調換華芳的照片一張，洋商挾其雄厚的宣傳力量，會使華芳風靡了整個中國大陸各省各地，直達到邊區，一般莫明其妙之輩，甚至將華芳美麗的艷照，掛在客廳，掛在高堂，掛在很尊貴的地方，但這些情形，就華芳來說，並沒有甚麼眞實意義，華芳所渴望的，是能夠得到「狂熱的愛與眞實的滿足。」對那些空空洞洞，她認為都是屬於遙遠的春風，是厭膩的，不切實際的。

也許有很多人會不相信，華芳既然是上海第一名妓，而她的飢餓和靈的乾渴，怎麼還會超乎一個普通女人之上呢？可是有人替她統計過，她在長三堂子漫長的歲月裏，祇接待過三五個客人，而每個客人猶其享有初夜權的一位，直拖到半年以上，才能和她搭搭乾舖，所謂乾舖就是不解衣服的陪伴，期待到能開濕舖時，往往又須要半個年頭，不是客人的床頭金盡，就是客人環境變遷，或因要緊的事，而必須離開上海，又兼所接待的對象，就不可能會遇到風流瀟灑的王三公子，一般的說大事業家、政客、高級軍官、富翁、年齡上率多在五十歲以上及六十歲左右的人，換句話華芳總是很可靠而被動的在担任着「黃昏之戀」的女主角，這和自己內心所需要的「狂熱的愛與眞實的滿足」是有距離的。在華芳的日子裏，她所感到的，不是新月易沉，就是缺月遲上，皓月幾乎與她沒有甚麼緣份的，就女人的兩大需要上說，一、性慾的滿足，二、生育男女，這與她之間儼然劃出一條很濶很深的鴻溝，這是她的週遭環境使然。

處亞熱帶和南洋羣島國家的風月場合，在情調上大體相彷彿，印度加爾各答有七八個男客共一女的習慣，在論錢不論人的制度下，依序入座，奇怪的大家都希望拿到後邊的號碼，看來很不舒服，到了本港及台灣稍瞭解半下流娼寮後，又覺得加爾各答她們以一抵八的戰績，竟降為小巫了。

（上）

詠史四首

夢庵

漢昭烈

豈獨奸雄期蕩平，更傷傾覆到桓靈。宅心仁厚培元氣，着眼中興繼兩京。王霸相勗識俊傑，草堂三顧見精誠。託孤賴有貞臣在，千古秋風白帝城。

宋太祖

矯枉過誠史論囂，誰憐一世創規遙！尊賢禮士同三代，更戍釋兵定一朝。時相經綸膺重責，虛君政治見新潮。曠懷志在安天下，不復燕雲恨未消。

明太祖

風掃胡塵萬里搏，中華盡復漢衣冠。起兵落拓驅飛將，開國恢宏任儒官。草莽英雄三尺劍，金陵王氣一龍蟠。絕憐晚節多猜忍，留得春秋說暴殘。

明成祖

上承秦漢拓疆謨，天子守邊制強胡。五入龍沙驅韃虜，一安天下定燕都。修成大典開文運，盡鎖長城入壯圖。收拾南朝金粉氣，罡風吹夢過三吳。

第四八八期
中華民國內政部登記證內版台誌字第〇〇一號
內政部台內警台報字第〇〇一號
中華郵政台字第一二八二號執照
登記為第一類新聞紙類
（中週刊每星期三、六出版）
每份港幣壹角・台灣零售價新台幣式元
社長李運鵬・督印黃行奮
社址：香港九龍登打士街91號十樓六座
91 DUNDAS ST, 9th FLOOR, FLAT 6 KOWLOON H. K.
電話：857253　電報掛號：7191
承印者：大同印務公司
地址：香港北角和富道九六號
台灣總管理處
中華民國（台灣）台北市大同街119號
電話：555395・557474
台灣分社：台北市西寧南路110號二樓
電話：三〇三四六
台郵儲金戶九二五二

復國建國必先恢弘民族氣節

・劉振東・

抗戰勝利後，列強在遠東維持將近百年之勢力均衡，徹底崩潰，日本帝國既因戰敗而解除武裝，法國英國亦自安南緬甸及印度撤退，舊日四面對峙之均衡勢力只剩赤俄帝國主義者，虎視北亞、待釁而動。美國向來無意對外侵略，加以二次大戰中死傷甚大，企望和平，又受共產匪黨之滲透與煽惑，對我國發生甚大之誤解與嚴重之偏見。

中共匪幫乘時叛亂，憑恃赤俄之全力支援，對於久戰疲敝之國軍，四面襲擊，美國深受其愚，謂中共為土地改革者，斷絕對我政府之軍經援助，並迫使我政府與共匪和談。在此種嚴重情勢之下，全國上下本應同心戡亂，共挽危局，豈意平昔盤據要津之文武大員，竟多喪失品節，屈膝降賊，更有貪官污吏撤其平昔聚斂，與金鞏幣，遠適異邦，靦顏偷生，不知人間有羞恥事。大陸淪陷後，總統蔣公領導全國忠義，誓師海疆，以復國建國為職志，積廿年之堅苦奮鬥，造成政治修明，經濟發達，士飽馬騰，中外歸心之國勢，負起復國建國之大任，回憶遷台之初，「受任於敗軍之際，奉命於危難之間」，震撼危疑之險阻艱難，有非世人之所能想像，終賴朝野上下，堅強團結，發揚我民族折而不撓，不可奪志之精神，以有今日之成就，雖少康之興夏，勾踐之沼吳，亦不足為過。

中華民族之文明，與歐洲之文明，在根本上即各異其趣。西洋的文明，自希臘羅馬時起即偏重於智力的發展，而無視仁義。在其國內，其所以教其民者為發揮智力，以圖富強，對於國外，則力征經營，誅鋤鄰邦，造成霸道的強權政治。強權政治之發展，勢必演成貴族階級專政，貴族階級因專政久而腐化，國家亦隨之傾覆。希臘羅馬諸古國之所以倏起倏落，其故在此。中華民族之文明，自我遠祖建國，即以忠孝仁義為本，教人以修己淑世之道，使其曉然於人生之意義，在於博施濟眾，為民服務，而非侵人以利己，故虞書有敬敷五教之政，孔孟垂教，以誠正修齊為治國平天下之本，一切先求諸己，而薄責於人。其施政治民，必先明是非邪正之辨，賢愚功罪之分，湯武征誅，皆以伐暴為名，王侯親貴，不敢敗法亂紀，以肆於民上。因為吾民族之文明，是以忠孝為立身之本，以仁義為治事之道，故能養成崇高聖潔之民族精神，與舍生取義之民族氣節。在五千年悠長之民族歷史中，我民族曾經遭遇多次之盛衰起伏，治亂循環，皆能憑此崇高聖潔之民族精神與威武不屈之民族氣節，造成民族之復興。在開國盛世，明君賢相，發政施仁，興利除弊，以成一代之治。如漢之文景武宣、唐之太宗玄宗，明之成祖宣宗，皆能政績輝煌，照耀簡冊。當喪亂之世，忠臣義士，扶危定傾，殺身為國，可以振衰起廢，激勵末俗。後漢書稱李固陳蕃李膺等「守正不阿，抗論[illegible]俗，以仁心為已任，故道遠而彌勵，功雖不終，然其信義足以維持人心，使漢室亂而不亡者百餘年間」。南宋末年，太后已攜幼主降元，而文天祥謝枋得等誓師海疆，有死無降，「崎嶇嶺海，以圖興復，兵敗被執，從容就義」，其忠烈正氣，有以振奮人心，啓明祖復興中華之雄圖。明末史可法「慨國步艱難，提兵江濟，力圖興復，兵頓餉竭，志決身殲」，流風遺烈，亦為我國民革命之前驅。凡此先賢遺烈，皆為我民族精神之表現，亦即為吾人今日反攻大陸，復興民族之示範，吾儕所應發揚光大，無愧昔賢也。

昔　國父講三民主義謂「我們現在有這大的民族，可惜失去了民族思想，因為失去民族思想，所以外國的政治力經濟力才能打破我們。我們現在要恢復民族的地位，就要把固有的民族道德恢復起來，有了固有的道德，民族地位才可以恢復」。國父所謂民族道德即我國傳統之忠孝仁愛信義和平八德，前述歷代先賢之義烈，即為我民族道德之具體表現。自鴉片戰爭以來，因為迭次軍事失利，朝野上下由排外而懼外，由懼外而媚外，民族道德遂漸崩潰，民族自尊自信，亦因而喪失。民國建國於今五十七年，始終處於擾攘混亂之中，始而軍閥禍國歷二十餘年而不已，繼而日本軍閥橫逆來侵，京平奸偽屈膝降敵，終而共產匪黨襲取馬列邪說，流毒神州，認賊作父，敢於侮毀我民族文明而不作[illegible]，凡此種種禍亂，其根本原因皆在於民族道德之崩潰與民族氣節之喪失。近因越戰失利，美國姑息份子，又形囂張，竟主張允許共匪進入聯合國，而聯合國秘書長宇譚又不謀於眾，邀請共匪參加非核子會議，於是我國意志薄弱之人乃發生信念動搖，及謾罵友邦之言論，此實民族弱點之暴露，無補於國家之阽危。吾人須知革命建國，為不世出之大業，既非少數人所能勝任，亦非短期所能完成，遺大投艱，自非吾人堅苦奮鬥，持之以恆[illegible]

[illegible]（完）

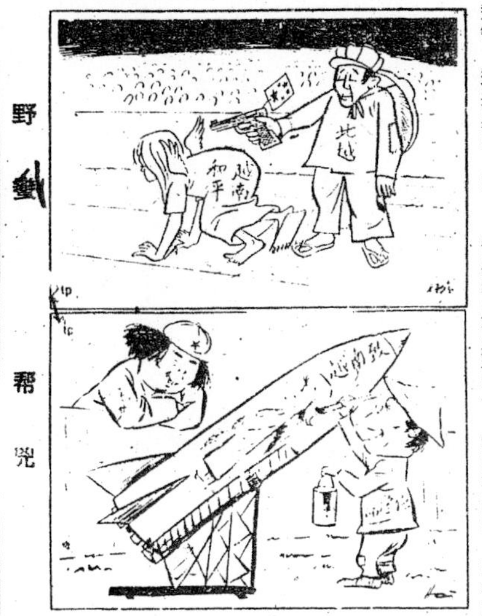

野鶴　幫兇

昨日與明日

馬尼拉大廈倒塌

本月二日，馬尼拉發生大地震後，琉球、墨西哥、日本等地亦相繼發生。根據夏威夷大學地質學教授麥唐納氏的解釋，這一連串地震，係由於太平洋盆地中「山嶺形成」的衝刺所引起，至於此一衝刺將持續多久，則難以推測。這種學理上的說明，再加上台灣正位於太平洋地震帶上的先天環境，以及過去歷次地震肆虐的紀錄等，一時人心惶惶，震色變；尤以馬尼拉一座五層大廈——瑜美公寓於地震時倒塌，造成嚴重災害，那種可以想像得出的哀號不絕、血肉模糊的可怖景象，就不啻給大家一次血的教訓，因此更有切身的感受。職是之故，有關防震的問題，也就成了台灣報紙的熱門新聞。不過，在一片討論聲中，有人竟把此一浩刦歸因於地震的劇烈，這種諉過於自然說法，是難教人荷同的。須知馬尼拉此次發生的地震，係麥加利氏六級，按照台灣地方通常觀測的標準，當在三、四級之列，並非什麼大不了的地震；而導致瑜美公寓倒塌的原因，非律賓政府當局並不諱言有人為因素在內，且已決定對承建該座大廈的廠商及市府工務局人員控以刑事罪責。此中已明顯露出一個事實——紕漏還是出在大廈本身的建築上。很自然的，這便又使我們聯想起台灣的濫建情形，而寄予無限關切。

台灣地區濫建成風

首先，我們必須了解兩個事實：一是台灣位在太平洋地震帶上，地震隨時可能發生，而且無法預知或避免；一是台灣地狹人稠，生存空間受到限制，為自然環境所迫，爾後建築只能作縱向發展。基於這兩個客觀存在的因素，我們知道，台灣地方地震的危害，將與建築[illegible]俱增，而其防範的根本之圖，只能在建築方面致力。其不幸的是這正是目前台灣最混亂，最不堪聞問的一個環節。由於現實的需要，再加上經營房地產有厚利可圖，使得台灣各地都在大興土木，各型各類的建築，紛紛出現，雨後春筍一詞，尚不足以狀其快速與繁多。一般營造廠商，唯利是圖，本來或多或少就有偷工減料的惡習，近來由於建材飛漲，成本提高，更變本加厲，大做其手腳，已幾至駭人聽聞的地步。紅磚落地粉碎，泥砂不按比例調配，鋼筋也不符規格，施工不按規定，諸如此等，簡直不勝枚舉。

市工務局置身事外

有，對於一般公家機關建築的承建，還算較有分寸；至於代建私人公寓，那簡直是肆無忌憚。撤開因會受禁建令影響而致濫建的江子翠地區不談，即在台北市區及其近郊永和等地，亦莫不然。營造廠商財迷心竅，罔顧商業道德，以致濫建成風，而負責核發建築執照及檢驗施工的工務局等單位，又不能作有效的管制，甚或有朦混舞弊者，如此一來，後果堪慮！

檢討，詎知[illegible]

[illegible]們倒要忠告幾句：此次非律賓地震引起大的災害，乃係由於建築不佳所致，今後為保障公共安全也好，為維護你們本人及妻孥的安全也好，也不能再這樣混下去了，否則，威力強一點的地震來襲，勢將如摧枯拉朽般的，虛有其表的建築，你們即使不致首當其衝，魚池之災，恐怕也難倖免吧！（文叟）

自由談

捷克的自由化運動，已被俄帝帶領着幾個附庸政權的軍隊，公然干涉內政，予以扼煞了！這是匈牙利人民反共運動的歷史悲劇之重演，西方自由國家如美英各國政府當局，聞訊雖然曉曉譊作，表示關懷，亦僅係惺惺作態而已。至於所謂聯合國安理會舉行緊急會議，研討對策，那更是無憀的官樣文章，連宣傳作用亦沒有的。當年聯合國大會決議譴責中共侵略南韓，毅然出兵討伐，結果是美國以紙老虎自居，低首乞和，還想恭請侵略罪犯的中共進入聯合國，經此一股後，聯合國已是名存實亡的贅疣機構，對世界人類的和平生活，不發生絲毫影響了，誰能相信它對俄帝侵略捷克的舉動，會有甚末眞正的對策嗎？

我看捷克事件

二次大戰結束前夕，陳獨秀在重慶發表了一篇研討戰後國際形勢的文章，指述戰後將形成以美俄為主體的兩大對立集團，而以「援助」的名義，分別拉攏與國。他特別指出有些國家縱然不請求強國援助，那強國亦要你非接受它的援助不可。東歐的，「九國情報局」和所謂「華沙公約」體系，就是這樣產生的，以及各種區域性的聯防組織，眞是唯之與阿，相去幾何，整個世界已恢復到十九世紀中葉的強權武主義時代，除非再來一次核武器的大廝殺，所謂促進「世界和平」之說，便如何有典云：「放屁，放屁，眞正豈有此理！」

我們如果專憑客觀思想來看捷克問題，祇是萬分同情捷克人民的自由運動，作正義的聲援，却不欲對俄帝的暴行多所置喙，因為我們過去對南韓李承晚政府和南越吳廷琰政府之為援助國家所推翻，并表示嚴正的抗議，不能厚此而薄彼也。

我們希望捷克事件如同二次大戰前阿比西尼亞之被法西斯意大利佔領，因而導致「國際聯盟」之解體，釀成二次世界大戰，從事全球問題的總解決，此外任何說法都是不値一哂的廢話。人類如果眞有永遠的和平生活可言，地球上早已人滿為患了，我們切莫相信一般政客們瞎扯卵談，妄發「維護永遠和平」的謬論，以免上當而感到失望的悲哀！

馮五先生

台北新聞信

走馬看花說監獄

本報通訊員柳一權台北消息：嘉義首席檢察官曹祖慰經台北有關收押後，記者特作走馬看花式採訪，茲將曹之生活及獄中情況，綜合報導如後：

曹祖慰在被提起公訴前，照法定程序，是被禁止見客，但曹則例外，表面雖禁止見客，家屬送物，隨時可達，口信便條，都有專送，這並非曹有這樣特權，凡犯官如推事、檢察官、警官、刑警及調查人員等皆然，某檢察官服刑六年過程中，夫人兩度添丁誌喜，就是最好的鐵證，服刑犯官在習慣上向不與普通人犯同位，理由是普通犯人目犯官如仇敵，恐懼被毆，演成血案，無形之中將犯官列為特權階級，實有欠公平。

其實不公平的事尚不止此，犯官吸烟多屬舶來品，且可自由到福利社叫菜，燒烤蒸墩，隨心所欲，如果是劉阿斗坐進去，相信必不思蜀，高市長令弟楊玉城在龜山監獄，香烟非紅吉士不抽，水果非美國產不食，即其一例。普通犯人就慘，不卒睹，新樂園香烟每包新台幣五十元，一根香烟還要分成五節，捲製成五根老鼠尾巴，一個老鼠尾已可過一次烟癮。火柴在監獄是絕對禁止，犯官取火則有打火機，普通犯人祇好利用火石與破玻璃，一如半世紀前農村習用的火石鐮，有時復古到燧人氏「鑽木取火」，管理人員有關門計，犯人們則有跳牆法，平均每個月有三到五次鬧監，鬧監者全體串通，在一定的時間吶喊，踩腳，聲震數條街外，以抗議監方過份的不合理與剝奪人權。

台北看守所，在日本人統治時期，容納八百人為飽和點，現在飽和點昇到了兩千四百人，廁所擱在房間裏，仍和七十年前規定一樣，既不是抽水馬桶，而廁又無蓋子，為大台北現代都市蚊蟲蒼蠅培育基地，這是向飛機酒殺蠅劑正面諷刺。老鼠蟑螂數以億計，每一間房關十到十幾個人不等，每個人求一小棺材之地不可得，蹂躪人權莫此為甚，聞台灣樣樣皆有進步，惟獨司法開着倒車，高雄嘉義又有興獄計劃，這究竟是好現象呢？還是兇兆？

囚糧是糧倉中最差的一種，台灣的司法既然開倒車，犯人因食管理，亦難例外，祇以食油來說，兩千四百人每天用四瓶油，（十三兩一瓶）每個人所能食到的油，恰為二十粒芝麻油量，我們日常吃燒餅油係落在桌上的芝麻，那就是兩到三個犯人一日的油量，其餘一切可以推想。

走馬看花說監獄，監獄的犯人太多了，（明智的處理應當該疏教的疏教，該赦免的赦免，比如武漢大旅社的老闆自殺案，事實與報紙講的是兩回事一窩蜂硬害死多條命，台大化工系主任陳華淵已因折磨死，最近又死了好幾個，拖九年不結案的官司，近代國家中鮮有前例，聽說美國日本化驗協會正醞釀公佈台北武漢大旅社者案原尾及化驗所得結論，司法當局莫非期待臨渴再掘井乎。

三日春秋

扼殺天才的教育政策

·厚安·

一個進步而發皇的國家，是沒有不重視天才的。前幾天在報上還看見美國有一位數學教授，是一個女孩，年紀只有十六歲。這在我國就不可能。因為她絕對不可能具備教育部所規定的當大學教授所必須具備的那些資格。

我國歷史上，常有所謂神童，也備受當時君、相的重視，不次擢拔。因為一個天才者，是民族的精英，培育還來不及，那裏忍心加以摧殘。

但在今天的自由中國，是只講死硬的條文，不講理的。

幼女德麗，在十四歲那一年（十四年前）中國青年反共救國團舉行全省女青年國畫比賽時，她學畫才八個月，冒冒失失參加，得了第一名。其他許多競賽者，都是師大藝術系三，四年級的女生。當七位評判員在她所畫的潑墨山水（朱家兵法）前品賞的時候，一致認為國畫界出了一位天才者。此後她中學畢業，考師大藝術系，每次術科都是第一，只因無數學頭腦，不能通過聯考。藝術系主任黃君璧氏為此搖頭歎息，但是愛莫能助。德麗的學畫，因此就犧牲了。

去年她曾經拿一幅畫請梁均默先生題字，梁先生得悉這種情形，還為之憤懣不已。

古亭國校的一位學生陳必先（名字記不太清楚了），在校時無甚優秀表現，有時甚至有一兩門功課，甚至還不及格，總之，在學校是一個劣等生。年前隨家人出國，到奧地利去，進了小學。在一個偶然的機會，給學校當局發現他對音樂有天賦，就請音樂老師特別指導。不久，這老師承認已盡所能，介紹他到維也納音樂院去旁聽。又不久，他舉行個人試演，全維也納的考音樂教授，名音樂家，盛裝來臨，肅穆旁。這孩子也怪，在上課時呆呆的，一坐在琴傍，便神采換發，好像整個換了一個人。從他的指尖，流出美妙的音符。大家歎為自從巴哈以後，從未聽到這聲音，於是決定傾全力來培養他。只有在這種社會，天才者才能發皇成長！噫！

（完）

十步芳草錄

◁雲家▷

可佩的年輕祖父

宜蘭縣礁溪鄉公所秘書張江樹，近由科長升到秘書。他學歷只在國校畢業，日據時代，在食米配售所充當一名工友，由於刻苦自勵，邊工作邊讀書，埋頭苦幹，所以在本省光復時得以謀到鄉公所的課員職務；嗣歷十年株守，敬業樂群，十三年後的今天，居然儕身秘書之位。此項成功誠無限光榮，非一般鑽營請託，吹牛拍馬，紅包攻勢，女色手腕等等，而獲致倖進之輩所可同日而語。張氏今年四十四歲，生有七子一女；長子大學畢業，任教礁中，娶妻生子。張秘書才四十出頭就做了兩個孫兒的祖父！可見一個人只要兢兢業業，腳踏實地，一步步朝着正路往前走，即使失敗也失敗得高級。像宜蘭縣的張江樹，就是做人、做一個現代國民，最好的榜樣。

，誠可佩也。

林進丁的「進德」

台南縣新化鎮長林進丁，因「骨骼硬化」而被法院判當選無效後，對外發表的「談話」深為得體，在記者招待會中以公開練拳，表示身正常；並未「喪失全部視能、或聽能、或不能行動者」，對鎮長一職勝任愉快。其對司法機關，則無不快怨言，僅指望於「非常上訴」（其實不能聲請非常上訴）的救濟。他的此種言行，堪可視為「進德」的表現；不像一患得患失，怨天尤人者的嘴臉

文人志倡組「老童軍」

由名作家趙滋蕃發起的「老童軍」，已於四月五日在峨嵋街「作家咖啡屋」籌備成立，報名參加者有孫號陵、林適存、梁中銘、后希鎧、明秋水等數十人。老童軍的口號：①使屋內的生活，變成屋外的生活；②使物質的生活，變成精神生活。志在奮發一個人的精神，值得鼓掌。老童軍不一定徵求中老年會員，即使二十來歲的年輕人，也歡迎參加。趙先生特別希望能因此而轉移四人一桌的「方城」風氣，筆者尤其舉雙手贊成。謹願「老童軍」們，從此皆能獲得「返老還童」焉！

孫志剛拾美金不昧

北市協賓車行司機孫志剛，日前將美僑賈克荷曼遺失的約值新台幣三萬六千元的美金旅行支票及千餘元台幣，專程送請省警務處交還失主，並婉謝酬勞。近年來，拾金不昧之好事，報端常有刊載，但孫司機的難能可貴處，是在於他的妻子正在患病，每天靠借貸度日。一個貧窮如斯的人，見到這樣的「橫財」不取，連酬金一千四百元也不收，其志行之可嘉，就非同小可啦！

旅美見聞　民情不同

·張起鈞·

尼克遜第二度當選共和黨的總統候選人了。當共和黨在八年前第一次提名尼克遜氏時，筆者正在美國。雖未能親與會場，但電視中却詳盡報導，諸般盛況，一覽無遺。

那時尼克遜身居副統的高位，向黨人發表提名演說時，講台前面還張掛着副總統的官幟，聲勢奪人，好不威風。大家都座在台下靜聽他的講演；台上寂無一人。但有一個例外，就是在講台旁一順坐着三個人，那就是他的太太，女兒和母親。我看了大感不解。心想要不然就是台上一個人都不坐，要坐也應該坐在共和黨中的重要人物，怎麼把老婆孩子搬上去呢？這不是公私不分嗎？後來華盛頓大學的同事史彼得教授（Prof. Stanley Spector）告訴我：這是為的拉選票，老年人看見他還有媽媽，婦女們看看到太太女兒，知道他還有美滿的家庭，因而投票，所以非坐在台上「展覽」不可。——這就未免太不理智了——許多票的決定，原是不理智的。這就是民主之為民主了——於是使我不禁想到古代希臘大政治家貝瑞克里斯（Pericles）的故事了。有一次人們投票反對他，乃是因他善政太多，到處受人稱頌，聽厭了這稱讚美，而想換換口味。

但最使我看着奇怪的，還要算那座次。在我們中國，天經地義的，母親坐首位，太太次之，女兒最後。但尼氏家屬台上的座次却是太太為首，媽媽居末。在一個中國人眼中看來，真有不能容忍的失禮。太太居首還有可說，因為西洋一切都是講「一對兒」，「一對兒」的，剩下的祖孫兩位，縱然不講孝親敬長，而純論客觀的關係，一個是「生我」，一個是「我生」，親等相同，[illegible]遠近，但在另一方面[illegible]十一二歲的小孩子，[illegible]老人；另一個則是經多[illegible]貢獻，另一個則是新生[illegible]對社會有其貢獻[illegible]會人士所推戴的尼[illegible]是她養的，怎麼她[illegible]女的名次後面去了[illegible]我女兒之下，我母親[illegible]要是當衆把我母親[illegible]袖而去，「怎麼？我[illegible]小毛丫頭都不如啦[illegible]氏他們就是如此當[illegible]當然是為社會所接[illegible]人認為不對的了[illegible]倍之不同，有如此[illegible]

葉煥培不同凡響

此次獲選連任之宜蘭「三」市長葉煥培，在上屆市長任內備嘗應酬之苦，曾於三月一日就職時，公開表示：今後四年，他決心不參加一些無謂的應酬，以便有較多的時間為市民服務。他並提出兩項意見，供公職人員參考：①利用村里民大會或其他各種場合，公開明示，擺脫無謂應酬的意向；②情形特殊的應酬，也要儘可能採取「禮到人不到」的方式。他的這項經驗之談和建議，誠為治療目前長字號人物應酬忙毛病的良劑。時下長字號人物及民意代表，無不皆為喜慶婚喪、揭幕、剪綵的應酬，弄得分身乏術。如能採擇葉市長的建議，把珍貴的時間，用為服務大衆，誠地方之福也。

台北龍山寺　蘭州夫子廟

小燕

入夜的台北，尤其是西門的龍山寺，延平北路的圓環，有[illegible]

[illegible]

泰戈爾與世界文化（上）

趙明琇

詩入泰戈爾，出身於望族，又為加城紳士，篤信行善，人號之為大聖人。泰戈爾幼年教育之成功，詩才之啓發，大都歸功於乃父，泰戈爾十七歲時，其父遣之赴英習讀，此於其日後國際思想之形成，具有莫大影響。泰氏歸國後，生活平靜，處境安寧，故能致力詩學，蔚成天才，當詩人四十歲時，其平靜之生活，突起內心之不安，虛茫中彼時思索一物，以求補其靈魂之缺陷，其時彼作一書，名為「獻詩」以獻其父，同時向其父建議創辦一國際性之學校，以自然愉快之教育授諸子弟，使之回復自然，尋求國際合作。

此學校創辦後，詩人之生活有所歸宿，新之生活於是開始，全家移往「和平鄉」，親友中欲求寧靜思索生活者，亦復踵跡來此，或長住，或短憇，綠林成蔭，連接碧茵，凡至此者，脫逃城市之囂擾，一無種族意識之拘束，回體原始無爭之自然生活。詩人幼時目睹兒童受習俗之羈縻，喪失天眞之童心，故創此自然教育，以挽人性於狂流。

和平鄉有三大特色：一為無宗教之偏見，人人信仰一不見之上帝，不論其為印度教回教佛教或基督教，信仰唯一並無派別。二為逃脫習俗羈縻之生活，衣不必整式，食不必甘味，席地而坐，倚林而教，音樂美術，陶冶人性，各種科學導源於一。三為戒殺生物，一蟲一鳥，亦有生命，無故傷害，有碍天律。泰氏創此三規，以為全鄉守法，今日主持和平鄉者為詩翁之姪，年逾古稀，猶以此為準規。

詩人並非一單純之空想家，自創和平鄉學校之後，又分其一部份精力興辦實業，其兩姪會經營糖業，極得詩翁贊許。氏對社會服務最具熱忱，一八九九年加爾各答之災，詩翁到處募欵，以救災難，一九〇五年印督寇松擬將孟加拉省劃分東西兩部，引起全省人士之公忿，詩翁身入民間，領導反對。彼對印回分治，絕不贊同，主張印回人士應參加鄉村工作，彼此合作。曾謂：「回教徒雖來自外國，但對印度亦有貢獻，其平等精神殊，可為吾人效法，（指印度教），此兩教人士不應相互歧視，相互虐待，而應同舟共濟，以救民族大難」。氏對於印度政治之見解，於此可見一斑。

一九一一年，詩翁五十大慶，其聲名開始傳播世界，和平鄉及加爾各答慶祝詩翁壽辰，全球響應，壽辰後二月，詩翁擬作訪歐之行，後以病展至次年成行，先至英訪問故舊愛爾蘭詩人葉芝成莫逆交。其時英著名文豪安特羅斯執教於新德里大學，氏訪歐期中，與之互通音訊，亦成知交，訪英前氏並不聞名於英國，倫敦聞人Bothestein於詩翁到達之日舉行茶會，介之於全英倫之士，其名大噪。是年冬，由英訪美，在芝加哥及哈佛諸校，作公開講演，其一講為「印度古代文化之理想」，說明和平鄉學校之創立，即為實現此種理想，另一講為「種族衝突」，對當日美國種族問題頗有貢獻，詩翁轉英回國後，即獲得諾貝爾文學獎金，聲名乃震全球，氏以獎金全部捐於和平鄉，繼此榮譽後，牛津加爾各答諸校，先後贈與名譽博士之學位。

詩翁訪問英美，為印度文化與西歐文化接觸之象徵，當時彼感覺西方文化誤入歧途，西歐政府過分注重「財富」「享樂」與「安全」，而疏於「公正」「正義」及「貧窮」，歐美國家彼此猜疑，各建強軍，以防侵襲，彼大聲疾呼，謂此乃文明之崩潰，時未二年，第一次世界大戰爆發矣。氏力言國際合作與親善之重要，以圖拯救世界於末日，彼作「白拉加」詩集以念人類浩刦，中有一詩詞曰：「汝裁判之神，芝於荒野之林，微風吹呼，蟲草翼鳴，春之鳥，呻吟唱遲！偉哉汝之慈愛，何時來臨？無限苦海，睡眼欲醒，長夜漫漫，期望無盡。」詩翁融慈愛於自然，為其一貫之理想。於此詩中，更充分表現其神色。

吳敬恆先生年譜（二十）

陳凌海編撰　陳洪校訂

民國紀元前十年——清光緒二十八年，壬寅（西曆一九〇二年）先生三十八歲。

先生籌備廣東大學堂成。原錄取學生古應芬（襄琴）等一百餘人，複試則成一百名。是年四月，先生第二次赴日本。先生奉陶模（方之）命帶領速成班學生胡漢民（展堂）、朱執信等，並另帶學生沈觀鼎、沈觀恒、沈剛及李準之弟同至上海。又增添無錫學生吳震修等二十六人。乘日本博愛丸同赴日本。抵東京後，先生仍回高等師範學校。並在小石川區租賃房屋一所，作為同來學生之宿舍，預備日文。高師內置有宏文學院，專收中國學生，為高師校長嘉納治五郎所辦，實為日本外務省所主持。其中有速成師範一科，乃嘉納採用先生意見而創立。胡漢民即入該學院肄業。先生率領學生到日後，適有蘇、浙、贛三省自費留學生鈕瑗等九人，欲入成城學校習軍事。遭清使蔡鈞拒絕保送。先生出而代為請求，並聲學生五人互保一人。草函甫畢，適京師大學堂總教習吳汝綸（摯甫）到東京調查學校一切事宜。六月九日，吳汝綸到留學生會館，先生亦到。學生到者十餘人。先生因託吳汝綸代達公使，經吳汝綸向公使蔡鈞接洽。蔡鈞仍不允保送。二十四，先生與孫揆均（叔方）帶同學生二十四人親至麴町區永田町使館理論。先生自上午十一時候至晚上七時三十分，蔡鈞始出見。吳汝綸及日本外務省翻譯小林亦在場。但蔡鈞仍託言：「日本參謀部不准。」先生等爭論至晚上十一時仍未離去。蔡鈞遂招日警驅先生等出。日警徇蔡之請，於七月一日拘先生。出示日本內務大臣海民令，以先生及孫君二人「妨害治安」，即夜宣佈驅逐出境。限令明晨六時，由巡警押送神戶上船，送返上海。

先生既被捕，認士可殺，不可辱。遂預留絕命書，欲以一死喚醒羣夢。當在警署時神態仍泰然自若，日警取紙筆請其寫對。先生寫兩鄉隆盛格言與之。翌晨啓程時，令先生等二人乘人力車至新橋驛大車站，路過日皇宮護城河時，遂一躍而跳入護城河中。為巡警所救，未得死。絕命書全文如下：「信之以死，明不作賊。民權自由，建邦天則。削髮維新，片言可決。以尸為諫，懷憂曲突。嗚嘑悲哉，公使何與？孔曰成仁，孟曰取義。亡國之慘，將有如是。諸公努力，僕終不死。」蔡元培（字鶴卿，後改子民）方到日本遊歷。聞知此事，慮先生中途發生意外，即趕至法輪，伴送先生回國。此為先生與蔡元培訂交之始。同輪者，尚有曾子齋君。七月十日抵上海。當法輪抵滬靠岸時，遙見碼頭迎接人員，先生當以為清廷差人相候提拘，迨見知友廉泉（南湖）少卿等佇候碼頭，內心稍安。彼等見先生，即趨前歡迎先生，並謂：先生此次為國受辱，我們願為盡力。

先生見友好如此眞摯熱忱相待，深為感激。旋先生住老垃圾橋附近一小餛飩舖樓上。與堂弟治日文，擬譯書以維生活。先生與孫揆均被逐離東京時，留學生羣集火車站相送有數百人。梁啓超（任公）亦親往車站相送。胡漢民當時為廣東同學之領袖，為反對清公使，反對日本政府，提出退學書而歸。

山濤與徐陵

·思力·

通鑑陳武帝永定三年，周以霖雨，詔羣臣上封事極諫，左光祿大夫猗氏樂遜上言四事，其三以為「選曹補擬，宜與衆共之，今州郡選置，猶集鄉閭，况天下銓衡，不取物望，既非機事，何足可密」？（案事見周書遜傳，今本有闕文）。胡三省注曰：「以此觀之，選曹補擬，皆密奏於上，蓋自晉山濤啓事始也。」

案晉書濤傳言：「濤再居選職，十有餘年，每一官缺，輒啓擬數人，詔旨有所問，然後顯奏，隨帝意所欲為先，故帝之所用，或非舉首，衆情不察，以濤輕重任意，或譖之於帝，故帝手詔戒濤曰：夫用人惟才，不遺疏遠卑賤，天上並化矣。而濤行之自若，一年之後，衆情乃寢」。濤之掌選，為與所謂稱，其實上不逆人之意，而行之既久，下之人，亦知用舍之皆出於上，而已不任其恩怨，乃巧於逢迎趨避之為耳。外戚傳：「王蘊累選尚書吏部郎，性平和，不抑寒素，每一官缺，求者十輩，蘊無所是非，時簡文帝為會稽王輔政，蘊輒連狀之白曰：某人有地，某人有才，務存進達，各隨其方，故不得者無怨焉。」其所為亦濤之類也。

陳書徐陵傳：「天康元年，遷吏部尚書，陵以梁末以來，選授多失其所，於是提舉綱維綜覈名實，時有冒進求官，諠競不已者，陵乃為書宣示曰：「所見諸君，多踰本分，猶言大屈，未喻高懷，若問梁朝朱領軍異，亦為鄉相，此不踰其本分邪？此是天子所拔，非關選序。梁武帝云：世間人言有目色，我特不目色范悌。宋文帝亦云：人世豈無運命，每有好官缺，輒憶羊玄保。此則清階顧職不由選也。秦有車府令趙高，直至丞相，漢有高廟令田千秋，亦為丞相，此復可為邪？」此猶張輝之言：方其時上使使誅之則已，已下廷尉，則天下之平，不可傾也。專制之世，人主舉措，誠有不能以法範圍者，然此等要以少為佳。

晉書王戎傳：南郡太守劉肇賄戎筒中細布五十端，為司隸所糾，以知而未納，得不坐，然議者尤之。帝謂朝臣曰：「戎之為行，豈懷私苟得，正當不欲立異耳。」帝雖以是言輝之，然為清慎者所鄙，由是損名。天子能顛倒賞罰，而不能移易清議，清議有力，即終足以糾正賞罰，使至於大悖，此足見與衆共之利，而秘密之終成雍蔽矣。

文滙樓別記

作韶博士與「他媽的」

丁作韶博士，是一位愛國而又富有遠見的學人，他在滇邊遊擊區七年的經歷，可媲美漢代的蘇武，前者是到了塞外，沒有人供他粮食，祇好掘野鼠所藏的草實充饑，他每天拿着漢節牧羊、坐臥不離，以致節上的毛都掉光了。後者出入於毒蛇猛獸的原始森林，還要不時遭受土共的襲擊，常以雜粮草根果腹，以槍桿配合筆桿作戰。於今思之，仍驚心動魄。

仰光中國論壇報，是一張反共最强烈的讀物，丁作韶博士常有文章在該報發表，以「他媽的一篇」連載，最叫座和受廣大讀者歡迎，深入淺出，言之有物，其寫法也逾乎尋常三幾句話，挾雜一句「他媽的」，舉例：「毛澤東說，窮人翻身做主，雲南昆明每天餓死窮人一百幾，他媽的，這大概就是窮人翻了身」「他媽的這篇連載，乃根據「國罵」三字經而來，寧波人喜歡罵「娘希匹」「合肥人開口「入娘的」四川人「入先人」為口頭禪，「他媽的」在當時風行，仰光僑社，幾為罵毛澤東的傑作。變為僑社的民謠。

中國論壇報是王輝，何景同，李運鵬三氏集體籌創，王輝任發行人，何景同當社長，李運鵬為總主筆，負責實際推動編寫工作。吳琪，陳江山分任編輯與總經理，緬甸英文民族報譽中國論壇報為反共華僑精神堡壘，若干附匪報紙當然視王輝、何景同、李運鵬為眼中釘，「北京廣播電台」經常廣播的六十七名戰犯名單，中國論壇報佔了一桌人數，眞是太蒙毛澤東抬舉了。何景同等已回到祖國，未悉政府對這批孤忠人士怎樣照顧，不過據筆者所知道的，有幾位仰光匪報有關人，台灣進進出出非常自由，這是金錢使然呢？還是政策，想不妄論，但「政者正也」乃千古不移的定理，捨此而另作權宜，都會演進為不可挽救的錯誤。

由於中國論壇報的反共帶頭作用，未幾仰光僑社各界發起籌辦自由日報，開始辦得有聲有色，革命高潮澎湃全緬，毛邦「駐緬大使」姚仲明，經常為自由日報下飯的菜，「北京外交部」曾行文緬甸政府，要求引渡[illegible]期解回大陸，李雖脫險，但隨身攜帶的古玩字畫悉數被緬甸政府查封沒收，作為「國有」財產矣！自由日報的功臣陳文亭，陳洪安，盧偉林，吳琪，李義常，丁作部，保國富等，已均先後鎩羽歸來，樓主謹向列位先致敬意，有關仰光自由報經緯，另文叙述。

△文滙樓主▽

荒乎其唐小說家的筆下人物

小說，自來往往借古人姓氏，而歪曲其事，以惑人。如琵琶記，三笑記，然伯喈之事，稍讀史者，皆知其謬，至於唐寅，人但知其為風流才子，而於其畏之品性，華鴻山學士之家庭，雖士大夫，亦多昧然，人云亦云，一若信史。而華學士賢嗣誣數百年不白，可謂寃矣。其流連詩酒，縱情聲色，實無踰檢，益逆知寧王宸濠之叛，不受禮遇，佯狂而歸，其人之高亮孤介，志節凜然，實外風流而內道學者，又豈有賣身之事耶！

考諸明史，伯虎與文衡山，祝枝山及張夢晉輩，齊名結契，此所謂弘治間才子也，而華鴻山則與袁永之，陸偃山，屠文升，唐荊川輩齊名結契，所謂嘉靖間才子也。惟文衡山壽最長，年九十餘，得與嘉靖才子往來。唐伯虎為宏治十一年解元，明年赴會試不第，終身林下，年五十四卒。生於成化六年庚寅，故名寅，卒於嘉靖二年癸未。而華鴻山嘉靖元年，方舉於鄉，五年始成進士，時伯虎已先三年卒矣。此實出於無聊文人之編造，亦可哂也！

（均如）

三幕喜劇

事過境遷

熊式一

仁：不光是錢的事；我口裏也並沒有提過錢，不過收入也是結婚條件之一。我早已說過，露茜年紀太輕，在她二十一歲之前，我決不准她結婚，就是你賺到了十萬八萬，我也不答應！（他起身要走）我要回到狗窠裏去，那些漏縫非補不可！回頭那一位姓甚麼的？姓史的來了，留下他再去叫我，（想一想）還是把他帶到狗窠裏去找我更好一點！

趙：（攔住路）包先生，你爲什麼反對我和露茜結婚？

仁：露茜是誰？

趙：你爲甚麼要反對我和令姪女結婚？

仁：我不想再講了！你走開一點！

露：（哭着）叔叔！叔叔！

包太：仁翰，等一等，你不可以一走了之！

仁：我想講的話，可以講的話，全都講完了，再講也沒有甚麼可以講的了！

包太：可是我想講的話，你一句也沒有讓我講呀！

仁：當然太太有甚麼意見，我應當盡情容納！不過你近來受了各方面的惡影響，事故多端，興奇立異，好像專門和我爲難似的，所以我也不敢徵求你的意見……。

露：叔叔，你也沒有徵求我的意見，我也有許多意見，許多話要對叔叔講講……。

包太：露茜，你的話，你的意見我全知道，最好現在不要講出來，留着慢慢的講，乖孩子，聽嬸嬸的話！現在同趙先生到山頂去散散步，趙先生，你保護着露茜到外面走走去。

趙：（樂於從命）好！包太太，我會保護她！

仁：挑人多的大馬路走，不要到沒有人的小路上去。

露：你放心，我明白你的意思！不過，叔叔呀，假如爬山的時候，脚站不住，可以不可以牽着他的手？

仁：看情形呀！孟子所謂的權變，偶一爲之未爲不可！

包太：乖乖兒，聽話，去吧！

露：好，我們去了，叔叔，我們去了！

仁：出去了之後，四面看看天上，有沒有三個角兒的雲彩！

（兩個人不做聲由窗戶口出去）

包太：仁翰，你看看這幾張圖（她從抽屜中拿出幾張圖來）包工的說，有兩千多塊錢就夠了！

仁：我昨天就望了一眼！我們現在所用的那些大瓷盆兒，全是西洋古董，用了幾十年，爲甚麼用不得，現在的人，甚麼都要興奇立異，房子都要拆了重蓋才滿意！

包太：拆了這幢兩層的，再蓋一幢八層的，自己住一層，七層租人，收入豈不多多了！

仁：天哪！眞想拆房子呀？拆的時候我們住那兒？我那裏有這許多錢蓋八層的大樓？

包太：銀行可以借……。

仁：我向銀行借錢！成甚麼話！

包太：我想當年你們包家的祖先，聽見別人不住山洞，要蓋房子住的時候，也是這樣說的：「天哪！我們世世代代住慣了山洞，現在又要興奇立異，蓋甚麼房子住？我那裏有這許多錢來蓋房子？」

仁：那却不同！那是文明進步，這是換花樣，學時髦！

包太：當初我們裝電燈的時候，你也罵這不是文明進步，這是興奇立異，後來我們裝自來水，你又反對了一年多，說是換花樣，趨時髦！後來裝電話，你反對得更久，人家用了三四年，家家都有了，你當初還是不肯裝！

仁：裝了不久，就有人半夜三更打電話來，問我們是不是殯儀舘！　⑫

水滸傳中的謀畧運用（上）

羅雲

水滸傳中一百單八將，個個都是能征慣戰武藝超羣的好漢，這是讀者都非常淸楚的。另一方面，這些好漢也都知道用力不如用計，鬪武不如鬪智，所以在一部水滸傳中明爭之處的英勇鏡頭，雖看得人們拍案叫絕，而其鬪智之處的精彩妙計，往往也令人衷心稱讚。戰爭之事，雖然是複雜萬分，但簡單說來，也只是力鬪與智取的兩大法寶而已。施耐庵深懂游擊作戰的戰畧戰術，爲了強調並暗示後人應多用智取，多用計謀，俾便獲得更大的戰果起見，所以他在水滸傳中安排了一個精明幹練的、擅長運用計謀的「智多星」吳用爲軍師（參謀總長），而在許多次的攻防追退戰鬪中，尤其隨時隨地加以用謀的描寫。

以七十回本而言，在標題中就可以發現五六處用謀的命名，如：十五回楊志押送金銀擔，吳用智取生辰綱；如：四十回宋江智取無爲軍，張順活捉王文柄。如：四十四回楊雄醉罵潘巧雲，石秀智殺裴如海。如：五十八回吳用賺金鈴弔挂，宋江鬧西岳華山，如：六十回吳用智賺玉麒麟，張順夜鬧金沙渡。如：六十五回時遷火燒翠雲樓，吳用智取大名府等。由此可知水滸傳中的謀畧運用，是如何之盛行了。

在第一回中，高俅發跡當了太尉，欲陷害八十萬禁軍教頭王進。王一面裝病，一面暗地設計逃往延安。可是礙著有人監視，無法脫身，怎麼辦呢？王進開始了用計：他先叫張牌入來，叫張先吃了晚飯，去酸棗門外岳廟吩咐廟祝，教他們來日早些開廟門，以便翌日去燒頭柱香（因病所許下的）。並令張就歇在廟裏等候。到了夜深五更天，逃亡準備妥當了，他再叫李牌，要他拿些銀兩，去岳廟裏和張牌買個三牲，煮熟就在那裏等候。「我買些紙燭隨後便來。」就這樣，才算逃脫了高俅所遣心腹爪牙的監視，漏夜逃出了西華門，取路延安府去。

第二回：史進因結識少華山強盜朱武、陳達、楊春感情甚篤，令莊客賽伯當王四送信，約中秋月夜來莊暢飲。不意酒後王四洩漏了秘密。約會之夜，華陰縣尉引著兩個都頭，帶著三四百士兵，圍住莊院，前來捕捉。史進叫苦之餘，乃計上心來，一面爬上梯子叫道：「你兩個都頭不必鬪動，權退一步，我自綁縛出來解官請賞。」一面喝叫所有莊客整理細軟，又點起三四個火把，然後各人全身披掛，把莊前莊後草屋點著，見火起，「大開莊門，高聲吶喊，殺將出來」。這樣才逃過了刼運。（待續）

新廿五經

風月經

馬騰雲

泰國、越南、菲律賓、馬來亞、印尼等國家，對這些眞所謂，大開方便之門，廣東有一個謎語，謎底是「筷子」謎詞：「小小『竹』英台，躺着等我來，攬腰摟上去，兩脚便分開」，緬甸的妓女們很像「竹」英台，因爲她們是躺在床上、擺出姿態，讓嫖客們去欣賞的，裸體披紗，儀態千百的睡美人，別具一種風味。曼谷有一條街叫作是隆路，中國大使館舊址，黃昏後三三兩兩，觸目皆是，隆胸豐臀，扭扭妮妮，有的吹口琴，有的奏着手風琴，及哼着黃色小調，曼谷的妓院，每條街都有，台灣去的人，常將妓院門口，誤爲三輪車站，但妓女，是不阻街，不拉客的新唐（華人初到曼谷之稱）看到是隆路情形都會感到奇怪，聯合報駐美特派員毛樹清、和香港新聞天地發行人卜少夫道經曼谷小住，都會向筆者打聽過這些，經講穿後，大家才知道，那些假女人都是「隔江猶唱後庭花」的朋友，據說洋水兵最喜歡這個調調，南洋羣島幾個國家，大部份都會屬英法殖民地，我們將歐洲娼寮的概況，借用一篇私函報導，可以代表南洋一般內層的情形了。

鄙人此次在巴黎往觀公娼，乃恍然於歐人進步之道，今試先言其狀，數十女子作一圓橢形，團立於客間之中，（其客間爲長方形）全身裸，惟腰纏一布，白色如紗之薄、客至，即羣掀布、以手拊之股際，敬立對客言笑，若僅觀其上截，則黃髮蓬蓬然，睫毛絕濃，張口而哆，齒絕白，其態一如吾等昔年在鄉間，所觀洋皂盒上所貼之圖畫。此時客得隨意指點其一，而入實行，時則吾等三人，擬觀後即投錢而去，而該院一住持謂不可，告稱如不實行，院章有演春宮娛客之法、隨從其後，請二妓相將入房，房陳設頗精，一鋼絲床置於一隅，無幔，其側則置大照鏡，床脚有白銅洗盆，餘則睡椅一，圓几一而已。彼兩女者，始以舌代具，互相舐之，繼則用所謂「郭先生」者，顚倒橫斜，曲盡其致，此眞極古之奇觀，爲夢想歐洲文明者所不及料，吾等咸元臬不自安，幾欲倒行而出。以爲人類不應有不識羞恥事，以至於此，三日爲之不怡，後證以在歐之所聞見，乃大悟，以此種事者，猝見驚奇，細審之大爲常道，蓋賣淫者以無廉恥，爲業者也。凡歐洲人之思想，務充類之盡，而執業又絕專，以絕專之業，而加以至盡之思，則賣淫者而不至於如前所記者，又將何出，吾觀歐人之爲業，其專其盡，無不如此，賣淫者之所爲，故其學問上之發明，日月有所見，吾東方人之故恭正坐不專之弊，故觀巴黎之公娼，而深感歎支那人種之宜劣敗也。（見近代學人信札吳稚暉先生函）

萬惡淫爲首，貪嗜淫慾的人，常導致喪身敗德無惡不作，所謂色上從刀，流毒應防，聖經裏箴言第六章二十五節「你心中不要戀慕他的美色，也不要被他眼皮勾引，因爲妓女能使人只剩一塊餅，淫婦獵取人實貴的生命，人若懷抱火，衣服豈能不燒呢。」本經乃揭開風月場中黑暗面的一小角，全國各省的形形色色，用數十萬言也寫不完，因非寫風月全書從畧。我們對華芳多介紹幾句的用意，常語有謂：「色不迷人人自迷」，感到多少英雄豪傑，跌在女人的身上，這種乾舖濕舖，就是所謂吊味口，假定把吊味口，當作對男性的侮辱來看，可省去很多不必要的困擾，但是男女關係太隨便了，像雄狗與雌，不問對方之同意與否，趨前即嗅其私，似亦有小傷風化之嫌。（下完）

談廣西三鉅頭（上）

諸葛文侯

過去我們在大陸上所謂廣西三鉅頭的李（宗仁）黃（紹竑）白（崇禧），世人耳熟能詳，允屬家喻戶曉。現在黃白已逝，只有李還存在，但已廿作毛共降虜，莫葆晚節了。「廣西三鉅頭」這一名詞，已成了歷史陳蹟，但他們對現代中國的國運頗有影響，不妨根據個人的見聞所及，談談他們三人的身世與行爲，亦稗官野史之一助也。

李宗仁白崇禧是桂林人，黃季寬籍屬容縣，這縣份在廣西是巨邑，也是產生軍人最多的地方。黃白皆出身保定軍校，且同在桂省軍人馬曉軍所統率的陸軍模範營當連長，時爲陸榮廷統治廣西期間。李宗仁於淸末張其鍠在龍州創辦的陸軍速成學校畢，繼在林虎所領部隊担任營長有年。民國初年林虎到江西李烈鈞帳下投效，他所領廣西隊伍，即由宗仁統率駐屯於十萬大山，號稱旅長。馬曉軍的模範營亦交給第二連長黃季寬統帶（模範營計有四連，另三位連長是白崇禧、夏威、俞作柏，營副爲黃旭初），自求生存，黃即與李宗仁結合，受其節制。宗仁對黃很厚道，除供應餉糈外，並不過問其建制與人事經理問題，且聽黃隨時自謀出路，無所干涉，因而李黃二人的交誼特別深厚。

迨陸榮廷失勢去桂，宗仁實力擴張，在桂林成立桂軍總部，黃亦在梧州設置軍部。這時白健生以騎馬傷足在粵就醫數月歸來，願爲黃季寬效力，黃命之爲參謀長，又向李宗仁推薦白氏兼任李部參謀長，這便是「廣西三鉅頭」結合的原始基礎。三人在廣西稱雄合作了將近二十年，成爲風雲人物，名聞全國，直至民國廿一年黃離桂赴南京作內政部長，三鉅頭纔露出貌合形離的迹象。

先是，民國十五年七月，白受命爲國民革命軍總司令部代理參謀長，是由李濟琛推薦，經宗仁和黃季寬同意的。當時宗仁認爲白氏的性格與作風，不適宜於革命軍總司令部參謀長職位，經李任潮折衝，乃改爲代理——正位參謀長的名義即由李任潮担任。

白氏隨同國民革命軍北伐後，廣西即由李黃二人統治，旋李亦率第七軍入江西作戰，桂省軍民兩政皆由黃氏主持之。民十六年首夏，蔣總司令下野去日本游息，宗仁率第七軍入南京，被推爲「軍事委員會」常務委員（軍委會主席是程潛）這我在國民政府作秘書，中樞特別委員會舉行會議之際，我曾經担任紀錄，乃初次認識李宗仁，偶爾跟他閒談，覺其人謹厚謙和，並無一般的軍事將領那種驕悍氣質。我和他談到黨政問題，希望他在中樞多所建議，他欲然道：「你可以多講些，我却不能，否則別人就要罵我是軍閥，我就是不該帶着幾支槍桿啦！」這番言論使我對他發生一種好的印象。這時候，他對胡漢民先生執禮甚恭，表示十分推戴的詞色，但胡氏總是採取冷淡態度，我瞧着頗感詫異。

民十六年八月，北洋軍閥孫傳芳張宗昌合力渡江反撲南京，李白統率第七軍協同何應欽指揮的第一軍，與敵寇大戰於龍潭，俘獲敵軍兩萬多名，而使北洋軍閥的反革命勢力徹底潰滅，厥功甚偉，這是我親見的事實。既而革命軍繼續由津浦路北伐，白崇禧担任前敵總指揮，攻佔山東臨城後，調駐在京滬路沿綫的第十四軍賴世璜部渡江赴前綫作戰，賴遲遲其行，白氏趕回南京，經軍事委員會下令，將賴拘捕入獄，改編其部隊，未幾把賴氏槍斃了，却未宣佈罪狀。這是白健生最露頭角的階段，宗仁很支持他。

自由報

第八八五期

中華民國僑務委員會頒發台僑新字第三二三號登記證
內政部內警台報字第031號
中華郵政台字第一二八五號執照
登記為第一類新聞紙類
（半週刊每星期三、六出版）
每份港幣壹角・台灣零售價新台幣弍元

社長李運鵬・督印黃行奮

社址：香港九龍登打士街91號十樓六座
91 DUNDAS ST, 9th FLOOR, FLAT 6 KOWLOON H. K.
電話：857253　電報掛號：7191
承印者：大同印務公司
地址：香港北角和富道九六號
台灣總管理處
中華民國（台灣）台北市大同街119號
電話：555395・557474
台灣分社：台北市西寧南路110號二樓
電話：五〇三四六
台郵撥儲金戶九二五二

蘇俄侵畧捷克結局的預測

・蔣勻田・

無論現在捷共領袖杜布西克的生死存亡，其必為傾向蘇俄的新捷共領袖所取代，斯可預斷。這個預測的可能性，不但可由上引拙著一段話而演出，更可舉昨月捷克總統史渥波達飛往莫斯科與俄共頭目的會議以為證。商談的主題在捷克方面，必然是蘇俄撤兵；在蘇俄方面，必然是捷克領袖易人，內閣總理換角。捷克本係附庸，現又變成俘虜，縱有爭取獨立自由的趨向，外無可求之兵，內無抵抗之力，面對現實祇有暫時屈從。

自由報負責人李運鵬先生與我有鄉親之誼，曾蒙造訪，囑為自由報撰文，談談二十年來有關國運的往事。當曾允諾，乃執筆寫時，重檢過去月記，不禁百感叢生，眞所謂往事不堪回首矣！勉強寫出，挂漏固所難免，是非亦必相乘，還是暫時輟筆，留待客觀的史家。情緒雖不許憶往，理智尚勉可察今。

近幾日來，蘇俄突襲捷克的暴行，震驚全世。新聞記者朋友，問我對此無恥的侵畧行為，是否可以逼使民主國家，兵援捷克，制裁侵畧，一如當年的北韓突擊南韓，使聯合國責無旁貸，決議由美，英等會員國出兵援助南韓，以申正義，而保證南韓的獨立主權呢？

依我的想法，時過境遷，一切條件都變了，同樣的侵畧行為，可能有完全不同的結果。當年北韓突襲南韓，係史達林的命令，盡人皆知。及麥克阿瑟元帥出奇制勝，佔領北韓首都平壤，史達林乃令毛澤東以人海戰術，援救北韓。唆使北韓南侵，隱身幕後，情猶可說；解救奉令惟謹的北韓於危亡仍不敢挺身而出，罪無可恕。然按當時情形，蓋不盡緣於史達林之老奸巨滑，美國獨握原子彈的優勢，實為主因。今日的情形，完全不同兩樣，所以不能以韓戰之條件，以推測蘇俄侵畧捷克之結局。

南韓對蘇俄的地緣關係，固與捷克蘇俄比隣不同；南韓與的立國歷史與蘇俄毫無關連，而捷克則係共產集團，兩者更不可同日而語。捷克今受蘇俄大兵壓境，毫無抵抗，與其說是由於地緣關係，不如說是由於政治關係所造成的心理使然。因此政治心理，改變了傳統的主權觀念。不能透識到這一點，將無法預測蘇俄侵畧行動的結果。若能透識了此，則可判斷今日蘇捷之爭，純不同於當年南韓被侵所造成之嚴重局面。此次蘇俄侵畧的行為，很可能震驚世人於始，而演成易主換角，無聲無臭以終。

七年前出版於商務印書館之拙著「政治學新解」論「權力與主權」一章，即有這樣一段話：『第二次世界大戰後，史達林乘軍事佔領之便，在東歐幾個國家內，建立了共產政權，根本就沒顧及這幾個國家的主權。但這幾個建立共產政府的領袖，都是這幾個國家的共產黨。照『有權威掌握此團體的人，必在此團體內』的說法，也可解釋為出之於人民的意志，而未曾損害這幾個國家的主權。當維辛斯基逼羅馬尼亞國王取銷羅德斯克內閣，而要求以羅國共黨領袖克羅薩繼任內閣，目的即在保持羅馬尼亞國家的身份，使人不能直訴蘇俄併吞羅馬尼亞。因為有了共產黨國際性的組織，使國際關係起了很大的變化。這一組新的事實，使主權體對外的關係大變而特變。變的特質，是蘇俄透過對於各國共產黨的控制，而鉗制這些共產國家。：其權力的份份量、範圍與領域不能不受共產國際組織的限制。波蘭的國防部長，可以由蘇俄的將領充任，而透過波蘭共黨的組織關係，使國與國的關係，雖有如此巨大的變更，波蘭人民亦熟視無覩。我們將如何以布丹及浩布斯的主權論，而解釋這一組的國際新事實呢？我以為現在蘇俄又重演維辛斯基的故技，惟誰將是捷克的羅薩，現在尚難揭曉。無論現在捷共領袖杜布西克的生死存亡，其必為傾向蘇俄的新捷共領袖所取代，斯可預斷。這個預測的可能性，不但可由上引拙著一段話而演出；更可舉昨月捷克總統史渥波達飛往莫斯科與俄共頭目的會議以為證。商談的主題在捷克方面，必然是蘇俄撤兵；在蘇俄方面，必然是捷共領袖易人，內閣總理換角。捷克本係附庸，現又變成俘虜，縱有爭取獨立自由的趨向，外無可求之兵，內無抵抗之力，面對現實，惟有暫時屈從。蘇俄進軍既無所阻，撤兵又有何難？捷克政府改組完畢，社會秩序穩定，即可開始撤兵。果此預測不大離譜，此非震驚世人於始，無聲無臭以終嗎？

假使蘇俄頭目尚有記憶，一九五六年出動大兵，強平匈牙利爭取自由的政變，今幾何時，又要冒舉世之譏罵，以武力阻止捷克的自由趨向。縱能逞一時的野心，豈是根本之圖嗎？能夠維持幾時，不重演此類醜行？

假使蘇俄頭目尚有理智，武力能夠抑制較弱敵對的力量，武力能夠改變人心愛好自由的傾向嗎？武力能勉抑制附庸國人民的自由化，武力能夠永杜西方自由文化的侵潤嗎？人類歷史趨向自由一面，蘇俄的人民也不例外，不過係時間的問題而已，何若冒天下的大不韙，而一再呈露猙獰的面目呢？史達林的女兒，尚要托庇於美國，享受自由生活，蘇俄現代青少年的心理，能與史達林女兒的心理相去多遠？俄共頭子們倘能有此理智的分析，化諷刺為教訓，固係蘇俄人民的幸運，亦係世界好愛自由人民的期望。

一九六八年，八月二十四日

實行暗算

侵略橋樑

自由談

對美要用腳踢

柬埔寨的行政首長施哈奴，最近對外聲言：美國若不予以經濟援助，他就要向共產國家——意指中共和蘇俄——乞援了。這位國際小丑式人物，表演敲竹槓的手法如此低能，拙劣，既不知彼，更不知己，眞是可哂之至！

自由世界各國的政治人物，最擅長敲詐美國大少爺的，首推印度已故的總理尼赫魯。他憑着地大人多而貧的國土接近中共之故，先之以表現親共姿態，使美國大少爺心裏發慌，急忙表示給以軍經援助，但他仍然忸怩作態，對國際問題發些反美親共的言論，而美國的大量援助即源源湧來了。他有句名言，說是「對美外交必須能用腳踢美國人的屁股纔行。」要言不煩，切中肯綮。

美國對於接受美援的友邦，必以實施美式民主政治為先決條件，否則認為不值得援助，隨時予以停止，一九四九年，對中華民國聲言「一筆勾消」。停止一切美援，即係根據這種理由而然的。可是，巴基斯坦總統阿尤布曾告訴美國道：「美式民主制度是好的，但如巴基斯坦這產業落後地區，却經不起美式民主政治的那種浪費」，表示恕不領教，同時又向中俄共表示親近。於是乎，美援亦有求必應，再不提政治條件了。

印度與巴基斯坦的地緣關係，具有世界戰畧地位的價值，所以美國大少爺對印巴執政當局不得不遷就，不惜委曲求全。柬埔寨是哈玩藝，施哈奴亂行敲詐，當然失望了。三年前，美國特使哈里曼在寮國聲稱「美國決不援助不聽話的國家」，何等傲慢，但對印度和巴基斯坦就不敢流露這種嘴臉啊！

因此，我對於其他一些佔有世界戰畧地位的自由國家當局，為取得美援而卑以自牧，對美國的錯誤政策亦百依百順，不敢稍持異議的作風，實在感覺沮喪，認為他們的智慧還不及尼赫魯、阿尤布之流，未免太洩氣了。外交政策的中心原則固不宜經事變更，然手段却不妨因應現實情況而靈活運用，沒有一點革命精神和勇氣，在當前的國際外交戰場上，一定要失敗的！

高玉先生

昨日與明日

漲風談物價

本年七月中旬政府宣佈加稅消息後，國內物價就開始上漲，以後，政府又在台北市實施交通管制，蔬菜和若干日用品價格也上漲了，多年經濟穩定的局面，為之打破，於是物價問題，又成為熱門問題了。

物價問題永遠是人們最關心的問題。因為物價上漲，在固定收入者看來，就是他們所得的減低，直接影響他們的生活。工商企業短期間將蒙受物價上漲的利益，長期間，如果物價上漲演變為惡性通貨膨脹，則也將受到莫可言喻的損害。事關切身利害，焉能不予重視。

政府措施

物價發生波動後，引起各方的重視，立、監兩院委員曾提質詢，政府也採取了若干對策，譬如經濟部已成立物價專案小組，雖成立不過短短一個月，工作却非常緊張，平均三兩天就開會一次。中央銀行也宣佈：從本年八月十二日起提高利率：將該行折放銀行業及重質押利率由月息一分一分一厘毫提高到月息一分一厘七毫，重貼現率由月息九厘提高至九厘九毫，公債質押放款利率由月息九厘一毫五提高九釐九毫，同時並洽請各銀行特別注意審核放款用途，有效控制銀行信用流向，務使銀行放款能有助於經濟成長，對一般消費性放款及房地產放款，應作適當的限制，行政院院會也開放了二千輛貨運汽車的入口，藉以疏暢貨運。可見政府對物價問題的重視和對國民生計的關懷。

令人不解的建議

很顯然地，這次物價漲風，是由政府提高貨物稅和擴大貨物稅稽徵範圍而起。報載：行政院賦稅改革委員會劉大中博士主張政府應加強徵收消費稅，政府採納劉博士的建議，才作此措施的。國內學人對劉博士的主張和建議，感到非常失望，在公開和非公開場所已多有批評，因為消費稅是間接稅，一定會對物價發生刺激作用。加強間接稅，祇有一個好處，就是便利政府籌款，不像征收所得稅那樣困難。這種主張，深得財政當局的歡迎，也使豪富們感到高興。幸而，政府聘來的外國顧問馬葛雷教授有加強綜合所得稅的建議，否則，賦稅改革必將步入歧途。

事後何如事前

為了民生，為了不致防礙未來經濟發展，我們呼籲政府必須阻抑物價的漲風，同時更應注意：針對各項影響物價上漲的因素，謀求合理的解決。物價是經濟問題，要用經濟方法求解決，不可用政治方法來處理。我們也感到：與其事後補救何如事前預防。譬如政府加稅之先，就應預料到：一定對物價發生影響，就應當在加稅同時，採行緊縮信用的金融政策，疏暢財經的交通政策，設置物價小組，妥籌防止預見的若干問題。解決國家財經大計不易，獲得有眼光，有遠見，能夠解決國家財經大計的人才更難，不識財經當政諸公以為如何。

（戈元）

中央社的業務和地位

胡傳厚

厚安先生在所撰「馬星野和中央社」一文中，强調我國應建立一個世界性通訊社的必要，並切望中央社能發展成世界性通訊社。筆者作爲一個中央社的從業人員，對厚安先生這一卓見，深表欽佩。

不過，就世界各國通訊社事業的實際情況衡量，在「全國性通訊社」和「世界性通訊社」之間，似尙應增列「區域國際性通訊社」一級。因爲，有很多通訊社的組織規模，雖未能躋於世界性通訊社之林，但其業務則已超過全國性通訊社的範圍。

舉例言之，西德的德通社，可稱爲歐洲區域的國際性通訊社；日本的共同社，可稱爲亞洲區域的國際性通訊社。即厚安先生所舉的加拿大通訊社，也只是一個美洲區域的國際性通訊社，在還不夠資格稱爲世界性通訊社。

依上述通訊社等級的分類方法，中央社的組織規模和業務，在亞洲區域中，並無遜於日本的共同社；即與加拿大通訊社相較，也未必有何遜色。中央社在加拿大設有採訪據點，而加拿大通訊社則並未在台北派駐記者，可作爲一項明顯的對比。因此，中央社稱爲亞洲區域的國際性通訊社，似可當之無愧。

事實上，在抗日戰爭以前，中央社即已致力於佈置國外採訪網，並編發向國外廣播的新聞電訊。三十八年，大陸淪陷前，中央社國內外分支機構雖均大爲縮減，但國外單位的裁減比率，仍遠較國內單位爲低。總社遷台後，不但所裁撤的若干國外單位，如：舊金山、巴黎、漢城等，逐漸恢復，且先後增設：西貢、馬德里、波昂、羅馬等單位數處。

五十三年冬，馬星野先生繼任社長後，更以積極向海外發展業務，爲主要的努力目標，所採取的具體措施爲：

一、在雪黎、吉隆坡、亞迪斯亞貝巴（東非衣索匹亞首都）、利馬及渥太華等地，增設採訪據點：今後並擬繼續增設。

二、加强對海外播發的中文及外文電訊廣播，並將中文電訊由摩爾斯電碼廣播改爲頁式文字傳眞，藉以增强效能。中央社對海外各地華僑報紙播發中文電訊的業務，爲世界各國通訊社所無，實爲一大特色。

目前中央社的海外電訊廣播，有下列各種：

一、中文廣播：

1. CFP：對象爲東南亞各地僑報，由當地中央社分支機構抄收發稿，或由僑報直接抄收採用。
2. CKP：對象爲美洲各地僑報，由行政院新聞局紐約辦事處代收，以「中華新聞社」名義轉發美國，加拿大，及秘魯等國各地中文僑報。

二、日文廣播CJP：對象爲日本，由中央社東京分社抄收發稿。

三、英文廣播：

1. CSP：對象爲亞洲地區，由中央社分支機構抄收發稿，或以交換新聞方式，由各國通訊社抄收轉發。
2. CKP：對象和發稿方式，與中文CKP廣播相同。我國駐巴西大使館並譯成葡文，在當地發稿。
3. CEP：對象爲歐洲地區，以交換新聞方式，由西德德通社抄收選用，並予全文轉播；法國法新社、西班牙愛斐社所譯發的西文中央社電訊，並向中、南美洲廣播。

上述在海外的採訪和報導業務，說明中央社確已向國際性通訊社的目標發展，而不僅是一個全國性通訊社。當然，這樣的組織規模和業務範圍，距離世界性通訊社的水準，仍極遙遠，不足以充分發揮國際宣傳的效能。不過，在國家目前的財力情況下，要如厚安先生所期望，每年籌措二、三十億新台幣的經費，用以發展中央社的業務，事實上極少可能；能有此數的十分之一，甚或二十分之一，即將大有可爲了。

同時，一個國家代表性通訊社的地位，畢竟是隨國家的地位爲轉移；因而，發展中央社成爲世界性通訊社的目標，在大陸光復後，是不難逐漸達成的。

新增條文規定國大會職權
較憲法規定擴大得多
是否獲得有關方面的同意
及順利完成立法乃為一謎

國民大會憲政研討委員會於八月十二日舉行的第八次綜合會議日程上，有兩種相互矛盾的主張，一方面認國民大會、立法院、監察院共同相當於民主國家之國會；另一方面又主張國民大會爲政權機關，立法院與監察院均屬治權機關，以治權機關應向政權機關負責言，則中央政府應向國民大會負責，亦屬當然。基此原則，「立法院爲國家最高立法機關，由國民大會選舉之立法委員組織之，行使立法權。」（擬修改憲法六十二條）「監察院對國民大會負其責任」。「監察委員……由國民大會就候選人中選舉之」。

同時，國民大會將擴大編制，增加員額，按照「國民大會組織法修訂條文」草案規定，國民大會代表，於國民大會召開大會時，應親自報到，出席會議（新增訂第四條），這是現行法所沒有的新規定，依此增訂條文，非親自出席報到之代表，將不能出席會議。國民大會主席團於閉會期間，互選駐會主席團三人至五人，並推舉駐會主席團主席一人，處理本會一切事宜（新增第六條第二項條文）。依此規定，則國民大會秘書長之職權將受到影響。

國民大會開會時，得聽取政府施政報告，檢討國是，並得提出諮詢與建議（新增第八條條文）。國民大會開會時，設人民請願案件審理委員會，審理人民請願案件。人民請願案件審理委員會組織規程及其處理辦法，由主席團訂定之（新增第十一條條文）。按照現行國民大會組織法第十二條規定，國民大會秘書長爲機關首長，在國民大會閉會期間，獨立行使職權，不受主席團之監督指揮。但依修正草案第十五條規定，國民大會置秘書長一人，副秘書長二人，其人選由主席團提請大會決之。秘書長承主席團之命處理全會事務，並指揮監督所屬職員，副秘書長襄助之。閉會期間除秉承主席團之命外，依有關法令處理秘書處一般事務。秘書長副秘書長因故出缺，其繼任人選未能依照前項程序產生時，得由總統派員暫行代理。

國民大會集會時，設秘書、議事、招待、新聞、總務處等五處，各置處長一人，副處長二人，秘書若干人，承秘書長副秘之命，分掌各該管事務。各處得分組分科辦事，各組各置組長一人、副組長一人，各科各置科長一人，科員辦事員若干人，另置醫務室主任一人，專門委員、編審、專員、編輯、速記員、技士、事務員、醫師、藥劑師、護士、雇員各若干人，分別配屬各處組科室辦事；此外，設主計組及人事組，依法律規定分別辦理歲計、會計、統計及人事事項。國民大會集會時，所有工作人員以向有關機關調用爲原則，於大會閉會後任務終了時，仍歸還原建制。大會期間有關警衛員兵以及警衛上所需之器材，均由憲警機關調撥之（新增第十六、十七、十八條條文）。

國民大會閉會期間，設秘書處，置處長副處長各一人，均簡任。承秘書長副秘書長之命，辦理各項事務。秘書處按事務需要，分設議事、資料、文書、總務各組，其職如左：

議事組：掌理議事文書之編印，議程之編擬，會議紀錄之整理，議案之處理登記，以及會場事務之辦理等事項。

資料組：掌理資料之徵集，整理，編撰，翻譯，供應等事項。

文書組：掌理文書之撰擬，收發，檔案之管理，印信之典守等事項。

總務組：掌理出納，庶務，交際，福利警衛佈置及印刷等事項。

秘書處：設秘書室，掌理機要文書之處理，綜校文稿等事項，設新聞室掌理新聞編擬發布及聯絡等事項。設醫務室掌理服務事項。

秘書處置組長各四人，簡任。室主任三人，簡任或薦任。秘書六人至八人，簡任或薦任。專門委員六人，簡派。編審四人，簡任或薦任。編輯三人至五人，薦任或委任，科長十二人，薦任。專員十人，薦任。科員二十人至二十四人，委任，其中十二人薦任。速記員六人至十人，薦任或委任，辦事員十六人至二十人，委任。事務員六人，委任。雇員若干人，醫師二人，司藥一人，護士四人。主計組及人事組各置組長一人，簡任。科長二人或三人，薦任。專員三人至五人，薦派。科員六人，委任，其中三人薦任。事務員八人，委任。雇員若干人。

國民大會設圖書館，置館一人，簡任。纂修二人，簡任。編譯五人，簡任或薦任。圖書管理員五人至七人，事務員三人，委任。並得用雇員若干人。

以上均爲新增條文所規定。觀此規定，則國民大會職權，將較憲法規定擴大很多。唯此一修正案，是否獲得有關方面意同？以及立法院是否順利完成立法程序，這是一個謎！

本報記者劍聲

葉時修一封公開信
與陶百川分辨忠奸

本報記者董尙書

台北消息：監察委員陶百川與某刊物發生文字糾紛經過，業誌七月三十一日本報，近有監委葉時修給陶氏一封開信，茲畧誌如后：

百川兄：「××」這本刊物，我向來不很注意，也很少有功夫去看它，可是現在眞的可以說是「洛陽紙貴」了，八元一本漲到十元，還不易買到。因爲人家看了××日報上的醒目廣告，中間一行是紅字印着「陶百川忠奸之辨」，心中不免奇怪，陶百川居然發生了「忠」？「奸」？的問題，當然願意花幾塊錢買本來看看了，「××」的生意經是很懂竅門的，可是我總覺得，民主的社會固然有言論出版的自由，但總不應該在法治的社會享有隨便罵人的自由啊！民主和法治是現代所不可或缺的兩個條件，任意罵人，任意給人家戴帽子，却是我們所痛恨的，這理由很簡單，因爲罵人爲法所不許，而出版界彌漫着一股乖戾之氣，也是和民主精神大相背悖的，這是我首先要說明的態度。……

不久以前，胡秋原和李敖他們以互控誹謗而相對公庭，我曾經一再勸胡秋原兄，打官司不必打下去，他白髮蒼蒼的和年紀輕輕的李敖、蕭孟能等並立在法官前面，你就不能讓他一步嗎？何必在公堂上爭一日之長短呢？後來是法官認爲雙方誹謗有據，各處罰鍰了事。

其後有一種在某些單位發行很廣的「××評論」，某期一篇文章中以小偸來比喩監察委員，我看了很氣憤，因爲它已經損傷了人家的人格，超越了評論的範圍，我們也已訴之於法，後來經有關方面疏勸，這件事也就不了了之。我們認爲一方面是罵人之風不可長，一方面是容人之量不可無，我們但求無愧我心，又何必和人斤斤計較？

關於你在兩年前發表於徵信新聞的一篇文章「費正清對華言論的再檢討」，引起了人們的批評，這意料之中的事，因爲你的意見和一千多位教授學者所發表的一篇宣言不盡相同，而且你自己也說你的那篇文章寫得不好，但那篇文章也祇是寫得不好而已。但却莫想，到兩年前的一篇文章却給人家翻出來算舊賬，檢討再檢討。結果給人家戴上了「黑帽子」，被稱之爲「費正清的監察委員」、「金元政策的哨子」、「應聲蟲」和打手，「文化漢奸或政治漢奸」，這是你所不及料的，也出乎一般人意料，因爲這太不近情理，太誣蔑人格了，至於罵你等於「助共滅華」，又差給人戴上「紅帽子」了。

……這裏有一個重要的觀念，亟待澄清論者像費正清這種姑息論者，我們甚至可說他是共產黨的同路人，有不少的場合，他們做了共產黨的幫兇，我們要據理駁斥，這是毫無疑問的，但是，我們要嚴重加以打擊，使他們更走極端，發爲更不利於我們的言論呢？還是設法爭取，使他們更瞭解我們（我相信若干姑息主義者的主張是不瞭解我們，誤解我們的緣故），使他們更同情我們呢？由瞭解而同情，由同情而支助，這是很正當的途徑，像費正清這類的人，在美學術團體知識份子中却有不少，但他們未必都是共產黨，如果多少爭取一些人，也未嘗不是一股力量，我們應該是「化敵爲友」呢？還是「激友爲敵」呢？我想這是我們首先應該考慮的，至於費正清這個人是否能够爭取過來，我不敢斷言，但是我可以斷言的是，我們並未盡到爭取的能事，我想百川兄之稍留餘地，不爲已甚，存心是「化敵爲友」，不是「效敵爲友」的，何必去計較，以一筆抹煞其用心良苦！

我們有堅定的國策，有反共的決心，不可以費正清之一言不利而憂，亦不可以某人之一言利我而喜。反攻復國前途儘多荊棘，我們要奮力一一克復，可是得先有一件條件，那就是上下團結一致，不要自亂步驟，自相攻訐，要做到全國的反共人士大團結不難，人人循民主的方式，大家互相尊重，才是精誠團結的唯一途徑。……至於「意圖散布於衆而指摘或傳述足以毁損他人名譽之事者，爲誹謗罪。」律有明文，但我勸你不必採取法律的途徑，百川歸海，有容乃大，容或確是一個美德，也是民主的要件，就容忍了吧，你還是努力做你應該做的事，這是我對這封信的主旨所在。

大學又牘

齊白石驚夢自輓

民國三十四年（乙酉．一九四五），我八十五歲。三月十一日，即陰曆正月二十七日，我天明復睡，得了一夢：立在餘霞峯借山館的曬坪邊，看見對面小路上有抬殯的過來，好像是要走到借山館的後面去。殯後隨着一口沒有上蓋的空棺，急急的走到殯前面，直向我家走來。我夢中自想，這是我的棺，爲什麼走的這樣快？看來我是不久人世了。心裏頭一納悶，就驚醒了。醒後，愈想愈覺離奇，就做了一副自輓聯道：「有天下畫名，何若忠臣孝子；無人間惡相，不怕馬面牛頭。」這不過無聊之極，聊以解嘲而已。到了八月十四日，傳來莫大的喜訊：抗戰勝利，日軍無條件投降。我聽了，胸中一口悶氣，長長的鬆了出來，心裏頭頓時覺得舒暢多了。這一樂，樂得我一宵都沒睡着，常言道，心花怒放，也許有點相像。十月十日，是華北軍區受降的日子，熬了八年的苦，受了八年的罪，一朝撥開雲霧，重見天日，北平城裏，人人面有喜色。那天，侯且齋、董秋崖、余倜等來看我，留他們在家小酌，我做了一首七言律詩，結聯云：「莫道長年亦多難，太平看到眼中來。」

民國三十五年（丙戌．一九四六），我八十六歲。抗戰結束，國土光復，我恢復了賣畫刻印生涯，琉璃廠一帶的南紙舖，把我的潤格，照舊的掛了出來。我的第五子良已，在輔仁大學美術系讀書學畫，頗肯用功，平日看我作畫，我指點筆法，也能專心領會，仿我的作品，人家都說可以亂眞，求他畫的人，也很不少。十月，南京方面來人，請我南下一遊，是坐飛機去的，我的第四子良遲和夏文珠同行。先到南京，中華全國美術會舉行了我的作品展覽；後到上海，也舉行了一次展覽，我帶去的二百多張畫，全部賣出，帶回來的「法幣」，一捆一捆的數目倒也大有可觀，等到拿出去買東西，連十袋麵粉都買不到了。十二月十九日，女兒良歡死了，年十九歲。良歡幼時，乖巧得很，剛滿週歲，牙牙學語，我敎她認字，居然識了不忘，所以乳名小乖。自她母親故去後，鬱鬱不樂，三年之間，時常鬧些小病，日積月累，遂致不起。我旣痛她短命，又想起了她的母親，衰年傷心，灑了不少老淚。

民國三十六年（丁亥．一九四七），我八十七歲。三十七年（戊子、一九四八），我八十八歲。這兩年，常有人來勸我遷往南京上海等地，還有人從杭州來信，叫我去主持西湖美術院。我回答他一首詩，句云：「北房南屋少安居，何處淸平著老夫？」那時，「法幣」幾乎成了廢紙，一個燒餅，賣十萬元，一個最次的小麵包，賣二十萬元，吃一頓飯館，總得千萬元以上，眞是駭人聽聞。接着改換了「金圓券」，一圓折合「法幣」三百萬元，剛出現時，好像重病的人，緩過一口氣，但一霎眼間，物價的漲風，一日千變，比了「法幣」，更是有加無已。囤積倒把的人，街頭巷尾，觸目皆是。他們異想天開，把我的畫，也當作貨物一樣，囤積起來，拿着一堆廢紙似的「金圓券」，訂我的畫件，一訂就是幾十張幾百張。我案頭積紙如山，看着不免心驚肉跳。朋友跟我開玩笑，說：「看這樣子，眞是『生意興隆通四海，財源茂盛達三江』了。」實則我耗了不少心血，費了不少腕力，換得的票子，有時一張畫還買不到幾個燒餅，哪有許多精神？只得歎一口氣，掛出「暫停收件」的告白了。

鴻雁

三日春秋

鄭天錫與但蔭生的菜

·厚安·

烹飪是一種藝術。能夠欣賞這種藝術的人固然多，能知其意蘊所在的却不多，能精於這種藝術的，自更少而又少。

中國有句話：「三代做官，才曉得穿衣吃飯。」可見本身不懂文化或文化修養水準不夠的人，是夠不上談烹調技術的。正因爲此，所以治「姑姑筵」的成都黃老，要手抄資治通鑑，並於治饍時盛服，以表其文化水準的不含糊。

我前駐英大使鄭天錫氏，是一位對中西學術都有素養的人，又有强烈的愛國心。直到今天，他還要他的小孫女每天唱中國國歌，以示毋忘祖國。

鄭氏有一特長，即善治饍。在他年紀還輕時（六十多歲時），他還親自下厨。他與一些業餘性的烹飪家只表演一兩樣拿手菜的作風不同。他是大件頭，大排場，大手筆（比如說，一碗排翅要，要花多少銀子之類），總之，原料，配件，一切是最好的，好到館子裏找不到和捨不得用），整桌的菜拿出來給客人享用。據老於此道的說，他的派頭，與淸宮的御厨頗爲相似。

但蔭生敎授，乃但燾先生哲嗣，家世淸華，又負笈花都，中外文化素養都夠，亦精於烹飪。我因與但氏爲同窗學友（復旦大學），固倖得蒙其寵召。

但氏所治之饌，先講究料精，據云：僅雞一項，即大有考究，有用一雞的，有用數雞的，有用至數十雞的。選料較精的，於雞先講究「土產」，用催肥針催大之洋雞絕不可食。每雞之肉，僅取其中之一部份，餘皆不以入饌。雞湯爲佐味之母，次則菌油，毋取味精。故一席之費，常難預定，倘以應市，必大蝕老本。

其次，是火候，花式等等。但氏有一本製點心的書，厚厚的看起來和一本字典一樣。

但氏有一位賢慧的助手，就是他的夫人。他本人淸癯，健談而不健啖，與我恰巧相反。每當饌成，他在旁高談濶論，我則口飫佳餚，耳聆妙論，眞不知其手之舞之，足之蹈之也。馬騰雲先生有暇，願爲介作一良晤。（完）

泰戈爾與世界文化（下）

趙明琇

大戰末葉，詩翁東渡，先至日本，氏對日本人士愛好藝術之精神，倍加贊許，但對日本政府之政策，極力駁斥，彼以好花中有惡蜂爲喻，力言日本種仇恨於中國之不當，氏嘗對日本人民鬥殺之精神絕不贊同，有請以題詞於二日本戰士之墓者，詩翁即以後詩作題，頗有譏意：「彼輩仇恨殺戮，人皆頌揚，慈愛之父則引以爲恥，將其記憶藏於靑草之底。」詩翁於東京大學作公開講演，力斥國家主義之非，彼謂近代政治有二大弊，一爲政治機械化，不知爲貧窮者謀福利，二爲國家財富慾，儘圖一國之利以損他國之尊嚴與權利爲能事，詩翁曾公開責備日本，力言日本侵華之不當，彼坦白公開，曾謂日人民：吾爲汝友，故敢直言，不直言者非友也。日本政府本擬加以各種榮譽，乃及詩翁發表此語，乃臨時取消，以詩人寬大之胸襟比之日人狹小之心腸，距離之差，誠不可以道里計也。

詩翁自日返國後，正式創辦國際大學，其校訓爲：「全球會合之所。」Yatra Visvam Bhauati Ekanidam Where the World Meet in one Place 氏追慕印度古代大學之自然氣味，而對近代印度大學之抄襲西歐，極不爲然，其友人安特羅斯前來贊助，國際大學之規模粗備，據詩翁之意，該大學之發展程序有三：首爲印度圈，其中心工作爲恢復古代教育之眞締，使印度人民學習印度文化，去階級之偏見，無宗教之差異。次爲亞洲圈，希望亞洲各國如波斯，印度，錫蘭，緬甸，馬來亞，中國，日本，學者均至該校學習研究，詩翁爲此曾親至中國訪問，其仰慕中國文化，匪可言宣，在詩翁赴華前，彼曾約法國東方學家列教授 Propessor Sylvain Levi 至國際大學籌設中國及東方學院，今日之中國學院，即由此奠定，東方國家書籍蒐集其間，數量可觀，其後曾單獨成立藝術院，提倡東方藝術，可謂溝通東方文化之唯一學府。三爲世界圈，由亞洲及於歐美，詩翁曾謂：「余深信和平鄉之花果可襯托東西文化之交流，世界文化，本同一根。」詩翁友人，來自各國，無不懷同一熱忱以助詩翁發展其抱負，使之成爲一名副其實之國際大學。

前已言及詩翁不但爲一理想家，且爲一實行家，氏於和平鄉落成後，即開始經營其實驗村（Svinik etan），詩翁認爲除非鄉人能自給自足則不能獲得實際之愉快及自由，是故「實驗村」乃爲詩翁理想之完成，彼欲使該鄉成爲「幸福與美麗」之家也。

實驗村由小而大，規模粗備，中有紡織，皮革陶器木作等部，純爲手工業，工人全爲印人，現有兩德俘協助陶業，全村實現合作制度，醫藥衛生亦係互助，遇有災荒，則全體出動營救。鄉村子弟班訓練以纖成人之後，筆者窮半日參觀全村，深感詩翁之偉大，而足爲中國效法也。

詩翁晚年日與兒童相嬉爲樂，自稱八十老童，並寫有若干兒童故事集，其著者爲「余之童年」（My Boy Hood Days），詩翁兒童集之偉大，在其結構之單純，與文字之美麗，即全球兒童讀之，亦覺親切可愛，當詩翁完成一故事時，必公讀於和平鄉前，直至聽衆感覺愉快而後已，是以詩翁不但得成人之心，亦且得童者之心，終其一生無日失去童心，喪失天眞，譽之爲世界兒童學家，洵屬相宜。

一九四一年爲遠東不幸之一年，亦爲世界二次大戰形成之一年，詩翁亦於是年八月謝世長逝，死前狀至安寧，與世界之紛爭適成對比，詩翁身歷兩次大戰，力倡和平，其於個人生死視之泰然，自知死之將至，但毫無畏縮，唱言曰：「余之友人，當此離別之際，請祝余之幸福，蒼天已現黎明，余之道路平坦美麗，余無流連，亦無畏懼，余心已足，余手已空，因余愛生，故亦愛死。」

綜計詩翁一生，實爲東方文明之象徵，耶穌，釋迦穆罕默德之精神，積集其一身，而現光輝。當此世事紛擾之日，吾人實不能忘念於此偉大詩翁，筆者客歲訪其故鄉，遇其故人，玩其故物，睹其遺產，不能不有所感，最後借其墓碑銘以作本文結論：「前爲和平之洋，失此舟子，願其精魂，不朽，全球受其感召，於其無畏之心靈，長存偉大之未知。」

吳敬恒先生年譜（三十）

陳凌海編撰　陳洪校訂

當先生在日被拘警署之前夜，范源濂（靜生）邀先生至牛進區寓中，商一事。言：「有山東某秀才者，在熱河省赤峯造反。已佔有七百里地。欲約梁啓超往。梁實無暇，欲請先生前往。去則楊皙子（即楊度）叔訓方率淸兵萬人，可內應。」先生允考慮。翌日出范寓，即爲日警所拘。先生某日在滬見報，赤峯之事已敗。某秀才捉去斬首。先生在福州路某客棧遇楊皙子，談及此事。楊曰：「笑話笑話。」十月，先生與蔡元培、章炳麟（太炎）、黃宗仰（烏目山僧）等在上海組織成立中國敎育會，擬改編敎科書。實則一革命集團。蔡元培爲會長。蔡元培介紹南洋公學中爲學生自治而退學之學生胡敦復、穆湘瑤等於中國敎育會，募欵設校。黃宗仰言於哈同夫人羅迦陵女士，借泥城橋西首靜安寺路福源里房屋爲校舍，組織愛國學社，以收容南洋公學退學之學生。

愛國學士以蔡元培爲總理，先生爲學監。敎員則由先生及蔡元培、章炳麟、吳仲祺、胡敦復等担任。敎課方面，採自治制，互助制；管理方面，採自治制。先生授乙班國文。敎員純盡義務。學社成立後不久，先生即遷入學社居住。是年冬，蘇報增「學界風潮」一欄，大受學界所注意。愛國學社成立後經費不足，且先生主張闢一機關報以對抗當時之頑固派。因與蘇報約，由學社七人輪流担任每日撰寫論文一篇。由蘇報館月贈學社百元。蘇報原爲日人所辦。遜淸光緒二十二年由陳範（夢坡）出資購買。因蘇報與愛國學社合作，蘇報成爲學社人士發表言論之園地。時李煜瀛（石曾）由王照（蘆航，甲午進士，戊戌政變重要人物之一）談話中，慕先生之名，過上海時特與曹汝霖、夏霜秋同訪先生於小饂飩舖之樓上而訂交焉。隨即至四馬路（福州路）一品香便飯，由夏霜秋付飯賬。此爲先生與李初次之晤面。當時先生殷殷注意於苦學，以期廣爲介紹。此即後千百位赴法留學生勤工儉學之張本，亦爲先生遵行數十年如一日之願望。李煜瀛並戲約先生亦赴法。

民國紀元前九年——淸光緒二十九年，癸卯（西曆一九〇三年）先生三十九歲。

正月，先生與蔡元培（孑民）、陳範（夢坡）、黃宗仰（烏目山僧）等發起張園演說會。每星期租借張園安愷第舉行。議論政治，倡言革命。此爲上海亦爲我國首有之創舉。先生曾屢登壇演說。鼓吹革命，毫不留情。是時，國父革命之空氣已隱隱充滿於社會，故直接演說革命，聽衆亦異常歡迎。此時之先生已自維新主張，而轉變爲革命黨矣。蘇報亦爲張園演說會之機關報，大登張園演說。報中雖避去「革命」字樣，然頗激烈。正月至四月，不安之空氣，遍於全國。先生雖未主持蘇報，然該報常登載先生之文字。

水滸傳中的謀畧運用（下）

羅雲

十五回：寫吳用智取生辰綱。晁蓋道：「先生，我等還是軟取。抑是硬取？」吳用道：「我已安排定了圈套，只看他來的光景，力則力取，智則智取。我有一條計策，不知中你們意否？……如此如此。」晁蓋聽了大喜，踩著脚道：「好妙計，不枉了稱你做智多星，果然賽過諸葛亮。好計策。」吳用道：「休得再提。常言道，隔牆須有耳，窗外豈無人？只可你我知。」在他們口中已把吳用誇讚得勝過了諸葛亮。而吳用也端的仔細，就連晁蓋，他也教其休得再提。可見他已知道謀畧的前提，是在於保密防諜的了。後來他運用化裝、心戰、激將、蒙藥、故弄玄虛等方法，終於刦持了梁中書，所獻給太師的十餘條擔子的生辰綱。

第十六回：青州地面二龍山，由「金眼虎」鄧龍，在那裏聚集四五百人打家刦舍，魯智深和楊志兩人，以帶罪之身，無處棲息，想投二龍山落草，却不受歡迎，鄧龍只是閉關不理。其時曹正道：「若是端的閉了關時，休說道你二位，便有一萬軍馬，也上去不得！似此，只可智取，不可力求。」又說：「小人有條計策，不知二位中意不中？」楊志道：「願聞條策則個。」曹正說：「制使也休這般打扮，只照依小人這裏近村家穿著，小人把這位師父禪杖戒刀都拿了，却叫小人的妻弟，帶幾個人家，直送到那山下，把一條索子綁了師父——小人自會做活結頭。却去山下叫道：「我們近村開酒店莊家，這和尚來我店中喝酒，喫的大醉了，不肯還錢，口裏說道，去報人來打你山寨；因此我們聽得，乘他醉了，把他綁在這裏，獻與大王。」那廝必然放我們上山去，得到他山寨裏面見鄧龍時，把索子拽脫了活結頭，小人便遞過禪杖與師父。你兩個好漢一發上，那廝走往那裏！若結果了他時，以下的人不敢不服。此計若何？」楊魯二人齊聲道：「妙哉，妙哉！」這是施耐庵明寫用計，與十五回暗寫用謀的手法，剛剛相反。水滸傳中像這樣正寫、反寫、複寫、倒敘……等等用計的方法特別多，眞有不勝枚舉之感，而二龍山，終於就是在這個計謀之下，順利地爲魯、楊所佔據。

三十三回：宋江、花榮、燕順、王矮虎等正在清風山計議攻打清風寨時，慕容知府申請的青州指揮司總管本州兵馬統制秦明，已親率一百馬軍，四百步卒前來攻打，一時大家面面相覷，俱各駭然。花榮便道：「你衆位都不要慌，自古兵臨告急，必須死敵！教小嘍囉飽吃了酒飯，只依著行：先須力敵，後用智取。……如此如此，好嗎？」宋江道：「好計！正是如此行！」當日宋江、花榮先定了計策，便叫小嘍囉各自去準備。秦明性格急躁，聲若雷霆，以此人都稱他「霹靂火」，使一條狼牙棒，有萬夫不當之勇。於是宋江採用了花榮建議的疲敵、佯動、疑兵、擾亂、心戰、奇襲等計謀。終於把一身是勇，力敵萬人的秦明擒住。

三十九回：梁山泊好漢刦法場，搭救宋江，戴宗的計劃，也是以謀畧作整個計劃的基礎而獲成功的。他們以一夥弄蛇的丐者，在法場東邊強要挨入法場裏看，以一夥使用槍棒賣藥的，在法場西邊，也強挨將入來，以一夥挑擔的脚伕，在法場南邊，又要挨將入來，以一夥客商推兩輛車子，在法場北邊，定要挨入法場裏去。黑旋風李逵却躲在十字路口茶坊樓上，脫得赤條條的，兩手握著兩把板斧。但聽一聲鑼響，就在劊子手行刑的一剎那間，大家動起手來，殺了官軍，救了宋、戴，獲得了全面的勝利……。

總之，水滸傳中的謀畧運用，不僅是次數多，而且是具有匠心，十之八九都是成功的。如果我們看水滸傳，只以普通小說看過就算，不加推敲研究，那眞是一種損失呢！（完）

新廿五經

太白經

馬騰雲

「將進酒」，是李太白以飲酒放歌爲主的一篇作品，特錄其原文如下：「君不見黃河之水天上來，奔流到海不復回？君不見高堂明鏡悲白髮，朝如青絲暮成雪？人生得意須盡歡，莫使金樽空對月！天生我材必有用，千金散盡還復來；烹羊宰牛且爲樂，會須一飲三百杯。岑夫子，丹邱生：將進酒，杯莫停；與君歌一曲，請君爲我傾耳聽：鐘鼓饌玉不足貴，但願長醉不願醒，古來聖賢皆寂寞，唯有飲者留其名。陳王昔時宴平樂，斗酒十斤恣歡謔，主人何爲言少錢，徑須沽取對君酌。五花馬，千金裘，呼兒將出換美酒，與爾同銷萬古愁。」以證明李太白乃是一個不折不扣的酒鬼，也可說是個酒瘋子，後代的人因敬慕其才華譽爲酒仙。

一般的人對酒，有反與正不同的看法，反對飲酒的人，認爲縱酒是長期性的自殺，酒所能帶給飲者的歡樂是消極的，臨時的，祇能壓制憂煩於幾十分鐘到幾個鐘點之間，贊成飲酒的人，則謂不喜歡酒，不喜歡女人，不愛好歌唱的人，是天下第一號大傻瓜，聽明絕頂風雲一時的大漢丞相曹操就說過：「對酒當歌，人生幾何！」今天因爲不是寫酒的論文，僅就酒的本質及功用，不成章而散漫的扯幾句，仍以使讀者能受用爲原則。

酒易亂性，未分古今，今天的酒家固然燈紅酒綠，亂得一塌糊塗，不過古時候的酒家也很少見到秩序井然，李白：「風吹柳花滿店香，吳姬壓酒勸客嘗」杜甫「天子呼來不上船，自稱臣是酒中仙」以證明皇帝都常和學人們喝幾杯，酒爲甚麼會亂性呢？因爲酒的成份裏含有醇，又名酒精，化學名稱叫作乙醇(Ethyl Alcohol)係從糖裏或米穀食糧裏，用發醇的方法，蒸溜而得，這就是各種酒類主要的成份，比如金門出產的高梁酒，大麴酒，它所含的醇量有百分之五十到六十，台灣製造的紹與酒、黃酒、清酒、百分之十五到二十，貴州茅台酒、山西汾酒、四川橘精酒、雙薄大麴酒、洋河高梁、廣西三分酒、肉冰燒、印度的晶酒含的醇量，是百分之四十到六十五之間，三星斧頭牌白蘭地，和白馬標威士忌醇量是百分之四十到五十五，葡荷酒百分之十五到二十五，啤酒百分之五到十二，日本太陽標啤酒，德國卡司敦啤酒、醇的含量爲百分之十。台灣金門高梁品質甚佳，並不遜於印度的晶，但晶酒有國際市場，金門高梁在國際市場上，迄今還保持着欲進取階段，希望搞專賣的朋友，能注意到道些，能及早拓服，台灣滿山遍野，可種高梁。一個正在中興的國家，絕不能抱少做少錯不做不錯的腐敗觀念，應當大刀濶斧，爲人所不能爲，才是正確的。（上）

三幕喜劇

事過境遷

熊式一

包太：搭錯綫是免不了的事，不能因爲怕搭錯綫而不用電話，裝抽水馬桶……。

仁：衞生潔具！

包太：好，就衞生潔具！露茜也受了你的傳染，提也提不得抽水……別的名詞，一定要說是衞生潔具！仁翰，無怪別人說你頑固！

仁：我一點也不頑固！

包太：你反對趙太極和露茜結婚！

仁：露茜——茜，不是西！

包太：好，露茜，這還不算頑固嗎？結婚總不是與奇立異，換花樣，學時髦呀！

仁：我不是反對結婚，我是反對早婚！

包太：趙太極二十七了，不算早！

仁：但是露茜才十六歲——多一點兒，盲目的結了婚，將來痛苦無窮，悔之晚矣！

包太：我第一次的婚姻，嫁給宇文得標就痛苦得很！

仁：我不願提你從前的事，不過你提了也好，那可以證明我說得不錯，早婚的害處大！

包太：我十七歲的時候，也和一個藝術家戀愛，當然我不敢說我嫁了他就會快樂一輩子！不過我父親反對他，要我嫁給宇文得標，他一下子做了中央軍的營長，後來尅扣軍餉，虧空公欵，幸好在南京守城的時候，在玄武門陣亡了，還得了表揚，領了撫恤金！我自從和他結了婚之後，從來就沒有笑過，後來聽見他爲國犧牲了，我才覺得替他驕傲，高興，認爲那是最好的解脫！

仁：（不安）是的，你的往事，叫我聽了傷心，同情、我希望自從你和我結了婚之後，過了多少年的快活日子！不過往事何必再提它呢？

包太：因爲當初我父親反對我戀愛的時候，就和你今天反對露西……。

仁：露茜！

包太：露茜，就和你反對露茜和趙太極一樣！

仁：這就不同，我是反對早婚，我並不想替露茜挑丈夫，隨便她自己挑誰！

包太：只要不是趙太極就行了？

仁：不是這樣講，趙太極這個小孩子太沒有出息！

包太：不是沒有出息，你說他沒有錢！當初宇文得標家裏很有錢，全給他吃喝嫖賭弄光了，反欠了一身的債，這才到軍隊裏去混！

仁：說了不要再提他的！我對露茜的婚姻，也早已說夠了，現在不必再提，我想到狗窩裏去補漏縫，回頭那位伺伯文的好朋友來了就送他到我那兒去……。

包太：不要送人家到狗窩裏去吧，還是讓阿詩去請你來好了。

仁：（出門口出）那也好！

（他剛剛走了一陣，趙太極和露茜就回來了）

露：嬸嬸，叔叔走了嗎？我們沒有走，就在外面等着。他怎麼說？不和從前那麼頑固吧！你和他談妥了嗎？

包太：他頑固是頑固，不過我們談今談古的談了一陣……。

趙：他不至於再反對吧？

露：談妥了當然就不會反對的！

包太：可惜越談越不妥……。

露：（失望之至）呵！沒有希望了！

包太：希望是有的，不過要等我慢慢的想法子。

趙：不必担心，趙太極自有辦法！從明天起，我專心去賺錢，上自港督夫人起，以至每一位爵士夫人，太平紳士夫人，每人送她一張漂漂亮亮的寫眞相……。

露：那我姑奶奶，我嬸嬸都有份了！　⑬

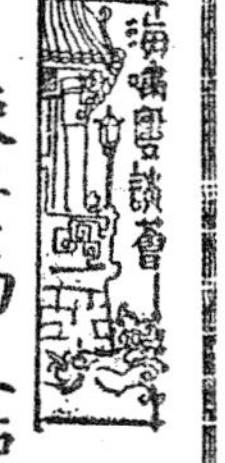

談廣西三鉅頭（中）

諸葛文侯

論三鉅頭的才幹，以黃季寬爲首屈一指，他是軍人，却具有豐富的政治頭腦和謀畧。當年李黃白倡促於廣西一隅時，即由黃氏與粵省李濟琛聯絡，實行兩廣合作，黃氏率桂軍入粵，助李任潮堵剿來自江西方面的流寇——共匪朱德賀龍等——有功，從此桂軍駐屯粵中，餉糈取給粵省，不特替廣西減輕了財政上的負担，更在政治上開闢了桂省勢力向外發展的坦途。民國十八年李白在武漢失敗馳回廣西後，就靠廣東卵翼他們，得告倖存的。迨民國廿一年，南京中樞希望廣西放棄自主立場，遵奉國府政令，李白異議猶夷，黃氏則認爲廣西既沒有問鼎中原，領導全國的資質和力量，自應乘機轉圜，取得有利條件而使國家歸於統一，他便毅然入京就任內政部長，可謂能見其大。民國卅七年李宗仁競選副總統之役，黃以助選「總指揮」自任，教大家聽他的意見行事。他分析諸位競選人物的背景和形勢，首先斷定程潛決無當選可能，而東北籍國大代表的選票，亦不會投到孫科方面，只要取得這兩種票源，宗仁即可穩操勝算，結果適如黃氏所料，足見其政治智慧迥異常人。後來他膺選立法委員，志在獲致立法院長，發展抱負，嗣以大局逆轉，時勢日非，乃薄立委而不爲，終於誤信毛酋澤東所謂「四階級聯合政權」的誘惑，被一個情婦拉上賊船，淪落以逝，不免千慮一失之恨，也可說敗於色也。

李宗仁的知識才幹並不比黃白二人高，就某一方面看，或許有不及黃白之處，但他在桂系人士中，始終居於領導地位，數十年如一日，這就不簡單。他賦有一種先天的渾厚性情，對人處事每表現其誠恕公明的風度。民國十六年革命軍在江西德安戰役中，第七軍功最多，損失亦最大，然官兵每月薪餉，仍如十五年北伐初期，以廣東的「毫洋」發放，而別軍却有改以「大洋」計算者，第七軍官兵殊不平，向宗仁訴說委屈，他答道：「算了吧，總比在十萬大山的時候好得多了！」這是十六年冬間筆者在南京跟宗仁晤面時，他對我提起的談話資料。對日抗戰初期，他綜持台兒莊戰役，國軍悍將湯恩伯亦歸他指揮，湯氏素有驕蹇聲名，但對宗仁極崇敬，後來我軍轉移南下，重新佈署戰鬥序列，宗仁改任第五戰區司令長官，駐老河口，湯恩伯部隊編列別一戰區了，而湯拒不奉命，要求仍隸宗仁麾下。馮玉祥舊部張自忠（藎忱），以集團軍總司令初受宗仁節制，駐屯襄陽一帶，他到重慶公幹時，我問他對李宗仁的觀感如何？他慨然道：「像李長官這種上司，替他賣命亦値得啊！」可見宗仁確有將將能力，却不是婆婆媽媽式的作風。江西人徐梗生（亮之）隨宗仁任秘書有年，抗戰時仍供職第五戰區司令長官部，徐有阿芙蓉癖，李初不知也，繼被發覺，立即下令撤職，並飭其即日離開老河口前往重慶，不許逗留，徐去後，李又密電重慶潘宜之（時爲經濟部次長），囑爲徐氏尋一枝棲，俾免流落。桂系大將李品仙，對日抗戰時以集團軍總司令隸第五戰區，某次在鄂北作戰敗績，他潛往豫境浙川去了，宗仁大怒，指說品先不應該躲到司令長官部的後方去，太不成話，治品仙來見，宗仁怒叱曰：「我看你跑到那裏去？無論你跑到何處，我也能夠捉回來槍斃[illegible]！」詞色凌厲已極，品先[illegible]已無前程可言了，懊喪殊甚，過了數月，安徽省主席廖磊逝世，宗仁却密保李品先繼任。他告訴左右幹部：「中央已給了我們兩省地盤（桂皖二省主席），對廣西人士可謂特殊優待了，我們應該知足。」

自由報

第六八八期

[illegible]

社長 李運鵬・督印 黃行奮

社址：香港九龍登打士街91號十樓六座
91 DUNDAS ST, 9th FLOOR, FLAT 6 KOWLOON H.K.
電話：857253　電報掛號：7191
承印者：大同印務公司
地址：香港北角和富道八六號

台灣總管理處
中華民國（台灣）台北市大同街119號
電話：55395・557474
台灣分社：台北市西寧南路110號二樓
電話：三〇三四六
台郵撥儲金戶九二五二

我們不可妄自菲薄

——領導亞洲團結自救，舍我其誰？

・劉光炎・

自從越局轉趨黯淡，我們常常聽到一些消極失望的聲音，比如說：他們躭心美國會不會放棄越戰？或，美國在放棄越戰以後，會不會退出亞洲？又，如果美國退出亞洲，共匪大肆其侵畧毒謀以後，我們要怎樣才好？

總而言之，沒有自信心，一切都寄望在美國。一旦美國眞的不管，大家就認爲一切完了。

這種觀念，當然是不正確的。我們要知道：亞洲的事情，應由亞洲人自理。要美國人來管亞洲的事，本是不應有的想法；因「美國人會擺脫亞洲事務」而恐慌，更是亞洲人的恥辱。我們正確的想法應該是：亞洲的事情，本來不應該由美國管。如果美國今後眞的不管了。讓我們來管好了。

在這裏，想先講一則故事。八年前，我們會派有一個考察團到西德去考察。考察完畢，開座談會。我們邀請西德也組團到自由中國來參觀，他們也欣然同意，並且當面告訴我們：他們想來台灣考察和研究的，是中國的王道。他們說：「我們德國組成民族國家，不過一兩百年，但是：在第一二次世界大戰以後，我們會在歐洲各地，作廣泛的調查，幾乎設有一個國家，希望我們復興。日本在東亞成爲強國，歷史不到一百年。而在太平洋大戰後，乃至太平洋地區所有國家，沒有一個希望日本強大的。你們中國在亞洲大陸，雖踞了五千年，一直是領袖國家。（王朝）而在這次播遷台灣以後，我們曾對亞太地區的國家，作廣泛的調查，卻沒有一個國家不希望你們復興的。大家都說：要是國民政府重返大陸就好了。爲什麼會有這大的差別，只是由於你們實行王道！」

這個故事，有很大的啓示性。它告訴我們：雖然今天局處在海隅，我們却不必自卑。在風雨如晦，局勢動盪的時候，我們還可以起安定作用，和領導作用。我們的先民爲我們遺留下來的寶貴資產——王道政治——至今還是我們最大的憑藉！

現在再就在遠東方面可能發生影響力的國家，作一個序列式的檢閱，以見在這個動亂地區，起領導作用，團結「自由國家以自救，是我們當仁不讓的責任。

先講美國：美國不能，也不夠資格作這件事，由下列各點證明。

第一，她不是黃種人，也不是亞洲國家。傳云：「非我族類，其心必異」，所以美國人的想法與亞洲人的想法，多格格不入。

第二，美國人已多證明他不能夠負起這責任。其原因甚爲複雜，但由於事例太多，恐怕用不着我們說大家也會明白。總之，今天在遠東的反共問題上，美國不插手還好，一插手一定把事情弄糟了，而到弄糟之後，她却一走了事。這樣的國家，能對它作任何期待嗎？如果還有人不死心，那只證明她的奴性太重！

再看日本。日本更沒有資格也不能擔負起這一個責任。因爲：第一，它是太平洋大戰中的劊子手。它在太平洋大戰中的血腥紀錄，一般人記憶猶新。誰願接受這劊子手的領導？第三，它是「牆頭草」：——即使亞太地區的國家，對日本再不念舊惡，願接受它的領導，日本也不能負起這個責任。因爲自從二次大戰以後，它就甘心作一顆牆頭草，只想投機取巧，以期左右逢源。像這樣的作風，誰還能信任它。

最後看印度，印尼。印度在初獨立時，由於虛矯之氣的鼓舞，又由於美蘇兩國的爭取，再加上周匪恩來「和平四原則」的大賣出，使得尼赫魯有些飄飄然，自以爲領導亞洲，舍我其誰。但印度這虛妄的想法，已因匪軍侵印的行動而破滅，更隨尼赫魯的飲恨而終而永久消逝。印尼在獨立後，由於美蘇兩國的爭取，而左右逢源；再由於美國的壓抑荷蘭，使她不費吹灰之力，奪得西新幾內亞，再加上匪黨的蠱惑，於是無知的蘇加諾，儼然以亞洲領導者自居。並大言不慚地，要把印尼的國境，擴大到日本的南部及印度的北部，要把「印度洋」，易名爲「印尼洋」。曾幾何時，共匪的八卅政變，驚醒了他的迷夢。如今蘇加諾因已身敗名裂，印尼也是百孔千瘡。

因此，在今天的亞洲，如果講到團結自救，起領導作用的，應該只有中、韓、非，越四個國家。而在這四個國家當中，韓國近來的進步，雖然一日千里，但是韓國大統領朴正熙，究嫌年紀太輕，經驗太少，而他又是蔣總統的學生，對於這位老師他是佩服得五體投地的。非律賓一向不掩飾她對自由中國的依賴。[illegible]季里諾總統，就作過如此坦率的表示。更何況非律賓與馬來亞間，又因沙巴問題而存在一點陰影。不像自由中國今天與任何亞太國家，只有光輝的紀錄，絕無不愉快的陰影。越南今天的處境，無暇作團結各國的打算，更是公開的事實。

另外：從文化上講，我們是亞洲文化最悠久的國家。亞洲國家的文化，大多由中國文化孕育而成。[illegible]

[illegible]……千萬不可妄自菲薄！（完）

如此居心！

垂涎欲滴！

昨日與明日

一　應速譯介新出名著

蔣總統手令「革新教育注意事項」中，曾指示：「今後國立編譯館，應特別充實其設施，并集中優秀人才，譯介自然科學、社會科學、以及文學藝術……新出名著。凡具有世界性之名著出版後，我們最好能在六個月至多一年之內，皆能作有計劃之譯印，以擴大國民之知識視野，并提高其教育之水平」。

國立編譯館館長劉拓先生自奉此指示後，已開始向海外學人洽商譯介西方國家之名著。譯介的計劃內容，局外人不得而知，但根據學術界的意見，國立編譯館似乎當注意改正幾項病態：

應譯國內未譯之書

一、譯介之書乃國內未曾譯介者：國立編譯館近來譯介之書，多有疊床架屋，形成浪費之嫌。許多古老的世界名著，爲國內出版界已予翻譯出版者，國立編譯館却又再予譯而印之，免費發給許多機構。如果，國立編譯館新譯出版之西方古籍，水準能超過國內出版界已譯印出版者，也值得我們讚美。但事實則否。如柏拉圖之「理想國」，如馬奇亞維黎之「君王論」，前者已有好幾家書局出版，後者也有浦薛鳳、鄒文海、孟雲橋、劉成韶諸人的譯本問世。編譯館再浪費人力財力譯印，實是不智之舉。免費分發，更有壓抑出版商之嫌。所以，召來不少怨言。國立編譯館今後之譯書，實應遵照　總統指示，以「新出名著」爲主，并應注意出版界動態，凡爲出版界已譯印出版者，即不必再加譯印。

譯書需加分析評品

二、譯介之書需加以分析評論：藝術作品與科學知識，是沒有國界的。但思想與法律、政治、社會、哲學等書籍，與作者之本國文化、個人思想背景、才性高低與偏全，均有極大關係。自從中國學界出了一批「月亮是外國的圓」的西化派以後。凡外國一本名著出版後，他們都奉爲圭臬。從陳獨秀、胡適主張「唯物機械的人生觀」，到毛澤東主張「向蘇俄老大哥學習」。這種囫圇吞棗吸收西學的現象，使許多有識之士均有「學術賊人心」與「學術禍國」之嘆。我們回看五十年來的譯著，只有嚴復所譯之書，會將譯本內容與中國文化思想足以滙通處，畧加指出，其相異處，亦畧予比較得失外。其他各家譯書，似乎都類似進口商的廣告宣傳。青年學子誤信其說，羣以杜威、馬克思代替孔孟，以美國、蘇俄爲祖國。五十年來，國運之敗，學術界責任最大。單以商務印書館所出版之大學用書而言，其中滲雜「唯物論」與「共產社會主義」之毒素，即爲不少。近來該局將斯類書籍原版翻印，即編爲人人文庫流行，此種毒素必仍將播植青年人心，爲禍爲福？智者[illegible]知。所以，我們希望由國立編譯館作首創，進而督同出版界，對凡是新譯之書，均以先送由精於中國文化，思想之學界人士，予以比較分析其中得失，使青年學子不致盲從誤信。對於舊譯重印之書，或受舊思想影響之書，其再行出版重印者，最好加以删改；如不能删改，則當有比較分析功夫，冠於文評品於書首。如此，則毒液變爲醐醍，於拯救人心，於扭轉國運，神益豈爲淺鮮？

（霜清）

自由談

毛共的絕症

中國大陸上的毛共少數「頭目」，爲着爭奪權力，而以「革命無罪，造反有理」的口號，教一般青年子弟胡行妄爲，無法無天，不特把政府紀綱和社會秩序徹底破壞，即其所恃以專政獨裁的共黨組織體系和紀律，亦已掃蕩無餘。

毛酋澤東經過一年多的所謂「文化大革命」惡作劇，弄得衆叛親離，全境騷然，乃一面深感玩火自焚之苦，乃一面對「紅衛兵」加以制裁，一面狃於「槍桿子出政權」的故技，讓地方軍人主持「革命委員會」、阻止「紅衛兵」繼續胡鬧，最近且將「紅衛兵」驅散到各邊遠地區去從事「勞動改造」，因而各省市的流血武鬥情況，愈演愈烈，軍人之中亦復派系林立，同床異夢。毛酋希望以軍馭政，控制全局，俾得及早舉行「九全代會」，新組清一色的共黨統治機構的如意算盤，徒然幻想而已。

共產黨的本質原係爾詐我虞，講究權力鬥爭，經過了這次「文化大革命」運動後，所有黨政軍各級幹部，皆以取得權力爲保持生存與維護生命的唯一要着，所謂黨齡、勞績、功勳，以及法紀制度等等，盡屬無用之長物，誰也不顧！亦不敢以效忠「毛主席」的心情，公爾忘私，自尋死路。既說是「革命無罪，造反有理」大家即相率爲爭取權位而不惜犯上作亂，隨便胡來。這是各省市革命委員會始終不能發生作用，以致武鬥愈趨劇化之所以然。

職是之故，毛酋在生之日固沒有安定全局的可能，就是他死去，後繼者亦沒法轉捩這種「革命無罪，造反有理」的惡劣思想，而使大家安份守己，創進太平生活，這纔是毛共政權必然崩潰而無可救藥的絕症所在。

我們如果不明瞭大陸上這種基本亂源，預作妥善的籌劃，依然憑着舊觀念與作風以從事反共，即令毛共自斃了，讓我們毫不費力的回到中原去接收統治權，也不會有國泰民安的奇蹟出現，殆可斷言，有志的反共救國者，可不思明辦而知所警惕乎？

禹王先生

監察院提彈劾廢弛職務案
周德偉有所表白
王洪鈞力持嚴格檢查電影政策　決不在任何壓力之下放鬆一步

本報記者台北航訊：監察院於八月十一日院會決定對財政部關務署長周德偉，關政科長游先渠提出彈劾。被彈原因：為該等廢弛職務，致使國庫蒙受重大損失，先後累計達一億元之鉅，並因此次漏稅「黑牌汽車」補稅問題，造成民間糾紛，所以依法提案彈劾。十三日院會決定對教育部文化局對於國內外影片檢查漫無標準，濫施扣壓，修剪禁演，輿論頗有批評，為明瞭真象，交由教育委員會邀請主管機關首長到院報告。此項消息公布後，關務署長周德偉，文化局長王洪鈞即先後針對情況，堅強表明態度，予以駁辯，似有「我行我素」「彈劾由爾」之勢。

周德偉於各報發表談話如下：「自部份監察委員第一次對德偉提出彈劾後，瞬屆四年矣。現仍陸續未斷，一若德偉犯有大罪罪在不赦者，四年來德偉對彈劾案未發表任何言論，無非尊重有關方面之威望，但感於國難嚴重，士君子應相互瞭解忍讓，共同努力反攻復國大業，恩怨決不足重視。且個人除治事外，尚須治學作文，不願為私人之斷斷表白浪費時間，故雖受委屈，亦無所怨。惟事態變化無已，個人人格不能不對社會有所交代。德偉敢告於社會曰：德偉之人格修養不因毀譽而有所損益，最近彈劾案結果如何，德偉因節省精力不願過問。案定當著『被彈記』問世。若德偉而有過也，願社會人鳴鼓而攻之，若德偉而無過也，亦須有以自見於世」。

監察委員張建中等五人對文化局提出議案指出：「文化局對於國內外影片濫施扣押，修剪及禁演，興起輿論不滿，文化局最近扣押電視公司拍攝的新聞紀錄片，引起該公司的抗議，一度停播新聞影片。外片『吾愛吾師』既經嚴重修剪，顯見內容大有問題，而於事後下令獎勵，非常矛盾。承獲我國政府軍政方面支援之反共影片『聖保羅炮艇』竟遭禁演，但又不敢明令公布，電視公司申請進口美國華納出品，曾在台灣各地二度上映的舊影片『木馬屠城記』亦遭同樣禁演。去年底美亞公司發行的一部戰爭影片『野戰醫師』原排在台北市大世界上演，後因禁演而無法推出，可是同一演片改為獨立片商發行，卻能獲准上演。另一部『浩劫餘生』持片人再三研究，內容並無不妥，電檢科認為問題嚴重，迄未獲准上演。國內影片『月滿西樓』其中女主角向男主角求職，男主角問她：『妳是否台大畢業？』女主角答：『是的』，竟被剪掉，不知用意何在？『落花時節』以及許多國產影片，都遭到類似濫剪苛擾。提案又提出：「報紙認為文化局成立一年來，給人普遍印象是：工作弛慢，檢查影片漫無標準；不但未積極輔導電影事業，反而摧毀影業，長此以往，不但違反政府設立該局的初衷，而且將嚴重影響國內電影事業的發展。」自立晚報刊載前項新聞，標題為「『剪』『禁』影片漫無標準」「文化局慘遭修理！」「監委指責該局工作速度緩慢」列舉事實多項令人「莫明其妙」。

王洪鈞局長於十四日，接見台北市影片商公會理事長周劍光，理事張雨田等，堅決表示電影檢查之嚴格態度，並指出：（一）文化局決定繼續執行嚴格電檢政策。本人是國家公務員，也是一個研究大眾傳播的學生，深切了解大眾傳播對社會的影響，尤其是電影片，其內容之優劣，影響公眾秩序，善良風俗及國民心理，至深且鉅，除非政府廢除電檢法，文化局決不放棄電影檢查，本人担任文化局長一天，決不在任何形式壓力之下，放鬆電影檢查之責任。（二）文化局檢查電影絕對根據電檢法檢查，由於一個國家的情形都不同，所以電影檢查必然有不同的認定，更何況我們當前的任務，是反共復國，我們的使命是建設三民主義的社會，我們的科學和知識可以向美國吸收，我們的社會建設，尤其是心理建設，既不會抄襲美國，也不會抄襲日本，法國式任何國家……。（三）我們應該協助、培養電影檢查人員的知識、經驗與尊嚴……如果我們執行任務時，有了非法行為，本人決不姑息云云。

本報記者　碧天

賦稅改革會積極工作
通過增強綜合所得稅的草案
劉大中完全同意立委主張以消費稅遏止消費的辦法

本報記者張健生

近代政府由於職能不斷擴張，支出日趨膨脹，收入隨之而增加。政府之財政收入，主要的來源是租稅。

我國各級政府亦因政務擴張，故支出年增；由於支出增加，而財政收入亦增加；由於財政膨脹，而租稅亦增；由於增加稅收，所以提高各項稅率；稅率調整，着重於消費稅，所以物價隨之上漲；政府為解決並抑制通貨膨脹與物價上漲，乃採取緊縮政策，提高銀行折放及重貼現利率。若如此惡性循環，則將阻礙經濟發展。

政府為此，成立賦稅改革委員會，特聘留美學人劉大中回國主持賦稅改革工作。並聘美籍專家馬葛雷為該會顧問。

行政院賦稅改革委員會於八月初，通過一個增強綜合所得稅的草案，已送行政院審核，不久，即由行政院函請立法院審議。由於直接稅的綜合所得稅所佔稅收總額的比例，只有百分之二點五，實在太低了。

綜合所得稅草案，是根據：第一必須能得到全民的支持；第二是低所得人民的所得稅，不但不應當增加，而且應當酌予減低；第三是高所得和中所得人民的所得稅，應酌予增高，惟增高的幅度，不應當過份影響人民儲蓄、投資和工作勤奮的意願而擬定的。

依綜合所得稅修正草案推算，則綜合所得稅的收入，將有顯著的增加，由去年之八億八千萬元，將增收五億一千萬元，共收約十四億元。為達到增收的目的，行政院賦稅改革委員會建議用三個辦法來配合應用。這三個辦法是：一、制定一個最低扣除額——每年暫定為新台幣一萬元。現在的標準扣除額，只是綜合所得的十分之一。例如每年綜合所得是一萬元的家庭，扣除額一千元；如每年綜合所得是三萬元的家庭，扣除額三千元，最低扣除額定為一萬元，可以減輕低所得人民的負担。二、使家屬的免稅額和寬減額，隨所得的增加而遞減。家屬的免稅額和寬減額，本來是為使低所得人民不致因納稅而失去扶養親屬的能力。高所得家庭對於這種寬減額的需要小，所以寬減額也可以減少。此項辦法，並不影響每年綜合所得在十二萬元以下的家庭。但每年綜合所得在十二萬元以上的家庭的免稅額和寬減額，比現在要少。每年收入在二十四萬以上的家庭，就不能再有免稅額和寬減額。所以高所得家庭的納稅負担，會因納稅能力高而增加。三、提高在淨額所得上面的稅率。

該草案中提高的稅率，是加在淨所得上面的，而不是加在綜合所得上面的。例如五口之家，這個家庭可扣除最低扣除額一萬元，再扣本人和配偶的免稅額一萬四千元，和家屬三人寬減額二萬八千元，共扣去四萬二千元。假使一個五口之的綜合所得是四萬二千元，它的淨所得就是零，不必上綜合所得稅。

草案規定淨所得的第一級距是一元至三萬元，現在第一級距上所得稅率是百分之三，在亞洲各國中，是最低的稅率，所以行政院賦稅改革委員會建議提高稅率為百分之六；政府稅收增加，仍應節省支出，良稅增加後，應取消惡稅。賦稅改革，應以發展經濟為主要目的。

為防止高所得者的逃稅及漏稅，行政院將採取下列三項辦法：第一、刪除公司法第一百六十六條無記名股票的規定，藉以改正若干由極少數人握有股權的家族公司，冒用多數人名字領取股息，以降低其本人所得稅之適用級距的弊端。第二、民法第三條關於用印章代簽名的規定，應即取消，以免產權眞實持有人，以印章操縱假贈與的財產。第三、財產所得高的人民和自由職業者如律師、會計師、醫師等，應令其申報若干收支項目，以便能確實加強稽征效率。

這是賦稅委員會主委劉大中應立法院財政委員會之邀，在座談會發表的重要意見。與會立委對財稅政策問題，也提出不少的意見。如潘衍興委員指出國民所得，政府的計算是否正確？劉大中僅回答「其可靠性確實增加」，但未作肯定的答覆。

如間接稅不是好稅，直接稅亦非唯一良稅，兩者之間如何區別？劉博士對此認為間接稅與直接稅在理論研究，非常重要，然在實際情形中，則可明確指出其差異。

劉大中完全同意立委們主張以消費稅遏制消費的辦法，對於進入夜總會、歌廳、酒家的人，加重其稅。而電視機、化粧品之類的貨物稅，也不應取消。

旅美散見
女多兒少

有一次我寫「美國高級人士的生育狀況，最多的是三種：兩個女孩，一個女孩，和根本沒有孩子。」核對的朋友看了後，自作聰明，把「兩個女孩，一個女孩」，改為「兩個子女、一個孩子」，在他心想，怎麼全是女孩，這一定是筆誤了。於是就自動熱心改正，殊不知你如跟美國高級人士往返多了，就知道他們確是女孩子比男孩子多，而最多的情形就是上述的三種。

何以會有這種情形呢！那也不是完全不能說明的。至少有些不甚精確的事實經驗會告訴我們的。先就數量說：我們一般的經驗是窮人的家庭比較孩子多。（此中理由甚為複雜）愈窮孩子愈多。而那養的起孩子的有錢人家，反倒孩子少，這種情形中外皆然。尤其到了近代工業社會，愈是有錢有地位智識水準高的人們，愈不願多生孩子，增加負担，降低自己的生活水準，同時他們較之窮人又更懂得如何節育，因此他們就生個一個兩個就好了。甚至一個都不生。

但那怎麼又全是女的呢？俗語：「子奔寒門」，這雖沒有什麼科學的統計，但事實上富有人家總是女孩子生的比較多，在中國若只生了女孩，那勢必跟着往下生，非達到生出男孩子不止。否則香煙斷了。但在美國則多半沒這一套，（猶太人較有宗祠觀念，故比較熱心生男孩）男女都無所謂，所怕的是生多了，增加負担。因此管他是男是女，最多生兩個就算了。也許第三胎可能就是男孩，但因不生了，便落得只有女孩了。試看詹森、尼克森，不就是兩個女孩，一個女孩嗎？

張起鈞

中國健身學院
組團回國　慶祝雙十

（本報專訊）由專投「科學氣功」郭汝為創立中國健身學院以來，院務日益蓬勃，該院是以業餘教學，宗旨在練功強身，入學者，不限年齡，不分性別，所有科目，均聘由專家名師担任教練，該院院址：九龍旺角花園街十一號七樓，電話：八八三一一七，索章附郵。

該院已籌組回國觀光致敬團，將由該院院長郭汝為氏担任團長，一行十五人預定雙十節前搭乘飛機回國參加國慶大典。

國代既具「國會議員」身份
何須兼立監兩院職員

本報記者公孫熊台北航訊：立法院於前年審查中央總預算統一中央級民意代表待遇標準時，曾有一項「附帶決議」，即：國大代表在政府機關工作，如果支領國大的待遇，則不能再在服務機關領取任何給與，後來一則經過國大聯誼會嚴重交涉，再則有關方面認為任何公務員兼職，例照支兼職津貼，國民大會代表兼任軍公教人員，又何能例外，在執行上不無偏頗，故未照立院「附帶決議」辦理。惟此項「決議」以後，台灣省議會亦曾決議，依照省各級民意代表不得兼任公教人員之規定，將國大代表亦包括在內，省府雖經表示任其辭職，但未強制執行解職。

溯自大法官會解釋國代、立委、監委同具國會議員身份，則監察院迭次院會，曾有若干委員建議院長，請在該院兼職之國代讓出職位，俾補新進人員，立法院繼有同樣表示，但在法律上無根據用命令使其解職，願意辭職或退休者當可順利達成。究其實除已屆退休年齡有退休者外，餘仍在該兩院兼職。惟在立法院兼職之國代，自有「附帶決議」起，則一直無法領取兼職給與，而院長以下有關人員，亦未便擅自更改院會決議，使在立法院工作之國代雖頗有怨言，但亦未甘辭職。據悉，立院方面鑒於其他機關既已發給兼職國代給與，自未便獨行其是，再經國大聯誼會之出面疏通，立院近此解除上次禁議，使兼職國代支取各項津貼矣。議者有云：國民大會代表不受任何法律限制，既可經營任何事業，執行各種業務，若果從任官職，除政務官、現役軍官、以及從事各級學校教員外，其餘均可不必兼職，如在立監兩院是以專家身份而受禮聘者，却無可說，否則大可不自貶身價而兼差，何況有同級之「國會議員」上司，揮手令去，您還有勇氣爭取待遇，甚而戀棧嗎？

大學文牘

孔德成記秦德純

鴻雁

秦紹文（德純）他一生的事業，在他自己所寫的「海澨談往」那本書裏已有詳細的記載；還有一些片斷的回憶，也都陸續的刊在「傳記文學」上了，不需我再記述。這裏我只想寫一些我平常與他交往所體認到的感想。

紹文先生人人都知他是抗日的名將，七七抗日戰神聖戰爭的序幕就是由他親手揭開的。我和他第一次見面，已記不清確切的年月了，只記得是抗戰期間，住在重慶西郊歌樂山的時候，在日照丁鼎丞（惟汾）夫子那裏曾長談過幾次。那時他奉命調到中樞，就軍法總監部副監之職。由於他戎馬倥傯，我們雖有交往，但沒有長時間的相處。傅孟眞（斯年）先生，曾經很鄭重的向我介紹過，他說：「秦紹文可以作朋友，他在北平市市長任內，兼二十九軍副軍長，宋明軒（哲元）主持冀察政務委員會那段時間裏，不論軍事、外交、政治就靠秦紹文一人苦撐，所以有人說秦紹文是宋明軒的靈魂，也是二十九軍的中流砥柱。有遠見，有抱負，有爲，有守，正直不阿！這一些事實，都是我親身看見的，有機會可和他多交往，多認識。」一直到台灣之後，我們相處的時候才多起來，除了鄉誼而外，更建立了深厚的友誼。在我們相處的時候，有時我覺得他是一位「革命軍人」，但有時却覺得他是一位「泱泱儒者」。也許是他這兩種性格都俱備的關係。

他脫下戎裝已十幾年了，但他的言行仍然透露着軍人特有的本色，讓人仍感覺到他是一位曾身經百戰的將軍。據說當年他治軍時御下甚嚴，但也極其關懷部下的生活，所以他的部屬對他既敬畏又愛戴。提到他的部屬，我想起一個很有趣的故事。他家的廚師劉文彬，已經追隨他四十年了，數年前劉文彬六十歲生日，他吩咐家裏停伙一天，所有的人都放假；讓司機老胡開他的座車，全體陪廚師到陽明山遊樂一天。到晚間回到家裏另備酒飯爲廚師過壽。這件事在別人看來是多麼的風趣，然而在他作起來又是那麼的自然。在台灣他已不掌兵符，我們看不到他帶兵遣將的一面，我們所看到的是他對朋友的熱心，以及對親友同鄉的幫忙與協助。他雖然年事漸高，已與人無爭，但在大處仍然是擇善固執，這也是一般人所不能及的。他一生有着強烈的民族意識與國家觀念，也有着我們山東人當仁不讓的精神，我們只要看他在「傳記文學」上所寫的文章，就不難發現他在抗戰前夕的華北獨當一面，眞是忍辱負重的。在和日本人從事冷戰熱戰，要是沒有堅毅不拔的意志和遠大的眼光，如何能在那樣既特殊又複雜的環境下担負起軍事與外交的重任？那時他能做到在日本帝國主義者魔掌下不辱使命，並且受到中央極端的信賴，決不是缺乏涵養的普通人所能辦得到的。

在台灣的山東同鄉，恐怕是人數最多的外省人了；但山東同鄉中沒有不知道他是急公好義的，同鄉中不論有那一方面的困難都喜歡去找他。他雖也有時覺有應接不暇之感，但我從未見過他嚴詞拒絕過。

他除了在疆場上是個好軍人，在家裏也是一位好丈夫，對夫人十分體貼。伉儷之情，老而彌篤，夫人生病的時候，他總是親自看護而毫無倦容。但不幸他的夫人在今年四月先他而逝，這對他是一個很大的打擊。老年失伴，悲痛自不堪言，因而，對身體、對情緒，都有相當嚴重的影響。

紹文先生是軍人，也是文人。他對中國舊的典籍有許多能都朗朗成誦，涉獵更是至多至廣，對中國歷史極爲熟稔，尤好讀資治通鑑；對歷史上的興亡得失，人物臧否多有獨到精湛的見解與論斷。事實上，在抗戰前夕的華北，能受命封疆，絕不是一個純粹的武夫所能勝任的。若非有極高的智慧，極深的修養，極大幽默感是應付不了的。然而這些條件，都是從「多讀書」得來的。

這幾年，他漸感老年的寂寞，也漸把叱咤風雲的氣概收斂起來。於是興趣漸漸轉移到閱讀小說上了。不論是那種小說——中國的或是外國的，文藝的或是筆記體的——除了接見來訪的客人以外，從早到晚都是一卷在手，樂此不疲。有朋友要求他寫一些親自經歷的可歌可泣的回憶，像他這樣的名將，應該多寫一些回憶的故事。寫東西，查閱一些舊的書籍，可是太多的閱讀了，却使他得了失眠症，苦幾乎全賴安眠藥的幫助，也不例外。甚至連我，勸他放棄吃安眠藥的習慣，但是他放不下書本，所以就無法放下藥瓶了。

吳敬恒先生年譜（十四）

陳凌海編撰　陳洪校訂

先生與蔡元培、章炳麟等屢被捕房（即警察局當時租界稱巡捕房）傳詢。惟問時則云：「有無實行暴動行爲？有則捕房不許。若要求革新，捕房非但不干涉，且必予保護，不聽華官捕人。」三月，留日學生鈕永建（惕生）等因俄人要求改訂撤兵條約事件，通過組織拒俄義勇隊。宗旨在拒俄禦侮。並推舉鈕永建、湯爾和（即湯爾和）爲特派員，回國至天津策動袁世凱（慰庭）出師。鈕、湯數次見袁，均被拒。遂回滬。四月間旅滬各省紳商志士集會張園，公議：全國人民對俄要求，當拒不承認。此事實爲先生所策動。

五月間，愛國學社與中國教育會脫離。先生學社捐款及其他經費，向由教育會經理。社員有以爲不便而謀學社獨立者。時黃宗仰被舉爲教育會會長。蔡元培爲副會長兼評議長。先生則支持社員之意見。蔡元培與黃宗仰亦贊成之，遂由評議會通過。章炳麟則堅持反對，復招離滬之評議員到滬重議，結果多數反對學社獨立，因之蔡元培辭職，不與聞社事。

五月二十三日上輪赴青島習德語準備赴德留學。五月二十四日先生之夫人暨男女公子等在日由曹汝霖陪送歸國，住上海泥城橋東水月電燈公司樓上。先生離社回寓，不再過問社事。五月六日起蘇報絡續刊載章炳麟「駁康有爲政見書」內有「載湉小醜」之字句，及「客民篇」，斥清廷爲「客帝」。又刊載鄒容（蔚丹）所著之革命軍。由是愛國學社，張園演說會及蘇報，均爲官方所嫉視。候補道俞明震（恪士）奉兩江總督魏光燾之命到滬，會同上海道袁樹勳辦理此案。俞明震到滬後，作書遣其子大純（大純在日本與先生有舊）密約先生於閏五月四日至英大馬路（即南京路）大興里七號進士第晤談。明震接見先生後，即曰：「蘇報鬧得太厲害了，叫當道受不了，能勸其溫和？」旋出示兩江總督所下之：「照得逆犯吳敬恒、蔡元培等六人，倡言革命，煽動謀逆，着即審實正法」公文示之。俞氏嗣留先生吃麵，又恐先生見疑，即舉箸先食。並勸先生赴國外留學，將來幫助國家革新。最後並約定彼此化名，以便通訊，而示友好。因此章炳麟疑先生向俞明震告密，對先生不諒。其實全屬誤會。閏五月六日滬公共租界卒徇清廷之請，派警探赴愛國學社拘拿先生及章炳麟、蔡元培、鄒容等四人。當時祇捕去章一人，其餘三人或則他去，或已赴青島，均不在社。後警探又至蘇報館拘陳範未獲。時鄒容已爲張繼（溥泉）藏匿虹口某教士處，彼接章炳麟出，即往租界捕房自首。陳範、黃宗仰、汪文溥避走日本。

蘇報館被封。愛國社亦解散。中國教育會在風雨飄搖中由鍾憲鬯、蔣維喬（竹莊）、王季烈等支持，然亦不能活動。十日，友人許呂肖方助福開森在盛宣懷（杏生）寓內譯書，來告先生，曰：「江趨丹來告福開森，要求捕房捕你。福開森雖未允，然江必大煽動。你既知演說革命，不必先送頭去，應一避。」）即由其女公子芙代雇洋車（即人力車）送先生至虹橋一石灰公司樓上避居。此公司即朱仲超之兄所設。許呂肖並代先生接洽由滬赴港輪船。

文滙樓剔記

邵德潤去職內幕

‧文滙樓主‧

徐柏園病中解邵職，象徵着一件事情的不平常，「政者正也」，政治不能走歪路，否則就會遭遇到一些意外打擊，據央行圈圈及中央印製廠方面透露，邵德潤的去職因素很多，從五月廿八上午奉命，尅日就得移交這個角度看，可能不是爲了過失，或單純的瀆職，因柏園先生平日對部屬，很少有這樣嚴厲和認眞。邵德潤，常自誇耀在徐總裁前參與戰機，一套口氣，儼然有馬謖進出武鄉侯帳下態勢，諸葛亮斬馬謖時，會痛哭了一場，徐柏園在養病期間，施出壯士斷腕絕招，風風雨雨，不脛而走，邵雖昇格爲總統府秘書，但各方覷綫並未跟隨轉移，換句話就是仍叮住邵德潤一連串的往事。

台灣銀行拾元紅色鈔票，是邵的主張且將票面下「中央印製廠」除去在李副總裁支持下決定的，發行局的簽呈是用綠色，籍與原來台灣銀行五元鈔票有別，結果邵德潤勝了。巧得很正在台灣物價波動時，十元紅鈔出籠，從心理學角度分析，對當前的社會經濟，有很大的暗示作用，就是說十元價值變成爲五元了，有人認爲邵可能爲此而垮，其實問題並沒有這麼簡單。

又有人說：邵德潤在湖南中央日報經理任內，與附匪的社長段夢暉，總編輯陳楚，三位一體爲匪張目甚久，這些話看來似是而又非，段和陳雖皆附匪，邵究竟到台灣來了，至於邵在福建一個階段，香港一個階段，都沒有向政府明白交代，當然是一個謎，但還不是重點，因政府遷台二十年，時間不能算短，從前未追究，直到現在來談這些，就等於兒女生了一大陣，再研究孩子媽媽是否處女同樣的可笑，論者或謂，政治是要講貞操的，果如此，邵的問題就比較複雜了。

據樓主所瞭解的除上列各點外，邵德潤應當對三大問題有個明確交代，滿天疑雲自可一掃而空，那就是在美國訂的最新型的印鈔機器，爲甚麼姍姍來遲，已經運回來的零件業已銹壞，責任誰負？還有就是台北建廠地皮遲不決定何故？決定了一處有問題的地皮目的安在？第三點就是國軍枕戈待旦反攻大陸隨時可以開始中央印製廠的配合工作做到甚麼程度？或者根本未做。據說在移交的那天，中央印製廠有位技工，哼出一段平劇：「馬謖無謀做事差，犯罪理當正軍法……」邵在總經理室聽到，甚感不悅。至於邵的私生活不檢點和一些不三不四的髒事，與本報立論守則抵觸，故皆從略。

三日春秋

嚴靜波的「惡補」與平易

‧厚安‧

在新聞記者眼光中，嚴副總統是最好相與的。對年輕一輩而言，由於他的博學，可以討教之處甚多。對年老一輩來說，他與你親切的談話，使你渾忘在你面前的，是你所要採訪的政要，而把他當作自己圈子內的人。

嚴副總統在新聞記者的印象中，一直是很好的。它的開始，是在民國三十五年京滬平昆記者考察團來台考察的時候。七天考察日程完結，在長官公署開檢討會。那時最爲大家關注的，當然是與中央金融體系分隔而自成一系的台灣金融問題。當時團員，均爲各報負責人，不少對這問題有研究，有意見的。但經嚴氏（當時財政處長）一篇帶有分析性的報告後，都覺得合情合理，沒有什麼再可以問的了。從此，大家心目中就有了嚴家淦這麼一箇人。光陰荏苒，如今嚴氏已贊襄元首，綜攬大計，而當時團員，風吹雲散，且多害在赤匪手中。

嚴氏最擅長的是財經，總統年前會特別提及此點，以爲本省經濟成長的迅速，應歸功於嚴氏的領導。元首的評斷，自然是最公允的。但嚴氏則謙稱：他對財經是外行。他從前奉委福建財政廳長時，臨時在坊間買了一本財政學，「惡補」一番，才粗知財經的梗概。嚴氏尙來很謙和，這當然是他的客氣話。不過，人並不是萬能的，所以也並不是什麼都知道的。遇有自己不知道的事，而却又不能不負其責時，臨時抱佛脚，「惡補」一番，實未可厚非。

筆者所傾佩的，到是他的博識。由於近年來等於退休，很少有接觸機會，但偶爾幾次與他接近時，箇人總發現他對他所談的問題，知道得那麼有深度，又那麼考慮周詳，使我這個老兵，等於上了一課一樣。我相信那不是臨時的「惡補」所能奏效的。一笑。

自從國民黨取得政權，新聞記者與政治似乎密切到無法分開。政府要人，差不多直接，間接都與新聞界有些關係。因此，凡是在新聞界人緣最好的，在政治上也一定是成功的。吾於嚴氏亦云然。

（完）

三幕喜劇　事過境遷　熊式一

露：　那我姑奶奶，我嬸嬸都有份了！

趙：　三年之後，財發萬金，五年之後到英國去參加皇家美術院的夏季沙龍，十年之後，變成香港第一個皇家美術院的院士，馬上也封爲爵士，英女皇萬壽，請我去畫像，趙爵士夫人，英女皇召見你……。

阿詩：（引史健旺上）太太，史先生回來了，我帶他上狗窠裏去嗎？

包太：不必！你快去請老爺來。（阿詩下）

史：　包太太嗎？您好！我來晚了，眞對不住。我買了丹士之後……。

包太：「丹士」是甚麼？

露：　就是郵票！

包太：阿！「士丹」！

史：　「士丹」！我買了「士丹」發了信之後忘了這兒的地名，找錯了路，東找西找，再也找不着這幢房子，從前那封信上的地名，我沒有抄下來，怎麼想也想不起來，結果一路問人，誰都愛理不理的說不知道，越走越遠，幸好最後碰見一位巡警，他才告訴我怎麼來，好辛苦，走出了我一身大汗！包先生還在狗窠裏嗎？

包太：外子馬上就會來的！

露：　我叔叔早回來了！他還要留你吃中飯……他對你好極了！不過他去補狗窠去了！

包太：你請在我們家裏吃便飯，不必客氣，沒有甚麼菜就是！

史：　多謝包太太的好意！不過……不過我應該到劉家去看看，他們也請了我吃便飯……

包太：那一個劉家？用不着去就算了！

露：　史先生，千萬別去了，就在這兒吃便飯吧，我姑奶奶會來，菜一定很好的！我也想再跟你談談！我們訂婚守秘密啊——你是頭一個向我們賀喜的人！就憑這一點，我也想多知道你的事，回頭吃飯的時候，還要請你詳詳細細的告訴我！

包太：露茜，好孩子，別胡問胡說！

史：　包太太，我和令姪女可以算是老朋友，我們眞的一見如故，對不對？

露：　可不是嗎？太極，別一個人跑到窗戶外去，你見了史先生嗎？記不記得史先生是頭一個向我們賀喜的人？

趙：　（勉强進來敷衍敷衍）史先生，我們又碰見了！我當然記得他，不過他並沒有向我道賀，恐怕是你記錯了！

露：　我一生的終身大事，他是第一個向我道喜的人，怎麼也忘不了！怎麼也不會記錯大概你記不清了！

史：　讓我來解釋吧！我是偶然在無意中發現包小姐的大喜的消息，我道賀的時候，這位先生還沒有來呢，而且包小姐……。

露：　別老包小姐包小姐的！你答應了我甚麼哪！

史：　對不住，露茜！我還答應了替你們二位守秘密的！

露：　這倒用不着了，我叔叔不答應！　⑭

新廿五經

太白經

馬騰雲

高粱酒、威士忌、白蘭地、印度的晶、各有其藥用的價值，對胃有刺激作用，對血管可使其擴張，對皮膚可使血流增加，於睡眠前服小量，可以催眠，飲適量的酒，功能健胃驅風，使人心廣神怡，否則不會有這麼多的人愛好它，同時飲酒會有習慣性，俗稱酒癮，成了癮時戒除是很困難的。酒的醇量超過百分之四十者，飲過量時，會醉得東歪西倒，自身克制力喪失，如果沒有人去照應他，那是一件不堪想像的事，中國兩位大飲家，一個死在湖南耒陽的河邊（杜甫），一個死在當塗采石磯（李白），爲了飲酒而拚老命，眞如西諺所說：「最糊塗的事，是最聰明的人做出。」

賤酒不可吃，這個「公式」走遍世界都未打破，並非祇台灣賤價酒有毒，因用糧食蒸發出的乙醇，沒有辦法太便宜，如果將酒的價錢低於糧食，何必將糧食去製酒呢？要降低酒價，只有以甲醇代替，甲醇（Methy-lAlcohl）乃蒸溜木材或其他物品中得之，故又稱木精Wood Sqirit其毒性較乙醇高，在人體內氧化很慢，故易中毒，實不相宜。

外交家王儒堂博士十年前來台灣，門生故舊替他接風，還是且飲且酌，一室風生，人家問他，爲甚麼他高齡七十以上，還能酒興不衰，他說他有一個原則，五種酒不吃『氣、哀、拼、雜、劣、』如果非飲不可的朋友們，不妨學學王博士的五不飲，對健康可能有很大幫助。（下）

八提諸葛亮　緬甸戲觀後

·飛鵬·

緬甸的「國服」是男人上穿黑馬褂，下裏花布紗籠，馬褂沒有領，拖鞋沒有邊，據說這都是諸葛亮征南蠻時制訂，是否靠得住，祇好存疑。

緬甸的迎神大典，非常隆重，時間可延續十天到半個月之久，在舉行期間儼若台灣大拜拜那樣熱鬧，各縣市前往集會的人，絡繹於途，迎神的大會場，比起本港一年一度的工業展覽會，並不遜色，有地方戲，打花會，西洋景，輪盤賭，大馬戲，算命看相，還可以「過陰」查詢自己前生身世，奇怪的是賣春藥的多半爲和尚，筆者於一九四九年道經臘戍，（緬甸東北重鎮）獲得機緣，看了一次「八捉諸葛亮」地方戲，其醜陋處幾可使人噴飯，其淺薄處可說明緬甸這個國家，簡直沒有文化，所謂「八捉諸葛亮」者就是「七擒孟獲」的全部翻版，因爲「七擒孟獲」在緬甸是禁劇，但「三國演義」全緬書店皆有發行，緬文譯本，也祇賣三元盧比，（折合新台幣約二十元）不過他們認爲有辱「國體」部門，率多刪去，泰國更將三國演義當作兵法研究，俗語「人見希罕事必定壽命長」，筆者希罕事見的太多可老而不死矣！

劇情是這樣的：

孟獲升帳坐定，忽然哨馬報來，蜀將趙雲，王平未通報姓名，在營外罵戰，要求大王親出答話，孟獲一陣狂笑叫道：三洞元帥大刀侍候，「御林軍」持板斧，騎白馬兩陣擺開，孟獲昂然觀望，回顧左右道：「人說諸葛多計，今觀敗陣，旌旗雜亂，隊伍交錯，蜀話說得對，武大郎，騎竹竿，手執高粱桿，這副人馬，刀槍，實在太不高明，焉能勝我，早知如此，幾年前就當北伐，誰敢去取趙雲王平首級，然後再活捉諸葛亮，以振軍威」，言未畢，一將應聲而出，乃忙牙長將軍，使一柄鬼頭削鐵斧，口稱騎的棗紅捲毛騍，直取趙雲，戰不數合，趙棄甲而逃，忙勒繮追趕，金環元帥突從森林中殺出，叫道，小將趙雲往那裏逃？交馬祇一合，被金環一槍刺落馬下，王平殺回拼死力戰，山谷中驀然之間一陣鼓響，乃孟獲計策董荼那元帥引刀斧手暗伏此處，諸葛亮抵擋不住，被金環元帥活捉了，從騎皆降，金環解諸葛亮到營帳內來見孟獲，孟獲早已殺牛宰羊，軍營設宴，兩旁刀光劍影，燦若霜雪，左右站立龍虎將，佈署得十分嚴整，孟獲端坐在中央虎皮太帥椅上，將諸葛亮喚到帳下，親解其縛諭曰：「劉備招搖撞騙，奪得族人土地，自稱爲王，尚不滿足，今何故又南侵我邦疆土？」諸葛亮答：「安內才能攘外，南蠻未平，北伐無期，爾等番屬小國，取捨在我，何謂南侵？」孟獲曰：「小子休得無禮，我今擒你，你心服否？」諸葛亮曰：「山僻路狹，誤遭毒手，如何能服？」孟獲曰：「你既不服，放你回去」，諸葛亮曰：「蒙放我回去，當重整軍馬，一決雌雄，若能再擒到我，吾方服也」，孟獲令左右還其道士帽，八卦衣，及那把煽火爐用的大鳥毛扇，孟獲又是一陣大笑道：「活寶貝！活寶貝！」繼賜以酒食，給與鞍馬，差人送出路徑，望蜀寨而去。捉放諸葛亮歷經八次，衆將上帳問曰：「諸葛亮乃劉備幫兒，既擒八次，大王何故又放？」孟獲笑曰：「這小子手無縛雞之力，全憑一張油嘴打仗，吾擒此人，如探囊取物，直到降伏其心，今後自然不敢入侵！」衆將聞言，皆贊嘆悅服，這齣戲的結尾，孟獲借夫人祝融氏及各路元帥依序排列大王營幕，諸葛亮垂淚唱道：「八捉八放，自古未嘗有也、吾幼讀詩書，尚知禮義」，言罷跪蜀在地謝罪，「大王天威，蜀人不復反矣！」其狼狽情形，較平劇中孟獲猶有過之。其情節雖是這樣，但其演技低劣得可笑萬分。

緬劇「八捉諸葛亮」觀後，進想到一個沒有文化的國家，潛意識報復行爲的可怕，印度，緬甸的獨立是由我國支持，共匪竊據大陸後，竟搶先反對我國的是印度和緬甸。「八捉諸葛亮」者，祇是落後民族一種自卑心理的暴露，現在外交上有沒有這一類型靠不住的籌碼？駐外使節對此，不能不特別寄予注意焉！

談廣西三鉅頭（下）

諸葛文侯

宗仁在政治軍事上，從廣西省主席起，中經武漢政治分會主席，第四集團軍總司令，第五戰區司令長官，北平行營主任等顯要職位，表現皆不錯。迨膺選副總統，因緣時會而代理總統職權後，所作所爲乃一無是處，尤其他擅離職守走到美國去，還要執行中華民國總統職權，丟醜辱國，貽譏世界，實屬荒誕不經之至。這證明他可小知而不可大受，做一個封疆大吏是行的，卻不能領導全國。他之暮年墮落，甘作毛共降臣，可憐亦復可哂也。

廣西三鉅頭之中，最沒有政治頭腦而又好搞政治的，便是白崇禧。他對軍事上頗具才能，從民十五年北伐，到十六年的南京龍潭戰役，十七年的二期北伐戰爭，他都有不可磨滅的績業，世人稱之爲「小諸葛」，他亦以此自負。可是，他的胸襟狹隘，私心濃郁，既不如黃紹竑之恢閎有致，更沒有李宗仁那種謙和而誠厚的氣質，遇事剛愎自用，目空一切，且喜歡作政治主張。當年桂系與中央政府——特別是跟蔣主席之間的長期立異齮齕，多半都是白氏從中播弄挾持而然，宗仁對白每予遷就，某些事本不同意的，經白氏強聒不已，祇好勉予聽從，如民國十八年在武漢時，爲着任用十八軍軍長問題，白氏力保陶鈞，李初拒卻，而白由北平連電堅持非陶不可；李不得已允諾之，終致激起桂軍內部不平，如卓著戰功之將領鍾祖培憤而辭職，李明瑞楊騰輝分別叛變，而桂系勢力卽爲之崩潰了！

潛伏在桂系的著名共諜如劉斐，劉仲容，黃啟漢等，都是受着白氏的卵翼，而以二劉尤爲白氏所親信。這些人的思想靠不住，白氏未嘗茫然無所警覺，但他自命不凡，認爲共諜決無如「小諸葛」何，殊不足畏。民國卅八年初李代總統所派北上和談代表，原沒有劉斐在內，係白氏臨時要求增加的代表，而白之所以力保劉斐作和談，目的只在教劉到北平向周恩來說情，將毛共俘虜營中的白氏外甥海某釋放出來而已，這豈是大臣謀國的作風嗎？

民國卅八年初夏，白氏率領桂軍廿萬人由武漢退入湖南時，中央政府已遷移粵垣，某次，他到廣州與行政院長閻錫山商洽改組湘省府問題，力保陳明仁爲湘省主席，當時有幾個湘籍國大代表和立法委員——區區亦在內——特爲此事晉謁他，提供意見，他以「小諸葛」的氣概說道：「湖南只有兩個半人才，一個是陳明仁，一個是周天×，另外半個就是邱昌渭！」眞是荒謬狂妄得難以想像，我們祇有嗒然告辭，不想對他再說甚末了。既而中央明令任命陳明仁爲湖南主席，白氏把各廳處長和委員一概指派，卽省府秘書長亦照派如儀，他的幕僚長某君對他進言：似應留下一二位置給省主席遴人承之爲是，白謂「在此非常時期，還講甚末客氣呢？」其剛愎成性，有如此者！

嗣後他將廿萬部隊帶回廣西去，並未跟共匪作過激劇的戰鬥，竟被敵人全部消滅，片甲無存。據說，他那總部的無綫電台台長，卽係共諜，桂軍一舉一動，共匪早已瞭如指掌，焉得不失敗呢！卅八年冬間，他在海南島迎候桂軍渡海東來，聞悉所部已被敵人完全解決，心情甚爲愧喪，會有人勸他不必回到台灣，另謀出路，他答道：「跟蔣總統相處，充其量不過是個人的榮辱問題，若跟共產黨相處，那便是生死問題，還是到台灣去的好。」這見解頗爲明智合理，可惜他覺悟得太遲了。（完）

創業哲學

替工業商上一課

楚狂人

台灣的商人，一般的說，缺乏創造力，台灣的一窩風乃是中國商人的反常，還有一就是貪圖小利，甚少精益求精，台灣藥商犯這個毛病的最多，一種產品畧有起色，馬上就作減低成本的打算，尤其外銷貨，國際間有一定規格，規格乃根據科學方法求證，台灣的白糖甜度，始終到不了百分之九九．九，卽其一例，坐看古巴壟斷國際市場，這是多麼倒味口。

觀察以後世界大勢，中國豈能以兵存，工商發展仍爲要圖，商人必須具有世界眼光，發揮商戰能力，俾能爭取外滙，這種功在國家，利屬自己的競爭，切勿忽視，不過希望政府有關衙門，也具遠見，能瞭解帝國主義，不惜以流血方式侵畧別國，目的都是在替工商業找出路，有人說上次日本的侵華戰爭，就是爲了三井，三菱等幾家洋行，雖言之過火，但確有相當成份。我們則認爲工商可欺，簡直犯了不可饒恕的錯誤，祇要眼不瞎耳不聾的人，都會看到和聽到，師大有位老教授言及此弊時，幾聲淚俱下，爲國家前途憂傷不已。

經濟部應該邀集素有閱歷之行商，經常研究物產之精粗，工藝之優劣，提供改進方法，隨時剴切規勸，以期日造日精，越推越廣。聽說最近的物價波動，與某學人建議增稅有關，殺鷄取卵政策，萬行不得，遠來的和尚會念經，和耶路撒冷的人不相信耶穌，是同一種偏差，「政者正也」偏路差道，行不得也哥哥。

自由報

第七八八期

社長李鵬運・督印黃行齋

91 DUNDAS ST, 9th FLOOR, FLAT 6 KOWLOON H. K.

承印者：大同印務公司

台灣總管理處

中華民國（台灣）台北市大同街119號

電話：555395．557474

台灣分社：台北市西寧南路110號二樓

電話：[illegible]〇三四六

台郵撥儲金戶九二五二

反共的甚麼？拿甚麼反？

—褚柏思—

在四十年前，人們多以共產主義為時髦；四十年來，由於先知先覺者的大聲疾呼，以及共產黨在俄國實行的事實——內而專制獨裁；外而侵略戰爭。「事實勝於雄辯」，事實亦打破了共產的美麗謊言，拆穿了共產黨的空頭支票，更喚醒了人們對共產主義的幻想與迷夢！

國父，是第一個先知先覺者，於民國十三年，演講民生主義時，便已批判了馬克斯及其所宣傳的共產主義，認為馬克斯的最大錯誤，是「以物質為歷史的中心」；階級戰爭說，是倒果為因。不單理論錯誤，事實亦錯誤，曾說：「在俄國，純用革命手段不能完全解決經濟問題。」

蔣總統便是第一個反共的實行家。民國十六年清共，旋即勦共；到民國四十五年，著中國與俄共三十年經驗紀要一書，在全世界反共理論中，是第一本系統之作，在全世界反共經驗中，亦是第一本系統之作。不僅此也，「反共抗俄」這一個名辭，與邱吉爾先生所發明的「鐵幕」一辭，亦後先比美！

一九四九年，毛共竊據中國大陸了，中國中央政府播遷台灣；一九五〇年三月一日，蔣總統復職，即標出反共抗俄的國策。而人民的反共，仍須延遲到一九五五年，始能有亞洲人民反共聯盟的成立。這一個由政府反共，到人民反共；由中國政府反共，到亞洲人民反共，在時代的行進中，是一個大進步，大躍進！一九六七年，世界反共聯盟成立；反共，始獲國際化，而具有世界性。

諺云：「三十年河東，轉河西」，時至今日，反共已成為公開的口號，進步的思想了！四十年的演變，共產主義與共產黨，已經為現代所遺棄，落伍了！但是，反共，反共的什麼？拿什麼反共呢？進步的國家與開明的人士，均已提供了高見與政策。我們認為：人類的先知先覺者——大智慧的中山先生，早在四十三年前——一九二四年，演講三民主義，甚至於及其以前，便已分別提出了，分言之：

一、以民生主義反共產主義

民國元年，國父講「社會主義之派別及批評」時說：社會主義可分為二派：一集產派，二共產派。而主張今日人類應採取集產派。十三年，講民生主義時說：以民生主義代替社會主義；而社會主義的派別，從俄國共產黨政府成立後，分為激烈派與緩進派。激烈派的俄國，只能解決政治問題，不能解決經濟問題。今日我們便應以科學的民生主義，反假科學的共產主義，以集產的民生主義，反破產的共產主義。

二、以民生史觀反唯物史觀

馬克斯共產主義，在理論上，哲學上的錯誤，是其唯物論與唯物史觀。國父批判曰：從前的社會主義，錯認物質是歷史的中心。要改正這種錯誤，應以民生為社會歷史的中心。這便是以民生史觀反唯物史觀。以民生論反唯物論：民生因有賴於物質，但亦不可忽畧精神，此「心物一體」的民生論，以反唯物論。凡只「唯」者偏，必執兩用中，始得中庸之道。

三、以政經建設反資本論

馬克斯的資本論初在歐洲思想界，頗具影響力。因為：它是歐洲社會結構，政治經濟方面的學術研究。照馬克斯說：資本家，控制了生器：工具的機器，又剝削了勞工的剩餘價值，因此產生了階級。一部人類史，都是階級鬥爭史。資本家是以選舉與議會，操縱了政治，對外必須求市場與原料，因而產生了帝國主義，與帝國主義戰爭。結果，必然由無產階級鬥爭，奪得政權，埋葬資本主義；且是世界革命的全盤勝利。這一套說來有哲學，有歷史，又有政治經濟學。似乎很有系統，也很雄辯。但是，其後歐美政治經濟的進化，事實否定了它。一九二四年以前，有：1.社會與工業之改良。2.運輸與交通的收歸國有；3.直接徵稅；4.分配之社會化。第二次世界大戰[illegible]及其以後，歐美又推行了：1.社會安全制度2.福利經濟學與公司公有制。這一些不僅為馬克斯始料所不及；亦為列寧所不及見。事實的進化，粉碎了理論的構想。

四、以全民政治反階級鬥爭

馬克斯的階級鬥爭論，已為 國父批判為：階級鬥爭，不是社會進化的原因，而是社會進化的病症。馬克斯倒果為因。因而主張階級協調，以全民政治，反階級鬥爭。

五、以民權主義反階級專政

過去的資本主義，以財富控制政治；共產主義，以專政獨裁政治，同屬錯誤。今後，自應以全民的民權主義，推行政治，反階級專政。須知：甲專政，乙痛苦；乙專政，甲何當不痛苦呢？中華文化，講求是「仁愛」，是「不獨親其親，不獨子其子」的大同之仁！一夫不遺的大同之愛。

六、以民族主義反工人無祖國

昔孟子言拒楊墨，斥之為：「楊氏為我，是無君也；墨氏兼愛，是無父也。無父無君，是禽獸也。」彼共產黨者，號召「工人無祖國」，不便是無父無君的禽獸嗎？在中國，便是漢奸嗎？漢奸，是忘祖的、忘本的。我們應以民族大義與民族氣節反它。侮一個國家的國民，均應先愛他們自已的國家，然後與其他的國家，和睦相處。這便是民族主義。

七、以中國傳統哲學思想反唯物辯證法

關此， 總統曾於民國四十四年講「解決共產主義思想與方法的根本問題」，提出以中國傳統哲學思想反唯物辯證法的主張；而中國傳統哲學思想是什麼呢？要義是「天人會一」的哲理，產生心物一體」論。并且指示：（一）以「中立位育」的眞理，去對抗唯物辯證法的「矛盾律」；（二）以「眞理永恒」的原理，去對抗唯物辯證法的「否定律」；（三）以「元亨利貞」的原理，去對抗唯物辯證法的「質變律」。

八、以倫理、民主科學的三民主義反獸性的，暴政的假科學的共產主義

共產主義，雖在學術上有所建立，但經各國學者與先知先覺者，中山先生的批判，已經不成立了。自從民國四十一年， 總統蔣公講三民主義的本質，是倫理，民主與科學以後，反共產主義的威力，益形發揮！誠如大文所說：「我今天所以要提出這倫理，民主和科學的口號來，其用意就是要駁斥毛匪以往所利用的科學與民主庸妄詐欺的罪惡，一面更是要提醒大家確實認清三民主義的本質所在。須知：現在是反攻復國的時候，必要實心實力的建設以科學為基礎的民生主義，以民主為基礎的民權主義，以倫理為基礎的民族主義」然而，這一個三大本質的三民主義，一直到五十五年中山樓落成，再提出；於成立中華文化復興運動，始算彰顯出來！由理論而實踐，由思想而行動！

總之，時至今日，反共的什麼？拿什麼反共？這一連串問答，算是具體解決了！惟有如此，才能發揚中國的倫理道德；亦唯有如此，才能更具信心，更有把握，以戰勝共產邪說！以維持人類和平！同[illegible]，三民主義，雖為中國人中山先生所創造，所發明；但，演進到今天，已不是中國人的私產，而是全世界的，全人類的公器了！人種不分黃白，地國亦不分歐美，凡有共產主義思想的[illegible]方，共產黨鬥爭的所在，都可以拿三民主義去反它，去戰勝它了！

昨日與明日

少年犯罪急劇增加

近數年來，少年犯罪，日形猖獗，就數量上說犯罪的比率急劇增加；就性質上說為害的程度愈演愈烈。基於這兩個事實，不免讓人覺得治安當局在此一方面的努力，實不啻縱風止燎，徒助長其燄勢而已。在往昔，少年犯罪的情況，泰半以三五成羣，打架滋事為多，間或有幫會一類的組織，也有從事違法犯紀勾當的，但究屬少數，不若現在組織遍佈，滋蔓難圖，姦盜刦殺，無惡不作。時下一般幫會組織，只襲取了古代「歃血為盟」的儀式，却了無桃園結義一類的俠義精神，甚且連黑道中人最起碼的江湖義氣，也悉付諸闕如，只是聚衆滋事，為非作歹。且由於此輩皆涉世未深，不諳社會風險，更易肆無忌憚。因此其為害之烈，往往有甚於一般流氓地痞者。我們眼見一批純潔的少年，在不良風氣的感染下，相繼失足，而政府又似無長策，以圖挽救，一任其墮落沉淪，眞不知將伊於胡底？蹙額太息之餘，實更有忡忡難釋者。

家長護短助長犯罪

當然，導致少年犯罪的根本因素，甚為複雜，晚近的社會學家，都已趨向多元論的主張，有可歸因於社會的，心裏的，文化的，不一而足。這種學理上的探究，自有其客觀可靠的道理在，在此不擬論列。至於如何防範少年犯罪所牽涉的範圍至為廣泛，為免掛一漏萬，且俟諸高明。現僅就兩個極其明顯助長少年犯罪的事實，畧為述及，藉資參考。

根據司法當局的統計，犯罪少年的家庭背景，以境況優裕者為多，或謂此類家庭子弟，在父兄庇蔭下，衣食無慮，不知進取，每於無所事事之際，稍經引誘，便不自覺的步入歧途，我們也不否定此一說法。但如從另一角度以觀，此類家長的慣於為子女護短，毋寧是助長少年犯罪的一大原因。蓋此類家長，平素對子、女疏於管教，一旦出了事，以面子攸關，便不惜運用其權勢或財力，打通大小關節，硬把愛子「搶救」出來，使得本來對於犯法尚有所顧忌的小伙子，意識到法律的約束力量原不過爾爾。從此有恃無恐，胆向邊生，不知法律為可物，更無視於天理與人情了。

警察態度失之消極

其次，警察有意無意的縱容，也是助長少年犯罪的一大因素。現在警察偵辦犯罪案件，態度至為消極，如非不得已，絕少過問；甚或被害者報了案，往往也不了了之，毫無交代：尤其在新刑事訴訟法頒行後，警察人員辦案受到諸多限制，棘手礙腳，無形中減低了工作情緒，對於這類難纏的犯罪少年，每每網開一面。這樣一來，不獨慫恿了少年犯罪勇氣，更相對的迫使一些受害的少年，無由獲得保障，失却安全感，而圖有以自衛，於是也有了組織。起初原係基於自衛，久而久之，恩怨利害，糾葛不清，不覺中就陷入泥淖而難以自拔，而產生一種惡性的連鎖。縱容等於助惡，如此警察豈止虧負職守而已！

總之，家長護短與警察縱容，是助長少年犯罪的兩大因素，務必予以祛除。今後除了對於犯罪的少年，必予嚴懲不貸之外，更應課家長以連帶責任，對於警察人員務必從嚴要求其執行法紀，發姦摘伏。果能如此，則於遏阻少年犯罪，自能收立竿見影之效。（文叟）

自由談

無效率的委員制

現行各種行政機構的委員制，濫觴於民國十五年的廣州「國民政府」組織法，而以民十三年國民黨改組革新後的委員制為基因。當年國民黨改組革新的黨章，是由蘇俄顧問鮑羅庭起草的，完全沿襲俄共的章法，毫無二致。

凡屬於決策或設計督導機構，如議會和政黨等，採取委員制度是可以的，事實上亦利多於害。若夫行政單位而搞委員制，那便是胡扯瞎閙，有害無益。我常說，過去在大陸上，幸而地方行政基層組織如縣市政府等未會改用委員制，否則神州陸沉之禍，不等到民國卅八年即已降臨了。

行政機構既盛行委員制，必然的現象就是開會主義的風氣大作，事無鉅細，一是皆以開會為本，而美其名曰「民主精神」。開會的結果，只見發言盈庭，衆口咻然，互相推諉責任，但知爭持權力，會議越多，政務即越見廢弛，官僚主義乃應運而生。所以，共產政權的官僚體系特別深厚，試看南共吉拉斯所寫的「新階級」一書，即恍然大悟矣。共產政權的特徵，就是委員制掛帥，開會主義當頭，然其實際却係超級的獨裁制度，而號稱為「民主集中」，掛羊頭以賣狗肉，乃係共黨慣技，殊不足異也。

行政機構是國家的官職，負有直接管理衆人之事的責，貴在效率高強，為人民解決問題，替國家推行政令，權力要集中，手續要簡化，動作要切實，非做到將 總統所指示的「新速實簡」程度不可。就在委員制之下，開會主義當頭，甚末綜合會議，專案小組會議，各單位聯席會議……等等，名目繁多，不勝縷述，會議昕夕召開如儀，結論却不易得到，縱有所得，亦此牽彼罣，沒法執行，實在逼急了，即向最高當局請示，有功歸諸己，有錯失則推諸最高領袖，充分表現着「挾天子以令諸侯」的官僚主義作用，推究本源，俄共式的委員制實為厲階。四十餘年來，我們無形之中感染着俄共的委員制流毒，生於其心，害於其政，而不知其病根所在，可勝慨歎哉！

革除那妨礙行政效率的委員制，纔可以消弭官僚主義，而在意識形態上滌蕩共黨作風的傳染，其各勉旃！

馮五先生

同一刑案兩種裁決　事証相同處分相反

台南地檢處實已構成瀆職罪嫌　當事人不服向監察院告了一狀

（台北消息）同一性質之刑事案件，事實證據相同，台南地方法院竟作兩種極端相反之處分，因而引起受刑事處分之當事人不服，向監察院告了一狀，案經監察委員劉耀西調查屬實，現正依法處分中。

像這樣的事實，雖不多見，但亦不司空見怪了。緣有楊賓三之妻楊許茶在台南中正路經營瑞泰米廠，五十六年五月十八日，粮食局股長彭金泉，視導曾源益二人，會同該局台南管理處職員至瑞泰米廠突檢米倉，認該米廠楊許茶有向屏東縣潮洲鎮越區購買五十六年第一期蓬萊糙米一千公斤，違反粮食管制管理治罪條例第七條：「粮食或指定之粮食加工成品，不依照粮食主管機關所規定之地域、期限、數量、價格或程序而買賣或運輸者，科以相當於粮價總額之罰金。」移送台南地方法院經檢察官熊敬軍偵結提起公訴，送刑庭裁判鉅額罰金，出庭作證的證人劉振，亦被認僞證而以僞證罪判刑。

同一天，粮食局股長彭金泉等在台南市成功路查獲由柯辛珠環開設之朝陽商行米廠存有越區米共九千六百公斤，並緝獲高雄縣鳳山鎮鴻鵬碾米廠的米袋——證物，案由朝陽商行米廠經理柯辛珠環出具之保管書，承認代銷地區粮食，證據確鑿，而台南地方法院檢察官夏靑承辦本案，經偵查而不予處分。

台南地院檢察官熊敬軍承辦瑞泰米廠越區購米案，結果提起公訴。其理由是：「越區購米之事實，業據移案機關函述綦詳，核與現場查獲人台南粮食管理處職員周燕昭結證無訛，且有被告立具保管書附卷可稽，罪證明確。」

熊檢察官對證人劉振在法院作證，認有僞證罪嫌，亦以：「明知在被告楊許茶米廠查獲越區購買之一千公斤蓬萊糙米，於偵查中故意僞稱係向其購買」，有僞證罪嫌，經一併提起公訴，移送刑庭判楊許茶、劉振有罪，上訴台南高分院亦遭駁回。

台南地檢處檢察官夏靑承辦朝陽商行越區購米案，對被告柯辛珠環處分不起訴，其理由爲：「訊據柯辛珠環供稱：『店內業務由我兒子辛炎霖管理，本（五六）年五月十九日，因自强街失火，他們都去救火，粮食局來查新米，但我倉庫中新舊米放在一起，新米五十包，舊米四十六包，他們都放在一起的，誤認全是新米，寫好保管條，叫我蓋章。』復據辛炎霖供稱：『本（五六）年五月十七日，向甘金順買蓬萊米十四包（一千四百台斤），同月十七、十八日，向陳來基共買蓬萊米十二包，同月十七日，向許進權買入在來米二十包，糯米四包，共計五千公斤，其餘是五十五年第二期糙米，共四千六百公斤，總計九千六百公斤。粮食局來查時，均當作新米，因發現鴻鵬米廠蔴袋，說是高雄鳳山鎮鴻鵬米廠運來的，因自強街失火，我母親蓋章的，後來發現錯誤，曾答辯狀請他們來復查，但他們沒有來。』並呈粮食進出口登記簿一冊作證。經傳據甘金順、陳來基、許進權，供同前情，結證在卷。並舉當時係託黃添盛運米，亦由黃添盛結證屬實。復據鴻鵬米廠負責人黃淸村到庭證明，確無委託朝陽米行銷售情事。查朝陽米行五十六年粮食進出登記簿第十四頁記載：五月十六日，即有舊存米五千公斤，十七日購入許進權二千公斤，糯米四百公斤。十八日購入甘金順一千四百公斤，陳來基一千二百公斤。粮食局點倉之時，爲五月十八日，被告不能預知有人前來查點，早予登載，而粮食局亦未即時核閱帳簿，被告（辛炎霖）所辯，當係眞實。次查辛柯珠環年已五十五歲，知識淺薄，適逢火災，心神驚惶，調查人員遽令蓋章承諾，一時無暇計及利害，忽而承諾，揆諸當時情況，不無可諒，殊不能以其蓋章，即令負刑責，認罪嫌不足，爰依刑事訴訟法第二三二條第十款，處分不起訴。」

監察院調查委員認爲台南地檢處檢察官夏靑違背刑事訴訟法第二條之「應於被告有利及不利之情形，一律注意」的規定，況刑事案件，應重初供，蓋防止被告串供以卸刑責，此爲辦案人員應知之原則。承辦檢察官只注意有利於被告之情形，甚至採信僞證，顯已違背證據法，且有枉法之嫌。

台南地檢處不起訴處分書所認定的事實，與粮食局台南管理處移送書不符部份：

（一）粮食局移送書所載事實，關於瑞泰行米廠楊許茶則全部採信初供，關於朝陽商行辛柯珠環則全部不採信初供，亦未說明不採信初供之理由，供憑被告所提證言而處分不起訴。如粮食局人員會同朝陽商行經理辛炎霖當場清點倉存粮食查獲之九千六百斤，係由高雄縣鳳山鎮鴻鵬碾米廠，於五十六年五月十八日下午一時運來寄售，經辛炎霖出具保管書，承認此項事實。不起訴書供憑被告辛柯珠環供述及檢察官之推斷而否定此一事實。

（二）五十六年六月十二日，被告辛柯珠環在台南地檢處偵查庭供稱：店內業務，由兒子辛炎霖管理：粮食局查獲之米九千六百公斤的情形，我不清楚，我亦不在場，則不起訴書之所謂「誤認全是新米，寫好保管條，叫我（辛柯珠環）蓋章」的供述，顯然不實，係虛僞之供述。

（三）同一天，被告辛炎霖（辛柯珠環之子）在台南地檢處偵查庭供述：五十六年五月十八日，台南粮食局查獲之米九千六百公斤，不是高雄縣鳳山鎮鴻鵬米廠運來出售的，是歸仁鄉陳來基、甘金順、許進權等三農戶，賣給我的。當檢察官問他有何證據？他回答：「沒有證據」。同年六月十七日，台南地檢處第二次開庭時，農民甘金順等三人異口同聲供述：賣米給朝陽商行辛炎霖，沒有證據，「米是只知姓呂的」，不知其名「人家叫他阿呂」，「牛車運去的」。同月二十一日，台南地檢處第三次開庭時，有自稱「黃添盛」者供稱：「米是我駕駛三輪貨車載運的。」於是發生農民供述由阿呂用牛車運米變爲，由黃添盛用三輪貨車運米之前後矛盾的供證，而不起訴也未叙明不採信農民之證言而採信黃添盛證言的理由。

由此可知，台南地檢處檢察官之採證，顯然有違背證據法則，認事違背法律，且有未盡職權調查之能事，竟枉法利用職權，明知爲有罪之人，而故意不使其受追訴，已構成瀆職罪嫌，不知司法當局對這種司法人員有何處置。

（本報記者張健生。）

谷鳳翔去職遠因近因　張寶樹收信五百餘件

本報記者公孫熊台北稍息：中國國民黨中央委員會秘書長自張寶樹接任後，各方對執政黨中央之黨務工作均認爲有新的發展，當張氏自八月七日由中央常會通過出任秘書長，至十二日上午新舊任交接，在其間五日中，張接獲各階層來信達五百餘件，據其表示，該項函件僅少數係對其個人有所獎飾，絕大多數均係向其提供改革黨政意見，在致函人士中包括有農、工、漁民等，雖有部份意見，因對黨務有若干隔閡，或將難於盡予採納，惟其愛黨動機彌足珍貴。

惟外間對谷鳳翔之辭去秘書長原因，一則認爲係爲四年屆滿之任期制。例應改替。此說頗足置信。再則類多複雜之傳說，有謂本年春季台灣省縣市長黨內提名候選，而新竹縣黨外競選人劉樹燻，在與執政黨提名之朱育英紛爭激烈相持不下時，而劉樹燻突於報章聲明啓事謂奉恩師谷岐山（鳳翔之字）之勸導，放棄縣長競選。頓使新竹執政黨提名選勢扭轉危局。詎劉樹燻係採政治謀畧，利用選舉法空隙，實則，並未放棄，終於獲選勝利。使谷鳳翔秘書長之德望感召頗受虧損，此其辭職遠因之一。高等法院檢察官曹祖慰於嘉義首席檢察官任內之貪瀆重案揭發後，舉國譁然。曹祖慰於嘉義雲林橫行時代，適谷鳳翔任司法行政部長，曹祖慰出身朝陽大學法律系，而谷氏又居朝陽同學領導階層，曹竟不肖若此之極，影響谷氏監督失察之清譽甚大，輿論攻擊，咄咄逼人，此其辭職之近因。前項傳說，雖不足信其爲必，姑且記之而已。再於張寶樹接任之前五日短期中，就湧到五百餘封改革黨政之意見。雖然在谷秘書長任職多年中，執政黨領導政府力行各種革新、其成效有目共睹。但谷氏一旦去職，就有若許要求改革意見。可見谷氏任內，尚有美中不足之感。谷氏索有自處淡泊寧靜，篤於道義，與世則明敏豁達，人皆呼爲黨國任重致遠之士，或當不以前述流言有所介懷也。新任秘書長張寶樹於就職時曾呼籲全黨同志要一致努力，使黨更求發展、更求進步，他保證自己今後將堅守工作崗位，盡到應盡的責任。

東南亞行腳

可愛的公共汽車

台北的公共汽車變成爲公共「氣」車，坐公共汽車常會裝一肚子「氣」，已成爲司空見慣，有一些車掌小姐生着一副寡婦臉，和乘客講話…，大有借多還少，憤憤不平之慨，古人蜀道艱難，今人竟會有乘車艱難的事，不亦怪哉。

落後國家的緬甸仰光公共汽車，則反很可愛，他們不是公家壟斷，而是完全開放民營，各路車的區別不用阿拉伯字號碼作標誌，而是在車身給着獅子、麒麟、大象、老虎、花豹、孔雀等飛禽走獸作辨別，比如赴燕子湖乘麒麟標，大金塔坐孔雀標，大概因爲車子多的關係，很少有擠得水洩不通和亂嘈嘈的怪現象。這樣的落後反而可愛了。

高舉

趙恒惪一封公開信　爲周德偉被彈辯護

周本人即將自撰「被彈記」

本報記者顧碧天台北消息：監察院爲「黑牌汽車」漏稅案，由金越光、王枕華、張一中三委員提案彈劾財政部關務署長周德偉及關務科長游先渠，對黑牌汽車漏稅案之處理廢弛職務，致使國家稅收遭受一億元以上損失，情節嚴重，雖有原宥之餘地，因而提案彈劾。經鄧景福等十一委員開會審查成立，移付公務員懲戒委員會依法懲處。彈章公布後，周德偉除一面發表書面談話，自以書生本色治學從政，信其無罪，靜待案情推移，將撰「被彈記」問世，以就正於國人。此在監院實行彈劾案以來，當事人之反映以周德偉爲最突出，周究否應負法律責任，當視公懲會之依法審議決定耳。按周德偉隸湘籍長沙，北京大學畢業，英、德各國留學研習經濟及哲學，歷任湖大教授兼經濟系主任，中大教授，出席聯合國貿易及就業籌備會議中國代表團首席顧問，籌備委員，並代表中國參加聯合國召集之關稅談判，三十八年返國後任財政部關務署長迄今。

頃有八旬高齡之湘籍耆宿趙恒惕，致監委金越光一封公開信，茲畧誌於下：「越光先生勛鑒：雖未謀面而書簡曾通，知先生爲有識之士也。奉職監院主國家之風憲，立政治之良規，當國家多難反攻緊要之時，總統昭示三分軍事七分政治，吾黨尤宜遵從，台灣政風近日竭力整理，腐朽尙未澈底肅淸，政治尙難底於淸明之域。先生於此時刻獨專注於彈劾周君德偉，實所惶惑。周兄與弟相交三十餘年，深知其品節甚高，絲毫不苟，愛護國家，高於常人不啻萬倍，任何威脅，不能損其志節，任何大利不能變其操守，此爲恒惕與平日相交周君之人所共同堅信者也。先生年來屢施糾彈，卒經查明皆非事是，則其人毫無苟且，可以證知。

「此次所舉之事更易查明，即就法律而論，海關呈報關務署建議改變辦法，務署未經指復，凡法律變更之際，新法未公布前，舊法仍然有效，征稅機關既發現有漏稅情形，何以不依據現行法令，予以究征及查緝，先生置稅政機關責任不論，獨苛責不司實際收稅之關務署長，豈得謂平？如擴而論之凡偷關漏稅成功者，稅收機關如有情報可不繼續追查乎！可諉其責任於上級或法令之不周乎！可以呈報了事乎！以先生之明，當能察及。恒惕老矣，決不欲多事生端，此點不過就法論法而已，況有政府之公明主持，恒惕決不過問。

「弟懸揣先生檢舉之動機，不外有三者：一、稅收機關人皆視爲生財之地，此概視常人則可，非所宜施於正人君子臨財不苟者也。二、所求不遂或懼其方正之徒，挾嫌造謠，毀其名譽，君子可期以方，先生或遂其所惑。三、共匪欲使我政治貪汚，民怨沸騰，趨於內潰。其法爲顚倒是非，誣衊賢良官吏之名譽，掩護貪汚職員之敗行，設計之陰險與方法之巧妙，使上官難於察覺，國人易於蒙蔽此恒惕所曾親歷者也……共匪陰謀無所不用其極，此在台同胞所應特別注意者也，現共匪對於自由中國在位廉正有爲之人才，用種種方法竭力打擊，使政治腐敗，正爲共匪積極謀我之重點，此舉國上下不能不提高警覺防其滲透也。周君爲余三十年之舊交，確知其才智足以濟國，當此國家需才甚急之時，有識之士均望其一展抱負，必能裨益國家，局促一隅，非其素志。若再拼力打擊，誠使志士扼腕太息。惟周君短處愛臧否人物，亦足招謗之由。所望國人對於正人君子、忠貞爲國之人才，極端愛護，不可蹈予之覆轍，受人利用而不自知爲禱。其他委員並請轉致拳拳悃誠」云。

吳敬恒先生年譜（十五）

陳凌海編撰
陳洪校訂

閏五月十六日先生由上海金利源碼頭，登太古輪船公司「龍門」輪赴香港。寓中環泰安棧，房金每日港幣七角。送行者有章士釗（行嚴）、胡敦復、沈步洲、曹慰霖等。陪先生同行者何梅士，彼亦擬赴歐留學。船抵香港，先生留港半月。晤陳少白、馮自由等。陸爾奎（煒士）由廣州來晤，挾旅費六百元贈先生。此欵乃彼與方子仁、莊蘊寬（思緘）各贈二百元之總數也。時胡漢民（展堂）欲邀請先生担任公益報主筆。先生正作考慮，爲陸爾奎勸阻而未就。先生憶及李煜瀛（石曾）曾有戲言約其赴法之說，因此擬赴法就李煜瀛。陸爾奎以爲法爲革命策源地；强先生赴英。其時方行瘟疫，禁坐三等艙。遂以日銀三百十元買日本州波丸二等艙而行（折合華銀三百六十元）。上船晤林大慶，彼介紹先生與鼓浪嶼中西學堂校長蘇格蘭人蘭庚認識。並有厦門學生夏、雷兩人同去。九月四日抵英國倫敦，寓李里街一大旅館。衆已知先生之名，有數人舉先生昇高，以示歡迎。復始知英國報紙載蘇報案甚詳。

在倫敦住三日，即隨蘭庚赴蘇格蘭，留愛「勃賴」堡。十一月十二日，始就金氏夫人習英文。並促金君至大學參觀上課。先生對於讀英文，認爲：「不論讀音是否正確，應不顧他人之譏笑或鄙視，遇人即問，苟有如此精神，方能有長足之進步。」是年冬，先生開始寫作，第一篇爲「西洋小事情」。

民國紀元前八年——清光緒三十年，甲辰（西曆一九〇四年）先生四十歲。

先生遵外祖母陳遺命始留髮。先生在愛丁堡赴禮拜堂聽修女講道。旋由愛丁堡回倫敦。二月，訪晤留英同學友人。並參觀博物院。先生開始勤習英文，研究科學及革命理論。並在倫敦麗景街夜校學寫眞銅板。六月三日由倫敦乘輪赴翌貝德堡，往還計費五鎊。八月，丁文江、李毅士、莊文亞等三人自日本到愛丁堡。三人囊中已罄。在愛丁堡無中國人，緩急無可設法。先生託蘭庚照料丁文江、李毅士。自偕莊文亞由利物浦轉倫敦，訪晤南洋公學學生吳潤如。十一月初八日（國曆十二月十四日）國父離美赴英，並將由英轉往歐洲大陸各國。是年張人傑返國。旋以其尊翁定甫先生所予之銀元三十萬元携往法國創辦通運公司於巴黎馬德蘭廣場四號，運銷古玩、磁器及茶葉。是年先生始配眼鏡。先生在流亡英國以前，曾以自己發明之「荳芽字」授夫人用直接拼音方法寫信。「先生到了英國，袁夫人即利用「荳芽字」拼寫家鄉語信，每次數千言，甚至有逾萬言者。使遠在萬里海外之先生，閱讀來信，頓如置身一堂之感。

關羽之敗與蜀漢之衰！（上）

祿思祖

三國時代有一次戰役，看來像是地方性的戰役，其實却關係全局，那就是關羽北伐襄樊之戰。這是決定蜀漢不能恢復中原的一大關鍵。這次戰役的結局是很可惋惜的。後世史論家每將失敗的責任歸咎於關羽爲人矜驕，不能和好孫權，善御部下。但最大原因，還應歸咎於劉備的疏忽。他此時遠在成都，正得意於漢中的勝利，却忽畧了荊州在地形上已過於突出，須要大軍支援。同時關羽已威振華夏，幾使魏吳二國總動員與之爲敵。關羽雖强，怎能抵得住魏吳二國的傾國人馬？結果遂形成孤軍深入之勢而兵敗身殉。

這次戰役不僅爲劉備所忽畧，亦不聞諸葛亮有何建議。陳壽三國志對關羽出兵襄樊的動機何在，以及確實的日期亦均無詳細的紀載。只知道是在建安二十四年。這一個是蜀漢的極盛時期。

這年春天，劉備進兵漢中，斬夏侯淵。

三月曹操自征漢中，五月曹操退回長安，七月派于禁龐德等七軍救襄樊（見三國志武紀）。又魏書溫恢傳載「恢謂裴潛曰，今水生（通鑑作水潦方生）而子孝（曹仁）縣軍，未有遠慮，關羽驍銳，乘利而進，必將爲患，於是有樊城之事。」通鑑作「已而羽關果攻曹仁。」通鑑亦考不出關羽出兵確實月份，故以「已而」二字來表示。從以上曹操調兵日期及「水潦方生」的情形推斷，則關羽出兵必在夏季六七月間。其動機可能有兩個，一是爲新定的漢中聲援，牽制魏兵。一是想克復襄樊，打通漢水，使漢中與荊州連成一片。

後來劉備又派孟達劉封攻取上庸（今湖北鄖陽）亦爲策應關羽打通漢水。這次戰爭在劉備與關羽的初心，或者不過如此，但戰事却慢慢地擴大了。

這年八月，因漢水暴漲，關羽用舟擒于禁，斬龐德，俘魏兵三萬送江陵。魏南陽守將侯音執太守與關羽連合。陸渾民孫狼亦起兵應羽，又羽所遣將已至郟下。曹仁此時想棄樊城遁走，賴滿寵之勸才苦撐待援。這時許昌部也連續發生京兆金禕，太醫吉平的起義，皆南引關羽以爲援。三國志載「自許以南，民情擾擾，關羽威振華夏。曹操議遷許都以避其鋒。」（按關羽這次進兵，其聲勢不在南宋岳武穆進兵朱仙鎮之下。）於是魏吳聯合，協力擊羽。戰事發展到這步田地，而蜀漢君臣，仍等閒視之，既無全面會戰的決心，又不令關羽撤兵退守，一任事態自然發展，焉得不敗？

「管樂有才原不忝，關張無命欲何如！」這是唐人李商隱詠四川籌筆驛的詩。居後世看古人史實，眞好像冥冥之中，有一支命運的手在作弄人似的。以昭烈之量，諸葛之才，關張之英武，竟也千慮一失，於大功將成之際，一蹶不振。時至今日，我們可以斷言這次的失敗是人謀的不善，但也與氣運有關，如吳將魯肅這時死了，呂蒙代他督荊州軍事，這個呂蒙，自爲末將之時，即處心積慮要進圖關羽，後來又屢次勸孫權圖羽，大有不滅關羽，死不瞑目之意。及至關羽死了，他緊跟着也死了，好像專來了此公案似的。

「命一上將荊州之兵以向宛洛，將軍提兩川之師以出秦川。」這本是諸葛亮隆中對策的計劃。昭烈於此時，即使不能親率兩川之兵出秦與關羽作鉗形攻勢，也應如建安二十年率兵下公安爲羽增援。或別遣大將如張飛、趙雲者進駐江陵爲羽穩定後，使他進可以攻，退可以守，不致爲孫權所襲三者都無舉動，不知原因何在？

近人盧弼三國志集解引黃思彤曰：「方羽之斬龐德，虜于禁，曹仁幾遁，操欲還都避之，自許以南，望風景附，史稱其威振華夏，此破竹之勢，千載一時也。乃蜀之君臣，但喜其勝，不虞其敗。權以陸遜屯滻口，呂蒙用奇兵而蜀不防。操以徐晃爲將軍，將殷署朱蓋十二營之兵以救樊城，而蜀不聞遣一將增一旅以援羽，致使徐樊掎之於前，呂陸蹋之於後，首尾狼狽，勢遂不支。豈非失事機也哉！厥後武侯北征，屢出祁山而功卒不就，則以荊州既失，宛洛路梗，不克別遣一軍，兩道并進，以分敵之勢而張我之氣也。以武侯之才，措置荊州不能如其隆中初計，又非千載下所敢臆測者也。」又引姚範曰：「呂蒙襲江陵，陸遜別取宜都，屯夷陵守峽口以備蜀。蜀人當時之疏如此！吳人之耽耽於荊州而忌羽之成功，不待智者而知，而當時若付之度外，蜀之謀士當不若是之疏，陳民或不能詳耳。」

一個說不敢臆測，一個說不能詳耳，這事總使人扼腕疑慮而不得其解。建安二十四年十月，曹操與孫權都已親自出馬。操南征羽，軍摩陂（在河南南汝州）爲徐晃策應，並先後派徐商，呂建等爲晃增援，且令曰：「須兵馬集至仍俱前。」其小心如此。孫權此時也親至江陵，事先更兵行詭道，先使呂蒙僞稱病篤，調回秣陵，使關羽疏於防範。又藏精兵於舟中，僞裝商買，偷襲荊州，復用虞翻等爲說客，作策反活動，誘博士仁，麋芳等投降。得荊州後。又優待荊州軍民及眷屬以瓦解關羽的軍心。可以說使盡了解數。爲了戰一關羽，魏吳二國幾乎動員了傾國人馬，上下費盡心機，則關羽之勇猛善戰可知了。這次戰役，關羽雖敗猶榮，但蜀漢克復中原的希望，也隨關羽俱逝了。

統一天下一不能專靠相才，勇猛善戰的大將，必不可少。以漢高爲例，若僅有張良蕭何無韓彭絳灌之徒，則亦不能定天下。關張一死，蜀勢遂弱，武侯雖有克復之志，也只能偏安一隅了。

文滙樓劄記

食少事煩的諸葛亮

司馬懿召見諸葛亮下戰書的使者，問曰：「孔明寢食及事之煩簡若何？」使者曰：「丞相夙興夜寐，罰二十以上皆親覽，所啖之食，日不過數升」懿聽後顧謂諸將曰：「孔明食少事煩，豈能久乎？」

諸葛亮生於漢靈帝光和四年，（公元一八一年）卒於後主劉禪建興十二年八月廿三日，（公元二三四年）相蜀十三年享齡僅五十四歲，食少一定是有胃病，患胃病的人怕生氣、怕着急、怕積勞。主簿楊顒諫曰：「某見丞相常自校簿書，竊以爲不必。夫爲治有體，上下不可相侵，譬如治家之道，必須僕執耕，婢典爨，私業無曠，所求皆足，其家主從容自在，高枕飲食而已，若皆身親其事，將形疲神困，終無一成，豈其智者不如婢僕哉？」孔明泣曰「吾非不知，但受先帝托孤之重，惟恐他人不似我盡心也！」

「諸葛亮一生惟謹慎」，其實用兵的人惟謹慎就很難講了，乃至於六出祁山，九伐中原這些攻堅的動作，均屬冒險行爲，而且諸葛亮自己亦交代得淸淸楚楚，所謂：「坐以待亡，孰予伐之」失街亭，空城計，斬馬謖既着急、又生氣，五丈原司馬懿伏兵不動，百罵千辱不還一句，就患有胃病的人說，遇到這些事，都是最大的致命傷，且根本不宜於搞政治，諸葛亮除「鞠躬盡瘁，死而後已」充滿了有血有肉的忠義之氣外，其政畧戰術可取的地方並不太多，大政治家者必須具有百年大計的眼力，等到楊主簿數出：「豈其智者不如婢僕哉」孔明才難過得流出眼淚說：「吾非不知，但受先帝托孤之重」換句話已嘗到「事必躬親」的害了，今天蔣夢麟博士等，健康不會比諸葛亮强但他能優閒自在，得享古稀之壽，就由於深明此理，他爲政辦學，從不事必躬親，指揮若定的辦事效率，使瞭解他的人眞佩到五體投地。國父當年倘能廣爲啓用這批有骨氣的知識份子，再加以配合自己的政治、軍事、哲學外交和無所不知的天才，北洋軍閥不能形成爲力量可以斷言。蔣總統在國父身邊很久，所謂：「旁觀者淸」，體會出的東西較多，北伐大業一氣呵成，且能將世界公認一流列强帝國主義，日本打垮，非偶然也。

諸葛亮能成爲中國歷史上六大政治家之一，不能被「事必躬親」一筆抹煞，「事必躬親」就做官的人來說，不僅不是短處，而且是最大的長處，一個當權的責任宰相，「事必躬親」不僅不算長處，而且是無可原諒的短處，憑藉一個人的體力能躬多少事，能親幾何人，有能力有學識有品格之輩，必有幾個願意去替人「舐痔」的。（見莊周語）像近半世紀很多新官僚，祗要能攅，就有出路，不要面子，連褁子也不要，這種人會做出甚麼好官，攪出甚麼好事，因之台灣貪瀆的風氣，有增無減，非開殺戒恐難挽救了。

·文滙樓主·

一家出了兩個總統

·古齋·

一六四九年荷蘭人羅孫佛（Claes Martemszen Van Rosenfelt），以移民資格到美國卜居新阿姆斯特丹——即後來的紐約，由於羅孫佛工作勤儉家業蒸蒸日上，到了兒子尼古拉斯的手裏因創辦麵粉廠成大富翁，十八世紀初期尼古拉斯，林泉高隱時，將產業分給兩個兒子，後來兩個兒子的家，每家都產生一位美國大總統。

第一家是尼古拉斯長子約翰拉司傳到齊沃多爾羅斯福（Theodore Roosevelt）上校以共和黨員於一九〇一年當選爲美國第二十六屆大總統，第二家是尼古拉斯次子傑哥巴斯傳至佛蘭克林羅斯福（Frankiu Delcno Roosevelt）以民主黨員於一九三三年當選爲美國第三十二屆大總統。

這兩位總統的家，都住在紐約州，長房建業於長島之 Oyster 海灣，二房置產於赫德森和之東岸，即紐約 Krum Elbow 的海德公園，最有趣的是兩位羅斯福都完全是英國「紳士」型，皆受到優良的高級教育，所不同的前者喜歡航海，後者則出身律師，齊沃多爾羅斯福做過一任美國大總統，佛蘭克林羅斯福則連任了三次美國總統，有所謂後來者居上之感，我國人崇拜的羅斯福當爲後者，對前者自也有仰慕之情。

新廿五經

吸烟經

馬騰雲

菸、亦稱菸草，屬茄科植物之葉，經特種處理製成，供給吸用，其主要成份，係揮發油狀之菸鹼，非常有毒，一條毒蛇，我們以旱烟管裏的老菸油，滴小點在它的頭部時，毒蛇即被制服，用菸鹼兩滴置於小狗或小貓的舌面，幾分鐘後小動物即因呼吸痲痺而導致死亡，不過吸烟的人，對於菸鹼有一種抵抗性，其中毒症狀甚少。

一般的說法，謂菸草裏含有尼古丁即係菸鹼，是可以導致癌症的一種毒素，其實菸草裏的毒素豈止尼古丁而已，還有一氧化炭，氰酸等，長期吸烟過度，可得到下列慢性症狀，如消化失常，食慾不振，口內惡味，胃酸增加，有關神經系統的，無精打彩，喜怒無常，煩燥不安，雙手顫抖，記憶力減退，頭痛眩暈及失眠，其他如慢性咽炎，時常乾嗆，心跳或速或慢，冠狀動脈常變硬，上列諸病，幾完全見於重量吸烟者，一般的統計因吸烟而得的癌症，多生在口唇，呼吸道及食道之間，但上列因吸烟而引發的病症，要注意是從「過度」而來，不過度的話，不僅無害，多多少少還有點益處，因小量的菸鹼，有極短暫的興奮作用，同時要瞭解，吸烟癖與鴉片、嗎啡、紅丸等痲醉藥癖所不同者，吸烟者對於烟，主要為心理上的需要，無顯著生理上的需要，吸烟突然中斷，有癖者祇精神上不舒服，興趣索然，但生理上並沒有甚麼顯著的反應。

有烟癖的人，睡眠前要抽烟，睡醒了要抽烟，不懂得抽烟的人是很費思索的，睡眠前抽烟可能是為的不能入睡，既睡醒又抽烟是為的甚麼呢？要知道菸鹼對於大腦、延髓、脊髓及橫紋肌等，有先興奮後痲痺的作用，這種菸鹼就對動物全身作用來說，甚複雜，而不易分析，表面的道理來看，睡前吸烟，興奮後因痲痺而易入睡，睡醒後吸烟，乃因矇矓[illegible]而需要興奮，這就是烟不容易戒除的次一癥結。

菸之供吸用者，計有紙烟、雪茄、水烟、旱烟、烟斗吸的絲烟，其主要的有毒成份，則均為菸鹼，但吸烟者所得到的快感，則並非完全由於菸鹼之含量，實含有習慣與精神作用，從上列簡單的分析，於之對人體的貢獻甚微，用功過相抵的角度去看，可以說是最好別吸。我國自實施烟酒專賣制度後，烟和酒對國家的財政收入上是一筆收益而且數目相當大。南洋羣島若干落後國家，他們的劃分是很有趣味的，將烟酒收入作陸軍經費，米糧收入作政治經費，礦產收入作海空經費，特別收入作特工經費，娛樂捐屬於國家的酬應費，由元首統一支配，看來似乎太不科學，其實不科學的事還多得很，電車不是環繞都市行的，有的一條街道上築一條電車線，從起點到終點最短的有三個台北衡陽街那麼長，兩條電車往來對開，因為是單軌，半途上要好幾次的讓車，他們為甚麼會這樣笨呢？殊不知我們從前有一個階段，比起他們並聰明不了多少。

話又歸納到本題，七萬萬人口國家紙烟的消費量，竟糊裏糊塗的操在英美烟草公司手裏，約在一百年左右，他們在中國如入無人之境，北洋軍閥崇洋、懼洋、求洋，「三『洋』開泰」的情況下，使洋人大發其洋財，英美公司出品的香烟計有炮台牌、紅錫包、白錫包、多福牌、哈德門、前門牌、歡迎牌、老刀牌、翠鳥牌、華芳牌等約六十種，每一個牌子，皆有其暢銷區域：紅錫包、白錫包銷在江浙，大前門銷在華北各省，多福牌、哈德門、歡迎牌銷在山東、河南、安徽；老刀牌與翠鳥牌銷在華南；炮台牌銷在各大都市高階層等。華商中雖有很多家烟草公司，但均微不足道，大一點的是南洋兄弟烟草公司和華成烟草公司、與華美公司的範圍比較起來，又是小巫遇見大巫。南洋公司出品的紅金龍、白金龍、大聯珠、長城牌。華成公司出品的美麗牌、金鼠牌，各種國產香烟品質相當好，可是國人似不太欣賞，這究竟是驢子不走還是磨子不轉，也沒有辦法能找專家鑑定，祇在香烟上被英美公司賺去的錢，說起來會嚇壞人，一些事後有先見之明的理財家，於事後一直也未能見到這些，可謂慘矣！可謂荒唐。

因談到香烟連想到火柴，也許中國辛酸史太多，小到幾根火柴都成問題，中俄復交進口一批俄國火柴，火柴竟擦不出火，從那個時候起就看到老毛子（民間對俄通稱）不是個東西，完全合乎國際規格的大騙子，另有一個火柴疑案更可笑了，民國二十六年政府對日抗戰後不久，日本各地街頭上發現很多廉價「抗日牌」火柴，據說這批火柴是我們的火柴大王劉鴻生在日本定的，因事變倉促無法取回，日本火柴商依法拍賣，事情雖不太大，問題，乃像劉鴻生型的人物在工商界始終盤據要津，這一可怕的事實，算工商業起飛了呢？或者是他山之石，可以攻錯，我們如果都不是的話，我們應當掛起「衣帽自理銀錢當心」了。

送胡大使伯玉上將軍之越南

（有序）

陳邁子

前歲胡璉（伯玉）將軍奉使越南，臨行數數索詩，意甚殷。為贈此作。書成橫幅，於將軍啓程之日，往機場送行面致之。將軍頻頻握謝，頗有得色。欣然登機，納衣袋中。客冬返抵國門，歡然道故。為言此詩張之使館，越人之善漢學者咸讚譽之，益滋予媿。惟詩中所詠中越合作抗共之義，今則較昔大為進展，事有先兆，良堪慰已。

泱泱大國古中華。夷夏胡越今一家。交趾南服列外郡封疆置尉政孔嘉。兩千年來敦世好。齒唇輔車義無差。橫流滔滔九萬里。同蒙寇禍禍無已。精誠耿耿救全民。正義同仇爲公理。東海南海遙相應。協力奮扶日月起。將軍堂堂命世雄。旌常久著血戰功。武烈鷹揚殲風寇。叱咤英名震亞東。嚴城屹立金湯固。指揮若定寇技窮。撼山何易撼岳難。虎賁矯矯人中龍。移來鋒車馳星軺。奉使南越路迢迢。䡴鈴還期折樽俎。載將節旄並賚刀。講信修睦夙所尚。禮義由來重邦交。得道多助仁無敵。文德懷遠勝天驕。吁嗟乎。一自中原踞豺虎。萬姓屠戮生民苦。碧血斑斑汎江河。死人骸骨相撐拒。依依楊柳灼灼桃沃壤嘉禾半焦土。愁見阡陌荒草烟。夕陽鴉噪暮色寒。斷井頹垣逐處是。孤兒嫠婦淚已乾。通都大邑成鬼蜮。豪華無復似當年。畫舫臺榭今塵土。梨園不聞舊管絃。彝倫斯文俱掃地。人間那復識儒冠。吾聞北越苦荼毒。寇勢方張禍相綿。西貢怒吼拒頑敵。東京灣水水嗚咽。禍始渠魁原非二。妖氛沆[illegible]應同慨。復土收京賴合謀。始信戮戰道力遒。犄角併肩中敵愾。不平赤禍誓不休。將軍吾秦之健者。翦、猛、超、援、騫之儔。此日策勳赴絕域。佇看春風展嘉猷。指日南疆風雲會。將軍揮劍定九州。

三日春秋

麻將的道德與心理

厚安

麻將是名符其實的國賭。聽說日本的火車司機因為愛打麻將，乃至睡眠不足，誤了開車時間，可見此道外人也愛。

說麻將的壞處多的是，且說說它的優點。

麻將是民主的。任何規則，上枱時一經約定，無不遵守。再大的「和」，人家一個平和給攔了，那算活該。講好圈數，打完了結賬就走，要翻本，下次再來。完全符合「公平競賽」的原則。如果我們辦選舉時，大家有打麻將的風度，許多選舉官司，都不會有。

打麻將是羣戲，非四人不可。當三缺一的時候，被找到的人，似乎只有奉陪的分兒，如果推辭，就是「缺德」。即使有病，也要「捨命陪君子」。這對缺乏合羣素養的國人，是一個最好的訓練。

打麻將又能練人耐力，手氣再不好，也要打完講好的圈數。這與運動時堅持到底的運動員精神，完全是相同的。而且往往最後會出奇計，即墨一戰，收復失去七十多城，也是常有的事。

打麻將又最合心理衛生。中國人這幾年來過的盡是苦難的日子，悲慘的歲月。若不是這可愛的「國賭」，使人們在悽涼悲慘中，有一個短暫的逃避，不知道有多少人發瘋！（請調查，有幾個愛打麻將的人發神經。可見它又是治神經病的良劑。）

講到麻將心理，說一個故事收場。有一個很聰明的人與三個壞蛋同打麻將，他好容易做成一付青一色萬字，等「八萬」和，但向池子中一看，「八萬」已出來四個（那時是打亂張的，不似現在整齊地把各人打的牌排在各人面前）。心中涼透了底。這時下家打了一張「五萬」，他未看清，忙問「什麼」。下家是壞蛋，以為他和「五萬」，就說：「八萬」。他明知不可能，乃轉問上家：上家也是壞蛋，也說是「八萬」。他再問對方，對方更是壞蛋，並且罵他：「當然是八萬，何必多問」。這時，他慢慢倒下牌來，和了這一付青一色。那三個壞蛋目瞪口呆，但話已出口，收不回，只好自認倒霉。

此人利用壞蛋的心理學，十分成功，事情發生在香港，是民航隊一位駕駛親歷的。（完）

三幕喜劇

事過境遷

熊式一

包太：露茜，少胡說，你快帶趙先生上樓去洗洗手吧！一會兒就開飯，你姑奶奶說不定今天會來，把頭髮梳梳整齊，換一件袖子長一點兒的衣服；趙先生的上身穿了來嗎？

露：穿了來！

包太：這就好了！快去穿上吧！姑奶奶一見人穿上衣，一掉頭就走的！孩子們，快上樓去，跑了去！

趙：我是將來要封爵士的大藝術家，上樓決不能跑的！爵士夫人，我們一步一步的慢慢走上去！（回頭）包太太：我們並不是「孩子們」！

露：史先生：我們回頭見，你千萬別走。

史：包小姐……。

露：嗳！

史：露茜，回頭見！（他們高高興興，裝模做樣的走了。）

包太：史先生，請你千萬別見怪，他們還完全脫不了小孩子脾氣！

史：好！好！天眞極了！可惜現在這種人太少！

包太：今天也特別一點！他們當然特別興奮。不過，史先生，關於他們訂婚的事，請你千萬別對外子，別對我們姑老太太提呀！我也是剛剛聽見，一切還沒有十分講定呢！

史：當然！當然！史太太，你請放心！

包太：外子來了。

（包仁翰手中拿着一個鐵釘鍾兒匆匆的由窗戶口進來。）

仁：史先生，眞對不住，方才失迎得很，原諒原諒！要你久等了，（示以鐵錘）放不下手！

史：那裏的話！我要請包先生原諒，一早便來打攪你……。

仁：那裏的話！一點也不打攪，難得難得！我太太留了你吃便飯嗎？

包太：留了！留了！

史：留了，多謝多謝！不過我應該到劉家去一趟，他們也約過我去吃飯……。

仁：別去了，吃了飯再去！

包太：那一個劉家？

史：（由懷中取出另一封信來看看清楚）劉仰吾……。

仁：呵，劉仰吾，他住在奧士汀山道，很近很近，吃完飯再去。何伯文的老朋友就是我的老朋友，我吃了飯就替你寫介紹信，一定辦得到，一定幫忙，何伯文是我的好朋友，他近來好嗎？我很久沒有見他了，他還在桂林嗎？

史：他……他……在……在……我也沒有見……沒有見……他……他……現在……在……我……我……。

包太：（看出他很窘的樣子，替他解圍）現在交通很不方便，想必史先生也很久沒有見到何先生，對不對？

史：包太太說得……。

仁：胡說！那封信不是上個月寫的嗎？我當時就注意了那上面的日子！史先生上個月還見着了他……。

史：可是，可是，（有了主意）我也很久沒有看見他，他早離開了桂林，這封信是他寄來的……。

仁：呵！你也很久沒有見着他嗎？他的胃病好一點嗎？痔瘡還常發嗎？

史：（更窘）好……好是好一點點，但是也常發，我……我沒有見……很久沒有見到他，不敢說一定。

包太：史先生既然很久沒有見何先生，他怎麼知道呢？仁翰，先別問這許多，你去把介紹信先寫好吧，也許回頭姑奶奶來了，你抽不出時間，回頭史先生又要去看劉先生……。

仁：不忙，我一定盡力！何伯文這個人對朋友最熱心，無論誰去找他，有求必應；他替你寫了這封懇切的信，我一定盡力。民航局長是我的老朋友，我一定盡力的！不過史先生想做什麼事呢？最好是正駕駛師，待遇最高！何伯文在信裏說得你的本領好到極點！

自由報

第八八八期

中華民國僑務委員會頒發台報新字第三二三號登記證
內銷證內僑警台報字第 031 號
中華郵政台字第一二八二號執照
登記為第一類新聞紙類
（半週刊每星期三、六出版）
每份港幣壹角・台灣零售價新台幣弍元

社長李運鵬・督印黃行奮

社址：香港九龍登打士街91號十樓六座
91 DUNDAS ST, 9th FLOOR, FLAT 6 KOWLOON H. K.
電話：857253　電報掛號：7191
承印者：大同印務公司
地址：香港北角和富道九六號
台灣總管理處
中華民國（台灣）台北市大同街 119 號
電話：555305・557474
台灣分社：台北市西寧南路 110 號二樓
電話：五〇三四六
台郵撥儲金戶九二五二

凡經皆文與今日五經

費海璣

作者說：這篇蕪文，寄中央日報竟被拒刊，我希望黨的最高領袖，查一查有無黨奸在中央日報社，爲何拒絶這篇文章。

一

最近有人提倡讀經，也有人反對讀經。我是提倡讀經的人，不過提倡讀經的應提出一個新的口號來，方有效力。我提出的口號是「凡經皆文」。

口號一提出，就有人想到章實齋的「六經皆史」的口號，這是很自然的事。我却要大家想一想爲什麼章實齋要提出六經皆史的口號？原來清初顧炎武提出無經學即無理學，提倡讀經，歷幾十年，到了錢竹汀的時代，學者已不讀經了，竹汀是當時的主考官，他發現生員們疏於經，十分憤慨，就把疏經落榜的事宜傳出去，想力挽頹風。於是章學誠提出六經皆史的口號，來誘導青年們讀經。只要想洞明古史，就勢必要讀這些古代的主要典籍。大家試想一想，章學誠這一着，是比起錢竹汀只透露消息，更高明呢？當然，要轉移風氣，必須因勢利導。他這一口號提出得很恰當，很合時宜。明白這些，方知道凡提出口號來，都有他的時代背景，而一有新的口號出來，便不該用學究的板眼來攻擊提口號的人。而應該明白他的動機，助其眞任務。譬如章學誠的六經皆史，這口號，我們若是故意爲難，吹毛求疵，就很可以用一些話去批評，去譏笑，或者說六經皆史那裏是你章學誠的創見，王陽明早就說過呀。或者說六經皆史是很牽強的，易經怎樣可算史呢？當時，另有人攻擊章學誠，只肯口頭辯論，不敢用文字攻訐。可見章氏口號在當時的重要性。

現在，我們能不能繼續用「六經皆史」的口號，使學生們去讀經呢？我想，不行了，時代變了。因爲今日的學生治史的興趣並不高。不過大家治史的興趣雖不高，而讀文的要求却很高。因此針對這一情勢，我們想達到提倡讀經的目的，應指出凡經皆文。

我提出凡經皆文還有一理由，在清代，因爲經的版本很多，莫衷一是，於是學者們致力於訓詁，音訓、金石，化了許多時光。清人的努力只是識字的階段已經過去了。我們治經，要進入第二階段，即欣賞經的文章了。這和宋儒的義理之學，只傳心不傳經，亦復不同。

有些學者太自暴自棄，說我們沒有資格治經，甚至于拿梁啓超尚且不敢自命爲經師，來嚇唬人。依上面的分析，我們很有資格治經，清儒做了第一階級的事，即識字，而我們進而做第二階級的事，去品文！所以，我這口號一提出來，必然有千千萬萬青年響應哩。

二

談到六經皆史，我們知道章學誠自己有矛盾的地方，他認爲不可以仿經，不可以作經。他說聖人尚且不敢作經，只述而不作，我們豈可作經？他說聖人的文章原不叫做經，後人尊崇之呼爲經。依理說，六經既然皆史，六經以外的史也是史呀，史就是人人可作的，何以不可作？這不是矛盾之所在嗎？

因此，我們說凡經皆文，同時要全國青年立一大志向，爲民國立一經。大家知道韓退之曾有爲唐立一經的大抱負，在他的精神氣魄影響之下，文起八代之衰，一點不誇。

我們要把中國文化復興運動做好，就是要爲中華民國立一經二經三經……哩。

古人的六經，都是文，這些文，有的是經世之文，有的是爲已之文。達則兼善天下，窮則獨善其身。讀經是使自己的氣質變化，明理而成爲君子。君子要通天下之務，通天下之志，並可以語天下之際。文章眞是經世之大業，不朽之盛事。人人皆可以爲堯舜，人人均可以爲文章。

我們爲中華民國立經，是應爲的。「義不容辭，責無旁貸。」請大家不要妄自菲薄。

三

由上看來，我們是可以爲文作經的，只要我們的文章具有經世之義，能以兼善天下的，當然都可列爲經。本乎此義，我認爲今日我們可以把三民主義，建國大綱，中國的命運，蘇俄在中國，蔣總統嘉言錄稱爲五經。

這五經或爲我們立國的基本原則，或爲民族的集體呼聲，凡我國民都應深切知曉。豈不比卜筮用的易，更重要，比民歌集成的詩經更重要，比尚書和禮經，都重要。

學者先要通今五經，如有餘力，可以去研究古五經，明白古五經是一切文章之源，而今五經是中國經世文之極。

愚見意思很明白，希望海外有同感的人士起共鳴。

這篇蕪文，寄中央日報，竟被拒刊，我希望黨的最高領袖，查一查有無黨奸在中央日報社，爲何拒刊這篇文章。

不管有多少奸賊反對我，我仍然領導青年救我們的國家！青年朋友們不要畏縮。

總統提倡國文第一，提倡理學，提倡讀經，我們提出凡經皆文，方是眞正篤信總統的睿智指示並求貫徹哩。於台北國立編譯館。

有強權無公理

和平之門難入

昨日與明日

亞洲體壇一件大事

最近在台北舉行連續三場的中日少年棒球賽，出自台東山地的紅葉隊，以七A比〇、五A比一、五A比二的絕對優勢，三度擊敗了被目爲具有世界少年棒球冠軍之實力的日本隊。這眞是亞洲體壇的一件大事。其具有多方面的意義，殊堪重視。

衆所周知，日本的球類運動風氣頗盛，實力亦强。往往隨便一家公司或某企業單位的球隊，便可橫掃台灣，所向披靡。諸如過去松下電器與飛播佳的男女排球隊，却是勇猛異常，銳不可當，打遍台灣，未逢敵手。在棒球方面，日本也是稱霸不衰，而享有「棒球王國」之譽。因此日本人一向以此睥睨亞洲而顧盼自雄，不可一世。至於台灣的體育界，也着實太不爭氣。總以爲日隊素極强悍，無法與之抗衡，敗予彼輩，似是理所應爾，勢所必然。多少年來，就是如此自屈卑下，習以爲常。說句嚴肅一點的話，民族自信心，至此已近蕩然。凡有賽事，輒遭敗績，事後也僅止於空言檢討，扯來扯去，少不了歸因於經費困難，缺乏設備，無由訓練。如今紅葉諸小將揮起球棒，用命一擊，不但頓挫了日人的銳氣；也大可抹去國人的自卑；此外，更足以證明經費無着，設備缺乏，有時也不過是一種掩飾無能的託辭而已。

紅葉球隊初露頭角

在紅葉球隊初露頭角，引起日人關注的時候，朝日新聞曾稱他們爲一支用竹桿打擊石頭而成名的球隊。事實確是如此。用竹桿打擊石頭，不但可見其經費困難，談不上所謂設備，更可顯示出該隊教練的苦心。這種白手起家的創造精神，更足欽佩。如今紅葉隊一舉成名，馳譽遐邇，諸小將苦練有成，固屬難得；而教練邱慶成氏，苦心孤詣，一手培植出此一球壇勁旅，顯屬奇績。邱氏執教鞭於窮鄉僻壤，基於個人志趣，默默耕耘，與孩子們一道流汗，經過長年累月的努力奮鬥，才有紅葉隊今日的成就，絕非倖致。要不然，紅葉諸小將縱有非凡的天才，亦勢將長埋荒山，無由舒展。因此，在紅葉隊獲勝一事的多種意義中，我們認爲最難能可貴，還是該隊教練邱氏的創業精神。他層層突破各種條件的限制，從一個規模極小的學校中物色人選；在毫無設備的情況下組織成軍；在沒有支援的自力奮鬥中茁壯，以至出師連捷，名揚海外，爲國爭光，成就一番事業。此中過程，多少坎坷！多少艱辛！自非局外人所能了解。若無不屈不撓的意志與持久的精神曷克臻此。

青年人應引以爲鑑

由此不禁使我們聯想到時下一般青年，或自感懷才不遇，怨天尤人，而陷於自暴自棄；或格於現實環境，壯志難酬，而淪於萎靡不振；甚或離開故土，遠適他邦，洗碗擦碟亦在所不惜。當然，這類的青年朋友也確有其苦衷，頗能令人同情，但他們如能具有邱氏教練的創業精神，也未嘗不能自闢蹊徑，打出天下。況且任何一個國民，唯有能爲自己的國家有所貢獻，才能無愧我心。即使客觀環境再壞，横遭阻逆，也應鞠躬盡瘁而後已。知其不可爲而爲之的儒者襟懷，也正是讀書人的可貴處。就此而論，台大數學系主任王九逵博士的經不起打擊，放棄責任，而遠走高飛，較諸不畏困難，不計成敗，奮鬥不懈的邱氏教練，顯然就要較遜一籌了。（文叟）

自由談

可以休矣！

美國民主黨這次競選總統的政綱中，對於越戰問題，聲明美國「無意在越南担任『政治角色』」，亦即不干涉別國內政之謂也。這話說得很漂亮，實際却係違心之論，自欺欺人而已。

自從二次大戰結束以來，美國對於亞洲地區接受美援的友邦，總是以担任該國的政治角色自居，而以在中、韓、越三國最爲出色當行。戰後美國民主黨政府派遣馬歇爾特使到中國的唯一任務，即爲要求中華民國政府與毛共組織聯合政權，停止內戰。中國政府不同意，馬特使拂袖歸國，指斥中國政府不民主，宣言「一筆鈎消」，斷絕一切援助，且發表外交白皮書，申申而詈。迨毛共竊據大陸後，美國「巡迴大使」吉賽普且特來香港，號召華籍人士組織「第三勢力」，反對中國現政府，美國不惜予以財力援助。南韓總統李承晚對韓戰的和談政策不滿意，曾經釋放了毛共軍隊的俘虜萬餘人，志願來到台灣，而民主黨政府即策動韓國在野黨人士，掀起政潮，推倒李承晚政府，迫使李氏客死異域。越南總統吳廷琰因不願實施美式民主，而民主黨政府的駐越南大使洛奇，即公然策動越南軍人政變，把吳氏置之死地。這些都是舉世周知的事實，沒法否認的。今日東亞共禍之所以特別嚴重，不能不說是美國硬要在中、韓、越各國强作解人，担任政治角色所使然也。

民主黨的政客們在東亞地區拆下了一大堆的政治爛污，誤人誤己，不克收場，乃作此欲蓋彌彰的聲明，企圖矇騙選民，繼續執政。美國的選民是否相信這種說法，我們固不必過問，然中、韓、越三國人民痛定思痛之餘，却認爲不値一哂的遁詞，非加以闢斥不可、因爲我們受害太深鉅了！

美國政客每以不干涉別國內政號召於世，實則他們祇是不敢干涉以反對「美帝」爲前提的共產各國的內政，對於接受美援的自由友邦的內政干涉唯恐不力，虛僞的宣傳，誰其信之，可以休矣！

爲民先生

民社黨少數人又在胡鬧了！

·本報記者張健生·

倡議團結十六年之久的中國民主社會黨，現仍處於四分五裂的狀態，這種不正常的狀態，打破世界自有政黨以來的紀錄。

民社黨人不談團結到也相安無事，一提到或談到團結的問題，黨內的紛爭，便一次比一次激烈，這是什麼緣故？恐怕連民社黨創黨人張君勱先生也不能用兩三句話來說的清楚的。

最近，台北報紙再度發表有關民社黨召開第二次全國代表大會的消息，記者根據十幾年來採訪該黨消息的經驗，以及瞭解該黨內部的情形，表示懷疑的態度，儘管懷疑，但基於新聞記者的職責所在，乃與該黨幾位重要人士「閒聊」，所得結論，並不樂觀。

如欲瞭解民社黨之團結，必須從該黨之分裂說起。該黨創於民國二十一年，由張君勱等四人發起籌組「中國國家社會黨」於北平，黨務交蔣匀田等二人辦理。並組再生社，於二十一年五月二十日在北平創立再生月刊。是時，張君勱執教於燕京大學。

民國三十五年八月十五日，中國國家社會黨與中國民主憲政黨（徐君勉等創辦）在上海開會，通過兩黨合併改名「中國民主社會黨」，選舉張君勱為民社黨主席，現在台之蔣匀田、戢翼翹、向構甫、金候城、崔心一、楊毓滋、孫亞夫、王世憲、劉中一、楊光揚、鄭天杖、程文熙、郭虞裳、以及去世之徐傅霖等，均當選為中央組織委員。

三十六年七月，民社黨第一全國代表大會在上海開會，遴舉張君勱為主席，石志泉為首席監察委員。而前述之在台人士均當選中央執行委員。三十八年十一月，張君勱赴印度演講。翌年，主席職經十中常委會議決定由中常委徐傅霖代理，自此之後，民社黨多事矣。四十二年，代主席徐傅霖免去蔣匀田組織部長的職務，因而種下今天民社黨四分五裂的禍根。是年底，政府擬召開反共救國會議，徐代主席擬了一份代表名單，準備向有關當局提出，由於名單中的代表為徐傅霖、向構甫二人，其他担任黨務工作的八常委均沒有份，於是八常委決定罷免徐傅霖代主席職務，另選戢翼翹繼任。因此，徐傅霖帶同劉政原、李緞、郭虞裳等三數十人，另組「民社黨中央部」與八常委對抗。這是民社黨首次由一分為兩個中央黨部的局面。

這樣的局面維持了四年，到了四十六年，由於黨內各方呼籲調解，徐傅霖亦深感團結才有力量，遂與八常委之蔣匀田等合作，共同負起黨務之責，而開除了向構甫的黨籍。故向構甫另組「中央改造委員會」。

四十八年八月，該黨召開第二次代表大會於台北市，不料徐傅霖突然去世，未能參加代表大會。徐死後，徐派之郭虞裳等十餘人參加代表大會，徐派之梁朝威、李緞、劉政原等另組「中央黨部」，繼承徐傅霖之「中央黨部」而未參加第二次全國代表大會。這是民社黨首次談團結，結果由二變為三個中央黨部。形成三足鼎立的局面。

第二次全國代表大會通過「臨時條欵」增設副主席五人為蔣匀田、孫亞夫、戢翼翹、王世憲、石志泉等。未幾，五副主席之一的孫亞夫聯合該黨歷屆中常委二十幾人，成立了所謂「中央歷屆執監委聯誼會」，由蔡家聲、牛存善担任聯誼會的副主席。至此，民社黨由三而分為四派，形成團結與分裂之「惡性循環」。該聯誼會的目的旨在爭取第二屆中常委的名額。

五十年九月，該黨召開第二屆第二次全體中央委員會議，除選舉三十一位中常委外（孫亞夫之聯誼會僅八人當選），並決議四點：

一、定五十年十一月一日召開第三次全代會。

二、無條件地加强團結。

三、要求「中央黨部」（梁朝威、李緞、劉政原領導）、「中央改造委員會」（向構甫派）、「聯誼會」（孫亞夫領導）等組織自動解散。

四、歡迎老黨員歸隊。

該黨為了加强團結，中常會並另決議成立「團結小組」，由劉行之（監委）、金候城、陳志良、黃孟剛（以上三人國大代表）、孔君畏等五人組成團結小組，向各方商談團結事宜。

蔣匀田與孫亞夫 裂痕越來越深

在這次全會中，「聯誼會」當選中常委者只有八人，因而在投票時，聯誼會之主將伊步倫刀刺蔣派之胡浦青，於是鬧進司法大廈，最後還是和平解決，但蔣匀田與孫亞夫間之裂痕，越來越深。

第三次全國代表大會經第二屆第二次全體中委會決定於五十年十一月一日召開，至目前已六年零十個月，迄未開成，可是召開三次全代會的糾紛，都高潮迭起。

由於團結小組與劉政原、向構甫商談團結無結果，於是第三次全國代表大會首次由五十年十一月一日延至五十一年二月一日，屆時並未召開，第二次延期到同年三月一日，第三次延期到同月二十一日，但仍未開成。

第三次代表大會未開成事小，竟意外的發生「接收」了「中央總部」的鬧劇，這場鬧劇轟動一時，成了海內外各報社會版的重要新聞，而且文圖並茂。因此，孫亞夫領導之「聯誼會」與劉政原、李緞之「中央黨部」及向構甫之「中央改委員會」採取聯合陣綫，共同組成「團組委員會」反對蔣匀田，「團結委員會」幹事團之總幹事為伊步倫，幕後人為陳大器，孫亞夫又是陳大器的幕後支持者。換句話說，「團結委員會」實際上是孫亞夫領導之「中央歷屆執監委聯誼會」的化身，目的在打倒蔣匀田。五十一年三月十九日接收民社黨中央總部者就是團結委員會。

五十一年五月十一日，由民社黨副主席蔣匀田、郭虞裳、王世憲、孫亞夫、李緞、向構甫六人達成協議，成立六人召集人會議，結束近十年來之分裂狀態，團結委員會同時結束，按照「團結方案」所定，各方原有組織自然結束，所有各方面原有主席、副主席及主席團等名義，一律不復存在。至於第三次全國代表大會，預定在同年八月間召開，但須獲得張君勱之同意。

（下轉第三版）

銘傳商專提前註册收費 新生家長投書檢舉

該校一貫作風多要錢遲上課 一本生意經怎管它法令規章

本報記者公孫熊台北消息：八月十九日自立晚報讀者之聲，揭載私立銘傳女子商業專科學校新生家長投書云：「一、大專聯考發榜才幾天，銘傳發出通知分送各錄取新生，其內容要點如後：①五十七年八月十九日二十日『註册』。②九月三十上課。③逾期不註』，以放棄論。④註册繳費用，概不退還。二、註册與上課時間提前四十天。三、幾個問題請教育部，和銘傳商專公開答後：①教育部對各級公私立學校『註册』時有無統一規定。②銘傳為什麼要提前註册，是不是教育部所核准。③銘傳所收學雜費及代辦費共計四千二百餘元，是否合乎教育部收費標準」。據悉，該報揭載上列投書後頗獲銘傳學生家長多數讚揚，因該校歷年新生註册，距離上課時間，總在前四十日至五十日，所收學雜費及代辦費，歷年每學期均超出教育部標準五百餘元以上。甚多家長明知其苛，因悉教育部曾經紙上命令嚴予取締超額收費及提前註册，惟惜僅屬敷衍公事，並未澈底執行，以致銘傳獨行其多財善賈，利市三倍，聽任家長怒在心裏却不敢見諸行動之弱點，假如有人認眞交涉，除非其學生退出該校，犧牲巨量費用，否則實難有可循之途徑。且該校當局某嘗語人云：「本校係私人創設，從未領取公家津貼，所謂法令只可約制公立學校，私立學校自不應在限制之列」。

記者頃探悉五十三年十月二十七日教育部台（53）高字一四六六四號令私立銘傳女子商業專科學校云：「一、據該校新生家長羅葛樹玲等先後為其女因故申請退學並請飭將學雜費及代辦等費予以退還一案到部。二、查公私立學校退學退費事宜，業經台灣省教育廳（53）八、十九、教二字二九二七號公布有案，該校應即依照該項規定予以辦理。三、茲摘抄該項規定有關條文令仰知照。附件：學生因故申請離校經核准者，如在校時間未逾學期三分之一（即第一學期在十月二十二日以前，第二學期在四月十日以前）其所繳費用除代辦費不予退還，代辦費如已製成成品則發給成品，如未製成成品，則退還所繳費欵外，其餘學費及各項代辦費均予退還半數，如其在校時間已逾學期三分之一，除代辦費照前辦理外，其餘各項費用一律不予退還。」再該校五十三學年第一學期所收費用除教育部規定項目之學雜費以及課業代辦費合計各費共新台幣一、九二〇元外，並擅自增收所謂代辦費：學科增補鐘點費、日記、週記、課外作業批改費、寒暑假課外閱讀考試及學科水準測驗閱卷費、實習機件修護費等共計新台幣五一〇元正。教育部當時依據學生家長之檢舉對其非法所收之五百餘元，曾嚴令着予退還每一學生，並組專案小組予以監督退欵，其時以三千餘學生計，應退費近二百萬元之巨，但該校用種種方法予以推拖，聞結果仍然不了了之。本學年因雜費等雖因教育部標準提高，但合計也決不會增高至四千餘元，顯係食髓知味又將其私擅收費名目因之水漲船高，今又經人揭發，公開登報檢舉，尚不悉教育部如何制裁，據悉內情者云：該校為何要提前註册？原因不外。一、大專夜間部聯考招生後，雖然該校在日間部聯考分發學生，已有超額，但仍多不免將可考進公立大專或私立較好的大專夜間部，勢必將其名額降低，減少收入，今硬性規定提前註册，悉收一切「公」定「私」定費用，不來就讀更好，落得淨賺外快。二、依商場的「鐵算盤」打算，預收全部貨欵，到手頭寸，即有日息可生，何況那動輒千數百的新生，合計所收費用，單獲利息，又豈是少數？其次商科「商業化」，復可增强學生「企業營利」觀念，更何樂而不為呢？三、銘傳之提前收費，因恐至各校一齊收費時期，若遇家長有計較多少或見到別校無有之項目而提出質問，就會惹出麻煩，或者望而却步，認為女生不發生「兵役」問題，暫時放棄，明年再另考好了。識者謂以上三點，就是該校起家和看家與家的本錢，誰又能打破呢？政府不是明有規定，學生因故申請退學，例須依照退費，而銘傳却擅自硬性私定：「註册所收費用，概不退還」，更明目張胆的就國家規定退費辦法令，在簡單的十個字中，予以强調否定。而自稱學府的主腦，猶此倡導不守法，將使其所教的未來公民，亦必「亦步亦趨」呢，曷勝遺憾！

葉公超 林語堂 迭遭樑上君子光顧

葉呼籲政府重視竊盜問題 林願全警方體面反對報案

本報記者顧碧天台北消息：現任行政院政務委員葉公超自卸任駐美大使後，以現職較為閒散，除任各大學客座教授外，居常以詩書畫自遣，造詣甚高。寓所在市區松江路一〇八巷十八號二樓，當八月十七日夜晚九時一分，正坐客廳閱報，側聞涼台上有人開啓門鎖響聲，經捻開電燈向外探視，發現有兩個二十左右青年躲在門旁，葉問他們何事，答稱因有警察抓賭無處逃避，遂攀上涼台暫為掩藏。葉氏以其行動鬼祟，心知絕非善類，便敷衍以告：我不便幫助非法，請到別處去，同時電話通知管區第三分局連絡，請警方派人保護，該小偷等便乘機爬下二樓逃去。據葉氏表示：「這是第四次遭受竊盜困擾，六月八日同一時間被竊失去名貴手錶、袖扣、收音機，數萬元新台幣及由美來台參觀親戚寄存之美金一千元。案發後即向警局報案，但迄無下文」。葉氏服外交官數十年，當道顯赫，惟其廉正甚小私蓄，因此在被竊後，家境甚感拮据。他沉痛的表示：「在上次遭受洗刼之前，尚有兩次被竊紀錄，均在其担任外交部長任內，有一次在其遭竊後第四日，住在同巷內前省警務處長郭永也被小偷光顧，由此可見竊盜猖獗，連警務處長都不放在眼裏。最近治安情況更為惡劣，令人堪憂」。他呼籲警方和新聞界重視這一問題。

距葉公超此次被竊之五日前一晚，幽默大師林語堂博士設在台北市雙城街二十三號之七的著作間，亦遭小偷第二次光顧，將存置之各種寫作資料攪得一片雜亂，且偷去電晶體收音機一台，由於這是第二次遭竊，使得這位大師對台北市治安情況感到啼笑皆非。林博士顧念警察機關面子問題，原欲置之一笑，反對向警方報發案，後經其秘書黃肇衍，恐其後患無窮，不可任肆無忌憚，應當讓警方知情加以防範。黃肇衍報案時聲稱：雖然祇被竊電晶收音機一台，但甚多珍貴資料失去實無法估其價值。其報案目的並不在將失物追回，而是希望警方預加防範，以策安全，管區三分局接案時，尚不知被竊者係林語堂博士，僅將黃某失竊報告擱置一邊，依普通竊案處理，直至隔兩日下午才悉內情，乃下令刑事組從速破案。

關羽之敗與蜀漢之衰！（中）

孫恩祖

分析這一次失敗的原因，可從以下三方面着眼：

（一）最高統帥劉備——他的氣魄不夠，初定兩川，心滿意足，忽畧這一次戰事的重要性，而未能於戰事緊急之際，親臨指揮，及時增援。他在建安二十四年稱漢中王之後，還治成都，已顯出懷安心理。宋蘇洵蘇轍對此事均有評論。蘇轍說他「棄天下而入巴蜀，非其地也。」老蘇則以莊子胠篋篇的意思來比劉備之入保西蜀。何義對他離開荊州漢中而還治成都亦有微詞，說他：「較高祖之氣焰差矣！」劉備寬仁有氣度，誠有王者之風，前已論之。但他在赴機決戰，克敵致果上，則不如曹操遠甚。又因他任人太專，抵定兩川後，將荊州之事盡付關羽，使他獨當一面，而忽畧關羽在行政與外交上的缺點。

從建安二十四年七月，劉備自漢中還成都，到十二月（那年閏十月）關羽敗亡，其間共有七個月，劉備儘有時間出兵援羽。他之所以不出兵，可能過於相信吳蜀的聯盟，以爲孫權不會襲荊州。因爲建安二十年，吳蜀又重新連合，蜀割荊州一半與吳，劉備認爲孫權應該滿足。如吳不動兵，則關羽即使攻不下樊城，亦可退守江陵，不致有大損失。又因荊州兵力足用，且有新俘之魏兵三萬人不須增兵。但他卻忽畧了荊州有兵無將，以公安，江陵這樣的要地，留給麋芳，博士仁等防守，豈非大錯？他如能於緊急之際，派宿將張飛或趙雲東去，坐鎮江陵，則關羽必不致敗得那樣慘。但他最大的疏忽，還是未能認清當時蜀漢的聲勢。他如好自爲之，保住荊州，救援關羽，則於克復樊城之後，可以動搖曹魏的根本。即不如此，暫時採取守勢，令關羽不要妄動，守住荊州，以作後來北伐的根本，亦爲次策。兩者都不行，一方面畏曹操如虎，認曹操未死之日，中原不可復，一方面又貪圖近利，想攻下樊城，打通漢水。且他於平定漢中之後，進位漢中王，意足志滿，忙於整理內部。從建設，三國志注載他「築館驛、起亭障，自成都至白水關，四百餘里。」但他這些安定後方的工作，可以交給諸葛亮做。他早應率兵出駐公安，與魏吳爭天下，有兩川作大後方，還怕荊州孤危嗎？他不此之圖，深居成都。荊州一失，虎臣一喪，蜀勢遂從此不振。後來他又傾全國之力，作孤注一擲，東伐孫權，以爲關羽復仇，至有猇亭之敗，則更爲失策。答若付託得人，武侯持重，則蜀之不亡，亦云幸矣。

（二）諸葛亮的責任——諸葛武侯的忠貞大節，昭耀千秋，無可非議。但陳壽評他：「治戎爲長，奇謀爲短，理民之幹，優於將畧。」又說：「亮器能理政，抑亦管蕭之亞匹也。而時之名將無城父，韓信，故使功業陵遲，大義不及也。」這是說蜀中無大將，雖有孔明之才，克復中原，亦不可能。

民社黨少數人又在胡鬧了！

〈上接第二版〉

民社黨六召集人會議成立不久，同年五月二十五日，該黨海外人士於香港召開「全國代表非常大會」，並發表宣言，其中有所謂：「本黨中央，總台以來對民主政黨雖常有言論發表，但說到躬行實踐，則成績甚少：對恢復大陸更無具體可行之方案，反而陷在內外人事糾紛中，更有少數黨員對黨失掉信心，……考其原因，端在本黨多年來即被少數人視爲私物，從中操縱把持，黨內民主制席蕩然無存，黨之公是公非消失殆盡，卒至賢者遠避，不肖者黨張……繼續爭權奪利而已。這也就促成本黨非在海外召開非常大會，並根據非常大會之決議：在海外建立中央總部不可。」

經非常大會議決 海外另建中央

此一消息經星島日報於五十一年六月四日在第二版發表之後，民社黨在台同仁確的很難接受。事後據該黨留港之王厚生對中央社記者加以否認有此事實，但星島日報並未「來函照登」。此一插曲，在台之民社黨人均知道底細。

五十二年七月間，張君勱在香港刊登啓事，聲明辭去該黨主席職務，因而在台之民主黨人解手清等多人去函美國挽留，始打銷辭意，並於同年八月九日在台北報紙刊登啓事加以說明，託戢翼翹等從速籌備召開代表大會，並由主席張君勱來函指派籌備第三次代表大會委員金候城等十七人，指派向構甫等十一人爲督導委員，而六召集人臨時辦法亦經張君勱撤銷，但代表大會仍未開成，而該黨刊物「民主中國」竟發生雙包案，也是蔣、孫再度失和之主因。

到了五十四年十一月一日，民社黨復又成立中央統一委員會，與六集人會議對抗。事實上，蔣勻田、王世憲已不參加六召集人會議，而統一委員會係屬於蔣勻田派。

今年七月間，張君勱自美來函，委託蔣勻田、王世憲、楊金虎等四十一人，從速籌備召開第三次代表大會，結束分裂，「協贊政府反共復國之號召」。但在來信中之委託名單，包括黨內各派首腦人士，唯獨沒有委託孫亞夫，於是發生爭執。

據該黨蔣勻田單獨接見本報記者訪問時說：任何一個民主黨內部，都免不了有派系之分，就是美國的民主黨共和黨也不例外；政黨內部派系之分不足大驚小怪，問題是誰能成爲歷史人物，誰是歷史的罪人，史家自有公論。從過去的歷史來觀察政黨黨治，我們是樂觀的。民社黨之所以發生問題，端在副主席的人選問題，有人主張由代表大會自由選舉產生，也有人認爲必須幕後協商。蔣氏認爲有兩個辦法：一是由主席提名交由代表大會選舉，一是任由代表大會自由選舉。因爲協商，缺少客觀的標準，如聯合國大會副主席之產生，是有客觀標準的。

該黨第三全代會籌備會原定於八月十五日成立的，旋因故而未成立，根據目前種種跡象觀察，該黨之代表大會是否能於九月十日左右召開？恐怕這個謎連張君勱先生也無法作肯定的回答，問題在孫亞夫是否能向其老師悔過，如能痛改前非——因孫亞夫領導之團結委員會於五十二年八月九日刊登啓事中否認張君勱爲民社黨主席，孫係張之學生，學生否認老師，在中國社會是不允許的，也違背中華文化之倫理道德的——則其副主席當無問題。反之，孫亞夫如不能當選副主席，則代表大會亦不會順利召開，也是事實。

總之，民主黨弄成今天的局面，究其根源，徐傅霖無責任嗎？今之該黨人士，非爲黨見或政策而爭，完全係基於極少數人爲個人之利益而鬧，這樣的胡鬧，使國家聲譽在國際上受到影響，使反共大業受到妨害，實係國家民族之罪人！

（完）

吳敬恆先生年譜（十六）

陳凌海　編撰
陳洪　校訂

又袁夫人素不與問政治，更不參預社會關係，對先生之一切行止，向不過問，是以外界知夫人爲人者甚少。然親屬友好凡與相見者，莫不對夫人有一種慈祥平易近人之深刻印象。夫人一生勤儉治家，秉性廉潔，一介不取，誠一不可多得之賢內助。使先生無後顧之憂，而得致力於革命工作，及國家之建設焉。故先生于遺囑中，稱其夫人爲中國唯一偉大女性，非過譽也。

民國紀元前七年——清光緒三十一年，乙巳（西曆一九○五年）先生四十一歲。

正月，先生與孫鴻哲（揆伯）研究英文文法。十一日偕徐某同至勃臘海次克賴斯脫學校聽課。是年春，國父由英赴比京旋赴柏林，再往巴黎。前後接受比、德、法三國留學生之加入興中會者甚衆。（依據先生講「總理行誼」）國父東返以前，由歐陸再回倫敦一次。其時國父自留學生方面，得悉先生倫敦寓所住址，遂親往先生寓所造訪，此爲先生與國父相見訂交之始。國父曾偕同先生往訪康德黎，並在其家用膳。康德黎殷懃相待。先生亦暢談革命。然國父未曾爲先生介盟。三月二十日，先生與國父參觀英國議院。是夜，國父又訪先生長談。四月十三日，先生訪國父。談會黨。二十三日，先生偕莊文亞、丁文江同訪國父。於某飯店午餐，國父會賬。是夜，先生又與國父在某茶室品茗。五月十七日接國父函。先生即復之。三月十四日先生偕孫鴻哲參觀審判案。三月二十五日爲先生四十一歲生日，先生感言：「欲將所欲之言，自今日起筆之於紙。」是日偕房東之子，往泰晤士河觀牛津、劍橋兩大學賽艇。在寓發現蝨（臭蟲），認爲奇事。張人傑（靜江）自巴黎到倫敦。孫鴻哲在飯店中與彼相値，回告先生。先生即與孫鴻哲訪張人傑於旅館。此爲先生與張人傑初次之晤面。張人傑邀請先生往法，先生旋赴巴黎，寓巴黎銅獅子區李煜瀛（石曾）處。九月三十日邀鄂斯福參觀牛津大學。

是年冬，曹亞伯自東京到倫敦，訪晤先生，出示盟書。先生大笑，且申言曰：「我輩革命，則革命耳，豈可學康有爲之所爲？」曹瞠目無如先生何！同坐孫鴻哲徐冷語曰：「我不入地獄，誰入地獄？余已先著此盟書矣！」先生頓即大悟，立書盟詞一紙給曹亞伯，由曹亞伯介紹，正式加入同盟會焉。蔡元培（孑民）於本年九月加入同盟會，並被推爲上海分會主盟人。

民國紀元前六年——清光緒三十二年，丙午（西曆一九○六年）先生四十二歲。

先生住扼卜頂。四月，先生以十五鎊九仙令購置照相機一架，始習照相術，同時並研究寫眞銅板。訪問印刷所研究印刷技術。十二月一日，偕孫鴻哲（揆伯）自倫至巴黎。徐子鴻相送。許呂肖（無錫人，少年時之朋友）在寓別。先生到巴黎。旋與李煜瀛（石曾）、張人傑（靜江）發起世界社。社址設於巴黎達侯街二十五號（25, Rue Dareau, Oaris），發揚公理，鼓吹革命，並組織中華印字局，設於巴黎健康街，十三號（8s,Rue De La Sante），以便刊行畫報。張人傑於本年三月在新加坡加入同盟會。八月，李煜瀛在巴黎，由張人傑介紹加入同盟會。

文酒樓別記

德欽巴盛崇拜　蔣總統

緬甸民主黨總裁德欽巴盛，前曾向他的最高政治顧問李運鵬說：「中華民國總統　蔣先生，是一位卓越的政治家，兼富軍事天才，除了對其自己國家內消滅軍閥，外擊敗日本等貢獻外，就反抗共產主義這個角度，蔣先生是一位世界上的先知先覺」翻譯人現居緬甸，未便公佈其姓名，知道這件事，的人，有何景因，王輝，吳琪，陳江山等現均在台，未知此事和人未來台的不列。

德欽巴盛當時的構想：由緬甸民主黨向聯合國控訴緬甸執政黨赤化政權，減低對中國游擊隊的壓力。其次是反對中國在緬邊境游擊隊撤退，希望將反共的緬甸民主黨與中國國民黨保持犄形攻勢比肩作戰，爭取西方國家的認識同情和支援，德欽巴盛與李運鵬往返交談的結果，李會將實情函告陳果夫，谷正綱先生等，說明中緬邊區實力，並願以地下使節身份留緬連絡，果夫先生瞭解李是一個打天下的人，除囑香港有關朋友在經濟上予小數支援外，並急召同台，且爲入境保證人，李因離國過久，政治行情已生，毅然擺脫仰光自由日報，中國論壇報總主筆，及緬華文教協會，携德欽巴盛親筆所書聘件公文等，銜命兼程返國，圖達成任務，替自己國家能在泰緬邊境，保存若干萬實力，作爲反攻時前鋒部隊，未料事與願違，甫抵國門即遭受到意外打擊。

松山機場檢查人員，一陣熙攘，亂哄哄的你一嘴我一舌，「陳果夫担保，哼！靠不住」「哼！他媽的又是×校的。」「入境證過期了，非法入境，」「傳令飛機不能起飛」，「這甚麼鳥字，英文不像英文，日文不像日文」這時眞是秀才遇着兵，有理說不清，到機場來接受的，有國策顧問張烱，僑務委員會，副委員長李樸生，中央日報社長馬星野，及蔣伏生將軍等很多人，張烱願以老命担保這位替三湘留氣節的反共報人（全湖南八家大報李爲唯一逃出的社長）李樸生，馬星野，蔣伏生均持同樣態度，算是順利通過。李聞果師已死，聲淚俱下，大喊國父在天之靈那裏去了，緬文證件等都被當作廢紙沒收與丟掉，次日雖想盡方法向機場檢查站交涉，答案是一百二十三個不知道，反問李有沒有收條。德欽巴盛所付予的反共神聖使命，算胎死腹中事小，緬甸的一羣反共鬥士等不到李帶回台灣的佳音，閒話愈來愈多，當時的治安機關，對外文不大注意，這般馬虎勁，誤了事。前清制度，爲帥的人非翰林院出身不可，保持了三百年的天下，有其至理在焉。後來陳辭修爲甚麼親囑唐縱，鄭介民向李運鵬討交，且將李奉爲上賓，重披戰袍，再度出征，容另文詳述。

小啓

八月二十一日本報所刊拙作「莊子」一文，頃承黎東方博士指告「江南」，應爲「淮南」。又謂：用「荒漠無垠」形容山東地區，亦不恰當。謹此訂正，並致深切之謝意。

張起鈞謹啓

三幕喜劇

事過境遷

熊式一

史：嘜………嘜………何先生在信裏邊說我怎麼呀？
仁：你沒有看信嗎？
史：原來是封着來的！我怎麼好拆開呢？
包太：史先生是君子，不是那種亂拆人信的朋友！何先生信上到底怎麼寫的呀？你不妨告訴史先生！
仁：好得不得了！照他信上說，民航局長一見了史先生，應該立推位讓賢，把局長讓給史先生做，那還是委屈了史先生的大材！
包太：好極了！
史：過獎過獎！我只想在飛機場上找一位小差事當當，地勤最好！
包太：史先生真是謙虛極了！可以算是一位虛懷若谷的君子！
史：打仗之前幾年，我在南京，曾在飛機場混過一陣；所以現在只想在飛機場找個小差事混混，打打雜，跑跑腿，有一碗飯吃就夠了！
仁：史先生，現在這個年頭，在香港做人，千萬不可以太客氣！你一謙虛，退讓，別人家反看你不起，敢情你到裏邊去了！我一定要民航局長請你做正駕駛師，一定辦得到……。
史：辦不到，絕對辦不到……
仁：你怎麼知道辦不到呢？
史：我是說不敢當，決不敢當！
仁：史先生，別客氣了！
史：我不是客氣，我……我……我實在不能担任駕駛的工作。
仁：怎麼不能呢？何伯文信上說得清清楚楚，再好也沒有了！史先生不要客氣吧！
包太：仁翰，你讓史先生說出他為了甚麼不能担任駕駛的工作呀！
史：我……我……不能担任，因為……為……。
仁：因為甚麼呢？
史：因為我丟了一條腿！丟了一條大腿！
史：真的？這還能假？
仁：左腿還是右腿？
史：左……左……右……右……！
包太：仁翰，你也是小孩子脾氣，問這許多幹甚麼呢？可能史先生也是在抗日的時候爲國犧牲的！提起來令他難過！
仁：英雄！民族的英雄！我向你行敬禮！
史：（不安）不敢當！不要提吧！提了令我傷心。（站起來回禮之後拐着腳走幾步給人看。）
仁：你以先好像不見得拐腳的！
史：不記得了！
仁：不記得拐？
包太：記得的時候就走慢點，自然不見得拐；現在不記得了，走快了自然就拐！
史：謝謝你；包太太，我以後全當心要記得拐才好……。
仁：嘜？
史：要記得不拐才好！
包太：要記得走慢點就行了！
史：你看，我慢慢的走，一點也不拐，連我自己都不知道那一隻是假腿呢？
仁：右腿呀，是你自己說的！是木頭的嗎？
史：是木頭的，當然是木頭的！
仁：（舉起釘錘）好玩呢！讓我敲敲好不好？
史：（大驚，雙手握住釘錘）敲不得，會敲壞的！
仁：（順便用左手敲敲）呀，怎麼這麼軟，不像是木頭的！
包太：上半截自然是橡皮的！
仁：呵！是橡皮的！（乘其不備）讓我捏捏看！（用力捏一把。）
史：（大叫）喲！（趕快走開，先不拐，後再拐。）⑯

新廿五經

吃茶經

馬騰雲

茶之列為開門七件事者，除與米、麵、油、鹽、醬、醋地位同等重要外，另一深長意義，中國的舊俗聘禮是用茶的，故受聘亦叫作受茶（見天中記）凡種茶樹必須下子，移植則不生長，故聘婦必以茶為禮，不像現在斤斤計較美金港幣。「茶經」係唐代陸羽先生著，因陸羽本人最嗜茶，故著茶經三篇：一言全國各地產茶情形，一言茶的品種，一言烹茶的方法，乃至於對某種茶適於某種溫度的水，都有深刻研究，那時候雖沒有溫度表，但有初滾、中滾、大滾之別，泡茶的水亦大有文章，宋朝的大儒蘇東坡，對這方面是一位很有心得的人。

吃茶是我國習慣，其實世界各國都有吃茶的習慣，因茶葉裏含有咖啡鹼，故對嗜者富吸引力。中國的茶葉含有百分之三到五的咖啡鹼，阿拉伯咖啡裏含有百分之一到三咖啡鹼，南美巴拉圭茶葉中含有百分之零點五咖啡鹼，非洲之可樂含有百分之三咖啡鹼。如果將咖啡鹼，從茶葉中提煉出，是一種無色絹絲狀針形結晶體。它的藥用價值為使身體中樞興奮，又有利尿作用，我們日常飲茶後，大增尿量，對心臟部門有顯著之加強與加速作用，並擴張冠狀動脈，而增加心肌肉之血流，對於一般動脈也有擴張作用，吃濃茶可增加新陳代謝及興奮，並使體溫上昇，這是用國際規格的角度，看上列各種茶的功用。茶在我國列為開門七件事之一，但懂得飲茶的人不太多，懂得茶有藥用價值的人更少。茶分紅茶綠茶兩種：祁門紅茶，產於皖南祁門貴池等地；屯溪紅茶產於皖南　縣休寧等地；霍山紅茶產於皖北霍山舒城等地；平水紅茶產於浙江紹興、新昌；杭州紅茶產於杭州、富陽、安吉；溫州紅茶產於永嘉、瑞安；福建紅茶產於福鼎、因寧；兩湖紅茶產於湖南安化、湖北宜昌。綠茶龍井茶產於杭州龍井茶區；大方茶產於皖南　縣，浙江淳安、昌化、武夷；毛峯茶產於皖南黃山、浙江臨安；瓜片茶產於皖北六安；普洱茶產於雲南、湖南岳陽的君山，茶品高，但產量很少，談不上市場。四川各種茶都有，因品質不高，難以入流。蒙古、新疆人因為吃牛肉牛羊奶的關係，特別需要濃茶祛羶味，故非常重視茶，中國內地的茶從前是大量輸到蒙古新疆，後來這門生意被俄國搶去了，就國家收入來說，是一筆很大的損失。

兩種茶的製法不同，紅茶係經過發酵，福建清茶是一種半發酵的茶葉，武夷的岩茶，安溪的鐵觀音，建甌的水仙為清茶代表產品；杭州龍井與六安瓜片，品質最貴，香味極佳：雲南普洱茶與茶磚，產量大，品級祇能列為中等，中東若干國家嗜飲這種茶。茶葉除了含有咖啡鹼外，還有鞣酸及維生素C。

茶的功用照藥典記載為強心利尿，功能祛除精神勞頓，為大腦中樞興奮劑，增強記憶，啓發靈感，患心臟水腫茶有利尿作用。紅茶的藥用價值較少，惟適宜於痢疾病人飲用。血壓高的人不宜於吃茶，為中西醫師公認。

台灣的茶葉，在[illegible]

又吃茶叫品茗，「茗」者見陸羽茶經，乃採茶時的稱呼，茗具就是茶具，袁枚詩有：「拾薪供茗具」江蘇揚州鎮江人喜歡吃茶泡飯，正名叫作「茗粥」蘇東坡詩有：「偶為老僧烹茗粥」。茶葉為興奮劑，東坡詩云「建茶三十片，不審味如何，奉贈包居士，僧房戰[illegible]。」「茶博士」陸羽，[illegible]而退。

烏拉圭何篤修教授偕夫人來華訪問中國文化界茶會歡迎即席賦贈二詩

陳邁子

大道之行天下公。大同儒說啓羣蒙。
中華文化鴻圖遠。應信光芒來自東。

西諺有「光芒自東方來」一語，象徵中華文化照耀世界，可救人類之意。末句蓋指此也。

萬里情深兩友國。一堂歡聚衆賢豪。
並肩協力弘匡濟。勝贈明珠與寶刀。

命相與夢話

學人相

·公陶·

筆者因業務關係接觸的各界人仕甚多，印象中有龍目鳳睛者，有額如山嶽者，有眉長過眼者，有耳垂珠朝海者，有天柱（鼻）高聳豐隆貫額者，有外拙內慧者，有聖有賢，有榮有貴，今舉出未來歷史上傳人若干位，我們若留心觀察即知其貴處所在：例胡適、梅貽琦、梁寶秋、羅家倫、葉楚傖、劉振東、傅斯年、陳致平、蕭一山、曾虛白、傅心畬、蔣廷黻、孔德成、錢穆、張其昀、陶希聖、張起鈞、侯璠、楊亮功、徐復觀、陳立夫、薩孟武、南懷瑾、趙蘭平、劉季洪、馬星野、曹聖芬、楚崧秋、張季鸞、曹敏、程天放、丁文淵、易君左、林語堂、胡健中、左舜生、毛子水、吳康、任卓宣、吳相湘、杜呈祥、蕭乃華、丁作韶、曾約農、張翰書、劉成幹、吳文藻、巴壺天、毛樹清、馬彬、卜少夫、陳裕清、李荆蓀、孫逸厘、包遵彭、柏楊、高明、林尹、陳大齊、陳惕軒、王惕吾、范鶴言、廖英鳴、沈錡、唐振楚、耿修業、王民、余井塘、顧毓琇、陳石孚、張子揚、李洛九、詹潔悟、高信、張維翰、熊式一、葉公超、蔣夢麟、王雲五、余紀忠、沈宗琳、王永濤、周培敬、毓鋆、易家鉞、王永清、扎奇斯欽、蕭政之、陳光棣、周之鳴、孫麟生、廣克裕、周叔侯、李適先、謝元甫、王世杰、鄒魯等，各有其秀，各有其貴，均詳見其臉譜。據說京戲人物的臉譜，多由翰林們所刻劃，這是一門很深的學問，蓋每個人臉上都有紋這種紋自然形成的譜，並非每個人都能懂，林森龍目若懸珠，光芒不動如寒潭秋水，故能位若國君；杜呈祥、蕭乃華，氣清體贏，雖才高而不壽；王雲五燕頷虎頭，萬里封侯，谷正綱聲如撞鐘，含浩然之氣，非大富定大貴；陶希聖、馬星野、曹聖芬、沈錡、李荆蓀、顏若冠玉，自屬貴造；張起鈞雙手白如玉，軟如綿，代表有胆有識，有智有謀；毓鋆（禮親王）現住台北，他的雙手有M紋，相法上叫做雙峯壓掌，貴至王侯；何應欽、薛岳、蔣百里、楊杰將軍等，稍懂相理的人，一看就知道都是執掌帥印的朋友；台北地方法院有一位林讀法官，額角上生着顯著的月牙紋，很像京戲裏的包公；他如吳文藻律師的仗義執言，抱打不平；傅斯年成為議壇砲手；劉安琪他日必立功沙場，皆見諸臉譜。

葉楚傖，眉宇寬廣心田坦平，雖亦是「天子呼來不上船，自稱臣是酒中仙」的朋友，但其才華為黨人中少見，本篇三十六種心相中，葉楚老要佔三十二種，可謂一代完人。錢穆、胡適、梅貽琦、蔣夢麟、陳大齊、劉季洪、林語堂、梁寶秋一望而知是大學者，但他們臉上沒有刻出學者的字樣，就是臉譜給人的印象，當然有一些號稱學者，事實上是小官僚，這些猪尿泡冒充猪肚子的朋友，不在本相經討論之內。

創業哲學：

談一位典型的特工頭子。

創業哲學寫了很久，對象多半指工商界，有人謂：「市儈已經夠壞了，何必再去教呢？」其實講這些閒話的人，似是而又非，但自由報的讀者是多方面的，根據我們的統計，除高級知識份子佔壓倒優勢外，情報人員比農民讀者多，今天擬將希特勒魔下特工頭子希姆萊提出談談。

不大被人注意的希姆萊，身材矮小，帶着一副夾鼻眼鏡，若叫他穿上軍服，簡直不像個東西，木頭木腦，典型的小學教員，或者錄事之輩。他和他的妻女，住在郊外簡陋的鄉村，他的夫人佛帶女士燒飯洗衣，從不雇奴婢，不知者都疑希姆萊是個商店的小伙計。

李本特洛甫是他最要好的朋友，有一次向希姆萊說：「閣下的權勢在德國坐第二把交椅了，為甚麼不上大洋房，按照職份享受呢？」希姆萊把單片的夾鼻眼鏡脫下揩揩灰塵說：「我永遠是個單調的人」，這位屠殺猶太人的劊子手，到那裏去跟多少保鏢誰也不知道，不像其他國社黨要員，保鏢們前呼後擁，這恰恰和他的做法相反。

希姆萊是國社黨黑衫隊領袖，國社黨原有兩種武裝組織，一為S、A、即褐衫隊，一為S、S、即黑衫隊，在希姆萊手下，計有四十五萬忠於主義的德國青年，他們都受過精密訓練，並且完全機械化，德國的正規軍，僅做了一點不少的射擊和轟炸動作外，其餘的都歸給希姆萊去幹，他的工作對象是世界各國，僅柏林總部，就有兩百人專管「情報分類」其餘可以推想，希姆萊自己發明，由「骷髏隊」管理（黑衫隊一種組織），專為拘留猶太人及共產黨人之用，另一組織希姆萊引以自傲的，是分佈在國外的政治秘密警察，人數在五千以上，但希姆萊通過街衢或臨某一國家時，誰也不知道他就是德國第一號特工頭子。

特工如果被對方認識你是特工，你的工作任務勢必全部垮台，有些恨不得將「特工」兩個字印在額角上，且將甚多術語用於日常談語及做一些不應當做的事，未悉讀完希姆萊這段簡短介紹後，內心有何感想？或者感到自己錯了。

自由報

第八八九期

中華民國僑務委員會頒發台港新字第三二三號登記證
內銷證內警台報字第 031 號
中華郵政台字第一二八二號執照
登記爲第一類新聞紙類
（半週刊每星期三、六出版）
每份港幣壹角・台灣零售價新台幣弍元

社長李運鵬・督印黃行奮

社址：香港九龍登打士街91號十樓六座
91 DUNDAS ST, 9th FLOOR, FLAT 6 KOWLOON H.K.
電話：857253　電報掛號：7191
承印者：大同印務公司
地址：香港北角和富道九六號
台灣總管理處
中華民國（台灣）台北市大同街 119 號
電話：555395・557474
台灣分社：台北市西寧南路 110 號二樓
電話：三〇三四六
台郵撥儲金戶九二五二

論「語」「文」離合的正義

・黃公偉・

從語言文字學的性質與功能以言語文之差別，無可諱言地，語是「說話」（Language），文是文字（Words），文學（Literature）。前者所謂「情動於中而形於言」，是言語，用言語表達心意感情。除非是「啞吧」，凡是動物皆有其語言。鳥語，獸語和人類的「口若懸河」，舌角生風，都具有一種特具才能。故曰「口才」，蓋善言者也。鸚鵡能言，亦鳥類之善言者，河東獅子吼，即獸類之能言者。推而至於驢鳴，馬嘶，牛叫，狼嗥，無不各擅言技，特人非如公冶長不知其所善之才耳。人類言語，孔聖列爲「四科」之一，而由特製之文字以表達其複雜變化的內容，而爲「文言」體。以對言語則謂之「文」。然自古未有文字即有語言，把語言的聲調意義全順言語原義由文字表出，是即「口語」化的文字。古人謂之爲詩歌。語言有「方言」（土語）亦有一民族共同的「雅言」，（官話），有古人之「古語」又有現代人之「今語」，將方言統一於雅言，各爲「國語」將古語會通於今語，則爲語言學。如此說來，語言是直接的達意工具，文字卻是間接的效用。截然爲二。古來，學校未普及，讀書識字的人少，亦即「文盲」多，而大地之上的文盲卻不待習讀文字而皆擅辭會。此語言有獨立性，非必與文字合一。或者西人生於中國，自幼不識西文，卻能操中語。或華人旅居外邦，亦未習番文，而能操西語。此又語文分離之一證。今如以語代文，寧非使文盲復於上世而何？反之，自中文而言，含攝「形」，「音」，「義」三重特性，其起源之早，其流變之巨，其含義之廣之深，實合語言而有之具形表現。將抽象之語義，音意，形義，化爲具體之結構組織，連綴而成一定之字法，句法。擴充而爲古文，今文的文學。由文法，修辭而言，有章法，篇法之講究。由體裁之演變以言，有詩詞歌賦散文之不同。變化之極，乃有文理藝術之出現。故論中文，無論由歷史說，功能說，都是包括語言在內的一部高深的學問。故孔子列「文學」爲四科之一，而與「語言」分爲二事。而在「文行忠信」四教之內，又居其首。由此，我國自古所謂「國文」，舉凡歷史，詩賦，散文，訓詁，考據，哲學，經學，小學皆爲其範疇。實統攝中國一切學術文化在內之總稱。清桐城派古文，劉海峯，姚姬傳歸納爲「義理」「辭章」「考據」三大類別，亦即今大學中文學系釐定學科之所依。如此，當知從來語言文字爲國文之一部份，而無以語言概括一切之先例。即三尺童子，亦所了知。

溯自民初，廢科舉興學校，百國教育漸染西學之弊。夙爲千字文，百家姓之功學讀物陳舊，而代以新式共和國教科學書。如小學始設「人手足刀尺」，仍消重文之義，末將「足」化爲「脚」也。故民元至民十七之間，初等小學課本，未用「國語」之名。高等小學乃至中學，其課本統名「國文」。且以文言爲正，蓋重文輕語故也。但自民八新文化運動，與「國音符號」出現之後，漸生變化。依古人所知，蔡元培，與敬恆等發起「國語統一」運動，勞乃宣等製作「注音符號」，非欲以語代文，乃義在化方言爲雅言。打破國人語言上的隔閡。這和陳胡等的「白話文」運動不可混爲一談。當時大學有「文科」，「法科」之別，未將文科變爲語科。大學設國文系，或中國文學系，亦未改稱國語系或語文學系。民十前後，中小學於國文教學之外，另教注音符號，未先習國音再教國文。但自陳胡等提倡「西遊記」，「水滸傳」一類所謂「通俗」文字後，而「三大主義」，「八不主義」，連同孔孟視如仇敵。

凡古文，古語一並在取締之列。當時陳胡等推崇之「俗文學」，高語罕的「白話書信」一書暢銷新奇，竟取代了「尺牘」地位。使學子漸次忘了長幼尊卑之序。如北大某生家書有「祖父大人足下」之笑柄可爲一例。因此影響，不久，初等小學國文課本即改爲「國語」。（似在北平大學院時代，通令廢除祭禮）其內容亦即趨口語化，尚言文一致。小學生高聲朗誦「大狗叫，小狗跳」。不再文縐縐讀「人手足刀尺」了。中學生也開始追求新花樣，如什麼新詩，新文學之類。陳胡等的「全盤西化」的新文化，新文學，白話文宣傳開始風行了。附帶的新思潮也就把「馬克斯的聊步帶進入了學校。在民十前後，新舊之爭的場合中，馬武君、鄭孝胥，辜鴻銘、黃侃、林紓，一派人反對語體文，北大某教授嘲胡適之云：君倡白話文，何爲不將「胡適之」改爲「到那兒去」？又後某大學考新生有對聯「胡適之」命考生作答。或以「孫行者」爲對。胡適之不以爲忤。胡喻學文言文如纏小脚，先學文言後學白話如「改足」派。劉大白，劉半農，錢玄同等人附和有力。時人謂胡適之，胡走亂闖，不知所云。不如胡行之，胡愈之。又謂疑古玄同爲「尼姑圖簡」。反對聲浪歷久不歇。這都是爲了國語不能取代國文之故。

台灣二十年來，有兩件事值得注意，一爲社會文學運動，始終走着「新」路綫，一般新牌文學作家崇拜胡適。二爲小學與初中的國文教學以國語爲主。這不能不和「國語推行會」有關連。光復之初設立「國語推行會」是爲幫助台省人民習國語。附設國語日報以爲宣傳。於是此一推行與新派文運合流，遂形成「國文」的對手。近今有語文之爭，當爲此一形勢的偏新偏舊論爭發展。國語的推行收效非鮮，而重語輕文的基礎教育的流弊亦至顯明。原來國音符號始自民二，共含聲母廿四，介母三，韻母十二，民九又增二十二字。民十九教部公佈改名「注音符號」。以北平音爲標準。分五聲。近年不知那位仁兒把原有字母銷滅了好幾個。而在一般新出「國語字典」中發現不少注音是從南音或方言的。如「北」讀如博，即河北，北方即成河「博」，「博」方了。煞是璧拼。如「伯」、「白」等字皆讀如「博」，於是白崇禧即成「博」崇禧了。和字讀如「漢」，那麼姓和的人勢必改稱「漢」先生了。他如大和，太和，皆成「太漢」，「大漢」。而「致中和」亦即成「致中漢」了。這實在令人莫明其妙。這現象是過去所未有的。也非北平標準音讀。聲，至於改五聲爲四聲，廢除入聲，更不知有何法令與學理依據。

我們不能不說當前負責的推行人不通國音，至少這種改變未向國人作過詳盡的交代。因此，國語失去了原有的標準。也爲此，中小學的語文教學，就一直懸有問題。由於中小學以「國語」代「國文」，重說話口語而不重文義理之講求。到了高中大學，再讀文言文，就不免困難了。國文程度低落之聲，始終不絕於耳。

今天，倡導中國文化復興，我們必須正視「言文一致」之說，不是爲論。要青年習中國文化，就當重文，從國文學起。所以，我們認爲沙學淦教授諸君子之所倡，是値得國人喝彩的。（完）

一意傷殘！

强力壓制！

昨日與明日

不可開此惡例

八月廿八日台北各報發表了一個令人啼笑皆非的消息：台灣省政府社會處長傳雲於本月二十二日參加內政部所召集的討論勞保條例施行細則的會議中，所提意見，未被接受，憤而率領省屬各單位代表全體退席。據說：傳雲等退席後，會場裏起初是短暫的靜默，然後是一片譁然。與會的國防部、經濟部、司法行政部、中央黨部第五組、省工會以及專家卅多代表中，有數人紛紛起立發言，忿慨陳詞，都認爲傳雲的態度，已超越了公務員應有的常軌，不但缺乏政府機關間的正常禮貌，也破壞中央與地方政府的行政體制，決議由內政部專案報請行政院處理，並列入紀錄。

不應如此

這件事發生後，輿論頗不值傳雲的所爲，台北有一家報紙，並以「傳雲差矣」標題，著論批評。我們忝屬輿論一份子，也顧念時局的艱危和吏治整飭的重要，實難緘默。老實說，這件事所顯示的意義太壞了，老百姓看來，實覺得太不成體統。在議會中，有民意代表對政府官吏有用此絕招者，迄今尚未聞官吏對官吏有如此行爲。如有之，應以傳雲始。會議有規範，官吏有官箴，政府講體制。傳雲把這三項都予以否定了。在會議中，本人的意見，出席代表都有發表意見的自由，儘可發揮陳述，但不能强迫人一定接受。如果會議的決定，違反本人所代表的立場，還可要求將本人的意見，列爲紀錄，以待決策機關作最後的決定。無論如何，不可採用退席的方式來表示意見，好像敵對兩國之間的行爲，如報紙常說蘇俄或其他共產附庸國家之所爲，不過連民主國家間彼此開會也很少採用這種方式的。就政府體制和公務員的立場講，上級的決定和命令，下級祇有遵守和服從。如果覺得無力遵行，就應辭職讓賢。「退席」一招，這算是啥子名堂呢。

必須痛懲

就此一事件來看個人，也可看出傳雲個人平日對法律的認識、守法的態度、個人的器度和氣質。記者於此有深感焉：官吏對官吏猶如此驕橫跋扈，不可一世，對一般老百姓又將如何？大陸共產政權已陷分崩離析搖搖欲墜之際，正是台灣中華民國政府反攻大陸，解救同胞的良機。我們海外數千萬華僑都熱烈希望政府勵精圖治，不願見有腐蝕現象發生。傳雲不是大官，本不夠我們批評的對象，但他的事件所顯示的意義，實非尋常。試問官吏的態度如都如此，這個國家還成體統嗎？因此，我們的結語是：政府必須整飭政治風氣、痛懲不肖官吏。

（徹）

自由談

政治上的歪風

「開道衙門把會開，主官幹部源源來，看他建白皆無有，幾句官腔說少陪！」

這首打油詩，是描寫一般以開會爲服務之本的行政機關工作景象，可謂絕妙好詞，深中肯綮。開會的作用原在集思廣益，解決問題，貴能得到妥當結論，坐言起行，迅赴事功。如果藉開會爲敷衍塞責的手段，事無鉅細，一動則開會，發言盈庭，廢話一堆，議而不決，決而不行，那便變成了一種形式主義，官僚份子利用爲諉過卸責的口實而已。

中華民國政府由大陸播遷到台灣以來，各個行政單位最顯著的政象，就是開會主義盛行，依目前的新名詞來說，即係「開會工作起飛進步」。可是，詳考行政效率，却等於零，誤事曠時，退步極了！最可怪的情形，莫過於芝蔴綠豆般大的問題，亦須召集所謂「有關單位」，一再開會討論，而彼此皆不願負責處理，依然原封不動，束之高閣，實在推宕不了時，即向最高當局請示，大家不求有功，但期無過，以免有多做多錯之虞，影響官運。

有人仔細統計現階段的高級行政官員，每星期至少要參加十二次以上的大小會議，所以你走到任何一道衙門去謁見中上級的官員，閽人總是答以「在開會」！

「開會乃是服務之本，誰也不能說二話的，達官顯宦藉此亦可以避免來賓煩擾，公私兩便，妙用無窮，開會之義大矣哉，何樂不爲呢！若說貽誤正當公務，有忝職責，却不在考慮之列，因爲開會即係「爲國勤勞」啊！

「開會爲服務之本，請示爲負責之本」，已成了一般行政官員的守則，積習相沿，恬不爲怪，因此又派生兩種政風：即整人爲快樂之本，貪污爲作官之本，脈絡貫通，因果一致，善哉善哉！

假使不能掃除惡性的開會主義這股歪風陋習，那就休想有革新政治之望，信不信由你，我是這樣認定的！

馮五先生

大專暨五年制職校聯考後
現有學校仍不夠容納
官立有困難何不開放私立
現代青年應享有高等教育權利

本報記者董尙書台北航訊：一年一度的大專聯考早於八月初旬竣事，而五年制之職業專科聯考於八月二十三日錄取分發完竣，大專夜間部聯合招生考試亦於八月二十五日試畢，茲綜合各情報導如下：

本年度參加大專聯考公私立專科以上學校計三十一所，招生報名參加者計五萬八千七百九十一名，經教育部核定錄取名額總計一萬九千四百五十名。聯招會決定所謂最低錄取標準是：甲、乙組爲二〇八分，丙、丁組爲二〇〇分。該會一面公告此項決定並又強調說：「該項錄取標準是報考加考術科之若干特殊科系之考生，必須達此標準後，才可以錄取，而一般科系錄取標準則比此還高，若報考一般科系之考生，雖達此標準亦無法錄取。」據悉所謂「加考術科」之特殊科系，係指工藝、美術、音樂、體育科系而言，此四種科系，即可單獨指名列出，何須混合四組而言之，使人莫明其妙！勿怪輿論指責：「這裏面充滿了矛盾，充滿了問題，例如聯招會會議決定，凡應試考生，錄取成績，最低標準甲、乙組爲二〇八分，丙、丁組爲二〇〇分，換言之，即凡能取得這個標準以上分數的學生，便被承認他們已具有接受高等教育之能力，就理論上講，他們有足夠的資格進入大專院校，政府有不可推卸的責任保障他們升學的權利！」

上述四組分發的結果，標準都在三百四十五分以上，錄取標準與分發標準，懸殊幾達一百五十分。這一百五十分竟使三萬九千三百四十一人，不能進入大專之門，他們不僅成了高等學府的棄兒，也等於扼殺了將近兩萬多堪以造就青年的上進機會。雖然他們還可以進入專以「猜考題」「背答案」爲務的商業投機性的補習學店，死記一些零零碎碎的片斷知識期待明年捲土重來。有人說：「那些號稱大染缸的學店之中，究竟能有何成就，實在難說，極可能沒有將功課補好，反而學到了許多惡習，其餘既不補習又不能就業的，倘非入營服役，便會成爲社會上無所事事的游離份子。」本報曾著論呼籲：「世人已公認等教育之普及，此形成現代之趨勢，所有任何限制設立大學之舊觀念，應已不復存在。因教育投資之愈多，即可促國民所得之愈增高。」主張增設公立大學，縱或國家有困難，亦應開放私人興辦大學，以應社會急迫需要，免除英年有爲的國家寶材成爲棄材，變爲社會累贅，形成社會問題！近聞識者倡議，政府應號召海外僑胞，捐資回國興學，以較裕之僑資創立完善大學，藉可大量吸引海外學人科學家回國執教。或准許香港已具規模之書院，分在台灣地區設立學院。斯議不僅屬於可行，且可一舉兩得！

關於五年制職業專科學校本年分北區、中區、南區三地聯合招考，報考學生共有七萬五千一百九十三人，其中北區人數最多，有四萬二千六百九十九人，南區次之，有二萬五千八百三十八人，中區最少，有六千六百五十六人。教育部規定錄取最低標準爲：一六〇分。當成績單分別發出時並附帶通知考生：凡總分已達一六〇以上成績者，著照申請書，北區列學校二十四所，計一百一十六個科系。每日報紙登載，收音機廣播：凡合錄取最低標準者，會有學校可讀。據悉北區考生成績合乎最低標準者達三萬有餘，而實際申請分發者爲二萬三千餘人，此中成績較優者均集中於公立台北工專、商專、中護專，私立明志、新浦、大同工專等校。而一枝獨秀之私立中國海專之航海、船務科，亦有較多之志願，其次爲藥科，再次爲農、商，又其次爲市政、行政，北區錄取考生計九千八百一十一人，較預定錄取數九千五百二十四人，超出二百八十七人，以備缺到之不足額。新生最高分數有四六九分者一人，分在公立台北工專電子科，最低分數爲二三三分分在大華農專農產加工科。考生成績在二三三分以上提申請者計一五、三一一人，其中五千五百五十五人，礙於所填志願未能分發錄取。

本年考生成績都比過去為高

總計合乎錄取標準而未獲錄取者尙有一萬二千餘人。本年考生的成績，一般都比去年爲高，達一六〇分以上的考生，北區有三萬多人，中區有四千一百四十人，南區有一萬六千零[illegible]十九人。取錄數未詳，聞實際錄取之最低分數爲一八〇分，惟聞已達標準而未獲錄取者亦不在少數。惟憶去年五年制專科不僅一次招生未足，且至二次補招，而成績多在一百五十分以上，本年度不僅報考人數踴躍增多，而且成績普遍優良。究其原因：實因本報一月二十日「當前教育上急待商榷的幾個問題」一文中，曾指出：「……須准予五年制專科畢業生中之才智堪進者，隨時有轉升大學相當科系之機會，以宏造就，藉以促進職業教育與普通教育相輔相成之效」。嗣由教育當局採納，並訂立專科畢業生轉升大學辦法，予以實施。本年專科學校所獲發展新氣象，蓋從端於此也，但在需要上而工業性質之五專，政府仍應在一定標準下，獎勵私人辦，並擇優准其擴充設立二年制者，雖然政府計畫爲配合教育改革適應建設需要，決定普設技藝訓練班，以及技藝二年制專科，以職業教育與普通教育競爭，進而緩和少年大量擠向大專，但是大專聯考在本身上之利弊，仍應嚴加檢討，策進徹底改善。

再有人投書報章，指責五專聯考於考試後再填志願申請分發之不當，使得原來有志願」，反變成沒有志願」；更使兩萬多考生在烈日炎威下奔馳，多花費了幾十萬元，多受一次痛苦，爲的是使少數學校錦上添花，可以取得最高分的學生，除此恐無別的理由？教育部爲什麼不管？某報曾指責五專聯考，在高中聯考未發榜以前舉行，似有大量賺取報名費之嫌，庸俗陷落，有玷教育清譽，應予糾正。聯招會睹此甚不過意，遂開會決議，將開支以外餘款七十萬元，移交清寒優秀獎金之用，並未各自分肥，此一措施，尙稱明智。

大專夜間部本年招生名額，教育部核定三十三所大專學校總名額爲七千一百二十二名，不包括增收二成數字在內。其中除台灣大學夜間部單獨招生外，餘分北區、中區、南區三處舉行，業於八月二十五日考試完畢，就台北考區十三所學校，報考考生共一萬四千一百七十五名，甲組以男生較多，餘以女生佔百分之八〇。現制大專夜間部之設立，原爲推廣大學教育於就業，及退役官兵，有志向學者，今僅便利於高中應屆畢業之女生，似與原旨不合，聞將研究新的開展方法。

監察院糾正色情泛濫
促立刻廢除公娼制度

本報記者李幼吾台北航訊：監察院對有關風化之色情泛濫進行調查經過，業誌六月二十九日本報。茲悉監察院內政委員會業於八月二十二日就委員陶百川前奉院會決議，調查本省風化問題所提出之報告，特予提案糾正，促請行政院立即廢除公娼制度，並修訂特定「營業管理辦法」，以加强妨害風化罪行之處罰。糾正案指出：此等妓女之生活乃是人間地獄，據台北市救濟所一女主管報告說：有妓女一日夜接客六十次之紀錄，而平均接客之次數亦達每日夜十四人之多，亦云慘矣。並查得一女子在十一歲八個月即爲家長質押於一妓院賣淫，押款每年自二萬元至三、四萬元不等，因社會既「笑貧不笑娼」，父母貪財，流氓壓榨，警察機關如再准其營業，實負刑法第二百三十一條第四項之包庇責任。（按該條刑法，主要內容：犯意圖營利，引誘或容留良家婦女與他人姦淫者；意圖營利使人爲猥褻之行爲者；以犯前二項之罪爲常業者，公務員包庇他人犯前項之罪者，依各該項之規定加重其刑至二分之一。即犯前第一項之罪者，處三年以下有期徒刑，併科五百元以下罰金。以犯前二項之罪者，處五年以下有期徒刑，得併一千元以下罰金。）其改善意見：①不管孩童無知，自古已然於今尤烈。特提供下列四點改善意見：①公娼必需立刻廢除，主管機關如再准其營業，需負刑法第二百三十一條第四項之包庇責任。②以消滅防害風化罪行爲目的，修正「特定營業管理辦法」，例如咖啡館祇供咖啡，不得兼供色情，故燈光必須放亮，女侍必須大量減少，女侍之性病，如尚需繼續防治，則必需檢查下體。③各個特定營業處所及旅館，如有妨害風化行爲，概以刑法處罰。④廢除公娼後之妓女或女侍，應訂適當輔導辦法，予以職業訓練，或助其就業或成家。

由於監察院上項糾正案之提出，對公娼制度之存在與廢止，勢必又將掀起熱烈之討論。娼妓由來至古，袁子才云：「春秋禮教衰，民無恆產；南宮萬奔陳，陳使婦人飲之酒而縛之，此婦人即妓者，濫觴。管子設女閭三百，待天下之賢者；越王使罷女爲士縫紉；皆有苦心作用，並非得已」。又云：「二千年來，娼妓一門，歷明主賢臣，卒不能禁」。降至今日隨社會經濟繁榮，而形成一普遍，以致社會道德墮落而演成各種社會病態；淫利所趨，浸至一般「笑貧不笑娼」之卑劣觀念，廉恥借亡，可畏孰甚！

東鄰日本向即全面登記管理公私娼妓，並明定妓女戶設備標準，與營業規則，但在實施禁娼法後，對妓女不登記，不許可，也不干涉而任其自然。此一制度或當使暗娼更爲潛滋，但係出自志願自由，收入悉歸已有，不會受到壓迫與中間剝削，也可避去流氓保鑣之寄生滋長，危害治安。據社會之演進，娼妓係應需要而產生，原屬正常情況。實不可使其爲公開買賣之標的。一般認爲本省娼妓則另有特殊性，涉及「逼良爲娼」，與「販賣人口」問題，以及據調查現有之娼妓，百分之六十爲養女，既是養女，則操此賤業，被迫成份居多，實則過去大陸亦不例外，惟所謂養女亦僅止娼寮鴇母獨有，爲儲備之搖錢樹。而台灣之養女制度，卻爲普遍性，除少數視同骨肉外，多數淪入厄運，此實由公娼制度連帶所產生之問題，若公娼制度予以廢除，上列問題即成難以遏止，亦必自然減少，且可嚴刑竣法加諸制裁，否則拖泥帶水，即永無澄清之日。

政府對本省娼妓之現況，始終認定徹底取締固不可，僅限於加强管理而已。但其管理猶復弊竇叢生，幾如治絲愈棼，而釀成今日色情普遍泛濫之災禍，形成嚴重之社會問題。

台灣省政府於民國四十四年十二月曾訂定娼妓管理辦法呈請行政院核准試辦，四十五年由省府試辦兩年，期滿後，又於四十八年十月修正原辦法第三十二條爲：「各縣市取締娼妓，應於民國五十年十二月底以前，全部取締完竣」。五十一年，省政府又呈請行政府修改該辦法第三十二條爲：「各縣市取締娼妓期限，又視實際情形另行規定之」。至是全面實行廢止公娼制度的行動，遂告無限期延長。

自本年春季本省曾一度全面取締各式各類之色情泛濫場所，其中以「理療院」爲新興另開生面之販賣色情淫窟，較諸昔年上海租界內之土耳其浴室按摩院，更爲實際兌現，在警察一陣旋風掃蕩後，那些「春色滿園」之理療院和浴池旅社，仍未「稍煞風景」，打開晚報廣告欄觸目俱是：「理療。地址×街×巷，冷氣開放」，××浴池旅社，交運方便，套房普通房間，價值低廉，應有盡有，包君滿意。地址×路×巷」。並有「怎樣征服女人？」「包管堅持三十分鐘」之春藥刺目廣告。適應色情泛濫，供求不一而足，據販賣色情業中人透露：「每遭一次取締營業，雖有影響，但被報紙登出某應召站、某理療院、某純吃茶、某浴池旅社之個中情況，以及設置地點，過後營業必更興盛，如此這般，比自己花費廣告，還要有效呢！」這對警察的取締色情，不是一個很大諷刺嗎？

據悉北投鎮六十八家溫泉旅社，於八月二十二日向陽明山管理局陳情，請求飭令警所改善臨檢辦法，俾維持社觀光事業之發展及營業，陳情書指出：自警察貫徹遏止色情泛濫運動以來，新北投地區因連日被警所作地毯式的臨檢取締，以致各旅社營業深受影響，因此急切希望管理局飭令警方改善臨檢辦法，俾使各旅社能渡過目前所遭遇的「難關」！管理局長潘其武於接獲陳情書後，極表重視。除將陳情書所列細節留待研究改善外，並當即以「國家榮譽，社會治安；旅社營業，合法保障」四個重點慰勉曉諭陳情人等。按北投各溫泉旅社自警察實施臨檢後，以致尋芳問柳，溫泉春浴之遊樂者日漸減少。當八月十五日警所出動大批員警，分成五批，在北投各旅作「地毯式」的掃蕩，一[illegible]鶯鶯燕噪，捕獲私娼十一人，內有二位係良家婦女這樣一來，將使昔日風光減色，而旅社營業幾居北投鎮商業繁華之首，若警方貫徹臨檢下去，各旅社勢必關門大吉，亦觀光事業面臨之一大矛盾。

小學惡性補習教材
應一律禁止使用
編譯館長指責連環圖畫
貽害兒童希望澈底改善

本報記者董尚書台北消息：教育部政務次長鄧傳楷前（三）日在立法院教育委員會表示：「九年國民教育實施以後，國民小學之補充教材，自修讀本等，將一律禁止使用。」按國民小學向爲社會所詬病之惡性補習之補習教材，有「自修良友」以及各式各樣之模擬考試作業紙等，由書商大量供應，以全台灣小學高年級學生六十餘萬人計。低估每一學生所耗費用，年計約一百六十元。此一補充教材總計鉅款，爲有關主管官吏、校長、級施分取回扣之一，而書商利潤尤厚。今將隨國民教育延長爲九年而消失貪弊，暴利之一矣。又悉，國立編譯館長劉拓亦同[illegible]在該會提出：五十七年該館審查連環圖畫共有三千九百多件，其中百分之五未經核准，連環圖畫之作者有一百九十多人，大部份只有小學程度，所以水準甚低，該館曾經約集座談，希望有所改進。據此可知，今日普遍影響兒童心理之連環圖畫，其中大部份作品，竟出自小學程度之心裁，其構意之離奇，爲害之惡毒，實不堪想象。教育主管爲何不主動延攬專家，編繪此種甚合需要之兒童覽物，發交印行，一任書商粗製濫造，使其貽害兒童，若僅止座談，希望改善，又將有何裨益乎？

吳稚暉先生年譜（十七）

陳凌海編撰　陳洪校訂

民國紀元前五年——清光緒三十三年，丁未（西曆一九〇七年）先生四十三歲。

一月七日，先生偕孫鴻哲（揆伯）參觀巴黎博物院。並在中國飯店品茗。先生在巴黎，與張人傑（靜江），李煜瀛（石曾）籌備新世紀週刊。由先生負責編排。先生與李煜瀛、褚民誼等參觀法國政府印刷局，計劃作郵政「花片」（明信片），並向通運公司取得有關資料參考。是年六月二十二日新世紀第一號正式創刊。每星期六出版。發行所在巴黎侶僕街四號（4, Rue Broca — Paris），先生於五月四日遷居於發行所，主持社務。新世紀該年之「紀年」，用「新世紀」七年字樣，蓋即一九〇七年之意。並用陽曆月日，表示不再承認滿清。由一九〇七年六月二十二日至一九一〇年五月二十一日，新世紀共出版一百二十一號。（民國三十六年即一九四七年五月，上海世界出版協社重印該週刊全份，名曰：重印巴黎新世紀。）先生與李煜瀛兩人在新世紀所作之文章甚多，尤以先生為最。蔡元培（孑民），褚民誼等亦曾作若干文章。先生之筆名為：燃料、夷、敬恒、眞、希等，又用留歐學界一分子，中國之一人，憑良心者，留比讀者，留英一客，無政府黨一人，革命黨的一分子，又借用李煜瀛及其他人之筆名，不下五十種名義，發表言論。新世紀反對帝國主義，介紹萬國革命風潮，主張社會革命與政治主張，包括排滿在內，亦暫主張擴充武備，用以誅除人類之敵；反對軍國主義，主張以工人罷工對抗資本家；提倡大同主義；發揮互助，崇尚人道博愛與自由平等；提倡科學眞理；提倡男女平等，並改革家庭制度，反對迷信祖宗。先生與李煜瀛等又相信無政府主義。曾介紹蒲魯東（Pierre-Joseph Proudhon），一八〇九——一八六五，巴枯寧（Mikhail A Bakunin），一八一四——一八七六，克魯泡特金（Prince Petera, Kropotkin），一八四二——一九一一等學說。國人談無政府者自此始。新世紀經費多由張人傑負担。先生等又編世界大型美術畫報與新世紀同時出版。世界畫報第一期印一萬冊。設世界社於上海望平街負責發行。由周柏年邀徐棠（壽生）主持之。又編新世紀叢刊，絡續出版。

文滙樓別記

泰國乃砲上將垮台預兆

文滙樓主

泰國強人「乃炮是耶暖」上將，以警察總監身份，政治地位與首相鑾披汶，海陸空大元帥乃屏，鼎足而立，警察種類有特別部（即政治部）航空隊、艦隊、化學部隊及國防警察等，泰國當時的陸海空軍的總和，祇佔警察半數，強人焉者毋庸解釋可瞭然矣。

一九五四年乃炮欲辦一家規模宏大的華文報，且決定要請一位外國（中國）卓越專家主持其事效上海新聞報請福開森（西人）例，乃炮心目中的專家就是欲請一位福開森，經過很長的時間找到旅居曼谷經營進出口商的福開森了，這位福開森即李運鵬是也，那時任職南洋商業有限公司總經理，業務計有各種車輛、船隻，鐵軌，水泥，白糖，藥品進口及政府委託業務，曾向台灣購過四千噸水泥，和兩萬噸白糖紀錄，南洋公司的董事長是鑾素那因（當時泰內政部長）監事長鑾坤奴馬吉（最高法院院長）副董事長丘創志（泰國潮州會館主席）張蘭臣、丘炳隆、丘君博等都是董事，但李與乃炮搭綫的則是泰國銀行家陳弼臣（因向南洋公司買台灣白糖而識荊，李學習新聞，出身中央政治學校，而又是一位大陸青年報業家），與乃炮晤談的結果，一拍即合，立即作閃電式決定，推李為世界報業股份有限公司總經理，兼世界日報，世界晚報，世界週報，世界畫報等四報社長與發行人，乃炮於首次籌備會上暗示，未來的民聯廳（泰國宣傳部）將交由李氏負責。

經過一年的努力，世界大厦落成，報紙的籌備工作也達成熟階段，李運鵬擬定了一張理想的報人名單也全部通過，並向乃炮建議用一師部隊的經費，組織文化軍，開世界風氣之先，向共產黨進行思想戰，再撥出一億泰幣經費、籌辦一家世界性的泰國通訊社，乃炮不僅應允，從批准世界日報二十八個週刊主編人，並且說：「這都是中國的國士呀！反共產黨必須這般人才行，本人德薄，全靠閣下了」，以證明乃炮是一個有政治頭腦的人，主編週刊的人選中計有史學左舜生、科學丁文淵，軍事陳孝威，文學劉百閔，戲劇黃天石，小說馬彬，山水人物易君左，詩詞王世昭鄭水心，報學程曉華，文藝王平陵等，創近半世紀新聞界未有之盛舉，「敘雍，汪希文，張大師，唐君毅，王平一，黃煥文等數十名流，都經常為世界日報從事撰述工作，皆有報為證，惜好景不長，共匪的心戰部，配合當地一部分政治垃圾，從事倒李奪權運動，北京並指派泰國國會某議員（老共幹）及文滙報特派員某，在「壞事有餘」的原則下，世界日報眞所謂「曇花一現」即步向下坡了。

不過話又說回來，曾文正公「不信書信運氣」乃炮亦然，認一個人的吉兇禍福，都是命運所註定，事實上就有這樣巧，世界日報發刊那天，由乃炮親臨主持揭幕，照例泰國文武百官、士農工商各界，及駐泰外交官們，均踴躍參加。當宣佈典禮開始，乃炮正步向招牌掛花時，門燈突然落地粉碎，乃炮正向來賓致詞，麥克風又壞了，雖很快修好，但味道不對了。有人謂可能是共匪搞鬼，其實不可能，乃炮的警衛森嚴程度實質上超過了首相或泰皇，晚十時又親臨世界日報巡視此一新興事業機構，車騎甫達，全社電燈熄滅，檢查的結果是總開關保險絲斷了，後未久泰國發生政變，鑾披汶，乃炮均被逐到國外，預兆情形如此，信不信由你。

三日春秋

張鐵君與三民主義研究

辱安

在國內研究三民主義的人士，張鐵君氏是一位很傑出的。他曾任陽明山研究院三民主義研究所的所長。該所的幾位委員，如任卓宣，羅剛，崔載陽，周世輔，林桂圃諸氏，皆一時彼彥，張氏每對人稱彼等為「五虎上將」，引以自豪。

三民主義研究所與教育部合作，出刊叢書，由教育部每年提供經費二十萬元，三民主義研究所則負責稿件，歷年以來，出了很多有價值的書，筆者曾譯諸人著「人，未知者」一書（按此書論「生元」，與國父所見，有互相發明處），亦由該所出版。此書就醫學觀點，論人體結構，有許多與漢醫學說，不謀而合。道藩先生曾見拙譯本，頗欣賞其內容。

張鐵君氏與三民主義，殆結不解緣。筆者於抗戰期間，在重慶繼陶百川兄之後，負責「三民主義研究會」的會務，鐵君兄即為該會專門委員，著述良多，每於會報時，所提意見，尤極精闢。當時仝人，如林紫貴，高蔭祖諸先生，今均在台，當能憶及。鐵君兄因心憂黨國，且半生顛沛，故養成一種「長太息」（歎氣）習慣，往往，「人未到，嘆氣聲先聞」，當時李子壩三江村（三民主義研究會會址）工友以此為張委員到公的預報。聞張氏在陽明山任所長時，仍有此習慣。張氏現已貴顯，應無抑鬱，可見積習難改。

筆者與鐵君先生訂交三十年，每勸其輕鬆——放鬆一點，然其緊張如故，嚴肅如故，惟亦享大年，則由根器本厚。

鐵君兄反共性甚為強烈，對共黨的鬼魅伎倆，也摸得很清楚。因此，共匪恨之刺骨。從前在大陸時，共匪曾對地多方誣衊。今天他雖然已不作對匪直接鬥爭工作，但每一涉及匪的問題，仍是兩目紅赤，頭髮上指，可說反共出於天性，鬥志到老不衰！（完）

關羽之敗與蜀漢之衰！（下）

祺恩昶

三國人物

武侯以寧靜致遠，一生謹慎之人，對這次關羽的進攻襄樊，不能無建議或有建議昭烈未能採用，他可能對關羽有指示而關羽未遵守，二者史冊無記載，但我們推斷可能有此事。武侯對荊州的局勢之危是很清楚的，陳志法正傳引武侯云：「昔主公在公安，北畏曹公之強，東憚孫權之逼。」所以他主張連合東吳，以免兩面受敵。這一政策，關羽未能認眞奉行。但即他能奉行，以孫權之狡猾，呂蒙之處心積慮以謀荊州，也不見得能長保無事。武侯對這次戰役的責任，也在過於相信吳蜀的聯盟。後出師表上說：「其後吳更違盟，關羽毀敗。」可見東吳之突然背盟進襲，是關羽失敗的主因。（有人謂後表為吳張儼擬作，然如此更足證明此點。）連吳伐魏，本是武侯既定政策，但兩國之間，利害關孫隨轉變，他却不應過於信賴。當建安二十二年，孫權與曹操講和，和去就應該提高警覺。同年東吳親蜀的大將魯肅病故，這尤其值得注意。吳蜀的連合，在蜀以諸葛亮主持最堅，在吳以魯肅主持最堅，魯肅一死，東吳隨時有偷襲荊州的可能。諸葛亮雖為魯肅舉哀，却仍未警覺到東吳的變計。而吳之呂蒙又故意利用蜀漢渴望連吳這一心理，把侵畧荊州的計劃，在極秘密的情形下暗中進行，且外示閒散，故意裝病。蜀之君臣，遂上了呂蒙的當。「君子可欺，以其方」，這件事之所以含有濃厚的悲劇意味在此。

蜀之謀臣，諸葛亮外，傑出的人物本尚有龐統，法正。亮建連吳之策，赤壁一戰，定下三分之局，龐統，則勸先主進取益州，建立根本。法正勸先主乘曹操北還之機會，北平漢中，作為北伐基地。三人各有千秋。可惜這時龐統已死，法正已病，只餘一親吳的諸葛亮，由於主觀上過於信賴，吳蜀聯盟，遂疏於防範，故關羽終至毀敗。

（三）關羽本身處置未當——三國志載關羽的性格——「護前」（好強）。陳壽評他為是：「萬人之敵，為世虎臣」。又說他：「剛而自矜。」我們看他與魯肅鄰界時，「數有孤疑，肅輒以歡好慰之。」這幸而是有遠大眼光的魯肅，若是那急功好事的呂蒙，早已鬧翻。當他在荊州，孫權想與他結為婚姻，他說：「虎女焉能配犬子」，致使孫權聞之大怒。當樊城戰事緊急之際，他又擅取湘關米，遂成為孫權進兵的導火綫，他這些舉動，得罪友邦，孤立自己，未能小心執行連吳的政策，是一大誤錯。

其次他這次進攻樊城，威振華夏，他向昭烈所提的報告是否有自負失實之處，也未可知。陳志費詩傳載，劉備稱漢中王，拜他為前將軍，他因與黃忠同列，誓不接受。後因費詩宛勸，他才勉強接受。那麼他這次出兵，是否想獨立奇動，有壓倒老卒黃漢升的意思呢？以他的性格，很可能如此。否則他為什麼不向成都提出確實的報告，說明東吳可疑，後防空虛，請求派將坐鎮江陵呢？他是否怕旁人分了他的功勞？劉備、孔明是否顧慮這一點才讓他獨當一面的呢？

其三是他對部下只用威勢，不重情感，未能廣結人心，遂使戰事緊急之際，糜芳、博士仁叛而降吳，孟達劉封不願相救。及回師荊州，士卒聞呂蒙已據江陵，不戰自散。這是項王垓下之勢，最不應該的，是曹操將孫權上表自效的書信，用箭射給他看，他還猶豫不去。」這眞是太「剛而自矜」了，否則他以憤怒之師，回師一擊，可能把孫權打得落花流水，也不是大快人心的事嗎？

所有以上關羽性格作風上種種缺點，對這次戰事來說都是次要問題，事如劉備指揮得宜，佈置適當，都不會起決定性的作用。本來萬人之敵的猛將，很少不剛而自矜的，只要用之得當，剛猛正是優點。這種剛烈人物，古今中外，當不乏人。即吾國而論，如楚之項王，漢之關羽，宋之岳飛，近人吳子玉，都是這一類型。這類人物，也同高人義士一樣，為歷史增加不少光彩。但他們成功最快，失敗也最速，只留下許多可歌可泣的故事，供人憑弔而已！（完）

創業哲學

識時務者為俊傑

楚狂人

識時務者為俊傑，古今來很多大英雄、大豪傑，犧牲於不識時務，就近代人來說要以馮玉祥為代表了，舉例：當國民革命軍北伐部隊抵達鄭州與馮會師時，黨國要人，雲集鄭州，生活上難免奢華，馮玉祥親自書聯一幅贈汪精衛，聯曰：「一桌點心，半桌水果，那知民間疾苦。兩點開會，四點到齊，豈是革命精神。」另加橫批是：「官僚舊樣」其使人難堪，可謂不留餘地。在他一生中不知做過多少類似的事情，如開會時不坐汽車，穿着一套最破的軍裝等。統可歸納為不識時務。

清名臣曾國藩，要算最識時務的人了，他將太平天國剿平後，舉出甚多理由，奏請皇上，要練淮軍接替湘軍，清政府要封曾王位時，曾回奏說：「此次剿滅洪匪，上仰萬歲德威，下賴將士用命，與國藩何干？國藩倘可封王，天下封王者多矣！」直率一點說，前者自動解除武裝，後者消除皇室功高震主顧慮，為政能像曾國藩，這樣識時務的太少了。其能成為中國大政治家之一，非無由也。

曾國藩對政治的看法，勢之所在天地聖人不能違也，勢來時，即摧之未必會毀，勢去時，即挽之未必能回，故每遇事，皆循自然法則，也即所謂三分人事，七分天命。

談童蒙教材

李霜青

國文正名的論辯焦點，可說集中在童蒙教材的內容問題。單就學理的辯論言，沙學浚先生可說全部勝利。即就辯論的風度言，沙學浚先生極力主張說國語，主張讀白話文，主張讀國語日報，對於注音符號教學與在台灣推行國語的成功，也表示讚美。爲什麼國語派還要「利口巧辯」，不願折服於眞理？原來國語派的人爲了「名利」上著眼，他們想抓住小學國語課本的編輯權，沽名釣譽，大撈其「錢」。

說到童蒙教材，眞是「不勝滄桑感今昔」。其內容在遠古時代，三墳五典記載，已不可考。孟子一書云：后稷教民稼穡。堯使契爲司徒，教以人倫：父子有親，君臣有義，夫婦有別，長幼有序，朋友有信。這是堯舜時代的教材內容。似乎以言教、身教爲主。這當是國語家們所說「國語」稱能的時代。周禮所記：以鄉三物教萬民。三物即六德：知仁聖義中和。六藝：禮樂射御書數。六行：孝友睦婣姙恤。這鄉三物，便是周代的教材大綱。六藝中，禮樂是文化陶冶。射御是軍事教育。書爲六書，即象形、會意、轉注、指事、假借、形聲。數爲九數，即方田、粟米、差分、少廣、商功、均輸、方程、贏不足、旁要。禮記內則篇，記童蒙教育的順序說：「子能食食，教以右手。能言，男唯女俞。男革，女絲。六年，教之數與方名」。許愼說文解字敘云：「因禮八歲入小學，保氏教國子先以六書」。禮記內則篇又說：「八年，出入門戶，及即席飲食，必後長者，始教之讓。九年，教之數日。十年，出就外傅，居宿於外，學書計，衣不帛襦袴。禮帥初朝，夕學幼儀，請肄簡諒。十有三年，學樂誦詩，舞勺。成童，舞象，學射御。廿而冠，始學禮，可以衣裘帛，舞大夏。惇行孝弟，博學不教，內而不出。卅而有室，始理男事，博學無方，孫友視志」。至此，大學教育便告一段落，可見古代教育，既合乎心理學發展程序，又能作到「蒙以養正，聖功也」。周轍東，王綱隳。教育制度雖已破壞。當時教材，國語所記楚莊王使士亹教太子，有詩書禮樂春秋故志等。孔子以六藝教弟子，此六藝則指詩書易禮樂春秋等六經而言。子以四教：文行忠信。又分弟子爲語言、文學、德行、政事等科。頗能適應個別差異。孔子指出：「中人以上，可以語上也。中人以下，不可以語上也。」即注意到學生的智慧差異。孔子主張：「行有餘力，則以學文」，也是以學作人爲第一。漢代「立太學以教於國，設庠序以化於邑」。「諸不在六藝（六經）之科，孔子之術者，皆絕其道」。除公立學校外，兩漢經師，授徒甚盛。閭里書師，亦廣設私塾，稱爲「學館」。九歲以上幼童，不任勞作，「硯凍釋」，即入學，學篇章，讀和寫。篇章是字書，以三言或四言編成的韻語，有急就篇（相傳爲史游所作），有三蒼篇，指蒼頡篇，訓纂篇，滂熹篇。冬天硯凍，則讀孝經、論語。曹魏篡漢，到隋唐統一，二百數十年長期混亂，國家的學校興廢無常。大家族各設家學。此一時期，因晉室由篡弒而得，故提倡「以孝治天下」。孝經乃成爲主要童蒙教材。自曹魏嫉視士子，煮豆燃萁，兄弟不免。士子羣趨於消極退隱。唐代取士，鉤校苛密，重詩賦而賤明經，使漢時處士自重之節，遂不復見。唐代學校，中央有六學二館，六學是國子學、太學、四門學、書學、律學、算學；各館置博士助教，以國子祭酒總其學政，二館是弘文館、崇文館，置學士，掌圖籍，教諸生。地方府、州、縣學，亦置博士、助教，授五經，習禮。此外，中央與地方，還設玄學、醫學。此時童蒙教材，也像漢朝的急就、三蒼，是三言四言韻語，加上千字文。千字文是南北朝時梁朝周興嗣所寫，據說梁武帝要他從鍾繇、王羲之帖中，集出千言韻語，要字無複亢，詞有藻彩。周白負才高，一夕而成，鬚髮皆白。此書把宇宙自然現象，文化歷史，道德格言，結連一起。爲後世稱爲傑出童蒙教材。唐李翰撰「蒙求」，以四言韻文，專編古人事蹟，朱嗣卿編寫「幼學」，盡羅天文、地理、人物故實，以駢體文寫成。

宋明兩代，學制與唐相似。大儒迭倡「書院」，蔚爲民間學風。童蒙教材中，出現了「百家姓」「三字經」。百家姓係採擇民間姓氏，以四言韻文編成，據說是兩浙錢氏有國時之小民所編，趙乃國姓，故冠以首。三字經是王應麟所編寫，這書歷元明清都曾增補，最後是章太炎的改訂本。宋代劉後村編成「千家詩選」，明人曾增訂過。宋朝描紅習字教材，有白雲禪師的「上大人，孔乙己，化三千，七十四，爾小生，八九子，佳作仁，可知禮」。爾、禮二字採簡體，取其筆劃少，以便兒童學習。清代衡塘退士（孫洙押印）編「唐詩三百首」作童蒙誦讀教材，考古代童蒙教材優點有：

一、以知識爲著眼，不受朝代更迭影響，內容豐富。

二、採三言、四言、五言、七言、駢文等韻文寫成，朗朗成誦，便於記憶。頗合兒童語言心理學原則。

三、編寫者皆一代學者，以其聰智譜見擷歷史文化精華，融會貫通而成。

民國以來，軍閥政府時，由新文化運動份子建議，盡廢古代童蒙教材，其攻擊口實，則爲「兒童難懂」四字。始則編以識字範本爲「人、手、足、刀、尺、山、水、田、狗、牛、羊」「一身、二手、大山、小石」。及以「國語」代「國文」。教以「學生入校，先生曰：汝來何事？學生曰：奉父母之命，前來讀書」。此尚合於古人所言：「教以數與方名」及「蒙以養正」之原則。稍後，新文化運動份子利用抓得小學課本編輯權之便，乾脆教兒童學「小小貓，跳跳跳，小貓小狗跳跳叫，小孩子，哈哈笑」。以往兒童是學作人，知道「人之初，性本善」，新文化運動份子此時則教兒童學貓狗。從新文化運動陣營分裂成立的共產黨徒，乾脆教兒童學鳩鴞，要「我不愛爸爸，我不愛媽媽，我愛毛澤東，我愛斯大林」。我們近年的教材，雖改變了，然內容之空洞浮淺，白話句語長短不齊，無韻無調，兒童更難記誦。諺云：「良工斲大木」。「巧匠出細工」。古時編寫教材者，乃望重一代學者，學問上均皆卓然成家，對中國文字、文學、音韻、聲律、文化、歷史、民情風俗，均有深刻研究。故所編教材，帝王權勢猶不敢奪。今日編寫教材者，於中國文字、文學、民情風俗、略知皮毛，於音韻、聲律、文化歷史，均皆不通。以「牧童騎在牛背上，邊走邊吃草」及視古樽爲大痰盂的不通之輩，與詆中國文化必需伏日本文化之下的「文化漢奸」之流，豈能寫得出媲美古人的教材？也比不上民初張元濟、高鳳謙所寫教科書之雅致。怪不得沙學浚先生要爲救民族文化，救民族幼苗而呼籲了。

國語派的人，巧飾夾纏的說：「兒童學習這些教材，叫他們怎麼寫週記？難道週記也用三字韻文寫」？我們請問：歷代讀三字經的人，及當代讀過三字經的人，他們說話、作文，都是三字一句的在說，在寫嗎？孟子說：「邪辭知其所陷，淫辭知其所蔽，遁辭知其所窮」，正可作國語派飾辯之注脚。

三幕喜劇

事過境遷

熊式一

仁：　不是橡皮的呀！

史：　你捏錯了！這一隻是假的，可以隨便捏。（他自己捏給他們看。）這一隻是眞的！好痛！

仁：　你方才不是說右腿是假的嗎？

史：　我說錯了！

包太：年代久了，記不清楚了！你想，這還是抗戰開始的事，多少年了！仁翰，別孩子氣，不要胡鬧了，把釘錘子給我，大家坐下吧，你們坐遠點，我坐中間！我們談談抗戰初的事吧！南京給日本人攻陷的時候，你還在那兒嗎？

史：　我在！我在！

包太：日本人攻玄武門的時候，你記得有一位很年青的營長，不肯退出，爲國壯烈犧牲了他的生命吧？

史：　不怎麼記得，他姓甚麼，叫甚麼名字呀？

包太：（得意）他雙姓宇文，名叫得標，宇文得標！

仁：　提他做甚麼呢？

史：　宇文得標！宇文得標！當然記得！這個名字，誰聽了也忘不了！要說抗戰的時候，打仗打死的營長，不知道是多少，誰也不會記得他們，不過宇文得標這個名字，尤其是姓宇文的，聽了一次，誰也不會忘記他！

包太：你記得這個人？

史：　清清楚楚！這個人，死得眞慘，也眞怪！

仁：　別談他了！

包太：你方才又說不怎麼記得這個人？

史：　我不知道你是說他呀！上個月我還同他在一塊兒吃飯呢！

仁：　（大驚）你說甚麼？

包太：（更驚）這怎麼可以呢？他不是在二十幾年前就爲國犧牲了嗎？

史：　他這種流氓，爲國犧牲嗎？你別相信他，他的鬼怪多呢！

仁：　在玄武門死的營長是誰呢？

史：　是他的勤務兵！他換了衣服，逃出去投降日本鬼，改名換姓到上海做漢奸，上個月我在澳門大酒店碰見他，嚇了我一跳，他一點也不在乎的對我笑，告訴我他在漢奸時代的光榮史！

仁：　做漢奸還有光榮史？

史：　還不是他那老一套，吃、喝、嫖、賭，又闖出一身的禍來，日本人也要把坐監，好在抗戰勝利，他乘着混水好摸魚，又胡鬧一頓，發了一筆接收財！不過最後給共產黨治苦了，勞動改造了十多年！

包太：（急於知道）把他改成甚麼樣子？

史：　江山易改，本性難移，還不是和從前一樣，逃到了澳門，又在那兒嫖賭逍遙，不務正業呀！

仁：　史先生，你不會認錯了人吧！報上都登過他守玄武門的戰績，政府還發了撫恤金給他的……他的遺屬！

史：　我還會認錯人！這些事都是他上個月親口告訴我的！那兒會錯？　⑰

海嶠譚薈

談胡宗南

諸葛文侯

胡宗南曾以初級師範畢業生，在鄉里作小學校長，因虧空經費兩百元爲縣府追究甚急，憤而投筆從戎，走廣州考入黃埔軍校。嗣後由軍中排連長逐漸升任至集團軍總司令，戰區司令長官，統兵三十萬人，駐節西安，綱紀西北陝、甘、寧夏、新疆各地區軍政事宜。際遇之隆，所得上峯信任之專，在當代軍人中罕有其匹，然其平日律己之嚴，持躬之謹，亦爲倂世赳赳羣帥之冠。

現代軍人好過問政治，一旦擁有軍長或方面統帥職位，即求兼集地方黨政權力於一身，專橫跋扈有如唐末之藩鎮，視北洋軍閥尤過之；且妄作宦得，自我吹噓，而實際固不知「政治」二字作何解釋也。宗南始終保持軍人善良風格，不事政治活動，對外亦不亂作政治主張，惘惜羣華，忠於職守，更不仗勢弄權，舉薦政府官吏。平居生活簡樸，不殖財貨，衣衫且常補綴，一生經手銀錢不下萬億，身後乃蕭然四壁，遺孀須以執教營生，其視倂世軍人，凡有位居帥長者即豪富埒王侯之貪瀆行爲爲何如也！

宗南日常生活殊謹嚴，每年有例假一箇月，由戴雨農爲之安排休憩處所，在此期間，任何公務皆弗問，雖信幕僚亦不悉其蹤跡所在，僅最高統帥知之耳。對日抗戰結束之翌年，宗南揮軍進佔毛共巢穴延安棄後，回至西安，一夕傳呼參謀長盛文來私第談話，訥訥如不能出口，既而表示羞甚形色曰：「我要結婚！請你分約某某等文武長老六七人，於某日某處宴會，參加婚典，但事前不得聲張，即對諸長老亦禁言係結婚宴，臨時宣佈可也」。盛文如命進行，屆時諸長老皆欣然簽名於結婚證書，然未帶私章，事後仍由盛氏逐一登門補蓋之。婚後三日，即將新婦送至南京，絕無鋪張揚厲之庸俗舉動，若使其他夢隨將領處此，縱不請求國家元首證婚，亦必廣邀當代名公鉅卿參預典禮，驕其妻室鄉黨，自鳴得意焉。

民國卅八年大陸淪陷後，宗南至台灣，初奉命担任大陳島守備職責，繼赴澎湖列島主持防務，位卑而責任艱苦，他人視之無所擇規避也。旋台諫提出彈劾，劾宗南失守西北過失，輿論嘩然附和，宗南唯遜謝，答辯書外，對外默默無言，其風度有足多者！世人每以宗南擁大軍而無赫赫功可紀，最後且謚爲庸懦之流。實則當年坐鎭西北，負有抗日與防共之雙重責任，然對共只能「防」而不能「剿」，國策使然也，至最後失守巴蜀，則以民心大變，破當前無從挽救頹勢，挽狂瀾於既倒矣。愚不識宗南，僅舉其爲人與治軍之犖犖風格，以資他日治史者參考，固非阿其所好也。

（完）

自由報

第八九〇期

中華民國僑務委員會頒發台檢新字第三二三號登記證
內銷證內僑警台報字第631號
中華郵政台字第一二八二號執照
登記為第一類新聞紙類
（半週刊每星期三、六出版）
每份港幣壹角・台灣零售價新台幣弍元

社長李運鵬・督印黃行奮

社址：香港九龍登打士街91號十樓六座
91 DUNDAS ST, 9th FLOOR, FLAT 6 KOWLOON H.K.
電話：857253　電報掛號：7191
承印者：大同印務公司
地址：香港北角和富道九六號
台灣總管理處
中華民國（台灣）台北市大同街119號
電話：555395・557474
台灣分社：台北市西寧南路110號二樓
電話：三〇三四六
台郵撥儲金戶九二五二

華學會議與人文傳統的復興

・顧翊群・

編者前言

張其昀先生主持之「第一屆國際華學會議」經於八月二十六日在台北華岡中國文化學院召開。計有來自歐美日非……等二十個國家地區的代表多人連同本國學人共有二百一十七位之多，提出論文計達一百七十五篇，開幕時除張氏致詞外，並分由韓國代表李瑄根，日本代表島田正郎，菲律賓代表阿里普，西德代表石泰寧，法國代表康德模，及旅美旅德學人薛光前，蕭師毅等致詞，頗極一時之盛。按：此項會議在我國召開尚屬創舉，誠如總召集人黎東方教授報告時所指出：（一）華學會議乃研究中國之學問者，而一向反皆在國外集會，今在中國召開尚為第一次。（二）華學會議一向皆不用華語，此次華學會議，則此華語為主，此亦為華學界之首創，（三）國際上之華子會議，往往為膚淺之徒，甚至冒充內行者所把持。而本屆會議則收到論文一百七十餘篇，篇篇有價值：非一般華學會議所能比——今謹擇錄其哲學組主席，顧翊群先生，之主席致辭一篇於后，以見一斑，並事祝賀。

我們皆知在中國歷史中，曾經有過多次學者們的集會，而產生了重要的悠久的後果。舉例而言，在孔聖之後約兩世紀，齊國曾有稷下先生等之集會，當時七十六位大師與千餘位弟子們之講談討論，必然對戰國時代的思想與事件有極重要的影響，而戰國時代乃是西元前二二一年秦始皇所建立起來而旋即崩潰之大帝國的前奏。西漢昭帝時，長安國都曾有丞相及御史大夫等高官，與各郡國前來之賢良文學等，奉詔舉行會議，而進行關於鹽鐵酒權均輸之利弊得失的辯論。其後由桓寬氏將雙方議論寫成鹽鐵論一書，流傳後代，是為在西方斯密氏與柏克氏關於政治與經濟哲學著作早出約一千九百年的著述。又如西漢宣帝時的石渠閣諸儒會議，與東漢章帝時之白帝觀諸儒有關五經同異之討論，使得政府民間對有關祭祀，禮儀，教育政策，乃至道德的，社會的，與自然的哲學，有較為一致的看法。

我提出以上諸史實的用意，乃是企求指證甚多華學家一貫的看法，那乃是：中國文化的持久性之基本理由，來自中國之精神的人傳統，後者來源悠遠，且經過歷代所陸續增加而燦爛光明。自本世紀初年起此傳統遭受頓挫，而同時各種憂患亦陸續爆發，終引致共產政權在大陸之建立。現在毛匪政權已到崩潰前夕，自由中國與海外僑胞，均努力於中華文化復興的運動，則參加本會之諸學者，均有贊助與推動此運動的責任。

有人或願提出善意的忠告，謂中國當前所迫切需要的，乃是振興科學，而非人文傳統的復興。祇有振興科學方可使中國獲救。請容許我引用以下一段文字以相答辯。此段文字係自一九六四年美國人文學術委員會向全美三大學術總團體所提出之具學術性的報告書中之前言。茲逐譯如下：

「縱使一位最有天才的人物，不管他係詩人抑物理學者，假使他的想像力未曾遭遇到在他之前的人物之熱望與成就所引燃起來，則他之潛能難以全部發揮，而他對他的時代亦難有完美的貢獻。於此可見，人文學術者因係以過去為其自然領域，而有他們的特殊任務。他們一方面有權利，一方面有義務，來將過去的一切，向新的一代加以解釋，而新的一代因年輕與見聞有限，係需要此種協助的。人文學術者對於過去人類對其賴以生存的世界所作之描模的解說，與超越的各種企圖之成果，加以保存與評判。為了直接增加每一個人之經驗，與增加其應付經驗之能力，最佳的方法莫過於對藝術與文學之欣賞與研討。經由人文學術，我們學到智見上的謙卑，審美的敏覺，與感情的節制。經由人文學術我們達到理想的驚奇；了解意像力的重要，以及創造精神之不容懷疑的能力。」

於此我不能不提請諸位注意：最近美國生活週報（非國際版）在其五月廿四日一期所登載之普林斯頓大學歷史學家畢林頓教授所撰之「在美國大學中人文的心跳已停止了」一篇文章。（香港人生月刊本年七月號有劉會友君譯文）。我們不僅為了美國前途担憂，而亦為人類前途担憂。當前人文學術之應遭受重視，已不容再緩。惟有人文精神提高後，然後科學的成果，方不致祇用於人類物質之增進，而同時亦會顧到道德的與精神的改進方面。

我個人認為，我們應從在動蕩中的世界，來認識本會議的意義與重要性。參加本會議諸先生，不僅為了促進台灣一千三百餘萬中國人之文化進展而努力，事實上亦係正在參加從事於一項工作，準備於毛匪政權不久崩潰之後。將人性與學術之重建給予大陸七萬萬同胞以助力。此任務異常艱巨，但準備工作必需立即開始，我所主張者不是政治宣傳，而係一種道德的精神的活動工作。此種工作不僅中國人應當努力從事，凡係愛好正義與學術均應自動參加。

最後，在我講演完畢與請第一位學者宣讀其論文提要之前，我願對被邀與日本著名學者石村先生會同担任日本上午哲學小組討論會主席任務一事，表示謝忱。一位半生忙碌於在巨額紙幣與黃金中往來奔走者，縱使對他們祇懷抱着柏拉圖式的愛好，亦不適宜與現代的老子、孟子，及蘇格拉底等人相聚會，我的參加本會議之唯一資格，乃是自知缺乏智慧，而願靜坐主席之交椅，來恭聽諸位先生的宏論。

死活之爭！

誰邀和平！

昨日與明日

整頓交通聲中併發症

在積極整頓台北交通秩序聲中，截至目前為止，已併發了不少社會病症，使得預期可即的成果，大打折扣，甚至令人有得不償失之感。這並不是說此一決策有何錯誤，而是其進行的計劃，缺乏周密妥慎的考慮，以致弊竇叢生，問題沓來。不但付出的努力，未獲得相當的代價，反而暴露出政府種種類此「頭痛醫頭，腳痛醫腳」的行徑，是如何的不顧全局，捉襟見肘。這也正是政府百般措施中，最值得深切檢討的所在。

無可否認的，遠在道路交通管理條例施行之後，不久，物價即有開始上騰的跡象。車輛載重數量的嚴格限制，以及行駛路綫的諸多約束，導致運費的急劇增高，影響供需的失調，而刺激物價的波動，這是必然的發展。主事者如非缺乏此等眼光，便是漠視這種副作用，責任攸歸，不容推諉。須知唯有「貨暢其流」，才能調節供需，平衡物價。如令法令條例，百般羈軛；運輸遲滯，物價上漲；民生消費，負担加重。顧此失彼，無殊挖肉醫瘡。

想起了另一個事例

走筆至此，猛然想起另一個事例。台北市公共汽車，超載情形，向極嚴重，當局為情勢所迫，向現實低頭，不予取締，而以不構成危險為由，任其「橫行法外」，馳騁街頭，為何獨對貨車的載重限制，特嚴，不能在適度範圍內，酌情放寬標準，而徒滋流弊，影響民生？況且這並沒有整頓交通中發生多大作用。利害相權之下，我們真懷疑這種措施曾經過審慎的考慮。

此外，取締攤販，也發生了極不良的副作用。台北市以攤販為業的人，為數甚眾，這類人，泰半是家無恒產，平素就靠經營此等小生意餬口，一旦使其失卻立足之地，便告陷入絕境，為生計所迫，往往挺而走險，幹出犯法勾當。這並非憑空推斷，而是有事實可資佐證的。據統計：台北市近數月來竊盜案件驟增，且大多數犯罪者均為沒有前科的新手。這種一反常例的現象，不遲不早地正發生在大肆取締攤販之後，此中的因果關聯，不是顯而易見嗎？因此衡其得失，我們也不認為這是經過周密的計劃而來的。

不能沒有通盤擘劃

整頓交通已近一年於茲，耗費無數人力財力，但計其成果，實無可足道者。若說是為維護交通安全而出此，則如今依然到處險象環生；若係為改善觀瞻，邀譽於國際，則又紊亂如舊，教人無從恭維。反因亂投藥石，以致原病未除，而百病併發。物價上漲，影響國計民生；竊盜大作，擾亂社會安寧。諸如此等，莫不與因整頓交通缺乏周密計劃所發生的弊端有所關聯。我們並不反對為整頓交通而禁止超載，取締攤販，但片面的處理問題，缺少通盤的擘劃，卻易滋更大的流弊。事實已給我們帶來經驗與教訓。規定車輛的載重量，是必要的，但必須顧及實際的困難，不可侈談理想而失之過苛；取締攤販，未嘗不是整頓交通，改善市容觀瞻的手段，但必須對他們今後的生活，預作妥善的安排。當然，這都是高官厚祿者的權內事，我們這些直接間接的受害者，頂多也只能空言喋喋，吐吐怨氣而已。（文吏）

自由談

台灣嘉義地方法院檢察官曹祖慰，以違法瀆職罪嫌，經有關機構移送法院羈押偵訊在案，是是非非，自應靜候依法裁判，毋須別作主張了。

日前報載監察院對曹祖慰提出彈劾案，而其所舉事實，亦與司法行政部調查局檢送法院的資料并無出入，似乎多此一舉吧？假使曹某的罪名成立，必受刑事處分，雖無彈劾案亦不致倖逃法網的。若將來宣告無罪，職司繩愆糾謬的台諫御史，對曹某糾劾其有忝官箴的過失，而加以行政上的懲戒，固其宜也。如今尚待法院定讞之際，即作此打落水狗式的彈章，是亦不可以已乎？

在現時的一般違法瀆職官吏中，曹祖慰的犯罪程度，比較起來，連蒼蠅亦夠不上，只是一枚螞蟻而已。台諫御史對於老虎資格的貪瀆官員，多見其漠然置之，偶爾有人見義勇為，依法提起彈章，不是胎死腹中，便是

竊所未喻

臨時撤消，而原來署名彈章者，且自行塗去名字，聲言未悉內容，行同兒戲，貽笑大方。唯對螞蟻式的曹祖慰，不惜劍及屨及，急起進行不必要之糾彈，殊令人竊所未喻，莫測高深。

我們跟曹某素昧生平，且料想其人亦非奉公守法，廉正自持之士，對他決無阿好偏袒的意念。但以監察院如此迫不及待的提出彈劾，覺得頗為稀罕。因為曹某的犯罪事實如不虛，法院亦不能以有監察委員的彈劾而加重其刑責，否則更不致因此而故入人罪，然則煌煌彈章，徒放空砲耳，於義固無所取也。

台諫官的職責是「言者無罪，聞者足戒」，藉以發揮激濁揚清的效用，奠立善良的政治風氣。在君主專制時代，尚有不畏強禦，不計禍福的御史大夫，敢於糾彈王公貴冑，直聲大震，轉捩頹風。在民主憲政生活中，而只見台諫官專拍蒼蠅螞蟻，可慨也夫！

馬五先生

文滙樓劄記

蔣經國與新贛南

讀五十七年七月三日香港自由報命相與夢話欄「蔣經國先生命造」其中有一段「三十一歲行乙丑運，小試長才，賢聲卓著，公陶即知未來必成大器，因他曾說：『法紀不能做人情，名分不能做人情，聖賢道理不能做人情』見江西正氣日報。」

公陶知命，且有遠見非常佩服，樓主除對經國先生命造與公陶所見畧同外，還認爲曾文正公說得最正確：「古來聖哲名儒其所以彪炳宇宙者，無非由於文學事功，然文學則資質居七分，人力不過三分，事功運氣居七分，人力不過三分。」中於經國先生新贛南時喜歡接近新聞界接近青年，一股蓬勃朝氣澎湃半個江西省，那時樓主在湖南主持某報筆政，常有機會到贛南訪問當時一般的看法，咸認蔣經國代表新生必爲未來的風雲政治人物，因他的用人重實際，重鄉氣，常囑僚屬讀曾國藩全集兼又瞭然政治反面的一套。李鴻章雖爲清代名臣，書讀的也很多，兼倡洋務，但他很少向僚屬們提及，換句話就是暗示討厭官氣。一般喜歡用官鼻子代嘴講話的小官僚可能還未發覺或體會到。

到新贛南訪問的湖南新聞界，歸來都有一個印象，「蔣經國很孝」，中國五千年來傳統，「以孝立國」其常以親心爲正，無事不體親心，亦無事不順親心，親善亦喜，親憂亦憂，這一點言之非艱行之維艱，如果不相信的話，大可以從左鄰右舍親戚朋友談話中體會出來。他之喜歡接近新聞界，因新聞記者率多講眞話，求眞理，新聞界之喜歡接近蔣經國，因爲他篤實苦幹努力向上，且又平易近人。

經國先生對「生聚教訓」的觀念，從他的文字和言行中看，可能與市俗傳統有出入，二十世紀七十年代，既無薪可臥（都燒瓦斯了），也毋庸嚐膽，因比膽苦的化學藥劑多得很，他之所記取的大部份都是蔣總統一生的革命經驗和豐富的政治道理，在他的日記裏說：「家父是一個革命者，以救苦救難的革命事業，來充實基督徒的生命，家父是一個基督徒，以背十字架的基督精神，而更堅定了革命的意志，因此，家父以極其超然而又非常自然的態度，來從事於革命大業」。我們認爲他把這些眞知灼見，編爲教材灌輸青年，遠超過一些落伍的古老故事，如果用幾千萬新台幣拍攝一些不倫不類不三不四，勞而無功的電影，明明是失敗，硬強迫觀衆說成功，等於免費放映給小學生看，還是塡不滿座位，反而會影響報紙多說好話，這究竟是爲了甚麼，新聞界的朋友都喜歡講眞話求眞理，新贛南的一股朝氣，就是說眞話講眞理的效果，因此，我要提出建議，只有重新提倡新贛南的作風，才可以改善今日台灣社會風氣，像司法界現在已到了欲改善而不能改善的境地，那就悔之晚矣！

文滙樓主

本報月前一篇短評 掀起國會政治風暴

立監兩院與國大箭拔弩張 大華晚報記者作詳盡報導

本報通訊員柳一權台北消息：五十七年八月三十日台北大華晚報「國會春秋」欄，題目是「政治颱風」和「項莊舞劍」一篇報導，係名記者岳衡先生執筆，文章的內容是：

「平靜了一段時日的立監兩院與國民大會之關係，最近突然出現箭拔弩張的緊張情勢，處理技術上倘若偶一不愼，一個大的政治颱風即將來臨。

三個月前，立法院於通過中華民國五十八年度中央總預算案，會作成五點決議，送行政院辦理，其中有一項：「立監兩院事務費應按本年度通案調整」短短十六字，麻煩可大了。

原來，立監兩院的事務費，向例是不分委議員每人每月二百元，此次行政院調整各機關事務費，全國公務員每人均增加了一百五十元（包括立監兩院職員），可是立監委員却落了空，有碍事務進行，所以作成上項決議以資敦促。

決議公佈後，所有居台的國大代表並未看出其中奧妙，豈料旅居香港的國代雷嘯岑，以馬五先生的筆名，却在自由報刊出一篇論文，大力抨擊立委的決議違背了憲法第七十條，該條載明：「立法院對於行政院所提預算案，不得爲增加支出之提議。」

馬五先生的見解，一時紙貴洛陽，國大聯誼會的代表們仔細研究後，產生了「與我心有戚戚焉」的共鳴感情！於是高漲的情緒中來了一次憲法導家座談會，談兩項問題：①立法院的決議是否違憲？②倘若違憲，國大代表應採取何種步驟？經過一番踴躍「撻伐」之後，國大決定採取簽名陳情行動。

據聞，某國代爲求「愼重」起見，又訪問了司法院長謝冠生，謝氏客氣地接待却不表示意見，厥因司法院長乃大法官會議的當然主席，萬一有一天，這種爭論必須訴諸大法官會議的最後解釋，謝冠生若事先表示了見解，屆時將使自己處於尷尬境地。

國大代表的簽名運動正在如火如荼地展開，這是「項莊舞劍」的起手把式，倘若「交涉」順利，森森劍氣也許瞬即化爲一片祥和。反之，國大代表還保留了其他的殺手鐧，目前乃屬微妙階段，需要高度的政治智慧。」

自由報的「馬五先生」就中國人來說，率多以「國士」目之，自由報全球三十七個據點，五十七年度三月份起又增添了十八個據點，包括巴西、倫敦、巴黎、西德、加拿大及南美洲等地，當地的華僑對「馬五先生」每期所寫自由談，均一致叫好，這是事實，但這次掀起中華民國國會風暴的不是馬五先生，乃是六月十二日自由報的「昨日與明日」，曹公執筆的「立法院何可違憲」內容原文：

「我國五十八年度國家總預算案業於民國五十七年五月二十八日經立法院三讀通過，完成立法程序，並附一幾點意見，請行政院注意辦理，其中有一點是：立法院和監察院事務費，應比照行政院調整。我們看到這條新聞，驚異萬分，根據我國憲法第七十條：「立法院對於行政院所提預算案，不得爲增加支出之提議」。立法院這一決定，豈不是「違憲」？數百立法委員，濟濟多士，難道沒有一位懂法律的，何以能令這樣一個明顯而性質極端嚴重的違憲法案，獲得全院通過。據我們記憶所及，以往立法院對於行政院所提預算案，從來沒有提過增加的建議，這次何以突作這項建議；外間傳說事關，立監委出席費之故。這種專顧本身利害，不顧國家「法」的作風，難獲國民諒解。國勢淩夷至此，社會動亂如此，原因多端，而國家綱紀不立，人們循私罔法，應當算是最基本的原因。我們向立委們質詢：立法委員何可違憲？」

立法委員們面臨着這樣一個尷尬局面，進既不能，退又不得，非管預算的立法委員，指責管理預算的立法委員太不負責任，太馬虎了，「獨善其身」的立法委員罵「比較活躍」的立法委員「畫展」、「護航」、「顧問」、「打麻將」、「上酒家」、「崩崩折」、「打高爾夫」，「簡直不成體統」。其實這些對「立法委員何可違憲」都沒有太深入的關係，問題在立法委員一字入公門，九牛拖不出，中華民國憲法第七十條：「立法院對於政院所提預算案，不得爲增加支出之提議」。如何善其後，堂堂國會公文「撤回」歟！「作廢」歟！「錯到底」歟！「不了了之」歟！「修正憲法」歟！「拖」歟！「有財大家發」歟！「硬性違憲」歟！俗語說：官判八條路，我們祇期待看走那一條了。

本報記者柳一權。

旅美散見 校舍巡禮

張起鈞

民國四十八年我赴美時，匆匆而行。逕赴學校授課，道經西海岸時，並未停留。回來時又取道歐洲，無機再看。因此五十五年初春再到西海岸時，便儘情的多待幾天。從西雅圖到洛杉磯，再折向新墨西哥，足足盤旋了半個月。由於交往相識的，都是些教書的朋友；因此那些遊客們趨之若鶩的觀光勝地，像狄思耐樂園：……等我却沒去，而去的却全是些學校，諸如加州大學，華盛頓州立大學（即一般通稱之西雅圖華盛頓大學），斯丹佛大學、加州大學洛杉磯分校（U.C.L.A.）南加州大學，勞耶那大學……等重要的學府，都因訪友而看到了。

各校不僅作風不同，校舍的景象也彼此各異。加山大學建築巍峨，氣象雄偉，令人興肅穆之感，華州大學也很夠氣派，南加州大學及加大洛校就不免偏促市塵，有些相形見拙了。這些學府都是國人所熟悉的，用不着我多說。而給我印象很深，同時也爲國人不大注意的，則是新墨西哥大學。

新墨西哥大學位於阿勒布哥格城（Albuquergue）。只聽這個城名，就可想到這裏原是印第安人盤踞地方。學校爲了強調這一特色，校舍一律採用印第安的樣式，儘管裏面是二樓三樓，純然近代設備，而外形則全是一律的黃色平頂，大帳幕式的土房，兩側並且完全採用印第安所特有的S形曲綫，彎曲逶地。這種形式的校舍設計，直使人有新奇別緻之感。其在獨出心裁，強調特徵方面，固是有其多者。但冷眼旁觀，這樣的校舍除了讓人一眼看去，特別是從飛機上鳥瞰，像上一座巨型的印第安村落外，實毫無所取。房舍既不壯觀，又不美麗，尤其這一座一座的土房平列在一片無花無樹的黃土平野中，直使人有如置身荒涼的漠中，（校中的一個大餐廳，就叫沙漠餐室。）全無活潑生趣。這對心靈的陶冶，損失太大了。

由此我體會到，一味的要保持民族形式，地方色彩，是不必要的，除了是要當作古董玩。只有優良有價值的民族遺產才值得我們保存和發揮。輾轉的又想到：我們許多近代建築，採用中國古代宮殿式，確乎是有其可採的價值，而並非是頑固不化。從北平的協和醫院，燕京大學直到現之陽明山的中山樓，試看多麽美麗壯觀呀！

讀者投書

主筆先生：貴報言論公正有力，全國讀者一致敬佩。我們爲私有建地被列入都市計劃預定地。將地價降低非法限制民中報地價，損害人民權益，請求貴報主持正義，予以糾正爲感。

一、竊民等均係居住本市和平東路一段四號起至一六〇號止之居民，所有建地及房屋均係向政府承買，依法取得所有權者，因該地區早於日據時被列入爲拓寬和平東路之都市計劃預定地，台灣光復後仍沿用該計劃，至今已數十年之久，非但未予變更計劃，亦未實施拓寬，但政府對民等所有上開建築基地仍照一般土地徵收捐稅，但使用則受嚴格限制，換言之民等有義務而無權利，所謂法律之前人人平等，法律保障人民權益之立法旨意，完全背道而馳，無異是剝奪人民之權益。

二、查最近公佈之公告地價更令人費解者，即民等所有土地公告地價仍照民國五十三年所公佈之地價，分文未調整，非法限制民等依法申報，但未被列入都市計劃預定地之土地，即對面和平東路路北門牌單號部份之土地，每坪七千元提高爲一萬五千元之鉅，使民等無辜蒙受損失，應請依據實施都市平均地權條例第十一條第十二條規定將民等已建築土地重新評議，重行公告補辦申報地價以示公允，而保權益。

三、查本件都市計劃如前述，數十年前之計劃，至今尚未實施，自不適用，自應依照都市計劃法第二十條及同法第二十四條之規定，變更都市計劃以切合實際需要，如不能進行依法變更都市計劃，應請依據土地法第二一四條之規定撤銷都計劃，以免妨害人民之權益。

維護私有權益，請求主持正義！

四、按民等所有土地均係合法向政府主府管機關國有財產局或向其前身台灣土地銀行公產管理處承辦，但該地區早經日政府列入都市計劃事業區域內已爲公用預定地，自不應出售與民等私有，故政府機關明知而故違，顯有違反憲法第一四三條頭段「保障人民依法取得之所有權」德意。

五、按都市計劃預定地，應免徵地價稅，土地法第一九二條定有明文，但主管稅政機關並未依法免徵地價稅，又依土地法縣市政府公告地價之規定，並無都市計劃預定地與普通人民私有土地之分別應一律按地段依據地價評議委員會之評定予以公告，並無一個地段兩種地價之規定，故此次地價之公告竟有兩種地價之分，顯然給予人民不平等待遇之措施，換言之，政府出賣土地自定高價，政府購買土地自定低價而不及早征購，意圖沾盡人民便宜，實有違法律，人情，道德，用特陳明實情具文呈請鑑核敬乞主持正義，予以糾正，實感激無涯矣。敬祝

文安！

陳情人：周財生，張慶祥，黃益找，楊陳寶桂，邱玉桶，林生，廖澄煥，劉樹春，許耀煌，鄭黃菊妹，莊邱泣，盧雲燕，盧宗鎰，黃吉男，程旺正，林陳月裏，謝明珠，陳長生，許東水，陳建仁，胡萬傳，陳振陞，周達德，寧事敦，李用賓，鄭飛武，匡，蘇栽浩，黃萬，陳塗地，李韶琦，周金溪，周金城，周乞，楊建境，周向明，張清吉一同叩。

吳敬恒先生年譜（八十）

陳凌海編撰　陳洪校訂

是年十月，北京外務部准江督電以新世紀煽惑人心，請予禁止，經外務部電令駐法公使劉式訓查禁。劉式訓覆稱：「該報確係亂黨私設，散佈邪說，搖惑人心，惟法係言論自由之國，該國報律，並無擾亂他國治安應行制止明文；客密商法外交部籌議辦法，並諭留學生勿爲所惑」。根據以上電文觀之，足見新世紀在當時深具影響力。章炳麟（太炎）在革命評論發表鄒容（慰丹）傳，涉及先生與俞明震（恪士）晤談一節，事多失實，先生在新世紀公開答復之。並對其所撰鄒容傳內誣罔之詞提出質詢。

民國紀元前四年——清光緒三十四年，戊申（西曆一九〇八年）先生四十四歲。

一月一日，先生偕張人傑（靜江）同往看戲。一月三十日接吳柳甫書，知張人傑已赴日本，是年先生仍在巴黎辦新世紀報。先生親自排版督印。並刊世界美術畫報，世界畫報第二期出版。同時增刊近代六十名人，各附照像，簡介其學術思想或科學發明。先生爲編排世界美術畫報，因工作繁劇而病。五月三十日，先生參觀巴黎公民選舉投票。三十日，知甥女馮元賽赴天津求學。先生在巴黎時，偶遇法國星相家賴瓦西，爲先生看相，謂先生可享壽九十。先生對星相，固不信者，乃姑罔聽之。先生在晚年，因身體健康，自信能享壽九十五歲，且想利用餘年編撰歷代名人小傳，惜未能成。

民國紀元前三年——清宣統元年，乙酉（西曆一九〇九年）先生四十五歲。

二月，先生爲撰新世紀文，扶病作稿。十六日，先生偕曹亞伯同至法國議院參觀開院會。先生獲悉內弟袁子唯於去年十二月逝世，甚爲痛悼。先生以新世紀可在倫敦寄稿，遂回倫敦。向張人傑（靜江）、李煜瀛（石曾）各借三百元囑夫人携男女公子同赴英倫。蓋以深知在倫敦可節儉生活，以稍多於一人之消費，足供給一家四人之用，以免留居上海，反需籌措雙重費用。陰曆三月十八日，袁夫人携女公子芙（孟蓉），公子詳（叔微）由上海乘日本博多九西渡。陽曆六月二十六日抵倫敦。時女公子芙二十一歲，公子詳十四歲也。五月十九日，舟過新加坡適逢國父自該處登同一日輪赴歐，在船上乃與先生之眷屬相遇。國父待先生子女甚厚。公子詳生前在美國面告李書華（潤章），謂：「國父在新加坡上船，隨行者有一二千。」國父在船上化名爲庸大江。

西洋哲人簡介

摩西

劉長蘭

編者按：本報除由張起鈞教授撰寫中國哲人簡介外，自即日特請劉長蘭教授以深入淺出的筆法，連續撰寫「西洋哲人簡介」，凡在中國以外，對於人類思想行爲有重大貢獻者，皆在介紹之列，初不限於狹義之哲學家。更不以歐洲人物爲限，（如佛陀、穆聖等亦將分別介紹）同時發表先後亦因內容配合關係，不拘於年代次序，謹此申明即請讀者諸君不吝指教。

由於有關摩西的故事絕大部分都是見之於聖經，因此許多非基督徒的（作者按：此處實包括猶太教、天主教等教徒，茲爲行文方便起見只用基督徒代表之。——下仝）人們對於這位以色列籍的傑出領袖，都沒有什麼眞實感，有意無意間似乎感覺「未必確有其人」。然而，一般史學家卻認爲摩西的存在是沒有問題，正如查理士保特所說：「儘管烟霧迷濛卻遮不住一位偉人的面貌。」

據聖經所載摩西的事跡大體是這樣的：

大約在紀元前一二九二到一二二五年之間，摩西出生於埃及，當時遊牧的以色列人寄居於埃及的歌珊地方，以類乎奴隸的身份担任紀念碑和積貨城（寶庫）的建造工作。他們的工作雖然非常艱苦，子孫的繁衍卻日益增多，因而引起埃及王法老的疑忌，深恐他們日後和他的敵人携手謀叛。於是下令殘殺所有初生的以色列男嬰。摩西出生後，他母親把他藏匿了一段時期，後來終於把他裝在一個外面抹着石漆和石油的蒲草箱子裏丟入河中任其飄流而去，同時卻叫摩西的姐姐站在稍遠處觀看那草箱的下落。恰巧法老的女兒看到了那個箱子把牠拾起，並且由於惻隱之心收養了這個孩子做爲義子，給他命名爲摩西，這個名字就是自水中撈起的意思。目睹這情景的摩西的姐姐隨即走來建議給公主爲摩西去找一個保姆來，摩西的生母就這樣進了宮。

摩西漸漸在宮中長大。這段時期對他是很重要的，因爲做爲一個王子他得以受到良好的教育。他在法律方面的知識日後表現在摩西誡律中；他所受的軍事訓練使他知道如何組織和領導人民因而後來他能夠帶領以色列人由埃及做長程的出走。

不過，顯然摩西的母親曾向他說過他的身世，所以他總是懷着異常沉重的心情看着他的族人在苦難中生活。某次當他看見一個埃及人的監工毒打一個以色列人時，他就憤怒的殺了那個監工。法老知道了這事大怒，立刻下令斬殺摩西。摩西逃到了米甸地方爲一個牧師收留，後來又把女兒西坡拉嫁給了他。西坡拉生了一個兒子名叫革舜。摩西在米甸以牧羊爲生前後共數十年，但他時不忘自己是身居異邦並渴望能早日回去幫助他的族人。

有一天他趕着羊羣在何烈山頭休息，突然看見荊棘叢中冒出火光，又聽見自稱爲耶和華的神呼喚他的名字，教他到埃及去拯救他的同胞將他們率領到地廣土肥的迦南地方去。最初摩西自覺人微言輕、埃及的法老怎肯應他的請求將以色列人釋放呢？後來耶和華允許給他以神助，他才遵照神的意思去了。雖然耶和華多次顯示神跡威嚇法老他却仍然不允摩西的請求。最後耶和華施展神威使埃及每一個人的長子（包括法老的在內）均告死亡，法老終不得不應允摩西引導全體以色列人離開埃及。以後他們在荒野中從一個地方到另一個地方的流浪着走了四十年之久才到達迦南定居下來。據說摩西活到一百廿歲在快到迦南聖地時死去。

在這樣長期的流徙中，領導着全族人的摩西所遭遇的困難是可以想像的；食物和飲水的缺乏，山川沙漠的阻隔，疾病的困擾，人民之間的爭執乃至敵人的攻擊等等，在都是問題，自然，按照聖經上說，這一切都因得到耶和華的神助而逐一解決了。爲了平息人民的爭執，耶和華曾爲他們立定了約法十條刻在石板上由摩西傳達給全體以色列人。這就是衆所週知的摩西十誡。此外，他又爲他們規定了宗教的崇拜儀節，教堂的建築形式和其他許多詳細的法條有關結婚，離婚，以及應當如何對待兒童，寡婦，異鄉人，貧苦者，流浪者和生畜等。對於偷盜和各種罪惡之懲罰，甚至於種植，收獲，工作，休息，飲食等也都有確切的規定。現代學者們認爲這許多法條中有一部分可能是後來人加添上去的，因爲牠們反映着一個農業社會的而不是遊牧生活的背景。

但無論如何，摩西十誡和這些法條在以色列人流浪時期和立國後以迄今天都是指導該民族生活，做人和行事的重要法則。

對於一個相信基督教的人，當然聖經就是信史，不容置疑；摩西就是神的代言人，其所應受的崇敬在人間是至高無比的。但是若以非基督徒的眼光來看，上述種種不免是跡近神話不足採信。那麼究竟那一種看法是正確的呢？較客觀的說法是：摩西其人的存在大約是沒有問題的，其事的大畧也似乎可信。至於其中神話的部分想來是因爲在那種民智未開的時代摩西爲了便於領導而設詞的。這種情形在許多國家的古代歷史上曾是屢見不鮮的事。

歷盡千辛萬苦，摩西將他的族人從奴隸的束縛中拯救出來，又度過了數十年漫長的歲月，克服了無數困難，把他們帶到一塊美好的土地上建造起一個國家，更爲他們立定約法使他們法使他們的一切行爲有所遵循，對於這樣的領袖以色列人當然是尊崇備至，視若神明的。但是對於整個世界來說，摩西值得我們重視的原因却是：第一，遠在三千年前他就創立了一個有啓發性的新宗教觀——耶和華是惟一的眞神，可以說就是一神教的建立。同時他以具體的誡律來指導人們使獲致較好的生活方式；又使每個人可以直接與一個嚴厲却是慈悲，有理性而且關懷人的神來接觸。雖然這個觀念在他死後一千多年才爲人接受，然而近兩千年來歐西社會秩序之得以維持，人的心靈能因有所寄托而免於不安，幾乎完全仰仗於此一觀念，其影響之大是無須多說的了。第二，在世襲貴族與各種階級區別極爲嚴格的那個時代，他竟能立定法律規定社會中無論其階層高低都必須遵守因而奠定了「法律之前人人平等」的基礎，撒下了後日民主政治的種子。

摩西是什麼樣子呢？沒有人確知。但是在羅馬于勅二世教皇的陵墓却有大藝術家彌蓋朗琪羅用他的想像所做的摩西影像——在他嚴肅的面容上帶有對世人的憐憫，在他公正的眼睛裏閃耀着聖潔的光輝，而那飄散的白髮和那堅定的額頭正代表着他的胞澤的苦難與艱辛。——那是一個不朽的靈魂在一個不朽的藝術之下的顯現。（完）

三日春秋

王亮疇的風趣與忠貞

厚安

王亮疇先生，不但是國內法學泰斗，在國際法學界，也是數得出的人物。

亮老已歸道山，但他的爲人，其風趣與忠貞處，還歷歷在目。

記得他有一次出國。那時還不大作興坐飛機（國際航空的發達，祗是近二三十年間事），到外國去，大都趁郵船。在郵船進餐，有許多欵式，講究紳士派，這是大家都知道的。

王亮老的身份，出國旅行，坐的當然是頭等艙。他到餐廳進餐時，面前擺了一盤家鄉味——霉豆腐。這本是各人所好，他人不得干涉的。誰知對面坐的一位美國青年，居然招招手把茶房叫來，命令他把亮老面前的這盤豆腐乳取去。亮老並未動火。過了一會，也招招手把侍者叫來，命令把美國青年面前那盤乳酪（其士）取去。美國青年不料這位中國老頭竟敢與他抗衡，盤問起來，才知道竟是與他祖父同班輩在學校時早已聞名的王博士。當時羞得面紅耳赤，趕快陪罪。這一件事極風趣，亮老只在談笑之間折服了一個氣盛的異國青年。

抗戰期間物資奇缺，一天在宴會上，有人送亮老一聽「三九」，那算是極名貴的珍品了。亮老當即提議，把它封存起來，等到抗戰勝利，再行開啓。當場加封，在場諸人，都在上面加簽。過了不到一年，抗戰勝利，第二年，國府正式還都，大家忙忙碌碌，早已忘記這一回事了。一天，亮老發簡邀宴，地點在南京新街口的蜀德飯店，是一爿川菜館。華筵甫啓，賓主坐定。酒酣菜飽之餘，亮老命從者於篋中取出此烟，封識宛然。當場啓封，每人一枝，吞吐之間，逸興遄飛，復增感慨。這件事轉瞬已過了二十多年了。今天在台的法界耆宿，恐尚有分饗此烟的人。現在輪到後來者再封存一些這類的物事，以作爲收京蕩寇時的憑證了。有心人盍一試之。（完）

農民革命鬥士

陳潮

竹羽

中國是個農業社會，因此，歷史上的每次革命，都有不少的農民份子參加。我們別把農民份子當鄉下佬看待，他們對於革命的信心的堅強，和革命行動表現的勇敢，有時眞是以驚天地而泣鬼神呢！像「三，廿九」之役的陳潮烈士，便是一個最好的榜樣。

陳潮烈士是廣東省海豐縣的優埔鄉人，世代以農爲業，陳烈士因爲是生長在文化落後的中國農村裏，沒有受過什麼良好的教育，從幼年時代起便跟着父親母親學習耕種，他把耕種當做是一門活的學問而留心研究，對於土壤、氣候、施肥，耘植等的方法具有很科學的心得，所以他的種植收穫很大，而且因爲農作物的品質優良，曾經獲得政府的頭獎。

從表面來看，陳烈士是個模範的青年農夫，一般人也許會以爲他就此終老田園，求自己一家的溫飽吧了。其實不然，他雖然是個農人，卻懷抱着一般農人所沒有的抱負，他關心國家的大勢，他痛恨清廷的腐敗，他認爲國家的政治是和農人們有息息相關的利害關係的。他雖然沒有讀過什麼書，但是，在民國紀元前六年的時候，革命風潮已瀰漫全國，他受了革命思潮的影響，便常常立志要革命。恰好那時候，江西萍鄉，湖南劉陽等處的革命黨，紛紛高舉義旗和清軍激戰，陳烈士當時激於義憤，便加入了革命同盟會，同時，還邀得了好幾位要好朋友一同參加，於是，他從一位模範的農人，成功了一位堅強的革命份子。

民國紀元前一年，中國國民黨在香港組織革命統籌部，預備攻佔廣州做爲革命的根據地，一面積極佈置，一面挑選敢死隊來負進攻的先鋒責任，陳潮烈士知道了，他不只自己第一個踴躍從鄉下出來報名參加，還約了四十五位的農村同志一同到廣州來參加敢死隊的選拔。

那時候，革命統籌部的計劃是預定三月二十九日起事，進攻目標是兩廣總督署，採取「射人先射馬，擒賊先擒王」的方法，想以迅雷不及掩耳的行動去推毀清政府的西南大據點。不料在尚未行動之先，因爲同志間的行動不夠秘密，走漏了風聲，引起清廷官吏的注意，因此，同志之間會秘密地開了一次會，來決定行動的日期，是否需要更改，大部份同志都認爲「兵貴神速」，與其延改時日，使士氣鬆懈，而加強清吏的戒備，不如依照原定時間，出其不意，攻其不備爲妙。決定後，在先烈黃興領導下，如火如荼的行動便開始了。不消說，革命同志們的雷霆萬鈞之勢，有如摧枯拉朽，清廷的官兵都倉皇敗走，兩廣總督署便被革命黨同志攻佔。陳潮烈士奉命担任防守始平書院的機關部。不多時，清軍的援兵開到，包圍了機關部，攻勢兇猛，處在衆寡懸殊的情勢下，戰鬥的艱苦是可想而知的，陳烈士看着苗頭不對時、一面向向同志們打氣，要他們抵抗到底，一面便自己拿了炸彈，攀登屋頂，去和清軍抵抗，彼此相持了二小時之久，最後看看彈盡援絕了，便擲下炸彈，和敵人同歸於盡，陳烈士死的壯烈，可當得上「雖死猶生」四個字，後來人們把這次起義的烈士遺骸合葬在黃花崗，一共有七十二人，陳烈士便是其中之一。

三幕喜劇　事過境遷

熊式一

包太：（嘆氣）處處都對！決沒有錯，這才像他的本性呢！

仁：　史先生，你不會弄錯了他的姓名吧？

史：　這種奇奇怪怪的姓還會錯？有甚麼人一生會碰見第二個姓……姓字文的？

包太：（要昏的樣子）史先生，你見到他的時候，他是甚麼樣子？

史：　比從前老多了，瘦多了，此外沒有變一點！包太太，你也認得這個人？

包太：我……我……他……。

仁：（趕快起身）我聽見我姑媽的汽車聲音，她快到了！史先生，你方才說你要先去看看劉仰吾，你去看他一下再來好不好？

史：　他本來請了我去吃飯的……。

仁：　那就請你今天先到他家裏去吃飯吧，我改一天再約你……。

包太：史先生……我……。

仁：　你不用起身，我送史先生由窗口出去，快一點，近一點！史先生有劉家的地名沒有？

史：　（慢慢掏口袋）好像有似的！

仁：　（趕快逐客似的）就是奧士汀山道七號，一出去向左轉，找不到問誰都知道。

包太：仁翰，慢一點，記住了史先生有一條腿不好！

史：　（馬上拐着走）我記得！我記得！走慢一點！

（包仁翰幾乎把他推出窗戶，立刻把窗門關着，瞪着眼望着他太太，愁眉苦臉。）

仁：　眞要命，怎麼得了呀！

詩：　（引姑奶奶進來）姑奶奶到了！（他們兩夫妻，哭喪着臉，却拼命的做出假笑容來接何夫人。）

仁：　姑媽，來得好，歡迎歡迎！

包太：來得眞好，我眞高興！

（何夫人望望他們的臉容，莫名其妙的問。）

何：　怎麼你們見了我就和見了鬼似的？

（落幕）（第一幕完）

第二幕

大家在隔壁飯廳裏吃了中飯，現在阿詩用托盤送了五蓋碗茶到大廳裏來，一碗一碗的擺在四面茶几兒上，擺完了便走了。馬上趙太極走前，史露茜走後，兩個人垂頭喪氣的離開了飯廳走進大廳來，望也不望一下茶碗，走到窗戶口向外傻看。看了一陣，露茜偷偷的伸出手來，要想去牽趙太極的手，他有一點怕似的患得又患失的推推就就讓她牽住，但是兩個人仍然保持相當的距離。

趙：　露茜：當心一點，不要讓別人看見！

露：　怕甚麼？叔叔不是說過的「偶一為之，未為不可」嗎？

趙：　那是你說你爬山的時候，萬一腳站不穩，怕會摔下去呀！

露：　對了！他說孟夫子也主張權變，所以這可以算是權變的一樣，偶一為之，未為不可！

趙：　我們現在又不是在爬山……

露：　我現在正看見那邊遠遠的有許多人爬山，都是一對一對的，一男一女，使我起了無限的……無限的同情心，不知不覺的，也覺得我的腳有一點兒站不穩，恐怕會摔筋斗，所以才要牽着你的手！

趙：　（笑了）露茜！你這個傻丫頭！你眞聰明！

露：　傻丫頭就不聰明，聰明就不是傻丫頭！你胡說八道，聽了叫我生氣！不過我一看見你笑，心裏就不知道多麼高興，也就不生氣了，太極：你知道不知道，我一點中飯也沒有吃，吃不下去呀，你們大家一直不聲不響不停的吃飯，唯有我一個人坐在那兒一直不聲不響不停的掉眼淚，你們吃了多久，我就掉眼淚掉了多久！心裏不知道多麼難過！

趙：　你這個傻丫頭！你才胡說八道呢，我常常望着你，你也在那兒一直不聲不響不停的吃飯，我從來沒有看見你掉下了一滴眼淚來！

露：　當然你沒有看見我的眼淚掉下來，因為我全都把手絹兒撫着了！要是一直讓它往下掉，飯碗裏早滿了，那讓姑奶奶看見了，她豈不要問我：「我沒有看見你盛湯，怎麼你碗裏邊滿滿的一碗雞湯呀？」　⑱

巧匠魯般

許一塵

按魯般俗名魯班，一稱公輸子，也云公輸班；而墨子書裏乃作公輸盤，禮記檀弓、國策宋策、呂氏春秋愛類篇、與史記、莊子、荀卿傳集解等書，均稱公輸般。

惟漢人著述中多稱魯般或魯班，而不引公輸氏。如淮南子云：「奚仲不能旅；魯般弗能造。」又論衡云：「傳稱魯般墨子之巧，刻木為鳶，飛之三日而不集。夫言其以木為鳶，飛之可也，其三日不集，增之也。猶世傳言魯班巧，亡其母矣！……」又列子湯問篇載：「周穆王西巡狩，越崑崙，不至弇山；返還，未及中國，道有獻工人名偃師，穆王薦之。……夫班輸之雲梯，墨翟之飛鳶，自謂能之極也。弟子東門賈、禽滑釐聞偃師之巧以告二子，二子終身不敢語藝，而時執規矩。」因此，遂使後人誤認魯般之非公輸般，謂此為二人，這眞是天大的笑話！

如班固漢書云：「逢蒙絕技於弧矢，班輸攉巧於斧斤。」（顏師古註云：魯班與公輸皆有巧藝。）又曹植七啟曰：「班輸無所措其斧斤，離婁為之失睛。」所以連這些大史學家和大文學家都被攪昏了頭腦。又古樂府云：「請說銅鑪器，崔嵬象南山。上枝以松柏，下根據銅盤，彫文各異類，離婁自相聯。誰能為此器？公輸與魯班。……」又艷歌行：「……斧鋸截是松，松樹東西摧；持作四輪車，載至洛陽宮。觀者莫不嘆，問是何山材？誰能刻鏤此？公輸與魯班。」由於這個「與」字，後世學者遂誤認公輸與魯班截然為兩人。其實，魯班、魯般、公輸子、公輸般……實際上只是一個人。據近代名學者的考證，公輸乃為魯般的姓氏。因鄭樵通志氏族略考，說春秋公姓，係以爵為氏。其複姓如公羊、公冶、公輸……則係以爵與字為姓。若國策宋策高誘註也說：「公輸般，魯般之號也；蓋般為魯人，故又稱魯般。」又孟子離婁章趙注：「公輸子魯班，魯之巧人也。」

關於魯般的生年和里籍，因在我國正史沒有記載；而墨子書裏的「魯問篇」和「公輸篇」，也僅言他為楚人造鉤拒以敗越，與造雲梯以攻宋事，對於魯般的年籍一點也沒有說到，故至今很難稽考。不過，近代我國學者如梁任公氏，已確定他為春秋時魯國人，此說甚為可信。如墨子魯問篇云：「昔者楚人與越人舟戰於江，楚人順流而進，迎流而退；見利而進，見不利則其退難。越人迎流而進，順流而退；見利而進，見不利則其退速。越人因此若執，亟敗楚人。公輸子自魯南遊於楚，始為舟戰之器，作為鉤拒之備（原文作強）；退者鉤之，進者拒之，量其鉤拒之長而制為之兵，楚之兵節，越之兵不節。楚人因此若執，亟敗越人。……公輸子削木以為鵲，成而飛之，三日不下。公輸子自以為至巧。子墨子謂公輸子曰：子之為鵲也，不如匠之為車轄，須（原作劉）三寸之木，而任五十石之重，故所為功。利於人，謂之巧；不利於人，謂之拙。……」又墨子公輸篇載云：「公輸盤為楚造雲梯之械，成，將以攻宋。子墨子聞而起於齊（一作「自魯往」，見呂氏春秋愛類篇。）行十日十夜而至於郢，見公輸盤。子墨子曰：北方有侮臣，願藉子殺之。公輸盤不說。……子墨子起，再拜曰：請說之。吾從北方，聞子為梯，將以攻宋，宋何罪之有？……子墨子解帶為城，以牒為械。公輸盤九設攻城之機變，子墨子九距之。公輸盤之攻械盡，子墨子之守圉有餘。……」

這是關於魯般最確實和較詳細的記載，其故事也十分有趣動人！後來學者之談魯般者，也皆以此為藍本，無出其右。巧匠魯般之名，也因此留存不朽，為我國建築界之宗師，工藝界之鼻祖！惟自漢劉安、晉葛洪把魯般說成神仙之後，六朝以還，更多怪誕之談：如水經注、述異記，朝野僉載等書，也將魯般道成了神話人物。如這位大工程師地下有知，也將不免令他啼笑皆非！

新廿五經

爸爸經

馬騰雲

梁山伯與祝英台這部電影，幾年前在台灣的熱潮澎湃，不但空前可能也絕後了，其中有師長教誨弟子的一幕，對修齊治平一套的大道理，輕描淡寫，並不深入，多多少少含有戲謔的成份，因為電影本來就是戲，我們對之若有何苛求顯失恕道，不過話又說回來，如果在電影裏大談平天下在治其國，齊其家在修其身，無疑的觀衆都會悄悄的溜走，凌波既不會紅到發紫，使李翰祥的名氣也沒有辦法昇到三十三層天外天，天外天裏凌霄殿。

今天既寫爸爸經，當然得要修齊治平一番，已做了爸爸，內心的痛苦非和盤托出來不可，準備要做爸爸的，也應該談他一下，各國軍階中有准尉、准將，家庭間自也可能延用准爸爸，准爸爸者就是快要做爸爸的意思，這其中自亦有段難念的經，我們先談談已經做了爸爸的朋友，有兩種心理趨向，一、每個人很少知道自己兒女的優點，二、每個人又總以為自己所種的菜或秧長得不夠茂盛，認為自己兒女，正如電影中的台詞，「朽木不可彫也，糞土之牆不可污也」做爸爸的人常會有這樣的錯誤觀點，遮蔽了理智，這種生了根的偏差，換句話就是本身成了問題，本身未去理好，怎能治好家呢？如果再有一點烟、酒、牌、樂、逢場作戲、的小嗜好，這年頭國家都是議會制，或委員制，太太要與先生平等，自也無可厚非，兒子向爸爸看齊，正是青出於藍，可謂合乎邏輯，我試說一故事，給做爸爸的人參考，很久前英國馬尼其城有一女伶，一天在演唱，收到一個錦匣，裝飾極美，以為戲友送她貴重禮物，非常高興，演完之後打開一看，竄出一條毒蛇，咬住女伶的手，女伶因而喪命。朋友！你感覺跳舞、跑酒家、玩女人、喝酒、打牌都是好的消遣或當作小事嗎？實際都像女伶的錦匣一樣，裝的都是毒物，為父的人怎能不特別加以注意？因為兒童的模仿性最強，這與太保太妹的產生是有關聯的。准爸爸一般的說更糟了，在中學讀書的小朋友，不去打基礎，讀大學不去作專門研究，化了父母的血汗錢，去談情說愛，為非作歹，有不少的人毅然參加國家都感到頭痛的小國民生產行列，我們再強調這幾句話，未做過醫生的人，操刀替病人割盲腸，我們認為一定這是瘋子，一個不懂算賬的朋友，去替人管賬，我們必笑其蠢，正在學校讀書自己還是孩子，孩子竟然生了孩子，我想天下沒有比這再荒唐的行為了，靠父母餘蔭做爸爸的人，希望能作鄭重考慮。水到溝自然會開，是不成理由的理由。（上）

禪學黃金時代

壁觀婆羅門——達摩

吳經熊著　吳怡譯

……留下的唯一著作是一篇關於入道二法門的散文，即使這篇文字和後代禪師的風格大有不同，但值得重視的是，它至少可以作為後代禪宗發展的背景。

入道的法門很多，達摩把它們歸納為二種，就是「理入」和「行入」。

所謂理入就是教理以入道，相信有生物都具有共同的眞性，只是被外物所障蔽，未能發揮出來罷了，因此我們要捨偽歸眞，專心於壁觀，達到物我雙忘，凡聖等一的境界，這樣才能寂然無為，與道相合。

所謂行入有四種，就是：

①報怨行：求道時如果遭遇困苦，應想到這是前世造的孽，現在雖然已不作惡，但知仍須承受以前的報應。能夠體念到這一層，便不會怨天尤人，而能逢苦不憂，化怨憤以入道。

②隨緣行：我們應知道世界本無我，一切苦樂都是外緣，榮辱禍福，都是前世的業，現在雖有，但緣盡了又歸於無，因此得之不喜，失之不憂，一切都隨緣而行。

③無所求行：世人常常執迷不悟，貪求無厭。而修道的人却不然，他們能夠處心於無為，順天安命。深知生活在這個世界中，苦海無邊，正像熱鍋上的螞蟻，無處可安。這是所謂「有求皆苦，無求乃樂。」

④稱法行：佛法就是純粹的至理。這個至理光明純潔，不受污染，不分彼此。正如經中所謂：「法無衆生，離衆生垢故；法無有我，離我垢故」，有智慧的人懂得這個道理，便應該一切循道而行。

以上所論在宗教的文學中，無異是一顆光芒四射的珠寶。它顯示了作者在佛教和印度教的作家中，是位傑出的人才。他的「二入」和基督教中所謂的「冥想之路」，和「實踐之路」甚為相似。這個生死和學的觀念在佛教和印度教中，都是屬於信仰的範疇。在那篇文字裏，這兩個觀念也都沒有脫離理性的思考。達摩「行入」的重要，並不是在於它是實踐的，或入世的，而是在於它把理和法看成一體，合為一條方法。這種把抽象和具體打成一片的精神，也許是中國思想帶給了達摩的。

但儘管這篇文字頗為深刻，却不是後代禪宗的特色，因為在本文中，沒有頓悟，棒喝，公案，和那些幽默的言詞，及美麗的構想。

自由報

第一八九一期

中華民國僑務委員會頒發台僑新字第三二三號登記證
內銷證內個警台報字第031號
中華郵政台字第一二八二號執照
登記為第一類新聞紙類
（中週刊每星期三、六出版）
每份港幣壹角・台灣零售價新台幣弍元

社長李運鵬・督印黃行益

社址：香港九龍登打士街91號十樓六座
91 DUNDAS ST, 9th FLOOR,
FLAT 6 KOWLOON H. K.
電話：857253　電報掛號：7191
承印者：大開印務公司
地址：香港北角渣富道九六號
台灣總管理處
中華民國（台灣）台北市大同街119號
電話：55305・557474
台灣分社：台北市西寧南路110號二樓
電話：三〇三四六
台郵撥儲金戶九二五二

美國前副總統尼克遜，已獲得了共和黨總統候選人的提名。他特別強調，如果當選，將「對美國外交政策，重行澈底檢討」，他雖然聲稱決心「恢復此一國家的力量」，以應付與共黨世界「談判的時代」，但他亦向蘇俄人民與中國大陸人民，伸出友誼之手。總之，他將制定一項「謀求國外和平的新政策」。

「我們將先從越南開始，希望目前的談判，將能為戰爭帶來光榮的結束。這不是新孤立主義，這是新國際主義，美國依據此一主義，籲請全世界的盟邦與友人，共同參與奮鬥。我們永不採取敵對態度，但我們保衛我們制度的決心，將如他們擴張他們制度的決心一樣堅定。」（見十日各報）

同日，接近尼克遜的消息人士說：這位共和黨總統候選人，將以「全面重新估評」美國對外的承諾為基礎，建立他的競選外交政策方略。他並將：

——促使美國減少其在越南的負荷，並設法藉談判解決越戰，而不進一步作軍事上的昇高行動。

——力謀與蘇俄和好，而不與之對抗。

——主張圍堵中共。

——重視與法國重建密切的關係，加強北大西洋公約聯盟。

——謀求「新的措施」，與阿拉伯集團交往；可能包括呼籲美國與阿聯復交。（亦見十日各報）

出盡板斧

事不離實

從當前的國際形勢中論尼克遜的外交政策

・褚柏思・

美國政府，在外交上，本有兩黨共同政策之說。然而，今天民主黨政府處理越戰的作法，使共和黨不滿意，尼克遜認為：「從未見有如此強大的軍事，經濟與外交力量，作無效的運用」；「我們發現千眞萬確的事實，我們在世界每一地區處境，都比八年前，當艾森豪總統離任時惡劣！」

今日世界，已由蘇俄的共產黨政權而分裂；戰後新興的亞非國家，本想置身美蘇鬥爭圈外，以第三勢力，不結盟而求苟安於美蘇爭霸的時代；然而，形勢迫人，中立不可能，多數被蘇俄誘惑去了。近來，法國頗思領導中立國家，重振第三勢力；但亦為形勢所限，欲振乏力；我們中華民國，深受共禍，是一個堅決反共抗俄的國家，即使沒有美國的領導自由世界，我們也是要反共到底，爭取最後勝利的。今美國與我志同道合，基於盟邦的共同利害，以及中華文化的朋友道義，我們願從當前的國際形勢中，以論尼克遜的外交政策。

當前的國際形勢，表面上，是蘇俄造幷領導了國際共黨。它赤化了波羅的海三國——愛沙尼亞、拉脫維亞、立陶宛；又染紅了東歐八國——波蘭、東德、捷克、羅馬尼亞、保加利亞、匈牙利、阿爾巴尼亞、南斯拉夫；以及亞洲的外蒙古、中國大陸、北韓、北越。它像一隻八爪魚一樣，爬在歐亞大陸上，八爪齊伸，捲去了歐亞大多數的國家。近來，由於以色列和約旦之爭，以至與阿拉伯集團之戰，使蘇俄的勢力，又擴及於非洲，它的艦隊，亦經常出沒地中海，紅海、阿拉伯海了！蘇俄的勢力，豈止歐亞非三洲而已哉！且正由古巴的共黨統治，把它帶到了美洲，且已在美國的後門外，建築了飛彈基地，後來雖由美國的堅決反對撤銷了！但是，俄式戰爭的第三種形態——「民族解放戰爭」，又已由黑人的演出，蘇俄的導演，以暴動、破壞、縱火、刦掠和狙擊各種恐怖方式，在美國各城市展開了！所謂「黑權」運動的極端份子，甚至公然主張以游擊戰，建立黑權勢力了！

特別值得注意的，是青年學生的叛亂。五、六月份，從美國到西歐：紐約的哥倫比亞大學校園，巴黎的拉丁區，羅馬大學的教室，以及倫敦的鮑頓當微生物研究中心，都成了左派學生的戰場。這一個「正在國內相互傷害，相互爭鬥，相互殘殺」（亦尼克遜語）的「民族解放戰爭」，以及思想的，觀念的戰爭，是沒有前方和後方的；也是不分內政與外交的。美國今天已處於時時作戰，處處作戰的形勢中了！

蘇俄及所有的共產黨，本質上都是戰爭的，而且，亦都是「無限度戰爭」的。蘇俄所喊的「和平共存」口號，亦只是「口號」而已！不是今天的「政策」，也不會是明天的「事實」。然而作為共和黨總統候選人的尼克遜，却說：「共黨世界的談判時代」了！這眞是「妙論」啊！至於「力謀與蘇俄和好」作為「外交辭令」尚可；可是下面那一句「但書」的「不與之對抗」，說的未免大眞些。如果，蘇俄以武裝向美國進攻，你們也「不與之對抗」嗎？你們說了，這樣的話，一旦執政，制成政策，蘇俄的「擴張」，還有什麼顧忌？

在亞洲，實質上，製造戰亂的，則是中國大陸的毛共匪黨，他們以史大林的信徒，死硬派的教條主義者，他們是表裏如一的侵略者，好戰者，不僅做製並輸出了俄式的「民族解放戰爭」，且土造並輸出了毛式的「游擊戰爭」。過去的韓戰，是他們表演的；今天越戰，則是他們編導的「國際共黨實施圍堵政策，已經十多年了！不僅「如此無效」，而且照樣「擴張」。亞洲固然是毛共的主戰場，歐洲、非洲，甚至美洲，何嘗不也有毛共的陰影？古巴不用說了，就是上一次巴黎拉丁區學生的暴亂，今天仍在審訊中的刺殺羅拔甘廼迪的案件，不都牽涉到毛共的幕後主持嗎？過去，圍堵無效，今後仍然圍堵，算是什麼「新政策」？

（下轉第三版）

昨日與明日

免試升學

實施九年國民義務教育，是我國教育史之一椿劃畫時代的大事，全國上下，無不對此寄望甚切。因此，舉凡有關延長義教的種種措施，事無鉅細，都引起了普遍的關懷和重視。如今，在經過一年多的籌畫和準備之後，各國民中學總算如期的註冊開學了。本來，政府此項德政，大家唯有樂觀其成，感頌不違，何來微詞？不意事情的發展，却教人感到如是的失望。當初，人人聽到延長義務教育的美名，無不為今後孩子們上初中，做家長的可以減少諸多精神上和物質上的負担；那知等到事情大抵就緒後，便露出苗頭，而與原來期望的大有距離。尤其家長接到學校的註冊入學通知單後一看，偌大一筆費用眞使人頓時心冷了半截，悵惘之餘，有誰能不發牢騷，最容忍有涵養的家長，也要說：這與其叫延長義務教育，毋寧易名為「免試升學」更能副其實際些。

繳費太多

眞的，一看到孫子繳費的收據，實在不像義務教育，什麼指導活動費，防護費、童子軍教育費，制服費，皮鞋費……還有什麼代辦代收的，多的是名堂，一如過去的普通中學，巧立名目，不一而足，眞不知道國民教育的一貫精神到那兒去了？這還是教育廳、局明文規定下的收費標準呢，此外很難免地再功上一些暗盤花樣，情況不問可知。延長義務教育，如此之謂乎？恕我們於灰心失望之餘，說幾句不顧大體的話，如果依照現行的體制，而不能減輕學生家長的負担，既然同樣花這麼多錢的話，那我們寧願自已的子弟經過考試，以便能進入師資較佳學風較好的學校就讀，何苦像現在受到學區限制，而進入師資、設備都不夠水準的國民中學？再說，以前未能繼續升學的國校畢業生，並非盡是不爭氣的落榜者，因家境清寒而讀不起的畢竟佔了大多數，如今國中的收費又高如從前，這將不知有多少清寒子弟因此而仍被拒之於校門外，試問：這樣一來，[illegible]能蒙受實惠的究有幾許？政府為此而付出無數的人力財力，竟得到這樣的結果，說實在的，就是沿襲舊制不事延長也罷！

立法本意

回想年前政府宣佈從本學年度起將義務教育延長為九年後，民間的反應至為熱烈，捐地捐欵建校，共襄盛舉的所在多有；而政府在多類稅收裏增加了百分之三十的教育捐，大家也沒有什麼怨言。我們也一向相信政府是取之於民、用之於民的。詎知國民中學成立後，收費奇高，出人意料，這就教人感到訝異難解了。如果經費不敷支銷，為何政府不從其他經費裏，略事撙節，以資挹注，偏偏在學生身上動腦筋，以致把原先的立法美意，破壞殆盡？更辜負了最高當局決策的苦心，儘管主管教育的官員，把收費用的責任，推到國民中學校長的身上，並要求他們樹立起來這樣一個觀念：「國民中學是沒有錢人的孩子，也能進去讀書的學校。」但誰又感覺不出這是一派欺人無知的空談。我們眞想不透，即使責任出在國中校長身上，但又是誰容許國中校長這般放肆的？有些較有錢的朋友，一開始就不信任國民中學，紛紛將自已的子女送入辦得較好的私立學校就讀，當初大家殊不以為然，直至目前看到國民中學剛開始就搞得這樣雜亂無章時，才悅然大悟，原來人家是別有眼光呢！（文叟）

自由談

替美總統候選人算命

美國下屆總統候選人，共和民主兩黨已經舉出尼克遜，韓福瑞二位，再過月餘，便要由全民投票，決定誰是白宮人了。

記得十多年前，艾森豪與史蒂文生競選總統時，我在香港民聲報寫文章預測艾森豪一定勝利，結果不幸而言中了。現在又替尼、韓兩位候選總統算算命，且看是否靈驗？

我認為尼克遜這次獲勝的可能性很大，理由如次：一是尼、韓二人的資歷固在伯仲之間，但尼氏在國內和國際間的聲光較勝一籌，而他近來的言論主張，也投合美國一般人的胃口，三句話不離「和平」字眼了。這可以祛除選民們素來懷疑共和黨人執政，就會激起世界大戰的戒懼心情。二是目前美國內部的亂事迭起，困難重重，都是發生在民主黨政府期間，而民主黨本身亦表現着分裂情況，更使選民喪失信心。第三項理由尤其重要，即美國近二十年來的總統，大概都祗能連選連任一次，無形中成了一種定例。自約翰、甘迺弟到詹遜，算是連選連任一次了，韓福瑞再代表民主黨競選，成功的機會似乎不多吧？

假使尼克遜當選了總統，入主白宮，我們中國以及東南亞各個自由國家的人士，却不可誤認為美國今後對遠東政策，將有很大的轉變，那是不切實際的幼稚思想。一個國家的國策，除却自我中心的利己主義外，還得顧到許多重要的環境關係。沒有像富蘭克林、羅斯福總統那樣大政治家在位，能夠遣大投艱，創造輿論，教全國人民相信他的主張，聽從他的領導，要想把對外政策作一百八十度的轉變，決不可能。尼克遜尚不足以語此，充其量對於遠東各個反共最堅決的友邦，表示比較關切，增加一些精神和物質上的應援而已。

所以，我們中國人對於尼、韓二人誰個當選總統，皆不必滋生喜或憂的觀念。這世界中的人類大問題，不經過一場廝殺，是沒法解決的！

馬五先生

台北新聞信

司法刷新時候到了！

本報記者　柳一權

本報通信員柳一權台北消息：台灣司法風氣之惡劣，人言滔滔，例不勝舉，祇就官方報紙發出消息，即可證明一部份司法官罪孽深重，到了甚麼程度，而一般司法衙門惡政之發展，幾創半個世紀最顛峯。

索價量刑成爲公開秘密，烟毒犯關有減一年刑代價若干新台幣者，從台灣高等法院檢察官曹祖慰案爆發後，證明很多話並非以訛傳訛，乃至於若干民刑案件，皆有暗盤，否則，雖極易審判之案件，拖三兩年是衙門的常規，拖八、九上十年也無人敢問，武漢大旅社姚家荐自殺或他殺，不聞不問不審不結逾九年矣！被告已死了好幾個，其中最慘者莫過於台灣大學老教授陳華洲博士，死因蹊蹺是非難分，不過話又說回頭，國會議員中都有蒙冤被判刑數年難伸者，冤枉幾個老百姓，可能是忙中有錯，如果司法界再這個樣的黑暗下去，不趕快補救，後果就更不堪想像了！

持平論斷，政府遷台後軍事、政治、經濟、教育、文化、沒有一樣不進步，不過進步的尺度有短長之別而已，祇有司法弄糟了，這是一個無可否認的事實。狡者每謂有何證據？貪瀆之事，對口尚嫌不密，焉能以據示人？如曹祖慰者惡貫滿盈這多年，一直在部長階級官員庇護下，財源滾滾，腦滿腸肥，如果不是司調局破獲，到那裏去找證據？幾千年來官官相護傳統下，又有誰肯去揭開罪現職檢察官曹祖慰和曹的後台。

一、由於司法衙門的暗無天日，致使政府威信蒙受無比損失，從選民不與正人合作角度去衡量，即將曹祖慰與包啓黃同樣處決，並不能補償政府因貪官所受到的威信損害，司法應當刷新道理在此，老百姓盼治道理亦在此。

「貪瀆之事，對口尚嫌不密焉能以據示人」其實眞欲追究貪污，並不十分困難，比製造原子武器容易得多，受貪官勒索過的被告，都裝滿一肚子苦水怨氣，談判經手皆有過程，憑空甚難造出，尤其是勒索未遂而被判刑的人，必然和盤托出。二、同樣案件量刑出入甚大，例票據法有幾千萬元罰欵，祇服勞役半年者，繳罰金不過一兩萬新台幣。有三兩萬元罰欵還要加重徒刑至幾年者，這其中如非驢子走即爲磨子不轉，由於這種不正常極易找出貪污線索，因眞正的守密很難，所謂好朋友還有好朋友，祇要能從週圍做功夫，沒有偵不破的案件。三、法官的私生活和法官家屬的生活行爲，亦容易窺出一個法官有無貪污趨向。俗語：「家有黃金，外有斗秤」能做假，假到底，像馮玉祥樣的人究竟不多。四、司調局能將工作人員充作犯人打入監獄，可担保有意想不到的效力。

上月召開的司法檢討會，聽說決定了甚多重要的議案，祇對如何防止貪污尚缺乏有效措施，換句話即貪污仍留着很大的缺口，記者天眞的想法，老百姓固根貪污，政府也不會喜歡貪污，自由報乃代表老百姓向政府進言，同[illegible]貪官究竟佔很少數，但影響所及，非司法圈內人，幾難辨是非善惡。

中醫學院風波幕後

·華人·

創校十年，畢業學子已逾千計的中醫學院，爲什麼迄今內部仍鬧人事糾紛，甚至沒有寧日，不知道內幕的人，總認爲台灣的政府是以法治爲依歸，誰是誰非，主管的教育部可以判決，不難導該校於正軌。然而，知道內幕的人，該校除了有人事問題，爭產糾紛之外，更有官僚政客中醫郎中參與紛爭，致使該校十年來均處於不正常的發展，斷斷續續鬧出許多新聞，使關心教育的國內外人士，莫不搖頭嘆息，更使該校數以千計的畢業學生蒙羞，影響之大，不言可喻。

該校於民國四十七年由前立法委員覃勤創設，翌年因不及參加聯合招生，乃奉部令單獨辦理，這所學校十年來始終風波不息的原因，可說由此而起。

覃勤，湘籍，湖南法政學院畢業，幼年從父研習中醫之道，俟其學業完成返回桑梓，雖學法政，仍懸壺濟世，因其長於醫道，在家鄉頗著聲譽。抗日勝利後，政府行憲，覃氏乃由中醫界推選爲立委，來台後，他眼見中醫之不受國人重視，形成衰落現象，乃邀集台籍中醫常陳固等籌設中醫學院，陳等乃捐出今日建校之全部土地，作爲建校，並辦理財團法人登記。照說，這所學校可以很順利的辦起，當該校立案聘請校董爲，覃勤雖顧到了台籍的中醫，却疏忽了他的好友中醫師國大代表賴少魂，致使賴大爲不滿，以賴來台爲寄居覃公館，覃、賴私交可見，後經友人協調，介以董事一席，但賴此時已爲全國中醫師公會理事長，認爲僅佔董事一席不夠體面，而認覃有輕視之意，反不予接受，覃因部令規定，在全體校董中，三分之一以上的校董，必需具有教育經歷者，方爲合格，以一般中醫師而言，除了行醫很少過去有教書的經歷，覃勤爲了合乎規定，乃邀請了以于斌爲首的教育界知名之士担任董事，並以于爲董事長，覃勤本人則以創辦人兼院長實際負責校務，賴對此一安排，因不諳教育法令之規定，更爲不滿，私下曾說了一些對覃勤不諒解的話，經人傳入覃耳時，驢子皮氣的覃勤，當然更無好話可說，再經人加油加醋，對峙仇恨，日益加深，也因此種下了以後的禍惡。

前面說過，該校因不及參加四十八學年度的聯合招生，校方奉准自行辦理，當時教育部核准該校招收多科系正取生二百名，備取生一百名，當辦理招生爲，覃勤收到各方推介教職員與學生的來信，有如雪片飛來。在這些八行書中有親友的，同鄉的，國會同仁的，國會同仁的，甚至也有出錢出力來創學校的，覃勤以無較大的財力辦成這所學校，對友情之運用，可想而知，因此，他接到這些介紹信之後，眞是苦惱萬分，無法妥爲安排，覃的友人說：他會爲此不知多少夜晚失眠，他深知大多數的介紹信，是不能打回票的，然而，粥少僧多如何是好？覃爲此曾召集了一次高級顧問與幕僚會議，討論解決辦法，會中決定：介紹教職員的按學校編制，擇才任用，介紹學生的則交招生委員會通知報名參加考試。這種處理方式，若說能得大家體諒，勢不可能，因此，在這方面覃勤也開罪了一部份朋友，加以招生委員會覃雖名爲主委，而實際負責的却另有幾位親信●他們在辦理招生[illegible]，因受人情與金錢的誘惑，放榜爲被迫多錄取了備取生六十餘名，在台灣無論公私大專或中學，家長以捐建校舍而「保送」子女入學的，可說司空慣見覃勤以其他學校皆有此例，故亦無多大顧忌而批准了親信們所擬定的那份錄取名單，是年十一月該校通知新生註冊。

賴覃交惡表面化　學籍問題起禍端

翌年春，此一超收學生的消息被賴少魂知道了，知道報復時機成熟，乃假台北某雜誌，發行一期專輯，全部內容以揭露覃勤出賣「學籍」等事而攻訐之，這份刊物並分送到每一位立監委與國大代表，賴、覃交惡到此正式表面化。這本雜誌給全體國會議員收到後，因爲覃是立法委員，覃的好友同仁，此時則多抱觀望與不捲入此一漩渦爲原則，與覃交惡的，則乘機與賴連繫在有計劃的攻勢下，台灣的新聞報章，幾乎一窩蜂式的交相指摘。覃勤開始時，總認爲自己清白無愧於心，乃以置之不理方式拒絕賴之挑戰，俟見各報皆有不利於他的言論，始行登報辯白，並說明賴之企圖，此[illegible]覃雖獲社會之同情，賴的宣傳，已先入爲主，治安單位受命調查，恰巧查出該校一備取生的軍訓教官，已發出緩征證明，這種例子，在台灣各私立大專學校皆有，但覃終被台中地院判處以「幫助逃避兵役罪」刑期一年，覃雖始終不服，上訴最高法院，但覃的敵於始終不肯放過，因此還鬧出有監察院的決議案送達法院當局，覃之受刑，人爲影響，可見一斑。案確定後，台北聯合報曾撰寫社論，以「請覃勤尊重國家法治」爲題，促其入獄受刑，並頌讀「法律之前，人人平等」之公正判決，覃乃學法政出身，對我國的法律[illegible]，由於自信個人清白，在獄中曾撰寫長達數萬言的寃獄經過文章，印成小冊分送立監兩院的委員，要求重估他的人格與主持正義，監院張姓委員與覃案不相識，看到這份小冊子後，自動調查眞象，俟覃出獄後，在某次院會中力主提出彈劾案，爲覃伸寃，執政黨中央方面，曾有某高級人員分訪張委員與覃勤，說明中央的立場，對覃之受寃屈事，勗勉相忍爲國，委，並取代爲補償地位上所受之損失，覃含淚答稱：「吾兄厚愛，衷心銘感，弟以污染在身，有辱四方，何敢受命，惟願法治精神，藉此伸張，覃勤個人犧牲事小，國家社會受益事大」等語。來使悵然而退，但張某之彈劾案亦經監院決議，不作公開提出，改用書面通知司法當局，設法爲覃洗寃，司法當局援獲監院函件後，以即迅速秘密方式函復：「貴院對覃案之處理，前有議決詳查嚴懲，今復背道相求，孰是孰非，碍難從命」。這一悶棍，打得監察院無法再開口了。

部份瞭解覃勤受寃的立監委員，除同情覃勤外，對前司法部長鄭彥棻與國會之交惡，亦在此而種下因果，覃的寃案，雖未作表面化之洗刷，但多數人皆知其受寃了。

||覃勤入獄後，學校即由于斌等主持，覃在獄中一年，其妻選居士林，葬借債與當維持生活，過去社會人士一些責其出賣學藉的流言，可說不攻而破，此時于斌爲愛惜個人名譽，乃改組董事會，由卸任的內政部長王德溥替任，于則退爲董事，王接掌大權，把覃的班底親信或調職或解聘，弄得該校派系林立，覃勤出獄後，原可以創辦人身份，仍可過問學校行政，但其一心洗刷個人淸白，乃對校務未加聞問，不料，王德溥竟於前年私與台灣省總工會簽約，辦理「附設鑲齒模技術訓練班」，以須發中醫學院畢業證書爲號召：招收齒模技工七百餘人，每人收費新台幣二千五百元左右，此項收入經人查覺，未列學校財務系統，而由其私自入囊，教育部雖表示不核准其學生資格，但王却置之不理，並公開聲明該校要發學生畢業證書，這批受訓的學生，雖然得到了中醫學院的證書，但知道教育部不承認後，曾公開招待記者與向立監院請願，台灣南部的一些報紙，雖曾披露一些新聞與評論，但台北新聞界却均爲王德溥封鎖，王之能有如此本領，據云：因其做過一任部長。這種斂財行爲，如果換一沒有背景的人爲之，司法機關則早已主動偵查，判其欺詐背信了，如今這一羣技工的諦顧案，都能不了了之，王德溥人神通廣大，算得是中華民國的法律[illegible]，台灣所謂「法律之前，人人平等」的說法，老百姓的一點是鬢亮的，由道些鬼看，誰會相信道話呢。

文協請建張道藩紀念館

王雲五極感困擾

（本報台北消息）中山學術基金委員會，副主任委員王雲五氏，自去歲將中山文藝獎金頒給梁容若後，遭受各界抨擊，最近由文化旗雜誌發表中國詩經研究會何南史等致王雲五氏函，要求必需追回頒給梁某之文藝獎金，以慰 國父在天之靈。使王雲五氏大感困擾。不料禍不單行，中國文藝協會若干擁護張道藩之人士，近以張氏倡導文藝政策有功社會爲理由，向中山學術基金委員會呈請建一「張道藩紀念館」並聲言：已獲最高當局默許。王氏以茲事體大，中山學術基金不過兩千餘萬新台幣，若用於建紀念館，縱傾資用罄，亦難成事。王氏晉見最高當局，始知最高當局並無此意。學界人士亦認爲：張道藩氏固然有功文藝，助著黨國，然若與黨人碑上列名之革命先烈、黨國元勛相比，則又畧遜一籌。若今日在台之革命先烈、黨國元勛後裔故舊，人人要求中山學術基金會建館，王雲五氏將何以應付？自 蔣總統提倡中華文化復興運動以來，日本學界即響應此一運動，廣事翻印整理中國經史子集，我國設一文化局，則只知音樂與平劇、舞蹈，自文化局大樓辦公以來，對文化復興了無計劃，有人打趣云：文化復興與高樓乎？中華舞樂平劇矣。今若再以全部中山學術基金會爲張道藩氏建紀念館，恐 國父哲嗣孫科博士亦未必欣然同意。蓋文化學術大業，乃千秋盛事。亭台樓榭，不過百年而傾圮。孰輕孰重？不言可知（郭懿）

西安事變一筆史實

祝紹周絕招定乾坤

台北張駿先生來函說從頭

主編先生：八月十四日第八八期貴報刊載狂人先生「腦筋清楚速度[illegible]」一文，內有「[illegible]駐潼關，乃[illegible]劉峙將軍[illegible]，要以高速度夜行軍[illegible]」等語。筆者因對西安事變的經過知之較詳，謹將事實清楚記叙於後：二十五年十二月十二日張學良、楊虎城發動事變，劫持領袖，全國震動。[illegible]陽電駐洛陽之東北兵旅長黃永安，囑密洛陽軍官分校東北籍軍士教導大隊長趙雲飛，控制洛陽空軍及銀行。當時祝紹周任洛陽軍分校主任，兼當洛陽警備司令及豫西清鄉長官，幸黃永安深明大義，密報祝氏請示機官。祝氏乃制敵機先，一面鎮撫駐守洛陽地區之東北部隊，及責成隴海鐵路局長錢宗澤氏負責軍運，一面指揮樊崧甫軍（樊任四十六軍軍長兼七十九師長，董釗任二十八師師長，歸祝指揮担任河防工事之修築），以迅雷不及掩耳之手段，先叛軍四小時佔領潼關，使後繼部隊逐次安然推進至華嶽廟及華陰一帶。並洽毛邦初派機飛臨潼搶救及派遣機羣飛翔西安上空從事封鎖，潼客主之形既成，叛軍之勢大挫。西安事變之能迅速解決，使叛亂無法擴大，祝氏的當機立斷控制潼關，實爲重要關鍵。而學校照常上課，毫無驚擾，尤屬難能，祝氏因處理事變有功曾受勛獎，並爲最高當局所激賞。就筆者所知，事變發生之時，劉峙將軍正巡視海州防務，狂人先生與劉將軍私誼既篤，爲一求證，當知所言非謬。此事知者尚多，年前若干參與處理西安事變之高級將領會在台北小聚，論及國家民族命運所受張揚之影響，之無不扼腕太息。筆者參贊祝將軍戎幕三十年，爲存史實，敬請惠予披露更正爲荷。耑頌

文祺，

讀者張駿敬上　八月三十日

大學文牘

吳佩孚序張季直壽

南通一縣耳，而二十年來，國之言教育者，必日南通，言實業者，必日南通，言治安者，必日張先生。外人之覘我國者，亦必日南通，日張先生。於戲、何其盛歟。佩孚未嘗識先生，聞諸游於通者日。入其鄉，則道路治焉。地方盡焉，百工勸焉。學校備焉。行之十年又十年。於是乎物以蕃息。林林然。事以畢舉。秩秩然。民以弗嬉。熙熙然。商賈願出其途，行旅欲行其市。以至一事一物之微。莫不條理而枝暢焉。一技一能之細，莫不綱舉而目張，以各致其用。而鰥寡廢疾之不可告者，亦莫不各得其養焉。猗歟偉哉。何道以致此。佩孚曰：是道也。蓋古之治道也，易曰：君子以勞民勸相。又曰：君子以振民育德。管子曰：爲國之道，必先富民，民富則安鄉。安鄉則重家，重家則敬上，畏罪則易治也。故其言六興，日辟田疇，利壇宅，修樹藝，勸士民，勉稼穡，以厚其生。發伏利，輸滯積，修道途，便關市，愼將宿，以輸其財。導水潦，利坡溝，決潘渚，潰泥滯，通鬱閉，愼津梁，以遺其利。故賈生曰：古之治天下，蓋至纖至悉也。潛夫論曰：爲國者以富民爲本，以正學爲基。民富乃可以教，學正乃得以義。富民以農商爲本，遊業爲末。百工以致用爲本，巧飾爲末。商賈以通之爲本，以鬻貨爲末，三者守本，則民興富。故管子曰：入州里，觀習俗，聽民之所以化其上，而治亂之國可知也。先生明乎古之治道，以之自治其鄉邑，凡所設施，無不以富民正學而務其本，無不以厚生輸財而遺其利，於是乎南通治。雖然南通其小焉者耳。田駢之言曰：天地之間，六合之內，可陶冶而變化也。齊國之政何足言。先生豈僅治通哉。先生家於通，爲縣謀，紳於蘇爲省謀，官於朝爲國謀，固嘗以治通者推於省及國矣。數其道爲疆吏言，爲執政言，治鹽鐵奚若，治農林墾又奚若，治工藝治水利又奚若。內則教育官制釐稅征権幣制，其治奚若，外則漁牧蠶織女工種植，其治又奚若。蠶蠶焉井井焉，其道備焉。自淸迄於今，蓋莫不重先生言。然而扞於勢，絀於力，疲於兵，蔽於親貴盜賊，或行或不行。或行其所謂行。先生於是懷而去，以博而施爲國自治者，則約而范爲縣自治。以其建諸言者，一一行諸實，以師後世法天下。不然者，使其言而至今，則天下一南通可也。先生四十而力行不殆者，垂卅年。今年七十矣，吳夫人年五十，有子能肖，有孫稱英物，將營南山之園而娛老焉。月之巳未，海內士大夫，羣謀所以壽先生者，以告佩孚。夫朝菌不如晦朔，蟪蛄不識春秋，世俗之所謂壽，有異乎先生與佩孚之所謂壽者。然則其壽何足言，抑先生事功，亦即標著於天下矣，又奚待佩孚言。而猶不能已於言者，我國郡縣南通若者，且千數百。而人才先生若者，百年而不一。先生既不克推其道於省於國，若省之人、國之人，皆能師先生法南通，行之數十年或百年，國中羣莫不南通若，人才莫不先生若，或且後者上青於藍，而南通不必治，先生不足賢也，則佩孚之大願也，斯則先生之所謂壽也，故未敢以世俗諛言，諛先生今日之奇龐福艾也。佩孚治軍旅久，文字荒落。夏五望夕，星雲爛然，輒以佩孚之所謂壽者，書之以介先生之觴。佩白著先生將自耄耋而期頤，其豐功偉業將由是而至焉。佩孚尙將執筆以進，賡續斯文以爲先生夫婦壽。勳一位兩湖巡閱使直魯豫巡閱副使吳佩孚拜撰。

四千年前雄才大畧巴比倫王

西洋哲人簡介

漢米拉比傳略

劉長蘭

距今四千年前的巴比倫王漢米拉比是一位雄才大畧，高瞻遠矚的軍事天才，也是一位偉大的政治思想家。在武功上他開拓疆域自波斯灣起北經底格里幼發拉底平原，西跨阿敘里亞以迄地中海沿岸，統治爲數三億的人民，造成巴比倫帝國稱雄於西部亞洲的輝煌歷史。他更了解軍事的勝利僅能樹立國威於一時，却不足維持國勢的長期不衰。因此他制定法律，加强行政效率，整理稅收，美化京城，首先促成經濟的繁榮，再進而努力建設工作，如開運河，築道路以改善交通，防止洪水，並便於軍隊之調遣運輸。另外在宗教方面諸如爲各種神祇建造廟，以及將太陽神尊爲諸神之最高者，以便人民信仰漸趨一致等等措施，却是極有助於他在併呑許多小國後內部的統一問題的。然而，史學家一致認爲漢米拉比對於延續巴比倫命脈貢獻最大，對後世人類文化影響也最爲深遠的舉措，莫過於他那三百餘條詳盡嚴明的法典之制作。著名的漢米拉比法典雖非完全由他手創，但是他彙集，修訂他們閃族前人的法規並將之付諸有效的實施，不但在當時起了極大的安定社會的作用，而且還爲後世立法留下了若干智慧的種子，這些種子後來通過摩西誡律和羅馬法的吸收，蘊育與傳遞，終於都已成爲今天世界各國法律中根深蒂固的基本原則。

漢米拉比法典於一九〇一年在波斯的蘇沙城出土，現藏法國巴黎盧福宮中，爲舉世聞名的古物。法典全文連同序言其廿一節，均以橫體的鍥形文字撰刻在一塊玄武岩石的正反兩面上。文字上端有漢米拉比在太陽神前做祈禱的浮彫像。據序言所述，這個法典就是太陽神親自授予漢米拉比教他傳之於世用以防惡除奸，抑强扶弱替天行道的。這當然還是初民神道設教的意思。法典內容涉及範圍極廣，無論對勞工和商業關係，個人傷害，過失，奴隸的逃逸，債務，婦女權益，羊毛的處理問題，離婚，偷竊，臨陣的怯懦行爲，家庭職責之疏慢，姦淫，買賣上的欺騙等都有明確的條律規定罰則。故而這個法典除了在法律上的重要性外還供給了學者們豐富的史料，使我們今天得以對古代塞米族的社會與文化能有一個甚爲眞切而具體的認識。

漢米拉比法典最大的特點在於牠的求證精神。牠嚴格的規定在沒有找到確切的證據前不得宣判被告的罪名。譬如大家都很熟悉的「以牙還牙，以眼還眼」的罰則就是出自這個法典的；因此若有一個病人在經過某醫生治療後不幸而死去的話，則其家屬可以向該醫生要求償命。但是，如果沒有切實的證據證明那位醫生是草菅人命，因疏忽而致人於死，那麼他仍不得被判有罪。再如一所房屋倒塌了以致其中一位住戶被壓死，則負責建造該房屋的工程人員須以自己的性命來賠償，但也必須能證明該房屋之倒塌是由於偷工減料或其他欺騙行爲所致時，法官才能做如此裁決。

其次，扶助貧弱也是這個法典的特色。例如牠保證工人與學徒的最低工資必須足夠維持其簡單的生活，規定增加工作成績優良者的薪金以鼓勵其勤奮的情緒和努力增進技巧的願望。又規定當一個人因無力償付債務而賣身爲奴，三年後可以還其自由之身。但如果因天災如地震或乾旱而負債者，依法得免繳穀物和該年度的息欵。此外，對於被偷竊或搶刼者，政府更積極的担負起保護和賠償的責任。法典明訂如在一定期限內不能捕獲竊犯政府須賠償失主的損失。如果一家家長因遭搶刼而被殺害則政府須給予被害人家屬一種類似保險金的一定欵項。

至於在若干條律中對婦女權益的維護保障或許也是因爲婦女被視爲弱者的緣故。但不論其緣由爲何，這種對待婦女的態度可說是這一古老法典之具有現代精神的一個例證。

凡此種種都顯示漢米拉比法典實在是細密週致，法理人情兼顧而且切合實際的一部法典。雖然由於數千年社會環境的變遷，此法典中若干部分現在已不再適用，但參看今日各國的現行法的基本精神，甚至某些具體條文，我們仍不難看出牠們和這部法典是一脈相傳的。無怪杜蘭教授讚揚漢米拉比是「一個充滿了熱力與天才的偉人，在戰場上他猶如颶風般敉平叛亂，擊敗敵人，翻山越嶺，永無敗跡。」又評論他的法典說：「漢米拉比法典已成爲古代社會爲今人遺留下的一項財產，其價值可與羅馬人所留給吾人的政府組織法相比並。」

從當前的國際形勢中論尼克遜的外交政策

（上接第一版）

今天，最困擾美國的是越戰，以此上駟的「如此強大的軍事經濟力量，作如此無效的運用」，誠然是可惜的！何況，納稅人的美金在納稅人的子弟生命，日有所損失而又無限期呢？這樣拖下去，誠然是危險的！然而，不求戰場上的勝利，單求會場上的和平，辦得到嗎？古往今來，求和者無不屈辱，今美其名曰：「光榮的結束」！欺人乎？欺天乎？在這一個問題上，亦有一個「但書」—「而不一進一步作軍事上的昇高行動」。

在軍事決策上，先立了一個不作軍事上的昇高行動，此與民主黨的「不求勝利的戰爭」，高明了多少？何況，攤出了底牌，怎樣賭輸贏呢？「兵者，詭道也」，今後又怎樣謀變化？謀發展呢？

法國，是今天的第三勢力；阿聯，是昨天的中立國家。在兩大集團爭存亡的奮鬥中，爭取第三者，誠然是重要的。殊不知：法國與阿聯，均已早爲蘇俄所爭取了！阿聯且是接受俄援的國家。你爭取他們，不怕開罪蘇俄嗎？豈不在這一件事上，又引起了美俄的衝突！何況，阿聯的對方是以色列呢？以色列，當初是誰扶植的呢？今天，你們爭取阿聯，又置以色列於何地呢？到那時，以色列豈不也會左傾而倒向蘇俄嗎？[illegible]，走馬換將，中東不依然越亂嗎？

尼克遜及其接近者，却會普遍地、澈底地檢討了「美國在世界每一地區的處境」，但，忽畧了當前的一個事實，便是捷克的自由化運動，以及蘇俄對捷克的各種威脅。十二年前，匈牙利人民的自由革命，被蘇俄的飛機大砲摧毀了！自由世界各國的袖手旁觀，尤其是以自由世界領導者自任的美國，犯了一次不可原諒的大過失！近代史家一定會秉筆直書的！可是，今天捷克事件又降臨了！發展如何？雖不可知，但在尼克遜的外交政策觀點上，隻字未提，似乎也是一個疏忽吧？

或曰：尼克遜的外交政策諸觀點的演說，都是向其國內選民說的，這一些亦只是演說的美妙辭令而已！不值得重視。他們當選以後，這些演說辭，早已束置高閣了！到那時外交政策，是智囊團中外交顧問草擬的，至於見諸事行，一方面，取決於當時的形勢；另一方面，亦取決於總統的政治才華！七折八扣，此一觀點，所剩有幾？

我們對此，以爲「然」而「不盡然」。一個人的觀點，是會「先入爲主」的，何況先入爲主的下意識，亦可有所行動呢？可何況，同日，美國副國務卿卡心白，會說：美國共和黨遴選前副總統尼克遜，爲該黨總統候選人，亞洲各國家一定會感到欣慰呢？

我們以亞洲友邦的地位，對於任何黨、任何人，均無意見，誰當選都值得慶賀！但對於有關國際事務的外交政策觀點，對於我們有切身的利害，應本「知無不言，言無不盡」的朋友之道，忠告而善道之！這是否純客觀了！仍待賢達者明智之抉擇。

（完）

三日春秋

羅剛與和尚唸經

·廖安·

在國內研究三民主義的學者當中，羅剛氏算是一位很傑出的人物。他潛心　國父思想，這幾十年來，不求名，不謀利，不想升官，不要發財，一心只爲了宏揚主義。

他新近才出醫院。得病的原因很奇怪——睡的床墊太軟。據說還不及美國的席夢思的軟度，但我們的羅大師已受不了。病象是脊骨痛。到醫生那裏去求治，也斷爲由於眠床太軟，使脊椎骨受損。這位有名的西醫並且警告大家：年老的人，最好不要睡太軟的床。羅大師因而特別興奮，大讚其先王之道到底與衆不同。

有一天，他到中山南路十一號凱歌歸，亦即是國民黨的中央黨部去。門警攔住他，問他有什麼公事，他說：「我去看朋友」。門警已經有點不太高興了。於是又進一步問他：你是幹什麼的？他答道：「我不幹什麼，我只敎三民主義！」。

門警番了兩下眼睛，心中盤算：「敎三民主義的是什麼？大概不是官嗎？」就把手一擺，說：「不要囉嗦，走開走開。」

我們羅大師這一下上了心火了。就拉開嗓子說：「你不知道敎三民主義的是什麼嗎？三民主義等於「經」，敎三民主義的就是唸經的和尚。你們這個中央黨部就是一座廟。那有廟不許唸經的和尚進去的。」

這下子把這門衛更弄糊塗了。兩下正落不來分的時候，裏面有位中委坐在汽車中出來，趕快下車問什麼事，這才替我們大師解了圍，於是羅大師變成唸經和尚的話，不徑而走。

想當年　國父在廣東當大元帥時，他就住在大元帥府後樓，關照門衛，對於來訪他的任何人，不必通報，自由出進。青年學生，往往排闥直入，和　國父無話不談，甚至連個人戀愛問題，也向　國父請教。不想數十年後的今天，連「唸經的和尚」，也進不了這座「廟門」！噫！（完）

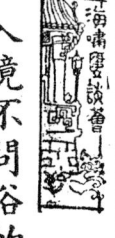

海嘯雲談薈

入境不問俗的趣事

諸葛文侯

古人說：「入境問俗」，確係至理名言，有若實樹之長綠而不變色。曾憶吾國對日抗戰初期，中央政府播遷巴蜀，各省人士蜂湧入川，以風俗習慣不同，每與當地土著民衆，引起若干無謂的誤會爭端，思之殊覺發噱，言之可以垂戒也。

四川位居長江最上游，對於來自巫峽以下各省區的人士，統稱爲「下江人」，又名曰「腳底人」，這純屬就地緣關係而云然，並不含侮蔑意思。例如我的家鄉，是在湘南粵桂邊境的都龐山麓，諺語即稱來自長沙漢口一帶的人士爲「腳下人」，語意正復相同。民國廿八年夏間，我在從重慶航行北碚的民生公司小火輪中，聽到船上侍應生稱呼一位女乘客爲「下江人」，那女客登時震怒，叱責侍應生說出誰個是「上江人」？彼此爭辯不屈，船上其他的川省與外省乘客咻然附和，互不相下，大有激起糾紛之勢。我以外省人身份，對衆解說「下江人」一詞並無惡意的義理，且以我家鄉的諺語爲證，大家的心氣纔告平復了。

川省綦江出產美國種的改良橘子，川諺謂之「廣柑」，體質色澤與上海市面出售的眞正「花旗橘」相彷彿，花旗橘價昂，在滬上銀洋一元僅買得五六只而已。然四川廣柑售價甚廉，若在渝市臨江門河邊選購，一元未貶值的鈔票，可得二百五十枚以上，在市內亦可換取一百五十枚以上。外省人初到重慶市街購此，詢以「一塊錢買多少個？」販夫聽口音知係下江人，故昂其值，漫天要價，答以「一塊錢五十個」，下江人大喜，急購之歸。戰前京津滬漢各地，通行當十文的舊銅元，法幣一元只換銅元百枚——俗稱一吊錢。我們在菜市場購買青菜蘿蔔之類，一吊銅元僅買一二斤。川省通行自鑄的每枚當五十文或二十文的薄質銅元，每元法幣可換三吊。外省人不明就裏，向青菜販詢問「幾多錢一斤？」對方以川省銅元計值，答言「一吊錢三斤」，即認爲便宜，斥法幣一元，取三斤青菜以去，實則昂貴多了。不久，這兩種事實皆已弄明白，於是乎外省人指說四川人欺生，悻悻不平，而本地人又怨懟下江人把物價胡亂提高了，彼此皆言之成理，而彼此皆屬誤會。

民國卅年我住家成都時，有位軍人是湖南老鄉，供職軍事委員長成都行轅。他分租着川省人家的兩間房屋，客廳共用，我常常到他家行走。某星期日午間，那位軍人要在墻壁上懸掛字畫，需用釘鎚，他以湖南話向房東太太說：「請你借個鎚子用一下」。房東太太聞言大怒，指他故作輕薄語調戲她，聲色俱厲，那位軍人莫名其妙，亦跟房東太太辯駁理論，振振有詞。恰好我來到他家，乃知彼此大大的誤會了，急忙拉着老鄉到他房內，細聲告訴他：川諺稱男子生殖器爲「鎚子」，不能怪房東太太生氣。然後教他出來向對方道歉，再由我解說彼此誤會之所由來，那位軍人狂笑不已，房東太太亦就默默氣消了。

諸如此類的故事很多，後來我在成都「華西日報」發表一篇長文，題目是「四川人與下江人」，將一切因風俗習慣和語言不同之故，以致引起誤會衝突的事實，逐一分析說明，以釋羣疑。當時駐在成都的潘文華部隊彭煥章師長，特爲此約我吃飯，稱許我作此文「功德無量」，我遜謝之。實則全國各地區中，對外省人很少排外歧視思想者，首推四川人，祇因外省人入境不問俗，纔有如上述的各種誤會隔閡發生啊！（完）

浙賢秦潤卿傳家典則選錄！

進德十要（上）

·雲家·

一、自重

渾厚凝重，乃是我人立身處世的不二法門。孟子說：「人必自侮，而後人侮之。」大凡給人看輕，給人欺侮，大半是本人不能自重所致。少年人最忌舉止輕佻，給人加上「浮薄少年」的頭銜。所以切須尊重自己的人格，顧全自己的身份。到什麼地方，說什麼話。應對酬酢，處處要合禮中式。那才不愧爲「好少年」與「佳子弟」！

陸子淵說：「人生須自重」。又說：「自立自重，不可隨人腳跟，學人言語」。但是自重與傲慢有別。曾國藩說：「風骨者，內足自立，外無所求之謂，非傲慢之謂也」。這便是「自重」的一個定義！

二、自立

人貴自立，切莫依賴祖宗父兄的庇蔭，坐享現成，不思發奮。此在平時，尚可庸碌過去。遭逢意外，便無立足之地。你看蔓藤依附大樹之上，未嘗不高，未嘗不泰。一旦大樹被風吹折，蔓藤便倒在地上，給人家殘踏以死。

曾文正公（國藩）說得好：「凡人危急之時，祇有在己者靠得住，其在人者，皆不可靠。」語云：「積財千萬，不如薄技在身。」人有一技之長，必能自立，而欲求自立，至少必須有一技之長。試看昔日滿洲駐防的旗人，以及近年流落上海的白俄，他們自恃宗室貴族，不愁凍餒，那裏會想到日後的遭遇。再看猶太人，雖則以沒有國家觀念爲人輕視，但此乃另一問題。只看他們自力更生的本領，不能不令我人佩服。總之，大學問，大事業，甚至尋常一份基業，都須自己刻苦用腦用手賺來，決非不能自立的人所得辦到的。

三、自省

自省工夫，人人不可缺少，天天不容間斷。人們每天能費去少許時間，把一日間所做的事、所說的話，細細省察一番，足爲進德修業的大助。從前曾子說：「吾日三省吾身，爲人謀而不忠乎？與朋友交而不信乎？傳不習乎？」趙清獻公言：「吾晝之所爲，夜必焚香告天，所不可告者，則不敢爲也。」陸九韶隱居山中，晝之所爲，夜即書之。趙叔平平生用功，以一器盛黑豆，一器盛白豆，中置一虛器。凡一善念動，則取白豆投其中；惡念動，則取黑豆投其中。至夜，把虛器中的豆倒出，以驗善惡念多寡。起初黑多於白，久之黑白相等，又久之則白多黑少，此便是自省的收效。呂新吾說：「喜來時一檢點，怒來時一檢點，怠惰時一檢點，放肆時一檢點，此是省察大條款。」足爲吾人取法。

四、勿畏難

天下無難事，只怕有心人。雖屬陋巷俚語，但是至理名言。所謂困難工作，據心理學家分析的結果，無非是在我們的心理上對它先懷了一種恐懼的成見，我們以爲這件事非常困難，因此無形中不自主地緊張起來，這就是難字的說明。所以我們對於一切無論作文寫字，進而研究高深的學問，經營偉大的事業，應該心中先祛除困難的成見。即使當前橫亘著最複雜的環境，你也應該保持寬弛的神經，輕輕鬆鬆，按步就班的做去，沒有不成功的。當你做著一件事，你先恐懼，怕這事也許太難了，一定幹不好；或者猶疑著這件事幹下去，一定不成功。那末明明是一件容易做到的事情，至是也給你的畏難心所弄翻。古人說：「畏首畏尾，身其餘幾？」便是替這等人寫照。

遷境過事

三幕喜劇　一式熊

趙：　我們今天吃的不是粟米燕窩羹嗎？那兒有雞湯呢？

露：　你眞是傻小子！雞湯才是淸的呀！

趙：　就算你說得對！你把手絹兒給我看看，讓我看看是乾的還是濕的。

露：　我把手絹兒撫住眼皮兒，眼淚全往眼睛裏邊兒掉，我一口一口的把它一齊吞下了呀！這就叫做是「飮淚吞聲」呀！

（趙太極不禁大聲失笑）

好！人家在那兒「飮淚吞聲」你一點也不同情，反在這兒譏笑人家，好，我不和你好了，我再也不理你了！（她假裝要離開他的樣子）

趙：　（拉住她的手不放，反而把她拉過來）好妹妹，別生氣，我同情，我對你一百二十分同情，我也在這兒陪着你一洒我同情之淚呢！而且我用不着把手絹兒撫着，眼淚自然就會往眼睛裏邊掉，一直往裏掉，叫我吞都來不及了！（兩個人笑做一團，快樂極了）

露：　你也學壞了！學得油腔滑調，鬼話一大堆！我剛才在吃中飯的時候，看見你狼吞虎嚥似的只顧一個人拼命的吃魚吃肉，看也不看別人一眼！要不然就是老是低着頭吃東西……。

趙：　我一向有那種埋頭苦幹的精神！

露：　……要不然就望着我傻笑，看也看不見其餘同桌的人似的——。

趙：　難怪很多朋友說我旁若無人呀！

露：　你一點也不注意我叔叔，嬸嬸！

趙：　要注意他們幹甚麼？

露：　他們愁眉苦臉，好像剛剛兒他們的爸爸媽媽死了似的！

趙：　她們的爸爸媽媽？那豈不是你的祖父祖母？他們不是老早就死了嗎？

露：　當然老早就死了！

（何夫人推門入，包仁翰夫婦也隨入）

何：　甚麼人老早就死了！原來你們知道有誰死了，大家都沉着臉吃飯，不告訴我一聲，仁翰：有甚麼朋友親戚死了，你怕我傷心，不敢告訴我？

仁：　（如在夢中）沒有死！沒有死！糟就糟在他並沒有死！

何：　仁翰！你在做夢嗎？你說甚麼夢話？

仁：　姑媽，對不住！我不知道心裏想着甚麼，沒有聽見你老人家問我甚麼話！我不知道亂講了甚麼！

何：　我問你有誰死了！最近有誰死了，你不敢告訴我！反正我看得出來，你心裏有事，瞞着我沒有對我說！

露：　姑奶奶，沒有誰死了，我們家裏添了丁，叔叔高興得了不得，忘了告訴您呢！

何：　添丁？我們家裏要添丁？（趕快去把包太太拉了來，察看她的肚子）怪不得仁翰媳婦吃不下東西？有幾個月了？仁翰，你怎麼不早告訴我呀？

露：　不是嬸嬸！是阿花添了七八個小狗兒，叔叔高興得糊塗了！　⑲

聽雨樓舊稿

·張夢機·

陽明山麓廿三初度

坡陀東去類奔鯨。門對危崖勢東橫。偶爾詩書當簟枕。有時星斗作碁枰。博殘此日拚孤注。鹿走中原待一爭。嘯嗡可能搏大塊。上窮碧落下滄瀛。

初居草山寄懷芹庭

過眼繁花一晌休。名山暫任馬蹄留。簷牙雲氣常淹榻。天畔笳聲欲破秋。與竹相憐心澹泊。推愁不去月綢繆。何當借得明駝足。蹴遍燕雲十六州。

新廿五經

爸爸經

馬騰雲

做爸爸的除了瞭解自己的立場，明瞭如何教誨兒女外，要把太太的地位也得認清，夫婦並不是有甚麼骨肉之親，有愛就會親近，不愛就會疏遠，萬不可以將自己的太太置在冰箱裏，本身又去找熱門交際花、舞女、酒家女，乃至於有夫之婦的人，有風氣在台灣幾成了家常便飯，貪淫嗜賭，皆邪辟之流，終必無惡不作，喪身敗德，歷觀不爽，故特別值得指出，很多美滿的家庭，因丈夫這種等而下之的作風被毀滅了，某民意代表能將酒家女贖到家裏陪伴客人玩樂，兒女的臥房臨權充陽台，不擇手段祗求目的是達到了，玩官們對這個樣的民意代表當然支持。可是自己的兒子去拈花惹草，老太爺用氣得暴跳如雷七竅生烟，筆者因參予排解糾紛，而略知其事，這個樣子的爸爸怎麼要得呢？也有很多「太太萬歲」的朋友，把太太捧成爲維多利亞女皇或如希臘女神維勒斯，乃至於活像前清的太后老佛爺，這又是一種心理上的變態，這種人可能在色情上有甚麼毛病，因爲這樣做會給兒女留下一種反常作用，如果不及時改正，等於家庭間危險信號，同時要提供注意的，男人當家一般的說，小事糊塗大事不糊塗，女人呢，易犯小算大不算的毛病。

談到修身、齊家、治國、平天下，這一套理論出自「大學」，大學十章，重在理財，家和國一樣，財未搞好，很多的毛病，都跟着來的，國家的財，不能讓通貨就會膨脹，經濟常有問題，債一多了，閒話就上門，古人造字「債」係「責」「人」所併成，頗耐尋味，含有債權人指責人，債務人，被人指責之意，孔夫子說：「生財有大道，生之者衆，食之者寡，則財恒足矣。」生財有大道者，照今日解釋就是不走私、不漏稅、不貪汚、不販毒，不假出口眞退稅，不參予黃豆案，不僞造假鈔票，不當司法黃牛。食之者寡，指家庭吃飯的人要少，就是少雇男女傭工、忌海派作風擺排場，生之者衆，即賺錢的人要多，像台灣人做生意，商店家庭化，船底上不漏針，這樣的作風，家庭的經濟自然充裕，經濟爲家庭安定的主力，做了爸爸的人怎能不去善爲處理呢？（下）

自由報

第八九二期

中華民國僑務委員會頒發台港新字第三二三號登記證
內銷證內備警台報字第031號
中華郵政台字第一二八二號執照
登記為第一類新聞紙類
（半週刊每星期三、六出版）
每份港幣壹角・台灣零售價新台幣弍元

社長李運鵬・督印黃行奮

社址：香港九龍登打士街91號十樓六座
91 DUNDAS ST, 9th FLOOR,
FLAT 6 KOWLOON H. K.
電話：857253　電報掛號：7191
承印者：大同印務公司
地址：香港北角和富道九六號
台灣總管理處
中華民國（台灣）台北市大同街119號
電話：555395・557494
台灣分社：台北市西寧南路110號二樓
電話：三〇三四六
台郵撥儲金戶九二五二

勞工保險法施行細則應否由地方政府擬訂

・李槃・

最近內政部為擬訂勞工保險法施行細則問題，召集台灣省府社會處首長暨幹部們開會商討，而省方出席人員因爭持這項細則應由地方政府全權擬訂不遂，憤然退席，不歡而散。究竟是非安在，我們基於輿論界的職責，不能不據述客觀的評判。

立法院通過的勞保法，明白規定本法施行細則由中央政府主管單位擬訂，是合理的。因為這是全國的法令，它的施行細則祇能由中央主管機關，參酌全國各地區的實際情形，妥為擬訂，有些地方不妨採取彈性規定，以期適應現實環境的需要。如果任由地方政府各自為政，是其所是，將使母法等於具文，甚且弄得面目全非，成為子法—即施行細則—的殉葬品，這種事實早已數見不鮮了。目前中央政府政令所及之處，雖然僅在台灣一省，但國家主權應該遍延及於全國各地區，而其大經大法自須有放諸寰宇而皆準的本質和精神，才算妥當。

台省社會處所持理由，認為勞保業務的經費既由地方負担，則其施行細則即應由地方政府自行擬訂，這是不合邏輯的說法。果若是，那末，各縣辦理勞保事宜的經費係由縣府籌措的，縣府亦就可以自訂施行細則。再說中央政府的收費皆係全國各地區人民納稅供應的，各省市政府對於中樞頒佈的一切法令，更應該自訂施行細則，各行其是了，這還成甚末體統呢？

所以，內政部召集台省社會處人員會商勞保法施行細則問題，原為顧慮地方現實情形，集思廣益，以免有扞格難行之虞。地方政府儘可提供意見，詢謀僉同，參預擬訂細則之役，却不能無視國家法令的明文規定，排斥中樞主管機關依法行使職權。在會議中就事論事，堅持己見，反復辯駁，均無不可，不宜悻悻然掉頭退席，不屑與議，有如外交使節跟外國政府談判外交問題，就主張不遂即宣告談判破裂，斷絕邦交。這不但是失態丟醜，根本就目無法紀，駭人聽聞！地方政府斥資辦理勞保業務，便可以反對國家法令的明文規定，然則地方政府的錢并非官吏破私囊而來，乃係人民繳納的，人民對於地方政府頒佈的法令，亦是否可以拒不接受，而要求自訂施行細則呢？若以籌措經費的理由，為爭奪行政權的，那末，中央財政部更可以否定立法院通過的法令規定，另作主張了，這不是笑話嗎？

尤可怪者，台省府主席對其僚屬社會處長在內政部宣告退席之後，不予顧全大體，從中疏解，竟致函內政部同意社會處長的失態行動，認為勞保的施行細則應由省自行擬訂之。這無異承認「退席」之舉是仰體主席意旨而然的，即表現台灣省府頗有「獨立王國」的作風，殊堪驚詫！

當立法院審議勞保法案時，對於施行細則應由中央機關或地方政府擬訂問題，省府自可陳述理由，藉供參考。法案既經完成立法程序，正式頒佈了，即祇有依法辦理，以覘績效如何，縱有窒礙難行之處，亦應遵循法定手續，交由立法機關復議修正，這是「法治」常識，地方政府沒有任意背棄的權能，換言之，即使是一種惡法，也不能由地方政府隨便變更的。若以地方負担經費為理由而要剝奪中央機關的法定職權，則經費如改由國庫支付，地方政府是否即遵奉法令實施無違呢？果若是，那便不成其為法治國家了，烏乎可哉！

在會議席上因主張背馳，沒法獲致協議而宣告退席的情形，並不稀奇，但其參加會議的份子，必係地醜德齊，互不相屬的單位代表，如民間各種職業團體之類是也。至於地方政府與中央機關，論體制，都是國家的行政系統，講地位，省府社會處原係受內政部指導監督的下級機構。雙方為着會商政務，即令意見距離甚遠，無法協調，亦祇能宣告休會，徐圖補救，下級機構的出席人士，決不宜表示「退席」的威脅行動，蓋既悖「同寅協恭」之義，亦非「奉公守法」之道，狂妄驕矜，罔知分際，此風決不可長！否則上行下效，將來省府召集全省行政會議時，縣府代表亦一言不合，即憤而宣告退席，繼踵前修，行嗎？

談到國家法令的一般施行細則問題，我們認為總以由中樞擬訂而具有若干彈性規定為宜，否則子法與母法的出入必多，甚至於使母法的作用完全喪失，亦非意外之事。根據過去若干年來的事實經驗，省級政府所訂定的單行法規，每與中央頒佈的大經大法或行政通令相違背，形同聯邦制的政體，實在不足為訓。記得五六年前，行政院於調整公務人員待遇後，通令各級行政機構，不得再發「年終獎金」，然台灣省政府依然通告所屬公務人員，照發「年終獎金」不誤，我行我素，視上級政令如無物，政治紀綱敗壞如此，亦未聞職司風憲的台諫御吏有所糾舉，可見今日省級社會處與內政部會議時，公然出以「退席」的敵對行為，積習相沿，由來漸矣。這種政風之釀成，對國家有害無益，而其癥結所在，即係一般行政幹部少讀詩書，不識大體，昧於為政的義理，任性使氣，逞快一時，我們期期以為不可，希望秉持國鈞者知所警惕，急起糾正而整飭之，幸甚！

狐狸藏不了尾巴！

侵略者的眞面目！

昨日與明日

最有效的施政
勉沈之岳局長

中華民國政府在台灣有兩大敵人：對外，是匪諜的滲透，對內是貪官污吏對國家的危害腐蝕。司法行政部調查局沈之岳局長便認清了這兩點肩負肅清這兩大敵人的重要任務。老實說，這項認識和工作方面，都非常正確。毫無人性殘民以逞的共產黨徒，當然是我們的敵人，自應積極防止他們滲透和陰謀；而內在的敵人，政治上的貪污份子，有如身體內的癌病細胞，危害民族生機，更為可怕和可恨，應當不斷揭發和痛懲，而且還要應當毫不留情地揭發和痛懲。

卓越表現

愛國志士，善良公民對沈之岳局長以及他所領導的調查局的欽佩。因為不僅他們的工作方向正確，他們的工作本身更有卓越的表現。年來有許多大的案子，都是調查局的傑作，譬如立監委員徐君佩、孫玉琳等人的貪污案，最近嘉義地院檢察官曹祖懿的貪污案。他們敢在太歲頭上動土、敢打老虎，而不僅拍蒼蠅，能夠為老百姓伸冤出氣、能夠替社會主持公道，伸張正義，更能夠為政府整飭紀綱、整肅政風。他們提高了政府的威信，證實政府當局有肅清貪污，勵行清明政治的決心，也健全了政府內部的組織，增加了對敵人作戰的力量。他們對國家和民族的貢獻，眞是夠大的。

起用青年

司法行政部調查局的工作，何以會有如此的卓越表現，原因非祇一端，其中一個主要原因就是這一機關充滿了新血輪。他們任用無數大學剛畢業或畢業不久的青年。這些青年篤信三民主義徹底服從領袖訓示，充滿朝氣幹勁，滿腔熱血正義，不畏權勢，不受利誘。所以，他們的工作效率特別高，也做得非常徹底。我們在報紙上常看到：某某貪污案經某某站的檢舉的消息，多半是這些青年的傑作。

一個希望

除惡務盡。我們希望沈之岳局長和他所領導機關調查局繼續以往大刀闊斧的作風，對匪諜和政治上貪污份子，作更澈底的整肅與檢舉。貪污份子為了個人生活享受，犧牲國家民族的利益，也是犯其他善良公民的權益，危害國本，削弱國家作戰的力量，實是反攻復國的絆腳石，最使人痛恨不過。政府紀綱所在，不容縱容；而不肖司法人員如曹祖懿之輩執法犯法，更令人痛恨。社會風氣日頹，貪污之風也日熾，我們建議：調查局工作同志如能深入民間和各地司法監獄，暗地探訪，必有更多的發現。我們衷誠期待調查局青年英雄們偉大傑作的來臨。

自由談

義務之謂何？

台灣最近實施九年國民義務教育制，各個國民中學於學生入學時，收取學雜費在千元左右，其中名目繁多，除各項正規費用外，尚所謂「補充教材費」，「尊師費」「教師福利金」等等，且規定中英文字典每人須向學校購買其所指定的出版品。因而輿論譁然，監察委員提案糾舉。中樞與地方教育行政機關明令查禁此項不合理的收費方法，聲言違者嚴辦，像煞有介事。

既係「義務教育」，原則上即不應該收費，今則「義務」其名，而收費與一般私立學校相埒，根本就違背了義務教育的宗旨。雖因國家財力支絀，一時不易負荷這項「義教」的經費，迫不得已而向學生家長徵收一些費用，亦應視私立學校的收費為低廉，否則不啻是對九年國民義務教育政策的一大諷刺！

據說，教育行政官署儘管下令禁查各個國民中學濫收學雜費，然禁者自禁，收者照收，造成既成事實之後，也就沒人過問了。行政官署既有三令五申的公文檔卷可稽，萬一監察機關要調查責任所在，則公文檔案即係鐵證，與主管官署當然無涉。夫是之謂超級官僚主義，早有例證存在的。

過去曾有某私立醫藥學院，自由設置「齒模訓練班」，須發結業證書，教育部嚴令查禁，指為非法，實事求是，可謂毋忝職責。然所謂齒模訓練班的結業典禮照樣舉行，證書照發不誤，主持人并未受到絲毫的究處，但主管官署在公文上確屬無懈可擊，善哉哉哉！

以彼例此，則今日各個國民中學之濫收學雜費，將來結果如何，思過半矣。至於學生家長之鼓噪抗議，台諫御史之仗義執言，那是一時的空氣，事過境遷，自然存而不論了。

辦教育而以貪取財貨為本，這是罕有的奇聞，民德澆漓，官箴敗壞，國本隨之腐蝕，國運即相應危阽，吾思之，吾重思之，心憂氣結，乃不能已言於此！

馮五先生

消除十七年內部紛爭
民社黨團結將實現
第三屆全代會籌商經過 估計本月底前大會揭幕

本報記者董尚書台北消息：醞釀將近三月之民社黨第三屆全國代表大會，盛傳如內部果能竭誠合作，再無其他阻滯，將於九月十八日該黨黨慶日舉行。茲經記者探悉，前項預定開會日期，又將拖延，因代表名額，各派爭持甚烈，尚須協商故耳。惟據該黨某有力人士聲稱：「民社黨第三屆全代會，已有七成希望可以開成，時間將至九月底，現該黨另一派要角蔣勻田急待赴美講學，其夫人楊女士已先啓程赴美，蔣去美將留二年為期，蔣曾語人：「黨能團結成功，達成大會目的，彼即不在國內，亦無所顧及。」至該黨內部分裂自民國四十二年開始形成，十七年於茲，初由兩大派之蔣勻田所領導之八常委派，另一派由已故該黨元老徐傅霖所領導之徐派，後來徐派之中央組織部長向構父因與部份人士意見相左，乃脫離徐派，自組中央改造委員會。此即係該黨由團結一致而演變為兩派，再由兩派分歧為三派之後，內爭劇烈已甚，任何一派所提之主張，均無法得到兩派之贊同，有時也因某一事件而有合縱、連橫局面之出現，但也難以達成組織一體，不過貌合神離維持眼前一時而已。最後仍復各行一是，互不讓步。遠在美國的該黨主席張君勱深覺其所締造之民主黨形成三派局面，不僅無補時艱，並有礙反共抗俄大業，便於五十一年於該黨分裂十年之時，自美國加州致函該黨元老金侯城、戢翼翹兩人，請其與各派全面協商，以期促成民社黨全面團結，金等以其元老地位兼以奔走斡旋之功，終於達成協議使命，三派之士在表面上各允捐除成見，共謀團結，以濟時艱，一時間頗有分久必合團結中興氣象，同時政府及執政黨方面，也曾挽請社會賢達數人及國民黨內素以排難解紛著稱之有力人士多人，出面斡旋，代為協調終於促成三派合作組成之團結委員會。但各派內部成見仍未澈底消除，紛擾未息，其時蔣勻田適赴美講學，未曾實際過問團結委員會之事，其餘人士，歧見互出，因此團結委員會僅有團結之名，並無團結之實。另有一部份未能插足於團結委員會之內的人士，心有未懷，乃又有組「統一委員會」以與「團結委員會」相對抗，自是又復呈現四分五裂之局面，以致近六七年來，民社黨形成沒落之勢，無論黨內黨外，均表示惋惜！

據悉張君勱本年六月二十七日經過一番愼重考慮，再由舊金山以該黨主席身份，寄函該黨在台主要人員，委托蔣勻田、向構父等迅速召開全黨第三屆全國代表大會，以結束分裂十六年之局面。原函有云：勻田弟：六月七日，中一、緝之弟函已悉。此次全國代表大會之召開，出諸勻弟之努力，則弟出國以後如何委托各人，亦即副主席問題，為根本大事。勱曾問中一誰為主腦，中一答：「在公認之制度中黨務處理，自有可循之道，不患無主腦也。」船有船主，機有駕駛員，皆有名姓可指，倘以「自有可循之道」之空言搪塞，他日必有後患，望必愼之！勱去國十餘年，無法函牘處理黨務，況去函之後，均有「不可公開」之答語，試問如此隱藏局面下，相隔萬里，如何有處理之可能，若依中一函告已得弟同意之名單，照樣抄錄才可發表，至於召集人才，由弟接洽後由代表大會籌備自己選出，此與弟自己拉攏而異為可以有所左右也。

「茲委托戢翼翹、向構父、蔣勻田、郭虞裳、王世憲、李緞、楊毓滋、黃孟剛、余仁美、黃森、樊緝、王西滿、廖程文熙、劉中一、成開勳、張仲競存、謝漢儒、羅笑才、李秋遠、歐陽謙、楊金虎、劉道行、劉謀、崔心一、楊光揚、劉家麟、王漢生、王培基、陳九如、曹成伯、劉溢平、陳志貞、蔡家聲、李華褚章、孟昭麟、黃玉嬌、李志衡、梁友衡、汪振華四十一人。本黨第三屆全國代表張君勱六月二十七日。」

「中一有言如下：『師復競存函，有命勻田、世憲，重回團結委員』之說，勱腦中無團結委會之名詞，如何能有命弟回團結委會之言，此為中一緝之弟函中屢次提及之事，故順筆及之，即請福安。張君勱手啓。六月二十七日。（千萬開成，如有不同意者，不發表可也），蔣勻田接獲張君勱此一函件後，確曾為民社黨團結奔走努力，因張函雖提出四十一位籌委名單，但要蔣勻田負責，因此又引起其他在黨內資歷上不下於蔣勻田之人士之不滿，故蔣在籌備工作上，不免遭遇困難。當蔣持張函首先向構父、郭虞裳等人交換意見，並希望由團結委員會除將本人外之向構父、郭虞裳、王世憲、李緞、孫亞夫等五人出面，邀請全體被委托之籌委敘餐，藉便討論團結籌開全代會問題，詎向、郭兩人均未表持，且云：「君勱先生既囑閣下負責進行，似可由閣下一人出面即可……。」蔣勻田乃獨自邀請籌委座談，即在七月十七日，當時僅出席三十一人，戢翼翹則以體衰為辭，向構父、郭虞裳、李緞、黃森等則以其他慮尚暫不顧參加該次座談，但與會人士對籌委名單仍多歧見，且向、郭等人之婉辭參加座談會，其主要原因，係由於張君勱所出之四十一位籌委名單中並無孫亞夫在內。外傳此係張君勱對孫亞夫之不滿所致，固非漏列。據說孫亞夫曾於八月初致函張君勱表明心跡，並有其他人士聯名函張為孫斡旋開脫，已得張之首肯，雖未逕函補列孫為籌委，但張亦未再否定孫亞夫之以團結委員會召集人之一身份而參加全代會之籌備，可證張君勱已對其及門弟子孫亞夫前此之不適，經此次疏解後，已獲諒解。故八月三十日之再一度集會，向、郭、蔣、王、李、孫等六人均曾聚首一堂，且決定於九月十八日召開三屆全代會。但據最新消息，仍有問題須待協商解決，故勢必延期，但據樂觀人士期望至遲九月底可以開成，否則將來之演變如何，實難加以預料。

國財局北區辦事處被控
違法剝奪農民權益
不續租承租耕地標售後又不補償
監院指為失當提案糾正

（本報記者竹君台北航訊）財政部國有財產局台灣北區辦事處對於農民高火泉承租之國有耕地，不予續租，且於標售後又不予補償，剝奪農民權益，有違法失當情事，監察院特依法提案糾正，茲將其事實經過於次：

陽明山北投鎮頂北投段十八份小段土地三筆原為國有耕地，在日據時期即由農民高火泉租耕，台灣光復後，高火泉經向陽明山管理局繼續租用，旋由財政部國有財產局北區辦事處接管，高火泉仍請續租。該辦事處初於五十五年十月間，通知檢附原租約等件送辦。嗣將該兩筆，分割為八筆，除其中一等六筆係坐落都市計劃範圍內，依照規定應列供建築使用外，其餘坐落都市計劃外之兩筆原應准高民續租耕用。其四八五號一筆，亦在都市計劃外，該處未再分割亦應准續租。但該辦事處以高民有將一部份土地轉讓與陳興泉及高賢聰等耕種情事，認為高民違反三七五減租條例第十六條規定，所訂租約應為無效，均不准續租。

高火泉以：①所指轉讓與陳興泉者，因陳興泉在幼年十一歲時，父亡母盲，貧苦無依，即由乃父扶養成人，無異家屬，於民國三十三年間，年二十二歲有耕作能力時，雖以一部份土地交其耕作，但仍在該民管領之下，租谷由該民彙繳，並未分割，不能視為轉租轉讓。②所指轉讓與高賢聰者，高賢聰係該民之侄，向係同財共炊，並有戶籍可稽，更不能視為轉讓。雖經檢同里長出具之證件及戶籍謄本等，向該辦事處陳情，該辦事處未予置理，於五十六年五月間將本案土地屬於都市計劃內部份登報標售，其中高民交由陳興泉耕作之土地即包括在內，陳興泉復一度以耕農身份要求停止標售，亦未獲准，終於標脫，其未列入標售者，雖仍由高民耕作使用，但並未續訂租約。

茲據高民控訴該辦事處有違反三七五減租條例及剝奪農民權益。①：本案耕地租期雖約定自民國四十七年七月一日起至民國五十三年六月三十日止，但迄今仍由民耕作使用，從未中斷，前管理機關陽明山管理局於租期屆滿，仍任令民繼續使用收益，並未為反對意見表示，依民法第四五一條規定顯已形成不定期租賃關係，根本無該條例第十九條租約期滿之適用。②倘依該條例第十六條第一項規定「承租人應自任耕作，不得將耕地全部或一部份轉租與他人。」又依同條第二項規定「承租人違反前項規定時，原訂租約無效。」故不論民並無轉租情事，即令分給家屬耕作，同條第二項但書規定「但在本條例施行前已發生者，其轉租部份，由現耕人及原承租人分別與出租人換訂租約至原訂租約期滿之日為止。」按該條例係於民國四十年六月七日公佈施行，而分給陳興泉耕作之一部份土地，係民國三十三年間，自有該項但書之適用，乃該辦事處竟指為租約無效，顯屬違法行為。」「依行政院頒佈之現行國有財產處理辦法第十九條第一、二兩項規定，實施都市平均地權範圍內之出租國有耕地，應讓售與原承租人，以三百坪為限。其餘收回標售，但應對承租人，補償耕地特別改良費用及地上物費，並按該項耕中報地價三分之一為準，酌予損失補償，本案土地，既據該事處認定四七六——二、四七六——四兩筆，係坐落都市計劃範圍內，應按建地處理，予以標售，[illegible]

[illegible] 以符規定。監院爰依監察法第二十四條規定提案糾正，送請行政院迅飭注意改善。

罷免選訟一審終結
使冤抑者難獲伸雪
監院提案糾正送請政院改善

本報記者竹君台北消息：監察院公告其內政司法委員會簽報：為台灣省各縣市公職人員選舉罷免規程，規定選舉罷免訴訟一審終結，不得提起覆審之訴，使冤抑者不能獲得伸雪之機會，亦有礙於民主法治精神之發揚爰請注意改善一案，業經聯席會議審議通過，理合簽請警核，請移送行政院督飭改善。茲誌糾正案文於後：

查台灣省各縣市公職人員選舉罷免規程第八十二條規定：「選舉罷免訴訟法院依左列之規定：一、縣市議員選舉罷免無效訴訟，由高等法院或其分院審判，當選無效，罷免案通過無效或罷免否決無效訴訟，由該管地方法院審判。二、縣市長之選舉、罷免訴訟，由高等法院或其分院。三、鄉鎮以下各種選舉罷免訴訟，由該管地方法院。」前項選舉罷免訴訟，以一審終結，原告或被告不得提起再審之訴[illegible]審判者，應採合議庭審理之。」按該規程，對此等選舉罷免訴訟之所以規定一審終結，原為避免一般三級三審之耗費時日，進而影響地方自治之政務工作，但縣市長、縣市議員、鄉鎮長、鄉鎮民代表等，均為地方自治之重要人員，經公民投票而產生，亦即代表當地民意之所向。而民主政治之真締，無法在尊重民意而已，故對選舉罷免訴訟之訴訟，不可不加慎重。

今該規程規定，此等訴訟，無論由高[illegible]

吳敬恒先生年譜（十九）

陳凌海編撰 陳洪校訂

袁夫人抵英後，先生及其眷屬居倫敦撥討西之皇后街（Queen's Rood, Battersea）。先生眷屬留英十七年之久。六月二十四日，國父致函先生有：「弟現在秘密行動中，無論中西各友已知弟到歐者，務望轉致，請勿爲張揚，並切不可使報館知之。」七月三日，先生偕孫鴻哲（揆伯）同赴巴黎。四日，先生謁國父。翌日與孫鴻哲等三人返倫敦。國父留巴黎月餘，由法赴比。旋於八月一日偕石瑛（蘅靑）抵倫敦。翌日，國父至先生寓所晤談。袁夫人親自做菜，招待國父便飯，國父一嚐江南風味之後，連稱：「難得」。國父與先生父子合影留念。八月十八日，國父自倫敦赴鄉。先生欲留國父便餐未果。二十二日，國父返倫敦。九月四日，下午先生與國父同至博物館寫票。九日，先生與國父同餐，並訪日本使館。十五日，先生晚謁國父，見胡漢民（展堂）致國父函。十七日，國父與孫鴻哲同在先生寓便餐。二十七日，先生又謁國父。翌日國父再訪晤先生。三十日，先生再趨謁國父於其寓所，而國父已行矣。先生遂趕赴車站送行。十六日，先生知外孫鴻伯始，就任文明小學教員，教授英文。（文明小學係由文明書局創設。文明書局，於民國初年爲中華書局所併。）二十一日，送女公子詳赴考。二十五日，公子芙進學校。新世紀虧累日甚，張人傑致函先生辭職，將由先生善其後。十月三十日，章炳麟（太炎）、陶成章挾私見，對國父大肆詆毀，誣國父藉革命騙財。國父爲闢謠解惑，特致函先生，請於新世紀代爲主持公道，將事實昭告於世，俾使各地華僑，認識眞相，消除疑惑。

民國紀元前二年——淸宣統二年，庚戌（西曆一九一〇年）先生四十六歲。

先生所譯北極稿，經重新整理完竣，寄上海發表。元月十七日，接表兄陳育（仲英）書。知襟弟馬程千母逝世。二十四日，公子詳進小學就讀。三月二十日，公子詳始治報。先生親授女公子芙英史。先生於二三月間，先後譯竣慧星，種源（物種原始），北冰洋、馬來亞羣島，倫敦，天演學圖解等稿。嗣後又譯英國麥開柏著荒古原人史。

人人稱賢的疏廣叔侄

歷史人物漫談

劉子清

叔叔是太子太傅，侄兒是太子少傅，叔侄二人同時是太子的老師，後來也同時請歸者老鄉。這叔侄二人便是疏廣和疏受。

疏廣字仲翁，東海蘭陵人，（今山東嶧縣）年少好學，研究春秋經傳很有心得。初以教授爲業，學者有很多自遠方慕名而來的。

漢宣帝聽到他的名聲，便徵召他爲博士，旋又拜他爲太中大夫。地節三年，立皇太子，（太子即後來的漢元帝。）選丙吉爲太子太傅，以疏廣爲太子少傅。幾個月之後，丙吉調任御史大夫，疏廣即升爲太傅。疏廣哥哥的兒子名受字公子，也因爲賢良而被任爲太子家令。有一天，宣帝至太子宮，受迎謁應對，辭禮閑雅，宣帝很欣賞他，旋即拜他爲太子少傅。

太子外祖父許廣漢，以爲太子年少，特請派他弟弟許舜監護太子家。宣帝問疏廣的意見，廣對曰：「太子國儲副君，師友必於天下英俊，不宜獨親外家許氏。且太子自有太傅、少傅，官屬已備，今復使舜監護太子家，視陋，（意謂示天下以淺陋。）非所以廣太子德於天下也。」當時宣帝以爲疏廣的意見很對，許廣漢所請以舜監護太子事，即作罷論。疏廣之所以被稱爲賢大夫，由他這番話裏面也可看得出來，這豈是一般官僚鄉愿所能說，所敢說的嗎？

疏廣叔侄任太子師保五年，太子至十二歲，即能通曉論語、孝經。有一天，廣謂受曰：「吾聞知足不辱，知止不殆。功遂身退，天之道也。今宦成名立，……父子相隨出關，歸老故鄉，以壽命終，不亦善乎！」受叩頭曰：「從大人議。」於是叔侄二人，都稱病請辭職。宣帝以其年老而又有病，就都批准了，並賜給黃金數十斤。如果是貪戀祿位的人，眼見太子遲早要做皇帝，那時候疏廣叔侄當然可登宰輔之位，現在怎肯退休？何況他們當時可能還未到人生開始的年齡。

疏廣、疏受自長安起程東歸之日，公卿大夫，故人邑子，設宴餞行，送者車數百輛，道路圍觀的人，都說：「賢哉二大夫！」還有嘆息流淚的。廣既歸鄉里，每日令家人設酒食，請故舊賓客，與相娛樂。有人勸廣爲子孫買點產業。廣曰：「我豈老誖，不念子孫哉？顧自有舊田廬，令子孫勤力其中，足以供衣食，與凡人齊。……賢而多財則損其志；愚而多財則益其過。……吾既無以教化子孫，不欲益其過。」於是族人悅服。廣受二人，後皆以壽終。

古人有「遺子以金不如遺子以經」的名言，疏廣不爲子孫多買田產，也是這個意思。至於疏廣以爲不管子孫賢愚，都不應多財的話，尤見精闢，而爲千古所傳誦，他是當之不愧爲帝王之師。

本來錢財祇有兩項用途：一是生活所需；一是事業基金，此外則毫無意義了。聚財而不散，也許如石崇一樣會招致殺身滅家之禍，也許遺給子孫以無窮之災。疏廣不以錢財遺給子孫是很對的，但他散財之法，似嫌過於消極。如果拿來興辦教育，獎勵義行，修築道路，救濟貧病，則更有意義了。（完）

三日春秋

劉瑞恒栽在三步兩橋

· 厚安 ·

在中國西醫當中，劉瑞恒氏資格算是最老的了。今天在台英美派的醫師，他是前輩，即在世界各地的醫藥界中，他亦是領袖人物。

他生前有一則故事。

他在南京當衛生署長時，署內有一位科長的太太生產後，腹痛如絞，情況十分危險。這位太太也在衛生署工作。因爲有重雙重身份，所以劉氏特別關照中央醫院的醫師，悉心治療。

誰知道越治越壞，一切冰鎭，止痛等等方法都用盡了，還是不好，都以爲無救了。劉氏就安慰那位科長幾句，不再管了。

隔鄰的人，看見西醫不再來了，就勸那位科長，不妨「死馬當作活馬醫」，請一位中醫看看。並說，此間（南京）「三步兩橋」有一個張一貼，能治這種婦科病。請來一看，連說「容易」，拿出一個黑色丸藥，索洋三元，並囑燒好稀飯等候。某科長並不信他。但把藥給太太服下後，說也奇怪，不到一小時，就覺肚子裏氣轉如雷，上了馬子，下了半桶瘀血，人立刻覺得神淸氣爽了，便要稀飯吃。第二天，再請張一貼來，千恩萬謝。他說：「這沒有什麼，下下『惡露』（即瘀血），是太簡單的事」，隨即包了兩顆丸藥相送，告辭去了。

第三天，某科長回署辦公，劉氏還安慰他不妨在家多休息些時，因爲在劉氏意想中，他的太太一定已經死了，這幾天辦後事夠他累的。某科長乃答以「報告署長，內人已經好了，再過一個禮拜，可以來上班了」。劉氏爲之愕然。從此，劉氏對中醫見解，爲之改變。周象賢氏在美就醫時，劉氏曾勸他回港看某中醫，即其明證。

西醫在治某太太產後症上所以有此失着，乃是因爲不承認有「氣」的存在。而實則「氣」乃的的確確存在，並可以運血。其實中醫所論，有些並不是不科學。過去法人主那圭在「人未知者」名著中所論各點，即與中醫所謂養心，順氣，平肝，息躁的道理，不謀而合。研究學問，不應存意氣，更不應有門戶。我對中西醫間的問題，所持看法如此，不知當否。（完）

陳才

竹羽

商人革命家。

歷史上以商人身份替國家出錢出力的不乏先例，但是，以商人而參加革命行動的，還屬少見。古人所謂毀家紓難，大不了也只是在物質方面去支持戰鬥行動而已，至於凜於大義，以救國家救民族而犧牲生命的，更是少之又少。

然而，在國民革命的奮鬥史中，我們便找出了一位商人身份的革命烈士來。他的名字叫做陳才，是廣東南海縣的蘇村人，出生於民國前三十年。當他二十一歲的時候，便到安南去，在海防異昌洋貨店做生意，儘管他對於做生意很有才幹，在商場上也還吃得開，但是，他對於這一行是志不在此的。因爲他是一個有志氣的青年，對於國家政治也很關心，他看到當時的國家受列強們的欺侮，而清政府又腐敗昏瞶，不能振作，每次和外國發生任何糾葛，都每每是訂立了喪權辱國的城下之盟，弄到國幾不國，實際上成了次殖民地，於是，便失去了全國人民的信賴，再加上那幾位當國大臣糊裏糊塗，西太后的干涉牽制，使政治愈加腐敗。於是，革命風潮，到處湧起。

陳才烈士這時在安南，極關心祖國的政治，在他看來，這樣的政府非革命不足使國家獲得挽救，因此，他便矢志參加革命，但苦於沒有機會。後來他得友人張福年的介紹，加入中國同盟會爲會員，於是他便正式成爲革命份子。

民國前一年，黃興和趙聲等先烈們，爲了狙擊滿淸的腐敗官吏，除掉革命的障礙，便在香港組織革命統籌部，計劃進攻兩廣總督署，準備來一次大規模的起義，估據廣州做爲革命的南方根據地。

這時，陳才烈士有事返國，剛剛趕上黃興先烈們的起義計劃，他大爲興奮，於是，他便留在廣州，在何克夫同志的領導下參加革命工作。香港革命統籌部派在廣州的工作同志，因爲行動疏忽，走漏了風聲，給滿淸的官吏知道了，便想安排羅網，來一網打盡。爲了這個原故，便開了一個革命統籌會議，討論是否依照原定日期起義，還是延期？大部份同志都以爲夜長夢多，與其拖延日期，使淸吏做更縝密的準備，不如用迅雷不及掩耳的手段，出其不意，攻其不備，也許還會有成功的希望，反正，革命運動是不怕失敗的，從事革命工作的人，尤其不應計較成敗利鈍。因此，終決定了「三、廿九」舉義的日期。

三月廿九日那天，黃興率領了一百多位同志，進攻兩廣總督署，陳才烈士也參加了這一驚天動地的革命行動。起先，清廷的官兵，都手忙脚亂，倉皇奔逃，革命黨人很快便佔領了許多重要據點，後來，淸兵增援，革命黨人因爲人數少，器械劣，處於衆寡不敵的情況下，便陷入苦戰。陳烈士雖是個商人，但作起戰來却是勇敢非凡。當淸兵像潮水般湧來，革命黨人且戰且退，轉戰到司後街，陳烈士忽然奮起神勇，衝殺敵人，不幸爲子彈擊中，倒地陣亡。事後他的遺骸由潘達微同志以同善堂做義舉的名義，與參加這次戰役殉難的其他七十一位烈士遺體，合葬於黃花崗，稱爲七十二烈士。

陳烈士英姿颯爽，額廣鼻高，眉眼灼灼有神，臉部表現着無比的沉毅，沒有一絲一毫做生意人的神態。

命相與夢話

吳佩孚談易經

· 公陶 ·

民十三年秋吳公對奉軍在山海關作戰後由海道繞漢口，十五年夏駐節鄭州，計劃繼續對奉軍作戰，爾時秦德純率四十七師駐鄭並兼警備任務，以職責關係，不時晉謁，某次謁見，報告防務後見吳公辦公棹上置易經一部，當時吳垂詢曰：「秦師長你會研讀過易經麼？」秦答以從前在孩提時代亦曾讀過，當時即不甚瞭解，如今戎馬倥傯，已廿年，並未作進一步的研究。吳說：「這裏有易經，你可隨便檢一段我給你講講」。秦即敬謹請示乾卦上九亢龍有悔一段，吳雙目烱烱向秦逼視曰：「亢之爲言是過於上而不能下之意，如果作事過於高傲或離開法度即謂之亢，其結果一定陷於有悔，這是字意的解釋，我再拿事實證明你聽，辛亥之役革命軍並無必勝的左券，是因袁項城聯合北洋七十二將領籲請淸帝退位，民主共和政體方告成立，假使項城以身救國以身許國，不鬧洪憲作皇帝，則項城的勢力雖至今存在可也，因爲他鬧洪憲作皇帝，所以全國討袁之師如風起雲湧，蔡松坡的反對是意料中的，陳二庵的反對，親親變爲仇仇，是意料之外的。因此項城之閙洪憲作皇帝，是項城之亢，項城之失敗以至於死亡，是項城之悔，道就叫亢龍有悔。」秦敬謹請益曰：「這種事例還有沒有呢？」吳說：「有的，段合肥繼項城掌握北洋兵權，因爲他主辦軍事教育有年，所以門生故吏遍中國，假若合肥公忠體國，秉大公，不作參戰借款來擴充自己的武力，消滅異己的武力，則民九直皖之役，自不會發生。所以合肥之閙參戰借款，擴充部隊，劃除異己，是合肥之亢，我們於民九揮師北上，將其摧毀，是合肥之悔，這也叫亢龍有悔。」秦益敬肅請示曰：這種事例以後還有沒有呢？」吳公瞪秦良久曰：「這種事到我們本身也是一樣，十三年之役，我們在軍事上並未失敗，祇因曹大帥的一般勢利幹部要想攀龍附鳳，希榮固寵，一定要擁護曹大帥當總統，於是賄買議員選舉總統，到了總統選舉成功了，而賄選的罪名也確定了，所以賄選就是亢，失敗就是悔，這也叫亢龍有悔。

進德十要（下）

・雲家・

浙賢秦潤卿傳家典則選錄！

五、勿氣餒

不論做什麼事情，只要堅定你的信念，把握你的主見，尤其在半途遭逢著甚麼失意的事，決不要氣餒，如是必有成功的一日。從前有一位歐洲國王，兵敗勢蹙，匿伏山林，心灰意賴，再也不想復國。偶然抬頭看見一個蜘蛛結網，正好結成一半，忽被狂風一吹，把蜘蛛絲吹斷，蜘蛛毫不在意，依舊吐絲結網。誰知結到半途，又給狂風吹個乾淨。如是接連多次，只見蜘蛛滿不在乎，再斷再結，再結再斷，直到最後，終於給他結成一個大蛛網，臨風招展，好不得意。國王目睹如此小蟲，竟有這般耐心，心中著實欽佩，自己的氣，亦隨之而旺。暗想小蟲尚且不肯氣餒，我爲一國之王，豈可因一時的兵敗，就此氣餒不幹。因此立刻下山，收拾舊部。與敵人決一死戰。果憑他的雄心壯志，不久便把敵人趕出國境，將失土全部收復。倘他氣餒到底，那末光復之功，再也不可復見了！因此想到楚漢爭覇時代的項羽，一旦只敗烏江，就此自刎而亡，把天下白白送給劉邦。如果他的氣不餒，回到江東，收拾兵馬，像越王勾踐的十年生聚，十年教訓，又安知不能把劉邦覆滅呢。所以後人詠史，要慨嘆著：「江東子弟多俊傑。捲土重來未可知！」來代他可惜了。再看清代曾文正公，以湘勇戡平太平天國之亂。當時雙方聲勢相差懸殊，他兵微餉絀。而且處處有人掣肘。出兵之後屢次打敗仗。但他決不氣餒，決不灰心，穩紮穩打，步步爲營，結果成就大功；爲清代中興名臣。我人可以從這幾個例證裏，學到立身、處世、當大事的方法。

六、勿談人短

古人早說過：「人非聖賢，孰能無過。」其實做了聖賢，也決不能完全沒有過失，別人固不免有過失，自己也一般地有過失。伊索寓言說：「世人有二個袋，一在前面，一在背面。前面的袋，專藏別人的過失；背後的袋，專藏自己的過失。所以世人只見別人之過，不看見自己的過」。惟其如此，我們決不可侈談別人的短處。因爲你談人短處，人也一樣會談你的短處，甚或因此積成嫌怨，惹起巨禍。所以漢代馬援誡兄子書中說得好：「吾欲汝曹聞人過失。如聞父母之名，耳可得聞，口不可得言也！」古人遺鐸云：「言人過於君子之前無益，言人過於小人之前有禍」。這均是明哲保身的金玉良言。

七、勿恃己長

勿談人短的反面，便是勿恃己之長。人偶有一技之長，切須善自保藏，不可到處暴露。呂新吾說：「露才是士君子大病痛。」便是這個意思。否則處處自炫其能，未有不惹人厭惡，甚或招人暗算。不但如是，不論幹什麼事，倘有以爲對此學有專長，輕而易舉，漫不經心，結果往往失敗，爲人唾棄。伊索寓言裏說龜兎競跑，兎子自認跑路是有看家本領，走到半途，看看龜尚落後大半，樂得睡一個中覺。豈知他一覺醒來，龜早已爬到目的地了。所以善泅的人，往往死在水中；善射的人，往往死在矢下；勇夫猛士，往往死在戈矛之前。惟有恂恂懦將，以及靜若處女的技擊大家，才克保住功業聲譽。吾人於此可以領悟到做人處世之道了。

八、勿驕傲

有眞本領的人，決不驕傲。凡驕傲的人，決沒有多大本領。史冊所載，因驕傲債事的人，眞是指不勝屈。又如稍爲有些身價的人，便處處看不起，這也犯驕字的毛病。禮記說：「小人貧斯約，富斯驕。」可見驕是小人的專利品，而爲君子所不取。所以孔子教人「貧而無諂，富而無驕。」老子也說：「富貴而驕，自遺其咎」。呂新吾說：「世間無一件可驕人之事。才藝不足驕人；德行是我性應分事，不到堯舜周孔，便是欠缺，便是可恥，如何驕得人。」清代如陸隴其，教人做人不可有傲態。曾國藩說：「天下古今之才人，皆以一傲字致敗。」俗云：「驕兵必敗。」便是這個道理。

九、勿妄求

諺云：「取不傷廉，施不傷惠。」又云：「知足不辱，知止不殆。」孟子說：「非其道，則一簞食不可受於人。」又曰：「一介不以與人，一介不以取諸人。」這就是教人處處要安分守己，不可妄冀非分，以自取辱。記得有一副楹聯云：「事能知足心常泰，人到無求品自高。」固然要做到這地步，大非容易。但我人退一步，只要做到不妄求，似乎並不甚難。所謂可以取則取，否則絕對不去妄自干求，如是自不致惹人厭憎，給人輕視。陶覺說：「濫用則多費，多費則多營，多營則多求，多求則多辱。」照此看來，人們必須節儉勤勞，淡泊寡欲，而後自然少求。

十、勿嚴馭下

馭下以寬，最能使人感恩，使人出力。漢代劉寬度量宏大，一日早起盛服入朝，婢女捧羹湯以進，忽然失手傾覆，把羹湯濺污了朝服。劉寬神色不動，問婢曰：「你的手給羹湯燙痛了嗎？」隨即入內去換朝服。他的寬厚，眞與他的大名相符了。還有楚莊王與羣臣夜宴，有燭滅　有醉漢牽引莊王侍妾的衣服。侍妾把醉漢帽上的纓絕去，就此告訴莊王曰：「使人酒醉，欲顯婦人之節，吾不取也！」乃令左右勿上火，傳令大家酣飲，個個都要絕纓，否則不歡。於是君臣一律絕纓，盡歡而散。後來莊王與晉國交戰，看看將被晉兵包圍，忽見一人在陣中奮身力戰，擊退晉兵，救出莊王，怪而問之，才知道那便是昔年被侍妾絕纓的一位臣僚。爲了當時寬容大度，今天竟救了自己的性命，這又是寬以馭下的好處了。（完）

事過境遷

三幕喜劇　熊式一

何：　胡說，怎麼你嬸嬸一下子會生七八個小寶寶！你這個孩子，你也不能把你的弟弟叫做小狗兒，一點規矩都沒有！這只怪你爸爸媽媽死早了，全讓你叔叔嬸嬸把你寵壞了！這麼大的孩子，甚麼事兒也不懂！你叔叔早應該替你找一個好婆家，讓你的婆媽好好的教訓教訓你！按說，你也應該早一點兒生孩子！

包太：姑奶奶！你老人家年紀大了，耳朵不大方便，沒有聽淸楚！她是說仁翰最寵愛的阿花，生了小狗兒了！

何：　我年紀雖然大，耳朵一點也不聾，聽甚麼也聽得淸淸楚楚的，你說仁翰最近納了寵，花點錢是免不了的事！像他爸爸——我哥哥——在外邊也偷偷的買了妾侍，不過只要生的是男孩子，也可以替我們包家傳宗接後，是我們的親骨血呀！不知道這個小寶寶生了多久了？假如仁翰知道這個小東西的的確確是他自己的孩子，不是外面的野種，那就好極了！你也用不着難過！

仁：　姑媽！你老人家聽錯了！我的阿花，前幾天生下了七隻小狗兒！（他用兩隻手指頭表示是七個）露西不服氣，故意說「我們家裏發財添丁了！

何：　生了七天了！爲甚麼不早告訴我，你應該早接了回家來，好請親戚朋友吃洗三酒呀！你的媳婦兒、樣樣都好，又賢慧，又會管家，又會做針綫，又能寫會算，可惜就只差這一點，不會養孩子！咳，世界上的女人，沒有十全十美的！今天我一進門，就知道你們小兩口兒鬧了甚麼小彆扭！不過這是大喜事，趕明兒個這孩子大了，也就不是和仁翰媳婦兒親生的一樣嗎？孩子在那兒？快抱來我看看！（摸摸口袋）你們誰快去替我找一個紅封套兒去！要大一點兒的！⑳

海嶠叢談

汪精衛專演政治悲劇（上）

諸葛文侯

汪精衛之聞名於世，以在北京謀刺清朝攝政王載灃案被捕下獄，而高吟「慷慨歌燕市，從容作楚囚，引刀成一快，不負少年頭」的詩句爲濫觴，海內外的中國知識份子，無論識與不識，皆稱讚不置。當時他之所以得保首領，並非由於他的供詞動人，而是綰領刑部的清室肅王耆善不主張多殺革命黨人。胡漢民爲營救汪氏，曾在南洋辛苦籌得不滿千元的欵項，與陳璧君取道香港，北上救汪，深恐財力不足，由陳璧君建議，赴澳門賭場一博，冀有所獲，結果反而輸去了二百元（見馮自由著革命逸史）。

辛亥武昌起義後，袁世凱初任清朝內閣總理大臣，釋放汪氏暨其他在獄的革命黨人，且對汪特加聯絡，命其兒子袁克定與汪締結金蘭之誼，共同組織「進德會」從事活動。迨國父辭去臨時總統，汪南下到滬，又與吳稚暉蔡元培李石曾等，擴大「進德會」組織，標榜「不作官，不納妾，不嫖賭」三大信條，輿論翕然歸之，而汪氏的清譽日隆了。

國父對汪的性格與才具，認識極深，終其身未曾教汪担任過實際政務，唯不時派他作代表向北洋軍閥巨頭接洽游說而已。汪亦僅以黨人兼廣東教育會長資格，揖讓周旋於革命陣營之間，保持不作官的宿志。實際上，汪的政治慾甚强烈，只因國父在生時無從發抒，不得不隱晦以俟耳。汪固熱中功名，尤好居領袖地位，然一生總是扮演着悲劇人物，而一事無成，身敗名裂，死後埋骨的墳墓亦被剷平，吁可嘅也。

民國十四年國父逝世北平後，胡漢民以代行大元帥職權，論資望和革命勞績，當然具有政府領導者繼承人的完備條件，祇因蘇俄顧問鮑羅廷知道胡氏必不願受共黨利用，乃嗾使中共黨徒大捧汪精衛，謚之爲左派領袖，推他作國府主席，而左遷胡氏爲外交部長。汪胡原是多年的患難同志，交非泛泛，於公於私，此時汪皆不宜貿然被共黨置於爐火之上的，詎汪不度德量力，悍然漠視黨德與做人的風範，率爾僭居行政元首地位，甘作共黨工具。迨廖仲愷被刺案發生，汪與許崇智受任爲處理廖案的特別委員會委員，俄共鮑羅廷開列名單交特委會拿辦胡漢民鄒魯謝持等民黨元老，汪竟不置一詞，幸而許崇智表示反對，說這些人都是總理的親信幹部，沒有證據，不敢照辦。許是粵軍總司令兼廣東軍事廳長，共黨對他有所顧忌，否則胡等必難倖免殺身之禍，汪的品格即此可概見矣。

國府海軍局長李之龍是共黨份子，民國十五年三月十九日密謀叛亂，被今總統蔣公發覺拿辦，並將蘇俄軍事顧問監視究處，汪大不謂然，當面諷示蔣公辭職離粵，不遂，乃忿而聲言辭去國府主席職務，即日出國休息，然仍隱居粵垣，避不見人。他料定蔣公必不容易應付動盪莫安的局面，終將知難而退，非懇請他復職不可。否料共黨釀亂不成，鮑羅廷徒喚奈何，而蔣公對廣州治安（時兼任廣州衛戍司令）又措置裕如，中央黨部亦決定由譚延闓暫行代理國府主席。於是，汪氏弄假成眞，祇好黯然離粵，前往法國休息了。這是汪氏第一次在政治舞台上表演悲劇的一幕經過。（上）

猶太經

・鐵・

請客在未開飯前，端出甜品湯糰或者蛋糕餅乾之類敬客，可省三分之一的菜。

飯後用的西瓜水果，移在飯前吃，節省量同上。

一元到三元一兩的茶葉，和五毛錢一兩的茶葉末，味道沒有甚麼區別。

西瓜皮熬水，爲夏令最佳淸涼劑，少加白糖，與茅根茶同。

用下價的小魚，加油羌起鍋，放水稍煎，即成乳白色，極富營養價值的儁品上湯。

壁觀羅婆門—達摩

吳經熊著・吳怡譯

假如達摩和後代的禪宗之間，有任何關係的話，那可能是他運用反問法來開導學生，例如二祖慧可有一次問達摩：「我的心不安，請師父替我安心」？達摩反問說：「請把心拿來，我替你安」。過了好一會，慧可回答說：「我已尋了很久，可是找不出心來」。達摩回答說：「好，我已把你的心安好了」。

這是中國禪宗的第一次傳燈，達摩便成了中國禪宗的第一祖。他所運用的方法，是反問的典型例子，也是整個禪宗傳統的一大特色。達摩，像後代的所有禪師一樣，並不否定心的存在，但慧可拼命的要去尋，去安的心，並不是眞心，而是一種幻影。眞心是常安的，是思想的主體。當我們想到它，或要把握它時，便不是主體，而是客體，當然也就不再是眞心了。達摩告訴慧可：他的心已安，只是指示他眞心是常安的，無須再去安了。達摩要慧可拿心來，只是要他自己發現他所謂的心是虛幻的。這樣一來，由於祖師這種出人意料的話，喚起了學生的直覺，使他體悟到自己的眞心。

在西元五三六年的某一天，他感覺自己應該離去了，於是便召集學生們，要他們發表悟境。有一位名叫道副的學生說：

「依我的看法，我們應該不執着文字，也不捨棄文字，要把文字當作一種求道的工具來運用」。

達摩聽了後便說：

「你只得到我的皮」。

禪學黃金時代

自由報

第八九三期
中華民國僑務委員會頒發台教新字第三二三號登記證
內銷證內警台報字第031號
中華郵政台字第一二八二號執照登記爲第一類新聞紙類
（半週刊每星期三、六出版）
每份港幣壹角・台灣零售價新台幣弍元
社長李運鵬・督印黃行奮
社址：香港九龍登打士街91號十樓六座
91 DUNDAS ST, 9th FLOOR, FLAT 6 KOWLOON H. K.
電話：857253　電報掛號：7191
承印者：大同印務公司
地址：香港北角和富道九六號
台灣總管理處
中華民國（台灣）台北市大同街119號
電話：555395・557474
台灣分社：台北市西寧南路110號二樓
電話：三〇五四六
台郵撥儲金戶九二五二

當前經濟問題的管見

——從物價談到生產力的增加

·金紹賢·

最近物價的波動，引起大家普遍的注意。物價之所以波動，實有其複雜的因素的不是單純的由於加稅一端而已。爲了能有較深入的了解，以利問題的解決，謹將管見所及，論列如下：

第一、物價之波動有其遠因及其近因。先講物價波動之近因。有人指出，目前物價之波動，是受貨物稅加稅之影響，實際上現在不僅是貨物稅加稅，香蕉、洋菇、蘆筍等農業加工品，以及電話，電報、電燈、電力等，均加了稅。物價的結構，是相互關連的，如果其中有幾種物品價格因加稅而上漲，整個物價當然受其影響。同時，近年來貨幣供應量漫無限制的增加，也是物價上漲之主要原因。此外，失業問題也值得注意，現在台灣有一千三百多萬人口，其中只有三百多萬獲得就業。失業問題，顯然嚴重。其次就業增加率爲每年百分之一點九八，但台灣人口增殖率則平均每年均在百分之三以上，失業人口既多，而增殖率又大於就業增加率。這是一個相當嚴重的問題。

第二、物價上漲之遠因：台灣經濟之發展，非常畸形。在過去經濟部與其他有關機關對外一再宣傳台灣的經濟是如何的發展，進步的速度是如何的快速。但是，這種進步並不足以自豪，因爲我們經濟統計的基數低，所以比例數顯得增加得快，如與日本或美國比較，我們所增之數，實在微不足道焉。在這種不足道的情況下，我們有一種最不合理現像，就是消費膨脹，台灣是三等經濟，一等消費，而且這種現象，現在還是有一直往上長的趨勢。我們大部份的國民所得，都被消費掉，既沒有儲蓄，那有餘錢來投資呢？政府剛遷台灣時，那時由大陸來台開設飯館的，只有「三六九」一家，可是現在到處都是飯館、酒家，而且都是客滿。目前的台灣，簡直變成一個最大的消費區域。我們美其名爲發展觀光事業，其實一般消費者都是中國人。台灣經濟資源有限，而消費這樣膨脹，物價還有不漲之理嗎？然而主管官署卻始終熟視無睹，相反地政府卻在竭力提倡更高級的消費物品之生產，如電冰箱、電冷氣機、洗衣機、電視機等。台灣現在根本在處於戰爭狀態，像這種的盡情歡樂，豈不是錯把杭州當汴州，大有樂不思蜀之感嗎？因此我們應徹底檢討一下我們的經濟政策，不合理的消費膨脹，應迅速採有效措施，加以改善。物價上漲趨勢，也可藉以抑低。

現在保護政策也很有問題，照台灣一般情況來說，無論是公營事業，或者是民營企業，所以賺錢的生意，都不是憑本事賺錢，而大多靠政府之保護，賺取獨占利潤，有些人有一種錯誤觀念，以爲資本之形成，是靠資本家形成的。這種理論在資本主義國家可以行得通，我們是實行三民主義的國家，國父在民生主義中所主張的是均富，並不是讓少數人暴富，現在政府施行保護政策，使這些被保護的工業，不但賺去國家的關稅，而且加上獨占利潤。有的是一元獨占，有的是二元獨占，或者是多元獨占。何謂多元獨占？就是某一企業，聯合幾家同壟企業，用減產方式，以量制價之手段，達到獨占市場之目的，而賺取其所期望之最高利潤。老實說，我們現在所有被保護之工業，都是低效能的工業，根本不值得保護。可是由於外貿會的特殊保護，金融機構的大力支持，以及接受美援之助，而發了大財。因爲他們本身不會進步，抑且因將國家所有的資源及人吸收進去，妨礙了高效能工業之發展。因此，許多原來有利的事業，受低效能的工業之影響，變爲不利事業，其產品本可出口，現在使無法出口。比方裕隆汽車公司，永遠要靠政府之保護。要想叫他產品出口，可以說絕對辦不到。尤其莫名其妙的，是麵粉的價格在若干年來爲少數商人所控制，而經濟部却不加過問，「民以食爲天」，爲古之名言，經濟部對於少數商人控制麵粉價格，置之不聞不問，可說毫未盡到本身之責任。當然這幾年來李部長也做了不少事情，本人一非常欽服，但是這些都是表面上的工作。物價問題，關係到整個老百姓的生計，主管部門，不能只在表面上做一點行政管理，就算盡到職責。所以，經濟部與外貿會，應澈底加以檢討，以求改進，尤其對於獨占價格，應予控制，以免影響一般物價的不合理的上升。

此外，物價與貿易條件亦有關係，不能說出口多，就是經濟繁榮。共匪與蘇俄飢餓輸出物品甚多，你能說他們是經濟繁榮嗎？當然他們以人民爲魚肉，不任宰割，與我們根本不同，我們要談輸出，首先應講貿易條件，譬如出口五萬個單位物品，本可賣得十萬元，如果現在出口八萬個單位物品，而只賣十一萬元，這種生意我們便不應該去做，因爲這種貿易條件對我不利。我們要想推廣出口，應考慮到出口物品的有利價格，盲目出口，雖然賺了外滙，也不能說這就是好成績。

另外，關於在銷售價格方面，有所謂內銷補貼外銷辦法，也是一種十分不合理的自顧虧本的貿易條件。希望外貿會對於這個問題，特別加以研究改進。除此之外，外貿會還有一種所謂登記外滙，對於出口廠商，在滙率上給予特殊之優惠。這種登記外滙實際上就等於結滙證。因此我們的外滙名爲單一滙率，事實並非如此。這個制度是保護政策之分枝，也是虧本的貿易條件，更加重加考慮之必要。政府保護這些低效能工業，永久給予登記外滙，叫他用內銷貼補外銷辦法出口，以中國人的國民所得去補貼外國人，這種政策能稱合理嗎？

台灣生產力之不增加，爲一隱憂。我們現在雖說出口量大爲增加，可是所出口的大多爲農產加工品和手工加工品。這些加工品主要的是靠人工，我們農產和一般加工品何以大量外銷？就是因爲我們有廉價的人工。假定有一個國家，他們的政治上軌道，社會趨安定，以後因爲他們的人工更便宜，馬上就可以把我們壓倒。因而韓國總統朴正熙曾誇口，在三年之後，就可以壓倒台灣，這話並非亂講，而是很有可能的。假如我們出口的優越條件—廉價人工，被韓國打倒，我們還算什麽在國際市場上競爭呢？如果要想繼續在國際，必須增加我們的生產力。增加生產力的辦法，主要的要加速發展多用機器設備的高效能工業，培植出口能力，當然發展高效能工業，可能與就業問題背道而馳。不過如果眞正發展國家經濟，就業問題，也可能就此解決。[illegible]國人口比我們多十倍餘，現在尚感到人工之缺乏，由此證明我們國家經濟眞正發展之後，也會大量需要人工的。因爲生產力增加後，國家才能生存、只得空空洞洞地提倡精密工業，於事毫無裨益。生產力不能增加，同時與物價也有關係，至於穩定物價，改善運輸問題，改善技術上的問題，那祇是短期的問題，而不是主要原因之所在。

共黨慣技！

這是和平！

昨日與明日

總統重視國民生活

蔣總統出身於我國舊式家庭，幼承萱堂嚴教，對於固有文化禮儀，頗多親炙，因此其平素於言行舉止，應對進退諸端，咸能嚴謹有度，發皆中節。迨至爾後經國治世，教化人民，亦莫不時時着意於此。遠在其民國二十三年軍事委員長任內，便首倡新生活運動，上下景從，風移俗易，氣象一新。嗣後對此仍迭有指示，以迄於今，三十餘年間，無不念茲在茲，諄諄告誡。蓋　總統有鑒於過去農業社會生活中的種種弊病，足以僨事誤國，爲害匪淺，因此不遺餘力，痛下鍼砭，庶能滌蕩污，除舊布新。尤以進入工業社會後，環境改變農業社會的不良習性如殘留未去，就無法適應現代的生活，而顯得扞格不勝。不獨阻滯國家之進步，抑且足以貽笑國際，　蔣總統對此更如恫　在抱，無時或忘，見諸其各種訓詞，歷歷可證。今其宵衣旰食，夙夜憂勤者，除悉心規劃復國大計外，便是以如何培植現代化的國民，建設現代化的國家爲念，寄望之深且切，在在溢於言表。最近在對國民教育九年制開始實施及國民中學開學典禮的訓詞中，仍然三復斯言，情詞懇切，感人至深。

舊的習性未改

我們知道，從農業社會進入工業社會後，人口的分佈愈形集中，人與人之間的關係，也日益密切與複雜。因之生活的環境大大改觀，唯有建立起現代的社會秩序，才能切合需求。過去不合時宜的生活習性，必須讓它隨歲月以俱去。新的社會，必須有新的生活。可是國人大多昧於斯義，一直慣然如故，對於蔣總統的諸多訓誡，一直未能身體力行。且看當今社會上，往昔的國民不良生活習性，依然隨處可見：走在馬路上，稍爲留心觀察，便不難發現亂闖紅燈，隨地吐痰，這些人包括公務員、軍官、學生等受過相當教育的人在內。來往急馳的車輛，亂撳喇叭，搶先爭道，罔顧交通秩序，無視行人安全；計程車司機、單看汗衫，讓外籍女遊客引以爲辱者有之，因違規受罰，兩擲死執法的警員者有之；公共汽車站上，常可以看到插隊的學生，仕女。住在公寓的底層，經常要清掃樓上人家扱下來的穢物。清淨幽雅的名山勝景，一有過遊人蹤跡，便告沽垢蒙羞」。諸如此等，不勝枚舉。這些還都是形諸表面的，至於其他被目爲罪惡之淵藪的黑暗角落，更是不堪聞問。須知眞正現代化的社會，是一種崇尚道德與理性，尊重法律與社會秩序的社會。上面所舉的各種醜與亂的事例，無不與之格格不入，實有賴全體國人，痛切檢討，努力改進。

必須人人自律

要建設一個現代化的國家，必須要先有現代化的國民。而國民生活的現代化，這是每個人的責任，人人必須有自律，共策其成，切不可一味依賴政府，或苛責政府。願大家都能體認總統訓示的旨意，從個人生活上善自檢點，唯有本身的身體力行，才能做到對人的潛移默化，這是每個人所必須了解的。（文叟）

自由談

亂世的人心

亂世的人心，普遍表現着變態心理作用，無論對人對事，總是一片乖戾之氣，違悖人情，泯滅理性，所謂仁愛忠恕之道，蕩然無存，而社會即動亂不安，國家乃趨於衰敗的境地。

每天打開報紙，許多離奇怪誕，令人不堪想像的壞人壞事新聞，層見迭出，不一而足。這些壞人壞事的主體人物，又多半是具有相當知識的人，一般被視爲愚夫愚婦者，反而還保持着若干中國固有文化「四維八德」的生活軌範，在台灣方面，每年表揚好人好事的記錄中，高級知識份子即少之又少，便是很好的反證。

從另一角度來觀察，幹壞事，作壞人的，多見其爲高級知識份子之流，而以擾政治的官吏爲尤甚。他們除却視貪污瀆職爲家常便飯之外，對人睚眦必報，恩怨分明，絕無絲毫的恕道觀念，即令沒有私人恩怨可言，亦隨便亂逞意氣，安肆淫威，而以整人爲快樂之本。職是之故，流，整個社會乃充滿着人慾橫流，是非顛倒的風氣，凡屬稍有良心血性，知恥自愛的人，常遭打擊傾陷，生存亦受到威脅，於是乎，更談不上發展事業的話。於是乎上焉者逃避現實，明哲保身，次焉者依違肆應，不求聞達，最下則同流合污，國家那有不喪其所守，危亡之理？這樣

然則這種衰敗的社會風氣，是否可以轉變呢？當然可以！六朝既可易而爲唐，五代亦可易而爲宋，即知天下無不可變之人心，即無不可變之風俗，要在奄有統治權力的人，對人對事眞能開誠心，佈公道，綜核名實，信賞必罰，尊賢遠佞，虛僞不齒，見諸事實，樹之風聲，使好人有以自見，壞人自然斂迹，最後且可能洗心革面，變成好人。這種例證，歷史上有的是。曾國藩所謂「風俗之厚薄，繫於一二人之心所嚮而已」，并非不切實際的空談。果能如此，復興中國文化運動必有事半功倍的績效可覩，可不勉乎！

馮五先生

影響華江橋頭引道施工
四棟房屋強制拆除
北縣縣長蘇清波開惡例補償
守法者吃大虧陳情縣府補救

台北縣快訊：橫擋在華江大橋板橋引道上影響施工，一直拒絕遷拆達半年光景三戶四棟樓房，終於在警方人員監視下，由縣拆除大隊人員日夜趕工，在本月十一日午夜十二時全部拆除。省公路局將立即開始動工，並決定於雙十節前完成此一未完工道路，在國慶日正式舉行通車典禮。

該四棟樓房拆除工作進行時，其中一戶賴茂竹，仍然拒絕拆除，但是大批警員在現場佈署警戒，即強硬將其妻楊來好母子二人拖離現場，賴茂竹一看自己吃不開了，沒有了面子，當場氣昏在現場，經警方送去醫院尚未施救，即已甦醒，楊來好母子三人即將氣洩發在現場督導的縣土木課職員江滄盛身上，母子三人圍毆江滄盛，江滄盛以妨害公務及傷害將其母子三人移送法辦。

台北縣府對於該四棟樓房拆除工作，早在今年四月中旬即可進行，但拖延到今不僅影響華江大橋引道施工，而且政府又增加一筆不小數目的補償費，更引起了先前自動拆除的幾十戶紛紛要求比照該三戶增加補償給之困擾。如果當初毅然決定拆除，不但不會有如此麻煩，政府也不需要多支出這筆公帑。

（又訊）華江大橋引道拓寬工程用地上未拆除的四棟房屋，其所獲台北縣府重估提高發放補償費的數字，由於縣府拒絕說明，已引起了外間的議論，據可靠方面的消息，其提高六倍的補償費，總數約為五十餘萬元。

以往的慣例，對各項公共工程所征用的民房及土地，台北縣府必自動的說明及公佈其所補償的費用，只有這四棟房屋的提高補償費，一直保持高度秘密，而主辦單位的地政科一問三不知，而縣長蘇清波也拒絕說明，對此已引起外界的議論紛紛，但據可靠消息的來源，其提高的補償費，約為六倍。據數字的顯示，對未拆除的四戶，其提高補償費為六倍，提高補償費總額為五十餘萬元。

由於台北縣府創出惡例，對華江大橋引道拓寬工程用地上未拆除的四棟房屋，予以特殊待遇提高數倍補償費，引起了已拆除的八十三戶之不滿，因此，糾紛迭起，他們不斷推派代表請願，縣長蘇清波已允予已拆除房屋的業主們，若其遭遇與未拆除四戶之同樣情形，將予設法代為爭取同等待遇。

縣府如何去爭取，如何解決，這是一件頗為棘手的問題，因為談到錢方面就會頭痛，已拆除的八十三戶，最難解決是與未拆除的四戶毗鄰之十八戶，他們所遭遇的實際情形，與未拆四戶並無兩樣，且情況還不如該四戶，縣府能袖手旁觀嗎？

可是，省公路局在提高未拆除四戶的補償之同時，並附有一項條件，就是對「守法」已拆除的八十三戶，將來有糾紛發生，要求享受同等待遇，並堅持補發他們應得合法之提高補償費，則一切責任應由縣府去負責，公路局既然有言在先，對已拆除房屋的業主之要求補發的補償費，自然不願負擔。

但已拆除的八十三戶，尤其是上述的十八戶，他們有充分的理由與法令的依據，一定要獲與該四戶之同等待遇，可是，省公路局不願負擔，縣府既無這預算，亦沒有這筆經費，怎麼辦，相信將會引起很大糾紛，但造成這個局面，其責任似應由縣府所負。

對此個問題，是很感辣手的，不過，縣府對此不守法的四戶，敢於採取破例的措施，自然亦勇於負責，將問題作一妥善的解決，以示公平，而維政府之威信。

·張樹人·

老馬戀棧情非得已
退休養老不能平衡
人事行政局主建養老制度

台北消息：政府當局目前正在雷厲風行推行退休制度，希望一舉在人事上造成新陳代謝的新局面。但厲行的結果，退休者仍舊不多，若干已屆退休年齡的老公務員，仍留戀於其微薄薪給的職位，其原因係由於未能建立養老制度以相配合，使得這一批老馬非戀棧不可！

據悉：人事行政局在不久前曾舉行一次業務會報，會中主張應即建立「退休養老制度」，以期能相互配合，與會人員並指出，現在軍中年老退役人員，輔導會對其工作與生活，均有適當的照顧與安置。行政院公佈了公務人員退休，資遣及待命進修實施要點以後，對於有家庭的人，依此辦法，還可以過得去，但對於那些追隨政府目前仍舊孑然一身的人，六十五歲退休以後，勢將無家無業，這種生活自然無法過下去。要想使這些老者有所終，一定要建立養老制度，能夠妥善的照顧他們。

不過，目前成為問題的是：建立這種養老制度的費用，從何而出？由政府另外籌措，殊鮮可能。有關方面認為，較合理的辦法，是在公務員保險項下，列入養老給付項目，而要辦到這一步，更應設置專管公保的機構。

人事行政局的此次構想，雖然甚為完善，究竟如何實施，或有否實施可能，尚在未定之天。（津化）

泰國的新憲法

·張維翰·

泰國的新憲法，甫經公佈，其內容如何，自須有所瞭解，但因目前尚無完善譯本，所以還不能作很深入的研究。現在先就華文僑報刊登的泰國新頒憲法條文，及一些有關資料，畧加整理，因為這些資料相當的凌亂，譯文亦不十分清晰，所以今天只能就泰國憲法的重要條文、章則，簡單叙述。俟將來多加研究之後，有機會時，再向各位作詳細的報告。

泰國自西元一九三二年發生革命，推翻君主專制後，一直由軍人執政了三十六年，其間政局變化相當複雜。過去曾經頒佈過六次憲法，在西元一九五八年乃沙立政變之後，也頒佈了所謂第七次臨時憲法。當然這還不是一個完整的憲法，而其中最重要的，為規定一個制憲會議，由政府選派二百四十人，來制定新的憲法。

經過了九年的研究草擬，到今年二月，才完成了這一部新憲法。新憲法共有一百八十三條，除「前言」（緒論）及「臨時憲章」外，共分十一章，照例將一般國家憲法所應規定的人民權利、義務與自由保障，分章分節，規定於憲法之中。依其憲法的內容及精神，泰國仍為君主立憲政體的三權分立國家，最高權力在泰王。這部新憲法，並經泰王浦美蓬親臨國會大廈，正式簽署，於六月二十日公佈，是為泰國第八次憲法。其中明定泰王為國家元首，其地位神聖不可侵犯。但國家主權仍在人民，泰王只是代表人民，行使國家的統治權，並掌握全國軍隊，為陸、海、空軍大元帥。至於政府組織，則為三權分立制度。茲將其內容，摘要簡介如次：

①立法機關方面，國會為兩院制，上院（參議院）議員名額為一百二十人，任期六年，於憲法公佈十五日內，由泰王任命之。下院（眾議院，亦稱人民議會）議員名額不過較上議院多三分之一，——即一百六十名，（兩院議員合計二百八十名）。任期四年，於憲法公佈後二百十四日內，由國民選舉之，現經泰王發佈命令，指派一百二十、為上院參議員，其中軍人九十一人。非軍人僅二十九人。在九十一位軍人中，又有現役軍人與非現役軍人之分，其用意，以為避免軍人專政，所以凡是被派為上院參議員的，就不能兼任閣員。上院參議員既由泰王指派，所以其議長亦由泰王派任。

另一個樞密院，係由元老重臣組成，除院長外，尚有八位樞密院的委員，均由泰王任命。該為泰王的諮詢機關，其重要的職責在解決皇位繼承的問題。因為一旦泰王發生了什麼事故，就不能執行職務，泰國為要推人攝政，就君主國家沒有副元首，在一般民主國家，參議院院長可以代行元首職權，但在泰國就不能由參議院院長代現，所以泰國憲法規定，由樞密院院長攝政，如樞密院院長亦同時有故障不能攝政時，就由樞密院八位委員中推選一人暫行攝政。

②行政機關方面，內閣總理由泰王任命，閣員（不論其兼任部長與否）皆由總理提請泰王任命，並不得兼任國會議員。眾議院不能對內閣提出不信任案，但有一個救濟辦法，就是由參、眾兩院所舉行的聯席會議，經多數通過，得提不信任案，可見上院議員權力之大。雖然兩院合稱為國會，而上院議長就是國會議長，下院議長也就是國會副議長。但在下院開會時，議長則不稱為議長，而稱為主席。此外泰王經內閣之請求，還可以下令解散眾議院。

③司法機關方面，仍是三級審判制，最高法院為大理院，其次為高等法院、地方法院。各級法官，泰王任免之前，應先經司法委員會之贊同。這個司法委員會的人員，是用法界的高級人員或法家名流組成。

此外，還有一個憲法仲裁委員會，由大理院院長、檢察長、參眾兩議院院長、高等法院院長、與其他資深法學人士所組成。職司仲裁法律與憲法有無抵觸之疑義。

總而言之，泰國憲法，因環境關係，一向由軍人執政多年，較諸其他民主國家的憲法自有不同之處，而現在政權仍在軍人，竟能一致擁護泰王，盡其忠誠，亦屬不易，加以共產黨的侵略，軍事情形非常重要。尤其現在共匪常在泰國的東北部滲透，予泰國軍警及美軍，屢有空襲，不知將來演變如何，極堪顧慮，泰國為我們忠實盟國，休戚相關，係至為密切。所幸現在新憲法已經頒佈實行，泰國已邁入一個新憲政的里程，我們預祝這個新憲法，當能為泰國帶來新的機運，對於安定社會秩序，增進反共鬥爭，實寄以無窮的殷切希望！

旅美散見 所謂秘書

·張起鈞·

英文「賽克瑞他銳」（Secretary）我們譯為「秘書」，這個譯法對而不盡對。中文「秘書」的含意，多半是指辦理重要文稿函件，協助主管處理內外要件的高級幕僚。但在美國，這「賽克瑞他銳」的含義便豐富複雜了。高，高到國務卿即稱“Secretary of State”部長也都稱「賽克瑞他銳」。低、低到打字小姐，甚至說得刻薄些，低到簡直就是倒咖啡，拿衣帽的女工。而後者卻正是一般所通稱的「秘書」。

在中國一提到「女秘書」，便有些飄飄然的感覺，但是在美國，那個秘書不是女的從林林統統的「秘書學校」起，就全收的是女生。原來美國所謂秘書的職務地位，並不像中國所謂秘書的那樣高那樣重要。它的職掌多半都是些瑣碎輔助性的工作，諸如打字，保管文件卷宗，替主管安排日程，這些工作的性質都是適於女性作的。尤其在規模大地位高的主管，特別是大公司行號的經理老爺們，都有專辦私務的秘書，來當拿茶倒水，上車侍奉衣帽都是份內的職務。這類秘書，一般人戲稱之為主管大老倌的「辦公室太太」（Office wife），這固然失之太謔，但我們若仿照「貼身丫頭」的成語，稱之為「貼身秘書」，則不太過。試問這貼身的工作，粗枝大葉的男士怎能去作呢。何況在美國工商行業中有一個公開秘密，就是這公司行號，規模愈大、愈有錢，這總經理的貼身秘書就愈漂亮。在這種意味下，誰要你一個臭男的？

我在美國只碰到過一個男秘書：就是在華盛頓大學時，我們的哲學系因為窮得養不起一個正式秘書，因而找了一位會打字的退役兵湊合了幾個月。這是我唯一碰到的男秘書了。當然，我的經驗是孤陋寡聞，不足道的。

來函照登

頃閱 貴報八月二十八日第二版刊載「走馬看花說監獄」，內容與事實大有出入，特根據所載申述於下：一、本所對停止接見及通信之被告，奉令後即予單獨監禁，日夜派有專人嚴密看管，絕無見客或傳遞口信便條之情事。雖有被告家屬送物，必經檢查後轉發，在押被告之待遇，依法人人平等，絕無薄此厚彼。二、自台北監獄遷移後，本所面積遼濶，使用之房舍寬敞，歷年來均未超過二千名，以現有七幢房舍收禁被告一千餘人尚無過於擁擠現象。廁所設在房內，係基於管理之必要，除設有廁蓋外，並經常冲洗消毒，未聞有老鼠蟑螂數以億計之傳聞。三、烟酒列為違禁品，應予查禁，屢有檢獲均係新收或出庭還押之人犯暗藏挾帶，隨時嚴密檢查，以期禁絕。四、囚糧均按政府配發數量發給，被告之主副食之使用，每日均選有值日被告 眼同下鍋，絕無尅扣情形。五、被告陳華洲入所前已患有嚴重糖尿病及高血壓症，後經獲准交保外醫，住入台大醫院醫治約二月後病故，並非因所內待遇折磨而死。素仰 貴報言論正確立場公正、為澄清視聽請惠予更正為荷。

此致

香港自由報社

台灣台北地方法院看守所所長鄧瑞曦

中華民國五十七年九月九日

吳稚暉先生年譜（十二）

陳凌海編撰　陳洪校訂

又撰寫歐洲通訊，報導歐洲情況。按期寄上海文明書局發表。關於稿酬，希能每千字三元，以維生活。七月二十日，國父由新加坡往庇能途中，以高野化名致函先生，望先生在歐洲籌劃救汪兆銘（精衛）之策。外孫馮伯始於陰曆七月二十五日（國曆八月二十九日）因肺病逝世於蘇州天賜莊。先生聞悉，甚爲悲痛，曰：「吾妹無嗣矣。」

九月二十日，女公子芙正式肄業「旁」校（譯音）。李曉生進「留」校（譯音）就讀。是年一二月，民報用新世紀兼任發行所名義，續出最後兩期。先是，民報至一九〇八年十月十日第二十四期出版後，被日本政府封閉。嗣汪兆銘又設法在日秘密發行二十五號與第二十六號，於一九一〇年一月與二月發行。標明總發行所：巴黎僕侶街四號（即新世紀發行所），並刊發啓事稱：「新世紀諸君兼任發行印刷。」五月二十一日新世紀第一百二十一號出版後，因賠累太多，遂與世界畫報同時停刊。先生仍返倫敦。

民國紀元前一年——清宣統三年，辛亥（西曆一九一一年）先生四十七歲。

一月一日，先生命女公子芙（孟蓉）、公子祥（叔微）始記日記。一月七日，接國父電，悉國父至倫敦。夜，赴車站迎接國父。八日，國父至先生寓所晤談。先生留國父晚餐。翌日先生偕石瑛（蘅青）同訪國父于旅社未晤。旋國父又往晤先生。十一日晨，先生送國父赴美。六月二十八日，接國父自美來函。先生於翌日函復國父。並賀「致公堂」。七月，先生自蘇報案出亡英國後，除先後翻譯天演論，荒古原人史等重要譯稿外，以外孫馮伯始爲書中主人翁（即先生首途赴英經過），撰寫「上下古今談」，寄由上海文明書局（後爲中華書局所併）出版，啓發青年求知之心。此爲先生提倡科學與工藝之始。該書之原稿，由先生表兄陳育（仲英）收藏，完整無缺，現由表姪陳洪（次仲）珍藏。此爲先生遺稿最重要之一。八月，（閏六月）楊寧仁（篤生）憤國事之頹敗，而腦病又增劇，蹈海於英國倫敦西之利物浦海中，年方四十歲。楊守仁於投海前一日寄絕命書與先生，猶惓惓於製造炸彈。楊君在日本橫濱曾與黃興（克強）同造炸彈。不慎，炸去二指。遺產英金百鎊，請先生寄友人石瑛，轉致國父，助贊革命，而不及其家人生活之需焉。先生將其遺體葬於英國利物浦城北恩沸蘭公園。先生輓楊烈士，曰：「革命黨之健者，炸裂彈之先導。」九月十二日，內弟袁子敏逝世。十三日，先生送公子詳赴新校肄業。十五日，接國父函，索楊守仁遺欵。

洛神與洛神賦（上）

樸思昶

自來才子佳人，每爲世人所喜愛，如果這些人再眞有冤抑不平的遭遇，後世人於愛慕同情之餘，常常附會出許多故事，時日既久，遂演爲神話，詩歌、戲劇、流傳民間，於是虛構就成爲史實了。曹子建與甄后的一段傳奇，也就是這樣行成的。

「翩若驚鴻，宛若游龍，榮耀秋菊，華茂春松。」

「余情悅其淑美兮，心振蕩而不怡；無良媒以接歡兮，托微波而通辭……」

這是曹植洛神賦中的名句。曹植與其嫂甄后是否眞有一段因緣呢？晚唐詩人李商隱在他「無題」詩中有句云：「賈氏窺簾韓掾少，宓妃留枕魏王才。」又詠東阿王云：「君王不得爲天子，半爲當時賦洛神。」李商隱很像現在的黃色歷史小說家，專喜用名女人的題材作詩。他是否眞相信曹植與甄后有戀情，還是遊戲筆墨或別有所指，吾人不得而知；但梁代昭明太子蕭統，將洛神賦編文選情賦一類，則已相信洛神賦是爲甄后而作的了。於是唐人李善文選注引記曰：「魏東阿王（曹植）漢末求甄氏逸女不遂，太祖回與五官中郎將（曹丕）晝思夜想，廢寢忘食。黃初中入朝，帝示植甄后玉鏤金帶枕，植見之不覺泣。時已爲郭后讒死……乃以枕賚植。植還度轘轅，將息洛水上，思甄后。忽見女來，自云我本託心君王，其心不遂……遂作感甄賦，後明帝見之，改爲洛神賦。」

這一段記載，是曹植與甄后傳奇的來源。但這一段記載是小說家言，是不可靠的。清代何義門曰：「魏志無子建求甄氏逸女事，此爲小說家感甄記之言。」又曰：「魏志甄后三歲失父，後袁紹納爲中子熙妻，曹操平冀州，丕納之於鄴，安有子建求爲妻之事。小說家不過因賦中文句附會之耳。示枕賚枕，里巷之人所不爲，況文帝又猜忌諸弟……」近人盧弼三國志集解云：「按鄴下初平，甄姬掩面，在建安九年，子建纔十三歲，若求婚未遂，當在未嫁袁熙之前，此豈數歲小兒所能爲之事？不辯而知其誣。」那麼曹子建的洛神賦，究竟是爲什麼作的呢？他自己在序裏說：「感宋玉對楚王說神女之事，遂作斯賦。」清代重刻曹子建集的丁晏說：「擬宋玉神女爲賦，寄心君王，託之宓妃洛神。猶屈宋之意也。」按屈原離騷有：「我令豐隆乘雲兮，求宓妃之所在。」句，何義門亦謂：「植既不得於君，困濟洛水以作此賦，託言宓妃，以寄心於文帝，其亦屈子之志也。」

文學是「苦悶的象徵」，曹子建此賦正被曹丕所猜忌，慄慄危懼。他作洛神賦，可能是爲了寓意遣懷，其內心未必似屈原那樣莊嚴高潔，也未必一定是寄心於文帝。洛川神女，只是他自己人格的化身，所謂顧影自憐。且曹丕爲人侵薄寡恩，尤妬其弟之才。他於黃初二年六月被害甄后（陳志謂賜死鄴城。）同年監國謁者灌均希旨奏曹植罪，貶爵安鄉侯。這次曹植恐懼萬狀，致內袒負斧質請罪，若非卞太后庇護，可能也被殺。（灌均奏曹植的罪是：醉酒悖慢，刼脅使者。）在這種甄后以色見嫉，子建以才見妬的情形下，同病相憐，自屬可能。細玩洛神賦辭句，讚美宓妃之辭多，憂國戀君之辭少，這與屈子離騷已大不相同。我想子建原意，是以洛神自況，也可能兼悼其嫂。這裏面曹植與甄后並非相對的兩方，而是一體——但是美麗飄忽的洛神。對手是曹丕——那個佞薄的僭主。

「悼良會之永絕兮，哀一逝而異鄉，無微情以效愛兮，獻江南之明璫。雖潛處於太陰，長寄心於君王。」這樣的辭句，爲他自己詠，爲甄后詠，亦可。「同是天涯淪落人」，洛神一賦，可爲當時被曹丕摧殘的諸王（如任城王彰，白馬王彪等）后妃同聲一哭。且子建集中，在緊接洛神賦之前，有「感婚」，「出婦」二賦，似有悲悼其嫂之意。我們想當曹植來京請罪，聞其嫂甄氏被殺，一定爲之感悼不平。這是人之恆情，亦在倫常之內，並不是非有私情不能爲之感泣的。那麼洛神一賦，即或因感甄而作，亦不足爲異了。何況「甄姬掩面」是歷史上極動人的畫面。在袁氏國破家亡之際，妻孥淪入征服者之手，這事已夠引起人的同情心。現在且看兩段動人的記載：

「袁熙出在幽州，后（甄氏）留侍姑。及鄴城破，紹妻及后共坐皇堂上，文帝入紹舍……后怖，以頭伏姑膝上，文帝謂紹妻，令新婦舉頭，姑乃捧后令仰，文帝就視，見其顏色非凡」（魏略）「太祖下鄴，文帝先入袁府，有婦人被髮垢面，垂涕立紹妻劉氏後，文帝問之，劉答是袁熙妻，使攬髮，以巾拭面，姿貌絕倫，遂見納，有寵。」（世語）

三日春秋

沈剛伯斯文不掃地

·厚安·

台大老教授沈剛伯先生，乃鄂垣才子，天才橫溢。

他是史學名家，但詩才亦清麗，筆者與梅君三十週年珠婚紀念時，承他贈詩兩首，清麗可誦。其一：「冰肌玉骨配仙才，三十年當笑口開，自是前身修福慧，避秦猶得住蓬萊。」其二：「願作鴛鴦不羨僊，合當重見太平年，人間卅載如彈指，花燭重諧福壽綿。」

先生桃李滿天下，亦有一二叛徒，李敖即其倫，其攻訐各點，皆無關宏旨，所謂蚍蜉撼大樹，徒見不自量。而以下犯上，有違中國做人道理，尤爲士林不齒。

先生治史，已達融會貫通地步，每每引古證今緩緩道來，娓娓動聽。先生亦眉飛色舞，恍如置身舞台，不知其手之舞之，足之蹈之。我有一內姪（現已在台大畢業，在美治歷史，用力甚勤，將以繼劉崇鋐先生之業。）張君，最心儀先生。爲言：某次，先生講到歷史上某一朝代某一君王故事，因過於出神，竟忘身在講台邊上，遽爾作坐下姿態，轟然傾倒。諸生大驚，先生瞬間即起，略拂衣塵，即繼續講述如平昔，其意志集中處蓋如此。

由於先生在史學界負盛名，且門生弟子皆在教育界，書店之有生意眼的，輾轉托人，請先生代編教科書，以金條爲餌。先生無動於中。後再請僅請先生列名，不必自己撰述，先生亦不允。數年前各補習班生涯鼎盛，競延名教授以資號召，鐘點費高出國立大學若干倍。先生不但自己峻拒其請，即夫人曾祥和女士，亦不聽其應聘。亂世文章不值錢，許多文人，爲了謀一飽，常不惜降格而求，所謂讀書人的風骨，早已無存。不意先生尙能維持一絲尊嚴，使斯文未完全掃地，能不令人合十讚歎。

（先生由西德歸後，益深居簡出，除在電視訪問上「驚鴻一瞥」外，久已不見其蹤影。曾滌生云：「已則自晦，何有於名」，先生近之。

（完）

來函照登

一、頃閱貴報本年九月四日第一版「昨日與今日」短評，「

對於本館譯介新出名著，表示（一）應譯國內未譯之書，（二）譯書需加分析評品。以上兩點寶貴意見，自當儘量採納。

二、本館於五十五年譯印之「君王論」「烏托邦」兩書，係聯教組織與我國政府簽訂一九六五——一九六六年翻譯名著合約，由該組織所選定者，本館爲履，故未能避免重複。今後本館譯介名著，當先將書單提交專家組成之委員會通過，然後分函有關書局協調，以期不再發生重複之事。至免費分送各文化機關一節，亦係合約所定，並以三百冊爲限。

三、關於翻譯新出名著，須將譯本內容，予以與我國文化思想比較分析，撰文品評乙點，本館當視經費情形，竭力辦理。敬祈查照爲荷。

國立編譯館啓

大學尺牘

吳稚暉勸告太戈爾莫管人家國家的事

大家當西域跛斯秖聖看的太戈爾來了，來了幾天了，在這春光明媚的當中，桃花哩，潭水哩，許多自然家的廢物可以做我們勞苦中醉夢資料的東西，我們故可以相對的歡迎；何況在萬里外印度洋遠波送來一個白髮紛披，花朵滿綴，能吟恆河風，弄椰樹月的老人，所謂大詩者，我們倒不當他暮春艷陽天氣中，一個點綴風景的寶貝，看待麼？況且我們新文學界歡迎他的人物爲徐志摩先生之類，他的「石虎胡同七號」一類的作品，我們外行粗粗評判，正不讓新月集，飛鳥集等名作呀。所謂前賢畏後生，東海西海前一世，後一世，無窮的大有人在。可是我們的新文學天才，正也是我們國故先生的第二仇人。那班老八股餘孽洋八股遺少，第一仇敵是一具鍋爐，第二仇敵便是白話詩；就因爲白話詩的朋友，實地還是鍋爐的急先鋒。決不像太先生已成功印度國的疆石，退屈了在亡國奴的鼻涕眼淚中，求來生福，作涸轍中互相噓濡的安慰物的呀。他若懂得東之國故，我們第一個頂天立地的詞人屈原先生便因宗國給暴秦所刱，情願早早夭死，不甘心老壽，乃就是卑之無高論，不得已而又思其次，如陶潛先生，雖失了祖陶侃先生澄清中原的勇氣，竟看過殘胡久據，晉祚永絕，自己却考終於劉宋也養得鬚髮如蓬，菊花插鬢，但是他的三徑田園，雖很像太先生的行徑，而他的不知有漢無論魏晉，却連讀書都不求甚解。他的傷心不忍到古昔稱先生，正是贖他的無奉無勇的隱忒罷了。若太先生心知帝國主義的暴秦可恨，却不給國人一些自能力，止想叫老石器人民，抱無抵抗主義，候使用鐵器的客帝，自己惡貫滿盈，知那正合我們鄉裏有句俗語「把自己做爛菜葉，臥在地上，希望叫強盜滑倒」，同一滑稽了呀！

上面是從好的方面說，再從我們傷過心來的方面說，太先生既然吟風弄月，儘有喜馬拉雅山前的節音可譜，何苦說寫得流利的仇國語文，去博斯坎狄內維亞富人的獎金，榮比博學鴻詞科呢？難道不像滿清的所謂諸詞臣，亡了亡國恨，故意弔詭的自悔起來，並不是眞正的荀全性命于亂世麼？我今想着王士禎袁枚沈德潛的一班白髮詩翁，一樣也會叫外國人用兼金買他的詩集渡海去的呀。我們現在代着買詩集的朝鮮琉球人設想，他們能感覺那班大詩人所事何主麼……若太先生受我們新文學界歡迎，他止當自己」是一個世界藝術家，我們自然一百二十分受情願，把他當不知有漢無論魏晉的陶潛先生看待。倘若如報界通信傳說，他也兼充着一個救國的「走方郎中」，如他說：「余此次來華，係應北京大學之聘，預約在京講演六次，大旨在提倡東洋思想……亞洲之一部分青年，有抹煞亞洲古來之文明，專追隨于泰西文化之思想，努力吸收之者，其實大誤。……秦西之文化單趨于物質，而于心靈一方缺陷殊多，此觀于西洋文化因歐戰而破產一事，已甚顯明。……因是西洋人士已承認東洋文化之眞價值，而着手研究。」

·鴻雁·

三幕喜劇

事過境遷

熊式一

露：姑奶奶，小寶貝在後面狗窠裏！我帶你老人家去看去吧！

何：眞的嗎？怎麼把我的小寶寶放在狗窠裏？

露：我還敢說瞎話騙你老人家嗎？我攙着您去看去！太極，你攙着姑奶奶的那一隻手！

何：我不要人攙，我老雖然老，走路可用不着要人攙！你們頭裏走帶路吧！

露：好，當心點兒，打這兒走，近一點兒，快一點兒！

（他們由窗門出去，一路走，一路說。）

何：誰去替我找紅封套兒去了嗎？要大一點兒的！

趙：用不着吧……。

何：胡說！還用你替我們包家自己人客氣？

趙：你們既然是自己一家人，何必費事呢！

何：把小寶貝放在狗窠裏！仁翰媳婦的醋勁兒也眞大！

（他們的聲音漸漸聽不見了，包仁翰這才坐下來，兩手支住頭，大大的歎一口氣）

包太：仁翰，眞對不住，我沒有替你們包家生下一男半女，沒有人替你們包家傳宗接後，不知道回頭姑老太太只看見一大堆小狗兒，並沒有又肥又胖的小寶貝，更要把我罵成甚麼東西！難怪你坐在這兒，兩隻手支着頭歎長氣！

仁：你還不知道我為了甚麼事歎氣嗎？今天我們家裏出了大事，誰還有這許多閒情逸致和你胡扯，扯這些不值得一笑的零星瑣碎事呢！

包太：這並不是我要和你胡扯，這是你們的姑老太太方才提出來的問題……。

仁：我姑媽雖然是一個大好人，她老人家也喜歡我，我也尊敬她老人家，不過她老人家為甚麼偏偏要挑在今天上山來看我們，而且還偏偏挑在那個時候到，不早不晚…。

包太：這不能怪姑老太太！這只怪得那一位史健旺先生，偏偏要不早不晚，恰好在今天姑老太太到的前一分鐘，告訴我們……。

仁：這只怪得你要同他談起來呀！所以我一向總是不贊成你在我面前提他的名字！

包太：史先生不告訴我們更糟！萬一我們還不知道宇文得標沒有死，他又打聽到了我們的住址！

仁：還用得着打聽嗎？拿起電話簿子一查就查出來了！這只怪得你們偏偏要裝電話！

包太：他打開電話簿子一查，查到了我們的住址，我們正坐在這兒談話的時候，阿詩推開門把他帶了進來……。

（包仁翰嚇得不斷的回頭望大廳的門）

那豈不更糟嗎？

（話剛剛說完，阿詩果然推開門進來了，包仁翰嚇得跳了起來，望住她發呆，幸好她後面並沒有誰跟了進來，她看看茶碗，發現大家都沒有喝完，又出去了）

仁：嚇得我出了一身冷汗！（揩汗）你認為那個何伯文的朋友所說的話靠得住嗎？他是一個靠得住的人嗎？

包太：我怎麼知道呢？他們都是你的朋友呀！我認也不認識何伯文，史健旺也是才見面！不過這個人不像是隨便說瞎話的人……。

仁：我看他不一定靠得住！他當初明明說他的右腿是假的，後來又改為左腿！我的鐵釘錘兒呢？下一次我要敲敲他的左腿試試！

㉑

讀禮餘論

節約便是禮

昭旭

俗語有一句說：「人情緊過債。」大凡碰到紅白喜事，有錢的倒也罷了，寒士們便不免要煞費張羅，總要湊足一個相當的數目才敢出手。為此喜帖有「炸彈」之稱，𠌶之許多好打秋風的人，不管生張熟魏，喜帖濫發一通，更人望之生畏，大好人情，卒變作痛苦之源，想來眞令人困惑不已。

其次，說到台灣的拜拜，其鋪張揚厲，眞是駭人，人們可以終身節儉，到這一天却不惜典當借貸，以維持這個排場。其他娶妻嫁女，聘金粧奩也在在足以使人焦頭爛額，好事頓成恨事，親人轉作仇人。不免也令人生此禮何來之嘆。

其實呢！禮是表現內心誠意、敬意、愛意的一種方式，能有隆重的表示——聘金、排場都可以是一種隆重——固然最好，但若偏執這隆重的表相而終至破壞了內心的誠意與彼此和善的關係時，這「禮」就變得毫無意義而完全失去先王制禮的苦心了。所以禮記中屢言為禮要稱家之有無，雖簡單粗陋的形式也可以是至禮，以告誡世人。如子路曾傷嘆家貧，對雙親生無以為養，死無以為禮。孔子說：即使只有粗茶淡飯，若能盡承父母之歡，便是孝了；父母逝世，但須看你有多少財力，便行多隆重的禮，只要盡哀，即使僅有薄棺一具，也便是禮的。子思也曾說：雖然有這種禮制在，但如果沒有辦得起的錢，君子還是不辦的；而且就算有了錢，如果環境時宜不合，也還是不辦。

我們今天屈居在海角，一般軍公教人員固然是確無財力應付什麼繁瑣的禮，就是有錢的人，也應該體恤國難時艱，曉得現在根本不是應該鋪張的時候。一切婚喪諸禮，實在都應該簡單樸實，以誠心代華麗才是。何況根本存心借此賺一筆，那就不僅是膠柱鼓瑟，簡直是鄙不可問了。

我贊成於此際之一切禮儀，不論是主辦或是應邀，皆崇尚節約；如怕干俗，有聖賢之言可為撐腰，問題只怕自己心裏的虛榮心除不除得掉耳。

汪精衛專演政治悲劇（中）

諸葛文侯

汪出國後，國府劍及履及，準備北伐的軍事行動。共黨以在長江和黃河流域沒有基礎，害怕北伐成功後，國民黨勢力膨脹，對共黨不利，曾由陳獨秀出面撰文，表示反對，但國府置之不理，實行出師北伐，且進展甚速。於是，共黨變更策畧，一面攻訐革命軍蔣總司令獨裁，同時以有組織的陰謀，到處發出「要求汪主席復職」的口號，汪以不甘寂寞，仍不惜為共作倀，毅然經由莫斯科回國復職，他到達上海時，蔣總司令曁國民黨中央委員吳稚暉蔡元培等若干人，向他詳述共黨釀亂事實，希望他早日復職，但勿受共黨蠱惑利用，自喪立場，他亦表示願作調人。詎料他暗中跟陳獨秀狼狽為奸，竟以國民黨領袖自居，與陳聯名發表宣言，聲明國共兩黨義共生死，隨即走到武漢，大呼「革命的向左來」，而以國府主席名義，下令免去蔣總司令職務，迫使國民黨實行清共，在南京新成立中央黨部和政府，以與武漢抗衡。未幾，汪不勝共黨壓迫，且發覺第三國際教中共積極作亂，莫再跟國民黨妥協的密謀，而所屬革命軍將領如何鍵夏斗寅等，又揭出反共旗幟，他枉作共黨工具，政治領袖地位落空了。於是，他亦表示反共，潛至上海，與南京國民黨部和上海的西山會議派這羣老黨人合作，設置特別委員會為最高權力機關，目的仍在爭取黨政領袖地位，結果以多行不義，二三其德，為衆所棄，他憤而宣言退隱。

所謂「退隱」當然是一種烟幕，他教陳公博陳樹人等馳赴廣州，向李濟琛游說，倡言反對特別委員會，主張召開四中全會以解決黨的糾紛，並說汪先生願來粵就教，李表示歡迎。詎汪抵粵後，陰謀奪取廣東地盤以資號召，擬由第四軍長張發奎主持粵政，乃設計誆同李濟琛赴上海，揚言與南京協商黨務。不意汪李離粵後，第四軍教導團即夥同共黨張太雷等，在廣州實行暴動燒殺，全市精華化為灰燼了！汪因此膺受全國人士的指斥唾罵，無以自解，嘗到玩火自焚的惡果。此為汪之聲譽一落千丈，國人皆曰可殺，他祇好在上海發佈宣言，表示消極，而對蔣總司令大送秋波，又倡言擁護蔣總司令復職，對共黨亦幡然領悟上當太多，吃虧不小，眞的與之絕緣了！這是汪氏第二次表演政治悲劇的經過情形。

新廿五經

美容經

馬騰雲

筆者因為好奇及好研究的關係，曾拜訪過一位犯了罪的美容醫生×××他談起隆乳豐臀及男女生殖器官的改造過程，在我的直覺上美容力是罪惡的導火綫，因之使我聯想到英國名醫約翰達丹斯的故事。

約翰達丹斯是英國貴族的後裔，面目溫和，談吐大方，又加精通醫道博得衆人稱譽，誰也想不到他是一個謀財害命的殺人犯，他專門勾搭年老而有錢的寡婦，一是將錢騙到手後，殺害滅口，一是取到她們的遺囑，加上分撥一部的假賬，從中混水摸魚，他一生共謀殺了二十六位富婦，利用化學藥物，焚化屍體投諸大海，最後因謀殺一位寡婦叫作蘇萊黑太太，為一片衣角，被蘇格蘭偵探破獲，移送法辦。

約翰達丹斯，專接近富婦，「富」是約翰達丹斯殺人的導火綫，美容醫生因經常接近美色，「色」無疑的變成了美容醫生犯罪的誘惑物，筆者曾親自聽到一位美容醫生，替某明星按摩胸部時發出的噓綺漣的聲音，這其中所含的危險性，讓讀者去體會吧。何況胸部，乃女人身體上的開關。

有很多太太小姐們，為了鼻子的漂亮去整容開刀，裝人造的物質進去，美化自己的鼻子，筆者認為除了要靠漂亮吃飯外，大可不必冒這樣的危險。不過話又說回來，女人在彌留前常常會化一點時間去化裝的，這可能是天性，所謂：「女為悅己者容，士為知己者死」。

首先我們對呼吸道，應有徹底的瞭解，我們的鼻腔是呼吸道的一部份，從表面上看祇有兩個鼻孔，可是他們的內部構造却非常複雜，鼻腔內的中間，分為左右兩側，伸出在兩側鼻腔內。像三層蝸牛狀的鼻甲，佔據鼻腔內大半的空間，鼻腔的表面，覆蓋一層黏膜，這種黏膜像是我們嘴唇和舌頭表皮一層很薄的皮，黏膜之下，有很多血管，因之鼻子受了創傷很容易出血，黏膜中有細胞能分泌稀薄的黏液，使我們鼻腔內經常是潤濕的。

鼻腔如果受了外界刺激，比如嗅到辣椒、胡椒、芥末之類的刺激，鼻腔黏膜就會產生更多的黏膜液流出來，黏液的細胞上都具有很細的纖毛，這些用肉眼看不見的纖毛，整天都在不停的活動着，在黏液細胞間和血管的週圍，都有很豐富的神經纖維，叫作感受器，它們非常敏感，外來的刺激，像空氣就能刺激它們，通過神經反射作用，使黏液下血擴大，鼻腔內就產生阻塞現象，如果用紙或毛插入鼻孔，就會通過神經感受器的刺激，引起噴嚏，鼻腔是呼吸道的門戶，這些神經感受器，起了很大的保護作用。

這些鼻內複雜的機構，到底有甚麼功用呢？人的生命需要不斷的呼吸空氣中的氧氣，氧氣進入身體後，產生二氧化碳氣，呼吸的作用，就是將空氣中的氧氣吸入，同時將血液中的二氧化碳氣排出體外，這種氣體交換所，是在肺臟內進行的，空氣由體外達到肺臟，要通過一系列的器官，這些器官的總名稱叫作呼吸道，呼吸道既有這樣的重要，關係人的生和死，而組織又是那麼複雜，怎麼可以為了美容而隨便割開修理摻假的東西進去呢？（上）

禪學黃金時代

壁觀羅婆門—達摩

吳經熊著・吳怡譯

有一位名叫總持的尼姑說：

「依我所了解的，就像慶喜看到了阿 佛國一見便不再見。」

達摩回答說：

「你只得到我的肉。」

另有一位名叫道育的學生說：

「地水火風等四大本來是空的，眼耳鼻舌身等五蘊也非實有，依我所見，整個世界沒有一法存在。」

達摩回答說：

「你只得到我的骨。」

最後，慧可行了一個禮，仍然站在那裏不動。達摩便對慧可說：

「你已得到了我的髓。」

於是，慧可便成為禪宗的二祖。這一幕傳法的故事，可說是替老子的「知者不言，言者不知。」作了一個動人的註腳。

現在，我們已無法確知達摩的這些傳說，究竟有多少是中國人編造的，有多少是來自印度的，不過可以斷言的是，兩者兼而有之。不容否認的，後代禪師是受到達摩精神的鼓舞，同樣的，達摩在中國期間，也受到中國思想的影響。譬如前面那段他對學生修道進度的品評，令人想起了孟子書中的一段話：

「昔者竊聞之，子夏、子游、子張，皆有聖人之一體，冉牛、閔子、顏淵，則具體而微。」

自由報

第八九四期

中華民國僑務委員會頒發台教新字第三二三號登記證
內銷證內僑警台報字第031號
中華郵政台字第一二八二號執照
登記爲第一類新聞紙類
（半週刊每星期三、六出版）
每份港幣壹角．台灣零售價新台幣弍元

社長李運鵬．督印黃行奮

社址：香港九龍登打士街91號十樓六座
91 DUNDAS ST. 9th FLOOR,
FLAT 6 KOWLOON H. K.
電話：857253　電報掛號：7191
承印者：大同印務公司
地址：香港北角和富道九六號
台灣總管理處
中華民國（台灣）台北市大同街119號
電話：555305．557474
台灣分社：台北市西寧南路110號二樓
電話：[illegible]〇三四六
台郵劃撥儲金戶九二五二

革新政治力圖復國（上）

・馬空群・

我們政府這些年在經濟方面的成就，實在值得我們興奮和欣慰。今年六月美國有一位經濟學權威的教授顧志耐，在台灣經濟發展會議上曾說：「這些年來台灣經濟成長率的快速增加，在經濟發展史上還找不出先例。」又在八月間，國際貨幣基金代表團來台舉行商討會議，該團認爲「過去十年各國經濟成長率平均數，我國居全世界第二位，日本爲冠軍平均數爲一四%，我國爲亞軍，平均數爲九%。」這些贊譽之辭，自然帶給我們無比的興奮，也增加了我們從事反攻復國的信心和勇氣。但是，如果經濟的發展僅是一枝獨秀，而整個的政治和它配合不上，結果必不會如何美滿的。因爲經濟儘管向前，而政治一直落後，必致形成一種現象，就是經濟的發展反而助長了政治的敗壞，而政治的敗壞終於腐蝕了經濟的成果，最後必將到那難以救藥的地步。由於工商業發達，社會上追逐的便是金錢，人民的生活享受提高了，物質慾望增大了，社會的一切現象變了，而政治上的一切設施，還在那裏像蝸牛似的慢慢爬行，許多辦法還是十幾二十年前的老樣子，不能適應當前的環境需要，這樣如何會不出毛病。舉個最淺顯的例子來說：

今天一般公務人員的待遇，和十幾年前相較，並沒有多大的改變，他們的生活已經不能與今天的社會相適應，這是一個很大的問題，而我們的政府不能面對問題，加以解決，而只求拖過去，許多的問題，自然便從這裏發生了，照常理說，生產發達了，人民生活水準提高了，政府稅收增加了，財政充裕了，政府應當有力量來整飭政治，革新政治，使政治向前進步。然而我們的政治，雖然提倡革新已經多年，並未看見有怎樣進步的跡象。相反的，我們的政治效率是愈來愈低落，政治風氣是愈來愈敗壞，各種弊病是愈來愈繁多。今天一般人對於我們的政治，腦裏的印象不外是三個字，第一個字是「污」，第二個字是「繁」，第三個字是「亂」。

「污」就是「貪污」，說去說來，今天政治上最大的毛病還是貪污。貪就一定污，只要一污，政治就難望清明了。我們戡亂時期的貪污治罪條例已經制訂了好多年，但是對於貪污的猖獗現象並未發生抑制的作用。因爲執法的人便是違法的人，懲治貪污的人便是貪污的能手，多有一部法反多給人一個玩法弄法的機會，這有甚麼效用可言。懲治貪污的特別法既未發生作用，於是貪污的風氣便愈來愈不能遏止了。機關從高級的到低級的，事件從最大的到最小的，無處不發現貪污的現象。今天貪污的情形，大致可以分爲兩種：一種是收受人民的賄賂，一種是盜竊國家的財物。收受賄賂還算是一種小貪污，最大的貪污是盜竊國家的財物。這十多年來，我們國家財物被此輩盜竊以去的，不知應當是何等驚人的一個數字。然而這類的大貪污案，從未嚴辦過一個。人民的稅捐隨時在增加，人民的負担越來越加重，而政府總是在鬧窮，這原因便是大一部份被浪費了，一部份被盜竊了。今天的貪污花樣越來越新奇，手法越來越高明，可以假借種種的美名來作掩護，在裏面大搞其貪污的勾當。譬如政策性三個字，是何等响亮美好的名詞，但我們看見有的特別保護某些少數商人專營某種生產事業，而藉故不予開放，有的某種進口物資只配與某些少數商人，而他人不得參與，有的某種出口貨物只許少數商人經營出口，而對他人特加限制，有的某些商人可以越出常規的給與巨額貸款，而他人無法問津，……舉凡這些在法令範圍以外的事件，都美其名曰政策性的。可歎這堂堂正正的政策二字，不知蒙上了多少污塵！不按照法令辦，便叫做政策，這算是甚麼政策？政策！政策！多少罪惡都假汝之名以行！今天的貪污，可以說已經成了一種「惡性貪污」，假如是由於待遇太低，生活困難，而收受點小紅包，猶情有可原，可恨的是許多大貪污，那些從事貪污的人已經是巨富了，而還是貪婪不饜，永無止境。今天要消弭這種貪污惡風，一定要採斷然的處置，只是懲治一些小的貪污，是發生不了嚇阻作用的。假如我們的政府能夠下決心消除貪風的話，應當一面以雷霆萬鈞的力量，澈底的嚴辦幾個大貪污案子，縱然就是牽連到親近故舊，也應公爾忘私，大義滅親。如能槍斃幾個要犯，一定可以耳目一新，舉國肅然的。一面應該以那種斷然延長義務教育九年的魄力，配合經濟發展的趨勢，按照物價指數的實況，切實的來調整公務人員的待遇。今天政府加稅加價，已經不知有多少次，別的許多費用都已增加，爲甚麼單單對這些爲政府辦事的公務人員要這樣的特別刻待，使得他們窮困到無法生活的地步。試想以一羣餓貓來看一堆魚蝦，豈有不偷吃的道理。這嚴辦貪污與調整待遇，如能雙管齊下，是可以相輔相成的。因爲調整待遇可以保障公務人員的生活，使一般人不敢再像過去那樣挺而走險，而嚴辦貪污可以保存國家許多的財物，不致再被盜竊，把那些被盜竊的財物，被浪費的公帑，被偷漏的稅收，拿來增加待遇，一定是還有餘裕的：

「繁」就是「繁難」，今天我們法令之繁，眞是有如牛毛，弄得人人垢病。本來法令已經很多，而府往往與辦一事，又必來一套新的法令，於是法令之外又有法令，自然法令愈來愈繁複了。人民向政府有所請求，既有這個法令的束縛，又有那個法令的限制，把人民看得猶如小偷盜賊一般，這裏也毫不放鬆，那裏也管得很緊，弄得人民無法動彈。而且各種機構又是疊床架屋，常常爲了重視某項工作，總是在原主管機構之外，又增設一個機構。弄得一件事既與這個機構有關，又與那個機構有涉。（待續）

昨日與明日

再談紅葉崛起棒壇

繼亞洲第三屆女籃錦標賽之後，日本少年棒球明星隊訪華，在國內體育界再度掀起了高潮。中華女籃受挫於韓日，而輕取泰國，保持第三。雖不是引以爲豪，但在籃運日走下坡的今天，也差堪自慰了。而異軍突起的台東紅葉國校棒球隊，却能一舉成名，擊垮高踞世界王座的日本少年棒球明星隊，這是何等令人振奮的好消息，也是多少年來所未有的大新聞了。

此次中日少年對壘，日隊三戰皆北，且爲七A比零，五A比一，與五A比二的懸殊比數，而告慘敗。這是鐵的事實，結果日隊教練，似乎忘了在紅葉隊的全壘打逼壓下，迫得連換五個投手的窘狀，猶振振有詞，發表談話，以爲紅葉隊仍不是一流球隊，并以爲日隊敗績，在於他們輕敵，以及不能適應軟式棒球的緣故。日隊滿懷雄心而來，却鎩羽而歸，其片面之飾詞，令人同情。可怪的是我們部份的體育界人士，竟也完全同意日隊教練的說詞，他們看到報上的整版報導，過於熱烈，不禁嗤之以鼻，以爲中國人又在自我陶醉。蓋彼輩在懼日症及民族自卑感作祟之下，不能接受這突然而來的光榮戰績，他們寧願相信這完全是意外，不是中華僥倖，就是日隊失常。

大家應向紅葉看齊

試想，三戰皆北，怎能委之於輕敵？而且我國邀請日隊來台比賽，已聲明軟式在先，日隊在經過一個多月的集訓後，以世界霸主的身分，必能適應，且抱着必勝的信念，始敢跨海南征。事實上，就是我們國人，在兩軍對陣之前，有多少人不認爲日隊必以狂風掃落葉之勢，橫掃寶島，輕取紅葉？而今事實證明，紅葉小將們擊垮了所向無敵的日隊，這是技術上的勝利，絕非僥倖；

我們深感痛心的是，紅葉的一擊，該是我們體育界的當頭棒喝，他們證明了在最簡陋的設備之下，中國人依然能夠訓練出第一流的棒球勁旅；他們擊敗了早在我們心頭生根的失敗陰影。然而，部份的國內人士，并未在這一擊中醒悟過來，反而說這根本是不可能的，令人難信的。民族自信心至此，夫復何存？你們或許可以說，楊傳廣是美國人的，林海峯是日本人的；但他們決不能說紅葉隊不是中國人的。我們深覺一個民族失去自信的可怕，那將是邁上世界頭等強國的絆脚石，使得未來的一切發展與成長，都將成爲不可能。

雪中送炭錦上添花

其次，紅葉隊在國內一炮而紅，且紅透了半天，各方的奬助，羣集而來，造成空前未有的盛況。而教育當局及工商界能有這一番「反常」的熱心表現，不是他們眞心關切體育，而只是由於紅葉隊打了勝仗的緣故。我們不敢想像，假如紅葉輸了，在幕終人散，黯然踏上歸程的凄凉！我們亦深感懷疑，假如紅葉敗下陣來，還會有多少人願意予以支持？那種以成敗論英雄的作風，該是我們當前社會的陋習，我們都希望國手們替我們中國人爭一口氣，但沒有人願意付出代價！我們都等待着比賽是有奇蹟的出現，然後大家一窩風的趕着去錦上添花，而平時却沒有人願意雪中送炭，只讓那些新生的球隊去自生自滅，甚至每當國手們敗陣回國，各方責難必交相而來。事實上，只有飽受挫折的球隊，才更需要激勵與資助，已成功的球隊，才去放「馬後炮」，歌頌一番，湊湊熱鬧，豈非多餘，而失去意義。當然，紅葉隊的苦練成名，各方給予關切與照顧，自屬應該！只是我們希望，政府及工商界，也能多多支持正在苦苦掙扎，默默耕耘的球隊，讓他們也能早日脫穎而出，爲國爭光。

嘉義體育界留污點

其三紅葉與日隊三度交鋒之後，又聯袂南下嘉義，分別出戰嘉義聯隊。結果，日隊獲勝，而紅葉却以一A比〇首遭敗績。紅葉兵老將疲，固是一大因素；而最主要的是嘉義聯隊竟然排下初中學生出陣，造成一場不公平的競賽。據聞他們只爲了堅持他們的立場：「寧可輸給日隊，但必擊敗紅葉。」嘉義聯隊果然如其所願，但我們不知嘉義地區的體育界人士，這番立場，到底居心何在？他們的運動道德，還有多少？

總之，此次紅葉隊不負衆望，崛起棒壇，我們欣喜興奮之餘，深感國人失去民族自信心的可怕，政府與工商界只問收穫，而不事耕耘的偏差，以及嘉義體育界寧可長他人志氣，滅自己威風的卑鄙，而畧抒所感，以爲國人相互之惕勵。（高齡）

自由談

悲喜的十月

馬一先生

時間是最現實的，忽忽又屆這悲喜交集的十月了。一則以悲一則以喜；悲的是「十一」國難，喜的是雙十國慶。

「十一」國難已十九年了。這亦是我中華民族七億人民刦難經過十九年了。十九年前自從毛共以欺騙殘暴成立「北京」僞政權以來，整國大陸即陷入極權、殘暴、恐怖的統治中。使我中華民族顚沛流離，家散人亡，死傷無數，臨於水深火熱之絕境中。幸而「毛共」僞集團中也不斷掀起「整肅」、「奪權」、「反修」、「鬥爭」自相殘殺，而臨滅絕中。

就在今年「十一」前夕，毛共宣傳全國成立了革命委員會，所謂「全國山河一片紅」。其實是搞了三年的所謂「文化大革命」在各省連招牌都掛不上幾個，最近才向軍人屈膝，借軍隊力量，所謂「槍桿子出政權」，硬在各省掛上一個半個反劉的紅招牌，就大吹大擂，說是「全國一片紅」，其實也眞是全國一片紅，不過那是血染紅的！由五花大綁的浮屍可爲明證。慶功會上毛林都不敢露臉，可見自慚形污了。

「十一」僞慶自吹「熱烈」。其實是用槍桿子迫人民吶喊，共幫集團正式應邀參加的只有一個叢爾小國阿爾巴尼亞代表團。這個「阿國」人口僅百餘萬，還比不上香港的灣仔區人口多，而毛共還迫使數十萬人民夾道歡迎。這正是廣東語所謂「擺景」而已。由此可見毛共在國際上的地位已到破產之境。又所謂「……全國已進入了鬥、批、改的階段」，這表面是到綏靖階段，其實還正在翻天覆地的「奪權」而作回光反照的最後掙扎目前不過靠槍桿子在維持一時。所謂無所不包的「黑五類」分子，在僞慶前，殺不盡的都關了起來，要十月十日以後才敢放出來。由此可見「毛共」政權，外無與國內無擁戴，已臨絕境。

「十九年」國難，中華民族已在水深火熱中長出第二代接班人了。在這五十七年度雙十國慶將臨的當兒，這是我們反攻復國，救國救民生死關頭的一個年度，我們衆望所歸的祖國，除要更熱烈地慶祝之外，還要更切實地，有效地，把握時機，拿出行動來才對呢！

花蓮與嘉義監獄兩主管被控毆打人犯盜取囚糧

經監院調查不日將提案糾彈

本報記者昨天台北消息：花蓮看守所與嘉義監獄主管，分別被控毆打被告、盜取囚糧、侵佔公物、破壞制度、勒索圖利並視人命如草芥等違法失職行爲。

據檢舉人陳有福於訴狀中檢舉花蓮看守所周所長涉嫌三大罪狀，第一、該所以毆打人犯代替啓化教育；第二、花蓮看守所人犯平時吃不飽，菜少又無油；今年六月十九日，厨房主管盜取囚糧，被廖課員、樓股長查獲、呈報周所長僅記過了事。第三、由於花蓮看守所經費不充足，以致被押人犯用水缺乏，日常舍房放水有限，在酷熱的天氣，舍房廁所，臭氣沖天，極不衞生，且影響人犯健康，然而該所長周某竟將有限的經費，購買電視機及電風扇，置於其住所，顯有濫用職權，侵佔公物之嫌。

至於嘉義監獄典獄長譚祖佑，現任總務課長林長道（警衞課長），僱用管理員譚嵋賢（典獄長的侄兒），教化課課員盤達等，被控蔑視法令，破壞制度，不依法行事等枉法行爲。

訴狀中指出：警衞課前任課長林長道，於任內檢查警衞課職員身體衣服等非法行爲，他在去年三月份內請領加班費六十五班，冒領公款圖利。

該監受刑人朱金條，因聚賭行爲而被判刑六個月送監執行，突患急性腹膜炎，衞生課長簽請典獄長通知其家屬料理，朱犯家屬即來監請求保外醫治，未准。衞生課長復簽請送院急救，譚典獄長與林課長故意拖延，至朱犯奄奄一息時始送醫院，結果不治、死亡，據嘉義省立醫院趁斷醫師說明，若早送兩三小時便不會造成死亡，而該譚某林某等顯有廢弛職務，對朱犯患急性腹膜炎應即送醫院救治而拖延時間致其死亡，當然未盡責職而釀成災害。

譚典獄長違抗上級命令違法失職部份：受刑人鄒富鎮、張文燦、黃憲治等三名，因毆打工場主管張劍秋，除當時將該三犯使用戒具、獨居監禁外，並呈報高院予該三犯以降級處分，二次均爲高院所駁回，蓋依法不合降級處分，而譚典獄長不遵高院批示，仍予降級處分，此顯有違抗上級命令，罔顧法紀，濫用職權之嫌。

此外，依規定，凡受累進處遇進至二級以上受刑人性行良好，經監務會議無記名投票決議通過得報請假釋，而譚典獄長到任後，對假釋竟不依法令而強姦公意，開會投票卻不當衆開票，以後更變本加厲，連會也不開，僅將空白表勒令各應參加會議人員蓋章，任其一人決定，如此一手遮天，誠司法行政一大諷識。

嘉義監獄教化課員盤達，作司法黃牛，包攬訴訟。緣有蘇根者，因案判刑，盤達乘機向蘇犯妻子保證：如上訴，他有辦法可使其夫蘇根無罪，但要活動費五千元。蘇妻受盤達之誘惑而信以爲眞，於旅社交款時復被盤某姦污。後蘇根依法上訴而被駁回，即移監執行，至盤達索賄款五千元並姦其妻事，直到蘇根刑滿出獄，其妻自感失財失身愧對丈夫，乃留書自殺並揭發全部事實經過因而蘇根於去年六月間夥同朋友二人至嘉義監獄找盤達算帳，是以轟動一時，然而司法當局並未積極處理。

關於僱用管理員譚湄賢部份：譚湄賢係典獄長譚祖佑之侄兒，爲嘉義監獄第三工廠主管，利用職權，若囚犯要調至該廠工作，須送紅包五百元；譚湄賢在監內私賣烟酒，酒一瓶五十元，康樂烟每百元十三包至十五包；且於休假時，持囚犯書信至受刑人家取款，以八折付現與受刑人，每次約有五千元；這些都有受刑人之條箋可證。

案經黃善訓、張俊寬檢舉，並經監察院調查，不日將提案糾彈，以正官邪。

獄政是司法行政之一，希望司法行政部嚴加管理，使現有的獄政得以改進。

法院未盡職權調查 枉法裁判冤抑難伸

兩案被告向監察院陳訴

台北消息：由於若干司法人員未盡職權調查，竟違背法令判決而使農民權益受到侵害，使司法威信喪失。

緣彰化縣溪湖鎮農民洪丁山等與苗栗縣後龍鎮農民陳城，前者因出售自己種植之農作物；後者於耕地上種植農作物，竟分別被台中及新竹地方法院以「竊盜罪」判處徒刑，含冤受屈，乃向台北有關機關訴願。茲將其經過報道於後。

彰化縣溪湖鎮農民洪丁山，爲一目不識丁之鄉愚，世居該鎮員鹿路七七號，在日據時代，與其堂叔洪恭生共同向台拓株式會社承租一筆土地九分餘（員林郡溪湖庄四塊厝字巫厝五七〇番），分割耕種，迨本省光復，該土地由政府接管登記爲「國有土地」，交溪化縣政府於四十年依法放租，殊料洪恭生之贅婿兼養子洪曉於繼承其岳父（又爲養父）耕種後，在政府放租時，即勾結經辦人員將洪丁山承耕之四分多土地由其承領，而政府在調查時，亦未依法實地調查，僅以洪曉爲放租對象而訂約。

洪曉非法承領於五十年繳淸地價即轉售於知情的族人洪油車，於是發生糾紛。

五十六年間，土地使用人即原承租自耕農洪丁山等，將自己種植之剌竹與樹木砍伐出售，而承購該土地之洪油車向司法機關控告洪丁山等共同竊盜，其主要證據爲該系爭土地所有權狀而已，並無其他證據證明系爭土地地上物權爲洪油車所有，而台中地院竟判處洪丁山及其子洪宗雄徒刑而罰金。

查土地所有權與地上物所有權完全是兩囘事。舉例來說，洪曉出售土地於洪油車，並未出售地上物，洪油車向洪曉承權；洪油車向洪曉承購非法承領之土地，應由洪曉將土地交由洪油車使用，這等於使用人不違法而有使用權，今所有權人如欲使用承購土地（房屋），須賠償地上物權人之損失，此爲民法及各種土地法規所定。

今法院旣不調查現耕農洪丁山使用該地的原因，也未調查該地上物是否爲洪油車所種植，僅憑一紙所有權狀而判處洪丁山徒刑，公平適當嗎？果爾，若有某甲因任法官而居住於司法新村，迨其離職尚未搬家而仍於司法新村，請問，司法機關應課某爲竊盜嗎？此類事例，各級法院都有，不知司法局作何感想！

另案之苗栗縣後龍鎮農民陳城的先陳福，於三十九年向苗栗縣政府承租林地九甲多山坡地，種植萱草苗，每年繳納租金有據可證，陳城先祖去世後，由其父承租耕作迄今。

該林地屬於保安林地，主管機關爲苗栗縣政府，對於放租由該縣政府主辦，而後龍鎮公所林務主任林再成等因索取紅包未遂，即以竊盜罪嫌移送法院判處罰金。新竹地方法院對陳城提出之繳納租金收據等爲證，然法官未採，僅憑非主管官署之後龍鎮公所移送函作爲有罪判決之依據，顯有枉法裁判之嫌。

前者爲十九口之家，後者爲十口之家，由於法院未盡職權調查，致使該兩案被告全家生活失據。因此，分向監察院及監察委員陳訴，並請求依法救濟。（本報記者劍聲）

女裝的暴露

張起鈞

由於習俗風尚的不同，影響到是非好惡的不同，例如中西雙方對衣裳穿着的標準，便有着十萬八千里的距離。中國人一本陽剛陰柔之理，女的尚含蓄，多羞怯。因此衣服都是遮遮掩掩，極盡其深藏密隱之能事。但西方不同了。先從傳統的正規禮服來說，男的無不頂盔冠甲，週身捆綁，密得透不過氣來，否則便算失禮。男人尚且如此，在我們中國人猜想，女的當然更要嚴密遮掩，包裹週到了。那知女禮服用是袒胸露背，亮出肉來。若不亮出來（不知是要亮給誰着？）就不算禮服，你只要到正式的晚宴巡禮一番，使一目瞭然了。

再拿社會一般的情形來說，也同樣存在着這種使中國人感到奇怪的現象。任何一個正式的商店，男店員一定是規規矩矩的穿着長袴的，如要穿條短袴，勢必使顧客爲之譁然，在我們想來，男的規矩還這麼大，女的更要規矩了。那知事實不然，女的不僅可以穿着短袴滿街跑，甚且可以參加舞會，而毫不以爲怪。當然也有些上年紀，較保守的是看不慣的，例如某次華盛頓大學研究院的秘書尼克拉斯太太便向我慨歎，他們上學的時候，服裝都要穿得規規矩矩的，女孩子那裏可穿短袴（Shorts）？而現在居然堂而皇之的穿着來上課！但也敵不過微弱的浩歎，阻止不了女暴露的洪流。只看迷你裙的發展便是明證。

只是兩年前的事，好像是一九六六的五月，那時我還在南伊利諾大學執教，一天看到報上一幅大圖片，一個女孩在中間走，許多人在旁，以驚奇的眼光來注視，旁邊有新聞說明是有一個穿迷你裙的女子出現在紐約街頭，引起人們的驚奇注視。可見那時迷你裙還不流行，大家還瞧着奇怪，但曾幾何時，迷你裙不就橫掃全球了麼。連我們中國不是也在亦步亦趨的跟着盲從麼？

旅美見聞

簡介郭著現代市場學

戈振

（郭垣：現代市場學台北中國圖書公司）

近幾年來台灣工商業對於市場推銷的研究，頗爲重視。這說明：大多數工商企業的經營，已經步入現代化的境界。

郭垣教授留學美國哥倫比亞大學，在各大學任教多年，所著現代市場一書，是他多年任教和研究的結晶。

這本市場學提供許多新的知識和新的概念。它告訴我們現代市場學的內容是什麼？所研究的問題，是那些現代經濟進步國家對於市場經營的實際情況是怎樣？有什麼值得我們借鏡的地方？

更具體地說，這本厚達三百六十多頁，共三十多萬言的巨著，所包括的重要部份，計有：消費者爲何購買？消費者有何特質？農產品和工業製成品的批發分配結構如何？已發展國家的零售結構如何？銷售分配路綫如何選擇！產品如何設計？購買政策如何決定？大量銷售和廣告如何辦理？價格怎樣決定？國際市場如何推銷？市場風險如何處理？商品銷售和經濟情況如何預測？以及政府對工商企業的市場經營如何管理等等，眞可謂包羅廣泛，內容極爲充實。

工商企業經理和負責人士如果想成爲一個現代化的企業家，必須瞭解市場學的基本知識，郭教授這本「現代市場學」巨著足可適應並滿足這項需要。

國中繳費過高

並非空穴來風

（本報台北縣消息）台北市及台灣省五十七年度第一學期國民中學收費過多，引起學生家長不滿，紛紛具函上級有司陳情，日來各報皆有報導教育主管於公開答覆中，有謂每位國中新生只須二、三百元即可就讀談話。但據若干家長訴苦，則謂須繳近千元才可「過關」。記者爲明瞭眞象，特走訪本縣幾所國中，並詢問鄰居國中初一新生，承示「註冊費用一覽表」，這才證實了家長說的數字，是接近事實。國中繳費嫌高，並非空穴來風。

國民中學初一新生的註冊用費，一般的情形如下：

雜費一二〇元（軍人子女六〇元）、課業及材料補助費二五元、體育衞生費三五元、圖書費二〇元、實驗費三〇元、童子軍教育費一五元、勞動生產教育費一〇元、指導活動費二〇元、工藝家事材料費三〇元、防護費五元、代辦費：家長會費二〇元、教師福利金二元、班級費一〇、勞軍費五元、蒸飯及茶水燃料費一五元、簿本費三二元，書籍費（不包含工具書）一二〇元，以上合計：一般及公教子女五一四元；軍人子女四五四元。

另：代台北縣團委會收「青年世紀」刊物費每生六元，代收家長會教師節金每生二〇元，代收××校刊費一〇元，代辦服裝費約一九〇元，代辦書包費三五元，代辦腰褲帶費八元，代辦工具書費約二三〇元，代收第一月車票費，依中距離計約三〇元，計約五百餘元。

兩項合計，則已超出一千元大關。設一家有二三個子女欲升讀初一，則做家長者，試想如何負担得起？此屏東縣國中新生報到，僅及百分之六七左右，其餘的百分之廿三，亦即約四分之一的國校畢業生被摒於國中門外，然原因雖不止一端，與費用過高，亦不無關係也。

查政府克服各種困難，本總統蔣公高瞻遠矚，延長義務教育之訓示，毅然將國民義務教育由六年延長至九年。這是我國教育界上的創舉，値得我們欽佩和喝彩。但義務教育的國民中學，居然與原來非義務教育的初中收費，採取同樣的標準，確是値得商榷的。而所列項目之多，幾乎是只要能想出來的名目，無不應有盡有。什麼雜費，課業及材料補助費，體育衞生費、圖書費、實驗費、童軍教育費、勞動生產教育材料費、指導活動費、工藝家事材料費、防護費……等等，究竟係何所指？呈奉那一級核准的？經過立法手續否？實在使人不解啊！

他如刊物訂費，類似強迫學生訂閱，工具書費、類似強迫學生購用。家長會，則什麼也不發生作用，只從事代學校發起捐款、或爲歡送歡迎學校教職員調職的工具，要它何用？但學生每期在最少的數字下，亦得出四十元。這些不合理的費用與組織，我教育主管當局竟不加聞問，未免有些叫人失望呢。（海濤）

洛神與洛神賦（下）

禚思祖

三國人物

這兩段文字，將當時甄姬驚懼的情形和曹丕趁火打劫的情況都描寫的很生動。

貪甄氏之色，曹丕迫其改嫁，且生明帝，又聽郭后讒言將其殺害，紅顏薄命，其遭遇較之陳思王曹植更爲悲慘。這兩人同是受曹丕蹂躪的人，「本是同根生，相煎何太急。」此詩至今讀之，覺得猶有餘痛在。於是後世小說家，同情之餘，遂設想曹操當初如把甄氏給與曹植，則才子佳人，定能相守以終。這乃是我國小說家「大團圓」的美夢。其實以曹子建之爲人，對甄后的同情愛慕或有之，但決不會作非份之想，這一點是可以斷言的。

陳壽三國志，取材最爲謹嚴，魏蜀二志尤稱簡潔，幾乎是惜墨如金，尤少阿諛之詞。他在陳思王曹植傳裏說：「性簡易，不治威儀，輿馬服飾不尚華麗。」又說植「任性而行，不自彫飾。」又裴松之注引丁：常從容謂太祖曰：「臨菑侯天性仁孝，發於自然。」從這些記載裏可以知道曹植與曹丕的性格不同。曹丕在喪服中篡漢，并大事慶祝，設伎樂百戲，又向東吳索取花石，鬥鴨，爲吳人所譏笑。而曹植則是一個較爲誠實，天眞的人。至其文才，則更獨步一代，是屈宋後第一人，爲魏晉六朝的文章宗匠。謝靈運曰：「天下有才一石，曹子建獨佔八斗。」鍾嶸詩品亦稱曹植的詩「如人倫之有周孔。」誠非虛譽。

曹植的品才皆優，致使老謀成算的曹操，也爲之動搖。有廢長立幼之心。陳志載：「太祖狐疑，幾爲太子者數矣。而植任性而行，不自彫勵，飲酒不節。文帝御之以術，矯情自飾，宮人左右，並爲之說，遂定爲嗣。」惜墨如金的陳壽，爲此事而大書特書，蓋亦有爲植惋惜之意，以曹操之奸雄，親見袁紹，劉表廢長立幼之害，然仍不免狐疑，是因爲曹植確有動人處。曹植之不得爲魏太子，還不是曹丕矯情自飾之功，而是因爲曹植并無奪嫡的决心。自來大墨哲，大詩人，每多別有懷抱。曹植當他父親想立他爲太子的時候，反而故意溢醉佯狂，自招物議，且擅開司馬門，觸怒曹操，好像故意破壞自己的地位似的。所以隋代王通說：「陳思王可謂達理者也，以天下讓，人莫之知也。」又曹植豫章行云：「子臧讓千乘，季札慕其賢。」可見其有讓國之意。曹操死於洛陽，之詔子曹彰，彰至，謂植曰：「王召我，欲立汝也。」植曰：「不可，不見袁氏兄弟乎？」（魏畧）甚識大體。曹植雖有丁儀、丁廙、楊修等人鼓動他爭奪王位，但自己並不積極，所以一任其兄之所爲，而不與爭。他是否對這並不名正言順的王位有些躊躕呢？還是怕繼承王位之後的篡漢之事呢？篡漢爲曹操所不願爲，以曹子建的爲人，對此事定有顧慮。他的內心一定是很矛盾的。其所以縱酒佯狂，或即與此有關。

忠孝友于，本相關連，曹植爲人孝悌，也必能盡忠。後人謂曹植心存漢室，如他嗣魏，當不致篡漢，此說不爲無據。我疑心曹操終於不立他爲太子，也許是因爲看出他有些儍想頭。魏志蘇則傳載：「則與臨淄侯植，聞魏氏代漢，皆發服悲哭。」這事使曹丕很不開心，丕屢次聞羣臣：「吾應天受禪，而聞有哭者何也？」但曹丕總算還好，他雖待骨肉不如路人，但除威武可怕的任城王曹彰在寓邸暴卒外，其餘都還保住性命。又丁晏作陳思王年譜，引其詩句云：「遊者歎黍離，行者歌式微。」「洛陽何寂寞？宮室盡焚燒！」說他對漢朝有故宮禾黍之感。然弔古之作，詩人常有，未足證明其心存漢室。惟子建贈王粲詩有：「皇佐揚大惠，四海無交兵。」丁晏謂稱其父爲皇佐，大義凜然。又子建在「七啓」詩中稱其父爲聖宰，亦與皇佐同義。這確是他識大體處。蓋當時王粲者流作詩，已稱曹操爲「元后」，眼中早無漢帝了。然這也許因爲曹植是曹操的兒子，不好恭維過份。最足表明曹植心跡的，還是他那篇「光祿大夫荀侯誄。」按荀彧爲曹操幕中之忠於漢者，因不贊成曹操稱魏公，爲操所忌，迫其自殺。曹植誄云：「如冰之清，如玉之潔，法而不威，和而不褻，百寮唏噓，天子霑纓，機女投杼，農夫輟耕，輪結輒而不轉，馬悲鳴而倚衡。」寥寥數語，表示出至高與哀悼。「冰清玉潔」讚揚荀彧之人格，「和而不褻」說明他對當時政情的態度，「天子霑纓」說明他忠於漢室。織女農夫等句說明他得民心，可謂寓意深遠。也許在「愛人以德」的觀點上，曹植與荀彧是相同的——都不願曹操稱魏公。但曹植的忠於漢是有限度的，并不同於「漢賊不兩立」，及至曹丕篡漢，他又忠於魏了。終曹丕之世，植處危疑之地，他這一時期的作品，多半是彷徨哀怨之作，如「洛神」、「蟬」、「出婦」、「鸚鵡」、「白鶴」、「離繳雁」、「鷂雀」等賦；「贈白馬王彪」、「責躬」、「言志」、「妬」、「七步」等詩。（七步詩見於世說，係後人所僞託，子建集中所無。按子建集編於魏明帝時，爲諱不選，可能刪去，世說所載，未必非眞。）却能怨而不怒，克盡詩人溫柔敦厚之旨。曹丕死後，明帝即位，曹植的胆子大些了，他以長輩的心情，很想爲朝廷做些事。這時臣下的權勢已成，魏代的危機已見，於是曹植以屈子孤忠之心，屢次上表，很想報效國家，改革時弊。他在太和元年，一再上表求自試，甘願在司馬懿或曹休手下作一個偏將。太和五年又上「審舉表」，內有云：「當權者謀能移主，威能懾下。取齊者田族，非呂宗也；分晉者趙魏，非姬姓也。」蓋已預見到司馬氏篡奪之禍。

以後他又上「求通親親表」、「諫伐遼東表」，向朝廷陳述他的意見。求親親所以防奸臣，諫伐遼東所以防司馬氏專兵權，都是他的先見之明。這時他的心情，與作洛神賦時已不相同，他已不得於君的個人哀怨，進而爲憂國憂時的悲憤了，其內心的忠貞，激厲已與屈原作離騷的情形相同。可惜魏氏的家法是疏骨肉親異姓，矯枉過正，無法挽回，終於使曹植與屈原一樣，懷才不遇，忠而見謗，信而見疑，終老遐荒，鬱鬱而死了，我想如果曹操當初果立曹植爲嗣，則局面可能不同，他也許眞不致篡漢，而爲一代名臣。又如魏明帝能接受曹植的意見，重用他管理國政，則司馬氏不致專權，魏的根基可能穩固，一個人對歷史影響，有時是相當大的。

三日春秋

蕭老師靜候凱旋

·厚安·

世間事有許多不可解的。

南京有一位姓蕭的異人，名動公卿，人或稱蕭老師而不名。

有一位，吳忠信氏慕名往訪，蕭老師說：在最近一個月內，你會有三件遭遇。吳氏請益，蕭老師說：第一件，在一週之內，你會有方面之寄！第二件，在兩週之內，你家會有一大喜事。至於第三件，蕭老師則秘不肯宣。

吳氏正賦閒居，聞言半信半疑，不久即返滬寓，甫及一週，得委座電，兼程赴京，到則奉爲貴州省政府主席，專機已昇火待發。到黔後又一週，滬寓來電報告，獲一麟兒（即最近逝世的王英愁夫婿吳申叔）。吳見二事皆驗，獨第三事不發宣示，中心凜凜，二週後滬電又來，則其如夫人已謝世。

蕭老師的談言微中，類是者不勝枚舉。大陸撤退時，某鉅公囑秘書邀其來台，則謝云：「我將留此，且看匪類如何收場，毛匪對我，無可奈何也」。問何時可以見面，則曰：「我還來得及和各位見面，我即在此等候各位凱旋。」

現已隔二十年，想蕭老師尚健在鵠候吾人。

陶希聖先生曾談及一位具有天眼通異禀的人，他曾在日寇入南京前二年，看出其在南京大屠殺的慘狀。他看見日軍是由光華門進來的，其一切施暴行爲，後經印證，和他當時所預先看到的，完全相符。他後來，又因爲看見地中海備戰情況（他本人無地理常識，但由他口述及描畫，聽的人可以斷定他所說的地區是地中海），而斷定二次大戰要發生。這個人十分敏感，且危必先趨避。但這次大陸撤退時，他並不如前事的急於趨避。問起他來，他也指出國府要回來，一切會恢復舊觀。

也許讀者會說：這是一廂情願的說法，又指這是強烈意願造成的幻影。但無論從常道或變則看，像毛匪這樣作法，是不能久存的。現且姑誌此以待時間的證明！

（完）

吳敬恆先生年譜（廿一）

陳凌海編撰　陳洪校訂

十月，武昌起義，國父自美至倫敦，寓倫敦佛里街薩福利 Savoy Hotll 旅社。國父此次抵英，從事外交活動。下半後，親訪先生倫敦寓舍，適先生與張人傑（靜江）外出，國父因行動秘密，特留書約定會晤時間。嗣後先生與每日均與國父晤見。當、國父與國內來往函電，由先生與李曉生爲之傳遞處理。文稿中大部爲先生手筆。先生翊贊革命，辛勞卓著，然淡泊名利，功成不居。未幾，陳其美（英士）電迎國父返國。隨行有李曉生、朱卓文等。國父臨行時，贈先生旅費英金六十鎊，並囑先生邀石瑛即歸。十一月三日，先生偕石瑛經德國、意大利之琴諾亞乘德輪（Ginoa）於民國元年一月一日抵上海。蔡元培（孑民）等至碼頭迎接。國父在倫敦時，與先生計議，仍用青天白日旗爲國旗（武昌方面已另訂國旗），製成國旗五十面，遍懸倫敦城東之唐人街。中央黨史史料編纂委員會現存先生遺物中，尚保有先生當年在倫敦使用之青天白日旗一面。又是時程璧光率海圻艦在英國修理，程璧光早對國父表示好感。其弟程奎光於第一次起義時與陸皓東同時死難。因此，國父擬設法運動海圻艦改懸青天白日旗。國父派先生與朱卓文同往晤程。未成。此消息後爲倫敦某報獨家採訪所得，致酬新聞稿費英金五十鎊。

民國元年，壬子（西曆一九一二年）

先生四十八歲

一月一日，國父就任中華民國臨時大總統於南京。黃興（克強）任陸軍總長，黃鍾瑛任海軍總長，程德全任內政總長，王寵惠（亮疇）任外交總長，伍廷芳任司法總長，蔡元培（孑民）任教育總長，陳錦濤任財政總長，湯壽潛任交通總長，張謇任實業總長。莊蘊寬（思緘）任江蘇都督。鈕永建（惕生）任松江府。俞復（仲還）爲無錫縣長。胡雨人任議長。秦毓鎏（效魯）爲無錫元帥。一月四日，先生偕石瑛（蘅青）由上海赴南京晉謁國父。在總統府與國父同室臥起者，凡四日。由京返滬，途經常州，發表演講。宿縣議會。

文滙樓別記

李根源一夕談

近半個世紀，中國政治舞台與政學系有牢不可分的關係，包括「北京」黎元洪，徐世昌，馮國璋，段祺瑞，曹琨，吳佩孚政權，乃至於關外王張作霖，五省聯軍孫傳芳，西北軍馮玉祥，直到國民革命軍北伐成功，政學系始終佔着藥中甘草地位，有人說政學系無法打入毛澤東政治圈裏，其實不然，政學系領袖人物李根源（印泉），從雲南家鄉被迎接到「北京」成爲毛的坐上客。從這一角度窺之，政學系眞所謂政治不倒翁矣。

用「學會文武藝，賣給帝王家」的名言來形容政學系，則相當恰當，政學系的人物，貴在個個皆能單獨作戰，兼能夠集體對外，生旦丑末應有盡有，金融界有小四行，（大四行是中央中國交通農民）新聞界有大公報，天津、上海各版，其他工商實業界中，不勝枚舉，抗戰前的楊永泰先生，就是政學系人物中的典型，呼風喚雨、極一時之盛，在政府剿匪階段，確有甚多卓越貢獻，如江西碉堡政策，就出自政學系的絕招，雖從曾國藩的：「步步爲營，處處設防」演繹而來，經蔣委員長加以修正核准、付諸施行，果見奇效。最後毛澤東祇差兩小時未被活捉，民國三十四年毛澤東在馬歇爾保證下到了重慶，三呼　蔣委員長萬歲後，見了陳立夫先生，緊握着手，慘兮兮的說：「在瑞金（江西）祇差兩個鐘點，沒有被捉到，你們的工作，使我衷心佩服。」以證明當年剿匪，政府所付出的代價，除三軍將士用命外，蔣委員長的正確領導和人才薈萃，集思廣益，乃致勝重要因素。今日面臨攻大陸前夕，忽畧此而言其他，豈非空中樓閣歟。

楊永泰當年任武漢行轅主任兼湖北省政府主席，李根源住在蘇州，據說李楊之間裝有專綫電話，當時華中幾省人事去留，幾悉由楊決定，上海報紙有指責楊偷政權者，蔣委員長在那個時候表現出的「能容乃大」必爲史家所注意，其政治風範對國人所發生的影響力量，直到西安事變，才從整個民間看出，日本軍閥最敏感，認定侵畧中國不能再拖，終於帶來「七七」事變，引發了第二次世界大戰。

民國三十八年十二月八日，盧漢叛變，滇省易色，李根源與前內政部長周鍾嶽都臨時住在昆明西郊華亭寺，樓主以和尚身份在該寺掛單，獲得機緣與李根源作一夕談，果然眞知灼見，字字金玉，句句珠璣，十九年來共匪的發展，完全未出此老所料，他指出：「人與人間，不能提倡鬥爭，否則人世間將永無寧日。」他又說：「每一事物，皆有其理，國家社會亦本難例外，此理治國，則國家治，捨本此，國家必亂，治國的大道有四，修，齊，治，平。任何政權表面即不如此，實則都會暗合。」此老對　蔣總統甚崇拜，對當年十位政治人物，有強烈和憤怒指責，認彼輩誤了國家亦害了自己。此老並竭盡心血，協助樓主很迅速離開虎口，並囑如果能見到岳軍，順便將其心意轉知，樓主因無片紙隻字可憑，在多一事不如少一事的環境下恐被人誤爲招謠，樓主對長者的不忠，非常遺憾，兼問岳公致最誠摯歉意。

文滙樓主

汪精衛專演政治悲劇（下）

諸葛文侯

在以黨治國的訓政階段，黨權高於一切。汪氏既然不忘情於政權，然在黨無地位，殊感苦悶，乃異想天開，糾合一批失意的國民黨份子，在上海租界內娛樂場「大世界」的妓女唱歌之所——羣芳廳，舉行所謂「黨代表大會」，自拉自唱，選出若干中央委員，貽笑中外，這是民國十八年間的事。

越民國十九年，閻錫山馮玉祥稱兵反對南京國府，在北平召集所謂「擴大會議」，另組中央黨政機關，而以汪氏爲黨務首腦，大事號召。詎鬧劇揭幕未及百日，因張學良通電派兵入關，擁護南京政府，前綫軍事整個崩潰，全局瓦解，汪祇得淒然潛去，自傷淪落。迨民國廿年胡漢民辭去中央黨政職務，幽居湯山後，汪乘機活動，對南京暗通欵曲，表示願効馳驅，旋於民國廿一年初受南京國府任命爲行政院長兼內政部長，而其在上海「大世界」羣芳廳自選自舉之所謂國民黨中委，亦歸併到南京中央黨部，成爲合法的黨官，汪派人馬一時相慶彈冠，顧孟餘作鐵道部長，陳公博經濟部長，陳樹人僑務委員長，其他各部會次官亦多由汪派人馬担任，聲勢甚盛。

到中日戰爭前夕，汪氏雖卸去行政院長職務，却被推爲國民黨副總裁，地位崇隆，儼然第二領袖，宜若可以躊躇滿志，顧盼自雄了。然而他的權力慾和領袖慾仍感覺不滿足，迨政府播遷重慶，日本近衛內閣聲明「不以重慶爲交涉對象」後，他下意識地認爲這是攫取第一領袖的大好時機，竟秘密通敵，主張和談，但第一領袖蔣公予以指斥，表示決不考慮，他即對人發牢騷云：「政治生活如同玩魔術，需要一根棍子，蔣先生是魔術師，我願意做他的棍子，他亦不要。」——這是我在重慶親自聽汪說的——未幾，他乃乘蔣公在南嶽督導前綫軍事的時間，私行潛去雲南，轉赴安南河內，跟日寇代表接洽，發出對日言和的通電，繼即由日寇引導北上，到南京設立「國民政府」，自封主席，甘作日本軍閥的「兒皇帝」，而僞稱「還都」。步武劉豫張邦昌的後轍，終至一籌莫展，病死日本東京，遺臭萬年。他的屍骨埋在南京明故宮前，對日抗戰結束後，被人剷除夷爲平地，一任牛羊踐踏，汪氏的政治悲劇，纔算最後閉幕終場了。

讀史　清代文字獄

瑞生

世俗但多知秦始皇焚書坑儒，我國文化受此摧殘甚烈，而不知清代乾隆帝命協辦大學士紀昀，任四庫全書總纂，藉以收借海內孤本，見其有對其不利者，或塗改，或焚毀，而民不見疑，其用心事如此者，故其摧毀文化之罪實比秦始皇有過之而無不及，蓋秦氏博士官仍可藏詩百家語也，然人鮮知之，且乾隆時文字獄大興，受害且株連者纍纍，其中有胡中藻所著堅磨生詩鈔，亦遭災禍，梁章鉅所著歸田瑣記中記之頗詳，今特節錄上諭，亦可見其一斑矣：

「謹按乾隆二十年三月十三日大學士九卿翰林詹事科道等，面奉上諭：「我朝撫有方夏。於今百有餘年……乃尚有出身科目，名列清華，而鬼蜮爲心，於語言吟詠之間，肆其悖逆，詆訕怨望，如胡中藻者，實非人類中所應有，其所刻詩；題曰堅磨生詩鈔，堅磨出自魯論，孔子磨涅，乃至佛肸而言，胡中藻以此自號，是何誠心？如其集內所云：「一世無日月。」又曰：「又降一世夏秋冬。」三代而下：享國之久，無如漢唐宋明，皆一再傳而多故，本朝定鼎以來承平熙皥，蓋遠過之，乃曰又降一世，是尚有人心者乎？又曰：「一把心腸論濁淸。」加濁字於國號之上，是何肺腑。至謁羅池廟詩，則曰：「天非開淸泰。」又曰「斯文欲被蠻。」滿洲俗，稱漢人曰「蠻子」。漢人亦俗稱滿洲曰「達子」，此不過如鄉籍而言，即孟子所謂東夷西夷是也，如以稱蠻爲斯文之辱，則漢人之稱滿人曰「達子」者，亦將有罪乎？又曰：「相見請看都盎背，誰知生色屬裘人。」此非謂旃裘之人而何。又曰「南斗送南，北斗送北，南北斗中間，不能一黍調。」又曰：「再造瀟湘朝北海，細看來歷是如何。」又曰：「雲揭北斗：怒竅生南風。」又曰：「歇南風鏡。」……晰若「老佛如今無病病，朝門聞說不開閉。」之句，尤爲奇誕，朕每日聽政，召見臣工，何以有朝門不開之語？……察其所出試題內，考經義，有「乾三爻不象龍說」，乾卦六爻，皆取象於龍，故彖傳言：乘六龍以御天，如伊（指五昌）所言，豈三爻不在六龍之內耶？乾爲當今年號，龍與隆同音，其詆毀之意可見。又如「鳥獸不可與同羣」，「狗彘食人食」，「牝雞無晨」等題，若欲出題必欲避熟，經書不乏閒冷題目，乃必檢此等語句，意何所指，其種種悖逆不可悉數，交大學士九卿翰林詹事府道，公同逐節嚴審，定擬具奏，欽此。」

海天詩苑　憶日本投降感賦

駱香林

晴空霹靂祗驚嗟，回首扶桑水一涯；雙眼看來惟有淚，故園歸去恐無家；河山自具千秋業，棋局何堪一著差；五十年間幾威福，裂腸君莫笑飢蛇。

文章他日富波瀾，脥舌莫捫境驟寬；舊慣漸開新歲序，此身仍返故衣冠；喜心到極翻無語，使節來時競聚觀；畢竟華夷異襟度，不因宿隙禁交懽。

九州今是一家人，事業還都又却新；夢裏權聲聞囈語，刼餘樓閣失魚鱗；白頭風落遼東幘，靑眼睛看塞外春；記取西銘念胞與，版圖重錄舊遺民。

平生知己幾沉冤，此事憑誰致九原；爲報漢軍收失土，不辭楚些與招魂；遙聞掩淚傳降表，儘喜瞻天去戴盆；我有一腔興廢感，每逢朋輩慶生存。

亂入家國怕人聽，防口由來有峻刑；每見爛羊分好爵，早聞功狗散晨星；此心自得何庸白，衆眼相看亦漸靑；一詔奉天多少淚，那無肉食哭新亭。

率土諸民去倒懸，故應窮苦得天全；一聲和議初疑夢，大好江山半棄權；行義初期存廢國，力勤且共去開邊；那知尚武有今日，進止無方各泫然。

摒擋家當欲底行，試將驕貴數平生；舂婆有夢爲時短，戰士無功落職輕；滄海舳艫迷去影，旗亭歌舞失歡聲；京中回首繁華地，慚愧人間城下盟。

大軍南下水洋洋，百萬看人卸武裝；叔世何堪思犬養，餘生此去盡羊腸；饑寒繫念伊胡底，仇怨無心自可忘；一盞靑燈約兒輩，讀書聲裏漏初長。

三幕喜劇　事過境遷

熊式一

包太：不要胡鬧了！他的腿雖然靠不住，他說宇文得標的事可沒有錯，決不是瞎話！

仁：　咳！你不是說宇文得標死了嗎？

包太：並不是我說他死了！誰都說他死了！民國日報，中央日報，全都登過他爲國家，爲人民，保衛疆土，壯烈犧牲的消息！

仁：　那些棍子辦的報，愛登甚麼就登甚麼，一點也靠不住！我從來不看它們的！

包太：民事新報也登了，老申報也登了，上海各報都登滿了，它們總不是黨報呵！

仁：　上海辦報的那些人，大半是滑頭，根本就靠不住！

包太：大公報也登了……。

仁：　大公報也算是黨報！

包太：從前的天津大公報，和現在香港的大公報完全不同……。

仁：　反正報紙上登的消息，不管它說得多麼厲害，把它打一個對折，決不會吃虧！

包太：不光是報館！連政府都受了他的騙，別人還不受他的騙嗎？他騙人騙了一輩子，最後還要裝死騙我們！話又要說回來，管他眞死也好，假死也好，要不是他裝死騙我們，我們就不會見面，見面也不會結婚……這還要謝謝他！

仁：　謝謝他！你怎麼不明白！他既然沒有死，我們根本就不能算是結了婚！照法律上講起來，你犯了重婚之罪！我和一個有夫之婦結婚，也是違法的！有罪的！

包太：不是這樣講，我認爲我們的生活很幸福………。

仁：　幸福見鬼！你們女人眞不明白：我們這許多年的生活，全是不對的！照法律上講，算是非法同居，照道德上講，照宗教上講，是過着罪惡的生活……。

包太：眞有這麼嚴重嗎？

仁：　當然呵！現在叫我一想到這件事，就心驚肉跳！我想我一生並沒有作過甚麼惡，做過甚麼傷天害理的事，怎麼會得到這種結果？這眞豈有此理！我恐怕那個姓史的弄錯了！他在澳門碰見的決不是你死了的丈夫！

新廿五經　美容經

馬騰雲

同時要知道，鼻腔和淚的淚管是緊連接在一起，當我們哭泣的時候，一部份眼淚會順着淚管流入鼻腔中，淚流得太多，鼻子會被阻塞，往往使呼吸用嘴巴代替，鼻腔又與複雜的咽部有關，咽部與兩側中耳部各有一條管子相連接，鼻腔開刀會影響咽部，咽部有問題，就可能蔓延到中耳，喉頭生在咽部的下方，有很多男人頸部的上前方，那突出的就是喉頭，喉頭下面連接着氣管，喉頭的功用：一、空氣到肺部必需經過喉頭這一站，二、喉頭內有聲帶，它是發音的器官，喉頭有非常敏感的感受，保護着下器邊的氣管和肺部如果咽部的食物接觸了喉頭，就會引起自衛作用，將喉頭立即關閉，使那些不需要的東西擋住，不准進入肺部，凡此都與鼻腔有錯綜複雜連鎖關係，爲了美容而隨便動刀亂割，淚管、中耳、咽部、喉頭、食道、一定會引起反應，使這些部門秩序因之大亂乃在意料之中的。

至於隆乳豐臀乃至於生殖器的大改小，小改大。筆者不願去多批評，但認爲僞裝的東西究難持久，脂肪性的海綿體注入皮下，在生理上是無根的，無根自然會移動，本港瑪利醫院，就有這種乳下移的病例記錄，而且下移的部位，眞所謂無巧不成書，「一如蝎子刺到私處，痛苦說不出」，台北、曼谷、新加坡、都鬧過乳移動的笑話，變美容爲出醜，何苦來呢？（下）

由文化清潔說起

勞克

所謂文化清潔，就是掃除黃色、灰色、黑色、赤色的作品。因爲這些作品充斥市面，等於到處佈滿了細菌，人們生活在這個細菌窩裏，隨時都有患病的危險。在台灣文化清潔首由文藝作家協會發起，那是民國四十四年的事。

「事實上文化不潔，是由來於社會不潔，何以言之呢？姑且拋開遠的不說，大的不說，僅就高雄縣這一小地區來看，公共茶室多如雨後春筍，幾乎觸目皆是，而且都是以「美女如雲」作爲號召。其他如旅社浴室等非公共場合，還有數不在少的應召女郎，準備顧客的召喚。據說：這些應召女郎，大多爲良家婦女被誘爲娼的。

爲什麼社會上有這些不正常的現象存在呢？小而言之，是心理的不清潔，大而言之是政治的不淸潔。如號稱爲人民代表的省、縣、市、議員之流的人物，居然從中包庇，須知包庇就是串通一氣。包庇就是同流合汚。正因爲有這些人物的包庇，使有心人對這些骯髒的地區，也就難於清除了，因此「特殊」地區。與「特殊」人物的造成，殊非偶然了！

準此，我們的淸潔工作，也就很難做得徹底。這一工作必須找一些見義勇爲之士，自動團結成爲一羣貨眞價實的「淸潔伕」，來個徹頭徹尾的「清除」。可是，怕的是那些奔腥逐臭之夫，像捉迷藏，不停止的與「淸潔伕」鬥法，你在這邊淸，他在那邊推，淸潔伕累的一身大汗，到頭來仍然一無收穫。說來這是多麼喪氣的事！

因之，我在這裏要提出幾點個人的想法：

一、我認爲淸潔運動就是全民運動。運用人民的力量，再加以輿論的制裁。使心理上不清潔和根拔除，如此，那些不清潔的地區，也就逐漸變成清潔地區了。

二、教育機構和學校應負起責任。女性之所以走上出賣靈魂的道路，就因爲降低了貞操觀念，提高了金錢價值觀念。教育者應把此一觀念改正過來，使她們重新認識精神價值的崇高，人格的尊嚴，是金錢買不到的。

三、「打蛇打頭」，所以對於非淸潔地區，就要把隱在幕後的人拉了出來，殺一儆百，切不可做出打草驚蛇，那不僅於事無補，反而「野草燒不盡，春風吹又生」，愈想淸潔，則愈不容易淸潔了！

自由報

第五九八期

中華民國僑務委員會登記證僑新字第三二三號登記證
內銷證內警台報字第031號
中華郵政台字第一二八二號執照
登記爲第一類新聞紙類
（半週刊每星期三、六出版）

每份港幣壹角・台灣零售價新台幣弍元

社長李運鵬・督印黃行耆

承印者：大同印務公司
地址：北角和富道九六號
台灣總管理處：台北市大同街119號
台灣區直接訂戶・台郵劃撥戶
第五〇五六號張萬有（自由報會計室）
電話：五一四〇三三・五五五三九五
台灣分社：台北市西寧南路110號二樓
電話：三〇三四六・台郵劃撥戶九二五二號

社址：香港九龍彌敦道
593—601號廖創興
銀行大廈八樓五座
LIU CHONG HING
BUILDING
7th FLOOR FLAT 5
593—601 NATHAN ROAD,
KOWLOON, H.K.
TEL: K303831
電報掛號：7191

本報遷移新址啟示

敬啟者：本報現因業務擴展，原址地方不敷應用，自即日起特遷入如左新址辦事，敬希各界賜鑒爲荷。

新社址：「香港九龍彌敦道593—601號廖創興銀行大廈八樓五座」

電話：K三〇三八三一　電報掛號：七一九一

自由報社謹啟

革新政治力圖復國（中）

·馬空群·

這個機關既要管理，那個機關也要過問，法令既繁，機關又多，人民要與政府打一個交道，無論事大事小，那種繁難的程度，眞是難以言語形容。加以機關裏面承辦的人員，又是官腔官調，種種刁難，老百姓只有該死了。前幾天看到一個刊物上，載有一位香港華僑寫給本院袁委員睛暉的一封信，有幾句話是：「詎祖國機構盡多架床疊屋之設，法令有如牛毛，予人以麻煩甚多之感。殖民地官員禮貌不週，市民有權直告於輔政司。故僑胞開設工廠與商行，祗須領一個廿五元一年之商業牌照即可，一切手續徐作補辦。而法律之保障力强，益堅投資者之信心。」我們看這幾句話，應當是如何慚愧。試看殖民地的外國政府，對於一般的老百姓，都沒有把他們看得個個像小偷，個個像盜賊，用法令來束縛又束縛。我們自己的政府，對於自己的人民，爲甚麼要這樣的虐待呢？無怪我們天天喊歡迎華僑回國投資，而大家總是裹足不前。　蔣總統好多年以前就訓示大家要新、速、實、簡，這個簡字，這些年來大家究竟做到了幾分？恐怕一般老百姓的感覺，是事情越來越不簡單。記得有人問歐陽修：「爲政寬簡而事不弛廢，何也？」歐陽修說：「以縱爲寬，以畧爲簡，則政事弛廢，而民受其弊。吾所謂寬者，不可苛急，簡者，不繁碎耳。」又三國應璩也說：「治化貴簡易，法令不欲多。」可見在我國歷史上也是主張政治要寬簡的，其實在古代，社會單純，政治已經夠簡易了，然而我們的古人還在積極的主張寬而不苛，簡而不繁。今天我們是民主的政府，處處要謀人民的福利，處處要與人民以方便，而且還有反攻復國的任務，要全國人民去支持完成，我們爲甚麼要拒老百姓於千里之外，使他們都在抱怨呢。我們的政治，若還不趕快把「繁難」化爲「寬簡」，那我們的工作，眞是所謂的「南轅北轍」了。最近行政院有一次會議，一舉就廢止了二百八十種法律，這是最令人稱道的一件事。我們一次就廢止了這麼多的法規，可見我國法令繁複之一斑。我們希望還有許多不必要的法規都要繼續淸理出來，予以廢止，然後我們的政治才有開展的希望。

「亂」就是「紊亂」，今天我們的政府，表面上看起來，各個機關各有各的主管，各個人員各有各的職務，上下有主屬的系統，左右有協調的關係，好像是井井有條，絲毫不紊的。但一究其實，却是大謬不然。如前面所說的，因爲機關疊床架屋，一個同一性質的工作，同時有好幾個機關主管，於是遇事有好處的，就彼此爭奪，各不相讓，沒有好處的，便你推我諉，如踢皮球，往往一件事弄得積年累月都得不到解決。這還不算，最令人看不下去的，是今天下級機關對上級機關的漠視態度，上級機關的命令，下級機關如果陽奉陰違的，已經算是很好的了，今天普通的現象，是下級公然違抗上級命令，恬不爲怪。常見許多人民有了問題，在地方機關得不到解決，不得已呈訴到中央各部會，各部會衡情決定了解決辦法指示下去，而下面的機關還是再生枝節，多事刁難，不予辦理。一件事拖個三年五載不得解決，成了家常便飯的現象。如過一件事有好幾個機關可以管的，那更是亂得不可言狀了，甲機關這樣指示，乙機關那樣主張，而丙機關又是另外一種說法，弄得人民只有喊天了。像這種紊亂現象，大家看慣了，一點也不覺奇怪，這是現代國家的政府所應當長此保存下去的嗎？今天我們是大敵當前，復國在望，假如還是這樣紊亂下去，政府的組織散漫，人民的情緒低落，怎能去成功今後那許多艱苦的工作呢？

上面所說的這「污」「繁」「亂」三字，便是我們今日政治的一個素描。試想在這三字的困擾之下，我們的政治怎麼不是效率越來越低，風氣越來越壞，弊端越來越多呢。今天我們的政治，的確已到了不能不切實革新的地步了。　蔣總統倡導革新多年，老實說，下面只在表面敷衍罷了，何曾眞正做一點革新的工作。今天我們的政治，實在是已經接近了腐敗的邊緣，再不能只作表面敷衍了。我們全國的公務員，都應該仰體　蔣總統的這番苦心，切實來做點眞正革新的工作，以促使政治的進步，確保復國的完成。朱熹上宋孝宗的封事，曾說：「…今日之計，莫過乎修政事，攘夷狄而已，非隱奧而難知者……」而我們當前的最大課題，也不過革新政治，力圖復國而已，也並不是甚麼不易了解的，只要我們能夠切實的去做就好了。談到革新，我覺得必須從根本着手，若是僅搞一些枝節問題，或是上面推下面，下面推上面，革新必無成效可言的，政治上有四個大原則，爲促進政治進步的一個重要基礎。政治如果是發生了毛病，一定是喪失了這四個原則的原故。今天我們要革新政治，如果能夠上下一致堅守這四大原則，相信一定可以扭轉當前政治的頹風，而獲得長足的進步的。這四大原則是：

第一、要做到「政平」，這個平字非常重要，凡事只要能平，就甚麼問題也沒有了。窮困不是重要問題，最重要的問題乃是「不平」，窮困而能平，可以相安無事，富裕而不平，問題就出來了，所以古語說：「不患寡，而患不均」。今天台省的同胞，較之日據時代，生活富裕舒適，不知要高出若干倍，但還聽說台省同胞仍有留戀日據時代的生活的；曾以此詢問過多人，他們都說：日據時代的生活固然是困苦屈辱萬分，但是日本人能守法，講是非，應該怎樣的就是怎樣，一切能得其平。而今天雖然生活過得很好，但是許多事情是非不明，屈直不分，處處感到不平的痛苦。由不平而氣憤，由氣憤而抱怨，這是一定的道理。今天人民有糾紛向警察機關或司法機關呈訴，得到的結果是不平；人民向政府有所申請，合法的走不通，不合法的反而走通；得到的結果是不平；政府要取締違章建築，有的人被拆房子，有的人不拆房子，得到的結果是不平；政府要買賣土地，買進要照公價，賣出的要照市價，得到的結果是不平；人民同樣的土地，有的公定地價高，有的公定地價低，有的重稅，有的稅輕，得到的結果是不平；同是應服兵役的壯丁，大家都要如期徵召入營，而明星演員可以緩徵數年，得到的結果是不平；……此外如勞逸的不平，待遇的不平，賞罰的不平，無一處不是不平的現象，怎不弄得人人抱怨呢。六韜說：「民怨者傷國」，這是値得我們警惕的。要「政平」，百姓才能相安，才無怨尤，這是政治的大本。

倒行逆施！

衆矢之的！

昨日與明日

有人此有土

人才是人羣中的瓌寶。大學一書中說：「有人此有土，有土此有財，有財此有用」。　蔣總統說：「天下事，盡在人爲，只怕沒有好的人才，决沒有辦不好的事情」（國民精神建設之要旨）。近更指出：「中興以人才爲本」（五十五年青年節告全國青年書）。

人才之是否見用於世，乃古今政治上一大問題。孔子即有「才難，不其然乎」之嘆。　蔣總統指出：「人才的養成，主要的是要依靠三方面的努力：一、教育的陶冶；二、自我的修養；三、同志間的規勸」（復興本黨與完成革命的中心問題）。「但目前一般大學教育與社會觀念，過於忽視人文社會科學，……此種現象如不使之漸趨平衡，則社會結構，無法健全，國家前途更堪憂慮！若干年後，勢將無第一流文法政經人才可用」（革新教育注意事項）。

人才何由得出？

國父說：「教養有道，天無枉生之才；任使得法，朝無倖進之徒」。當前教育之病態，既使人才有枉生之嘆，言及任使方面，　國父本主張「大小官吏必須考試，定了他的資格，無論那官吏是由選舉的抑或委任的，必須合格之人，方得有效，這便可以除却盲從濫選，及任用私人的流弊」（三民主義與中國民族的前途）。如此，「限制甚嚴，自能眞才輩出」。所指者，五十年來，格於環境、局勢，致　國父遺教未克實施，乃如　國父所言「故黠者得乘時取勢，以售其欺」（採用五權分立制以救三權鼎立之弊）。在這種「仕出多途」，可以「魚目混珠」的情形下，舉目盡多倖進之徒；此類得勢之黠者，物以類聚，人以羣分，久而久之，他們在官場上結成勢力，高自標榜，甚且指考試不足選拔人才，似乎天下人才，非他們莫屬。於是，官場中今日常見之情形，則爲：

豈可嫉才抑才害才？

一、嫉才：人才遭嫉，雖是自古已然，確乃於今爲烈，在人才本身而言，固足引古人所言「能受天磨眞好漢，不遭人嫉是庸才」，聊以自慰。然人才遭嫉，究非國家社會之福。也常爲人心不平之源。

二、抑才：官場之中，本如孟子所言：「趙孟之所貴，趙孟能賤之」。亦如東方朔所言：「用之則爲虎，不用則爲鼠」。官場之中，既已形成嫉才現象，則壓抑人才使之無以自見功績，乃成爲司空見慣之事。所以，一切人才的心智，無論是如何良好的計劃建議，必引起嫉才者之冷諷熱嘲，或故意掣肘破壞，或加以據爲己有，使你伏懕消沮而不得見。在這種殘酷摧抑下，縱有最良之心智，也俱將被浪費一生而後已。

三、害才：人才之可貴，在於能自我奮礪，嫉之抑之而不稍倭其淑世之志。嫉才之輩，則必繼以害才之毒計。利用權勢，橫加以罪名，使你寃不得直，理不得伸，是其一。指揮徒衆，無端尋釁，以小卒拚大車，使你一蹶不振，是其二。昔於大陸時期，政治法系明爭暗鬥，最後則以卑鄙手段，出於暗殺，是其三。今日嫉才常加政敵以「匪諜」「思想左傾」之紅帽子者，更是屢見不鮮之事，是其四。僅此數端，已足見害才者之心，甚於虎狼之狠毒。

人才必足一世之用

天生人才必足一世之用，今日教養不以其道，已使人才有枉生之嘆；而嫉才、抑才、害才之風，近似經濟學上「劣幣驅逐良幣」之反淘汰，則人才被大量浪費，實爲「暴殄天物」之可悲罪惡。

蔣經國將軍昔於主政贛南時，即曾引用曾國藩之言，認爲「當今之世，求一攘利恐先，赴義恐後之人。而不可得，即得之，而又屈居卑下，以挫，以憤，以死」緬懷已往，瞻念將來，若何爲青年一代奠自勵奮進之路，建立仕途常規，使每一青年得知自己的努力，可以獲得何種結果，而不再在挫折屈辱中苟且偷生，乃今日當政諸公責無旁貸之急務。（甯青）

一場被人遺忘的戰爭

……本報記者盧偉林……

（永珍消息）寮國戰爭是一場被人遺忘的戰爭，只有寮國人不會遺忘。

二十年來，時發時輟的這場戰爭，實際上已使這個與南北越毗鄰的名山之國的經濟破產，人力消耗殆盡，數以萬計的青年人喪生或殘廢。

它的土地所承受的炸彈比越南任何一個目標所承受的還要多，每週總有十數名甚至數十名。巴特寮與政府的軍隊在深山野嶺中的狙擊事件中喪生。

胡志明走廊經過寮國的東部高原，北越就是通過這條走廊運送援軍與供應品到南越戰場上，為保護這條走廊，共黨在這裏劃出一個緩衝區，由寮共與北越軍守備，在北部，共黨控制着與北越毗鄰的盧賓省與豐沙里省的大部份地區，他們最近的攻勢箭頭是指向高棉毗鄰的南寮平原地帶。

據寮國政府軍事發言人說，每個月平均有三百名的寮共被擊斃，政府軍損失則為每月二十人，西方軍事參贊說：共軍的死傷很可能這樣高，但政府軍的死亡率却不能這麼低，至少要有官方數字的二倍。

美軍在這場影子戰爭中，也有死傷，但數目多少從沒有宣佈，在寮國損失的美國轟炸機以及美國飛行員和特種部隊的數目，也是秘而不宣，一名高級空軍軍官形容中寮東部的印邦公路中樞是「全東南亞受炸最重的目標」，它是胡志明走廊中最重要的一個交叉點，不斷受到B五二戰鬥轟炸機與寮國空軍的T二八轟炸機的轟炸。

寮國總理富瑪親王迭次指責北越滲透入寮國的共軍不下四萬人，他們助長了寮共的叛亂，也破壞了寮國的中立。

政府現在控制着全國六十巴仙的地區，政府轄區的人口約佔全國三百萬人的七十五巴仙，巴特寮的同情者不到一百萬人，但是他們有多少人參加作戰，一向無法加以估計。

永珍軍方靈通人士雖從未公開承認，但是已認為，巴特寮憑藉河內的援助，展開一致的長期軍事行動，是可以輕易地攻陷大城市，許多人認為，這些城市最近的將來不會失陷，原因是因為這還不是河內的目標。

在面臨這種嚴重的軍事局勢之際，寮國目前政務有兩次驚人的特徵：（一）美國經援源源注入寮國，而且美國大致上對於寮國前途抱有信心。（二）富瑪總理與其同父異母之弟蘇發努旺親王似已有友善之談，蘇發努旺親王早已離開永珍，主持其巴特寮政府，僅在今年二月，他曾寫信給富瑪親王，說他要討論，如果越南問題達致解決方案，美國或許準備進攻寮國的可能性。

目前寮國新局面的關鍵在於越南和談在巴黎如何進行，以及和談是否會擴大討論較廣泛的問題，包括整個印支問題的總政策在內。

鑒於美援去年已有五千八百萬美元注入寮國，（其中四千萬元用在農業方面），國際財團資助諸如湄公河水壩建設工程等計劃以及美國資金仍可自由投資於寮國，因此，寮國經濟遠景，只要這種信心持久下去，將是非常光明的。

三日春秋

新聞記者的衣冠！

·厚安·

今年九一記者節，台北市新聞記者公會第二屆全體理監事有一封致各會員的信，信前是「敬請惠予合作」六個字。信的內容，非常風趣，摘錄兩段如左：

「我們的建議是：當我們舉行一年一度的會員大會的時候，希望各位儘可能的到會，並對於大會請來講演的貴賓（按：這次請孫科），予以適當的禮貌。這是說：（一）我們宜「乎」在演講開始以前進場（二）講演進行中，希望中，希望會場保持寧靜的氣氛。無論是寒喧也好，討論什麼事情也好，最好等講演完了再進行。」

又說：「談到服裝，我們向來是隨意的，不過此亦一隨意，彼亦一隨意，如果各位先生「意」在使我們的賓客認為我們很看重這個會，「意」在使會場的氣氛更加莊重一點，樂意受一兩小時的罪，穿一套整套的衣服，我們是非常感謝的。」

這兩段話充分顯出當新聞記者的是落伍不羈，是吊兒郎當，乃致每次自己的節日，都使人感到不是那

同事，連貴賓都有些下不來台，才使籌辦這次記者節的先生們，想出這段絕妙好詞來。

新聞記者這職業，名為自由職業，在言論與採訪上是否能充份自由，當有保留，但在行動生活上，可說是充份自由的。因為這個緣故，所以許多報人，都養成落落拓拓的習慣。例如老報人王新命（已謝世），一生就沒有戴過帽子，迫於閣總理之命，置一呢帽，但至多祇戴一次，即告遺失，屢誡不悛，其夫人亦無如之何。

在衣着方面新聞記者亦素不講究，與北洋政府名公鉅卿稱兄道弟的邵飄萍氏，即當着到八大胡同打茶圍時所着的衣服到國務會議去採訪新聞。來台以後，天氣炎熱，一襲港衫，已為常禮服。穿「整套衣服」的事，已屬絕無僅有。年來歐風美雨，相繼襲來，於是着大紅大綠，即有稀奇古怪花紋港衫的「老太保」，亦相繼出現於記者羣中。在隔行如隔山的「貴賓」們看來，當然是大大不順眼的了！

旅美散見

教授過考

張起鈞

美國人作事認真，一切公事公辦，許多有名的大學，請教授都要考一考的。一般考的方法有三種，一種是事先請專題講演一次，聽聽怎樣，再決定聘不聘，一種是聘請到校後，請他面對同事專家發表講演，這種辦法多半是對聲望學養比較高的學者，他們說的很婉轉，很客氣，總是說請你講，大家聽聽。但是到了場上，那種不客氣的追問，要是沒有兩手，真使你當場下不來台，尤其這個關口還是非要過不可（當然一般馬虎的學校，就沒有這套了），無人能免。

但最要命的還是第三種辦法，這種辦法無以名之，姑且稱之為「公審」一一這多半是對一些青年新進的教師而行的，「公審」的情形怎樣呢，請看下例為證。

我在華盛頓大學時，系中於五月間決定下學期請一位三十多歲的新教授，並定在某天請他吃飯，系中全體同仁參加作陪。我心裏說他們好客氣，對新請的教授還要請吃飯，比我們中國還更有尊師重道的禮貌呢，那天我去吃飯，看見大家比平常嚴肅起來，我以為是有新客人的緣故，也未注意。大家寒喧就座，各自用餐，初無差異。

但那知吃到差不多的時候，系主任講話了：「請某某先生講幾句話」。在我下意識想來還不是講一套客氣話：久仰華大高風、今能參加、深為榮幸，今後隨同各位學習……等等俗套。那知滿不是那麼回事，閒話少說，說句江湖的術語，就是要「現實」，於是這位先生就站起來自述簡歷，何處畢業，何處拿的博士，博士論文的題目是什麼，他的見解和貢獻何在……一一具體從實招來，報告完後，系中的同仁，不分老少大小便一個跟着一個的，緊釘着向他審問，這樣刨根挖底的盤問了足足兩個鐘頭，然後才算高抬貴手，把他赦免，我看看真不知是同情、還是難過。最令人感覺過份的，還是那審問的態度。美國人比較和氣，師生相處更是你朋我友嘻嘻哈哈。但面對着這未來的同事，反倒不同了，那副冰冷嚴肅令人難堪的神氣，真是使人不知作何感想。

一天晚上，在研究院長韓六一（Lewis Hahn）教授家裏，偶然談起那場「公審」的事，我便向系中一位女教授埃慕恩夫人道，你們未免太過份了點，她說：「我們知道他那博士是怎麼得的，靠的住靠不住」。我說：「無論如何總是要請的教授，不好、明年不續聘就是了，何必這樣難堪，我們中國人對老師的尊敬，僅次於雙親」，她笑着說：「我們美國人對雙親也不尊敬」（按：這當然是開玩笑的話）

這種樸實不文的作法，實在有些失之於「野」。但想起我們國內學術界，近來只講人情權勢、濫請、羌無故實的空筒子，那麼相形之下，這種粗野不文的作風，倒也有些可愛了。

五專招生不足額 報考人多入校少

本報記者黃尚書台北消息：關於台灣區五十所五年制專科學校五十七學年度聯合招生情況，業誌九月十四日本報。經第一次分發考生後，仍有被分發而不予報到者，故有第二次之申請分發，但仍有缺額四千二百名額，其中北區二十四所學校，缺一千二百名，一部份自行就考生合格者遞補。據悉北區中國市政專科等七校，業經聯招會通知未經分發之一○六分以上考生，各就其志願自向各缺額學校申請。聞仍有數校尚未補足，惟北區私立專科除中國海專第一次分發即已足額外，餘有九校尚未足額，其中有台北立商專，明新工專，中華工專，台北醫學院等四校，擬再作第二次招生。惟中、南區聯招會，已決定二次招生，定十九、二十日報名，二十四、二十五日考試，計中區八所學校共缺學生一千一百名，南區十八所學校共缺一千九百名。台北某報揭報五年制專科招生缺額之癥結，頗中肯綮、該報指出：「五年專科招不到足額學生，有人分析乃六大因素造成。但歸根結底，我們認為六大因素，只有一大癥結，那個癥結是：創校目的多在營利，因為其他五個因素，例如提前招考，目的在多收報名費：收費太高，目的也是多獲得益餘：設備太差，原因是不願化錢；降格取錄學生，原因是不願少賺錢；先天不足，根本就由於當初有志興學，無意投資，祇企圖一本萬利，立地致富。如今事實證明，開學店和開商店一樣，都得貨眞價實。常言道得好：「你可能騙人一次，不可能騙人一世。」時間是最大的考驗，老店所以得垂百年，就因為經得起時間考驗。五專在我們這裏，固然都無百年紀錄，但十年時間考驗下來，也有的是報名踴躍，招生足額的。準此以論，對於今天那些嚷着招生不足的五專，教育行政當局，不必採取緊急措施，實行保護政策。他們果然有意捐資興學，不妨痛自檢討，從頭再來。現行有關法令，已經夠予以鼓勵了。否則的話，物競天擇，任其自然淘汰可也。須知癥結既然只有一個，對症下藥也自然只有一味。

實在說來，五年制專科一至三年，原係高中職業課程，而各校在收費上却依照大專規定收費，例如學費一千○二十元，雜費六百元，圖書費二百五十元，體育費一百五十元，醫藥費一百元，講義油印費一百五十元，各項實習製圖實驗費習費七百六十元，預存賠償費五十元。共計三千○八十元。此外還有代辦費，包括簿本、班級費、勞軍費、蒸飯代金、脚踏車保管費等九十元。如需住宿，每學期須繳五百元，伙食每月由三百元起，須月初預繳。上列各費，據聞係教育部規定，多數學校，尚無超收事實，其中惟銘傳商專曾有人檢舉超收，詳載九月十一日本報。政府自本學年開始對公教人員子女就學者增加一項奬助金，但對五年專科一至三年，仍按照高中奬助金數目發給，實際上相差一千數百元以上，教育部對此却毫無表示，使一般公教人員，深表怨恨。有人說，五專除職員專任外，教師則一律兼任，按官價發鐘點費，教授六十元、副教授五十元，講師四十元，較之一般學店補習班，每小時最低八十元起，相差亦甚。而五年制專科對教師待遇之微薄尤有檢討之必要。另有人說，向來任何私立學校，對政府法令，如與其有利者，則絕對依法辦理，如與其無利者，則我行我素，願者魚兒上鈎。輿論一致主張，任何學校師資，均須以其學養、人格爲基本條件，餘屬末事。教育主管可隨時就教課之觀察中，從學生之反映上，卽可確實察出師資之是否適任。對所請官價教課鐘點費，急應普遍提高，既然增加學費，爲何不增加教師待遇，一任教師情緒低落，教育水準每況愈下，誠令人不解！再者教育部既許五專畢業學生，轉升大學相當科系，爲何又要降級一年？爲補救五專招生之不能滿額，爲堵塞五專職業教育之落空慘敗，一應嚴格督導考核實際學分之成績，再應准許五專畢業學生轉升大學三年級，絕不可降級一年。此外對其無充實設備，無優良師資（條件如前述），專以營利企業化爲目的者，應卽嚴予取締，核其實情，暫停招生。否則如任長此混亂下去，殊有失國家倡導職業教育之初衷。

東南亞行脚

世界最貴的水果

高舉

一般人祇知道蘋果，桔子（美國）價錢貴，其實世界上最貴的水果是「榴蓮」，筆者在曼谷曾以十二元美金買一個榴蓮，重約六、七斤，撥出的果實兩磅多。

不習慣的人，認榴蓮氣味奇臭很像乳貓的屎，嗅之則嘔，歐美人最怕榴蓮的臭味，各航空公司絕對禁運，嗜食榴蓮的人，認為奇香可口，世界上再沒有比榴蓮好吃的水果了，馬來亞、緬甸、泰國等地，到了榴蓮季節（舊曆五月）婦女們沒有錢也要當褲子買榴蓮，所謂當褲子就是當紗籠，紗籠很像中國婦女着的裙子，以證明榴蓮對人的誘惑感？有一位泰國老醫生單關樞博士說：「榴蓮含爾蒙成份甚多，食後增加活力。」

榴蓮的外貌如中國的良鄉栗子，不過大幾倍而已，有堅硬的長刺，撥出的果實像一寸長去掉皮的香蕉，內有核若荔枝核，一棵大樹祇能長幾個，不是一年結實一次，由於求過於供，產量受到自然限制，南洋羣島國家的人，一致認為「榴蓮是果中之王」非無由也。

另一種水果叫作牛肚瓜，狀若牛肚，也甜香可口，祇是野生，原始森林到處可見大的有二十幾斤重，一棵大樹有結幾十個者，因供過於求，就無人問津了。

中國哲人簡介

韓非子

張起鈞　王邦雄

荀子死後，儒道兩家的思想並流，產生了以韓非爲代表的「法家」，在戰國晚期，突然崛起，佔盡了思想界的優勢。韓非受了荀子與老子兩人思想的影響，主張以「法」制民，用「術」乘「勢」，來鞏固政權。不過，韓非只是得到了他們思想的粗淺處，而失去了他們思想的精深博大處。所以心胸狹窄，過於偏激，立論不爲天下衆民，而只爲統治的君王，這可以說是法家特殊的招牌。

法家思想的急速興起，不是他們的學說有什麼過人的地方；而是他們的言論，站在君王的立場，處處符合君王的利益，他們的目標，就在富國强兵，深深的打中了君王的心坎，所以能在各國君王的賞識重用下，一時氣燄高漲，聲勢大盛。

早在春秋初期，管仲就爲法家打開了先路，他輔佐齊桓公，富國强兵，稱霸天下，組織諸侯國的聯盟，提出「尊王攘夷」的主張，遏止了戎狄的交侵，建立了彪炳的功業；而他有關治國的主張；「倉廩實而知禮節，衣食足而知榮辱」，以及「禮義廉恥，國之四維，四維不張，國乃滅亡」，也是永傳千古的名言。

管仲以後法家思想，發展爲三種不同的派別：商鞅重「法」，主張國君應頒行法令，來治理國家；申不害重「術」，主張國君要用謀略，來操縱臣下，愼到重「勢」，主張國君要掌握威勢，來鎭壓人民，這三派，以商鞅最爲突出，奠定了强秦統一六國的基礎。不過，這三大支派，都只限於片面零碎的主張，而沒有完整系統的理論，一直到了韓非，承接這三派的學說，又兼採儒道兩家的思想，終於集法家思想的大成，使法家學說，得以異軍突起，顯揚天下。

韓非是韓國的一位公子，與李斯同是荀子的學生。他曾上書韓王，提出自己治國的主張，韓王却無動於衷。後來他發憤著書，書入秦國，爲秦始皇所激賞，以爲是一代奇才。秦始皇爲了得到韓非，不惜發動重兵，向韓國大施壓力，韓王只好遣韓非入秦。但那時韓非的同學李斯，正身居秦國宰相，唯恐韓非的才學，威脅自己的高位，就向秦始皇進讒，陷害韓非，韓非壯志未酬，結果冤死獄中。不過，他的學說，却廣爲流傳，對戰國末期的政局，影響很大。

他受了荀子「性惡說」的影響，以爲人性皆自私，只有以嚴刑酷法，才能杜絕人類惡性的猖獗，否則人人因私廢公，必使社會混亂，國家衰亡。

他又受老子「無爲而治」的影響，採取法制，一切依法憑斷，不必妄加人意。不過他又以爲法令畢竟是死的條文，國君還得用「術」來運法，以陰謀手段，善加活用，才能駕馭羣臣，使法令發揮大用。同時國君用「術」，也必須掌握威勢，以絕對的權威，操生殺的大權，天下臣民才會唯命是從。這樣行「法」用「術」乘「勢」三者兼有，三方面同時並進，社會才能安定，國家才能富强。

他主張歷史是進化的，時代不同，治國方法也得變異。上古時代，社會簡單，人人安份自足，少有紛爭，所以仁義儒可以治理天下。時至戰國，社會轉爲複雜，人人勾心鬥角，競相搶奪，空談仁義，已難適應時代的需求，所以他批評儒家以堯舜爲理想，墨家崇尚大禹的苦行，都是愚蠢不智的。他認爲在當前動亂的時代裏，不能在師法古人，死守成規，而要利用人性弱點，以嚴刑酷法，賞善罰惡，才能國家太平。

他抨擊儒家學者，自鳴淸高，只知妄發議論，煽惑民心，君王反而備加禮遇，以爲賢才，把農民血汗所得，來供養他們，這樣誰還願意再辛勤耕作，增加生產？他又認爲：墨家集團，以遊俠自居，只知糾衆生非，目無法紀，君主反而大加讚揚，以爲豪士，並厚給奉祿，來養活他們，這樣誰還願意再奉公守法，爲國效命？同時，那些巨商大賈，自己不事勞動，只知剝削農民，從中取利，反而富比王侯；農民作牛作馬，整年勞苦，却衣食兩缺，這樣誰還不想投機取巧，坐享其成？

這羣學者、俠客與商人，都是國家的寄生蟲，只有忠於君王的官吏，爲國家死戰的士兵，以及實力生產的農民，才有存在的價值。

綜觀韓非的法家思想，只知有君王，不知有人民；只知有政治，不知有文化；只知有國家，不知有人生；只知消極的壓制人民，不知積極的教化人民，眼光淺近，刻薄寡恩，影響所及，終於造成了秦始皇暴政虐民，焚書坑儒的歷史大悲劇，對於學術文化的發展，該是一個不幸的打擊。

韓非崇尚法治的精神，固然有不可磨滅的價値；但他只重物質，而不知禮樂道德的價値；只重賞罰，而蔑視人性的尊嚴；只重國君，而背棄了廣大的羣衆。在經世濟民的奮鬥上，大大不如儒家。所以法家思想，雖曾盛極一時，但在學術思想史上，一直無法取得重要的地位。

蘇東坡與陶淵明

——陳宗敏

王易評東坡詞有幾句話說：「坡詞高亮處，得詩中淵明之淸。」又說：「至其平生襟懷之淡宕，實與淵明默契。」在要了解東坡的作品之詞，這幾句話是很值得我們留意的。而且不止是他的詞，即他的詩文及人生態度，也受淵明的影響甚深。

東坡一生喜愛淵明的詩，仰慕淵明的爲人。他晚年被貶海南，以陶柳二集爲南遷二友，他在答程全文的信中，二次提到陶集，他說：「流轉海外，如逃深谷，旣無與晤語者，又書籍擧無有，惟陶淵明一集，柳子厚詩文數冊，常置左右，日爲二友」。又說：「隨行有陶淵明集，陶寫伊鬱，正賴此耳。」我們更要知道，柳子厚的詩，事實上也是學陶淵明而且很受影響的。

東坡不僅讀陶詩，而且先後和作甚多，他與子由書有一段話說：「吾於詩人無所甚好，獨好淵明之詩。淵明作詩不多，然其詩質而實綺，而實腴，自曹、劉、鮑、謝、李、杜諸人，皆莫及也。吾前後和其詩凡一百有九首，至其得志，自謂不甚愧淵明。」這段話對於陶詩可說是推崇備至，更可想見他是如何的耽愛陶詩，及他對自己和作之詩的自負。他還有另一段話說：吾之於淵明，豈獨好其詩也哉？如其爲人，實有感焉。淵明臨終告儼等：「吾少而窮苦，每以家弊，東西遊走。性剛才拙，與物多忤，自量爲己，必貽俗患。僶俛辭世，使汝等幼而飢寒。」淵明此語，蓋實錄也，吾眞有其病，而早不自知，半世出仕，以犯大患，此所以深愧淵明，欲晚節師範其萬一也。」他眞是淵明的千古知己。他不僅詩詞受淵明影響極深，且由景慕淵明而學淵明的爲人。

除了一百餘首的和陶詩作之外，東坡在他的文中、詩中、詞中，也時時刻刻都有陶淵明的影子在。淸紀曉嵐批蘇詩，就常常指出他學淵明的風格之處。他有一篇短文，是記述他的外曾祖程公逸事的，也有幾句話說：「紹聖二年三月九日，軾在惠州讀陶潛所作外祖孟嘉傳云：凱風寒泉之思，實鍾厥心，意凄然悲之，乃記公之逸事以遺程氏，庶幾淵明之心也。」換言之，他作這篇記外祖逸事的文章，也是受淵明所作外祖孟嘉傳的感發而作的。尤其最値得使我們注意的是他的一首詞——江城子，最足以看出他對淵明的情感與他自己的心境：

夢中了了醉中醒。只淵明。是前生。走遍人間，依舊却躬耕。昨夜東坡春雨足，烏鵲喜，報新晴。雪堂西畔暗泉鳴。北山傾。小溪橫。南望亭丘，孤秀聳曾城。都是斜川當日境，吾老矣，寄餘齡。

這首詞是他在黃州任上作的，他有小序云：「陶淵明以正月五日遊斜川，臨流班坐，顧瞻南阜，愛曾城之獨秀，乃作斜川詩，至今使人想見其處。元豐壬戌之春，余躬耕於東坡，築雪堂居之，南挹四望亭之後丘，西控北山之微泉，慨然而嘆，此亦斜川之遊也，乃作長短句，以江城子歌之。」他對於淵明，不只想見其人，而且想見其處。詞中的東坡本是地名，在黃州黃岡縣東，他這時被貶爲黃州團練副使謫居於此，躬耕於此。有些和陶淵明的躬耕生活相似，後來自號東坡居士，也即由此。在這段期間，他還把淵明的歸去來辭括爲哨遍一詞，「使家僮歌之，時相從於東坡，釋來而和之，扣牛角而爲之節。」他在一封與朱康叔的信中也提到此事說：「舊好誦陶潛歸去來，常患其不入音律。近輒微加增損，作般涉調哨遍，雖微改其詞，而不改其意，請以文選及本傳考之，方知字字皆非創入也。謹小楷一本寄上。」可知他還喜歡把這首改作的作品抄寫給朋友欣賞。侯鯖錄還有一段記載，說東坡老人在儋州昌化，嘗負大瓢，行歌田畝間，所歌者皆哨遍也，饁婦年七十云，「內翰昔日富貴，一場春夢矣，」里人因呼此媼爲春夢婆。這可見東坡流寓海南，但是淵明作品在他的作品與生活中，始終有着深刻的影響。

宋史蘇軾本傳說東坡早年即好莊子書，讀莊子，歎曰：「吾昔有見，口未能言，今見是書，得吾心矣。」後來東坡作莊子祠堂記，替莊子說話，他說：「余以爲莊子蓋助孔子者。」儘管許多人都不贊成他這種說法，但我們却可由此看出他的思想風格早和莊子有着自然默契之處，只是他受時代的限制，總歸要以儒家傳統爲學問思想的中心。所以他煞費苦心，要想調和儒、莊思想，這種苦心是我們應該體諒的。這種情形又和陶淵明很相同，淵明的詩文中，表面上也是以儒家思想爲重心的，但是骨子裏却完全是莊子的人生觀及莊子的生活風格。朱熹的眼光銳利，他屢次指出這一點，他說：「陶淵明亦只是老莊。」（朱子語類卷一百二十五）又曰：「陶淵明古之逸民。」「淵明所說者莊老，然辭却簡古。」（語類一百三十六）東坡早年就喜愛莊子書，這無疑的說明他的思想性格能夠接受受莊子，甚至可以說與莊子完全默契。淵明的詩文及爲人風格，分明又是從莊子蛻化淨化而來的，這樣，東坡的喜愛淵明的詩文，仰慕淵明的爲人，便是一件極爲自然的事。（完）

吳敬恒先生年譜（廿二）

陳凌海編撰　陳洪校訂

十五日與表兄陳育（仲英），張繼（溥泉）同赴南京，張繼旋任議員。二月二日，先生赴蘇州，訪晤鈕永建、朱書樓。翌日在進行社演講後，返上海。二月十三日，國父向參議院辭臨時大總統職，並推荐袁世凱（慰庭）任總統。二十四日與林森（子超）訪章士釗（行嚴）。送張人傑（靜江）赴粵。三月，表姪陳源（通伯，筆名西瀅）由上海赴英求學，寓先生處。

四月一日，國父卸任臨時大總統後，囑胡漢民（展堂）作書，致贈先生一千元。三日，先生迎接國父於滬車站。六日，國父赴鄂。九日，先生在南洋中學演講。二十五日，先生參加上海同盟會議事。先生與李煜瀛（石曾）、蔡元培、張人傑等在滬發起進德會，倡革命黨人不作官，不作議員，不食肉，不娶妾等八條。計有會員陳育等數十人。又發起儉學會，倡多送人到英、法、美各地留學。此乃先生提倡苦學之主張，得發展於革命初成立之後。五月，蔡元培赴北京任教育總長，邀請先生担任國語注音字母工作。七月至北京，致力推進讀音統一，國語注音字母工作。十一月組織國音統一會。發表讀音統一會進行程序小册，此與先生以前在「新世紀」上所發表之主張，大體相同。

先生爲國語事，赴淶水訪問當時致力於讀音及注音之勞乃宣（玉初）氏。今日台灣國語之能獲得普遍運用，獲得解決國語推行上之困難，而促進人民之向心力，利政令之推行，實皆先生篳路襤褸，不斷倡導之結果。六月九日，先生赴常州同盟會支部主持會議。十四日，在浦東中學演講。二十四日，先生與張人傑同謁國父於黃興寓。八月四日，先生參加居正（覺生）之婚禮。十一日，表姪女陳淑與丁緒賢（庶爲）在上海曹家渡「小萬柳堂」結婚，開現時結婚之新氣象，其中一切程序，皆爲先生所獨創，簡單大方，得風氣之先焉。先生與李煜瀛，張人傑，張繼等所創之留法儉學會第一班學生朱廣才、李宗侗（玄伯），李宗侃（叔陶）、李晉華（潤章）、江中、彭濟等三十餘人，在北京留法預備學校預習法文等六個月，於本年底經由西伯利亞赴法。民國二年一月抵法，安置於蒙達城。嗣後儉學會學生居勵今、李乃堯等繼至。黃季陸亦於民國二年春，參加儉學會習法文。是年，先生計劃在上海二馬路（九江路）「兌社」設置四美專門放大公司，經營放大美術照相業務。兌社由堂弟吳柳甫、吳和叔主持，兼負海外通訊也。

從「紅樓夢」說起

・許一塵・

一、魂歸離恨天

「紅樓夢」第九十八回回目：「苦絳珠魂歸離恨天，病神瑛淚灑相思地。」我覺得好極了！但覺得好的，並不只我一個人；因爲「魂歸離恨天」，「淚灑相思地」，都已被採作外國電影的中譯名了。後者我沒有看過，前者在大陸時我早看過了，那是採用英國名女小說家Emily Bronte的作品"Wuthering Heights"改編而成的。

這部暢銷小說，過去已有中譯本，伍光建譯，好像叫做「狹路冤家」，許多年以前，我曾讀過。那時，又逢着剛開始讀「聊齋誌異」，覺得這兩部書，有一點相同之處：就是所敘愛情，是生生死死了而不了的——人死了，鬼魂也還要出現的。

這原是中國講愛情的小說戲曲的一貫作風。這是爲了佛教思想，深入人心之故；因此大家都相信有前世、今生、與來世的幻覺。這樣，偉大的愛情總不是一生區區幾十年所能完了的！一段情緣，既不在生時開始，也不在死時完結。如「紅樓夢」中，賈寶玉與林黛玉的愛情故事，是在三生石上已訂下了前緣；故二人一到世上來，一碰面，寶玉便說：「這個妹妹，我曾見過的。」又如「西廂記」裏的張君瑞，一見鶯鶯，就覺得是：「驀一見五百年風流冤孽！」在「華山畿」裏，男的死了，棺抬過時，女的還唱：

「華山畿，君既爲儂死，獨活爲誰施？歡若見憐時，棺木爲儂開！」

由於這一唱，棺材果然開了！女的躍入，遂不復出，家人叩打，也不中用了。又「牡丹亭」中，杜麗娘死了，她的鬼魂，尋到了柳夢梅住處，後即與夢梅結爲夫婦。蒲松齡的一部「聊齋」，更滿是這一類的故事。

本來，「愛」與「死」原是文學的兩大主題！但中國文學中的愛，似乎特別喜歡與死相近，通篇充滿了鬼氣。這一類的書叫少男少女讀了，自不免心移神馳，要閒愁萬種，而多愁多病，懨懨無生氣了！在苦悶的時代，這一類的作品更使人走入「厭世」與「自殺」之途。

西洋文學就不這樣。大體而論，它健全得多了！如在「魂歸離恨天」這部影片中，女的鬼魂雖時來找男的，惹得全家不安寧（原著也如此）。但在別的書中，這一類的「鬼戀」故事，好像就不多見。這固然是我讀書太少之故；不過，外國作品之富於生的意志，富有生命力，乃爲我國學者所承認的事實，非只我一個人有這種感想而已！

二、紅樓新夢

「紅樓夢」中的家，實在是太大太複雜了！「按說榮府之中，人口雖不多，從上到下，也有三百餘口；事雖不多，一天也有一二十件：竟如亂麻一般，並沒個頭緒，可作綱領。」這只是榮府。加上寧府，又不只此。這樣龐大的家庭，並不快樂。奴才，奴才的奴才，自不用說了！正經主子，又有幾個眞正感到快樂的？即如賈探春那麼清貴的一個女孩子，也要說：「倒不如小人家，雖然寒素些，倒是天天娘兒們歡天喜地，大家快樂。我們這種人家，人家看着我們，不知千金萬金，何等快樂！殊不知這院內，煩惱更厲害！」

所以，假若筆者在無聊起來，要寫一本「紅樓新夢」的話，我一定先依照現社會的新組織，將大家庭分了家，分得小而又小。賈珍、尤氏、惜春是一家；賈蓉與妻胡氏是一家；賈赦、邢夫人、迎春是一家；賈璉、鳳姐、巧姐是一家；賈政、王夫人、趙姨娘、賈環、寶玉、探春和賈母，又是一家；李紈和賈蘭，或是同住，或不同住。其餘的上、中、下三等奴才，一概遣散，只或各家留一兩個得力的作僕人就夠了。這樣各家人口縮小，財力有餘。親戚來往，熱鬧爲仍可湊湊熱鬧，煩惱却都可免除了。第一個受惠的是鳳姐，她大可以多活幾年。

林黛玉父母雙亡，來依舅家。身體不好，驗明是肺癆，就應趕快送到醫院去，不惜財力，施以治療，務必治愈而後已！什麼讀書作詩之事，一概不許，最多只能給些輕鬆的讀物——像雜誌報紙之類，聊作解悶。這樣，她也必知自愛，眞箇一動不動（散散步當然可以），安臥靜養，漸漸地便會好的。

至於寶玉，因他在家既受到老祖母的溺愛，父親便把他送到一家管教極嚴的男子中學去就讀，並且要他寄住在學校的宿舍裏，受着團體生活的管理和鍛鍊。使他與黛玉隔開，以免二人常常胡鬧，惹黛玉生氣。這對黛玉的病，是大有裨益的。長輩們應坦白告訴寶玉，黛玉是他的嫡親姑表兄妹，血源關係，不宜結婚，使他早死了這條心。寶釵和他，也是嫡親姨表姊弟，一樣地不宜結婚。如此，一年年的過去，不久各人都長大了。寶釵另嫁，寶玉另娶，各擇佳耦。黛玉病愈出院，安居家中，作詩彈琴，有名於世。偶然也收幾個學生。其中有一個天分特高的，就是寶釵的嫂子——薛蟠的夫人香菱。

或者讀者們要怪我這樣擺佈，直把這部名著的內容，弄得索然無味了！但我以爲這樣簡單的小家庭組織，其生活的個化與心境的明淨，比之本來「紅樓夢」中的，要健全、快樂、而有生氣的多了！自然，家庭是爲人而設，人雖爲家庭而生；但家庭的生活簡化了，個人的價値也就顯得高了。

三、紅樓夢索引

若要我寫「紅樓新夢」，我就依照上面的寫法。再要我寫「紅樓夢索隱」，那末，我會說明末的女詩人葉小鸞，她就是林黛玉的前身，而林黛玉就是葉小鸞的影子。

考小鸞字瓊章，生於明崇禎丙辰年，是工部郎中葉紹袁的季女。母親沈宜修，大姐葉紈紈，二姐葉小紈，俱有詩名，並有集傳世。另母張倩倩，原是表姨，亦工吟咏。連侍女紅子，都能詩詞，可稱一門風雅。小紈並著有「鴛鴦夢」雜劇，爲有明一代唯一的著名女戲曲家。

小鸞出生六月，即送往舅家寄蓬。四歲，能誦「離騷。十歲歸家。値秋夜，母云：「桂寒清露濕。」小鸞即應云：「風冷亂紅凋。」詩才神捷之至！但這也是她的才高短壽之徵。年十二，能詩；十四歲，能奕。有族姑善琴，容爲指教，即通數調。家有書卷，也能摹寫。逸韻風生，端嚴莊靚。每日臨王子敬「洛神賦」，或懷素草書。不分寒暑，靜坐北窗下，一爐香相對終日。母喚之出中庭，則出；否則，只默默日與琴書爲伍而已。其愛清幽恬靜，有過人者。

可是葉小鸞無論在性格、舉止，與辯好方面，與林黛玉都有很相近之處。所以我總懷疑曹雪芹當日之寫黛玉，就是以葉小鸞爲影子的！（完）

三幕喜劇

事過境遷

熊式一

包太：不是他是誰？難道天下還有第二個宇文得標，而且也那麼狂嫖濫賭，專門鬧虧空？

仁：　這怎麼辦呢？

包太：誰叫你把史健旺匆匆忙忙的趕走了？我們應該問問淸楚，看看他現在打算怎樣，是不是想到香港長住？

仁：　他不是想在飛機場找事嗎？

包太：我不是說史先生，我是說我從前的丈夫……糟了！他並不是我從前的丈夫……。

仁：　他並不是你從前的丈夫嗎？那就好了！

包太　好甚麼？他不是我從前的丈夫！却是我現在的丈夫！他旣然沒有死，我和你並不能算結了婚，他豈不是我現在的丈夫嗎？

仁：　你別說了，越說越糟糕！這叫我們怎麼辦呢？當初我只怕他告訴我姑媽，所以馬上就把他支走……。

包太：不是支走，簡直是趕走，連推連扯的把他趕走了！

仁：　現在只好再把他找來！你問了他住在那兒沒有？

包太：我來不及問！你問了沒有？

仁：　我也忘了問！糟了！糟了！

包太：不要慌！有法子可以找着他的！他大概還在劉家，快去把他請來談談！

仁：　請他來談談！當初就是你談壞了！這是我們兩個人的私事，我決不和他談甚麼！我只要問問他，那個在澳門同他一塊兒吃飯的人是不是宇文得標，守玄武門爲國犧牲了的英雄？我用不着告訴他你從前和他曾經結過婚的事……。

包太：不是曾經結過婚！我現在還只是和他正式結婚了，是他合法的配偶！你不是說過，我們兩個人，根本就不能算是結了婚嗎？照法律上講起來，我犯了重婚之罪，你和一個有夫之婦結婚，也是違法的！我們的婚姻，在法律上，是非法同居，在道德上，在宗教上，是過着罪惡的生活！㉓

中共暴力膨脹的來源

諸葛文侯

中共於民國廿四年由江西瑞金突圍，長征到達陝西延安喘息時，殘存的兵力已不滿兩萬人，經過對日抗戰八年之後，它以「一分抗日，二分對付國民黨，七分發展實力」的策略，在淪陷區到處裹脅游民入伍，擴充部隊，迨抗戰結束時，毛共擁有的兵力，亦不過十萬人而已。洎後國軍接收東北之際，中共雖急於與蘇俄軍隊取得聯繫，但國軍駐守營口暨其他交通要道，嚴禁非正規軍人攜械進入東北地區。所以，中共幹部如林彪、呂正操等，皆係徒手化裝潛入東北的。顧何以在國軍控制防範之下，毛共不到兩年工夫，竟能在東北成立「第四野戰軍」，人數達到三十萬，而由林彪統率南下，豕突狼奔，成爲作戰能力最強的勁旅了呢？這種奇蹟決非毛共的人力所能創造，而是國府當局爲淵驅魚的重大失策使然也。

當日本宣告接受波茨坦宣言，無條件投降時，初有汪政權統兵大員鄂人杜錫鈞，以舊友兼鄉誼，由北平致電重慶的軍法執行總監何成濬（雪竹），報告他統領着二十萬名僞軍，盡係日本裝備，駐防從北平到漢口的平漢路沿綫，維護地方治安，靖剿共匪，靜候國府命令發落，請何氏轉呈蔣主席核示。旣而又有僞滿洲國陸軍大臣臧式毅，以與何雪竹曾在日本士官學校同窗關係，亦電告何氏，謂彼在東北擁有訓練數年，全部日式新裝備的陸軍四十萬人，願受國府收編，執行應有使命。很顯然，杜、臧二人是藉自己手中的武力，向國府投効，希望將功贖罪，免除漢奸的刑責罷了。何氏接得這兩件電報後，先與參謀總長何應欽，軍令部長白崇禧等人商洽，皆認爲國軍因缺少運輸工具，不及迅速開赴華北一帶暨關外駐防接收，尤其對淪陷區的共黨活動，鞭長莫及，最好是利用當地的僞軍担負守土剿共職責，允屬事半功倍。乃決計予以收編，計期召集各有關單位首長會議通過後，再轉呈最高統帥鑒核施行。

迨會議舉行，由何應欽主席，會衆一致贊成收編這兩部僞軍，唯軍政部長陳辭修遲到，旋由主席將決議案內容對陳氏說明，詢問意見如何？陳謂：軍政部沒有這筆軍費預算，諸公若要收編，請另籌經費可也。他說罷就退席了。大家乃公推主席與何總監二人，將決議案面呈最高統帥，申說必須照辦的理由，且看如何指示吧？二何於散會後，回家休息進餐，到晚間繼聯袂晉謁國府主席，陳述一切經過情形，請示處理，奉諭：可與軍政部陳部長商洽決定之。二何以陳部長在會議席上業已表示堅定否決態度，再去協商亦係徒勞，本案祇好存而不論了。往後東北行營成立，對於關外的僞軍亦置之不理，聽其自生自滅。

杜、臧所率領的僞軍，知道國府不予收容，軍心惶惶不安，爲求生存計，在華北的有些散歸鄉里打游擊，有些就投入共軍了。在東北的，即受着共幹呂正操、張學詩的誘惑，除極少數拖到崇山峻嶺作馬賊外，大部分皆被共黨收編，初名「東北民主聯軍」，繼改編爲「人民解放軍第四野戰軍」，由林彪統率入關，從華北打到粵南，所向披靡。毛共不費吹灰之力，在短暫期間即得到幾十萬訓練有素的兵力，加以蘇俄將劫收的日本關東軍武器和裝備，交與毛共補充，戰鬥力當然甚強了。假使二何的主張，實現，毛共竊據大陸即不可能。嗚呼，雖曰天命，豈非人事哉！

禪學黃金時代

壁觀婆羅門——達摩

吳經熊著・吳怡譯

在慧可得到衣鉢後，某次，有位年過四十的居士來對他說：

「弟子患了很重的風濕病，請師父替我懺罪。」

慧可回答說：

「你把罪拿來，我替你懺。」

那位居士想了一會說：

「我找了半天，却找不到罪。」

於是慧可便說：

「好，我已替你懺完了罪。」

這位居士聽了後，大悟，便出家做和尚，改名爲僧璨，是禪宗的三祖。

僧璨有一篇非常著名的散文叫做信心銘，是用道家的智慧來解釋佛理，其中最精彩的幾段是：

「至道無難，惟嫌揀擇，但莫憎愛，洞然明白」。

「莫逐有緣，勿住空忍，一種平懷，泯然自盡」。

「止動歸止，止更彌動，惟滯兩邊，寧知一種」。

「境由能境，能由境能，欲知兩段，原是一空」。

不過僧璨的教人方法仍然未脫前人的窠臼。有一天，一位年青的和尚向僧璨禮拜說：

「請師父慈悲，教我解脫法門。」

僧璨反問：

「是誰縛了你」？

那位和尚回答：

「沒有人縛了我」。

僧璨便說：

「那麼，你爲什麼還要求解脫法門呢」？

這位和尚言下大悟，他就是禪宗的四祖道信。道信傳五祖弘忍，弘忍再傳六祖慧能，慧能開出了生氣蓬勃的中國禪宗。（完）

自由報

第八九六期

中華民國僑務委員會頒發台報新字第三二三號登記證
內政部內警台報字第031號
中華郵政台字第一二八二號執照
登記爲第一類新聞紙類
（半週刊每星期三、六出版）
每份港幣壹角・台灣零售價新台幣弍元

社長李運鵬・督印黃行奮

承印者：大同印務公司
地址：北角和富道九六號
台灣總管理處：台北市大同街119號
台灣區直接訂戶，台郵劃撥戶
第五〇五六號張萬有（自由報會計室）
電話：五一四[illegible]・[illegible]
台灣分社：台北市西寧南路110號二樓
電話：[illegible]四六・台郵劃撥戶九二五二號

社址：香港九龍彌敦道
593—601號廖創興
銀行大廈八樓五座
LIU CHONG HING
BUILDING
7th FLOOR FLAT 5
593—601 NATHAN ROAD,
KOWLOON, H.K.
TEL: K303831
電報掛號：7191

革新政治力圖復國（下）

・馬空群・

魏何曾上明帝疏曾說：「漢宣曰：『百姓所以安田里而無歎息愁恨之心者，政平訟理也』……此誠可謂知政之本也」。要怎樣才能政平呢？其實也很簡單，只要能夠明是非，辨屈直，別善惡，就可以得其平了。齊景問晏子說：「爲政何患？」晏子說：「患善惡之不分」。孔子聽到這話後說：「此言也信矣」。假若善惡不分，則必是非不明，屈直不辨，此乃政治大患。尚書說：「無偏無黨，王道蕩蕩；無黨無偏、王道平平」。所謂無偏。也就是明辨是非、屈直善惡，不偏不頗，恰得其當的意思。黨字據古書上的解釋是「相助匿非」，就是說心理有偏，爲了要幫助那心裏喜愛的人，而把其人的壞處隱藏起來，不讓人知。像這樣去作，還能做到政平嗎。所以要做到政平，一定要像天秤一樣，不管是親近的人或疏遠的人，是故舊的人或陌生的人，是喜愛的人或厭惡的人，都要一視同仁，一樣在天秤上毫不含糊的去稱一下，把是非、屈直、善惡分辨出來，這樣才能政平，這樣政治才可革新，才可進步。

第二要做到「政正」，政是衆人之事，既是衆人之事，就要爲衆人解決問題，爲衆人謀求福利，爲衆人造就幸福。所以政治一定要堂堂正正的做，不能東偏西倒的做，更不能偷偷摸摸的做。做的如果是爲全體人民，而不是爲了少數人的，就用不着東偏西倒的做，做的如果沒有見不得人的地方，有甚麼偷偷摸摸的必要。今天許多事情，不能堂堂正正的去做，就是由於我們的政治不能完全站在人民的利益立場，嘴裏雖然口口聲聲一切爲人民，但實際上是一切爲政府，甚至是爲私人。政府的許多設施，是都以政府爲主，並非以人民爲主。凡事總要讓政府討點便宜，讓人民吃點虧。舉點極淺顯的例子來說：我們依照都市計劃要開闢道路、修建公園、或辦理學校，如果堂堂正正的去做，就應當以公平合理的價格，收購人民的土地和房屋，以安定人民的生活。聽說日本東京開闢道路，人民非常樂從，原因是他們政府收購土地的價值比市價還高。但是今天我們收購土地，祇能按照公定地價，而這些所謂都市計劃預定地，平時就已經把公定價值壓得低低的，不過相當於同時的普通地價的若干分之一，而對於房屋還沒有補償，這如何能使老百姓心服呢。這種事情已習以爲常，大家腦裏好像應當讓老百姓吃點虧才對似的。固然今天政府的確窮，但這祇能在理財上去特別努力，政府的力量比任何個人的力量大，政府應當以政府的力量去解決個人力量所不能解決的問題，這才是正道。政府總不能與民爭利，甚或去攫取人民的利益。

又如都市平均地權，既是堂堂正正的奉行國父遺教，就應依照遺教，由人民申報地價，照價徵稅，照價收買，漲價歸公。但是今天我們竟想要在幾方面都去佔人民的便宜，這是無異借國父遺教的美名，來玩弄聚斂的手法。而且每隔半年就要調整所謂土地價值一次，這樣領導土地上漲，投機者自然從中推助漲風，結果只有弄得大多數人在都市裏都住不起房子，眞是沒有立錐之地了。這樣的政治，說得上一個「正」字嗎？其他的不多說了。政不正，自然便會形成種種歪風、邪風、亂風，對於政治的前途，國家的前途，都是非常危險的。所以禮記說：「政不正，則君臣危」。要如何才可以政正呢？尚書說：「無反無側，王道正直」。這就是政治只要把「正」字拿走，就放手做去，不要反覆無定，或去走側路旁門，政治便達到正直了。政正要由上者率先倡導，而且還要上下相互規正，才能有效。孔子說：「政者，正也。子率以正，孰敢不正」。釋名說：「政、正也，下所取正也」。呂氏春秋說：「禮以體政，政以正民」。禮記說：「官職相序，君臣相正」。這些話都是這個意思。假使在上者能倡導以前，在下者能規正於後，一定可以到上正則下正，官正則民正，這樣自然可以養成一股全國一致向前進步的正風的。

第三要做到「政大」。政治必須從大處着手，大處必須認眞，小處可以放寬。如果只憑個人的愛憎喜怒，不爲國家前途着想，小處倒頂重視，大處反而放鬆，結果必定大事廢弛，小事苛刻，弄得綱紀難振，人民稱怨。昔劉頌說：「善爲政者，綱舉網疏。綱舉則所羅者廣，網疏則小必漏。所羅者廣，則爲政不苛。此爲政之要也。」新序說：「位尊者德不可以薄，官大者治不可以小……有大畧者不問其所短，有厚德者不非其小疵。」這都是說明爲政要重視大處，放棄小處的道理。我國乃是一個歷史悠久的大國，從來就很能表現大國的氣度，在歷史上，我們的政治那種大氣磅礡的氣概，眞可以照耀人寰。孟子滕文公章曾說：「大哉堯之爲君！惟天爲大，惟堯則之，蕩蕩乎民無能名焉。」這是讚美唐堯爲政，取法於天，天算是最大的了，還有那樣比天更大的，所以唐堯的政治，那種廣大深遠的樣子，讓老百姓佩服得簡直沒有話可講了。莊子也說：「舜問於堯曰：『天王之用心何如？』堯曰：『吾不敖無告，不廢窮民，此吾所以用心已』舜曰：『美則美矣，而未大也』。堯曰：『然則如何？』舜曰：『天德而出寧，日月照而四時行，若晝夜之有經，行雲而雨施矣』」。虞舜認爲唐堯對於無告與窮民，雖然愛護備至，但只可稱美，不能算大，必須如日月的照臨，雲雨的普施，才可爲大。可見我們自古以來的政治家們，是何等偉大的胸懷與氣度。就如上次抗戰結束，日本投降，我國用以德報怨的態度，寬待日人，這亦就是表現我國政治氣度偉大的地方，所以贏得舉世稱譽。

（下轉第三版）

大吃小！

硬着來！

昨日與明日

雙十節的前夕

人生不怕失敗，在看失敗後能否振作，今後我們能否反攻復國，得考驗全國同胞對政府有無充份的向心力，及海內外包括大陸同胞是否對反共意志均能集中。

我們檢討遷台二十年來的準備工作做到甚麼程度，二十年的歲月並不算短，中間有很多次機會，都可揮動王師，跨海西征，例：三反和五反。西藏抗暴事件。全國大煉鋼。百花齊放與百家爭鳴。紅衛兵造亂。直到最近的武裝奪權運動。一次又一次可供反攻的機會，都從我們面前悄悄溜過，是勇氣喪失了呢？還是努力不夠，眞使人失望到了頂點。

陷於水深火熱中的大陸同胞，每逢雙十節前夕就會想到：「遺民淚盡胡塵裏，南望王師又一年」。

拿出北伐精神

明天是國慶良辰，爲國人大徹大悟最後一次機會，須知復國是我們自己的問題，由於美軍急欲撤退越南已到了不擇手段境界偏安酣夢應該醒了，認識自己實在地位，除自救外，沒有任何可靠力量，大勢所趨，足資反省。

復國工作，首先得鼓舞革命熱潮，造成反攻環境，拿出當年　元首領導北伐之一般愈挫愈奮，再接再厲的大無畏精神，認清以數十年必死之生命，於國家民族永恆之基礎，始克有爲，亦當前朝野共同任務。

制止吃唱淫樂

由於近年來的觀光事業畸形發展，台灣的善良風氣，早被破壞殆盡，民間吃、唱，淫樂的漫無限制，已經到達巔峯，這種浪費自己經濟元氣爲敵人所企望的「消耗戰」是誰在提倡，政府爲甚麼不過問？

抑有進者，將國防上所必須的鋼鐵和水泥以及其他戰略物資。統統堆積在市區若干棟大廈上，一旦軍事有需要，是否能效法戰前德國，萬物皆變成武器，否則這又是一着錯棋，因爲觀光究竟沒有反攻重要，政治如果不能掌握重點，太危險了。

改善政治風氣

中華民國空前的大難，爲五十七年來所罕見，甚麼時候才能現出曙光，乃七億人民所企望，亦即我們努力奮鬥的目標。

照道理，當前的政治風氣，應該是萬衆一心，敵愾同仇，做到文官不要錢，武官不怕死，皆能忠於所職，忠於所信才對，但事實與理想往往相反，今日之無是非，無喜惡，無主張，無廉恥，成爲浮游宦海中的秘訣，藉非成是，幾乎到了不可收拾之境，幸當局及早察覺，銳意革新，繼黃豆案後，又從司法界動手術，果能逐步改進，尚有救藥。

自由談

相傳中華民國初期，名伶汪笑儂在上海獻藝，一般士大夫以汪係滿洲旗籍而中式鄉試舉人，因絓吏議落職，乃隱於伶者，多樂與交游。一日，與樊山陳散原易實甫諸遺老讌集，約汪伶參加，酒後以「詩鐘」娛樂，題目爲「八股文」「東三省」，汪得句云：能使英雄皆入彀」，「可憐帝子已無家」，諸遺老推爲首選，相與擱筆矣。

詩鐘小技，乃中國文字體裁中的一格，與「聯珠」體文相仲伯，但足以表現作者的技術和高度智慧，如汪伶所撰的兩句詩鐘，不用典故而純屬白描，言簡意賅，義蘊無窮，世界上任何一種文字皆沒有這樣美妙的造詣，即此小道已可證明中國固有文化實在值得寶貴了。

中國文的優美性

近五十年來，國人倡言西化主義，模仿西方國家的文物制度，唯恐弗及，對於吾國舊有典籍文字，亦一律視爲不值一顧的土苴，要丟進茅廁裏去，而盛倡語體文，至今日，一般智識階級的青壯年人士，寫點簡單的語體文，每每別字連篇，舛誤百出，稍爲多寫幾句，即雜沓無章，不知所云，像上述汪笑儂的詩鐘詞句，殆如滬諺所謂「談阿弗要談」了！這毛病就在少讀舊書，鄙薄國文，以爲能寫些「的，嗎，啦呀」的語體文，便是科學掛帥、代的西化英雄，自命「了不得」，實際是「不得了」。蓋中文若不通，縱然學富五車，亦無從把自己的心得傳諸後世，藏之名山，更沒法教時人省識其學問究竟如何也。

國文程度低落到目前這種現象，不能不歸咎於過去五十年來只是迷信語體文的教育方法之失敗。每天展閱報章雜志上的語體文的作品，有些出乎意外的不通詞句，令人驚駭莫名，例如最近台灣某報上有人撰文談論男女婚嫁的目的，是在傳接「香火」，但作者將「香火」誤解爲「香烟」，原文中再三出現「傳接香烟」的妙句，可見這決非由於「手民誤植」所致吧？

我們在思想上既相信復興中國固有文化之必要，而在事實上，又處處發現一般人的國學程度低落得不堪想像了，如果還要浪費精力，妄事「國文」與「國語」問題爭論，那眞是古人所謂：「前人不暇自哀，而後人哀之……又使後人復哀後人也」，可悲孰甚哉！

馬五先生

讀者投書　爲退休人員請命

·厚非·

運鵬社長我兄有道：日前曾復一函諒邀鑒及，茲接友人厚非（筆名）君寄來一稿囑爲轉送貴報刊登，此稿內容具實，且有法理根據，素仰貴報主持正義，銷行海內外，對於不公平不合理之事，常能言他報之所不敢言，因而引起各方之重視，尚祈惠予刊出，以促政府之注意，倘能因此而獲得解決，則萬千退體人員，當拜賜無旣，耑此撰祺　盼覆！

弟×××　×××拜啓　九月二十七日

政府現正倡導新陳代謝，力促老人退休，此一政策，原無可厚非。不過爲政府辛辛苦苦服務了幾十年的公務員，一旦退休下來，其退休金能否維持生活？政府應負責爲之設想。若只知強迫年老的公務員退休，而不顧及他們 退休後生活，則此一退休政策，必難貫徹實行。據銓敘部統計，每年應退休的人數約爲千分之六，但實際退休的人數，尚不及千分之一，其原因何在？不難想而知。現在各方面正在提議改進退休辦法，使公務人員能退而能養，退而能安。這當然是一件好事。未來退休的公務人員，可受其惠。但是那些奉公守法早已辦理退休的人，怎麼辦呢！政府不能不顧及。我認爲政府有力量，也應該負責辦理的事有三：第一是恢復原定優惠存欵二分利率：政府爲保障退休人員生活起見，曾訂有退休人員優惠存欵辦法，（限於支領一次過退休金人員），原訂每月利率二分。現物價日增，而此項利率反一再降低爲一分二厘一毫五絲，使靠利息生活的退休人員，無法生存。第二是依法補發加發薪津：查現行退休法規，明定退休人員之退休金，應隨同待遇調整而調整之。查政府曾於五三年度起，加發薪津一個月，至五五年度，改爲加發三個月，迨至五六年度，又改爲加發五個月。在以上各年度退休的人員，依法照各該年度加發數字，併入退休金基數內計算。支領月退休金人員，早已照發，惟獨對支領一次退休金人員不予發給。曾經立法委員徐漢豪等向行政院提出質詢。這不但不公平，且違反退休法規。第三是妥籌退休人員住屋辦法：退休人員退休後除少數尚住公家宿舍外，大多數均無屋可住。這些人員，每個月領到的退休金存欵利息，原已不敷開支，今又要負担房租費用，其生活之困苦，可想而知。以上三事，政府應負責解決。尤其補發加發薪津一事，是退休法明白規定了的，關係退休人員的權益，政府不能違法賴賬的。據聞全體退休人員，曾迭次向有關機關陳情，考試院方面主張應依法照發，而行政院則以經費困難爲詞，延不發給，却無法面對法律，予以批駁。這實在不是政府立信於民之道。此乃不但關係退休人員的法定權益，抑且影響退休政策的推行。甚望行政院顧全政府信譽，早日依法解決。

「養女之家」面臨關門命運

婦女界呼籲轉禍爲福

省政府計劃加強保護養女工作

呂錦花博得「養女生佛」雅號

本報記者顧碧天台北消息：台灣省養女保護委員會主持人呂錦花女士任省議員時，於五十五年七月向省社會處爭取到二十萬元經費，特在台北市中山北路四段附近租下一棟房屋創立了「養女之家」，經常住着養女三十名左右，除供食住外，就學的並供學費，現有養女十六名。由於內政部正準備在「兒童福利法」中增列專門條文，以立法途徑來保護養女，台灣省府因之將上項經預算自本年序以删除，迫使「養女保護委員會」以及「養女之家」面臨「關門大吉」之境。此一消息傳布後，各方對之甚表重視，尤以婦女界更爲關切。

婦聯總會常務委員沈慧蓮女士會表示：「政府對養女保護會以及養女之家，仍應予以支持，不可任其停閉」。監察委員張維貞女士說：「保護養女應爲省爲省社會處應辦社會福利之一，拯救一養女，就算活人濟世，社會處何可停止其經費，捨此而不爲，殊出人意料之外」。省議員宋瓊英女士亦表示，「將於省議會提議，繼續維持養女保護委員會原有之經費，使其工作，不致停頓。」

寺廟擁有財力　應為養女造福

（據悉）省民政廳已提出一項加强保護養女工作計劃，準備集中全省四千多所寺廟興辦公益慈善事業的財力，支援這項計劃的施行，使遭受虐待及孤苦無依的養女，獲得幸福的生活。

民政廳說：本省養女制度，因受日本人重男輕女觀念影響，發生種種流弊，政府早予注意，並謀改善。該廳刻正計劃對全省養女作一次詳細調查，擬將台灣養女分爲「優良養女」、「平安養女」、「受虐待養女」、以及受「迫害養女」四大類，對於優良養女的養父母予以表揚，對受虐待和受迫害的養女，則予援助，並交由鄉鎮村里隨時保護，或設所收容，訓練其獲得謀生技能後，輔導其就業，以解決其生活問題。

民政廳又說：省府爲改善一般養女生活，雖有週詳計劃，因缺乏經費，自難積極推動，現在，民政廳正依據監督寺廟條例「寺廟應按年舉辦公益慈善事業，否則主管官署得撤除其主持職務」之規定，準備集中寺廟興辦公益慈善事業之財力。作爲加强保護養女工作經費。據統計：全省寺廟將近四千所，大都具有雄厚財力，平日又多浪費於各種祭典，如能集中部份財力興辦公益事業，不但節省浪費，也能造福地方，以其用於保護養女工作，自屬更具意義，民政廳希望將來政府執行此項計劃時，能得到社會的支持，俾能早日付諸實現。

規定收養養女　無不正當動機

民政廳表示：政府對於台灣省保護養女運動委員會的工作，向極支持，過去由該廳編列預算補助義女運動委員會的經費，每年爲四萬四千元，自五十年起又由民政廳向社會福利基金申請每年撥補二十萬元，本年度已經提出申請，尚在審查中，該廳並已去函社會福利基金委員會查催，盼早日核撥，以利該會工作之進行。

民政廳所提加强保護養女工作計劃，係由民政廳、社會處和警務處三方面共同配合辦理，民政廳負責策劃推動，社會處負責輔導救濟，警務處則担負防止虐待迫害養女的責任。

此項工作計劃特別提出以下十一項具體建議，請求中央修訂有關法規，俾資適應。一、規定收養養女者，於辦理戶籍登記時，應檢附分局以上警察單位之證明書或殷實商號保證書，保證其收養養女無不正當動機。二、收養養女以一人爲限。三、已有親生女者不得收養他人之女爲養女，未滿四十歲者，不得收養養女。四、收養養女之養父母家庭經濟須有固定之收入，確能維持其最低生活。五、養父母至少應使養女受完國民教育。六、收養養女者至少應負責收養其養女至成年能自立謀生，不得惡意遺棄。七、收養養女不得使爲奴隸或使居於類似奴隸之不自由地位。八、收養養女不得有虐待、買賣、轉讓、抵押或逼迫賣淫等妨害風化之不良行爲。九、養女不願與人成婚者，不得强迫。十、養女成年後，養父母不得索取高價聘金妨碍其婚姻自由。十一、其他有關利用戶籍登記控制所能採用之保護規定。

計劃中並擬定每年十一月十二日文化復興節，選拔養女孝敬養父母或養女慈愛家庭，予以表揚，以收激勵之效。同時，擬設置五千萬至一億元，作爲保護養女基金，專門收容受虐待及孤苦無依養女，加以教育訓練後，輔導其就業。

監察院內政、司法小組，日前舉行聯席會議，由委員王冠吾等七人提案指出：台灣收養養女問題非常盛行，收養者並非親生子女。而是要依賴養女當「搖錢樹」收養不久，即將其送入火坑倚門賣笑，是以目前娼妓、酒吧女、咖啡女、舞女等大半爲養女出身，他們在被迫之下成爲賣笑人，且她們大半未成年，豈僅即賣淫、賣笑，尤爲妨碍身心發展，不人道。目前色情氾濫與養女問題互有關係。決定將養女問題處理交給監院本年度中央普查小組內政組，在巡查內政部時，跟當局交換意見。

養女保護委會　救助養女七千

養女保護委員會自民國四十年七月成立，由當時執政黨台北市主任委員鄭品聰就市黨部台北車站東側一棟木造樓房第三層撥住辦理，該屋後由警察局交通警察隊接收爲辦公處，迭經警方促其遷出，由呂錦花憑其省議員關係一再交涉，始暫留住，惟其所用房屋則愈來愈小，業務則愈來愈多，該會內部僅有四位職員，每天日以繼夜，不斷處理養女案件，十七年以來，總共有七千名受虐待之養女，在該會保護和調解之下獲到自由，內有一千三百名養女，經該會安排下得到美滿的婚姻。呂錦花女士已早博得「養女之母」、「養女之生佛」之尊號，呂女士於本年省議會改選即於議壇退休，專事養女保護事業，現在養女保護會爲適應社會之需要，正應擴大工作，甚望政府及社會各方一致予以有力之支援！

浪擲蕉農血汗！

以香蕉外銷改用紙箱爲名　耗費十萬遨有關單位遊樂

台中消息：外貿會香蕉小組爲香蕉外銷首次改用紙箱包裝，並爲使各界瞭解使用紙箱的優點，特邀請有關各單位赴中部香蕉集貨場參觀，爲商品外銷包裝宣傳，用意至善，唯參觀二日日程，實際耗化費用竟達十萬元之鉅。（僅在台中一夕娛樂費列支預算四萬元，食宿在外）。

香蕉產銷輔導小組九月八日邀集經濟部商品檢驗局、省交通處、省合作事業管理處、農業試驗所及有關人員等赴南投、中興、永豐、員林、社頭、田中、二林、源泉等八個香蕉產地集貨場，實地參觀香蕉選別及紙箱包裝，由該組執行秘書譚玉佐陪同，包用一輛冷氣客車浩浩蕩蕩，開赴名爲參觀考的地點。

據聞此次參觀費用，包括娛樂四萬元及其他各項費用共新台幣十萬元，由香蕉聯營委員會暫時墊付；又據該小組譚玉佐表示招待參觀是事實，至開支多少尚未統計確實數目，看情形這個數目不小的開支，又要浪擲蕉農的血汗了。（則鳴）

記上海城隍廟（上）

·丹心·

在我們中國，無論縣份大小，都有一位全縣之首的縣長，同時也一定有位城隍。縣長職掌着地方上一切政務，管的僅是人間事，城隍則兼理陰陽，兼司人鬼；死鬼們的世界固然歸他全權處理，陽世間活人們有了疑難莫決、否泰未卜的大小事——大爲風雨失調、水旱成災，小爲失竊被盜、含寃受誣——也會去叩頭求助。

雖然，今天科學昌明，已到了太空時代，幾千年來深入人心的神權觀念，却還能發生若干作用，城隍菩薩在某些人心目中，依然威靈顯赫。且看，台灣大小市鎮一連久旱不雨，就有抬着城隍求雨的事；也有爲了選舉糾紛，放着法不去申告，偏要雙雙跪倒泥塑木雕的神像前，賭咒發誓地叩求城隍判個曲直是非。所以，如說縣太爺是一縣政治上的首腦人物，那末城隍菩薩該是地方上部份人民精神上的統治者。

縣長的辦公處所，從前叫縣衙門，現在稱縣政府；城隍處理公縣的地方，不分今昔統名之爲城隍廟。縣政府裏是一縣的行政最高機關，建築上不見得個個都是富麗堂皇；城隍廟則因擁有不少善男信女甘心情願奉獻錢財，所以廟貌十九是金碧輝煌。不過，若論香火之盛，氣派之大，範圍之廣，以及規模的宏偉，全國之中首推上海城隍廟。

上海城隍廟在舊日縣治的城中心。上海自從開闢租界以後，一切工商業和中外貿易，都在租界上欣欣向榮，到處是摩天大厦、柏油馬路，到處是熙往攘來的車輛和人羣，充滿了現代都市的繁榮景象。相反地，舊日縣城却日趨凋蔽冷落，惟獨城隍廟地區，一直保持着往日的熱鬧和繁榮而不衰。

不過，去城隍廟的，大都仍是居住租界上的人們，其中上香點燭、求福禳災的當然有，而大多數是去白相湊熱鬧的。換句話說，就是大家住在租界上，看夠了京戲電影，玩膩了跑狗賽馬等新玩意，也會換換口味，白相白相城隍廟，欣賞一下舊花樣。因此，上城隍廟的人，除了黃臉孔的敝同胞，也有不少金髮碧眼的洋朋友，好像台北萬華的龍山寺，常有國際人士好奇地前去觀光一樣。當然萬華龍山寺要同上海城隍廟作比的話，似乎是小巫見大巫，不可同等而語了。

三日春秋

袁寒雲的抱負與才華

・厚安・

鷄窩可以出鳳凰，在老袁的羣兒中，會有一位寒雲公子，是一大奇跡。

在老袁準備登大典，全家上下興高彩烈的當兒，只有寒雲一人鬱鬱不樂，最後以「獨憐高處多風雲，莫到瓊樓最上層，」句，諷袁勿輕嘗帝夢，卒以此觸怒老袁，襆被南下，以示與絕其抱負與風榜，遂為海內宗仰。

海上為魚龍混雜地區，幫會勢力，極為雄厚。此中人雖多罔法亂紀，但頗重義氣。由於寒雲的民族大節，絲毫不苟，此中人仰慕備至，乃奉為「大」字輩，在幫會中地位極為崇高。寒雲亦藉此伸張其豪俠的本性，為名坤伶與名妓，作護花使者，故一時其乾女兒之多，乃難以數計，寒雲亦顧而樂之。

寒雲善書法，字作瘦金體，得之者視為拱璧。稼青為字，寒雲亦善製贈妓聯，其贈：湘雲云：「湘妃身世明妃淚，雲想衣裳花想容」。（嵌字格）；艷玲瓏云：「三月詩情多艷冶，一縷春寒太玲瓏。」；碧珠云：「碧草暗侵香苑路，珠簾不捲枕江樓。」均佳。

又：寒雲禁錮北海時，寵姬薛麗清已去，別有一妾小桃者侍側，為易名秀英，又字鶯鶯，戲作聯贈之云：「提起小名兒，昔夢已非，新歡又墜；漫言桃葉渡，春風依舊，人面誰家。」頃，又製一聯云：「翻倖翻成小玉悲，折柳分釵，空尋墜夢；舊情漫與桃花說，愁紅泣綠，不似當年。」贈眷鏡樓四娘云：「春歲缺欲啼，馬上相逢，為言昨日；鏡裏花難折，樽前重見，怕說明朝。」春宵樓九娘云：「春去春來，門外風花都不管；宵長宵短，樓頭歌好自無涯。」月珍云：「萬古閒愁，憑消月子三分，春花十里；一宵沉醉，安得珍珠百顆，玳瑁雙棲。」初霞云：「初時相見，便已留情，況移酒近眉，登樓把手；霞綺成裳，猶嫌污色，願裁雲作履，踏月為盟。」又云：「初弦月，初胎花，便爾許相思，春到三分猶隱約；霞裳錦，霞光珮，又無端邂逅，犀通一走已纏綿。」金鈴云：「柳綻金時，春色湖邊應早綠，雨淋鈴曲，歌聲天上許重聞」均佳，但以較乃師地山，似仍遜一籌。

（完）

西洋哲人簡介

蘇格拉底（上）

劉長蘭

蘇格拉底的一生（469——399B.C.）正當古希臘的黃金時代。紀元前四八〇年雅典海軍和斯巴達的陸軍聯合擊敗了不可一世的波斯王塞爾色斯，於是雅典的商船大為活躍於海上；一方面輸出雅典的貨品與希臘文化，一方面由世界各地帶回各種思想和觀念，使希臘文化更上一層樓，成為鼎盛之局。一時希臘學術上人才輩出，有哲學的科學家德摩克萊塔與阿納西曼尼斯等在研究宇宙萬物的本質問題，有尤利匹狄斯，沙弗克利斯與艾瑞斯多芬尼等在撰寫他們偉大的劇本，歷史學家如西諾芳，希羅多泰斯與亩塞戴狄斯等則在忙於古代事跡之紀述；而在哲學方面，蘇格拉底也正以他獨特的方法在和他的朋友與學生熱切的探求眞知。

蘇格拉底原為一石刻匠人。他決定放棄舊業而從事哲學的探討是在他四十多歲的時候。這其間有一段頗為奇妙的經過。據說，有一次他和一個朋友涉水登山的走了好幾百哩路到一個廟裏去請示德爾菲神諭。在那個廟的大殿裏他們肅立着聽見一個不知來自何處的聲音叫他們通名報姓並說明來意。蘇格拉底先說道：「我是蘇格拉底，是一個一無所知的人。」接着，他的朋友也自報了姓名，然後說：「啊，萬能的神，請告訴我們誰是最聰明的人。」靜悄悄的過了一會兒之後，那神秘的聲音又說道：「蘇格拉底是最聰明的人。」他們還想再問時，教士却走來告訴他們神叫他們不要再問了。他們只得回去。但是神的答話使他們百思不解。最後他的朋友認為那話可能除了表面的意思外別無其他含義；蘇格拉底却不以為然，只是他也不知應如何去解釋。若干年後他才想通了，原來神的意思是說：只像蘇格拉底那樣自認無知的人才是最聰明的人。雖然在當時蘇格拉底並沒有明白這神諭的深意，這件事却依然影響他很大。他從此立定志向要去尋求眞理，去做一個發問的人，一個眞正的哲學家。

蘇格拉底並不是那種專門沉浸於抽象理論的研究而無所行動的哲學家。恰恰相反，他積極的參與生活中各種活動，並且身體力行，貫徹他的主張，甚至不惜以身殉道。有關他早年的生活，他自己沒有留下任何記載，但是從他的學生拍拉圖的記述裏我們得知他在少年時代曾過着健康的戶外生活；他曾是雅典軍中一名勇敢而且有戰功的步兵，又曾拯救過他受傷的夥伴艾爾西拜爾狄斯（此人後來成為他終生好友與門人）。他不贊成風行於當時的懷疑論學派。

吳敬恒先生年譜（三廿）

陳凌海 編撰
陳洪 校訂

民國二年，癸丑（西曆一九一三年）

先生四十九歲

一月十三日，先生偕許俊如同乘津浦路火車赴天津。寓泉盛棧。十五日，與孫揆均（叔方）、廉泉（南湖）、許俊如同至北京。先生就任國語讀音統一會會長。網羅文字、音韻、語言專家四十四人，召開大會。先生被選為議長。王照（筱航）為副議長。經三月餘詳密討論，制定注音字母及審定六千五百餘字之國音。會後經數年之久先生手編第一部國音字典出版，奠定國語運動之堅定基礎。元月二十八日，先生在社會黨演講。二月二日，先生參加社會黨成立大會。三月二十日，宋教仁（遯初）被刺。當時局勢險惡，袁世凱（慰庭），正在調兵遣將，決心以武力消滅國民黨，故先以鏟除宋為入手。四月，蔡元培（孑民）辭教育總長。先生亦於四月二十四日請辭國語讀音統一會會長職務。並發表「可以止矣」文章一篇。先生乃返滬。與蔡元培合辦公論報，主筆政，鼓吹討袁。

七月，石瑛（蘅青）由北京返鄂道經上海，訪晤先生，暢談時事。時上海方面因袁軍由川沙偷襲登陸，約有三四千人相繼攻陷製造局與龍華等地，上海城中及南市一帶，亦為袁世凱所派之鎮守使鄭汝成搜查戒嚴，無所不至。惟軍艦為吳淞炮台所阻，時居正（覺生）正堅守吳淞炮台。鈕永建（惕生）率松軍二千守江灣，孤立海角，阻袁軍之前進。石瑛送炮台測遠器至吳淞炮台後，又晤先生，詳述經過。

二次革命失敗，九月五日先生與蔡元培同輪赴歐。先生於十月二十二日抵倫敦。蔡元培一家留居法國。是日在上海送行者，有廉泉（南湖）、孫揆均（叔方）、陳育（仲英）、俞復（仲還）、丁寶書（芸軒）、王道平、襟弟馬程千等數十人。十一月一日甥女馮元賽始看報。

民國三年，甲寅（西曆一九一四年）

先生五十歲

第一次世界大戰爆發，先生與梁如皋由英同至巴黎。寓李煜瀛（石曾）處。某日先生與李煜瀛、蔡元培（孑民）等聚談，咸認唯一救國方法，應對有志之青年促其從事於最高深學問之研究，使其沈浸於專門學識數十年，然後進入社會，則其一言一動，必能引起社會之尊信，而後學風始以丕變。此為先生與其友好從事注意教育文化事業之新觀點也。八月三日偕鈕永建（惕生）同遊罕姆斯對。九月一日，中華革命黨發表宣言，制定「中華革命方略」，並內定青天白日滿地紅旗為國旗。

革新政治力圖復國

——自第一版轉來

・馬空群・

可是我們今天屈居台灣一隅，十多年來，慢慢的使得大家的眼界都小起來了，許多事情不從遠處大處着想，而只是從近處小處去看。譬如許多人主張節育的人口政策，以減輕目前的人口壓力，不知今日我們不是要永居海島，而是要生聚教訓，反攻復國，如何不從大處看，而要從小處去做呢。又如懲治貪污，應該要嚴辦幾個大貪污案子，重懲幾個要犯，以收警戒之效，但是今天對小貪污倒很認真，而對大貪污則置若罔聞。這些都是使人有一種只見其小，不覺其大之感。禮記說：「政必本天，……以四時為柄，以日星為紀」假如我們的紀綱能有日月星辰那種一定不移的標準，賞罰能如春生秋殺那種絲毫不苟的嚴肅，那我們的政治，還有甚麼話可講呢，一定也是「民無能名焉」了。

第四要做到「政公」，公就是不私，這是政治的起碼條件，也是政治的最終目的。我們不是口口聲聲在喊，我們的政治理想是要實現天下為公的大同世界嗎，現在我們且不忙談天下為公，我們在未達到天下為公之前，首先起碼要做到的，便是要「政治為公」，否則我們的天下為公從何處去做起呢。老實說，我們今天的政治與「公」字還隔得很遠，到處看到的，都還是一個私字；那種說私話，講私情，做私事，用私人的現象，仍是層出不窮。個人的偏私，僅在一念之間，好像是很輕易的事，然在個人倒覺得輕易，而遺害於世，却異常嚴重了。所以韓子說：「不以智累心，不以私累世」，就是這個道理。我們既要「政大」，以天為法，在天地是無私的，古語說：「天無私覆，地無私載，日月無私燭，四時無私行」，我們的政治如能像天地日月四時的無私，自然便豁然大公了。政治為公，首先便要由選賢與能做起，因為政治既是公眾的事，就應該在公眾當中選擇賢能的人來辦理，這是很淺近的道理。如果只知道用親近故舊，把人才凍結起來，這是最危險不過的。周公說：「我於天下亦不賤矣，我一沐三握髮，一飯三吐哺，起而待士，猶恐失天下之賢人」，可見古人求賢之心，是何等的急切。

至於用賢，應該怎樣做起呢？唐太宗金鏡有幾句話說的很好：「……塞切直之路，為忠者必少，開諂諛之門，為佞者必多。且用人之道，又為未易，己之所謂賢，未必盡善，眾之所謂毀，未必全惡。知能不舉，則為失材，知惡不黜，則為禍始。又人才有長短，不必兼通，是以公綽優於大國之老，子產喜為小邦之相，絳侯木訥，卒安劉氏，嗇夫利口，不任上林宗之令，捨短取長，然後為美。」這幾句話，對於用賢之道，說得非常透徹，值得我們三思的。賢才是公爾忘私的，如能使國家的賢才都能為國所用，相信一定可以蔚成大公無私的政治風氣，使政治踏上理想的途程的。

革新政治，過去雖然從事了若干年，但是所做的工作都沒有觸及問題的中心，所以並無成效可言。現在政治潛伏的危機越來越大，政治革新的需要越來越切，希望我們的政府能夠切實檢討，改絃更張，發揮過去的優點，消除所有的缺失，然後才可以促進政治的進步，提早復國的完成。（完）

黃季剛做壽犯忌　章太炎自討沒趣

羽衣

論語載：「子不語怪力亂神」，自此以後，受了孔孟之道所薰陶的中國文人們，大致都不太迷信，只肯遵從人道，不願遵從鬼道，阮籍作「無鬼論」，實為其中之代表人物，但是，文人講禁忌，信鬼神，也不是完全沒有，像一代學人黃季剛學問雖好，却迷信得很，他生平很少著書，據說他有着某種禁忌，時間不到不能動筆，他的老師章太炎，是一位著作等身的國學大師，很不滿意這位得意門生「韞匱藏諸」的自私作風，他鄭重的對季剛說：「世上偏有許多妄人，動不動隨便就著書，而你滿肚皮學問却又不肯動筆，這實在是學術上的大損失。」

季剛聽了，對老師笑瞇瞇的說：「我打定了主意，不到五十歲決不動筆，請老師千萬不要替我着急，我到了五十歲就會著書了」，這張支票是一九三五年以前開的，到了一九三五年黃季剛已到了五十歲，而且又是他的生日，這位章老師怕他的學生忘記了這會事，特地以祝壽為名，撰了一幅壽聯送去提醒提醒他，黃見這位名滿士林的老師親撰壽聯送來，不禁大喜過望，馬上命人掛在壽堂上給朋友炫耀，給自己欣賞，聯語云：

韋編三絕今知命，
黃絹初裁好著書。

上聯指黃季剛這一年恰逢五十歲，下聯指他正好趁這個年齡著書，目的無非鼓勵他不要忘了前言，這一付聯語不愧大手筆，眞是文情並茂，再好也沒有了，季剛喜極，徘徊壽堂，欣賞至再，他正在搖頭幌腦吟哦不休之時，突然一聲大叫，連呼「老師糊塗！老師糊塗！」趕忙將此聯除了下來，有幾位友人不解其故，一齊圍上來問訊，他說出了一個原委，原來上聯中間嵌了一個「絕」字，下聯「黃絹」兩個字也暗藏一個「絕」字，大約凡讀過「三國演義」的人大都瞭解漢大學者蔡邕在石碑上題刻「黃絹幼婦」的謎語，實際上「黃絹」就是「色絲」，這兩字一合，就成了「絕」字，生逢五十大壽，此老連選兩個「絕」字，簡直把這個講迷信，好兆頭的學生氣壞了！說起來，信不信由你，黃季剛就在這一年病死了，這位老師雖然是出於無心，但是碰巧就把這個飽學的學生「絕」死了。

他死的眞實原因，後來有人證明是死於酒與色的兩絕，與聯語的含意還是暗合的。

新廿五經

黃梁經

馬騰雲

唐盧生於古河北省邯鄲縣（縣北二十里是黃梁店）自感窮困的生活爲苦，遇到一位姓呂的老道人告訴他說：「用此枕枕頭，自能富貴榮華」果用呂所授枕頭，果得美夢，並娶魏府千金爲妻，本人也中進士，官拜節度使，屢立戰功，晉爲宰相，生五子都得功名，成天下望族，到了八十幾歲才福壽榮歸，未幾而醒。黃梁未熟，眞非常奇怪的問：「搞了半天還是一場夢？」老道答覆說：「人生世間就是一場夢」，後人稱之爲黃梁夢，又叫邯鄲夢。

夢究竟是怎麼一回事，見仁見智，容未盡同，在中國人的習慣上，認爲可預兆吉兇，根據心理學研究，懷有這種見解的人，似是而又非，我們將日常容易做到的夢，提出印證一番，在夢裏遇到失火，這個人必有強烈的情慾，且正受着不相干的女人有形無形的誘惑，夢中旅行的人，乃是一種不滿現實和想擺脫現實，女人夢到誤火車或輪船飛機班次，開會遲到，上課遲到，在性的方面，有冷感趨勢，也可能對性的興趣業已淡薄，如果是夢到參加葬禮，看出殯儀式，或看到殺人及自己被殺等，乃心臟衰弱與怕死的現象，夢到男女，苟合以及形形色色的性行爲，或者接吻擁抱之類，表示本身正受着性的壓制，或憧憬某項性生活。在夢中拔紅掛彩，中馬票得獎券，都象徵自己極力想脫離坎坷環境，在夢中得到母愛的溫暖，往往是早年失去母愛的人，假如我們乘中年以上的人熟睡，敲起銀元的叮噹聲，（未用過銀元的無效）熟睡的人會夢到金山銀海，如果響以黃色小調，熟睡的人會在夢中有若干荒唐動作，這是著者積三十年人生經驗所知。

魯迅在未投匪前，有一篇成名作，刻劃一個被壓迫的人，常夢到關雲長，張翼德，結拜兄弟，這一個夢很容易解釋，就工人在白日被罵，入夜後一種潛意識的解放，特別是半下流社會的人，他們的腦子所憧憬到的，祇有三國演義裏的關雲長、殺顏良、誅文醜，古城樓前斬過老蔡陽的頭，張飛更是不得了，當陽橋一聲叫，嚇斷橋樑水倒流，這在心理學上有一個專門名詞，叫作「卑遜心理的昇華」，一個左右逢源春風得意的人，很少會夢到這些威風凜凜不三不四的夢。

夢既如上述，我們認爲夢是睡眠人的幻覺，幻覺呢？是清醒人的夢，文人尤其是詩人，常能將自己的作品，昇華到夢的境界，郁達夫的「曾因酒醉鞭名馬，生怕情多累美人」，情聖」，杜甫的：「絕代有佳人，幽居在空谷，自言良家子，零落依草木」，又「長安市上酒家眠，李白斗酒詩百篇，天子呼來不上船，自稱臣是酒中仙」，從這些詩看來，詩已昇華爲幻境，我們指幻覺是清醒人的夢，不算太過份吧，我國人一談到夢，就離不開「黃梁」「南柯」、南柯是唐李公佐著「南柯記」敘述了一段夢話，後人每謂夢爲南柯，巴夫洛夫對夢的見解，已列入拙作在各大日晚報討論過很多次，且早由書商出版，故不多贅。

海嘯樓談薈

信運氣

諸葛文侯

我不相信所謂命裏註定的宿命論，那絕對相信隨環境關係而產生的「運氣」之說，曾國藩以「不信書，信運氣」昭示世人，其有以也。有關運氣與人生休戚榮辱的事實，不勝枚舉，這兒祇就我自己所經驗的一項史事提出來談談，證明吾說爲不謬云爾。

吾國對日抗戰前二年（民國廿四年），我託住家北平的朋友劉郁芬——馮玉祥部將，曾任國民革命軍總司令部總參議——以大洋四千元，在北平東四八條購買了一所房子，準備移家故都。旋以「七、七」事變發生，中日長期戰爭之故，我始終未曾到過北平，也不知道那所房屋是甚麼樣兒。日軍侵佔華北後，我的房產即以「逆產」名義，由敵僞政府沒收充公了。迨中日戰爭結束，日本無條件投降，友人熊斌（亦係馮玉祥舊部）受任北平市長，我請他幫忙發還這項小小的私人產業，他函告該房屋由傷兵佔住着，而發還手續須由政府專設的敵產管理處辦理，市府未便過問。於是，我請求陳立夫先生寫信給「華北敵產管理處」主任孫越崎（陳孫有同學之誼），爲我關說，幸蒙發還了，但傷兵佔住不走，無可奈何。適老友馮志翔兄（現居台北）在北平作新聞從業員，他費盡莫大的心力，央求當局，駐在北平的國軍一位團長出面，把傷兵調走，總告物歸故主。這時候我在南京和平日報作總主筆，窮困不堪，乃函託志翔兄趕緊把房產出賣，計得法幣兩千多萬元。

我收到這筆房屋售價後，曾與內人商量，這是最後的一點生活之資，決不能隨便浪費了，必須妥爲保存。但當時幣値每天變動不定，保値第一，內人主張購買黃金——可買二十大條，然政府法令禁止黃金自由買賣，我不願以政府所屬的新聞記者而作犯禁的事，認爲不可以。談到經商走單幫或囤聚居奇的投機勾當，我又一竅不通，眼見法幣天天貶値，內心十分懊惱煩惱。恰有一位親戚沈君自上海來京，他是「中央電工器材廠」的總務科長，總廠在上海，聽說我有上述的問題，主張由他出面，向電工器材廠訂購一批電燈泡，依法令，本廠職員購貨，八折付款，不但可以保値，而且先就淨賺了二成。這是民國卅六年春初的事，據沈君說，到八九月以後，電燈泡銷路照例激增，售價必倍蓰無疑。我同意他的計畫，即將兩千多萬元法幣交給他辦理，數日後，他把購貨單亦寄來了。

是歲八月間，我南行回鄉競選民意代表，需要選舉費用，然電料尚未漲價，不願出賣，乃向朋友告貸應急，靜候冬季回京來再看行情。詎料到了民國卅七年春間，存儲上海的電料市價未見分文增長，若要出售，僅可收回原本沈君認爲不妨等候一段時間再說。過了三個多月，仍無漲價消息，而我在鄉里爲競選告貸的債務，債主索逋甚急，我受不住債務壓迫，卽忍痛將電料照原本售還廠方了事。

我把貨物脫手不到兩個月，電燈泡的市價忽然高漲到一倍以上了，我很詫異，經多方調查，纔知過去一年來，上海商家勾通日本廠商，將日本的鎢絲大量走私來滬，私自製造電燈泡應市，日本鎢絲比中央電器廠的美國產品便宜很多，因而中央廠的電燈泡乃告滯銷，後來廉得其中的隱情，財政部在各大都市嚴厲緝私，於是，日本走私貨絕跡，而中央出品的電燈泡價格乃直綫上昇了。假使我不爲急於還債，忍耐兩三個月後，即可發一筆小財，倘再儲存一段期，盆利當有兩三倍之多。這除却運氣關係以外，還有甚麼道理可解釋呢？舉一反三，政治人物之升沉榮枯，都是運氣使然，所謂資格才學云云，那是我們湖南人所說的「扯卵談」罷了。

搜異錄

張大師求雨術

林泉隱

求雨之俗已久，「西陽雜俎」太原郡東有崖山，天旱，土人常燒此山求雨，俗傳崖山神娶河伯女，故河伯見友必降雨救之。

我國各地習俗，倘久旱不雨，惟有祈雨之一法，地方父母官設壇誦經，乞靈於龍王廟可能是轉呈玉皇大帝，因龍王不敢擅作決定也，否則不會有魏徵斬老龍一段神話。

山東督軍張宗昌大帥，民國十四年，適逢魯境大旱，濟南各界（省會）籲請大帥出而代民求雨，張本爲天不怕地不怕人物，在他的心目中，武力可解決一切問題，老龍不聽話，當然亦可槍斃，地方百姓既認求雨非俺老張不可，祗好親率隨員到龍王廟走一趟，各界聞訊甚喜，未料張到龍王廟，不插香，不燃燭，亦不行禮，直至龍王座前，反復掌摑神相之頰，惡聲罵出：「媽的皮，你不下雨，害得老百姓好苦，再不下雨，老子要判處你死刑，」罵完，登車而去，觀者惶惶不可終日，也無人敢出聲。

歷兩個時辰，仍無雨意，張宗昌乃命炮兵集中千佛山待命，排列野戰炮計廿一尊，下令實彈向天宮轟擊，排山倒海，全城震驚，結果竟收奇效，當晚大雨滂沱，全市街衢，水深盈尺，農民額手稱慶，上海各報駐濟南記者，皆發專電報導張大帥古未曾有之求雨術。

三幕喜劇

事過境遷

熊式一

仁：　我還用你對我講！現在暫時不要提這許多，我只要問問你：問問這個姓宇文的，是不是那個守玄武門的營長！

包太：這倒不用問，他已經說過了！他生平所認識姓宇文的，只有這一個，而且宇文的行爲，一點也不錯，那決不是別人！不過我們可以向他打聽打聽，他在澳門要住多久，是不是打算到香港來？他現在幹那一行？又要想騙誰？

仁：　還是少打聽的好！越打聽越出毛病！最好讓他們神不知，鬼不曉的就……就……。

包太：就怎麼樣？難道我現在知道我有了兩個丈夫，還可以不聞不問，只當做沒有這麼一回事兒就算了嗎？遲早別人總會知道的！

仁：　對了！香港一班長舌婦！一個人知道了，誰都知道了！那一個不比廣播電台還要更快些！

包太：不如我們自己先告訴姑老太太，露西和趙太極……。

仁：　不行！不行！露茜，不是露西！

包太：露茜！露茜！他們早晚都得知道，難道這種事還可以瞞人的嗎？我們不告訴人，萬一有一天，阿詩推開門把宇文得標領了進來找我們，那豈不更糟嗎？

（這時候果然阿詩把門推開，他們兩個人嚇得跳起來，阿詩再看茶碗）

仁：　阿詩，不必看了，我們都沒有喝。

詩：　全涼了！我把它們換換吧！

包太：不用了，你馬上就去叫阿王開車子到奧士汀道七號劉公館去把一位姓史的史先生接了來，告訴他老爺在家裏等他！

詩：　是！（欲下）

仁：　阿詩，等一等，以後無論有誰找我……或者是找太太……無論誰，別讓他進來，問清楚了是誰，先告訴我，我說可以讓他進來，你再去開門。

詩：　是！（欲下）

仁：　阿詩！等一等！把大門上上鍊條，穩當一點兒！

詩：　是！（下）

包太：那有什麼用？這些大窗戶，成天是開着的，誰都可以闖進來……。

仁：　糟了！我有辦法！

（他跑到窗戶前，把窗戶全關上，鎖上，看看還不妥，再把窗簾兒也拉上，大廳裏很暗起來了！他只好把電燈開了）

這就不怕了！凡事總要有一點準備才好！

包太：（暗笑）這種準備是沒有甚麼用的！我只想知道知道他的情形，看他會不會到香港來。也許他根本就不會到香港來，馬上仍然要回國內去，那就不用耽心，隨便讓他在澳門騙誰……。

仁：　不管他在澳門也好，回國內去也好，到香港來也好，他總是你正式的丈夫……。

包太：我們卻過得是罪惡的同居生活！他隨時都可以來把我帶了回去，而你卻一點辦法沒有，只能夠站在這兒，袖手旁觀……。

仁：　並不是我要站在這兒袖手旁觀，在法律上，在道德上，我都無權過問！我並不是說笑話，他的的確確隨時都可以來把你帶走，還可以向我算賬………。

（這時候有人走到了窗戶外，要想推開窗戶進來，推不開，用力敲玻璃。他們兩人嚇得找地方藏，一一找不着，只好藏在椅子後面。微微的伸出頭來看。）

你快去叫阿詩來……喂，你當心一點兒，還是我自己去吧。（他跑了出來，探頭探腦的，敲窗戶的聲音更急更響，他又嚇得往後退，再藏回原處。）　㉔

中國禪的祖師——慧能

吳經熊著・吳怡譯

禪學黃金時代

天才是不世出的，慧能便是這樣一位天才。他和老子，孔子，孟子，莊子都是同一流的偉人。他的思想言行被學生們編成了「法寶壇經」一書。這是中國和尙所寫的最偉大的佛學著作。在經部大藏經裏，中國的作品被尊奉爲「經」的，也只有這本「壇經」了。不僅如此，尤其它在諸經中的地位，是和金剛經，法華經，維摩詰經並列的，這更不是偶然的了。

壇經並不是一本絞盡腦汁的學究之作，而是出自於一位偉人的肺腑之言。其中的一字一句，都像清泉中所噴出的泉水一樣，凡是背誦……[illegible]……參拜五祖。（一）

自由報

第八九七期

中華民國僑務委員會頒發台僑新字第三二三號登記證
內政部內版台報字第031號
中華郵政台字第一二八二號執照
登記爲第一類新聞紙類
（半週刊每星期三、六出版）
每份港幣壹角・台灣零售價新台幣弍元

社長李運鵬・督印黃行奮

承印者：大同印務公司
地址：北角和富道九六號
台灣總管理處：台北市大同街119號
台灣區直接訂戶　台郵劃撥戶
第五〇五六號張萬有（自由報會計室）
電話：五一四〇三三・五五五三九五
台灣分社：台北市西寧南路110號二樓
電話：三〇三四六・台郵劃撥戶九二五二號

社址：香港九龍彌敦道
593—601號廖創興
銀行大厦八樓五座
LIU CHONG HING
BUILDING
7th FLOOR FLAT 5
593—601 NATHAN ROAD,
KOWLOON, H.K.
TEL: K303831
電報掛號：7191

日本的反美親共與賣國

宮元利直講・穆超譯

日本的反政府在野黨聯合集團，提倡反美而親俄親匪的口號，已經開始企圖捲起一個賣國革命。

第一、反對越戰，統一示威運動，和警隊衝突。

第二、反對企業號核子潛艇入港的統一示威運動，和警官隊衝突。

第三、反對王子陸軍病院的統一示威運動，和警官隊發生衝突。

第四、反對九州大學校庭偵察機的墮落事件發生多數的負傷者，造成社會的不安。

第五、利用美國參議院議員羅拔甘迺廸的被暗殺事件，認爲有機可乘，以提高反美的機運，他方宣傳親俄親中共匪幫，企圖強行他們賣國的革命。

對於任何眞相也不判明，嗾使學生和工人，不辨是非，爲反對而反對，及任意的批評，只圖對國民實行心理的滲透，把日本向匪俄出賣的意圖，連社會廣大的羣衆，也同調一事，說牠完全是日本的自殺行爲，決非過言。

日本自戰敗後的荒涼情況起，至今二十三年之間，未被任何國家侵略。而且也未受任何國家的妨碍，連貿易也沒有受到阻擋，自由的得到今天的發展之事，自韓戰開始以來，由於蘇俄和中共的支援北韓，陷入收拾困難的境地，美國才恍然大悟，知道眞正的敵人，是國際共產黨，是蘇維埃聯邦，及中共匪幫爲達成稱霸世界的野望妄想等等，這是今後世界和平的一大障碍。因此，突然放棄弱化日本的佔領政策，自此，協助日本，努力增強日本的國力，重整對於共產陣營的協力體制，被迫表現「一百八十度的大轉變」，強化沖繩的軍事力，並增強第七艦隊的積極致力於防止蘇俄和中共的滲透顛覆日本的工作。今天日本的貿易，達到歷史上從來沒有的隆盛，這是不能忘記的。

但是，在野黨聯合集的反政府軍，對於美國這種善意的政策轉變，竟不察覺，只是無謂的仇視美國，這些政治羣，學者文化人，連靑年學生也都被捲入反政府的煽動旋渦之中，附和雷同的奔走騷動，以擾亂日本國內，除了日本民族的自殺行爲以外，甚麼也沒有。

唯有蘇俄乘第二次世界大戰後的混亂中，像火災中的小偷一樣，先吞併了拉多維亞、里斯阿尼亞、埃斯多尼亞三國，然後又把波蘭、東德、及捷克等國，納入自己的控制之下，高居其上，發佈指揮命令。

尤有甚者，對於日本，不顧訂有互不侵犯條約，蘇俄單方的把牠撕毀廢棄，非法的把南庫頁島，埃多羅夫、克納西里、哈保麥、西哥丹等地方，強行佔領，漠視國際的信義，惡虐至極，眞是十目所視，十指所指，不能抹殺的事實。大陸的毛林匪幫，對日的滲透，顛覆工作，更爲惡毒，所謂以夷制夷，以敵制敵，採取以日本人制服日本人的篡奪手段，而收買利用賣國奴松村謙三、石橋湛山、古井喜美，岡崎嘉平太、宇都宮德馬等做傀儡。

向亞洲、非洲、及中南美一帶的落後國家，伸出毒爪，點燃國內叛亂的火焰，竭盡其不軌陰謀的能事。最近非洲諸國看破中共的奸策，致把牠們關在門外。在巴西，也是因爲陰謀的暴露，依軍方愛國的救國政變，被趕出去，這都是說明中共的失敗。

在印尼方面，中共對於共產暴動，雖然一味的支援了，但是蘇哈托總統把共產叛徒和五列部隊全員逮捕，因而被肅清而遭失敗了。

只有古巴的卡斯托羅政權，做中共的傀儡政權，而僅存在着。

在東南亞方面，則有寮國、高棉、和緬甸，依中共匪幫的陰謀，繼續叛亂。其次，中共和蘇俄協力，使支援北越，侵略南越的戰爭，仍然繼續着。

牠們的目的，不外提倡反美，離間日美的關係，使日本陷入動亂之中，以達其所謂「世界革命」的導火綫而已。

現在籠絡日本的社會黨、日共、公明黨民社黨、總評、日教組、全學連、自民黨中的一部份浮淺無智無能無節操的大學教授、學者、文化人、評論家，以及新聞界，以一九七〇年修改日美安保條約爲契機，企圖執拗的強行其暴力革命。

這是中共稱霸世界的迷夢！

實在是一個令人憎惡的狂人集團！

對於上述各種事實，不加深究，只是茫然的主張反美之事，實在是忘恩負義至極的賣國奴。連大陸奪權鬥爭大叛亂的眞相，都不知道，而訪美的佐藤總理，說甚麼想說甚麼？實在不能不使令我們憂慮的。今天如果等閑防備外敵，及掃蕩內奸的時候，必將導致日本的毀滅。

又有言者，世界任何國家對於贓物的買賣，都被法律嚴格取締着。但是大陸共匪的贓物，向外國推銷，以其得欵用做奪權鬥爭的戰費。

和大陸共匪進行貿易的國家，現在不去討論，但是要知道對共匪做貿易，就是國際故賣貿易。故賣貿易就是明知私貨而故意收買的貿易。毛林匪幫繼續搾取掠奪，則難民必定繼續增加。國際故賣貿易不是一個單純的外交問題，實在是一個人道上問題，所以是一個不能忽畧的大問題。（完）

樹倒猢猻散！

自由談

商家造假帳問題

據說，台灣的商家皆有幾種帳簿，作用是在逃漏稅金。商人認爲若不造假帳，他的店舖行號根本就沒法存在，蓋不勝稅捐過重的負担，非把老本賠光不可！言之，振振有詞，是非難以判定。

香港居民百分之九十五以上都是中國人，又係工商業都市，當地政府對於商家的課稅率，其繁重程度並不亞於台灣。可是，香港工商業的廠店和公司行號，從來就未聞有使用幾種帳簿的情事。每年依法經過正式註冊的會計師詳報盈虧實況，主管官署據以隨時稽核抽查，如果發覺有僞造收支帳項行爲，處罰極嚴，除吊銷營業執照外，還要課以鉅額的罰金。同時，對於規規矩矩經營工商企業的商家，一體保護，管制有方。例如香港缺乏糧食生產，政府一面獎勵商人向外面販運米糧進口，一面管制糧價，不許自由漲落，但使商家必能賺到合法利潤，却禁止囤積居奇，漁取暴利。至於其他一切的貨品，無論是日用必需品或奢侈品，進口是一次繳納法定稅欵後，決沒有任何機構再來干涉勒索。所以，商民皆樂於老老實實地經營商業，取應得的利潤，誰也不願意爲逃稅而造假帳，以致招來不測的禍害。

同樣是中國人，在台灣作生意就大家造僞帳，藉以逃稅漏稅，且引起民意代表跟商人狼狽爲奸，受賄作弊，大興訟獄的後果，其故安在，大家應該仔細檢討，考究其基本因素是那些，痛加改革，奠立信譽，纔是正本清源之道。

健全賦稅制度，集中管制權責，愼選稅務官吏，優其待遇，嚴予賞罰，對於瀆職貪污的稅務人員——尤其是遇事即勒索「紅包」的貪官劣吏！殺掉幾個人頭有何不可呢？這些基本方法若不立能奠立起來，銳意實行，信於人民，則不僅商家造假帳的惡風沒法掃除，整個政治生活亦祗有愈趨腐敗惡化之一途，試問我們憑甚末能以反共復國乎？

馮五先生

昨日與明日

從名導演玩空頭說起

自香港嶺紅而移居台灣另起爐灶的名導演李翰祥，因主持國聯電影公司開出新台幣二百二十五萬元空頭支票，其帳存欵只有一千二百四十元八角，乃被法院判刑八月，併科罰金銀元八萬元。報章騰傳，社會人士均搖頭太息。

言及電影界的花樣，眞是令人咋舌。一般部份男女演員，行爲放蕩，奇形怪狀，婚變，詐財，層出不窮。有女演員以一婚，再婚，三婚，四婚，同居已達幾人，自鳴前進而得意。男演員則誘良家婦女，誘友人妻，自以爲此乃生活藝術者。按照今日西方觀念，電影是第八藝術，電影從業員，均是藝術工作者，藝術的本質是求眞，求善，求美；按實際，不惟今日中國電影演員作不到，就是美國好來塢的電影演員，也作不到。似乎，一部份「藝人無行」，也爲第八藝術的要素之一。

數年前，有一位文藝界人士，爲電影演員鳴不平，說中國官場不懂藝術，把電影女星看做女伶去捧去玩。其實，這也要看電影女星個人行爲而定。一個女星如果品端行正，某些官場人物，縱是「逐臭之蠅」，也必近身不得。只因電影界自己以色情亮相爲號召，以色情婚變製造突出新聞，便只好召來輕薄之徒捧女星玩女星了，而電影老板們也可乘機撈錢、騙錢。李翰祥有何能耐？能開出二百多萬元的空頭支票。說穿了不値識者一笑。

電影藝術缺乏靈魂

電影演員既是藝術工作者，爲什麼作些「翻手作雲覆手雨，紛紛輕薄何須數」的事。考其因，是他們只知道藝術的皮毛，而缺乏藝術的靈魂。所以，演也行，導也妙，出假戲眞做，倒把人生看做戲場，時時是戲，處處是戲。這就連作人的起碼眞誠也喪失了。藝術的求眞，求善，求美，他們別只當作口頭禪，當作幌子。況乎有些電影演員只爲好出風頭而從事此一工作，既未受過專業教育，也不知道電影藝術爲何物？其不冥行妄作者幾希矣。

藝術豈可沒有哲學？

我總覺得，我們的藝術界，沒有藝術哲學。蔣總統說：「不知哲學，無以爲人」。不知藝術哲學，何以爲藝術工作者？任何藝術，必具有昇華人類情感的功用，否則乃僞藝術。任何藝術功用之發揮，必須具有社會教育的價値，否則不成其爲藝術。可怪的，我們的大專學校中，所有的藝術科、系，都沒有藝術哲學的課目。於是，我們的藝術界，普遍的不知藝術之價値與功用何在？成爲藝術工作的普遍迷失。

如果我們的藝術界能迷途知返，也是幸運。但就當前風氣趨向而言，我們看不出有迷途知返的傾向。如果我們能知藝術界失敗的癥結所在，從今日起，在各大專學校的藝術科系，增設藝術哲學，也可期諸收效他日。但，這一點覺悟，似乎也難從學界看出。後之視今，也猶今之視昔，長此以往，眞不禁爲中國藝術界前途悲！豈只爲電影界感到悲哀而已！（甯靑）

九年國民教育面面觀

政府適應經濟建設提高積分質素　惜執行者認識不清發生極大偏差

本報記者張健生

如欲普遍改善國民生活並提高國民所得，必須加速經濟發展；如欲加速經濟發展，必須改進產職結構及提高勞動生產力；而教育與訓練，乃近代國家賴以培育各級人才提高人力素質的重要支柱。

中華民國政府爲適應經濟建設需要，把國民義務教育延長爲九年。此項政策，即教育在社會經濟進步中之重要性，朝野人士與學者專家已有深入之認識。是故此項教育政策實乃發展人力的一項投資。蓋現代經濟，需要極多之科學技術人才，及幹練之管理幹部。事實上，一切天然資源，物質資本，必須藉人力之高度運用，始能產生經濟之價值，而教育亦即培養人力潛能，以達成經濟發展之目的。

就社會學言，貧窮與無知常是分不開的，且是疾病、暴亂、猜忌、戰爭等一切人類苦難的根源。人類一直以貧窮與無知爲最大的敵人，才創造了今日的物質文明。今後必須發揮最大的人力潛能，才能充份利用現有資源，推動社會經濟的改革與發展，以謀求更完滿的人生，更豐足的社會財富，更強大的國家實力。所發展人力政策與計劃的總目標是消除貧窮與無知。此一重大的國策，由於教育主管行政機關之認識不清，故於執行時發生偏差，使三分之一的貧窮學生，因繳不出無法令依據之數達千元的學雜費與代辦費，而被摒於國民中學門外。

政府爲適應國家建設需要，自本年（五十七年）度起至五十九年度止，投資於國民中學的經費爲新台幣三十六億元。這筆經費分別來自中美基金支援新台幣六億八千六百五十一萬六千元，其餘二十九億一千三百四十八萬四千元，來自田賦每賦元征收稻谷。四點六五公斤；地價稅及土地增值稅之超收；及營業稅及客運小汽車之使用牌照；其他贈與及捐獻收入；各縣市地方之屠宰稅等附征百分之三十教育捐。

未把握政策重點　形成有財而無政

就台灣省地方而言，人民已負担前述之九年國民教育附征的捐稅來支持此項教育政策；因而五十八年度台省地方總預算歲入列有爲實施九年國民教育附征稅款收入兩億七千一百四十五萬四千元，而歲出列支實施九年國民教育經費僅一億九千三百二十萬餘元，收支相抵，台灣省政府因實施此一政策而淨賺了七千八百二十五萬二千餘元。此外，爲實施九年國民教育而依照「台灣省立中等以上學校征收學費辦法」調整高中高職學生的學費計增收六千零九萬六千七百四十五元，暨「課業費收入」一億九千六百三十二萬二千八百九十四元。觀此預算可知，台灣省政藉實施九年國民義務教育而增加財政的收入合計五億二千七百八十七萬三千六百三十九元，此項增收，並未做到「取之於民，用之於民」的境界，所以財政沒有把握政策的重點，而如此預算制度形成「有財而無政」，記者批評教育主管對此國策「認識不清」是有根據的。

台北市本年度總算歲出列支實施九年延長國民教育經費四億零一十八萬五千九百九十四元。在歲入方面列課業費收入四千六百三十七萬零二百五十九元，列學費收入五百九十萬零六千七百八十九元，但未附征教育捐。

台灣省有二十一萬一千八百餘小學畢業生分別進入各地國民中學，約佔小學畢業生總數的百分之七十左右，較上學年度之百分之六十一，略有增加。台北市國校畢業生進入國民中學者約爲百分之九十以上，計三萬七千餘人。

課業費何法依據　幷未作公開說明

台北市每一國民中學生按部令應繳課業費三五二元，若以三萬七千人計算，則課業費收入約一千三百零二萬元；台灣省國民中學學生計二十一萬一千八百多人，其課業費收入爲七千四百五十五萬餘元。但課業費究依據何法而收？教育行政機關沒有公開說明。依照「九年國民教育實施條例」第六條規定，國民中學之學雜費，必須根據法律而制定的行政命令，始得要家長繳納，否則，便是違法。

省教育廳長潘振球對課業費的問題，應由政府負担，但在政府財力困難情形下，則不得不由學生家長負担云。所謂「財力困難」，事實上是不誠實而違背良心的「歪」話，蓋教育捐征收兩億七千餘元，除用去一億九千餘萬元，尚有七千餘萬元到那裏去了？爲什麼不用於學校的教學設施呢？

上樑不正下樑歪　各國中起而效尤

省地方政府因實施國中義育而賺了七千餘萬元，現在用途不明。由於「上樑不正」下致「下樑歪了」，各地國民中學亦起而效尤，硬性規定學生繳[illegible]的「代辦費」，如蒸飯燃料費啦！如不騎腳踏車的保管費啦！如課外的書籍費啦！如補習用的參考書籍費啦！如制服費啦！如皮鞋費啦！如書包費啦！如皮帶、帽子費啦！等等，因而使若干學生家長誤認政府在開學「店」，和私立學校作龜兔競賽，於是輿論譁然，學生家長指責並向監察院陳情。

監察委員葉時修爲此在院會中提案，監察[illegible]由院推派委員[illegible]調查，提案糾彈。果然，委員的提案和指責，確使各級主管教育的監察大員，發生嚇阻作用，也驚醒了若干人發財迷夢，於是下令調查並禁止，且延長國中學生註冊時間到九月底截止，清寒學生可免費入學，有困難的家長可分期繳款，諸如此類的「緊急措施」，旨在爲保護自己的紗帽，萬一被監委查出違法情事，對其「官位」；不怕無影響的。

教育行政主管對國民中學收費問題，始則裝聾作啞，不聞不問，任由各國民中學「予取予求」；繼則因社會輿論的指責而發表「官話」爲各國民中學辯護；終則因監察院決定推派委員[illegible]，而監察院各地方巡察小組[illegible]國民中學收費的問題列爲巡察的[illegible]，省教育廳長[illegible]照。

新建校舍與設備　未料到如期完工

國民中學要錢的看家本領，台灣地區人民當知道，至於師資與教育是否令人滿意，未來的事實與時間[illegible]。五十七學年所有需要新建的校舍與設備，不過如嚴院長於立法院施政報告所云「大部份新建校舍已在開學之前落成竣工」，而是校舍須在十一月間始能完成，課桌椅等教學設備[illegible]。在立法院本年八月之「準備工作進度表」的報告，[illegible]教育主管[illegible]立法委員的議言。

實施九年國民教育首蒙其「利益」者，爲教育主管人員。因外界盛傳國民中學校長與教員，都要「孝敬」，縱然化了[illegible]，到「家」的行情是：校長起碼六十五萬元，[illegible]非兩萬元不可；[illegible]地區，則非百萬元不可！[illegible]耶非耶！祇有那些縣市地方[illegible]化了錢，而未發表任命。[illegible]獲任命校長者心裏明白，而彰化縣監察院未將來接受的「調查報告」也會協調，便是實的一例。

例如，學雜費中之「圖書費」每一國民中學生二十元，台灣區若以二十五萬人計，便達五百萬元，這筆錢的用途是專供各級「教育主管」推介銷售書報刊物的經費。誰敢說「不宜」！

台南稅吏搓政治麻將　商人陪賭包輸不包贏

本報記者顧碧天台北消息：九月十七日高雄市警察局接獲密告於市區某大旅社查獲以「麻將」聚賭案，當場逮捕賭徒四人，現鈔新台幣五千元，及籌碼若干，賭徒中有台南市稅捐稽征處稅務員何添義、賴重江二人，另二人爲商人，報載此一公共場所聚賭案，涉賭之二名商人，係本包輸不贏之手法以陪待何、賴兩稅吏，所謂「政治麻將」是也。該案揭露後，全台報章紛載，堪謂輿論譁然。省財政廳稅務處長黃錫和聞訊，頗爲震怒，旋即表示，該何添義、賴重江竟敢以台南市稅務人員身份赴高雄與商人從事「政治麻將」賭博，決將該兩稅務員先調職澎湖，然後再交督察室查明議處。澎湖地方人士聞訊咸表反對，認爲稅務處此舉有損於澎湖之榮譽。台南市稅捐稽征處處長蔣灝報告：該處稅務員何添義、賴重江二人並未奉令前往高雄市查核營利所得稅案，私自至高雄市，並在旅社與人賭博，違反稅務人員管理辦理，已先將調往澎湖稅捐處工作，再行查處。並聲明該處從未派遣何、賴二員赴高雄查案，至其涉嫌「政治麻將」接受廠商招待，亦係私人行爲云云。

據悉台南某法界人士對稅務員何添義、賴重江與另外商人二人，在旅社公開賭博，實涉嫌違犯刑法第二十一條賭博罪，第二百六十六條，在公共場所或公衆得出入之場所賭博財務者，處一千元以下罰金。高雄市警察局對本案焉得以違警罰法處理，依法轉送法院處理，亦屬違法。記者依上情按之，該何、賴兩稅吏既擅自假名招搖查案，復公然在公共場所與商人賭博，所隸稅務機關既失察於防範督束之不嚴，實應先將其停職，移送法院處理，何可調職預作行政處分，似有包庇而避重就輕之嫌。究察今日政風之敗壞而影響國家之安全者，莫如稅務人員之貪瀆失職，使假帳遍行，漏稅以致府庫拮据，迫致政府大量增加各項稅收，導致物價增漲，浸致民生維艱。稅務有司，實應負此重責。而何、賴二吏之犯刑，固屬其小者。昔聞某一中級稅務員曾欲謀某市稅捐分處主任職，歷二年之往返勞苦，取得若干高級權要民意代表之聯名推薦，結果仍然落空，始悉該類職務，須付代價方可攫獲，若謀其次之繁華市區稅管員職，亦須巨量活動費，焉有白手捉魚之理？識者謂稅政之積弊已深，較司法之貪污黑暗尤有過之，實堪浩歎！

爲華江橋頭拆屋補償案　呂芳契指控蘇清波

國宅會秘書涉嫌官商勾結

本報特約通訊員張樹人台北縣消息：台北縣近發生兩件不尋常之事件：一爲素與縣長蘇清波「護航」之一縣議會副議長呂芳契公開向巡察監察委員葉時修、蔡孝義指控蘇清波處理華江橋頭拆除民房補償事件「處理失當」，再爲蘇縣長所倚重親信之國民住宅與建會執行秘書吳仁全被人檢舉有涉嫌勾結包商，與建國宅偷工減料情事，茲分述於后：

縣副議長呂芳契，前曾爲「豪華賭場」被破獲案，挺身向縣警局說情被拒，輒指面予失望之餘，輒對此縣長蘇清波懷怨之恨，機遇此次巡察監委葉、蔡之便，特提出指控蘇清波等之報告。

呂芳契說：有關華江大橋引道工地中之十六戶拆遷戶要求提高補償問題，曾向縣議會提出請願，其中三戶四棟於限期內拒不拆遷外，其他各戶均遵照政府規定在限期內自動拆除，該三戶四棟並要求另以「縣府救濟金」方式增發數萬元償補，該縣長仍未滿足需索「不守法」的業主，於下令強制執行「守法」拆除其餘的八十三戶，要求同等待遇，再次陳情，因向議會正在提出會期間，乃經議會第四研究小組調查處理中。

呂副議長向葉、蔡二監委指出：認爲台北縣府對本案處理失當，他說：縣府既然應予提高三戶四棟業主之請求，予以提高補償費，則是時應作深入調查，其他「守法」的拆除戶是否亦有同樣情形，而縣府對此竟如此忽視處理，獨對該三戶四棟曲予寬待，無異鼓勵「不守法」者得遂所願，而使「守法」者有被忽視之感，此種惡例一開，則今後台北縣地方建設必須徵用民間私有土地房屋尚多，將如何善其後。葉、蔡二監委對副議長呂芳契所提意見甚表重視，表示將至現場勘察後，並作進一步之調查。

據悉：華江大橋橋端引進拓寬工程用地上「守法」自動拆除的八十三戶業主代表，曾向抵達台北縣巡察的葉、蔡二位監察委員攔路「告狀」。請求政府有關單位給予他們與最近「不守法」拆除的三戶四棟房屋同等待遇。

「守法」的拆除戶代表向葉、蔡二監委說：他們很守法在政府命令拆除限期內，均自動拆除，雖然所領補償費不足以重建住宅安身，但爲政府公共建設，且縣府曾允協助解決在屋後水圳予以改道加蓋及租用，舊有道路，乃忍痛犧牲，作爲重建住宅基地，等三戶四棟竟拒不拆除，而台北縣存於六月間強制拆除前夕突又收回成命，並且爲該三戶代爲爭取提高補償費，並於九月三日發放，其所獲較他們「守法」拆除者增加補償達四倍之多，這種不公平之處置，使他們吃虧太大，因此要求縣司風憲的監察委員們主持公道，給予他們與該三戶四棟同等待遇，以維政府威信。

台北縣國宅會執行秘書吳仁全，對於三重市提防第三批拆遷戶貸款與建國宅與包商之間發生糾紛事件，對外不願表示意見，他說：本案內情究竟如何，包商有無偷工減料情事？該會尚未派員對這批貸建國宅完成驗收手續，故無從獲悉。茲悉有關貸款戶代表許老本等曾檢舉吳仁全涉嫌與包商勾結，示意偷工減料一節，已獲省社會處派員調查，情況重大，正將繼續發展。

外傳案證於十七日晚，住在三重市仁孝街四十六號之許老本內，因上項糾紛，忽被施鑽等帶工人十數人，衝至許宅用鐵器毆打，許老本、許被打傷六、七處之多，身受重傷，現住三重外科醫院救治，案由三重警察分局處理，因案情複雜，牽涉官商勾結，將移轉法院偵訊云。

吳稚暉先生年譜（廿四）

陳凌海編撰　陳洪校訂

致胡漢民（展堂）函，論：「元勳公民之不當，亟應消除此等心理，方能抽釜底之薪，豈可提倡特權，灰國民之望而堅賊之志（指袁世凱）。國父於十月二十二日自東京來函，詢及關於元勳公民之權利與政治不可分事。

民國四年，乙卯（西曆一九一五年）

先生五十一歲

一月十二日，先生送鈕永建（惕生）至利物浦。十八日赴探花樓開會。是夜於留英同學會議事。二月七日，先生偕梁如臯同赴巴黎轉法國南部都魯斯訪李煜瀛（石會）、蔡元培（孑民）、張繼（溥泉）等，發起組織「世界編輯社」。未成。當時有人談及戰爭之殘忍，謂：「此次大戰後將永無大戰。」先生不以爲然，曰：「此後還有小戰七十二，大戰三十六」。語雖幽默，實感到弱肉強食，人類戰爭，戢止無日，對和平前途，寄以無限感憂，嗣後發生第二次世界大戰，先生尙認爲僅係七十二之小戰性質。五月二十五日，袁世凱（慰庭）接受日本最後通牒，與日本簽訂喪權辱國條約，承認日本所提二十一條。夏，與李煜瀛等發起「勤工儉學會」，主張以工兼學。八月與蔡元培等四人倡議組織國史館條例。十月，袁世凱爲籠絡各方人士，授勳位予文人學士，事爲先生所悉，即致函袁世凱，痛責其不當。

民國五年，丙辰（西曆一九一六年）

先生五十二歲

春，先生應國內友好電邀，乘日本輪由英繞道好望角返抵上海。與鈕永建（惕生）合辦中華新報，先生主筆政，按日爲撰論著。先生認目前已屬於科學進化時期，我國派遣赴歐留學者漸多，但留學生對於赴歐尤其英、法留學之前，購衣置物，兌換貨幣，購買船票及到達後之住宿讀書等應有之準備與知識，皆不甚明瞭，特在中華新報發表：「朏盦客座談話」長篇續載。以其親歷之經驗，廣爲指導。是年八月，蔡元培（孑民）、李煜瀛（石會）、李曉生等在法國都爾（TOURS）發刊旅歐雜誌，由李曉生主持。蔡元培並爲華法教育會設立之華工補習學校編修身講義四十篇，次第在旅歐雜誌發表。旋應教育總長范源濂（靜生）電邀，返國出任北京大學校長。

民國六年，丁巳（西曆一九一七年）

先生五十三歲

一月，蔡元培（孑民）回國就任北京大學校長。聘請先生爲北京大學學監。先生未就。七月，張勳脅溥儀復辟時，先生在上海。教育總長范源濂（靜生）撥欵請先生繼續編印國音字典。

西洋哲人簡介

蘇格拉底（中）

劉長蘭

他認爲固然那種學派因對一切都採取懷疑態度可以刺激思想，匡正人們對於陳舊觀念的盲目信仰，但是，流弊所及，某些懷疑論者事實上只是在耍弄邏輯的技巧，以詭辯的方法造成善即是惡的推論，結果使人們是非不明，思想消極。蘇格拉底以爲這種消極思想的蔓延必至瓦解希臘社會。他的思想是積極的，他要以哲學思想來澄清人們的觀念，辨明是非，認淸善惡，庶幾可以使人敦品勵行以達到改造社會，拯救國家的目的。

他以爲人類一切的錯誤與罪惡都是由於無知。沒有一個眞正能夠了解是與非，善與惡的人還會選擇不正當或罪惡的路去走的。他主張有智無過之說，也就是說，有眞知識的人必不至愚蠢的去做不合道德的事。知識就是開啓人類進步與幸福的鎖鑰；尋求知識便是淨化人性以臻善境的不二途徑。所以他說「善」就是「智」；「美」就是「眞」。雖然他開始曾經研究過宇宙的物質組成份子，但是在四十歲以後他認定研究人性以便改良人性才是最重要的事。他在後來被審時說：「我與物理的思辯一無所涉。」故而有人說蘇格拉底所建立的是德智不可分的希臘倫理學，却未必是科學，也有人說蘇格拉底是西方的孔子，都是沒有道理的。

蘇格拉底的主張並不止於是主張而已，他不是一個徒托空言的人。爲了實現他的理想——提高人們道德水準——他畢生致力於知識的探求，同時也幫助別人去探求知識。他廢寢忘食的去思考，他免費教導學生，他孜孜不倦的去做勸說化育的工作。凡有人自貧不凡，不公道，或是貪婪的，他就去質問他們，使他們明白自己的錯誤。他不畏強權，不攀榮附貴，只知以正義眞理之聲喚醒人們的良知。但是有多少人肯於誠心接受別人的指責呢？誰願意讓自己的缺點被別人揭發出來呢？因此他樹敵太多而種下了異日殺身之禍的根苗。

他用以教導別人的方法在當時是比較特殊的。他不是去告訴人們應當做什麼或是如何去做，而是去發問。換言之，他不是去傳授知識而是去用問題引導人們自己發現知識。譬如對一個因在法律方面的知識自傲的人他會問他「公道」的定義是什麼，對一個虛有其名的學者他會問他「眞理」和「智慧」的定義是什麼，對一個自以爲品德高超的人他會問他「美德」的定義是什麼，及至對方以一個貫例的說法答覆他之後，他就再一個問題又一個問題的問下去，直到最後必將迫使使被問者發現他自己的矛盾、混淆，或甚至愚蠢無知之處。他相信有許多事人們原是知道的，只因思想混亂或缺乏分析力，以致沒有能夠就已知的求得一正當結論。這時如有人能以一些條理分明的問題一層層引領着逐步討論下去，最後那正當的結論便自然出現了。

蘇格拉底自稱他這種方法爲一種精神的接生術。柏拉圖却給他起了個正式的名稱，叫做問難法（Lialectic）——俗譯辯證法。這種方法至今仍爲人們思考或討論問題時的重要方法之一。

蘇格拉底整天到處和人研討問題，或勸說別人改正他們的行爲，無暇就業，也就沒有固定收入，生活自然異常淸苦。但是他安然處之。對於一般人所欣羨的富貴利達無所容心。終年都是光頭，赤足，穿一襲破舊的雅典式白色寬袍，無論是在盛暑或是嚴冬季節，他都不以爲苦。確實是安貧樂道，令人起敬。他又富於幽默感，智慧過人，故而他的朋友和學生都很歡迎他的來訪；他所到之處也常有許多人追隨着。但是在自己家裏，他却不能得到他妻子響西碧的諒解。對於這位終日「遊蕩」的丈夫，蘇格拉底太太常出怨言。有一天，蘇格拉底由外面歸來，恰好和她在門前相遇。她滿腔憤怒地給他一陣迎頭獅吼，然後，順手就把她捧在手裏的一盆水猛然向他頭上潑去，弄得他渾身濕淋淋的，至爲狼狽，然而，既使如此，他依然從容的說：「是的，雷聲過後必將繼之以雨。」從表面看來，這是一句非常機智的幽默語，其實對於一個神遊於思想世界裏的人來說，實生活中一切的感受也只不過是些行雲流水罷了！（未完）

三日春秋

永儀吳鐵城先生

・厚安・

吳鐵城先生的風儀，胸襟，担當，乃至風趣，都是第一流的。

他當上海市長時，外人最傾佩，因其曾任將軍，咸以「市長吳將軍」稱之而不名。時「大上海市」甫告成立，租界當局，對國府聲威，咸抱窺伺心理，鐵老以靈活的外交手腕，與堅定的政治立場相應付，復得幹練部屬如俞鴻鈞氏爲之佐，故能應付裕如。

鐵城先生曾奉令宣慰南洋，學長覃淵若兄隨行。據云：所至僑胞歡忭感奮鼓舞之狀，非言語所能形容，鐵老亦隨時隨地，與當地政府交涉，爲彼等解決難題。許多僑界父老都說：「久不見漢家威儀，而今乃覺身爲中國人足以自傲。」

鐵老爲中央黨部秘書長時，涵蓋萬彙，尤關心海外文化事業。時胡文虎大辦其星系報紙，其實力之厚，分佈之廣，遠過於投西之陳嘉庚所主辦的文化事業。胡文虎獨慕鐵老之名，不遠千萬里，親來重慶請教。鐵老邀宴於中央黨部，並爲介一位總主筆。胡文虎在宴間對鐵老心服口服的情景，及今回憶，若在目前。

時重慶物質生活，十分艱困，吾輩文化人，更有「三月不知肉味」之感，幸鐵老不時邀集座談，談後例有聚餐，因得大快朵頤，使吾人不致面有菜色。

某次，上菜有炒雞丁一品，鐵老推介曰：「這是我們大司務拿手的宮保雞」，座有設遮攔的某兄撞口而出曰：「那不是鐵公雞嗎？」聞者變色，鐵老一笑置之。

鐵老來台後，仍關心海外文化事業。

香港工商日報名主筆黎景偉兄來台訪問時，曾謁鐵老，請益以後，感念萬端，曾有：蒙黨國前輩如此獎識提掖，今後安能不逾格自奮自勵之歎。鐵老人格感人之深，這只是一例。

在報人中，與鐵老儀表相似，隱約相同者，爲藩公弼氏。公弼先生早年主持時事新報，聲華藉甚，後任中央黨部秘書，日受薰陶，故不覺其相似也。今二老同歸道山思之令人永歎！（完）

命相與夢話

吳經熊博士命造

公陶

吳博士生於淸光緒二十五年二月十七日卯時，八個字爲己亥，丁卯，乙未，己卯，乙木生在卯月，支全亥卯未木局，四柱既無金氣，地支又無閒神，乃爲純正的曲直仁壽格，最怕申酉金運，卒四行西，如不損丁，亦有鼓盆之歌，滴天髓載：「春如桃李，金尅則凋」此之謂也。

本造可喜者，月令透丁，木旺洩秀，年時兩巳，一遍秀氣，必得天獨厚，斷然無疑，少年得志，兒女成行，猶餘事焉，一生目的在民，目的在國，必爲中國歷史上一傳人。此類格局，最喜火運，求其次東北水木之地亦順，最怕步入西方，往往徒勞無功，更懼刑冲。吳博士一生成就得力於十七歲到廿七歲碧淵賦說：「亥卯未逢於甲乙，富貴無疑」這十年不僅學業有成，後來功名事業基礎，均由此奠定和開始，抑有進者，凡亥卯未生人，若逢坎位，必然身榮，且喜施捨恤孤，符合仁者多壽。公陶不識經熊先生，因感同在本港自由報爲文之雅，姑妄評述，尙乞方家有以教之。

吳稚暉勸告太戈爾莫管人家國家的事

（本文上接第八九三期）

那我不客氣的便要謝謝你，請你尊口把封條實貼起來，這種西化東化等鄙陋可笑，盲目瞎說，我們家裏的大文豪梁任公先生早在五年前做——先覺，正所謂英雄所見畧同。可惜梁先生喜歡做這種預言家，還賽不過唐煥章先生的容易動衆；所以他現在又請顏先生李恭李先生出來向自己挑戰，太先生把他已經藥死印度方子還來作一驗方新編同他的詩集分送，我想我們的新文學家一定止受了你的詩集，璧謝你的驗方新編的呀！我民國九年六月在倫敦海岱公園聽你們的同胞在那裏演說印度應該獨立，一個好像老詩人，一般的英人向他氣憤憤的辯駁，回頭來當我問我的兒子是日本人，他說道：「你想印度會獨立麼？月亮裏有了空氣，他便有獨立的希望了。」我對他睜了一睜眼睛，他就回頭再去向那印度愛國者辯駁了。我雖覺得英老頭兒說話實在可思，然可嘆癡愚的印度人，要想把融化大小乘的詩篇貼在城牆上抵禦機關槍，怎能不用耐心候月亮裏再有空氣呢？

這番賓與主大半都口口聲聲的反對物質文明，但是一則居然有洋房前的草地，招待來賓；一則居然坐着汽車去遊Sgil的龍華。會議招待還要借一品香，演講還要選新式的洋俱樂部。却不曾在城隍廟九曲亭，開招待會議；用二把手小車挿了桃花，推他老人家在龍華道上，得得而行，增些詩料；又不曾就在龍華後野雞綳子店裏讌會一次，一定要上洋照相洋桌椅陳設得精雅的功德林；演講其實在鐵馬路天妃宮的前門外也儘容得千人，又不屑顧。這眞叫我們陶潛先生站在蕭然的環堵上看了垂涎一尺，要忿極了問道：「難道眞是此一時，彼一時，東方文化也跟了時代走的麼？」然我又要笑陶先生不通世故了。他們早有一位謝國馨謝世兄替太先生張先生一班通儒說明了道：「我們正不防享用物質文明，却不爲物質文明所驅使。」這種意思，我們應該了解，拆穿板壁說亮話，便是說火車輪船不防讓西方人來供奉，我們東方人自做我們最高尙的印度詩篇。太先生呀！西方人本來生成是一種做工動物，他連你們的田也代耕了，地也代治了；或者你們將來連百姓也可以不高興造，他也代造了！

列位讀者們想罷！我們「最出風頭的龍華」，太先生看了Vetysgd解說的說，太先生是嫌他失了宗教氣。（可憐埋沒了那班燒香的善男信女）其實正是因爲到了堂堂上海，第一次遊的名勝，便比上印度四五六等的古塔古廟，無意中是包含了物質文明的比較罷？我想將來到了北方，看了靜宜園的牌坊，明陵的石碑，或者勉強說句VEIYWELL應酬一應酬，也未可定。因爲比起印度二三等廟來，有些東方的特色了。說來說去，滿肚皮的物質文明罷了。太先生呀！你切勿被我們一位孟先生好笑，所謂以五十步笑百步，眞是最難堪的自問呀！

我摯誠的勸你止管吟詩罷！詩人不屑談天下事，也是別有一種眞正相對可允許的高尙，我們的陶潛先生他不知有漢無論魏晉，就是一個模範。不要東方西方做夢害月裏的陳死人起來造空氣忙！（下）

・鴻雁・

大學尺牘

記上海城隍廟（下）

丹心

上海是我的第二故鄉，每逢新年，我最高興的事，便是白相城隍廟。說租界去城隍廟，多數取道老西門或老北門，如自新北門進去倒也是條折中之道，不管你從那門而進，一進去盡是崎嶇不平的石子路，坐車子的，立刻顛上顛下，顛得七葷八素；走路去的，便感到一腳高一腳低，滿不是味；兩邊廂總是平房，高的不過二層，三層洋樓那是稀而又少的鷄中之鶴；市面顯得一片蕭條。可是一接近城隍廟，頓時車水馬龍人如潮，又是一番景象。

進到廟裏，更是人山人海，肩摩踵接，走一步都得費上半天勁，那種熱鬧擁擠情景，較之今日商展會場，過之而無不及。好在，我每上那兒，都是跟着小娘舅同去，一進廟就騎在他肩膀上，隨着流水般的人羣往裏流，否則，像我這麼小丁點兒的孩子，不被擠死，也早給踩扁了。

廟門口，裏外都是香燭舖，間有少數幾家吃食、雜貨店，香燭舖裏擺的盡是各色各樣香燭，還有紙錠、錫箔及爆竹之類，堆積得如山如林，凡是一切上香用品，無不應有盡有。

一進門，兩廡下遍站拿着拘魂牌、鐵索練、衙役差人之流的泥塑鬼像，更有耳邊掛着長串金銀紙錠、兩眼淌着血淚、手執哭喪棒、一高一矮的黑白無常領着頭。這些鬼樣子，個個面目可憎、猙獰兇惡，使我感到既討厭又駭怕，每到這地方，就閉上眼睛催小娘舅趕快過去，恨不得一腳跨進大殿。小娘舅却偏會使壞，一到這兒常常故意逗留，不是說無常鬼的哭喪棒在動着，就是說那一個差人的鐵索練發出了響聲，直逗得我發急要哭，才哈哈一笑再向裏去。可是，大人們進廟，沒有一個不先在門口這些鬼像前，上香點燭燒紙箔的，當時我常奇怪，大人們幹麼要理這些令人討厭的鬼東西？現在纔明白，這無非是「大神易見，小鬼難擋」，先得孝敬個紅包的慣例罷了。

大殿上，燭光輝煌，香烟繚繞；香都是成把成捆地燒，蠟燭燃得成了座小火山，遍地跪着叩頭如搗的信士信女，殿柱上挂滿了警世醒人的長句對聯，殿頂上也懸着一塊塊感恩頌德的金字匾額，城隍老爺隆鼻豐頰，五柳長鬚，身穿緋紅滾龍錦袍，肅坐太師椅上，端是一派富貴相，旁立執筆持簿的藍袍判官，左右還站着幾個形同張龍、趙虎般的錦衣衛士。座前一隻紫檀木的大公案，上擺文房四寶、一顆外包黃綢的「官」印、兩個滿裝發號施令用的竹籤筒，儼然是戲台上大老爺開堂的模樣。那時我也不明白，城隍既是神怎麼要擺出這付派頭呢？後來讀到清人趙翼的「陔餘叢攷」，才知道：「城隍自古有之，及唐而漸徧，韓愈、杜牧輩都曾有祈雨，禳災的祭城隍文，宋以後，立祀遍天下，明初，太祖更賜以王、公、侯、伯的封號，洪武二十年，改建廟宇、加公廨，遂得設座判事如長吏。」原來，城隍老爺的開堂聽訟，擺起這付架勢，果眞是有聖旨王命的。

大殿後面有偏殿，係城隍的「內宅」，祀的就是城隍太太和使喚了頭們。據說城隍太太還兼着送子奶奶的差使，因此不少求孫求子心切的老太太少奶奶們，都要到此上香許願，虔誠萬分。

大陸上，各地廟宇多數是平面建築，只有上海城隍廟是立體化。這大概是商業化了的上海，廟裏主持人生意腦筋也動到了菩薩頭上，所以除城隍大殿和內宅外，其餘菩薩一律請上了樓；寸土如金的樓下，則闢成一片片滿是店舖的商場。樓上是香烟瀰漫，樓下則市聲鼎沸，這種情景在別處廟宇是見不到的。

出大殿右轉上樓，便是生肖殿（又名星宿殿）。殿裏神像，按着六十甲子的數，又依十二生肖的次序，從一歲直排到六十歲，歲歲都有個生肖菩薩，由香客照着自己的年齡，認明值年的生肖神，上香叩頭以求福佑，生肖菩薩神態各異，如係十二歲屬兎，便有個十二歲、豎起一雙長耳朶、兎頭兎腦的兎神菩薩；如係二十六歲屬蛇，便有個二十六歲、舞弄着一條昂首吐信，盤旋欲動的黑蛇的蛇神菩薩；其餘無不類此。妙的是，六十位神像個個不同，譬如同一屬兎，却依照十二、二十四、三十六、四十八、六十等不同的歲數，塑成形狀各異，動作不一的兎神爺。這些栩栩生動的塑像，都出自匠人們手藝，工夫之精到，殊不亞於一般藝術家的傑作。

生肖殿裏的香火，與大殿同樣鼎盛。每到新年，上海人差不多都要到這兒上一支生肖香。由於有誰的生肖香上得最早，誰這一年的運氣就會最好的傳說，便形成了一種搶頭香的風氣，大年初一，天色尚是朦朧未明，廟門外已擠得水洩不通，爭着搶進殿去上頭香，盛況場面熱烈緊張，誠屬罕見。

我兒時去城隍廟，目的並非上香，祇是奉着母親叮囑，城隍菩薩處和生肖殿必須要去叩頭，別的魁星閣、財神殿……就沒有心再去了，因爲我的興趣，全注在廟後九曲橋的附近，那兒集北平天橋、台北龍山寺的大成，是整個城隍廟精華所在，各種吃喝、玩樂及各項買賣，無不滙集在這個地區。所以我在生肖殿一上過香，就連聲催着小娘舅背我上九曲橋去。

九曲橋原是磚石所造，後來纔改成鋼筋水泥。有人說橋有十一曲，有人說整整九曲，我一意貪着玩，不管有多少曲，反正它曲曲折折地蜿蜒在廟湖上面，湖的面積起碼有半個台北新公園那麼大，湖裏盡是香客遊人們所放生的魚、蛙、龜、鼈之類，其中以烏龜爲最多。大晴天，橋礅石上便到處有上千上百、成羣結堆的龜子龜孫，在晒太陽，形成了一幅九曲橋下的奇景異觀。

橋上人潮洶湧，滿擠着遊客。橋中央有茶肆名「湖心亭」，備有茶水、點心，可惜地方太小，坐在裏面十分侷促嘈雜，有經驗的遊客便不會進去，都要在橋上玩完後，纔進橋兩端幾家規模最大的茶樓去休息，不但明窗潔几，地方寬敞，而且茶水上乘，點心也精緻講究，如蘇州蟹殼黃、南翔小籠饅頭等，色色俱備。

九曲橋蜿蜒湖上　到處是奇景異觀

逛過九曲橋，喝足茶水，吃飽點心，休息了一陣，繼續沿湖兜着圈子再玩。湖的四週，一步一攤、三步一販，處處是臨時性的攤販，有賣假刀假槍哄孩子玩的，有賣飛箭彈弓的，有當場表演扯得直響的拉鈴的，有賣花花綠綠、五彩精印各種人物故事的年畫的，有敲鼓打鑼耍猴子把戲的，有邊嘍邊唱拉西洋景片的，有舞刀弄槍賣狗皮膏藥的，有圍着布幕、內有希奇古怪的美人魚、蛇身人頭等騙孩子錢的，有賣摜炮、冲天炮、百子鞭炮的……，簡直五花八門，目不暇接，還有不知有多少花樣。還有數不清的菜館、飯莊、小吃店、古董舖、玩具店、照相館、牌九麻將店、東西洋百貨店、鏡框對聯兼賣字畫店、雕塑神像店……，又有不少家專賣珍禽異鳥，以及洋狗名犬的店舖，鳥鳴狗吠和着喧嘍的人聲，組成了一曲刺耳的交響樂，另是一種熱鬧情景。

兜完這個大圈子，玩遍了這些攤販店舖，我平日所想的彈弓、刀槍、年畫等，以及臨時見着的心愛玩意兒，已買得差不多了；小娘舅袋裏的錢給我化得也差不多了。於是舅甥倆便從小世界走出大廟後門，跳上車子，駛向回家途中，這時我疲倦已極，在顛得七上八下的車子裏，早倒在小娘舅懷中，昏昏入睡了。

如今，又快到新年了。不知陷身鐵幕裏的小娘舅尚在人世否？那年那月可以重回上海，再去白相城隍廟，一溫兒時舊夢呢？（完）

白崇禧軼聞

海嶠舊談

諸葛文俟

民國十七年春間，唐生智佔據兩湖，不奉南京國府正朔，且通電聲言「東征」，國府明令討唐，以桂軍爲主力，由白崇禧（健生）指揮全軍，溯江西上，擊潰唐氏所擁之第八軍。唐氏隻身遠走，殘衆尚有三軍人馬，改編爲「第十二路軍」，以李品仙任總指揮兼軍長，廖磊劉興各領一軍，概歸白氏統率北伐，迅即進佔平津，前綫及於灤州。旋關外奉軍易幟，擁戴革命政府，全國乃告統一，匕鬯無驚。白氏在北平閒游故宮，見宮中建有「崇禧門」，位在太和殿後，心竊喜之，即呼照相館入內攝影，白氏立於該門之中央，顧盼自豪，時人笑其有帝王思想，白亦不以爲忤也。

唐部雖由李（宗仁）白予以改編，但中下級幹部皆仍舊貫。李品仙與唐生智係保定軍校同期生，二人情誼甚篤，李氏之總指揮部所屬文武幕僚，盡爲湘籍人士，现任財政部關務署長周德偉即係秘書。民十八年唐生智秘密潛赴北上，煽動舊部叛離白氏，並密令各軍長將白氏扣留之。廖磊得訊，急護送白氏至天津，登日本輪船逃難，廖本人亦棄軍隨白氏乘桴浮於海，然品仙事前絕無表示。因是白對廖甚感紉，而極怨懟品仙，銜之彌深，日後雖經廖氏解釋品仙當時不能稍露風聲之原因，蓋左右皆唐氏耳目，實逼處此，莫可如何耳。至白仍耿耿於懷，因而品仙回桂省時，抑鬱不得志有年。對日抗戰初期，廖氏以資歷較低而得任皖省主席，即係白氏極力推轂所致也。

民十九年中原閻馮戰役後，廣西境內發生戰事，白氏膺討桂軍前敵總指揮，駐節南寧，夫人馬氏暫避赴香港。時白與馬氏結褵已數年，膝下尚無兒女，曾由幕僚代爲物色民間一良家女子爲簉室，白氏詭稱爲「黃副官」，女固少受教育者，信之不疑。一日，南寧舉行民衆大會，白登台作主席，女偕衆人入場看熱鬧，白氏演說中，有人呼「白總指揮」，女謂：「此黃副官也」。旁人嗤其無知，女作色曰：「他是我的丈夫，我還會錯認嗎？」一時笑柄遍傳各方，白恐大婦聞悉，乃斥資與女無形脫輻，女不敢抗，然終身亦未再嫁矣。

民國卅七年冬間，白在「華中軍政長官」任內，襄陽綏靖區司令康澤被共匪圍攻甚急，中樞飭令白氏派兵援救，白僅以「相機應援」任務，派第七軍軍長李本一率部出發，而行運緩慢，部隊蟻行至沙洋，共匪已陷襄陽，康氏戰敗被俘矣。是時白氏舊部許高陽任華中區補給副司令，白爲全權管理軍糈計，於李宗仁代理總統之初，力保華中區補給司令朱椿卿爲湖北省主席，而由許高陽升任正位。朱氏係一默默無聞而資歷甚淺之軍需人員，驟然綜持省政，貴膺封疆大吏，輿論爲之駭然。

繼而白在武漢將川省運交中央之糧食械彈截留，復將武漢中央銀行庫存現洋三百七十萬元提出，託言接濟軍餉，華中區所屬文武人員，自官長至士兵，每月每人搭給現洋一元，餘數仍發法幣。華中補給司令部亦存有黃金五萬六千兩，以法幣價格狂跌，無法兌換使用，未幾武漢宣告撤守，前夕，曾將湖北第一紡紗廠總經理程子菊拘押，旋由華中軍政長官公署代理秘書長某君，手令武漢警察局予以省釋，謂廣西人在湖北不宜遺留汚名云。某君旋辭職以謝，白氏乃挽鄂人林逸聖繼任秘書長，林係共匪林彪嫡親叔父，逸聖曾接得彪函，囑其離鄂，否則將來遭受清算之際，愛莫能助。逸聖僅接任秘書長三日，即倉皇潛至廣州，轉赴香港避難，以迄於死。

遷境過事

三幕喜劇

一式熊

趙：（在窗外）包先生，包先生！嬸嬸，嬸嬸，怎麼樣把窗戶拴上了！窗簾子也拉上了呀？

仁：（放了心）原來是你呀！（他一面揩汗，一面去開窗戶）怎麼你一個人來了？我姑媽呢？露茜呢？

趙：她還在那兒陪着何夫人。何夫人一見了那些小狗兒，不知道多麼高興，一隻一隻抱着單獨談話，談了半天，看見還有沒開眼兒的，她說這是營養不足，叫我到附近士多去……。

仁：到附近「士多」去！「士多」是甚麼？

趙：到附近小店兒裏去買了一罐美國來路貨的牛奶來，現在她正在狗窠裏奶小狗兒呢。我趁她不留神，溜了出來，怕她回頭還要差我到藥房裏去買魚肝油喂狗兒呢！

包太：（笑不可仰）爵紳夫人在狗窠裏奶小狗兒！這叫做遺傳！有其姑必有其姪！雖怪你一天就在狗窠裏過日子！當初我還怕她見了小狗兒不高興呢！太極，好孩子，別站在這兒傻頭傻腦的望着我們，快回到狗窠裏去把奶小狗的爵紳夫人請了來，你們兩個人也同來，我們有極重要的事情，等着大家談談呢！

趙：極重要的事情？是不是……是不是……關於……關於婚姻的問題呢？

包太：（微笑）正是！你猜得一點也不錯！我和包先生談了許久，認爲現在趁着姑老太太在這兒，我們就請教請教她老人家，也讓露西……。

仁：露茜！露茜！

包太：讓露茜和你，大家一同討論討論！好孩子，別傻望着我，快到狗窠裏去請姑老太太吧！快去快來！

趙：（高興之至）那好極了！那好極了！我就去！我就去請她們來！

（他一縷烟似的跑出去了）

仁：你老是喜歡胡說八道！他還以爲我們是談他和露茜的事呢！還有一點，我們談我們的私事，怎麼可以要趙太極這個孩子來參加呢？他是外人，回頭我叫他先回家！㉕

自由報

第八九八期

中華民國僑務委員會頒發台僑新字第三二三號登記證
內銷證內僑警台報字第031號
中華郵政台字第一二八二號執照
登記為第一類新聞紙類
（半週刊每星期三、六出版）
每份港幣壹角．台灣零售價新台幣弍元

社長李運鵬．督印黃行奮

承印者：大同印務公司
地址：北角和富道九六號
台灣總管理處：台北市大同街119號
台灣區直接訂戶　台郵劃撥戶
第五〇五六號張萬有（自由報會計室）
電話：五一四〇三三．五五五三九五
台灣分社：台北市西寧南路110號二樓
電話：三〇三四六．台郵劃撥戶九二五二號

社址：香港九龍彌敦道
593—601號廖創興
銀行大厦八樓五座
LIU CHONG HING
BUILDING
7th FLOOR FLAT 5
593—601 NATHAN ROAD,
KOWLOON, H.K.
TEL：K303831
電報掛號：7191

從漢學會議說到國際華學會議（上）

·黃大受·

中華民族有悠久的歷史，建國於東亞大陸，幾達五千年之久，一脈相承，綿延不絕。中華民族的文化，在世界上獨具一格，博大而精深，高明而中庸。中華民族的學術思想，燦然大備，無所不包。在十八世紀以前，無論從那一方面來看，中華民族與世界上其他民族相比，毫無遜色，有過之無不及。所以明末清初，西方傳教士帶來了西方的自然科學和神學、論理學，但也把中國固有的學術思想，介紹到西方去。十七、十八世紀之交，中國文化，在歐洲大陸發生了極大的影響。雖然在十八世紀前期，由於康熙帝和雍正帝，禁止基督教在中國的傳播，學術的交流，因而中斷。但已經傳到歐洲的中國學術思想，仍然在歐洲被學者們研究與傳播。到一八二二年，法國便有了亞洲學會，英國在一八二三年，也成立了亞洲學會；後來普魯士也有了東方學會。這三國的學會，常常在文字上發生爭辯，也可見他們研究東方學問與趣之濃了。

自從西元一八四三年（清宣宗道光廿二年），中國在對英推銷鴉片的戰爭失敗之後，屈辱地簽訂了南京條約，開放了五個口岸通商，外國商人，大批地到中國來做生意。接着，傳教的禁令也解除了，外國的傳教士也大批來到。後來，外國派遣使節駐華，外人前來中國的如此之多，無論在商人、教士、外交官之中，也不乏好學深思之士，他們一方面再把西方的學術介紹到中國來，相對的也再把中國學術傳播到西方去。歐洲的英、法、德、荷、比、俄、義大利、西班牙、葡萄牙等國家，在亞洲找殖民地，開闢市場，因而研究亞洲的情形和歐亞二洲接觸的情形，發現只有在中國著作中，可以找到許多的資料。而且中國的學術思想，內容豐富而高深，有歐洲所未有的，早經明末清初的教士們加以介紹，但後來突然中斷，西方學者苦於研究無門。現在中國却大開方便之門，怎不雀躍三百，努力研究！於是研究東方的學問，在十九世紀後期，特別成為英、德、法、俄、義等國學者研究的熱門之學。尤其是中國學是東方學的主流，更成為研究的重點所在。

由於法、英、德三國的亞洲學會，彼此常常發生爭辯。這三國以及荷蘭研究中國的學者，在一八七三年，便創立國際東方學者大會，目的在聯絡感情，交換心得，互通聲氣，消除誤會。起初四屆，隔一、二年開會一次，以後隔三、四年、開會一次。他們對中國的學問各部門幾乎都有人去探索研究。因為他們所研究的中國學，是以漢人為主體的學問，因而稱為漢學。自這些研究中國學的學者，用中文來稱呼，則被稱為漢學家。後來所有研究中國學的學者，不管歐洲或美洲那一國的人，大家都叫他們做漢學家。

這些漢學家常常集會，自然，他們有不少人懂得中文，也會說中國話。而且有極少數人精通中國語文，所以才能深刻研究漢學。我們還記得在明末清初，那些來中國傳教的耶穌會士，有很多精通中國語文，好多中國經史子集中的典籍，是他們繙譯成西文的，可是到沒有人叫他們做漢學家哩！然而到十九世紀後期的漢學家，已經不是個個能使用中國語文的人，能懂得的也不多，所以他們不論是舉行國際東方學者會議或是漢學會義，亞洲學會之類的時候，儘管研究和討論的是漢學，可是這些漢學家使用的語文都是英文，法文、甚至其他國家的語文，却不是中國語文。即使萬不得已，論文中有中文註解，就算是不錯的了！

更奇的，就是中國學者出席這一類會議，提出的論文也要用英、法文，討論時的語言，也是用英語、法語——而不使用中國語文。而且西方人經常在集會，在討論漢學，集會的地點十分之八九是在歐洲，少數在美洲。漢學的所在地是中國，却從來沒有開過一次漢學會議。西方人開漢學會議，自然不會在中國開。中國人自己又不開。結果，弄得在西方人的腦海中，不是中國人在研究漢學，而是西方人在研究漢學，在研究東方學。所以「漢學家」、「東方學者」，便成了西方人專有的頭銜。遂致只會說幾句中國話，認識幾百個中國白話文的西方人，就變成了漢學家東方學者；而且是「中國通」。有時出點什麼獎學金之類，送給中國人替他們「搜集資料」，用英文編寫幾本有關漢學或中國問題的書，於是便成了中國問題的權威，漢學界的泰斗。這眞是天下的大荒唐事！

別人如此莫明其妙的亂來，不去怪他們，：但慚愧的是我們自己不爭氣，連研究自己的學問，也沒有好好去努力。有的人認為自己的什麼都不好，西方人的什麼都好，要弄什麼全盤西化……俄化之類，搞得烏烟瘴氣，學術思想界一片混亂，那談得上什麼研究「漢學」，更談不上舉行世界性的漢學會議，讓外國人到中國來好好研究中國學！

西方人從清末一八七三年起，開東方學者國際會議，壓根兒我們中國人連開國際漢學會議的事，提都沒有提過，中華民國成立了五十多年，有一羣人操縱了學術教育界，是否想到了要在中國舉行「漢學」會議？在大陸沒有淪陷以前，以大陸之地大人衆、財源之多，難道不能開一次像樣的會議？不過那些佔據學術界要津的人士，一天到晚在蝸牛殼裏做道場，自吹自話互相標榜，那會有閒空來提倡什麼國際性的「漢學」會議呢！

大陸淪陷，政府暫遷到台灣來。由於中共在大陸的擴張，西方人更注意中國問題和中國學，外國的「漢學」會議更是開得有聲有色。據田曼詩女士說，他在六年前旅居法國時，當時在法國的聯合國文教組織，願意撥款八千美元，幫助中國召開一次「國際漢學會議」。

逞殘暴！

走狗烹！

昨日與明日

從雷鳴龍說起！

中華民國立法委員雷鳴龍，向商人杜萬全索賄三十萬元，被台北治安機關破獲，全案移送台北地方法院檢察處依法辦理。

懲雷究杜，法有明文，筆者不擬多置喙，祇是雷案發生後有一種不正常現象（詳見張健生各報啓事）這是國家的「敷」走到這個角度呢？還是「除長安暴」風氣使然。我們沒看到有人提出制裁和杜弊的辦法，却顯然看到有人在作轉移重點的運用，例如台北某官報硬栽贓給一位民營報張姓同業。不能「明利害，辨是非」，違背 蔣總裁所指示同志的四大原則，希望國民黨中央能予查明，向社會有一個公正交代。台灣是我們最後一塊復興基地，我們不能再亂搞了。

等而下之還有？

堂堂國會議員雷鳴龍，做出這樣一種下流的事，不僅國會仝仁一致憎恨，且蹋者皆以雷之「愚不可及」而表示悲憫和遺憾。

不過話又說回來，國會羣裏「愚不可及」的人是否就是雷鳴龍一個？相信誰也不敢肯定答覆，乃至於比雷等而下之的還大有人在，盜豆案就是一份最可靠的說明，××××××等雖未身入囹圄，但老百姓的眼睛是雪亮的，難怪歐美有句格言：「法律是一種欺騙科學」。

從今起希望大家遵照國父遺教中的：「平其平，使不平者底於平。」天下就能相安了。

議員資格問題

從雷鳴龍的「愚不可及」和下流行為，連想到台北市議員資格問題，確有愼重決定的必要，時代究竟是前進的，向後拖不是一個辦法。

根據台北新市議會組織規程決定，議員之學歷資格須高中畢業以上。實則很多工廠招考工人，都得俱備這種起碼的資格；但照目前現任之臨時聯任議員中，包括張祥傳議長在內，有卅幾個人尚未能取得是項資格，怎麼辦呢？

台北既昇為院轄市，不僅為中華民國之戰時首都，且有關國際觀瞻，「幹你娘，老××」已往一些髒話在議壇上出現、除非台灣讀書人完全死光，台北議會等於開了很多年玩笑，應當可以結束了。

自由談

十餘年前，尹仲容在台灣主持中華民國政府的經濟建設事業，以國家力量獎掖民間有計畫的發展現代化工商企業，而以農產品加工輸出的成績最鉅，致有今日社會生活的一片繁榮氣象，功不可沒。可是，這祇能說是輕工業方面的初步進展，未足與生產力發達，而科學技術完善的美英德日各國相提併論，即談不上「工業起飛」的話。若因此而沾沾自喜，認為滿意，且使社會大眾流於奢靡浪費，盡情消耗的畸形生活狀態中，使係莫大的隱憂。

民生主義原不反對前期資本主義的自由經濟生產方式，但否定資本家壟斷獨佔着分配手段，不使財富集中於少數人之手，造成貧富懸殊的階級分野，而以節制資本，平均地權為經濟軌範，俾得自然而然的循序進達社會主義階段，終致構成世界大同的和平民主生活，猗歟盛哉！

經濟建設的管見

台灣實行土地改革後，平均地權的初步工作完成了，但節制資本的措施，未能齊頭併進，因而經濟發展情形，與民生主義的原則不相符合。地價逐年增漲，盡歸私人所得，而舊有地主即利用法令繁複的漏洞，動則設法收回已分配給農民的土地，以期恢復兼併集中的故態。同時由於生產與分配多歸資本家綜持之故，財富并未社會化，表面的繁榮生活，多見其為浪費消耗，而與國民收入絕不相侔。試看各都市間所謂觀光旅館與夜總會之林林總總，有增無已，色情娛樂場所之層見迭出，對於工業却故步自封，安於小就。即知經濟進步的實質，不是正常的，無寧是一種病態。這不特非所以建設台灣為三民主義模範省之道，亦與非常時期政府倡導節約生活的功令相背馳，若不及早糾正，後果實在堪虞。

時人對於政治經濟問題的改革建樹，皆唯國內外的專家主意是從，實則專家們多偏重理論，每與實際情況迴不相合，專家的意見可以尊重，却不能迷信。尤其不宜罔顧本國各種實情與條件，專以模仿美國為能事。咱們的工商企業和科學技術，那一點能比得上別人呢？憑着一股虛驕之氣，儼然效顰學步，必卜利未見，而害已先嘗，談經濟建設者，可不愼思而明辨之耶？

馮五先生

行政院嚴院長施政報告

全面推動發展科學　配合國防經濟建設

（本報記者張健生台北航訊）實施九年國民教育和全面推動發展科學，成為行政院自今之後的施政方針，這是嚴家淦院長於九月二十四日列席立法院第四十二會期第一次會議，向全體立法委員作施政報告時說的。

據嚴院長說：發展科學是件持續性和全面性的長期工作，不易在短期間看到顯著的效果，但起步的時候，需要最大的毅力，我們現在正盡全力推動。為了統一目標，協調步驟，我們首先確立領導科學發展的體系：國家安全會議的科學發展指導委員會，負責擬訂科學發展政策和全盤性計劃；行政院的國家科學委員會，依照政策和計劃，負責輔導並支持一般科學的基本研究與科學教育的推展；其餘各部會就主管範圍，從事有關的研究發展工作。

所以，當前的決策，科學發展工作區分為科學教育、科學研究、科學與國防建設、經濟發展的配合等途徑來進行。國家安全會議科學發展指導委員會，於本年七月擬訂一個每期四年，三期連續共十二年的科學發展總計劃，作為各部門科學技術研究發展的藍圖，這個計劃的綱要，已由科導會會同有關部會擬就，現正依據綱要擬訂詳細計劃中。

近半年來，已做了下列的工作：在科學教育方面，首先是完成了一項在公立大專學校，設置研究教授和研究副教授的計劃，所有研究教授和研究副教授的人選，都由國家科學委員會所聘請的科學顧問担任；其次是頒訂了一項「公立大學學術性行政人員任期辦法」，來加強大學學術性行政的效率；並利用暑期，邀請國外專家學者回國舉行科學研習會，使各大學的科學教師和研究生參加研習，吸收科學新知；此外為期造就更多的行政管理和企業管理人才，以適應經濟發展的需要，特將各公立大學現有的企業管理系和研究所的教育予以加強。

在科學研究和配合國防建設及經濟發展方面，近半年來已經決定和正在進行的也有下列各項：其一是策定海洋研究計劃，設立一個海洋研究所，從事海洋科學研究工作，以開發海洋在國防上及經濟上的新資源。其二是籌建一個船模試驗水槽，來研究解決造船設計上所遭遇的問題，以利造船工業的發展。其三是邀請外籍專家來台訪問，以協助策劃專門性的發展工作，已經應邀來台的有：美籍醫藥專家訪問團，對我國醫學教育、醫學研究、及公共衛生行政方面，提出很多改善意見；各國工程專家在台舉行的近代工程技術討論會，介紹若干最新工程技術；以及包括中美科學家組成的中美科學合作研討會，對工業教育的改進，作了很多重要的結論；同時兩國間正進行訂立一項技術合作換文協定，以增進中美在科學發展方面既有的良好合作。此外為了使國內科學研究機構，便於獲得其所需要資料和儀器，特籌設了一個服務性的「科學教育和科學研究資料儀器供應中心」來統籌辦理。

中華民國朝野人士，對科學發展的推動，對促進國家現代化，莫不殷切期待早日完成。

立委徐中齊指行政司法人員

破壞耕者有其田政策

——地政人員勾結土地代書與豪霸　非法經營土地買賣致訟案疊起——

（本報記者劍聲台北通訊）立法院第四十二會期首次會議於九月二十四日舉行，行政院長嚴家淦率同各部會首長出席會議作施政報告並答覆質詢。

首先提出質詢而列入議程者為立法委員徐中齊，他質詢行政人員與司法人員破壞耕者有其田的國策。並列舉事實來支持其質詢是有根據的。

在台灣法院中，以土地問題而訴訟的案件名列第一；行政機關中以地政人員勾結土地代書與當地土豪惡霸從事經營土地買賣的事件為最多，但從未為中央級民意機關所注意，徐委員針對此一非法事件而質詢，足見對農民的問題是如何的深切瞭解。

徐委員於質詢時開宗明義的指出：實施耕者有其田，為現階段民生主義之基本國策：公有土地之放（租）領，（租）領或承（租）領，應以自耕農為主要對象，此項基本國策載諸中華民國憲法第十三章第三節，土地法規亦有同樣的規定，故人人均應遵守，不容許任何政府機關或任何團體或任何官吏或任何人破壞之。倘發現有人破壞，則人人得口誅筆伐，司法調查機關或治安機關亦應自動偵查，使破壞者繩之以法。

彰化縣政府於四十年間對放租放領溪湖鎮四塊厝字巫厝第七五〇之二號公有土地時，各級經辦人員均有違法失職之嫌，省級有關主管機關亦有未盡監督失職之行政責任。而承辦該案之各級法院司法官，亦有未盡職權調查之能事，認事用法違誤與違背法令之枉法判決及瀆職行為，是故行政院除應依職權救濟被害人洪丁山之外，並應徹查嚴辦有關人員之枉法瀆職行為，俾維護國本而安民心。

該質詢很詳細的指出：查系爭第五七〇之二號土地，原係洪丁山先祖洪懷所有，洪懷去世後，由洪丁山之父洪生承耕，民國二十一年（即昭和七年）八月間，洪生去世，則由洪丁山繼續耕作，至民國二十五年十一月二十五日，洪丁山耕作之土地，被台灣拓殖會社徵購而喪失所有權，並登記為「國庫」所有，但洪丁山仍繼續耕作至台灣光復以迄本案於五十二年間發生。該系爭土地南端，分別由洪懷、洪生、洪丁山建有九間房屋作為居住，其中洪懷所建坐西朝東之三間竹屋，因年代久被颱風吹倒致無法修建，但該房屋基地尚可用肉眼辨別，洪生所建坐北朝南之三間草屋，中間供奉祖先，右邊一間堆置傢具，左間作廚房之用。洪丁山所建坐東朝西三間房，作臥室之用，亦有十幾二十年了。房屋四週栽有竹園與果樹，東邊有行人道，行人道之東邊有一小溝，供灌溉之用，溝之東邊，即洪曉之第五七〇之一號土地，北臨[illegible]鹿洪[illegible]之員鹿大道，是以村人皆知洪丁山生於斯土，長於斯土。

台灣光復後，該系爭第五七〇之二號土地，由台灣省日產管理處接收管理，嗣後交台中縣政府，民國三十九年十月二十一日，彰化縣政府成立時，由台中縣政府移交彰化縣政府管理。民國四十年一月九日，台灣省政府公布「台灣省公地公產整理方案」，同年六月二十日公布「台灣省放領公有耕地扶殖自耕農實施辦法」，作為實施耕者有其田基本國策的依據。由於洪丁山為目不識丁之農民，其住所復又無左鄰右舍，故對政府公布之法令規章，並不知曉，且又無人告知政府實施耕者有田之國策。

於是，洪曉一人於調查表上及土地登記簿記載：第五七〇之一號土地欄及第五七〇之二號土地欄蓋章承領，此項非法承領之事實，一直到洪曉於五十年八月間繳清地價後於五十二年九月三十日賣與以經營土地買賣為生之非自耕農洪油車，及洪油車於同年十二月十二日雇工強行犁去洪丁山所種地上農作物時，洪丁山才知道洪曉非法承領之事實，於是一方面控告洪油車、洪曉共同毀損之刑責於溪警察派出所；一方面向台中地院提起返還土地之民事訴訟（容下文詳述）。此一糾紛之所以發生，完全由於彰化縣政府各級經辦人員之違法失職圖利他人而發生。

查國家對於土地之分配與調整，應以扶殖自耕農及自己使用人為原則，為憲法明文規定，因而土地法規均本此原則制訂，如實施耕者有其田條例，規定耕地放領土地法規定耕地租用，應以自耕者為對象，如三十六年十一月一日長官公署公布「台灣省公有耕地放租辦法」，規定公有耕地放租應以自耕農為對象（第八條）。台灣省政府鑒於本省光復後之公地放領弊端百出，乃於四十年一月九日公布「台灣省公地公產整理方案」，旨在整理已列冊一放租之耕地，有錯誤，若經「重新檢查其承租農戶姓名及土地面積」有錯誤，應「分別更正」，「概以現耕人為對象訂立租約」，由此可知彰化縣政府各經辦人員於奉令「重新檢查」該系爭第五七〇之二號土地時，顯未按照規定實地調查：若經實地調查即應更正與現耕人洪丁山訂立租約，否則，該經辦人員如非未盡職權調查而瀆職的話，便是假借職務上之權力而損害洪丁山應有之權益，並圖利洪曉，總之，兩者之間不可能全無。

按照司法院釋字第一一五號解釋理由書釋示，依土地法第六十八條規定，彰化縣政府應負損害洪丁山權益之賠償責任。各經辦人員應移送法院偵辦。

警察代通緝犯繳罰金　事無前例內幕有文章

竹警官救濟刑犯家屬仁風感人

本報記者董尚書台北消息：關心政治風氣者，當以司法、稅務、警察為批評重點，實在說來，這三大範圍中，確常有不如意事件之發生，且有積重難返之虞。在從另一角度觀察，這其中亦不乏「好人好事」，可堪例舉者，單在警察方面，最近台東縣警察局刑警隊及派出所警員十四人，曾自掏腰包代通緝犯溫昭明繳納罰金六千一百元，並由警方關說當地各「妓女戶」、「公共茶室」予以「同情支援」，那些老闆也就不費事的慨捐了四千元。新竹縣方面高級警官，有為被捕送管訓二年之流氓王友明家屬捐欵五百元，並代申請長期救濟。上列二事，識者認為新竹警官之捐廉倡導救濟犯刑者之貧苦失依家屬，事屬正當，且應為司法保護會以及社會應行之義舉。察諸自由文明國家，對此均有優良之表現。惟於台東警方對通緝犯之捐欵代繳罰金，似有「助桀為虐」，鼓勵非法之嫌，有司當局對此尚無前例之極不正常行為，切應迅予查察，以資糾彈，或究以法。茲將報載該兩項新聞，翻版於后：

台東訊：（一）台東縣警察局刑警及賓桑派出所警員十四人，代通緝犯溫昭明繳納罰金。據傳有一段內情，因為溫昭明過去與台東警察分局刑事組人員交情不錯，對該組「貢獻」頗多，所以溫昭明違反票據法經法院通緝，刑警人員給予他「方便」代繳罰金，使其撤銷通緝。

該案經縣警局督察室派遣三位督察調查後發現捐欵代溫昭明繳納罰金的眞情。

據縣警察局督察室初步調查結果：溫昭明所繳的一萬八千餘元罰金，其中台東警察局刑警隊，台東警察分局刑事組及賓桑派出所的十四位警察人員共「捐助」了六千一百元，台東鎮各妓女戶公共茶室的老闆共「捐助」了四千元，其餘的錢是由溫昭明本人拿出的。

不過據警局督察室人員調查台東鎮各妓女戶，公共茶室「捐助」溫昭明的四千塊錢與有關警察人員並無任何關連，至於有關十四位員警「捐助」溫昭明繳納罰金是出於私人交情，未發現有其他勾結情事。

（二）（新竹訊）新竹警察局高級警官人溺己溺，因該局捕送流氓管訓，昨發起濟助其家屬，並代設法申請長期救濟，此一義舉，傳為佳話。

民王友明，住竹市埔頂建功路十號居不務正業，引誘無知青少年，專做不法勾當，擾亂地方治安至鉅。本縣警察局長王志和為維護埔頂軍眷區治安，乃下令將王友明依法捕送外島管訓二年，其家屬僅有八歲幼子王發來一人，生活無着，暫由其友人撫養生活困難。

本市埔頂派出所獲悉上情後，將內情稟報縣警局，昨由督察長林庶賢，新竹警察分局長王頤兩人率先各捐一百元，督察員孫繼剛，埔頂派出所主管汪小波及該所同人，共捐得五百餘元，交給代撫育王來發的姚保收，作為生活費用。該局並代設法申請長期救濟。

影響越局的神秘人物
美國駐越南大使彭克
傳阮高奇一槍擊斃越共代表

·何勇仁·

去年新任美國駐越南大使的彭克，自到任以來，影響越戰前途很大，其人其事，應該特別重視了。

彭克（Ellsworth Bunker），今年已七十三歲，在一九五一年出任駐阿根廷大使而開始其外交使節的生活，有一手了不得的外交手腕，此次詹森調其出任巨艱，並不偶然。查其在未進入外交界之前，原為美國糖業鉅子，其一生之為人以「排難解紛」見長，一九六二年曾應聯合國之請，担任印尼與荷蘭間的糾紛案件的調解人，這即為國際間著名新幾內亞問題爭執案件了，他使用靈活的手腕，使劍拔弩張的局面，獲得和平解決，嗣後沙地阿拉伯與埃及為了葉門問題發生衝突，他又奉總統甘迺迪之命前往中東調釋，又順利獲到停戰協議；一九六五年，多明尼加受古巴支持親共軍人發生叛亂，當時他是美國駐美洲國家組織的代表，被派主持一個三國委員會，監督多明尼加大選，他甘冒槍林彈雨，親入叛軍陣地，說服了叛軍領袖卡曼洛而達成停火，不僅此，而且獲得卡曼洛最高的敬佩，他向全世界報導：『我尊敬彭克就像尊敬我的父親一樣！』其人的才智也可見一班了！

繼承父業為糖業界鉅擘

彭克大使的父親喬治、彭克乃美國糖業公司創辦人，彭克大使自從在耶魯大學畢業，即在父親的糖業公司從最低級的職員做起，經過十三年始升至副總經理，後來便繼承父親的事業，成為美國糖業界的巨子，當其於一九三六年間，任美國紅十字總會會長時，對越南曾捐助巨欵，去年十月間，詹森總統命湯普森出使蘇聯時，湯氏所遺巡迴大使一職，即調彭克接任，直到最近才調越南大使了。彭克不僅是擅於做事見稱，而且風度儒雅見頌於時，現雖已白髮滿頭，但今年一月間，他在加德滿都，與美國駐尼泊爾女大使賴絲小姐結婚，一時傳為佳話。

太太是美駐尼泊爾大使

彭克大使此次到任，其行蹤亦非常神奇，四月廿五中午洛奇在西貢機場乘機卸任返國，僅僅在洛奇離去四小時半之後，一架小型的雙引擎噴射機載着新任大使彭克自曼谷悄然抵達新山機場到任了，這樣行蹤突然，為越南各界所料不到，故除了副大使彼德率領美使館高級職員在場恭迎外，越政府無任何高級官員到場，甚至到場警戒的警察也不多，彭克向記者們宣讀一個書面談話，表示保證繼續援越，盡力美越兩國邦交，匆匆便入城去了。就外交慣例來說，新舊任大使交卸如此匆促是少見的，而且事前各通訊社的報導却都說彭克大使要到五月初才能到西貢，如今彭克來得如此之神速，又如此之守秘，可見其人之作風非常特殊，絕不平凡了。而他到任後，很少公開露面，更少發表談話，他只對記者們：『他以後是要常到尼泊爾去看太太的。』因此記者們不得不神經過敏，想到彭克大使是特長調解的，而他的太太賴絲又是美國駐尼泊爾大使，而尼泊爾是一個與共黨國家有邦交的中立國，尼泊爾京都乃在喜馬拉雅山下的僻靜小城，那地點正在中共邊區的門口，外國報紙會報導如果彭克大使發揮其調解天才，約中共北越搞幕後談判，恰是最理想的地點了。

彭克到任轟炸北越升級

不過，話說回來了，彭克大使到任後，什麼東西也看不見，什麼話也聽不到，所看到的只是對北越的轟炸升級了。彭克大使到任當天，美船艦飛機曾兩次轟炸河內東北卅七英里的基甫機場（Kep），並擊落了兩架米格機，空軍的幽靈式機則轟炸在河內以西十九英里的何力機場（Hoalac），自此之後，美機會連續炸毀香喜、北江、越治等三個發電廠、嗣又炸毀海防市區邊緣的兩座發電廠，據估計北越發電總能量十二萬五千瓩中的一半以上已經被毀，同時美機又大炸北越的油庫、軍火庫、兵營、水泥廠等重要目標，不過至今為止，美機並未轟炸海防港和匪越邊境，美海軍裝有十六吋巨炮的戰艦也調來東京灣參加對北越的炮轟，證明彭克大使不會從他太太那裏得到特別長途電話來了！此外，年來我們只知道在越戰掛上彭克大名僅有兩個插曲：

作風新奇打破以往習慣

A：彭克到任以來，很少與越南政府當局作密切的交往，打破了過去的大使的習慣和作風，阮文紹阮高奇等無不以其作風新奇，因此派了許多情報人員秘密調查，乃發現彭克大使與幾位生面的越南人秘密往還投契，並且常常杯酒言歡，正驚奇間，二阮忽接彭東約，並言明除餐叙外，並有所商談；二阮乃聯袂準時到大使館，到步見先有二客在座，彭大使初畧為敷染，謂二客為旅美之越籍學人，二阮乃與接談，漸漸發覺在座二客均為越共代表，阮文紹阮高奇大為驚異，即指責彭氏應介紹與其相見，阮高奇更大發雷霆，指責美國人汚辱越南元首，即拔槍將一客當場擊斃，匆匆衝出使館而去。

巴黎和談開始行踪詭秘

B：自巴黎和談開始以後，彭克大使便是當中最大的忙人，其行蹤極為神秘、忽東忽西，據傳他與北越已建立「秘密外交路綫」而在巴黎主持和談的哈里曼同是神秘的人物，據說盛傳一時之「聯合政府」即乃由彭克負責籌備，月來越南政府當局常發出反抗「聯合政府」之聲明，彭克的確是可人，他與人為忤，他亦表示如越南政府不願組織聯合政府，美國亦是不贊助組織聯合政府的，在此醞釀期間，他介乎其間，給阮文紹很大助力，把阮高奇的政治軍事力量轉移到阮文紹手上了，彭克以為阮文紹受恩之後，會向美國效忠了，言聽計從了，可是，彭克完全看錯，他的神秘也給人看穿了吧？

三日春秋
張其昀氣魄沉雄

·厚安·

鄞縣張曉峯先生，才大如海，早年治學，得浙東派心傳，謹嚴有則。

先生最特異之點，為氣魄沉雄，涵蓋萬彙。我與先生訂交垂四十年。先生在三元巷國防設計委員會（資源委員會的前身）任專門委員，即為中央日報撰文，因得時親謦咳。常笑謂先生曰：「君宰輔才，而居部尚書，（時先生為教長）安能展其抱負」，因相對苦笑。

語云：「名滿天下，謗亦隨之」，於先生亦云然。世之謗先生者，咸曰：「好大喜功」，又曰：「好大喜空」。此種流言，不足損先生於毫末，因其所興革，咸關大計，且均腳踏實地，有始有終，如「國民基本知識叢書」，「中華大典」，皆煌煌鉅著，在承平時為此，已屬難能，而乃成於亂離之中，「喜空」之謗，屬於無的放矢可以想見。

黃少谷兄某次以公文達曉峯先生，打字小姐將「昀」字誤為「的」，於是「張其昀」乃變為「張其的」。曉峯先生會以告少谷兄，少谷兄頗以為歉，曉峯先生夷然曰：「無傷，我固張其的以受矢也」，其沖淡有如此者。

我博士班之設，亦由彼開端，最初羣宗龐責輕率，今則浸成為風氣，而有中華民國教育博士學位之學人，亦爭為國外所羅致。

曉峯先生今又召開國際華學會議。以箇人資格而召開國際學術會議，一奇。參加國際學術會議者自出旅費，二奇。與會者要自撈腰包，而來者雲集，到會人數，超過預期，三奇。會中所提論文，內容數額，超過近來在台北由中美兩國政府主催之任何一次學術性會議，四奇。在此等國際性學術會議中，一切語文，以華文（中文）為主，而會衆怡然悅服，奉行如儀，五奇。

閒嘗謂，人不能氣餒，氣不餒，則現境雖有恢復舊觀之日。我對曉峯先生的作風，所以私心特別佩慰，此亦原因之一。因我中華民族，現雖困厄運，但不自餒，終必能光復故物。聯云：「開張天岸馬，奇逸人中龍」，願以此贈曉峯先生。（完）

吳敬恒先生年譜（廿五）

陳凌海編撰　陳洪校訂

是年先生先後發表：（一）論國家不可為西方之孤注。（二）忠告國際政務評議會。（三）予之個人今日外交觀。（四）論段總理堅僻。（五）川亂之真相何在？（六）總統違法之後穩健論。（七）三歲小孩所知者——張勳無國——段祺瑞無法。（八）正告段祺瑞、梁啟超、湯化龍等文章。

九月十日，國父就任中華民國軍政府海陸大元帥職，宣告戡定內亂，恢復約法。二十日，今總統蔣公上書國父，陳對北軍作戰計劃。

民國七年，戊子（西曆一九一八年）　先生五十四歲

一月，先生致錢玄同書，論注音字母問題。孫鴻哲（揆伯）任唐山製造廠副廠長，推薦先生任唐山路礦學校（即唐山交通大學前身）國文教員。每月薪金一百六十元。唐山路礦學校校長為章宗九。（即章宗祥之兄）先生任教時，曾邀請胡適（適之）前往路礦學校演講。並留胡適同居教員宿舍，與之長談教育問題。十一月，教育部正式公佈注音字母。先生發表補救中國文字之方法文章。

民國八年，乙未（西曆一九一九年）　先生五十五歲

一月，北京政府派陸徵祥、顧維鈞（少川）、王正廷（儒堂）、魏宸組等五人為參加歐戰巴黎和會全權代表。是年初，李煜瀛（石曾）與先生發起組織留法勤工儉學會。五月，第一批勤工儉學學生九十人抵法。到法學生先去作工，以其所得酬勞充作求學之資；或一面作工，一面求學。勤工儉學會在國內設立機關，幫助學生出國。在法則由華法教育會為學生覓工作與代洽學校。五月四日，北京學生為爭山東問題，反對巴黎和會，舉行示威運動（即五四運動），向總統府請願。時北京大學校長蔡元培（孑民）認為：學生在學校，應以求學為目的，不應有任何政治組織，若果對政治有特殊興趣者，可以個人資格參加政治團體，不必牽涉學校。當北京大學學生出發時，蔡元培力勸無效，乃引咎辭職，於五月九日至唐山路礦學校訪晤先生。北大師生羣欲挽留蔡元培繼續担任校長。推羅家倫（志希）為代表，前往唐山路礦學校恭請蔡元培返校。至則蔡元培已辭先生他去。此為先生與羅家倫初次之晤面。

是年先生仍在唐山路礦學校教書。（先生連襟馬程千亦在該校教英文）先生撰寫提倡苦學專論，寄上海勞動雜誌發表。

核准國際商業專校
閻振興涉嫌瀆職
台北地檢處已開首次偵察庭

本報記者公孫熊台北消息：教育部長閻振興近又被一退役軍官劉岫峯向台北地方檢察處告發，閻部長為核准私立國際商業專科學校，有涉嫌利用職權，圖利他人，行使偽造公文書及包庇隱匿公文書情事，地檢處據准以（57）偵字一六七一九號瀆職案，予以偵訊。承辦檢察官高玉申於九月十三日上午十時，傳訊原被告首開偵察庭。被告閻振興未到。高檢察官曾訊劉岫峯，所檢舉之事實，係從何方何人得來，及所悉案情中之文號？劉答，檢舉係確切事實請予嚴查，即可盡悉，案情中文號係由台中法院當年庭訊時旁聽便中記錄。茲探誌原檢舉書狀內容如后：

一、查私立國際商業專科學校（五年制）於申請籌設之初，經台灣省教育廳派員赴高雄校址調查，認為諸種設校條件均與規定不合，不應予以核准，並將調查意見公文呈報教育部，該項公文於到達教育部後，竟被全部變造，將諸種不合規定，不應核准之條件，改為全部符合規定應予核准，連同教育廳官印亦被偽造。（原教育廳銅印與偽造之木印有顯著差別）教育部派人覆查，其報告書內容，竟與該項偽造教育廳公文書相同。即行據以核准籌設。

台灣省教育廳負責人於接奉教育部准予籌設公文後，深表駭異，除呈報教育部外，並派人查卷携同該項偽造公文影本，向台中地檢處訴請偵查，因教育部係其上級機關，訴狀未敢涉及，檢察官格於不告不理之原則，亦未向教育部涉嫌人員追究責任，僅以53偵字一六四〇六號將教育廳職員林國瑞提起公訴。台中法院認為案情重大，而教育部人員實涉重嫌，曾因調閱偽造卷宗，第一次（53訴字四五九號）教育部竟予隱匿拒不呈送，法院亦格於不訴不理之原則，將林國瑞判處無罪了事。該案全部證據均存教育廳檔案室及台中地檢處文卷中，可資查證。（未完）

蘇格拉底（下）

劉長蘭

關於蘇格拉底之死，柏拉圖在 Phaedo 一書中有很清楚，很動人的描述。原來到紀元前五世紀末時，曾經大放異彩的希臘民主社會已因領導者和市民的自私而日趨沒落。紀元前四〇四年，雅典敗於昔日盟邦斯巴達，民主政府即被推翻，代之而起的是「三十人專政」。約一年後，此一政權又被推翻，仍恢復民主政治。

在反革命過後的激憤中，總是有些代罪的羔羊要為人找出來用以平息眾怒的。於是以前曾受蘇格拉底責問或是曾對他的率直勸說懷恨的人便藉口那已經失勢的克利蒂斯和紋從艾爾西拜爾狄斯均為他的好友和門徒而將他陷之入獄。他們所加之於他的莫須有的罪名共有三條：第一是不敬奉國人所崇拜之神。第二是自造新神。第三是敗壞青年。事實上據柏拉圖說，蘇格拉底不但沒有支持克利蒂斯的專制政府而且還曾因拒絕與彼等合作而慘遭虐待的。而所謂自造新神的話也不過是一種占卜之術而已。至於說他敗壞青年，誘致他們行為放肆，則更顯然是顛倒黑白了！

審判蘇格拉底者共有五百人。投票的結果是二百八十人反對他，二百廿人同情他。檢察官因之請法官判他死刑。在這種情形下，按照雅典法律，被告如果請求以放逐或罰款等較輕的懲罰來代替，法官是可以允准的。但是當蘇格拉底起立致詞時，他沒有做如是請求。他首先謝謝法官們對他的善意照顧，然後就提出了一項極為諷刺性的建議。他建議他們不要處罰他，却要把他當做一個功在桑梓的人來加以表揚，並且要給予他養老金做為他服務雅典青年的酬勞。是的，他還同意繳付一個「明納」（那時一種價值甚低的貨幣單位）的象徵性罰金（這是使法官們更為難堪的）。此外，他還明白的表示他如果被釋放，將仍不改變其生活方式，永不停止教授哲學和規勸人們；他仍將詰問某些人那些「你只知千方百計的去獲致名利，根本忽視智慧與眞理，難道不感覺可恥嗎？」之類的問題來促使他們醒悟。他甚至對法官們說：「我是上帝差遣來的一個牛虻（討厭的人），我要整天在各處盯住你們，警告你們，說服你們，譴責你們。」他又說：「如果你們以為殺了人便無人譴責你們惡劣的生活，那你們是錯了；想這樣來逃避責難是不可能的，也是不光榮的；最簡便和最高尚的法門是不要殘害人而只改良你們自己。」

蘇格拉底講完後，若干法官顯露出憤怒和譏嘲的神色，他的朋友却都大為驚駭。其中如克瑞圖與柏拉圖等雖都有相當的聲望和地位，也無法挽回死刑的判決了。

蘇格拉底並不是不知道他可以用一個相當數目的罰金來換取生命，他也不是不知道他的講詞會招致什麼樣的後果；他之所以仍然要如此說是因為他不願做任何好像承認有罪的讓步。他要堅守他的原則，「是」就是「是」，「非」就是「非」，絕不容許絲毫含糊通融。他一向遵照他的哲學道理，高尚的，謙恭的，無所畏懼的而且合乎理性的做人行事，他也一向教導別人要這樣做，如今在七十之年，他無意改變。他寧願因此而光榮的死，不願屈服而含辱的生。

他對法官們惟一的請求是要他們保證他的後代子孫能有正當的教育。這個請求十足表現出蘇格拉底為人的風格，他說：「朋友們，我要請求你們懲罰他們（他的後人）……假如他們對於財富或任何其他物事的愛好超過了他們對於品德的重視；或者如果他們以無知充有知的話。」

回到獄中，在等待着獄卒送來毒藥時，他又拒絕了他的學生克瑞圖為他策劃的逃獄之計。他曾經堂堂正正，不屈不撓的活了一生，此時他堅持仍要以同樣態度死去。

毒藥送來了，當蘇格拉底舉起放有毒藥的杯子時，所有環繞在他周圍的學生和朋友們再也抑制不住悲泣，只有蘇格拉底自己却鎮靜如常，他勸慰他們說：「我把婦女們打發走就為的是避免這一幕，所以，安靜些，好讓我平寧的死去。」

仰服下毒藥後，這位西洋哲學之父便永離人世了。

他的學生柏拉圖讚譽他說：「在我所認識的和他同一時代的人們中，他是最聰明，最溫文，也是最善良的。」現在，在統觀他一生的事蹟之後，我們認為他實在也是一個最勇敢的人。他一無所畏的勇敢的生，也絕不逃避的勇敢的死。他現身說法的證明了他的智慧就是美德的理論；沒有超人的智慧焉能在生死關頭之時表現得如此寧靜堅毅，灑脫自如？唯大智者能大德，眞有已也！

在蘇格拉底臨終前的一些日子裏，他曾告訴他的學生：「將來當你們把我放進墳墓裏去時，記住你們埋葬的是我的身體，不是我的靈魂。」是的，他的靈魂是永遠活着的。是他的以及一些和他一般高尚的正義之魂在領導着人類的文化，使之在無論多麼迂迴迷離的歷史途徑上仍能繼續前進。（完）

事過境遷

三幕喜劇　熊式一

包太：你又想把對付史健旺先生的方法對待趙太極嗎？那不成！趙太極也算是我的朋友，我很喜歡這個孩子！你有你包家很多人站在你一邊，我只好認趙太極做本家，他算是我娘家的代表！

仁：你這樣講，好像我們包家人大家聯盟對付你似的！其實我們是聯盟對付你的丈夫………。

包太：我的丈夫？我一向認為你是我的丈夫呀！就是到現在，雖然我知道在法律上，道德上，宗教上，我都不能算是你的太太，但是我們這多年……這麼多年……雖然過着違法的罪惡的同居生活，我覺得我這一段生活快樂極了，幸福極了，我決不能再承認那個姓宇文的是我的丈夫！

仁：你承認也好，不承認也好！事實上他還是你的丈夫！其實，從頭到尾他都是你的丈夫，你根本就沒有和我正式結婚，怎麼還可以算是過了幸福的生活呢？

包太：不可以算是過幸福的生活？難道你以為我們過去生活，應該算是痛苦的生活嗎？

仁：你眞是的！別再鬥和我搗蛋！快快想甚麼法子對付你的——對付你的——對付這個姓宇文的吧。

包太：我的丈夫！我覺得你要去找他……。

仁：我才不去找他呢！就是他來了……我也不打算見他這種人！

包太：你怎麼可以不見他呢？最低限度，你也應當找着他，當面向他謝謝罪，向他道道歉才對呀！

仁：我還向他謝謝罪，道道歉？為甚麼？

包太：因為你沒有徵求他的同意，就和他的太太非法同居了這麼多年，還不應當向他道歉嗎？

仁：這成甚麼話！這成甚麼話！

包太：不管他成話不成話，事實擺在你面前！假如他到法庭裏去告你侵佔他的妻子，鬧上官司你非輸不可，他可以把我要回去，還可以向你要求賠償損失，豈不叫你賠了夫人又折兵嗎？你還不快快向他謝罪道歉？

仁：糟了！假如他向法庭裏去告我，報上全會登出來的，那叫我怎麼再有臉見人？

包太：那些小報上，封面都會用最大的字，登着「本港太平紳士包仁翰，侵佔有夫之婦」說不定還會登我們倆人的照片………。

仁：（立刻正其衣冠）糟了！糟了！這不是玩兒的！我只好先向他道歉，向他謝罪！你說得有道理！只要有道理的事情，無論我吃多大的虧，我也肯忍氣吞聲……低聲下氣去做的！你說對不對？

包太：對是對的！只可惜有的事情，你覺得有道理，我却覺得沒有道理！有的事情！我覺得很有道理，你又覺得一點道理也沒有！所以一切的事，最重要的是我們能夠同意才好！

仁：同意？同意不同意沒有一點道理！天下的事，無謂大小，有道理的總是對的！沒有道理的總是不合乎道理，那一定是不對的！

新廿五經

受孕經

馬騰雲

遠在二十年前，人工受孕已成為正常的醫術，在歐美成千成萬的婦女，和沒有生殖機能的丈夫結了婚，都是採用人工受孕的方法生育男女。

一位專門醫生說：「我曾做過百次以上的人工受孕術，據我所知道的，這些家中夫婦都很和好，丈夫既沒有把人工受孕的孩子當作野生的來看，也從未問受孕的太太打聽過精種的來歷，人工受孕是否適應於中國社會環境，我們雖然不敢加以妄斷，照常情來看目前是有問題的，這問題留待另篇討論，今天我們祇談性交受孕與生小孩。

日本人[illegible]的，對孩子們的性教育是非常注意的，不像我們常將性與羞恥併為一談，大人向孩子談性的問題固認為荒唐，孩子如果向大人問到性的問題，叫做不知恥，這些假道學迫的結果，青年們祇好向着歪路上跑，形成一種很大的社會問題。

在過去如果公開討論性交、受精、懷孕和生小孩子的事，即是親如夫婦都不好意思，小孩子懷在娘肚裏的情形是怎樣的，誰也不知道，包括接生婆在內，都是糊裏糊塗，遇有難產會究枉死很多的人。（按正式醫院，在大陸上不是每縣都有）

人是怎樣懷胎呢？在男方是由於能產出一種精蟲，精蟲很小肉眼不易看見，一滴精液裏，就有若干萬個精蟲，用顯微鏡可以看到，形狀很像蝌蚪，能很自然的游來游去；女人方面能產生一種卵子，有針尖那麼大，是一個小圓粒，精蟲和卵子因性交的關係結合，人就懷了孕。精蟲是男人睪丸裏產生的（睪丸俗稱蛋子）封建時代伺候皇帝的太監，先得受宮刑，割掉睪丸才能進宮裏服務，好好一個男人，變成不男不女，也不能再生養後代的廢人。

男人除了受過宮刑不能生養後代外，如果害過淋病，兩個睪丸都紅腫過，因之睪丸裏不能產生精蟲，也就不能產生後代了。還有些人性生活太過度，精蟲來不及產生，即能產生的話，精蟲也有病態及脆弱，也難受胎。在過去不生孩子的責任統統推在女人身上是錯誤的。

女人產生卵子係卵巢裏面出，卵巢俗稱作子腸，在人體有兩個，養猪的人將母猪的子腸割掉，母猪不再生小猪，因為不能產生卵子了。母猪子腸這種職業俗稱作閹猪先生，鳳陽府閹猪人家的門對聯：「雙手撥開生命脈，一刀割斷是非根」。相傳是明太祖朱元璋御賜。現代社會裏，包括大英紳士國度裏的王宮貴族，各種各樣形形式式的緋色糾紛，大體上都來自「是非根」。

女人的卵巢裏，有好幾千個卵子，但都是未成熟的，女孩子發育之後，每個月祇有一個卵子成熟從卵巢跑出來，由小管子送到子宮，卵子產的時候，子宮裏血管就膨脹，最後有些毛細管發生破裂，流出的血，就是所謂月經。一般人一月產一次卵，來一次月經，子宮像個小口袋，口向上和陰道接連，平常也祇有台灣小小紅菊那麼大，懷孕後漸擴大，未後像個小茄子樣，孩子生下，它又縮小，慢慢恢復原狀。

孩子在娘肚裏，外面包着衣胞，那是一個沒有口的袋子，裏面完全是水，胎兒就浸在水中，胎兒的臍帶和衣袋相連，衣胞有一部份和子宮長到一齊，從子宮毛細血管吸收養料，氧氣，經過臍帶血管送到胎兒身體裏去。娘的血並非直接流到胎兒身上，胎兒也不是吃娘的血生長。它祇是從娘血中吸收養料和氧氣，胎兒是不吃也不呼吸的，胎兒身上的廢料，廢氣也從臍帶的血管送到衣胞，由子宮毛細血管吸收帶走。

生孩子的時候，子宮收縮，把衣胞連胎兒一起往下壓，孩子快生下來的時候衣胞就破了，孩子先下，衣胞跟着後下。這種衣胞就是中藥裏的紫河車，又稱佛袈裟和混母，大如猪肚，形狀也相似，含有激素，用於神經衰弱及陽萎，補氣治虛血損，為極合理之臟器療法，載諸古書經典裏，俄國醫學界於最近幾十年才發明組織治療法，謂衣胞可治身體虛弱及肺結核等。

中國禪的祖師—慧能

吳經熊著・吳怡譯

禪學黃金時代

慧能辭別了母親，走了三十多天，才到了黃梅，便立刻去見弘忍。弘忍問他：

「你是那裏人，到這裏來做什麼？」

慧能回答：「弟子是嶺南新州人，此來拜你為師，是為了要成佛，別無其他目的。」

弘忍深深為他的質樸無邪所感動，但他畢竟是位非常機警的老師，故意用諷刺的話考驗慧能說：

「你從新州來，是南蠻之人，如何能成佛呢？」

這話引起了慧能尖銳的反擊說：

「人雖有南北之分，而佛性豈有南北之別，我的形體雖與你不同，但我們的佛性又有什麼區別呢？」

弘忍已發現慧能是可造之材，本想和他多談，可是看到許多徒弟們圍在身旁，臉露不屑之色，因此不多說，只吩咐慧能去做工。但慧能却沒有感到弘忍的別有用心，又問：

「報告師父，弟子自心常生智慧，不離自性，便是福田，請問師父要我做什麼工作？」

弘忍只得打斷他的話說：

「這個南蠻根性倒也敏利，不必說了。」接着便派他到後院去做碓米的工作。（[illegible]）

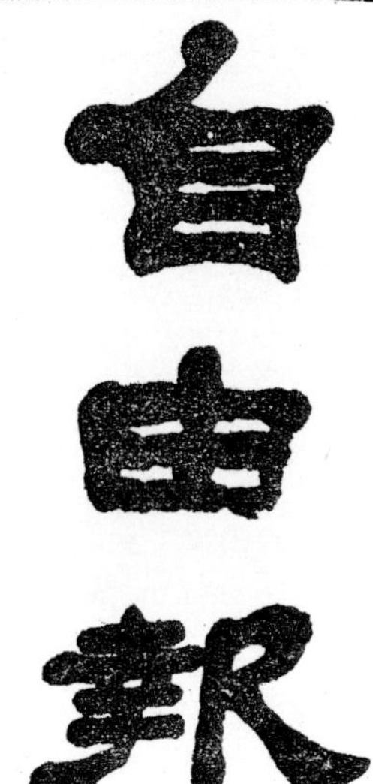

第八九九期

中華民國僑務委員會頒發台報新字第三二三號登記證
內銷證內僑警台報字第031號
中華郵政台字第一二八二號執照
登記爲第一類新聞紙類
（半週刊每星期三、六出版）
每份港幣壹角・台灣零售價新台幣弍元

社長李運鵬・督印黃行奮

承印者：大同印務公司
地址：北角和富道九六號
台灣總管理處：台北市大同街119號
台灣區直接訂戶　台郵劃撥戶
第五〇五六號張萬有（自由報會計室）
電話：五一四〇三三・五五五三九五
台灣分社：台北市西寧南路110號二樓
電話：三〇三四六・台郵劃撥戶九二五二號

社址：香港九龍彌敦道
593—601號廖創興
銀行大厦八樓五座
LIU CHONG HING
BUILDING
7th FLOOR FLAT 5
593—601 NATHAN ROAD,
KOWLOON, H.K.
TEL: K303831
電報掛號：7191

從漢學和漢學會議說到國際華學會議

（下）

・黃大受・

可是當時中國的有關單位，沒有接受這筆錢。（因爲四百萬元都開不成，八千美金有啥子用處？）黃季陸先生担任教育部部長時，覺得漢學會議始終由外國人來開，並不是一件光榮的事。於是向立法院爭取到了兩百萬元的預算，要學術界舉辦一次由中華民國主辦國際「漢學」會議。有關方面以爲這些錢不夠，於是第二年又列了二百萬元。不知道這四百萬元，有關方面是不是以爲還不夠，或是以爲國際「漢學」會議的外國人包辦慣了，乾脆讓外國人包辦好了，何必多管這些閒事！到後來，這筆錢只好退還國庫，以後黃部長無法再爭到這一預算。眞的，舉行一次國際「漢學」會議，實在不是一件容易的事。難怪有人要明哲保身，知難而退！

不過事在人爲，奇蹟終於出現了，熱愛中華文化的張其昀先生，以私人之力，在創辦了中國文化學院和中華學術院之後，又熱心地要以一個民間機構的力量，來舉辦中國歷史上空前未有的國際華學會議。這實在是令人值得高興喝采的大好事。

他首先做了個正名的工作，把「漢學」正名爲「華學」。本來我們中華民族是整個一體的，漢學一詞，似乎以中華民族的主流漢人爲主體，但不見得能包括全體中華民族的學術思想；而且「漢學」與宋學」，本是中國學術史上兩大思潮之一，與外人所稱的「漢學」，不無混淆之處。所以把華學來代表全體中華民族的學術思想，實在是最恰當不過的事。

首屆國際華學會議，終於中華民國五十七年八月二十六日在中華民國的台北市陽明山華岡中國文化學院揭幕，出席這一空前歷史性盛會的，有來自二十個國家與地區的代表，計達二百十七位之多，提出了有份量的論文一百七十四篇。

首屆華學會議，以人文學爲範圍，引起了國際許多學者的興趣，但因所研究的性質不同，而未能參加。不過明年要舉辦第二屆，以社會學爲範圍；五十九年要舉辦第三屆，以自然和應用科學爲範圍，以後每年週而復始。

張其昀先生在開幕致詞時說：「一般國際性學術會議，都由非官方召開，本會亦是如此，各位都知道，中華學術院乃是一個民間研究機構，以促進華學之高深研究爲主旨。」所以要召開這一個國際華學會議。因爲由民間召開，所以這一會議沒有得到政府的財政支持。就是連民間的基金會，也沒有對這一會議有任何的支援。大概是事不關己，何必多管閒事！儘管如此，這會議是開起來了；而且開成功了，博得出席會議的人，以及知道這一會議內容的人，深深的感動，熱烈的贊佩！

大會秘書處秘書長宋晞先生接洽國內各學術團體和中華學術院的有關單位，爲充實會議內容，配合會議討論，舉辦了十三項特別展覽五天，使會議更顯得多采多姿。

五天來會議的結果，幾乎每一位來自海外的代表，都盛稱此一會議的內容是豐富的，緊湊的，充實的，多采多姿的；而招待與服務的週到，更是外國所少有。雖然他們是自備旅費，但覺得此行不虛，都願意三年以後，再來此舊地重遊。

因此，筆者和許多學術界的人士談論此事，總結起來，覺得這一次的空前的「國際華學會議」，可說是得到空前的成功，因爲以私人之力，若非有魄力，有胸襟，有才幹，怎能開得成這樣一次成功的會議？筆者相信，今後的國際華學會議，在張其昀先生創導之下，已走上了坦途，以後定會一屆一屆的繼續舉行下去。

自然，我們是中國人，我們誠懇地希望這一會議能繼續地愈來愈好的舉行下去。筆者和友人對討論的結果，有兩點意見要提出來，以供國際華學會議做今後的參考。

第一、討論會議的時間嫌少一些。在五天的議程之中，只有兩天是全日上下午舉行討論會。以致有許多人想聽別一組的討論，而苦於沒有時間。筆者以爲不妨把全體大會的次數，可以減少。例如外來學人的報到，可以在前一天辦理，本地學人在第一天上午報到。報到以後，立即舉行開幕儀式，以半小時或四十分開畢，然後舉行全體大會，兩位先生的專題報告及討論，最多以二小時爲宜，應無問題。這樣下午時間，可以拿來增加一次討論。

又如星期三上午的全體大會，可以在星期五上午閉幕式合併舉行，這樣星期三上午，又可多一次討論的時間。更可以鼓舞大家討論的興趣，有利於學術的交換。

第二、籌備的時間要提早，第一屆會議結束後，應在十月份起，即行籌備明年的第二屆會議，開會的第一次通知應在十月份即行寄出。通知書應附英文副本，以便利外國學人在外國辦理種種相關的手續，因爲外國學人雖然懂得中文，可是外國的研究機關或有關機關不見得都懂中文。這一次會議，外國籍的代表來自歐美的雖然不少，但有些是華裔，純是歐美人的前來不多。如果事前早早多加聯繫，歐美人來的數目定會增加。對國際華學會議的擴大與加強學術的交流，定會有更大的貢獻的。

最後，筆者要提出本會議有個最大特色，這是任何一次東方學，漢學會議所沒有的。誠如這一次會議各組總召集人黎東方先生所說：「本次會議以中國語言爲通用語文，論文也是用中文，如果用別種語文，大會派人替他譯譯成中國語文。這眞是國際華學會議的獨到之處。寫到這裏，筆者忽然想起少年時代讀過的一篇文章，那就是清雍正時四川人彭端淑所寫的「爲學」。這篇文章我有深刻的印象，至今記憶猶新。他說：

「天下事有難易乎？爲之，則難者亦易矣；不爲，則易者亦難矣。……

「蜀之鄙，有二僧：其一貧，其一富。貧者語於富者曰：「吾欲之南海，何如？」富者曰：「子何恃而往」；曰：「吾一瓶一鉢足矣」！富者曰「吾數年來欲買舟而下猶未能也，子何恃而往？」越明年，貧者自南海還，以告富者，富者有慚色。西蜀之去南海，不知幾千里也。僧富者不能至，而貧者至焉。人之立志，顧不如蜀鄙之僧哉？」

可見得天下事無所謂難易，都是事在人爲；張其昀先生以私人所創的民間學術團體，並沒有幾百萬的預算，至少也籌措了幾十萬元的費用，終於開成了首屆國際華學會議。筆者以爲，他究竟像西蜀的窮和尚到了南海，替他中國人爭回了面子。我們談復興中華文化，容易流於空談。他這每年計劃舉行的華學會議，却是眞正的復興中華文化最具體的行動！

當現在大陸正是天怒人怨的時候，中共的崩潰是有其必然的理由和結果。我們要光復大陸河山，要復興中華文化，已經沒有時間讓我們坐而言了，大家應該奮然的起而行。張其昀先生的作法，就是好的例證，也是對學術界的強心針，青年人的好榜樣。

（完）

昨日與明日

律師牌與「活見鬼」

司法部調查局此次對雷鳴龍之行動，以閃電方式將人贓俱獲，避免了上次油商案那樣麻煩；但亦費了不少心血和代價，調查局的新生幹部力量，是値得欽佩的。

雷係山西省工會選出之立法委員，現年五十三歲，國民師範畢業，歷任軍師政治指導員，山西省總工會常務理事，因而當選了立法委員。雷雖從未讀法學，亦未受過高等教育。到了台灣，三年立委滿期，依訓政法規，掛起律師招牌，竟然業務興隆，今日社會之「話見鬼」一至於此，秩序怎麼能不亂。

雷鳴龍與「人咬狗」

在一向從未搞過質詢的雷委員，可謂「人咬狗」已構成了新聞，偶爾從社會關係人士口中，一說從麻將桌上獲悉了萬源公司與謙順行主持人杜萬全有假帳漏稅，及自造布疋串通海關冒充洋貨進口、獲取不法利益；而杜萬全又如何以兩百萬元企圖賄脫罪情。雷獲上情後，就動出了玩弄質詢權的腦筋，想藉此再向杜萬全索賄，輒請人捉力撰寫了一篇「內容充實」的處女作質詢稿。外傳這捉刀人，疑是昔日爲雷鳴龍大律師的代筆人。質詢書送立法院秘書處，雖揚言已提出，祗是對杜萬全之勒索步驟，如交涉得手，該項質詢必撤回了事，這又形成爲「人咬狗」，難怪鬧出這大的新聞。

越來越下流了

自雷案發生後，台灣區各報悉載，「立法委員當現行犯被捕，爲行憲以來第一遭」。殊不知十三年前尙有監察委員何××在嘉義旅社勒索人民賄賂，當場被調查人員以現行犯逮捕，竟未被一般民意代表，作爲殷鑑。接着又有台灣區油商公會幹事，周烈範一手導演出油商賄案，紅的發紫。立監委員劉勁健，徐君佩，孫玉琳，郝遇林等，身陷法網。而立委雷鳴龍復蹈前轍，且由一個雜工作導演；眞所謂越來越下流了。

誰濁誰清漸瞭然

社會有識人士之明眼下，國會兩院全仁認識下，誰濁誰淸，均漸瞭然。對齒德俱尊，剛健不息之多數委員，尤因賄案之迭發，他尙毫無沾累，因此更受社會崇敬和信仰。不過有些汚穢尙未敗露之輩，必仍爲千夫所指，使其雖有巧施邪惡之餘地，今後亦與論界之職責。

自由談

教育界亦腐蝕了！

台灣實施九年國民義務教育後，小學教師的惡性補習風氣，自然相應休止了。人們認爲這是教育界的好現象，相予慶幸，我却抱有「野火燒不盡，東風吹又生」的疑懼心情，何以見得呢？

小學生既有免試升學的方便，當然用不着「惡補」了。可是，初中學生進入高中，即非憑考試成績不爲功，將來誰能保證「惡補」這種流行病，不會從小學生身上，升級傳染到初中生呢？根本問題，是貪污風氣蔓延及於教育界，見怪不怪，習以爲常了。中國固有文化思想，是要讀書人養成「行已有恥」「不愧屋漏」的節操，即「士先器識」之義。今也不然，大家但知追求物慾享受，笑貧不笑貪，祗要能夠扒得金錢，達到所謂「建立經濟基礎」的目的，見財起意，無所不爲，談義利之別，講廉恥之道，那是迂腐而不切實際的頑固思想，不値一哂的。此所以堂堂特任官的兒子，亦有不惜與小偷爲伍的怪事發生也。

國民中學生應用的中英文字典，必須購買由學校指定的某一種，同樣的舊本亦不許用，這是甚末理由？大專學校爲學習外國語文而購置新式器俱，必須呈經教育行政官署核准乃可，這又是甚末理由？唯一作用就在乘機斂取非法利得而已。台北市府限令市屬國民中學校長，將超收的學雜費退還學生家長，尤屬明智之舉，亦證明各個國民中學校確有濫收學費的事實。然台北市以外，却未聞有限令退還的消息的國民中學同樣濫收學雜費，難道說台北市以外的國民中學校長都是廉正不苟的君子人也不成麼？

綜觀上述這類眼前的現實情況，今日的教育界，上上下下皆表現着見利忘義的乖戾腐蝕氣質，這對國家民族前途的影響，何等鉅大！教育爲立國之本，若不以雷霆萬鈞之力，迅作壯士斷腕的整飭改進，斥退一般不學無術的教育行政官吏，以及無所不爲的劣等校長和教師，則復興中國文化運動，終歸是空談一陣完事，不會產生絲毫效用的，可怕極了！

馬五先生

教師請取消敬師金
收受不樂之贈有損師道
台中某教師捐出份金救濟窮學生

本報記者張純一台北消息：當在九月二十八日教師節日，報章揭載兩項新聞，一爲陽明山區部份中小學教師，將向教育會建議，希望今後各學校免在年度開始時，再收所謂「敬師金」。再爲台中某省中某一不願沽名釣譽透露姓名之教師將所獲之敬師金四百二十元，寄轉某報，作爲救濟貧寒學生之用。記者從多方探訪，所謂「敬師金」早已形成一般利慾薰心不肖校長肥己財源之一。集體征收獨裁分配，並首示以二十元爲基數，即暗示逾多愈好。在分配上例多由校長決定，例如校長一千元，主任級八百元，導師六百元，專任教員四百元，兼任教員或職員二百元，若遇臨時人事異動，校長暫兼代教務主任時，則須兼分一份，毫不臉紅，分餘之尾數，不論多少，例由校長下腰包。據說其中，仍有深明大義之校長，不分階級，除兼任教師較少外，均按實際收入數字平均分配，不過此係少數學校而已。

茲分誌台中某教師投書，及陽明山區部份中小學教師建議原函如下：

「我在本省教書近二十年了，而自倡行『敬師金』以來，每當伸手折腰接納此『敬師金』之後，內心都感到一種莫名的悲哀，難道學生必須用金錢才算敬？而教師們眞認爲學生『繳錢』才算敬重？

做教師，早已認定了貧困的命運，而當局若隨時調整教師待遇，也可勉強生活，但大多數學生家庭却更爲貧困，不料新年一部分教育界人士乃想盡『辦法』增進財源，於是產生我國教育史上空前的「惡補時代」，摧殘了多少學生的身心健康；少數學校也創立名目收取不當費，也是爲了『錢』。而最諷刺的莫過『教師』也向學生要錢。錢！錢！眞害苦了貧苦學生家庭。

茲値神聖的教師節日，爲了減輕精神上負担，更爲避免有人的「誤會」，請將伸手折腰接到的「教師金」四百二十元，送請貴報代爲轉贈貧苦學生（不限對象，也不限專門擅長考試而獲「獎」的學生），此欵雖區區，但我深知有更多的教師都有此善意，此欵既不宜濟助教師自己已註定的貧困，則何不聚少成多而對貧苦學生更感需要，如幸而藉此獲得大多數教師共鳴，或教育廳考慮取消此『敬師金』，甚或引致一些教師們自動放棄惡補工作，則德被國家民族，實踐文化復興，而慶祝教師節就更具有重大意義了。

另悉：陽明山區部份中小學教師的這項建議，將在下月間舉行的陽明山管理局教育會會員大會中提出，並且希望能獲得教育界支持通過，而從下學年度起各學校不再向學生收取敬師金。

據這些中小學教師表示：各學校在每學年度開始時，均有向學生收取二十元敬師金的慣例，而且行之有年，但他們始終覺得，尊師重道，固是我國傳統美德，但像這樣敬師的表示，應該是出於學生及學生家長自願，並且最好是學生自己很誠懇的意思可以，但是目前各學校對敬師金的收取，根本不問學生願與不願，一律強收。但他們並且指出：教育當局所以允許各學校收取敬師金，這固然是一種提倡尊師重道的美德，並且另一方面，也是體恤一般教師生活清苦，因此以這一筆教師金的收入，作爲每年教師節慰勞教師的一點意思。但是他們還是認爲應該由學生及學生家長自願才比較有意義。這些教師並坦白表示他們的上項建議，一方面也是由於近來對國民中學收費問題，各方頗有指摘，所以經過自身檢討之下，認爲提出這項建議，應該會獲得教育界諒解的。

立委徐中齊指行政司法人員
破壞耕者有其田政策
地政人員勾結土地代書與豪霸
非法經營土地買賣致訟案叠起

洪曉非法承領系爭第五七〇之二號土地於繳清地價取得所有權狀後，即串通深知法令而又知情並曾任溪湖鎮東里里長、鎮民代表、現任彰化縣農會理事的洪油車，及現任某機關司法官之陳某（彰化人）作成買賣移轉土地所有權後，再由洪油車售讓而達成共同圖利之目的。是故洪油車爲非善意之第三人，其承購該系爭土地，當然不受法律保障。不但如此，洪曉自知理虧，良心不安，於出賣系爭土地後，即連夜偷偷將全家由溪湖鎮西溪里後溪巷七十五號遷於台北縣永和鎮，此足說明「做賊者心虛」。

洪油車係一不安份守法之徒，亦非以耕作爲生之農民，而是以賭博起家，並爲職業賭徒，不但地方人民駭怕其惡勢力，即地方治安人員亦爭相交往而讓其三分。如溪湖鎮的一家米廠老板，經其利誘威脅而參加其主持之賭局，一夜之間輪去三百餘萬元，該老板終於因此次賭博而自殺，溪湖鎮民雖盡知此事，但無人敢公開舉發，即被害人家屬亦不願公開談論此事，僅於親友間私下提及而已，何故？畏其惡勢力並懼其報復故也。由此可知洪油車實爲溪湖地方之「土豪劣紳」。

按：溪湖鎮公所二樓爲洪某等之賭博場所。

洪油車明知洪曉與彰化縣政府各經辦人員勾結舞弊非法承領系爭第五七〇之二號耕地，並明知該系爭土地現耕人洪丁山生於斯土長於斯土，且明知洪丁山建有房屋，因爲洪油車曾任里長及鎮民代表達十餘年之久。儘管洪油車明知該系爭土地由洪曉非法承領，且須知非法承領之結果，若被洪丁山知悉，將會訴請政府撤銷其承領，因其謀利心切，乃於五十二年九月三十日向洪曉承購該系爭土地，並於同年十月二十二日辦理移轉登記，而後轉賣圖利，此足以說明洪曉非自耕農，且與「台灣省放領公有耕地扶植自耕農實施辦法」第六條之規定不合。同時證明洪油車有故意經營系爭土地而圖謀暴利之非自耕農。他們續有破壞耕者有其田之國策。

同年十二月十二日，洪油車率領暴徒二十餘人將現耕人洪丁山於系爭土地上種植之農作物強行毀損，此一非法行爲經台中地檢處（五三年偵字第一七五號處分書）及台中高分院檢察官（五五年度議字第一七五號處分書）共同認被告洪油車之犯罪嫌疑不足而處分不起訴，並非認被告洪油車根本不犯法。所謂「犯嫌不足」，即法院認被告洪油車之犯罪行爲輕而已。並認被告洪油車之毀損行爲非故意，此屬於自由心證範圍，姑且不論。

然現耕人洪丁山出售種植於系爭土地上之樹竹，台中地方法院竟以竊盜罪論科（詳台中地院刑事判決五十六年度易字第六四〇〇號）而處刑。假定此一裁判公平妥當並適法，則洪油車毀損洪丁山耕地農作物即根本無罪，如法院處以「犯嫌不足」即屬違法，反之，則判處洪丁山等竊盜罪之裁判則顯屬枉法。

假使現耕人於出售自己耕種之農作物係「竊盜」之法理成立的，語則父法上之「地上權人得將其權利讓與他人」（八三八條）的規定將作何解釋？而政府徵收土地須補償該地上物所有權人之規定（土地法「徵收補償」一章）。亦應廢止嗎？自今之後，有關地上物補償之法令規章是否停止適用？法院是否不得作爲裁判之依據？果爾，則裁判權將侵害立法權矣！如此大胆枉法而侵害人民權益之法官檢察官，應否偵辦。

就法理言，政府公地放領之行爲，係基於公權力查明決定之行政處分，非私人所得左右。政府與承領人之間所發生者爲公法上之法律關係，既無特別規定（按：公地放領係以行政命令爲依據）自不適於民事訴訟。公有耕地所有權人（政府）或承領人或利害關係現耕人之間並未直接觸，初無法律關係之可言，尤不能以此私人爲被告提起民事訴訟請求法院以判決變更政府所爲之處分。公有耕地所有權人（政府）或承領人或利害關係之現耕人，認放領有錯誤，不問係事實上之錯誤仰係法律之錯誤係違法抑不當，亦不問係出於故意抑係由於過失，無論具有任何情形任何原因之錯誤，應以行政訴願或行政訴訟程序救濟之，普通法院不得遽爲實體上之判決，應以無權裁判爲理由，從程序上以裁定駁回原告之訴，否則，其判決自應認爲無效，民事訴訟法第二四九條第一項第一款、第四六二條、第四八一條均有明文規定。

准此，洪曉取得系爭土地之所有權係基於彰化縣政府各級經辦人員未盡職權調查之非法行政處分而來，其權源爲公法上之法律關係，行政法上謂之「公法關係之移轉」由於政府之非法行政處分而使洪曉獲得不當得利，使洪丁山蒙受損害。行政上之不當得利應由行政機關撤銷之，普通法院無此職權。洪丁山爲目不識丁之鄉愚對此當然不瞭解，其向法院提起之民事訴訟，情有可原，但法院受理其訴而作實體上之裁判，即屬違背法令之枉法裁判，其裁判依法當然無效。

貴院長對行政機關之非法放領該系爭土地，及司法機關之枉法裁判而侵害現耕之自耕農洪丁山的權益，應有救濟之道，俾使該農民全家老少免於飢餓之絕境，並維國策，敬請口頭答復。（續完）

嚴密防範逃稅漏稅
三單位合組調查組

本報記者董尚書台北消息：關於台灣區工商業之漏稅、逃稅、以及造假賬成爲「會計」人員之優利行業。而稅務人員貪瀆之上下其手，影響國庫拮据，影成增稅，波及物價，民生日促艱困。本報迭經詳加報導，呼籲改善。茲悉政府已予注意，業由司法行政部調查局、台灣省財政廳、台灣省稅務處等於九月二十七日成立稅務聯合調查小組，即日開始辦公。此一消息傳播後，議者認爲政府斯項決策，雖屬亡羊補牢，但在調查局嚴密策進聯合調查下，不僅可嚴防逃稅、漏稅，歡迎民衆檢舉，違章不法情事，且可直接監察不肖稅務人員之非法行爲，以及監視促進法院財務法庭之公正迅速處理稅務案件，將見稅務之整肅，突破昏暗政風之一端，莫不大感快慰，企望殷切。

茲悉：聯合小組的工作範圍首先查緝台北縣的貨物漏稅案件爲主，必要時擴大至其他地區。

小組將於防止應入公庫的財源歸私之外，加強調查局、財政廳、稅務處三單位的聯繫，並於工作中瞭解工商界的困難，以作爲改進稅政的參考。

稅務聯合調查小組的工作態度，規定爲守法，依據法律推行公務，嚴禁於工作中擾民，或對工商界有不法之企圖。該小組辦公地址現設在永和鎮中和路三三九號，設有電話爲九二二八六一，歡迎民衆檢舉違章漏稅、逃稅、及稅政上其他不法事件。檢舉密告人的姓名身份，小組決予保密，一經查實，即按規定發給獎金。司法行政部調查局長沈之岳，省財政廳長周宏濤，昨於稅務聯合調查小組成立時，曾至永和辦公地址巡視。沈之岳局長指示工作人員，應密切合作，任勞任怨，創造我國稅政史上最新的一頁。調查局係於今年初奉命參與查緝違章漏稅案件，八個月來共破獲重大漏稅案二十二起，公庫減少損失達新台幣億元。沈局長希望參加聯合小組的工作人員繼續努力，創造更好的成績。爲強化聯合小組的陣容，調查局已調訓大批大專法律、經濟、會計等科系畢業生，即可參加工作。在沈局長的構想中，以爲稅務聯合調查小組的成立，必能在稅政上有新的作爲，一新稅務風氣。

又悉：在高雄市與商人打「政治麻將」的台南市稅捐處稅務員賴重江、何添義兩人，已由高雄地方法院檢察處主動展開偵查，有無收受賄賂之嫌。台南市稅捐處稅務員賴、何二人，是九月十七日奉命到高雄市複查各大廠商千萬元以上營利事業所得稅征收情形，與高雄市稅捐處稅務員黃百峯，商人黃伯祥在旅社內打「政治麻將」案發生後，省稅務處曾公開表示要將賴、何二人調往澎湖縣服務，但爲澎湖地方民意代表一致反對，迄今尚未作任何處理。台南市稅捐處長蔣灝，當即發表聲明推諉賴、何二人的打「政治麻將」，係屬個人行爲，與該處無關，曾引起各方的非議。

監院副院長張維翰
破例參加巡察小組

本報記者董尚書台北消息：監察院例行年度巡察小組，本年分組實施，因人數關係，身居副院長地位年高八旬之張維翰先生，竟打破慣例，親身參加台中地方巡察小組，創一之歷史蹟。張先生道德文章，超越羣倫。自于右任公逝世後，即繼居自偉由中國詩壇宿領，每遇全台詩人集會，無論任何地區，張先生必抽暇欣然赴會，當賦新詞，高潔抗古，流傳社會，膾炙人口。此番巡察歸來，大功告成，精神奕奕，現已返院辦公。據悉：這位曾在巡察中仔細觀察各單位的調院長，在此次巡視中，有甚多發現，尤其對內公文的處理，頗多値得改進之處，因此他要求也特別強調：「各機關各應該節用愛民」。張副院長指出：「目前各機關編印對內宣傳文件表冊，似乎過多了一點。以監察委員爲例，每個委員收到的文件，若都存放其家裏，豈止「汗牛充棟」，那根本無法收得下，也無處可以貯藏，更沒有此間看這麼多的文件，他認爲這種宣傳書表文件，今後應該力求簡化，事實上對內的表現是工作，工作做得好，大家都會看得清清楚楚，否則從事宣傳，仍難收實效的。

張副院長更指出：他收到台北某機關的一份宣傳文件，不止印刷精美，另外還有一只極精緻的皮包裝着，據各估計每份價値不會少於一百元，這種文件恐怕不會只送給幾個人或幾十個人，一定會預備好幾十份，甚至更多，於是乎其耗資總額當以數十萬計。他說：若在這些宣傳文件的印刷上節省一點，豈不又可移充其他更急要的用途。

吳稚暉先生年譜（廿六）

陳凌海編撰　陳洪校訂

六月二十五日，致函戴傳賢（季陶）論做「兵官」。願做保衛公理，衛國衛民之兵官，不應做竊據地盤爲非作惡之軍閥。

民國九年，庚申（西曆一九二〇年）

先生五十六歲

北京中法大學成立，（校址設西山碧雲寺）李煜瀛（石曾）任董事長，蔡元培（孑民）任校長，先生任董事。二月十日，先生乘津浦鐵路火車抵滬，訪李煜瀛。爲創設法國里昂中法大學堂事，於二月十五日與赴法學生，及李煜瀛、汪兆銘（精衛）、章士釗（行嚴）、同乘法國郵輪（Podoxs）赴港。先生在輪修訂校章大綱。抵港後，寓大東旅館。訪晤黃强（英京）、呂戴之、陳策、袁振英等。十九日赴廣州。寓東堤惠州旅館。謁岑春煊（西林），伍廷芳（秩庸）。翌日伍廷芳歡宴先生。陪客有胡漢民（展堂）、莫紀彭（宇非）等。二十五日先生與李煜瀛再謁岑春煊，請求廣東政府允撥開辦費，修理法國允借之堡壘爲里昂中法大學校舍。當時晤談，未獲結果，先生責之。是日午，岑春煊派章某（或係章士釗）、趙某訪先生，轉達岑春煊之意，謂：贊助先生與李煜瀛創設中法大學，惟希先辦海外大學，允撥開辦費三十萬元補助。並於三月二日付欵十五萬元。開辦費撥到後，由褚民誼在法負責修理校舍事宜。二月二十七日，先生在覺民社演講。

三月初旬先生相繼在青年會及嶺南學校演講。六日由港乘輪赴汕頭，至粵軍司令部訪陳炯明（競存）。十四日抵厦門，參觀集集炮台。翌日與李煜瀛、胡漢民在廣東會館演講。三月二十一日抵滬，訪晤陳獨秀（仲甫），談海外大學。居勵公亦見面。三月三十一日應國父宴，同席有：陳獨秀、汪兆銘、廖仲凱、胡漢民、戴傳賢（季陶）、陳維庚、楊蓁（映波）等。四月一日，赴法學生乘（PAULLECAT.）輪赴法，先生送之。內有陳賓鍔、居勵公等。五日，赴唐山辭交通大學教職。十一日，在研究會演講閏母。胡適（適之）亦演講。十五日，學校開歡送大會。歡送先生。於十八日返滬，寓大瀛台旅社。四月二十三日由滬乘輪赴法，查看里昂中法大學校舍，後赴倫敦家中小住。不久回國。里昂中法大學校舍，原係一座炮台，由法國政府租予里大使用，年出象徵性租金一法郎。

十一月，先生在江蘇第二師範學校演講：「國音問題與國語的文字問題」。又發表：「國音問題專論」。自讀音統一會審定國音，盧戇章雖參加讀音統一會之審訂，但返福建後，仍宣傳其「傳音快字」，並指責注音字母不如其所作符號簡單容易。然讀音統一會並未陳請教育部加以糾正或禁止。

西洋哲人簡介

柏拉圖（上）

劉長簡

就外型和家世而言，柏拉圖和他的老師蘇格拉底恰恰形成一個强烈的對比。蘇格拉底面貌醜陋，柏拉圖卻是一表人才；蘇格拉底出身寒微，生活清苦，柏拉圖則是系出名門，家境優裕。但是蘇格拉底敏銳的思想和坦率的言辭卻深深打動了這位貴族弟子，使他在衆多位老師中獨對斯人由衷欽佩，敬愛備至。他們相識時，柏拉圖才廿歲。當時他在音樂，藝術，修辭和科學上都已有相當的造詣，又有良好的家庭背景，眞是少年英發，前程遠大。他的家人原寄望他能成爲雅典的政治領袖之一，無奈柏拉圖本人對於從政日益不感興趣，只一心追隨蘇格拉底，做一個探求眞理的哲學家。

及至蘇格拉底被陷入獄，柏拉圖每天都去看望他。在獄中，他們師徒二人和另外一些蘇格拉底的學生仍然續繼討論各種問題。柏拉圖原不相信這種誣害的詭計眞會得逞的，不料竟在他因病沒有去的那一天蘇格拉底被鴆毒而死。這對他的打擊太大了！那不僅是因爲失去了他所最敬愛的老師，而是這種蠻橫無理的施爲使得被稱爲「藝術與辯才之母」的雅典失色，同時也沾汚了雅典民主社會的美名！

傷心之餘，柏拉圖遠離了令他失望的雅典。有好幾年他浪跡於希臘邊遠處，意大利，西西里島和埃及等地。此時他一方面經常沉思默想蘇格拉底的教訓，一方面和別國學者們討論問題以澄清自己的思想。後來，他終於決定仍然回到雅典去繼續他先師的工作——去教授哲學。

不久，柏拉圖的教學方法和他富於機智而且多才多藝的腦力就吸引了遠近的許多學生慕名而至。紀元前三八七年，他建立了雅典書院。那是一個大學水準的學術機構，從事哲學，科學，法律與政府組織的研究。當時許多知名的學者如立體幾何的創始人齊阿泰特斯和比例原理的發明人尤多克薩斯都曾就讀於該書院。阿里斯多德也是那裏的學生。這個書院的聲譽甚至引起了一些君王的注意，他們先後派遣顧問來請教有關法律與政府組織的問題。有趣的是這個書院還接納女生，因爲柏拉圖的思想在許多方面遠超越了他的時代，對於婦女應與男子同等受教育的看法便是其中之一。

柏拉圖認爲他在這書院裏與學者和學生們面對面的研討是他最大的成就，而他那些著作雖然使我們今天得以了解他的哲學理論，在他自己看來倒是次要的。他的作品共有廿九個問答記和一些書信。這些就是西方世界裏最早的理性哲學體系，其對於後世哲學家的影響之大是無可比擬的。

柏拉圖的著作都是對話形式，由兩個以上的人相互問答來交換思想。這個方法首先爲蘇格拉底應用於哲學思想的討論上。所有的問題與答案均非漫無目的的閒談，而是審愼的思考了再加以技巧的組織，用來逐步達到澄清思想的目的。例如一個人可能開始問到「實在」（reality）的定義是什麼。對方的答案可能又引起一個反詰。然後作答的人可能要對「實在」的含義做一番更爲詳盡的分析。在這分析裏，說話的人可能依據他的經驗與所知來剖析出若干「實在」的成分。這樣，這番對話有時會慢慢導致一個結論，或者假定的結論。有時也可能根本得不到什麼一定的結論。但是在發問與作答時，人的思想已受到正確思考的訓練，並且也聽取了彼此的意見而有益於各自的思想。

在柏拉圖的書裏，這些談話者都是確有其人的，通常總是以蘇格拉底爲中心。本來蘇格拉底並沒有著述傳世，他的一切思想就都是由柏拉圖在這種地方代爲轉達而留傳下來。不過，雖然無論在方法或是理論基礎上，柏拉圖都是師承蘇格拉底，他自己卻另有許多創見，並且還發展出一套更精細的，理性的哲學體系。

蘇格拉底所問的主要是倫理問題，目的是要破除雅典人的自滿心理；柏拉圖固然也是從同一類問題着手，但是在尋求答案的過程中，他越過了嚴格的倫理問題，而進入形而上學（玄學）與認識論的境界。他的觀念論（Sheory of Ideas）實際上就是因爲要回答「善或美德是什麼？」和「眞理是什麼？」的問題而引發出來的。

柏拉圖的觀念論是他在哲學上著名的貢獻。起初，他是試圖爲「勇氣」或「美德」尋求一個定義。於是他遭遇到一些問題如「眞正勇敢的行爲和蠻勇有什麼差別？」以及「戰士之勇和母性之勇其主要的相似點爲何？」等等。

三日春秋

陶希聖先生文筆與風采

·厚安·

希聖先生有一個孤軍奮鬥時期，那是在吳國禎叛跡初露時。他在中央日報爲文，題目是：「兩把刀，打到底」！其情緒激昂與心情寂寞可見。

我與希聖先生訂交三十多年。當年他主持藝文研究社時，在對匪問題上，獨抒卓見。他會說：共匪的利害是：「他從不退讓，到了後來，使西方國家發生了錯覺，以爲凡是不讓共匪的人，都是有意危害和平；因爲他們的想法：「共匪是不會讓的，要避免打仗，只有你來讓了。」他這話在今天還是正確的，今天越局不正是這樣嗎？

他是研究中國社會史和法律的，研究國際問題，是近年間事，但立即露出光芒。記得六、七年前，他寫文章說：蘇俄受共匪排斥，在亞洲站不住，要到中東另闢勢力圈。記得當時我並無此印象，後來果如其言。

人家都以爲他很嚴肅，實際是很風趣，同他談天，可以終朝忘倦。他有廣博的知識，而又瞭解得那樣透澈，再用他細密的頭腦組織起來，聆之可以醒睡。他又懂得生活藝術，不過自己的生活環境，卻不夠藝術化。這大概是由於他有一種忘我的個性吧！

在抗戰期間，中央黨部組織了一個社論委員會，專門供應大後方乃至淪陷區各報的社論。起初是人才濟濟，但到了後來，就衰退了。尤其是在復員以後，更呈搖落凋零之象。這時，守這老營，撐這窮場面的，只是他。他每星期獨寫三篇，使這有意義的文化宣傳事業，不致中斷。

他的文章，頗多精品，其近作中使我印象最深刻的，是「端節論屈原」那篇刊在「中央日報」上的社論，那是一篇稀有的好文章，而且以古論今，富有時代精神。

不過由於他的個性，更由於他的才氣煥發，有些人不喜歡他。正如古人所謂：「名滿天下，謗亦隨之」。我與他交往多年，總覺得他不失爲一位讀書人。更明白點說，是書生本色。這是我的本心話，絕不是由於捧自己親家的場，一笑！（完）

文滙樓別記

近代酒仙葉楚傖

研究三民主義的權威學人羅剛，到中央黨部看朋友，被阻門外，查詢身份，羅將三民主義比成爲「經」，將自己形成爲念經的和尚，中央黨部比成爲廟，由於念經的和尚不能進廟，引起一場小小風波，此事不徑而走，增加了茶餘酒後談話資料。

因之連想到民國二十七年，中央宣傳部在重慶上清寺時，部長是葉楚傖，副部長潘公展，對於來訪的任何人，很少有被擋駕的，那時候首席科長（宣傳科）是詹絜悟，現供職台北考選部。精誠幹練，富革命熱忱，儼然部長助理，他不知維持和培育了多少青年，不像現在的黨部，門禁甚嚴，欲用電話連絡，先查詢單位、頭銜及官階，要是白丁的話，很自然的碰釘子，如果是專誠晉謁，有何連絡或請示，除「不在」「開會」「很忙」外，照例着先行登記，聽候通知，這種與羣衆脫節的行爲，將黨員看作爲「保持距離，以策安全」的公共汽車，怎麼辦呢？聞張寶樹接中央黨部秘書長後，秉承 蔣總裁指示，正大刀濶斧改進中，以證明黨部衙門化，非空谷足音，衆信張寶樹此番將有所作爲。

回憶葉楚傖的平易近人，堪引爲國民黨員楷模，葉以報人出身，參予革命，才思橫溢，幾爲民國十五年前上海新聞界中第一根筆，頗得 蔣總裁賞識，非偶然也，惟葉嗜酒如命，寫字桌上常置老酒一杯，見客時且飲且談，可向「天子呼來不上船，自稱臣是酒中仙」的大唐詩人看齊，其詩興發時，亦妙句如珠，某次見麻面同業劉君，臉部敷雪花膏甚多，立賦詩諷之：「不揚何用飾鉛華，即飾鉛華總莫遮，嫁得胡麻非兩好，比來玳瑁果無差，鬚眉以外，留鴻爪，口鼻之間帶玉瑕，豈是簷前貪午睡，風吹額上落梅花，」讀之使人噴飯。

民國三十六年，上海新聞報社長程滄波，上海申報社長潘公展，邀宴樓主於跑馬廳國際飯店豐澤樓，陪客有：東南日報社長胡健中，中央日報社長馮有眞，和平日報社長羅敦偉，申報總編輯陳訓畬，新聞報總編輯趙敏恒（前路透社遠東分社社長），及中央宣傳部副部長李俊龍（附匪）等，滄波先生即席賦詩，次日揮毫扇面一幅贈送樓主，迄仍珍藏，容另文叙之，因鬧酒而談及葉楚傖酒仙，公展先生說：「楚老以書生參予政事，完全學者風，黨內咸知楚老以政論擅長，而不知其遊戲筆墨令人絕倒，」潘先生這幾句話將葉楚傖（小鳳）才華、可謂包羅無遺矣。（文滙樓主）

核准國際商業專校　閻振興涉嫌瀆職

台北地檢處已開首次偵察庭

教育部長閻振興於其任職間，明知國際商專案有僞造文書及官印情事，仍在訟爭之中，竟利用職權於五十四年七月批准該校立案招生，既不將僞造之公文書移送法院，又不追究隱匿公文書之責任，顯屬圖利他人，行使僞造公文書及包庇隱匿公文書。謂非涉有重大隱弊，其誰能信。二、教育部近年以來僞造大陸公立大學學籍，僞造台灣私立大專學籍，（如河南大學安徽大學等）比比皆是，而核准五專立案，更復弊端叢生，人言嘖嘖。誰無子弟，誰非家長，對此不平，能不痛心。教育乃立國根本，本之不固，國何以立。閻振興主管最高教育行政，率先違法，何以慰 總統復興文化之苦心，軍民反攻復國之渴望。三、古人有言：「國家之敗，由官邪也，官之失職，崇賄章也」，政府遷台二十年來未能反攻，非由兵力不足，乃由此輩敗壞教育風氣大失人心之所致。舳峯百戰疆場，甫經假退，睹茲事實，深感悲憤云云。（續完）

論「人」的教育
社會人與文化人

·賈馥茗·

　教育工作一方面在於配合實際的需要，訓練當前社會所需要的人材；一方面基於遠大的理想，發展人類固有的本質。前者是應社會演進的實況，使受教者能生活於其具有某些特性的社會中，並對其所生存的社會貢獻一己之所長，以助長社會的進步。後者是依照生物的自然法則，使為萬物之靈的人，保持並發展其天賦的優越條件，以期永久不替。由是教育工作的當前任務，是為培養「社會人」；而永久任務，則是培養「文化人」。

　「社會人」受時間與空間的支配，生命有一定的長度，活動有一定的範圍，盡管有醫藥的幫助，生命得以延長，充其量每人的壽命不過百歲而已；而到目前為止，人類的活動空間，仍然限於地球表面，且在這區區的球體之上，尚未達到「天下一家」的地步。於是生活在一個特殊社會中的人，要符合這一社會的特殊需要，並從而滿足個人生存的願望。但是由於社會的演變，在一個固定的區域之內，於不同的時間表現出各種特點，生存於其中的人，也便形成各具特徵的「社會人」，所以「社會人」不但有地域性，而且有時間性。符合時間的「社會人」，或者可以被稱為站在時代尖端的「俊傑」；符合空間的「社會人」，可被視為代表地區的「人傑」。俊傑和人傑，是社會所需要的人材，也是教育所要培養的對象。

　然而人類世代緜延，和社會的演進同其長久，「社會人」既無法突破時間和空間的限制，則必須另有一個「放諸四海而皆準，行之萬世而不敝」的人，始終保持其聰明睿智，為萬物的主宰，這就捨「文化人」莫屬了。所謂「文化人」，是具有人之所以為「人」的條件，括號中的人所指的，不是徒具形骸的人，而是具有人類特質的人。人類的特質，簡言之，是以仁義為懷的性質，和支配萬物——包括本身在內——的能力。唯仁為能愛人及物，唯義為能不苟取予，唯愛人者才能為人所愛，才能夠和自己相同的羣類合衷共濟，融洽相處，以形成協和的人類社會，於其中共存共榮。唯能仁人及物著才能夠以人心體物心，使物力善為人用，使人與物相併發展。不苟取予則無貪心，無妄慾，能夠超然物外，保持心智之清明，維護人在萬物中超越的地位，是仁者而兼智者，是四海如一、萬古長存的人，也是人類永遠需要的人，更是教育所應該培養的人。

　教育工作，一方面要適應當前社會需要而培養社會人，一方面又要符合人類永久的需要而培養文化人。可謂任重而道遠。因其責任艱巨，所以一則要有明智的判斷，正確的認識當前的需要，決定應有的的措施；一則要有高瞻遠矚的目光，精確的把握人性的特點，以推行「人」的教育為宗旨。

　目前一般社會，無論是進步的或是正在發展中的，有一個一致的要求，即是促進科學的發展，這是非常實際的需要。姑無論科學對人類智慧的啟廸，幫助人類探究自然的奧秘，專就科學改善人類的生活而言，便是不容忽視的價值，因為企求舒適與便利的生活，乃是人類共同的要求，而由於科學的發明和發現，使衣食住行，達到了相當高的「文明」程度。得到這些文明的享受者，自不能忘卻科學的賜予，且科學的成就，正是人類智慧發展的表現，是則教育工作的切近任務，以培養科學家為目的，訓練社會人為職志的，是明智而正確的。

　不過人之所以為人的本質，並不完全在於高度的物質文明的享受能力，而在乎從人性的發展與表現上，得到心靈的慰藉，也就是要從精神文化的體認中，證實人的價值。從物質文明和精神文化所給予人的感受來說，前者是生理的，後者是精神的；生理感受的發生，和形體的存在一樣，具有時間性，在感受的頃刻，固然能使人快樂，然而這快樂可能稍縱即逝，而在其消逝之後，便無法以回憶的方式重溫當時的快樂，這就是畫餅不能充飢的道理。精神的感受則不然，不但在感受的當時，能使人欣喜若狂，即在此後的任何時間，回憶起來，仍然其味無窮，而且更能增加其情趣，這是真正的快樂，是萬物之中，唯人能享受的快樂。

　能夠體驗精神文化之享受者，在人類歷史中，似乎為數並不多，所以少數提到這種享受的人，被目為哲人，予以相當的尊崇，在尊崇之餘，便把這種人視為不可多得的人物，衆人不敢輕易望其項背。這一事實，不足為哲人不多見的定評，只能歸咎教育，未曾負担起這項任務，或者至少把希望放得太低，以為只有少數人才能達到這種理想的地步，而未曾把這理想擴大到衆人身上。至於一般人需要精神文化享受的證明，可以從得到物質文明享受之後的茫然若失，從汲汲於科學研究大有成就之後，感到心為形役的苦悶看出，因而教育工作，必須担當或加強這項永久性的任務，使受教者在十數年的薰陶漸染之中，培養以仁義為懷，確定自己主宰萬物的地位，使身心平衡發展而成為「人」。（完）

海嶠憶談舊

談王耀武

諸葛文侯

　吾國對日抗戰勝利後，官拜山東省府主席的軍人王耀武，出身黃埔軍校第三期。他在抗戰初期，以師長職位領兵屯駐湖南境內，於第二次長沙會戰之際，鎮守常德抗敵有功，洊升軍長，旋擢集團軍總司令。迨日寇宣告投降，獲得某顯要特達之知，主持武漢受降事宜。

　王自湖南率軍出發時，藉詞軍糧缺乏，在湘中大量徵購穀米，裝載大小船舶數百艘，由軍隊押運出境，舳艫千里，湘江東下，一時湘省民食維艱，糧價突漲倍蓰，湘人大譁，指載王氏為軍閥行徑，中樞泰然置不問。時武漢一帶深感糧食不足之苦，王將米糧以高價售賣，獲利鉅萬，盡入私囊。武漢由他接收後，漢口市繁盛地區幾條街的房地產，皆成了王氏的私有產業，此事前任武漢市長徐會之調悉綦詳，曾向朋輩瀝述其內幕，相與嘅歎不已。

　未幾，王氏超任山東省主席，貴為封疆大吏。王係魯人，然魯籍高級將領如李玉堂李延年等，無論學歷或軍功，皆非王氏所能幾及者，李玉堂死守衡陽八十餘日，視王氏常德戰役，殆有大巫小巫之別也。然王氏竟一躍而躋主魯政，輿論為之詫異焉。山東巨邑聊城縣，在王氏主政期間，許多美式軍械砲彈，原封未啓即在聊城售賣，皆由共匪收購以去。是時王氏富埒王侯，其妻在南京擬置宅第，迷信風水之說，適江蘇省主席王懋功在金陵城內新建住宅一座，耀武妻聞堪輿家言，懋功住宅風水佳勝，冠絕全城，乃親向蘇省王主席夫人懇求轉讓，不計價值多寡，祇要相讓，任何條件皆可接受云。

　濟南失守後，王耀武被共匪俘獲，送赴濰縣集中營勞改。筆者有一弟原在兗州行政專員公署任技士，亦被俘而與「王主席」同一集中營。當南京撤守之前，余弟被釋出歸至金陵，曾為余訴述勞改經過情狀，據言：「王主席」隨時在羣衆面前表示「前進」詞色，得未曾有。共匪每舉行羣衆大會，必由「王主席」登台指摘我最高當局的種種過失一番，張脉僨興，侃侃而談，使余弟亦感覺不忍傾聽。王在共匪集中營內獨居一小宅，門前貼有王氏自撰自寫的聯語（原文余弟曾背出，我已忘記。）另有橫額「你也來了」，意指在王氏被俘以後繼進來的我方被俘人士，大有以前輩的「前進份子」自誇之氣概，無恥已極。此與汪精衛偽政權中人，調分「前漢」與「後漢」的醜態相媲美，真不知人間有羞恥事矣！王氏有妻某氏，於大陸淪陷後潛至海隅，卜居華貴住宅區的太平山頂，鮮與素識的華人來往，她在滙豐銀行存款有一千萬元港幣以上，此係筆者聞諸異邦情報人員所說，絲毫不假也。

　諸葛文侯曰：共匪釀亂竊國之役，我政府文武人員，或被俘，或投降，或通敵叛變者，固不乏人，然如王耀武之卑劣無恥行為，實所罕見，故不得不特予表襮，以誌不忘。擲筆三歎，心痛曷勝哉！

創業哲學

從「良心」說起

楚狂人

　中國人的舊觀念中，稱良心叫「天良」，西洋人希臘神話中亦有良心之神（Erinyes）的說法，不過處世做人能本「良心」總沒有錯；但與功利主義者，或做過共產黨的人打交道，就不太適宜了。

　民國三十八年，毛澤東向其雲南「同志」指示說：「陰險，毒辣，狡詐，殘酷，為共產黨人最崇高之道德……。」這種崇高道德用在親戚朋友身上固然吃不消，用於政治談判，也沒有不上他當的，天真的美國人不懂得這些，在中國鑄下滔天大錯，這股孽流已如黃河決口，除了禍延七億中國人外，美國本身早被捲入，馬歇爾的「功德無量」，有被鑄鐵像紀念的資格了！

　但我們不能因朋友功利主義，我們亦變成功利之徒，更不可因朋友「八路」作風，我們亦變成「八路」，那就糟了。所謂「良心」焉者，乃本然之善心，「所以放其良心者」（見孟子）一個人如與沒有「良心」的人做朋友，就和與狼虎打交道，遲早總會被咬一口的。這是狂人的經驗，其實「經驗」兩個字，就是錯誤的代名詞。廿世紀七十年代，很多人都不注意這些，爾虞我詐習以為常，社會怎麼能不亂呢？

中國禪的祖師—慧能

吳經熊著·吳怡譯

　慧能在黃梅一幌就過了八個月。有一天，弘忍偶然碰到慧能便問他說：「我知道你頗有見地，但深怕別人妒忌，加害於你，所以沒有明言，你知道嗎？」慧能回答說：「弟子知道師父的意思，因此始終不敢到堂前參見吾師，深怕別人懷疑。」

　後來又有一次，弘忍覺得傳法的時機已到，便召集學生們訓話說：「我要告訴你們，生死是件大事，你們整天只求幸福，而不去想想如何脫離生死的苦海。這樣你們的自性早已迷失，即使得到幸福，又有何用？你們應從自己的心中去發智慧。再把所證悟的寫成偈子，給我看看，如果誰真的已經悟道，我便把衣鉢傳給他，做禪宗的六祖。你們快去寫偈子，不要拖延。猶疑和思考便是心無所悟，如果真能見性的人，當下便能見性，即使身處車輪刀斧之下，也能見性。」大家聽了弘忍的吩咐，回去後，便互相討論說：「我們無須絞盡腦汁去作偈，神秀上座現在已是我們的講師，一定是他得到衣鉢。我們即使作了偈子，也只是浪費心血而已。」於是大家便不作偈，只是準備以後跟隨神秀。（三）

禪學黃金時代

事過境遷

三幕喜劇　熊式一

包太：對了！你覺得對的，一定是合乎道理的！你覺得不對的，全是不合乎道理的！

仁：　沒錯！所以我常常對，你常常不對！因為我生平最講道理，你們女人最不講道理！最不講道理……。

（話剛講完，窗戶外脚步到了，有人推開窗戶，把包仁翰嚇了一跳，來的人是趙太極，他必恭必敬的讓了何夫人先進來，如可能，何夫人手中抱着一隻小狗兒，小狗兒吃着牛奶，隨後對着露茜偷偷的做一個鬼臉，也跟着進來，順手把窗戶帶上。）

何：　仁翰：大白天關上窗戶拉上窗簾子幹甚麼？快開開！你說甚麼人最不講道理呀？

仁：　姑媽！我……我……（他只好去開窗戶）

包太：仁翰說，我們女人最不講道理……。

何：　胡說！你們男人才真不講道理呢！仁翰，男人之中，又要算我們包家這一班男人最不講道理！（如有狗則加：「小寶寶，你說對不對呢？」）不講道理！你爸爸，你哥哥，你自己，專門把沒有道理的事說出道理來，尤其是你自己！（露茜和趙太極兩個人高興之至，相視而笑。）

仁：　姑媽：你老人家請坐下喝茶，我去叫阿詩替你換熱的來！

何：　不用換，我不喝茶！我在狗窠裏看奶小狗兒的時候，順便自己也喝了一杯牛奶！你們有什麼大事把我找了來，我在狗窠裏正忙着咧！（如有狗則加：「這個小寶寶非我喂他不肯吃奶奶！」）

仁：　姑媽，我……我們………方才………不是別的……。

何：　仁翰，不要吞吞吐吐，我早知道你們又出了甚麼毛病？不是我一進門的時候，就看出來了你們出了毛病嗎？快說吧！　㉗

自由報

第九〇〇號

中華民國僑務委員會頒發台僑新字第三二三號登記證
內銷證內僑警台字第031號
中華郵政台字第一八二號執照
登記爲第一類新聞紙類
（半週刊每星期三、六出版）
每份港幣壹角・台灣零售價新台幣弍元

社長李運鵬・督印黃行奮

承印者：大同印務公司
地址：北角和富道九六號
台灣總管理處：台北市大同街119號
台灣區直接訂戶 台郵劃撥戶
第五〇五六號張萬有（自由報會計室）
電話：五一四〇三三・五五五三九五
台灣分社：台北市西寧南路110號二樓
電話：三〇三四六・台郵劃撥戶九二五二號

社址：香港九龍彌敦道
593—601號廖創興
銀行大廈八樓五座
LIU CHONG HING
BUILDING
7th FLOOR FLAT 5
593—601 NATHAN ROAD,
KOWLOON, H.K.
TEL: K303831
電報掛號：7191

反攻須從游擊幹起

・丁作韶・

光復大陸，拯救同胞，爲我國民政府一貫的國策。惟如何光復，如何使同胞得救，那問題就多了。反攻總不失爲光復大陸，拯救同胞方法之一。反攻大陸，拯救同胞，本來是非常响亮的口號，爲家喻戶曉的口號，但一談到如何反攻，立刻意見又趨於紛歧。如何反攻？裏邊包含的問題很多。主要是戰畧方面和戰術方面的。這又分軍事方面，政治方面與文化方面。但究竟關於軍事方面的居多。文化未始不可以反攻—政治未始不可以反攻，但究竟軍事反攻最重要。

就軍事反攻而論，軍事反攻，隨着韓戰的結束，越戰的進行，游擊戰的重要，益發顯著。論今後的反攻大陸，甚至可以說「須從游擊幹起」。

游擊戰是文化戰、政治戰，軍事戰合而爲一的綜體戰。游擊一定要得到地人民的合作。如何得到地方人民的合作？這不能不仰賴文化戰政治戰。但到了軍事戰，他就變成零星的，分散的，直接的，聚小勝爲大勝，這樣犧牲小，收效宏，爲什麼要大規模的陣地戰呢？

游擊戰，可以此作是螞蟻戰，小老鼠戰。我在滇邊九年，我了解游擊戰是螞蟻戰是小老鼠戰。這說來話長。在滇緬泰寮馬邊區，沿湄公河薩爾溫江兩岸，森林繁茂，螞蟻之多，恐怕出乎一般人想像之外，螞蟻多得不可勝計，往往一棵樹一棵樹上全是。而且螞蟻的種類多。它們戰鬥力之强，戰鬥慘烈，至足驚人。以我猛撤住處旁邊的樹爲例，可以畧知梗概。一天，黑螞蟻與黃螞蟻大戰，眞是死亡枕籍，屍橫遍地。它們的戰鬥，用最原始的方法，即肉搏戰，即用嘴咬，又一次，在去南部途中，騎在馬上，頭無意中碰到樹，樹上的螞蟻，蜂擁而下，說時遲，那時快，很快的，侵入全身，幾乎無孔不入，猛撲猛打，也沒法子掃蕩，頓時間頭昏眼花，身體不支。小老鼠，普通人看不起，但小老鼠若與大象鬥，大象往往鬥不過小老鼠，往往爲小老鼠所困倒。

今天越南的戰爭，共產方面所持的戰術，可以說就是螞蟻戰，小老鼠戰，美國好比一隻大象，常爲游擊戰所困，多少的飛機被破壞了，多少的陣地被破壞了！恐怕還要被迫而不得不撤退越南。仗打到這種地步，可謂慘到無以復加。從而游擊戰的優越處，也就表露無遺。

我們不談反攻則已，如若談反攻—必須從游擊幹起。因而我們的軍事訓練，必須是游擊的訓練。這是我們應該警惕的，也是我們應該反省的，並且應該急起直追的。幹游擊，必須有下列兩種觀念：

一是人第一重要的觀念！在我國古代的戰爭，一直到清末，甚至於民國以來，人是最重要的。運用之妙，存乎一心，打起仗來，固還是靠人。匪方的人海戰術，即人第一重要的實例。以人來打仗，以人來拼命，以人來殺敵致果。人放在前頭，人走在前頭，人幹在前頭。一部三國，一部水滸，也發揮了人第一重要的觀念。二是新武器第二重要的觀念自從新武器發明到應用在我們的戰場上，武器變成了第一重要，有些時候，甚至以武器多少來決定勝負。所以能夠以新的武器裝備游擊戰士，打起游擊來，就事半而功倍了。

共匪以游擊起家，關於游擊戰的重要性，由於最近幾年來的越戰，且給我們很大的證明。幾乎以游擊爲主的越戰，簡直把美國的戰畧戰術都否定了。在如此這般的地帶裏，以後可能再也看不見像世界第一次第二次作戰的情形，以後的戰爭可能只有有游擊戰了，游擊戰是人來決定一切，游擊戰是人同人的戰鬥，是深入的戰鬥，普遍的戰鬥，無孔不入的戰鬥，舉動靈活的戰鬥，積小勝爲大勝的戰鬥，其爲爭取勝利則一也。而且這樣的勝利，是最穩固的勝利！最徹底的勝利。我們要反攻大陸，我們一定要從游擊幹起！

這決不是老王賣瓜，自賣自誇，這確切是從事實的教訓得來的。過去的戰畧思想，戰術思想，都成過去了，要有新的戰畧思想，新的戰術思想。這新的戰畧思想以及戰術思想，也就是我現在說的游擊思想。在中華民國，是有特種部隊的組織，也有游擊戰的訓練，但所佔的地位太小，好像是點綴品，不但所佔地位過小，而且也不切實際。我們過去跟日本學，跟德國學，近來又跟美國學，在我看，都太落伍了。越南的戰況，不啻是美國戰畧戰術戰鬥思想的喪鐘，我們不要反攻則已，要反攻，則必須唾棄美國的一套，自己建立自己的游擊思想，自己來定自已的游擊戰畧戰術，將自已現在所有的軍隊都投入游擊隊的訓練。而大陸廣大的人民就是我們的後備兵！

作韶不才，在滇邊從事游擊前後不下十年之久，深知反攻必須從游擊幹起，自己幹了十年游擊，自己談不上領導，但至少給游擊思想，游擊戰畧，游擊戰術，樹立了一個指標，建立了一點規模，訂定了若干的辦法。關於這種種方面，請參閱胡慶蓉女士在台北寧波西街二十六號帕米爾書店出版的滇邊史話。爲慶祝 總統蔣公的大壽，於去年十月卅號出版。光陰流水，又將一年。在這一年中間，深蒙國防部蔣部長經國先生及海陸空各總司令副總司令，各軍事機構，各軍事學校之厚愛及重視，國防研究院張其昀主任，並作爲教材，人手一冊，每位研究員加深研究。參謀大學蔣偉國校長並請去對參大及三軍聯大會全體教官講演。亟盼望游擊能變爲今後我國國防思想之主流。亟盼望游擊能普遍的應用到我們整個的戰畧上與整個的戰術上。我們必須從游擊幹起。這才是我們反攻之道，這才是反攻最有效之道。

魔牛鍛羽

醜醜相爭

昨日與明日

美國的口哨

美國國防部長柯立福最近赴西德訪問，向波恩政府當局傳達詹遜總統的「口信」，說蘇俄如果進兵攻擊西德，即等於進攻美國云云。這是夜行吹口哨的玩意，不值一哂的。

俄帝如其眞要揮軍進攻西德，那便是謀定而後動的全面大戰，美國即係頭號敵人，美總統的一句「口信」，決無絲毫嚇阻作用可言。俄帝若未準備從事全面大戰，美國當局這類「口信」，實係廢話而已，不說也罷，說了教別人感覺肉酸呵！

十年前，俄帝以大軍進攻匈牙利，鎭壓該國人民的反共運動，華盛頓充耳不聞，連指摘蘇俄暴行的空話亦不敢說一句。這次爲着俄帝率同東歐附庸政權的軍隊進佔捷克，美總統急忙派員帶「口信」給西德打氣，用意固不在嚇阻俄帝，實是害怕西德認爲美英各國并不可靠，或有跟東德共產政權妥協之可能，乃作此兒戲式的空言保證，希望穩定西德官民的心情，維持冷戰態勢罷了。

法國的醜態

連年以來，法總統戴高樂一味跟美國作對，破壞北大西洋公約的集體聯防組織，迫使聯軍總部撤出法國境界。一面獻媚蘇俄，親自訪問莫斯科，同時拉攏西德，簽訂友好條約，儼然以自由世界的第三勢力自命，予智自雄，不可一世。

如今瞧着俄帝藉「華沙公約」聯防體系，夥同各個附庸政權進軍捷克的情形，戴省悟法國反美親俄的惡作劇，徒然是枉作小人，自貽伊戚，乃聲稱法國仍然忠於北大西洋公約，站在美英的一邊。似此阿Q式的作風，充分表現着空軍上校出身的戴高樂，并無政治家的氣質和智能，「蜀中無大將，廖化作先鋒」，法國太無人了！

中東的風雲

以色列與阿拉伯國家的民族仇恨，沒法消解，戰爭頻發，以色列仗有美英各國支援，每戰必勝。猶太後裔在美國的潛勢力更大，不論何人作美國總統，對以色列皆非支援不可，否則總統位置便不容易取得，得到了亦不會安於其位的。

阿聯的納塞深知此中隱情，唯有向蘇俄乞援，別無他途可尋了。俄帝藉此很輕鬆的得以插足中東，威脅西方列强，何樂不爲呢！近日消息，蘇俄將以大量的新式重武器—包括飛機、坦克、大砲等等，供給阿聯，而以俄軍使用阿聯各國的軍事基地爲交換條件，這是信而有徵的必然趨勢，決非空穴來風。

整個世界形勢，又回復到十九世紀的强權主義時代，無所謂正義公理。强權主義者掛着維護和平的口頭禪，進行「勢力範圍」勾當，實際是釀製戰爭而促進其速度，和平云胡哉！（何如）

自由談

民意代表索賄案

中華民國立法委員雷鳴龍，藉口商人杜萬全逃稅情事，利用職權，勒索賄賂案件，已由情報機構破獲，移送法院訊辦中，是是非非，唯有靜待法律裁判而已。但在本案發生前的經過情節，不無值得談談之處。

據台灣報紙紀載，杜某逃稅行爲，在今年六月間即已發覺，并將杜某經營的公司所有帳簿搜集而鈎稽之，杜某曾以兩百萬元的銀彈攻勢，要求發還其中的兩本帳簿而未遂，可見情報機構奉公守法，嚴正不苟，更證明杜某逃稅的罪行確鑿有據了。顧何以當時不將本案交由主管官署或法院依法究處，而拖延時日，消息洩漏，致給雷鳴龍以敲詐的機會呢？

迨雷某悉此事，私向情報機構調閱案卷，作爲立法委員行使質詢權的資料，藉以勒索賄賂，情報機構似可以保密的理由，拒不交閱。蓋監察委員爲着調查有關監察權的案件，可向主管機關調閱卷宗，亦不得藉詞拒絕，然立委并沒有這種權力，不妨予以婉却的。雷某獲得資料後，一面撰就書面質詢送交立法院，一面夥同立法院職員許某，向杜萬全進行索賄談判，往返接洽，亦有多日，有關機構廉得其情，曾在杜某住所裝置錄音帶爲證。假使自始即不將本案卷宗交給雷某查閱，他就缺之索賄的有力工具；旋知其濫用職權，別有非法企圖，若對他稍加警告，這椿醜事亦就不致發生。這便是「曲突徙薪」與「焦額爛額」的道理所在。至於錄音帶是否成爲絕對可資採信的證據，在法律上亦頗有研究餘地，因爲人的聲音通過機器傳播出，必與本人的原音稍有異樣，香港法院對於錄音帶即不認爲絕對可靠的物證，良有以也。

雷某利用職權以索取非法利益的罪行，事實昭彰，無可狡賴，依法懲處，誰曰不宜？年來高級民意代表類乎這種醜行者，層出不窮，實係政治上的莫大汚點，殊堪憂慮。杜某以一商人而居然可以逃漏上億數的稅金，即證明現行稅務制度太不健全了。我們所重視的乃在此而不在彼，將何以整飭紀綱，改革稅政，這纔是當務之急的嚴重問題啊！

馬五先生

立院對物價上漲的看法

觀念混淆眾說紛紜

對現代經濟發展政策感抱隱憂

政府倡導現代經濟發展的言行並不一致；民意機構對現代經濟發展的觀念也混淆不清。

我們的金融政策是為了解除通貨膨脹的威脅以維持幣值與物價的穩定，而隨時採取緊縮的方法，來抵消膨脹的壓力，這是政府近二十年來對付物價上漲與維持幣值的不二法寶。

但據統計，如以民國四十年為基期，十七年來，美金上漲八倍，政府預算增漲了二十三倍，新台幣發行增漲了五十倍，物價上漲二十倍，公教人員薪水增加十倍。觀此可知，由於政府支出不斷擴張，使財政收支無法平衡，政府為彌補財政赤字，採取增加發行，調整稅率與新增稅收項目，並發行公債；政府支出增加超過公教人員薪水增加率一．三倍；物價上漲率既趕不上通貨發行增加率，也趕不上政府預算增加率。而正本清源之道，應採取開源節流的措施，開源要取財有道，節流要節省不必要的支出，減少浪費，而節流尤應重於開源。

立法院對物價上漲的看法和意見，更是眾說紛紜。

例如，立法委員孟廣厚主張用收縮通貨及信用為平抑物價上漲之有效方法；楊一峯認為關稅、貨物稅底提高，各種臨時捐的征收，實乃導致物價上漲的主因；胡鈍俞委員的看法是：財經主管部門，迷於外銷，偏於財政的不少措施，發生助長物價上漲的作用。這三種不同的看法，可以說明立法委員們的意見紛歧。

台北市政府主計處發表本年四月份物價統計：本年四月份物價總指數較三月份上漲了百分之五點一三，與上年度同月份總指數比較，上漲了百分之七點八；在分類中，食物類上漲百分之七點二，居住（房地產）上漲百分之四點一五。在一月之間，物價上漲了五點一三，而且上漲幅度最大的是民生必須物品之食和住，這對軍公教人員及社會中下階層的一般人民生活影響至鉅；到本年六、七月間上漲的趨勢更較顯著，因之各方對物價問題都予極大的關注，甚至對經濟的安全表示隱憂。

專案小組的分析

漲幅較大為食物

物價上漲的問題，若從「個別物價問題」和「物價水準問題」的角度來看；個別物價的形成和它的變化，主要決定於個別物品的市場供需關係與變化，而影響供需的因素，大多在於生產與運銷方面，以及消費者的愛好。至於物價水準的形成和它的變化，除了與個別物價的變化有連帶關係之外，往往牽涉到如國家總資源的供需關係、財政金融政策、貨幣供給量、國際收支狀況、以及社會大衆對貨幣的信心等比較廣泛的因素。行政院嚴院長在立法院報告謂：據行政院專案小組的分析，本年四月以來物價上漲的情形，漲幅較大的物品，有食物類的蔬菜和豬肉，以及居住類的建築材料等項，因為這幾項物品與日常生活關係密切，所以社會間的反應比較靈敏。經再進一步的分析，價格上漲的原因，或由於季節性與氣候的影響，或於一時的特殊需要增加，供求失衡，加上因嚴格執行交通管理規則而減少載重運量，在運銷成本和市場心理上都不無刺激作用，以致發生波動。

政府為抑平物價而抽緊銀根，並明令停止房地產抵押貸款。就經濟學言，物價緩和上漲，是現代經濟發展的必然現象，也是正常的情形。而金融機構的任務，一是集合民間儲蓄使之成為長期性的投資，一是經由信用創造的功能以靈活工商企業的資金周轉。這兩個任務，都是促進生產之發展與經濟之成長。

夫消費物價上漲，則影響工資上漲、批發物價輸出之物價亦必隨之上漲，可能發生物價、工資的惡往循環。而物價與工資的惡往循環，在台灣雖不顯著，然物價與房地產的上漲，已動到消費物價與工資的循環影響。而解決物價的問題，韓國是採取儘先充裕物資的供銷，擴大輸入自由化的幅度，使國內市場重要消費物資在供需上獲致平衡；日本則採取預計將消費物價上漲率抑制在百分之三的水準，並以增加若干消費物資供給的短期對策，以及公用事業的價格安定等措施來配合，做到切斷物價與工資的惡往循環，而後從事長期對策的「經濟效率化」。

所謂解決住的問題，日本是採取於市區四週的鄉間，先找便宜的土地，大量新建住宅，同時對新住宅區的交通、市場、學校、水電與上下水道的問題，一併解決，這一措施可改正都市人口過密及土地價格暴漲的弊端。韓國為抑制建材價格上漲，則大量生產水泥、磚瓦、鋼筋，並增設新廠，使供需平衡。

這與我國隨時以信用緊縮的方法，來抑制膨脹的壓力，大異其趣。

孟廣厚委員主張

收縮通貨及信用

孟廣厚委員認為：「影響物價的主要因素，是信用貨幣，故構成通貨膨脹壓力最大的力量，是信用的擴充。如要有效的平抑物價，穩定幣值，除控制發行，慎發公債外，最要者，便是緊縮信用。」其次，「台灣物價的突升，顯係受了國際金融危機的刺激影響，首先波及金鈔市價的猛漲，接着便是一般民生日用必需品的跟着上揚，而以食品類及居住類上漲最劇。」而「物價穩定與否，乃一國財經政策得失成敗的試金石；物價穩定，是財經政策成功的指標；物價不斷波動躍升，便是財經施政有欠妥當的證明；至物價劇升突漲，更是財經政策病態的表徵，亟需財政金融當局，立即診查病源，對症施藥，速謀救法。」

孟委員主張政府「萬不可為彌補預算赤字，而增發鈔券，那是最危險的增加財政收入之手段。」健全的財政，應以租稅收入為主，「不得已時，固可以公債濟一時之急需，不過，公債還本付息之負担，足以轉移到下一代國民的肩上，有失經濟公道。」而「增加捐稅，是醫治通貨膨脹的良方，也是穩定幣值，平抑物價的不二法門。」總之，理財要有常道，取之有方，用之以節。切忌聚歛，因聚歛會有時而窮。

胡鈍俞委員認定

財經主管迷於外銷

胡鈍俞委員說：「在短短數月內，猪肉上漲了百分之二五，蔬菜上漲了一倍至三倍。五口之家，以前每日菜錢，新台幣二十五元即可對付，現在非四五十元莫辦。中產階級薪資所得，每月約為新台幣一千五百元，全部所得，祇夠買菜，此中苦況，不言而喻，經濟部主管，明知毛猪，蔬菜生產，趕不上人口增加與社會繁榮，而竟漠不關心，甚至火上加油，根本不理物價，該部不予注意，反應冷淡，未增輔導增產，亦未曾取消中間剝削。且拚命推廣外銷，毛猪蔬菜，猛銷香港，正在猪肉飛漲當中，還核准屏東冷凍肉廠，大量凍肉銷售日本，該廠攔路搶購毛猪，使猪肉價更趨惡化。」

胡委員是一位著名的經濟學者，他對財經問題有深刻之研究與瞭解。他認為「台灣土地上漲，成為脫韁之馬，已造成了國家與社會之災害，非僅漲價問題而已！從五十三年起，無論台北市區或窮鄉僻壤，地價漲了二倍至十倍。在台北市，平均每坪地價為新台幣兩三萬元，中級公寓房屋，每層售價為新台幣三、四十萬元。大台北市郊區土地，每坪地價從數千元漲到數萬元。土地價格與一般物價脫節，不成比例。土地投機者，一夢醒來，成為富翁，不勞而獲，本少利多，造成新土資產階級，擁有億元之土地者大有人在。」

胡委員指出：「工資上漲，工商與社會的成本增加，幣信日漸低落，黑市利息回漲，經濟萎縮，外銷滯阻，最後必形成最大的經濟危機。此種惡果，已有跡象隱約可尋，並非危言聳聽也。」所謂「擴大養豬計劃」，祇是擬議與宣傳而已」！所謂「蔬菜增產」，「亦恐陷為紙上談兵或緩不濟急之困局」！

楊一峯委員看法

貨物稅高係主因

楊一峯委員說：「此次物價的波動，一般人都認為關稅、貨物稅的提高，各臨時捐的征收，乃其主因，有關當局總認此項因素「影響不大」。究竟大不大？不大至如何程度？政府應有確實數字的說明。若干民生必需品價格波動幅度特大，例如蔬菜、水泥、紅磚等價格波動原因，特有人指出與運輸、工具缺乏或失調有關，怕不如是簡單？究竟原因何在？是否有供不應求情形？」

楊委員指出：「儘管財政當局說抽緊銀根，與生產事業無關，但由於再貼現利率的提高，刺激人心，黑市利率勢必隨之提高，要知黑市貸款之存在，乃是基於銀行供應不足條件苛刻，手續繁多等原因，黑市貸款既然不易消減，而因黑市利率如再提高，縱令銀行照舊貸款，黑市利率的提高，勢必增加成本，影響到生產品的價格。政府有無預防措施？

（本報記者劍聲）

台灣鐵路營運發展

呈現無限光明遠景

（本報台北訊）台灣鐵路旅客營運人數，由於本省人口急劇增加，社會繁榮，經濟文化進步，以及國民所得提高等因素的影響，目前西綫每日平均客運人數為三十六萬九千人之衆，如與五十五年度的二十五萬五千人比較，增加率為百分之四十五，每年平均約增百分之九，其增加幅度，遠超過該局原定長期發展計劃的預計運量。該路局現有客車八四二輛，除行李車，臥車，觀光號客車及其他特種車外，供一般旅客及定期票旅客之客車共為六五二輛。其中通勤客車一九二輛，專供於晨晚通勤通學時間之列車使用。由於上述旅客人數分析，又因學生定期票旅客急劇增加，此項客車已深感不敷應用，且近幾年來該路客車輛數之增加，根本與客運量之增加未能成比例。已如上述之客運量五十一年度每日平均僅運輸二十五萬五千人，至五十七年上半年度每日平均運量高達三十六萬九千人之多，而車輛之比數亦屬如此，以致客車奇缺，不僅晨晚通勤通學列車發生擁擠，其他一般列車亦然，該路為維護旅客安全計，在不得已情形下，抽調部份蓬貨車臨時加裝座椅及燈光設備，作為代用客車使用，實為一種權宜臨時措施，希望獲得各界旅客的諒解。

鐵路局鑒於通勤通學客運擁擠情形，目前對通學生運輸所採臨時措施如下：一、原有代用客車已改裝日光燈，並加設吊手，車廂內外油漆，藉以增加旅客安全。二、加強車輛運用，提高每輛客車平均每日行駛公里，三、通飭有關員司，加強響導改善行車秩序。四、連繫教育主管單位，協助有關通學生運輸，安全等事項。五、協商公路局及全省民營汽車運輸單位，利用汽車作靈活之調度，分担北部，中南部，東部各縣市短距離學生通學運輸。

台灣鐵路管理局鑒於西綫客運輸負荷日益增加，將依照該路原定長期發展計劃加速進行，以為治本之措施，茲將該局近期內陸續出廠使用之客貨車輛數，自購普通暨通勤兩用客車一百輛，第五期四年計劃內擬增加客車四〇三輛。上述車輛一旦加入行駛，即可全面提高運輸能力，更增進運輸效率，改進運輸業務而可適應今後本省經濟加速發展之需要，展望該路局今後營運發展是無限光明遠景。

槍手又另闢門徑

代吧女性病替檢

本報記者顧碧天台北消息：由於大專聯考「槍手」案被揭發後，一時轟動遐邇。接着揭發出形形色色的「槍手」案，其中以汽車司機「槍手」案，亦最嚴重，前者足以敗壞學風，影響教育百年大計。後者則直接違害交通安全，關係人命，年來台灣區車禍紀錄數字，逐漸增加，死亡傷殘，令人觸目驚心。主其事者之疏於督察防範，實應深負其咎。

一般說來，大專學校招生，航業考船員，電力公司考技工，汽車駕駛考領執照，由於競爭激烈，而有「槍手」替考，固在意中。而雨港基隆，近有酒吧吧女卻亦意外的出現了槍手，殊為驚奇，正由警方深入調查中。據說這一類槍手，並非僅限於酒吧，連酒家、咖啡館、茶室，都可能早已有此情況，由於衛生機關每週要她們去作一次「性病」檢查，以免傳染。照許多持有特種營業執照之吧女，以及茶嬢、酒女、舞女，不願意這樣被檢查，既操此賤業，自可以實姓名，實無須顧全體面，實在因恐檢出性病，將受「停業」處分，斷絕生計，故須價僱健康的人代任其勞，這也證明體檢不過虛應故事而已！細察台灣區無論市、縣、鄉、鎮，性病醫療行業，櫛比毗連，大發利市，就台北市區有規模畢具之性病總醫院，以及遍設各式各樣大大小小性病診所，目皆是，求診者接踵紛至，莫不戶限為穿。益足證明性病蔓延，已至嚴重階段，衛生機關司之特種營業體檢，其績效恐等於零。今基隆已發現吧女槍手替檢，在色情泛濫下的台北市，此類「槍手」恐亦早已形成一種行業，警方又將加重一番辛勞矣。

警察機關最近曾頒布，將所有現業酒店、酒館、理療院所，增列於特種營業管制之中，但嗣後禁止增設，而酒店、酒館之女侍應生，勢必例須按週體檢，當或不成問題。而理療院所，卻有真實具備資格之醫護人員，豈能自理療而執業者，真為自甘忍受遭此玉石俱焚之痛乎？這樣一來，那些出身護士職業學校之女性護士，必不願蒙羞，勢將絕棄此業。一觀感則己被目為另挾一帶色情之理療院所，現已合法化。令人不解者，所謂特種營業，既須檢查性病，復禁涉及色情，豈非官樣文章，掩耳盜鈴之故態。倒是替檢「槍手」，又增多一出路罷了。

三日春秋

郭泰祺和吳鼎昌之賭

·厚安·

在我國名流碩彥中，也有不少對「築方城」感覺興趣的。「築方城」與打橋牌不同。打橋牌，百分之七十五的技術，百分的二十五手氣；築方城齊巧與它相反，百分之二十五的技術，百分之七十五的手氣。

所謂「手氣」，也就同人的「運氣」一樣，不過是把一生的運氣，濃縮在幾個小時內表現出來，所以得意時分外得神，失意時分外倒霉。你如果不服氣的話，上枱面試試好了。當你手風不順時，每隔三張，抓一張牌，全是不要的；你要吃，人家碰；你要和，人家攔，乃至下摸。反之，每隔三張，總是需要的。得心應手，乃至無中生有。冥冥中，似乎有一位「牌神」在主宰著。

但是精心的營運，也往往能挽回劣勢。郭，吳兩氏即其顯例。

郭泰祺氏絕頂聰明，以其多年來辦外交的經驗，一一用之於牌，察言觀色，由進出張推測牌；復由自己手氣默推局運（即全盤局運），往往在全軍幾墨時，出奇致勝，一著佔了上風，就把全盤搬了回來。當年他在倫敦當大使時，在過往賓客中，就有不少「竹林豪士」，在他手下豎了白旗。

吳鼎昌（達詮）氏爲小四行（金城，鹽業，中南，大陸，其實力之強，僅次於國家行局）領袖，又爲政學系重要人物，活躍政商兩界，公務極繁。公餘之暇，惟有麻將消遣。他當然不在乎輸贏，但是用心得利害。上桌之後，立即聚精會神，究研上、下手及對方的出進張子，絲毫不漏，分秒不停。這樣，名說「消遣」，其實比辦公還累。後來他的腦子有了毛病，醫生斷定由於思想太多，要他靜養。他的家人就阻止他和外人打牌，癮發時（牌亦有癮，發時則坐立不安，飲食無味，一笑）由太太，小姐，姨太太陪他玩幾個圈，滿以爲可使他輕鬆輕鬆。誰知他老人家一上棹，那付聚精會神的用心勁，與同外人打大麻將完全相同。可見各人脾氣，是改不棹的。

（完）

中國的隱逸思想

·方祖燊·

我國很早就有隱逸的思想。唐堯要讓天下給巢父、許由；巢許却覷天下如敝屣，富貴如浮雲，一個硬要巢居樹上，不肯下來；一個却緊在潁水清洗耳朵，生怕堯的塵論會從耳膜鑽進腦髓中去。他們都是有才能有道德有理想的。隱居避世，不肯服務公衆，主要是由於他們志行高潔，淡於名利，喜歡與世無爭，閒靜安居的生活；因此在盛代明世，也難免不有「放神青雲外，絕迹窮山裏」的隱逸了。殷周時代，泰伯、仲雍的紋身荆蠻，伯夷、叔齊的采薇首陽，都是始於兄弟的讓國而逃隱。孔子讚美他們爲古之「仁聖賢人」，不在於隱，著重於義讓之高行，所以他們的名聲能夠益加彰顯。

有人說：隱逸是道家的思想。老子即以自隱無名爲務，看了周朝衰落，便騎着青牛，出關西去，不知所終；莊子當蒙縣漆園小吏，把卿相尊位，看作祭祀的犧牛，廟堂的神龜，寧願游戲臭溝、曳尾爛泥之中，但求適己快志罷了！他並且在濠水橋上說：魚游樂哉！」似很羨慕魚的逍遙自在。這都是從「有所不爲不欲」的理想，延展到實際的生活來的吧！

其實，在儒家的經傳中，也有「隱而不仕」的話。論語泰伯篇，即有「子曰：危邦不入，亂邦不居。天下有道則見，無道則隱。」又甚至說：「邦無道，富且貴焉，恥也。」可見孔子也贊成邦無道該隱。說雖這樣說，只是孔子自己因救世心切，不曾付之實行罷了。隱者桀溺，是跟孔子同時的人，就勸過子路不要追隨孔子，說：「滔滔者天下皆是也；而誰以易之？」春秋時，道德敗壞，亂臣賊子有之；政治黑暗，人民肝腦塗地，的確，誰也沒有法兒改變。荷 丈人把儒者目爲「四體不勤，五穀不分」的閒人。楚國瘋子接輿打孔子的車子旁邊經過，他高聲唱着：「鳳兮，鳳兮，何德之衰？往者不可諫，來者猶可追。已而，已而，今之從政者殆而！」他想借鳳鳥德衰，諷勸孔子應該潔身自隱，不要再到處游說諸侯用他的「治國九經」了；去日不能復回，來日猶自可追，勸他從今趁快算了吧！雖然有這許多隱者的諷勸，可是孔子仍然是「席不暇暖」，奔走各地，想拿自己的理想的道去救民救世，而不想隱居起來。這是明「知其不可爲而爲之也」的積極人生觀的表現，認爲只要能造福人類的，就熱心做去，成功失敗，全可撇開，所以已然了解「道之不易行」，而仍然「發憤忘食」，週遊列國，「樂以忘憂，不知老之將至也」。

儒家的思想是知識份子學藝充實，道德修明後，應該出仕，作人民的君師，教人民生養的道理，解決人民衣食住行的生活問題，這對後人思想的影響自然很大。但是由於論語中也有「無道則隱」的說法，對於讀書人當然也有它的反面影響；我國讀書人在儒、道二家這種學說的浸漬下，每個朝代在山野間都有了不願降志辱身，不願應徵受聘的遺賢了。遇到衰亂的時代，有些人爲着憤世嫉俗，爲着去危逃難，爲着富貴難期，爲着求靜圖安，過起隱逸的生活的就更多了。

東晉陶淵明不肯爲五斗米折腰，而歸隱田里，躬耕隴畝，歸園田居詩說：「久在樊籠裏，復得返自然。」目的在喜愛自然，無違素願。因此「種豆南山下，草盛豆苗稀；晨興理荒穢，帶月荷鋤歸。」雖須勤耕力作，也就不覺得勞苦了。唐張志和因厭惡做官的煩瑣，便放浪江湖，垂釣烟波，作有漁父詞，說：

「西塞山前白鷺飛，桃花流水鱖魚肥。青箬笠，綠蓑衣，斜風細雨不須歸。」

他清新的文字，充份表現出一個隱者愛自然美景，愛自由浪遊的心思。柳宗元因牽入當時黨爭，貶謫永州，便「日與其徒」，探幽覓勝，寄隱山水，以求免禍忘愁，正如他在鈷鉧潭記中所說：「孰使予樂居夷而忘故土者，非茲潭也歟？」

阮籍本有濟世之志，身處魏、晉交替之秋，士人多被殺戮，他爲求自全保身，便縱酒取樂，不與世事，據說最長一次曾連續昏醉了六十天，裝聾賣啞，拒絕司馬昭替他的兒子司馬炎的政治聯親，並作有許多意晦義隱的詠懷詩，這眞是世所謂「以詩酒佯狂，隱於朝市」的人了。石濤是明末畫家，本靖江王後，明朝滅亡，出家做了和尚，可說是「非釋逃隱於釋」。他的畫和八大山人一類，都是以縱恣的畫筆，發洩胸中亡國之恨，正如鄭板橋所題：

「國破家亡鬢總皤，一囊詩畫作頭陀。橫塗豎抹千千幅，墨點無多淚點多。」

明亡之後，還有王夫之因不願奉事貳姓，隱居衡陽石船山，杜門研究學問，從事著述，作有船山全集三百二十四卷，成了名學者，贏得世人「船山先生」的尊稱。還有張岱當「國破家亡，無所歸止」，便披頭散髮，逃到 谿山，像一個野人似的過着隱居寫作的生涯，寫成了「陶庵夢憶」，痴說往日種種繁華夢境。

隱逸原因有種種，隱居的方式式也有種種，但主要的目的總不外想避開人世，忘記現實，追求自由解放，無拘無束的生活。因爲在大自然中，遠隔人世，能絕人塵想，寧靜優美的環境，能怡人情性；縱酒是由於酒精的麻醉，酒味的深醇，也能使人忘去憂愁，遺落世情；吟詩作文，寫字繪畫，研究學問，從事著述，都能使人在精神上得到寄託與安慰，都能使人忘記了現實的世界：如個人的失意，人事的煩雜，環境的困厄，時代的危難……，掃淨了我們心靈的苦悶、怨恨、憤懣、愛慾的煩惱，使我們到了超脫曠達、安貧樂天的境地。於是由厭世憤俗，消極悲觀，而變成絕世達觀了。「不覺知有我，安知物爲貴」，這樣當然可以掙脫名韁利鎖的「緊箍兒」了。反觀世人爲蠅頭微利，蝸角浮名，枕中榮華，日日費盡心機，蟻爭蜂亂蠅爭血。想想，有啥意義好說。過去的隱逸者，有才不肯用世，獨善不肯兼善，看來有點自私；但有他道理；而且，比起那一撮只知「吃飯罵人不做事」的無聊的文人，眞不知高明多少萬倍。所以能夠取得昔人的崇仰與景慕。漢淮南小山作招隱，雖極道山中窮苦的情狀，以風切遁世之隱士；而在後代一般的詩人文士，如左思、陸機、王康琚、朱熹的筆下，仍然多讚美艷羨隱者的快樂。現在錄宋理學家朱熹反招隱一首：

「南山之中，桂樹秋風，雲冥濛。下有寒棲老翁，木食澗飲迷春冬。此間此樂優游渺何窮！我愛陽林春葩晝紅，我愛陰崖寒泉夜淙。竹柏含烟悄青葱。徐行發清商，安坐撫梧桐，不問簞瓢屢空。但抱明月甘長終。人間雖樂，此心與誰同？」

讀了這首琴操，使人也眞想去覓一「世外桃源」去歸隱，只是沒有三徑的資費。再讀東坡詩：「竟無五畝繼沮溺，空有千篇陵鮑謝。」既無五畝，亦無千篇，則感慨更深了。幸而，我們是生於事事進步、日新又新的明世，「學而優」不必「則仕」；行行出狀元，業業可發展，自可結廬人境，建我樂土，在某一方面貢獻一己的力量，可不必眞要「枕流漱石，高臥白雲」的了。

西洋哲人簡介

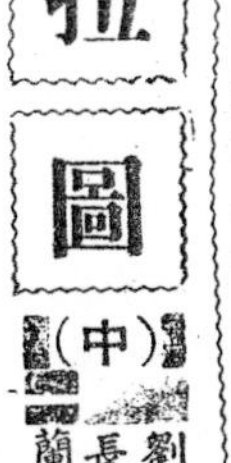

柏拉圖（中）

劉長蘭

結果他發現他雖竭盡所能也找不到一個經得起分析而不出毛病的定義。想了又想，問了又問，他終於獲得了一個重要的結論，那就是：沒有任何一個形式可以確切表示人類理想上對於事物的觀念。在幾何學上，我們所做的圓與三角形充其量不過是那個我們無由得見的絕對圓與三角形的近似形象而已。同理，我們所能得知的任何形式也只不過是各該觀念的投影而已。投影是不可能與「實在」完全一樣的。再如我們對於貓的形有一個觀念，但是世間千千萬萬的貓當中沒有兩隻是完全一樣的，甚至同一隻貓在不同的光線下或不同的角度上看起來也會有不同的樣子；換言之，我們對於貓的觀念不會受時間和地點的影響，因此是不變，而實際的貓却永遠因時因地而異其形，所以就沒有一隻能完全符合我們的觀念了。

這個有關形式與觀念的理論就是柏拉圖的觀念或形式論（Theory of Ideas or Forms）。要注意的是他的「觀念」一詞的含意與我們普通所了解的有點不同。（所以在專門哲學的書中，往往譯成「理念」）按照他的說法，「觀念」似乎是用來表達人類心中對「實在」的認識的。譬如說，我們心中對「圓」這個形象有一種認識或了解，這認識就是我們對「圓」的觀念。對其他事物我們也都有個觀念或認識，故而也有人把觀念論稱爲認識論。更有人把牠叫做知識，是因爲我們的觀念常是迷失於現實的變動和混亂中，須得經過一番努力，排除了那許多惑人的現象，才能重新獲得清晰的觀念，成爲知識。

這知識，柏拉圖認爲就是智慧，也就是哲學家所欲尋求的眞理。在他的名著「理想國」（Republic）裏，他用一個比喻來說明理的性質。他說，譬如有一個人被人用一根鍊條拴在山洞裏，在洞中藉着反射的光他看見牆壁上有些東西，就以爲那都是實在的了。其實他所見都只是洞外實物的投影罷了。我們人類的知識也都是和這個囚徒在牆上所見的一樣，都是些似是而非的投影。因此，我們的知識有限，對眞理的了解不完整。

如何才能察知這種眞理的實質呢？實質究竟存在與否呢？這是柏拉圖在申述他的觀念時所必須解答的下一步的問題。爲此他設想了一個神秘的完善世界——天國。在那個世界裏居住着的全是完善的靈魂，並且有眞理的完善形式存在。柏拉圖又說人類的靈魂原都是來自那個世界的，所以人們心裏對於眞理原都正確的認識或觀念。小孩子之所以憑數語形容就了解一個概念（Concept），就是因爲他們心中本來存有那個觀念，只要略加提醒，他們就立刻記起來了。小孩子所受的教育實際上只是一種重新學習或再記憶的過程。這就是柏拉圖的追憶說。

這種思想更進一步發展爲他的靈魂不死與轉世再生論。他把人的靈魂比做有翼之馬。那些高尚的，完善的，在人死後就飛升至天國而得以見到善的眞形；那些次等的則將失去雙翼而墜落地面附於智慧不足的人體上。是以人類之努力討求眞知實在就是設法記憶起他們以前在完善情況時所已知的事。柏拉圖和蘇格拉底都似乎相信靈魂是不死的；柏拉圖則更從早期希臘哲學家皮薩格拉斯處接受了靈魂轉世的說法。

柏拉圖繼續再問下去。

那麼人類所企求的，代表最幸福的觀念或知識是什麼？在他早期作品裏，他給這問題的答案是「善」。不過同時他也贊同人類對於絕對的美和愛的企求也同樣重要，因爲通過「美」、人可以認識「善」；愛則是一種渴望向善的本能，這種本能在人心中閃現，可以使人回憶起幸福（所以「柏拉圖式的愛」現在被用來表示超乎肉慾之愛的廣義之愛）。但是在他後期的作品中，他認爲這種代表最高幸福的知識存在於一切知識中，同時所有的知識又合而爲此一最高幸福的要素。

柏拉圖最著名的作品是「理想國」。此書寫於他盛年之時；裏面有他的觀念論以及有關他對政治，教育，道德，婚姻，形而上學，藝術，文學，心理學，神學，公道等等的思想。

燒鷄大王發展史

雅恩的生財之道，他說：「應該充份利用一個只可以做兩萬馬克生意的地方，使它做到二十萬馬克的生意。」

他是一個紅光滿面的中年人，經常坐着一架噴氣式螺旋槳推進飛機，在歐洲和美國之間飛來飛去。飛機上有八個座位，還有一張大寫字枱；因爲他坐着飛機的時候，便是辦公的時候。一年三百六十五天，他不停地到各處屬下的餐廳視察，熱情洋溢地與顧客和職員握手問好，親自檢查着各處的清潔情形。在他的外衣翻領上，一隻小鷄徽章發着閃光。他就是著名的德國烤鷄大王弗里德里希．雅恩。

他接受我們訪問的時候，安詳地坐在寫字桌後面。他的面前，堆着一疊疊的文件，還有滿滿一大盆水菓。他的身材健碩，面部開朗，顯得對生活充滿信心。無論是第一眼的觀察，或者進一步的認識之後，他都不會令人以爲是個斤斤計較的商場老手，或者是紙醉金迷的吝嗇財主；平易近人，頭腦敏銳，精明能幹，便是一場長談之後他留給我們的深刻印象。

他今年才四十五歲。十三年前，即當他僅卅二歲的時候，就手創了第一間餐館。八年之後，他已經成爲一個譽聞遐邇的百萬富翁了。到今天爲止，他的總資產估計有四千萬德意志馬克。在經營餐館的行業中，他可以說是鶴立鷄羣的頂尖兒人物。他說，他的目標是在奧地利和荷蘭創辦卅至四十間餐館，六十間在意大利，一百間在法國，一千間在美國。他的理想，則是擁有最現代化的餐館。據他說：「這種餐館，應該有第一流的人才，最優美舒適的環境，以及最美味的食物。」他很謙虛地說，雖然他擁有不少的餐館，能達到這個標準的並不多。

弗里德里希．雅恩來自北奧地利的首都林茲。他家中數代都幹着廚房烹飪這一行，弗里德里希也不例外。他由侍者做起，一直到昇爲慕尼黑著名「貝里斯酒店」的大廚師。當上大廚師不久之後，他就雄心勃勃，想要獨樹一幟，幹一番事業。最初在一座小市鎮開辦了一間餐館，但很快就因爲經營不善，不久就關門大吉。但他並沒有因此氣餒。經過一段時期，恢復元氣之後，又將辛辛苦苦積蓄下來的八千馬克，悉數投資創辦了「林積．斯圖伯爾」餐館。他明知在這間餐館的原址上，兩年中便有四間相類似的餐館失敗倒閉，現在他是第五位了，難道幸運之神會對他特別關注？不過他沒有退縮，全神貫注在事業的經營上。在這間簡陋的餐館中，他起初只供應渴沽一味的鷄湯，還是由他的太太在家中煮好送來的；因爲他那間所謂餐館，其實連廚房都沒有啊！後來有位要好的朋友向他建議，要他試辦燒鷄這味菜。德國人素喜吃燒鷄的，而且認爲吃一次燒鷄是不得了的一件事；但在慕尼黑，要吃燒鷄者不得不去「十月餐廳」，因爲這裏才有燒鷄供應，價錢又昂貴得很。

雅恩一聽到好友的建議，如夢初醒，立刻購置了一座可以同時燒製四隻燒鷄的爐子。第一晚他賣出了一隻，第二晚四隻，第三晚八隻……很快的，他就購置了第二座、第三座焗爐。跟着，他那簡陋的「林積．斯圖伯特」餐館便重新裝修，改頭換面，名字也改成了「威納伏特」。他售出燒鷄的價錢是每隻五個馬克，爲了增加吸引力，他分成半隻出售，這在那時那地，也可以說是創舉了。他又在報章大量刊登廣告：「請到『威伯伏特』嚐嚐半隻美味可口的燒鷄吧——半隻只售兩個半馬克！」

就這樣，雅恩在一九五五年打下了事業的基礎，燒鷄、「威納伏特」、廣告便是這個基礎的三根支柱，他的事業迅速擴大，到了今年（一九六八年），以「威納伏特」爲名的，弗里特里希．雅恩屬下的餐館就有二百五十四間，散佈在德國內各地。他還擁有慕尼黑一間釀酒廠，以及新建的旋轉餐廳。旋轉餐廳建築在六百呎高的奧林匹克塔上面。在這裏，雅恩最拿手的燒鷄已不能夠佔據食譜上的首要位置，來自世界各地的賓客，可以享受到各種富有獨特地方風格的著名菜式。

在歐洲其它各國及美國，雅恩名下的餐館，便有廿六間。他還開辦了廿六間酒店附設餐廳和酒吧，以及一座專門製造燒爐及附加設備的工廠。此外，他更設立一家印刷廠，專爲他屬下各酒店、餐館印製餐單，一份定期出版的通訊，還爲美國市場供應精美的請帖、賀咭等等。

假如你詢問雅恩的生財之道，他會告訴你說：應該充份利用一個只可以做二萬馬克生意的地方，使它做到廿萬馬克的生意。但怎麼樣才能做得到呢？他的訣竅是使顧客不必坐在餐館中才可以吃到燒鷄，在他的燒鷄營業額中，有百分之四十是外賣的。但是，他的事業能夠如此飛躍發展，另一個更重要的原因，却是他能夠把握住適當的時機，把握住顧客的心理。戰後德國人民經過了多年的奮門，剛剛富裕一點，可以有餘裕享受一下舒適的生活，吃多一點美味的食物。便在這個時候，雅恩創辦了他的燒鷄事業，當然大受歡迎，當別人看出有利可圖的時候，他已經打下了穩固的基礎，誰也動搖不得了。到今天，他獨資經營的餐館，已經形成了一個規模宏大的企業。在這企業中工作的有六千三百名僱員，還有一架現代化電子計算機爲他處理繁複的業務的計算工作。最難得的是，雅恩並沒有驕傲自滿，他親身處理業務，經常到各地視察，更採納了現代市場研究的方法，實施到他的餐館營業之中。他派出專門人員作研究工作，將它分作全日營業研究、午膳時間營業研究、晚膳時間營業研究，然後再用電子計算分析。他說：「我們不能強迫顧客吃用我們片面規定的東西，而是使我們供應的東西能符合顧客的要求。」

另一件事情可以說明雅恩的頭腦如何靈活。當他的第二百五十間餐館在德國開辦的時候，決定大事慶祝一下，起初的計劃是邀請各地五百位名流人士參加餐會，預算一共要花去四萬馬克。但後來他轉念一想，這些名流並不在乎吃不吃燒鷄，所以改變計劃，將五萬份燒鷄贈券送給貧困的家庭或孤兒院。結果感謝他的信件如雪片飛來，各地的報章也無不大加讚賞，無形之中收到了極大的宣傳效果。在宣傳方面，他出品的咭片及銷數十萬份的四色通迅，都是餐館業中的新創舉。

雅恩有一個美滿的家庭。從他創辦事業開始，他的妻子便是他的好幫手。他膝下有兩個女兒，一個十九歲，一個十七歲，現在都在他的餐館中担任經理之職。他說：「我希望至少能有一位女婿對這裏事業有興趣；但必需是個勤奮的工作者，而不是無所事事的公子哥兒。」

禪學黃金時代

中國禪的祖師——慧能

吳經熊著　吳怡譯

至於神秀呢？他畢竟是一位深思的，而且非常虔誠和謙虛的人。他心裏想：「學生們都不會作偈，因此我必須作偈，否則師父便不知我的見解如何。但我作偈的話，如果是爲了求法，當然用意很好；如果是爲了想做祖師，那便與俗人爭奪虛名沒有什麼差別，唉！眞是爲難極了。」

這番話的確說得合情合理。當我們想到這是在壇經中由慧能轉述時，便會確信日後禪宗有南北之間的衝突，決不是慧能和神秀兩人的責任。

現在我們看看神秀寫在牆上的那首偈子：

「身是菩提樹，心如明境台，
朝朝勤拂拭，莫使惹塵埃。」

當弘忍看到了這首偈子，知道是神秀寫的，不禁大爲失望。但在神秀學生的面前，爲了顧全神秀的尊嚴，便說這首偈子值得大家誦持，如能照着修行，便不致於墮入邪道。當天晚上三更時分，弘忍便單獨把神秀叫進房說：

「你那首偈子並沒有見性，還只是到了門檻，未能登堂入室。一般人依照這首偈子去修行，雖不致於墮入邪道，但決不能得到最高的智慧。要想得到最高的智慧，必須當下認清自己的本心，看清自己的本性，知道它是不生不死的。如果你的每個念頭都能明心見性，那麼世界上便沒有任何東西會阻礙你。你的存在是眞實的，萬物的存在也是眞實的。你將會發現萬象的變幻無常，都是法爾如此，都是眞性實相。能夠有這種見地，就是最高的菩提自性了。」

於是弘忍便叫神秀再寫一首，可是神秀的心緒一直不寧，想了好幾天，總是寫不出。（四）

海天詩苑

陳布雷以學人參與帷幄，終日塵首伏案，羽扇綸巾風度，體弱而任重，於三十七年遽歸道山，當時喪典隆重，備極哀榮，其中有黃少谷，潘公展，程滄波三聯，可謂寫盡布雷平生。

黃少谷

一手文章扶國運：
終宵憂樂繫蒼生！

潘公展

平生風誼兼師友：
痛哭元戎失佐衛！

程滄波

血淚伴忠魂，江山無恙；
死生關大計，社稷有靈。

封神非虛構　三國附會多

封神榜演義一書，皆敘述神怪事，固荒誕不足信，然其宗旨謂姬周有德，呂尚神通，能役使天神耳。事亦有所本，史記封神云：「八神將太公以來作之，舊唐書引六韜云武王伐紂，雪深丈餘，有五車二車，行無轍跡，詣營求謁，太公曰：此乃五方之神來受遣耳，遂以其名召入各以其職命焉。」據此則太公既能驅遣神將各命以職，又何不可論功以封耶？雖不無荒唐，非盡虛構可知。

×　×　×

三國演義載曹操在潼關遇馬超，爲超一槍幾中，操得脫逃去，槍中槐樹，後操封槐樹爲神云。此槐樹今在潼關大街中某民居內，圍大可四人合抱，高三四丈，大部已枯，惟一小枝尚活，樹有一洞，相傳爲馬超刺曹操之槍眼，顯見爲後人附會小說家之言耳。

羽衣

三幕喜劇　事過境遷

熊式一

仁：　姑媽！糟糕極了！眞不得了！我們……我們……我……我……我說不出口！

露：　叔叔，甚麼事呀？怎麼說不出口呢？

趙：　（大驚）怎麼啦？不是關於我們……。

包太：仁翰：自己的姑媽，怕甚麼呢？老老實實的說出來吧！

仁：　咳！慘！慘！眞倒霉！眞是誰都想不到，世界上會有這種專門騙人的壞蛋！

何：　在香港呀，想不到的事多着呢！騙子到處是！這個壞蛋騙了你多少錢啦？

趙：　原來你是給人騙了錢呀！

露：　叔叔爲人心眼兒最好，常常受人騙，我看這一次一定叫人騙得不少，否則不會連一點兒中飯都吃不下！

何：　到底是受了甚麼人的騙，吃虧多大呀？（如有狗則加：「快快告訴我的小寶寶！）

包太：並不是錢的事，可是這個傢伙騙得我們厲害！這一下子，吃虧可吃得大，簡直不是可以算得清的！

趙：　不是現錢？

露：　算都算不清？

（包仁翰一直搖頭）

何：　現欵我知道你沒有多少，不過股票、房產、地產更要緊！是不是全給人騙了！

仁：　現欵、股票、房產、地產，都是身外之物，生不帶來，死不帶去，給人騙了就騙了，我也不傷心，不過這一下子，可把我害苦了！

包太：想起來，不但叫人沒有胃口，就連活也活不下去了！

露：　現錢、股票、地產、房產，全讓人騙光了？以後我們吃甚麼呢？這幢房子也丟了嗎？我們上那兒去住呢？

趙：　（挺身而出）不要緊！不要緊！有我呢！我雖然沒有一點積蓄，你可以搬到我那兒去住，我們馬上結婚，以後就由我養你，這至少也可以減輕你叔叔一部份負担！你嬸嬸不妨暫、搬到姑老太太那兒去同她老人家做做伴，你叔叔……你叔叔反正一天就有大半天躭在狗窠裏的，不如索興搬到狗窠裏去住，豈不方便多了嗎？

仁：　（大怒）胡說八道！（對其妻）我早說了不要讓他來，你偏要讓他來！你看：我說的話沒有一句不對的！你的主意沒有一個不糟的！（兇狠的對着趙太極）你這個渾小子，你再胡說八道……（包太太看見他們幾乎要動武，趕快出來調解。）

包太：仁翰，太極也是出於好意，你不要生氣，他不知道實情，你不可以錯怪他！

何：　我們誰也不知道你們鬧了一些甚麼鬼！仁翰，你說有極重要的事情和我談，我來了你又不明說，反要和小孩子打架，簡直不成話！現在直捷了當的告訴我，倒底是甚麼人騙了你多少錢！快說吧。（如有狗則加「我的小寶寶等着聽呢！」）

仁：　姑媽：我………我………唉，我實在說不出口——（對着他的妻子）還是你告訴姑媽吧！

自由報

第一九〇期

中華民國僑務委員會頒發台教新字第三二三號登記証
內銷證內僑警台報字第031號
中華郵政台字第一二八二號執照
登記爲第一類新聞紙類
（半週刊每星期三、六出版）
每份港幣壹角・台灣零售價新台幣式元

社長李運鵬・督印黃行奮

承印者：大同印務公司
地址：北角和富道九六號
台灣總管理處：台北市大同街119號
台灣區直接訂戶　台郵劃撥戶
第五〇五六號張萬有（自由報會計室）
電話：五一四〇三三・五五五三九五
台灣分社：台北市西寧南路110號二樓
電話：三〇三四六・台郵劃撥戶九二五二號

社址：香港九龍彌敦道
593—601號廖創興
銀行大厦八樓五座
LIU CHONG HING
BUILDING
7th FLOOR FLAT 5
593—601 NATHAN ROAD,
KOWLOON, H.K.
TEL: K303831
電報掛號：7191

日人操縱下的台獨運動（上）

・何浩若・

筆者於民國五十七年九月廿七日上午十時在第一屆國民大會代表全國聯誼會的時事座談會上發表了一篇以『美國姑息份子與台灣獨立運動』爲題的專題報告，因爲時間與篇幅的關係，在那篇報告裏，筆者沒有涉及這一問題的另一方面，那就是，以日本爲背景的台灣獨立運動。筆者現在報告一點有關日本一方面的情形供各位讀者參考。

一、柳文卿事件的來龍去脈

柳文卿是民國五十一年由台灣到日本去留學的一個台籍學生。他到了日本以後便參加了在日本的台灣青年獨立聯盟。這個聯盟現在的主席就是日治時代大漢奸辜顯榮的兒子辜寬敏。柳文卿很積極的爲台灣獨立運動工作，不久便被選爲台灣青年獨立聯盟的中央委員兼宣傳部長。他是民國五十一年到日本的，護照祇有三年的限期。他的護照如不能獲得延期，便須於五十四年回台。但是日本移民局對護照過期的僑民假如是在校讀書，仍准居留。柳文卿是在東京帝大教育學院攻讀碩士，因此他的居留權沒有發生問題。但是他在民國五十六年四月獲得了碩士，正式畢業了。他既不再讀書，他的居留期限到五十六年四月二十日便截止了。據日本報載移民局一直拖到今年，也就是民國五十七年三月才決定按照日本規定法律遣送他回台。柳文卿是三月廿六日下午四時被拘留的。移民局通知了台灣青年獨立聯盟，決定於三月廿七日上午八時遣送柳文卿回台。台獨青年聯盟接到通知以後，便安排一場石秀跳樓，劫法場式的熱鬧節目，率領大隊人馬準備於柳文卿上飛機前劫奪人犯，因此與移民局人員及機場警察大打出手。據獨立台灣季刊六月份的報告，說他們並不是要劫奪人犯，而是看到柳文卿昏迷不醒，呼之不應，以爲警察替他打了麻醉針因而發生衝突。但是柳文卿也許是當時嚇昏了，並沒有被麻醉。因爲據台獨季刊的報導，他在衝突發生以後便醒過來了，而且企圖咬破舌尖自殺，因此弄得血流滿面。劫法場沒有成功，柳文卿被押走了，十個台獨份子被捕，隨即也就被釋了。但是台獨份子在他們的出版物上居然提出抗議批評日本憲法爲什麼沒有庇護政治犯的規定，又說即令沒有明文規定，也應當遵照國際一般習慣，予柳文卿以保護。台獨刊物又造謠說中華民國與日本有諒解，以不反對琉球歸還日本爲條件換取日本政府的取締台灣獨立運動。日本移民局和警察局、沒有理會台獨那些閑話，祇說他們是依法辦理，並無不合法之處。同時日本到現在也並沒有取締日本境內的台灣獨立運動。

日本的台灣獨立運動和美國的台灣獨立運動是息息相關的。自從日本台灣青年獨立聯盟主席辜寬敏到了美國以後，又把柳文卿的事帶到美國去鬧。首先向聯合國去控訴，說柳文卿事件破壞了人權，由國際人權委員會函達中華民國駐聯合國代表劉鍇，詢問柳文卿犯了那一條法律何時公開審判，和在遣送的時候何以昏迷？其實柳文卿被遣送的時候並沒有昏迷，否則何能自咬舌尖？柳文卿犯了那一條罪而被遣送，應當去問日本政府。中華民國駐聯合國代表團的顧問曹保頤於今年四月十八日函覆國際人權委員會說柳文卿是因爲護照過期而被日本政府遣送的。國際人權委員會當然也有信向日本駐美大使詢問柳文卿被遣送的事，但是日本駐美大使館如何答覆，我們就不知道了。

二、華盛頓營救柳文卿鬧劇

筆者現在要報導一幕我國留美的台灣籍學生爲營救柳文卿在美京華盛頓遊行的鬧劇。自柳文卿被遣送的消息到達美國以後美國的台灣獨立運動聯盟就成了一個台灣人爲柳文卿爭取人權的委員會。這個委員會決定在今年（一九六八年）四月五日在美京華盛頓遊行請願。據台獨季刊的報導，紐約費城及美國各大城市都有台灣學生遠道去參加。遊行的羣衆於四月五日中午十二時在杜邦圓環集會後，便高呼口號向大使館最多的康勒第克提大道進行。他們首先到達中國大使館，將大使館包圍，高呼『打倒中華民國』『台灣獨立萬歲』等口號。他們說中國大使館門窗緊閉，有人躲在窗縫裏照相。筆者認爲這些學生拿着中華民國的護照。去包圍中華民國的大使館高呼『打倒中華民國』而大使館處之泰然的態度是不合理的。筆者也曾詢問過使館的負責人，他們對這個問題都諱莫如深，不願談及。根據八月十九日在中央日報所登的廣告，某大使還有一封信寄回台灣，說假如有人攻擊費正清策動台灣獨立運動，就會影響中美邦交。

遊行示威的台獨學生隨後到了日本駐美大使館。他們對日本大使館比對中國大使館的客氣多了。他們手持的標語雖然也有『佐藤壓迫人權』『佐藤必須下台』這類的話，但他們很有禮貌的推出兩位代表進入大使館呈遞請願書。這意味着他們並不反對日本，祇反對佐藤。他們環繞了日本大使館一週，又回到中國大使館前大喊『打倒中華民國』，然後回到杜邦圓環再行解散。這遊行請願的情形，都是六月份出版的台獨季刊報導的。他們還報導了爲柳文卿爭取人權的委員會寄發了無數的請願書給聯合國人權委員會，教皇，日本天皇和皇太子等等。但是該季刊還特別指出寄了請願書給美國參議員傅爾布萊德和英國的羅素和平基金委員會。爲什麼要特別提到傅爾布萊德和羅素呢？這其間是有重大意義的。

三、從柳文卿事件說到傅爾布萊德和羅素

讓我們先談傅爾布萊德。邵毓麟先生參加了在美國舉行的第九屆太平洋學會而揭穿了共產黨滲透該會出賣中華民國的陰謀。他告訴筆者在他檢視當日開會的資料的時候，在太平洋學會會員名單裏發現了傅爾布萊德的名字。

（下轉第三版）

至死不悟！

互揭瘡疤！

昨日與明日

誰想獨立

二十年來一直有所謂「台灣獨立運動」的暗流，但由於長期親切的與台灣同胞接觸，我們可以肯定的說：這一所謂「運動」，並不是台灣人的意思，它並不能代表台灣同胞。反之，它只是少數野心浪人和國際陰謀份子的合作產品。看了本期所載何浩若先生的大文後，眞相更是昭然若揭。

政府遷台以來，首先實行三七五減租，繼之以土地改革，使得台灣的農業經濟得到希有的發展，國際公認爲亞洲農業經濟的模範。而給農民們帶來富裕繁榮尤屬空前，多少鄉村農民們不僅豐衣足食有水有電，享有近代都市的生活水準，甚至還有許多農家都裝有電視等高級電器設備。至於工業方面近些年的進展發達，更是有目共睹，因此台灣工農大衆的生活，可稱是豐衣足食，家給人足，只看「拜拜」便是明證。豈是當年日本統治時所能望其响背於萬一，而目前在台灣衣食困難，生活維艱的，反倒是自大陸還台的人士。這是鐵的事實，因此台灣人民又爲什麼一定要推翻這個帶來繁榮富裕的政府，而要獨立。難道還要回到三十年前的貧困生活才快意嗎？

不滿的在行政

這並不是說台灣人對政府全滿意，他們也大有不滿意，甚至痛根的，但所痛根的是少數污吏貪官及不法警察。其實，這又豈止台灣人？大陸來的人們不也一樣在痛恨麼。這是一個行政問題，風紀法綱問題，它引發不到「獨立」的問題上來，除了人民衣食無着，活不下去，藉題發揮。——而今天台灣人所以沒有獨立要求的基本原因就全在此。何况台灣人也都是黃帝子孫、三四代前從大陸遷來的。

向廖文毅看齊

在這種情形下，所以只有少數別有用心的人士，在日美某些陰謀家的策動和卵翼下來請「台灣獨立」了；但少數人的空喊是沒有用的，試問那個老百姓會放着豐衣足食的安定生活不過，而去跟着這些一無憑藉，不切實際的人們跑，政治運動是要有羣衆的。沒有人響應，那眞是「獨」立運動！不僅沒有前途，並且處境也一定很慘，請搞「台獨」運動的人們，澈底爲自己檢討一下，這種搞法究有什麼什麼意義。站在民族的立場，希望都能向廖文毅看齊，勿再受他人利用。

（成公）

自由談

公務員的退休觀

公務人員年滿六十歲以後，即須依法退休，這是西方英美諸國創進的制度，乃導源於工業社會的生活情況。在以工商企業爲生存競爭的社會環境中，腦力與體力併重，跟軍旅之士一樣，年齡稍長的人，縱然智慧豐富，而由於體力較差之故，有時候難勝繁勞了。祇就工商企業的發展關係而言，不失其爲具有妥當性的措施，然非所語於政治生活也。

咱們中國的文化思想，流行着兩句格言，即「少不更事」、「老成謀國」是也。此係就政治生活而設想的說法，雖與工業社會的人生觀不相投合，却有至理存焉。青年人的好處是勇氣十足，不顧一切的向前衝鋒，搞革命運動是瓜瓜叫的英雄人物。談到政治建設，青年人閱歷世事太淺，經驗不多，而政治問題又不像工商企業那末單純，許多地方非有深謀遠慮的理智，執簡馭繁的才力不爲功，這便需要老成練達的人來掌舵了。吾國諺語所謂「少年得志，幷非人生之福」，即是指的政治生活。例如美國就任不久的總統約翰、甘迺第，及其繼起競選總統的弟弟羅拔、甘迺第，皆以被刺殞命下場，他們如果不是年輕氣盛，橫衝直闖，把政治事業看得太容易，予智自雄，目空一切，又何致遽遭橫禍呢？

所以，西方國家—特別是美國，將工商企業界的人事進退例規，施之於政府官員，幷不切合實際需要與利益，是不足爲訓的。幹政治活路的官員，只要智慧夠用，精力不衰，而作事又能負責，雖年老，庸何傷乎？不但無害，且較有益，憑其充裕的經驗閱歷，在處理國計民生問題時，即不致魯莽滅裂，輕舉妄動。假使能力薄弱，智識粗疏，雖少壯亦必然折鼎覆餗，貽誤蒼生。美英各國的科學精神和技藝，我們望塵莫及，唯對於他們若干不切實際的政治作風，仿效最爲起勁，可謂舍本逐末，不識大體也矣。

政治人物的退休制度，未嘗不可施行，但不宜機械式的完全沿襲洋人之所爲，即算是進步的玩藝，否則有些年屆耄耋期頤，而國家尚需要的名公鉅卿，又將何以自解自處乎？

馬五先生

立委潘廉方質詢土地改革問題

誠懇希望政府堅定政策 再進一步實施平均地權

如中途停滯改革成果勢必歸於消滅

（本報台北通訊）立法委員潘廉方質詢土地改革的問題，他很坦誠的說：今天台灣的土地改革，距離　國父「平均地權」的最高理想，尚有相當遠的一段路程。如果我們不能堅定政策，走完這一段路程，中途停滯不前，不特不能建立民生主義的新土地制度，而且久而久之，亦會將政府十餘年來，所推行土地改革的成果，消毀無餘。

潘委員誠懇的希望行政院嚴兼院長堅定政策，再進一步，全面實施平均地權政策，以實現國父「平均地權」的最高理想，完成我國歷史上空前的土地改革事業。

而平均地權，不僅可行之於都市土地，亦應行之於農村土地；不特應在都市計劃範圍內實施，而且全部土地，要全面實施平均地權，「規定地價，照價納稅，照價收買，漲價歸公」。而我政府在台灣省推行地方自治，迄今十有餘年，尚未遵照　國父遺教，規定全省私有土地之價，照價征稅，漲價歸公。如果台灣省全面實施平均地權，將全省私有土地，無論市地或農地，都舉辦「規定地價」及「照價征稅」，「漲價歸公」，則全省私有土地因政治之改良，社會之進步，而所增加之自然增值，盡屬於人民全體所有、公享，以之興辦育幼、養老、救災、濟貧、醫病，及各種公共福利事業，使全體人民蒙其福利，而完成民生主義的社會建設。

近幾年來，台灣省地價暴漲，一由於經濟因素；工、商業繁榮，人口增加，「需要與供應」的關係；二、由於人爲因素，使社會游資及海外僑資，多投於房地產之經營，以致全省土地，普遍高漲數倍、數十倍、乃至數百倍不等。據主管機關報告：現在台灣省因地價高漲，而致擁有財產達一億新台幣以上之地主，全省多達數百人。僅台北市一地，擁有三億新台幣財產之地主，不止一個人。可見年來土地投機、買賣、操縱、壟斷、坐享暴利，以致社會上貧富懸殊之裂痕，日益劇烈！而土地投機者，多以大量資金，購買都市郊區土地，或未有都市計劃之鄉村市鎮土地，一則交納田賦，負担尚輕；二則不受「都市平均地權條例」之限制，可以待價而沽，坐享暴利，如不早日設法抑制，則恐愈演愈烈！不僅將摧毀我政府多年來土地改革之成果，而民生主義社會，將永無實現之一日！此爲潘委員對實施平均地權的看法。

至於如何完成「耕者有其田」政策？潘委員亦提出質詢：依據實施耕者有其田條例第十條規定：「地主得保留其出租耕地七則至十二則水田三甲」。第十二條規定：「本條例施之日起一年後，現耕農民承買第十條規定地主保留之耕地時，得向政府申請貸欵；其貸欵法，由省政府擬定，報請行政院核定之」。因之未承領到現耕的地佃農，從四十三年二月起，都有權向省政府申請貸欵，購買其現耕地。但政府迄今未將此項貸欵基金，籌妥設置。十餘年來，台灣土地銀行，已舉辦現耕農民購地貸欵，由於杯水車薪，何濟於事？據調查，購地貸欵，條件甚苛；且地主與佃農，對於地價問題，亦不易協商。因此，舉辦購地貸欵之成效，不甚理想；現耕農民，購買地主所保留的出租耕地者，爲數甚少。現在全省還有七萬六千七百八十七公頃私有出租耕地，仍保留在地主之手，尚未移轉給現耕農民自有自耕，更深遺憾！

潘委員請問行政院對此項購地貸欵基金，何時籌妥設置？全省所有仍保留在地主手中的出租耕地，何日才能全部轉移現耕農民自有自耕，以完成「耕者有其田」政策。而實施「耕者有其田」政策迄今十有五年，尚未完成此項農地改革政策，徹底廢除租佃制度，蓋租佃制度存在一日，即有耕者尚無其田；如果我政府停滯不前，不能徹底廢除租佃制度，則今日之農地改革政策，乃我國漢代董仲舒所主張之「限田政策」；而實非國父所主張的「耕者有其田」！

潘委員對都市土地之處理，於質詢時指出：近幾年來，全省各大都市，處理公有土地，已發生一個不好的現象。往往一個機關，各自處理公地，公開標售，引導市地漲價；紙知賺錢，而不問土地賣給何人？作何使用？因之，某一機關，將公有土地賣給私人，而另一機關，因爲都市公共建設之需要，又要從私人手中，高價買回來，助長土地投機之風，莫此爲甚！不僅妨礙都市現代化建設之發展，而亦將引導都市土地漲價，愈演愈烈！如不設法早日制止，後患堪慮！

據牛踐初委員於質詢中指出：現在都市地價，其暴漲之眞正原因，乃是由於土地投機份子，尤其若干財力雄厚集團，利用各種特殊關係，與其優越的條件，哄抬操縱所造成。如某青果業鉅子，將內湖鄉所有平民土地，收買淨盡，據爲己有。如某塑膠業鉅子，運用其生產資金，投機於土地牟利。如某麵粉業鉅子，在淡水一帶，購買土地甚多，集中使用。如某水泥業鉅子，運用其營運資金，投機於土地牟利，據傳因此而使現金短缺，發生週轉不靈，竟不能按月發放其所主持公司的員工薪餉。像這些情形，中央地政機關可採取：舉辦土地總歸戶的措施，予土地投機者以嚴重打擊。同時依實施都市平均地權條例第五十三條之規定，對於超過十公畝以上之私有土地，依法予以征收，然後出於正需要土地的人作建築房屋之用。

據內政部長徐慶鐘於答覆立委質詢有關都市地價暴漲的問題時說：財政部就地政、土地稅尚在研究中，而經濟部物價專案小組關於地價問題，亦在研究中。

徐部長爲實施都市計劃應該與實施都市平均地權分開辦理，課稅以地價上漲情形而釐訂稅額，在這種情形下法令就應該加以修改。同時應該普遍實施都市計劃，如果都市計劃以外的土地，不是農民耕種，其買賣就必需按建築用地加以課稅，如此自可消減「炒地皮」的風氣，而由於普遍實施都市計劃，則建築用地增多，地價亦必自然下跌。如此，不但土地可以充分利用，對於財政亦有相當的幫助，地價亦可爲之抑低。（本報記者劍聲）

市教局師資職前訓練

主管科長涉嫌圖利

教育局長劉先雲雖有聲明 但事實勝於雄辯無可抵賴

本報記者公孫熊台北消息：台北市教育局前爲主辦國民中學教師職前訓練，雖係委託國立政治大學承辦，但該局又自行組織另一委員會，參與其中，雙軌行車，而委員會兼差人員，均已獲得相當數字之津貼待遇，在市府全力支持推行九年義務教育之前提下，財政局、主計室等單位，故對教育局辦理國中教師訓練經費，事前均未詳加審核，莫不慷慨支援。詎在支取津貼上以優厚相尚。據聞其中以教育局高教科長董啓祥中教科長王華林獲得最多，竟高達新台幣五萬餘元。有人爲其推算，以市府職員一般收入計，平均每月約爲一千五百元，五萬餘元則相等一個職員三年收入之總和，於是引起大家眼紅，而以教局內部之非主管職員而未分到肥者更深抱不平，一時煩言嘖嘖，事聞於高市長玉樹，乃下令視察室會同財政、主計等單位徹查教育局「集體分肥」案的眞象。

據悉，教育局長劉先雲雖未陷入「集體分肥」之內，但於事發之頃始表示震怒，曾對董啓祥科長當面訓斥一番，不該濫用職權圖利於己。而奉令徹查之單位，對此一事件也深表重視，因主辦國中教師訓練人員涉嫌開支之不當及非法圖利於己，關係刑責，非同小可。而且動支數字相當龐大，不僅浪費公帑，如果類似情形再延續發生，則後果實不堪設想。詎上項消息被有數報章騰載後，劉先雲局長，特於二十六日發表書面聲明指出，該局辦理國中教員職前訓練，完全依照規定辦理，一切經費支出均屬正常開支，對外界謠言教局職員有「分贓」一事，加以否認，特予鄭重表示，藉以澄清。劉局長說：所有訓練工作暨經費預算，共爲二百一十四萬六千五百三十元，曾經市政會議通過，報請高市長核定實施。且實際開支爲新台幣一百八十八萬四千二百三十八元九角，結餘二十餘萬元，將繳還市庫。並保證參加工作人員，均依照任教科目及學分時數支領鐘點費，同時經調查該訓練班沒有一人不依照規定而濫領鐘點費者，更絕沒有人支領鐘費高達「五萬元」之情事發生。至外傳負責主辦國中師資儲訓工作之科長董啓祥，王華林有「非法圖利情事」，全屬無稽。

劉局長上項聲明，除聯合報二十七日予以詳載外，中國時報並未刊載，該報於三十日發布專欄載稱：

「由於教育局高教科長董啓祥、中教科長王華林，在台北市國民中學教師職前訓練中，每人每週分別兼課十二小時，又在國中校長講習會（一週）分別兼課二十及十五小時，使得由教局轉頒人事行政局的一項「公務員公餘兼課不得超過四小時」的命令，引起許多問題。

首先是：兩位教育主管，兼課的時間，既日超過規定時間三倍以上是否違法？

據王華林科長表示：他所兼任的課，皆與他辦理的業務有關，或者是與他過去在教育界工作的業務有關。而且上課的時間也多半在下班後，因此，並不違背前述命令。

董啓祥科長也解釋：他所兼的課，亦爲他的專長，是他過去在大學中所教授的課程。而此次兼課的時[illegible]下班以後的時[illegible]令。

如果兩位[illegible]夠通過的話，[illegible]生新的解釋：[illegible]程如與自身業[illegible]專長者不在此[illegible]

不過，如[illegible]課的行爲，視[illegible]圍的工作，則[illegible]公務員業務範[illegible]否可支領鐘點[illegible]班後尚需處理[illegible]有加班費，但[illegible]不是加班費，[illegible]元的鐘點費，[illegible]週，每人共領[illegible]元，校長講習[illegible]一千五百元、[illegible]用，遠超過一[illegible]俸，更何況兩[illegible]有一半在上班時間，若視爲業務範圍，則在上班時間內，根本不可領加班費。

再進一步討論，即使法令容許這項兼課，則兩位科長在[illegible]練班兼課時，要不要請[illegible]要不要打卡？市府人事[illegible]當有所說明，以作爲其[illegible]員參考。

[illegible]事行政局限制公務員在[illegible]間兼課四小時以上，有[illegible]積的意義：①公務員[illegible]辦公時間內兼課。②爲[illegible]公務員在公餘時間消耗[illegible]精神，影響上班的精[illegible]即使兼課，也不得超過[illegible]所以，這項命令，是[illegible]重意義的。

[illegible]價。

[illegible]北市委員侯天民、鄭景福[illegible]這兩教育局科長每週兼課[illegible]小時以上，領取高額[illegible]有無不合法令，當再[illegible]即使合法，有無巧立[illegible]論圖利於己之嫌，也最[illegible]的利益。兩位監委的這[illegible]值得當事人和教育局[illegible]自檢討。

讀者投書

公孫先生：

拜讀九月十一日大著，極爲讚佩。前天教育部已申前令，不准私立大專院校提前註冊收費，對無數貧寒家庭，實在是功德無量，但是我們很奇怪，教育部對這些違犯規定的私校，何以無制裁辦法？倘重申前令，又有何用？照以往情形，過一段時間，又會故態復萌！

我是銘傳商專一位兼任教員，因爲該校完全是學店作風，實在看不過去，故已辭退，就同仁們閒談，銘傳成立之初，毫無資本，全係各機關捐助，可是現在資產已有幾千萬元，完全變成校長私產，無人過問，教育部對這種情形皆裝聾作啞，不聞不問，更妙的是，教育部規定大專院校（私立）人員絕對不能兼任公務員，並且三令五申，認爲兼任公務員是一種貪污行爲，有不少私立學校校長，在命令公布後，均先後辭去公職，可是包校長竟置之不理，照樣兼任，教部也無可奈何？令人費解！

就我所知，包校長兼任中信局公保處副總經理已有十年之久，公保副總經理是公務員身份，那是毫無疑問的。但是包先生經常在銘傳或在外面交際，從不到中信局辦公，據聞包在公保處十年多未辦一件公文，也從不上班，一切均無紀錄，但每月却可領一萬多元的薪津，公保處的小職員均極表不滿，包的財產已有幾千萬，十年來「吃公保」又吃了一百多萬元，因爲掛名不必做事，是名符其實的「吃公保」，外界似乎多不瞭解，難怪公保要大虧其本了。這些事實關係國家制度甚大，竟無人過問，包校長何以能一手遮天？

素仰先生言論公正，希望對此一問題，向有關單位查證一下，在報紙上披露出來，必能引起各方面的重視，台北報紙老闆多與包有私交，故不願刊登，想貴報負責人當不致如此也。順頌

撰安

讀者銘傳前任教員上。九月二十六日

編者按：上項來書，已轉交公孫熊教授閱過。公孫先生囑將原函予以刊布。再本報七月二十四日，對銘傳商專內幕，亦有揭載。

西洋哲人簡介

柏拉圖（下）

劉長蘭

柏拉圖思想之現代化的程度是令人驚異的。在這本書裏他勾劃出許多我們認是屬於現代的思想如高等教育，男女平等，社會主義，共產主義以及優生學。拉夫渥而都艾默生用歐瑪的話讚揚他這本簡明扼要的書說：「把圖書館燒焚了吧，因爲所有書藉的價值盡於此書了。」

這個理想國是柏拉圖所想像的最好的城邦，就是所謂烏托邦。這個城邦是由哲人君王來統治的，柏拉圖以爲這種人稟性高尚，又受過自然科學和形而上學的嚴格教育，再加以有生活實務的訓練，是最容易對完善的理想有所了解的。

雖然柏拉圖的烏托邦名爲共和國（Refubhic），事實上他這個共和國却一點也不民主。首先，這個國家階級分明：上有國君，其次爲哲學家和政治家，再其次是軍人和衞國者，最下層是商人，手工藝者，農人與普通公民。君王以及衞國者等統治階級和統治者，均不許有私產，以免他們因貪得而彼此衝突。

在這個城邦內，男女不得自由選擇配偶，最好的男人須配以最好的女子。這裏也沒有永久的婚姻關係。孩子出生後即須離開父母交由國家去撫養。女孩子得和男孩子受同樣的教育。體育和音樂是課程中最重要的。柏拉圖所提倡的教育想來定會爲現在學生們歡迎，因爲他說：「强迫接受的教育不能深入思想，因此不要强迫，最好把早期教育造成一種娛樂。」到廿歲時，最能幹的青年就被選出來受科學，數學與修辭學的高等教育，未當選者則留下來成爲商人，手藝人與農人。卅歲時再經過一次嚴格的選擇程序後，最好的就攀登金字塔之巔成爲哲人君王或是邦國的保衞者。柏拉圖相信惟有經由有教養的人來統治，才能有較好的政府。他說：「非到智慧與政治領袖相合時……城邦之間絕不能停止衝突，人類也不得平安。」

爲避免戰禍，柏拉圖主張隔離。他的烏托邦是放在內陸的，好叫船隻和外國的傭兵不易到達。同時他建議建立强大的軍力以嚇阻侵略。又因鑒於希臘城邦之間內戰頻仍，爲害至深，他雖准許私有財產却予以嚴格控制，也是免得貪得之心引起自我擴張之行爲。

此外，柏拉圖以爲公道是團結人民的最大力量，只有公道才能使人相處和諧，秩序井然。如果一個城邦內的居都能俱有公道感，則全體的幸福就不難獲致。所以在他的烏托邦邦內一切措施必須以公道爲原則。

柏拉圖書院的聲譽和他個人做爲一個哲學家和政府組織理論家的名望爲他贏得戴奧尼薩斯二世的叔叔戴昂的尊崇。紀元前三六七年他邀請柏拉圖去敎導年輕的戴奧尼薩斯王如何以哲人君王的智慧來統治他的城邦塞克羅斯。然而不幸塞克羅斯的政治風暴使他無法居留，不久就又回到了雅典。紀元前三六〇年，戴奧尼薩斯自己又請柏拉圖去做他的顧問。有一段時間，事情進行的還不錯，柏拉圖確能以他的智慧改良了該城邦政府。但是不久，宮廷的陰謀和惡勢力又滋長起來，戴昂和他姪兒均遭殺害。總算萬幸，柏拉圖被囚了一些日子後又逃回雅典他的書院中去。

「理想國」是柏拉圖早年所寫，故而裏面充滿了樂觀主義，宣揚一個理想的社會。他的另一本書，「律法」（Laws）是他晚年的作品。此時他似已理解到社會組織的現實性與人性的弱點。從他在塞克羅斯的經歷中他也已經學習到現實的無情和政治的冷酷。他已看出一個毫無節制的君主專制勢必導致罪惡的後果。現在他所倡導的是一個受制於憲法的統治。他也已看出財產共有的不切實際，改而主張私有財產。關於婚姻他贊成一夫一妻制。在法庭上，他以爲應愼重遴選曾經受過訓練的法官來處理案件（像當初由那種毫無訓練的公民來審判蘇格拉底的辦法他是始終反對的）。

這本「律法」是柏拉圖所寫最長的書。其中甚至深研到科學問題並提出了一些非常超時代的理論。譬如那時一般人都認爲地球是固定的，他却說地球是環繞着一個軸心而轉動的。他又極力主張度量衡的標準化和明訂一年爲三百六十五天的確數。在宗教上，他反對無神論，也不信仰希臘的神祇，他認爲那只是些神話而已。他所相信的靈魂不死論以及另有一個完善的世界的構想都可說與後日的基督教思想很接近的。

柏拉圖生於紀元前四二七年，在八十歲時平安的死去。

日人操縱下的台獨運動

（本文自第一版轉來）

如所週知傅爾布萊德是美國有名姑息份子。這次麥加錫以反對越戰競選美國總統候選人的時候，便聲明他如當選，當以傅爾布萊德爲國務卿。美國人民厭惡這些姑息份子，麥加錫也繼洛克菲洛之後落選了。但是傅爾布萊德反對越戰已無形中幫助共產黨，在美國是很有名的。許多的美國人很厭惡他。他的姓譯成中文是『完全光明』或是『大放光明』。美國人替他改了一個姓，叫他 Half bight 意思是『半明半暗』說他態度暗昧，暗地替共產黨說話。一九六七年十二月出版的進步雜誌 Progressioe Magazize 刊載了一篇匿名作者以『自由台灣的暴政』爲題的論文，攻擊中華民國的安全措施和迫害台獨份子。美國的台灣獨立運動聯盟把這篇論文，用僞外交部長的名義，於今年二月八日分寄美國政要和那些有名的姑息份子。這封信發出以後首先同信表同情的便是這位傅爾布萊德。三月份的台獨季刊把他的覆信登出來。他的覆信說，在參議院外交委員會重行檢討對華政策的時候，他要把台獨份子的觀點牢牢的記在心裏。另外一位同信的是麥蓋文。這也是一位反越戰的大將。羅伯甘迺迪被刺以後，他以羅伯的繼承人自命，出馬競選民主黨的總統候選人也得了一百四十多票。他是羅伯甘迺迪的親信。他的同信公開侮辱中華民國。這信刊在三月份台獨季刊，茲譯出如次：

『親愛的朋友：

謝謝你二月八日給我的信和附寄的進步雜誌的論文，「自由台灣的暴政」。也許你知道，我在過去很批評我國對蔣政權無條件的忠實的支持。你所給我的材料和背景，對將來討論這個問題的時候將有很大的幫助。問你好。我是你的忠實的，

喬治麥蓋文

一九六八年二月十三日』

假如麥蓋文和筆者一樣祗是一個大學教授，他在言論自由的原則下，可以隨便說。以美國的政要而說出這樣的話就不免有損外交禮貌而不友好了。也許台灣的姑息份子將說筆者這話會引起美國姑息子的反感。假如我們像這樣畏首畏尾取消自己的言論自由，則國家的前途便不堪設想了。那裏還說得上以民主保衞民主呢？文星集團於四年前捧羅伯甘迺迪，說他是『勇者』，敢提出承認中共的主張。羅伯的親信麥蓋文能給台獨份子寫這封信，可見文星集團這些人很有眼光。可惜羅伯被刺，無怪台灣有許多人要深爲惋惜了。

文星集團的殷海光在文星雜誌上大捧羅素。台灣的知識份子祗看到殷海光捧羅素的學術性，而沒有注意到他的政治性。筆者所揭發的五十年來國際共產黨和他們的同路人企圖摧毀中華文化和赤化中華民族的大陰謀，就是從杜威羅素到中國講演開始的。胡適言必稱杜威和殷海光言必稱羅素具有同樣的意義。胡適殷海光都主張全盤西化唾棄中國文化，或是說中國就根本沒有文化，祗有小脚辮鴉片烟。羅素杜威都是費濱社的社員，主張以『不可避免的漸進方法』於不知不覺之間赤化知識青年的。現在筆者報導一點羅素的情形並說明爲什麼台獨要特別把援助柳文卿的請願書寄給他。讀者如欲明瞭所謂五十年來摧毀中國文化赤化中華民族的內幕，可參看拙作『從民族與文化看中國的前途』。（未完）

文滙樓札記

國民黨真有CC組織嗎？

CC者所指乃陳果夫，陳立夫。上列兩位陳先生皆革命先烈陳英士侄公子，陳英士爲今日中國最高領袖蔣公革命伙伴，生死之交的摯友，這段淵源爲國民黨人所熟知。

民國四年（乙卯）陳英士發動肇和兵艦之役，以後援不繼失敗，英士先生等分頭退回法租界漁陽里五號，時法國巡捕房據報，立派巡捕前往搜索，扣門甚急，陳果夫啓門，見巡捕皆荷槍實彈、强制衝入，陳果夫情急智生，大聲怪叫，並撞破茶几玻璃，使樓上陳英士，蔣公，吳忠信及楊滄白諸先生，相偕越屋脫險，後陳英士仍留上海，進行秘密工作，經費奇絀，羅掘俱盡，五月十八日（民國五年）被袁黨暗算成仁，革命環境從此益劣，同志間意志消沉，幾難以振作，惟獨蔣公堅毅不屈，指示陳果夫等再起東山大計，是年夏，陳立夫畢業於北洋大學礦冶系，隨赴美入匹茲堡大學深造。

民國十三年，蔣公籌創黃埔陸軍軍官學校，陳果夫負責招生任務，其寓所無形成爲軍校在上海的秘密機關，民國十五年中國國民黨在廣州召開第二次全國代表大會，陳果夫被選爲第二屆中央監察員，五月應召前往廣州，奉命接收整理中國國民黨組織部，時並兼任中央組織委員會委員，中央財務委員會委員，及中央政治會議秘書。同年七月繼任中央組織部長，從共黨的手裏奪回黨權，蔣公就國民革命軍總司令職，誓師北伐。

在北伐的軍事和黨治過程中，國民黨有英明的領袖，有忠於所職，忠於所信的同志，而又拿出一套新的辦法，政治上一切大計，未決之前，儘可提出所見，一旦多數票通過，少數持有異識之人，就得犧牲成見，服從多數，這是當年共產黨一派人物所不能容忍的問題，最後共產黨終於推出一套政治謀畧，造出「大同盟」與「CC團」兩個名詞，用以離間和分化國民黨的基本力量，大同盟是指丁惟汾，CC是指陳果夫，因丁當時任中央黨部秘書長，陳果夫爲中央組織部長，共產黨散佈的宣傳品說：「陳組織「CC團」目的在排擠丁惟汾、丁組織「大同盟」乃在對付陳果夫。」

宣傳的力量確實很大，連胡漢民，孫科都信以爲眞，胡和孫在中常會提出詰詢，不客氣的指責陳果夫，丁惟汾在黨內搞小組織，雖然丁惟汾、陳果夫說明絕對沒有這回事，猶其陳果夫的性格，聽到中國牧師用翻得字句講道，身上都會起鷄皮纖，怎麼會用外國字母來組織自己的團體呢？不過話又說回來，這件「豆腐落在炭灰裏」的離間計，共產黨固然檢到不少便宜，美國大少爺若干年來處理中國問題，也上了不少的當。至民國二十八年，在重慶曾親向陳果夫詢及此事，渠之解釋大致如上述。

所謂CC也者，在習慣上，凡與陳接近的，或者調查人員，或會爲國民黨幹部，而不肯變更意志的，及中央政治學校學生，大體皆被以CC目之。包括甚多腦神經不清楚的高級黨人，和學者、嘗以CC門神自封。以證明CC此一名詞，欲洗滌得乾乾淨淨，也非易事。

文滙樓主

讀者呼聲

看到「國際人權節」中華民國郵票，連想到一件有關人權的問題，請學人出身的司法部長查良鑑予以注意改進，以重人權。

司法大廈裏的「小廈」

·斐賢·

司法大廈裏候審室，那是一所悖乎人性和蹂躪人權的處所，每一間候審室裝不下一口大棺材，但每間房確擠五到二十人不等。有一次香港動物保護協會職員××君，路過台北到司法大廈候審室探望其因票據被羈押在候審室的親戚，相見之下，眼淚奪眶而出，這位保護動物協會的職員說：「人連猪狗都不如，鷄鴨扁毛畜牲也不應當這樣，太不人道了！太不人道了」！據說這種大廈裏築的「小廈」，是日本帝國主義虐待殖民地人的一種慘酷悖性刑法，台灣光復廿幾年了，不僅未將這些「小廈」折除或修正，相反的由於被告人數突增，看起來自己的衙門比日本帝國主義更兇些，更慘酷些。如果這些話是眞的，讀者爲了不修今生，還得修來生，特假自由報寶貴篇幅，替無數難友向查部長呼籲，希望司法部查部長祇須開口之勞，「小廈」就能改善。

聽說各地監獄，類此情形很多，就是說很少將人當作人來看，「人權」更談不上了，猶其監獄開放歡迎參觀，難友都變成動物園的猴子，祗顧到對外虛僞宣傳爭取自我淘醉的世界第一忽畧了人的尊嚴，忽畧了人而無恥百事，可爲的可怕犯罪率的直線上昇，與監獄的歡迎參觀有着連帶關係，我們希望趕快糾正及廢除，至於從監獄到法庭起解的那種不合理，和「人權」的全部被否決，近代國家中已少見到，查良鑑部長到過很多世界大都市，進步國家很少有這樣現象，還有一些票據犯，有身份，有地位及大學教授、紳士名流之輩出庭時，一如起解江洋大盜叛國匪諜然，司法衙門逞一時之快，不知造成了多少解不開的仇恨，從若干選民不與正人君子合作，以洩心頭之恨看來，司法的改善不能再緩，不能再蒙蔽元首。不能再專講好聽的自欺欺人。衙門逞一時之快，仇恨永遠解不開。

百合可醫心臟病

生活漫談

·馬騰雲·

今年夏季開始幾個星期，德國西部百合花大收成，科隆與亞亨之間的大森林中，分佈着很多長滿百合的山谷，古代的人類，早就知道百合能夠治病，現在治心臟病的藥物，有一種便是從晒乾了的百合藥中提煉出來的。（上見現代德國雜誌）

百合的學名是：Lilium brownu Calchesteri Wilson. 中國的藥名叫「番韭」，「強瞿」，「蒜腦諸」。產於山地，多年生草本，地下有鱗莖，葉爲披針形，夏日開花，美麗香馥，地下球根供食及藥用。

歐美各地皆有出產，中國以豫南皖北一帶盛產，湖南省湘潭，寶慶，浙江吳興，長興產者爲佳品，四川各地亦多，但品質較次，藥用百合，所指乃「野百合」係山野自生，栽植者可供食用，台灣的百合，有人說是從香港來，其實就是台灣產，品質並不太壞，經化驗，內含「蛋白質」，「水解秋水仙鹼」，（Colchicein）等。

中醫師認爲百合，對內臟有滋養和強壯作用，爲鎭咳祛痰藥劑，對於肺結核乾性氣管炎有顯著效果，並備清涼退熱之功，中國北部十幾省的人民，將百合看成爲神經衰弱之強壯補劑，藥典載：百合潤肺止咳，治邪氣，腹脹，心痛，補中益氣，利大小便。德國人和我們迴異者，他們是將葉子採摘下來，經過晒乾，提煉爲藥，我們則直接食百合地下球根，藥力可能很直接的達到患處，吃既是一種藝術，中國人乃最懂得藝術的，如果你不相信，分析一下酒席中的菜單，就是一副最佳最實用的食療藥劑。

十全老人乾隆皇帝，每天離不開野百合，因八珍糕的組成，百合粉的重要性僅次於薏仁米，慈禧太后喜歡吃雪耳百合羹，不過那時候的雪耳產自貴州，四川各大山野生，今日台灣皆採人工種植、是否還保存有藥用價値，想不敢妄斷。

不過人工種植藥物，藥性仍存殆無疑問，祇成份輕重之別，例：今日進口之韓國人參，很少有野山產品，服用種參成了習慣，也就無所謂了。還有中藥科學提煉，大有問題，中藥店重遊古炮製，非今人不如古，乃古人告訴我們，某種製法已經過實驗，更換製法除非再實驗，台北順天堂改良國藥，未能臻於理想境界，因他們對國藥性能並沒有甚麼高深研究，國藥中有好幾十種動物糞便入藥，悉有醫典正章根據，以五千年文化古國，並未將這些荒唐藥物推翻，以證明固有文化並不荒唐。順天堂敢用糞便去煉藥嗎？而所煉成的藥物，並不完全可靠。

西德醫藥界、將百合葉提煉出藥，可醫治心臟病。中國藥典遠在若干年前，都載得清清楚楚，特羅列如下：甲：百合子，治腸風下血。（酒炒令微赤，研末湯服）乙：百合花，治小兒天泡濕瘡，（乾研末菜子油調塗）百合莖根，清熱寧心，定膽強志，養五臟，止涕淚。百合粉，調服潤肺調中，國藥百合製劑中計有百合散，治妊娠，風壅欬嗽，痰多喘滿。百合湯，治肺氣壅滯，欬嗽喘悶，口渴，腰膝腫，小便淋澀。百合滑石散，散調脈絡於遍身，引內外之熱，從小便傳出。百合膏，潤腸去積，百合鷄子黃湯，照金匱要畧記，偏重治胃病，認胃安，則肺氣和，亦陽病救陰之法。

百合可醫心臟病外，有甚多病可醫治，且爲最清涼緩和的滋補劑，否則不會進入御膳房，而且乾隆皇帝，與清末的慈禧太后，都是最講究食補的人，正史有可靠記載爲憑。

海天詩苑

謁延平郡王祠放歌

胥端甫

立人不與立國殊，立國要仗羣倫扶；人無膽骨浩然氣，國滅人亦隨作奴。一自鴻濛開闢幾萬歲，林林總總從其類，保國保種保其躬，相激相爭相整治，文明鼓盪直到今，大同之世同此義。君不見日爾曼族向南侵，光明竟隨黑暗至；又不見猶太有族有家國早無，機智超人人鄙棄。

延平郡王古之豪，焚卻儒衣着戰袍。當時胡虜江南下，閩浙烽煙沸海濤。孺子孤臣今昔異，去留向背志節高。海上十年紓偉畧，金陵一戰誤戎韜，戎韜誤，重部署，洪波瀾汗海天處。回首孝陵痛轉深，孤忠日咬蒼穹助；雨散雲收天宇清，英豪濟濟歸駕馭；一夜樓船指王山，鹿耳潮升指顧間，當日荷夷齊授首，至今讀史尚開顏。東都新建承天府，呂宋曾謀闢疆土；遺黎都望復中原，瘴雨蠻烟莫予苦；屯墾兵農闢古荒，萬灶貔貅眞虎虎，正朔仍承入繼年，詎知魂繞點蒼烟，天乎忠孝俱虧指，終古寃禽泣杜鵑。

赤嵌樓上望，遺黎哭相向，倉皇絕命詞，共葆精神抗龍臥龍陳參軍，革命集團饒智量，種子漫延誰禁當，千秋永作臥河山障。瀛海芬揚帝子知，魁斗山前留榜樣。我來空抱古梅枝，梅魂頓使心魂暢，錦宮城外尚森森，諸葛大名直到今；湖上虬挺精忠柏，南枝不向關山北，英姿毅魄同寄一枝斜，歲歲開花郁郁菁菁耀南國。讓他滄海變桑田，看他人世奔摧徒愴惻，笑他巢闖刳毒生靈任殘賊，直使遊者觀者弔者詠者尚想民族正氣磅礴乾坤塞。剝復因人史例多，且看今日猶太復國容何惑？三台莫道成寶島，寸土尺疆都汗血。吁嗟乎！腸百結，簪筆祠前寫英烈；南望王師歲幾更，天山健兒肝胆裂。

巨變歷險記

胡慶容

一、開場白

自辛亥算起，民國建立於茲已五十七易寒暑矣！

在過去五十七年中，民國可謂歷經巨變，但至今仍能屹立台灣，不能不感謝總統蔣公的英明領導，與經國部長的砥柱中流，其他二百萬的來台忠貞人士及台灣全省同胞，亦與有力焉！

現在我中華民國國民政府的基本政策，爲光復大陸，拯救同胞。但如何光復大陸，拯救同胞？固有賴舉國上下的堅忍不拔，激勵忠貞，在一個主義，一個領袖，一個政府領導之下，服從領袖，效忠領袖，一往無前，直搗黃龍。但鑑往知來，也很要緊。以銅爲鑑，可正衣冠，以古爲鑑，可知興替，以人爲鑑，可知得失。總統在五十七年四月十二日有名的手令（對生活與公民等課程作明確指示）中，殷殷屬望歷史教育之加强，良有以也。其言曰：「……民族精神教育，民族道德教育，除國文爲基本科目之外，歷史，地理，亦爲其關鍵肯綮之所在」。歷史，地理，在總統看來，其目的，在「使民族歷史與國家疆域，在圖史上相互融和，亦使民族間，與空間，在知識上相互貫通」。能如此，「既成於歷史文治，武功，學術所以致盛之由，國恥國難所以紛至踏來之故，先賢先哲所以充實光輝之美，皆得以知其梗概」。「俾從而啓發其思考力與創造力，亦從而激發其愛國心，公德心，與責任心」。「不論在生活規範方面，在道德精神方面，當遠取固有文化榜樣，近取實際範例，徵之以圖史文獻，爲教育國民之依據，並當結合學生日常容止，心得，月中期中定期觀摩演練，不斷綜合查察考核，然後社會教育，公民道德教育，始不至再行踏空，而國民教育，亦始能深切著明，一一見之行事，並進而教育其家人，影響其鄰里。語云「禮義由賢者出」，余亦欲謂「禮義由國民教育出」。惟願我教育部，教育廳，局，以及國立編譯館，各級國民學校，皆能從此「做好一個人」之切實處變化「國民氣質」，亦從此「做好一個中國人」之下手處，建設社會，復興文化，是所切盼」！

教育部，教育廳，局，國立編譯館，對生活與公民等課程，皆在切實推行。總統的明確指示下，尤其籌建的一百四十五所國民中學，已於九月九日全國同時開學，並已照原定計劃完成，「禮義由國民教育出」，亦已走入正軌。其在社會各階層，亦無不在普遍提倡，一體實踐，惟對於歷史，地理，總統認爲「民族精神教育，民族道德教育」「關鍵肯綮之所在」之歷史地理之著作尚不太多，作者其所以不揣冒昧，撰寫「巨變歷險記」，其目的即在使國人知道「國恥國難所以紛至沓來之故，先賢先哲所以充實光輝之美」，「從而啓發其思考力與創造力，亦從而激發其愛國心公德心與責任心」。這裏邊的人物可能並不是「先賢先哲」，而是高賢奇哲。這當然令人覺得更爲親切，其啓發力激發力，想亦更爲堅強。此地所謂巨變，係指大陸淪陷而言。大陸淪陷，不但是中國的巨變，亦世界的巨變，不但是現在的巨變，亦是過去歷史上的巨變。很多來台的人士，固然記憶猶新，但來台者的下一代，以及台灣本土的人民，則已經茫然無所知。遠如八年抗戰，九一八事變，亦稱巨變，近如何遠取固有文化榜樣，近取實際範例，使他們知所依據，使他們有所準繩，觀摩演習，查察考核，不至再行踏空，則所願努力以赴之者也。（一）

三幕喜劇

事過境遷

熊式一

包太：姑……姑……仁翰，還是你自己對你的姑媽說吧！現在我根本就不能夠稱呼何夫人做姑媽了！我並不是她的姪媳婦了！

何：甚麼話？你不是我的姪媳婦嗎？（想一想）呵！兩小口兒鬧彆扭，吵着要離婚，對不對？這眞是笑話，結了婚這麼多年，還鬧小孩兒的脾氣，害羞不害羞？（如有狗則加「小寶寶也羞你！羞，羞，羞！」）

包太：我們並沒有結過婚！

露：嬸嬸，你說甚麼？你結婚的時候不是我牽紗嗎？照片還在樓上呢！怎麼沒有結婚？

趙：露西，原來你叔叔和你嬸嬸這麼多年都是同居，並沒有結過婚嗎？難怪方才他們說要姑媽和大家來討論結婚的問題！其實不是討論我們結婚的事，而是他們要補行結婚禮……。

何：亂講，少開口！仁翰，你媳婦也胡說八道起來了！還是你自己說吧！你怎麼不言語呀？（如有狗則加「和我的小寶寶一樣，自己不會說話嗎？」）

仁：姑媽，她並沒有胡說八道，我並沒有和她結過婚！眞沒有和她結過婚！

何：仁翰！仁翰！（大驚，跑過來要想摸摸他的頭，看他發不發燒熱，說胡話）我的好孩子，你沒有毛病吧？要不要找大夫來看看你？那幾隻小狗兒也要看看才好！有的還沒有開眼呢！（如有狗則加：「我這個小寶寶也要打打補血針！」）

仁：（不要她摸頭）姑媽，我一點毛病也沒有，不用去找大夫！

露：姑奶奶，當心一點！怕他會打人！

趙：不怕，有我在這兒保護你們……。

仁：（怒不可言）你們以爲我發瘋了？我現在還沒有！不過你們再這樣下去，我眞要發瘋了！我要是眞瘋了，我一定要打死幾個人！（他說完了，跑過一邊去坐下，一言不發，大家都怕他，不敢大聲說話）。

何：（小聲）我還是早點回去吧！（向着門要走出去，如有狗則趁此出門把狗放下）

趙：（也想逃）我送你老人家下山去……。

露：（急了，忙了，大聲）姑奶奶，太極，你們千萬別走……（想起來了，望一望他叔叔，極小的聲音說）姑奶奶，太極，你們千萬不要走，我怕……。

（他們馬上就回來了）

包太：你們不必怕！仁翰沒有瘋，一點也不會發瘋的，他氣極了，亂講的！只因爲我的丈夫……。

何：你的丈夫？仁翰就是仁翰，還要你告訴我們他是你的丈夫嗎？　㉙

禪學　黃金時代

中國禪的祖師—慧能

吳經熊著　吳怡譯

正在神秀苦思不出的當兒，有一個小和尚口中唸着神秀的偈子，經過慧能碓米的地方，慧能一聽到這首偈子，知道作者尚未悟道，便問那個小和尚是誰寫的，小和尚大叫道：

「你眞是個南蠻，連這個都不知道」！

然後便把經過一五一十的告訴了慧能。慧能要求說：

「老兄，我在這裏碓米已有八個月，未曾到過堂前，請你帶我去看看那首偈子好嗎」？

於是他們便到了寫偈子的地方，慧能又請求說：

「我這個粗人不識字，請你唸給我聽聽」。

這時正好江州的一位通判官，名叫張日用的，也在場，他便高聲的唸給慧能聽，慧能聽了便對張日用說：

「我也有一首偈子，請你替我寫在牆上，好嗎」？

張日用奇怪的說：

「什麼，你也會作偈子，眞是怪事」！

慧能便正色的說：

「要學最高的菩提之道，可別輕視那些初學的人，有時，極下等的人，有最高的智慧；而極上等的人，却毫無見識可言」。

這幾句話把張日用說得服服貼貼，便替慧能在牆上寫出了那首偈子：

「菩提本無樹，
明鏡亦非台，
本來無一物，
何處惹塵埃」。

圍觀的和尚們看到了這首偈子，都大爲驚訝，交頭接耳的說：「不能以貌取人啊，這樣一個活菩薩，我們居然要他做粗工，呢」！弘忍看到大家的驚異之色，深怕有人妒害慧能，便用鞋子把偈子擦掉說：

「這首偈子也沒有悟道」。

於是圍觀的和尚們便一哄而散（五）

自由報

第九〇二期

中華民國僑務委員會頒發合致新字第三二三號登記證
內銷證內備警台報字第031號
中華郵政台字第一二八二號執照
登記爲第一類新聞紙類
（半週刊每星期三、六出版）
每份港幣壹角・台灣零售價新台幣弍元

社長李運鵬・督印黃行奮

承印者：大同印務公司
地址：北角和富道九六號
台灣總管理處：台北市大同街119號
台灣區直接訂戶　台郵劃撥戶
第五〇五六號張萬有（自由報會計室）
電話：五一四〇三三・五五五三九五
台灣分社：台北市西寧南路110號二樓
電話：三〇三四六・台郵劃撥戶九二五二號

社址：香港九龍彌敦道
593—601號廖創興
銀行大厦八樓五座
LIU CHONG HING
BUILDING
7th FLOOR FLAT 5
593—601 NATHAN ROAD,
KOWLOON, H.K.
TEL: K303831
電報掛號：7191

弘道興國爲　總統壽

峻極崧高漢業敦　浩然正氣擎乾坤
功侔湯武恢民治　道述唐虞醒國魂
橫海鯨鱷心杲杲　盟山草木振元元
人禽戰伐綱維立　九域春同定一尊

・陳邁子・

易曰：「夫大人者，與天地合其德，與日月合其光，與四時合其序。先天而天弗違，後天而奉天時」。故湯武革命，順乎天而應乎人。亦即無違天意，以奉天時者也。孔子之讚堯曰：「大哉！堯之爲君也，巍巍乎！唯天爲大，唯堯則之。蕩蕩乎！民無能名焉。巍巍乎！其有成功也，煥乎其有文章。其讚舜曰：「故大德必得其位，必得其祿，必得其名，必得其壽。詩曰：「嘉樂君子，憲憲令德。宜民宜人，受祿於天。保佑命之，自天申之，故大德者必受命」。其義正與易合。亦即本天道以立人道之謂。後世之讚孔子曰：「德配天地，道冠古今」。曰：「天不生仲尼，萬古如長夜」。曰：「後孔子而生者，非孔子無以法」。孔子聖之時者也。祖述堯舜，憲章文武，纘周公之緒，以垂統立極。傳先聖之道，而集其大成。太史公曰：「自周公卒，五百歲而有孔子。孔子卒後，至於今五百歲。有能紹明世，正易傳，繼春秋、本詩、書、禮、樂之際」。五百年必有名世出，以弘道焉，以興國焉。故有「人能弘道」之言。昌黎韓退之「原道」之文曰：「夫所謂先王之教者何也？博愛之謂仁，行而宜之謂義。由是而之焉之謂道，足乎已，無待於外之謂德。曰、斯吾所謂道也。堯以是傳之文、武、周公。文武、周公傳之孔子，孔子傳之孟軻。軻之死，不得其傳焉」。歷兩千五百餘年，傳之　國父孫中山先生。故　國父嘗云：「中國有一道統，堯、舜、禹、湯、文武、周公、孔子，相繼不絕。吾之思想基礎，即此道統。吾之革命，即繼承此一思想而發揚光大」。繼　國父之後，而發揚光大此一道統思想者，厥惟　總統蔣公。此於我國家之興衰治亂，文化之絕續存亡，關繫極爲重大。　總統蔣公紹　國父之統緒，膺國族之大任。遠在三十年前，內亂相尋，外侮日亟之時，倡新生活運動，以禮、義、廉、恥四維，昭示國人。冀以興復傳統文化，以障橫流，而振國本。弘道興國，意義偉皐。蓋深知欲謀國家之復興，須先復興民族文化，恢弘我民族之道統，始克有濟。於政務叢脞，日理萬機之餘，毅然以振興我中華傳統文化，傳統思想爲心。闡發大學中庸之精義，以光大聖學，拯陷溺之人心，援天下以道也。近有鑒於共匪滅絕傳統文化，傳統思想之陰謀，益形暴露，乃昭示國人，力倡中華文化復興運動，實爲振衰起敝，救亡圖存之根本大計也。

夫國於天地，必有與立之道。亦必有自立之道。道並行而不相悖，萬物並育而不相害，此天地之所以爲大。與立之道，須講信修睦，互敬互助。而自立之道，首在自尊自信，自重其歷史文化。昂然自奮於天地之中，嶄然獨立於世界之上。絕俯仰由人之態，無奴婢忘本之行。翹首雲漢，極目八表。卓然以天下自任。思有以福利人羣，謀大同之實現。

此精神何由產生？端在自重其本國之傳統文化，傳統思想，維道統於不墜，期絕學之必傳，然後乃可以開萬世之太平也。故中華文化，首重人禽之辨，夷夏之別。明人禽之辨，爲助長人性進化之表示，爲防止「反人爲禽」之退化。嚴夷夏之防，爲尊重民族高度文化進步之成果，以發揚民族精神，俾免於自隳受侵之危。數千年來，持此以立國，持此以強族，更持此以懷柔遠人，同化異族，巍然爲決決大國。重人而輕物，貴德而賤兵。王道蕩蕩，王道平平。與立、自立之道，兩無偏頗。間有蠻夷猾夏、異族入侵，邪說橫流，盈天下，天下之人，囂然莫知所從。我必興文弘道，以正本清源，撥亂而反之正。春秋之世，五霸紛爭。禮崩樂壞，文喪道敝。孔子倡興文弘道之論，以矯時弊。戰國之世，壞亂已極。楊墨之道不息，孔子之道不著。孟子起而弘道。息邪說誣民，充塞仁、說，距詖行，放淫辭，以承三聖，大道復明于世。其後每當國步艱虞，夷狄交侵之會，起而弘道之賢哲，代有其人。如漢之董仲舒，鄭玄，隋之王通，唐之韓愈，宋之程、朱、張載，明之王陽明，顧亭林，清之王船山，呂晚村，諸大儒。此皆不世出之人，以興文弘道爲已任，時匡救世，手扶日月擎獨擎乾坤之正義，爲千秋萬世所鏡仰者也。

慨自近世歐風東漸，美雨西來。我固有文化、如受驚濤駭浪之衝擊，搖撼，幾蕩然無存。復自鴉片戰爭以還，列強相繼入侵，外患日亟，國勢陵夷。庚子事變，八國聯軍，其所加諸于我之煎迫凌辱無不至。國難嚴重，前史所無。國人由拒外而懼外，媚外，加以五四新文化運動，如飆風之驟發。狂妄淺窳之士，挾僞學邪說以蠱惑青年。且騰播爲學術，以害天下。其倡首者，多係西洋文化之孕育，爲左道謬論所乘，詘中崇外，舍已從人，全盤西化之說，甚囂塵上。中華文化遭受猛烈之破壞，甚且欲連根拔除之而後快。詆孔非孝，毀棄倫常，以離經叛道爲新，以犯上作亂爲能。崇洋迷洋，忘本無我。一切惟洋化是務，無自尊自信之心。影響所及，極爲嚴重。青年學子專攻西學，不讀中文典籍，以是形成本國高等知識份子，率多知西而不知中。不惟不識國字，不通國文，無深造中文之基礎，於中文不得其門而入。亦且無法了解中華文化爲何物。而於西洋文物制度，則知之甚詳。於中華傳統文化，傳統思想，則知之甚尠，甚且一無所知。學校課程內容，日益偏重西化，與中學相去日遠。學術研究風氣，亦以西學爲主。固有國學之研究，則漠然視之，不知提倡。教育文化界如此崇洋，乃導致社會一般人士思想洋化，生活洋化，浸潤日久，而不自知。縱有一二識慮宏通，見解超卓之士，思有以起而矯正之，而風氣所趨如此，亦覺雖有大力，莫之能挽。直至匪共暴戾恣睢，瘋狂悖亂已極，爆發紅衛兵運動，反四舊，立四新，中華文化有被徹底滅絕之虞，國人乃愁焉深憂，莫知所措。幸賴　總統英明；高瞻遠矚，繼往開來，倡導中華文化復興運動，諄諄昭示國人，共起宏揚我傳統文化，傳統思想，冀以覆洪水猛獸之赤禍，登斯民於衽席之上，措國基於磐石之安。且謀進而致力世界和平之重建，實現我民族大同之理想，弘道興國，意義偉皐，豈不猗歟盛哉。

今歲恭逢　總統八秩晉二攬揆之辰，一人有慶，兆民賴之，八千爲春，萬流宗海。德協兩儀，光被四表。河山競麗，日月爭輝。爲頌九如之章，敬祝無疆之壽。謹獻蕪辭，用當嵩呼。兼爲弘道興國，預祝成功，敬申仰止之忱云爾。

馮玉先生

昨日與明日

美國民主黨急不暇擇

美總統詹遜爲要爭取民主黨下屆總統候選人的選票計，近又向越共政權表示妥協，美軍願意停止轟炸，希望越共對巴黎和談能有實質上的進展。換言之，祇要越共不再藉和談作宣傳工具，而在越南前綫不從事大規模的攻擊，美方即不惜片面停止轟炸了。

似此急不暇擇的向敵人乞憐告饒行爲，完全是在欺騙選民，爲韓福瑞大力助選而已。連年來由於民主黨政府對越戰以及本土的黑人暴動等問題，處處失策，大乖民望，眼見共和黨乘機而起，在下月的大選中，勢必穩操勝算，若能在本月內使越戰和緩下來，即可迎合一般民衆的非戰心理，或許民主黨尚能挽回頹勢，繼續執政。這是將黨的利益置於國家利益之上，證明民主黨自從富蘭克林、羅斯福去世後，沒有一個像樣的政治家了。「人之云亡，邦國殄瘁，」信然哉！

越南何以自處？

最近美方大員彭克出使越南，自係爲着詹遜政府的妥協政策，向越南進行說服工作，而過去曾以對越戰主張妥協而流亡異域的楊文明將軍，亦忽然被歡迎回國來了。同時，一向反對姑息越共的强人阮高奇副總統，自巴黎和談開始以來，即默然無所表示。可見越南政府人員受到外來的壓力甚大，沒法自主，只能如八位國會議員的聲明，幷不反對美軍全面停炸，但須越共亦有相應的互惠行動即足矣。

果眞如此，亦祇是打打談談的結局，越戰依然原封未動的存在着，獲得實際利益的還是越共，它利用美方這種半吊子的策畧，掌握着和戰的主動權力，爲所欲爲的，而越南人民乃陷於「人爲刀俎，我爲魚肉」的厄運中，無以自拔了。

此時此事，越南政府與各界人士應該團結一致，自立自救。若要跟越共妥協，亦由自己作主，直接與越共談判；要反共到底，即以五十萬新軍作基本力量，取得美式裝備，作破釜沉舟的戰鬥，而讓美軍居於輔導地位。美國最害怕的是在戰場上傷亡青年子弟，因而引起國內人士的鼓噪，如果沒有人命傷亡，只是教它消耗一些物力財力，却不在乎的。自己不能爲着自由生存而努力奮鬥，專靠別人拔刀相助，寧有幸理？

越戰與美國大選

俄帝的一貫策畧，是不願美國共和黨人執政的，越共遵從俄帝的耳提面命，目前對於詹遜的乞和行動，很可能虛與委蛇，表示一點和平姿態，間接替民主黨候選人聊助一臂之力。

可是，等到美國大選後，無論是韓福瑞或尼克遜當選總統，除非美方願以投降式的方法，實現和平，否則越戰只有激化演進，美國要想取得廉價的和談成果，決不可能也。

（何如）

自由談

不應刊載的新聞

有幾種不應該隨便披露的新聞消息，常常在報紙上刊出，大家司空見慣，不以爲怪，積非勝是，此之謂也。

凡屬刑事案件，在法院進行偵查階段中，不宜公開宣洩案情的內容，這是刑訴法規的正軌，允符刑事政策的精神。蓋犯罪事實尚待確定之前，報紙上即將內容披露，不特對於偵查工作有所妨碍，且使當事人的名譽信用枉受損害之流弊。至於聲稱偵查機關已掌握着破案綫索，或說已準備傳訊某些證人云云，更屬有害無益的宣傳，不足爲訓的。香港法律禁止新聞記者對於正在法庭審理中的案件有所評論，以免影響法官的觀感，義所應爾，理有固然。

次則台諫御史對官吏提出的彈劾案，尚未移送主管機關核處時，即將彈章公佈，尤非所宜。因爲台諫的職責原是「言者無罪」，可以聞風而糾彈的，既未經公務員懲戒委員會審議裁定虛實，是非尚未分明，乃貿然將彈章刊諸報端，廣事傳播，每使被劾人員的信譽和人格，枉遭摧毀，無可補償，實與整飭官常之旨背道而馳，烏乎可呢？

古人所謂「刑賞忠厚之至」，又謂「廉得其情，則哀矜而勿喜」這類哲理，關係治道甚爲深切。今人少讀詩書，昧於政治義理，而以毀人整人，逞快一時是務，不知不覺之間，墮入共黨那種以仇恨爲出發點的鬥爭魔道，思之可怕，言之可傷。報紙講求新聞自由，原屬民主憲政生活的通詮，但亦非漫無制約的。只因政治新聞之刊載甚不自由，即相率向着社會新聞方面作畸形的發展，這是一種病態，要滌除此種毛病，必須放寬政治新聞的管制尺度，而輔之以報人的自律，庶可望構成健全的輿論體系，發揮應有之功能。像目前這樣走偏鋒，尋法令漏洞的作風，對於世道人心祇有壞影響與副作用。若夫有關機構或個人，罔顧律例與道德，故意把這類不應該宣揚的消息和文字，送給報館刊載，此風尤不可長，非詞而闢之不可！

北市議員選舉就在明春

議員學歷資格勢須提高

現包括議長在內三十餘人不夠資格

本報記者李幼吾台北消息：關於台北市議員選舉日期，已臨決定階段，惟根據新市議會組織規程規定，議員之學歷資格須高中畢業以上，但目前現任之臨時聘任市議員中，包括議長張祥傳在內，有三十餘人未能取得是項資格。他們一再籲請執政黨以現持內政部之臨時市議聘書為既成資格，請透過黨政關係在新組織規程內予以補救，雖經執政黨中央研議，但尚未決定。議者認為已升格為院轄市之台北市，不僅為中華民國之戰時首都，且有關國際觀瞻，對代議士之知識水準，實應予以提高。始可對今後台北市之建設發展有所裨益。

據說國民黨中央對台北市昇格為院轄市後的首次民意代表選舉，也力持慎重，故有關輔選辦法，早經國民黨台北市黨部報請中央核示。有關方面在上週舉行的某項會議中，曾提出討論，但未獲結論，現仍在有關單位通盤研究中。對於首屆市議員選舉日期，據悉中央原則決定明年三月底前舉行，其確切日期尚在中央一組研擬之中。黨內候選人登記，根據台北市黨部呈核的『黨內候選人競選辦法』規定，可能於十一月間開始辦理，明年一月中決定報名。依照該項辦法，黨內候選人登記時，將由市黨部先行初核，並附基層反應意見，交中央黨部負責單位核定。

中央對此次選舉極為重視。據悉，俟黨內登記開始後，執政黨中央將組成一指導小組，負責有關輔選工作。據悉：執政黨在未來的台北市議員選舉中，將以提拔青年人才及地方俊彥為主，以遵從中央的指示及適應社會的需要。有關部份現任台北市臨時議員未能取得競選資格問題，國民黨中央將於通盤考慮後，再作決定。

別開生面的書畫展

·包明叔·

近年來集體或個人書畫展覽，如雨後春筍，令人目不暇及，而其目的多半在募欵求財，能搜集古今名畫，專為大衆欣賞，向不多見。還有一種有偏癖性的人，見到可寶貴的藝術品，尤其是書畫，除供自己欣賞外，不肯輕易示人。所以自私到極頂，就有唐太宗以蘭亭眞跡殉葬，不惜與遺骸同朽的怪事，也可以說其愚不可及。吾友陳澄中，少孤苦學，留美攻經濟歸來，青雲直上，任職中央銀行總稽核，兼中國農民銀行秘書長，搜購書畫不下萬件，專庫保存，為南方收藏家權威。他祇要聽到有某種絕版書籍，或書畫眞跡所在，立刻派人不問天南地北，火車飛機，重價以求。不但不喜歡供人瀏覽，自己也不隨便摩挲，偶而書桌上陳設一兩件珍品，必鋪以重氈，覆以織錦。知道他脾氣的人，決不敢大意觸及。他收藏古人摺扇甚多，其中有雕刻竹骨名家書畫者，如有人要求欣賞，必定要叫此人用絹帕將扇骨手執處包好，以防被手油沾染。如欲展開看看扇面，祇能用指頭在扇骨頂端着力，慢慢打開，收摺時亦復如是。固不可如說相士的將扇子在手中亂揮亂霍；亦不可將扇面向自己臉上搖它幾搖，以免有所折損。同時金城銀行嚴惠宇他就反對這樣的頑書畫，他說：「拿陳兄的扇子人，如欲扇扇，祇能將頭向扇面搖上幾搖使頭髮生風。」雖不免謔而且虐，但如陳兄這樣的自私，可愛亦復可憐，豈不等於受罪，更談不上公諸同好。反不如曹雪芹寫賈寶玉因一時愛惜扇骨得罪了晴雯，晚來乘涼的時候，搬到出所有扇子任她撕毀，博千金一笑之有風趣了。

吾友王子步先生，他也是愛書畫成癖者。但是他第一求人書畫時絕不憚煩。函索、面求，雖登門一二十次，時間拖延十年，也不失望。他說：「求書畫與求名利不同，固不妨敲門討厭也。」第二他求到書畫，必須請人題他的欵號，表示不是於中取利。第三他現存古今書畫名品有千餘件，工裱精裝，或配以鏡框，家非富有，但能如此不惜工本為人宣揚眞是罕見。第四所存書畫，每年必易地公開展覽一次，自出費用，不賣門票，為的是與衆同樂，不是借展覽斂財。

因此我對於這種展覽無以名之，名之曰別開生面，有何不可？他對我說：「中國字畫的風趣在靜而不在躁，為中國倫理道德精神所在，是值得提倡的。」他今年已擇定　蔣總統八十晉二華誕之辰，即十月三十一日，在基隆市黨部展覽四天，用代致敬。是否值得欣賞，請讀者前往一覽，即可了然，不是作者阿其所好，故作宣傳了。

旅美散見　中國人不講中國話！

—張起鈞—

許多人到美國，都感到我們旅美人士以下一代不會講中國話，我說「旅美人士」，而不說華僑，是因為在我們心目中以那些華僑，他們的子弟並無此問題，他們雖在美住了兩三代，子孫們仍在家中說中國話，雖則是台山話，並且還有些人特別送到僑校學國語。倒是我們許多知識份子的孩子們多半都不會講中國話。你到他們家中，眼看着父母們講的一口漂亮國語，但對孩子却馬上得改口說英文。這些孩子在美出生的，還猶可說。有些是在中國已到十來歲才去美國的，而兩三年後也不會說中國話了。

原因何在呢？若說是社會影响，請看在中國住的外國人，那個孩子不會說他們本國的話。可見這不是理由。後來細心觀察，才知道這個原因主要的是出在「媽媽」身上。

原來許多知識份子，都是由於崇洋媚外羨慕美國，而去美國的。其與華僑之為謀生海金而到美國的有別。由於女子多半好虛榮較為膚淺，因此她們比起丈夫來，就更嚮往美國。那知到了美國後，不僅沒有在「天堂」撒歡亮相的機會，反而為妻子的是要鎖在家裏，連個鄰居親友都難以碰到。尤其拚命學英語學了多少年，好容易熬到美國，竟連個說的機會都沒有。那種「懷才不遇」，「技癢不堪」的情緒眞是達於極點。於是只好等孩子從學校學了英語回來，拿他們出氣，當作表演和練習的對象。試問，這孩子還怎麼能會說國語，怎麼不把已會的國語忘光。反之，假如作媽媽的，要堅持說國語，你說「I am hungry」，我不懂。你說「我餓了」、才給你食麵包，試問孩子又怎麼不會說國語。不要說是媽媽，孩子只看往昔大戶人家僱奶媽帶的孩子，孩子無不會說一口標準的奶媽方言。奶媽尚且有如此大的影响力，何況關係遠為親密的媽媽？

對於這些人要講民族大義是講不進去的，你要說中國語文優美，蘊藏極為豐富的文化，寶藏，他們更會心中暗暗竊笑，罵你不識時務，沒有近代頭腦。因此我每逢碰到這種塲合，我就說：美國人那個英文不好？光會英文有什麼用？不如讓孩子利用這種良好機會，從小就學會兩種「母語」，將來擇業，豈不更為方便，更容易發財？

大專夜校女生多　教育部考慮限制

識者主張對退伍官兵提高加分

本報記者董尚書台北消息：教育部頃考慮對大專夜間部女生名額，予以限制。據說其原因，厥在各該院校創設夜間部之本意在求輔導社會就業青年以及退役官兵，獲得升造機會，亦為大專教育之推廣計，惟男生方面限制已服兵役退伍者，始可投考。而此類社會青年在參加考試時，自不能與甫出校門應屆畢業生相抗衡，自新制大專夜間部成立四年迄今，始終以學生被取名額佔優勢，本年度女生名額較男生超出百分之七·二情狀，教育部為使社會在職青年及退伍官兵能夠獲得更多機會及不違背創設夜校之原意乃有此限制之考慮，但在社會一般看法，教育部如須限制名額，亦祇可從提高退伍官兵以現加分二十之優待再予提高，否則實不可硬性規定限制女生之投考。

台灣遏止色情泛濫　廢除公娼面臨考驗

訓練神女輔導婚嫁　代行告訴權

本報記者董尚書台北消息：關於監察院前糾正台灣色情泛濫，曾強調若非實行廢除公娼制度，實難遏止風化墮落之嚴重問題，否則主管機關，應負刑法責任。內政部為此曾於十月十四日邀集十五個有關單位，包括台灣省養女保護運動委員會在內，經過研商獲致三項結論，決定廢止現行之「台灣省各縣市娼妓管理辦法」，撤銷現有之明娼登記執照，實行取締公娼和私娼。並認為實施廢除公娼制度，同時將現有之台省養女保護會，擴大為「台灣區養女保護運動委員會」，以此民間組織，備作檢察官為養女指定代行告訴人，在一面取締下，一面輔導其就業或出嫁，期達成全面阻止色情之泛濫。內政部決將所有可行辦法報請行政院核定後，先在台北市實施，然後普遍在台灣省各縣市地區實行。記者查考民國五十五年，有關機關曾召開會議，建議廢止現行「台灣省娼妓管理辦法」撤銷原已登記之公娼，對不受壓迫而志願賣淫之行為，既不許可，亦不干涉。經呈行政院飭令台灣省研辦，但是對所謂私人志願賣淫之行為不予干涉，即係一種「放任」政策，省府認為與我國善良風俗，國民道德均有違背，而不干涉又與違警罰法之規定相抵觸。且認為取締娼妓，如澈底消除，自不易辦到，但以合情合理管理，抑是非常必要，而且較易做到。當內政部與省府就此問題舉行會談時，台省警務處提案請中央從速確定娼妓政策，但經過多次商討之後，仍未獲致明確之決定，延至目前為止，始再有新的擬議之出現，但實行廢止公娼，是否能為省府接受，實難有所預料。按省府自本年六月起，已將風化管制，革新社會風氣，列為下年度中心工作之一。其原則是：一、限制開設。二、加強管理。三、嚴格取締。所謂限制管理，即對舞場、夜總會、酒家、茶室、咖啡館、妓女戶等營業之增設。強化其管理措施，防止其非法經營，取締有關風化違規營業及地下營業。省府除執行上項原則外，並會請求中央從速訂頒省市共同適用之特定營業管理辦法。依據上情推斷，省府對「特定營業」如無新的考慮，似將有所堅持以不變而應變也。茲將內政部會同有關單位研商之決定建議，特誌於后：

一、娼妓取締問題，就監委陶百川及社會司長劉修如所提過渡辦法再提中央決策機關作政策性的決定，同時先採下列措施：

①在台北市由警察局、社會局、衛生局之支援補助下，設立「待嫁小姐調配所」，或其他適當名稱之委員會，為非政府組織，以社會運動方式行之，請一具有社會聲望的人士主持，下設教化、職介、媒介三部門辦理經常輔導業務。

②屆時廢止現行之台灣省各縣市娼妓管理辦法，撤消現有明娼之登記執照，凡公開營業之妓女戶，包括明娼暗娼一律取締。

③取締後之妓女，一律飭往「待嫁小姐調配所」登記，接受精神訓練，健康檢查與技藝訓練，然後視其性能，由職介部分別介紹就業，媒介部分陸續介紹婚配（包括長期夫妻與短期伴侶。）

④北市試辦以後，台省和各縣市依照辦理實行。

⑤照以上辦法實施後，娼妓之名稱，身份及買賣行為剝削關係概予消滅。

二、養女保護問題：

①關於保護養女的機構，為了統括台北市兩行政區域，似可改為「台灣保護養女運動委員會」，由呂錦花主任委員洽商省民政廳與社會處決定改組之。

②關於保護養女之家的經費，養女之家應視為保護養女運動委員會的招待所，經費視為保護養女運動委員會的一部分，按民政機關主管養女制度，社政機關主管虐待養女之制度，建議由省民政廳、省社會處、市民政局、市社會局四機關各分担十萬元之數補助之，另由內政部中央婦女工作委員酌予補助。

三、關於養女保護之法律問題：除內政部已就兒童福利法訂入適當條例外，將來咨送立法院時仍可加強補充。

①另由內政部函請司法行政部通飭檢察官依刑法第二一五條「告訴乃論」之罪無得為告訴人者，該管檢察官得依利害關係人之聲請，指定代行告訴人」之規定儘可能採納保護養女運動委員會之檢舉案，以資補救。

②就台灣省原訂保護養女辦法由民政廳、社會處研擬修正補充提報內政部召集有關會商修正之。

文滙樓別記

從杜萬全想到黃金榮
坐下來談判絕招賺錢

台北，謙順行及萬源公司老闆杜萬全，因漏稅案，牽出立法委員雷鳴龍成爲現行犯，杜事前並企圖以三百萬元向司調局行賄了事，姑無論向公務員行賄，或者漏稅的罰欵，而杜萬全幾十年奮鬥之毀於一旦，已成定局，能變成平安窮人還是好的，看來牢獄之災，已難擺脫奸商下場，固由於咎由自取，亦腦神經不清有以致之。

因而連想到上海大亨黃金榮（楚九）綽號麻皮金榮，經營的生意計有「上海日夜銀行」，「天蟾大舞台」，「「中法大藥房」等十餘家，不僅在上海有壟斷性，對全國各大都市也具有相當影響力量，例：「日本仁丹」在中國無遠弗屆，到處有售，不知賺了我們多少外滙，中法大藥房跟着發行「龍虎人丹」算是稍堵「日本仁丹」所向無敵的尖銳攻勢。又德國出品的「韋廉氏紅色大補丸」幾爲中國社會上層家庭必備補藥，中法大藥房也很快發行一種新藥「百齡機」，宣傳口號，「服百齡機有意想不到的效力」全國風行，深入農村。在中國工商界對挽回利權，貢獻殊多，足資證明黃金榮不僅有商戰經驗，且對心理作戰也非常有研究。

民國十幾年，中法大藥房發行新藥「艾羅補腦汁」「艾羅」兩個字，乃基於中國人崇洋媚外心理而取，且標榜「艾羅補腦汁」乃歐美艾羅專家所發明，功能補腦強腎，增加活力，其實就是一種紫荷車，參茸，天麻及冰片等中藥製劑，因爲宣傳工作做得好，一位四川大哥讚譽「艾羅補腦汁」說：「龜兒子」簡直是一帖「仙藥」，因仙藥的銷路太好，問題跟着來了。

巧得很，有一位僑居上海百老滙路的美國流氓名字恰叫「艾羅」，某天，突然投片晉謁黃金榮氏，說明這種補腦汁的研究工作尚未成熟，中法大藥房怎樣會取到他的處方，既用艾羅，爲甚麼又不事先徵得本人同意，黃金榮不僅眼睛亮，有人說黃的眉毛都是空心的，他雖立時看穿艾是「竹槓」，黃有充份力量可制服這艾羅，但黃不願這樣做，且鄭重表示歡意，欲與艾好好談判。經艾羅直率的開出價格、索五千美金，將「權利賣斷」黃毫不思索的一口答應，但附有條件，必須請艾羅親自回美、辦好美國政府衛生機構各項成藥許可手續，所需的旅費及事務費，統由中法大藥房負担。美國人到美國去辦理成藥申請，尤其拜金主義社會，視這種小手續，眞是易如反掌，中法大藥房的「艾羅補腦汁」順理成章，很快變成爲技術合作半舶來品式的一棵搖錢樹，樓主就是當年「艾羅補腦汁」實驗對象之一。

文滙樓主

北宋末年用事諸人

○稀夢庵○

宋徽宗的性格，本甚輕佻，喜聲色玩好，當哲宗死無後，太后會集羣臣議立新君時，章惇即會大聲直言徽宗輕佻不可立，這是章惇勝蔡京處，二人惡性雖同，然章惇爲人亢直，不似蔡京之柔媚。後來徽宗重用蔡京而不用章惇，亦與此事有關。徽宗既與蔡京的性情相近，蔡京又多方結交內侍以爲牽引，並投徽宗之所好，故很快獲得招還重用。宋史載：「內侍童貫性巧媚，及使三吳，蔡京與之遊，不捨晝夜。由於童貫引薦，徽宗已有意用京，蔡京又結交宮人內侍，由是宮妾宦官衆口一辭譽京。」故在外一年，即獲招還重用。想王安石出相時是朝廷大臣賢士大夫競相引荐，學者名流衆口交譽，神宗用以爲相。到蔡京則全靠宦官引荐，宮妾讚譽，末年風氣已大不相同了。

蔡京貶杭州只一年，即由童貫及宮人的推荐而召回重用，於是從「建中靖國」一變爲「繼事述志」，重行新法。蔡京於上台之後，一方面倡「豐享豫大」之說以誘徽宗享樂，大修宮苑，與花石綱，一方又繼續禁錮舊派諸臣，如（一）立黨人碑於端禮門，將司馬光以下北宋名賢一百二十八人一網打盡，稱爲姦臣，並頒行天下。（二）詔毀范祖禹所著唐鑑及三蘇，黃庭堅，秦觀文集，（三）詔毀司馬光，呂公著，呂大防，范純仁，劉摯等十一人景靈宮中的繪像。（四）除程頤名，禁其講學，毀其所上文字，監視其著書。程頤懼而遷居龍門之南，止天下學者曰：「尊吾聞，行吾知可矣，不必及吾門也。」（五）禁錮舊臣子弟，不許至汴京供職。（六）以王安石配享孔廟。位在七十二賢之上。後來王雱亦配享孔廟。這些事情對當時人心與風氣影響都很大。在朝廷已無正人，大臣亦均不敢再上書言事時，忽然有一位管太廟的小官方軫，上書與徽宗，參了蔡京一本。這表現正氣仍在，方軫上書曰：

「蔡京睥睨社稷，內懷不道，專以紹述熙豐之說爲自謀之計。內而執政侍從，外而帥臣監司，無非其門人親戚。京每有奏請，盡作御筆行之，曰此上意也。明日不行，又曰京實啓之也。善則稱己，過則稱君，必欲陛下斂天下之怨而後已……又使子攸日以花石禽鳥爲獻，欲愚陛下，臣以爲京必反也，請誅京。」

在蔡京禁人上書與文字獄，鉗天下士大夫之口的時候，想不到被這個小官痛劾一狀。這與王安石當年被監安上門小官鄭俠參劾一狀情形相似。但徽宗仍不悟，反把方軫竄到嶺南去了。大約當時的情形，是元祐諸臣回來，蔡京等就無法獨專朝政，爲了排斥舊臣，就非倡言紹述新法不可。方軫書謂：「專以紹述熙豐之說爲自謀之計」，可謂道出蔡京行新法的本意。

其次蔡京提出「豐享豫大」之說，尤非生活刻儉的宋神宗與王安石當年所能想到。宣和年間，汴京侈奢淫靡之風，就是在「豐享預大」的號召下養成的。宋史記事本載：後來蔡京的兒子蔡攸混入宮中，化裝爲倡優，以市井詼浪語以戲笑取悅徽宗。攸妻宋氏亦出入宮禁。帝亦常宴京於宮內，又常輕車小輦，頻幸蔡京第，命坐傳觴，用家人禮。京謝表有云：「主婦上壽，請酬而肯從；稚子牽衣，挽留而不却。」後來爲了爭權爭寵，蔡京，蔡攸父子亦互相傾軋。而蔡京的幼子蔡絛與其兄非攸亦成仇讎。致蔡攸連絡李邦彥等告發其弟姦私事，請帝殺絛。朝臣風氣之壞，至此時已至極點。但蔡京與梁師成，李彥，朱勔，王黼，童貫等人還想開邊立功，聯金滅遼。及遼滅，金兵一湧南下，宋廷諸臣竟束手無策，連極簡單的遷都逃難的辦法都想不出來。坐使京都淪陷，二帝被虜。使當時仍有一二元祐老臣在內，局勢或不致如此。當時朝臣亦無再上書言事者，只有太學生陳東率諸生伏闕上書，請斬蔡京，童貫，王黼等以謝天下。」

王安石變法未成，引用小人，造成朝臣失去誠正仁和之氣，而形成殘很狡詐傾軋之風，每況愈下：以抵於亡。王安石當年與司馬光，蘇軾等之爭，就是一方只重視有形的變法理財，而一方却重視無形的風氣與人心，前者急於目前的事功，後者却注目於百年大計。二者未能取得諒解而彼此調和，實爲宋世一大不幸，設使荊公當年不引用小人，與舊臣從長計議，新法即可分先後步驟實施，使一時不能全行，定而從施行的經驗中，再逐漸改正方法，則新法實效可收，亦不致有如此流弊了。

南渡之後，痛定思痛，朝臣再無新法舊法之爭，然餘波蕩漾，不久又以和戰問題而引起君子小人之爭。主戰者如李綱，張浚，趙鼎，岳飛等隱然上承北宋正直大臣的志氣，而秦檜，湯思退，賈似道等仍有章蔡的餘風，風氣景響之深遠如此！

（明章溥評曰：「神宗於王安石，敬愛之而能罷，歷十八年而汴京亂。徽宗於蔡京賤惡之而不能罷，歷二十五年而北宋亡。皐陶謨曰：「在知人，在安民，旨哉！」」）

三日春秋

朱騮先求才若渴

・厚安・

黨國元老朱騮先，謝世以後，很少人提到他。騮先先生英年早發，當其爲浙江民政廳長時，即舉辦全國第一次的縣長考試，頗多儁才，出其門下。

騮先先生一生歷任顯職，他有一個特點，即是求賢若渴。凡是他的部屬，都知道他這一偏好。在平時，他總是四面八方打聽人才。一聽說「有某某是人才」，他立刻記下來，並千方百計地加以羅致。有時他自己的機關，安插不下，他也設法把他們介紹到其他適當處所去，使能展其抱負。

騮先先生暮年，主持聯合國同志會，於會務事必躬親。惟後來因聯合國受脅於共產極權侵略者，權威損失，全世界的聯合國同志會，皆陷於低潮。無事可爲。中國聯合國同志分會，自不能例外。騮先先生每日仍必到會辦公。到會後門可羅雀，案無留牘（無牘可留也），委實無公可辦，於是繞室蹀躞，久之不能去，充分顯示出烈士暮年，壯心未已的情慨。

騮先先生暮年有一疾病，即橫隔膜鼓脹，腹中充滿氣體，呃噎不制，嘗持續至五六小時，遍延名醫，亦遍試最名貴的新藥，均無效果。後有人建議，不妨改問中醫。騮先先生以疾甚，亦勉強允許。但被詢及的中醫，聞患者乃對中醫素持反對態度的朱先生，都敬謝不敏。不得已，乃隱朱氏之名，向中醫學院請益。則曰：「治法甚簡，剪生人指甲一二枝，插在香烟中吸之即痊」。因如法泡製，未吸盡半枝，其病已霍然若失。

朱氏又患心臟病，每發作時，祇須嗅一種氣體，即能控制，使之逐漸減低。某日病發，適此項藥物不在手頭，遍尋不得，歷時半小時始在床角發現，但體力已大受損害，遂以不治。朱先生雖逝，然其求賢若渴，公忠體國，廉隅自守的地方，仍然照耀着吾人，心嚮往之！

（完）

吳敬恒先生年譜（廿七）

陳凌海編纂　陳洪校訂

先生反致函盧戇章，委婉相勸「棄小異以就大同」。並尊其字母爲注音之先祖。自此以後，盧戇章終於不再作非議注音字母。是年教育部頒行「國音字典」。此種字典係先生整理讀音統一會所審定之國音而成。

民國十年，辛酉（西曆一九二一年）

先生五十七歲

五月，國父就任非常大總統，發表對外宣言。先生偕李煜瀛（石曾）回國至廣州謁國父。住教育局內（時陳獨秀（仲甫）任局長），進行籌備里昂中法大學事宜。先生在粵招考赴法國里昂中法大學學生，連同在北京、上海招收者一百餘人。七月底親自携同新生，乘法輪寶島司（PORTHOS）赴法。九月初抵法入住法國所供之里昂山上聖伊海內堡壘。十月間里昂中法大學開學，先生任里大中國校長，另法國校長爲里昂大學醫學院院長賓氏。曾仲鳴及褚民誼分任中法文秘書。先生手訂中法大學學生房間分配圖，其分配情形如下：

第一層樓

（一）陸振軒　廉劭成　方岑
（二）李昉蓀　何經渠
（三）單懋統　王祉　劉樹楨　張務源
（四）周發歧　趙進義　梁夢生　趙銘軒
（五）張驪　楊堃　王樹柟
（六）李亮恭　陳藎民　夏亢農　汪德耀
（七）商文立　何北溝　虞炳烈
（八）古恆
（九）書庫
（十）李丹　顧揖　康濤　桂
（一一）王鴻濤　區藻暄　陳昭遠
（一二）何其昌　董枏
（一三）陳永強　謝振芳　何衍濬
（一四）劉俊賢　張瑞矩　陳紀斌
（一五）翟俊千　黎國材
（一六）劉懋初　黃國華　溫鎬
（一七）陳錦祥　黃國佑
（一八）郭冠傑　李照寰　香竹捷

第二層樓

（二一）孫立人　陳洪　徐頌年
（二二）王作謙　趙仰立　林克明
（二三）劉爲濤　黃
（二四）蔡時椿　吳凱聲
（二五）李定一　區聲白　黃涓生　張雲
（二六）曾同春　曾錦春
（二七）黃秉禮　何然　陳彝壽
（二八）侯晉祥　吳鎮華　邱代明　沈宜中
（二九）伍伯良　霍啓華
（三〇）譚文瑞　陸震飛　郭偉棠
（三一）韋桐　黃葉　劉石心　崔載陽
（三二）文華雷　楊濬　三超　鄧鄂
（三三）韓旅塵　吳之安
（三四）袁振英　袁擢英
（三五）羅易乾　曾覺之　謝維安
（三六）陳崢宇　姚保之
（三七）張文甲　姚丹秀　黃履健
（三八）張繼善　霍金銘　閻維明　唐學詠

林彪野戰軍包圍天津

巨變歷險記！

胡慶蓉

這是在中華民國三十七年十二月十七日的晚上，林彪野戰軍突然包圍天津。

國軍在東北失利的消息，不斷的傳到平津，但大家都沒有料到林彪的野戰部隊會這麼快的就把天津包圍了。簡直像閃電般，林彪的野戰部隊就到了天津城下！林彪野戰部隊，他來的是那麼突兀，一下子就把天津包圍了。彷彿烏雲密佈，籠罩了整個的天津，氣壓的低沉，簡直令人喘不出氣來。

當時在天津的國軍部隊，有侯鏡如的，有林偉儔的，有陳長捷的。侯鏡如，黃埔，個子矮矮瘦瘦，河南永城人，開封留學歐美預備學校畢業，與外子作韶同學。在校期間，他很好運動，足球尤其踢得好，與他同班的尚芳，滑建山，同是足球名將，深為校長張鴻烈幼山先生所賞識。他率軍駐紮天津，聽說力量很強大，但不知道怎樣，在林彪野戰部隊包圍了天津以後，他本人不見了，他的部隊也不見了。有人說，侯鏡如同他的部隊，早在林彪野戰部隊到達天津以前，已經撤出天津了，已經到達大沽口了，已經撤出大沽口了，已經在海上了，已經到南京了，已經……。又有的說，他並沒能撤出去，在到達大沽以前，就被林彪的部隊截住了，繳械了，甚至他本人，也作了俘虜。這且不表。

當林彪野戰部隊包圍天津的時候，天津的部隊，只有林偉儔的，陳長捷的。林偉儔，好像是廣東人，體型同侯鏡如同，矮矮瘦瘦，但人極聰明，也極精幹，談起話來，眉飛色舞，有趣，而且懇摯。他並沒有為旋風式的林彪野戰部隊包圍天津所動搖，紮駐陣角，準備抵抗。

實際上負警衛天津之責的，還是陳長捷司令。陳司令，山西，傅作義的部下，人極持重，並非常緘默，但浩然之氣，至大至剛之氣，充塞他的四周。他對保衛天津，有決心，也有毅力，可稱得起天津重鎮。

在林彪部隊突然包圍天津之下，林軍長，陳司令並不感到驚奇。他們對於東北的戰局，時時刻刻在密切的注視中，對於他的發展，他們也早有一個打算和各種的準備。東北大局，天天在惡化中，國軍到處被孤立起來，個個被擊破，首尾已不能相顧。到了大勢已去，林彪的入關，問鼎中原，早在林軍長陳司令的意料中，但沒有想到林彪部隊來到天津如此之快：……。

在兵臨城下的狀況下，天津即宣佈戒嚴。從這一天起，從十二月十七日的晚上，一直到來年——卅八年一月十五日的早上，天津淪陷的一天，天津就被孤立起來，對外交通完全中斷。

（二）

談抽象畫

·萬香堂·

近來台灣盛行一時的新繪畫，名之為「抽象畫」者，其中有中西二種，西畫方面雖然看著不易懂，但看來亦甚美，中畫方面多以畫山水為主，山樹船屋，混合於烟雨之間，混混沌沌，頗為神妙，我觀賞時，會偶而脫口說：『這是形以上的繪畫吧？』

「抽象」英文原為「Abstrect」，「抽象畫」一詞原由日本譯來；至今誤解者亦不少，據顧獻樑兄研究的結果，認為「抽象藝術」最好譯成「傳神藝術」，他說：『北魏的時候造像最流行，明傳奇小說「金瓶梅」中李瓶兒死了，要找一個畫像的便說：「找個傳神的來吧！」我們寫一本小說，翻譯一篇東西，人家批評文筆傳神，昔顧愷之說「傳神阿堵」，畫的好處在於意會不能言傳，不但不能以「言」傳而且不能以「象」傳，換句話說，我們的水墨畫和傳神畫精神是相當接近的，「傳神畫」的對稱便是「傳形畫」或「傳象畫」，論畫不求「傳神」但求「傳形」或「傳象」，至少在我們中國算是小孩子的見識』。這是第一章的名詞之釋疑，至於我的「形以上畫」的提出，是否有存在的價值，那是有待高明的評價了！

「抽象畫」之義大概如此，其內容是否有規定呢？找這種資料很難，因為畫家不是理論家，實難分析，據留法歸國新派畫家席君指出：『抽象畫的特徵是「自由」「光彩」「強烈」和「單純」。現代藝術之所以發展得五花八門，多彩多姿，派別林立，原因是二十世紀人類思想自由，不受宗教的約束，政治的支配，全由藝術家自由發揮其個性，感情，想像。二十世紀因科學的發達，劇變，促成一切因科學而改觀，人類生活的距離縮短，速度加快，整個世界強烈地轉動起來似的，飛彈、火箭、快車、電視，只有我們這一時代才有，這便是我們時代的特徵，那麼，藝術家自然要採用最強烈而特殊的表現方法，才能說出他心中的感受，才能把握時代的精神』。雖然是如此指出，但研究者仍是茫無頭緒的。

因此，筆者若干年來亦有種種的感觸，我雖然是十分愛好新藝術的，但若干年來都在等待趙無極能產生些驚天動地的作品，但每次所見的，我總覺得其作品構圖太平凡，主題不顯明，堆砌太多，筆調無力；相反的，在台北開展的無名作家林中，有時卻能發現許多可愛的作品，這眞使人感觸太大了！

另外，我可能亦有所偏見，我以為畢加索既亦如此深愛八大石濤等，且公認其為師，而八大石濤自為「抽象畫」的巨師，我們是否可以把他們的作風，裝備起現代化起來呢，或者改進起來呢？

詩人節陽明山雅集

（一）　易君左

佳節欣逢又戊申，天涯猶有未歸人；艾蒲清冷違時久，蘭芷芬芳入夢頻；浩志每懷陶靖節，長歌終憶屈靈均，華岡盛會紅榴火，高詠炎黃國運新。

（二）　許君武

靈均騷怨感人長，細雨招魂又舉觴；青史如瞻今世事，朱榴標識少年狂；眼前龍戰秦傾楚，檻外魚波惠笑莊；西望洞庭歸未得，便歸何忍涉江湘。

（三）　易大德

雅集豪梁興最高，鷄鳴風雨更蕭騷，樽前半是三湘客，筆底俱為一世豪，未許衙官呼屈宋，正須朝士有夔皋，薄今非古渾閒事，鼓吹中興待我曹。

由一首詞想起

·陳宗敏·

辛稼軒有一首「卜算子」，這樣寫着：

盜跖倘名丘，孔子還名跖。跖聖丘愚直到今，美惡無眞實。簡策寫虛名，螻蟻侵枯骨。千古光陰一霎時，且進杯中物。

如果我們看清螻蟻已侵蝕盡枯骨，而簡策寫的實際上是空無用處的虛名，我們會不怵目驚心嗎？如果我們感覺千古的光陰也不過是霎時的短促，我們會不以且進杯中物來尋求酣醉與忘懷嗎？這首詞的思想，卻是老莊思想影響的作品。

老莊思想是中國人的重要思想淵源之一，它的正負好壞的兩面，都給予中國文化與中國人極深極遠的影響。中國人的思想、生活、性格，在在可以看出老莊思想的影響。嚴格的說，只要看一個中國人，就可以味出他身上已被老莊思想薰染的味道。這正如我們可以從印度人身上味出佛的氣味一樣，這種話決不是過份誇飾。中國人的愛和平、愛自由、懶散安閒的性格，是老莊思想的性格；中國人不大認眞做事，凡事做個差不多，不大守時間，拖拖拉拉。這是老莊思想的生活習慣。中國人對於是非，對錯的要求並不分明。中國社會裏充滿了許多世故的老人，他們累積很多經驗，是非非是，常常是老愈是老滑頭！這又是老莊思想的影響。（參看張起鈞著：「老子」一書中「老子的影響」一章）

莊子說北冥有魚，其名為鯤，鯤化為鵬，鵬，沖天一飛，可九萬里。這是逍遙自由的極致，可以說是莊子的重要思想特色之一，在莊子書中，這樣奔放的寓言很多，給予中國人在思想境界上一種很高的提昇。但是從另一方面看，它也許就容易流於玄思冥想而不重實效。齊物論是莊子思想中很重要的一篇，它企圖齊一人們對於是非、美醜、生死、得失的諸多相對觀念。在許多方面而看，它可以淡泊我們對於功利觀念的熱中，它可以減輕我們對於得失的執持，也可以減少我們對於生死的恐懼，其貢獻是深巨的。可是它的流毒也不少，它給人們混淆是非，懷疑眞理的存在，減低積極的進取心，養成一種懶懶散散的消極態度。

思想的影響人文社會，常常是具有正負兩方面的，老莊思想在中國的人文社會中，其影響的情形恐怕也是如此。辛詞的受老莊思想影響，只是一個例子。

事過境遷

三幕喜劇　熊式一

包太：我不是說仁翰，我是說另外一個……。

何：另外一個丈夫？對了，你從前還有一個丈夫，在抗戰的時候，為國捐軀，守南京玄武門，身先士卒，不肯投降，壯烈犧牲，叫做甚麼……。

露：戰死沙場，馬革裹屍………

趙：我們民族最大的英雄，國家無上的光榮………。

仁：（跑過來大聲叫）他是一個大渾蛋，大流氓，早該死！
（大家這一次以為他眞瘋了，嚇得往椅子後面躲避）

包太：仁翰：你坐下，不要把姑老太太嚇壞了！（仁翰遵命）說話小一點聲音。

仁：（坐下）像這種壞蛋，還不應該早死嗎？

何：（看見她姪兒態度正常，倒也放了心）仁翰，你也不要吃醋，人家老早就死了，還罵他做甚麼呢？讓你的媳婦兒告訴我們，你們到底是為了甚麼鬧這麼大的蹩扭！

仁：姑媽！你老人家不知道，這個該死的大壞蛋，現在又活了！

何：甚麼話？

仁：他又活了！又復活了！

包太：對了，我們今日知道他又復活了！

露：難道今天是復活節嗎？

何：你們年青的人，總是喜歡胡說八道！他又不是耶穌，怎麼死了又會復活呢？

包太：他根本就沒有死！他死是騙人的！他一生專門騙人，怎麼肯死？

仁：這一下子，可把我騙苦了！

何：（嚴厲的望着包太太）原來是一樁騙局？眞是豈有此理！

仁：（態度正常）姑媽，我們今天才知道，你老人家不能怪您的姪媳婦，她也是剛才才知道！

何：剛才才知道？丈夫死了沒有死還不知道，就先嫁人？有的女人，不等她丈夫墳堆上的土乾了或者是長了青草再嫁人，大家還說這種女人嫁得太早了，現在她連她第一個丈夫究竟死了沒有，也不去弄弄清楚，就再嫁人，到現在都有十幾二十年……。

仁：姑媽，並沒有那麼久！那有二十年呢？差得很遠呢！

包太：並不是我沒有弄清楚，無論誰都說得千眞萬確，只是我沒有親眼看見他的屍身而已！

何：往後得記住了，先要把你丈夫的屍身看看清楚，看清楚了再好去嫁人！

仁：姑媽！別說這種話！　㉚

中國禪的祖師—慧能

禪學黃金時代

吳經熊著　吳怡譯

第二天，弘忍悄悄的溜到碓米的地方，看到慧能腰上縛了一塊大石頭，正在舂米，便自言自語的說：「求道的人，該這樣忘形的工作吧」！接着便問慧能：「米熟了嗎」？慧能回答說：「早已熟了，只是等着人來篩呢」！弘忍不說話，拿杖敲碓三下便走。這是暗示慧能於當晚三更去見他。慧能果然應約。於是師徒兩人對面而坐，弘忍便為他講解金剛經，當他講到「應無所住而生其心」時，慧能突然大悟，才了解宇宙萬物法都不離自性，便對弘忍說：「我何必去思考，自性本來是清淨的！我何必去攀援，自性本來是沒有生滅的；我何必去追求，自性本來是一切具足的？我何必去猶疑，自性本來是沒有動搖的？我何必去貪戀，自性本來就能產生萬法」。

弘忍聽了這話，知道慧能眞已悟道，便說：「如果不能認清自心，向外求法是毫無益處的，相反的，如果能明自心，見自性，那便是大丈夫，便可為天人之師，也就是一個眞正的佛」。

也就在這個深夜，弘忍把衣鉢及頓教的法門，傳及了慧能，並叮囑他說：「現在你已是禪宗的六祖了，希望你好自為之，要承先啓後，傳法救人，請聽我的偈子！

『有情來下種，因地果還生，無情亦無種，無性亦無生。』」

（六）

自由報

第九〇三期

中華民國僑務委員會頒發台教新字第三二三號登記證
內政部內警台報字第031號
中華郵政台字第一二八二號執照
登記為第一類新聞紙類
（半週刊每星期三、六出版）
每份港幣壹角・台灣零售價新台幣貳元

社長李運鵬・督印黃行齋

承印者：大同印務公司
地址：北角和富道九六號
台灣總管理處：台北市大同街119號
台灣區直接訂戶　台郵劃撥戶
第五〇五六號張萬有（自由報會計室）
電話：五一四〇[illegible]・五五五三九五
台灣分社：台北市西寧南路110號二樓
電話：[illegible]・台郵劃撥戶九[illegible]五二號

社址：香港九龍彌敦道
593—601號廖創興
銀行大廈八樓五座
LIU CHONG HING
BUILDING
7th FLOOR FLAT 5
593—601 NATHAN ROAD,
KOWLOON, H.K.
TEL: K303831
電報掛號：7191

蘇俄侵捷的析測

・劉久・

儘管匪俄乃至其他地區的共黨間，雖以正統與修正的爭端而日趨於分裂，但權力獨占是彼此不易的目標。換言之，即對馬克思主義的註釋，雖千差萬別，歧見百出，可是對馬克思的「無產階級專政」這一教條，却殊途同歸，沒有異致。

毛金沙（Hans J. Morgen thau）簡直把權力當着是國家的目的（Nation's Ends），認為無論是國際政治或國內政治，都不外為權力而奮鬥，不管政治國家或老百姓也都以爭取權力作最後目標（註一）。

古今來，為權力鬥爭而革命流血的事實，可謂罄竹難書：人類不惜拋頭顱換取「民主」，「自由」所付出生命代價，誰也無法估計。今後仍須繼續巨量支付，理由是舊時推翻君主專制固然不易，惟係個別的局部的政治行為，所涉範圍並不廣泛，究難與今日對抗極權獨裁相比，因為這是一件驚天動地的舉措，其範圍是世界性全面性的；其性質複雜到不可想像的地步：凡政治、經濟、社會以及天文、地理，一切一切無不羅列在內；同時所有男女老幼，甚至全部生物，也都直接間接，有意無意，參加決鬥，以賭存亡。縱然世界緊張危急到了毀滅的邊緣，但少數瘋狂共酋，却依然向浩刼之路挺進，絕無悔禍之意。為什麼？表面上好像是思想問題，實際上並非那麼一回事，他們的主要目的，誠所謂司馬昭之心路人皆知，那就是奪取權力。至於理由，無非用作藉口，則「欲加之罪，何患無詞」？可以說是「取之不盡，用之不竭」。

八月蘇俄率領波、匈，保及東德等幫兇嘍囉，蔑視國際公法與輿論正義，斷然侵入捷克，並忝不知恥，做出強盜行徑，綁走捷克頭目，更在聯合國當衆說謊，謂係受捷克邀請，雖為全世界所詬罵唾棄，但俄酋絕不介意，更將此醜惡暴行，大事渲染，對境內鼓吹以愚弄百姓。若問俄酋為何不顧顏面，而要如此胡作妄為呢？依然是一句老話：「奪取權力」。

誰都知道，今日共產集團已呈分裂局面，但都自命確實繼受衣缽而為馬列嫡系正宗。由匪俄開始鬧起，直至捷克之被侵佔，南羅之積極備戰為止，彷彿是思想問題，若進一步分析，便明瞭那決非真相。在正統與修正兩造辯駁中，各執一詞，均有其理，形成無法判斷的一場訴訟，試看十多年來的唇槍舌劍，有那一方口服心服表示退讓呢？勢必經過長期猛烈打鬥，拼到一方土崩瓦解，方可暫告段落，往後便是一連串的迫害，壓搾，屠殺，演出許多悽慘的故事，以充實歷史資料。

為什麼失敗的一方，結果如此惡劣可憐？其答案應是沒有主權，不成國家，喪失權力，難言政治。俄國甘冒天下之大不韙，誣陷捷克自由化運動由反社會主義，而派遣大軍展開刦奪勾當；并抄襲當年維辛斯基逼令羅國國王趕走羅德斯克內閣，換來羅共領袖克羅薩繼任的故技，公然實行綁票。世人推測那被綁的杜布西克等，均已慘遭毒害，做了失蹤的烈士。不料在世界震驚輿論譁然形勢之下，俄酋不僅不敢撕票，另置傀儡，而且忍痛犧牲，送還肉票，不過用秘密協議，以謀今後的控制，必使捷克主權全失，權力毫無，俯首就範，聽候奴役，方作罷休。

這樣在外表上，好像形勢已趨緩和，但實際上并不盡然，無論民主國家各方，或共產集團內部，乃至苦主捷克本身，均覺大禍臨頭，極其[illegible]張，而不得不戒[illegible]懼，競作準備。首先鬆弛的北約，迅速舉行會商，籌謀加強；白宮特別繁忙，不斷開會，計劃對策；縱火自焚的戴高樂，也迷途知返，竟毅然響應美英，痛責蘇俄，因而有人預料法國即將重返北約，認真合作，當毋庸懷疑。果然十月間便是北約部長級會議的屆期，而法國也是參與要角之一。

俄國首招未見得手，却一不作，二不休，又以法西斯主義復活的罪名對西德挑釁，且遣兵調將，造成緊張局勢，徒然刺激美英法惱火，而毫不猶豫地予以嚴重警告，並迅作軍事演習，還以顏色。按蘇俄所以要這樣蠻幹，志在分散注意焦點，藉此昭告「聯共」分子，它要對付資本主義國家，要以增強其向心力，而謀共產集團大結合。

（下轉第三版）

逐步迫害！

死的掙扎！

昨日與明日

國音符號的問題

黃公偉先生近日為文說到「國音符號始自民國二年。民國十九年，教育部公佈改名注音符號，以北平音為標準。分五聲，近年不知那位仁兄，把原有字母銷減了好幾個。而在一般新出「國語字典」中，發現不少注音是從南音或方言的」。

這一問題，是中國文字音韻變革的一大問題。高季剛氏曾指出：「字音變改，圓神無方。以時而言，則古今遞殊。以地而言，則楚、夏歧出。若使是非無定，人用己私，則音學竟難成立。……幸也，考音之書，尚有說文、廣韻二篇可恃。以說文為主，而求制字時之聲音；以廣韻為主，而考三代迄於六朝之音變」（聲韻略說）。

漢字的體系，本為衍形，而非衍聲，宜於目治，而不宜於耳治。漢代鄭玄注六經，許慎造說文，始有譬況、假借，以注證字音之事，是為反切讀音之始。然其濫觴，似早見於爾雅之釋茨為蒺藜，詩經中也有諧音語句，造字有欠金為欽之偶合。

魏李登定每字有宮商角徵羽五聲之論，沈約倡平上去入四聲之說，宮商是平，徵是上，羽是去，角是入。宮商即是陰平、陽平二聲。據鄭樵言：「切韻之學，起自西域」。「胡僧有此妙義，儒者未之聞」。鄭樵仿梵文發音作「七音略」，即牙音、舌音、唇音、齒音、喉音、半舌音、半齒音。隋陸法言作切韻，其長孫訥言為之箋註，唐代取士，作詩定平仄，即以此書之平上去入四聲為準。宋代景德四年，詔陳彭年、邱雍等校定切韻，書成改賜新名曰廣韻。

自魏晉南北朝隋唐，但有反切，無所謂等韻，唐時僧守溫依梵文創三十六字母，宋人用之分反切為四等，即正紐傍紐、正韻、傍韻，這是進一步用字母來講明反切之理。元代周德清作中原音韻，專為作曲而設，採北方音、「聲分平仄，謂無入聲，以入聲派入平上去三聲」，平聲分陰平、陽平，因此一主張，元曲由而發達，唐詩、宋詞的平仄之美，便黯而不彰了。明初樂韶鳳作洪武正韻，始又恢復平上去入四聲。明末，西教士利瑪竇制羅馬拼音，以利西人學中國文字，將中國文字音韻學又帶入一新境界。

中國文字，自有轉注、假借，以甲字注乙字之直音，或無同音之字則其法窮，雖有同音之字而隱僻難識，則其法又窮。反切之興，讀者雖有進步，然漢字絕少單純之聲素或韻素，明呂坤、李光地等均煞費苦心想設法改良，終因漢文之有音無字者多，欲得正音必婉轉以求其相近，總不免難憾於心。就反切言，廣韻有三三九類和三十二韻部。加上四聲陰陽，本韻、變韻，要用一千五百字切音，實在扞格難行。以音標代反切，乃為必然之趨勢。

制定四聲曾有爭論

民初，制定注音符號，乃繼清代勞乃宣等之主張，而章太炎氏，乃三百年來積音韻學之大成者，以上紐下韻，經緯相交之理，取古文篆籀徑省之形，創成注音符號。現行注音符號，即據章氏所作紐文韻之例，變更其讀法而成。章氏逐出門牆之弟子錢玄同，乃售師說而成健者。所以，制定注音符號乃中國學界一致贊同之事。但在定四聲方面，國學大師們主張採廣韻之四聲，以保唐詩宋詞之文學國粹，新文學運動者因反對舊文學而反對平仄所依之平上去入四聲，主張採元代周德清的陰平、陽平、上聲、去聲之四聲。爭論的結果，吳稚暉乃主張「聲類之平仄，仍皆由漢文負其分別之責，不必在注音符號上又加枝贅之分別」。民國十九年國民政府訓令中說：「其聲類之平仄，義類之同異，仍皆由漢文負其分別之責」。亦同此論。

後代須赴日本學詩詞

到了民國二十四年中華書局鑄造注音漢字銅模時，國語會的黎錦熙乘機請教育部規定把四聲硬變成了陰、陽！上、去的四聲。但民間一般字典仍列平上去入四聲。後來商務印書館的辭源，中華書局的辭海，都不列平上去入四聲。來台以後，幾個便利拼方言的字母被削減了，市面字典只有注音符號，更沒有平上去入四聲。國民小學生，從一年級就學注音符號四聲，如果學北曲唱戲，可如毛先舒所言：「斟酌聲韻，婉轉喉物，則具有精徵焉」。但對於唐詩、宋詞一千多年的文學之美，則難以欣賞做作了。圍棋是中國人發明的，現在，我們的圍棋神童須赴日本學圍棋。五十年後，中國文學天才兒童學詩詞，也須派赴日本了。（雙欽）

自由談

美國的隱憂

馮五先生

年來美國的黑人暴動頻發，繼之以青年學生反越戰示威，更有所謂「嬉痞」的男女青年們，作怪胡鬧，莫可究詰。一時社會騷然，震撼視聽，弄得政府當局手忙腳亂，大傷腦經，迫使詹遜總統萌退志，宣告不參加下屆總統的競選運動了！

這情形，很像廿年前吾國毛共激劇釀亂階段中的景況，一般職業學生受着共黨蠱惑，隨處遊行示威，高呼「反迫害」「反飢餓」口號。甚至集體蜂擁到南京國府請願，公然攫行政院辦公廳，瞎唱「不要你這個壞東西」的俚曲，此與本年八月間，幾千名「嬉痞」份子，裸體到芝加哥市內，實行衝毀民主黨代表大會會場的惡作劇，如出一轍，都是由美共在幕後導演的。還有一些雞蛋頭的所謂學人也者，扯起「前進份子」的旗號，大倡反戰論調，淆亂是非，搖惑人心，亦與吾國當年的「第三方面」人士如黃炎培沈鈞儒之流相伯仲，都是為共作假的偽君子真小人而已。

共產黨在美國奄有合法地位，為所欲為，目前由於人數稀少，勢力微弱，祇好躲在幕後，煽動那般血氣方剛的青年學生，利用生活貧困的黑人，隨時釀亂暴動，破壞社會秩序，引起羣衆不安，而共黨所期待的「革命高潮」，即可望逐漸構成了。美國的立國精神是民主自由，共黨及其同路人亦揭出民主自由的大纛，是丹非素，以偽亂真，久而久之，將有不可收拾之日，這纔是美國的一大隱憂。

美國開國不到二百年，文化基礎尚淺薄，民族思想又缺乏，只靠宗教精神以維繫人心，絕對不夠的。幸而國民收入，尚未趨於逆轉，差堪抵制共黨的邪說宣傳，這就是美共力量無法迅速發展的主要因素。而我們當年把大陸河山全部淪喪之所以然，亦基於此也。

美國社會現有的若干病態，都是培育共黨勢力的酵姆，如其墨守現在的成規，不加改革，俄共赫魯歇夫的「預言」「我們將要埋葬你們」云云，決非無稽之談，你們可慮也夫！

王紹堉被控十大罪嫌 監察院派兩委員調查

倘有不法貪污瀆職罪行依法糾彈 若無其事亦應為之澄清免滋誤會

（本報駐台北記者劍聲航訊）：台灣烟酒公賣局長王紹育（土旁，下同）被控十大罪嫌，監察院財政委員會第二七八次會議決定輪派兩位監委調查，若有不忠於國家或涉嫌不法貪污瀆職罪行，當依法糾彈；倘無其事，則監察院亦應爲之澄清而免外界誤會，以訛傳訛。

監察院爲何派兩位監察委員調查王紹育局長有無瀆職罪嫌？因爲檢舉書內所列十大不法事項具體而微，內容相當充實。

原檢舉書謂：「茲檢舉台灣公賣局長王紹育不忠國家、陰謀不法、貪汚等行爲」，謹列如下：

製造香烟濾嘴 轉手入私囊

香烟濾嘴轉手貪污經過：香烟濾嘴，係香烟主要材料之一，當時松山烟廠曾建議自製，非但未獲接納，竟仍以高價指定其親戚獨家製造，每年所需鉅大材料費用，既不自製，又不公開投票，其企圖甚爲明顯，無疑轉手飽入私囊，此案在省議會質詢時，未能圓滿答覆，省議會已在調查中，惟王紹育神通廣大，渠正設法疏通，以化爲無事。

關閉樟腦廠事實與陰謀：該廠係日據時代遺留下來，歷史悠久，樟腦產品主要爲外銷，少數內銷，品質精良產銷全球，以前產量佔世界百分之八十，嗣因人造樟腦問世後，產量仍佔全球半數以上，餘僅有日本及大陸匪僞產品，以政治目的言，因我產品特優，行銷全球，享譽世界，加强我國國際聲望，維繫僑胞心理，安定腦農生活，俾益良多。

藉口原料不敷 關閉樟腦廠

然而王紹育故意藉口原料不繼，不顧腦民陳情請願，即建議省府予以關閉。實則爲出賣樟腦廠址的一萬坪土地而圖利於己。其所研議的甲、乙兩案，一爲關閉樟腦廠一爲遷廠，該兩案於五十五年五月十三日以公產字第一三九一〇號呈請財政廳轉報省府，旨在出售土地，對於外銷爭取外滙若干竟隻字不提。所稱原料不繼一節，顯係勾結有關單位，僞造事實，矇騙上級；據調查：目前積存原料至少尚有十餘年可資供應，若繼續培植造林，則原料毫無問題。

原檢舉書認爲「王紹育如此做法，其思想大有問題。」理由是樟腦廠「從五十四年起，至五十六年間，每年均有一二百萬元盈餘。」如五十六年支付「公賣局墊欵利息七五〇、三七九元。」「上級機關對附屬單位加計利息，於法無據，現公賣局又非銀行機構，足證其企圖。」「總之，增加利息支出，相對的使盈餘減少，該廠盈餘減少便藉此而關閉。蓋樟腦外銷，「政治目的重於經濟目的，縱屬虧本亦不宜關閉」。五十六年八月間，「黃主席條諭：『樟腦爲享譽國際，爭取外滙，安定僑胞心理，維持腦農生活，不宜關閉』等因，王紹育奉此條諭，緊張異常，即與該廠長文山（現任第二酒廠廠長）等密商，仍以種種藉口搪塞矇騙上級。」

高價整批出售 達萬坪土地

樟腦廠地址在台北市南昌街一段，即公賣局對面，「一萬坪土地，報價八千元，以目前地價每坪至少三、五萬元，整批出售，其價更高，總值最少三、五億元（新台幣）以上，雖以投票方式處理，但報載押標金即需七百五十萬元之鉅，除經營地皮集團外，誰能問津？本來房地出售，均由土地銀行代辦，或委託國產局辦理，（此次）何以由其（公賣局）自辦？目的在控制而達其貪污預謀，並導致地價暴漲，影響物價波動，打擊民心士氣，難卸其責，如此行爲，無疑助敵毀我。」

「遷移台北分局舊地企圖：王紹育到任以來，表面以整頓業務爲宣揚，實則早已隱存貪污把戲，以出售重慶南路台北分局舊址，另在中山北路新蓋大樓，如此新建工程，出售地皮，兩邊均可撈一大筆，尤其重慶南路車站前之黃金地帶，土地每坪十餘萬元，數百坪土地，數目可觀。」

原檢舉書指責公賣局從事與專賣業務無關的地皮。公賣局「出售百餘棟宿舍的目的」，旨在「大撈一筆」。該局復省議會質詢案（五十七年五月十五日財產字第三九八六〇號函）稱：「整批標售價高，而使投資者有效利用」云云。查公賣局「爲專賣機構，既非房地生意經營者，亦非都市計劃單位，更非土地算理機關，所提理由——整批標售價高，而使投資者有效利用——與其業務毫不相干，所考慮已超出所管範圍，其用何在？無疑爲其地皮集團鋪路而已！

優先承購之權 苦煞現住人

省有房地產之出售，行政院頒有「台灣省有房地出售辦法」，該辦法規定現住人享有優先承購之權，所有省有房地均係如此處理。該公賣廳財產爲省有之一部份，該批出售房地經行政院核准在案。

在核准前，省議會及行政院曾考慮到現在人的問題。由於「王紹育出席說明時，與財政廳公產主管單位，均稱全無現住人之糾紛」云云。行政院信以爲眞而核准，致未提及現住人問題，身爲政府首長之王紹育，欺騙議會，矇蔽上司，影響政府威信，其企圖安在？「實際上，現住人請求依「台灣省有房地辦法」承購，均遭拒絕，並下令立即遷移：如係其屬員，每戶發給數百房租津貼，迫其另租房屋；如非其屬員，則向法院追訴；若有交情或有背景者，如財政廳科長周鳴道等數十餘戶，則照住無事。而工人部份每戶以三千元作搬家費，令其他遷，如此不公之處理，誰能甘服？

例如，「台北市中正路之台北啤酒家對面數十家，曾經聯名向省議會請願，並經省議會決議：『現住人享有優先承購之權』，王紹育置若罔聞，並即施用壓力，迫令請願者蓋章撤回請願案，否則議處」。

打破公賣先例 大進洋烟酒

公賣局初以應付外僑及觀光客而進口洋烟酒，繼之則任何人均可承購。「按照國際成例，交易物資負責者均有回扣，王紹育鑒於此點，大辦洋烟洋酒進口，打破公賣局先例，尤以日、琉進口啤酒更甚。去年，王在省議會答覆質詢時，曾稱：『中興啤酒廠，五十七年起即可大量生產，無需再行進口。』然迄今拖延工程進行，藉中興啤酒廠尚未完成，仍繼續大量進口啤酒旨在回扣。」原檢舉書指「王紹育爲中飽私囊，不惜浪費外滙」。

據檢舉書指證，王紹育「迫使台北烟廠任先志廠長舉槍自殺」云。「事實經過是：王紹育擬以台北烟廠他遷後，將此鑽石地帶，設法由其地皮集團得標，作爲觀光飯及遊樂場所，王某利慾薰心，急不及待，限令任廠長迅即他遷，並飭令任廠長負責裁遣現有職工三分之一，否則予以調職。」

任光志於本省光復以來，即任台北烟廠廠長，從未間斷，迄今達二十多年之久。他「事前不知王某企圖陰謀，鑒於職工生活及離家較遠之諸種困難，曾建議緩期進行，未獲接受，王某反而施用高壓，迫其就範，使任走頭無路，乃舉槍自殺，因而此事轟動整個社會。王紹育使用各種方法封鎖新聞，致此事未能及時公諸社會。所幸者，任光志舉槍自殺，未中要害。黃主席曾下令調查，由於王某之奔走，結果不了而了之。未幾，台北市政府實施九年國民教育，乃建議行政院將原台北烟廠地址移作國民中校址；王某內心雖不愉快，但亦不敢反對。

忽視退休規定 迫職員辭職

公賣局利用職位分類排擠守法人員，如「該局主計室專員呂貴未獲歸級，依法申請退休，遭王紹育拒絕，而強迫呂紹貴辭職，政府既有退休之規定，焉能強迫辭職。如公賣局總務組辦事員劉國松，係台灣省政府人事處長夫人，未獲歸級，嗣王局長接人事處長電話後，即歸六級。觀此兩事例便知王局長之爲人矣。」

總之，此一人民訴狀內容之所以如翔實，當係公賣局內部職員所指控，吾人將拭目而視監察院的調查結果。

（完）

立法院紛紛提出質詢 盡是地方自治老問題

乃為缺乏民治觀念所造成

（上）

本報記者張健生台北消息：關於台灣地方自治事項，立法院委員們極表關注，且紛紛提出質詢，檢討台灣地方政治建設，經建措施，等等。

本報記者就政治設施方面的選舉問題，根據立法委員們的質詢，加以報導。

首先質詢「大選年選政問題」的立委是吳望伋，他質問內政部說：今年台灣全省各縣市選舉省縣市議員，究竟選舉風氣改善到什麼程度？投票效率提高多少？當選的議員和縣市鄉鎮長的人望，是否符合選賢與能原則？內政部應有所說明。明年（五十八年）台北市議員選舉，中央級民意代表還要增選補選，外間風風雨雨，大有銀彈競選，邪惡爭奪的傳說紛紜。自台北市改爲直轄市之後，台北市議員所負責任重大，不僅是首善之區，是今天中華民國的陪都，故對於這屆市議員的選舉，不能不特加重視，希望選得其人，共負建設大台北的重大責任。

嘉義監察組 法官兼委員

立委徐漢豪指出：這次嘉義縣選舉監察小組委員中，竟有推事身份的嘉義地方法院院長兼任委員，實屬不當。法官須超出黨派以外，憲法有明文規定。法官在任職期間，担任選舉監察小組委員，顯與憲法、法院組織法相背。如這次台東縣選舉，候選人所推薦之監察員，竟需安全調查。還有監察員担任的投票所，依法是由監察小組徵求候選人意見後決定，而這次台東選舉監察小組竟由少數人秘密決定。

徐委員抨擊私辦政見會，必須經候選人三分之二的同意，如候選人人數在二人以下者，應經全體同意，此種規定不合理。而賄選風氣仍熾，有待改善。同時，依法公教人員不得公開助選，但事實上，公教人員往往公開助選，在選舉期間，許多學校停課，並編歌教唱，利用小學生助選。

利用小學生 競公開助選

立法委員溫士源主張修正或廢止與憲法或法律抵觸之選舉法規。他說：立法院今年接受兩件爲台南縣新化鎮鎮長當選無效案之請願案，一爲鎮長當選人林進丁所提出，一爲新化鎮民四千餘人聯名提出。由於這兩件請願案，立法院司法委員會委員發現選舉罷免訴訟程序一審終結，其所根據之「台灣省各縣市公職人員選舉罷免規程」，不無牴觸法律規定之嫌。選舉罷免訴訟，其爲民事訴訟之一種，應無可疑，否則，依據法院組織法第一條規定：「法院審判民事、刑事訴訟案件，並依法律所定管轄非訟事件。」法院審判選舉罷免訴訟案件，即爲違法；所以選舉罷免訴訟當然是民事訴訟之一種，我民事訴訟法原則上採三級三審制，判決經審確定後，尚有再審程序，以資救濟，姑無論選舉罷免訴訟一審終結，以及不得再審之規定是否妥適，縱然有此必要，亦應從修改民事訴訟法或制定民事訴訟特別着手，究不宜採取以行政命令變更法律之途徑，尤不應任令無效之行政命令而繼續有效施行。因是行政院應迅即將中央及地方政府所頒行之全部行政命令加以整理，如發現有牴觸法律者，連同台灣省各縣市公職人員選舉罷免規程，從速予以修正或廢止。

轄市區長 應改由民選

院轄市的區長，立委莫萱元主張由人民選舉。他說：台北市改爲院轄市後，由於地方自治通則尚未頒佈，市長由行政院派任。但院轄市區，其地位相當於省的縣市，今台灣省政府所屬的各縣市均有縣市議會，各鄉鎮均有鄉鎮民代表會，縣市長與鄉鎮長均係民選，何獨台北市政府所屬各區不設區民代表會，各區區長不由民選？這顯然不合法理，並違背民主原則，查西方民主國家是由城邦自治發展而來，古代希臘的雅典係民主政治的先河，雅典便是今日的市，且以城市的人口密度與文化水準比鄉村高，更便於實行民主自治與選舉制度，今原已實行民主自治與選舉制度的台北市，竟因改爲院轄市後而全部恢復過去的官治，那在民主里程上無異開倒車。因此，莫委員主張台北市各區應設區民代表會，各區區長應由人民選舉。

莫萱元委員希望行政院核訂台北市各組織規程是，維持台北市的地方自治和選舉制度。

我所認識的劉光炎先生

劉光炎先生（筆名厚安，亦作厚菴）於民國廿八、九年，在重慶南溫仙女洞中央政治學校教我們的編輯學，他自己在報學半年刊第五期（四十二年十月出版）「人之患隨筆」一文中說：「我的講編輯學，全無藍本，專憑空談，也許是學員們都是過來人，並沒有給我過不去」，「我要大家寫了一次經歷和心得，編了兩次中央社稿子，然後當堂批改，他們的心得和經歷，眞是洋洋大觀，而且五花八門，各極其妙，程其恒寫的是：「我辦地方報的困苦經歷」。「他那篇報告，寫得很生動，在今天還是一篇好文章」。

光炎先生之進入新聞界，在他自己所寫的一段話裏，那就是在報學半年刊三卷十期（五十七年六月出版）「社論漫談」一文中說：「我之進入新聞界，是極偶然的。記得在民國十九年的時候，正在立法院當編譯，一天，程滄波兄跑來，要我到中央日報去兼個差事，担任的工作，是審核翻譯稿件，兼編國際版」，「進了中央日報不久，以事與當時立法院代院長邵元冲氏不合，乃專任中央日報事，此時又兼編「中央時事週報」，更蒙滄波兄垂青（光炎先生與程滄波先生爲復旦大學同學），令每週試寫一篇社論，於是多年以來，充當社論主筆的心願，總算得償了。」我之認識光炎先生比這時幾乎遲了十年，民國廿八年光炎先生任重慶中央日報總編輯（也就是教我們編輯學的時候）。當我們畢業時，曾有三天的參觀，深夜參觀到中央日報的時候，光炎先生還燉了一鍋紅燒肉在編輯部，正合乎蔣校長所昭示的話，新聞記者太辛苦，應該「自奉甚厚」，中國有三個會吃的文人，熊式一，張大千，劉光炎，所不同的，熊張二生祇吃菜不吃飯，而劉呢則比較正常。

筆者與光炎先生比較接近的一段時期，是從民國廿九年到卅五年年，同時在中央宣傳部工作，光炎先生任三民主義研究會副主任委員（主委爲潘公展），並兼盟利通訊社社長（董事長亦爲潘公展），筆者兼任記者，領有廿號證章一枚，時常替盟利通訊稿及盟利副刊寫一點稿子，且承蒙光炎先生下面的指導組長周寒梅兄簽請將筆者調到三民主義研究會工作，因爲新聞事業處（處長彭革陳、科長詹絜悟）未能同意而作罷論。

大陸沉淪，光炎先生避秦來台，除戶始終未離硯田，一度屈居在台灣省新聞處（處長林紫貴爲光炎先生任三民主義研究會副主委時之秘書），不過極少上班，處中有什麼事，皆由筆者從中傳話，沒有多久，因處長易人，也就辭職不幹了。

光炎先生一生，文章報國，頗爲不易，現在好得兒女均已成人，有的成家，有的立業，師母張氏（張明煒先生胞姊），健康如昔，相夫教子頗著賢聲，所以光炎先生無內顧之憂，除在新生報担任主筆外，並經常在港台有份量的報刊爲文，尤其對國際時事分析有獨到的見解。光炎先生與陶希聖爲兒女親家，但他從不利用這個關係去謀一官半職，這就是讀書人的本色。

光炎先生非常淵博，精通中英文字，下筆極快，自成一格，非常人所能及，而且沒有一點架子，打字簽名信件，決不會出於他的手，這是我所認識的光炎先生。

·程其恒·

蘇俄侵捷的析測

（本文自第一版轉來）

蘇俄此時豈敢公然對西方動武，以自取滅亡？退一萬步言之，它就是打算作戰，也祇有出人意外的偷襲，絕對不會先禮後兵，事前打個招呼，讓人有所準備，況且敵手又全屬警覺性甚高的西方強大國家；所以它不去點火，就無人肯先冒險，樂得吹個大牛，藉以號召世界共產黨徒，誠可謂一箭雙雕，得意已極。不料第一招出手太過卑鄙，而這第二招也很醜怪，不僅弄到民主國家痛恨，尤其引起共黨陣營騷動，特別是捷克人民無不悲憤填膺，抱着「與日偕亡」的心情，願和惡魔一拼死活。

尊重他國主權，服從國際公法，祇是民主國家的事情；對於共黨特別是蘇俄，僅可算是笑話一則而已。俄酋任意對捷克和西德加以罪名，就是這種作風的明證。目前它對西德因已打草驚蛇，勢將置之勿理；但對捷克，却決不放鬆，因爲此乃併吞天下，建立世界共產帝國的基礎，豈肯讓入口後的附庸國擅自掌主權，運用權力，搞什麼自由運動？在大鼻子腦海裏認定最低限度所有附庸國應該俯首帖耳，聽候奴役，像匈、波、東德那樣方算守份。至對野心更大欲爭領導權的毛匪，由於羽毛豐滿，亦擁有核子武器，已形成狗咬刺猾，無從下口之勢，只得暫予隱忍。今蕞爾捷克居然在鐵幕內，大張旗鼓，高唱反腔，這簡直太不像話，如不迅予撻伐，將難阻止做尤。因而在慌張和惱怒中，魔酋遂不顧一切，發動六十萬大軍侵捷，擲票演出人類所不齒，自已也覺羞愧的醜劇。

俄帝既搶刼捷克主權，隨之亦剝奪其所有權力，往後便是川流不息，一連串走馬換將的現象，自中央黨部以至各重要機關，都須加以剔除核銷，直到俄酋認爲全符理想方休。因爲捷克原本就是共產制度，所以俄酋對捷克要求改制的地方甚少，主要地還是在換人，亦即積極拔去眼中之釘，而代之以忠實走狗就行。首先在「不受歡迎」黑名單中有克瑞基爾（捷共中央主席團之一，「民族陣線」主席），席克（副總理主持經濟改革），派維爾（內政部長），哈吉克（外交部長），伯里干（電視主持人），黑茲那（廣播主持人）等，而在侵佔時捕去的數百人以及死傷數百人猶不在內。此外，尤其萬分火急地要宣佈第十四屆捷共大會爲非法，準備再開大會重選時，好讓俄共的徒子徒孫上台，以達成所謂「正常化」。無奈放回的杜布西克僅改組中委會主席團，用一半中立派代替自由派，另將捷人罵爲賣國賊的比拉克及保安派皮勒爾亦強列在內，盼望藉此以滿俄酋的要求。但事實上這種有保留餘地的讓步，根本不能填充俄共慾壑於萬一，故捷克問題迄今不單未能解決，且在蘊釀發展中。

依史渥波達，杜布西克迭次演講，要求人民堅忍，勿作無謂犧牲，希於迅速恢復秩序的過程中，使俄軍撤離，再逐漸重上自由之道，其用心之苦，可想而知。惟用此法敷衍英美，當見靈驗，若以之對付蘇俄，不但無效，且將變本加厲，一步緊一步地大施壓力，必搾盡史的剩餘價值（指他們多年來在捷所造就的聲望），然後方毫無猶豫地毀去那些貓脚爪，使不再成爲復燃的死灰。俄共對于附庸各國，認爲僅有接受命令，服從差遣，乖巧地做個應聲虫，才算正常。無論在境內或在聯合國，只可看主人的顏色而行爲或不行爲，豈能事前未奉令，竟敢擅自大放厥詞，表示國家意志，那簡直是無法無天，反動已極。捷雖受迫撤回聯合國對俄的控訴，但在境內猶念念不忘自由化運動，並時時聲明其不變的宗旨。這樣一來，杜布西克乃至瑟尼克等勢必益趨險境，其結果不祇本身將遭貶黜，即生命亦難於保全，尤其捷國必然緊步匈牙利後塵，翻身無日。

傳云：「多行不義必自斃」，此語對一般說來頗有道理，若對蘇俄則未必盡然。易言之，惡盜不會自殺，只有予以逮捕槍決，方是辦法。要想靜候毒辣殘酷的新沙皇們天良發現（共黨有物無心），忽然集體仰藥自盡，以謝世人，那比期待黃河水清，其難度更甚，當然不會出此奇蹟。史渥波達，杜布西克等欲避免大量流血，生靈塗炭，救出已入虎口的捷克，不惜忍辱允諾所謂莫斯科協議，這樣就被鎖練加身，擺脫將不知何年何月。如非史、杜等甘作傀儡，準備遺臭萬年便罷，否則主演這場慘絕人寰的悲劇，實在太過艱難丁。他們當[illegible]不死於莫斯科，實留以有待，但至自由運動一再受挫，到了絕望時，那當是忍耐的最後關頭，也是人格存否的最高考驗，更是人民信仰與否的最後判決。「自古人生皆有死，留取丹心照汗青」，他們應抱着寧爲玉碎毋爲瓦全的決心，慷慨赴義，謀求對歷史有所交代，寫下捷克民族革命運動史的輝煌一頁。同時所有民主國家甚至共產集團面臨這窒息可怖的景象，將痛切感到世界末日的下降，勢必以不客猶豫而轟轟烈烈出於一拼，以打倒這猛幹國際暴行不會自斃的俄魔，爲人類除大害，爲世界滅公敵，并扭轉這已倒退半個世紀的進化車輪。否則大家無動於衷，麻木不仁，將見倫理烟沒，正氣絕跡，這個宙宇又復黑漆一團，歸於洪荒，不再有生物存在了。（完）

註一：Hans J. Morgenthaw: "Politics Among nations" Chap. 3,P. 25.

吳敬恒先生年譜

（廿七）

陳凌海編撰
陳洪校訂

第三層樓
（四一）曾伯良　曾仲鴻
（四二）彭襄　張宗文
（四三）孫福熙　鍾山魏
方乘
（四四）黃枯桐
（四五）劉厚　筆林
（四六）狄膺（福鼎）
黎國昌
（四七）夏散隆　又六號
之讀書處
（四八）先生　馬某
趙開
（四九）褚民誼
黃巽　袁久祉
（五〇）方學芬　盧大德
（五一）孫某　葉蘊理
鄧楫
（五二）古文捷　劉啓邠
（五三）陳錫爵　蔣開華
陸鼎恒　張曼孫
（五四）何熾昌
（五五）崔其煒
（五六）汪杞　殷容鋼
胡助
（五七）李其珏　張繼齡
吳樹閣
（五八）李光宇　汪英基

此外尚有女生蘇雪林（梅）、方于、方蘊、林寶權、羅振英、黃明敏、黃惠偉、吳續新等多人。宿於校門樓上之女生舍中。先生與欲强佔中法大學而被警拘押之勤工學生約，若法方不肯將彼等釋放自由，而必押送回國者，先生願自動離法赴英，以表其堅決同情之哀忱。後終以未能獲得法方之同意而離法去英。

民國十一年，壬戌（西曆一九二二年）

先生五十八歲

一月四日訪晤張道藩，並偕同往瘋人院晤王世孝。三月七日在倫敦中國樓歡迎蔣夢麟（孟鄰）。春，褚民誼以里昂大學醫學院未能升級，乃轉赴斯他斯堡（Slrabo-Urg）入專給予法國人以外其他國家學生學位之博士研究院研讀。四月，先生以里昂中法大學經費困難，願與學生同甘苦，故再回法任法國里昂中法大學校長。先生親擬通告里昂中法學學生文。先生熱心教育事業，作育英才，孜孜不倦。先生創辦里昂中法大學之苦心，尤爲中法兩國有識之士所欽仰。在目前負責國家政學界重任者，不少即爲里大學生。其貢獻之大，可以想見。又關於翻譯應意譯或直譯，久爲當時學術界所討論之問題。先生主張意譯，反對直譯。任里昂中法大學校長時，並認爲外國書不能譯，止能註。當時先生欲在上海辦一出版機構，在外國聘請中國學者，專治中國書。述其太意、不必直譯。先生創辦里大目的之一在此。惜因種種關係未能成功。四月十一日先生因事赴巴黎。

三日春秋

蔡松坡鍾雪毓秀

·厚安·

從前讀書，讀到「鍾雪毓秀」四個字，不大懂，但自以爲懂。

直到最近，看了許多名人傳記，才知道古人這四個字下得眞有分寸。

比如說：王陽明先生，一生顚沛流離，也未享上壽，同時所學甚雜。他的至友湛若水，替他作墓誌銘，說他：「初溺於任俠之習，再溺於騎射之習，三溺於辭章之習，四溺於神仙之習，五溺於佛氏之習。正德丙寅（三十五歲），始歸正於聖學」，是他開始鑽研理學的時間不到三十年，而其間又加上讒嫉貶，流離，但他却有那大成就，非天有所獨鍾而何。

又如岳武穆，其幼年失學，弱冠從軍，未及四十，冤死，而文才、武功，冠絕一時，亦出天授。

蔡松坡氏，幼年貧困。爲讀書，每步行一百二十里至省垣某紳家鈔書默誦，然後步行而歸，個人精力有限，然竟能博覽羣書，綜貫古今。其軍事學經日人推爲東亞第一。因推視其軍事學，乃有於其留日求學之時，陰設謀以害之事，雖事無佐證，然匣劍帷燈，隱士欲隱，以日人之狡，寧可信其有。

以語手腕，老袁之狡，有逾狐狸，雷震春之陰狠，更似豺虎，而松坡先生舉玩之股掌之上。

再論其績學，則當其留京爲經界督辦時，手成中國經界概要數十卷，儼然鉅著。按中國經界，與中國水經，同爲最艱困難研之課題，老師宿儒，窮年畢生爲之不能成，松坡先生以餘閒從事，即成效燦然。

松坡先生亦有詩才，錄下以見其抱負：

其一：拜訪「草堂寺」：

「錦城多少閑絲管，不識人間有戰爭。要與先生橫鐵笛，一時吹出共和聲。」

其二，別「望江樓」：

「錦城河暖濺金波，忍聽巴人下里歌。敢唱滿江紅一闕，從頭收拾舊山河。」

氣概壯烈，得未曾有，能者固無不能。（完）

巨變歷險記！

林彪野戰軍突然包圍了天津，當然天津爲之震動，就是北平，整個的華北，以至整個的中華民國，亦莫不爲之震動。

天津，誰也知道是華北的重鎮，與江南的上海，廣州，鼎足而三，中間的武漢，西南的重慶，昆明，西北的蘭州寧夏，北面的張家口，古北口，亦無不息息相關。

天津，居於北平的南邊，有火車直達，他的重要，並不單單是軍事的，而且是政治的，特別是政治的。他居於北平之南，不管是北平的門戶，經常是與北平相提並論的。

不管國民政府什麼理由不建都北平，但北平之爲北平自若也。這也就是說北平仍不失爲中華民國的政治重心，誰佔據了北平，誰有效的控制了北平，誰就可以在精神上威脅全國，甚至進而侵掠全國。明末，李闖王進了北平，但未能有效的控制北平，他沒有能夠佔有整個的中國，這是例外。但他之後，來了滿清，來了一個多爾袞，他有效的控制了北平，他就奄有整個的中國，成立大清帝國，子孫雖沒有萬世，但也傳了不少子孫。民國肇造，中國的政治中心，也還是始終的在北平。

天津被圍的嚴重性！

胡慶蓉

北伐軍興，一鼓而蕩平全國，這時就發生了在什麼地方建立首都的問題。雖然選定了南京的建都，但究竟合不合適，是否仍以北平爲宜，一直到北平陷入共匪之手，這個問題仍然是問題。就在林彪包圍天津以前，丁作韶博士，發動大家，來注意這個問題，顯與李朋（並非在台槍斃的李朋）李宜琛曾出版專刊，公開討論這個問題。當時在北平的報紙，有世界日報，今日在台灣台北景美溝子口辦世界新聞專科學校的立法委員成舍我校長，就是社長。又北平晨報，前幾年在台北去世的陳博生先生任社長，又北平益世報，社長張翰如先生。又華北日報，今日在台中從事廣播事業的張明煒先生，在台南榮任中華日報南部版主任的趙效沂先生，就是當時的社長兼總編輯。在明煒先生前任社長的，是劉眞如先生。此一劉眞如，非曾任台灣師範大學校長，台灣省教育廳長，現在出國考察歐美教育的劉白如先生。劉眞如先生留法，安徽，曾任安徽省黨部主任委員，是丁博士的莫逆之交，爲人豁達大度，有胆有識，對於國民政府應建都北平，主張最力。他同丁博士都認爲這是挽救危亡的重要步驟。平津決不能讓匪共佔領，平津倘被匪共佔領，則全國難保！

天津的報紙，一直到民國卅七年十二月十一日，林彪野戰軍突然包圍的一天，有大公報，益世報。這兩個報紙，聲勢之超大，較北平的報紙殆尤過之，大公報的社論，爲全國所樂誦。[illegible]是張季鸞先生，[illegible]是去世的雷鳴遠神父與現任台灣輔仁大學校長的于斌野聲總主教。丁博士前後曾任過北平世界日報，北平晨報的主筆，北平益世報的主筆，天津益世報的主筆，[illegible]現在[illegible]國家安全會議的秘書長，還有行政院副院長兼國[illegible]黃少谷先生，也是平津報紙的主筆。[illegible]陳紀瀅先生，文藝作家，有力的筆，與丁博士在天津益世報共事，曾在台北中央日報任總編輯的唐[illegible]先生，也是丁博士益世報的同事。林彪包圍天津[illegible]的報紙，於更[illegible]，其意義的嚴重，對於天津，[illegible]警句爲：無天津則無北平！無平津則無中國！（三）

青春賀爾蒙實驗成功

・馬騰雲・

生活漫談

科學家知道有種無價之寶，青春賀爾蒙的存在，遠在二十七年前的事，最初的發現人，是一位英國的生物學家——威格史瓦士博士（Dr. V. B. Wigglesworth）當時威博士正在對一種稱爲 Qhodinius 的蛾子作試驗，當他把這種蛾的幼蟲頭部切除之後，那無頭的幼蟲便很快地開始作繭蟄伏，經過了蛹的階段，而變成一隻小蛾。

這位英國的生物學者，意識到「青春賀爾蒙」的存在，由於賀爾蒙在管制住那蛾的幼蟲，使牠在未充份成長前，不會變成爲蛾，他想能夠把這種賀爾蒙提取出來，注射到另一隻成長的幼蟲體內，定可以阻止和控制向衰老的過程成長，簡言之就是能永駐青春。

經過幾個月的顯微化驗研究之後，這位生物學家，終於發現了他所要探尋的目標，「青春賀爾蒙」是從蛾的頭腦裏分泌出來的，那主管這種賀爾蒙分泌一個小團腺，乃位於昆蟲的腦後，約略相當於人類的腦下垂體腺。

這種青春賀爾蒙，甚難從腺體中提取出來，直到威格史瓦斯博士，已將他的發現寫成專書問世之時，他還沒有提取成功，可是在另一方面，發現甚多專家在從事這項提取青春賀爾蒙的研究工作，猶其全世界的藥商們，不惜一切犧牲，想從昆蟲腦內提取這種神奇的「青春賀爾蒙」，可是非常掃興，到現在還沒有人提煉成功。

青春賀爾蒙的功用，牠可使人不再擔心臉上的皺紋，和滿頭霜白的頭髮，乃至於萎弱病態，每個人都可以如其所願地在青春永駐的情況中生活下去，一般也許認爲這種說法太富幻想，有位勤奮的生物學家，就是現任哈佛大學生物學系主任羅爾・威廉博士（Dr. Carroll Williams），就在一九五八年，宣佈曾在人體內發現「青春賀爾蒙」的消息，驚聞於世。最近他又說：於最短期內，可寫出青春賀爾蒙的化學結構式來，倘能用人工合成這種青春賀爾蒙，「人的衰老」問題便勢將成爲歷史上的陳跡了。

威廉博士由於獲得一筆全美藝術及科學研究院的獎金，並獲得前往英國劍橋的威格史瓦斯實驗室從事研究的機會，他發現蠶的腹部，有相當豐富的沉積物，這種物質說不定就是青春賀爾蒙，想到做到，他切了一大堆蠶腹，全部浸置在乙[illegible]中，以除去其他的物質成份，最後所提取出來的，終於證明那就是純粹的「青春賀爾蒙」。青春賀爾蒙既已提製成功，威廉博士便肯定地證實威格史瓦斯博士早先所主張之學說的正確性，至於青春賀爾蒙甚麼時候可大量製造，距離可能還遙遠。不過蠶蛹爲中國農村人民常得住吸收的「青春賀爾蒙」由來已久，中華自古爲世之雄，非偶然也，下文是「怎樣吸收蠶蛹中的青春賀爾蒙」對蠶蛹所含的成份，食法，功用，有詳盡介紹。

可除皺紋與頭髮霜白　人衰老將成歷史陳跡

胎教的實驗

・萬香堂・

我雖然不是一個醫生，但我是一個深信遺傳學的人；因之我對於「胎教」的問題感覺興趣，而且奉信「嬰兒在娘胎中已可進學校」之說，雖然這種說法似較爲幽默了一點，事實上是眞實的事，我自已曾力行試驗：

十五年前，當我妻懷孕「小娜」的時候，我開始進行了「胎教」的試驗；我的目的要她繼承爸爸的嗜好；那就是文學與繪畫方面的涵養了。當懷孕四個月時，我規定她開始：①每天看讀世界有名的小說。②每天讀唱有名的世界詩歌。③每天聽世界有名的音樂。④每週看兩次有名的音樂舞蹈電影。⑤每天上午中午下午看三次名畫。⑥每天用「禱告」方式和胎兒通話若干次。

結果如何呢？「小娜」出生後，她對於文學藝術的愛好眞似與生俱來一般，而其天才的驚人，使我完全相信乃得力於胎教，小學五年級開始，便是校中之佼佼者，名噪一時的「小小國文家」，初中一年級第一次寫成學校表現用的劇本，關於繪畫及音樂（小提琴）亦有奇異天才的表現。

啊！孩子的種種，使我完全相信得力於胎教呢！

胎教之學，近年在[illegible]國更爲進步，雖然說「嬰兒在娘胎時已可進學校」言之過甚，但胎兒聞聲已有反應，確爲事實。這項進步的學問大概分兩個階段：

①巳夫洛甫發現「制約反應」的方法，應用於一切人類和動物都得心應手，但應用到未出生的嬰兒總是「不聽話」，那眞是煞費苦心的，如果能使母親腹內的嬰兒對刺激作各種特殊的反應，那即可由X光及電子紀錄器所發現的未出生嬰兒的任何畸形，都可以矯正，那多好？[illegible]精密的設計，雖然所設計[illegible]「響聲」能使胎兒的手腳和頸部發出動搖的反應，但對「震動」則毫無反應，所以認爲尚未有解決的問題。

②前七年美國衛倫堡學院教授大衛倍爾又發現了[illegible]他特別設計一個[illegible]子，配有柏木板[illegible]出響聲，另配有門鈴[illegible]

[illegible]

事過境遷

三幕喜劇　熊式一

何：我並不是贊成寡婦再嫁人，不過最低限度，爲了不出毛病起見，總要先把丈夫的屍身看看淸楚才嫁，免得將來再嫁了別人之後，忽然又聽見死了十幾二十年的丈夫復活了！我覺得這種事不應該提倡！仁翰，你總記得，當初你告訴我你要續絃的時候，我早已對你表示過我不贊成！

包太：你老人家不但對仁翰表示過，而且也當我的面明明白白的說過兩三次！

何：我當你的面說過嗎？甚麼多年前的事，我記也記不淸楚了！不過我一生是直心直腸的人，心裏有甚麼話，非要說出來表示表示不可！露茜就有一點像我！

仁：姑媽，這件事實在不能怪你的姪媳婦！當時連政府都以爲她的丈夫死了！

何：我的姪媳婦？據你們講，我根本就沒有姪媳婦！她就不算是我們包家的人了！

仁：不管她算包家的人不算包家的人，這不是她的錯，這只怪得……只怪得……

何：她那個死了又會復活的丈夫，現在眞糟了，你們怎麼辦呢？

仁：我們就是不知道怎麼辦，所以才請姑媽來商量，你老人家看看要怎麼辦才好呢？

包太：我覺得這件事是不可以瞞人的，所以主張立刻把你老人家請來……

何：越丟臉的事，越瞞不住人！

趙：這有甚麼丟臉呢？這是意外！天災人禍，都是意外，只要男女兩方，彼此相愛，決不容第三者來打攪的！

露：太極，你說得眞對！

何：胡說！小孩子坐在旁邊聽大人說話，不準做聲！天災人禍？娶了寡婦就是遭了天災，受了人禍！眞丟臉！

仁：丟臉的事還多着呢！這個傢伙不但沒有死，在過去十幾年之中，還做了許多丟臉到極點的事呢！

何：現在我們怕的不是他過去曾經做了甚麼，最糟的是我們不知道他現在要做甚麼！

露：他過去做了甚麼呀？

包太：他在守玄武門的　候，和他的勤務兵把制服對換了，自己跑了去投降日本人，在上海做大漢奸！勤務兵打仗死了，我丈夫都變成了爲國犧牲的民族英雄！

何：不得了！太平紳士，和大漢奸的太太同居了十多年！

露：這不能怪嬸嬸，嬸嬸並不知道呀！

何：這不能怪你嬸嬸，難道只能怪我？

包太：你老人家不要生氣！我們只想請教請教您我們現在應當怎麼辦？

仁：姑媽：我們就不知道怎麼辦才好！（31）

禪學黃金時代

這次傳法，是在西元六六一年，當時慧能只有廿三歲，還只是個俗人。弘忍居然能把大法傳給這樣一位未曾受過禪學，甚至最基本的佛理訓練的南蠻，的確是具有超人的勇氣，事實上，他不僅具有超人的勇氣，而且具有超人的機警。他深知慧能已經徹底悟道，不是其他的弟子所能企及。因此他極度秘密的送慧能南行，並囑慧能暫時隱蔽起來，不要急急於公開說法。同[illegible]他又鑑於衣鉢傳法常起爭執，所以告訴慧能禪宗是以心傳心，衣鉢只是爲了避免爭端，以後不要再傳衣鉢。

中國禪的祖師——慧能

吳經熊著　吳怡譯

[illegible]（七）

自由報

第四〇九期

中華民國僑務委員會僑發台報新字第三二三號登記證
內銷證內備警台報字第031號
中華郵政台字第一二八二號執照
登記為第一類新聞紙類
（半週刊每星期三、六出版）
每份港幣壹角・台灣零售價新台幣弍元

社長李運鵬・督印黃行奮

承印者：大同印務公司
地址：北角和富道九六號
台灣總管理處：台北市大同街119號
台灣區直接訂戶　台郵劃撥戶
第五〇五六號張萬有（自由報會計室）
電話：五一四〇三三・五五五三九五
台灣分社：台北市西寧南路110號二樓
電話：三〇三四六・台郵劃撥戶九三五二號

社址：香港九龍彌敦道
593—601號廖創興
銀行大廈八樓五座
LIU CHONG HING
BUILDING
7th FLOOR FLAT 5
593—601 NATHAN ROAD,
KOWLOON, H.K.
TEL: K303831
電報掛號：7191

自由亞洲合作經濟設計

・蔣匀田・

一九五五年五月三十一日，中日文化經濟協進會舉行座談會，余亦被邀參加。當時會建議亞洲自由國家組織「共同經濟戰略設計會」，共同計劃生產，計劃消費，避免互競以對抗共產國家統制經濟的侵略。此時西歐尚無今日共同市場之設置。余之設想，純本經濟理論，並無前例可循。假使拙見當時能被中日兩國政府採擇施行，則與共同市場相類的地區經濟聯合機構，即不肇始於西歐，而肇始於東亞矣。現亞洲自由國家的政府領袖對於經濟合作之需要，已漸有相同的認識。倘能即起實行，時仍未晚。此次中日合作促進會在台北舉行會議三天，亦皆注重經濟合作基礎的奠定。是十三年前的淺識，或可即將實現於東亞自由地區，亦未可知。使余不禁引領盼禱。余當時的講詞，承主持人谷正綱先生譯成英文，意在廣於宣介，心實感之。今雖時隔十三年有餘，此一建議，漸合亞洲自由國家經濟合作的趨向，故仍有重印廣傳的餘值。乘香港自由報索稿之便，特為譯成中文，以就教於國人。

各位女士，各位先生：剛才敬聆各位已發表的高見，對反共謀略，多側重於文化方面，我擬就經濟問題，略抒淺見，以就教於各位。

剛才各位會就文化的價值，提示反對共產主義的方式，固屬重要；但我們必須瞭解共產黨所以控制其人民者，有兩個方面：第一是控制人民的思想；第二是控制人民的腸胃。我們僅注意共產黨的洗腦詭計，猶有未足。我們必須進一步了解共產黨如何控制人民的腸胃，以求無缺。無論一個人的意志如何堅強，但無衣無食則無以為生。共產黨到處千方百計，利用此一弱點，以圖發展。我們若欲反對共產黨控制人民腸胃的苛政，我們須知共產黨究用何法以控制人民的腸胃。最有效的探測方法，乃發現共產黨如何利用飢餓毒計，以誘騙人民。所以一個普遍飢餓的社會，即即是共產黨發展的溫床。

向共產黨飢餓政策作戰，最有效的方法，乃增加生產，推進經濟的繁榮，使人民豐衣足食，與共產社會，成為兩個顯著的對照。換言之，即一面增加生產，一面使生產的成果，經內外貿易的過程，得與消費平衡，如此則經濟永無萎縮。自由亞洲的經濟是所謂市場經濟。基於這樣原因，所有自由亞洲國家的經濟，都難免受鄰國經濟的影響。

現在（一九五五年）自由亞洲國家除日本外，大半都係農業國家。所產的原料須向國際市場推銷，而換取日用必需的工業成品。同共產國家作經濟競爭，必須認識這些情況。蘇俄所以控制其附庸國家者，不僅限於政治及軍事，而經濟亦係其謀控制的重要條件。一九四八年南斯拉夫與蘇俄破裂之後，蒂托總統即向南國的國會報告說：「蘇俄既謀控制南斯拉夫的政治，更欲使南國的經濟亦附屬於蘇俄經濟的統系。」從蒂托這點報告，我們應憬然共產集團曾力求經濟的統一，確係不可忽視的事實。所以對共產國家作戰，不能限於軍事，而政治與經濟尤為重要。若不能動員各層面所有的力量，我們將不克與共產集團並駕齊驅。所以我建議亞洲自由國家應即成立「共同經濟戰略設計會」。在這個委員會中，每個國家得派兩個代表參加。一個代表須是經濟專家；一個代表則須是工商界的負責人。在此聯合組織之下，每個國家須有一個分會，於定時之內，向聯合組織提供該國的生產計劃與經濟實況。共同經濟戰略設計會掌握了這些有關的資料，當可就各國的人力與物力資源，用其所長，統籌全盤計劃，以推進共同相關的經濟發展，而免除互競的浪費。在統籌全盤計劃時，以下各點，應予考慮：

（一）我們都深悉共產黨利用飢餓政策之慘酷，對付這樣慘酷的詭計，惟有增高自由亞洲經濟落後地區的生產效能，免有飢餓現象為其所用。這樣的全盤經濟計劃須包括下列三個項目：

（1）農業生產：在求自給自足的經濟條件下，交易市場的競爭，甚難避免。欲免競爭的浪費，最善方式，莫若使各國農業生產，以適合天然條件為標準，各展其特優。如種植物品所適宜的氣候，及土壤宜種何種穀類，收穫始可較豐等是，農業經濟學所謂方面耕種（Classified agri culture）即依氣候與土壤的條件，分類大量播種，以增生產效能的意思。這樣計劃，即依各國的天然條件，以選擇農耕的項目，總收穫量必可增高。同時對各該國的原有生產系統，力避發生不良的影響，而徐圖適應改進。

（2）工業生產：前已言之，亞洲自由國家，除日本而外，工業多形落後。擬訂發展工業計劃，首須考慮下列條件：（一）研擬購取各項原料最宜處所；（二）各國自然條件不同之點何在；（三）彼此之分工合作，應先於自給自足的設計。以上分工合作的經濟設計，須力謀避免摧毀各國原有經濟組織。蓋所擬各國合作的經濟計劃，目的在求將來互相配合的投資方針，以發展整個區域性的經濟。徐圖導向各展所長，與原有的經設無礙。

（3）產品的交易：談到國與國的進出口貿易，運輸工具與環境交通，極關重要。在共同經濟戰略計劃會指導下的會員國必須密切合作。假使所舉這三個條件能平行配合，必能提高發展經濟的效能，而免除許多競爭的浪費。

（二）物質資源而外，人力資源亦極關重要，均須有精確的調查。同時自由亞洲區域的總消費量與人民的消費習性，尤須有詳細的統計，以為生產設計的參考與標的。這種產消相配的經濟計劃，在平時固然重要，在戰時更為重要。聯盟間平時各盡所長，互補所缺，事至易為。

（下轉第三版）

分裂！

崩潰！

昨日與明日

「戰不求勝」的新發明

二十世紀可說是一個千奇百怪的世紀，不僅在科學技術，物產發明方面，造成空前未有的新景象，而在人們的言行活動方面，也儘是怪誕不可思議的表現，堪稱劃時代的傑作。在二次世界大戰時，人們說軸心國發明了「不宣而戰」，同盟國則發明了「宣而不戰」。這已經是夠怪的了，但那知二次大戰結束十年之後，「聰明」的美國人、更進而發明了「戰不求勝」，從韓戰到今天的越戰，美國人一方面雖在戰場上出兵放砲丟炸彈，一方面却提心吊胆，生怕得罪了敵人——其實這已說的太過火了，美國根本不敢說人家是敵人。

唾面自乾駝鳥政策

美國的敵人，蘇聯赫魯歇夫，公開聲稱要埋葬美國。毛共更是口口聲聲美帝長，美帝短，把美國凌辱到不成樣子，而美國却能裝聾作啞，唾面自乾，不敢有適當的表示。上月初（十月一日）美國聯邦調查局在其年份報告中，清清楚楚，有憑有據的指明！蘇俄與中共已加強活動，致力獲得美國國防計劃與軍事科學研究方面之情報，聯邦調查局引述一名蘇俄投誠者之供詞稱：在蘇俄外交代表團內百分之七十至八十的人員，均是與情報方面有關，這可謂真贓實據，一一俱在，但是美國人敢向蘇俄中共指責攻擊嗎？其實這又算什麼！越南的戰場不是更具體的事實嗎？但美國幾曾敢說背後有蘇俄和毛共。好像那些米格機，大炮火箭全是北越自己製造的，那些源源不盡的物資與人力都是北越山中生產的。裝聾作啞一至於此，真是史無前例（歷史上也有如忍辱苟顏的，但那都是弱國，迫不得已，而美國却是大大的強國）。

壯哉！李梅

這種情形，美國有識之士也有看不慣的，但在美國全國上下苟安胆怯的氣氛下，一切高瞻遠矚，面對事實的主張是不容許存在的。例如最近被提名為第三黨副總統候選人（即競選伙伴）空軍宿將李梅，即有堂皇勇毅的主張，他在記者招待會上說：許多美國人對於核子武器有一種「恐懼症」，由於此項恐懼，已削弱了美國的國防；他並且聲稱：「我認為對大多數軍事人員而言，核子武器只是在軍火庫中的另一項武器。如果我到越南，將被一把生銹的刀刺死，或被核子武器殺死，我寧願選擇死在核子武器之下」。試看這是如何可敬的壯言，但這種忠誠明智之言竟不為美國輿論所容，緊跟着，韓福瑞等一干人士便大肆抨擊了。難道「戰不求勝，跪着求和」才是正路嗎？這樣下去，美國真要如本報前刊劉光炎先生的大文所言：「這樣的美國、能維持多久。」美國是我們的朋友，我們不勝其關切。（成公）

自由談

禁娼問題

馮五先生

台灣最近有實行禁止公娼之舉，原因是由於監察院向政府提出糾舉案，指摘色情生活氾濫於社會，傷風敗俗，如不迅予查禁，則主管官署應負刑法第二百卅一條第四項規定之包庇責任云云。於是乎，內政部急忙召集有關各行政單位，大開其會，決議吊銷公娼營業執照，另擬訂所謂「輔導就業」、「介紹婚姻」、「檢驗體格」等辦法，冠冕堂皇，善哉善哉！豈止公娼一端？社會上的色情生活，論其弊害，公娼乃屬小焉者耳。私娼以及許多秘密玩弄色情勾當的事象，不一而足，貽患滋大，這些應否查禁掃蕩呢？娼妓之發生，是一項重大的社會問題，古往今來，為着這項問題，不知絞盡了若干政治人物和學者專家的腦汁，始終沒法使娼妓絕迹於人間。共產政權之下，號稱禁絕公娼了，代之而起的是男女隨便亂交，毫無所謂，這種無形的色情放縱程度，為害勝過公娼千百倍，表面似乎很漂亮，內容却腐惡不堪。英美各國表面上沒有公娼了，然所謂「應召」、「嚮導」女郎之外，還有交際女郎等等名目，隨傳隨到，恣意狎樂，以視法國巴黎各地之公營妓業，對社會善良風俗的為害尤烈，因其色情氾濫的幅度亦更廣，所謂騖虛名而受實禍是也。

娼妓在理論上固應該消除，但非魯莽從事即可辦到的。產業不發達，人民生計維艱，就業的機會甚少，而一般社會大眾的貧富懸殊，加之以「飽煖思淫慾，飢寒起盜心」的人類天性所在，不合理的色情現象之產生，殆屬勢所必至，理有固然。要想禁絕公私的娼妓生活，必須從根本上改善人民生計，培育民德，有計畫有步驟地循序漸進，庶幾有為。

回憶民國十六年內政部長薛篤弼，在南京實行禁娼，由警察局挨家挨戶捉拿公娼，用大卡車裝送到下關，勒令各自回鄉，另謀出路，即揚言中國已無公娼存在，且向「國際聯盟」報告一番。結果是南京城內私娼激增，而對岸浦口鎮妓寮林立，市面突告繁榮，每天傍晚時分，由南京渡江前往尋樂的，十九都是黨政軍界的各色人等，普通老百姓却很少問津。前事不忘，後事之師，我希望內政部好自為之，幸勿重演舊劇，徒貽話柄為佳。

台北市改為院轄市後 并無一新人耳目之處

立委指市政設施專重表面

（本報駐台北記者張健生航訊）自從台北改為院轄市之後，有關市政設拖，是否有一新人耳目之處？這是值得注意的。

高玉樹由民選市長隨院轄市而派為首任市長。市政在高玉樹主持下，如果說沒有進步，那是違心之論。不過，市政建設着重於表面化或官式化，而窮巷偏僻之處，依然如故。乃是事實。

立法委員於本（四二）會期中，對台北市的都市計劃、新社區的設置、交通秩序與噪音、市民體育、飲水與用水問題，水災與環境問題，以及兒童戲院等，紛紛提出質詢，並檢討台北市政，從此項質詢內容觀之，可知台北市政設施矣。

都市計劃為都市建設之藍圖，亦為都市建設工程之依據，沒有完善之都市計劃，決無良好完善之都市建設。而台灣光復已屆二十三年，現行之各縣市都市計劃仍沿用日據時代之都市計劃，故不能適應當前之需要。

立法委員張其彭質詢謂：僅以台北市而論，光復之初，台北市的人口約為二十六萬，改制後，地區較前擴大至兩三倍，市區內因無空地築房，已向高空發展，不久二十層以上樓房，即將出現，似此情形，日據時代之都市計劃，何能適應今日之情況。

日據時代計劃 何能用於今日

日據時代，台北市的都市計劃有七個工業區，大小二百多個公園，若干林園大道等。依現時情況來言，台北市人口年來大量增加（現約一百六十萬人口），中心地區已成為商業住宅集中所在，地價每坪高達十數萬元，以之作工廠和公園用地，是否合乎經濟原則？故台北市政府決定將七個工業區變更使用。

例如，羅斯福路、溫州街一帶，依現行都市計劃，要興建六十公尺寬之林園大道，更屬不合理。據說，這條林園大道，原係日據時代為日皇來台準備之御林大道，今台灣光復，此種大道有何需要？退一步言，羅斯福路為台北市最寬之街道，也不過四十公尺，在此市中心區有何需要此六十公尺之大道，將來如果要建的話，將拆壞多少住宅？將給市民多少補償？主管機關考慮到沒有？

張其彭委員主張：取消現行台北市之都市計劃的工業區；公園儘量在郊區興建；植物園需要改建為完美之公園，俾供市民遊覽。

新社區的宣傳與實際不相符

關於台北防洪與新社區的建設，立法委員鄧翔宇提出質詢，他說：政府近年為謀改進市政，提倡設置新社區為施政重點之一，就政策言，值得稱許。鄧翔宇、谷正鼎、馬濟霖委員等，嚮往新政，於台北市民生東路新社區內購屋居住，詎知宣傳與實際，竟為截然兩事。

台北市政府雖標民生東路新社區建設委員之名稱，特設機構主持其事，而實際於新社區之如何建設，毫不措意。就聯合二村而言，完全聽任唯利是圖之建築商自由興建，必要之公共設施，一概置諸腦後，主管機關不管，監督機關不問，居民自五十五年十一月開始遷入，歷九月之久，尚無可行之馬路與照明之路燈，至今將住滿兩年，所有原計劃中之污水處理場、綜合市場、停車場及運動育樂設備，均尚未建，主管當局且曲徇建築商之請，將計劃中之公園改為建屋用地，千百戶嚮往新社區現代化生活之人民，飽受枯寂與不便之苦，孰令致之，不得不歸責於主管有司，不僅此也，聯合二村所在原為高地。以前人向高處住，水向低處流，人不與水爭地，水不浸及民居。

台北市民生東路之新社區，因將其大溪溝填基建屋，而僅埋一徑不盈尺之水管承接數暗管及兩明溝來滙之洪流，以致水勢壅擠，激向上噴，洶湧澎湃，勢如奔馬，首當其衝者為建築物。如此新社區，高市長得意之施政也。

艾琳颱風來襲 到處發生水災

台北市發生水災，多係由於行政方面不當措施所致，這是女立委皮以書的看法。

皮以書質詢說：前幾天，台北市因艾琳颱風來襲，到處鬧水災，房屋倒塌，水深及膝，住民不堪其苦。其實，台北市所以發生水災的原因，許多地方是由行政方面不當措施所致。若干地區，一些建築商人，只顧興建住宅，而將所用的材料隨處亂置，政府亦不加管理而堵塞溝渠，使積水無法排出，所以才造成水災。假定不將水溝堵塞，相信有許多地方，是不會淹水的如南京東路，本是較高地區，過去幾十年中，都未被水淹過。可是現在因為興建房子太多，而把水溝堵起來，所以也被水淹了。此外，石門水庫放水，也是造成水災的原因之一，石門水庫在過去每次放水，都發生水災。上次放水，曾淹許多村莊，這一次放水，又使台北市加深水災之禍。

皮以書委員對台北市新社區的環境衛生，認為「太壞」，影響居民健康，有礙國際觀瞻，政府應儘速改善。

她說：現在民生東路的新社區，環境衛生太壞，水溝不通，蒼蠅叢生。民居以清潔為先，我們歷來對國際宣傳，都是不斷誇耀我們的清潔衛生，然而現在民生東路的環境衛生，竟如此骯髒不堪，今後還能再談什麼！假如再不改善，這個對外宣傳的示範區，如有外人前往參觀，豈不丟盡國家的顏面！

鬧市車禍頻仍 駕駛缺乏訓練

台北市的交通有兩大問題，即所謂交通秩序與交通安全。在兩大問題中為害最烈者「車禍」與「噪音」。戰慶輝委員說：車禍的發生，據統計：問題在駕駛人員的缺乏教育與訓練。自古為政，切忌「不教而殺」。

戰委員認為：交通部應專設訓練機構，專責全國司機的教育與訓練，其駕駛執照由交通部重新統一核發，可使車禍減少。噪音已超國際水準。市區內開快車，超車，把喇叭當警鈴，要行人讓路，結果，不但製造噪音，且易發生車禍。此外，市民最感痛苦的，則為修理摩托車的夜半試車，每當夜半更深人靜的時候，突然一聲霹靂響，繞過大街小巷，辛苦一天的市民，都從夢中驚醒，故一車之試，干擾了千萬人的睡眠，影響了千千萬人的健康，市民不堪其苦，大有「樂業」而不得「安居」之痛。

立法委員朱如松主張貫穿台北市區之鐵道，應該改道，實為目前之急務。他反對鐵路高架計劃。因為鐵路貫穿市區，除妨礙交通外，其主要害處，在乎噪音。在污濁的空氣，火車所經之處，地為之震，耳為之聾，黑烟濁氣，迷漫天空，對市民衛生之妨害極大。

發展全民體育 破壞多於建設

台北市政府遵照行政院頒佈之發展全民體育培養優秀運動人才實施方案，逐步實施發展全民體育的計劃。事實上，台北市政府被立委質詢為破壞全民體育！

立法委員溫士源於質詢時指出：台北市政府的體育經費，從五十七年度的一千八百餘萬元。要發展全民體育，須普遍增建體育場所，以供市民運用，造成體育風氣，除將市立體育場及游泳池加以擴充美化外，並着手籌辦增建體育館，符合國際水準的游泳池及擴建棒球場，十六個行政區內，利用國中或社區內較具規模之學校，作為各該區區民的運動場。此為台北市政府實施發展全民體育計劃重點之所在。但事實上，台北市政府除增列體育經費外，體育場不但未增建，反而把舊有之體育場所陸續予以拆除，如新公園的四個網球場，青少年網球會的兩個網球場，三軍網球會的三個網球場，均被拆除。

溫委員抨擊台北市政府如此荒謬措施，究係發展全民體育乎？抑破壞全民體育乎？其所增加之體育經費，究為增建體育場所之用？抑為拆除體育場之用？台北市政府竟然有此違背國家政策之荒謬措施，有權指揮監督之主管官署行政院，實亦有其應負之責任。

用水飲水問題 迄今尚未劃分

台北市的用水與飲水問題，迄今尚未劃分。而飲水問題，也為立委質詢的對象。劉振東委員說：台北市自來水水源為新店溪，水源之清濁，關係國民健康甚大，經濟部表示重視而至今無法解決。新店溪水源之所以污濁，主要為新店溪兩岸各工廠所排洩之毒水與廢水。經濟部未限令各工廠自行處理廢水，所以社會各界皆認為經濟部祖護各資本家，危害台北百萬人民之健康。如上流水源不清，再不限令工廠自行清理廢水，台北自來水將不可飲。這是台北自來水廠長的呼籲，劉委員根據此呼籲質詢。

立法委員李曼瑰等十五人反對台北市兒童戲院出售而質詢行政院。其理由是：台北市兒童戲院出售，使之落入商人之手，殊與當前文藝政策，大相背謬。行政院係根據何理由通過出售案。（完）

立法院紛紛提出質詢 盡是地方自治老問題

乃為缺乏民治觀念所造成（下）

關於省教育廳侵奪縣市教育主管的職權，莫萱元委員認為教育廳剝削縣市長對教育人的任免遴調權。

教育廳侵奪各縣市職權

他說：行政院批准之「革新縣市教育行政組織及人事制度原則」，依此原則規定：各縣市政府教育科一律改科設局，教育局長、督學、國民中學校長，應由教育廳遴報省府統一任免遴調。莫萱元委員認為這樣，省教育廳未免侵奪縣市政府的職權。

教育科或教育局係縣市政府的一部份，局長、督學、中學校長等人員的任免選調，係縣市政府的職權，應由縣市長依據人事法規辦理，省教育廳何得加以侵奪。依縣組織法第十七條規定：「縣政府各局設局長一人，由縣長就考試合格人員中遴選，呈請省政府核准委任之。」今台灣省政府竟以命令規定教育局長由省教育廳遴報省府任免選調，顯屬與法不合。事實上，縣市教育局長、督學、中學校長人數衆多，教育廳那能管得到這樣多，且在推行政府機關分層負責的今日，這項規定顯然違反分層負責的原則。或以為縣市長係由選舉產生，各教育局長，督學與中學校長，由縣市長任免遴調，容易使教育人員轉入選舉漩渦。但如怕教育人員轉入選舉漩渦，而剝削縣市長對教育人員的任免選調權；同一理由，其他部門的公務員難道也要改由省政府統一任免遴調？果爾，則民選的縣市長不成了一個有職無權的空頭銜？況教育人員縱由教育廳任用遴調，也不能阻止他們轉入選舉漩渦。而參加選舉活動，是人民的基本權力，教育人員何能站於圈外？立法委員們所提質詢，都是些老問題，這些問題之所以迄未解決的緣故，是各級政府主管缺乏民治觀念與攬權作風所造成。（完）

台北新聞信

李翰祥帶來的問題

法律之前人人平等呢？還是不平等？

柳一權

由「梁祝」紅到發紫的名導演李翰祥，在回到祖國跌下來了，除了票據罰欵外，還賺到八個月的徒刑，李翰祥正在上訴，根據立法委員×××幾百萬的票據罰欵，某副主教的票據罰欵，及有地位、有權勢的票據罰欵都能打掉，李翰祥的八個月牢獄之罪可免，應當沒有問題。

有人說：「法律之前人人平等」，李翰祥既然能將八個月打掉，法院何必判呢？判了又打掉，全台灣有十幾萬票據犯，都援例請求怎樣辦呢？其實這些都是「杞人憂天」和不明事理的想法，所謂十幾萬票據犯，都在被通緝之中，誰敢露面公開抗議，不過話又說回，票據法加緊推行的結果，把民選政治摧毀了，憑良心說，台灣的繁榮和安定，在亞洲算首屈一指，蔣總統的卓越領導誰也不能抹煞，可是若干年來「選民」不與「好人」合作，乃無可否認的事實，執政黨不能不特別檢討。

單以台北來說，一百二十萬人口，一半是男人一半是女人，一半男人除掉三分之一兒童和大中學生，再除掉三分之一老人和軍警公教人員，（不能開支票者）這中間祇有二十萬人有資格開支票的，台北的票據通緝犯據報紙透露有好幾萬，既然成為通緝犯，經濟信用當然破產，可是對自己的父母妻子兒女還是有影響力的，就選票觀點來說，這是多麼可怕的一個數字，周百鍊的落選是必然的，而高玉樹的當選則非偶然，這其中的因素，堂堂執政黨竟未算出，多麼使人遺憾。

李翰祥是在政府鼓勵下，回到祖國製片設廠，李翰祥以空頭支票向銀行貼現，是台灣製片廠向銀行保證，換句話就是得到政府的輔導，否則李翰祥憑甚麼能力向銀行借到兩百萬，楊樵（台灣製片廠負責人）又憑甚麼資格保證兩百萬，這筆帳果真倒了，用楊樵六十年的薪俸也賠償不了這筆債。乃至於加上楊樵的頂頭上司新聞處又有甚麼用呢？

李翰祥倒了，帶來了幾個問題，就是楊樵倒不倒？楊樵不倒，就等於政府賠這筆債，既然要賠這筆債，又何必使李翰祥倒，變輔「導」為輔「倒」；政府的信譽會不會受到影響？又有一說，謂楊樵與李翰祥鬧情緒使然，起因出自「忌才」，此話果真，那就是楊樵太不顧大體了。還有就是票據的罰欵和八個月徒刑，將替法院帶來不大不小的困擾，會不會再來一次奉命不罰欵或者無罪。法律之前人人平等呢？還是不平等？李翰祥案面臨着重大考驗。

命相與夢話

公陶

錢一釗著「矮人傳」

錢一釗先生著「矮人傳」即將殺青，可謂別出心裁之作，開出版界未有之先河，其所羅列一百位矮人中，廿五位是古代，廿五位是國外，近一世紀羅列了五十位。

古代矮人中計有晏平仲，孟嘗君等，國外矮人中如法國大英雄拿破倫，日本東條璣，蘇俄陰謀家史達林，英首相邱吉爾，意大利國王愛麥虞限，美國前總統杜魯門等均有深入刻劃，例：描寫到意大利王時，「愛麥虞限僅有五尺三寸高，出現於公共場所時面部常帶愁容，蔚藍色眼珠不停地閃動着，機械般行着禮，點着頭，為避免「藐躬」之誚，他的汽車座位有一面做得特別高，市人從車窗外望見國王與身長六尺的愛倫娜王后（Elena）齊頭併肩，在禮拜堂王后坐位亦比國王低，並且國王常戴一頂高帽子增加他的長度。」深入淺出，如見其人。

人之一生有內含也有外觀，內含難知，外觀易見，故知人論世，率多注意外觀，也就是所謂第一印象，這種第一印象的良好與惡劣，在觀察者心理上，每起決定性作用，「矮人傳」乃專談身材矮小而又有功業的人物。

照相法上說：身材矮多因頭頸短與腿短，所謂上長下短，平步青雲，四肢都能夠短即五短，就構成了貴相，如能再配以「儼然之威，俯仰之儀，面貌、風度，神色，舉止，都能夠協調，位極人臣斷然無疑。」錢一釗先生舉出甚多事實證明。

近代政治人物中如陳辭修，陳布雷，鄭彥棻，張知本，王世杰，胡宗南，張承樵，沈怡，郭驥，冷欣，曾約農，賴璉，程滄波，劉振東，曹偉修，袁世凱，張作霖，及大文學家熊式一先生等皆為五短型，而率多將為歷史傳人，怎麼能不相信相貌呢？

尤其是我國無綫電權威錢鳳章，前中央政治學校教授身高不及四英尺，上講台時非躍而難上得去，黑板只有下半截與他有份，可是他的學有專長，道德人品備受社會推崇，均描寫得淋漓盡緻，該書可能為傳世之作，在未出版前可能交由自由報先行連載，敬希讀者注意用為紹介。

吳稚暉先生年譜（廿九）

陳凌海編撰 陳洪校訂

五月十二日送姨甥馬光斗赴德國。是年為劉復（半農）著四聲實驗錄撰序。先生認四聲過去之功用，現已無其價值，應送博物院藏之，致開罪於劉氏。先生科舉時所作詩稿數箱，寄存上海外甥徐可亭所營絲廠庫房中，不幸遭回祿，全部焚毀。

民國十二年，癸亥（西曆一九二三年）

先生五十九歲

先生去年在法時，曾赴比、德兩國遊歷。發現第一次世界大戰德國人民所以敗，與英人所以勝之原因。旋與里昂中法大學中之數不良學生，因其不顧學校經費之困難，強欲免除膳費問題不協，乃離法赴英而返國。曾仲鳴辭職後，中法大學協會經中國會長蔡元培（孑民）之提議，派劉厚（大悲）代理里昂中法大學秘書。先生離職後，所遺校長職務由秘書暫行代理。先生回國後去北京，寓石達子廟。是年中國學術界為「科玄」學之爭，展開熱烈辯論。一時俊彥，各執己見，鑄為「科玄」學之筆戰，爭論不已。先生讀張君勱、丁文江之爭論後，在北京晨報發表：「箴洋八股化之理學」一篇。旋在石達子廟陋寓，撰寫哲理宏著：「一個新信仰的宇宙及人生觀」，迨該文發表，咸認先生有獨特見解，深表欽佩，論戰乃息。胡適（適之）曾致函先生，表示欽佩其科玄學之論點及其進化史觀焉。嗣後先生曾訪胡適於上海某旅社，談論哲學問題。先生又談少年時第一天至江南菁書院見山長定海黃以周（玄同）。見黃以周室內懸「實事求是，莫作調人」座右銘，使先生震驚，服膺殊深，終身不忘。關於為人處世，先生嘗謂：「余非君子而為有忌憚之小人。」希望人人皆以小人自視，然皆有所忌憚，從而創造更進步而優美之社會。考其含意，洞悉人性，直可代替千言萬語之偉論也。是年先生又發表：「移讀外籍之我見」，鼓勵青年出國留學。先生與鄒魯（海濱）經香港同赴廣州，贊襄國父改組中國國民黨第一次全國代表大會籌備事宜。住汪兆銘（精衛）家中。先生曾返滬一行，然後再回粵。十二月，為黃花崗烈士人數之考證，復函林森（子超），敘述其見聞焉。

民國十三年，甲子（西曆一九二四年）

先生六十歲

一月，先生由上海赴粵，轉赴海豐會晤陳炯明（競存），勸其悔過與國父合作，協力討伐吳佩孚（子玉），完成革命統一之局。

傳記春秋

陳策將軍傳

——英國人眼中的中國納爾遜

袁良驊

英國海上獨眼英雄納爾遜，自戰敗西班牙艦隊後，使英國海軍稱雄世界。而獨腿的中國陳策海軍中將，在二次世界大戰為了拯救部份香港英國軍官，親率四條艇，衝出日本的海、空軍重重封鎖，此舉曾經震驚世界。本文作者袁良驊先生係現任立法委員，曾任海軍少將，與陳策將軍有多年同寅之誼，本文由其信筆寫來，內容更為翔實、動人。

× × ×

先生姓陳名策，幼名明堂，字籌碩，出生於民國前十八年，海南島之瓊山縣人，軍階授官海軍中將。其父陳曉山先生係星加坡華僑。先生幼隨其父至海外，故亦具有一般華僑之強烈愛國熱忱及南洋生活習慣。其為人也豪邁疏財，汪汪大度無宿怨，其有恩於人者旋即忘之；尤好扶掖後進，即今之棟樑，不少曾經其培植者。其作戰也，猛如獅虎，其事父母也，則馴若羔羊，洵孝子也。

先生於前清，宣統元年秋考入廣東之黃埔水師工業學堂。民國元年當局將該學堂改組為廣東海軍學校。於是先生乃由造船工業學生，一變而為海軍軍人，正適合其個性而能發揮其所長矣。

先生在海軍學校肄業至民國四年秋畢業。先是因憤怒袁世凱稱帝，乃潛赴設在香港之革命機關，宣誓加入中華革命黨。同年底雲南土司出身之廣東督軍龍濟光竟亦向袁上表稱臣，受封為郡王。而龍軍之主力係由龍氏乃弟廣惠鎮守使龍覲光所管轄。於是先生決計先剪除龍氏之羽翼，然後再及其他。即糾合海軍學校教官高憲臣，同學袁良驊、李英傑密謀，乘龍覲光代表乃兄龍濟光蒞臨海軍學校校閱時，擲以炸彈。惜乎一擊不中，亡命去香港。是役雖失敗，亦足以奪龍氏兄弟之魄。

翌年春初，先生與同學二十餘人，奪取龍濟光之座駕艦寶璧號，殺其親信艦長木全忠，同時佔領粵之江防艦江鞏號，在廣州河面首義，聲討袁世凱。自此役之後，龍濟光頓感危機四伏，敵人處處。未幾，龍氏本人終被烈士鍾明光炸傷左脚。自是不敢再重虐粵民，乃預先經營瓊州，作為未來安身之所。

民國七年冬桂軍出身之莫榮新破壞護法大業，先生糾合海軍軍官及同學奪取江大，江固兩江防艦首義，聲討莫榮新。因陸軍第三師魏師長背約信，以致該兩艦陷於孤立。其時北洋第一艦隊竟亦違背初衷，派豫章驅逐艦（艦長潘文治）會同廣東江防各艦助桀為虐，追擊首義兩艦。在衆寡懸殊之下，迫得駛入澳門，又被該炮台發炮阻止，於是互相轟擊，斃其官兵數人，而首義年艦亦中彈多發，以致艦身傾側入水，行將沉沒，迫得駛擱葡屬之橫琴島登陸。而澳門政府即派非洲黑人兵截擊，故首義艦隻死傷慘重，先生被俘時，身受毆打，遍體鱗傷；在被羈押於澳門白鴿巢監獄之大半年中，蒙國父孫中山先生之元配盧夫人間中蒞臨監獄探望，且頻贈食物。其親切之情，有如慈母之撫慰子女，孺慕之恩，令人難以忘懷。故彼等雖在縲絏之中，而精神與生活不致太苦。但莫氏仍欲置被俘者於死地，誣控他們為海盜，累次要求澳門政府引渡。幸蒙國父急派孫科先生到澳門交涉，並向葡國大理院上訴，得以判決確定先生等為政治犯，於是釋放出獄。他們在繫獄期中，澳門華僑賢達盧光功先生曾努力奔走營救，熱情洋溢，使人感念難忘。

民國十年五月國父在廣州就任非常大總統，即興師北伐。其進軍計劃，乃先攻克桂省，繼攻湖南。但當時之桂省陸路交通梗塞，北伐軍佔領梧州之後，繼而用兵於桂林，後勤之運輸，專賴撫河之水路。國父為使後勤加強功效起見，除原有之兵站監外，命更組織一臨時船舶局，並派先生掌管其事，以協助運輸。先生以能善盡責任，使當時作戰軍需無缺，益使國父信任無慮。（一）

三日春秋

青年學人的控訴

・厚安・

時常聽到譴責青年人不愛國，「留」在外國不回來的話。也聽聽另一方面的說法。

說法之一，是沈君山博士。他說：「我們這一輩，想為祖國貢獻點什麼，我們不計待遇，不講條件，但失望了。因為青年人意見根本不被重視。國內學術界不信任青年人，不肯讓他們放手幹去。」

說法之二，是王九逵博士。他已回國多年。他獲得的是在美國最吃香的數學博士，已有多方禮聘，他毅然回國，先在台大任數學系主任不得志，後在清華當教授，仍然。現決定回美，並「宣言：「不再回來了」：

王先逵的牢騷，一共有如左幾項。因為這也許是其他青年學人（回國服務的）共有的牢騷，所以提出來。

（一）國內重視所謂「回國學人」而不重視回國長期服務的留學生。如果你是學人身份，回國是驚鴻一瞥，便可以拿基金的美金待遇，（三四萬新台幣一月），住學人華麗宿舍，或報上大登訪問記。如你是回國長期服務的留學生，或先是「學人」身份，因為愛祖國，而服務時間超過一年，便失去了「學人」身份，便住不到學人宿舍，甚至根本不管你有無住處，每月至多三千新台幣。不管你學問多少，你是活該。

（二）年老的排斥年青的。國內年老的教授不求進步，年青的有衝勁，好研究，於是便成為年老的眼中釘。同時學校當局，一向墨守成規慣了，多一事不如少一事。所以對年青教授，總是覺得太多事。某一流大學的研究所，就有兩位青年博士，因受不住這種冷遇，分別一個回美國，一個到南洋去了。不過他們是以行動作無言的抗議，不像王，沈兩君大放厥詞罷了！

（三）死條文困死了活人——學術機構也衙門化，充滿了死的條文。這種死的條文，對於老官場來說，是容易找漏洞，好打太極拳的。但對於新青年如王博士等，則成為困死人的桎梏。使他任何研究計劃都行不通（其實只要對總務人員請請客就通了。可惜他們不會，沒有學過）

如此研究環境，比缺乏經費還可怕！噫！（完）

自由亞洲合作經濟設計

（本文自第一版轉來）

遇有戰爭，財貨盈虛實況之互通，乃所以便於盟國擬訂生產計劃，以救友邦之急需。如此分配統籌，亦共同經濟戰略設計會的重要使命。

（三）繼產消平衡與分配應需之設計後，而待解決的問題，即如何力謀提高此區域的人民生活水準問題。假使以上所提一二兩個問題能圓滿解決，則提高人民生活水準的期望，當非難事。今日（一九五五）自由亞洲國家多係接受美援國家。假使能建立對付共黨經濟挑釁的統籌計劃，更易使美國相信，對其援助，皆獲充份的有利使用。

馬歇爾計劃援助了西歐的復興，此乃盡人皆知之事。基本原因即在西歐各國有其互關的經濟計劃。所以我至盼自由亞洲各國也能互籌經建計劃。

有了這樣互關的計劃基礎，或可更能吸引友邦的援助。現在所有亞洲的自由國家，都面對共黨的威脅，應可即起通力合作。（完）

司馬光與資治通鑑

陸石

涑水先生司馬光，字君實，世稱司馬溫公。他是有宋一代名相，而史筆亦自成一家，所編「資治通鑑」，凡二百九十四卷（又目錄三十卷，考異三十卷），上起戰國，下迄五代，敘述一千三百六十年間的大事，「專取關國家盛衰，繫生民休戚，善可為法，惡可為戒者以為是書」。宋神宗以「鑑於往事，有資於治道」，賜書名為「資治通鑑」。

溫公編通鑑的方法，是先為草卷，再為長編，再為考異，最後刪述而為通鑑正文。他採用的史料，除正史外，雜史亦有三百二十餘種之多，歷時十九年始告完成，所以他自稱一生精力盡瘁於此。通鑑採編年體，繫年敘事，義例精當，文繁義博，體大思精，實在是中國史學上一部偉大的著作。

論家庭與健康

·羅雲·

家庭乃社會的基層組織。或有五代同堂的大家庭，或僅父母妻兒子女的小家庭，或夫唱婦隨的現代家庭，其人口之多寡雖有別，而與健康之關係則一。

談到健康，除了重大的，可見的，有感的疾病痛苦之外，精神（心理）的健康亦不可忽畧。故健康的定義，應該是包括了一個人的精神與肉體兩方面都極正常，始可稱之爲健康。

一個家庭欲求其成爲幸福家庭，必須首先使家中之每一個人都具有健全的體魄，愉快的精神乃可。否則，「藥罐子」之家；富者可因以致貧；貧者則更是「貧病交加」永無幸福可言。此健康與家庭之重要性也。

然則，家庭之健康，重要固重要矣。但知道其重要性是一件事，能否圓滿作到又是一件事。蓋於使家庭中人個個健康，不是只家庭本身的注意保養，維護就可獲致；而尚待有其他各方之週密配合，共同努力才行。這是我們在討論本題時，應予確切認識的。

第一，政府當局的保健計劃，指導，措施等的必不可少。今日是以縣爲自治單位，所以縣市鄉鎮的衛生機構，益加顯得十分重要。如何充實其經費，延聘優良人才，以策劃，指導，推動轄區內每個家庭，對衛生保健之加強和重視，可說是當前最爲迫切的要求。

第二，公立醫院的應予普及到每鄉設有一所，以及其醫護人員和醫療設備的力求充實，並限制其私營診所與兼差，尤有必要。今日的偏遠及落後鄉鎮，大多缺乏之頗具規模的公立醫院，鄉民患病，或無力遠去投醫，或爲爭時效被迫不得不就醫於民間簡陋之診所。因此造成若干小病變大病，大病變無救的事實，時有所聞。而若干鎮市的公設衛生機構中之醫師，往往敷衍公務，只重私利，擅設診所或兼職數地，風氣日盛；其主管當局亦大都未能加以有效，遏止。使求治市民鎮民難獲實惠，對病情之影響可想而知。

第三，密醫僞藥之「野火燒不盡，春風吹又生」。使萬千家庭，於不知不覺中上其大當。

第四，民間私立醫院設備之簡陋，若干人復醫德掃地，亦嚴重影響一般家庭對成員的健康之維護。

第五，公共場所空氣欠流通，飲食欠清潔，大衆用品之消毒欠澈底，國人隨地吐痰與便溺之不良習慣，以及城鎮、村落中的垃圾，水溝等之未能及時清除，疏通，亦皆嚴重影響家庭健康之難以獲致。

由以上所舉五方面看，可知欲獲得個人健康，家庭健康，實在是相當的不易。

注意病從口入　做到防重於治

話雖如此，但我們却不能因爲目前他方面的不能相互配合，就抱着「隨它去」「管她娘」的消極心理，而去「碰運氣」。欲知道中國有二句俗話是：「病從口入」。是「防病重於治病」。在此，所以我們一方面呼籲上述各方面，爲國民之健康着想，應從速改善之；另一方面，我們做家長的則更期望我們每一個家庭的成員，均能切實做到下列各點：

第一，父母兄長要常常灌輸子女弟妹的保健常識（包括着性教育在內）。如可能，應令常閱讀此類書籍雜誌。對於報紙上的家庭版，及電台、電視的有關保健節目，宜使其經常閱讀、觀賞。

第二，嚴格使之養成便後洗手，食前洗手，早晚刷牙，漱口，及每日沐浴，運動的好習慣。

第三，訓練子女早起早睡，勤換內衣褲，午睡，定時進食，不暴飲暴食，不熬夜，不吸烟喝酒，不嫖賭，及不與人生氣鬥毆的好習慣。

第四，不亂服成藥，不聽信報刊電台電視上的那些虛僞，誇大醫藥廣告之宣傳。遇不適即多休息，並請醫生診斷，遵照醫師的吩咐。找醫生或買藥，宜切忌貪便宜，一定要找有名氣，有執照的醫師。買藥尤須由醫師指示到可靠的藥房去。以免上密醫僞藥的當。

第五，常注意新聞報導，及衛生機關的通告。按期接受有關霍亂、傷寒、白喉、鼠疫、小兒痲痺、等……等傳染病之預防注射，以策安全。

第六，每人至少在一年內，作一次健康檢查。許可時，最好是每半年作一次定期檢查。以便及早發現是否有病。蓋今日之醫藥十分發達，即使是「癌」絕症，設能早期治療，仍是可望獲救的。

總之，家庭的健康亦即國家富強康樂之張本。願我們大家能通力合作，以達到「人人健康」「家家幸福」之境地，則國家有幸，個人有福焉！

（完）

巨變歷險記！

天津被圍的國內形勢

胡慶蓉

林彪野戰軍包圍天津的時候，國軍在東北已經整個的失敗了。

當時的口號是「無東北即無中國」。由這個口號，可見東北是多麼的重要！亦可見東北的得失，是在關係着全國的安危。這麼重要的地方是失陷不得的！但不竟是失陷了，而且失得很快，也失得很慘！現任省立成功大學校長羅雲平先生抗戰勝利後曾任最高東北長官公署的文教處長，同他的夫人馮景嫄女士都身歷其境。羅校長羅夫人，爲東北安東省人，對於東北的情形，非常熟悉。若問到他逃出關的經過，關外落於匪軍手中的經過，他會有聲有色的給你描述得很清楚，但這必竟是二十年前的事了。我們不必去追究責任，不必如某國大代表要誰的頭以謝國人的那種說法，過去的讓他過去吧！但東北的落於匪共之手，不能不說是軍事方面的大敗，使全局轉捩入於不利的情勢之下。

「無東北即無中國」，這個口號沒有錯。假如把平津看作是頭部的話，東北就是他的左手，東北失了，等於砍去他一隻左手，原來國民政府防共，注意的是西北。誰也知道，匪共二萬五千里逃竄之後，即盤據西北的延安，政府派出他軍事王牌——胡宗南將軍到西北，指揮一支最多而又最強的部隊。很奇怪，一直到東北喪失，平津被圍，從未見胡宗南遣一兵遣一矢，連提都沒人提，說來是使人難測高深的事。襲昔，匪共殘餘從江西瑞金，湖南瓦岡山向雲、貴、四川逃竄，國軍雖然打得不力，但總還在追。剛剛卸任的台南南部地區警備司令宋邦緯將軍，曾親予其役，聽他講述，常令人驚奇。無論如何，總還在追，但自從匪共盤據延安，利用抗戰，發展實力，如水銀瀉地，無孔不入，到林彪去東北，胡宗南的幾十萬大軍，連追也不見追了，簡直毫無作爲，等於整個的癱瘓，這隻右手又失去其作用了。

其他國軍，聚集在山東臨沂方面的，聚集在徐州方面的，聚集在開封方面的，湖南方面的，廣西方面的，雲南方面的。也都同樣入於靜止狀態。林彪在東北得手，不但促成了他的提早入關，一鼓作氣包圍天津，其對於今後全國各大重鎮的爭奪戰，也都具有很大的作用。從此，敵人的威風大增，處處主動，先爭面，再爭點，對於綫，則全力破壞，從此，匪共氣焰高張，國軍普遍發生了一種恐共的心理，人心腐蝕，爲害甚大。

美援的突然停止，軍事補充困難。影響財政，影響社會，影響人心，莫此爲甚！其實，共匪並沒有什麼了不起，他的所以能奪取東北，後來又包圍天津，乃國內的形勢使然。在沒有一年的工夫，整個大陸淪陷，這在中國歷史上是很少見的，即世界歷史上也是很少見的。

天津的包圍等於給全國的民心士氣下一顆原子彈，更使全國的民心士氣爲之癱瘓。天津雖被圍，但抵抗最久，試檢閱民國三十八年這一年的戰役，再沒有那一個地方有天津抵抗那麼久的。從他被包圍之日——民卅七年十二月十七日，到淪陷之日，民國卅八年一月十五日，天津軍民苦守孤城幾達一個整月了！

（四）

禪學黃金時代

中國禪的祖師——慧能

吳經熊著　吳怡譯

慧能在江南一隱就隱了十五年，在這十五年中，他究竟做了些什麼，我們無法確知。但可以想見這段期間，他更加深了了悟力，同時爲了加深經典的了解以作將來傳道之用，也很可能讀了不少經書。據他自己說某一個時期曾混在四會地方的獵人隊裏，他常在無形中用佛理去點化獵人，當他被派去守網，總乘人不注意的時候，把網打開放走野獸，每次吃飯時，他總是把菜放在肉鍋邊煮，故意說他喜歡吃肉邊的菜。

這樣埋名隱姓的直到西元六七六年，那時他已四十不惑之年了。某天，他深感時機已經成熟，該出來宏法。於是便走到廣州法性寺，那時印宗法師正在該寺講解涅槃經。聽衆裏，有兩個和尚看到旗子在風中飄揚，便展開了一場激烈的辯論，一個說是風在動，另一個說是旗在動，慧能忍不住插嘴說：

「不是風動，也不是旗動，而是你們的心動」。

在場的人聽了都大爲吃驚。於是便引起了印宗法師的注意，與慧能討論一些經中的奧義。發現慧能的解釋極有見地，毫不咬文嚼字，便說：

「你這位居士，非常了不起。我聽說弘忍的衣鉢已經南傳，莫非你就是他的傳人吧」！

慧能只好說：

「不敢當，不敢當」。

於是印宗法師便請他把衣鉢拿出來讓大家禮拜，並問他說：「五祖究竟傳給你一些什麼秘密法門」？

他回答說：

「沒有什麼秘密法門，只是向我強調見性的工夫，並沒有談到任何禪定和解脫法門」。

接着又解釋從禪定而得解脫，這是兩截方法，不是眞的佛法。因爲佛法是不二之法。他指出涅槃經中所謂的見性就是不二之法，並引證該經中釋迦牟尼答覆高貴德王菩薩的話說：

「善根有兩種，一種是變的，一種是不變的；但佛性却是超乎變和不變的」。

依據慧能的看法，佛性是超乎變和不變，善和不善，內容和形式的，所以是不二的法門。

印宗聽了慧能的解釋後，非常佩服，便向慧能行禮說：

「我的講經，膚淺得有如瓦礫；而你的解釋眞是寶貴得有如純金」。

接着便替慧能落髮受戒，自己反而拜慧能爲師。

在慧能受戒後的第二年，他便到曹溪地方，由許多信衆支持，建立了寶林寺。就在這寺中，他住了三十六年，直到西元七一三年逝世。當地的韶州刺史韋璩也成爲他的信徒，而且「法寶壇經」的主要部份便是因韋璩的請求而說法的，至於其他部份也是包括了許多到寶林寺來問道的信徒們的對話。

（八）

三幕喜劇

事過境遷

熊式一

趙：（忍無可忍）天哪！這還用問嗎？

何：小孩子，少胡說！沒有人問你！

包少：太極，你說看看！我就問問你。

（趙太極望着何夫人，何夫人很不高興的樣子）

何：人家尊重你的意見，你就說吧！好讓我聽聽你們男人的意見，假如你碰見了這種事，你怎麼辦？

趙：這有甚麼怎麼辦？我會對我心裏所愛的女人說：「你是我一生所最愛的人，誰也不能來侵犯我們，誰敢來？來了我要他眞死給你看看！」

露：好極了！

包太：眞的！

仁：唔！唔！（怒不可言）

何：趙先生，你畫的畫不像畫，講的話更不像話！你連法律，你連道德都不顧嗎？

趙：這不是法律和道德的問題！這是愛情的問題！

露：愛情至上！愛情神聖！

何：小孩子一點規矩都沒有！仁翰，怎麼讓他們兩個人在這兒胡說八道？

趙：您方才不是說您也想聽聽我們男人的意見嗎？您不問我，我還不肯告訴您呢！

包太：仁翰，你也不妨表示表示你的意見！一個男人和另外一個男人，也許有不同的意見，你現在總應該打定主意怎麼辦！

露：我也想聽聽叔叔的主意！

何：這樁事用不着誰去打定甚麼主意！事情早已弄糟了，還有甚麼主意可打呀？

仁：對了！

何：我想先要委托我們的律師，通知婚姻登記處，申明你們的婚姻無效，對不對？

仁：我們的律師，會知道應當辦的合法手續。

趙：申明了婚姻無效之後又怎麼樣呢？

何：仁翰以後就可以再娶沒有丈夫的正當女人！

露：那嬸嬸呢？她怎麼辦？

包太：我既然不是包家的人，你叔叔，你姑奶奶就用不着管了！

仁：不是這樣講，你以後一切的費用……。

何：她有她活着的丈夫，用不着再要你養了！她可以去找他！㉜

自由報

第九〇五期

中華民國僑務委員會頒發台報新字第三二三號登記證
內政部登記證內警台報字第031號
中華郵政台字第一二八二號執照
登記爲第一類新聞紙類
（半週刊每星期三、六出版）
每份港幣壹角・台灣零售價新台幣貳元

社長李運鵬・督印黃行奮

承印者：大同印務公司
地址：北角和富道九六號
台灣總管理處：台北市大同街119號
台灣區直接訂戶　台郵劃撥戶
第五〇五六號張萬有（自由報會計室）
電話：五一四〇[illegible]・五五五[illegible]九五
台灣分社：台北市西寧南路110號二樓
電話：三〇三四六・台郵劃撥戶九二五二號

社址：香港九龍彌敦道
593—601號廖創興
銀行大廈八樓五座
LIU CHONG HING
BUILDING
7th FLOOR FLAT 5
593—601 NATHAN ROAD,
KOWLOON, H.K.
TEL: K303831
電報掛號：7191

日人操縱下的台獨運動（中）

本文接上期九〇一　・何浩若・

筆者於今年六月訪問英國的時候，便特別注意羅素的動態。這十多年來的羅素，完全是以共產黨的姿態評論世局。他認爲民主國家與其站着死，不如跪着活。也就是說他主張對共產集團無條件的投降。他大捧毛匪澤東並且公開的撕毀了他的工黨黨證，和工黨脫離關係。他反對並且抗議民主國家的原子試爆以擾亂治安罪入獄。他最近驚人的主張是說美國總統詹森是戰犯要把詹森交國際法庭審判。

他對外的活動是透過他所組織的羅素和平基金委員會。這個委員會的秘書長是一個美國有名的共產黨員拉夫商曼 Ralph Shoenman 商曼做過這個委員會十年的秘書長。他是美國公民，但是他居留英國十年，追隨羅素做國際共產黨的工作，當筆者在英國的時候，正值英國政府驅逐商曼出境就像日本押解柳文卿出境一樣哄動了全國。商曼是一個共產黨員，時常訪問北越。照美國的規定，美國公民未經許可是不能訪問北越的。商曼屢次違犯規定，國務院便取消了他的出國護照。商曼沒有護照便祗有偷入英國。像商曼這樣在英國活動的美國共產黨，英國是不歡迎的。因此英國政府有命令禁止商曼入境。那就是說，即令商曼有護照也禁止入境的。何況他沒有護照呢？但是商曼說他已在英國居留了十年，至少有居留權。他又是羅素和平基金委員會的秘書長。他偷渡入境以後英國的姑息份子當然反對政府驅逐他。這時候有一位英國的新聞記者便採取以民主保護民主的方法，設法引他到唐寧街十號英國首相官邸前去散步，替他在首相官邸的兩個門衛之間拍了一張像片，第二天把這一張像片送到各報去登載。許多的報紙便說商曼太藐視英國法律，偷渡入境還敢去首相官邸前照像。許多報紙要求政府將他驅逐出境。英國移民局和警察立刻採取行動將商曼在海德公園拘捕，送到蘇格蘭場 Seotlaud Yard 在第二天清晨五點鐘便由移民局的官員押解出境經巴黎送回美國。假如英國的共產黨消息靈通的話，一定也會像驅逐柳文卿一樣，在飛機場和警察搶犯人。也許商曼也會像柳文卿一樣咬破舌尖放賴呢！商曼是六月廿九日押解出境的。當他到達紐約機場的時候，還有英國移民局的官員陪着他。他告訴新聞記者說，他被英國的記者出賣了。他說在凌晨被押解出境，因此無法通知他的律師進行訴訟。他自稱還要回到英國去控訴移民局，要繼續在英國居留。筆者詳細報導了商曼被英國驅逐出境的情形是因爲自由中國所知道有關羅素的情形太少了，讓殷海光這樣的人在台灣瞎捧瞎扯，一直到現在，台北的水牛出版社還在大大宣傳推銷羅素的什麼著作。

美國的台獨份子爲什麼要爲柳文卿事件特別向羅素和平基金委員會聯絡呢？理由就像文星集團的殷海光捧羅素一樣。文星集團也是搞台灣獨立運動的。所謂姑息份子許多是共產黨員，許多是同路人，大多數是以學者身份來掩護他們的工作。台灣獨立運動是中共、美共、日共、台共聯合起來，企圖打倒中華民國來完成那五十年來摧毀中華文化赤化中華民族的工作的。這一運動非常複雜。不過在日本一方面又夾雜許多日本的野心份子和浪人想對台灣恢復日本人的統治權，使台灣再度成爲日本的殖民地。這自然不是日本政府的主意。日本現在是中華民國的友邦，日本政府自然要維持友好的邦交。可是許多野心不死的日本人就不同了。他們到現在仍然不能忘情台灣，夢想再回到台灣來。因爲如此有許多所謂皇民和漢奸便迎合這些野心份子的意志來搞台灣獨立運動。在平時這些日本人也無微不至的來滲透台灣。同時美國的姑息份子也無形予這些人以鼓勵。現在讓我談一談日本人與台灣獨立運動。

四、日本人與台灣獨立運動

說到日本人與台灣獨立運動，筆者要再度聲明日本是中華民國的友邦。日本政府處理台灣獨立問題完全是按照國際公法和外交程序辦理的。

日本的台灣青年獨立聯盟說，中華民國和日本有秘密協定，佐藤政府以取締台獨來換取中華民國不反對琉球歸還日本。這完全是造謠。事實證明台灣獨立運動仍在日本進行並未被取締，日本政府也並沒有不庇護政治犯。但是台獨份子如在日本犯法或違犯了日本的移民規定如柳文卿之簽證過期就必須依法處理。這種態度無所謂好也無所謂壞，祗是按照國際公法和外交程序辦理而已。至於有些日本的野心份子和浪人不忘情台灣，進行滲透，既未受日本政府指示，亦難責令日本政府負責。就像中華民國的台籍留美學生到日本大使館去喊打倒佐藤一樣，中華民國也不能負責，理由詳見下文。

和台灣獨立運動有關的第一個日本人我們要提出來的，應當是台灣青年獨立聯盟的主席辜寬敏。他的母親是日本人。他的父親是入了日本籍的日治時代大漢奸辜顯榮。辜寬敏本人一直住在日本。據他的哥哥辜振甫告訴筆者，他們四兄弟是三個日本人，一個中國人。這一個中國人就是他。他的三個弟弟都是日本母親的，以隆昌公司的財產來捧辜顯榮，他並不參加。有些人以爲筆者攻擊辜顯榮和辜寬敏就是攻擊辜振甫。這樣的說法是毫無是非觀念的。辜振甫效忠黨國就像廖文毅一樣的值得我們欽佩，我們如何能懷疑他的忠貞呢？筆者告訴辜振甫，他就是今日的鄭成功。鄭成功的父親鄭芝龍降清是一位大漢奸，辜振甫的父親辜顯榮也是一立大漢奸。不論辜振甫的事業怎樣發達，即令他統治了整個的台灣，因爲他効忠中華民國，他也不能替辜顯榮立忠烈祠。就像鄭成功不能替鄭芝龍立忠烈祠一樣。這就是春秋大義。所謂『孝子慈孫百世不能解也』的說法。台灣有許多要人名人替辜顯榮做壽立祠，想做辜顯榮的孝子慈孫，也是解不了的。再說台灣學生到日本大使館去喊打倒佐藤的事。這些台灣學生是一個日本人領導去的，應當由日本政府負責。何況這個日本人所領導的台灣學生大喊打倒中華民國並沒有喊打倒日本呢。他們祇是怪佐藤沒有幫助他們搞台灣獨立運動，意見不同而已。他們不僅沒有喊打倒日本，而且向日本大使館呈遞請願書，又在季刊裏特別強調說把請願書呈送日本天皇和太子。這就是筆者前次所講的假如中華民國對台灣學生到日本大使館去喊打倒佐藤應當負責，那麼日本政府對一個日本人領導着台灣學生到中國大使館去喊打倒中華民國也應當負責了。

五、日本人在台的實際活動

筆者現在想報導一些日本人在台灣活動的情形。當然這些活動多少與台灣獨立運動有關。筆者很相信『人必自侮也而後人侮之，國必自伐也而後人伐之』這兩句話。在報導的時候是重於責己輕於責人。以民主的方法保衛民族就必須人人負責提高警覺，萬萬不可忘記了民族大義。第一件事我們要提到的是日本輪船幸安丸的事件。今年八月十四日大華晚報以『議堂擺花酒』爲題曾作下列報導：

『澎湖縣議會，將神聖的議事堂，供給日本人吃花酒，引起縣民的極端憤慨。新聞中有一段寫得極爲生動。這種丟門面的事，本來不應該渲染，但爲了求眞求實，亦不能一筆帶過。錄之以獲讀者。

（下轉第三版）

昨日與明日

貶台大醫院

台北台大醫院，附設醫院急診處，房舍小，醫生少，而病人特別多，看來儼然像一所難民收容站，衛生環境的惡劣，簡直不成話。我們懷疑台灣大學不會有這樣的醫院，但事實勝於雄辯。

監察委員陳大榕光火了，且於院會中提案即電行政院轉飭迅予改善，以重人命。不過話又說回來，亂世人命本不值錢，尤其醫生眼睛裏的「人命」比起「紅包」差得太遠了，凡與台大醫院打過交道的，幾言之成章。職司風憲的監察委員，實有再深入調查的必要。

感冒襲台感

監察委員陳翰珍，王文光認爲此次A二型流行性感冒，襲擊台灣，傳染普遍，迄今未戢，政府衛生機關及有關單位，初則不予重視，繼又難有效遏阻，不無怠忽職守，應予調查研究。

台灣的衛生機構，不衛生久矣！除了台大急診處像難民所外，台北市立醫院急診處等，也都和狗窩一樣，大同小異，肺結核中心，裏面怎樣貪，反正和結菌一樣，爛在內部，最近更不成話了，連電梯都感染到結核病，必須長期靜養。其他的花樣還多得很，信手拈來都是資料，怎麼辦呢？

談菜場衛生

台北的小菜場衛生差勁，比起香港遜色，則無所謂，因英國人對公共衛生管理是出了名的，問題在比起台中，基隆高雄也差得很遠。

髒、污、臭、亂、可以代表台北的小菜場，猶其中央市場，和同安街菜場，很像「滑油山」，又如「大墨盒」，不穿高筒膠靴，不能進入。警察說：「這是衛生局的問題」，衛生局道：「是警察的責任」。高級官員打太極拳，乃怕負責任，這些起碼事務，也打太極拳，就不知所爲何事了。

勸衛生官員

台灣省衛生處與台北市衛生局，爲了保「衛」自己的「生」存而戰，誰拿出看家本領，眞是你有關門計，我有跳牆法，祇一個小據點「台北產科醫院」就看糾很多絕招推出。

奉勸衛生官員，衛生者乃保衛「人」的「生」命，不是衛生官員的「生」存與利益。由於你們的錯覺，使醫院的急診處，變成爲難民所，感冒襲台無人過問，電梯上都感染到肺結核，與聯合國衛生機構有關的統計，竟能擅改，衛生當局互相推諉，醫生究竟是讀書人，希望衛生當局替讀書人留一點臉。

青雲

自由談

復興文化的要務

復興中國文化運動，此時此事，允屬當務之急。因爲中國大陸上的共產匪幫，正在瘋狂地進行所謂「文化革命」，要把中國五千年來的固有文化思想和典籍，徹底摧毀，不留痕迹，禍烈於洪水猛獸，而視秦始皇的焚書坑儒，爲害不翅倍蓰。我們急起振興中國文化，即符合朱舜水所倡「滅虜之策，須事事與虜相反」的義理。

可是，既要復興文化，必須躬行實踐，在日常生活上有所表現，却非開開大小會議，發些空疏文告宣言，喊喊口號，貼貼標語，便有效用的。「文化」的領域很廣漠，自典章文物以至風俗習慣，莫不與文化思想息息相關，復興之道甚多，決不能百廢俱舉，終致一事無成，唯有分別先後緩急，提綱挈領，努力策進，庶幾可望獲得實效。

譬如：共匪在大陸上將吾國舊有的一切典籍，全部焚燬了，原來殘存在海外共黨書肆中的經史子集和舊文學作品，一律禁止售賣，而代之以符咒性質的「毛語錄」。我們即應該以政府的力量，請碩學通儒，整理國故，選擇若干種適合社會大衆閱讀舊有書刊，精加校讐，重行出版，而以廉價推銷於海內外，即不失其爲復興固有文化的要着，實際裨益匪淺也。這工作萬不宜寄托於書賈市儈，徒然糟塌固有文化。老實講，自民國十六年國民革命完成迄今四十年間，國民政府對於文化方面的建樹實在太少了，亡羊補牢，此其時矣。

從復興固有文化的觀點設想，吾人對於「國文」與「國語」問題的爭論，實在是[illegible]。沒有一點國文根基的，寫出語體文來，亦復不成玩藝，殆可斷言；至於修纂國史，更是重要的文化工作，尤非具有相當湛深的國學修養不爲功，否則縱然設館修史，他用語體文撰修史書，亦不堪寓目，而與復興固有文化的宗旨大相逕庭，適所以災梨禍棗而已！復興文化是一項艱鉅的事業，不好隨便應付，不能徒託空言，這對國家民族的生存發展前途，關係太深鉅了！

馬五先生

中國國民黨將有重大舉措 定期召開十全大會

補增選台灣中央民意代表 陳立夫國曆年前返台定居

本報記者童尚書台北消息：中國國民黨自前次調整中央及地方黨部人事後，原擬在本年十一月召開六中全會，討論現階段黨務之推進以及當前一般政治實施問題。事宜據悉，上項會議將延至明春於第十次全國代表大會之前舉行。至於十全大會之籌備事宜，黨自本週開始進行，中央各主管部門均已着手佈署一切。聞大會之主要任務：一、推選黨的副總裁。蓋自陳辭修先生逝世後，副總裁重職，虛懸迄今，急待補選。二、改選中央委員暨中央評議委員。三、討論黨務全面革新及推展時局之重要決策。四、大會日期預定於明年三月中旬。因十全大會之將召開，聞黨經准補選增選台灣地區之中央級民意代表，甚至台北市議員之選舉亦勢須延至大會閉會以後。

又訊：總統府資政陳立夫自在美將雞舍辦妥出售手續後，即已遷離紐約，至其在普渡大學任教的公子家中暫住，其書籍什物業陸續交由海運來台，陽明山之寓所，陳氏已裝修一新，決於國曆年前即可居住云。

政院不重視質詢 立委們紛紛指責

一件質詢案拖兩年半 避重就輕所問非所答

【本報記者劉璧台北消息】：立法委員們指責政院長不重視立法委員的質詢。嚴院長於十月十七日在立法院答覆質詢時說：「關於行政院答覆立法委員質詢的時間太慢，我們將來一定設法改進，儘量對各位委員的質詢提出最快的答覆。不過有關行政院各部會的主管事項，坦率的說，行政院長亦不完全知道，在未接到各級主管呈報前，誠難答覆」。

立委侯庭督對「質詢權行使的改進」提出質詢，並抨擊行政院。他說：立法委員行使質詢權的目的在使人民透過政府首長的答覆中，對國家施政有所瞭解，有所考評。可是現在立法委員平時所提出的書面質詢，行政院常常積壓達數月之久，避而不答，直到立法院次一會期開始集會，才萬件齊發，函送立法院。各位如果不信，可以翻翻立法院的議事日程。立委平時所提質詢，得不到立刻答覆，因此不得不在每會期開始時，紛紛發言，達六、七十人，曠日持久，任何……[illegible]……政院因為……[illegible]……有的施政質詢，就……[illegible]……意義。

侯委員進一步指出：立法委員提出質詢後，行政院往往交下級主管機關，然後再由下級機關函復立法院，往往答非所問，下級機關所簽復的內容往往無所知，而什凡錯誤，本身有施政的辯解，或者迴避正面，避重就輕，顧左右而言他，這種答覆質詢，有何意義？

侯委員希望行政院平時對立法院委員的質詢，很快的答覆，對於下級機關簽覆的文件，行政院也要核對其內容，所答是否所問，才不致應故事。如立法委員林棟於五十五年三月間質詢行政院，根本不答，因此林委員再度提出，到今年十月四日，兩年半的時間，才由嚴院長答覆，當由嚴院長指定交通部長即席答覆。近兩年來，林委員沒有質詢，而此次嚴院長這一手，的確使行政院的光彩減色。

又如立委黃玉明於今年九月二十七日就「行政院統有大陸戡亂區的施政問題」提出質詢，但黃委員對嚴院長的答覆很不滿意，曾以口頭再質詢十四日提出「再質詢」，最後黃委員以「本人的答覆，隔靴搔癢，當面詰問，答覆已詳示悉清楚」……[illegible]……！公開請示大下聽……[illegible]……題之同意。

再談學校之窗

・張起鈞・

前談達默斯學院之奢，不過是其中一例而已，實則美國由於國力富足，資金雄厚，影響所及許多學校都富足到不必要的程度。例如筆者曾執教的南伊利諾大學（Southern Illinois University），不僅房舍林湖佔了半個城，並且還有自備飛機，擁有一、二十架飛機，學生遠赴他處賽球，教授至各地開會，都由校中自派專機護送。筆者與系中同仁桂明尼安浦斯開會，即係乘學校專機往，開了三天會，飛機就等了三天，然後再送回來。這種氣派，那些非洲新成立的百里之國，恐怕都辦不到，難怪各國的留學生到了美國都嚇傻了呢。像這飛機，還可說是為了交通的方便，有些跡近豪奢的設置則簡直令人不可思議。

民國四十八年十二月筆者到奧克拉馬州的靜水（Stillwater）參加西南哲學會議，會場是在奧克拉馬州立大學的「學生中心」（Student Center）。提到「學生中心」國人便會聯想到幾列宿舍，一幢飯廳……那知這個「學生中心」卻大不然了。不僅彈子房、保齡館、電影院、跳舞場……一切應有盡有，並且還附設有巨型的旅館，豪華旅館，餐廳中的侍女不僅制服精美，個個都秀，甚至連髮色都是一樣的（按：西人頭髮的顏色多采多姿，種類不同），至於開會的地方，更是大房小舍不一而足，而最妙的還有三個佈置極為精美豪華的大客廳。一個是一色路易十六時代式的傢具陳設。還有一個則是古色古香，富麗堂皇的中國客廳……這一些真與想像中的「學生中心」聯不到一起。一天會後我與新墨西哥大學的老教授巴恩（Archie Bahm）相偕漫步，參觀這個「中心」，左迴右折，究如迷宮，而且恩讚嘆道：「這真是皇宮嘛」！可見我這沒出口，而且恩讚嘆道：「這是皇宮嘛」？可見人同此心，心同此理。

這些豪富之處，真把世界各地來的青年嚇着了，但在我們念過點書的中年人，却不怎麼傾倒。有一次我在南伊大李恩（Ieys）院長家吃飯，談起這些設備，我說道究竟對學術研究（Academic Study）有什麼必然的關係呢？李氏也深同我見，為之莞爾。

旅美散見

彰化少年輔育院毆斃學生

院方諉過捏造新聞

社會處平時不僅督導無方 且任其橫施打罵視若無睹

本報記者林熊台北消息：近據台灣省社會處之彰化少年輔育院，日前發生彰化少年……[illegible]……

化市十八歲少年楊麗勳，因竊盜嫌疑，今年八月間被台中地方法院判處感化教育，移送彰化少年輔育院執行……[illegible]……

立法委員趙佩質詢 認為處分傅雲太輕

本報記者顧男天台北消息：立法委員趙佩於日前向行政院長提出一項書面質詢，指責台灣省政府對社會處長傅雲的處分太輕，認為以彼之意見不合，出席內政部勞工保險法案研討會議，竟以彼之意見不合，然率所屬出席人員拂袖而退。……[illegible]……心誠」，應予免職處分，始稱允當。至於「申誡」處分，應是傅雲的上級，而「傅雲之無法律觀念，更未具法律常識，狂妄自大，驕橫飛揚，超越公務員應守之分際」，因此趙委員建議最宜當之處分傅雲應予免職。

……[illegible]……

台北新聞信

防痨局的不法行為 勢必在國外出醜

若干年來新聞界對於甚多不法行為，口誅筆伐，勇敢抗爭，這是維護法律能夠發揮效用的最好辦法，假定記者們都變成老油條，亦抱定煩惱祇為多開口，無異於鼓勵這些雞毛狗算之輩破壞法律，挖政府的牆腳。

在台灣言台灣，一些不法行為，當然不止防痨局，但教科書的黑暗，比防痨局還嚴重，……[illegible]……

……[illegible]……

・本報通訊員柳一樓・

陳策將軍傳

——英國人眼中的中國納爾遜

袁良驊

民國十一年春北伐軍進展神速，二月十三日抵達湖南省境，北洋軍閥吳佩孚大急，乃提倡割據式之聯省自治，以引誘粵軍總司令兼廣東省長陳烱明合夥，將中華民國地分南北，分歸吳、陳各自統治。陳烱明利令智昏，竟吞其餌，故亟亟阻撓北伐之進行，靳勒北伐軍之餉糈。國父以後方不固，於三月廿六日決計卒師回粵，並免去陳氏之總司令及省長兩職，改派伍廷芳繼任廣東省長。至是陳烱明恐受包圍，急遽令其所兼任之粵軍第一軍，退據廣州外圍東莞縣之石龍鎮及虎門一帶，以威脅廣州，派葉舉為偽總指揮，而陳氏則隱於其根據地——惠州，嗾使其部屬破壞我後方。國父以陳氏叛跡未彰，猶冀其悔過歸來，不但不忍消滅其部隊，且令回師之北伐軍繞道行軍，使遠駐韶關，以避免與陳軍接觸，而示無他。國父僅卒少數侍衛及高級幕僚返抵廣州辦理善後，其仁者之用心，可謂苦矣！（二）

日人操縱下的台獨運動（中）

（本文自第一版轉來）

「席間有十餘名花枝招展的酒女，她們都是縣議會的小轎車從各酒家接來的。由於這些酒女們向來沒有置身神聖議壇的經驗，一旦涉足其間，不免有『身價百倍』之感。於是益加放浪形骸，鶯聲燕語，打情罵俏，無所不用其極，把渾身解數，施展得淋漓盡致，謔浪笑語，聲聞遐邇，因此而惹起縣民的側目。」

這項宴會是由東京海事株式會社主辦，該會社所屬「幸安丸」甫於日前載運電信局的電纜自日本駛來馬公。宴會的目的是為了答謝澎湖各界在該輪寄泊期間所給予的照拂。這本來是無可厚非的一種商業行為，但偌大一個馬公，難道就找不出一家商業場所？何必非要在縣議會的議事堂舉行不可呢？議民主殿堂，一有了這種色情玩藝，就面目全非了，喪失其神聖性。

與會者包括「幸安丸」的船長和船員，不用說是一個皆大歡喜的盛會了。我們知道，海員生活，和其他職業不同，對於異性的親近，難免有過分的表現，十餘酒女之使出渾身解數，也是投其所好的一種商業行為。天下老烏一般黑，東洋人也是人，不能在海員生活中獨樹異幟，澎湖縣民之所以集憤填膺，這內中必有「大塊文章」，只是說不出口。從來媚外的事，都是士大夫階級悍然為之而無所顧忌。縣議會以會場作色情場，這是誰的主意？」

自第二次世界大戰日本投降以後，台灣便流行一個歌，名叫『何日君再來？』漢奸梁容若獲得中山文化獎金因而發生爭論便牽涉到『何日君再來』這支歌。我們不是不歡迎日本人來台灣，但是不要以皇民的資格來歡迎。日本人的民族觀念很重。一個美國核子潛艇開入日本國境都要遊行示威。民主國家的議堂就等於日本的皇宮。為什麼要到議堂去喝花酒呢？這是日本人故意安排想看一看台灣有多少順民？還是皇民的主意，表示歡迎日本人再來統治台灣呢？

今年八月十八日北市中華日報有一條新聞說：

『（本報南市十七日專電）高雄市自來水廠前廠長朱瑞源洩漏公務上的機密的瀆職，業經高院台南分院刑庭審結宣判，駁回上訴，被告朱瑞源仍處刑七月。被告朱瑞源，係在其高雄自來水廠廠長任內，將高雄市自來水給水計劃，提供日本大阪水道產業新聞社，事後被人檢舉，移送法辦。本案原經高雄地院判決，被告朱瑞源處刑七月，朱某不服上訴高院台南分院。』

這裏所講的日本大阪水道產業新聞社的社長叫做河添佐之助於民國五十五年來台灣搜集資料。朱瑞源受該社長之託竟以國防機密資料於民國五十六年一月郵寄大阪而被發覺。現在許多日本人川流不息的到台灣來調查這個，調查那個。有許多台灣人對他們的要求，是似有求必應，即令身陷法網亦所不顧。至少我們對洩露國防機密應提高警覺。另據最近民族晚報載稱：

『（本報新店今午電話）台北縣新店警察分局頂城派出所，接獲鎮民密報，於晚在頂城路六十二號，將「日蓮教」教徒劉李不纏捕獲，並在她的家中查獲日蓮教教祖像一張。據新店警察分局調查：「日蓮教」是日本的一個教會，不知何時傳入台灣，教徒都在秘密傳教。該教充滿了神秘性，他們所拜的是一張類似佛祖像，而且在這張像的旁邊寫了很多密密麻麻的字，這些字很難看得懂，這張像平日是鎖在鐵櫃中，要拜的時候才拿出來。據「日蓮教」教徒劉李不纏向警方供稱：他信仰「日蓮教」有四年的歷史，新店鎮有卅多人信奉該教，關於為什麼要信奉它，何人主持，教義是什麼？她一字都不願說，只希警方不要把她所拜的像破壞，他寧願被拘留起來。』

六、秘密教會到台值得注意

日本的野心份子既不能忘情台灣而台灣的「皇民」又有『何日君再來』的說法，日本的秘密教會忽到台灣來秘密的進行組織是值得注意的。一年以前，日本的巨人棒球隊來台灣訓練。這原是一件極普通的事。但是台灣各報紙不論是民營、公營是黨營都以最長的篇幅，最明顯的標題為之宣揚，稱之為在台中『操兵』。據說有一位「皇民」，沒有看清報紙的內容，以為「皇軍」到了台灣，在台中『操兵』為之大為興奮，遂奔走相告。不論什麼日本團體來台訪問都有一種優越感，懷着一種征服的態度。譬如此次日本少年棒球隊來台便以為台灣的少年棒球隊不堪一擊。及至被紅葉隊擊敗，又惱羞成怒出言侮辱。中國時報會以日本人的驕氣為題予以批評。批評日本的任何事和任何人都是很少見的『中國時報的評論是值得欽佩的。筆者的論文有涉及台灣獨立運動的，台灣大小各報一律不登。據說不登的理由之一是怕得罪了日本，日本商人便不登廣告，報紙就會受到重大的損失。今天台灣電視及報紙所登的廣告差不多大部份是日本的，台灣目前的經濟已經很難脫離日方的控制。筆者以為台灣報紙替日本所作的義務宣傳，如報導巨人棒球操兵之類，太過份一點。即令不含有其他的作用，為什麼要這樣的過份渲染呢？舉一個列，今年八月十六日的徵信新聞，對一個曾在台灣教過中小學的日本教師市崎四郎重來台灣訪問的情形會作下面的報導：

『這是一個日本教師，於卅年前和他的台灣小學生相處六年後，所產生一段師生間感情恆久而深厚的故事。那時候，卅二歲的市崎四郎老師興緻冲冲的由日本遠渡台灣，在彰化中山國校，他面對着一羣家境清寒、純真而又調皮的學童，他以嚴謹兼關愛的獨特教育，給他們一種堅毅奮鬥的啓示。六年後，台灣光復，市崎四郎流着辛酸的淚水離開了他曾教育過的二百位學生，返回日本。

直到廿三年後的今天，市崎老師又被他的那些長大有成就的小學生邀請到台灣來歡聚，這次他流出的是喜悅的眼淚。

十五日在松山機場，他們以眞情演出了一場異國師生久別重逢的感人場面。廿餘位在台北的學生團團圍住市崎老師，彎腰鞠躬，重溫小學生的禮節。

「老師好」，「老師還顯得很年青嘛！」一聲接一聲的問安，使市崎四郎激動的說不出話來，祇能用一雙大手，撫摩着學生們的頭，拍打着他們的肩膀……

六十二歲的市崎老師被學生抬在肩上，往機場出口走去，他們合聲歡唱着當時的校歌：「八掛山麓綠青青，大肚溪流佔地勢……」，市崎四郎摘下圓圓的老花眼鏡，用手帕擦去淚痕，接着拉開沙啞的嗓門，喊着他身旁的每個學生的名字和當年的綽號。

（未完）

文涯樓劄記

何健掘毛澤東祖墳

文涯樓主

毛澤東是一個最講迷信的人，湖南話有：「要得發，不離八。」因為傳統迷信的關係，他始終將「八」認為是一個吉祥的數字，「八路」「十八」集團軍，「新八」路，「老八」路，「新四」軍。「老四」軍。其實還不止此」，匪軍的帽徽用「八一」，北平若干宮殿街路均已改名，惟獨保留「天安門」，蓋天安門三個字正是「十八」劃，說來人都不會相信，毛澤東本身的名字就是正宗迷信產品，「毛」是「四」劃，是兩個「八」劃，東是「八」劃，其餘一切可以推想了。

廿世紀七十年代，還有這種冬烘腦袋的人，眞所謂社會之大無奇不有，毛除了「要得發，不離八」外，更重風水地理，陰陽之說，毛在早年凡報章雜誌有關這方面的文章，皆剪貼成書，詳加研讀，對毛門陽宅及陰宅，都非常注意，湘潭與湘鄉交界處韶山，（原名天山）毛之曾祖及祖父墓地，置疑塚多處，以保護正墓，疑碑且僞有：「地理先生慣說空，指南指北與西東，山中果有王侯地，何不搜尋葬乃翁。」這種「此地無銀三十兩」的做法，用心可謂苦矣！亦智者千慮，必有一失。

湖南省政府主席何健，安安穩穩做了十年太平主席，何健不僅信運氣，更講究風水地理，且篤信神佛，鬧出很多笑話。江西剿匪期間，蔣委員長在廬山召見文武百官，席間委員長對當時的江西省主席熊式輝跛腿甚為關懷，頻頻垂詢醫治情形，何健粗綫條作風，突向委員長報告，謂長沙劉神仙者可醫治熊主席腿疾，蔣委員長儼若中華民國慈祥家長，視學生部屬皆如家人，對何健推荐名醫當然感到欣慰，那裏知道所謂劉神仙者，乃神棍與魔術師也，熊是聰敏絕頂的朋友，除向何表示心領外，並未說穿這件事，直到若干年後，與樓主談天才道破眞相。

當時的何健，南近兩廣，北接武漢，對政局幾舉足重輕，在湖南也確做了很多事，猶其建設和教育，得力於余籍傳。朱經農兩位廳長輔佐，幾成為全國楷模，何健的「難得糊塗」與量器恢宏，有些事眞是「忍人所不能忍」，以這樣一位阿彌陀佛，竟與毛澤東有不共戴天之仇，毛之為禍人羣，為禍桑梓情形，可以想像。民國十九年何健下令肅清湘境共匪，並挖掘毛澤東所有祖墳。藉以根絕子孫後患，奉令執行挖墓的人名叫首斌，他率領一批壯士，抱着毛王爺家的族譜，按圖搜索，共掘出「毛氏先遠三代一脈宗支」的屍骨卅七具，林林總總，盡倒入湘江，未料二十年後這股毛毒、仍為害人類社會，難怪曾文正公說：「不信書，信運氣」何健在九泉有知的話，一定會以醴陵話罵出：「惹他娘毛騾子！到陰府我們再算帳！」湘潭朋友另一說法，何太翳子（健）並未挖到毛澤東祖宗的正墳。疑塚確被破壞光了，彼等姑妄言之，我們亦姑妄聽之。

三日春秋

汪精衛的軟手與搓手

·厚安·

汪精衛的善變，盡人皆知。他為什麼善變？從他的相上看得出來。汪是不折不扣的美男子。長身玉立，面如冠玉，這都是他「討喜」的條件。又會說話，死的可以說活，更增添了他出賣風雲雷雨的本手。但是，他有幾件敗相。

其一是：他在行動的時候，腰向兩邊微微擺動，有一種「風擺柳」的姿態。在他或許是顧影翩翩，有些賣弄，但在相書上，這是一個十足的敗相，所謂「命犯桃花，生邪淫。」

汪的第二個敗相，是手軟。汪是一個鬚眉男子，但他的手却其軟如綿，而且肌理細膩，入手圓潤，根本不像一個男子的手。筆者所以有此體認，是因為抗戰時他任副總裁，主導文化工作，與黨中文化幹部接觸頻繁，所以有機會常常握他這隻「手軟」。

汪的第三個敗相，是搓手。起初我們還不知道。在一個偶然的機會，筆者與他隔一張辦公桌相對而坐。無意之間，由桌子下面看過去，恰好看見他的雙手。奇怪的是：這雙手並沒有安靜地放在那兒，却在不停地相互揉搓，正如一位妙齡少女與情人初度情話時用手搓揉手中的情形一樣。後來細心注視，汪兆銘竟在每次會客都是如此。只不過他在人前，搓得較輕，不易發現。在人背後（如桌子下）却肆意的搓，放胆的搓罷了。四書上幾句話：胸中誠，則眸子瞭焉，胸中不誠，則眸子眊焉。汪兆銘的搓手，是他對人不誠的一種表徵。

筆者自從發現這一秘密後，對汪的話，就存疑。即使採信，也大大地打一個折扣。相書上又說：「目下視，必奸」。筆者在友人處，常見一人，貌極誠拙，言亦懇摯，後忽以匪諜嫌被捕，一鞫果然。事後追思，此人固為「目下視」者！中國相法的神奇，由此可見！（完）

巨變歷險記！

在林彪野戰軍包圍天津的時候，國際形勢，對國民政府也極端的不利！

所謂國際形勢，也就是美國同我國民政府的關係。在林彪包圍天津以後，美國同我國民政府的關係日趨惡劣，簡直惡劣到無可惡劣的地步。美國特使，也就是美國的國務卿馬歇爾將軍，七上廬山，覲見我 總統蔣公，因為不如他的意，竟絕裾而去，發出他無比的惡毒的外交冷箭，也即是人人皆知的「一筆勾銷」政策。

顧名思義，大家都會瞭解「一筆勾銷」是什麼意思，即所謂斷絕我國民政府的一切援濟是也。國民政府在平時已經很需要美國各方面的援助，在民國卅七年年底，東北喪失之後，各方面需要美國的援濟，更為殷切。就在這個時候，美國將對我的援濟一筆勾銷，使還能打嗎？美國對我援濟一筆勾銷，眞是像天塌下來一樣，上下都不知所措。在八年抗戰之後，民已窮而財已盡矣，本希望復員成功，與民更始，美國就在這個窘迫的時候，抽下了橋板，其影響士氣民心，誠難以文字形容。

天津被圍的國際形勢

胡慶蓉

美國打擊國民政府，固不僅在經濟軍事的支援一筆勾銷已也，他的和談，縛住國民政府的手腳，民心遠離，士無鬥志，不是給匪共製造最佳的機會嗎？

美國不幫中國的忙，還有那一國幫中國？蘇聯嗎？蘇聯是國民政府的死對頭。他要盡一切的力量，為匪共撐腰。蘇聯在雅爾達會議，利用美國羅斯福總統之弱點，攫取了外蒙，攫取了東北，更挾其雷霆萬鈞之力，為匪共作後盾，這對匪共如虎生翼，更是氣焰萬丈，林彪之去東北，之能在東北立足，能與國軍抗衡，一舉能壓倒國軍，奄有東北，當然與蘇聯有關，這就不能不說是國際的形勢所使然。

香港天文台的創始人陳孝威將軍，是丁作韶博士的老友。抗戰期間，陳將軍同丁博士在廣西桂林相處甚久。陳將軍新著為什麼失去大陸，對於林彪包圍天津當時的國際形勢，分析至為詳盡。任卓宣先生，台灣政治評論的發行人，留法老人，與周恩來陳毅同時，也是丁博士的老友，對陳將軍大著，有讀後發表（見民國五十七年十月十日出版的第二十一卷三期）

對天津被包圍當時的國際形勢，也就是民國卅七年底與三十八年之間，請讀蔣經國部長最近（五十六年二月四日）的大著——風雨中的寧靜，他逐日都有記載，對於美國的變化，記載尤詳。讀 總統獲悉（卅八年八月六日）美國發表白皮書後給國人的訓示（見日記），沒有不感動的。國際局勢之惡劣，至此也可以說壞到不能再壞了。

（五）

讀書不一定非進大學不可！

創業哲學

大專聯合招生發榜後，名落孫山的學生相當可觀，發奮圖強的固有，就此墮落到不堪收拾的日有所聞，持這種態度的人錯了。

讀書只是供給知識的一種工具，供給知識，其實不一定要靠讀書，人類的歷史不知有多少萬年了，書的歷史比較起來，實在太短了，太古時代沒有書，而人類一樣的生活，他們的知識固不如現代，但也不能說全無知識，足證書不是知識的唯一來源，要得到知識不一定完全靠讀書。

根據此一邏輯，「名落孫山」後尚有路可走，既不必毀滅自己，更毋庸向弱者看齊，世界發明之王愛廸生，是在火車上賣報的，每天從早上七時出門，直到晚間九時回家，從休倫到底特律往返三百八十餘公里，盡嘗了人間辛苦，那裏有時間好好的讀書，他在火車中實驗時曾導致失火，被車守掌摑，竟至耳聾，其仍不屈不撓，繼續研究，並更堅定成功的信念，增加試驗的興趣，直到成功。林肯亦賣報出身，他自己說失敗了一生，後來當選為美國總統，做出與美國的歷史上不朽的事業，解放黑奴。

所謂知識，絕對不是甚麼裝飾品，文憑更不能代表知識，西國人將那張羊皮大學文憑比成為離開大學，一無所得，文憑者是備作遮羞之用，其實中國大學文憑又何嘗不然。另一怪現象，國人常將博士看得高不可及，得到博士學位的人，有些在心理上存有狀元及第的觀念，殊不知道兩種想法，乃一偏一差，所謂博士焉者，祇是在所學這一行裏及格了而已，猶若商號工廠學徒三年出師的性質雷同，論程序在國外或國內，都祇能做副教授，博士非萬能之謂也。

我們得認清楚，讀書者是改進生活豐富生活的一種手段，也可以說是培養生活上知識技能的工具，一個人該看甚麼書，要以自己的生活來決定，閱讀的範圍包括職務上用的，參考用的，趣味或修養方面的，讀書不一定非進大學，若干第一流名教授，很多是未進大學的，相反的有一些博士或拿着教育部頒發的教授證，上了堂就胡扯一陣，聽衆常輕輕的開着小瓶汽水，究竟眞材實料好呢？還是空架子好？君可自擇。

明乎此，能夠發奮圖強記住「有志者事竟成」，今日「名落孫山」來日焉知不是一位大事業家，大政治家，大教育家，台灣就有好幾位學術界有地位的聞人，嚴格的說，都是「名落孫山」後來靠自修出來的朋友。胡文虎識字很少，而他所領導的事業，僱用了不少博士碩士和專家，蕭伯納說的對：「一百個經濟學博士，培養不出一個百萬富翁」，明乎此，即瞭解狂人是一個講眞實話的朋友。

楚狂人

三幕喜劇　遷境過事

一式熊

趙：　這就是奉公守法，維持道德呀！眞好笑！（學仁翰）好笑極了！（他一點也不笑，沉着臉說）眞要把我的門牙全笑掉了！

何：　小孩子的門牙還沒有長好，一笑自然就會掉！

仁：　（大怒）法律是要大家守的！道德是要大家維持的！假如各人都只顧自己，看見了漂亮的，有錢的女孩子，便講甚麼愛情至上，愛情神聖，這種的自由戀愛，簡直是無法無天，這是完全違反現代的婚姻制度——也許我用不着費心，你們現代的青年們，根本只講自由戀愛，簡直不顧現代的婚姻法令！

趙：　（侃侃而言）現在的婚姻法令，只准一夫一妻！你愛了一個女人，和這個女人結了婚，就該同她白頭到老，這是我的主張！我決不推推諉諉，為了怕人家說閒話，就想逃避自己的責任！

何：　小孩子說話，一點分寸也沒有！難道現在仁翰知道了他們並沒有正式結婚，而且過去的生活是不合法的，還應該繼續的同居嗎？那香港的親戚朋友們，在背後不會說閒話嗎？

趙：　何必去管別人背後說的閒話？

露：　大丈夫，只要光明磊落，決不怕別人在背後說閒話！

仁：　（對着他太太發脾氣）這都是你的好主意！一定要他們在這兒侮辱我！

包太：露西，太極，你們……。

仁：　露茜！露茜！

包太：露茜，你同太極出去散散步吧！

何：　哎呀！現在的小孩子，簡直不成話！

露：　我們出去就出去！不過我們將來一定要結婚的，不管別人反對不反對，在背後說甚麼閒話？白頭到老，決不反悔！就是有死了一百年的丈夫復活，也不反悔的！（他們兩個人高視濶步的出場）

仁：　這種事怎麼可以同小孩子商量！

何：　生米已成熟飯，商量也無益！我看明天就去找我們的律師，把情形告訴他，委托他立刻辦理合法的手續。

包太：甚麼合法的手續？驅逐我出境？

何：　這倒不必！不過各大報都要登一段啓事。申明婚姻失效；小報不用登……。㉝

測字

沐子

宋季有謝石者，善測字。高宗微行過之，書一「問」字令測。石思曰：「左看似君，右看亦似君，殆非凡人也。」疑信間，請再書一字。高宗以杖即地書「一」字。石曰：「土上加「一」，「王」也，是否「君王乎？」」遂拜伏。高宗既歸，招而官之。

後秦檜當國時，高宗書一「春」字令測之，其上半體墨重。石奏曰：「「秦」頭太重，壓「日」無光。」檜聞而銜之，後充軍遠州。

道遇一老人於山下，亦善測字。石就書一「謝」字求測。老人曰：「子於寸言中立身，術士也。」舉掌令更書以卜所終。石書一「石」字。老人曰：「囚哉！石遇皮必破，遇卒必碎矣。」謂押石之卒在傍，而書字在掌中，故云。石大欽服。請老人作字，測為何如人。老人曰：「即以「我」為字可也。」石曰：「夫人而立山傍，子殆仙哉！」乃下拜願執弟子禮，請訓誨，曰：「吾術似無減先生，殆先生褒然仙矣。」

戊申詩人節書懷

·陳邁子·

茫茫世變欲何之。似此生涯合有詩。未許林泉耽嘯傲。長憐衆女嫉蛾眉。天荒地老人千刦。月冷山空酒一巵。呵壁孤懷今若昔。靈均哀怨繫深思。

晨起閱報拜讀邁子教授「戊申詩人節感懷」大作謹次原韻敬乞郢政

·陳珊·

筆下烟雲任所之。右軍書法少陵詩。有懷湘水空翹首。為滯鯤瀛未展眉。湖海元龍高百尺。醇醪公瑾勝千巵。騷壇旗鼓應相讓。大雅端能啓詠思。

再次前韻乞正

·陳珊·

徒負昂藏悵莫之。盈腔忠憤見清詩。鷄鳴有戒甘嘗膽。鶴唳無聞尚鎖眉。意託龍舟長破淚。愁消蒲酒盡殘巵。滿門桃李書千卷。身外浮名那用思。

禪學黃金時代

中國禪的祖師——慧能

在西元七〇五年，武則天和中宗曾派內使帶着詔書去請慧能到京城來說法，但慧能却以老病婉辭了。最有趣的是在這封詔書中寫明慧安和神秀兩位大禪師都一致推舉慧能是弘忍的衣鉢傳人。這說明了慧能在神秀心目中的地位，同時也表現出神秀心胸的開濶，其實慧能對神秀思想的批評也是很謙和的，他們之間唯一的不同是神秀唱漸悟，慧能重頓悟。神秀所強調的戒定慧卽本之於法句經中的「諸惡莫作，衆善奉行，自淨其心，是諸佛教」。對於神秀來說，這幾句話可以包括佛學的整個精神。所謂「戒」不正是要諸惡莫作嗎？「慧」不正是要衆善奉行嗎？「定」不正是要自淨其心嗎？這也正是神秀漸悟的三個階段。其實慧能並不否定神秀這些理論的價值，他曾對神秀的一位學生志誠說：

「你老師所說的戒定慧是非常深刻的，只是和我所說的有一點差別……他的戒定慧是接引大乘人，而我的戒定慧是接引最上乘人」。

對慧能來說，佛法最重要的就是見性，所謂戒定慧只是見性的一種手段而已。以他的看法，我們的精神生命是從自性智慧中一泉湧而出，並沒有階段可分。一切都在於「覺」，自覺之後，自然便會「諸惡不作，衆善奉行」，唯有這樣，才能享受到不可思議的自由和平靜，才能在自己的心中開發出智慧的活泉。

慧能自認他的法門是為最有智慧的人所開的。我們做人，只求做到救世的「大乘人」，而不再進一步，達到最高智慧的「上乘人」，仍然是有所不足。不過令人奇怪的是在慧能門下，究竟有多少學生是眞正所謂的最上乘人。

即使在慧能最親近的弟子中，也只有五個學生是最為獨出的，現在我們以簡單的一一介紹如下：

①南嶽懷讓（西元六七七——七四四）

他是陝西金州人，俗姓杜。十五歲出家時先學律宗，曾潛心於律藏，後來不滿所學，要再求深造；便到嵩山去拜慧安為師。慧安告訴他許多基本的佛理，並介紹他去見慧能。當他到了曹溪，慧能便問：

「你是從那裏來的」？

他回答：「從嵩山來」？

慧能又問：「來的是什麼東西？是怎麼來的」？

他回答：「說他是東西，就不對了」。

慧能再問：「是否還須加以修證呢」？

他回答：「我不會說不可以修證，但可以說決不敢污染」。

於是慧能便讚美說：「就是這個不會污染的，乃是佛菩薩要我們留心維護的，你的看法如此正好和我的相同的」。

懷讓便在慧能門下，跟隨問學了十五年。在這段時期，他探微尋幽，極有心得。後來便到了南嶽，大大的宏揚禪學。他的弟子中最有名的就是馬祖道一，在後面我們將會詳細的介紹。（九）

吳經熊著　吳怡譯

自由報

中華民國內政部內銷證內備警台報字第〇三一號
中華民國僑務委員會登記證台教新字第三二三號
中國郵政台字第一二八二號執照登記爲第一類新聞紙

第九〇六期

（半週刊每星期三、六出版）
每份港幣壹角・台灣每份新台幣貳元
社長李運鵬・督印黃行奮
社址：香港九龍彌敦道593—601號
廖創興銀行大廈八樓五座
LIU CHONG HING BUILDING
7th FLOOR FLAT 5
593—601 NATHAN ROAD,
KOWLOON, H.K.
TEL：K303831
電報掛號：7191
承印者：大同印務公司
地址：北角和富道九六號
台灣總管理處，台北市大同街119號
台灣區直接訂戶　台郵劃撥戶
第五〇五六號張萬有（自由報會計室）
電話：五一四…・五五五…九五
台灣分社：台北市西寧南路110號二樓
電話：…四六・台郵劃撥戶九…號

日人操縱下的台獨運動（下）

・何浩若・

在感情的大暖爐中，老師和學生都數說着他們記憶猶新的共同往事，他們都依稀返到卅年前的彰化中山國校。

首先，一位學生說：「老師初來時，一身黑粗布的國民服，紮着緊緊的綁腿，一付日本鄉下佬的模樣，看不出有滿肚的好學問」：這句戲言，將大家全逗笑了。

鄭后武，目前是東林木業加工廠董事長，當前國校畢業，就因家貧被迫輟學了，他感激的說：「姊崎老師曾跑到我家裏，力勸我的父母能給我升學的機會，他願意負担我的學費。可是父親堅持要我外出做工，維持家中生活」。

「老師知道這項苦衷後，當時用很樂觀的口氣鼓勵我說：『沒有讀書，也沒有甚麼關係，祇要工作努力，仍然能出人頭地』。我照着老師的話苦幹多年，總算不負期望，自己站了起來。」

今年三十八歲的王紹宗，是當年最調皮的一個小頑童，他說：「我常搗蛋，讓老師頭痛，有時他實在氣不過了，就抓起教鞭打幾下，我那眞咬牙恨他，可是過一會兒後，老師過來撫着我挨打的地方，很溫和也很難受的和我談話，告訴我一些道理，盼望我能改過從善，但並未收到效果。「直到有一次，他爲我的執迷不悟感到自己教育無方，他難過的搖頭，流淚，說不出話時，我也忍不住哭了起來，而後，老師流淚的影子，一直深深地印在我的腦海裏，一直督促我要安份守已，要努力上進。」——本來一個成績很差的頑童王紹宗在春風化雨後的一年，像奇蹟的考上當時很有名的台中一中，今天他更成爲本省經營旅館業的一個很有成績的人物。

幾位紅光滿面，體格粗壯的老學生，也想起當年老師強迫運動的趣事，其中一位說：「讀小學時，我們大部份都是面黃肌瘦的可憐相，姊崎老師也無法幫助大家的營養，於是他想到一個『多運動』的健身法，他每天早晨領着我們跑步，由繞操場逐漸增加，跑到市郊原野，一段時間後，我們的體力和精神都有了顯著的進步」。

除了跑步，姊崎四郎在角力、擊劍方面都還有一手，他利用課餘時訓練學生，使他們奪得錦標，也擁有了充沛的活力和信心。

學生們都稱姊崎老師是個有苦心和耐心的人，他生性好強，對學生尤其求好心切，他常說：「玉不琢，不成器」，他上課時細心講解，如果大家成績還不好，他會在放學後再留下同學們研究，當時，大家都嫌他「婆婆媽媽」，但在離開校門後，無人不深深懷念着這可貴的「義務補習」。

台灣光復那年，姊崎四郎被遣散回國，他依依不捨的離開在台六年的教育崗位，等待搭船返日本。

那段等船的日子有半年之久，姊崎老師失去了工作，全家生活也陷困境，他一聲不響地在彰化火車站前充任一名板車的苦力，以勞力換飯吃，幹得很起勁，不以爲苦。

但這消息，很快就傳到他的學生們的耳中，每個人爭搶着要替老師分憂分勞，那時候，彰化街頭上常看到一羣孩子幫着一個車伕推着板車，邊唱邊跑，自得其樂。

不久，姊崎四郎帶着學生們對他的濃郁的敬愛溫情返回日本，他留下一句話：「做人要明朗、公正、剛健」，一直影響着他的學生們。

而後到民國五十年，一名叫魏仰西的學生，奉派到日本考察土木工程時，他突然記起姊崎老師曾在小學上地理時，指着地圖說，新庄是我在日本的家鄉。

魏仰西懷着思慕的心情，很急切的要看望一下分手十六年的小學老師，他立刻搭車趕到山形縣的新庄，在那兒很輕易的就問到這位在當地桃李滿天下的國校老校長。

從此，這位日本老師又和他在臺灣的百餘位長大成人的小學生有了聯繫，像往日一樣，這些學生如有到日本留學或工作的，他仍無比熱心的照顧他們。同樣的，他在日本的一些學生來到臺灣時，也得到這些「同師異國」的同學們不少幫助。

姊崎四郎，這次幸同中日親善訪問團來到臺灣，他希望他在兩個國家的學生們，能因此在情感和文化上，作更進一步的交流和合作。

十七日，他又踏入離開廿三年之久的彰化中山國校。他帶着滿腔的感慨，並帶來日本新庄和沼田兩國校學生的書法和圖畫作品，在此展覽。同時他將把彰化中山、平和兩國校的作品，帶返日本，使兩國學童們開始接觸、認識、交流。

「愛和教育，是不分國籍的」，經過卅年的歲月，六十二歲的姊崎四郎默默地達成了，他這項富有意義和安慰的願望。」

這篇報告的標題是「春風桃李三十年，碧雲滄海夢魂牽」。小題是「中日師生睽違廿載，重來聚首，益見情眞」。這篇報導實在寫得太好了。筆者都很受感動，以爲當日本投降之日，中國就根本不必收回台灣，何必使他們師生受這別離之苦呢？不過這是感情的話，不是理智的話。中國人從來沒有經營殖民地的經驗。日本人寧寬敏所領導的台灣獨立運動說台灣不屬於中華民國，要由台灣人舉行公民投票來決定台灣誰屬。假如日本有像姊崎四郎這樣的在臺灣教過書的中小學教員一百人，再經過我們的報紙爲之宣傳，便有幾千幾萬個臺灣學生「益見情眞」的爲之活動，寧寬敏所領導的公民投票便可穩妥的決定把臺灣屬於日本了。但是這在事實上是絕不可能的。筆者想到『國必自伐也而後人伐之』這句話，我們似乎不要太天眞。可否爲我們的民族國家，稍稍的提高一點警覺呢？

七、爲以民主保衛民主的宣傳進一解

一九六八年八月廿九日在香港出版的『遠東經濟評論（Fareastern Economie Review）登載了一篇該刊駐臺北記者通訊，題目是『心情與意志』Hearts and Minds）記者沒有署名，根據文章的內容，無疑的是深悉臺灣政情的高級知識份子。報導的主旨是說台灣不民主迫害學人。受到迫害的學人是王世杰、郭廷以和許倬雲。通訊說這事是因爲『現代』和『中華』兩個月刊批評費正清而引起的。通訊稱之爲『費正清問題』。這位駐台北的記者說在七月間，許多的學者和學生被捕，弄得人人自危。一位留日的學生在日本反對越戰，被國民黨特務『拐騙』（Shaighaied』）來台因而被捕。一位學生被捕的罪名是爲了參加讀書會。究竟有多少學生學者被捕，外間無法獲知。另外還有一個被捕的，大家都同意說是匪諜。總之現在台北的知識份子都感到不安全。自稱爲民主的國民黨現在和知識份子與學生的關係已經達到最低潮。有許多學生加入國民黨祇是想做官而已，通訊說，大多數的學生都是厭惡國民黨的。

八、台灣有兩個黃金時代嗎？

這篇通訊說，台灣有兩個黃金時代，一個是自由中國半月刊時代，一個是文星時代。通訊說自由中國半月刊是由美國的亞洲基金會 Asian Foundation 和胡適支持的。後來雷震被捕了，便由文星接替自由主義的任務。通訊很恭維殷海光和李敖。但是由於文星攻擊謝然之和批評政府被查封了；（下轉第三版）

昨日與明日

美軍在越南停炸以後

美軍對越共實行停止空襲了。不管越南政府是否同意停炸？也不問越南當局願不願跟越共的所謂「民族陣綫」對等和談？美國就是這樣的決策進行了！

將來的巴黎和談若有成就可言，所謂「聯合政府」的計畫一定實現，結果是越南被共黨控制完事。美軍則在「光榮的和平」藉口之下，陸續撤退，然後發佈一篇對越外交白皮書，把責任完全推在越南政府身上，表示美國已盡了最大的援助力量，毫無慚德之可言。這是美國民主黨政府對華外交政策的翻板文章，并無二致，越南人應該特別警覺，力圖自救纔是。

如何自救？

自救之策無他，大家爲着生死存亡的共同利害關係，一致團結，在美軍尚未撤退之前，恢復吳廷琰時代的「戰略村」組織，藉以擋阻越共的滲透蠶食陰謀，同時整軍經武，充實本身的戰鬥力量，而以眞正的民主憲政生活，跟胡志明政權作政治競賽，爭取全越人民的向心力。

越南人民對共黨的認識和戰鬥經驗皆感缺乏，應借助中國人的能力，共同奮鬥在越南的華籍居民爲數不少，他們多已取得了越籍人民的地位，大可利用而驅策之，成立新軍，請美國給以現代化裝備，本身經濟困難，亦可求助於美國，祇要不需美軍拔刀相助，避免花旗子弟傷亡，僅是耗費一些物力財力，白宮當局必不會吝惜的。何況詹遜總統早已宣佈過，美國願以幾百億美元供給越南全國的建設費用呢！

「聯合政府」的玩藝幹不得

美國一般政治人物對共產主義的本質及其革命方法，根本不求甚解。初則自以爲「老子天下第一」的富强國家，何物共產黨，殆屬小醜跳梁之類，不堪一擊的，大言炎炎，採取直接的軍事行動解決策畧，然又不求戰勝，而名之爲「警察行動」。於是乎繼以戰事碰壁，深感進退兩難了，於是乎向敵人改賠笑臉，希望政治解決，乃倡出「聯合政府」之說，作爲下台地步。

跟共黨搞「聯合政府」，那等於壽星佬嫌命長——自己上吊。共產黨人對自己的同志且不信任，隨時清算鬥爭，豈能對黨外的潛在敵人眞誠合作，共存共榮嗎？越南當局如果誤聽美國朋友的游說誘惑，贊同「聯合政府」主張，祇有加速自身的危亡進度，比戰敗的結局更悲慘。如果美國堅持要搞「聯合政府」這套玩藝，越南政府應以「寧爲玉碎，不求瓦全」的決心，一口謝絕，決不考慮，明知是陷阱而跳進去，豈非愚蠢之至嗎？

（何如）

自由談

從賈桂琳再醮說起

美國前任總統約翰、甘迺第的遺孀賈桂琳，改嫁於希臘富翁歐納西斯，全世界的報紙皆把此事當作重要新聞連篇累牘，競事刊載。我不明白這對國際政治或人類生存前途的禍福利害，究有甚末聯帶關係，而値得大力替她們作義務宣傳不已。

寡婦再醮鰥夫續娶，原係無地無之，無日無之的尋常事體，有甚麼大驚小怪的價値呢？賈桂琳以富豪之家的少奶奶而貴爲美國第一夫人，享受慾與虛榮心特別强烈。她既不能空幃獨守，自甘寂寞，要在本國內尋找適當對象，很不容易，祇有向國際婚姻市場物色顧客之一途，此吾國國母宋慶齡之所以寡居終老也。賈桂琳幸蒙上帝保佑安排，得與富可敵國的希臘男人締結良緣，以視爲着滿足享受慾與虛榮心之故，而委身於摩那哥睹國王子和尼泊爾王子的兩個美國女人，優勝多了。若夫賈桂琳攜挽着前夫所生兒女，到教堂參加自已改嫁的典禮，既非拖油瓶的身份，亦不是嬙相或來賓地位，這在我們中國固有文化思想中，殆認爲不可思議的咄咄怪事，但在西方人看來，卻無所謂。

由於報紙上濫載賈桂琳嫁人的消息，又聯想到新聞記者電影女演員的婚姻事件，亦感有同樣興趣。祇要是演電影戲的女人，不管其技藝的造詣是怎樣的，一例稱之爲「明星」。她們一有戀愛或婚嫁情形發生，報紙上卽大登特登，宣傳不休，不知所爲何來？婦女嫁人有甚末稀奇，而値得浪費篇幅，大加渲染報導乎？像「好爛汚」那些所謂女明星也者，她們把婚嫁鬧着玩兒，今天跟某甲結婚，明天又鬧離婚，她們對於婚事，殆如廣東人說的：「做戲咁做」新聞記者替她義務宣傳，未免喪失了新聞的「可讀性」何苦乃爾呢！

唯一値得讚揚的女人出嫁情形，祇有前兩年日本天皇的女兒跟民間一個小商人戀愛成婚這回事。她不但以身示範，打破了日本傳統的封建體制，樹立民主楷模，也表現着高尚的戀愛情操。然而全球的新聞界并未如其對賈桂琳之再醮，以及一些所謂電影明星隨便結婚離婚的行爲，特別起勁報導，殊堪遺憾也。

馮五先生

政院嚴院長在立院答覆質詢
立委艾時提出嚴厲責難
指為不負責與文不對題

（本報記者劍聲台北航訊）行政院長嚴家淦在立法院的答覆，艾時委員指責「是不肯負責任的答復」；「是文不對題的答覆」。

艾委員說：立法委員向行政院提出質詢，一種是政策的建議，希望行政院予以考慮：一種是政策執行不夠，希望行政院及各部會予以加强。其能否考慮，應否加强；應明白答復，如行政院認為不能加强，而立委認為應予考慮或應予加强，在兩種不同意見中，立委認有必要，祇得依憲法第六十三條提出議案，其後果勢必更加困難。

艾時委員何故作此嚴厲批評？何故如此抨擊嚴院長？

公教人員待遇 制度何時確立

緣艾委員曾提出有關公教人員待遇制度何時確立？及有關交通問題質詢行政院，這兩個問題分別由嚴院長、交通部次長費驊答復，但此項答詢，艾委員極表不滿，於是再質詢。

艾委員於「再質詢」時指出：「關於公教人員待遇問題，嚴院長答復說：「現在只有走一步算一步，要達到完全適宜，還須要長時間之努力。」公教人員公平合理待遇一事，是反共復國，整飭吏治，最急要的事，如不從此着手，反攻復國，整飭吏治，都是空談。」過去，『嚴院長曾經說「朝俸給制度走」，應該是愈走愈近，在上年度調整待遇又加上一不公平合理的主管特支費……如此作法，不但愈走愈遠，而且造成離心離德現象。……嚴院長說「走一步算一步」，不知道要走到什麼時候走到，請問嚴院長，是否在你院長任內走到？」

質詢交通問題 一共問了六個

艾委員質詢交通，一共問了六個題。他認為台灣鐵路委託省營，乃權宜之計，並無立法根據，故台鐵隸屬問題，依憲法規定應由立法院決定。當時交通部次長費驊答詢稱：「目前我們認為暫時將鐵路交給台灣省政府管理，是有其必要的。」

艾委員對此答詢不滿意，故於「再質詢」時表明立場，將依法提案，「不必麻煩嚴院長答復了。」

關於環島鐵路與建問題，艾委員是站在中央政府的立場而發言，他「再質詢」說：遜清劉銘傳主持台灣，以八年建有基隆台北、台北新竹計一〇六點七公鐵路；日本佔據台灣，以二十餘年完成東部花、東綫，及西部海陸幹綫共計約八百里鐵路；中央政府在台灣二十年為台灣建設鐵路若干里？

颱風預報錯誤 為何不究責任

其次是颱風報錯誤責任問題，艾委員質詢：『解拉颱因預報錯誤死亡五十人，受傷四十二人，失蹤四十七人，房屋全倒六五一間，半倒八三一間，漁船損毀三五隻。娜定颱風預報錯誤死亡六人，失蹤五人，輕重傷三人，房屋全倒二十四間，半倒五十間，提防沖毀一一六〇公尺，公路坍方一十三萬五千四百七十方，香蕉損失約三千萬元。如果預報不錯誤，使人民有所防備，則災亦不致如此重大。費次長答復與所問的是「風馬牛不相」，請問嚴院長，因颱風預報錯誤而有百萬人傷亡，難道是一件小事嗎？為什麼不追究責任？」（完）

台省黃主席答本報記者問
調整各縣市教育行政機構及增加編制
將自明年元月開始
耕地放領以現耕農為優先

（本報記者張健生台北訊）台灣省政府黃主席於行政院新聞局招待會答覆本報記者詢問時說：關於調整台灣省各縣市教育行政機構及增加編制，將自明（五八）年一月開始。國民中學校長、各縣市教育局長等人員的任免遷調，由省教育廳遴報省府統一任免遷調，這是根據行政院核准之「革新縣市教育行政組織及人事制度原則」而作此規定。

黃主席說：此一規定雖與現行有關法律（中學法與縣組織法）相悖，但該原則為特別法規，而目前為試行中，在後法優於前法的理論下，縱與有關法律相悖，但這個責任應由行政院負担，因該原則係行政院核准，台灣省政府不過奉命行事而已！

黃主席於答復本報記者有關公地放領以現耕農為優先，及公地放領經承領人繳清地價後非經主管官署核准不得移轉的問題，表示完全同意。至於彰化縣各級經辦人員於承辦該縣溪湖鎮四塊厝字巫厝第五七〇之一、第五七〇之二公地放領時，有非法的行為：暨原承領洪曉於繳清地價後，即將承領公地未經主管官署核准而出售於洪油車，洪油車於承購該公地後再度轉賣圖利等非法行為，黃主席至為重視，他在招待會上告訴本報記者，他將命令民政廳撤查，依法辦理。

黃主席並告訴在場的記者說：中興新村的違章建築，已經全部拆除了。他說：自從監察委員丁淑蓉於巡察南投縣時，發現中興新村有違章建築；與論的批評，他全部接受了。因此，立即處理這件事，蓋中興新村為「三不管」的地帶而造成違章建築，草屯鎮與南投鎮都不管，主席對中興新村南投鎮的鎮民，也無權管。而警察派出所亦各自為政而不管，主席也不能直接下命取締，於是違建事件乃由此而生。同時黃主席很感謝新聞界關注這件事云。

立委劉兆勳縱子逞威
持槍大鬧劉全忠寓所
事發次日劉兆勳對記者有解釋
說許紹勳劉全忠向他行賄被拒

本報記者公孫熊台北消息：台灣光復節晚五時，台北市臨沂街七十一巷三十三號立法委員劉全忠寓所，忽有小同鄉立委劉兆勳率子及其鄉友龔羣來訪，適劉全忠外出未歸，劉夫人杜鳳林見係鄉友，遂迎入客廳，侍烟奉茶，寒喧一陣後，劉夫人即用電話遍處尋問其夫行蹤，欲促速歸，詎無所獲。劉兆勳與龔羣正當聊天之際，突然口角轉出厲聲：「你們就是知道受賄！」接着兩人衝突起來，互不相讓，劉夫人聞聲而入，擬向勸解時，驚見劉子竟掏出手槍，對着龔羣威脅，劉夫人深以事態嚴重，懼生大禍，急向警區四分局電告，謂有人持槍在她家鬧事。並要求三位「惡客」，速離她家，竟無應從。劉兆勳更大動肝火，先將几上茶杯、花瓶擊碎，脾氣騰發，直將長褲脫下，畢露醜相，不知用意何在？劉夫人此時雖嚇得面色變，迫於情勢，乃向劉兆勳抗議：「劉委員你不這樣，當在婦道人家面前脫下褲子，我們家內還有兒媳，况且劉先生又不在家，你怎麼可以這樣子，你們要吵架，何至要脫褲子，請你尊重自己，千萬不要再在這裏鬧事了！」劉兆勳並不理會，反而也拿起電話打給省警務處長羅揚鞭，以及調查局長沈之岳。

警四分局立派刑警四名馳到現場，劉兆勳傲然說着：「我是立法委員劉某，手槍是我的自衛槍，治安機關無權沒收。」弄得刑警未便冒然處理。幸好此時台北市警局首席副局長王魯翹親率刑警大隊長王中平，調查局一組長同時趕到。劉兆勳仍自矜持，有立委身份，希望治安單位不必過問。王副局長乃解釋：「現場發生持槍脅迫，當依現行犯處理」。劉兆勳至是始覺理屈，才同意將其子連同手槍交王副局長帶局處理。經訊明手槍確為其父所有，當予依法暫行收繳，並將其子飭回交由劉兆勳嚴予管教。

事發以後，劉全忠委員，不願追究，但劉夫人氣惱不過，拒絕調解，業向四分局正式提出告訴。案由警方處理中。按劉兆勳，係松江省濱江人，現年六十二歲，據其自述履歷：北平朝陽大學法律系，日本明治大學法學部畢業，曾任黑龍江法院推事，高檢處察官。著有犯罪搜查提要等。據社會流傳：「立法委員劉兆勳於七年前曾在北市某酒家於酣醉後與人鬧事，被解勸時，公然拔出手槍，對空鳴放數響、一時市肆感恐，驚動警察趕及，始未肇禍。轟出新聞，揭載連日。嗣有立委雷鳴龍發生工廠被焚，保險公司控其放火，企圖獲償保險金。雷某險受刑責，幸經調解息事。有憤其行為者，嘗連串該二人，為「殺人」，「放火」之徒。本年劉雷二委，又值煞星臨運，雷鳴龍剛以涉嫌勒索賄賂現行犯，被公訴請判重刑。消息暫了，而劉委員兆勳，復以當年「現世」之手槍，再度創出新聞，好在手槍係由其子拔出，當場威迫他人，且係「現行犯」，警方姑念青年，予以從寬發落，劉兆勳委員呀！當須警惕！劉兆勳於事發之次日，獨對台灣日報聲明，所發生之爭吵情事，有所解釋，並表示將對立法委員劉全忠等提出追訴。

劉兆勳說：「此事的發生，是因為劉全忠與許紹勳於九月九日在中國飯店行賄，當時被兆勳拒絕，因此懷恨在心，劉全忠繼續教唆龔羣與另一王某於十月二十五日到他家恐嚇脅迫，龔羣劉全忠通電話。

（上）

（下轉第三版）

文滙樓別記
風流瀟灑的熊式輝

熊式輝（天翼）十年江西省主席，九省東北行政長官，風雲二十年，步上最巔峯。

熊式輝的聰明是出了名的，形容一個人聰明絕頂，他可以當之無愧，打主意和鬥法，用四川話說：「硬是要得」他的才華，最高當局固非常賞識，李宗仁對他也有特別好感，當政府遷到廣州非常紊亂之際，李與熊之間關係甚為融洽，李語左右曰：「天翼是人才」紘外之音，有失之交臂的意味。其實熊本來就是白崇禧保他做淅滬警備司令的，再向上推，熊式輝與曹浩森，皆李烈鈞一手提拔，投入日本陸軍大學。後來烈鈞、熊式輝並不睦，談法不一，（見香港報）三十八年大陸情勢轉劣，李揹着副總統的招牌去美避難、熊也到香港觀風，眞是「運去雷轟荐福碑」，熊心想住在英聯邦殖民地，能取得英藉，自無往而不利，熊是機智的，雖是文天祥的同鄉，但沒有文天祥那樣固執，又兼香港這地方，眞所謂五花八門，除了吃人肉比較費周章外，其餘要甚麼可說有甚麼，正因為太方便，要買一份英國護照，就買一份英國護照，並且還完全和眞的一樣，那知就在這上面，終於出了毛病，差館一留，報紙一登，這一留一登之間，結束了熊式輝的政治生命。

一個才思橫溢長袖善舞的人，是不會寂寞的，幾經考慮，這年頭第一是錢，第二是錢，第三還是錢，乃决定到曼谷去淘金，憑藉已往的政治淵源，稍稍號召，再加上自己的數目，幾千萬很快滿額，曼谷紗廠就這樣誕生。熊甚懂得運用青年，紗廠五虎將，閃電式擺出，聽來都會嚇壞人，即所謂：榮，顧，胡，顧，王五大少爺。榮是當年上海麵粉大王榮宗敬的公子，顧的爸爸是顧維鈞。胡的爸爸是胡適之，第四虎將是熊的內弟，王是雲五的少爺。紗廠總經理室，陳列一頭三百斤重的金象，噱頭可謂擺足了，一說金象是水銀澆鑄的，連想到搞政治的人，一切離不開政治味，但商場是講信用的，講貨眞價實的，例英國的外交儘管非常圓滑，可是英國的商品則以拙制巧，甚得國際好評，曼谷紗廠是否會注意到這些，就不得而知了，三等華僑在四等國度，本就有優越感，曼谷紗廠少爺們的優越感。除王公子外，率多比華僑又高一等，當地人說：「這批上海人（凡外省皆稱上海，包括東北十幾省）和友邦與僑社都脫了節」如此做法，關門稱必然，不關門則屬偶然。

曼谷紗廠倒後，熊式輝拿得起，放得下，韜光養晦，詩酒自娛，從不寫丟人和寒酸的詩句，不像陶淵明：「感子漂母惠，愧我非韓才」或黃山谷：「我雖貧至骨，猶勝杜陵志，憶昔上岳陽，一飯從人討」。熊則怡然自得，始終沉着，其詩輕鬆且令人羨慕，例：「憑欄北望無限憂，目送浮雲萬慮休，祇有一事難拋却，佳人來去在心頭。」據說這首詩，就地贏得了一顆美人心。熊式輝有也喜歡談談命運，一位客屬命理學家，算熊的八字寫說：「怪哉！今年時來遇好友，運去逢佳人，兩者皆備。」樓主心裏明白，時來遇好友者，是前曼谷世界報業股份有限公司總經理，兼世界日報、世界晚報、世界週報、世界畫報，四個報的社長和發行人李運鵬，在南洋商業股份有限公司，通過丘創志的關係，替熊借到十五萬泰幣，（南洋總經理亦是李運鵬），運去逢佳人者（從畧）熊的聰明能幹，足智多謀，樓主衷心佩服，有人說熊對朋友太政治性，其實人就是政治動物，政治動物如果沒有政治性，豈不是推翻了這個定義了嗎？

・文滙樓主・

日人操縱下的台獨運動（下）

（本文自第一版轉來）

殷海光已不能教書並且不准寫文章，李敖現在編教科書為生。最近文星書店自動關門，通訊說，並不是經營不善而是另有原因。通訊說從前因有美國的壓力和胡適的支持因此自由民主的勢力抬頭，現在胡適死了，美國又因忙於越戰放鬆了對國民黨的壓力，因此反動的力量大為增長。代表這力量的是國防部長蔣經國和中國文化學院院長張其昀。通訊說蔣是要加强統治，張則是要培植自己的力量。這篇通訊最荒謬的是說台灣現在有許多學生時常想，是不是共產黨的統治比國民黨好些。因為他們厭惡國民黨便大家跑到美國去，去而不返。

這篇通訊的主旨是說台灣迫害學人，特別是迫害了王世杰、郭廷以和許倬雲。這篇通訊所造的謠言，可說是荒謬而且不攻自破。就拿王世杰郭廷以許倬雲來說，王世杰不是好好的仍然當着中央研究院院長嗎？郭廷以最近當選為中央研究院院士更是『戴着雨笠打雨傘』，官上加官。許倬雲也好好的在教書，何常受到迫害呢？中華和現代兩雜誌揭穿了太平洋學會出賣中華民國的陰謀說費正清是中華民國的敵人。這問題與他們三人的關係是因為他們與費正清合作，因此許多人想知道，在獲悉了太平洋學會出賣中國的事實以後，他們是否也認為費正清是中華民國的敵人，還是繼續與之合作。因此筆者邀請王世杰郭廷以開一個辯論會辯論費正清是敵是友。假如王郭等人說費正清是中華民國的敵人，我們欽佩之不暇，那敢來迫害他們呢？問題就是這樣的簡單。筆者參加了國父遺教研究會的時事座談會。會上傅啓學教授發言說哈佛大學燕京社與費正清沒有關係，他所編的監察院內幕說監察院有派系亦是事實而該書不能發行，他認為是寃枉。筆者當時說：『燕京社與費正清有無關係自可查明。該書內容我等未讀過當然無法批評。但是我想請教傅先生，你在獲悉了許多事實以後，是否認為費正清是我們中華民國的敵人？』傅說他當然認費正清是我們的敵人。筆者當與握手表示敬意，難道這也算是迫害傅啓學教授嗎？

有一位美國友人在看過遠東經濟評論的通訊以後，誠懇的對筆者說，他們明知道那篇通訊是在有目的的造謠來中傷中華民國，但是他奇怪為什麼台北的輿論對之既不更正也不駁斥，讓許多的讀者，大多數是英國人或美國人獲得了錯誤的印象。他提到一九四一年一月二十二日美國駐華大使詹森的備忘錄。那時候中共的友人，也就是太平洋學會那些人，對國民政府在美國作惡意的宣傳，而重慶的報紙刊物始終保持沉默不予駁斥，以致後來許多人都被費正清拉鐵摩爾所欺騙愚弄。詹森認為那是一個錯誤的政策。現在費正清史卡拉皮諾這班人又在美國替台灣獨立運動宣傳，說什麼台灣人不是中國人，台灣不屬於中華民國。我們是否也像一千九百四十年代一樣保持沉默駁斥呢？這就要講到以民主保衛民主的方法了。保衛國家人人有責不能專靠政府。政府也要有人民為後盾。輿論就是代表人民支持或反對政府的。筆者所期望於國內報紙刊物的就是明辨是非分清敵我以民主保衛民主的方法來維護中華民國。

民國五十七年十月六日

英國人眼中的中國納爾遜

陳策將軍傳

（三）　·袁良驊·

而所可慮，則為原為護法南來而脫離北洋軍閥關係之北洋海軍主力第一艦隊，當時態度轉趨曖昧，多方試探，迄無明朗表示；一旦有事，其屬何方，在不可知。國父於四月二十二日抵廣州後，因海軍問題即令先生邀約各忠義海軍人同至總統府討論對付之策。海軍人認為事關革命政府安危所繫，應收復北洋艦隊，請孫先生當機立斷，而在座之老誠持重前輩，則認為以弱小之武力搏擊實力強大之艦隊，無異以卵擊石，太過危殆。成則既佳，敗則激變海軍，吾其亡命走海外矣！先生起立而言曰：「此事無他，成則國家之福，敗則請孫先生當吾人為海盜辦可矣」。國父微笑曰：「我何忍為此，須知革命就是以少擊衆，以弱攻強之行動。不有冒險，何能成功？行矣諸君！努力為之，我意已決，成敗利鈍，非所計也」。言畢離席。各位前輩咸為先生等之生命而耽憂，殷殷致囑嚴守秘密，謹慎從事。而先生等深覺此事之責任重大，肅然接受。此情此景，足以表現同志間之親愛精神，是亦黨之魂之所寄歟。

先生等辭別總統府之後，即加緊着手籌劃舉事。忙碌數日，各事就緒，即決定於四月廿八日對北洋軍第一艦隊遂行突襲。由於虛實互用之兵法原則，吾人故犯奪艦之大忌。擇於是日正午時間，出其不意大舉總攻，劇戰約廿分鐘，因為內應及時，使北洋軍艦中三艦巡洋艦之八寸，六寸口徑炮及各該炮艦之四寸口徑炮延誤施放，而吾人已攀登各該艦甲板及艦橋之上，旋即獲得全勝戰果，一舉而將北洋海軍第一艦隊之巡洋艦海圻、海深、肇和號、炮艦永豐、舞鳳、楚豫、永翔號，驅逐艦同安、豫章、飛鷹號，運輸艦福安號等共十一艘全部攻下「收復」之。至是　國父派先生為廣東海防司令，溫樹德為北洋海軍第一艦隊司令，其餘之海軍人論功派充甫行「收復」之軍艦艦長。

陳炯明因　國父巳「收復」北洋海軍，若反攻廣州，恐受水陸夾擊之虞，蟄伏不敢動，粵局於焉稍安。如無廖仲凱先生力說陳炯明無異圖，謂假以時日，自然悔過歸來。廖先生並強調願負責將陳氏予以說服。國父素以恕道待人，遂放心於五月六日離開廣州，往駐節韶關之大本營督師，復令粵軍第二軍長許崇智，贛軍總司令李烈鈞，中央直轄軍長黃大偉三部隊，取道贛南北伐，僅留下海駐泊廣州之河面及黃埔港，以資鎮懾。北伐軍不因粵局動盪而挫折其旺盛士氣，銳進甚速，六月十三日已攻克贛州，且於十五日進佔吉安，贛督陳光遠敗遁。

先是陳炯明以北伐軍逐漸遠離粵境，已失去足以遂行水陸夾擊其部隊之形勢，於是野心復熾，但仍以海軍為可畏，遂企圖遊說海軍協同叛變，事為先生及一部份隸屬於北洋海軍第一艦隊之忠義艦長所偵知，於是大驚而立即戒備。

吳敬恆先生年譜

（十三）　陳凌海編撰　陳洪校訂

又代國父擬致陳炯明的電文。一月二十日，先生出席中國國民黨第一次全國代表大會。三十日，國父向國民黨第一次全國代表大會提名先生與鄧澤如、李煜瀛（石曾）、張繼（溥泉），謝持（愚守）五人為中央監察委員。全體代表舉手贊成，一致通過。國父又提名胡漢民（展堂）、汪兆銘（精衛）、張人傑（靜江）、廖仲凱、李烈鈞、居正（覺生）、戴傳賢（季陶）、林森（子超）、柏文蔚（立武）、丁惟汾（鼎臣）、石瑛（衡青）、鄒魯（海濱）、譚延闓（組菴）、覃振（禮鳴）、譚平山、石青陽、熊克武、李寧常、恩克巴圖、王法勳、于右任、楊希閔、葉楚傖、于樹德等二十四人為中央執行委員。邵元冲（翼如）、鄧家彥（孟碩）、沈定一、林祖涵、茅祖權、李宗黃、白雲梯（巨川）、張知本（懷九）、彭素民、溥汝霖、于方舟、張葦村、瞿秋白、韓麟符、張國燾等為候補中央委員。蔡元培（孑民）、許崇智、劉震寰、樊鍾秀、楊庶堪（滄白）等五人為中央候補監察委員。國民黨中央執監委員第一次全體會議，推先生與張繼、謝持為駐滬監察委員。對當地黨務工作人員，行使監察與考核，會後約請先生担任黃埔軍官學校政治部主任。辭未就。搭輪回上海。

國父會命謝惠生持中央監察委員薪津兩月（當時折半發給）三百八十元致送，先生因任教職，認為黨部職務，不應有給，教婉辭未受。二月，先生為訓練人才，推行國語，在上海創設國語師範學校。先生任校長。校董有黎錦熙（劭西）、汪怡（一庵）、王雲五（岫廬）、黃炎培（任之）、王顯華、高夢旦等。方毅（叔遠）為教務長。校址設在上海天通庵路。先生設校宗旨有五：（一）專為已經學習國語，再求深造，養成專門國語人才而設高等科；（二）專為現任或曾任小學教員及師範畢業生預備而設普通科；（三）專為小學教員與中學師範生利用假期研究國語而設短期講習科；（四）專為各界業餘人員補習而設補習科；（五）專為失學幼童青年而設平民學校，以補助教育之普及，並供本校師範生實地教習。每科五十人為一班，每日授課三小時，研習二小時，自修一小時。除高等科規定六個月畢業外，其餘為三個月畢業。

第一批畢業生四十八名，其名次如下：孫珊馨、段家珍、陳驥鏊、周蓉貞、杜其林、莊亞芙、朱祥華、丁念昭、鞠時儀、楊嘉冷、王政敏、鄭碧瑜、李亞傑、胡益民、曹廷祥、吳觀周、陳兆禎、趙聞偉、孟君謀、楊立夫、陸如礎、鄭漢民、楊頌清、方忠慶、金醒、王中舟、徐宗武、李子榮、潘廷鼎、余兆祥、陳維彰、葉培馨、黃迪紹、汪蜚秋、張金蘭、朱曼明、陳虛舟、丁明高、張抱一、陳泉康、朱毓材、黃耀光、林宗熙、徐用賓、蔡邦維、張深切、王耀漢、林國楨。

立法委員劉兆勳縱子逞威　持槍大鬧劉全忠寓所

（本文自第二版轉來）

龔某自上午十時到兆勳家，坐到午後六時許，究竟為何？使我精力不支。龔會問我：「你為什麼總提質詢？……」等語。復強迫我到劉全忠家。劉太太空言指責，需負舉證責任。於此事，沈局長會派關人蒞場，深知詳情，市警局王副局長魯翹到現場，一切詳情親自目睹，本人已提出告訴。」

劉兆勳委員對於所稱，劉全忠、許紹勳兩立委向其行賄原因說：「那是因為本年八月間我曾經在院會中兩度提出「新竹客運公司漏稅」質詢案，引起本案經治安機關調查。確定後決定罰處該公司補繳五千萬元稅金。後來卻又改變為一萬元的罰款，認為其中內幕重重，應予徹查，而立委許紹勳因係新竹客運公司的股東，所以出面協調，打算再以行賄手段使兆勳不質詢。

劉委員並說：許紹勳與劉全忠兩人於本年九月九日約我到中國大飯店八樓吃早點，由許委員一向我行賄，美鈔與現鈔，筆數甚多，當時我就加以拒絕。為免遭受不白之冤，事後並將詳情向調查局沈局長提出書面報告。他說：就是因為行賄被我拒絕。所以，劉全忠便懷恨在心，曾數度佈設陷阱想讓我落其圈套。

這個案子的實情，警方也守口如瓶，不願有所表示。

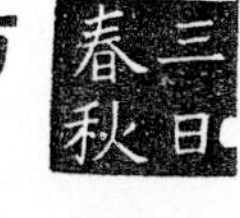

方山地山的絕妙好詞

·安厚·

友人伍稼青先生，武進名詞章家，曾以方地山，袁寒雲等在撰聯見示，摘錄如次：

方地山曾為袁世凱家西賓，嘗書春聯云：「且食蛤蜊，莫問狐狸。」「多少豪傑，如此江山。」念亂憂生，憤世之情可見。某歲暮，袁遣人詢方氏回揚度歲否。方報以聯云：「出有車，食有魚，當代孟嘗能客我。裘未敝，金未盡，今年季子不還家。」風趣如此。袁稱帝後，方頗不以為然，見廠肆年景，歸作一聯云：「理愁無地淚眼看天，嘆事事都如昨日；剪紙為花，搏泥作果，又忽忽過了今年。」又贈寒雲聯云：「大方大，大莫能容，但一味糊糊，不怕担當天下事，寒雲寒，寒威切骨，要十分忍耐，須知自有歲寒心。」「贈張大千（爰）」聯云：「八大」到今眞不死，半千而後又何人。」

地山於贈妓，尤擅勝場，四方傳誦。其贈嫦娥（妓名）云：「靈藥未曾偷，看碧海青天，夜夜此心何所寄；明月幾回有，怕瓊樓玉宇，依依高處不勝寒」。眞是絕世才人口吻。小樓云：「吹徹笙寒，休去倚闌，架說東風昨夜；生愁金漏轉，偶來聽雨，匆匆又深巷明朝。」寒珠云：「疑自玉京來，眼底花枝誰彷彿，不愁明月盡，人間烟氣太迷離。」來喜云：「來是空言，且借酒杯澆塊壘；喜而不寐，坐看明月照嬋娟」。緣香仙館云：「便緣晤紅稀，我輩怕言花事了；看香南硯北，大家猶是少年心。」小鳳云：「相對號寒，肯道鳳凰不如我；有時大覺，自言蝴蝶是前年。」月紅集句云：「楊柳岸曉風殘月，牡丹亭婉紫嫣紅。」皆絕妙好品。又有贈妓來福聯云：「人既惠然肯來，我亦自求多福」尤別具慧心。（以上見稼青聯行彙集）

又有名士善集句，有妓名花相索聯，援筆書曰：「花開堪折直須折，相見時難別亦難。」集句渾成，有如宿構。適又有一妓名花君者，來索聯，其援筆立就云：「花開堪折直須折，君問歸期未有期」，更有情致。（完）

禪學黃金時代

中國禪的祖師—慧能

吳經熊著　吳怡譯

②青原行思（死於七〇四年）

他是江西吉州人，俗姓劉。身世不明，只知道他從小出家，賦性沉默。在他第一次見慧能時便問：

「我們要怎樣才不致於落入相對的層次中」？

慧能反問說：「你最近做了些什麼工夫」？

他回答：「我連聖諦也沒有修過」。

慧能又問：「那麼你的工夫究竟達到那一個層次呢」？

他回答：「我連聖諦也不修，還有什麼層次可言」。

慧能被他的見地所深深的感動，認為他是學生中最有成就的一個。後來他被派到吉州青原山去大宏禪法，發揚了慧能的道統。據記載只有一位傑出的弟子，就是石頭希遷。雖然只有這麼一位，但已經足夠了，正如他自己說：「衆角雖多，一麟足矣」。

③永嘉玄覺（西元六六五—七一三年）

他以證道歌聞名。他是浙江永嘉人，俗姓戴。初學天台宗，曾潛心於禪觀，在這方面已有特殊的成就。後來由於幾位朋友的激勵，便到慧能處去印證所學。初見慧能時，他繞着慧能走了三圈，舉着手中的錫杖，直立在那兒一動也不動。慧能考問他說：「一個和尚要具有小乘的三千種威儀，和大乘的八萬種戒行，請問你是從那兒來的，居然如此傲慢無禮」。他不理慧能的問話，卻說：

「人的生死只在呼吸之間，萬物的變化是很迅速的，我顧不了這樣多」。

慧能又說：「既然你担心生死無常，那麼你為什麼不證取不生不滅的大道，去斷除無常迅速的煩惱呢」！

他回答說：「真正能體認，大道本是無生無滅的，真正能了斷，萬物也本是無遲速可言的」。

他這種把體和用合成一片的見解贏得慧能的連聲讚歎。於是他便按照禮節向慧能行禮，然後就要告辭離去，慧能便說：「為什麼這樣匆忙的又要回去呢」？他回答：「我根本就未曾動過，那裏談得上匆忙」！（十）

巨變歷險記！

天津的淒涼景象

胡慶蓉

林彪的第四野戰部隊突然將天津包圍，天津的景象是夠淒涼的。林彪的軍隊並沒進入市區，但已到了近郊。

這是民國卅七年十二月的十七日。十二月的天氣，在天津，差不多算是隆冬了。真如弔古戰場文中所說：「浩浩乎，平沙無垠！」在台灣的人，所見到的都是滿眼綠色，正所謂一年皆綠，四季常青，百花怒放，百鳥爭喧，對於大陸的天氣與景象，恐怕不容易從想像中得之。大陸氣候，是四季分明，尤其天津。一到了冬天，再也看不見綠色，一片大地，大地一片，所能看見的全是平沙。從北平到天津，兩旁看見的只是沙，只是平沙，望不見邊際的沙地。天津在十二月裏，冷得很！這也是在台灣所想像不到的。各山最高峯的積雪，彷彿近似，這一季節，已經是滴水成冰的天氣了。到處一片肅殺之氣。弔古戰場文所說的「墮指裂膚」，本來是塞外的嚴寒天氣，但天津到了酷冷的時候，也未始不可以拿這四個字形容其寒威凜冽的景象了！

真巧，林彪野戰軍兵臨城下，是在卅七年十二月十七日的下午，丁博士從北平坐來的火車，剛剛到達天津，再晚一點，這一列火車，可能停在路上了。天下的事，就有這麼湊巧，丁博士的車剛到，林彪的部隊也就到了。丁博士坐的這一趟車，是從北平開來的直達車，是藍鋼皮車，有暖氣，在那時候說，算是最豪華的了。座位上都有白套子，車廂也很乾淨。直達車，從北平到天津，只需要的時間，僅花兩小時就到了。在車裏，有如春天，溫暖適度，喝着泡的茶，倒也逍遙自在。但一向窗外望，又會叫你觸目驚心。本來是平沙的地，現在變成的飛沙的地；那裏來的大風，將平沙捲起，變成飛沙，大地一片昏黑，太陽幾乎看不見了。透過飛沙，所能看見的太陽，是蒼白的圓盤，然後是昏黃一片。樹木本來就少，在這嚴冬的天氣，葉子早就沒有了，連枯枝也看不見了。

火車離開北平東站，已經是下午四點鐘。誰也不曉得這一趟火車就是最後的一次，丁博士也毫無所知。同平常一樣，他也沒帶什麼。從他住的地方——趙堂子胡同，趙家樓，坐人拉的東洋車，離開車的時間已經很近了，趕到車站上。車站的人很擁擠，車站警察幫忙，才買到一張票。趕緊登上火車，車已在蠕蠕的行動了。車沿內城城牆開，然後出外城，紫金城，禁城，正陽門，大前門，已經離遠了，天壇本在前面，很快的又挪在後面。天壇不見了，就是無垠的平沙，再也看不見別的東西。正如「弔古戰場文」所說的「負不見人」。從北平到天津，既沒有山，也沒有水，自然無所謂「河水縈帶，羣山糾紛」了。

就在這浩浩乎無垠的平地上，趁着這一陣漫天的風沙，林彪野戰軍展開對天津的包圍。使天津一時陷於淒涼的氛圍。（六）

譚天雕空集

幽默博士惹煩惱

鄒眼

幽默（Huncorous）和博士連在一起，似少見經典。洋幽默有馬克吐溫其人，中國古代像東方朔，淳于髡者流，也擬以「突梯滑稽」之辭令傳世。獨不以博士名。近人或以「詼諧」當幽默，實則在古劇舞台上就是小花臉一類丑腳色。而有文丑武丑，丑婆之分科。但卻非劇中主角。除非是「打麪缸」，「小放牛」一類丑戲。從若干年前，簡又文、陶亢德、郁達夫等辦過「東西南北風」一類趣味化的刊物，才聞「幽默」博士其名。博士一詞，似係學有專長，並非「百事通」之代稱。而今卻無所不談。到外國賣中國貨，曾以「吾國與吾民」，宣傳「鴉片」，「小腳」代表中國文化的博士，回來則不免賣外國貨，來唬中國人。翻譯什麼詩呀，詞呀，反正博士滿肚子洋氣，喝過很多太平洋水。只有向中國人賣中國貨就露出馬腳，賣博士原來是草包。談什麼老莊孔孟，又論什麼考據無處不是「驢唇不對馬嘴」。於是博士「幽默大師」之招牌竟落得「俏皮話」失靈而惹麻煩了。台北「獅」刊七號刊出「台北縣一羣佛教青年」致馬星野的公開信。對博士那篇「尼姑思凡」幽了佛徒一默，提出抗議，要馬社長答復。其中有一段文字值得崇拜偶像的人們深省。獅刊云：「查林語堂其人，早年混跡國外，以販賣中國俏皮話，而標以幽默博士虛名。實在不過文壇上一小丑人物。現已年老，自中西文化廣泛交流後，因他那套本領貶值而返國。後發表所謂談孔子的幽默，論色即是空，毀儒謗佛，大唱反調」。又云：「像這樣污辱聖教傷風敗俗的無恥文人下流作品，貴社居然採為專稿，發各大報刊登，不知是何居心？」好了，引語不必多。博士自「訪日」在東洋獻醜受辱之後，今又稍稍收斂形跡，以「東西」「下流」出不意識的抗議了。夠幽默的東方朔不知如何「答客難」？現代中國的馬克吐溫，還想「吐」點什麼洋水？那倒是我們關心的下文了。

總之，當此冒牌「博士」充斥市面之秋，越會使人聯想到在西洋人辦的「學店」，出賣博士帽子，還不足以虎中國人。不如那些江湖術士，掛起大招牌，相士起，賣寶劍什麼伏魔的什麼方士道士，合中國人的口味。博士休矣。

三幕喜劇

事過境遷

熊式一

仁：　糟就糟在這些小報！不管你應酬他們也好，不應酬他們也好，有這種機會，他們還肯放過嗎？那一家小報，不會用大號標題，在第一版說太平紳士和有夫之婦同居了十多年……。

何：　這也是沒有辦法的事！我想你在報上登了啓事，宇文得標總會看得見的……。

仁：　也許他看見了報上登的啓事，會委托律師來要求離婚……。

包太：向誰要求離婚？向我？

仁：　當然是向你！我辦了申明婚姻失效的合法手續，他只能找你，不能找我！

何：　（放心了）仁翰，我方才也是一時心中着急，所以說話過於衝動，還要你的媳婦——你的……宇文太太原諒。（她望一望包太太，包太太不做聲微微點頭。）以後一切的費用，只要是正當的，可以歸我們包家……。

仁：　（不安）這也是出於不得已！我們都是有地位的人，不能做丟臉的事，所以決不能再和有夫之婦非法同居下去。假如不去辦合法手續，登報申明婚姻失效，在我良心上，我也覺得不安！我並不是怕別人說閒話，也不是怕社會指摘，合乎法律，合乎道德的事總是對的，總是有道理的，我們總是應該做的！這是我一向的原則。

包太：假如宇文得標……我可以講我的丈夫了——看不見香港的報，或者是看見了報也不來找我，不來向我要求離婚，是不是我在法律上，在良心上，應該去找他呢？

仁：　這都可以由你自己決定……我沒有意見，我決不是那種一切老是自以為是的頑固派，一點也不尊重別人的意見！

何：　不過道德更要尊重，法律決不可破壞！

（包太太望住何夫人，何夫人轉過臉去，包仁翰覺得很不安。大家十分尷尬的時候，阿詩推門進來。）

詩：　老爺，史先生來了！讓他進來嗎？

仁：　（急得跳了起來）還不快請他進來？這還用問我？

詩：　方才老爺叮囑我，叫我不要……。

仁：　快去吧！還站在這兒囉唆！

詩：　是。（下去）

何：　史先生是甚麼人？

包太：就是這位史先生，方才告訴我們說是……說是我的丈夫並沒有死！

何：　他怎麼知道的？他靠得住嗎？

仁：　他上個月還同他在澳門大酒店一同吃飯呢！

包太：他從前也和他很熟！

仁：　這到不是！史先生是一位航空駕駛師！本領好極了！

何：　空軍和陸軍有甚麼分別？都是一班亡命之徒！

仁：　阿詩真沒有用，去了半天還不把這個人帶進來！

包太：不能怪她，她還要去開鎖開鏈條呀！

何：　開鎖開鏈條？誰把這個人鎖着鍊着的呀？他犯了什麼案子，我說他們都是一邱之貉！

（34）

喬治桑外傳

—張大萬—

（一）

編者按：「喬治桑外傳」於二月份曾刊出兩期，後突然中斷，乃因著者張大萬先生前往巴西探親之故。現已歸來，並專函向本報讀者致歉，及應約自即期起重理筆硯，續完「喬治桑外傳」全稿。但在此相隔九個月期間，本報台灣區發行增加三倍，東南亞區增加一倍到兩倍，歐洲，南美，乃至於非洲區域均有增加，本稿如不從頭登起，使新增讀者前後難以銜接，故祇好用兩期舊稿從頭登起，由第三期起接登新稿，敬希鑒諒。

這裏所談的喬治桑，不是熱戀作曲家蕭邦的那個法國女人。他是道地的炎黃子孫，並且是六十開外，離古稀之年，不，離人生開始尚有一段距離的一位中國紳士。即過去租界時代所謂「高等華人」是也。喬治桑的華名叫「紹孔」，別號「栖齋主人」。據說他的父親是一位酸秀才，替他取名為紹孔，顯然不僅是望子成龍，而是望子學了成「栖齋主人」亦是由「夫子何為者、栖栖一代中」兩句唐詩而來。但桑紹孔在三十歲左右便違背「父母在，不遠遊」的孔子訓話，到美國留學去了。

那時還沒有公費、自費等名堂，他是怎樣出國的？出國學些什麼？無從查考。大家只知道有一位桑博士，喬治桑博士；至於他的本名桑紹孔，反不及他的洋名的響亮。喬治桑小時候，在私塾讀過書，因此會做幾句吟風弄月的舊詩；寫得一手行楷毛筆字，雖不算好，照日本「書道」標準，還算過得去。

喬治桑回國不滿三十歲，便當了洋行買辦。也就是戰前最為人艷羨的「康白度」。「康白度」席豐履厚，其附級之特殊，較前清的翰林、進士，有過之無不及。喬治桑是華人、亦洋人，以蝙蝠姿態，週旋在戰前的畸形的華洋雜處社會中，春風得意，一直是名流之列。張之洞有「中學為體，西學為用」之說，喬治桑加以化用，變成了「西學為體，中學為用」，一切名利，都由此唾手而得。舉個例子，他的英文著作，大半是談中國的事物，雖然是東抄西抹，然而足以唬住洋人。而一般真正對中國事物有研究的學者，又大都不耐煩去看這種「假洋書」，正可含混過去。他的中文著作，却一半是談外國的事物，一大堆哲學專門名詞，佶屈聱牙，胃口不好的已經吃不消，即使在胡說八道，誰有工夫與他辯難呢？

自由報

第九〇七期

（半週刊每星期三、六出版）

每份港幣壹角，台灣每份售價新台幣貳元

社長李運鵬‧督印黃行憲

社址：香港九龍彌敦道593—601號廖創興銀行大廈八樓F座

LIU CHONG HING BUILDING 7th FLOOR FLAT 5 593—601 NATHAN ROAD, KOWLOON, H.K.

TEL: K303831

電報掛號：7191

承印者：大同印務公司

地址：北角和富道九六號

台灣總管理處，台北市大同街119號

台灣區直接訂戶　台郵劃撥戶

第五〇五六號張禹有（自由報會計室）

台灣分社：台北市西寧南路110號二樓

綜論當前婦女工作問題

·陳光棣·

報載行政院人事行政局正在研究職業婦女工作半日制，俾主婦們以較多時間料理家務，這種職業與家庭兼顧兩全其美的構想，如能付諸實施，可說是造福社會，加惠人羣，如再能推廣到世界各國，全人類均將蒙受其利，眞是一件了不起的大功德。蓋職業婦女工作半日，可使若干死氣沉沉的家庭恢復生機，可使兒女得到更多的照顧，可減少問題少靑的形成，可阻遏社會犯罪猖獗，家庭基礎可再度鞏固，整個社會可從貧血而轉趨健康。

但不幸人類的傳統惰性一向是社會進步的障礙，舉凡一件重大的改革，都會引起部份人士僅憑本能，直覺和意氣而大唱反調，絕不肯以明辨是非的風範，高瞻遠矚的態度，在冷靜的衡量利弊，思考得失，研討兼籌並顧的可行辦法。人的矛盾就是如此的不可理解，一方面爭逐着現代物質文明，一方面對予一切已有的物事又希望維持現狀。遇到行政上的新措施當然更是如此。據說人事行政局因爲部份人士反對，已初步決定各機關對臨時工作和以件計酬的工作實施半日制，對于正式工作，因有種種困難將無法實行云云。于此我們簡直可以確定這件事的結果如何了，因爲按之世界上盛行的反淘汰法則，反派的一而往往先能佔得上風，而代表公理正義的一面總是暫遭受挫折。

現在我們就事論事，談談婦女從業所產生的一些影響和得不償失的現實問題。

我國自唐虞夏商周以迄明清民國，向以一統爲主，以分裂爲變，這是我們歷史特色。而國家一統的最大支柱，是鞏固的家庭基礎，家庭基礎之所以鞏固，又端賴孝道力量的長久維繫，孝道之能歷久不墜，是因爲作父母的負起了承先啓後的賡續任務，也就是能充份盡到了作父母的責任，他們對兒女有教有養，有訓誨，有誘導，有楷模，有示範，使兒女們有所效法，有所遵循。過去父母們教育兒女雖然在方法上間或有不同程度的偏差，要皆以倫理爲中心，以教導自己的兒女對家庭盡孝，對國家盡忠爲最高準繩，這是中華文化歷久彌新的要素，也是中華民族永遠屹立的基本原因。

時值新舊時代交替之際，社會變化快，人生需索多，所以身爲父親的人，要比過去更上進更奮發。才能在社會上立足，才能滿足家庭的生計，因此在終日營營苟苟之餘，回到家中早已精疲力盡，實在少有餘力再過問兒女間事，於是這沉重的養育担子，便落在母親身上，而假如母親也另有自己的事業，則家庭便失去了中心，兒女們一旦失去管束，那情景是可以想象的，最顯著的例證，是兒女們容易在放縱，嬌慣的情形下，變成放肆，或無理取鬧的習慣，一旦進入社會上就難免有無法無天的傾向，這是問題青年形成原因之一。所以美國犯罪問題委員會認爲青年罪行是由于缺乏家庭教育，該會認爲應該仰賴父母的力量，作爲兒童學習如何平和的適應社會的保證，使得青年人不會把他們自然而可貴的反叛性，以暴烈的戰鬥方式表露在社會上。試想爲母親和父親一樣的終日營營苟苟，而這教育的責任要交給誰呢？因爲該委員會會說：把這樣教導年輕人的工作，交給學校，教會，社會服務機構或青年組織之類的地方是沒有用的。該會是由學者專家們所組成，經過愼重的調查研究所獲得的結論，當然有其值得重視的權威性。

大體說來；職業婦女都有適當的教育程度，担負教育兒女的責任是游刃有餘的，她們如只工作半天，能拿出一半以上的精力來教育兒女，也不致動搖了家庭基礎，這不是很划得來的一件事嗎？

學者專家們認爲：母親外出工作，兒女多交由女傭照管，或送到附近托兒所「存放」是不妥當的，因爲女傭照顧孩子，其不能周全，不會適當是必然的，因爲誰都不心疼別人的孩子，何兒女的知識大都有限。所以每當母親離家時，孩子們便有被遺棄的感覺，只好在無依無靠的心情下，切盼着母親早些回家，這對兒童身心的發展，情緒的調劑，自然有很大的傷害。在托兒所寄存，更不是辦法，因爲托兒所大多設備簡陋，從業人員非但沒有育嬰訓練，又率多缺乏工作熱忱，孩子們在那種環境裏，當然得不到所需的愛撫和照顧，因之受到創傷的小心靈，會轉變爲性情的孤僻、冷漠或暴躁，至其機械性的生活方式，對兒童的智力發展，也有莫大的阻礙。

兒童需要感情，母親如在公私交迫之下，勢必沒有充份時間和兒女盤桓，也忽了充份的關心和愛護，如此兒童在情感上有被疏忽和被虐待的錯覺，母子關係失去協調，就容易產生問題兒童，家庭的溫暖和諧便受到衝擊。

職業婦女爲了力爭上游，自然對升遷，調補，薪級，地位特別關心，甚而斤斤計較，于是她的心境會隨時受到職業性的威脅，已有一位父親，在家裏經常患得患失，再加上夫妻一唱一和，家庭乃充滿了商業化的氣氛，應有的家庭溫暖由惟我主義，功利主義所替成，孩子們在耳濡目染之下，則更形徬徨，失落，更足以造成兩代之間的隔閡。

近年來家庭教育失去倫理的中心，父親固然也有責任，但爲人母者之不能善爲誘導却是主因，其中以職業婦女爲最。

（下轉第三版）

俄

共

獸性突發！

俄共

共

虐待畜生！

昨日與明日

六書教學開倒車乎

國立師範大學文學院長沙學淩先生倡導「國文正名運動」時，極力主張小學國文應恢復「六書」教學。當時，國語家們的啦啦隊，曾笑他說：「這個倒車簡直開到秦漢時代去了」。他們中有人以爲：漢字之有今日，本來經過甲骨、金文、籀篆、隸、楷、草的演變，以今日楷書而言，六書之理已不可見，楷字只成爲代表聲音的符號而已。

國語家們也改口了

但，國語家們最近也覺得這種意見不妥，趙友培即說：「我國文字的創造，歷史悠久，在長期發展過程中，逐漸形成「六書」的原則。它要發展到一個新階段，并非否定前一個階段而代之，而是繼承前一個階段加以開創；後一個階段是由前一個階段演進而來，但後一個階段決不抹煞前一個階段的成就。因而，對於字形的源流結構，系統分明；對於字音的古今遞變，樞紐俱在；對於字義的生長繁衍，脈絡貫通。而且，每個字形自成方塊，在文法方面沒有不必要的限制和牽累，字與字之間，便於分合，長於組織，善於變化，新意生生不已，而詞彙爲用不窮。這是中國文字極可尊貴之處，也是中國文化極可尊貴之處」。又說：「可是，由於過去在中小學階段」，對國字基本結構的教學和寫作指導，未能盡如理想，我們對當前中小學國文教育，固應更謀改進，但現已進入大學的學生，也要設法補救，使他們對加深對本國文字的認識」。

國文程度必須提高

這就是主張小學國文應注意識字的「六書」教學了。因爲中小學階段對國字基本結構教學未能盡如理想」，所以「寫錯別字和文章欠通的仍大有其人」。趙友培先生并認爲：「國文是民族文化的傳播者，它以精粹憂美的作品與讀者結爲神交，異於空洞的說教」。因之，大學文法政經各院系的學生，「他們的國文程度必須提高，才能直接閱讀有關古籍，汰蕪存精，以與世界新知相融播」。理工各院系的學生，「他們的國文表現能力必須通達」。（引文均出自趙氏「加強大學國文教育」一文）

應求直接閱讀古籍

這種持論，在國語家們看來，也許覺得趙友培在「同室操戈」，因爲趙文之中有「中小學國文」，可見小學也當稱「國文」而非「國語」，趙文至少是指「文」包括語，而非「語」包括「文」。趙文中更指出大學生的國文程度必須提高。可見現在大學生國文程度是低落的。說當前國文程度不低落，那是盲目亂說。因爲，能「直接閱讀有關古籍」的學生，是太少了。

當速編兒童六書字典

我國古代，八歲入小學，本以六書識字爲首。民初新文化運動份子唱「以拼音代漢字」以來，我國談六書原理之書，便不復爲兒童所知。自「國語辭典」以注音符號爲編順序而成，接着有「王雲五小辭典」之四角號碼檢字法。現在更有「梅遜檢字法」「漢字首尾檢字法」。兒童查字求速之利未見，而六書部首之辨盡失。走遍書市，英文字典言英文之字首，字身、字尾結構及何者出於希臘、意、法、羅馬文者，比比皆是。卻不見一部合於兒童查字用的中國「六書結構字典」，連「辭源」「辭海」巨帙中，也無言六書結構者。近來，張其昀先生集結一批研究生編成「中文大辭典」，每字均列甲骨、鍾鼎、古籀、小篆、隸、楷、草等體寫法，以解字指出每字「六書」歸類。惜其不合於一般兒童之用，而甲骨、鍾鼎文部份，因係董作賓參預其事，摒却其他專家意見，致錯誤甚多。趙尺子先生近日囑我向沙學淩先生建議，邀集二十位左右精於文字學者，每月以茶會方式討論二三十字發表，以兩年得三千多字，足供編成兒童六書字典。我和沙先生亦乃一窮書生，但不知可有心祖國文化之富商雅士，肯贊襄此千年不朽之盛事否？（貞蒼）

自由談

教育界的怪象

台灣實施九年國民中學義務教育伊始，各校收取學生的學雜費，名目繁多，總數超過舊有私立中學所收的金額，引起與論責難。台北市府首先聲明已令飭所屬國民中學校長將超收費用退還學生云云。筆者曾在本欄著文稱讚其爲明智之舉，表示欣佩。距近接台北市仁愛中學一位學生家長函告，謂該校確曾通令學生定期十月十五日發還超收的費用，但爲數乃係台幣一元三角。是日諸生皆參加公共集會，此戔戔之錢，僅買了兩三粒糖菓而已！

同時，教育部亦曾明令某一私立專科學校退還違法收取的學雜費，結果該校置若罔聞，抗不奉命，而教育部亦就如癡如聾，不予過問了。這是該校一位在學的子弟寫信告訴我的，當然不假。我想這情形不僅是上述的兩所公私立學校有然，其他各同等學校莫不皆然，證明貪污風氣已盛行於素號爲清高的文化教育界，實爲國家前途莫大的隱憂。筆者如鯁在喉，不能不吐，知我罪我，非所計也。

據說，國民中學所收取各項苛雜費用中，如「家長會費」、「尊師費」、「教師福利金」、「教材補充費」、防衛金」等等，均規定須劃撥一部分繳給教育行政官署，其故安在？其意義何存？實屬令人莫名其妙。此外，學生應用的中英文字典，且必須向學校購買，雖有同樣的舊書亦不許用，這又是甚末理由呢？名爲遵令退還超收費用，而實際只是象徵性的退還一元三角，聊示敷衍行政官署的面子，這不但是滑稽可笑，亦復妄誕可驚。至於一個私立專科學校無視教部的煌煌明令，非法濫收學雜費而肆無忌憚，我行我素，尤爲駭人聽聞，竟未聞主管當局嚴予究處，形同默認，寧非離奇而難以想像之事嗎？

可是，若從官僚政治設想，却不足爲怪。因爲如此這般的作法，各級主管當局即無責任可言，理由就是會經有命令禁止各級學校濫收學雜費，又令飭將超收費用退還各在案，實行與否，那是學校的事，與行政官署無關，檔卷俱在，自可搪住監察機關的糾舉彈劾箭頭，安全無虞。這便是超級的官僚主義和貪瀆技術之高度發展，嘆觀止矣，善哉善哉！

馮五先生

立委抨擊預算制度
官股掛着民營招牌
莫萱元不客氣的逐條指出
牛踐初攻各機關添人建屋

本報記者張健生台北消息：立法委員就預算制度及預算編列違背精簡政策，預算不經濟等問題，提出質詢行政院。

莫萱元委員質詢謂：預算制度是現代民主政治的基本制度，我中央政府遷台以後，建立了這個制度，是向現代民主政治的途程上邁進了一步，今後亟宜維護其完整與發展。但近年來行政當局常於有意無意之間逃避這個制度的約束。例如，政府機關如經合會與農復會，便未建立預算制度，縱有預算，也未納入中央政府總預算內。事業機構：如中華信託開發公司，金屬工業發展中心，航業發展中心，生產力貿易中心等，半數以上的資本，雖係由政府或公營事業機構所捐助或投資，但均掛着民營的招牌，其預算更未納入綜合營業預算內。

近幾年來，新成立中外合資的公司如慕華公司，潤滑油公司，台灣聚合公司等，政府或國營事業所投的資本額雖然很鉅大，但外資均超過百分之五十，立法院對這鉅額的政府投資，竟無權過問其預算。莫委員進一步指出：幾年以前，經濟部不聲不響的將中國漁業公司送給輔導會，國營事業中遂少了一個單位，中國漁業公司的幾億資產，在會計上如何處理，經濟部與主計處迄未向立法院有所交待。接受中漁公司的輔導會，不但未照立法院預算委員會的決議編送營業預算，連報告都沒有一個。

最近，交通部又不聲不響的裁撤了新中國打撈公司，將其工程業務歸併到中華機械公司，打撈業務歸併到港務局，請問主管綜合營業預算的張主計長，裁撤國營事業單位，在會計上應如何處理？例如新中國打撈公司將資產移交給中華機械公司是增資呢？還是贈與呢？如增資應經立法程序，如贈與，誰有贈與之權？

總之，我國現有的預算制度，雖已包括政府總預算和綜合營業預算，有十餘年的歷史，但還未臻完備。

牛踐初委員質詢政府為什麼放棄精簡政策？他是根據二十年來中央總預算數膨脹的情形來檢討的。

他指出三十九年度歲出總額為十二億九千多萬元，四十年度歲出總額為十四億三千多萬元，四十一年度為十九億一千多萬元，四十二年度為二十三億零九百萬元，直到五十一年度中央政府的歲出總額，雖然年有增加，但均未超出一百億的大關。可是等到嚴院長出長行政院後，五十三年度中央政府總預算的歲出總額，便增至一百一十六億八千多萬元，到了五十六年度，竟又突破二百億大關，至於五十八年度的歲出總額，其所增加之數，因為國家預算機密，不便公佈，但相信大家都會知道的。

牛委員根據中央政府總預算歲出總額逐年增加情勢，深為國家的財政前途為憂。他說：假定今後仍照這樣直線上昇的話，相信那就很成問題了。嚴院長在任何方面的傑出表現，使人欽佩，不過，如以春秋責備賢者之義來說，認為嚴院長對於國家總預算之控制，似乎不夠嚴緊。

牛委員抨擊中央機關都是本位主義，每年都為自己的機關爭取增加歲出預算，不是擴大組織，增加員額；就是添建房屋，或是改善設備；幾已忘却了政府播遷，島嶼國家，總是負有待機反攻的艱鉅任務。陳故院長在主持行政院期間，國家總預算歲出總額，其所以未被突破百億大關，就是因為他能堅持精簡政策，立法院各同仁，對陳故院長控制預算這一點，迄今仍甚懷念。嚴院長何以不能蕭規曹隨，而輕易放棄精簡政策呢？

蘇清波堅拒省派校長
汐止國中校長雙包案

本報特約通訊員張樹人台北縣板橋消息：縣長蘇清波向本「硬朗」作風，對縣府主管人員調動，堅持「主動」，前年會因兵役科長龍炎武被省府調職，因乘機遴委其額外秘書吳仁全接補龍缺，報省未准，對抗了不少的時間，終未拗過上級，吳乃接補國宅會執行秘書。

政府本年延長國民教育為九年，省府為統籌甄選國民中學校長人事，特將校長任職，改由省教育廳直接遴派，亦屬矯正選舉恩怨，消除過往積弊之良策。頗獲輿論支持。初，認各縣縣長會以縣立初中校長，例由縣府遴選，報請省教育廳核派，雖間有異議表示，但均以國中制度已與初中不同，祗好聽省令而已。惟獨蘇清波縣長則邊對新建之汐止鎮秀峯國中校長，公然拒絕省派甄選合格之王聿琥接任，且由縣府直接委派原為雙溪初中平溪分部籌備主任因被甄選國中校長未獲合格之趙永福以暫代校務名義接任秀峯國中校長。致演成「雙包」案，縣府往返二次申復，均被省府駁回，頃又三次「杜撰」理由向省府提出申復，勢將堅決拒絕接受省派校長，而要縣派人選。省派校長王聿琥曾獲碩士學位，現任省立新莊中學教員，省令於八月中旬到達縣府，王奉令後三度前往縣府報到，請示到差日期，均被蘇清波予以拒絕。縣府於八月二十七日通知趙永福前往該校接任，王即被拒於校門之外。所幸新莊中學，尚有教員職位可以守候。據悉社會一般指責：台北縣府教育積弊至深，中小學人事調動，教育科很少力量，昔年省立北商新莊分部改為縣立初中時，原任分部主任某，例可繼任校長，詎經反復周旋結果，某竟未獲得職位，憤而至縣議公開控訴，指出：彼未取得校長原因，係為「活動費」不足饜當權之慾，故而落空。被報章揭載，外間傳疑指係某前任教育科長所玩弄之「把戲」。至今觀之，其「權」所屬可知。當時縣議會對此並未詳察，却會由某些議員指出：縣府每學期有分取各國校惡補參考書籍回扣達十餘萬元之鉅情事，亦被當時報載，如是情事，外間亦列於某前科長身上。蘇清波此次拒絕省派校長，人言有「食髓知味之嫌」，是歟？否耶？固可勿論，但值茲省教育廳乘延長國民教育改紘更張之際，統籌甄選國中校長，而蘇縣長，竟然堅決拒絕，其破壞行政體制，目無法紀，有違民主法治常軌，實不一而足，甚望省政當局，予以嚴厲制裁，否則，勢必效尤繼起，將置政府威信於何地？國中教育，又將何以展開？

都市公施預定土地
照價收買將成畫餅
台省府請求由五年改為廿五年
人民將喪失權益莫不震撼驚疑

本報記者黃尚書台北消息：台灣地區一般握有都市土地，而被都市計劃所預定公共設施，將被征收之土地，法定五年內征收，年前即哄傳，省政府鑒於統一征收地價補償數字甚大，以目前財力，實難負荷，擬訂修改原法為二十年，地主莫不震撼驚疑，迨至政府本年普遍增加捐稅，形成地價高漲，尤以台北市升格為院轄市所屬都市地價更如脫韁之馬，漲幅竟有達十倍至二十餘倍以上，政府隨之公告地價普遍增高，目的固在增加稅收，但對將被征土地之補償問題益形嚴重。該項被預定征收之土地，賣買雖早被凍結，持有戶仍須照價納稅，若有滯交，尚須移送法院強制執行，監察院前會為此進行調查，期對人民減少負担。此中弊端有顯而易見者，例如陽明山士林區子口段土地原為公地放領之農田，當在已逝世之周象賢任管理局長時，代該地段土地將預征為公共設施前，農戶便首先獲悉其情，覓向急欲購地建屋自住者，以高價變賣，該管理局並對申請購買者明令批示，「准改為建地」，便利完成分割手續，申請建築執照時，該局則以該段土地業經劃入公園預留地，禁發建築執照，如法泡製者，不一而足，致使購戶嗁笑皆非隱忍深痛！當在前陽明山地政事務所所長姜忠鑫因貪瀆犯刑，彼時即有風風雨雨涉及其他地政人員亦有類是之嫌，治安機關雖未查實究辦，但人民眼中仍是雪亮的，徒滋怨尤而已。茲悉省府對於估計有六萬甲的都市公共設施預定地征收問題，內政部已接受省府建議：修改都市計劃法，將目前明定五年內征收延長至二十五年。

據悉：本案已獲至結論，正式備案呈報行政院核定。

台省境內及台北市內上項預定地，根據調查六萬甲地。如依法於五十九年度全部征收，則需一、二百億元新台幣。地方財力，顯然不可能辦到。但都市計劃法第五十四條規定：上述用地政府應於五年征收，否則可不予保留。

省府曾為此與內政部數度檢討，雖有人建議：以發行債券或其他方式征收，但都認為困難很多，因此，決定以延長征收年限，比較符合實情。

依據上項情實，所有都市之被預征土地者，將坐視業產空懸一世紀四分之一，對其應享之權益則分毫無補。慨自都市計劃法頒佈以來，徒見都市地價增張，未被圈入被征收之內者，莫不富而愈富，而被圈入被征收之內者，却對「照價收買」犧牲之原則亦不可得，幸與不幸，懸殊如斯，豈是政府收拾人心之道？未知內政部之有能專家面對現實，將如何起草該項法案？代表民意維護納稅人權益之立法院又將如何研議通過此一關係民心至鉅之法案呢？頃將受鉅大損害之人民，莫不拭目以待！

民社黨團結無望
蔣匀田出國講學

本報記者顧碧天台北消息：支離破碎之中國民主社會黨自本年夏初起，由遠在加州之張君勱，振擘奮呼，重新團結，以助政府反攻復國大業。該黨在台重要人士，即羣起響應。并由張氏指定以蔣匀田為重心之四十七人為籌開該黨第三次全國代表大會，迭經反復協商、疏導、研議，終致團而未結，代表大會，由原擬之九月十八日，再延至十月中旬，而十月下旬，今已遙遙無期，殊令黨內黨外人士，不勝惋惜。究其癥結，據悉：①該黨多數人士，殷盼張君勱親自來台，主持大會，是項請求，已被張氏惋謝，祗允俟大會達成團結目的後，再行考慮來台。因此使各派失望。②各派意見紛歧，固持己見者，厥為副主席人選之分配問題，張氏又碍難先予提名，若循一般政黨成例，須黨魁選定後，再由其提名應選，否則實難洽服，况該黨又值派系冗雜時期，故「副主席」名位之爭，已成該黨之礁點，勢無良策打破。③分派出席代表之名額分配，亦屬爭持之重要者。民社黨因以上之原因。已形成更形殘破之局，四、五閱月來，蔣匀田等之奔走周旋幾成白費，聞蔣氏甚表消極，即將赴美講學，暫行擺脫漩渦，再待機而起。

為了爭取「桂冠」榮銜
詩人串演一場鬧劇

本報記者顧碧天台北消息：台灣中等以上學校，國文課程中，雖選有詩、賦、詞、曲示範教材，大學中文系，且有音韻學課目，但學生能運用音韻作詩、填詞者絕少。而在地方人士中，凡有國學根基者，類多能詩。前有于右任，賈景德，陳含光，張昭芹諸先生，領導台灣詩壇，益見風雅盛行，以致各縣市鄉僻之地，均有詩社組織，吟會輪行，競為詩尚，右公諸老相繼謝世後，流風餘韻未歇。惟可惜者，間有一般詩人，却未以溫柔敦厚融其氣質，使能清高絕俗，蔚為興、觀、羣、怨、之道。以開拓國運，以奠定中興。反而各持門戶，互爭虛譽。當右公諸老在世之前十多年間，輒有人向「國際桂冠詩人協會」連絡，擬求獲該會之獎飾，膺獲所謂「桂冠詩人」榮銜。而右公等之被推列，事屬當然。間有公等之下某人士等，力謀攀附，自薦其後，冀圖分沾其榮。詎引起另一方面之不滿，煞有介事，駭汗奔馳，羣起阻遏，環請教育部制止，據說，該部經於四十四年三月二十七日頒令對中國桂冠詩人，不予承認，並禁止其活動。至是爭端始息。今春忽有白話詩家鍾鼎文，榮獲「國協」贈以「桂冠詩人」榮銜，並於菲律濱盛典頒獎。鍾君此尤獲中國文藝獎金，固當喜上加喜。由是復觸動前此功敗垂成，偃息多年之有心人士，依路覓求，果得菲方于嵩博士雅允，欲以「國協」名義來台，擬定某等十人，錫以「桂冠」，將有隆重嘉獎。消息傳播，又遭前忌者之反對，連日用中國詩經研究會理事長暨副理事名義出面聲明：指出教育部前令，已如上述，有丘斌存者對于嵩之不知勢，甚表激動，表示「將秉承何南史理事長之命，號召詩人，予以驅逐出境」。

台灣日報十月二十六日「平心而論」欄指出：「于嵩博士將以國際桂冠詩人協會會長名義來台，頒獎十位中國桂冠詩人，中國詩經研究會，前天發表聲明：對此表示憤怒，揚言將予驅逐出境。于博士聞訊之下，想必嚇一跳。舊聞中國詩人素以溫柔敦厚為尚，何以突然變得這樣化祥和為戾氣，一副日本武士道神氣……由於博士不知中國國情，把這桂冠洋貨輸入中國之後，已引起多大糾紛，搞得中國詩壇多麼烏烟瘴氣……。」

據悉昔年反對桂冠輸入者，實係「桂冠」沒有份戴在自已頭上，因而興師討伐。但有幾位夠得上詩家的名士，為了所選，實有水準不及，魚目混珠，不無遺憾。故也曾打了幫手。今番再動兵事，却未見「實力」助陣，僅祗何、丘二位詩人出馬而已！記者按：古希臘人，視月桂為神聖之物，凡詩才優美，或競技得勝者，編桂葉為花冠授之，以示榮譽，其後歐洲大學中，亦以此贈與學者，英國王室被勅選之詩人，稱「桂冠詩人」，故能名重一時，始自一六一五年。今「國協」之活動，實仿此而來，意在普及詩學，尊重詩人風格。

英國人眼中的中國納爾遜

陳策將軍傳

•袁良驊•

（四）

並推舉先生為代表，星夜趕赴韶關報告此一嚴重警耗，籲請　國父本已首肯，惜乎廖仲凱先生亦在座，急着發言曰：「該等海軍人年少好事，所作報告言過其實，不可聽信」。並力保陳炯明無他，不可操之過急。國父因聽信廖先生一席話，回師之意自是打消。各忠義之海軍人一聞先生之回報，即仰天長嘆曰：「不圖少年二字亦是一項罪名，其如害及國事何」？相顧慘沮。然而陳軍不隱消息，其他方面亦續有傳來，致使國父將信將疑，轉而輕車簡從，於六月一日親自返廣州一行，以觀竟究。並派馬君武先生及汪兆銘赴惠州，勸陳炯明以國事為重，不可同室操戈。陳氏一面敷衍馬、汪二來使，其實已陸續自石龍調兵暗趨向離廣州不遠之白雲山佈置。六月十四日陳軍異動之風聲愈緊，山雨欲來，廖仲凱先生仍不省悟，於是日赴石龍欲說服陳氏，即被陳軍扣留。衆同志咸以廖先生何以如此固執，莫不稱奇。

十五日晨先生代表各忠義艦長赴總統府晉謁　國父曰：「事急矣，各軍艦已備戰，恭請　孫先生蒞臨艦隊，於陳軍叛變時下令討伐陳炯明」。是日夜間更有陳軍之中級軍官、粵之高州人、姓賴名達者亦潛赴總統府，謁見其同鄉林參軍樹巍告密。國父以重視職守，不畏強暴起見，願為國犧牲，不允離去。而先生及海軍將士則心急焦慮　國父之安危，將軍艦升火起錨，以備應援。果也，十六日凌晨禍作矣，陳炯明嗾使其師師長洪兆麟，派其部下旅長李雲復，卒兵一旅為前鋒，將位於觀音山麓之總統府包圍，其目的在於以亂槍擊斃　國父，事後諉為被亂兵誤殺，而由陳氏出而為　國父治喪，繼承中國國民黨總理，其計可謂至險至毒。差幸總統府行將被包圍之剎那間，代秘書長林直勉、參軍林樹巍強挽　國父離開總統府，沿途雖經叛軍哨兵之盤查，均能瞞過，而先生與溫樹德亦卒陸戰隊登陸接應。　國父至海珠小島之北洋第一艦隊司令部稍事休息，蓋是時國父已汗出如漿，衣服濕透，即其頭髮腳亦汗滴如珠。先生旋隨　國父登上永豐艦（即後來改稱之中山艦）。國父即召集陳、溫二司令及各艦長會議，之後率領各艦駛赴黃埔港集中。翌晨先生隨　國父指揮永豐、永翔、國安、豫章及海防艦寶壁、廣玉號駛進省河，會同仍留在省河担任遊弋偵察叛軍之舞鳳艦，指向大沙頭，長堤、觀音山、沙河、瘦狗嶺、白雲山等處之陳炯明叛軍據點炮轟，叛軍乃棄械四散。所可惜者，則為原已面對國父承諾響應我軍之粵軍第三師魏師長，臨背約，以致未能收復廣州。因此，此役不僅能收到牽制叛軍，不敢乘時偷襲韶關之北伐軍大本營之效而已。

吳敬恒先生年譜

（一卅）

陳凌海編撰
陳洪校訂

是年先生發表：「二百兆平民大問題最輕便的解決法」一文。文中認為國語及注音符號，為解決中國一切問題之基本。六月三十日，中國國民中央執行委員會決議，以青天白日滿地紅為國旗。秋，直奉兩軍閥大戰，馮玉祥（煥章）率軍入北京。請驅溥儀，且責令遷出故宮。先生代國父擬致段祺瑞（芝泉）電文。十一月十三日，國父北上後，對當時政局之意見又上國父書。十六日，國務院出聘李煜瀛為清室善後委員會委員長。十二月，先生赴北京，參加清室善後委員會檢點工作。是年，先生眷屬住倫敦近郊（No. 17, Latchmere Road Claphon Conmono）。同年，丁梅軒「（福保）著說文詁林者」於其上海白克路寓所，邀集先生莊仲威，裘可桴（葆良）等十餘人，舉行粥會，每星期一晚上集會，所食為白粥。粥菜四碟，葷素皆具，相約不用柬邀。不事迎送。不納費用。不及政治。風雨無阻。到者就座而食，食罄而談。先生在滬時，間一蒞止。

民國十四年，乙丑（西曆一九二五年）。

先生六十一歲

二月，復郭秉文（鴻聲）書，指斥其祖護齊燮元。以學校參涉及政治。有損學風。自應免其東南大學（中央大學前身）校長職務。嗣又為更調東南大學校長問題，發生學潮。先生作書答覆邵飄萍、王希曾、穆藕初、張一（仲仁）等。二月，遜清內務府遺老，乘段祺瑞（芝泉）執政府開善後會議時，以正誼社名義出版一冊「保障皇帝之電文」。先生針對此項通電，發表：「寃哉溥儀，危哉溥儀」一文，揭發清室遺老，宮監與奸商等互相勾結之黑幕。國父以肝病由天津移居北京協和醫院。中央政治會議，加推先生李瀛煜（石會）、于右任、陳友仁等四人為政治會議委員。先生參加在北京召開之政治會議，多所主張。三月十一日，國父在其遺囑上簽字。先生在其上亦附簽證明。翌日國父逝世，先生與孔祥熙（庸之）經購棺木，並參與經紀喪事。

綜論當前婦女工作問題

（本文自第一版轉來）

職業婦女滿腦子功利主義作祟，其教育兒女也必以功利主義為前題，在她們心目中，只要兒女能按步就班考上學校，能出國留學，便算功德圓滿了，至於品德如何觀念如何均可不聞不問，至於孝順父母，盡忠祖國一些固有美德早已丟得一乾二淨，進至適應社會服務人羣更是不在話下了。須知自己的女兒，是將來的丈夫或妻子，父親和母親是社會的基石，是國家的支柱，從兒時就沒有受到正確的家庭教育，長大成人後不徬徨，失落者幾希？這就是有很多留學生寧肯替洋人充侍役，作苦工，而誓死不肯回國的主要原因。

這些留學生也有一套理由，說是我國沒有研究環境，試問各國的所謂研究環境是他們自己的國民建立起來的呢？還是由天上掉下來的呢？家庭主婦教育兒女也難免多所不當。

職業婦女容易患得患失的原因，是怕工作不力丟掉飯碗，怕粥少僧多影響升級，怕生孩子耽誤正常活動，怕哺乳損害風韻和健康，怕家裏沒有人照顧召來樑上君子，怕下女辭職沒人洗衣燒飯，怕丈夫當下男，把家裏攪的一蹋糊塗，怕的事情太多了，其中還包括怕同事們不稱呼自己為小姐。由于怕這樣那樣，結果是情緒日日緊張，身心時時疲憊，美滿婚姻需要神情愉快，精力充沛，如母親經常處於疲憊狀態，兒女們的心情勢亦無法輕鬆，家庭頓失和諧，溫馨的音符。最煞風景的事是妻子對于敦天之倫因為疲乏也失去興趣而敷衍應付，草草終場，如此情形，夫妻間還有什麼情趣？性生活之不能協調，便談不上美滿的婚姻。

下面再談談主婦們從業的原因：

（一）丈夫收入微薄，不足維持生計，太太勢必加入生產行列，這情形比較普遍，但太太的收入都是剛剛夠付下女的開支，往往落得白忙一陣。大抵家庭經濟是否穩定，端賴主婦調配，因為人類對金錢的觀念永遠是「不夠」，從來不會有「夠」的那一天。至於主婦們無慮溫飽，而仍想作事多賺一筆錢以花着方便者，則屬錦上添花型，為數亦復不少。

（二）主婦從業為了理想，為了志趣，為了出人頭地，為了自我存在，為了面子問題等等，余意最好等到兒童達到學齡較為妥善。

（三）主婦為了逃避現實而從業，否則成年累月和柴油鹽作伴，實感單調之味，從早到晚和小把戲們相處，也覺意亂心煩，莫若找個差事，換換口味，所謂眼不見心不煩的便是，何況還有不必再伸手向老傢伙要零用錢的好處。概婦女相夫教子最高尚，莊嚴，榮譽的任務，世界上那個有大成就的男人；他們的太太是職業婦女呢？

但如婦女們有抱負，有才能，精力充沛，再加上受過專業教育，如不從業，豈非人才的浪費？生產力的損失？所以我們並不反對婦女從業，而從業又能兼顧家庭，則以工作半天最為理想。或曰：一天的工作，怎能半天作完呢？老實說大小單位只有極少數的從業員是從早忙到晚的，大部份的從業員除了週期性的業務繁忙之外，經常是比較輕閒的，不信你到各單位去看看就知道了。至于職業婦女當然也是極少數的業務繁忙，大部份都不是像你所想象那樣都在為國宣勞。假如真正以半天的時間處理業務，再加上不談天說地，不打毛線衣，不遲到早退，不廣播新聞，不打探市場行情，不交換御支秘訣等等，則工作半天的效率是很高的，絕不會有所隕越。

至於怕改為半天制以後，謀職困難，也是杞人憂天，因為這只是觀念問題，只要觀念溝通便迎刃而解，何況機關首長都有夫人，如他們敢於以「半日制」不合需要為藉口而減少婦女就業機會，他們首先便無法向太太們交待。說來說去還是事在人為，有辦法的總有辦法，沒有辦法從業的，她即使答應能為人家工作十二小時也是白費。至于人事法規的問題那更簡單了，一紙命令即可修正，你看任何法規後面不是都有一條類似「得隨時修改之」的規定嗎？

假如實施婦女工作半日制，則要有兩個條件以為輔助：

（一）增加男性從業員的待遇，使其能勝任負担家庭生活，不必再逼太太們拋頭露面。太太們也可以提前退休，機關裏不必再有祖母型的小姐。

（二）婦女工作半日，現金收入不能相對減少，要合情合理，也不必堅持同工同酬的原則，政府能多多體恤婦女的德政，決不會引起男士們做尤。或是眼紅，否則他們回了家就有得受的！

總之；世界各國的嬉皮（Hippies），野痞（Yippies），少年犯罪，乃至此起彼伏的洶湧學潮，十足說明了這一代青年的徬徨，迷失和無責任感。這些青年朋友們，無視於國家的法紀，秩序和傳統禮俗，以自由選擇個人行為態度和生活方式，而自鳴得意，更以驚駭世俗的暴戾或怪誕行徑，作為自我發洩和反抗社會的荒謬表現。這種可怕的現象，實在值得嚴肅的檢討。

我國目前雖嬉皮尚少，野痞尚無，而青年犯罪則有所聞，此各大部份青年的徬徨，失落，乃至唯我主義，功利主義的大行其道，却嚴重的傷害了我中華民族的固有美德。這種現象的由來，一部份原因是科學長足進步和人類道德水準失去平衡有以致之，但家庭教育的失敗，却是主要原因，而家庭教育的重担，則又偏重母親的身教言教，所以我們希望為人母者在教育子女方面多貢獻一些力量，為自己的兒女多犧牲一些是值得的，對國家民族更有不可估計的益處。

或曰職婦女總較家庭婦女數目為少，道教育的責任為什麼只向職業婦女嘮嗦呢？你知道職業婦女都在城市，又都是知識階級，所以影響也就特別大。你聽說農村裏太保太妹嗎？

（完）

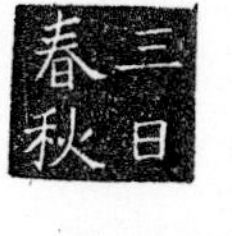

三日春秋

時人哀輓聯談薈

•安厚•

康有為挽戊戌六君子聯云：「殷干酷刑，宋岳枉辱，臣本無根，君亦何尤，當效正學先生，啓口問成王安在；漢室黨錮，晉代清談，振古如斯，于今為烈，恰如子胥相國，懸睛看越寇飛來」，憤慨之情，躍然紙上。

易實甫為割台事兩渡台灣，傳遇害，王夢湘輓云：「揮不返魯陽日，補不盡女媧天，入夜海門潮，白馬素車，穿胥靈胥同一慟；生無負左徒卿，死無慚延平國，思君廬山月，青楓赤葉，讀書狂客好歸來。」

黃花崗烈士墓成，黃克強輓云：「七十二健兒，酣戰春雲湛碧血；四百兆國子，愁看秋雨濕黃花。」

宋教仁死，張季直輓云：「何人竟賊來君偉，舉世誰為魯仲連。」又有代老袁輓宋聯云：「既生瑜，何生亮；卿不死，孤不安。」

吳保初病逝，方地山輓云：「心死已多年，地北天南皆鬱鬱；魂歸今何處，嫣紅姹紫太忽忽。」寄慨深遠。

蔡松坡之喪，楊皙子輓云：「魂魄異鄉歸，于今豪傑為神，萬里江山皆雨泣；東南民力盡，太息瘡痍滿目，當時成敗已滄桑。」羅癭公聯云：「不幸周郎竟短命，早知李靖是英雄（代小鳳仙作。）」錢名山先生挽弟聯云：「到九原，先省父母；有來世，再作弟兄。」額曰：「只管放心。」

于式枚卒於由青島至上海舟次，梁鼎芬輓云：「相聚海東頭，舉足便為孔巢父；望斷玉峯影，前生儻是顧寧人。」陳寶琛聯云：「滿腹史才甘槁臥，一瞑世事斷知聞。」

江春霖死，林琴南輓以聯云：「八千里外，與子長相憶；二百年來，諫官無此人。」

羅癭公死，梅蘭芳以聯云：（按癭公常為梅程編新戲。）「廿載荷深知，垂死猶聞相厚語；千滅餘妙墨，窮愁都助遠遊悲。」

邵飄萍，林白水先後死於軍閥之手，故都記者輓之曰：「一樣飄萍身世，千秋白水文章」。袁寒雲輓林云：「君雖死而猶生，人間歷歷，賸烈女弱姬奇文名硯；誰能免于今世，天下荒荒，遍瘟疫盜賊，飢溺刀兵！」

（完）

巨變歷險記！

刁斗森嚴一片沉寂

胡慶蓉

民國卅七年十二月十七日，丁博士到天津，天已經快要黑了。剛一下火車，他就感覺有異樣，往日熙熙攘攘的人羣，現在沒有了。林彪野戰軍包圍天津的消息，好像比什麼都快，已經打進了每一個人的腦中。往日火車到站，照例播着唱歌，歡迎旅客回家。今天則否，已聽不見任何的歌聲。所能聽到的，只是淒冽的風聲。穿着狼絨皮大衣，把皮領抬起來，圍着頸項，還是得冷冰冰的。

下車的旅客，個個一聲不發，銜枚疾走。在車剛一停的時候，站上已經看不見了。爲什麼沒有人了呢？好像大家彼此都意會到了，天津陷入重圍，誰還敢逗留，誰都向租界裏跑。離火車站不遠，有一座大橋，一座鐵橋，這就是有名的萬國橋。從這個橋上，更會發現一定有什麼事發生。大家是那麼的倉皇失措！人人爭先恐後，個個惟恐或後。這從每一個人面容上表露無遺。

到了法租界，英租界，……都在趕緊關門，停止營業。市容因而一落千丈，滿眼蕭條，市內電車早已停駛了。沒有必要的事，誰也不願意離家。去過天津的人，知道天津的市中心地區在勸業場。勸業場是座很老的房子，雖然有四五層樓，但空的很多，生意也不好。但不管生意好不好，勸業場始終維持着他是天津商業的重心，也應該說他始終是天津商業的中心。平常人山人海，車水馬龍，現在，也一律關門了。

天津的金融銀行，在萬國橋的下面，當天津被圍的消息傳出以後，更是得風氣之先，幾乎沒有例外的紛紛關門。但門雖關，錢還是可以有限制的提取。

飲食業，不能關門。還是照常營業，但大門不開，僅開了旁邊的小門，這對無家可歸的市民甚有幫助。

娛樂業中的這劇場，那劇院，入晚完全停了，在這個恐怖情形之下，誰還有心去看戲呢？自然不停也要停。

租界以外的地，天津邊邊上的地，比較緊張，因爲距離市中心遠，距離林彪的野戰軍近，他們成了前線，戰爭的氣氛，也特別濃厚。戰事的消息，都是從他們那邊不斷傳過來。

從民國卅七年十二月十七日起，天津就進入了戰爭狀態，好像一切活動都停止了似的。華北的大商埠，北平的屏障，全國的重鎮，頓成了一座死城，眞所謂刁斗森嚴。給全市四百萬人的精神壓迫，有說不出的沉重，而且這種沉重，與日俱進！與時俱進！

共軍雖然包圍了天津，但並不即刻實施猛烈的攻擊，但「殷其雷在南山之陽」似的炮聲槍聲，每天也常常的聽到。這與一般的人心，影響也很大，尤其是給與留在天津的黨政軍學團更是一份很嚴重的負担！

（七）

喬治桑外傳

—張大萬—

（二）

喬治桑就是靠這點小聰明，一面利用過去洋人在中國的特權發了財，一面剽窃一些中西文化的鱗爪皮毛，從夾縫中、矛盾中搖身一變而爲學術界的小木偶。

喬治桑有兩個兒子在美國，都入了美國籍，娶了美國妞兒。他的孫兒孫女當然也儘是「羅拔」「傑美」「瑪麗」「琳達」之類，桑家後裔的榮枯，早與華夏斷絕香火關係。喬治桑的女壻是香港太平紳士，是一半英國人。至於他本人據說有葡萄牙籍，但他對此却諱莫如深，大概喬治桑認爲做中國人還有剩餘價值。他因爲是名流，遊台灣自然是酬酢無虛夕，非常闊猛。逛香港有半子之靠，穩如泰山。到了澳門也不愁澳門政府將他引渡給共匪。至於美國，是他的兒子、媳婦的祖國，朋友又多，更不寂寞。

從前有兩句妙詩「兩間東倒西歪屋，一個南腔北調人」，可以改爲「通行各國都無碍，一個東西文化人」，便是喬治桑的寫照。

喬治桑從頭到尾全部是洋式配備，只有身體髮膚受之父母，直至現在爲止，已經過了半世紀以上依舊故我。爲什麼不說是美式配備呢？因爲美國的衣料不好，喬治桑穿的都是英國套頭料，戴的也是瑞士名錶。爲什麼說是直到現時爲止呢？因爲現代醫藥發達，心臟六腑將來都有掉換可能，甚至可以以猪心換人心。喬治桑誰能保證一定不會換洋人的心或猪心呢。這且不表，單說有一天，是一個刮風的日子，不，是一個下雨的日子，也不是，反正是有這麼一天，一部份名流聚餐，喬治桑被推爲即席發表演說的人。他事先不能不準備一下。他倒像草船借箭的諸葛亮，第一天不慌，第二天不忙，直到當天的上午……。

喬治桑昨晚本來預備早一點睡覺的，不想九點半鐘還接到牛董事長電話，請兩位日本朋友上酒家，一定要請他去作陪。

，喬治桑原想推託不去，一來那兩位日本朋友是日本最大兩家廠商的常務取締役，聽說有意和牛董事長在台合辦工廠，假使成功，他和牛的交情很可能軋一腳，當一名監事或顧問之類。二來「白美人大酒家」的小雲雀，會說英語，和他很聊得來，他覺得小雲雀很像已故好萊塢女星唔女郎安秀麗丹，而且爹（口旁）勁也還不錯。當年他訪問好萊塢，與安秀麗丹談過話，合拍過照片，因此留有很深的印象。現在遇見小雲雀，異樣的心情帶有特別的偏愛。於是他欣然赴牛董事長之約。

牛董事長自帶兩瓶白蘭地，三位客人連他正好開懷痛飲。小雲雀絲毫不嫌喬治桑的年紀大，投懷送抱如小鳥依人，喬治桑大樂，在午夜興闌話別，塞了十元美鈔在小雲雀手裏，算是陪酒的額外賞賜。喬治桑認爲在台北玩，實在比美國便宜，這也是他一年之中要在台北住上幾個月的理由之一。

喬治桑「個人」住在台北，他的原配夫人早已去世，填房的太太長期住美國。他在台北買了一所頗爲精緻的公寓房子，雇了一位李小姐替他管家。他每月給李小姐一萬元台幣作爲一切家費開支費用，剩多剩少都歸李小姐。如果他在國外，一萬元也照給。好在喬治桑的應酬多，除了早餐，根本不在家吃飯，李小姐的管家工作是很輕鬆的。

由於遲睡之故，第二天早上十點半鐘，喬治桑才起牀，盥漱畢，他穿了一件睡袍坐在餐桌旁。桌上照例有一杯鮮橘汁，兩片烤麵包，一碟火腿蛋，一小壺咖啡，另外便是幾份國內外英文報紙。

他因昨晚喝酒過量，頭腦還顯得沉甸甸地，什麼東西也不想吃，只端起鮮橘汁一飲而盡。

「雅麗絲，請你再替我做一杯橘汁好嗎？」

「是的，叟。」

他用英文吩咐管家李小姐。「雅麗絲」是李小姐的英文名字。李小姐回答他的「叟」，是英文的男性尊稱。

「再請把我書房裏，「孔飛協司」的書找給我。」

洋人稱孔子，發音爲「孔飛協司」。幸而李小姐侍候這位半洋人已久，不會聽不懂。

事實上這本「孔飛協司」的書，也和洋裝書一樣，並不像老式的線裝本。那是「論語」「孟子」「大學」「中庸」的合訂本，有白話釋註，大概爲目前一般大學生參考之用。大學生讀文言文的程度，比以前私塾剛啓蒙的學童高不了多少，這當然與多年來提倡「國語」不無關係。

喬治桑一反往日的習慣，丟開英文報不看，仔細翻閱文白對照的四書，眞不媿爲「紹孔」了。他想：「蔣總統提倡中華文化復興運動，是目前台灣最大的政治風尚，我今晚在聚餐會上，必須大談中華文化，才能語驚四座」。

事過境遷

三幕喜劇

熊式一

包太：不是，大門上了鎖，上了鏈條！（阿詩引史健旺上。）

仁：　史先生，請進！這是我姑母，何勳爵夫人！

史：　何勳爵夫人，你好？

仁：　姑媽，史先生是我老朋友何伯文的好朋友，剛從澳門來。史先生，對不住，我有事想請教請教你，所以打發車子去接你…。

史：　是我對你不住，劉家的飯開得晚，現在才剛剛放下筷子，我不敢要貴司機久等，只好先來一下，他們還等着我喝茶。

仁：　那眞對不住！姑媽，史先生在劉養吾家裏吃飯，我特別請他來問問清楚！阿哼……那一樁我們談的事。阿哼……我……我想我還是老老實實的直說吧！

包太：（很急）我覺得直說好多了！

何：　我活了六十多歲，逢事總是老老實實的直說，從來也沒有上過當！

史：　甚麼事？是不是我說錯了甚麼話？（他摸摸右腿，又摸摸左腿，十分驚恐的樣子）。我的大腿……我的右……我的左腿……

包太：史先生，不是談你的假腿。方才你說在澳門大酒店，碰見了一位守南京的營長，姓宇文名叫得標的……。

史：　（似乎有一點記不淸的樣子）宇文得標？宇文得標？對了！對了！姓宇文這個姓的眞少！眞奇怪，眞慘！

仁：　你這位朋友的的確確是姓宇文嗎？

史：　宇文！宇文！對了！我記得二十幾年前，我初碰見他的時候，就覺得姓宇文的人眞少，生平就沒有第二個！决不會錯！

仁：　這個人……這個姓宇文的……阿哼……阿哼……這個人……不瞞你說……這個人……他……他就是……。

包太：他就是我的丈夫！

史：　（莫明其妙）誰是你的丈夫？

包太：這個姓宇文的就是我的丈夫！

史：　包太太，對不住，我的腦子一時轉不過來，那末包先生是你的甚麼人？

何：　你這都不明白？她從前嫁了那個姓宇文的，後來，後來……。

史：　（明白了）從前包太太嫁了宇文得標？哦，我明白了！後來離了婚，再嫁……再和包先生結婚！這眞巧得很，巧得很！恭喜！恭喜！

仁：　（哭喪着臉）不要恭喜吧！她並沒有離婚！後來她以爲他死了，所以才和我結婚。

史：　「以爲」他死了？他是死了呀！他眞死了呀！這個事兒不假呀！不能再眞呀！

何：　他眞死了嗎？的的確確死了嗎？

史：　的的確確死了呀！

包太：不會再活了嗎？

史：　當然不會再活了！人死了那能復活？

包太：你親眼看見過他的屍身嗎？

史：　當然看見過！腦袋全破了！臉也丟了半邊，血肉模糊……我不是說過慘得很嗎？

包太：（欲哭）別說了！別說了！

何：　你認得淸那是他本人的屍身嗎？

史：　認得淸淸楚楚的，决沒有錯兒！

仁：　不是他的勤務兵扮的？　㉟

禪學黃金時代

中國禪的祖師—慧能

吳經熊著　吳怡譯

慧能又問：「誰知道你未曾動過」？

他回答：「這是你自己產生的分別觀念啊」？

慧能便說：「你已完全懂得無生的意思了」。

他又反駁說：「既然是無生，那裏還有意思可言呢」。

慧能回答：「如果無生沒有意思，叫人如何能夠分別它呢」？

他又說：「分別觀念本身是沒有意思的」。

慧能不禁連聲讚歎，並勸玄覺留宿一夜，當時的人便稱他爲「一宿覺」。

4 南陽慧忠（西元六七七——七七五年）

雖然我們找不到慧忠何時在慧能門下求道及開悟的記載，大家都公認他是慧能的五大弟子之一。據我們所知，他在慧能處印證了後，便到南陽的白崖山上渡了四十餘年，從未離山一步。直到西元七六一年，他才被肅宗邀到京城，尊爲國師。在某次法會中，肅宗問了很多問題，而他却不看肅宗一眼，肅宗生氣的說：「我是大唐的天子，你居然不看我一眼」？他便問說：「君王可曾看到虛空」？肅宗回答：「看到」。於是他便說：「那麼請問虛空可曾對你眨過眼」。這一問，問得肅宗無話可說。

慧忠是一位非常嚴厲的老師，這可以從他對付門人耽源的故事中看出。有一天，慧忠的一位年青朋友，名叫丹霞的來找他。這時正好慧忠在小睡，丹霞便問耽源說：「國師是否在家」？耽源只是剛學了一點禪道，便賣弄的說：「在是在的，只是不會客」。丹霞便說：「啊！你答得太深奧了」。耽源更故意說：「即使你有佛眼，也看不到他」。丹霞不禁歎着說：「眞是龍生龍，鳳生鳳」。

後來慧忠醒了，耽源便把丹霞來訪的經過告訴他。那料慧忠聽了，便打了耽源二十棒，並把他逐出廟門。當丹霞聽到慧忠的作法後，深爲佩服說：「眞不愧爲南陽國師啊」！

這一則公案對我們學禪來說是非常重要的，因爲一個初學禪的人，正像三步小孩玩刀片一樣，要想用刀片割任何東西，但結果却割破了自己的手。自從這個痛苦的經驗以後，使耽源變得更爲聰明，後來便成爲慧忠的承繼者。

⑤荷澤神會（西元六七〇——七五八年）

雖然神會在禪宗的思想傳統上並不重要，但在維護慧能的法統，以及使禪宗通俗化這點上，却是後無來者。因爲由於他的充沛活力和堅苦的奮鬥，才使得提倡頓悟的南禪，壓倒了漸修的北禪。我們在這裏將介紹有關他和慧能的一些有趣的故事。

（十一）

中華民國內政部登記證內版台報字第〇三一號
中華民國僑務委員會登記證台僑新字第三二三號
中華郵政台字第一二八二號執照登記為第一類新聞紙

第九〇八期
（半週刊每星期三、六出版）
每份港幣壹角・台灣零售價新台幣貳元
社長李運鵬・督印黃行寬
社址：香港九龍彌敦道593—601號
廖創興銀行大廈八樓五座
LIU CHONG HING BUILDING
7th FLOOR FLAT 5
593—601 NATHAN ROAD,
KOWLOON, H.K.
TEL: K303831
電報掛號：7191
承印者：大同印務公司
地址：北角和富道九六號
台灣總管理處，台北市大同街119號
台灣區直接訂戶　台郵劃撥戶
第五〇五六號張萬有（自由報會計室）
電話：五一四〇三三・五五五三九五
台灣分社：台北市西寧南路110號二樓
電話：三〇三四六・台郵劃撥戶九二五二號

我為什麼批評費正清等

—上—

．何浩若．

筆者應立法院外交委員會的邀請，以「我對美國姑息份子費正清等的批評」為題，發表了一篇專題報告，詳述美國姑息份子費正清等危害中華民國的事實，並說明美國太平洋學會出賣中華民國把中國大陸送給中共匪幫的經過。這篇報告發表以後，很引起各方面的注意。但是也有人以為這都是過去的事，既是事過境遷，何必舊事重提呢？因此筆者應國民大會代表聯誼會之約，以『我為什麼提出對美國姑息份子費正清等的批評』為題，發表了現在這篇報告。

一、四年的沈默與舊事重提

美國姑息份子費正清拉鐵摩爾等所主持的太平洋學會出賣中華民國把中國大陸送給共產黨已經是十八年以前的事了。這一事實除去美國第八十二屆國會經過調查予以確定外，始終沒有在自由中國的台灣發表過。筆者相信絕大多數的中國人沒有聽說過這一件事，更不明瞭經過內容。筆者因為參加調查彭明敏叛國案於四年前赴美查閱美國第八十二屆國會案卷，已經獲悉此一事件的眞像，但是經過四年的長歲月，始終沒有把這一案件公開發表。民國五十四年二月十五日筆者在三軍聯合刊撰寫『誰贏得了二十年的冷戰』一文，說到古巴的赤化，完全是由當日美國主管國務院古巴事務的科長，一個美國共產黨名叫威廉魏南（William Wieland）所促成的。美國國會記錄調查古巴淪陷的經過說，當日有一個蘇聯的間諜叫涂根（Lawreuce Wuggan）的，滲透了國務院做到拉丁美洲司司長。涂根引用魏南做古巴科科長，在九個月內升了他四次官。魏南在一九四八年就認識卡斯楚並且同為共產黨員。魏南把美國駐古巴大使的報告擱起來，並且運用權力把說卡斯楚是共產黨的大使換掉。魏南和涂根建議封鎖古巴，不使古巴政府獲得軍火，同時又停止對古巴政府的援助，使卡斯楚成功，使古巴政府失敗。美國國會記錄說：『十年以前，國務院以同樣的行為，打擊蔣委員長的軍隊，讓共產黨佔有中國大陸』。美國國會記錄還載着艾森豪總統對魏南的批評。當他的弟弟彌爾頓艾森豪報告他說卡斯楚是共產黨受着魏南的扶植的時候，艾克說：『魏南不是共產黨便是一個大傻瓜！』筆者有感於古巴赤化的情形和中國大陸的淪陷相似，便在那篇論文裏面說了下面的幾句話：

『現在想起來眞太可笑了。魏南怎麼會是傻瓜呢？在這裏筆者想起了美國太平洋學會顛覆中國大陸的故事。美國國會記錄載着中國有幾位極有名學者和費正清拉鐵爾哲索甫密切合作了十多年。這些人雖然也主張反攻無望，繼續和費正清做很好的朋友，在有意無意之間，也說幾句話來諷刺國民政府。但是這些人確實不是共產黨。假如這些人，這些很有名的學者，不是有政治野心，那就祇有一個解釋，就是艾森豪所講的大「傻瓜」了。』（見拙著：國際現勢之分析第壹輯第二二五頁）

上面這段話是民國五十五年二月十五日寫的。筆者在這裏沒有宣佈美國太平洋學會出賣中國大陸的內幕，也沒有提到和費正清拉鐵摩爾哲索甫密切合作了十多年的中國極有名的學者的姓名，不僅因為事過境遷不必舊事重提，而且是因為這是一件痛心的事，不忍再提。一直到民國五十六年八月，費正清拉鐵摩爾等在美國召開和太平洋學會同性質的東方學者大會，企圖以十八年前同樣的手段來顛覆自由中國的台灣，同時又因為中國那些極有名的學者，仍繼續密切與之合作，造出一個費正清大轉變的謠言，因而台灣的民營報紙，如經濟日報和聯合報，不僅說『兩個中國是要維護中華民國的地位』，而且主張『華盛頓的對華政策將會受費正清的說教』。筆者有感於當前的危險，才寫了一本書，叫『從民族與文化看中國的前途』，而且於民國五十六年十月十五日在三軍聯合月刊發表了一篇論文，題為『五十年來國際共產黨和中共匪幫企圖毀滅中國文化的大陰謀』。因為這本書和這篇論文引起了許多立法委員的注意，筆者才被邀到立法院外交委員會作了一個專題報告，題目是：『我對美國姑息份子費正清等的批評』。（未完）

自由談

士為四民之末

物極必反，物理有然，盛極必衰，人理常態。譬如：古人說「士為四民之首」，讀書人在社會上居於領導地位，儼然物望所歸。降及現代，士大夫乃成了「四民之末」，所謂高級知識份子的讀書人，在共產社會固然被指為十惡不赦的階級敵人，格殺勿論；即在自由社會亦被視為無足輕重的乞丐之徒，另眼看待，若能博得握有統治權威者，倡優蓄之，而不致投諸濁流的，算是祖宗有德，格外幸運了！

士大夫何以淪於現代這種凄涼的命運呢？原因就是過去僭竊非份，不但躍居四民之首，而且敢作帝王之師，望重當世，或以宰輔資格，操持政柄，權傾一時，而一切行政官吏，皆由士大夫專利獨佔，好不妬煞人也麼哥！不特此也，在六十年之前，咱們中國的歷代帝王，皆厲行重文輕武政策，文縐縐的長衫朋友，身價每超越乎赳赳武人之上，頤指氣使，不可一世，動則說「當今天下，舍我其誰」，又謂「宰相須用讀書人」。似此久享富貴，特擅威福，自然泰極否來，由盛而衰，天理循環，義所應爾。

迨革命潮流掀起，人類思想隨之變遷，於是乎，知識份子的惡運當頭了。手無縛雞之力的長衫朋友，在隨時喊打喊殺的革命潮流中，淪入了「九乞十儒」之列，而尚武領兵的英雄豪傑，乃應運崛起，主宰一切，時代進化律演成了「斢底兒」的發展現象。武人萬能，無所不通，軍旅之事，不用說了，政治、經濟、文化教育，乃至於黨務等等事項，軍人皆倡優為之，天才橫溢，任意措施，眞是允文允武，蓋世無雙。若夫一般讀聖賢書的士大夫，理合俯首卑躬，於兼資文武的英雄豪傑之前，能乞取一喫飯處，即不惜以奴役自居，上焉者，得充所謂文學侍從之臣，榮幸極了。其次為幫閒清客，其次為搖旗吶喊的皂隸。昔人謂「餓死事小，失節事大」，今人却認為喫飯事大，失節事小，士大夫與娼優之間，等量齊觀，無所軒輊，由時代驕子一變而為時代棄兒，這除却以物極必反、盛極必衰的物理與人理來解釋外，尚復何說之詞呢？

所以，士大夫今日要想生存下去，必須以贖罪的心情，自甘下流，莫談抱負，遇着權威即跪踏俯伏，表示騾羊狀態，否則沒有不背時倒霉，甚至於招致奇禍的！

馮五先生

昨日與明日

黨人與江湖氣

辦黨——尤其是搞革命運動的政黨，對人對事必須具有「江湖氣」。所謂江湖氣也者，就是尚道義、重然諾、尊節操是也。江湖豪俠之士，為着自己團體的利害關係，平日遇事「閒話一句」，義無返顧，必要時不惜犧牲個人的生命以顧全團體的利益。對人肝胆相照，虛偽不齒，同志間親愛精誠，不含絲毫爾詐我虞的氣味。咱們老輩的國民黨人，大家都有這種江湖氣，國父孫公在生時，任何一個本黨的同志，皆可以直接向他提示意見，暢所欲言，無論你說的對不對，他總是和顏悅色而聽受之，此中國同盟會之所以能夠推翻滿清專制王朝，建立民國，而中華革命黨之所以能夠打倒洪憲帝制，恢復共和也。

嗣後國民革命運動成功，國民黨統一全國，取得政權，由於一般黨人的江湖氣尚未消失，亦能轟轟烈烈地為國家民族幹出一番大事業。吾友左舜生兄認為陳立夫辦黨尚有些江湖氣，這是事實。陳作組織部長時，本黨同志隨便走入他的辦公室內攀談問題，滿不在乎。對日抗戰期間他作教育部長，我是他的僚屬——重慶市教育局長，一日我到他家去，見門口站有一名憲兵，稽查來賓出入，我不贊許這樣的官僚作風，即向他申述理由，期以為不可，第二天，他家門口的憲兵崗位就沒有了。這就是江湖氣的表現，令人不能忘懷，覺得他是個值得親近的革命黨人。

黨務的主要職責，原係接近羣衆，組織羣衆，跟作官迥然不同。黨人若沒有一些江湖氣，很自然的就會沾染上官僚習氣，而黨部即與衙門沒有甚末區別，革命氣氣當然為之消喪，相應而產生的情形，不外是派系林立，小圈子主義盛行，同志之間，共信不立，互信不存，一切皆以「人事關係」為依歸，革命性即腐蝕不可。政黨與幫會，祇有名詞不同而已，本質上是一致的，江湖氣對政黨的存在和發展，影響極大，絕對不能忽視，這是我的管見，質之大雅君子，以為何如呢？

人妖輸入

兩週之前，我在台北松山機場送友回港時，見有妖怪式的旅客男女三人，施施然從機場入口處走出來。男的頭髮蓄得垂肩，燙成波狀型，而滿臉于思，身穿紅綠衣褲；女的眉毛畫成鬼樣，穿着「迷你裙」，口含香烟，顧盼作態，當時我大感驚詫，語友人曰：「我若是台北警政首長，一定要把這幾個妨害風化的人妖拘捕究問」。友謂：君不見美國的「嬉痞」青年，比台灣時乎？此乃中國的「嬉痞」人物流行一的太保太妹更稀奇，因為是從美國舶來的洋玩藝，允符西化主義，誰曰不宜呢？友人說罷，仍高呼「陰破德」（impart）不已。

咱們中國人提倡西化已及百年了，對於西方人的優點，如科學精神和工商企業的技術等等，始終是學些皮毛，淺嘗輒止，唯有西方社會的一些壞風俗與惡習慣，師承得最認眞而徹底，儼然超越前進，不僅迎頭趕上而已，事證孔多，不違枚舉。這眞是國家民族的一大隱患和恥辱，大家習焉不察，且號稱為全盤西化，洋洋自得，可哀孰甚哉！

幼時讀吾國的史書中所述災異事迹，如天文與人事的變態形色等項，謂係國家禍亂來臨的徵兆，歷歷不爽，心竊以為未必其然也。迨年事增長，閱歷較多，乃相信史家的論證，殆有至理存焉。試以美國為例：國力富強甲於全球，莫之與京，而連年來國內亂事頻發，人心不安，黑人隨時暴動燒殺，總統被刺殞命，并且禍延昆季，外交和軍事上處處受挫吃癟，無以自淑。於是乎「嬉痞」青年應運而起，風靡全國，甚至數千名「嬉痞」麕集大都市芝加哥，搗毀執政黨的全國代表大會場，若不是當地市長調動國民兵實施武力鎮壓，民主黨推選下屆總統候選人的大會便要坍台，這不是得未曾有的人禍嗎？貧困的黑人為着生活而隨便暴動，猶可說也，富足之家的青年子弟，無端變成「嬉痞」，而自儕於人妖之例，却是為何？這除却象徵美國的國運衰頹以外，別無理由解釋了。

台灣已發現了「陰破德」的「嬉痞」人妖，而中華民國的國運方在迍邅之中，我盼望治安當局提高警覺，莫教美式的人妖潛踪於青天白日之下，把若輩與何秀子等量齊觀，嚴加管訓制裁乃可！（何如）

此心所欲

生殺由之

程烈政策性的質詢 引起政壇極大注視

本報記者張健生台北消息：關於行政官吏不能兼任國大代表；立法委員可仿照軍籍者外職暫行停役之實例而暫停立法權之行使專任官吏；以及憲法上之「公職人員」、「公務員」、「官吏」等名詞，應請大法官會議統一解釋，俾避免被人誤作各種闡釋，這是東北吉林省籍的立委程烈於質詢時之主張。此項政治的質詢，已引起政壇人士極大的注視。

程委員質詢的第一個主張：立法委員兼任國大代表，前奉令指國大代表基於分權原則，不能兼任立法委員，以免執有中央「立法權」而又握有性質不相容之「複決權」，按立法委員多人以此而辭去「國大代表」之兼職。同理，一般行政大員似不能兼任國大代表。良以彼等，既執有中央「行政權」而又握有「複決權」，基於分權之原則，有無牴觸之處，似亦有待研究。

記者按：行政機關之大員兼任國大代表者有之；司法機關之推事檢察官、大法官兼任國大代表者有之；考試機關之大員兼任國大代表者有之。因此，他們分別握有中央「行政權」及中央「司法權」、中央「考試權」，而又握有「複決權」，顯不合分權原則，應禁止爲宜。

程委員的第二個主張：是憲法七五條有明文規定「立法委員不得兼任官吏」，易言之，「立法委員當可專任官吏」，果爾，則仿照有軍籍者外職暫行停役之實例，倘若立法委員被任爲官吏，即由彼專任官吏，而暫停立法權之行使，似亦未爲不可。

記者認爲此一主張如實現，則立法委員出任官吏者，可不必行使立法權；若退出官吏而重作「馮婦」立法委員時，亦可獲得更多新的經驗而立法。

程委員第三個意見是：目前一般行政人員，每被稱爲「公務員」，「公職人員」，以及「官吏」字樣，其因法律稱謂互異，每易被人誤作各種闡釋，有時反將其眞義掩沒，實在諸多不便，似亦有作統一解釋之必要也。

就法理言，公職人員，應包括民意代表、政府官吏以及依法令從事公務之人民團體的人員。程委員的質詢，意義深長。

立法院的醜事何其多 立法委員竟藉勢詐財

立法院的醜聞事件何其多？立法委員藉勢詐財，立法委員失去理性和人性而表演脫褲「亮相」，立法委員的兒子藉勢持手槍加害生命、身體、自由之事恐嚇他人，致生危害於安全之現行犯，司法警察官員竟未連同人犯與行犯武器移送法院偵查，顯有枉法濫權之嫌，且使中華民國的法治，蒙上一層陰影。

在光復節的那天，住在台北郊區新店鎮七張路的立法委員劉兆勳，偕同其在藝專讀書的兒子及其友人龔羣，於那天下午五時許至台北市臨沂街七一巷三三號立法委員劉全忠家，適劉全忠委員在另一立委彭承善住所玩牌而不在家中，乃由劉妻（現年六十二歲）杜鳳林招呼劉兆勳等在客廳中靜候。

劉兆勳在劉全忠家中，用電話到處找劉全忠，但遍尋無着。未幾，劉兆勳與其同到劉全忠家之友人與龔羣發生口角，繼之大打出手，這時劉兆勳的兒子竟掏出一支自備手槍威脅龔羣，於是，在劉全忠的客廳中演出了全武行，而主人劉太太杜鳳林目睹此情不妙，乃一面向管區警察第四分局報案，一面制止劉兆勳等不要在其家中鬧事。不料，這位畢業於北平朝陽大學法律系劉兆勳委員，不但不聽劉妻杜鳳林的制止，竟一股腦兒的將客廳中的門窗茶杯等[illegible]得個稀爛，並把褲脫掉而當衆亮相。

台北市警察第四分局據報後，立即由刑事組長鄭厚堃率領四名刑警趕到現場——臨沂街七十一巷三十三號劉全忠家中，詢明之後乃將劉兆勳兒子手中的手槍繳下，轉予保管。

這位曾任黑龍江高檢處檢察官的劉兆勳，看到警察來了，拿起電話來，分別打電話給沈局長、查部長、以及台北市警察局長魯翹。四分局鄭組長亦將案情向其上級主管報告。

不久，副局長魯翹率同刑警大隊王中平趕到，當王副局長以現行犯將劉兆勳之子帶到警察局時，這位「法學家」才大吃一驚。

這場鬧劇，經台北兩家官報刊登新聞後，雙方當事人均分別致函官報「更正」云。

紡織展服裝表演 對穿着有大貢獻

為期兩個月．表演十八次

中華民國紡織工業展覽會主任委員宋承緒十月三十一日表示，該展覽會展出期間，爲期二個月，時間不能算短，品產展出，計劃在十天更新一次，並重新佈置，使觀衆百看不厭，更計劃十八次服裝表演，藉以吸引大批觀衆前往參觀。

宋承緒表示，服裝表演雖然計劃爲十八次，如觀衆過多，將按實形增加表演次數，該項服裝表演，將由模特兒穿着西裝、便裝、工作裝、時裝、禮服、學生裝或睡衣等，將什麼人應穿什麼衣服，什麼時候應穿什麼衣服的知識介紹給社會人士，俾國人對穿着有一大改善。

展覽會現已聘請很多服裝專家，常駐會場，爲觀衆隨時免費服務。

宋主任委員說此次服裝表演，將別開生面參插穿着軍裝表演節目，唯該項計劃，對搜集世界各國各種軍裝式樣，頗費時日，在展覽會展出期間，可否如期舉行，尚不敢確定。

李國鼎部長參觀紡展會陳列館對穩好紡織印染廠及亞洲染紡廠之產品優良表示讚許

中國紡織業展覽會 在台北隆重揭幕

李國鼎部長剪綵宋承緒主持

（本報訊）中華民國紡織工業展覽會於十月三十一日下午三時在台北市西寧南路三十六號展覽會場隆重揭幕。經濟部紡織工業發展小組召集人暨展覽會主任委員宋承緒主持揭幕儀式，經濟部長李國鼎應邀剪綵並致詞。

李國鼎部長致詞勉勵紡織同業不但要保持既得榮譽，更要不斷力求進步，今後紡織業在產品的製造方面，應該普遍實行品質管制，提高產品品質，規格保持一致，建立國際信譽；生產方面，尤應注意汰舊換新，提高生產能力。

他說紡織品的外銷，在我國各種工業產品發展外銷位居第一，今後大家仍須努力，協力合作組成一個有實力的國際貿易機構，更有效去拓展海外市場。

李部長剪綵後，曾依次參觀貨品陳列館及零售部份。對展出產品之優良以及佈置之清雅大方，表示欣慰。

經濟部長李國鼎主持剪綵其左爲紡織小組召集人宋承緒

紡織起飛與台銀

本報駐台記者丁散

中華民國紡織工業此次在台北市舉辦之展覽會，在展覽會場陳列館展出各廠精良產品，其品質均已達到國際水準，媲美先進國家，其產品之產量，不僅可以充份供應內銷市場，且可大量外銷，爲國家爭取鉅額外滙，貢獻至大。

溯自政府遷台當時，台灣紡織工業，並無基礎，當時業者均處於慘淡經營狀況，二十年來，由於業者在生產種類與數量以及品質與設備，逐年均有增加、改進，並賴政府儘力輔導，致有今日輝煌之成就，其年產品除供應內銷外，並可爭取鉅額外滙，每年達美金一億五千萬元，佔全國外銷產品分類收入之第一位。

今日紡織工業之能有如此輝煌業績，一方面是業者之努力於設備之汰舊改善，產品之精益求精，銷售之積極拓展，尤其得力於政府悉心輔導以及金融融通之得心應手，如無靈活之資金輔導，雖有業者努力，亦難有其成，故台灣銀行之對紡織工業，亦已構成對該業發展之密切關係。

台銀對紡織業成長

台灣銀行對紡織工業在全部的產銷過程中，所提供鉅額資金之融通，自有其決定性之影響，該行能切實配合政府對紡織工業悉心輔導之政策，由於業者之努力經營，迅予融通資金，促使生產設備漸次改善，生產技術迭次改良，產品品質隨之提高；各類紡織品產量逐年增加，國內外市場拓銷激增，其對紡織工業之發展成長，能自民國四十七年總產值之新台幣二十七億八千萬元增至五十六年之一百一十五億二千萬元的輝煌業績，關係不爲不大。

政策性的紡織貸款

台灣地理環境，又若扶桑、英倫，欲求經濟繁榮，工業起飛，勢必拓展國際貿易，綜觀國際市場之競爭，我紡織產品已署現特色，足與部份國家一較長短，當可概見紡織工業之重要，台灣銀行故對紡織貸款，較之一般出貸款項目爲多，其貸款性質計分一、資本支出貸款A專案及長期資金貸款，B進口機器設備貸款；二、週轉金貸款、A一般生產資金貸款、B購料貸款及墊款、C外銷貸款、D票據貼現、E小額貸款、F進口押滙放款、G動產設備抵押、信用託占有及附條件買賣放款，H棉紡合作基金放款等，從以上貸放款項目中，可以看出台灣銀行配合政府輔導紡織工業發展拓銷政策之澈底。

台灣銀行自民國四十三年起即開始對棉紡業者提供購料貸款，自民國五十年起又擴及毛紡及人造纖維紡織業，該項貸款在台灣銀行對紡織業之各種貸款中，所佔比率最大，其對於紡織業購備原料，擴大生產，所具之功效亦最顯著，紡織業購料貸款，全年貸放累計，五十二年會高達新台幣六十三億一千萬元，五十六年爲四十七億五千萬元，五十六年底，其餘額尚有六億一千萬元，五十七年八月底已購至一十一億元。

紡織工業自民國四十八年起，亦加利用以政府爲協助生產事業產品外銷所需週轉資金，由台灣銀行自民國四十六年起以最低利率辦理之外銷貸款，歷年來金額均有增加，五十六年其全年貸款累計共達新台幣一十八億一千萬元，年底餘額爲三億三千萬元，五十七年八月底餘額再增爲三億二千萬元。台灣銀行對紡織工業提供此項低利資金，降低紡織產品成本，增強其在國際市場上之競爭條件，以拓展外銷，數量逐年激增，頗有顯著成效。五十六年外銷值高達一億二千一百萬美金之紀錄，紡織產品外銷迅速擴張，使紡織工業由進口替代工業發展進而爲主要外銷工業，台灣銀行在提供低供外銷資金之配合，實在功不可沒。

紡織業與經濟安定

今日紡織工業之快迅成長，產品能供應國內外之需要，無論原料，半製品及成品在國內之售價，十餘年來均極穩定，根據經濟部之調查統計結果，自民國四十二年起至五十六年間之十四年中，工業產品售價價格總指數上升一四四、四%，製造業指數上升一三六、四%，紡織類則僅上升七二、六%與同期其他物價比較，紡織產品價格顯見平穩，無論在躉售物價或消費者物價中，恆低於總指數且歷會下跌，紡織產品之對全面物價長期穩定影響及其對於安定民生，抑低工資成本，促進經濟開發貢獻之輝煌，有目共睹，台銀之提供服務亦應與榮焉！

中華民國紡展揭幕盛況暨台銀在展覽會場服務處一角

傳記春秋

憶胡宗南將軍（上）

·何浩若·

胡宗南將軍安葬於陽明山後的第三天，胡夫人葉霞翟女士來山視察墓地，便道來我家便餐。我親自做了幾樣胡將軍喜歡吃的菜欵待胡夫人。飯時我幻想着就如胡將軍生前一樣的音容仍在。不幸的是幻想更引起我的傷感。飯後胡夫人說，有許多親友要替胡將軍出一本紀念册，她要趕回去開會。胡夫人走了以後，我感覺到十分惆悵。胡將軍死了四個月了。我始終未能抑壓我的情緒來寫幾句話追念他。當我執筆的時候，便彷彿聽到那熟悉的慷慨激昂的聲音在我身邊說：「大丈夫俯仰無愧，何必求人瞭解！」他眞正的是一個鐵錚錚的硬漢。他寧願打脫齒牙和血吞，也不願向人或是要別人訴說他的生平。但是胡將軍，請你原諒吧！在這裏，我不是要訴說些什麼，而是要寫出我近乎悲憤的哀思。

我認識胡將軍是老友蔣伏生兄介紹的。那已經是三十多年以前的事了。我是民國十四年加入國民黨的。十五年在美國完成學業以後，便近乎瘋狂的遠從美國趕回來參加北伐。當我認識胡將軍的時候，我當着國民革命軍第一師第五十九團的團長。當時第十師第五十五團的團長是陳明仁，第五十六團團長是李振華，都是胡將軍的同期。和我共同隸屬於第三十旅的第六十團團長便是蔣伏生。蔣伏生兄也和胡將軍一樣是一位不求他人諒解的奇人，他和賀衷寒兄曾經參加過一九二一年列寧在蘇聯所召集的遠東人民代表大會。但是他却揚棄了共產主義而成爲一個堅苦卓絕的三民主義鬥士。他治軍之嚴，作戰之勇，我是由衷佩服的。但是他却最欽佩胡將軍。他愼重的爲我向胡將軍介紹。那時候胡將軍正當着第一師第一旅的旅長。我們見面以後不久便成爲很好的朋友。最難忘的是我們認識以後，他便爲我介紹戴雨農將軍。他和戴將軍說：「我已經替你找到了我們一個共同朋友。」這是一句很費解的話，但是這一句話竟奠定了我們三十年的友誼。

北伐完成以後，我辭去軍職在南京中央大學任教。這時候，我已經結婚，有了一個女兒麗南。在南京我時常和雨農見面。胡將軍因爲職務的關係，不常來首都。但是他來的時候必定和雨農來看我。當麗南一歲的時候，他堅決的要認她做乾女兒，並且很高興的抱着她去遊燕子磯。當時有人到燕子磯投江自殺。好事者便在磯上豎了一塊木牌寫着三個大字「想一想」胡將軍看着這三個字便和我說：「孟吾兄，你想一想，再回答我，我們都是什麼人？」我反問他。他想了一想，便愼重的一個字一個字的說：「我們都是有心人！」這一件事給我印象最深。三十多年來我認識的胡將軍祇是一個有心人，心在國家，忘記了自己。二十多年以後，麗南已經兒女成羣，帶着孩子，從香港來台北看視胡將軍。他和胡夫人說：「我們的女兒快來了，一定要好好的招待她。」後來她在陸軍聯誼社宴客，席間對麗南家事殷殷垂詢，眞是親若家人。他是一位有人情味，重感情，從平凡中表現出偉大的將軍。

我所認識的胡宗南將軍並不完全是沉默寡言的。他有時會議論風生豪氣干雲。每當國家發生變故的時候，胡將軍總是以朋友的關係約我不遠千里的和他去商談。一二八滬戰發生以後，我在南京中央大學教書，忽然接到他從鄭州發來的電報要我即日到鄭州去，我到鄭州以後，他告訴我已經向中央請纓赴滬殺賊，要我隨軍出發。

吳敬恒先生年譜（卅二）

陳凌海編撰　陳洪校訂

四月二日，國父靈櫬由中央公園移靈西山碧雲寺時翼同扶柩。國父逝世後，先生在三月二十日出版之猛進雜誌第三期發表：「我亦一談中山先生」，說明與國父初次晤面之時期與地點。鄧家彥（孟碩）對國父遺囑表示懷疑，先生作致鄧家彥書——說明國父遺囑之眞實性。三月，公子詳（叔微）在英國攻讀電機，女公子芙（孟蓉）在英國攻讀化學畢，隨同袁夫人由英回國，寓於上海。公子詳初抵國門，張作霖（雨亭）即電請前往籌建哈爾濱市之電車交通網。未就。後馮玉祥（煥章）又電請赴西北代爲策劃建電機廠，亦未就。先生認爲北京讀書環境適宜，又深感中國國民黨老同志之子女，關係革命幼苗，應予培育。乃南返至滬粵兩地，對革命老同志之優秀子女，親爲遴選，商諸各家長同意，將其子女帶往北京。在北京城東乾麵胡同小南街九十二號創辦海外預備學校。躬親教育之責。

當時男生入選者有：蔣經國、孫科（哲生）之子治平、治强、林直勉之子希孟、漢陽、汪兆銘（精衛）之子嬰、鄒魯（海濱）之子越、黃龍生之子瑞華、陳國强、陳國新、熊清明、黎首明、陳廷安、馬超俊（星樵）之子紹棠；女生計有：朱執信之女始、薇，李濟琛（任潮）之女筱梅（後爲先生媳婦）、黃潔芳、黎佩蘭、陳香衛、鄧月祝、沈美德、及汪兆銘之女洵等，莫紀彭（宇非）之子德全、女德根則於後期相繼加入肄業。先生率領男女學生由穗乘輪至天津，轉赴北京，諸生所携行李舖蓋，先生督率諸生均須自負上船。對學生則以儉樸刻苦之精神作爲訓練。諸生以年齡分爲甲乙兩班。先生授國學經史。公子詳授電機，女公子芙授化學，另請法文教員授法文。先生對諸生管教養衛，辛勞備至。五月九日，先生與鈕永建（惕生）訪晤蔣校長中正（是以黃埔軍官學校校長身份節制黨軍教導團指揮東征），談徐州軍事。

七月一日，中華民國國民政府在廣州成立，採合議制。由中國國民黨中央執行委員會推定汪兆銘、胡漢民（展堂）、張人傑（靜江）、譚延闓（組庵）、許崇智、于右任、張繼（溥泉）、徐謙、林森（子超）、廖仲凱、戴傳賢（季陶）、伍朝樞、古應芬（襲琴）、朱培德、孫科、程潛（頌雲）等爲委員，以汪兆銘爲主席。三日，國民政府成立軍事委員會，任命今總統蔣公中正等八人爲委員。

我看呂佛庭先生所作長城萬里與長江萬里（上）

兼評張大千作「大江東去卻西流」

繼張大千作長「長江萬里圖」長卷在台北國立歷史博物館展覽數月之後，呂佛庭亦同時在該館展出其「長城萬里圖」及「長江萬里圖」兩巨幅長卷，在此光輝燦爛的十月中，及復興中華文化聲中，實屬空前盛事，前者評介者已多，而後者尚少見，友人楊力行教授對此項評介文字，頗有獨到見解，已散見各報刊。筆者亦喜繪事，茲於參觀呂作兩長幅後，認爲有打破沉寂予以推介之必要。

首先要說明的是長城不但爲我國古代偉大建築工程之一，而且是世界最偉大建築工程之一，原爲戰國時燕、趙、秦邊疆國家各就自己國境的範圍，分築以禦外患的。秦始皇統一列國後，乃聯其首尾，東起山海關，西迄嘉峪關，全長二、三〇〇餘公里，而呂氏廣集有關資料，以一年另二月的時間，繪成彩色「長城萬里圖」，高二呎二吋，長一三四呎，可算得是歷史上最長的一幅巨畫，因爲有名的「清明上河圖」不過三丈多，長僅四丈，夏珪的「長江萬里圖」亦只有高二十一英吋，長七八六英吋，現在中山博物院展出的「黃河全圖」也只有三丈多之故。謂爲空前之偉構，實非過譽。

所有長城全綫的沙漠、河流、山嶽、城郭、樹木、人物、海洋、市鎮，分別以春夏秋冬四季的景象表出，且標明二十二處地名，連山海關上的「天下第一關」及嘉峪關上左宗棠所書「天下雄關」亦繪出，長城上下的駱駝、牛羊和婦孺亦多點綴其間，栩栩如生。同時，呂氏又編印有「萬里長城」專冊，彩色精印，圖文並茂，在展覽時出售，每本僅收工本費新台幣五元，參觀者人手一册，按圖索驥，對於長城之史的演變，及呂氏的寫作技巧，互相映證，裨益實大，較之那些每册索價動輒數十數百元（張大千畫册每本一百五十元，小幅畫頁複製品每張五十元，「長江萬里圖」每册由三百五十元，四百五十元至五百元，且印製欠佳）者，誠不可以道里計也。

記得名作家易君左（家鉞）教授曾有「長城曲」之作，茲併錄於此，以供萬千讀者共同欣賞之，原曲云：

「長城長，古國防，起秦漢，歷隋唐，捍中國阻胡羌。何人敢南下而牧馬？何人北上而牧羊？何人銘燕然山？何人弔古戰場？何人出塞抱琵琶？何人騎駝還故鄉？犧牲一切爲祖國，中華兒女何堂堂！轟轟烈烈生固好，轟轟烈烈死何妨。割下十六州永遺臭，歌八千里長留芳。吁嗟乎！眼前莫數一片草白與沙黃，眼前莫歎一帶敗[illegible]與頹墻，眼前莫歎一抔秋風與斜陽。古人築其基，今人支其樑，古人織其布，今人縫其裳。國防無今古，團結如鐵鋼。吁嗟乎！長城長，强鄰强，强鄰雖强不足畏，處處盡戰場，人人皆機槍，吹號角，件件礪鋒芒。力保和平主正義，順天者存逆天亡！中國要爲萬世開太平，中國要爲乾坤立紀綱。」

其後，易教授又曾登嘉峪關，續有「嘉峪關放歌」，亦錄附如下：

昔年曾登山海關，今登嘉峪關前山；長城萬里咫尺耳，自東組西登之完。縱橫馳騁誇壯舉，不知塞上有愁苦；秋容嫵媚竟如春，斯世蒼涼還弔古？從來詩人悲風沙，遂使征人永憶家；明妃哀鬱抱琵琶，文姬幽怨拍胡笳。女兒落淚休悽惻，犧牲一切爲祖國。君不見：百戰英雄氣自豪，盤馬彎弓射大鵰；身輕萬事如鴻毛，白揚琵琶風蕭蕭。又不見：唐人詩派標邊塞，岑參高適生難再，輪台明月照天山，版圖遠在天山外。吁嗟乎！漢唐勝跡何處尋？馬蹄踏雪三尺深，天下雄關空廢壘，白雲橫繞紅柳林。安得天河洗兵甲？雪深不必馬蹄踏，擊鼓催花頌太平，歡呼爛醉雄關下。」懷古思今之作，亦復雄渾可喜，堪與「長城萬里圖」並稱不朽。

楊仁將軍更有「新長城謠」之作云：「忠勇千秋想杞梁，頹城悲痛亦非常；至今齊國成風俗，嫠婦哀哀學孟姜。千年民間說短長，萬里長城與孟姜；祗緣暴政殘民苦，借此諷刺虎與狼。萬里長城萬里長，長城內外是故鄉；高粱肥，大豆香，遍地黃金少災殃。自從中共俄寇起，姦淫擄掠苦難當；苦難當，奔他方，妻離子散父母喪。沒齒難忘家國恨，日夜只想回故鄉；大家拼命打回去，那怕共匪逞豪强。（未完）

英國人眼中的中國納爾遜

陳策將軍傳（五）

·袁良驊·

各軍艦於炮轟廣州叛軍駛回黃埔之後，　國父本擬親自出名發表文告，聲罪討伐陳烱明藉以號召各地革命軍會師收復廣州。但　國父之幕僚認爲以一黨總理之尊，而與叛徒爭辯，究有失身份。乃初，擬由先生與溫樹德二司令聯名發表，但溫氏託詞推卸。次擬由先生單獨出名，又恐怕惹起溫氏之猜忌，故　國父爲此問題而煩腦者兩日。最後乃徇先生之建議，命隸屬於溫氏麾下之五位艦長聯名發表，庶使溫氏無話可說。

陳烱明以海軍橫梗於省河咽喉之黃埔港寢食不安，乃一再運動海軍內變，或高官厚祿利誘，或以聲言扣留各艦長之家屬爲要脅；利誘威迫，互爲利用。其對溫樹德也，更由吳佩孚藉詞關懷同鄉，專派代表來粵，面許溫氏，如事成則以北洋海軍總司令爲酬。事被先生所偵悉，即請　國父防範。

自此，溫氏之態度日益可疑，七月三日至五日之間，溫氏率同海圻、海琛、翠和、飛鷹號四艦長及隨從連到永豐艦兩次請　國父離開艦隊。當溫氏第二次到來時，先生等即預料其此來更不懷好意，必將有嚴重之事態發生，故先生於事先約同各忠義艦長長及軍官，到永豐艦守候。殆溫氏到達，即分一部份隨之步入餐廳，分開坐立兩傍，先生則站立於　國父之座後，俾得於必要時便於作暗號，以對付溫氏等。廳中人雖擠擁，但鴉雀無聲而靜待溫氏之發言，及至聽到溫氏云「我們已決意守中立，並已預備儀式，歡送　孫先生了」一語，吾人忍無可忍，莫不握拳透低，目欲裂，正着手解決溫氏等，即被　國父發覺，示意制止，至是溫氏既被　國父斥責，復目睹吾人手握左輪槍柄，怒目注視於其一身，心有所怯，乃默然而退，再不復回。

海軍經此不幸變化，故隸屬於北洋海軍第一艦隊而曾經奉　國父之命聯名通電籲請各地革命軍會師廣東，討伐陳烱明之永豐艦長馮肇憲，舞鳳艦長袁衣驛，楚豫艦長招桂章，國安艦長歐陽格，艦章艦長歐陽琳五人，及福安艦長林若時，即一致向　國父表明態度；決心脫離溫樹德而跟隨　孫先生討伐陳烱明，義無返顧，雖然各人之家眷仍淪陷在廣州亦在所不計。　國父聽之動容，慰勉有加；

巨變歷險記！

一個抵抗得最久的城市（八）

胡慶春

自天津陷入重圍的形勢，天津的黨政軍學團，市議會，各民衆團體及全體市民，究竟抱持着一個什麼樣的態度，打算怎麼樣的應付，有一個什麼樣的決心，這當然成了舉國注目舉世注目的問題。

中國共產黨對中華民國的反叛，由來已久。遠在民國十二年，甚至於再前些，共產黨的叛跡就已經暴露無遺了。到中國國民黨下武漢，彼此間的裂痕更趨明朗，及至定都南京，成立國民政府，彼此的戰鬥，更是有些白熱化了。中國共產黨盤據江西，與國民政府對抗終於勢窮才竄，於是乎發生了二萬五千里的逃竄，最後促侷於西北延安一隅。這一時期，他們更利用與蘇聯國境接壤的有利形勢，從而發展了與蘇聯的特殊關係，更趁着日本軍閥對我發動侵略的機會，潛滋暗漲，從中大事擴張。到抗戰結束，他們仍繼續對國民政府擴大反亂，詳情請參閱總統名著「蘇聯在中國」。在民國卅七年年終及卅八年這一年的國共戰鬥情形，亦請參閱蔣經國部長大著「風雨中之寧靜」，即可知其梗概。

林彪包圍天津，應視爲中國共產黨與我國民政府戰鬥的最高潮，也可以看作是中國共產黨與國民政府戰鬥的轉捩點。這就是天津的得失，關係中國共產黨與國民政府整個命運，絕不能以一城一地之得失，與大局無關而忽視之。這是在包城中天津的當時上下一致的看法。如何來爲國民政府保存這一生死關頭無比重要的重鎮，也就成了天津上下急起直追共謀挽救的目標。

誰也不能否認天津在國軍退出大陸之前，是有抵抗的城市，是惟一抵抗得最久的城市，是最初抵抗最久的城市，同時也是最後抵抗最久的城市，天津在對國民政府來說，對中國國民黨來說，對我總統來說，在民國卅七年來和卅八年一個整年，其忠貞，其英勇，可以說是與歷史上各個有名的戰役，古今輝映，併垂不朽。假如各個戰場都能像天津，抵抗一個月零一天，整個的大陸，何至於在不到一年之間，就喪失淨盡，……

這一個事實，在廿年後的今天，我們要特別的標明出來，我們要特別的表揚出來。這不但爲天津軍民，也是爲今後的反共復國的前途，樹立一個偉大的標幟。當時天津在包圍之下，並沒有被什麼林彪嚇倒，也沒有被什麼野戰軍嚇倒。在重重包圍之下，天津上下部隊在挺起槍桿，挺起胸脯，特別是政府機關，人民議會。都在這方面表現得有聲有色，關於這些英勇的故事，只好留在下面給讀者慢慢的談及了。

鳥跟鳥聲（上）

方祖燊

我讀過梁實秋「鳥」和周作人「鳥聲」，不禁要時常想起家鄉的鳥跟鳥聲，於是就有一種淡淡的鄉愁。

家鄉的鳥可眞多，除了簷前吱喳的麻雀，梁上呢喃的燕子，窗外紛飛而過的灰鴿，停在垂楊上迎着夕照咬聒的烏鴉，還有偶而飛落牆頭唶唶報幾聲喜訊的鵲兒。此外還有許許多多令人喜悅的飛禽，一年到頭出現着，從初春叫到了冬盡。

家鄉的鳥聲各有季節性，叫得最多的是春天，有的還限農候有關。像鳩鳩，文名播穀，當二月春雨後，就在樹林子裏一邊飛，一邊叫，好像呼叫「布－穀！布穀！」。農人聽了，開始購買鐵揷，播種穀子。前人寫鳩鳩詩，就有「聲聲催我急種穀，人家種田不歸宿」之句。在春天綿綿苦雨中，聽到這悲愴動人的鳴聲，我就有一種說不出的酸楚感覺。附近的田野上，農夫們正讓辛勤的汗珠混和着甜甜的雨滴，膏潤了田地。農諺云：「倉庚鳴，蠶兒生。」倉庚，一名黃鶯，又名黃鸝。蠶花兒蠢蠢生了。這時，黃鶯也從幽谷出來，飛繞紅花綠樹，嚶嚶嚀嚀，唱出美妙的春聲。偶而，還可以看到鶯兒在花枝上啄破了紅紅的櫻桃；燕子穿過如烟翠柳，剪起了環環的漣漪。用「鶯鶯恰恰啼，燕燕却却忙」形容這堪畫的春景，是最恰當不過了。

在百鳥鳴春的季節裏，鷓鴣、杜鵑的啼聲，最爲撩人客思。鷓鴣在春氣較暖的二三月間，鈎舟格磔的對啼，低沉緩慢。詩人說牠的鳴聲是「行不得也哥哥」，也有說是「但南不北」，當然這都是隨意附會的話；不過，在烟花迷離的暮春，却也啼盡了人間行路之難；當凄風苦雨，住在寂寞的旅邸中，「咕咕咕」，「咕咕咕」，聽了這單調的聲音，又有幾人能不情傷魂斷呢！因此前人有詩云：

「閩江兩岸無茅宇，綠竹陰陰覆江渚。
春來未聽一聲鶯，只有鷓鴣啼暮雨。
憐渠亦是他鄉客，若向人啼行不得。
縱教行得也消魂，那個行人不頭白？」

杜鵑鳴於暮春，到杜鵑山榴開放時候，叫得更加利害，啼聲很淒厲，好像反覆地啼叫：「不如歸去！不如歸去！」從黃昏叫到深夜，從深夜叫到天亮。四川人說是望帝杜宇的靈魂所化，但是南方各地多有杜鵑。舊說杜鵑啼苦就倒掛樹間，嘴裏滴出鮮血，染漬了花木。「紅花染血痕」，「山榴一夜幾枝紅」，自是古時的詩人據此傳說渲染而成的詩句了。由於啼聲的悲切，眞能動人旅思。記得抗戰期間，我寄居永安山城，有一想起家鄉年老的父母，再聽到杜鵑的夜啼，實在不堪愁聽；因此終夜失眠的時候也有。如今時常看到杜鵑紅，却聽不到杜鵑啼，可以說連一點慰解鄉思的聲音也沒有了。

在家鄉的春天裏，還有鵪鶉、鶺鴒、百舌、鶺鴿、畫眉種種小鳥。在春禽繁音嘒嘒，攢嬌動葉，滿林啼新晴聲中，百舌、畫眉都是聲箇中的歌手。百舌巧於模仿各種鳥聲，很是好聽。但古人却把「多言喻作百舌之聲」；可見中國人是不喜歡佞言巧語的。畫眉也是很可愛的小鳥，鳴聲千轉。此地類似這些可愛的小鳥兒，多成了供養在有錢人樊籠中的珍禽，牠們只能在狹天窄地裏，跳上跳下，令人產生一種不自在感。歐陽修詩，有四句，我想可以移來描寫這種失去自由的金絲雀、畫眉、綠鸚鵡之類鳥聲的況味吧！

「百囀千聲隨意移，山花紅紫樹高低。始知鎖向金籠聽，不及園林自在啼。」

幾年前，宿舍前樹上，有一個晚上忽然飛來了許多小鳥。當我晨起時，牠們譜成了細碎的自然的繁音妙樂，非常悅耳；眞有陶淵明小[illegible]在北窗下聽鳥聲的喜悅。但是不到兩天，隔壁的大孩子就拿着鳥槍追來，一蓬鉛彈，打死了一隻可憐無辜的小鳥！其餘也都被嚇走了，不知飛向那兒去了？從此，再也聽不到這樣美的鳥聲了。（未完）

事過境遷

三幕喜劇　熊式一

史：　勤務兵？那怎麼會呢？決不會！
何：　那爲什麼你先又說他沒有死呢？
史：　我從來沒有說過他沒有死！我一進來就去告訴你們他死得很慘呢！
仁：　你不是說你最近還在澳門見着他，兩個人一塊兒在澳門大酒店吃飯嗎？
史：　對了呀！可不是嗎？他又是足吃足喝，喝得醉醺醺的………
仁：　慢來，慢來，史先生，你是說誰呀？
史：　你們是說誰呀？
何：　我們是說那個姓宇文，名叫得標的呀！我恐怕史先生弄錯了人吧！
史：　我說的正是宇文得標，決沒有錯兒！
何：　史先生，你既然是宇文得標的好朋友，在一起吃喝嫖賭……在一塊兒常常玩，就請詳詳細細告訴我們，怎麼一時又說他死了，一時又復活了，現在又死了，他既然死了，請你把他死的情形說說………
（史健旺一直要辯，但是何夫人不容他開口，最後他拼命的攔住她了。）
史：　何夫人，讓我說吧：第一我不是他的好朋友，第二我也沒有常常和他在一塊兒……玩！我生平只見過他兩次！
包太：只見過他兩次？
史：　連最後他死了看見他的死屍放在一塊兒算也只能算三次。
何：　第一次呢？
史：　第一次是在南京，二十多年以前，他剛剛混進了軍隊，做一個甚麼連排長……
仁：　營長！
史：　營長嗎？也許是營長！在首都飯店請酒；一位朋友拉了我去一同喝酒；他早已喝得爛醉，在那兒又吹又唱的告訴人他嫖賭的得志成績，他說………
何：　不用提這些成績吧！第二次呢？
史：　第二次是上個月在澳門大酒店…
包太：你不是說他死了嗎？
史：　是呀，他死得很慘，血肉模糊…
仁：　既然是血肉模糊的陣亡了，怎麼又到澳門來了呢？
史：　他沒有陣亡！我不是告訴了你們，他偷偷的投降的日本人，在上海做漢奸嗎？
何：　爲甚麼你又說他陣亡的時候，血肉糊模，情形很慘呢？
史：　是他在澳門大酒店，喝得酩酊大醉，和我談了半天，後來我不耐煩再聽便走了。他一個人下樓去，賭了一陣，又出去找誰，一踢　摔在一輛貨車前面，車停不住，他頭也破了，臉也壞了，血肉模糊一會兒就死了。我後來趕去看他早已斷了氣。慘極慘極了！
仁：　（十分高興的樣子）好極了！嗳慘極了，慘極了！史先生，你眞是好人！
史：　我怎麼是好人？
何：　史先生：這一下子他眞是斷了氣？
史：　早斷了氣！在我沒有趕到之前。他就斷了氣。

禪學黃金時代

中國禪的祖師——慧能

神會是湖北襄陽人，俗姓高。在他十三歲那年便去參拜慧能。慧能問：

「你千里跋涉而來，是否帶着你最根本的東西，如果帶來了，那麼你應該知道它的主體是什麼？你說說看」。

神會回答說：

「這個最根本的東西就是無住，它的主體離不了開眼即看」。

慧能不禁贊歎說：

「你這小和尚，詞鋒倒也敏利」。

接着神會又反問說：

「師父坐禪時，是見或是不見」。

慧能便拿棒子敲了神會三下說：

「我打你，是痛或是不痛」。

神會回答說：

「我感覺得又痛，又不痛」。

慧能便說：

「我是見，也是不見」。

神會又反問：

「怎麼樣是又見，又不見呢？」

慧能便說：

「我見，是因爲常見自己」的過錯；我不見，是因爲我不見他人的是非善惡。所以是見，又是不見。至於你說是痛，又是不痛，如果是不痛的話，那麼你便像木石一樣的沒有知覺；如果是痛的話，那麼你便像俗人一樣會有怨憤之心。我要告訴你，見和不見都是兩邊的執着，痛和不痛都是生滅的現象，你連自性都模不清楚，居然敢作弄人」！

神會聽了之後，大爲慚愧，立刻向慧能行禮，悔謝，以後便成了慧能最虔誠的信徒。

有一天，在一個頗爲正式的法會上，慧能向大家說：

「我這裏有一個東西，無頭無尾，無名無字，無背無面，你們是否認識呢」？

神會站出來說：

「它是諸佛的本源，是神會的佛性」。

慧能批評說：

「我已很清楚的告訴你它是無名無字的，你偏要叫它作本源和佛性。將來你即使有點成就，也只是咬文嚼字的知解徒罷了」。

這話果然說對了，神會後來正是如此。

在西元七一三年，慧能宣佈自己將不久於人世時，當時在場的，除了法海等人外，在五大弟子中，只有神會一人。他們聽到慧能將要逝世，都放聲大哭，只有神會默然不語，也不哭泣。慧能便說：

「只有神會一人超越了善惡的觀念，達到了毀譽不動，哀樂不生的境界。你們這些人在山上數年，究竟求的是什麼道？你們今天哭泣，究竟是爲了誰？我很清楚自己究竟要到那裏去。如果我對自己的死一無所知，我又如何自預先告訴你們。你們之所以哭泣，是因爲不知道我死後往那裏去，如果知道了，便不會哭泣。你們要知道，法性是不會生滅去來的」。

（十二）（本題完全篇未完）

吳經熊著　吳怡譯

中華民國內政部登記證內警台報字第〇三一號
中華民國僑務委員會登記證台僑新字第三二三號

自由報

中華郵政台字第一二八二號執照登記為第一類新聞紙

第九〇九期

（半週刊每星期三、六出版）
每份港幣壹角・台灣零售價新台幣弍元
社長李運鵬・督印黃行竇
社址：香港九龍彌敦道593—601號
廖創興銀行大廈八樓五座
LIU CHONG HING BUILDING
7th FLOOR FLAT 5
593—601 NATHAN ROAD,
KOWLOON, H.K.
TEL: K303831
電報掛號：7191
承印者：大同印務公司
地址：北角和富道九六號
台灣總管理處，台北市大同街119號
台灣區直接訂戶　台郵劃撥戶
第五〇五六號張萬有（自由報會計室）
電話：五一四[illegible]三三・五五五三九五
台灣分社：台北市西寧南路110號二樓
電話：三〇三四六・台郵劃撥戶九二五二號

我為什麼批評費正清等

——中——

·何浩若·

筆者在這篇報告裏面，針對着共產黨及其同路人『抱着民主打民主』的策略，提出以民主保衛民主的方法，在言論自由的原則之下，儘量揭發美國姑息份子費正清等策動台灣獨立運動危害我民族國家的陰謀。筆者並曾在這篇報告裏聲明；『對與我民族國家敵人費正清仍繼續合作之政府官吏及學人，報告人未作任何控訴，僅提出何以如此之疑問。』再說費正清是中華民族國家的敵人，除去美國第八十二屆國會曾作調查提出結論以外，在自由中國的台灣並無定論，祇能算是筆者的個人意見，為明辨是非，實行以民族保衛民族的精神，筆者曾函請國際問題研究所吳所長俊才約王院長世杰及郭所長廷以對『費正清敵乎友乎？』一題作一公開辯論。如費正清確為中華民族之友，則不僅王郭諸人及文星集團應繼續與之合作，我政府亦應與之合作。如費正清確係我民族國家敵人，則我國人似應提高警覺，不要再認賊作父，以免蹈十八年前出賣我中國大陸之覆轍。

在專題發表報告以後，有人把立法委員彭醇士的兩句詩寄給筆者說是：『百年耆舊傷殘盡，末俗相誣苦未休』。彭委員的詩是在筆者報告以前寫的，自然另有所指。但是寄詩的友人却意在言外。筆者引了清人金和的幾句話答覆他。金和詩說；『筆端何事好譏彈？公是公非欲掩難；尚留百分為國諱，敢誣一字與人看！』這裏的『諱』是指筆者四年的沉默。『誣』在現代的民主國家叫做『誹謗』，可以用法律來解決。假如筆者『誣』了任何人，可以向法院控訴。這纔是民主的精神。現在我想說明幾點我為什麼提出對美國姑息份子費正清等的批評的理由。

二、兩個中國與台灣獨立運動

筆者批評美國姑息份子費正清等主要的理由是要糾正那些有關費正清無稽的謠言，和駁斥費正清那些似是而非的理論。民國五十五年三月十日費正清在美國參議院外交委員會對華政策公聽會作證，危害我中華民國，經由台灣一千七百多位大學教授，發表公開信予以駁斥。監察委員陶百川在細讀費正清的證詞以後，對那封公開信不很同意，便於五月廿八日寫了一篇『費正清對華言論的再檢討』。筆者無意在這裏批評陶委員那篇文章，祇希望引用那篇文章裏面的幾句話來證明兩個中國和台灣獨立運動是不可分的。那就是說費正清親自講的，要接受兩個中國，就必須要搞台灣獨立運動。陶委員這篇文章是替費正清說明眞相的，應當不會有錯誤。原文說：

『關於台灣的前途，費正清在證辭中勸告美國人不要再作台灣獨立運動打算。他說：「既北京和台北都不接受兩個中國，我們為什麼要挑上解決這個中國政治問題的重担呢！」』（見陶百川著：我在美蘇采風採眞第八十頁）

費正清在這次作證說要放棄兩個中國和台灣獨立運動。他放棄了沒有呢？沒有！他在今年一月二日的『洛杉磯時報』上發表了一篇『兩個中國論文』說美國對中共應當一視同仁。但是他攻擊中華民國不應對中共採取敵對行為。他說只有台灣對中共停戰，才符合美國的利益。至於他策動台灣獨立運動近來更趨積極。詳細情形留待下文再行報告。現在讓我們先談兩個中國和台灣獨立運動的關係。

民國五十六年八月廿二日台灣經濟日報的專欄報導說費正清主張兩個中國是要維護中華民國的地位。這一錯誤的觀念應當不是經濟日報所獨有的。一位政府負責的人和筆者說：『何必反對兩個中國呢？事實上現在已經是兩個中國。何況美國自詹森總統以下，到普通的老百姓都相信兩個中國是解決中國問題的唯一方法。』這眞是駭人聽聞的誤解。抱這樣誤解的人也許還很多。筆者相信他們是對於這個問題不了解而不是有意違背民族國家的利益。當[illegible]筆者告訴他：『你以為費正清所主張的兩個中國是指中華民國和共匪的人民共和國嗎？假如是這樣，費正清又何必搞台灣獨立運動呢？』根據陶百川氏上面的報導，費正清明白向會作證說北京和台灣都反對兩個中國，美國就不必再作台灣獨立打算。反過來講，假如兩個中國的計劃可行，美國就必須策動台灣獨立了。費正清這一證辭，公開承認他策動台灣獨立運動而且說台灣獨立運動是一付解決中國政治問題的重担。我們要知道，台北反對兩個中國是『漢賊不兩立』。費正清是賊的朋友，當然不[illegible]保留漢。他的兩個中國是共匪的人民共和國和台灣共和國。再說明白一點，姑息份子要和毛匪妥協，就必須獲得毛匪的同意。毛匪反對中華民國，姑息份子如何能保留中華民國呢？其實美國政府和人民並沒有作台灣獨立的打算。費正清祇是自說自話。他既沒有放棄兩個中國，更沒有放棄台灣獨立運動。為什麼在國會作證的時候又說北京和台北都不接受兩個中國，美國就不作台灣獨立的打算呢？要知道費正清是美國共產黨的同路人，根據共產黨的辯證法，可以不擇手段的說什麼就說什麼。現在讓我們報導一點以美國為背景的台灣獨立運動的情形。

以美國為背景的台灣獨立運動，照例於每年二月二十八日要舉行遊行請願和在當地的報紙刊登大幅廣告，攻擊中華民國和宣佈國民黨的罪行。現在讓我們來舉一個例。二十六天以前，也就是今年的二月二十八日，堪薩斯州立大學的六十多個台灣藉學生便在當地報紙上登了這樣一幅廣告：首先用大字標明『台灣的屠殺』，接着便說二二八事件祇是國民黨無數罪行之一。在抗議的正文裏，開始便引了哈佛大學費正清教授的一段話。廣告並且說明這段話是引自費正清所著的『美國與中國』（The United States and China P. 224）第二二四頁。廣告說他們『抗議如費正清教授在該書所講的國民黨的政客和華人在現代歷史上所導演的官方掠奪和屠殺的可恥記錄』。廣告所列舉的屠殺的屠夫是陳儀彭孟輯和嚴副總統。我們敢說嚴副總統就從來沒有殺過人。筆者在這篇報告裏引述這些事實，是說明中華民國的敵人費正清並沒有放棄兩個中國而且繼續積極的在策動台灣獨立運動。美國的台獨份子不再跟着費正清說他們的西班牙人荷蘭人和雲山族的合種。但是台獨的廣告仍然堅持台灣人不是中國人。他們的論據也無疑的是受過這歷史學者的指導的。（未完）

各走各路

同食惡果

昨日與明日

從一篇文章談起

本報在九月廿八日曾刊載一篇很有價值的財經文章，就是金紹賢先生的「當前經濟問題的管見」，刊出以後，很受各方的重視，今特聲明幾點：第一，這篇文稿，原是本報摘自立法院公報立法委員金紹賢先生的向行政院質詢文，因本報篇幅關係，並曾加以刪節。第二，本報取材嚴謹，所刊載的專論，可以說都是有價值的著作，對於立法委員的質詢，向少轉載。所以刊載金委員的質詢文，實因為：當前物價問題很值得重視，而金委員是國內著名財經專家，他的意見得到大多數人的共鳴和欽佩，好文章人人愛讀，本刊讀者更未例外，第三，本報發行，以海外僑胞為主要對象，金委員質詢案，國內報紙和雜誌，已多有轉載，本報為希望對海外讀者做到更好服務，因而也稍盡報道的責任。

立法委員的質詢

由此，我們也想起了立法委員的質詢案。

我國憲法對於立法委員的質詢權，有明文規定，非常重視，也代表對民主政治的重視。有些立法委員也很珍惜這種權利，常以豐富的經驗，淵博的學識以及博採週訪的見聞，向行政院提出有價值的質詢，提出若干足供行政當局採擇參考的意見，對國計民生實不無補益。但也有人別有用心，利用這種質詢特權，營私舞弊，危害國家民族利益，侵犯民主政治尊嚴，譬如最近陷身法網的山西籍立委雷鳴龍，就是顯著的一例；唯其如此，國人對於有價值的有益國家大計的立委質詢，更覺得珍貴，本刊轉載金紹賢委員的質詢案，也與這種心理不無關係。

重申本報立場

我們願重申我們的立場。本報崇尚自由民主，所以堅決反共，所以堅決支持政府討毛救國行動，擁護　蔣總統的主張，政府的決策和民有民治民享的三民主義。因為我們要挽救國家的危弱，所以對於與反攻復國行動有所衝突的現象，實在看不慣，常常予以口誅筆伐。對於營私舞弊、危害國家民族利益的貪污份子，固深惡痛絕，予以痛擊；對於祇顧個人名位權益，上阿諂蒙蔽，對事敷衍塞責，毫無革命作風的偽善份子，也深感非國家之福。站在國家民族的立場上，也不能不予以批評和檢討。本報願為眞理作證，為正義光明而努力。　蔣總統在本月十二日　國父一百晉三誕辰曾書告海內外同胞，昭示修明倫理，伸張民主、發展科學精義，要國民知恥奮發，求新求行；必使社會不肖之徒，進於正人君子之域。想本報讀者必能深體　總統的意旨，對於本報的立場，也必定表示支持的。

自由談

談禮樂

任何一個國家，皆有其基於傳統文化和民族精神而創進的禮制與樂章，國家越進步，禮樂的內容亦愈見優美。

咱們中國素有「禮義之邦」的聲譽，而樂章之豐富尤獨步環宇。可是，今天若有人究問中國現行的禮制樂章是何體系？我就瞠目不知所對。以言禮制：從服裝以至婚喪喜慶的儀式，華洋揉雜，形形色色，令人眼花瞭亂，莫適誰從。以言樂章：從每年孔子聖誕節中所用笙磬之類的上古音樂，以至西洋的各種鼓吹樂器歌曲，應有儘有，不一而足。至於在喪禮中奏出「香格里拉」這類西洋喜樂，在婚禮中奏出「何日君再來」的色情小調，更係慣聞的事情，大家恬不為怪，習以為常，這不是笑話嗎？

我們的中央行政機關——內政部，負有制禮作樂的職責，且設置着「禮俗司」主持其事。自民國十六年大革命完成，國民政府統治全國迄今四十年間，對於禮制與樂章，究有甚末改革創進呢？唯一的績業就是規定。以藍袍青褂為常禮服，而西裝革履亦有同等的功用，穿着兩尺半的軍服以參加任何典禮的，更是義所應爾。一個國家的禮制與樂章，弄成這種中西合璧，古今滲雜的「大拼盤」現象，這成甚末體統？

禮樂所以化育民性，陶治民德，是與刑政等量齊觀的，乃屬於典章文物之大端，國家的盛衰治亂，繫於民心，性之醇薄，而禮樂的影響滋大，欲求國泰民安，政通人和，而視禮樂為末務，可謂昧於治道，非愚即妄也。

禮樂之創進，自應隨着時代而有所因革損益，但必須有一定的章制，示全民以軌範。像現這種雜亂無章，莫名其妙的搞法，殊非興國氣象。[illegible]人侈言復興中國文化，若承認禮樂在文化上具有重要成分，大家似有虛心檢討，努力重建之必要吧！

馮五先生

五家日報想過關節 插翅難越封鎖線外

一旦解凍報海攻勢將逾百家

合久必分聯合版還原毋庸議

台北新聞信

雙十節出版之華夏日報，在中央日報上公開登出廣告後，新聞同業之間，產生了很多錯覺，疑爲張其昀先生消息靈通，意味着報禁有解除的趨向，但很快又恢復到平靜，可是擁有新聞系的大學，皆欲向中國文化學院看齊，這是不爲成問題的問題。世界新聞專科學校主辦之小世界，想改成日刊，計劃已久。天津益世報改成爲輔仁大學校內報紙，更是順理成章，緬甸歸國同僑欲以聯誼會爲基地，想恢復自由日報，連同還有兩個機構，都想將從前的大報復刊，祇是解凍關節，插翅難越。

在台北一張日報的空頭登記證，可賣到五百萬到七百萬元新台幣，折合港幣恰爲一百萬元，說起來數目亦不算大，祇是香港馬票一張特獎而已，可是辦報這一行業，竟都無形之中變成馬票的得主，還有很多文官，肩荷着這一份啓迪民智的偉大任務，怎不使人羨慕；其實還不止此，由於全省一千三百萬人口，祇有日晚報二十家左右，供不應求是絕對的，上個月台北聯合報廣告費一項收入達六百萬元之鉅，中國時報與聯合報正展開熱烈奪魁，據說中時廣告發行與聯合報比較起來，很像紀政拿到銅牌的情景，祇比對方一「鼻」之差，在這種情況下。「魁」死誰手，一般的判斷，再有半年可以揭曉。

香港三百五十萬人口，計擁有日晚報七十餘家，台灣的人口是一千三百萬，如果照香港比例，台灣應當可核准日晚報登記二百一十幾家，聽起很嚇人，嚴格的說，乃民主國度裏的常軌，台灣因爲報禁凍結太久，台北聯合版的業務澎湃發展，兼併了公論報後，仍感到不能滿足，會動腦筋，想把聯合版組成份子，全民報，民族報，經濟時報，在「合久必分」的情況下，分爲三家，內政部和國民黨中央黨部第四組認爲聯合版改成聯合報後，聯合「版」登記證業已註銷，欲恢復原來三家日報應毋庸議，照目前情形看來，報紙的解凍，仍一百二十三個不可能。華夏日報的突然宣佈出版，祇代表張其昀先生的「功名看氣魄」作風並不足以說明國民黨在宣傳政策上有何改變。

政論家任卓宣曾檢討新聞政策時（四十七年應救國團約環島講學歸來）說本省各地有不識字的人辦報，有精通文字的人辦報，也有地痞流氓辦報，這是：甚麼新聞政策？末了很幽默的指出：這可能就是新聞政策。有幾位國際知名學者同一口吻說：（均不願透露姓名）「如果三民主義新聞政策一直讓餓學的馬星野執行，台灣當前的辦報環境則又是一個樣子了」。

人事紅包之風〔上〕 困擾了台中縣

本報通訊員柳一權

記者爲明瞭個中內情，經多日奔走探索，茲綜合所得資料於次：

台中縣的教員暑期人事調動，雖早已分批發表竣事，可是「紅包」的謠傳，至今仍是鬧得滿縣風雨。今年是縣長王子癸就職的頭一年，這些無風不起浪的謠言怎不令我們的王縣長傷透腦筋呢？這些聘用教員，與臨時雇員及單工等涉嫌索「紅包」情事，自是爲全縣民衆所一致關懷，

紅色之謠 不脛而走

今年暑假自願申請調動的教員，約有兩百多人，行政調動十八人。本來，倘遵照教育廳規定，各校調動名單，早應於八月二十日以前公佈，可是縣府却在逾越規定限期十天之後（即八月三十一日）始核定公佈一一二名，直拖到九月中旬，始又公佈了第二批調動名單，就因爲公佈的時間太遲緩，一些敏感的縣民遂議論紛紛，說是其中必另有「文章」，於是「紅包」之論不脛而走。

又據報載：台中縣政府爲聘用臨時雇員的「紅包」案，乃因以前在××地政事務所已連續服務達十九年的女雇員，不幸竟在此次王子癸縣長上台後，而予以「開刀」解雇；可是以後又經某人士前往說情，拖了一段時間却又給補聘到縣政府農務課去辦公了，因而傳出索取紅包二千元的事，傳說此項「紅包」乃係由某秘書從中經手的。當這一「紅包」傳說，在縣衙門裏掀起了風聲，

由於人言可畏，難免不傳到王縣長的耳朵裏，！而那位涉嫌的×秘書爲了顧及本身的清白，當然是理直氣壯的要王縣長速下令縣警局來徹底偵查。

年青議員 憤憤不平

台中縣議會一些年青而富有正義感的議員，正在積極地在各方面搜集詳盡的資料，準備在縣議會中質詢王縣長。這些爲眞理而奮鬥的議員計有十位，並且還都是和王縣長同一個派系（陳派）的人！彼等是以豐原鎮籍的縣議員以林爲雄爲首，曾在七月二十六日在[illegible]源大飯店舉行會議，商討如何搜集有關資料的問題，預備爲眞理爲正義而奮鬥，並將派系問題置於腦後。

根據林維雄議員說：如今的縣政已爲極少數陳派人士所操縱，予取予求，隨心所欲，在人事的調動與安排上已紛紛傳出索取「紅包」的事情，

他們本於正義感，同時，亦是愛護王縣長，乃決定在七月二十六日邀集部份青年的議員進行商討，以便在議會中向王縣長提出嚴重的詢問與建議。並爲人事調動所涉及的「紅包」問題進行連署，醞釀成立專案小組，以便徹查眞象！不料這項消息忽被洩露，經林維雄邀請的十一位議員竟有三人在半路被「截」走，拉到東京大飯店去了。（未完）

紡織展覽陳列館 福毛絨獨樹異幟

——本報記者曼城

中華民國紡織展覽會揭幕當天，福一纖維工業公司的陳列櫥窗，吸引住了很多參加揭幕儀式的貴賓，他們多駐足停留良久，仔細審閱該廠出品的福毛絨後始行繼續前行參觀，因此該廠陳列櫥窗前也顯得格外擁擠。

該公司出品的福一牌福毛絨分有厚薄數種，更厚的一種很有點像海勃絨，可以做大衣，如果該公司不將其產品參加紡展展出，僅在市面發售，購用顧客都能認爲是外貨，其產品之精良由此可見一般。

福毛絨的保溫力極高，並且俱備羊毛的輕軟，顏色亦甚鮮艷，不退色，不脫毛，產品種類繁多，可用以做夾克、手套、雨鞋的內裏，更可做外用童裝、雪衣、大衣、各種坐墊、動物玩具、帽子，尤適用於三軍將士禦寒制服。

該公司還出產有花邊衣料一種，適用於女人洋裝，襯衣、童裝、衣料、圖案新欵，清雅大方，穿着舒適涼爽，爲夏季炎熱天氣之最佳衣料，該項花邊衣料媲美外貨，如非行家，定能認爲泊來品購買。

福毛絨，花邊衣料二種，雖係創製不久，但已外銷暢旺，尤其各國成衣業需求甚殷，有供不應求之感。

該公司董事長蘇天財，爲一年輕有爲之青年，對創造事業極具雄心，其爲拓展國外市場，不久將有歐美之行，攷察國際市場，以作該公司拓展之參考。

居士來論

評「尼姑思凡」荒謬

·陸劍剛·

閱自由報報台北通訊，某偏見之士妄發議論；根本談不上有何識見。自稱「他是一位虔誠的佛教徒，他的藏書有三分之一是佛經」。既自認虔誠，理應闡揚深求印證。由此看來毛先生忽略了佛教與一般宗教的異同：佛教不僅有精其湛的哲理，且更有實踐和求證的方法，可以超凡入聖，不受煩惱生死約束。所以有人稱佛教是一種最高的哲學。實則：科學，心理學，哲學，醫學，僅爲佛學廣大領域中的一環。絕非牽強硬拳，而是千眞萬確，可惜世人「所知障」太重，對此微妙佛典，竟棄而不顧，實在可惜。苟能虛心一讀其有不傾者幾稀，昔日章太炎、蔡元培、康有爲、梁啓超諸先生皆篤信大乘佛法。讀導八果能皆通內典，從政者都能正信因果，實踐大乘菩薩渡衆生的悲行，開拓「正德利用厚生」的建設，把禮運大同篇的崇高理想，都一一成爲事實，中國定成世界領導：如台北市在二次大戰前日據時代何等荒涼，自光復後經政府銳意建設，今更升爲院轄市，恪遵 總統訓示：致力於倫理，民主，科學的建設，而今在文化經濟物質三方面皆有可觀的進步。繁榮安定無一不由人爲因素所成，可見天堂地獄全繫於人心方寸之間。周書康誥篇說：「天命無常，修德爲要」，由此可知凡禍福決於一心，乃屬聖賢的淨智覺慧中所流出，如云禍福惟天所命，則是世俗的淺論。在中國人修德以自求多福，故孔子以人體仁道，以明性與天道非二，做到天人之道合一，不強調天外在之超越的人格性，是由人生本位證驗宇宙，與佛家如出一轍。可見「天堂地獄繫於一心」，由此而說明了眼前的山河大地所有事物，皆由人類「共同業力」所造成的果。世俗人多忽視佛家的科學基礎及其精深哲理，而將其視同一般宗教。有些人爲着顯示他是古代的開明人物：他說「尼姑思凡」譯成英文介紹給外國的漢學家，法律沒有禁止。他說「我是和尚，我不會計較是和尚的話，我一定反省並檢討尼姑制度我……」，他們的妄論自稱藏書有三之一是佛經者，實則從他的這些話中便知道他未從「經律論」中選擇合乎他根性的一種法門、以清淨心篤誠實踐致力取證。而今竟以通家的姿態，說是談非，淆亂邪正，眞使吾人感到遺憾。

眞正的科學家走出書室，便進實驗室，作充實驗，再到書室，將驗的結果，分析研討，與理論相印證，眞正佛學家亦復如是，看完經教便進佛堂，或靜坐參禪，或修止觀，或修律儀，或修密行，或念佛，作種種佛事；功行完畢，則又閱讀經論，或參訪善知識，以求印證。所不同的：科學家是用六識的分別心，去推求六塵的生滅相之變化；佛學家則於分別心之外，復用無分別智作觀照工夫，所研究的對象，不限於色聲等六塵，所有佛法中之心法及無爲法，皆在研究探討的範圍。

某君不全心全力的在中國正統「經史子學集」文化學術思想中取精用宏，紹介西方，以挽救西方今日「物化」的危機！今天世界闖到這步田地，西方人文精神淪喪的晦瞑，社會風氣浸沉在「物質、色情、銅臭」的深淵中，換句話說：即是浸沉在「逐物不返」的陰暗領域，因此產生幻想要與國際共產匪徒和平共存！而竟舞文弄墨，無視於當前世界人類禍患的危急，而以閒逸標榜，介紹這種無補世艱的灰色文學，給西方漢學家及西方學人月露之詞，怨婦騷人之語，風雲嘯笑皆非，這種做法居然有些半通不通的人來附和，也就難怪海外有人批評我們這裏是文化沙漠了！西方學人如素湯比等對西方文化失望痛苦之餘，久寄望於中國文北精神的復興，予彼等以拯救，我們獨無見於此，其用心的荒唐，觀念的陳腐，誠使親者痛，仇者快。

再說：「尼姑思凡有人稱：約有一二百年歷史的一齣崑曲，在故鄉從來沒有人指責。這是某先生沒有冷靜區分今昔時地的不同，幾十年前，故國尚屬昇平時期。自海禁大開，以至目前而論，由外國傳來的色情，打鬥阿哥哥，嬉痞，迷你裙，各式各樣五花八門的玩意，已夠使人沉醉麻木。若再翻出「尼姑思凡」的灰色的俗文學，無異抱薪救火。我懷疑這些人爲何不闡揚我國歷史上忠孝節義的貞烈淑女，來影響中外女界向好的方面進步！專喜在灰色文學中找問題，來爲社會風氣加深困擾，並且要進一步的把這類灰色文學用英文譯介西方，此公心術頗値研討？可以想見從前他在南洋大學的作風了！馳名古今我國周朝三位聖母——太任、太姒、太姜，周室天下傳世三十七代，歷八百七十三年，綿延之久，探其根本原因，多賴於開國三太的賢淑德慧的教化。次如孟母宣獻瑞範夫人，她教育孟子以愼始，示儉，勵志，約禮，所以孟子學竟有成。節義如春秋戰國時的魏姬。漢代女教育家續漢書的班昭，又尊稱爲曹大家。唐代的鴻現女俠周綠雲、明崇禎　剌李闖部將羅某的費貞娥。即如風塵中的杜　，其義俠英烈亦屬難得。皆中國女界的精英，値大書特書，推介給西方婦女界，用作彼等的範式，才合乎書生報國挽救世道人心的本意。

我看呂佛庭先生所作長城萬里與長江萬里（中）

兼評張大千作「大江東去卻西流」

萬里長城萬里長，長城內外是故鄉；七億同胞心一樣，新的長城萬里長。」原是楊將軍所作「孟姜女與萬里長城」一書之序曲，曾風行一時。

再看：呂氏另一巨幅長卷「長江萬里圖」，自然和張大千的有其不同的風格與韻味。此畫高二尺，長二九尺，僅略次於「長城圖」，但呂氏所費時間卻達兩年之久，且三易其居，自言：「畢生精力盡瘁於此」！可想見其工力矣；尤其難得的是他將長江發源於青海犁石山的眞源頭指出，且清楚畫出，而糾正了一般地理教科圖籍說是發源於巴顏喀拉山的錯誤。更將沿江所有大小城鎮、名勝古跡均清晰地用毛筆小楷標出，計有一〇三處之多；所參考的圖籍亦有「水經注」、「讀史方輿紀要」、「小方壺輿叢鈔」等古今文獻，益以自己昔年沿江實地旅行寫生資料，而成此巨製，眞非易事，較之「十日而成」者，又不可以道里計矣。

至於圖末題句之長而典雅，內容之充實，允稱嘔心之作，茲錄附如後，俾供同好者之欣賞，詞云：「大江滾滾萬里長，東流入海接蒼茫，源出犁石浮雲漢，勢成建瓴近崑岡。守邊英雄埋骨地，牧童猶拾舊刀槍；灘險流急無舟楫，行人欲渡乘皮囊。峻宇巍峨拉卜寺，經壇咒鉢鎮西江；雲嶺關于山奇秀，寶樹現世令目忙。屈曲千里遶玉龍，雪峯[illegible]夏猶冬；水際巖隈花似錦，鳥飛不下愁冰封；驚浪拍岸奔敘府，岷水來會船可通；舳艫相接揚帆去，愁看孤客飄短篷。貓兒峽中蠻洞古，小南海如繡芙蓉；山疊層樓霧遶郭，嘉陵山水在畫中。飛閣流舟石突砦，夔門堪稱天下雄；白帝城高暮猿吟，迴漩湍激瞿塘深。永安託孤終非計，空對八陣淚滿襟！蒼崖翠木掩日月，巫峽百里氣蕭森；十二峯高神女秀，飛瀑諠鏗鎗聲沉。巴東城裏拜寇公，祠前猶有古植松；淵一戰垂青史，千秋萬世仰勳功。羅頭山勢似城垣，雪浪簇花衝不門；稱歸尚有昭君里，而今誰招月夜魂？馬肝空舲稱勝景，荊門虎牙勢最尊；風帆掩映岳陽樓，俛臨洞庭幾千秋。范子妙文成四絕，鳳去台空使人愁；武漢三鎮名都會，黃鶴樓對鸚鵡洲。晴川閣上憑欄望，烟波雲影兩悠悠；黃岡竹樓化爲塵，舟過赤壁暗傷神。月照雪堂人不在，可惜大賢遇佞臣，廬山東林結蓮社，遠公道業無與倫。虎谿三笑傳佳話，抱節南渡不入秦；孤山翠螺湧波出，柴桑秀氣鍾高人。元亮千載留餘韻，名士去來情最眞；彭郎小姑豈有情，滿天風雨淚縱橫。塔勢崢嶸迎紅寺，九華嵯峨嵐翠凝；東西梁山鑄天險，采石自古兵必爭。龍蟠虎踞悲寂寥，野翁不復歌舜堯；棲霞山下罕人跡，六朝舊事問漁樵。金焦北固小蓬萊，楊柳桃花映樓台；江天甘露遙相對，更有浮圖仰崔嵬。君山鵝鼻峙江于，天然要塞似門闌；中分二水崇明島，樓船抗進衛狂瀾。」

最後，呂氏又敘述其作圖經過云：「按；長江源出青海西南境之巴薩通拉木山東麓，山勢高大，形似乳牛，即古犁石山也；今謂出巴顏喀拉山南麓，誤矣！江流經由八省，長約萬里，亞洲巨川莫能與京。余早抱元亮之節，幼懷宏祖之志，嘗渡巫峽之險，以探金沙之奇；日乘舟筏，夜棲蘭若，攬勝弔古而興悲，望月聽猿以[illegible]。數逝波之悠悠，仰雪嶺之巍巍，既寫長城之雄，復狀大江之險，聊抒我嚮往故國山河之情，固無意與前哲爭短長也。此圖初落墨於台中賓華山大山精舍，傅色於台北靜律寺，至乙巳月六月十七日始成。時經兩載，三易其居，半生精力盡於此矣。乙巳九月一日題長江萬里圖詞一首，並序於台中西園精舍。呂佛庭。」

觀此可知其堅忍不拔之恆心毅力矣，其成功也，實非偶然，緬懷賢勞，良深傾慰。

至於張、呂二氏所作上述長卷比較之下，則張圖氣韻飛動，和力頗深，粗細紛什，顏色鮮艷，全是山水，沒有一個人，乃至一個小動物，完全是想當然耳的意象畫，既非古長江，尤非未來的長江，尤其東西易位，南北錯落，令人納罕！雖然，張氏曾經一再强辯說：「如果將其置之南壁，豈不就東流了嗎？」，仍是自欺欺人之談，實在不足爲訓。

至於國立歷史博物館長包遵彭邀請所謂文化藝術界人士十名於九月廿四日在該館開會，大家一面倒地指出科學非藝術，藝術非科學，不能以地理的眼光衡量藝術品」云云。但楊教授立即答以：「所謂科學是有條理，有系統有組織的學術，有自然科學，人之科學和社會科學之分，藝術亦不能例外；科學求眞善美，眞是屬於智慧的，善是屬於德性的，美是屬於涵養的，藝術又何嘗可以例外；否則，便何藝術價值，藝術生命之可言哉！（未完）

英國人眼中的中國納爾遜

陳策將軍傳

·袁良驊·　（六）

隨即面諭：「將各忠義軍艦直隸於余，而於作戰時歸陳策司令指揮」。至是軍心乃安。但溫樹德心有未甘，於七月八日午夜令該三巡洋艦暗駛別處，致使在我方據守之長洲炮台正面空虛，而被叛軍佔領，因此我軍失去屏障，無險可守。

國父之幕僚以黃埔港既無險可守，主張攻進廣州之腹地白鵝潭，使成爲叛軍心腹之患，而候北伐軍回師，遂行水陸夾攻叛軍。

國父既採納此一進軍計劃，乃命 先生指揮永豐、楚豫、國安、豫章、舞鳳、永翔、寶璧、廣玉八艦向白鵝潭方面進發。七月十日晨，我艦隊駛至三山、石壁河面，已與白鵝潭之入口峽道，左方屬於叛軍之車歪炮台及右方之河南徵戒場炮兵陣地，遙遙相對。以望遠鏡觀測，遙見徵戒場之高地，似有新加建築之大炮掩體多處。爲欲確知其大炮之位當而予以摧毀起見，我艦隊乃迂迴曲折前進，誘敵發炮。移時，[illegible]，彈如雨下，向我艦隊夾攻，各艦以永豐艦爲首發炮還擊，並開全速魚貫衝越車歪炮台與徵戒場之峽道前進，雙方均以大炮及重機槍互轟，火力至爲熾烈，叛軍炮彈紛紛在我艦隊之炮頂、艦橋、甲板、艦舷爆炸，而穿甲彈則在艦[illegible]查，除在空中被傍爆炸者無法估計[illegible]個大炮彈，重機槍之彈着點如蜂巢，[illegible]

當，各國政府以粵省動亂，均[illegible]官兵及外國新聞記者，以望遠鏡目睹[illegible]上，其在炮彈紛紛爆炸中督師作戰，[illegible]過各外國軍艦之傍側時，其海軍官兵[illegible]三呼萬歲，聲震遐邇。接着不約而同[illegible]，經風一吹，不少落在水上。但見白[illegible]水燈。根據我方軍艦無線電報告，各外[illegible]自督師作戰情形，拍電向其政府報告[illegible]，各外國人獲有機會，得而有目共睹[illegible]父之英名震動世界，而先生乃奉 國父之命而指揮艦隊作戰者，是亦與有榮焉。

傳記春秋

憶胡宗南將軍（中）

何浩若·

當時我眞興奮到了極點。但是在鄭州等了幾天滬戰便停止了。他在百無聊賴之中約我去遊黃河。我們在晨光微曦中到達了黃河渡口。他離開了隨從和我單獨的由他自己撐了一隻船順着黃河的濁水流下去。我們天南地北的閒談。他問我對中國歷史的看法。我說：「萬里長城象徵着中國是一個祇守不攻愛好和平的民族，雖能英勇的抵抗外侮，但本身却是一盤散沙！」他接着說：「就像黃河裏面的散沙，有時也會被濁水團成一片，但是利盡則離，水乾了仍然是一盤散沙！」

我說：「正因爲如此，中國的歷史，也就像黃河一樣，怒潮澎湃永遠不得澄清！」這時胡將軍忽然用力將篙撐入濁流的沙中豪氣干雲的說：「要挽狂瀾就必須要有中流砥柱！」呵！我是如何的永遠不會忘記這一段對話啊：宗南兄，你曾經發宏願 挽狂瀾，做過中流的砥柱！正如你所說的「大丈夫俯仰不愧，何必求人諒解！」我不是在訴說你的生平，或是辨白那些是非功過。我只是要寫出我那近乎悲憤的哀思而已。

西安事變的時候，我在湖南服務。消息傳到長沙以後，我兼程趕到南京去看戴雨農將軍。我請戴將軍設法要到胡將軍的軍中去，但是因爲當時的交通已經斷絕無法成行。我在南京住了一個星期又匆匆回到長沙。當全國歡慶 領袖還京之日胡將軍也回到南京。他當時有一封信給我追述當日的情形。因爲我賦性疏狂不留函稿，沒有把那封信保存下來。不過我當時深受那封信的感動。我還記得他說接到西安事變的消息作了一番緊急處置以後，便一個人跑到附近的小山上去，靜靜的坐了不知有多久的時候。他追述那時候的情形說「翹首東望，不知涕淚之何從」他那顆孤臣孽子的心，在危急存亡之秋，便充分的表現出來，使人感泣。七七事變的時候，我在河南辦理財政。抗日戰爭開始，我奉命赴西南各省視察財經情況，一直到次年的春初才回到河南。那時候胡將軍正駐防徐州。我和內子湘翹去訪問他，他送我一部文文山的集子，在那冊書的首頁，用鋼筆寫下張蒼水先生的一首詩來勉勵我。我永遠記着下面這首詩，那是蒼水先生在殉國以前寫的。

國亡家破欲何之？西子湖頭有我師？
日月雙懸于氏墓，乾坤半壁岳家祠。
慚將赤手分三席，敢爲丹心借一枝。
他日素車東浙路，怒濤豈必盡鴟夷！

當我和胡將軍在昇平的時候同遊西子湖，曾經訪問過岳王墳，于氏墓，和張蒼水先生的墓道。胡將軍在憑弔這些志士仁人之墓的時候，是那樣的豪氣干雲議論風生。但在國家危急存亡之秋，又拿這些孤臣孽子來勉勵我，是如何的令人感泣。在抗日的期間，胡將軍確曾獨力支持西北的乾坤半壁。他現在賫志以歿不及親見日月重光，我們後死的同志假如不能鞠躬盡瘁，來實現胡將軍的遺志，豈不辜負了胡將軍的一片丹心！

三日春秋

時人哀輓聯談薈

·厚安·

稼青喜搜集聯話，爲語時人哀輓聯數則，均佳。

于右任逝世後哀輓聯佳者爲：余井塘：「雄如其詩，奇如眞字，此老一生多獨特；窮不能動，險不能搖，黨人本色出眞誠。」劉太希：「美髯三尺筆千秋，歌詠並爲天下重；濁酒一杯家里祭，傷心不見九州同。」丁治磐：「傲霜菊盡擎雨荷林，蓬島難爲詩酒會；返日戈歷，渡河願在，瑤幅頓失紀綱人。」

井仲容以肝病不治，治喪會輓云：「志節抱武鄉侯之忠，勞瘁不辭，病榻常縈天下事；平生以郭嵩燾自況，詩年相，篋中猶有未成書。」

陳苣町，擅畫竹，死後于右任輓云：「凌雲壯志于琅玕，遺恨神州血淚圖。」

閻百川逝後，張其昀輓以聯云：「晉國天下莫強焉，四十年太原節度，台虎變龍，一代羽儀尊漢寀；[illegible]」

吳鐵城逝後，鄭亦同輓云：「排難解紛之際，猶思長者；抱殘守缺以終之，寧負平生。」

吳稚暉逝世後，于右任輓云：「中山世紀成功日，南海波濤怒吼時。」鈕永建輓云：「患難相共，氣誼相敦，八十年初志尚存，黨國艱危，同首幾人同白髮；大業未成，匈奴未滅，兩萬里計音忽報，江山餘涕淚，憂時誰與話靑燈。」巴壺天云：「合鑄一人，曰墨子兼愛，荀卿戡天，莊生玩世；流芳百代，有宋賢黨碑，秦相篆字，惠氏車書。」

居覺生逝，陳誠聯云：「艱難抱一德始終，志節媲川蕭居士；開濟數卅年勛業，風裁卓布本書生。」

陳布雷逝後，黃少谷聯云：「一手文章扶國運，終宵憂樂繫蒼生。」潘公展聯云：「平生風誼兼師友，痛哭元戎失佐衡。」

吳子玉自輓聯云：「得意時清白乃心，不納妾，不積金錢，飲酒賦詩，猶是書生本色；失敗後倔強到底，不出洋，不走租界，灌園抱甕，眞個解甲歸田。」死後，總統輓以聯云：「落日孤城，百折不回壯志；大風思孤忠，萬方多難惜斯人。」

（完）

巨變歷險記！

天津，突被林彪野戰軍包圍能抵抗一個月零一天，從他的處境來看，更覺得難能可貴，應該值得大書特書。

天津被圍的時候，在民國卅七年十二月十七日，「長春瀋陽相繼淪陷，徐蚌會戰失敗，黃伯韜將軍壯烈殉國，國軍撤離徐州。十二月下旬，行政院長暨各政務委員又因幣制改革失敗而總辭，全國隍隍不安。共匪除軍事威脅外，更擴大其心戰與統戰之攻勢」（見風雨中的寧靜）

這是中華民國三十八年元旦的情形。三十八年一月八日，「中午，總統在南京親自接見鄭介民次長，彼係由北平慰勞各軍將領而回南京報告者。據云北方局勢已極嚴重，天津近郊業經發生戰鬥。總統決定將北平各軍，由空運撤至青島，以免無謂犧牲和損失」（見風雨中的寧靜）。

自卅七年十一月二十二日，黃伯韜將軍在徐蚌會戰中殉國後，我軍節節失利。杜律明部日來情勢更為危急……，永宿間青龍集與陳官莊地區之北部，已陷入不能反攻之困境」

苦撐危局一月零一天（九）

胡慶蓉

卅八年一月十一日，「上午得空軍偵報，謂昨晚突圍部隊，尚在包圍圈外三十里處，分路戰鬥，但本日則踪影杳然，不知下落， 總統見此敗局，當即研討蚌埠部隊南移計劃與日期，決在蚌埠臨淮各留一個兵團，構成據點留守，掩護撤退，餘部皆絡續南撤。至北平部隊，則由空運撤至青島，（見風雨中之寧靜）

且不止北平部隊空運撤至青島，即天津的部隊，也在向青島撤退。侯鏡如部隊，原來是守天津的，在天津被包圍之前被包圍之後，忽然不見了，是不是也撤退了？

在這種形勢之下，天津等於失去中央的援助，失去中央的支持，失去中央的庇護。還有一點，蔣部長在他大著「風雨中的寧靜」沒有提到的，那就是傅作義的叛變。傅作義，在林彪包圍天津的時候，正任華北的剿匪總司令。他的部隊在北平，他本人也在北平，對於天津，已屬鞭長莫及，何況他根本沒有支援天津的意思。

林彪野戰軍包圍天津，天津就成了一個孤島，一個孤立無援的地方，天津上下尚能抵抗匪軍至一個月零一天之久。不能不欽佩天津上下忠勇愛國、苦撐危局的精神，天津上下處此無可奈何之境，天津上下能屹立不搖，單單這種精神，已足以在中華民國戡亂史上大書特書，而為大陸淪陷前留下最光榮的一頁。

蔣部長，對他大著「風雨中的寧靜」「危急存亡之秋」序言中，指出民國三十八年，可以說是中華民族的「危急存亡之秋」；在這一年之中，國家民族所遭遇的危險困難……，乃是空前未有的惡劣和複雜，天津能在這空前未有的惡劣和複雜的局勢中，首當其衝，屹立不搖，寫下戡亂史中最光榮的一頁，國民政府，總統，蔣部長應引上為慰，而天津上下更應引以為榮。

鳥跟鳥聲（下）

・方祖燊・

我小時候，我喜歡看鳥兒在大自然中自由飛翔，自由鳴唱，心裏有說不出高興。像夏夜鶴鳴，隨風戛然，遠聞八九里。墨子說：「蝦蟆日夜鼓吹，口乾而人不之聽；不如鶴清夜而鳴，天下振動。」這大概就是楚莊王所說「不鳴則已，一鳴驚人」的不平凡的大鳥吧！還有像鳶飛戾天，乘風四翔，俯瞰下界，有空濶之感！在家鄉鶴鳴不能時常聽到，但却能時常看到鳶鴟盤翔附近松林田園的上空，想凌空而下，捕捉雞雀野鼠。現在，我住在城市，鳶鴟的高翔盤飛，好久都看不見了。只有從古籍中讀到「精衛填海」、「鶼鶼比翼」一些有關鳥的傳說，稍稍彌補了心靈的渴望。有時也讀到如鹽鐵論所說的：「泰山之鴟，啄腐鼠於窮澤，非有害於人也；今有司盜主財而食之，焉得如泰山之鴟乎？」

想到現今一些官吏的監守自盜，浪費公帑，尸位素餐，不熱心為人民服務的情形，就不免感慨：「人而不如鳥乎？」

說到鷗也是愛好自由閑靜的水鳥。杜甫詩說：「海鷗沒浩蕩，萬里誰能馴？」黃庭堅詩也說：「江南野水碧於天，中有白鷗閑似我。」因此從前的賢人常有拂衣辭官而去，忘記心機，跟鷗鳥交遊的。在閩江一帶的溪澗間，三四月裏也時常有白鷗從海上隨風飛來，浮遊碧藍，輕漾白水，或翻翻地飛，倒影素潭；或嗜嗜地叫，沒滅蘆荻叢中啊！

航海的客人會告訴我說：「野鴨在東南沿海，常常數百成羣，在早晨，在傍晚，蔽天而飛，聲音好像吹風刮雨，所到的地方，稻穀一空。」我的家鄉雖然也在瀕海的地區，幸而蔽天飛集的野鴨子却不常見。

當然像王勃詠歎的「落霞與孤鶩齊飛」的黃昏美景，也就沒有看到過了；但是像王維寫的「漠漠水田飛白鷺」，杜甫的「一行白鷺上青天」，却是常常能夠看到的，充滿着詩意的畫面。此外，[illegible]在家鄉却也時時見到。在秋山黃葉的溪流中，竹筏上黑黑鸕　常使我佇步留連。從崖岸上望去，只見漁人在筏上燒着一盆柴火，撐着長篙，沿流緩緩行進。筏邊有一列鸕　，有的縮頭斂羽，棄火，取暖；有的照着夕陽，曬着翅膀；有的撲翼水面，追逐魚兒；有的鑽入深水，捕捉魚蝦。一會兒，有一隻鸕　露出了水面，嘴裏叨着銀色的魚兒，因為頸上拴着小環，大一點兒的鱗類都沒法吞了下去。這時，漁人就倒提着牠出來，把魚潑刺一聲抖向竹籃裏去。附近的漁家養這種鸕　多的常常到十幾、二十隻不等。

台灣的鳥很多，白鷺也很多。報登余如季先生曾拍攝過「白鷺人家」的紀錄片。我住在台北市，雖然也能看到近郊一些田野，近來却很少看到好鳥，聽到美的鳴聲，白鷺也只能夠由畫片裏看到。這幾年來，附近的農地又都蓋起鋼筋水泥的公寓；現在就連紅掌撥波的白鵝，淺綠的小鴨，嫩黃的小鷄啄食萍草虫兒的情形，也都看不到了。只有隣居的太太在不到一長方桌寬廣的籠屋中，養了十幾隻耐克亨，為着下蛋及肉食。到了餵鷄的時候，十幾個頭從每一楇檻間伸了出來，在飼料槽上爭食飼料。陣陣的鷄臭，隨着熏風熱浪，混着左近建築物的水泥灰塵，一起從窗口沖進了鼻腔。我禁不住頭昏腦漲。由於現代都市的繁榮，人口的集中，人們所能佔有的空間，越來越小，更何况人類馴養的家奴呢！宋人那種「春江水暖鴨先知」的境界，是現代文人不易經驗得到的。周人那種「風雨如晦，鷄鳴不已」用以象徵君子生在亂世而能不改其度的美德，是更不容易想像得到了。古時的雄鷄，那種在黑夜裏引頸高吭，在風雨中不斷長鳴，又豈是隣家關在籠子裏的公鷄所能啼唱出的清音呢！我想將來城裏人恐怕只有飯桌上見到肥膩的烤鴨，清火燉的鷄湯，也許還會聯想到鷄和鴨的存在嗎？鳥跟鳥聲，自更不必說了。的確，「好鳥鳴高枝。」我已經好久沒有看到和聽到了。

（完）

戊申詩人節陽明山雅集

—胥端甫—

艷山紅（杜鵑花別名）烈草山霞，五月榴花助興嘉，高趣濠梁蒲艾酒，　中興大句芷蘭葩；共抒忠愛宏聲教，痛睹乘風玩物華；地獄天堂嚴兩戒，田園縱好豈吾家。

淚雨名山弔一觴，汨羅終古斷人腸，孤忠日月爭靈曜、潔志襟懷動萬方；誓死豈倖消極怨，問天無語接輿狂；人間又值狼嗥世，空有哀猿叫楚湘。

三原高致屯山頭，簡大獅魂共一洲；到死要埋炎漢土（右公臨終言志有葬我於高山之上兮望我大陸等句），有生都執楚人籌（楚雖三戶亡秦必楚）；留將矩雍輝瀛海，應效田單奮火牛；雅集哀時齊稽首，痛擊杯酒看吳鈎。

擊鉢中山第一樓，中華道統眼中收；詩魂胞與宗海韻，往聖高明覆五洲（禮運大同思想）；開物要膺時代命，立身須豁遂峯眸；騷壇正則光南服，萬姓同操返旆舟。

三幕喜劇　事過境遷　熊式一

何：不會再活了？

史：決不會再活了！

何：史先生：你為什麼不一口氣告訴我們，却要編成上下兩集的分期公佈呢？你差一點把人急死！一會兒是活的，一會兒又死了，一會兒復活，一會兒眞斷了氣！（對包太太）好了，現在你的丈夫眞死了，大家安心了！

包太：（笑不能止）哈哈！嘻嘻！哈哈！嘻嘻！（他一個人又似哭又似笑的，用手絹兒撫着臉不能抬頭。）

仁：你怎麼啦？

何：天哪，她眞的發了瘋！

史：這也難怪！打擊太大了！我想過一陣會好的！

包太：（撫着臉說）史先生，眞對不住，包家歷代的聲名，都全靠史先生救了！多謝你！仁翰，你還不快快起來謝謝史先生！

史：（莫名其妙）嗳？

仁：（起身）史先生，眞費你的心，告訴我們這麼好的消息………

史：好消息？

仁：（改口）……這麼悲慘的消息！好極了，妙極了！（看見史的樣子）慘極了！眞慘極了！我想起來了，劉仰吾還在那兒等着你呢！我就不便再耽擱你了！史先生，請便吧！再見……再見！阿詩！阿詩開門送客（起身扯史）

史：那封介紹信……

仁：我回頭寫好了送到劉公館去就是（他連推帶扯的又把史健旺趕走。阿詩來時，他早已把史健旺扯到了窗口。）

史：包先生，那眞多謝你，費心得很！

包：不費心，我要多謝你！再見，再見………從這兒走，近多了，快多了！

史：何夫人，再見，包太太，再見！（下）

何：再見再見！

（包太太微微點頭，不做聲。）

仁：阿詩，做事要快一點！送客接客要快一點！

詩：老爺叫我把大門拴上，鏈上，先要……

仁：以後不用拴門了！敞開着大門也不要緊！快來快去！

詩：是！（一路搖着頭下。）

何：仁翰，我也要走了！你好好的招呼招呼她不要亂來！（她走到門口又回頭對仁翰說。）仁翰你要明白這一點：她的丈夫既然是上個月在澳門才死的，你們的婚姻，照法律上看來，仍然是無效的！

仁：（呆若木鷄）仍然是無效的！

包太：仍然無效！哈哈，嘻嘻，哈哈哈哈！（她又大笑大哭不能止，往後昏倒了。）

（幕落）

㊲（第二幕完）

禪學黃金時代

慧能的頓悟法門（一）

吳經熊著　吳怡譯

達摩所傳的道曾被後代的禪師歸納為四句偈，就是：

「教外別傳，
不立文字，
直指人心，見性成佛。」

不過值得注意的是，在慧能生前，並沒有這四句偈的流傳。無論如何，用這四句偈去寫達摩的思想，遠不如去寫慧能的思想來得正確。因為達摩以楞伽經教人，是屬於楞伽宗。至於這四句偈對慧能來說，也不能過份執着字義，因為慧能重視心的直證，他的見解和悟力正像奔泉一樣，是不受這四條原則所限制的。

我們之所以用這四條原則來看慧能的思想，乃是以此為權宜，去了解他的眞精神。不過就這四條原則來說，都是相融相攝，相互為用的，因此在敘述上稍有重複之處，也是無法避免的。

1. 教外別傳：

這句話的意思是說菩提之道，是以心傳心的，經書只是喚起我們自悟的一種方便而已。在讀經之外，還有其他的法門可以使我們開悟。這種開悟完全是一種「如人飲水，冷暖自知」的個人經驗。所有外在的東西都只是自我的一種反應，所有外在的教理都只是我們自性的一種回響？不要執着這種反應和回響，唯有能見到自性，才知道什麼是眞我。

無論如何高明的禪師，也無法把他自己的悟力塞入對方的心中。他最多只能像一位接婆一樣在適當的時機，幫助孕婦去生她自己的孩子。最好的例子就是慧能在得到衣鉢後，第一次接引學生的一段故事。

當慧能逃出了黃梅，被一位名叫陳惠明的和尚趕到的時候。陳惠明說他自己到此來不是為了衣鉢，而是為了求法，因此懇請慧能接引，於是慧能便說：

「既然你是為了求法而來，那麼希望你先拋棄了一切外緣，斷絕了一切思念，我便為你說法」

過了一會，慧能接着說：

「你不要想到善，也不要想到惡，就在這個時候，請問什麼是你的本來面目」。

聽了這話，惠明立刻大悟。接着又要求慧能再告訴他一些秘密的意思。慧能便說：

「我能告訴你的，就不是秘密的意思了，如果你能反照自己，秘密的意思就在你的心中」。

惠明聽了，非常感激的說：「我在弘忍門下好久了，都不知道自己的本來面目，現在，謝謝你的指點，使我感覺得如人飲水，冷暖自知，一切都明白了」。

自由報

（第一九〇一期）

（半週刊每星期三、六出版）
每份港幣壹角·台灣零售價新台幣式元
社長李遷鴻·督印黃行鑑
社址：香港九龍彌敦道593—601號
廣創興銀行大廈八樓五座
LIU CHONG HING BUILDING
7th FLOOR FLAT 5
593—601 NATHAN ROAD,
KOWLOON, H.K.
TEL: K303831
電報掛號：7191
承印：星島印刷公司
地址：霧咸街廿九號地下
台灣總管理處·台北市大同街119號
台灣郵政劃撥戶　台郵劃撥戶
第五〇五六號張萬有（自由報會計室）
電話：五一四〇三三·五五五三九五
台灣分社：台北市西寧南路110號二樓
電話：三〇三四六·台郵劃撥戶九二五二號

再論陳子昂詩文、及其爲人並答邱棨鍚（金旁以下同）先生

·持平·

讀本月七、八兩日中副，邱棨陽先生「敬答持平先生」大文。邱先生引述各家論評，斷斷以陳子昂表章，爲應酬，非所經心之作，似可不予論列；又以陳子昂爲人，爲一忠義愛國之士。今就邱先生所言，分別加以說明，以供參考。

茲先就陳子昂詩文而言。「子昂變古之功，以詩爲多」，作者於前文中已言之，可不復置論。至子昂之文，作者謂其變古未能盡化；而邱先生雖若同意作者之言，但認爲不能以小疵掩大醇。（邱先生言「以小疵掩大德」，恐「德」字，易作「醇」），作者並未有以小疵掩大醇之意；但認爲倘論古人詩文，固不能以小疵掩大醇；亦不能以大醇，而不言其小疵；並不損其大醇。惟一味頌揚其長，而諱言其短，固失論文之公允；亦無以示人學古之方。曾滌生書歸震川文集後，以歸震川應酬之作，比之浮芥舟以縱送蹄涔之水，無甚意義，皆可不陳。方望溪論歸震川亦然。是非好爲譏彈古人，亦所以示後之爲文者，知爲類文章，以不作爲宜也。

邱先生言子昂，除少數讚章，爲應酬之作，尙有幾篇，且非所經心。（陳伯玉全集，表章三十四篇，序文三十一篇，詩賦七十五篇。表章佔全部作品量頗大，不得謂少數。）作者以爲陳子昂表章，固未能盡變齊梁餘習。四庫提要謂其論事書疏，實疏樸近古，允爲知言。惟王士禎謂其序記等作，沿襲頹波。今檢閱陳伯玉全集，其碑誌序文，仍多排偶，比之韓退之之作，實變而未盡，駁而未醇。其文具存，識者一望而知，亦不容置辯。王士禎由讀其全文，故爲是言，並未爲過。於此，知子昂之文，變古未能盡化，不止表章而已。故就子昂而言，不得謂其大醇小疵；但在初變之際，求其一蹴而變，亦所甚難，吾人於此，固不必求全責備也。

邱先生言子昂表章，爲應酬，非所經心，亦當分別言之。表章除謝表賀表，可視爲應酬之作。若子昂諫武后寬刑等表，事關政理；上大周受命頌表等，有關切身名節，民族正義何等重大，概言其爲應酬之文，非所經心之作可乎？恐子昂爲此等文時，必費幾許商量思考，愼重出之，並非如邱先生言之如此輕淡。吾人欲爲古人辯誣，當爲古人設身處地，爲之衡量，而後下筆，實不必爲之避重就輕，化有爲無。譬如捉賊，賊已將贓物一一供出，（指子昂上大周受命頌表；大周受命頌，大崇福觀記，勸進表，中山王表等而言。）旁人雖百口爲之開脫，何補於事？人亦莫之肯信。

關於子昂之爲人，邱先生認爲實一忠義愛國之士，作者以爲，與其所爲之文相比，爲非小疵大醇之分，其相去實不可以道里計。此或許因各人所立之角度不同，其看法便有相反之差異。茲即就邱先生之言，加以分別說明。

作者以爲在同時之人，相互推許；及同時，或異代之人之詩文集序，不能全然視爲定論。故杜甫稱楊國忠爲賢相，王士禎斥其爲無恥。袁枚雖言此時國忠惡行未著，王氏不免吹毛求疵，爲之中辯。但未見其有實善，而遽爲過情頌揚，君子亦不取。故杜甫此言，有不如無爲得。杜牧以李賀之詩，可以奴僕命騷，直以李賀之詩，謂同三百篇矣，誰其許之？杜甫、李白之言子昂，可存而不論。

邱先生引新唐書贊：「子昂說武后興明堂太學，其言甚高，殊可怪矣。后竊威柄，子昂乃以王者之術勉之，卒爲婦人訕侮，不用。」子昂倘明知武后無其德興明堂太學而說之，謂之諂媚；不知武后不能興明堂太學而說之，謂之不知。宋祁謂「卒爲婦人訕笑」者，言子昂不識事務也。宋祁又言：「瞽者不見泰山，聾者不聞震霆。子昂之于言，其聾瞽乎」？邱先生以爲以泰山比子昂，聾瞽比武后，恐非如此。作者以爲聾瞽是指子昂，而泰山亦非指武后。（邱先生引文同文，言聾瞽，假指子昂，請評之）新唐書之貶斥子昂亦甚矣；而邱先生以爲「實寓讚於貶」，即「寓讚於貶」，新唐書於子昂，並非好評。邱先生引述宋文同校新唐書之言，謂子昂說武后興明堂太學，是「繼事蠶姦，立文媚俗」。楊雄擬王莽見罪，作「劇秦美新」，人多非之。後人有爲之辯護者，謂「劇秦美新」，是以新莽比暴秦也，非媚莽，實刺之也。又有人言「劇秦美新」，非楊雄所作。以此爲楊雄雪垢，但世之罪楊雄者，仍不以此爲止。陸放翁爲韓胄作南園記，時頗致譏，亦有人爲之解說。但論者終以此類文章，以不作爲上。即退一萬步而言，文同謂子昂說武后興明堂太學，乃「繼事蠶姦，立文媚俗」。子昂之「大周受命頌」、「上大周受命頌表」、「大崇福觀記」，（稱武士彠爲太祖孝明皐帝）。「勸進尊中山王表」、「勸封禪表」，又有「奏白鼠表」，不一而足，是否皆可謂之「繼事蠶姦，立文媚俗」？文同何以不爲之一一辯明？此類文章，文同當皆見及，比之說武后興明堂太學，豈非更有損於子昂之氣節？深惜子昂太好爲此等媚文之多，使好心爲其辯護者，顧此失彼，窮於掩蓋。

邱先生又言：子昂「爲永昌父老勸餘中山王表」、「爲百官謝追尊魏國大王表」，皆爲一時應酬之作，非子昂本意。不知邱先生何從而知「非子昂本意」？此類文章，稍知愛惜羽毛者，拒不肯爲，子昂視爲無關輕重乎？昔白居易爲元稹作奏排斥裴度，論者以爲此乃居易之玷。宋眞宗命劉筠草制丁謂爲相，筠拒不爲，改命晏殊爲之。他日晏殊道遇劉筠，以扇掩面而過。在今日言之，晏殊奉君命而作，何至有愧於中？吾人於此，稍加深思，便可知之。子昂「勸餘中山王表」、「追尊魏國大王表」，比之白居易、晏殊之作輕重何如？方孝孺寧誅十族，不肯爲燕王草詔，其所以不惜犧牲一切與之抗拒者，爲名節不容一絲受損也，此亦爲我國數千年來傳統文化之精髓，至今珍同寶。子昂非如方孝孺之被迫，又非同楊雄之擬罪，一切獻媚之文皆不作，武后亦不致加其罪，何爲喋喋不休，而非出此不可？吾人於此，稍加深思，便可知之。子昂同時，駱賓爲徐敬業起兵，作討武氏檄，至今傳誦人口；子昂上大周受命頌表，有何人一顧；即一顧，而不唾棄之者鮮矣。故王士禎有「其文雖美，吾不欲觀之」之言，不欲觀之，想邱先生亦有此同感，非止王氏一人而已。

邱先生又言「上數召見，子昂言多切直，書奏輒罷之。」以爲子昂忠義愛國，但吾人立身處世，有一大前提，必須認清，即以吾人耳聞目見之事言之：如汪精衛有功於黨國甚大，人所共知。當抗戰正烈之際，背棄中央政府，潛往淪陷區南京，組織僞政府，爲日本軍閥利用。汪精衛曾言，此舉爲陷區百姓，免遭殺戮；爲救國家，不得已而出此。其言本不足信；即使汪精衛設心如此，亦大謬不然。以我中央政府，已決定對日抗戰到底之國策，全國同胞，應上下一心，救亡圖存。而汪精衛僞往陷區南京，組織僞政府，與敵共謀，分散國力，打擊抗戰，尚何愛國保全百姓可言？故其幸而死於日軍投降之前；否則，我政府自必引渡，明正典刑。何則？汪精衛對以前革命之功固大，要不足以蔽其叛國之罪；亦因其叛國，即其以前革命之功，皆爲之抵銷而有餘，陳子昂既背唐而依周，而於武周獻媚不已，區區言多切直，尚足道乎？又如大陸淪陷後，我政府之大員，投靠毛匪者，一面向毛匪進言毋殺戮百姓，一面稱頌毛匪功德不已，吾人豈可以其有美言，以蔽其叛國之罪乎？可以稱其忠義愛國之士乎？子昂之爲人，大有類於是？故論詩文，應分別其小疵大醇，大醇小疵，瑜瑕不相掩。至於論人，倘大節已虧，其餘皆可不論，古今來之奸究，豈無片善可取？而人不之及者，爲其大節所抵銷也。

邱先生又引述元，文禮豈射洪金華書院記，謂子昂設心，與狄仁傑相同，以後仁傑成反正之功，子昂則否，蓋有幸有不幸。此亦爲推測之詞。子昂既心存唐室，何以上大周受命頌表，仁傑則無之，於此可見其不復以李唐爲懷矣。作者見某筆記中，（書名一時皆不能記憶。）言狄仁傑一日過姑家，其姑有一子自外歸。仁傑曰：表弟年已長大，可以入仕，我可爲引進。其姑曰：我祇此一子，不願遺事女主。仁傑赧然而退。（大意如此）於此，又可見人之立足稍有不穩，於心終覺孜孜；而甘心異朝者，並此亦無之也。故四庫提要曰：「子昂大崇福觀記，殆偶佚脫，今併補入，俾操觚擇翰之士，知立身一敗，遺詬萬年」。此實致論，亦足警世。（完）

昨日與明日

李國鼎的話

李國鼎的話：「第五期四年經濟建設計劃，將於明（五十八年）元月起實施，預計投資總額爲新台幣一千七百九十九億——其中一千六百五十五億元，將倚賴於國內儲蓄；另外的一百四十四億需引進國外資金。預定的經濟成長率是百分之七。

爲了維持經濟安定，今後四年物價的變動將不超過百分之二至百分之三。」

這些話，是李氏在十二月二日中國國民黨中央委員會聯合總理紀念週上，以「第五期四年經濟建設計劃之展望」爲題發表的。

我們對於這些話，不擬作深處研討，由於只見原則，也無從進一步的分析，但希望這些話不落空。

不過，這個計劃的實施暨預算，却是建立在物價的波動不超過百分之二至百分之三的水平上，因此，只要物價的波動果眞是只在百分之二與百分之三間，這個計劃才能按實施進度進行，始能達成百分之七的經濟成長效果！

換一句話說，如果物價的波動超過百分之二或是百分之三，這個計劃就不僅是「勞而無功」了！

這個計劃的「癥結」，就在於如何維持物價水平，這就是重點，就是依據……

省府與市府

台北院轄市的市長高玉樹，剛剛下了「台北車站前後大片土地禁止建築」的令，省府立即表示，在這塊土地上興建交通大廈的計劃即將付之實施；而北市一位高級官員透露：若鐵路局如果提出交通大廈的興建，將會發給建築執照！

三言兩語，就否定了頂頭上司的令。

個中原委，經過，或是意氣用事，都是省、市兩府間的事，耳聞目睹已是屢見不鮮，實在已倒足市民的胃口。

但，由於輕率下令，今後浮濫的「因」，會產生什麼樣的「果」？這是一件大事！因爲社會秩序的建立，「令」的通行無阻與衆所咸服是一大主因，如果就是這般模樣下去，令的教育價值與比重是：「挾流沙而下，淤積成災。」

金玉其外

監委鄭景福檢討台北市政府稽計工作時指摘北市府的開支既浮且濫，並舉例如下：市府門前的停車場兩次整修費高達二百餘萬，市長在某雜誌上登了玉照，也支出了三萬元。

這筆錢，都是透過北市審計處付出的，手續完備，自可公諸天日。這些錢已達到——金玉其外——的效果！何不請中西男女樂隊奏個時代曲見慶祝慶祝？

就只說府處間如水乳般交融，也該喝一杯兒，當然，黃昏後是最富於情調的了！

自由談

聯合國的鬧劇

近十餘年來，聯合國每次大會時，即對中華民國的代表權問題，嘵嘵譁咋一番，首由俄帝的附庸小嘍囉代表發難，替毛共執言，即由若干二三等國家的出席代表，紛起辯論，有的說還是重大案件，須經全體會員國三分之二以上的表決纔行，有的說這是程序問題，毋須經過大會決議，僅由代表資格審委會決定就行了。最後乃由全體大會投票表決，中華民國的代表權依然無恙。這項無聊的鬧劇，年復一年的表演不輟，幕後編導者，就是一二強權國家，如英美是也。

假使聯合國憲章仍有維護正義和平的效能，那末，自一九五〇年聯大會議一致決議認定毛共政權爲侵略者以後，根本就不應該再談中國代表權問題了，因爲毛共始終危害世界和平，並無悔禍之意，而且蔑視國際法規，對外肆行毫無信義的殘暴政策，尤其對英美兩國爲甚，無論從法理或事實來說，它都沒有代表中國八億人民參預聯合國組織的資格。

然而，英美兩國却毀棄聯合國憲章的基本精神，不顧正義公道，竟以聯合國爲御用工具，把中國代表權作爲向毛共妥協的香餌，自作多情，希望毛共能改變其仇視「美帝」與蔑視「英帝」的態度，不惜企圖出賣中華民國以逐其自私自利的目的。事實很顯明，若不是毛共始終不接受美、英逢迎誘惑，中華民國早在美英[illegible]術玩弄之下，喪失其創建聯合國的安理常任理事國地位，而與科威特、外蒙古，以及北非那些新興小邦爲伍了！

因此之故，我認爲每屆聯大會議對中國代表權的鬧劇，實係中國莫大的恥辱，縱然像煞有介事地投票表決，表面上維持我國原有的席位，這分明是一幕猴兒戲，我們簡直說不上「外交勝戰」的話。所謂兩個中國的國際陰謀並未休止，豈可自我陶醉，而不自強自立，以雪國恥乎？

馬五先生

海外僑務工作做得不够 立監委一片責難聲

本報記者張健生台北消息：立監兩院委員對僑務問題，均提出批評的意見：立監委員對僑務委員會若干措施，亦加以抨擊。

立法委員武譽彭於質詢時指出：僑務問題的管理，在國內有僑務委員會，但到了國外却無人管。在外交方面，領事就是管僑務的，可是事實上，領事與僑務的工作並不相同；辦僑務是希望團結僑胞幫助祖國，以結合反攻復國的力量。我們海外有一千八百多萬華僑，如將所有僑胞的財富和力量結合起來，可能比台灣現有的財富還多。我們的駐外大使館內都有經濟參事及文化參事等，獨無僑務參事。

武委員在美國曾到我國駐芝加哥領事館看到舊任領事在家裡做賬，新領事尚未接任，許多僑胞等了兩三個星期都得不到簽證。故大使館設置僑務參事實爲團結反共力量的當務之急。這一問題，僑政當局了解更多，今後我們海外僑務工作方針如何？

促進華僑團結 還要多下功夫

不要以目前成就即自滿

監察委員葉時修於監察院總檢討會公開抨擊：「幾年來，只看到僑務委員在雙十節拉人回來，其他地方並未表現何種成績。」

這位曾任棉蘭華僑教育總會碩學的監察委員，爲著名的敢言者，他說：我們海外華僑一千八百萬，對我們擁護與支持是不錯的，但反問一句：是不是我們華僑眞正團結？眞正熱忱擁護我們？這還是一個問題。我們要在這方面多作工作，不要自滿，不要以爲華僑毫無問題。舉例來說吧，新加坡華僑佔百分之七十以上，假如華僑完全支持與擁護我們反共政策，那新加坡與我們建交應該沒有問題。新加坡總理李光耀是中國人，議員多是中國人，社會上有地位的人是中國人，百分之七十以上人民也是中國人，但新加坡在聯合國對於納匪案是支持的，只有義大利案是棄權，其他重要案都是反對，完全與我們立場不一樣，新加坡是一個例子，馬來西亞何嘗不是一個例子，我們正式跟它建交可不可以？它現在還想中立！

我們中國人在那裡不是華僑，就是華裔，我們能不能把馬來西亞、新加坡拉住團結一致？還遠得很呢！在這一方面我們還要積極做工作。

葉委員進一步指出：華僑本身的團結也成問題。很多地方的華僑鬧糾紛；在法院打官司，甚至連我們的領事館也介入糾紛之中。由於華僑的地域觀念、新舊觀念等種種因素，致使華僑間的團結及華僑與祖國之團結很成問題；今後如何消弭華僑社會的歧見，使能團結一致，進而和我們祖國的同胞能够團結一致，尤爲當務之急，此項工作，不僅是外交部要做，特別是僑務委員會更應該要做。

華僑入境手續亟應予以簡化

監察院五十七年度中央機關巡迴監察僑政組，於巡察報告中提出「意見」，指出「華僑回國入境檢查時，持本國護照與持外國護照者，手續繁簡相差懸殊，致父子或夫婦同行者，子或妻持外國護照，可獲簡捷優待，而父與夫持本國護照，則手續繁雜，形成強烈對比，使平素忠貞愛國之父親與丈夫立場尷尬，致對祖國發生不滿，前曾提出意見，迄未改善，亟應決定辦法，簡化檢驗本國護照者之手續，以收攬僑心。又友邦官員持公務護照入境，檢驗時翻箱倒篋，入境後住在旅館被迫搬遷數次，致大爲反感，返國後，一反過去善待華僑態度，實行報復，此種情形，有關機關應徹底檢討，速予改善。」

該巡察意見對華僑投資問題，如放寬技術員工入境及出境；如土地問題之解決等。如回國華僑在台北地區購地設廠或興建國民住宅者不少，惟政府政令未能貫澈，朝令夕改，致台北市六鄉鎮以及洪水平原地區發生禁建限建的問題，使投資華僑所領建築執照等於廢紙，蒙受重大損失事小，其影響政府信譽勢將難於補償，亟應速予改善補救。至僑資工廠申請原料進口；由於手續麻煩，往往需時數月，而海關檢驗進口物資、機器、原料及零件等，常不信任合法證件，認舊機器爲新機器，或不承認報關價格；或將已進口十餘天原料再交檢驗，多方刁難，工廠拖延時間，影響工廠之生產與交貨信用，應速予改善；對於工廠常驗收原料限時及零件用具等，尤應予以特別便利。其次是項手續費高達售價百分之二十五，致成本增加而影響外銷。

台北新聞信

邵案餘波蕩漾 監院進行調查

本報通訊員 柳一權

五元與十元台灣銀行紅鈔票，用時之不方便，引發出多少「國罵」，熟習銀行圈圈的人，很自然的又想到中央印製廠去職總經理邵德潤了，因之風風雨雨，對邵的閒話越來越多，乃至於涉及到「福建」如何，「北京」如何，「香港」徘徊階段在自傳中沒有交代，這些都是誇張和炫耀自己如何昇官，如何對付某人等，導致甚多同事和不相干的人在挖他的牆角，使帮他忙和愛護他的長官們，都感到非常尷尬。

邵是中央印製廠總經理，中央印製廠是中央銀行下面一個附屬單位，並沒有甚麼了不起苗頭，也不會引起外間這樣注意，可是給一個會招搖的人做，那就不同了，其心理上認全國人用的鈔票都是我印的。這和上海灘堂裡小三子樣，「當年汪精衛的背我都替他擦過」如出一轍，其次是喜歡多行不義，對員工常咆哮指罵，他忘了這年頭垃圾車都裝配着悅耳柔和的音樂，卅年前的官僚作風，行之於今日怎麼行呢？一個小職員竟敢指桌教訓頂頭上司「你不開除我，你就不是人揍的……」搞得印製廠烏烟瘴氣，非無由也。可是能忍下這口悶氣，照京戲法門寺的名詞：「這其中還有很多牽連」。

中央銀行總裁徐柏園，以印製廠設備須迅速加強改進，及配合國策方案，呈請政院核准，責成邵德潤限期建廠，裝備所購國外買的新機器，未料邵處理不當，有人指責別具用心，不僅未能如期完成，故意買了一塊軍事用地（陸軍軍事預定地）以致拉鋸戰，使工廠無法興工，而所購的新機器，存儲在國外倉庫，就事論事，再有三兩年新機器也運不回來，邵且聲言，那個報紙報導這條消息，必在官報還擊，決不寬貸，事實也確做到了，有人勸阻邵最好少車大炮，多化解，少結怨。從中央印製廠購買土地的偏差，工廠建築誤了大事，購買的機器不能運回，國家到現在還替他負担着機器在國外的倉租，保險費，保養費，消耗着國家難得賺到的寶貴外匯。聞監察院××委員業已進行調查及提案，勢將追究責任問題，必要時將函有關機構調卷。

甚而市長林錫山「資格」成了問題

監察院決函考選部查復 如眞成問題將依法處理

本報記者劍聲台北消息：台南市長林錫山的「資格」問題，監察院決定函考選部查復，如有問題，將依法處理；若無問題，則原訴存查。

監察院內政委員會第二九〇次會議通過台南市長候選人魏東安控訴：考試院對林錫山申請市長候選人檢覈資格一案不實，請依法查究不法責任。

按照五十六年九月間考試院公布之「台灣省暨台北市公職候選人資格檢覈規則」、及考選部製定之「台灣省暨台北市公職候選人資格檢覈須知」規定，縣市長候選人應具有左列各項資格，才取得檢覈合格證書。

中華民國公民年齡在三十歲以上，繼續居住台灣地區內六個月以上，曾經公立或立案之私立專科以上學校或經教育部承認之國外專科以上學校畢業，或高等考試，或相當於高等考試之考試及格，並具有左列經歷之一者，得聲請縣市長候選人資格之檢覈。

（一）曾任鄉鎮區轄市長二年以上者。

（二）曾任民選縣市以上民意機關代表二年以上者。

（三）曾任專科以上學校副教授二年以上，經教育部審查合格；或取得碩士以上學位，並從事有關工作二年以上者。

（四）曾執業律師、會計師、醫師、工程師等三年以上者。

（五）曾任高級中等以上學校校長二年以上，或初級中等學校校長三年以上者。

（六）曾任高級中等學校教務、訓導、總務等主任三年以上，或初級中等學校教務、訓導、總務等主任四年以上者。

（七）曾任薦任或相當薦任主管職務一年以上，或曾任薦任或相當薦任職務二年以上，經銓叙機關銓叙合格或審定准予登記有案者。

（八）曾任公營事業機構相當薦任主管職務三年以上，或經主管官署登記有案之私營事業機構担任經理、廠長、場長等主管職務四年以上者。

（九）曾任少校或同少校以上職務二年以上，持有退役或退職令者。

（十）曾任縣市以上經政府核准有案之教育、文化、農林、工礦、商、漁、鹽、水利、合作等各該社團最高負責人二年以上者。

台南市第六屆市長當選人林錫山的資歷是：四十一年畢業於省立工學院（即今之成功大學）建築系後，即參加預備軍官訓練一年，官階陸軍少尉。革命實踐研究院建設班結業。四十三年八月至四十六年一月，任台南市政府建設局技士兩年半。

林錫山於四十六年一月離職後，即任民營國際貿易公司經理職務，在職期間曾赴日本。

五十年四月間，林錫山棄商從政任台南市政府額外秘書，至五十四年七月於土木課長任內離職，官階委任二級。林錫山在土木課長四年任內的獎懲：計由委任二級晉升一級一次；申誡三次，記過二次，降二級改叙一次。

觀此可知，林錫山的資歷與前述檢覈規則之規定不符，該檢舉書指林錫山曾任國際貿易公司總經理；全金輪胎公司董事長；台南食品公司總經理等職務。林錫山爲取得市長檢覈資格而利用公司未經合法登記之經理身份，依該檢覈規則第八項末段之「經主管官署登記有案之私營事業機構担任經理等主管職務四年以上者。」而取得公職候選人的資格。然林錫山究於何年何月任國際貿易公司經理；該國際貿易公司是否按照公司法第二十九條規定設置經理人於經濟部登記而有案可稽？考試院於承辦林錫山申請市長候選人資格檢覈時，有無向經濟部調查或是否經查屬實？若未經調查而核准其檢覈，則將發生違法行爲。

總之，這是一件帶有地方政治濃厚色彩的控訴案，故極爲各方重視。林錫山的資格問題，經魏東安揭發後，頗屬難堪，這就是我們的「民主政治」！（完）

人事紅色之風困擾了台中縣（下）

寡不敵衆 否決調查

台中縣議會在第七屆第二次臨時大會，曾否決了組織專案小組調查國民中學辦理情形，以及國民小學人事調動糾紛眞象一案。極力主張組織專案小組來徹查的部份「林派」議員，因爲寡不敵衆，竟在表決中敗下陣來，這亦是意料中的事。

組織專案小組調查國中及國小人事情形，乃是第四審查委員會決定的，可是却在各審查委員會召集人聯席會中被否決，在大會中，第四審查會的尤世景議員，則提出辯護。說：國中剛剛辦理，有很多事需要瞭解，以便改善，至於國民小學人事調動，糾紛很多，可能係受到派系操縱，或是受到人情壓力，議會實有進行調查糾正的必要，尤世景議員的一番話，乃代表民意的一面。毋庸置疑的。

另外，尤世景並又提出很多調動案件，明確指出在人事上，頗多處理不公的地方。但到表決時，在場議員卅人，贊成尤世景意見的，僅十一人，贊成聯席會議決議者十七人，終於組織專案調查小組一案，「流產」了。

代理三月 未用私人

如今，一般辦理人事案件需要致送紅色，幾乎已成爲公開的秘密。尤其像教員調動，牽涉如此廣泛複雜的案件，倘若說是不必花一文錢，就可以水到成渠了，反而聽來使人感到新鮮，感到意外。

相傳陳派議員，上次一共推薦一百位代課國校教員給王縣長，這一百個代課教員，遂由縣長王子癸下令交給國教股長劉校成處理，劉校成股長，一見是縣長交下的，那還不是「等因、奉此」照辦不誤！「人情、好人」自然都落給王縣長作了！可是聽說劉校成已代理三個多月股長了，他自己却未介紹半個教員，這種爲公忘私的守法精神，是值得表揚的。（永亭）

同音字記趣

陳宗敏

我國文字爲單音字，一字一音，所以同音的字很多。同音字多了，容易引起誤聽。甚至以往很多文人，很喜歡故意把同音字誤聽誤讀以爲謔謔。茲錄宋人筆記數則，以博一粲：

汝與吾

蘇易簡父協，性滑稽，爲汝州司戶，易簡通判蘇州。與易簡書曰：「吾在汝，汝在吳，吾思汝，汝知之乎？」（事實類苑）

袋裏貧士

范鵬爲大理評事，胡旦畫一布袋，內藏一者以遺之，題曰：「袋裏貧士。」（澠水燕談錄）

國立暨南大學將在台灣復校

積極展開籌備工作

（台北消息）暨大校友會籌備於本月九日假婦女之家，歡迎前僑教秘書長現任美國紐約中華公所主席楊裕芬先生，到有北市同學百餘人，新加坡同學卓文銘李開正，印尼同學廖永沾、李部長壽雍及教育部次長鄧傳楷等，均應邀出席，情緒異常熱烈，首由理事長汪竹一報告在台成立校友會及奮鬥十五年復校經過，語義沉痛，繼由楊秘書長裕芬報告來台（一）向總統祝壽（二）海外一千八百萬僑胞渴望政府恢復暨南大學（三）已洽閻部長同意促暨大復校。會中繼討論華僑救國聯合總會第三屆全體理事會議之決議：「國立暨南大學台灣校友會承諾在復校籌委會設置後，負責聯絡海外各地暨大校友會担任復校經費半數以觀厥成。」同學主委李繼淵楊超相繼發言，建議復校前準備工作，成立復校籌劃工作小組，並推定甘豫吕等卅餘人爲復校委員，甘豫吕，龔康，王乾初，三人爲召集人於本月十一日假婦女之家召開第一次工作會議討論云。

傳記春秋

憶胡宗南將軍（下）

何浩若

抗戰的第三年，胡將軍奉命經營西北來鞏固西北的半壁河山。他要我辭去當時的職務到他的軍隊中去。我携着全家跑到西安替他到軍隊中去講學，終日奔走於終南，王曲之間。那時候我沒有任何的名義，只是胡將軍的上賓，全家都受着他的招待。

我住在東倉門他的家裏。他自己住在董子祠。兩地相距極近，都在白居易琵琶行詩裏所講的「家在蝦蟆陵下住」的下馬陵附近。這是我與胡將軍最接近的一個時期，差不多朝夕相見。有時候還在月明星稀的夜裡到西安城頭去散步，但是不久我便奉命回重慶工作，一直到三十一年才又重到西安。

我在抗戰的時候，先後担任過許多艱苦的工作。我能勉强達成任務，可以說是多方的受到胡、戴兩位將軍的支持和鼓勵。我在物資局工作的時候，因爲要視察陝西省棉花產銷的情形，同時戴將軍也因爲要視察業務，便相約北上，在西安相會。那時候交通情形很壞，由重慶到西安沒有飛機只能坐汽車，戰時的公路，也不太理想，遇着天雨路滑寸步難行。我和內子湘翘在路上走了三天才於十月十二日到達西安。久別的友情勝過了沿途的辛苦與疲累，我們很愉快的談着別後的情形。雨農將軍是十月十五日到達西安的。我和胡將軍驅車到咸陽去接他，在咸陽古道的夕陽中見到他時，胡將軍是那樣的高興說：我們是咸陽古道中的歲寒三友，這是我們三人相敘最愉快的一次；也是最後的一次。

抗戰勝利以後戴將軍因爲飛機失事殉國了。戴將軍死後，胡將軍的心境感到無可彌補的空虛。幸而他在不久的以後，便有着一個極爲美滿的家庭，獲得了精神上的安慰。民國三十五年的冬天，在一個大風雪的深夜裏，胡將軍忽然驅車來訪，說是要約我到一個地方去。我自然知道他要去那裡，便一言不發的跟着他，車到靈谷寺前的時候，便爲積雪所阻無法前進。他和我便下車冒着風雪步行到雨農將軍的墓地上，致敬後還徘徊了十幾分鐘。我們兩個人始終沒有講一句話，歸途也默默無言。這是我一生中最難忘的一個回憶。戴先生生前送給胡將軍一件毛線衣，他穿了二十多年，穿得百孔千瘡。他臨死的時候，依然把這件衣穿在身上，胡夫人告訴我殯儀館裡的人說，從來沒有看見死人穿這樣破爛的衣服。嗚呼，一生一死，交情乃見。在世局如棋，人情似紙的今日，胡將軍在天之靈並不求人瞭解，我更能說些什麼！

民國四十八年我由香港回到台灣在國防研究院任教，第一次和研究員見面的時候，首先走出行列來歡迎我的便是胡宗南將軍。我在香港研究匪情，以共匪實行人民公社必將導致今日的惡果，曾於四十八年寫了長篇文章「三論人民公社與當前反共的局勢」預測在最近的將來，大陸必定發生空前的饑荒，到那個時候便是我們反攻大陸最好的機會。當時全力支持我的看法的也是胡宗南將軍。胡將軍慎重的和我說：「我輩反攻大陸實無旁貸，義不反顧。如其不能，則我輩寧可與草木同腐，亦不願再與人爭一日之短長！」現在反共的時機已如所預期的成熟了，而領導我們反攻的胡將軍已先我輩而死，貴令後死者欲哭無淚。

我來台灣三年，因家屬遠在美國，頗有無家孤獨之感；尤其在歲暮天寒，益動天涯游子之情思。胡將軍很瞭解我，每年的舊曆除夕，一定要約我到他家裡渡歲。前年如此，去年亦復如此，誰也不會想像到胡宗南將軍會那樣清貧。他一家六口包括下人，每天只有三十元台幣的菜錢，但是當我到他家渡歲的時候，他一定要添菜所謂添菜，也只是，一隻鷄，加上胡夫人所做的拿手的炸魚，一盤年糕和炒肉絲之類。他一定要說，今天招待老朋友過年菜很好，我受着他溫情的感動，也覺得所吃的一切都勝過山珍海味。去歲除夕飯後，我正和他的大女兒爲美在玩。他忽然跑過來很溫和的說：「何伯伯的大女兒是我的乾女兒，你也給何伯伯做乾女兒吧！」想不到他說這句話不到半個月便與世長辭了。我知道胡將軍是不願意死的。他要光復大陸使日月重光。他既不想死，便無所謂「一語成讖」。我輩三十年肝膽道義之交，原如一家人，更無所謂「託孤」。但是事情是如此的巧合，使後死者有說不出的傷感。因爲如此，在胡將軍去世後四個月，我不能抑制我自己的情緒來寫點東西追弔他。現在終於寫了：「大丈夫俯仰無愧，何必求人瞭解！」胡將軍，請原諒吧。我不是在訴說你的生平，而只是要說出我近乎悲憤的哀思！

（完）

歷史人物漫談

老當益壯忠心謀國的趙充國

・劉子清・

在漢宣帝的麒麟閣中，位居第四位的趙充國，是一個老成持重，深謀熟慮，洞知兵法，而又懂得致治作戰的將軍。

趙充國字翁孫，隴西上　人。（在今甘肅天水縣西南。）初爲騎士，依照當時六郡善騎射的良家子弟從軍的法例，補爲羽林（羽林、禁軍的名稱）。他爲人沉勇有大略，少好將師之節，而學兵法，并通曉四夷狀況。漢武帝時曾以假司馬名義，從貳師將軍李廣利去攻打匈奴，因曾領導百餘騎突圍陷陣，身被二十餘創。這次漢軍能因他的勇敢行爲，得脫離險境，而擺脫匈奴。武帝聽說之後，特親召見他，看到他一身受傷這麼多，也嗟嘆他的勇敢，並立即拜爲中郎，旋又升爲車騎將軍長史。

漢昭帝時，他平定了武都反叛的氐人，升中郎將，再遷水衡都尉。奉令攻打匈奴，又大有功勞；并俘獲匈奴西祁王，乃得擢爲後將軍。昭帝崩，他與大將軍霍光共同定計，擁立宣帝，因此得封爲營平侯。

先零羌通使匈奴，并與罕　解仇訂約，聯合叛漢犯塞。時朝廷以騎都尉義渠安國，將三千騎，屯墾落都（今青海樂都縣），以備羌人。他行至浩亹，爲虜所襲擊，失亡輜重兵器甚多，安國不支，退到令居（在今甘肅涼州境內），表報朝廷。這時候是宣帝神爵元年。趙充國當時年已七十餘歲，宣帝認爲他已老了，特派御史大夫丙吉問他：「誰去做主將爲好？」充國毫不遲疑答說：「沒有比我更相宜的人了。」之後宣帝又問他：「羌虜將如何？當用幾人？」充國對曰：「百聞不如一見，……臣願馳至金城，圖上方略。然羌戎小夷，……願陛下以屬老臣，勿以爲憂！」宣帝笑曰：「好！」就決定把這七十多歲的老將軍，派往塞外青海，與那些兇悍的羌人去爭鬥。

充國到了金城，（今甘肅蘭州）夜晚派三個校尉，各率少數人銜枚先渡黃河，渡過河後即佈陣勢，築營壘，以掩護大軍渡河。天明前，大軍已渡完。敵人有百餘騎來挑戰。充國曰：「……擊虜以殄滅爲期，小利不足貪。」令軍隊不理會他們，只派騎兵四出偵察，得知四望　中無敵人，乃乘夜上至落都。到了落都，召諸校尉司馬會議，并告訴他們說：「吾知羌虜不能爲兵矣，使虜發千人守杜四望　中，官兵豈得入哉？」充國常以遠斥候爲務，行必爲戰備，止必堅營壘，尤能持重，愛士卒，先計而後戰。

充國到了落都之後，羌人各酋長，都很懼怕，互相埋怨，不該反。因爲充國是素有名望的老將，以穩健著稱，羌人雖然兇悍，也無如之何。充國計劃以威信招降，離間他們一時的團結，破壞他們共同的計謀，待他們懈怠了，再行進擊。背降者。朝廷認爲他太過持重，遷延時日，乃三次催令進擊，他則三次陳述他的計劃，希望不忙於進兵，以便招降罕　，結果朝廷只好依他，他也就不要徵關東的兵，而把羌亂平定了。因爲兩大羌族中，罕　種族沒降了，先零種族被擊敗散，漢軍得先零的馬牛羊十幾萬頭，車四千多輛，……這是一次很大的勝利，也只有趙充國敢於不顧朝廷催促，不怕己身得罪，只想如何達成國家之任務，這是國家的棟樑之才，那些泛泛之流，爲升官發財，而患得患失的人，能比得？

（完）

我看呂佛庭先生所作長城萬里與長江萬里

兼評張大千作「大江東去却西流」

又因爲張氏今年已七十高齡，應嚴靜波氏等之邀請作此「長江萬里圖」長卷爲張岳軍氏八秩大慶祝賀而作，且朝野人士在圖末簽名者達二千人之多，蔚爲盛事。而今張氏之此圖已在基本觀念上錯誤，便不能不予以指出，並指出那所謂十位專家附庸風雅，完全是藝術界叛徒，且非知名之士，台北各大學藝術教授、名流甚多，何以不邀請黃君璧、虞君質、馬白水、馬壽華、孫多慈、廖繼春、陳慧坤、張德文、袁樞眞、林玉山、張道林、譚淑、陳定山等著名畫家開會座談呢？誠令人費解也。宜乎樹教授賦詩以綜合評之爲：「巴蜀二張世罕疇，一師一友並名流；七十曰稀七十始，八千爲春八千秋。錦繡河山入畫圖，大江東去却西流；彩筆易位强作解，寄與龔翁仔細求」了。誠屬一語破的之論了。（以上均見台北各大報刊）

再說：呂圖氣韻亦生動，筆力細膩，山水人物應有盡有，古色古香，平鋪直敘，有眞實感，令人一目瞭然，值得鄭重向海內讀者推介。五十七年十月廿四日寄自台北陽明山竹子湖畔。

（下、完）

○梅海天○

陳策將軍傳（七）

——英國人眼中的中國納爾遜

袁良驊

迨我艦隊抵達目的地停泊，叛軍即以陸、空軍及水雷頻加傷害，而艦隊之糧食與煤炭更成問題，幸賴海員及義民暗中運送，因此先生等仍能在半饑餓中，日夕作戰，雖然排至面色黧黑，雙目盡赤，而其鬥志仍不稍懈。因吾人亦明知處此危殆之環境中，其生存之時間，只能以鐘點計算。然而經過一場又一場之危險後，其未戰死者，彼此復得相見時，僅相視而笑，無人提及其自身之安危者。此種態度其爲主義之信仰乎、勇敢乎、天眞乎，如人飲水，冷暖自知。

我方艦隊正在四面楚歌之中，忽接情報，謂北伐軍已於七月十一日回師攻佔韶關近郊之帽子峯楚。嗣接情報，謂北伐軍於二十九日在韶關郊外作戰失利，已於八月四日退出粵境，轉入福建，以備爲他日捲土重來之根據地。因此　國父之幕僚認爲北伐軍既回師無望，則困守艦中無益，乃力勸　國父離艦赴滬，俾與各方聯絡。英日領使聞悉，均表示願以其本國軍艦護送　國父至香港。八月九日　國父偕幕僚乘英國炮艦摩軒號赴香港轉滬，而先生亦隨同前往勷贊軍事。

陳炯明之對　國父一擊不中，以致其企圖繼承中國國民黨總理失敗，而其意欲造成與吳佩孚分庭抗禮之局亦不復存在，頓感進退失據。自其犯此大不韙之後，粵省民衆與報紙清議遽起，交責其背義忘恩，徒禍粵民，因而陳氏益增慚愧。最是使陳炯明灰心者，則原爲陳氏之嚴明軍力，自經此一役，紀律完全渙然，叛軍頓成驕兵悍將，盤據一方，各自爲政；粵民益爲之唾棄。

民國十二年一月　國父乘此時機，下令在桂省之滇軍司令楊希閔及桂軍司令劉震寰，閩及桂省之粵軍第二軍長許崇智，在贛省邊境之豫軍司令樊鍾秀，在湘省邊境之湘軍總司令譚延闓等向廣州方面會師討伐陳炯明，而先生則在滬面奉　國父之命，回粵號召海軍響應。及其成功也，即統率艦隊開抵梧州，擁護滇桂軍沿西江東下，直搗叛軍之腹地——廣州。

在廣州之叛軍主力，於是時也，已陷於四面受敵，若不撤退，則勢成甕中之鱉，故不敢接戰，狼狽退回其老巢——惠州。

國父孫中山先生於是兵不血刃，順利收復廣州，設大元帥府於廣州之河南士敏土廠，派先生爲廣東江海防司令。

民國十六年共匪陰謀傾覆政府，先生受任爲清黨委員會委員，當時反共情緒緊張，多有主張寧枉毋縱者，而先生則提議毋枉毋縱，因此拯救了不少無辜。其後廣東設立西南政治分會，先生被推舉爲該會委員，兼任海軍第四艦隊總司令。

民國二十二年先生受命爲海軍部軍令處長。就任之初，即邀請袁良驊、金彥文勷助，號召滯留於廣東達十餘年之肇和號及海琛號兩巡洋艦復歸附中央，使久告分裂之海軍得以統一。

民國廿六年抗日軍興，先生受命爲廣東虎門要塞司令，屢予日本軍艦以創傷，使敵軍不敢從水路進攻廣州。

民國三十年先生作了一件驚天動地的壯舉，全球的報章都爲之讚揚，此事經過如下：

是年先生担任中國國民黨駐港澳總支部主任委員，適值日本以海陸空軍圍攻香港，先生即發動民衆及工人協助香港政府。但不久便發覺英軍有投降之意，先生乃急訪港督楊慕琦詢問究竟。港督不諱言，謂係出自英廷之意旨。先生見其如此答覆，即表示寧可戰死不作俘虜。乃要求港督假予魚雷快艇四艘，俾作突圍之用。港督當即答允，並反要求先生携帶其主持機密之英軍及文員，一同搭乘快艇，先生慨然答允。於香港淪陷前夕，先生率所屬駕快艇，發揮其大無畏精神，自香港衝出與日本海空軍作戰。未幾先生所乘之快艇中彈沉沒，人墜海，幸未受傷，於是奮勇游水，攀登另一快艇，最後終於衝出重圍，率所屬及英軍抵達廣東戰時省會——曲江。當此一消息傳至英國，其軍民莫不驚異先生之英勇，讚譽此一曾任海司令的將軍（先生係獨腳）爲中國之「納爾遜」一英雄（按英國之納爾遜係一獨眼）。迨日本戰敗投降後，英皇即以最光榮之勳章頒贈先生。

抗戰勝利後，先生即出任廣州市長，此一華南大都市經過七年敵軍之蹂躪，頹垣瓦礫，民生凋敝，致先生肩此復元重任，席不暇暖，食不甘味，積勞成疾，久未痊癒，不能視事，於是毅然辭職，延醫診治，然而終於藥石罔效，延至三十八年七月二十七日與世長辭。

綜觀先生一生，爲黨國也忠，爲事業也勇，而爲朋友更爲道義，現雖人離塵，而其遺愛於人間悠悠歲月之中，殊令人無限深致景仰也！

（完）

吳敬恒先生年譜（卅三）

陳凌海編撰　陳洪校訂

十月，清室善後委員會聘請先生爲故宮博物院理事。國民黨中央執行委員會自「容共」後，由於汪兆銘等阿順蘇俄顧問鮑羅廷意旨，加以親共份子之囂張，若干老同志感受親共份子之排斥。林森、鄒魯等北上，道經上海，即與謝持（慧生）、戴傳賢、葉楚傖、邵元冲（翼如）等籌設上海執行部，不贊成廣州國民黨中央執行委員會之「容共」，而欲將潛伏於國民黨內之共產份子除去，而進行反共。林森、鄒魯北上後，與有關同志商議，訂於十一月二十三日在西山碧雲寺國父靈前，舉行國民黨中央執行委員全體會議（即西山會議）。發出之電報，署名者有：林森、鄒魯、石瑛（蘅青）、居正（覺生），石青陽、戴傳賢、邵元冲、葉楚傖、張繼、謝持、茅祖權、傅汝霖等。先生亦署名其上。此爲西山會議之由來。是年先生發表：「善後會議倒底是甚麼東西？」以批評段祺瑞（芝泉）。先生在東路軍總指揮部特別黨執監委員宣誓就職大會上講：「共產黨的幼稚病。」是年中共發表李煜瀛爲教育總長。先生致函李煜瀛勸阻，因此未就。

民國十五年，丙寅（西曆一九二六年）

先生六十二歲

元月，中國國民黨第二次全國代表大會，先生當選爲中央監察委員會委員。國民黨代表大會通過接受總理遺囑，一致遵行。二月，爲柳克述著「不平等條約概論」作序。三月，發表：「致國民軍將領書」，論馮玉祥（煥章）出處問題。國父逝世兩週年，先生發表紀念文。四月，張宗昌入京，北洋軍閥顧忌先生之培育革命第二代青年，認爲先生有圖謀不軌之舉，且有派警包圍先生所創海外預備學校，加以搜查之意。

喬治桑外傳（三）

張大萬

筆者今年二月間出國探親，屈指已過半年。致「喬治桑外傳」中斷甚久，殊感歉疚。最近返台，晤及本報李社長邁鵬兄，堅囑繼續撰述，貫澈始終。嗚呼，「喬治桑」者亦不過末世紀之灰色肖像而已，未必眞有其人、其事，亦未必眞無其人、其事。筆者既未敢以「幽默」爲鵠翁、林大師之附庸，更無意影射時人、名流有違固有文化溫柔敦厚之旨。作傳本意，不過在半世紀剎那中，擷取時代點滴，供讀者管窺之助而已。正是「誰識風流喬治桑。豔光四射遍寰洋。古今人物知何似？作傳還須倩老張。」閒語表過，言歸正傳。

卻說台灣自工業起飛以後，台北爲首善之區，觀光飯店、酒家、舞廳林立，眞個是金吾不禁，夜夜笙歌，好一派昇平景象。

喬治桑接到的請柬，是由「中西文化切磋會」會長謝銀鎚出面的。謝銀鎚在日治時代已是台灣名流，現在擁有九家工廠董事長的頭銜，至於像「中西文化切磋會」會長等頭銜尚未計算在內。謝銀鎚名字雖俗，但他有的是銀彈，社會上一切文化、教育、慈善團體，都要捧他出來領導一番。一來場面闊綽，化個十萬八萬的，自有銀鎚會鈔。二來幫閒的人如「委員」、「組長」、「幹事」之流，也能得點好處。這是工業社會一般現象，有錢好辦事，並不希奇。謝銀鎚請客，預定要請三位貴賓即席發表演說。

第一位是有「長」字頭銜的歐陽志書，第二位是美國某大學教授艾格思，第三位更是喬治桑本人。餐會地點設在「華麗大飯店」的「摩雲樓」。

喬治桑每天有他的「司號料」（日程表），今天是週末，計列：中午十二時出席謝銀鎚宴會，並即席發表演說。下午三時半，在綠屋咖啡館與香瑞影星何千端夫婦聊天。四時半到美商利茲洋行經理豐坦家與另外兩位美國朋友打橋牌。七時半由他作主人，請牛董事長和一位日本朋友在神龍飯店吃日本菜，飯後大概還要再去白美人酒家。

喬治桑本來很想將文白對照的四書着實鑽研一下，雖有急來抱佛脚之嫌，但他到底是見過場面，臨陣不慌的老將，必可說的頭頭是道，使人莫測高深。但喬治桑今天活動的重點，顯然是晚間聚會。他一心想促成中日合辦工廠成功，有利可圖。因此，他雖名曰「紹孔」，對於孔夫子書上的話，此時卻無消化的胃納。

喬治桑在十二時正到達「華麗大飯店」的「摩雲樓」，由謝銀鎚親自接待，坐在艾格思身旁。艾格思的德州口音很重，恰巧喬治桑在德州住過很多年，兩人攀談極爲投機，喬治桑不時以美國社交詞令，博得艾格思莞爾。餐桌上衣香鬢影，幾十道眼光望着喬治桑，帶有艷羨之色。喬治桑，看此情景，自知已收先聲奪人之效，演講的信心也就加強。

舞獅起源

海平

舞獅舞龍是新春節慶中最活躍最引人的節目。這種具有濃郁民族情調的健美舞蹈，風靡全國，而且世界各地凡有中國人足跡的地方，都有舞獅，舞龍的風俗。

說來有怪有意思，獅子並不產於中國，而產於非洲，印度，南美，巴西，所以在中國較早的歷史上並沒有關於獅子的記載。漢武帝時，派遣張騫出使西域，從北打通了中國和西域，中亞，印度的道路。在一千八百多年前漢順帝時，獅子被作爲禮物，後來這條大路通到中國，想不到以友誼禮物身份的巨獸來中國後，就成爲馴服的動物，大受人們的喜愛，成爲吉祥和威力的象徵。而中國藝術家更別具慧眼，將獅子引到藝壇，使成爲藝術創作的素材，舞獅便是其中最受歡迎的一種流行的舞蹈藝術。

舞獅盛於唐朝，廣泛地流傳在民間，演化成各種不同物格，南方舞獅以靈活著名，如廣東舞獅由戴着面具，手執葵扇（即大頭佛）的舞獅郎逗引，獅則滿地打滾，做出許多生動有趣的表情，伴隨獅子的武士個個威風凜凜，吶喊助威。當獅子到達熱鬧的市區表演得更加精彩，這時鞭炮大鳴，觀衆準備一個紅包，和一棵青菜紮在一起，用竹竿掛在高空，這時舞獅的人就用疊羅漢的架勢搭成一個人梯，獅子邊舞邊跳，從人梯上爬上去取封包，叫做「採青」。當獅子爬到最高處，用咀去啣封包時，觀衆狂歡的情景，是文字難以描寫的。

北方舞獅則以竄蹤跳躍而著，一般是兩個人合扮一個獅子，扮演的人都是武藝高明，身懷絕技。有的獅子巨頭和鋼鈴就有好幾十斤重，一般人舉都舉不起，而舞獅的人就拿着它來表演。最出色的是表演跳桌子，功夫最深的人，能從十三張疊起桌子上翻滾下來，而姿態爽快利落，每一個動作前後連貫，這是中國舞蹈藝術中很難得的技藝。

[illegible]的獸中之王獅子，經過中國藝術家的美化，已經成爲馴獸了。牠完全照舞獅者的意志，思想，感情，表現種種姿態，予人健美威武，生氣蓬勃的印象。

陳長捷　黨國干城

巨變歷險記！（十）

胡慶蓉

在林彪野戰軍包圍下的天津，其處境至爲艱難，上面已經說過了，但還不止此！

從民國卅七年十二月十七日，天津同所有外邊的交通都已經斷絕了。天津是華北的重鎮，天津也是交通的樞紐，過去的交通，說是集中在北平，倒不如說集中在天津。北通北平、熱河、綏遠、古北口、居庸關、內蒙古、外蒙古；西通石家莊、山西、陝西、寧夏、甘肅、新疆、西藏；東通大沽口、山海關、整個的東北；南通武漢、廣州、黃河流域各地，長江流域各地、珠江流域各地、以至東南亞。一旦對外的交通，全盤中斷，其所感受的痛苦，是難以形容的，彷彿四肢癱瘓，全身失靈。

以這樣四通八達之地，防禦又談何容易。天津的核心地帶，自然是法租界，英租界，德租界，意租界，但不在租界內的地面還寬得很、廣得很。這寬得很、廣得很的地面，這既寬且廣的地面，並無險可守。這是一片平原，平原一片，也沒有山，也沒有水。謝安能阻秦王符堅百萬雄師，是因爲他有淝水，投鞭可以斷流。天津無流可斷，投鞭又有何用！像北平雖同樣的沒山沒水，但還有個城牆。這在現代武器之下，本來是沒什麼用的，就這沒有用的城牆，天津亦並此而無之。

在這種情勢之下，談保衛天津，眞是不容易！歲寒和松柏，亂世識忠臣，就在這種情勢之下，使人認識了天津警備司令陳長捷。陳長捷，是山西老先，是閻錫山的部下，是傅作義的部下。其爲人也，剛毅木訥，寡言笑，態度嚴肅，林彪並沒有把他嚇倒。

假如換一個另外的人，在所謂林彪野戰軍大舉包圍之下，林彪乘其戰勝餘威，氣燄萬丈，兵臨城下，可能就被嚇倒了，甚至於可能在他沒到以前，就已經望風潰膽了，但陳司令不然，在林彪閃電式的包圍天津之下，陳司令從容佈防，誓死抵禦，這眞是氣壯山河！

特別他是傅作義的部下，照常情來推測，他是應該聽傅的話的。在天津被包圍的時候，傅作義就有不穩的消息。傅作義還能讓陳司令抵抗嗎？但陳司令仍屹然不爲所動。

從民國卅七年十二月十七日的夜裏，天津的全體市民，就隱隱聽見敵人的槍聲炮聲，人人都爭先恐後的向家裡跑，往日燈火輝煌，氣象萬千的天津市，一下子就變成了暗淡無光，淒淒慘慘的城鎮。從民國卅七年十二月十七日的夜晚起，天津就實行燈火管制。凜冽的寒風，在不斷的刮着，戰士們都穿着棉外套，戴着手套，在警衛着全體市民。最前邊的，則在城外壕，與敵軍對峙。

女人的話

宣[illegible]

希臘人認爲：「肉體的美，就是心靈的美化，美的心靈育美的肉體才能表現出來。」健康而又美的女性，就成爲希臘最高榮譽。和至上的期望。

據史學家的記錄，斯巴達的女性從懷孕起，都擺列着美男子神像，每天早晨向神像禱告求神，讓她生產漂亮的子女。

禪學黃金時代

慧能的頓悟法門（二）

吳經熊著　吳怡譯

精神的智慧，不像一般的知識可以由智力去傳授；它是必須用你整個的身心去經驗，去實踐。

慧能的態度並不是叫人不讀經，事實上他最初的悟道是由於聽別人唸金剛經而引起的。雖然他本不識字，但他對於經文有很豐富的知識，他說法時，除了引述金剛經，及法華經外，還可以隨心所欲的旁徵涅槃，維摩詰，楞伽，阿彌陀，及菩薩戒等經中的文字。顯然的，他對於經書的態度，不像學者或註疏家一樣的咬文嚼字，而是以聖人之心去識其大體。在他的手中，經書變成了促使心靈解脫、活的工具，正是他所謂的：

「心迷法華轉，心悟轉法華」

在慧能眼中，所有的書都是從自心的活泉中流出的溪水。宋代的理學家陸象山曾說：

「學苟知本，六經皆我註脚」

顯然他是受到了禪宗的影響。

②不立文字：

這句話裡的「立」字是指建立起一種法式。整句的意思是說我們不應執着於經中的文字，也不應認爲別人依照我們的話便可得到解脫。譬如當慧能談到「自性眞空」時，深怕到人執着於空，便趕緊說：

「各位聽我說到這個空字，可別執着於空，最重要的就是不要執着於空。如果靜坐時使自己的心完全空掉了，那便是一種槁木死灰的頑空。」

事實上眞空就是無限的眞實。萬法都在人的心中。

接着他說：

「執着於空的人，常常誹謗經書，主張拋棄一切文字，如果眞的拋棄文字，那麼他連說「不立文字」的話也應該拋棄，因爲這這句話也着了文字之相」。

慧能反對過份執着於「不立文字」，他又說：

「這個不立兩字，也是一種文字，如果看到別人運用文字，便冒然的加以批評，這種人不僅是自己迷惑了，而且犯了惡意誹謗經書之罪」。

因此「不立文字」的眞正用意是不執着於文字，並不是完全否認文字，文字也可作爲求道的一種方便。當然最重要的還是見性，正是所謂：

「能夠見性的人，不論立文字也好，不立文字也好，他本身永遠是來去自如，無滯無礙的。應用的時候，立刻可以運用，對答的時候，立刻可以問答。儘管他與物周旋，而不離自性，這是達到了逍遙自由的定境，這就是所謂的見性。」

（未完）

逆境過事

三幕喜劇

熊式一

開幕時已是黃昏時候。大廳的窗簾子，完完全全拉瞭了，全台是暗暗的，畧見一點東西零亂的景象，桌椅的地位，似乎稍有移動，尙未復原，桌上和茶几上除了茶碗之外，還有香烟，藥杯，藥瓶，羮匙之類的東西，散於各處。最奇怪的，便是中間擱了一把大椅子，椅背朝着觀衆，所以我們看不見那椅子有沒有人，可是我們知道上面一定有人坐着那兒睡覺，因爲我們聽見他發出不斷的大鼾聲來。

鼾聲停了一會兒，阿詩輕輕推門，偸偸的躡手躡脚走了進來探頭探腦，畧不小心撞着甚麼東西，發出一點聲音，椅子上的人，立刻很機警的聲音問道：

仁：是誰呀？

詩：（嚇得戰戰兢兢）是我，阿詩！

仁：（其實還沒有醒清楚）你來做甚麼？

詩：我……我……我……我來看看……看看老爺………

仁：（清楚一點）好，不要緊！（揮手叫她不必回答了，可以出去。

（阿詩欲下）阿詩，回來，我問問你。（取出懷錶一看，搖搖頭）

詩：（回來）是，老爺，問我甚麼？

仁：（起身四面望一望，覺得頭不舒服，改坐在另外一把椅子上）阿詩，你先到飯廳去看看鐘，現在幾點了？我的錶才兩點多，恐怕是停了。

詩：（看手錶）六點二十五……

仁：（大驚）六點多呀，我眞睡了一大覺的！阿詩，你也帶了那種新玩藝兒，學時髦！

詩：不是學時髦，方便一點，老爺有甚麼吩咐，我可以知道是甚麼時間，免得誤事……

仁：胡說！你要知道甚麼時候，到飯廳一看就行了！我包家不知道用了多少老用人，從來沒有一個帶錶的，他們誰也沒有誤事……

詩：是。

仁：我要問問你，我怎麼在這兒……我怎麼……怎麼大廳裏亂得很，也不來收拾收拾？

詩：老爺方才暈過去了……

仁：胡說！我那兒暈過去了，誰把窗簾子拉上的呀！現在用不着拉呀！快去拉開吧！不過窗門兒關上；不是怕有甚麼人來，屋子裏有一點兒冷！

詩：（一面去拉窗簾關窗戶，一面回過頭來說）先是太太發昏，倒在這兒地上……（窗簾全開後見一片暮色，十分動人。）

仁：（得意）那還是我把太太抬上樓，把她放在床上，馬上打電話去請萬濟衆醫生快來替她看脈的！我把一切安排好了，這才下樓來等萬濟衆的……（有一點點胡塗的樣子）後來甚麼時候萬先生才來，太太吃了藥沒有？

詩：萬先生沒有來……

仁：（大怒）怎麼哪？萬先生沒有來？那太太怎麼樣呢？

詩：太太完全好了，一會兒就會下樓來，她叫我來看看老爺，看你醒了沒有………

仁：（又驚又喜）太太好了！完全好了嗎？萬先生沒有來，是誰看的脈？

詩：（一面收拾屋子，一面回答）老爺在樓下等的時候姑老太太回了萬先生，把隔壁的西醫方心讓博士找回來，替太太打了針，給了藥給太太吃，太太當時就好多了，方醫生還替太太仔細檢查了身體，說是一切都好，只是一時受了刺激，靜養一會就好了，連補藥都不用吃！

仁：（暴跳如雷）這眞豈有此理！居然天下還有叫人不吃藥的醫生，隔壁搬來的時候，我聽說是西醫，理也不去理他，他們全是專門靠打針拿紅紅綠綠的水給人吃，騙人錢的騙子，連我們幾千年的國粹，一點也不保存！這種專門崇拜洋人的小孩子，口裏的奶氣還沒全掉，掛牌行醫騙人，不知道害了多少人！

詩：姑老太太告訴我們太太說，方醫生是香港最有名的骨科專家，不是她老人家的面子，方醫生決不肯來的，他還說明天再來看看！

仁：那更不成話！跟洋鬼子學骨科的，一見人來就鋸掉你一條大腿！你看我們中國的跌打醫生，幾千年來，治好了無數的人，從來就沒有人用鋸子鋸人的腿，有毛病一推拿就好了！我想那個史健旺一定碰見了骨科西醫，所以他走起路來一拐一拐的！你看那種西醫多麼沒有用，鋸掉了人家的腿，到現在還叫人家不知道那一隻是眞的，那一隻是假的！阿詩！

詩：是，老爺有甚麼吩咐？

仁：你回頭去告訴隔壁那家屠戶……

詩：老爺，我們隔壁沒有屠戶呀？

仁：他天天鋸掉人家的腿，不是屠戶是甚麼？西醫全是屠戶，家裏都藏着許多刀子鋸子的，專門想挖去人家的眼睛鋸掉人家的腿！　（三八）

自由報

中華郵政台字第一二八二號執照登記爲第一類新聞紙

（第一一九期）

（半週刊每星期三、六出版）
每份港幣壹角・台灣售價新台幣貳元
督印黃行實・社長李運聰
社址：香港九龍彌敦道593—601號
廖創興銀行大廈八樓五座
LIU CHONG HING BUILDING
7th FLOOR FLAT 5
593—601 NATHAN ROAD,
KOWLOON, H.K.
TEL: K303831
電報掛號：7131
承印：景星印刷公司
地址：惠咸街廿九號地下
台灣總管理處，台北市大同街119號
台灣區直接訂戶　台郵劃撥戶
第五〇五六號張萬有（自由報會計室）
電話：五一四〇三三・五五五三九五
台灣分社：台北市西寧南路110號二樓
電話：三〇三四六・台郵劃撥戶九二五二號

與尼克森論亞洲反共新形勢

・黃公偉・

（一）美國從大選中贏取了「反共」路綫的勝利

在一九六八年十一月的美國大選中，共和黨總統候選人尼克森先生，與民主黨總統候選人韓福瑞先生的一場選舉爭奪戰，從公民投票的情況看來，的確夠得上是熱烈、緊張，而空前難得的一場民意測驗。當時之所以爲全世界人士所矚目，特別是亞洲人的終始全神貫注，就因爲當蘇俄進占捷克，聲言分享地中海的支配權，越戰停止轟炸北越正在推行所謂「光榮的和平」談判而僵持未決之際，中國毛共政權的整肅劉少奇派，又在展開反毛反共新高潮。

在這樣的世界局勢下，我們曾由美國反共巡迴講演會雷發遠神父帶來了許多有關美國社會、知識份子、大學的親共、恐共的學潮消息。這消息指出，「世界熱戰在亞洲，思想戰在美國」。誠如雷神父所講論，（十月中在台北立法院對四十幾位大學教授說）美國民主政治是輿論的政治，美國政治目前所受到的困擾，正如中國大陸抗戰前一樣，知識階層受共黨的蒙蔽蠱惑，使眞理正義黯淡無光。大學的共黨勢力不過佔十分之一，就操縱了學校行政，不敢聘請反共教授，操縱了學生心理，使學生不敢公開議反共。在社會上，共黨勢力也有限，但一般商人、言論機構、新聞事業避免涉談反共，深恐惹禍上身。似此形勢，美國民主自由的傳統，竟讓於共黨思想活動的優勢之下，而構成「恐共」病，而一如毛匪澤東所說，美國果眞能以「紙老虎」自居了嗎？我們不得不深致疑慮。不消說，當一九三七年之前，中國共黨哀求國民黨建立所謂「聯合抗戰綱領」之際，在華北、西北、華東、華南的共黨宣傳獨熱雖佔上風，實際上是以「民族統一戰線」爲外衣的，他們並不敢公然露出本來面目。到一九四五年後，中國毛共集團，才因羽翼已豐，而有所謂「解放區」、「解放軍」的口號提出。當時中國人除了少數政客，投機靠攏之外，並無「恐共病」的存在。相反地，毛共除了利用戰後「和談」機會，擴充勢力之外，中國政治階層，知識份子的民族民主路線，始終掌握着領導權。共黨的軍事政治一時得勝，在思想戰場上的慘敗，是無法掩飾的。依照目前美國當前的社會心理，知識份子的動向，就遠不及當年的中國社會。當雷神父講完，筆者曾發問：「美國政府爲什麼不宣佈共黨的非法，而任其自由活動？」答案是「和平共存」政策的作祟。那麼，從詹森政府的八年努力來說，如柏林的威脅、中東的沙阿衝突、地中海風雲的緊急、捷克的被佔、越南戰爭的延長，是否已打破一九五六年匈牙利悲劇場面的形勢，而改善美俄關係，緩和了國際熱戰的局勢？否否，這徒然證明了美國妥協，畏戰的弱點而已共。反而予共黨一可利用的口實，拉攏法國，扶植埃及，孤立美國，再提起「赤化美國」的魔刀插入美國心臟，利用黑白種族糾紛，武器買賣自由的便利，從美國建立其附庸勢力，以消滅「美帝」資本主義的反動勢力。誠如是也，則英人羅素的「投降論」，無形中在美國生了根，這是多麼可悲的一件事。話又說回來，美國百分之九十的選民眼睛，畢竟是雪亮的。他們厭棄共黨反對妥協，從大選中充分表示了態度。正如民主國家所期許的一樣，他們對詹森政策的繼承人韓福瑞投票否決，在潛流不息的恐共，親共的低徽暗流中，他們勇敢地支持尼克森當選。爲了尼克森代表的是積極反共路線，他們已爲美國選擇了一條最佳路線。這不特應爲美國人民慶，也是亞洲乃至全世界民主國家的最好轉捩點。

（二）亞洲國家的命運與尼克森

世知美國當前爲共黨所乘的內在最大弱點，一爲「貧民」問題、二爲「種族糾紛」、三爲「武器自由買賣」。貧民是共黨煽動的「階級鬥爭」的資本，武器是共黨進行「武裝鬥爭」的條件，而「種族歧視」，更爲共黨引爲「民族解放」口實的最好本錢。因此，尼克森上台後，這三大問題必可迎刃而解。因爲第一，尼氏出身田野，對貧民的改善，必能善爲處理。第二，尼氏出身共和黨，共和黨的第六任總統林肯，早有「解放黑奴」的歷史功績，爲黑人所信賴。尼氏上台，黑白之爭，將會獲合理解決。第三，尼氏是法學者，對武器自由轉賣，危害社會治安事小，資助共黨武裝暴動事大，尼氏必依法學觀點，予以修訂法律，及時禁止。由是，美國內在隱憂，都不致化爲共黨赤化美國的「捷徑」，是可以斷言的。這就是美國人民肯定尼氏出任三十七屆總統的明智之舉所在。作爲一個盟國的中國人，爲美國人幸，自然也爲中國人幸，因爲美國的繼續強大，才能團結亞洲各國爭取生存。打碎共黨征服世界的野心　消滅大陸毛共萬惡的極權統治。因此之故，當這次大選揭曉，勝利屬於尼克森時，不但日本、韓國、菲律賓、馬來、泰國、越南、印尼等國一致表示歡迎。我們中國人也跟着緊張好幾天，結果好像是我們的勝利一樣。

依次，從亞洲現勢看尼氏今後的政策，其任重道遠之情，自不待言。亞洲國家受共禍最深的莫過於中韓越三國。在生死，奴主之間的抉擇，中韓越的得失不但其自身首當其衝，實際亦爲全世界民主自由國家生死奴主之命運所繫。尼氏對亞洲禍源了解較深，如何在政策上革除過去的屈辱的和平共存「單戀」政略，而確立根絕共禍的主動有效政略，這是亞洲人所共寄的希望。試以越戰爲例，六年來的軍事投資，在俄帝毛共而言，是爲美國設了「陷阱」，使其陷於長期「消耗戰」的深淵，以促進美國財力人力的枯竭，造成美國政治糾紛爲目的，逼使美國失去世界反共盟主的地位。而美國始終在打「被動」的仗，未曾主動的予敵人一致命的教訓。反而，「以戰逼和」不成，再來以戰求和。這是最失敗的政略。對敵人言，俄毛兩共，始終置身越共背後，操縱越戰，供應武器資源人力，實際與美國置於「交戰國」的地位，而美國仍不敢面對現實，與俄毛兩敵手，一見高低。這不能不使國際共黨輕估美國爲「紙老虎」。再依捷克，羅馬尼亞的「自由化」運動言，俄軍公開以武力壓制捷克，佔領捷克，又威嚇南斯拉夫。美國仍採「匈牙利反共自由」時期的故技，毫無事前事後的實力支援，坐令俄共蹂下捷克自由火花之後，再進軍地中海。繼續擴張勢力於中東回教國。這種畏縮不前，空想和平，已使民主集團的世界優勢大爲消弱。如不急起挽救，其後患將不堪設想。也就是說尼氏上台後，對反共政略戰略的改訂，是最迫切的急務。當時，就「熱戰在亞洲」一點而言，當以中韓越三國現勢的改觀爲基礎，拿出主動的政略來支持戰略。在此，我們不妨說，中國大陸毛共的「自潰」現象已著，支持自由中國反攻的時機已成熟。在俄毛強烈矛盾存在的今天，對歐洲的影響自少顧慮。中國反攻的客觀條件現已具備，美國亦無直接參戰的必要，不致引發美俄直接衝突。如美國向北越求和不成，計莫如此。如保障南越不陷共黨之手，亦計莫如此。反之，美毛之間，幕後談判，久陷徒勢。毛共的反「美帝」策略，從一九三七年到今天，三十年如一日，從未稍有改變。這陰險狠毒的集團，殘暴好戰的匪幫，尼氏是否還想向牠談交情。我想是不必要的了。另一方面，尼氏應相信「大陸人心在台灣」，台灣進軍大陸不一定如「秋風掃敗葉」，至少也會造成「內外夾擊」的形勢，而於最後期間結束毛共的統治。那麼，韓共，越共的存在自然成爲未路。自然，會促成南越與南韓的同時行動，消滅雙方的共黨僞政權。一舉三得，這種政略比在越南打「不求勝利的仗」，打無限「消耗戰」，在人力財力的全盤盈虧預算上，無疑的要便宜的多了。爲美國計，爲亞洲和平計，爲世界前途計，尼克森的決策莫高於此了。

一言以蔽之，尼克森的智囊團，應知詹森政府和極權主義的「影子」作戰，是最拙劣的，百無一是的政略，對準敵人的「正身」予以無情的打擊，而一了百了的最經濟的決鬥。把握遠東的反共新形勢，轉移敵我的現實態度，一勞永逸之計，我們該向尼克森總統恭祝勝利了。

（三）掌握時機，爭取反共戰略的全面勝利

尼克森總統，即將走馬上任，繼任白宮主人。解除美國本土的「美共」威脅，打碎越南戰局的膠着困擾，究竟採取什麼全局指導策略呢？我們以爲贏取越戰的勝利非眞正勝利。擊倒匪俄的侵略主義，爲自由民主陣線的領域擴大聲勢，掌握全球戰略的優勢，向敵人心臟作英勇的進擊，應該是時候了。認清匪俄是無信不義有約必毀的詐僞對手，不足與談和平共存，不足與言玉帛干戈。以美國現在實力與科學水準而論，倘不致有「軍事冒險」可慮。此之不圖，更待何時，願尼氏深長計及，人類幸甚，民主自由幸甚。

一九六八、十一、十八。台北。

（編者按：「自由談」續稿未到，暫停一期。）

養虎爲患——停炸

昨日與明日

首仙仙之死

一個離家出走，及至在木柵指南宮後山發現了她隨身携帶的瑣物：一個標籤裝安眠藥的空瓶及一堆骸骨，據付已逐漸清風淹化的——首仙仙，祗是一個初中二年級的女學生，僅是一個十四歲的女孩子。

她的旅程，只是從一個平凡寧靜的家庭到一所學校，然後再由學校走回家之間「往復」的短距離。她享有正常的家庭和學校生活，擺在她眼前的社會也是平凡的，屬於有光的一面；人生百味，她也僅嘗到「甜」，間或有想而不「得」的一絲悵惘，期而不「遇」的一縷哀怨！但這都不是於以生命作憤慨與失望的賭注！

從報章看到她的斷簡殘記——被說都經過成年人的「修理」——我們可以體會到她有錯綜複雜的思緒，和超越同齡人「成熟」的理解與領悟力；也可以看出她尚沒有足够的「梳理」能力，和「不可能」由實際生活的對照以剖析與判斷；於是應該是祗有一個夢的年齡的首仙仙，腦海裡充滿了純「調色板」的油彩。

她觸角靈敏地接觸到的僅是一本本的小說，這就是她藉以認識社會「面」的全部資料，而這些小說又多半是「取悅於理髮女郎，暢銷於低智識水準階層」的小說，陷她於泥淖湫隘的死巷，由迷失而毀滅。

台灣的閱讀水準

本來台灣的閱讀水準是相當低的，大衆傳播工具除了有限幾家報紙和廣播電台外，就是多如牛毛，幾氾濫成災的出版界，界內用以爲「震聵啓肅」的工具，或是智識的橋樑作用可以說是等於「赤字」；有的用以維護既得的「天時、地利、人和」而兼收名利，有的則賴以仰專術者，對於「利」之所趨，可曰「有志一同」！當然也有少數出版商的態度是嚴肅的，而其對印發的選擇多以專業工具書爲原則。因此，健康的讀物是難得一見的！

而一般所謂應時「作家」便不斷的產生，他她們本身的生活也足以構成一部社會的悲劇，於是筆下不啻是自身的縮影，紙上儘是男怨女嘆，一片惘然！他她們的生命不是躺在「床」上，就是數鋼錢寶字！從這些人中間要求他她們文采風流，品格超逸，學識淵博，那可就像從大大的大海裏尋針了，試問：他她們本身也不過是從沈潰的自得中尋求「點」的慰藉，並遑以爲寫作的靈感……。

凌波型的知識界

首仙仙的不幸，現在已有人執起了播帶，舉起了棒子，可是這把棒子，內涵單純，目前祗能看到「意氣」與「勇氣」，取其心安則有餘，取其理得則不足，是否能發生消除作用，尚須拭目以待！

看來那堆骸骨，不能祗是供法醫去鑑別死者與死因，雖然，我們覺得這不但是「法醫」的職責！

一個社會到了知識份子亦會詩頌「凌波」，有爲之士只會藉機「世運」，有筆之士只會寫理髮女郎與作家，如求有健康的社會，果有此心，也就早應「首仙仙」了！（叔予）

監察委員應該怎樣做

陶百川

編者按：監察院一年一度的總檢討會議，陶百川委員在檢討會上提貢意見「監察委員以後應該怎樣做？」列出八大原則，十六個重點，說明監察委員的責任，態度和範圍，及應該做的一些事，得到全體委員們的支持，尤其輿論界，對這位報人出身的監察委員一些見解，直接或間接均表示讚揚，另一位很有份量的台灣聞人說：「像陶百川這樣的國民黨員，眞做到　蔣總統所指示的『明利害辯是非』，乃全台灣老百姓最歡迎的人物。」

一、監視而不干涉

監察委員是人民的『耳目官』，（古稱御史大夫爲『耳目官』），而不是執行者。所以監委對全國行政機關，軍事機關和司法機關的人員經費和業務應該力求了解。如果發現違法失職，便須予以糾彈或糾正，但不應熱心過度，越俎代庖，甚至從中干涉。總統所謂『守分』，大約就是如此。分內之事不可不做，分外之事不應過問。

二、明察而不苛求

監視必須明察。不妨『察察爲明』，但不可任意糾彈。例如對方平時很好，則一時之誤不妨稍予諒解，如果對方大事做得好，則小疵應准將功抵過。

三、糾彈而不怨恨

因爲我們是執法，是辦公，而沒有甚麼私怨私仇可言，而且也不必『嫉惡如仇』，這樣，我們必能以同情和悲憫的態度，去調查了解案情，注意對方不利之處，也注意對方有利之處。

四、諫爭而不誹謗

諫爭是監委重要任務之一，但很難做。糾正僅其方式之一，我們還當尋求和通過他的途徑，向有關方面忠告善道。諫爭應該是善意的，當然不是誹謗，也不應被誤解爲惡意或誹謗。可是古今來很多好意竟被抹煞了，被誤解了，被曲解了。重要的原因之一，是諫爭者的誠信未孚。當然還有其他原因，論語記載孔子弟子子夏所指出的一個原因：『信而後諫，未信則以爲謗也』，我們應如何取得他人的信任呢？但這不僅是我們單方面的責任和問題。

五、鼓勵而不諂諛

自來公家事很難辦，『多做多錯，不做不錯』，所以我們對於好官，對於有爲有守的好官，也當加以鼓勵。但不要把他們『寵壞』了。至於諂諛和逢迎，那是十分要不得的。

六、和敬而不流順

這是用兩句成語合成的，就是『和而不流』，『敬而不順』，都是孔孟的道理。所謂『和而不流』，是要我們與同僚及其他機關和衷共濟，但不可同流合污。所謂『敬而不順』是說：『爲人臣止於敬』（孔子），但是『忠焉能不誨乎！』（孔子）。所以『責難於君謂之恭，陳善閉邪謂之敬』（記不得是孔子或孟子的話），而不是諂諛和逢迎。孔子有一句話，特別適用於監察委員：子路問事君之道於孔子，孔子說：『勿欺也，而犯之』。這是說要『犯顏直諫』，而不可『以順爲正』。（孟子）

七、持志而不暴氣

監委是風霜之任，難免要遭受橫逆，例如被誹謗或被鬥爭。那就應該『持其志，毋暴其氣』。

八、有爲而不有求

『有爲』是指有作爲，就是該糾彈的就糾彈，該諫爭時就諫爭。『有求』是指求名求利或求官。這兩事是衝突的。因爲監察職權的行使，不能僅靠憲法賦予的權力，也不能僅靠監委個人的提案而尚須靠監察院的權威和大多數監委的聲望。而監委個人的要求——不求名，不求利和不求官，不獨是形成監察院權威的重要因素，也是監委個人的聲望，甚至本身的安全以及監委個人職權行使是否可能和有效的重要關鍵。

以上八項原則，每項都包含兩點：例如第一項中的第一點『監視』是積極的，而第二點『不干涉』是消極的。我們千萬不可太顧慮消極的而放棄積極的。所以我們不要因爲不干涉而放棄監視，不要因爲不苛求而放棄明察，不要因爲不怨恨而放棄糾彈，不要因爲不誹謗而放棄諫爭，不要因爲不諂諛而放棄鼓勵，不要因爲不流順而放棄和敬，不要因爲不暴氣而放棄持志，不要因爲不有求而放棄有爲。

責己者輕‧責人者重

監院檢討　內容質量　今不如昔

（本報記者台北訊）監察院一年一度總檢討會議，相當於歐美民主國家國會的「扒糞運動」！

在民主政治制度之下，國會議員任期長達二十年以上者，除我國之國大代表、立監委員外，任何民主國家的國會議員，其任期都沒有這樣的長。國會議員任期無限期延長的結果，是：老大而腐敗。於是問題層出不窮，使民主政制前途暗淡無光，這是很嚴重的問題。

記者採訪監察院的新聞已十多年了，深深地感到：監察院一年不如一年了，像監察委員檢討自己的發言內容，質與量，今年不如往年。

現在閒話不說，言歸正傳。

監察院自五十六年十一月至今年十月間，收理人民訴狀總計五千六百五十二件，平均每天收理訴狀一五、四件，其中據以調查者有兩個數字，一個數字是四百三十五件，另一個數字是四百七十三件，究竟是那個對？監察院秘書處沒有立即「更正」或說明。誠如監委吳大宇檢討時說，在五、六五二件中，除調查及交委員會審查的大約二千件之外，還有三千件不知道怎樣處理了。去年一年中的糾彈案件只有三十四件，被糾彈的人數只有五十八名，照這個數字看，我們的政治應該是很清明，貪污事件應該很少。可是報紙所載貪污事件和監察院的數字比較，對監察院毋寧是一個諷刺。

吳委員主張：調查案件應該有一個覆查制度。因爲吳大宇委員等因調查新竹客運公司逃稅案而遭原檢舉人攻擊，他曾幾次在院會及財政委員會要求覆查未果，因此，他在院務檢討會上提出這個主張，由院會制定覆查辦法。

監察院各委員會出席率並不茂盛

監察院各委員之出席率並不「茂盛」。吳委員有個統計：

內政委員會出（列）席委員爲三十二人，一年中開會人數最多爲十一人，最少爲七人。

外交委員會出（列）席委員爲二十二人，出席會議人數約十人左右。

國防委員會出（列）席委員爲三十三人，出席會議最多爲十四人，最少十人。

財政委員會委員爲三十九人，到會最多的一次是財政部長俞國華報告的一次，計三十五人，平時在十三人至十六人，最少的一次爲十人。

經濟委員會委員爲四十九人，出席會議最多十九人，最少十三人。

其他委員會的情形，大致相同。

糾彈案件審查會　爲甚麼會流會？

至於糾彈案件審查會爲甚麼會流會？吳大宇委員在檢討會上宣布此一「公開的秘密」。他說：「監察院負政黨責任的人，對於在議會裏政黨的活動，應該制度化，不能拉拉扯扯，要決定不要黨員出席，凡是黨員都不要他們出席，不能說：甲、乙、丙、丁四人都是黨員，只拉了甲和乙，而不拉丙和丁，這是甚麼作風？怎能叫人心服。因此，監察院審查會對某個問題的審查，應透過正常的方式來解決問題。」

吳委員又說：「我以國民黨黨員的資格，非常不贊成這種不正當的作風。」

王文光委員批評審查會流會，「是監察院最不光榮的事情」。他說：委員提出來的案子，辛辛苦苦調查，搜集資料，也許各人看法不同，若內容不充實或不恰當，可以研究；理由不充足，可以補充，假使有某種政治因素，使大家會考慮環境，作適當的處理，但審查會人數不足不可以，這樣，對監察院很難看，向社會無法交代。

葉時修大聲疾呼　我們是主不是客

女監察委員錢用和「覺得每年檢討會的檢討，對自己檢討比較輕，對別人檢討比較重；說別人容易，說自己就避重就輕。」因此，她主張：「多檢討自己，少檢討別人。」

監委葉時修認爲：這次檢討會自開始到現在，大家對於糾彈案件的檢討，好像興趣並不濃厚。「這個原因是我們行使監察權，遭遇到許多困擾；使我們對監察院在國家的地位，以及我們個人在監察院所佔的份量表示懷疑，因此興趣低落。」

這位聲譽極著的鐵面御史指出：「我們監察委員在國家政府體制裡，在我看：我們不是主，我們還是客。」在五權憲法政治體制下，「至少有兩權不受重視：一是監察權，一是考試權。」

葉時修委員說：依照國父遺教，監察、考試兩權，與行政、立法、司法三權同樣重要。但現在監察權是否有此份量？監察院提出糾彈案件是否在政治上發生很大作用？「値得我們自己檢討。我們要建立五權制度的政治體制，發揮五院之一的監察權，現在發現監察權的行使，很不容易，有時遭遇的困難，不免叫我們心灰意懶。」至於考試權，「人事行政局的成立，對考試院的重要性大大的削減。」

他大聲呼籲「應該憑良心行使職權」，「把糾彈案的價值提高」，「樹立監察的權威」，「這不僅是我們監察院的事，整個政府與社會應該聯繫還一點。我們所有提案，如經審查通過，應該有個權威性，應該要執行；如不執行，糾正案應改爲彈劾案，彈劾案不執行，應再提彈劾案。」「我們不接受外來的影響，不接受同人的請託說情，我們應有這種風格，這種節操；我們要樹立五權憲法的體制，要維護國家的利益，這個目標應該是不變的，我們永遠要爲這個目標努力奮鬥！」

糾彈案何來干擾？　監察委員憤怒不平

（本報記者賴碧天台北訊）監察院十月八日院會，進行院務內外檢討時，由於葉時修、吳大宇委員發言時，均表示糾彈案經常不能提出，是不好的現象。吳委員發言尤較激烈。他說有些案子正要提出時，即受到壓制，如果壓制不住時，則由一些人出面將部分委員拉走，促使審查會流會，這顯然是「不漂亮」的做法。他們所談的是台北市公車民營案彈劾流產的往事。吳委員說：如果反對某案提出，亦要面對現實參加開會，將某案反對或取得全體諒解，予以撤銷，而不應靠流會這種方式來阻止審議。由於兩人的發言隱隱約約似在針對監院某些委員的作爲。侯天民委員乃表不平，躍而登台發言，他認爲檢討會不應說些與提案無關的題外話，尤不可「誹謗」別人。於是引起了丁淑蓉、張一中、吳大宇等委員的不滿，要求主席制止他發言。侯天民也只好表示，既然大家不希望他說下去，他就不提好了，話未說完，即被「轟」下台來。

吳委員並站起說：「吳大宇說話，個人絕對負責」。吳大宇、葉時修曾指出：監察委員應憑良心行使職權，才能建立監察院的權威，如果監委調查案件時，接受來自內外的人情請託，而把案子丟棄，那很容易使人懷疑監察權是否尚有作用。通常一般糾彈案會遭遇到的困難是：①未被提出即被某些人士壓下去。②以流會方式迫使不能審查。③資料不足而使審查延遲。康玉書委員也對台北市公車民營案表示不滿，他說：如果行政院的答復令人不滿意時，他將繼續提案糾彈。

記者依據上項報導，有如下之感想：①監察法第十條：「彈劾案經審查認爲不成立，而提案委員有異議時，應即將該彈劾案另付其他監察委員九人以上審查，爲最後之決定。」第十二條：「監察院長對於彈劾案，不得指使或干涉。」所謂「提出時，即受壓制」，究受何方人士所壓制？但未指出。「壓制」；如有違監察法，曷不依法抗拒？又謂「將部分委員拉走，促進審查會流會。」如果是這樣，監察委員們應維護監察法，循法堅持，否則空嚷有人干擾糾彈案，這是不會有甚麼效果的②所謂糾彈台北市公車民營案，據說，已「自殺」逝世之台北市臨時議會議員潘雪梅等所檢舉之張祥傳獨佔民營交通案，亦在被流會之案中，潘雪梅雖死，對其餘簽名的議員，監院又將作何交代？潘雪梅、孫文章、陳連祿、周得福等九人，向監察院檢舉三重客運假道北市違法營運，舉出議長張祥傳（三重客運公司董事長）、省議員李炳盛（三重客運總經理）、市府高級人員有大股投資在內，認有「官商勾結」之嫌。（詳情見七月三十一日本報）該項檢舉案，由監委吳大宇等負責調查，當經召集各檢舉議員到院查詢甚詳，一時哄動社會，各方正企待監院對此一官商（民意代表）勾結案，是非究竟，有所公平裁處，以息民憤！何況是市級民意代表向中央級代表民意之監察院提出之控案，竟被監院內部「干擾人士」促使該案胎死腹中，毋怪吳大宇委員等在院會檢討上發出憤怒之聲，料是迫於不已也。

旅美見聞　校政在錢

張起鈞

美國是金元國家，一切以錢爲前提，學校的校政也不例外。

我初次參加美國外國學人的會議，那時一個招待來自十五個國家的四十位客人是主人則是美國的若干大學教授；長、院長和教授們當時的情形，向客人介紹美國學校的情形，就是一位院長說：「院長的責任是在找錢」。我當時還以爲了是說着玩的呢！後來在美國久，才知道的眞是這麼回事。

原來美國的大學，尤其是私立學校，都是分着房頭，各自爲政的，我們中國的大學都是一切由校長支配（至少在理論上是如此），而美國的大學則是各院（甚至各系）自成單位，分別想法找錢，找到錢的，便大事擴充，請教授、拉學生……不一而足，找不到錢的，便只有苟延殘喘，日趨萎縮。例如我執教的那個華頓盛大學，其醫學院龐大到簡直是個「城」，一百多萬美金的電子顯微鏡都有兩台（按：指一九五九年筆者在那裡的時候）。而這同一校中的哲學系（也就是筆者所在的那系），則窮得連一位「打字小姐」（秘書）都養不起，而找一個會打字的退役兵來對付，即使這退役兵也在暑假中開缺，以資節約。何以同一校中何以一富一貧，懸殊若此？癥結就在有錢沒有錢——應該說是「私房錢」——而何以又有的有錢，有的沒錢呢？那除了學校本身的性質外，就全看主持者有沒有辦法找錢了。

在這種情形下，院長系主任還不致太難辦，至於校長就全看會不會找錢了。而院長學術地位反倒是次要的事。因此許多學校爲了求發展，常常禮聘懂得經營擴展的人任校長。例如不久前因與左傾教授不睦憤而去職的韓國籍校長就是夏威夷大學慕其理財之能而聘請作校長的。這種遴選院校長的標準，恐怕不是國人所能想到吧！

八大石濤在國際畫壇上起飛 與今後國畫應走之大路

·萬香堂·

最近卅餘年來，國際文化交流，日益突飛猛進了！在此交流中，中國文化在國際上舉足輕重者，決不是文學，更不是音樂戲劇；在客觀的結論，僅爲繪畫一門而已！故在今日國際民族文化角力之中，我們應該怎樣重視國畫之民族文化之價值，更怎樣應該重視國畫革新運動，以趕上此大時代之需要呢！

我們對這個問題不是自己狂妄，更不是自己空想；而是千眞萬確的事實，左列三事足以爲證：

一、近來歐美畫壇推重中國書法之線條，羣起學習，認爲中國書法線條乃新繪畫最高之準則。

二、現代畫大師畢卡梭，在法國公開表示中國明末大畫家八大山人及石濤等爲其師後，曾轟動世界畫壇，英、美、法等國曾刊刻八大石濤畫集及專書，八大石濤乃成爲國際畫壇大師。

三、八大石濤成爲國際大師後，其畫價由美金數百元，而升漲至美金數千元及數萬元，（因畫之大小而異）六尺以上巨製已有升至十餘萬元之估價。

八大石濤藝術新構想與現代新繪畫相吻合

八大石濤之所以爲國際畫壇推重如此，是因爲他們的藝術新構想，與現代新繪畫吻合，認爲他們是現代新繪畫的先知先覺者；我們可以設想，在二百六十年的時間距離，中國與歐美又有萬千里的距離，民族風俗愛好又有很大的距離，現在竟然藝術交流通了，此爲世界大同之先聲啊？

在歷史看，八大石濤不僅是大天才家，而且是藝術革命者；他們是從「因襲主義」革命出來的，而創造他們自己的新生命的，因爲中國經過唐宋的黃金時代，至宋滅元興，中國爲異族所統治，爲了保存原有文化，乃從「創造主義」而變爲「因襲主義」，故元畫雖佳，但僅爲宋人之餘喘，此風不幸吹到明清亦復如此，到了四王時代更登峯造極了。石濤處此沉悶的環境中乃大聲疾呼：『古今未立之先，不知古人法何法？古人既立法之後，便不容今人出古法，千百年來，遂使今人不能一出頭地也！師古人之跡，而不師古人之心，宜其不能一出頭地也，寃哉！』

民國後新興畫派與起 橫掃無生命的學院派

當時的情狀的確令八大石濤傷心的，因爲明末清初臨摹之風已達極點，自吳派壓倒浙派，臨摹循限於黃公望一家，例外者咸被斥爲狐禪旁門；石濤獨力振呼，而八大山人即拼命叫新繪畫之創作，自己苦口難言，常扮作啞巴；但革命是必有結果的，故未幾王太常首先推重石師，謂其作品「大江之南、無出石師右者」，後風氣大轉，遂有揚州八怪之繼起，任百年後，封建因襲思想大爲解放，八大石濤乃取四王之地位以代，革新紛紛林立，吳昌碩、陳師曾、齊白石等均以重鎚大錐橫掃纖小無生命的學院派，此外在上海南京廣州等地，均有新與畫派興起，成爲大時代的主流；可惜彼此恒相抗衡磨擦，而減少新生的力量，否則文藝復興的黃金時代早已降臨了。

藝術家需要認識傳統 才能產生中國的藝術

而事實上，過去各新派均有其長短，然開創新局非易，不宜擇短攻好，而致因小失大；而且文化問題極爲廣泛深奧，如若干年前顧獻樑教授由美回國，鼓吹「抽象畫」之發展，初時受到阻擋，但近年已走遊康莊之道，尋見更創出帶有民族主義抽象派，此即爲例證之一了。至於如何可以創出民族主義的抽象派，那便是要好好考慮才可以的，近來我很重視這個問題的輿論的資料；左列是被摘取的：

一、「作爲一個中國的「現代主義者」，要反傳統，首先必須了解傳統，否則，必盲目、錯誤、誣蔑傳統，凡暴露自己無知」，「藝術家如果都能深刻地認識傳統，了解現代，那麼，中國的藝術，將會有新的局面出現，也可期望會有在思想上風格上屬於中國的，且具有世界水準的真正的中國藝術產生」（這艱巨的歷史性的任務，絕非傳統的守墓人或現代化的流浪漢所能負担，所能完成，我們需要且期待着「不能用劍戰勝，而乃用筆征服」那不是憤怒的咆哮，那是英雄的誓言」（見「中副」「傳統，現代」

世界繪畫和中國書法 最後一定會全面合流

二、「以前我們說「書畫同源」，將來我相信，世界繪畫和中國書法一定會全面合流的。今天全世界的人不憐傳神（抽象）畫猶有可說，獨有我們中國人不憐則有點講不過去了；而且，以我們有如此雄厚的傳神（抽象）藝術背景，而竟拼命反對傳神藝術，實在令人又惋惜又遺憾又着急，現在因爲傳神畫着重色線，一旦等到西洋人了解色彩高過五彩的時候，他們會很自然地投進中國藝術的懷抱的，難道我們却固步自封，靜待「勝利」嗎？」（見「台大」第二次現代藝術講座徵採主講）

以上的兩種輿論都有合乎現代中國所需要的根據，我們再反觀上舉歷史之演進與八大石濤的遺蹟的偉大，我們應該如何發揚八大石濤的偉大，並且帶有現代創造性的建樹，使國畫在國際角力中獲得更大的勝利！

不虧大節的吳佩孚

竹羽

「北望滿洲，渤海中風濤大作，長白山前設藩籬，黑龍江畔列城郭。到而今，倭寇任縱橫；風雲惡。甲午役，土地削；甲辰役，主權墮，江山如故，夷族錯落，何日奉命揚銳旋，一戰恢復舊山河，却歸來永作蓬萊游，念彌陀。」上面這首「登蓬萊閣」，在民國九年五月十二日吳佩孚由衡陽撤防，班師北上之前所親撰，以代替出師表討伐北洋政府，軍工沿途歌唱，慷慨激昂，氣吞河嶽。

吳佩孚字子玉，山東蓬萊縣人，少時，應登州府試，得第二十七名秀才；貧窮落魄，縣人並不以他有功名而敬重，一再受人欺凌侮辱，憤而投袂奮起，遠鄉出走北京，因腰中無錢，徘徊客棧外，望門興歎，巧遇堂兄吳亮孚，給他幾錠銀子，勉勵他珍重前途而別，吳異鄉作客，人地生疏，深恐坐吃山崩，遂投筆從戎，即正是光緒二十四年的事。從此他在天津武衛軍中叫差，庚子年該軍消散，又轉入巡警營叫差，受到文案師爺郭樑承賞識，打通人事關係，保送入武備學堂，畢業後，初任見習，後任管帶，一日在關外與前在故鄉侮辱他的仇人狹路相逢，反而仇將恩報，待以上賓之禮。這時，國內戰亂頻仍，由袁世凱稱帝以迄段祺瑞之崛起，因時勢造英雄，他一升爲第三師炮兵團長，再升爲第三師師長，於民國七年四月一日率部攻入長沙，吳軍所向無敵，直趨衡陽，五月底戰爭告一段落，前湘督傅良佐已被驅逐，論功行賞，湖南督軍，非吳莫屬，段竟起用張敬堯，授吳以孚威將軍虛名，示意進兵兩廣，以廣東督軍爲酬，吳不願作鬩牆之爭，按兵不動，不久與譚伯安、顧炎年化敵爲友，吳駐節衡陽，持身廉潔，治軍嚴謹，且禮賢下士，與湘人水乳交融，與譚趙更莫逆於心，其後直奉之戰一敗塗地，走頭無路時，得湘人庇護，時在岳陽，其部屬中有一將領名郭某者，以吳促偏一隅，終非長策，且甚危險，勸他暫居租界，待機復出，吳氏大怒，當衆以手摑之，說：「你不知道我是至死也不要外人庇護的嗎？」因湘人重義節，對吳更優禮有加，吳二次入湘，對湘民撫而不虐，尤得人民愛戴。

張敬堯偷了吳的功勞，高踞湘督寶座，所部在湘燒殺搶掠，無惡不作，以致民怨沸騰，吳氏目擊心傷，常歎息說：「我雖不殺伯仁，伯仁由我而死！」內心很覺難安，他認爲守衛南方門戶，是爲虎作倀，盱衡全局，惟有回師北指，繼承北洋正統，復興中國，於是電請北廷准予調防，電云：「遠戍湖防，瓜期兩屆，三載換防，不可謂速，鬩牆煮豆，何敢言功，既經猶識和，南北即屬一家，並非寇仇外患，何須重兵把守，對外不能爭主權，對內寧忍許防線……」，北廷還電，不准，吳很憤怒，再請，三請，四請，依然不准，最後一電說：「比年以來，政府舉措設施，無不違反民意，全國所痛絕者保障之，全國景慕者排擠之，順我者昌，逆我者亡，舉滿清所不敢爲，項城不肯爲者，政府悍然爲之，曾亦思武力權威較滿清項城爲何？……」這簡直就是一篇征討「北洋政府」的檄文，於是，他的軍隊就在高歌「蓬萊詞」聲北上了！

民國十二三年間，國民革命軍尚未北伐，吳負有時譽獨樹一幟，執北洋軍人的牛耳，迄馮玉祥陰謀聯俄，吳起兵討伐，傳檄海外，痛詆赤化，實開國人反共先聲，雖事未竟成，其志不可沒。民國十五六年，革命軍北伐，吳方膺十四省聯軍總司令，由於他的思想落伍，不肯與革命軍合作，竟一潰不可復振，不得已入川依劉存厚，堅持不入租界，不逃外的誓言，他在佗數年，知無東山再起之望，九一八變起，離川返平，下野後兩袖清風，息影故都，以書畫自娛，間以換斗米易油鹽，迄抗戰發生，我中樞堅持抗戰，建國大業日進，日本軍閥始悔其武力侵略之非計，改絃易轍，轉事懷柔，籌組僞府，供彼驅策，對吳誘以利，脅以威，務之以危詞，奉之以上位，他陳棺於庭前，以示士可死不可辱，使日人之詭計終不得售。吳在此時，終日詩春秋，畫梅花，凡有求畫梅者，總是梅花一幅，滿江紅一軸，藉以酬志，不久吳病齒，日人借機會鴆殺他，吳氏發引之日，綿長五里，舊部搥胸頓足，路人淚下如雨，一代人傑，陷污泥不虧大節，風格足爲後人法。

吳敬恆先生年譜（卅四）

陳凌海編撰　陳洪校訂

先生懼諸生遭受張暴迫害，遂分送諸生至東交民巷法國醫院及蘇俄駐華使館，解散海外預備學校，暫避蘇俄駐華使館內。旋與鈕永建（惕生）由崇文門出城，乘火車至天津轉廣州，繼續收容原有學生復校。不久，遷上海環龍路（後改南昌路）志豐里九十及十號。先生率領部份學生返滬，繼續授課。學生增至三十餘人。五月，中國國民黨第二屆中央委員第二次全體會議，先生向大會報告：關於北方國民革命軍失敗之原因及其感想。國民黨第二屆二中全會通過蔣委員中正提：黨員重行登記案。並選定張人傑（靜江）、譚延闓（組庵），蔣委員中正與先生及顧孟餘等五人爲出席兩黨聯席會議本黨代表。六月四日，國民黨中央執行委員會臨時全會通過，迅行出師北伐，任命蔣公中正爲國民革命軍總司令案。七月九日，今總統蔣公中正在廣州就任國民革命軍總司令職，在東校場舉行誓師北伐典禮。由國民政府委員會主席譚延闓（組庵）授印，先生代表中國國民黨中央執行委員會授旗。並致訓詞。訓詞如下：「中國革命，遠起湯武。新舊主義，當然不同。拯民水火，古今一揆。今中央執行委員會代表全體黨員，敬將總理遺像、黨旗、國旗，授我國民革命軍蔣總司令，率全體將士，載而北征。牧野之揮，戰主休下，一戎斯定，天下爲公，尙其勖茲。鈕永建（惕生）在上海組織機關（地點在環龍路志豐里五號與先生主持其事。十二月，先生撰文解釋青天白日滿地紅旗之來歷。國父在中華民國成立前，即親繪 面，先生尙什襲珍藏，至今猶存。

民國十六年（丁卯）西曆一九二七年）先生六十三歲。

元月二日，先生應邵元冲（翼如）宴，同赴宴者有：竺可楨（藕舫）、胡樸安、蔣夢麟（孟鄰）、馬寅初等。本商談編譯事。先生卻論科學與工藝之需要。先從造兵器入手，娓娓不倦，座客粲然。三日，先生於上海寓所設置照相沖晒暗房，作爲研究美術照相之用。二月一日，即農曆除夕，傅斯年（孟眞）自山東抵滬，訪晤先生。告以山東情況，謂：「山東民間太苦，皆爲張宗昌所壞。鄉間不見耕牛，市上亦無定價。但諳中國民黨仍活動，畢庶澄亦有倒戈之望云。」二月二十二日，南昌中央政治會議通過成立上海政治委員會，任命蔡元培（孑民）與先生及鈕永建（惕生）、楊樹莊、蔣尊簋、陳其采（藹士）、何應欽（敬之）、陳果夫、郭泰祺（復初）、葉楚傖、楊銓（杏佛）、林煥廷、楊賢江等爲委員。三月十二日，赴國父故宅參加紀念會。途遇美國教育家（H.K.ILPATRICK）夫婦，相互交換一名刺。三月十六日，致蔣總司令中正函，推薦鈕永建主持上海軍政，並認：「滬市複雜，半年以來，賴鈕永建以明允篤誠，得以坐鎮寧息，殊爲不易。將來繁劇之局，爲駕輕就熟，洵非鈕永建莫能勝任。且顧弱驚駘而協贊」。又建議當此宇內萬國，劃疆分立之際，應駐重兵十萬。旋鈕永建辭上海政治委員會主席。先生亦於三月二十一日致函上海政治委員會請辭委員職務。三月二十三日，國民革命軍克復南京。四月二日，中國國民黨中央監察委員會在上海舉行全體會議。先生提出檢舉「共產黨連結納國民黨內之共產黨員共同謀叛證據」之呈文。當經證明共產黨陳獨秀（仲甫）明言二十年內實行共產，及已入國民黨之共產黨員謀叛國民黨及不利於中華民國之種種行爲。應即實行清黨，並通緝共黨叛逆。在提清黨案之前，蔣總司令中正駐上海龍華交涉公署，即以該地爲總司令部。當時先生與張人傑（靜江）、蔡元培（子民）、李煜瀛（石曾）等均住總司令部內，先生與張人傑、蔡元培、李煜瀛等朝夕與蔣總司令中正討論清黨計。先生爲了保密，相約在清黨明令未公佈前，均不得離總司令部外出。各人均如守之。即鄰舍而居之邵元冲（翼如）、蔣夢麟（孟鄰）亦留居不出。清黨政策既定，蔣總司令中正召集何應欽、李濟琛（任潮）、李宗仁（德鄰）、黃紹竑（季寬）在上海舉行重要會議，一致同意清黨。並決定應付時局方針。先生邀汪兆銘（精衛）來談，指出共產黨篡奪黨權之陰謀，本黨極應注意。汪兆銘表面對先生之憂慮，表示同意，而內心並未贊同。詎知四月五日汪兆銘與共產黨陳獨秀在上海發表聯合宣言。主張繼續共同合作。先生即發表文章，痛罵汪兆銘爲僵屍。「白毛參參」到處遷入。先生又在國民黨之會議席上，責汪兆銘之與陳獨秀之聯合宣言，有允許共產黨共治中國之意。汪辯明宣言之意，爲「兩黨誤會不可發生，未言兩黨共治中國。」先生又將聯俄容共之眞正意義加以駁斥。八日，上海政治委員會成立。先生就任委員職，並代理主席。九日，先生與蔡元培。

同音字記趣

陳宗敏

情與晴

韓持國每酒後好吟柳三變一曲，其一句云：「多情到了多病。」有老婢聽之曰：「大官體與別人，我天將風雨，盤飯不佳，而貴人多晴至病耶？」（明道雜志）

宇與雨

一官人談話好文，嘗謁一班行，臨退，揖曰：「未敢款談，旦夕專候宇下。」班行曰：「何如趁取今日晴暖說了」（明道雜志）

杜撰

盛文肅撰口文節神道碑，石參政急問曰：「誰撰？」盛對曰：「度撰！」滿堂大笑。（湘山野錄）

汗淋學士

王平甫學士軀幹魁碩，而眉宇秀朗。嘗盛暑入館，方下馬流汗浹衣，劉敞見而笑曰：「君眞所謂汗淋學士也。」（東軒筆錄）

喬治桑外傳（四）

張大萬

在晚會開始時，謝鍥銘以主人身份，首先請歐陽遠志說話。歐陽志是站在政府立場發言的，少不得將政府振興工業，發展文化等要旨闡述一番。他的演詞平平穩穩，自是無懈可擊。但內容未免公式化，顯得枯燥之味，使人聽來不感太大興趣。

喬治桑覺得歐陽遠志的話似無精采之處，他的信心更強了。

第二位是艾格思。臨時由「中西文化切磋會」的鄭秘書担任翻譯。艾格思畢竟是一位學者，他的演講顯然下過準備工夫。他介紹了美國和歐洲近年來文化的趨向。說來慚愧，艾格思所舉出的很多哲學名詞，喬治桑竟不能懂。好在鄭秘書的翻譯很出色，喬治桑只好聽鄭秘書的了。喬治桑自付：後生可畏，信不誣也。當然，喬治桑聽不懂艾格思演講，暗暗稱讚鄭秘書，別人是不會知道的

我國人聽演說，有一好習慣，無論聽不聽，或聽後懂不懂，照樣鼓掌如儀。因此，歐陽遠志與艾格思的演講，同樣博得如雷掌聲。

輪到喬治桑，他的頭腦裏根本空空洞洞，幸他臨時還記得「論語」開宗明義第一章「學而時習之，不亦悅乎。有朋自遠方來，不亦樂乎。人不知而不慍，不亦君子乎？」於是以他便放言高論，加以發揮。

他說：「孔子這番話，是精闢的人文思想，儒學的精髓，並含有正確的做人道理在內。所謂「學」，是指一切的知識和藝術，甚至運動在內。學英文、學打字、學醫、學佛、學圍棋、學打高而夫球……都要時時不停的學，等到學的精練了，個人內心的歡悅是難以形容的。這種喜悅之情，是主觀的，內在的，雋永的。中國「業精於勤」這句諺語，就是由此而來。」

他又說：「中國文化中有濃厚的「利他主義」思想。基於「四海之內皆兄弟也」之義，所以特別愛交朋友，尤其對遠方來的朋友更表歡迎。兄弟由美國回到祖國來，艾格思教授也是從美國來，我們受到謝會長的殷勤招待，便是此理。有朋自遠方來，我以廣義的解釋。以兄弟來說，我以前不認識艾格思教授，今天認識了，我雖然和他都從美國來，但我是中國人，我仍可將他看成是來自遠方的朋友。這一傳統，正是中國文化的泱泱大國風度。」

喬治桑交遊廣闊，座中熟人不少，大家都替他捧場，所以他的演講一再被掌聲打斷。他越發起勁，來往跑野馬似的大放厥辭，大有旁若無人之概。

「想當年我去美洲大陸的時候，半工半讀！我的志願，我的努力都無人知道，我只是默默地用功學習。這便是實踐「人不知而不慍」的道理。等我獲得博士學位回來，知道我的人越來越多了，我還是和以前年青的我一樣，繼續努力，爲社會服務。我絲毫沒有因爲我是博士，便端起架子來，樣樣事我都喜歡自己做」。

好在金聖歎去世已久，喬治桑的演講，無人再批「此語醜」，是很圓滿的結束。艾格思是洋人，根本對論語沒有研究，在喬治桑演講畢，還向他握手道賀。

因爲有演講節目，大家吃喝不多。喬治桑只吃了一點炸魚，喝了幾口咖啡。好在早上是吃飽了肚子上場的，故不覺得飢餓。

新二十五經

減胖經

馬驤雲

安逸些食，多進肥甘，日久會引起體質變性，俗稱作發福，就是肥胖，胖子的缺點，行路負担重，易發汗和喘，因之胖的人怕行路，怕行路更易導致肥胖，這是一個互爲因果的問題，不可不寄予注意。

偶翻名醫雜論，發現減胖秘方一則，後又查醫典也有該秘方記載，即每天早晨用兩三個皮蛋代替早餐，飯後用桑樹葉代茶葉飲用，十天之內可見效果，筆者是以報導和研究的心情，提供讀者作爲參考，同時一年前在日晚報裡曾討論到減肥問題，特再補述一次，連同新發現之皮蛋桑樹茶減肥法，對肥胖朋友可能或有小助，桑樹葉既列入中國醫典，自非捉風捕影之論。

身體太胖，可能導致高血壓，和心臟不正常，走路比一般人多負担幾十磅或者百磅的重量，勞多利少，這是一個事實，如果沒有上列痛苦，祗是感覺肥胖得難看，一定强去減，大可以不必，在中國的傳統上。胖是一種福氣，如果不相信的話，請查一查，中國唐朝、宋朝、明朝幾位開國的皇帝，[illegible]胖業界的同人，再去瞧瞧敦煌壁畫中的美女，都胖得有一個雙下巴，雍容華貴，頗饒富麗，從前的文人描寫楊貴妃的美麗謂：「肌肉豐腴，膚革充盈，如出水荷蓮……」同時中國醫藥史上，記載減肥的藥方比較少，以證明中國人的心目中，胖是福的象徵。

強制減胖，據筆者所知，沒有一個良好結果的，安徽基督教長老會有一位牧師，名叫李依然，因減胖心切，用開刀取脂肪的方法，首次取出脂肪約四十磅，開刀後舒適到半年，脂肪又漸漸恢復原狀，且長出的脂肪，比未開刀前的脂肪，堅實厚重，迫不得已，再開第二次刀，又取出脂肪四十磅，奇怪的是只幾個月，又恢復原狀，人變成一副造油機器，第三次開刀時，引起心臟病而死。

台大教授崔書琴，用節食減胖的方法，胖雖減少了一點，可是營養不敷全身分配，失去抵抗病魔的力量，最後不治逝世，因減胖而導致不良後果的例子，舉不勝舉。男胖腸短，女胖陰深，往往變爲肥胖人的心理病態，其實補救之道甚多，擬再考慮是否應當發表，可能借自由報公開討論。用以減除很多患有心理病態讀者的痛苦。

有人說胖子不能吃肉，吃肉會增胖。這一觀點似是而又非，狼、虎、豹、獅、鵰、鷹、狐、都是肉食動物，但這些肉食動物都不會肥，相反的皆生得非常精練；猪、馬、牛、綿羊、象、駱駝、河馬都是素食主義，可是個個都生得粗碩肥胖，龐然大物，尤其是綿羊尾部幾乎盡是油脂。也可能有人認爲禽獸不能與人相提並論，但發明家發明任何新藥和醫生們作藥物研究，大體上都是以禽獸作實驗對象，當實驗成功以後，才能用於人體，證明人和禽獸身體的構造，並非截然兩途，根據這一邏輯，吃肉不一定是胖的因素，但胖的人，以少吃脂肪爲宜，因脂肪容易生痰。容易增加脂肪。

減輕體重，減少身體上負担，是正確的，用鍛鍊的方式不必强制執行，比如多走路，少坐車，多勞作，少睡眠，久而久之身體自然結實，脂肪必然隨之減少，如果採用早晨食皮蛋的辦法，食皮蛋後不必飲桑葉茶。胖子的胃口，多半很好，吃東西狠吞虎嚥的毛病，古有明訓，「急食易胖」，胖子吃飯能慢一點，每一口飯菜能嚼十五到二十下，持之以恆兩個月內可保證減少體重三到五磅，這是經朋友實驗過的。日常菜蔬中，多食白菜、蘿蔔可化澱粉質，芹菜可以化痰去脂肪，好萊塢和香港電影演員們，嗜食生芹菜之風久矣！早已吹到香港及台灣影圈了，蔬菜中直接去脂肪的，是番茄和草莓，最好飯後當作水果去食用，但須注意，在港台種的芹菜、番茄、草莓都是施用水肥的（就是人糞），生吃的時候要特別洗濯，最好經過消毒。蔬菜中烏苣、百合亦是化痰的，甘藍、黃瓜可以清血，洋葱、大葱可以補腦，當歸芽好比小人參，黃芪[illegible]補能夠興奮精神，[illegible]一張減胖的菜單，果能照辦，受用無窮。最後再提醒一句：「懶人易肥」，「急食易肥」，如果不相信的話，苦力很少大胖子。絕對禁止飲啤酒。乃中西醫生都公認的。

（完）

感懷

劉嘯月

說甚青衫稱潦狽，秋風回首眺川原；
繁華[illegible]點[illegible]人塵，細雨偏[illegible]旅客魂，
夢已成塵休說夢，恩多未報又承恩，
祖生鞭影劉琨劍，前路蒼茫切共論。

大學尺牘

胡適致李書華函

鴻雁

潤章兄：

你的十月廿九日的信收到了。到今天才回信，十分不安！先報告你：梅月涵並沒有辭職的話，紐約報上的話是不可靠的。

我的兩段筆記，得老兄採用，眞是不勝榮幸之至！你的「籌算與珠算」大文，編輯會沒有送給我看，大概已付印了。

前些時聽說元任明年夏間「退休」，我寫信去勸他退休後回到南港來住，晚年還可以多收幾個徒弟。我信上引了李恕谷的話：「交友以自大其身，造士以求此身之不死。」這是你的老[illegible]，也盼望老兄與大嫂能回南港來住。紐約天氣多寒，太長，又太冷，于老年人實不甚相宜。我們又盼望你們每年去南方避寒[illegible]的福氣。所以我勸你們攷慮我的建議，匆匆敬祝

雙安

弟適之　四八、十一、十八。

喜劇三幕　事過境遷

熊式一

詩：　告訴他甚麼？請他明天早點來嗎？

仁：　還請他早點來？告訴他老爺說，他敢再進我的門，我一定會打斷他的腿，省得他化錢請他的同行替他鋸？

詩：　是。不過姑老太太吩咐了我們，她有事回去了，要你乖乖吃藥聽醫生的話…………

仁：　甚麼？我吃藥幹甚麼？我吃誰的藥？我聽甚麼醫生的話？

詩：　吃方醫生的藥，聽方醫生的話！

仁：　我爲甚麼吃他的藥？他敢摸一摸我，我連他的手也給鋸下來。

詩：　是。（走過去拿着一小瓶藥水）現在又到了老爺吃藥的時候了，太太叫我來看看你，醒了就照着姑老太太的吩咐，聽方醫生的話，乖乖兒吃藥，要是沒有醒，就讓你多睡一會兒，因爲方醫生說過，雖然瓶子上寫着四個鐘頭吃一次，多隔一兩個鐘頭也不要緊………

仁：　（大怒）這是方醫生開的藥呀？

詩：　是的！

仁：　馬上把它扔到垃圾桶裏去，這種洋玩藝兒，成甚麼東西？我們中國藥，全是根據「本草綱目」按金木水火土，五行生尅，配合得入情入理，通行了幾千年，吃起來不但可以治病，而且色、香、味三件兼備，爲甚麼大家都要學時髦，用小瓶兒盛些紅紅綠綠的水，無怪人家叫它爲「化學」！

詩：　這不是紅紅綠綠的，是白的！老爺還是吃吧！

仁：　我不吃！我爲甚麼要吃藥？

詩：　老爺大概不知道，方醫生下樓的時候，姑老太太瞧見老爺沒有打針，怕你……怕你……就請方醫生瞧…………

仁：　（大驚）瞧瞧誰？

詩：　瞧瞧老爺呀？他替老爺打了一針…………

仁：　（更驚）替我打了一針，打那一邊？（忙看手膀）是左手，還是右手？

詩：　不是打在手上…………

仁：　打在脚上？

詩：　不是脚上………要高一點………

仁：　大腿上？左邊還是右邊？（撫着右邊說）一定是這兒！該死的東西！難怪我這兒很痛！（果然他發現他走起路來那兒更痛，很不方便）他一定又是想鋸下我這條腿！

詩：　不是那兒，比那兒還高多了！

仁：　（輕輕撫住右臀）對了，這兒更痛！（他越覺得他步履艱難了）該死的東西！

詩：　不是那邊，是左邊！他說老爺也和太太一樣，打針吃完一瓶藥就會好的，叫我和趙先生把椅子輕輕移在大廳中間，把窗戶全打開，千萬不要把你搬動一下，當初你和趙先生抬太太上樓是很危險的，量過去了的人，搬動不得，最要緊的是新鮮空氣………

仁：　他胡說！他懂得甚麼？我一點病也沒有，那裏是量過去了呢？不過是累了，一覺睡得甜一點兒就是！我這一覺睡得極甜極甜！

詩：　對了，方醫生說睡得很甜和量過去了差不多；睡得極甜和死過去了也差不多！

仁：　胡說！娃小姐呢？

詩：　娃小姐同趙先生去看打波去了………

仁：　去看打甚麼呀？「波」是甚麼呀？

詩：　對不住，說錯了！去看打球去了！　　（三九）

禪學黃金時代

慧能的頓悟法門（三）

吳經熊著　吳怡譯

⑨直指人心：「心」是一個不易把握的字，當我們一談到心時，便會感覺得很混淆，但這個心却是禪的關鍵。不了解禪宗所謂的心，就不會了解什麼是禪。因爲雖然禪的最高目標是見性成佛，但必須由這個心去見性，所以我們必須先來看看這個心。

在壇經的開宗明義第一章中，敘述慧能在大梵寺講法，開門見山便說：

「菩提就是自性，這個自性本來清淨，我們只要把握這個眞心，便可立刻成佛。」

慧能以爲自性像國王，這個心像國王和臣子，也就是說自性是心的本體，心是自性的作用。在我們這個內在的王國裏面，國王是絕對的至善，只可惜臣子有時未必完全忠實。如果臣子能依照本份去做，那麼整個王國便會享受到和平之樂。相反的，臣子如果叛逆，那麼整個王國便將破裂。心的力量是非常的大，由於心，我們才能實現自我。也由於心，我們也許會步入了地獄。沒有心的話，便沒有善和惡，捨和執，迷和悟，菩提和煩惱。慧能不僅談到淨心，善心，平心，直心，道心，或菩提心，而且也談到不淨心，不善心，邪見心，煩惱心，或誑妄心，這並不是說心有多種。其實，心只有一個，只是因爲它不是一個靜的整體，而是一個動的搖擺，像流水一樣，有時純淨，有時混濁，有時平穩，有時急湍。心的悟力是常流動的，而不停於一處。我們都知道他初聞金剛經中「應無所住而生其心」便悟道，他的整個「心學」便是從這點中開展出來。

在這裡必須强調的是，我們所想的心，並不是眞心，理由很簡單，眞心是去想而不是被想的，因爲心是主體，而不是客體。一當我們把它當作研究的對象，它便變成一種概念，或抽象的觀念。因此當我們談到心時，並不是直指人心，而是指那去指心的概念。只要我們把心當作一種概念，便不獨靜的，概念的現象當作實有。假如我們把心的概念當作眞心，便是執着於文字，而被自己的思想所作繭自縛。這也就是慧能和他的門人之所以不厭其煩的要强調無念和無心的重要了。

慧能所謂的無念，是指我們的心不染著於物。但並不是要我們斷絕一切思想，因爲那樣又會落入了「無記」的空白。這種心能逍遙自在的，可是偏執的心却使一切變成了我們的枷鎖。

在慧能當時，這種見解是非常新穎的。我們可以從他和臥輪禪師的偈子中看出。臥輪有一首偈子是：

「臥輪有伎倆，能斷百思想，對境心不起，菩提日日長。」

某天，有位和尚把這首偈子念給慧能聽，慧能認爲寫得非常好，但並不能代表他自己的見道，無端的替自己添了許多枷鎖，因此他也和了一首偈：

「慧能沒伎倆，不斷百思想，對境心數起，菩提作麼長。」

自由報

（第一九二一期）

（每星期三、六出版）

社長李運鵬・督印黃行奎

社址：香港九龍彌敦道593—601號 劉創興銀行大廈八樓五座

LIU CHONG HING BUILDING
7th FLOOR FLAT 5
593—601 NATHAN ROAD,
KOWLOON, H.K.
TEL: K303831

電報掛號：7191

承印：景星印刷公司
地址：嘉咸街廿九號地下

從地理觀點看亞洲歷史的發展

・沙學浚・

「光明來自東方」，東方主要指亞洲，指古代的亞洲。文化古國大都在亞洲，其光芒四射，好似旭日高升。德人稱東方為「朝地」Morgenland，歐洲或西方為「夕地」Abendland，是很有意義的。茲從地理觀點，說明亞洲歷史發展的特徵。

一　亞洲歷史的農業遊牧海洋三種民族同等重要

文化民族和半開化民族，就其地理背景言，可分為三大類。第一類是農業民族，黑格爾稱為河谷平原國；第二類是遊牧民族，黑格爾稱為高原國——此名稱很不妥適，因有許多遊牧民族並不在高原上。第三類是海洋民族，黑格爾稱為海岸國。

亞歐兩洲歷史發展的不同是：在亞洲，上述三類民族同等重要；而在歐洲，海洋民族和農業並重，遊牧民族不是土生的，而外來的——主要來自亞洲。

二　遊牧民族和農民的對立和鬥爭各區表現不同

亞洲有遼闊的乾燥沙漠區域，從東北區西部延展到近東地中海濱和非洲。此區內的人大部分是遊牧民族，因生活資料貧乏，常須出侵鄰近的農業民族以求補充。這樣就形成了遊牧民族和農業民族的長期對立和鬥爭。

由於遊牧區和農業區的相關位置各不相同，地理景觀上，因而有不同表現。在中國大陸，遊牧區在北和農業區在南，互相對峙。中國農業區是廣大而遠綿不斷的，且有足夠人力與物力，以對抗「胡人南下牧馬」，結果產生了二千公里的萬里長城。

在西域方面，農業民族散居在沿山麓分佈的河流綠洲，可稱為綠洲民族。他們分裂成許多小國，稱為綠洲國家。因沙漠阻絕，他們不易形成統一的政治單位，力量薄弱，因而不能脫離外族的控制，或受制於遊牧民族，或依附於東方農業民族。當遊牧民族和農業民族互相爭持或者都很削弱的時候，西域的綠洲國家才能保持獨立地位和和平。不少的西域綠洲變成廢墟，主要由於河流的縮短或改道。

在西南亞方面，廣大沙漠中也有宜於農業的綠洲。他們大都不是可流綠洲而是泉水綠洲。故其分佈不是長列的而是散佈的點狀的。他們的可以利用地面積大都很小。故須集合較多的綠洲，方能組成國家。

米索不達米亞有兩條大河，來自遠方的高山，水量相當大，故兩河流域實際上是一個大綠洲，最利於文化的發展和國家的建設。

這個大綠洲和其他小綠洲在政治地理上處於一種不利的地位。他們或被遊牧民族包圍，或與之比鄰而處，故常受其侵略而感到難於抵抗。他們國小人稀力量薄弱，在頻仍的征服和戰爭中，淪為廢墟，故西南亞常被稱為「廢墟之地」。古代西南亞強國的成立大都由於城市居民、農民和遊牧人民的結合。但他們結合的時期遠較他們戰爭的時期為長。

三　亞洲之擴大和世界之亞化為古代亞洲史的主要內容

近世的世界史以「歐洲之擴大」、「世界之歐化」為基調；古代的世界史則以亞洲之擴大和世界之亞化為特徵。亞洲之擴大指亞洲人在世界各地的活動和成就，世界之亞化指亞洲的各種文化在舊大陸和域外的海洋空間的傳播。

希臘文化是歐洲文化或西洋文化的泉源，由於能吸取近東文化，再加以光大發揚而成立。文化上，歐洲是亞洲的佳弟子。

近東文化雖包括埃及文化，主要指西南亞一帶的文化。腓利基為西南亞的文化古國之一，其文化和移民曾與希臘的文化和移民在地中海平分秋色。

阿拉伯文化發源於阿拉伯半島的西岸，向西的擴展，不但包括了尼羅河谷和非洲北海岸（埃及成為回教世界的一部分），不但在非洲東海岸地帶，有點狀分佈，而且南經撒哈拉沙漠，傳入了莽原地帶的黑人非洲，由此可知非洲的光明部分也是亞洲文化的貢獻。

在南歐方面，巴爾幹半島、西西里島和西班牙大部分曾經被回教的阿拉伯人統治過。近世土耳其人曾經統治巴爾幹半島的大部分。

自古以來，蒙古高原的遊牧民族「南下牧馬」失敗或成功之後，每向西前進，主要路線由漢北西行越阿爾泰山西進或南下。南下的人羣沿天山北麓的綠洲西行。出準噶爾門戶，進入吉爾吉斯大草原，西入烏拉爾門戶，進侵南俄草原，如有餘力再向西方和西南方前進。進侵東歐的遊牧民族以蒙古人成就為最大。蒙古人的欽察汗國曾於一二四〇年到一四八〇年統治東歐凡二百四十年之久，因此在俄羅斯文化裏，蒙古的成份是相當重要的。可惜蒙古武功雖大，文化力和移殖力均不足，二百四十年的統治業績今都消滅。祇餘伏爾加河口一帶的卡爾麥克蒙古人作為蒙古征俄史的化石。

四　亞洲海洋民族在遼闊的遠洋上的活動和成就鮮為人所注意

亞洲之擴展初不限於鄰近的歐非大陸、地中海以及印度洋的近海，印度洋、太平洋的遠洋上，亦有重要的活動和成就，可惜不大為人注意。

馬來種人是南亞洲的海洋民族，主要以印度洋和亞澳地中海為活動範圍，向西南方，藉季風之動，早經移住於馬達加斯加島。這個島地形上，氣候上屬於非洲；但文化上、民族上卻屬於亞洲。第十世紀阿拉伯人早經航行到毛里求斯（屬英，有華僑一萬數千人）。阿拉伯人橫渡印度洋早於迦馬五百年。

太平洋島嶼之多，為大西洋、印度洋所不及。其中由無數島嶼所構成的大洋洲，分佈於南北回歸線之間。玻里尼西亞人也是海洋民族，善於利用洋流和盛行風，行駛木筏往返於各島，故能遠在麥吉倫之前，橫行於太平洋上，並在若干島上建立國家。例如英屬東加島上王室歷史，可追溯到第十世紀。

五　北亞成為俄人移住殖民地是亞洲人空間征服上的一大失敗

亞洲之擴展，雖有上述種種的重要成就，但亦有其失敗之處。北亞即西伯利亞，其東部在黑龍江之北，中部和西部在蒙古和中亞乾燥區之北，自古以來，在人類歷史圈外、文化圈外，是「蠻荒之地」，是「古亞洲人」的世界。

中國東北區東部北部有森林民族（如金人、滿洲人），西部有遊牧民族（主要為蒙古人），蒙古高原和中亞也有許多遊牧民族。他們雖曾在北亞南的草原有片斷狀的分佈（貝加爾湖區是此草原帶的一部份，尚有數十萬布里雅特蒙古人，也可視為歷史的化石），但不能進入草原帶以北的森林帶。

影響更大的是他們的存在，阻斷中國文化和西域的文化進入此森林帶。其結果是北亞淪為黑暗世界，和撒哈拉沙漠以南的非洲相同，非洲被稱為黑暗大陸，主要指黑人的非洲，歷史上的北亞，可稱為黑暗副陸 Dark Subcontinent。不幸的是這塊黑暗副陸，近世成為歐洲俄人東進的目標，經過短短一百年，俄人的勢力便由烏拉山進展到太平洋之濱。西伯利亞變為俄人的移住殖民地 Colonie de Peuplement，行政上全部屬於俄羅斯聯邦共和國。至於現有俄人達三千萬以上。原有的森林民族、漁獵民族以及凍原遊牧民族都在俄人東進期中被驅逐，被消滅，被俄化。其中只有少數淪為殘存民族，棲息於位置偏僻的苦寒之地，但人數非常稀少。其中以雅庫特人為最重要；他們人數稍多，分佈較廣，且成立為自治區。

依據英國地理學家麥金德的理論，這塊本來是最荒寒的遼漠，近世卻成為世界的心臟地帶的東面大部份；但其主人翁是俄人，而不是亞洲人，這是亞洲更大的不幸。

近世的亞洲史充滿了戰敗的屈辱和外族統治的慘痛經驗。二次大戰後，亞洲雖有不少的殖民地成為獨立國，但亞洲大部份地方依然是政治動亂，文化落後，人民生活水準低或很低。閱讀了亞洲近代史令人沮喪、失望者衆多。反之，古代史充滿了光榮傳統。為了讓亞洲青年認識亞洲的光榮傳統，並啟發他們重建光榮傳統的自信心和進取心，亞洲國家應該重視古代史的研究和教育。

亞洲史和世界史的著作很多是歐美史學家編撰的，他們的觀點與取材標準，自和我們亞洲人的，有很大的出入。

在近代殖民主義支配下，有些亞洲歷史家往往無意中採取歐美歷史學家的觀點和取材標準，這樣編撰成的亞洲史，自然不適合亞洲人的需要。今後我們該依照亞洲人所需要的觀點和取材標準，去閱讀，去批評，去編寫亞洲史和世界史。前述五點都是從亞洲觀點看，而認為重要的歷史教材，除第五點外都發生在古代。（完）

昨日與明日

毛酋欲蓋彌彰

毛酋澤東的奪權醜劇，始終沒法收場，最近他宣稱已將劉少奇的本兼各職革除了，表示「文化革命運動」勝利成功的模樣，實則只是一種遮羞的手法而已。

劉、奇的共黨中常委和政治局委員，固可以由毛家班內嘍囉們，假藉黨的會議通過，予以撤消，但其所居偽人民政府主席職位，非經過所謂全國「人代會」決定，却沒法變更的。原有的「人代會」成員，大多數都變成了反毛派份子，毛酋已控制不了，當然不敢召集大家來開會，而毛酋策劃已久的黨代表大會，又因衆叛親離，各地區的實力派盛行「山頭主義」之故，始終不能實現，迫不得已，乃以毛家班的共黨中央擴大會議名義，把劉少奇在黨內的職位革除掉，對外就以「革除一切職務」的籠統詞句，十中宣佈，抛出「文化革命勝利結束」的姿態，企圖掩蔽人心，欲蓋而彌彰，可嘆亦復可哂也！

苦矣大陸同胞

共黨鬼打架的奪權運動，能發而不能收，毛酋確已走到死胡同裡，難以善後，眞是「欲出奈何天，除非身死日」了！劇憐大陸同胞枉受所謂「文化大革命」的災禍，或被誣陷而死，或因飢餓而死，或受折磨凌辱而死者，不下四五千萬人，幸而苟延殘喘的，隨時皆在死亡的威脅中，吾民何辜罹此荼毒，言念及茲，曷勝悲憤！

光是悲憤，亦復何益？我們若不能化悲憤為實力，上下團結一致，大家知恥自愛，不以苟安而自娛，不存隔岸觀火之念，一是皆以反共救國為本，對內不要化有用為無用，自相摧折，對外不要化友人為敵人，唯恐多助。先在政治上構成蓬蓬勃勃的復興氣象，使海內外反共非共的中國人，由衷地以能參預反共救國之役為榮幸，有如 國父當年在廣州一闢於國民革命運動然，庶幾有務。

不可同情劉少奇

中國傳統的文化思想，對於失敗人物每寄予同情心，如司馬遷的史記，即特別把項羽寫得有聲有色。可是，我們今天對劉酋却不可潛存着同情的意念，劉酋的主張如果勝利了，他一面對內增加生產力，改善人民生活，安定人心，一面跟俄帝切實結合，利用俄帝的人力財力，從事軍備發展，同時以「和平共存」的理由，向美國進行催眠，美國早已承認中共政權，把它歡迎到聯合國了。

幸而毛酋澤東不甘寂寞，拼命要奪權，並且一貫仇視「美帝」，決不妥協，這纔迫使美英的姑息主義者有所顧忌，不便正式出賣中華民國，留以有待焉。這點認識，大家不要忽畧呢！（何如）

自由談

革不掉的官僚作風

馬五先生

輓近半個世紀以上的歲月中，咱們中國人隨時都在搞革命運動，舊有的典章文物，以及風俗習慣，無論是好的壞的，幾乎一概革掉了。祇有一樣最壞的玩藝不特未曾革除，而且變本加厲地盛行着，即官僚作風是也。

例如：法令規定公務人員年滿六十五歲的，便要依法退休，按照年資核計，由政府給予退休金，這是合理的制度，誰曰不宜？等由准此，凡屬屆時申請致仕的人員，主管機關只能以惜別的心情，替他們辦理法定手續，不應該再打官腔，找麻煩纔是。

然而，明明是依法自動退休的，公文上卻謂之為「命令退休」，好像對方係違法戀棧之徒。必須勒令告老還鄉，庶免致干未便然。題領的一點可憐兮兮的退休金，又要教他具保請領，藉防冒濫。這簡直是把一般奉公守法的公務員視同無賴小偷，摧殘其自尊心，抹煞其人格，可謂豈有此理！

為甚末有這樣不合天理，不近人情，不符國法的怪象呢？唯一的解釋就是要擺官架子，過官癮，表示主管官署的權威。中國傳統的官僚主義思想，曾有兩句名訓云：「一朝權在手，便把令來行」；「不怕官，祇怕管」。一般普通的公務人員，雖然依法申請退休，主管官署卻認為是它命令你遵辦的，非如此，即不能顯示它的權威。本人領取退休金而沒有具保的手續，更不足以表現它認眞辦事的尊嚴相，這叫作「整人為快樂之本」！所以，對於已超過退休年齡而戀棧不肯讓賢的達官顯宦，乃未聞有「命令退休」者，因為對這類名公鉅卿不敢，亦不能發洩「整人為快樂之本」的作威作福的阿Q精神啊！

官僚作風發揮到如此淋漓盡致的境界，眞是嘆觀止矣。可是，這些官僚們平日又對人暢談民主法治的義理，並不感覺難為情，面皮比城牆還要厚些。顧亭林說：「士大夫無恥，是謂國恥」，信乎其為不刊之論也，吾為此懼！

旅美見聞

拉好學生

張起鈞

我在「校政」一篇裏提到學校「拉學生」，這話我沒有說明白，此處所說的「拉學生」，並不是指一般的拉學生。原來美國一切商業化，許多私立大學為了發展「營業」，常常作廣告，競宣傳以招徠學生。我說的拉學生不是這類，而是指爭取優秀的學生，特別是研究生。

美國人是否也有「得天下英才而教育之」的想法，我不知道，但是他們深深知道：「好學生能在社會上有表現（學術的，或事功的），有表現才使學校有榮譽，有榮譽學校才有好發展。」因此除了設置獎學金招攬優秀研究員生外，有時並用種種特殊方法，有時甚至不惜用極高代價，爭取傑出人才來校研究，以便將來為校爭光。就我在南伊利諾大學所知的為例而言。他們化工系因在草創之期，要樹聲譽，不惜月出八百美金的研究費，（按美國一般的行情，拿到博士後，就業的月薪也不過六百美元）拉一個有希望的青年來校讀博士。我曾當面問主其事者陳柱華教授（中國人）問明無誤。

再就我所屬的哲學系講，許多傑出研究生都是通過特殊的方法拉去的，已逝世的海瑞恩（William H. Harris）教授偶過台灣，碰到劉述先先生，見其一表人才，便竭力遊說，勸其到南伊大讀博士。又如吳森先生本是在華盛頓大學研究，後來華大的哲學系主任和幾位教授轉移到南伊大去任教，也就把吳森一齊拉着到南伊大去讀博士。足見其爭取英才之一斑。尤其這劉吳兩位，才華出衆，學識過人，使得許多教授們都佩服得五體投地。因而也就給中國人帶來莫大的光榮。我到南伊大之後，哲學系的主任穆維禮（Willis Moore）便託我注意發掘這樣的好人才。直到我回國辭行的時候，還一再叮囑，如發現有真好的學生，務必告訴他們，他們不論用甚麼方法，也要爭取過來，真可謂求才如渴呢！

泰馬合作剿共

本報記者 盧偉林

（曼谷航訊）今日的東南亞，陷於整個動盪不安之中，這都是共黨的滲透，破壞，顛覆，使這一個地區永無寧日。

最近，詹森總統下令停炸北越，在表面上，越南的戰事將趨於緩和，但說不定共黨侵略的箭頭會轉向泰國，開闢另一個戰場，並不是沒有可能。

馬共驟形活躍

泰共擾亂的地區在泰國的北部和東北部，那裏有泰共的武裝隊伍，經常出沒，殺害政府人員及學校教師，也劫掠民間的糧食，去年冬天，泰共勾結國外共黨，在東北部的雖府發動一次突襲，與泰國的征剿部隊發生一場遭遇戰，經過兩天兩夜的激戰後，共黨被擊潰了，餘下的殘部四散逃竄，大半年來，東北部平靜得多了，只有在今年八月間烏隆的美國空軍基地，遭到一次偷襲，結果損失輕微，當局已在有關基地嚴密戒備，不會讓共黨再度得逞。

可是，東北部暫時獲得安定以後，泰國又告緊張，在泰馬邊境的馬共武裝隊伍，又告活躍。

據泰國國防部助理部長他威上將指出，目前以馬共領袖陳平為首的馬共匪徒，已在泰馬邊境一帶加強活動，他們的人數在三個月前已到六百人，現在已超過千人。

他威上將認為馬共武裝隊伍人數的增加，無疑的是構成對泰南一個嚴重的威脅，因此，當前泰馬兩國必須澈底而密切的合作剿滅馬共，確保兩國邊界的安全。

加強征剿方案

泰馬兩國在三年前就組織一個邊境委員會，每年舉行三次至四次會議，研商共同剿共的方略，最近一次會議，是於九月下旬在吉隆坡舉行，馬國首席代表是副總理拉查克，泰國首席代表是國防部助理部長他威上將，經過三天的會議後，雙方已達成一致的協議，訂定了加強征剿的方案。

馬國拉查克副總理說：兩國已同意，對於共黨恐怖份子，他們的內部安全是一個憂慮，並同意有緊急除去他們的需要。他說，雙方已同意，加強邊境一帶的保安部隊，增加的數目是無限制的。

拉查克副總理又說：共黨已經在加強活動，目的在於最後奪得泰國和馬來西亞的控制權，馬來西亞的共黨，曾於上月間，向黨員和幹部發出指示，要他們加強活動。

泰國他威上將的見解，認為承認共黨加強活動的嚴重性是不夠的，我們現在必須決定應採取的特別措施，對付我們的共同敵人。

他威上將又認為，在進行清剿泰馬邊境共黨份子工作的同時，應該致力當地社會繁榮的工作，使這兩項成為兩國共同的要務，這一點，對兩國合作清剿邊境共黨份子工作，將獲得更進一步的效果；他特別說明最近泰國二百名受過特別訓練的警察，奉命往泰南執行任務，就是配合兩國澈底掃蕩共黨的一種行動。

乃比里是禍首

前泰國國務院長乃比里，相信就是泰國，馬來西亞與這個區域內其他國家發生共黨叛亂的「策劃人」。

乃比里的總部是設在北平，這位前國務院長係於一九四八年逃離曼谷，事前泰國國皇亞南馬希倫（拉瑪八世）被人行刺殺，他是在曼谷大皇宮被人開槍擊斃的。

乃比里曾於一九五四年通過他的手下企圖發動政變，以恢復其地位，但結果是失敗了。

乃比里經常來往北平與河內之間，以便對他的部屬發出指示。

另一個說法是乃比里領導的泰共已在泰國東北部近北越與雲南省設立前進基地，中共則在昆明設立一個特別總部指揮泰共，進行對泰國滲透，以及赤化的活動。

在當前的情勢下，泰國政府提高警惕，加强戒備，以粉碎共黨侵略的陰謀！

（十一月五日寄）

發行債券徵購都市土地
政院通過條例草案
省府前有困難之說實行難順利
被預定徵收戶目前仍憂喜參半

本報記者黃倘台北消息：有關省市都市地區預定公共設施土地之征收問題，省府曾獲內政部同意，呈請修改都市計劃法，由五年改至二十五年，詎該案將被傳佈，而行政院為加速都市建設及徵購都市計劃公共設施保留地的需要，於十月卅一日院會通過「台灣地區實施都市平均地權土地債券發行條例」草案，將送立法院審議。該草案係根據「台灣實施都市平均地權土地債券發行條例」修訂的，以適應台北市改制後從事現代化都市建設之需要。依發行條例草案，中央授權台灣省府及台北市府，發行各該省市實施都市平均地權土地債券。該項債券專作依照實施都市平均地權條例，施行照價收買，區段征收及超額土地征收時，補償土地或建築改良物價款之用。該債券於償付價款時，依照都市平均地權條例第五條之規定搭發，即每戶總額未滿三萬三千元者，全部發給現金，超過此數至六萬元部份，搭發債券六成，超過六萬元至十萬元部份，搭發債券八成，超過十萬元至二十萬元部份，搭發債券九成，超過二十萬元部份，全部以債券償付。土地債券每年發行一次，其數額、日期，債券面額及利率，由發行之省政府報請行政院核定。債券採無記名式，憑券兌付，其遺失被盜或滅失者不得掛失止付，並不適用民法第七百二十條第一項，第七百二十五條及七百二十七條的規定。債券償還依本息合計均等攤還法，自發行之日起，每屆滿一年還本息一次，分五年償清。

依上項草案，所有都市之被劃入預定公共設施之人民私有土地，即可望於「照價收買」，少則可獲現金，多則可獲有利息之債券，對於私有權益，尚有保護。若照省府擬議呈請修改都市計劃法，由五年改至二十五年，甚至謂償價總計須至兩百億，即發行土地債券亦有困難。行政院若依其所請，則所通過之前項草案，勢將擱置，如不准其所請，則省府曾申說困難在先，其推行勢有滯礙。識者有謂：陳副總統辭修，生前主省政、長政院在全面經濟處於劣勢情況下，何以能順利改革農地，達成耕者有其田，造成今日之農利繁榮，工業發展。而今日之情況與當時比較一切實不可同日語，省府何獨對都市平均地權之既定照價收買政策擬予攔腰斬殺？現在行政院所通過之實施都市平均地權債券發行條件草案，待立法院審議後，是依照都市計劃法五年以內實行呢？抑將修改該法至二十五年以後實行呢？社會對此甚感惶惑？尤以一般持有都市土地而被預定公共設施之保留戶，更覺疑慮之至！

喬治桑外傳（五）

張大萬

舞會在二點三刻散場，離開第二約會還有三刻鐘。喬治桑一想：何不利用這空閒時間到「小雲雀」家坐坐。吃吃豆腐開開心。順便定好晚上的「節」。

在散會時，國畫家林琴庵找過來，要請喬治桑晚上到他家吃飯。過去林琴庵開畫展，喬治桑曾化了三千元台幣買他一幅畫，所以林琴庵對喬治桑很有好感。喬治桑向林琴庵行了一個中國禮，拱拱手說「不敢當，不敢當，我晚間有事，改日再叨擾。」林琴庵明知喬治桑是忙人，也不過順便邀一下，既然請不到也就算了。

「小雲雀」住在仁愛路四段一家公寓裡，裝有電話。喬治桑雖然和「小雲雀」只見過兩次面，因為每次都給額外小費，所以已有小姐的地址和電話號碼。

喬治桑知道紅牌酒家女都是很忙，必須先通電話再去訪，以免撲空。並且還能避開「白做對飲」的尷尬場面。

喬治桑在「華園大飯店」樓下公共電話亭裏撥電話。外面看到他的人，還以為博士真個大忙人，剛發表過演說，又在接洽要公了！

「喂，我找洪小姐說話。」

「請等一等。」

到底是洋博士，很懂電話禮貌，他沒有一開頭便直呼對方花名。

「喂，寶糖，你猜一猜我是誰？」

這次博士說的是洋文。原來自台北變成國際觀光都市以後，酒女、舞女、吧女很多為了要賺外國觀光客外匯，都在惡性補習英文會話，她們很聰明，不要太多時間，已能應對裕如。這不能不歸功「英文百日通」這本書。

「讓我想一想……你一定是『蘿蔔菜』，怎麼？昨晚才分手，今天又打電話來？」

「蘿蔔菜」者，姓「蔡」洋名叫「羅拔」者也。

「不是，哈哈哈……再猜猜看。」

博士畢竟是歡場老鬼，他懂得久嫖成舅之理，所以毫無醋意。

「那末，你是『恩哥』劉了？」

「恩哥」者大叔之洋稱呼也。有一個菲律賓華僑，每次到台灣，一定要捧「小雲雀」的場。在「小雲雀」身上化的錢，美金以千計。是「小雲雀」的乾爹。

只怪喬治桑說洋文，「小雲雀」一時竟分不出他是屬於會說洋文的客人中那一位。

「……」

「啊，啊！我猜到了，你是桑先生！」「小雲雀」說的是帶本省口音的國語。

「到底被你猜中了，正是我。怎麼樣？我現在想來看妳，好不好？」

「歡迎，歡迎。請馬上來。不過地方小，沒甚麼招待，要請你原諒。」

本來這個電話一分鐘可以完結，猜來猜去，多花了好幾分鐘。好在桑博士入境隨俗，他很明白在台北的有閒階級根本不拿時間當一回事。他也學會「殺時間」了。

世外桃源～阿根廷

・沐子・

大家都不會相信，世外真有桃源，那就是世界上最富有的國家——阿根廷。

阿根廷領域着無比的富源，首都的背後是一望無邊的「大草洋」，一座世界最大的天然牛欄，全國已開墾的農地，祇有十分之一弱，其餘都是處女地帶，單就已開墾的熟地來說，具有美國百分之九十的小麥，及百分之六十的家畜，假定剩下的百分之九十荒地，都開墾出來的話，世界上沒一個國家可以和阿根廷相比。

阿根廷的人口只有一千三百幾十萬，百分之七十的人，分佈在首都布宜諾斯艾利斯，及羅薩利阿等城。布宜諾斯艾利斯為全球第十一大都市。就南半球說，卻是第一大都市，阿根廷的氣候，也與別國迥異，十二月一月是台灣最冷的時候，他們在這時卻最炎熱，居民正紛紛往海濱或高山避暑，五六月我們汗流浹背，他們恰是金風送爽的秋涼氣候。

十年前，巴黎將阿京當作探戈舞之城，倫敦把它當作牛羊肉的供給地，芝加哥把它當作小麥輸出港，東京把它當作羊毛來源地，現在呢，這些統統已改觀了。阿根廷的貿易估全南美的一半，汽車數目估全南美百分之五十八，電話數估全南美百分之五十強，由此證明它是南美最發達的國家。阿根廷的富樂，很可能僅次於美國。也許有一天會趕上美國。

阿根廷為世界最大出口國之一，出口物有麥穀、亞麻子、羊毛、皮革及牛肉羊肉等，肉類出口佔全世界四分之三，他們對自己國家出產之豐富，文化之高尚人物之秀美，引以為自傲。

距離省都一百八十里有一家商營農場，El-Jabo佔有土地八萬二千英畝，其主人為凡娜但爵夫人，她的農場土地中，以三萬英畝租給農民，為種穀及亞麻子用，三千五百英畝養豬，七百英畝養馬，其餘用以養牛羊種菜和培植肥料。在阿根廷像這樣大的地主共有五十家。

治療癌症新法

方艮

美國杜克大學的外科專家們，新近研究出一種治癌的新方法。這種方法是在治療時將病人整個身體冷卻至比正常體溫低華氏十度，同時卻將胃部區域溫度增高至比正常體溫（華氏98.6度）高三度以上。

主持這一種研究的外科教授與格爾頓博士宣稱，在此之前，醫生們早已採用降低或增高體溫的治療方法。不過，將冷卻和熱方法同時聯合使用，這次卻是初次。

醫生們早就知道有些抗癌藥品在高溫度時效用比較好。因此，與格爾頓博士和他的同事們就想到在治療胃癌時，不妨將胃部區域的血液加熱，使它容易輸送藥物。可是，如果要使治癌藥物效用顯著時，就得大量的使用，這樣又常常對正常的身體組織有害。因此，這些外科專家們又想到降低胃部以外各部份體溫，使這些部份的血液循環作用緩慢。他們利用冷毯將胃部以外各部份溫度降低到華氏87.8度，使血液變濃，流動較慢。胃部區域的加熱是利用該大學研製成功的特種熱交換器。

國父讀書廣博

許一塵

我們知道，國父不但是一位偉大的革命導師、大政治家，而且也是一位中國近代偉大的學者與著作家！他平生讀書之多，包羅萬象，貫通中西，融會古今。國父自己也會說：『……生平嗜好，惟革命與讀書。』（見胡去非「國父事畧」）可見 國父的讀書之勤與學問之博，眞是無人能及！

獲最高尚教育是中國第一人

關於 國父的求學經過，據康德黎博士云：『……孫逸仙博士深知精通中國古學，是無所用的。他竭誠要受科學的教育；因爲有這個願望，所以就進入新開辦的香港醫科學校就讀。他是那學校的第一個畢業生。植物學，化學，動物學學等，是醫學教程開始具備的，替他開一個新世界。所習各種課程，滿足了這個智慧的中國青年。

孫習醫科，如他習別的科學一樣勤奮。這高尚的醫學教育，使他立好了後來事業的根基。他在課餘之暇，并努力去研究國際法，軍事學，海軍建設，各種財政學，和各種派別的政治學。他曾遊歷數國，考察他們政府的制度和組織。當他同我住在倫敦時，孫沒有耗費時間去娛樂，他不停地工作，閱讀關於政治、外交、法律、軍事、海軍的書籍；礦產與礦業，農業，畜牧，工程，經濟等類，他也細心的去研究。他的求知的範圍極廣，所以孫逸仙在今日的中國，他是第一個獲得最完全最高尚的教育的人。……』（見「孫逸仙與新中國」第四章）

這是 國父接受西方教育和西方思想的時期。至於他幼年求學的情形，據馮自由氏的「革命逸史」云：『國父自幼讀於故鄉翠亨私塾。稍長，至檀香山，肄業於基督教學校，於英文更稱優異，而於國學自嫌淺薄。歸國後，初拜區鳳墀爲師，勤讀不輟。及至博濟醫院習醫，乃延一漢文教師陳仲堯，每日到寓教授。次年，轉學香港醫校，陳亦同行，遂仍日就陳授教讀。至港校畢業時，所學也已大進，人咸訝其進步之速。迨後迭在澳門、廣州業醫，仍手不釋卷。……』

終日手不釋卷　學貫古今中西

又 國父自述云：『僕姓孫名文，字載之，號逸仙，籍隸廣東廣州府香山縣。生於一千八百六十十六年（前清同治五年），華曆十月十六日。幼讀儒書，十二歲畢經業。十三歲隨母往夏威夷島，始見舟車之奇，滄海之闊，自是有慕西學之心，窮天地之想。是年母復回華，文遂留島依兄，入英監督所掌之書院（Io Lani College Horlulu），肄業英文三年。後再轉入美人所設之書院（Oahu College Horlulu）肄業，此爲島中最高之書院。初擬在此滿業，即往美國入大書院肄習專門之學。後兄因其切慕耶穌之道，恐文進教，爲親督責，着令回華，是十八歲時也。抵家後，親亦無所督責，隨其所慕。居鄉數月，即往香港，再習英文。先入拔萃書室，數月後，轉入香港書院。又數月，因家事離院，再往夏島，數月而回。自是停習英文，復治中國經史之學。二十一歲改習西醫，先入廣東省城美教士所設之博濟醫院肄業，次年轉入香港新創之西醫書院（College Of Medicine For Chinese）。五年業滿，考拔前茅，時二十六歲矣。文早歲志窺遠大，性慕新奇，故所學多尚雜不純。於中學則獨好三代兩漢之文；於西學則雅癖達文之道。而格致政事，亦常流覽。至於教則崇耶穌；於人則仰中華之湯武暨美國華盛頓焉。』（見「國父遺墨」第一篇）可見 國父涉獵廣博，學貫中西。

偉大革命思想悉由書中得來

又據譚香林氏著「國父的大學時代」第四章記云：『國父在西醫書院時，尤喜於中夜起床讀書。法國革命史與達爾文進化論等英文專書，最所喜讀。蓋是時適值達爾文逝世後數年，其學說風靡全歐，而法人研究其國革命史者，亦至是時大盛。此類書與 國父革命思想與科學趣味，有針芥之投也。……合學術研究與實際生活及救國意志爲一體，此古所謂讀饋無忘也。其所讀書籍，甚爲廣博，其後雜校，多記親友保存。……』

由此可見 國父的革命思想，實由於讀書得來；而他的革命事業，也以讀書奠其基礎。無怪 國父常對人說：『革命基礎在於高深的學問。』但我們要獲得高深的學問，便非要從讀書中去求不可！所以今天我們就應效法 國父的讀書不倦，手不釋卷的精神！

吳敬恆先生年譜（卅五）

陳凌海編撰　陳洪校訂

張人傑、李煜瀛以中央監察委員名義聯合發表：「護黨救國」通電，斥責武漢聯席會議成立以來之種種謬舉。十二日，國民黨實行清黨。十五日，國民黨中央執監委員由滬赴京，舉行會議。武漢方面委員未出席。寧漢於焉分裂。會議決定在南京成立國民政府。十八日，國民政府在南京成立。由蔡元培授印，胡漢民（展堂）受印。發布中央政治會議，遞發南京宣言，揭櫫驅逐共產分子。先生與蔣總司令中正、胡漢民等在各團體慶祝國府遷都與恢復國民黨黨權大會上發表演說。二十六日，國民革命軍總司令政治部成立。中央政治會議發表先生爲總政治部主任。通令全體將士，須受蔣總司令中正與先生之指導。先生辭不到任。由副主任陳銘樞（眞如）及劉文島（廖蘇）代理。國民政府加派先生與蔡元培、李煜瀛三人爲教育委員會委員。先生所創辦之海外預備學校，當寧漢分裂時，先生憤而解散。諸生遣歸。先生解散海外預備學校後，蔣總司令中正自五月起，每月借與先生生活費三百元。嗣因蔡元培邀請先生就國父遺教加以整理，分類編次，致送公費三百元。先生遂不再借生活費。六月，國民黨中央監察委員會第四次全體會議，推先生爲常務委員。先生提議：「國民政府既已成立，請中央執行委員會常務委員在南京組織常務委員會，並促中央委員及國民政府委員速往中央政府所在地開會。」十六日，先生在國父廣州蒙難五週年紀念會演說。二十四日，先生在中央政治會議，將徐州特別會議經過情形提出報告。八月十三日，蔣總司令中正辭職。在上海發表宣言。翌日先生與胡漢民、張人傑、蔡元培、李煜瀛等赴滬挽留。適蔣總司令中正已返奉化原籍。諸人致電馮玉祥（煥章），聲明取消安慶之行，各爲故里之遊。先生旋回上海，杜門不出。九月十七日，國民政府成立大學院，任命蔡元培爲大學院院長。蓋因李煜瀛之提議試行大學區制，故取此名。大學區之組織，係摹仿法國者。在大學院內，特設大學委員會，聘請先生及李煜瀛等爲委員，由委員決議，先生在北京、江蘇、浙江試辦大學區。又設特約著作員，聘請國內在學術上有貢獻而不兼職務之學者充任之，先生與李煜瀛、周豫才等皆受聘。九月二十三日，蔣總司令中正自寧波抵滬，與先生及胡漢民會晤，表示即行出國。十一月二十四日，參加蔣總司令中正談話會，商討黨政軍情勢。十二月十日，國民黨全體會議通過，蔣中正繼續任國民革命軍總司令職。冬，先生爲邑人毛子翔逝世撰事畧。石瑛（蘅青）就任上海高昌廟製造局兵工廠廠長後，彼因與公子詳在英國同校攻讀，深知詳之智與能，乃邀請詳担任該廠審計處長兼總工程師。詳到任後，襄助石瑛充意整頓，提高工作效率，使原日每天製造子彈七萬發，增至每日製造子彈十一萬發，同時改良槍炮，自造步槍上之標機（以前全靠國外輸入）。並爲製造當時中國國產最大馬達。此爲其首次服務政府，任公務員之職。其品性高超，處事嚴明公正，適如其父。是年，先生偕楊銓夫婦同遊杭州西湖。訪張人傑。並遊蘇州虎丘劍池。是年，先生與蔡元培、李煜瀛、張人傑等聯名向中央政治委員會提議：在南京首都、北京、浙江等處，設立研究院。十七年中央研究院成立，蔡元培任院長。中央聘請先生爲評議員。嗣後又被選爲院士。

民國十七年，戊辰（西曆一九二八年）先生六十四歲

一月一日，先生偕張人傑（靜江）訪晤蔣總司令中正。二日，國民政府電邀蔣總司令中正回京主持。並就任國民革命軍總司令，繼續北伐。先生代中央監察委員會咨照中央執行委員會處分汪兆銘（精衞），陳公博文。

名垂青史的王昭君

擇荷

莫怨工人醜畫身，莫嫌明主使和親；
當時若不嫁胡虜，祇是宮中一舞人！

王昭君奉使和番，下嫁匈奴王于單，千古騷人墨客，爲文弔之者，大多婉惜之辭。

如唐王建云：「……萬里馱黃金，蛾眉爲枯骨」。「……共恨丹青人，墳上哭明月」。又如唐梁獻云：「圖誤失天眞，容華坐畫人，君恩不可期，妾命在和親：……」，無不既痛「佳人已屬沙托利」的淒楚怨恨，復恨畫工毛延壽之奸惡誤人，使王昭君自己，也認爲才貌雙全，未得長侍元帝，專寵宮中，而使遠嫁異域，實有「命如紙薄」之感。但以我的淺見，卻不盡然，王昭君之得能和番遠嫁，以一弱女子居然能夠爲國出了這一番力，使得「青史標名」名揚後世，應該爲她慶幸高興。

王昭君不過是個「良家女子」而已！她被選入宮，即使能使着「才情容貌」，博得「君恩眷顧」，但在當時專制皇帝的掌中，能否「專寵宮中」，「君因永顧」，尚未可知；況其後宮佳麗三千，姬妾成羣，豈沒比昭君「才情容貌」更好的，與之爭奪，所謂帝心難測，喜怒無常，等到年華消逝，還不是棄如敝屣，長爲白頭宮女而已！

據野裨載：昭君因未曾賄賂畫工毛延壽，毛延壽一怒之下，於其畫像臉上，加添黑痣，變爲醜陋，因而被黜。毛延壽當時的奸謀毒計，固然可惡，但結果昭君又因禍得福。當然，王昭君既然被黜，不蒙一顧，那末，在皇帝心目中，則早已把她忘諸腦後了！宮中麗質甚多，念頭決轉不到昭君身上，「君恩」既「不可期」，那麼，勢必空守長門，等待老死了！而叫毛延壽如此一來；出塞和親，不僅博了個「名實雙收」，而還贏得個「名垂後世」，昭君倒受賜於延壽多了。但考正史，則無此點痣被黜一事，據漢書（六〇頁）載：「竟寧元年，單于復入朝，自言欲婚漢氏成親，元帝以後宮良家女子王嬙字昭君賜單于，單于驩喜，保護上谷以西至敦煌一帶無患」。准此，昭君以一弱女子，遠成匈奴，未絕一弦，未折一矢，不發斗糧，不用一兵，而保邊塞數十年清寧，使匈奴數十年不亂，無形中減少國家一筆龐大的錢糧損失和耗費，邊關民衆免於流離遠徙，安靜地從事農牧，這種惠及黎民，忠君愛國的豐功偉績，較之斬將搴旗的大將，實有過之而無不及，更非一般坐論安危的儒生所能望其項背。

因此：我獨佩服唐王叡的解昭君怨詩云：「莫怨工人醜畫身，莫嫌明主使和親，當時若不嫁胡虜，只是宮中一舞人」。

老卒丁品

（品字頭加山）以下同

銘右

貞元十四年，申州多虎暴，白晝噬人。時淮上阻兵，因以武將王徽牧申州焉。徽至，則大修擒虎具，兵仗坑穽，靡不備設。又重懸購得一虎，而酬十縑焉。有老卒丁品者，善爲陷穽，遂白於太守。請山間至路隅，張設以圖之。徽既許，不數日獲一虎焉。

虎在深坑，無施勇，品遂俯而下視，加以侮誚。虎則跳躍哮吼怒聲如雷。而聚觀之徒，千百其衆。品衒其計得，誇喜異時。時方被酒，因爲衣襟勾掛於樹根，而墜穽中。衆共嗟駭，謂糜粉於暴虎之爪牙矣。及就窺，品乃端坐，而虎但瞪覷耳。品之親愛憂品，乃共設計，以轆轤下巨索，伺品自縛，當遽引上，或希十一之全。品得索，則纏縛腰肢，揮手，外人則共引之，其虎則以前足捉其索而留焉，意態極仁。如此數四。

品因而謂之曰：「爾輩縱暴，入郭犯人，專須剪除，理宜及此。顧爾之命，且在頃刻。吾因沈醉，誤落此中，衆所未便屠者，蓋以我故也。爾若損我，因激怒衆人，我氣未絕，即當薪火亂投，爾爲灰燼矣。爾若相從，吾當啓白太守，捨爾之命，遠離此土，斯亦渡河他適，爾所知者矣。我當質之天日，不渝此約。」其虎縮聽，若有知解。品則引繩，衆共出之，虎乃弭耳驅目，不復留。

品既得出，遂以其事白於邦伯曰：「今殺一虎，不足禳靈罪之暴；況與試約。乞捨之，冀其率侶四出，管界獲寧耳。」徽許之。品遂以太守之意丁寧告諭，虎於陷中蹋躍盤旋，如荷恩施。品即徹土坑側，稍益淺，猶深丈許。虎乃一躍而出，奮迅騰騰，嘯風而逝。自是旬朔之內，羣虎屛跡，而山野宴然矣。

吁！保全軀命之計，雖在異類亦有可觀者焉。若暴虎之猛悍，況卑陷穽，得人固當恣其狂怒，決裂噬嚙，比豁其情；斯虎乃因品以圖全，而果酬焉，何其智哉！而品能以言詞誘諭，通於強戾，果致旋行出境之異，況免墜穽之害，又何智哉！斯乃信誠交感之致耳。於戲！信誠之爲物也。何其神歟！

——集異記——

司馬光與資治通鑑

司馬光，字君實，世稱司馬溫公。他是有宋一代名相，而史筆亦自成一家，所編「資治通鑑」，凡二百九十四卷，上起戰國，下迄五代，敘述一千三百六十二年間的大事，「專取關國家盛衰，繫生民休戚，善可爲法，惡可爲戒者以爲是書」。宋神宗以「鑑於往事，有資於治道」，賜書名爲「資治通鑑」。溫公編通鑑的方法，是先爲草卷，再爲長編，再爲考異，最後細述而爲通鑑正文。他採用的史料，除正史外，雜史亦有三百二十餘種之多，歷時十九年始告完成，所以他自稱一生精力盡瘁於此。（陸石）

三日春秋

本家部長官味濃

·厚安·

人生在世，不可執著，執著使一無是處，甚且苦不堪言。

本家某部長即犯執著病。他曾任中央某部部長（即等於現在的第×組主任。但那時規模龐大，與此迥不相同），公務出入，上班下班，頗有氣派。

後來卸任，改任上海寺美專後衞十七號國防最高委員會，某某委員會的主任委員。這是一個閒缺。委員只是開會時到一下。平時只有一兩個辦事員，和一名工友，也是吊兒郎當的。但爲在家中維持「部座」尊嚴，每天八時即開始緊張，全家都知道：「部長要出外辦公了！」於是廚司、司機、聽差，前後奔走。等到了辦公室，則闃無一人，連工友也沒有來。只有紆尊降貴，自己到門房拿報紙看。報紙看完了，時間還早，呆下去，無公可辦，甚至除了工友外，人影也沒有了，回府吧，不能！部長的尊嚴（因爲在下人的心目中，他們的部長是紅人，一向是很忙的）；看朋友嗎？朋友都很忙，無暇陪他聊天。於是只有坐着公家的車子，到街上兜圈子，從陝西街轉鄭街，好容易，熬到下午一時，才算回府，是「部長應酬回來了」。在家隨便喝一盞茶（因爲假定已在外吃了飯——一位部長，是不會沒有飯局的），打一中覺，不到二時，又要趕着「辦公」了！

如此，一日還可，長久下去，「部長」乃苦不堪言。但爲了在聽差、老媽子、廚司面前，維持這個虛面子，他始終無法把自己，從這畫形的面中，解脫出來。

上面這一位，是我親見的。聽說還有一位「大人物」，下台以後，在家，閒得無聊，於是大叫大司務擬菜單，呈核，然後揚起紅藍鉛筆，在上面寫「如擬」一兩個大字。第二天，大司務又把菜單呈閱，又批一個大大的「閱」字。據云：無論事情如何忙，這兩件事非作不可。蓋不如此則不能過癮，官味濃至此種地位，苦乎，樂乎，不足爲外人道的！（完）

巨變歷險記！

林偉儔一夫當關　十一

胡慶蓉

天津被包圍的期間，天津抵抗的期間，我有時說廿九天，我有時說一個月零一天，到底那一個對呢？其實，都對。從民國三十七年十一月廿七日起算，到來年——卅八年一月十五日，自然是二十九天。但天津的被包圍，並不只二十九天，應該是一個月零一天，因爲林彪的野戰軍，還在民國三十七年十二月十四日就已經到達了天津的外圍了。天津的東面，南面，西面，從民國卅七年十二月十四日就已經被包圍了，只有通北平的路，尚網開一面。

天津的防衛，在民國卅七年十二月十四日前，有侯鏡如的一軍，有林偉儔的一軍。在徐淮大戰之後，在東北大戰之後，中央是不是看大勢已去不可挽回，遂定下撤軍計劃，於其讓共匪吃光，於其讓部隊潰散，不惟毫不能發揮作用，反而資敵，何如撤退，以備國家將來的大用？識者謂徐蚌大戰已決定了大陸的命運，東北大戰更決定了華北以至整個中華民國的命運。天津抵抗的可貴，就在這無可如何之處，而仍不屈不撓。在戡亂歷史上，眞是前無古人，後無來者！

侯鏡如的一軍，在天津被包圍的時候，突然不見了。侯鏡如撤了，侯鏡如的軍撤了，但侯鏡如撤出去了沒有？侯鏡如的軍撤出去了沒有？天津市民都很懷疑。在天津萬分需要中央軍防衛的時候，中央軍不見了，自然都感到莫大的失望。但天津市民並不因中央撤退他的軍隊而不抵抗。這種精神，是値得特別嘉許的。其擁護中央之熱誠眞誠，更不應抹煞懷疑。天津——有如一個孤兒——被包圍的天津，就在孤而不屈，堅忍不拔。其可貴處侯鏡如的軍雖然撤了，林偉儔的軍似乎還在。林偉儔的軍是不是眞的還在，這是問題，但不管林偉儔的軍還在不在，林偉儔在，則是眞的。林偉儔一直在。到最後，到天津失守的時候，林偉儔還是在的。

林軍長，廣東人，小個子，他的體形，是廣東人的一般體形，短小精幹。同人談起話來，虎虎有生氣。見人，有說有笑，富幽默感，他的脾氣，也是廣東人的一般脾氣，至大至剛，可塞於天地之間。

林將軍，在抵抗林彪野戰軍的包圍一點上，與陳司令是一致的。他對於陳司令，更是說不盡的敬佩。林將軍，出身黃埔，忠於國家，忠於領袖，乃理所當然。陳司令，他同中央並沒有關係，他只是同傅作義有關係。他能背傅作義的道而行，其高風亮節，尤令人無限欽遲。

昔張飛，長板坡一喊，退曹兵八十三萬，林將軍的固守天津，雖沒有把林彪野戰軍呵退，但一夫當關，尤有足多。

西洋哲人簡介

亞里斯多德（一）

劉長蘭

約莫在柏拉圖六十歲時，遠自希臘北部來了一個十七歲的少年，要求進入雅典書院。相談之下，柏拉圖不禁對這個年輕人思想之清晰，知識之廣闊，大爲驚異。又因鑒於雅典國勢的衰微和勇猛善戰的北方民族之日漸興起，他甚至想到：是否這個來自馬其頓的少年將要從雅典人手中接過學術的薪傳呢？

歷史終於證明柏拉圖的想法並沒有錯，這個少年就是其後統治西方思想垂兩千年之久的亞里斯多德。

亞里斯多德生於愛琴海西北岸斯達基拉地方。他父親是馬其頓王阿門塔斯的御醫，因此他早年的生活大都消磨在宮廷的喧鬧放誕中。幸好，醫生的家庭裏畢竟少不了科學和一般性的學術氣氛，亞里斯多德先天稟賦優異，後天又得有耳濡目染的薰陶，在稍稍成年後，就擺脫了一切不良影響，矢志於學。進入雅典書院是他生命的轉捩點；他在那裡恰如龍在大海中一般的喜得其所。思想世界無邊廣闊的領域對他有不盡的吸力。實際上，他與柏拉圖以及其他學者的討論只有啓蒙作用而已，他還要繼續深入的研究。他大量購買抄本，他也去請教遠方來的學者，並將他們的意見記錄下來以備參攷。雖然他尊重柏拉圖，但他在下課後經常以銳利與挑戰性的問題與老師討論。他的銳不可當的腦力使柏拉圖感受良深而譽之爲「雅典書院之心智」。

然而，出人意料的，當紀元前三四七年柏拉圖逝世時，竟遺言此後雅典書院由他的姪兒斯佩西柏斯主持。此事使亞里斯多德頗感失望。因此他和柏拉圖的另一個學生西諾格拉斯到艾蘇斯地方去另立一個學校，在那裡他認識了一位富有的王子，赫爾米亞斯，隨後並與王子的姪女結婚。赫爾米亞斯爲馬其頓王菲立普之友。恰巧菲立普正在爲他的兒子找一位老師，於是赫爾米亞斯就將亞里斯多德介紹了去。後來的七年亞里斯多德均在馬其頓度過；他的學生就是征服了西方全部文明世界的亞歷山大大帝。

亞歷山大於紀元前三三五年即位後，亞里斯多德乃返回雅典，又建立了萊西亞姆（Lycuem）學院，從事高級的學術研究。這個學院的別名叫做「散步學校」，因爲亞里斯多德喜歡在他那寬廣的校園內一面散步一面與人討論問題。和柏拉圖的雅典書院相較，這裏的課程範圍更爲廣大得多，包括有自然科學，生物學，文學，心理學以及在當時被視爲新科學的邏輯學，數學與政治哲學反倒不爲所重。

此時在亞里斯多德的腦筋裡一個龐大的計劃已逐漸形成。他要把古往今來所有科學，哲學，修辭學，法律，甚至文學等各種科目的知識予以組織系統化，以便後人使用。對於一個個人來說，這實在是一件畢生的大業。他決定挑選一些學生來幫助他致力於此事。

他所遭遇的第一個問題是必須決定一個寫作形式。以前他和柏拉圖在一起時，他會以蘇格拉底開始而由柏拉圖發揮極致的問答式來寫作。但是顯然那個方法用在範圍廣大的思想活動上是嫌太束縛了。終於亞里斯多德放棄了物而採取說明性的論文方式。柏拉圖的問答式其長處在於戲劇化的激烈和[illegible]的想像與熱情，亞里斯多德的論文卻有更大的智力上的強度，合理而更綜錯，須要更大的集中力才能了解。

第二個重要的問題是必須決定他在收集與評價現有資料和觀念時所要用的調查和分析的方法。當亞里斯多德概觀已有的知識時，他感到以往的研究實在十分散亂，思想的表達，不論在方式與實質上也都是非常分歧。他體認到需要有一個共同的理論基礎，以辨認是或非，合理或不合理，正確的或是虛僞的；換言之，就是需要一個普遍適用的邏輯。

亞里斯多德將他在這方面構思的結果記述於「[illegible]」一書中，此書共有六篇關於邏輯與科學推理法的論文。在這些篇章裡，亞里斯多德爲合理的思想法定下了基本的法則，其一即爲著名的三段論法。顧名思義，可知此一論法分做三個階段，第一段爲大前提，第二段爲小前提，第三段爲結論。例如大前提爲「凡人皆死」，小前提爲「孔子是人」，結論則必然爲「孔子會死」。（未完）

姑蘇聯話

王銳

江蘇吳縣，是舊蘇州府治，也就是春秋時代吳都姑蘇的舊址，形勢衝要，山川韶秀，清朝曾爲江蘇省會，馬關條約開爲商埠，但商業在東方雖與上海爭衡，在西方又受制於鎮江，沒有發展的可能；倒是近郊最饒名勝，溪壑幽深，泉石清奇，向有「上有天堂，下有蘇杭」的俗諺，早已遍傳婦孺之口。

蘇州西北方閶門外有小山，名叫虎丘，亦叫海涌山，相傳春秋時吳王闔閭葬於此地，下葬後三日，有白虎伏臥在塚上，故稱爲虎丘，山不很高，風景極爲幽雅，此處有俞樾所撰對聯：「虎坪覓遊蹤，乘興而來，儘饒看十里烟花，三秋風月；獅峯觀對面，會心不遠，任領取雲中林樹，畫裡亭台。」又有洪鈞所撰聯：「問獅峯底事回頭，想頑石能靈，不獨甘泉通法力；爲虎丘別開生面，看遠山如畫，翻憑劫火洗塵氛。」

閶門外約三華里，有留園，泉石幽勝，花木扶疏，爲姑蘇名園，該園原屬劉姓所有，名叫寒碧莊，亦叫劉園，後歸盛氏所有，改名爲留園，有楊泗孫集句聯爲：「留連灑德，嘯傲琴緒；園涉成趣，門設常關。」鄒文源集字聯爲：「奇石盡含千古秀；桂花香動萬山秋。」薛時雨所撰聯爲：「迤邐出金閶，有青蘿補屋，喬木干雲，好樓台舊址重新，儘教邀子敬清遊，元之醉飲；經營參畫稿，鄰郭外楓江，城中花鄔，倚琴尊古懷高寄，猶想見寒山詩客，吳會才人。」另有主人盛康自題聯爲：「歷宦海四朝身，且住爲佳，莫孤負清風明月；借他鄉一隅地，因寄所託，任安排奇石名花。」

蘇州城內有滄浪亭，湖水澄澈，和小山相映成趣，幽雅脫塵；原爲宋朝名士蘇舜欽所築，取名滄浪；蘇氏死後，曾歸名將韓世忠所有，所以亦稱爲韓王園；此處有薛時雨聯爲：「百花潭烟水同清，年來畫本重摹，香火因緣，合以少陵配長史；萬里瀛風波太險，此處臨可濯，林泉自在，從知招引勝遊仙。」郭柏蔭聯爲：「漁笛好同聽，羨諸君判牘餘閒，清興南樓追庾亮；塵纓聊一濯，擬明日刺船徑去，遙情滄海羨成迪。」另有宋犖短聯爲「共知心是水，安見我非魚。」亦工整可喜。

城西約十華里處，地名楓橋，有古寺，相傳唐朝貞觀年間，有寒山，拾得二高僧曾居留此處，故得名爲寒山寺；樊恭煦撰聯爲：「江楓漁火；勝地重來，與國清寺並起宗風，依舊鐘聲聞夜半；木履樺冠，仰天狂笑，有寒山集獨參妙諦，長留詩句在吳中。」金粟香題聯爲：「訪文殊普賢而來，看桑海遷移，好向禪門參偈語；攬虎阜獅林之勝，正楓江冷落，還從古寺聽鐘聲。」讀聯懷景，不禁使人想起張繼「姑蘇城外寒山寺，夜半鐘聲到客船。」的畫意與詩情。

細雨樓稿

秋思五首

張夢機

早秋消息在梧桐，客思難禁一笛風；
掩卷餘香收掌上，孤燈寂寂向人紅；

霜風作意釀宵清，吹散陰霾放月明；
聞說江山助文藻，何須詩力與天爭；

最憶小蘋初解詩，裁箋寫不盡相思；
祇今虛幌來秋恨，多在蕭疏冷雨時；

市華燈散衆星，閒塵路近未曾經；
只緣不是江南夜，一例笙歌那忍聽；

秋夜夢伯兄寄小金門

鱸[illegible]風味黃花酒，可得今宵入夢思；
我自移燈依短榻，醒時猶恐有新詩；

驟[illegible]氣欲侵衾，未肯休；
雁叫驚回千里夢，燈殘留伴一分愁；
危礁戍老東溟月，姜被宵寒半榻秋；
幾度空灘磐石上，怕聽潮語說淹留；

秋夕飲多春館贈卓祺

葉風徽作小喧，閒招圓月破靈屯；
膾鱸細領江南味，背郭疑居渭上村；
未信才名能累子，漸諳世味欲無言；
知君曾是洛陽客，尙戀繁花枉夢損；

事過境遷

三幕喜劇　熊式一

詩：對不住，說錯了！去看打球去了。（看一看手錶，馬上覺得不應當看，把手臂藏在身後）現在應該回來了！

仁：這更豈有此理！姪小姐又同那個沒有出息的………（望一望阿詩）………又同那個人出去，怎麼不先問一問我呢？我決不讓她去的！

詩：那時候老爺………老爺………睡得很甜的，方醫生又說不要緊，所以姑老太太就說她馬上要下山的，她順便帶了他們去；她很喜歡趙先生。

仁：豈有此理：阿詩：你快去打電話，請姑老太太聽電話，她老人家也眞胡塗！

詩：是！不過姑老太太說過了，她有事要出去，一直不回家，給老爺留下了一封信………

仁：信在那兒？還不早給我看，站在這兒胡說一大套！

詩：是！（掏出信來）姑老太太吩咐不要讓太太知道，信在這兒。（是信，仁翰立刻打開看，臉上漸漸露出驚奇高興的樣子，最後笑顏大開，同時阿詩繼續的講着）我本來預備老爺吃了藥再給老爺的；不過老爺吩咐我拉開窗簾子，開窗戶，收拾屋子；又問我許多話，差一點兒弄得我忘記了！

仁：我問你一句，你總是說一大套，還說我問你許多話別再講了！女人的話眞多！

詩：是！回頭太太下樓來，或者是老爺上樓去見着了太太，千萬別提姑老太太交給我這封信的事。勞駕你記住了！要是太太知道了問我，我眞不知道說甚麼！我最怕太太………

仁：得了，得了，別再廢話了！你走吧！

詩：是，我從來不多講話的！不過老爺要問我，我假如不理老爺，人家會說我沒有規矩的，何況老早已到了吃藥的時候，我要等………

仁：胡說！我不是叫你快把那種化學藥連瓶兒一道扔到垃圾桶裡去嗎？你還站在這兒囉唆甚麼？你知道我生平不吃化學藥的！

詩：是。不過當着老爺還過去………不是，是睡得很甜的時候，姑老太太叫我把方醫生的藥，餵了一羹匙給老爺吃，後來老爺還用舌頭舐了一舐咀唇，好像吃得很有味的樣子，姑老太太這才放下心，帶姪小姐和趙先生走了………

仁：這簡直不成話！（不知不覺舐舐咀唇）這簡直不成話！（又舐舐咀唇）

詩：是，眞不成話！老爺，味道還好嗎？方醫生說，裏邊放了杏仁露，很好吃的！

仁：胡說！還站在這兒不停口，還不………

（這時候包太太穿了晨衣推門走進大廳來，阿詩示意叫仁翰把信藏起來，趕快跑過去扶太太。仁翰匆匆忙忙的藏信，欲速則不達，越想快越糟，他太太看在眼裏，存在心裏，微笑不說破。仁翰藏好了信，也過來扶他的太太）

仁：（笑臉相迎）太太好了！

包太：（揮手示意不要他扶）仁翰，你不要扶我吧，對不起，我應當叫你做包先生！包先生，你也好了呀。

仁：（大驚，茫然）太太怎麼哪？

包太：包先生，你也不可以叫我做太太，照法律上，照道德上，你還是叫我做宇文太太吧！（阿詩更驚）阿詩，我是宇文太太！

詩：是。

仁：（足智多謀）太太不用你扶………

包太：（改正他）宇文太太—

仁：（只得說）宇文太太不用你扶！你可以出去做你的事！—　（四十）

本報緊要啓事

（一）九月二十八日（星期六）本報八九三期台灣區無報敬希台灣區讀者不必再函電查詢及請求補報（二）十一月二十七日（星期三）本報九一〇期及十一月三十日九一一期報將隨後期報同時寄出，敬希諒察。

中華民國內政部登記證內警台報字第〇三一號
中華民國僑務委員會登記證僑新字第三二三號

自由報

（第一九三一期）

（半週刊每星期三、六出版）
零售港幣壹角・台灣售價新台幣一元

督印黃行齋・社長李運鵬

社址：香港九龍彌敦道593—601號
廖創興銀行大廈八樓五座
LIU CHONG HING BUILDING
, 7th FLOOR FLAT 5
593—601 NATHAN ROAD,
KOWLOON, H.K.
TEL: K303831
電報掛號：7191

台灣總管理處，台北市大同街119號
台灣區直接訂戶　台郵劃撥戶
第五一五六號張萬有（自由報會計室）
台灣分社：台北市西寧南路110號二樓

承印：景星印刷公司
地址：嘉咸街廿九號地下

我為什麼批評費正清等

（本文上接十一月廿三日第九〇九期）（下）

・何浩若・

廣告說：『我們台灣人不是中國人，就和一七七六年美國人不是英國人一樣。我們的祖先於十七世紀來到台灣尋求我們自己的生活。我們在一九四七年的抗議，比波士頓茶會（Bosten Tea Party係指美國獨立時之首次暴動）所提出的溫和而且合理。但是我們所獲得的答覆是大屠殺，殺了一萬台灣人。我們被迫所得來的結論是只有台灣獨立才是永遠不受奴役的途徑。一個台灣一個中國的政策是最合乎美國的利益的。』

"We Formosans are no more Chinese than the Americans of 1776 were British; our ancestors moved to Formosa in the 17th. century to seek their own way of life. Our protest in 1947 was milder and better justified than the Boston Tea Party. Yet Chiang Kaisnek's reply was a great Massacre of at least 10,000 Formosans. We are forced to reach the conclusion that an independent Formosa is the only path open to us save permanent slavery, and that a 'One Formosa, One China' policy is to the best interest of the Unitet States."

上面的這段話明顯的告訴我們一個台灣一個中國就是費正清所主張的兩個中國。一個中國是指的中共匪幫的人民共和國，一個台灣是指的獨立台灣共和國。費正清的兩個中國並沒有中華民國。美國姑息份子的看法，有中華民國的兩個中國毛匪是不會接受的。假如在兩個中國的政策上用台灣獨立來打倒中華民國是與中共匪幫有利的。在進兩步退一步的原則下，中共匪幫也許會接受一個中國一個台灣的辦法。因此在費正清策動下的台獨份子說『一個台灣一個中國的政策是最合美國的利益的。』很明顯的，以美國為背景的台灣獨立運動是為美國利益而進行的。另外應當特別說明的是以美國為背景的台獨份子已經不承認他們是中國人。他們說要像美國人一樣脫離英國而獨立。他們是不是要脫離中共匪幫的人民共和國而獨立呢？假如是這樣的話，自中共竊據大陸以後，台灣早已和大陸脫離了統治的關係，又何必再宣佈要說離大陸而獨立呢？事實上，以美國為背景的台獨份子要打倒中華民國不再做中國人。費正清曾面告陳啓天和蔣勻田要把台灣變為美國的第五十一州。假如是這樣的話，那祇是把台灣獨立變為美國的一部份，如何能稱為台灣獨立呢？這情形和以日本為背景的台灣獨立運動一樣，以日本為背景的台獨係由日治時代的大漢奸辜顯榮的兒子辜寬敏領導。假如辜寬敏所領導的台獨運動成功了，他必定要繼承父志把台灣歸還日本統治。這也和把台灣成為美國第五十一州一樣，如何能稱之為台灣獨立呢？

三、黃禍與赤禍和以黃制黃的醞釀

筆者在立法院提出『我對美國姑息份子費正清的批評』的報告以後，便於今年一月在三軍聯合月刊寫了一篇『黃禍赤禍與白禍』的論文，詳述美國姑息份子和美國國務卿魯斯克對黃禍與赤禍的爭論。一九六七年十月二日，魯斯克在招待記者的時候說：『今後十年至二十年配有原子武器的中國人已經構成對亞洲和平與美國國家利益的威脅』。魯斯克接着說：『美國之介入越戰是為了阻堵這一威脅以防止亞洲共產主義的擴張』。魯斯克明明白白的說要防止亞洲共產主義的擴張，但是美國的姑息份子如參議員傅爾布萊德和毛斯，紐約時報的雷斯敦等便抓牢了魯斯克前面的一句話，硬說魯斯克揭穿了美國參加越戰的底牌是為了遏止黃禍來挑起種族的仇恨。因此這些姑息份子以李普曼為首主張美國軍隊退出亞洲，讓黃種人去搞赤禍，讓亞洲人去解決亞洲的問題。但是多數的美國人是怕赤禍蔓延的。假如美國軍隊退出亞洲，誰來遏止共產主義的擴張呢？美國姑息份子便說，既然是讓亞洲人來解決亞洲的問題，亞洲的民族主義自然會遏止共產主義的發展。但是亞洲有那一個民族能和中共匪幫對抗呢？無疑的只有日本。因此讓亞洲人解決亞洲的問題一變而為日本的民族主義對抗中共的共產主義，再變而為以黃制黃的策畧。這以黃制黃的策畧隱藏着一個最惡毒的陰謀，假如實現的話，不僅會影響自由中國的前途，而且將影響人類的前途。這一陰謀，也許會使共產黨征服整個世界和人類。

黃禍這一名辭，首見成吉斯汗征歐，當時歐洲人對黃種人發生恐懼，因而造出了黃禍這一名辭。其實成吉斯汗征歐不過曇花一現而已，黃種人並沒為人類的禍害。真正為禍人類的是白種人。白種人消滅了美洲的紅人和澳洲的棕人，奴役了非洲的黑人，並曾一度把大部份有黃種人的亞洲淪為他們的殖民地。因此筆者創造了『白禍』一名辭來促使白種人的反省。歷史上第二次使用黃禍這一名辭的是威廉第二。甲午中日之戰，威廉第二同情日本便說日本是代白種人消弭黃禍。後來日本強大了，白種人才把日本人也包括在黃禍之內。這次美國的黃禍與赤禍之爭，姑息份子冠冕堂皇的主張亞洲人解決亞洲人的問題便順理成章的主張以黃制黃。但是如何才能使日本的民族主義和中共的共產主義對抗呢？很簡單，把台灣作為這一炸彈的引線。把台灣歸還日本將引起毛匪的反對。這自然是姑息份子的如意算盤，不會實現的，也正如美國軍隊退出亞洲，因為詹森總統三月十九日的聲明，不會實現一樣。但是因為美國允許於今年五六月間歸還小笠原羣島，詹森總統復於最近簽署了琉球行政長官民選的法案，便引起了許多野心家的幻想與推測，而使得以日本為背景的台灣獨立運動更行活躍，也可能使以美國為背景的台獨與以日本為背景的台獨合流。上文已經說過美國的台獨份子主要的目的就是要合乎美國的利益！日本的台獨在大漢奸辜顯榮之子辜寬敏的領導下要繼承父志使台灣重歸日本統治。假如將台灣歸還日本是合乎美國的利益的，以美國和日本為背景的台灣獨立運動豈不是就可以合流嗎。這自然祇是美國姑息份子的幻想。但是我們必須要對此幻想及這一個不可能實現的陰謀提高警覺，並且對反共的美國人民提出嚴重的警告。

要維持將來太平洋的和平與世界的和平，祇有中美兩大民族在自由民主的制度下，密切合作。坦白的說，自由中國是親美的。因為有中華民國存在，大陸上大多數中國人除了共產黨以外也是親美的。這個傳統的友誼得來不易，因為美國從來沒有佔領過中國的土地，也從來沒有過侵畧中國的野心。中國大陸上被共匪奴役的中國人不僅親美，而且寄望於美國能援助自由中國使他們獲得解放。從另一方面講，中共匪幫是仇美的。老實說，日本人民也是仇美的。日本的人民仇美，就和中國人仇日一樣。自由中國在　蔣總統領導下對日本以德報怨，但事實上並不能完全消弭中國人仇日的心理。假如美國的姑息份子要再度出賣中華民國，扶植日本來打中國人，大陸上的中國人於失望之餘又甚於仇日的心理將會敵愾同仇忍痛的在共匪領導下反擊日本。這樣將會使共匪成功，而使美國的下一代受到無窮的災禍。也許整個的人類和世界也將受到共匪的奴役。七萬萬中國人有無比的力量，五十年前共產黨和他們的同路人就企圖毀滅中國的文化，企圖使這一個民族失去自信心才能使共匪征服世界的計劃成功。但是共匪雖然佔了中國大陸却無法使中國人民屈服。毛匪的反蘇是遷就中國人民的民族精神。毛匪的文化大革命是澈底消滅中國人民的民族精神。傅爾布萊德以鴿派在以阿之爭主戰，目的是要使以色列打敗亞刺伯人使之投入蘇聯的懷抱。美國姑息份子以黃制黃的醞釀，不僅是要出賣反共的中華民國，而且是要使大陸上的中國人投入共產黨懷抱。再說以黃制黃，中共勝利了，美國將死無葬身之地，日本勝利了，因為日本人仇美，亦將有反噬之憂。這是值得美國人民慎重考慮的。

美國姑息份子李普曼在本年三月十一日出版的新聞週刊撰文重申他美國退出亞洲——把海空軍的力量移駐西太平洋的主張。他說美國在越南只是『挫折』，並非『戰敗』。美國於此時退出亞洲，讓亞洲人去解決亞洲的問題，還來得及。他認為即令美國打勝了越戰，也無法達成亞洲的和平。一旦被迫和中共作戰，則必然戰敗而無法抽身。同時美國的另一姑息份子羅伯甘迺迪也正式宣佈參加民主黨總統候選人的競選，並且反對越戰，羅伯反對在越南增兵並且主張越南和越共組織聯合政府。他向詹森挑戰要求成立一個越南政策委員會來檢討越戰的得失，被詹森拒絕了。羅伯甘迺迪主張承認中共，文星雜誌曾為之出專號，稱之為勇者，並予以讚揚的。

筆者在這裏要報告的是詹森總統的嚴正聲明。詹森雖然沒提李普曼和羅伯甘迺迪，但明顯的是指責他們。詹森說：『要使這一代的美國人瞭解，放棄我們在世界上的責任是不可能的。』他接着說：『我們已經決定我們的方向，只要侵畧威脅着我們——我們將堅持到底。同時不要對此發生誤解，美國是會成功的。』這已經很明顯的說出美軍為保衛自由不會退出亞洲了。

——以下轉到第四版——

自由談

可怪也矣

在中國人居住的都市裏，每年到了十一月份，所謂耶穌聖誕卡即遍見於商販攤上，這已是咄咄怪事了，而一些並未信奉洋教，不配做上帝的兒女們的中國人，亦相率於十二月下旬對親友寄送「聖誕卡」，更屬莫名其妙。儘管西洋人視耶穌天主教為「國教」，然咱們中國的大多數人士非崇信儒教，便是皈依佛教；不然就是尊奉道教，真正信仰耶穌天主教義的，只係極少數而已。乾嗎大家亦昧然跟着洋人的習俗而靡然從風，玩弄「聖誕節」的把戲呢？可怪也矣。

不特此也，西洋人和信從洋教的中國人，稱耶穌降生日為「聖誕節」，義所應爾。一般中國人對至聖孔子和國父孫公的生日，皆謂之為「誕辰」，却效法西洋人的口吻，不求甚解而獨稱耶穌聖誕節，是亦不可以已乎？還有黃臉黑髮的少數洋和尚，一面以牧師或神父的姿態，胸掛十字架，在本國過着吃教生活，道貌岸然，恍若世外仙侶，一面則藉着傳教的門檻，逢迎權貴，蔑背教規，大作政治活動，甚至利用機會，把持、操縱社會事業，非法營私，言行與十誡相刺謬，而以教會為護符。自海禁大開，西洋宗教流傳到中國以來，一般傳教士在中國的生活史迹，罪過多於功勛，殆屬無可掩飾的事實，試看明清兩代的「教案」紀錄，則知吾言為不謬也。

信教自由，原係基本人權，我決非反對西洋宗教，個人生平並無任何宗信仰，當無攻擊洋教之理。我所期期以為不可者，一是不信洋教的中國人，為甚末每年亦要浪費人力物力，紛然歡祝耶穌聖誕？二是對自己的教主至聖先師和創造中華民國的國父生日，皆一例稱為「誕辰」，何以獨獨稱耶穌生日為「聖誕節」呢？難道說孔子和國父對中國的豐功偉烈，不及外國教主對中國人的德澤不成麼？若謂這便是全盤西化主義的具體表現，那末我就要用兩句廣東話送之曰：「阿韓送殯——唔聽你個支死人笛」。

馮五先生

昨日與明日

官樣文章

據台灣報載：中華民國行政院為整飭官箴，改革政風起見，最近頒訂了一項政令，嚴禁公務人員出入酒家、歌廳、賭場，以及有女侍的茶室和咖啡室等地方，違者予以記大過處分，凡有兩次大過紀錄的，免職不貸。這是行政當局「毋忘在莒」的精神表現，原則上未可厚非。

不過，一項政令之頒佈，必期行而往有功，不致產生窒碍難行的流弊，纔足以奠立威信，了無缺憾。我仔細看過上述令甲的內容後，却有幾點疑問不能然釋於懷，值得談談。

原令禁止公務員出入的若干娛樂場所，是列舉的，但娼寮妓寨不在其列，豈是公務人員可以涉足花街柳巷，而不許到茶室消閒乎？此其一。台灣各都市，似乎未聞有公開的賭場存在，有如澳門和曼谷然。原令對於賭場的解釋，雖然說是以經過警察發覺取締的場合為準，結果是否有使警察隨時進入民家查究打牌行為的苛擾情形發生呢？此其二。台灣各都市間任何茶室與咖啡室中，皆雇用有女侍應生，公務人員得暇偶赴茶肆品茗，所費甚微，似不能認定這是行為不檢吧？婦女受雇於茶樓酒館執役，是一種正當職業，政府不應歧視她們，若謂公務員在茶室與女侍接觸，即有蕩檢踰閑的色情嫌疑，非查禁不可。那末，公務員如偕同女人在市街行走，亦須加以禁止纔對，因為他們彼此偕身藏淫具，不無色情汎濫之嫌，這不是笑話嗎？此其三。

凡屬移風易俗的事情，貴在上層社會人士以身教示範，綜覈名實，庶偽不滋，構成潛移默化的效用，這是非縱的命令行事。公務人員能離賭場、酒家、舞廳、咖啡室等奢侈靡爛生活者，多屬貪污有術，財富充盈之輩，至於一般專靠薪俸過活的，雖無禁令亦不敢問津也。不以非常手段嚴懲貪官污吏，而斤斤於娛樂細行之查禁，本末倒置，似不免揚湯止沸之譏。這項煌煌政令，作為官樣文章的宣傳品則可，要想實事求是，難矣哉！

（何如）

臺北新聞信

十全大會於明春揭幕
戰鬥內閣將應運產生
蔣經國組閣黃杰沈錡長國防外交
國民黨副總裁由嚴家淦順理成章

各方寄予甚大希望之國民黨十全大會，已進入緊鑼密鼓階段，到了春回大地之日，也即全會揭幕之時，反攻復國決策與黨政軍的人事調整，當爲討論重要課題之一，除軍事方面容易涉及國家秘密，（從略），關於黨政人事，有各種各樣傳說，記者就所知資料，作下列報導：

國民黨副總裁席位自陳誠將軍逝世後，虛懸迄今，在此次十全代會中將獲解決。一般的看法，認爲孫科，陳立夫，谷正綱均爲適當人選。據熟習政情人士分析，孫科要把中國考試制度搞好，已具決心，這和當年陳果夫欲致力於導淮工程工程如出一轍，最少孫氏對副總裁職務，主動上無意問鼎，陳立夫現任總統府資政，資政地位閒人做是閒職，忙人做就是忙差了。在　總統蔣公的心目中，關係中國國家命運的「中國文化復興運動」，幾年來僅具形式口號，非陳立夫來執行推動不可，陳氏有執行推動　總統昔年倡導的新生活運動成績在前，中國文化復興運動的時代使命，更重於新生活運動殆無疑問，看情形陳氏定向這方面發展。谷正綱能力強，得人和，辦法多，氣魄大，惟大陸救災總會和亞盟易人，也非易事。但就黨齡和黨的關係來說，中國國民黨副總裁仍以孫科爲最適合人選。

另據有政治份量之老報人的看法，國民黨副總裁一席，以嚴家淦和張羣呼聲最高，嚴氏既任副總統再兼副總裁，順理成章，政治上有法的依法，沒有法的依習慣。張羣出任副總裁，論資望，對黨的貢獻即所謂革命果實，與　蔣總裁的革命關係，如果張氏自己願意做的話，誰也沒有方法和他爭。不過這其中有兩個問題：一張氏從未任過黨職。二總統府秘書長沒有適當人選，副秘書長和美國的副總統制度很類似，就是候補，以張秘書長的健康良好情形，及其「人生七十剛開始」的人生觀看來，　總統固離不開他，他也義不容辭的要追隨總統任期滿後，才好交代。有關鄭彥棻的出處，照當前政治環境來說，形成爲不成問題的問題，在十全大會未開前似乎「山窮水盡疑無路」，十全大會開後可能柳暗花明又一村」，政治是講權力的，鄭氏看得最清楚，也最懂得政治套數的人。國會人士對鄭的誤解，雖尚未稍減，但亦無可如何？

至於傳說，行政院的人事，台灣省政府如何，皆爲時尚早，不過行政院的強化，當屬早已成竹在胸，照國際間的大形勢，和大陸上反毛奪權運動普遍展開，自由中國政府財經內閣踴躍進爲戰鬥內閣，是一種必然趨向，如果蔣經國將軍肩荷起戰鬥內閣重負，黃杰長國防，沈錡長外交，陳大慶或馬紀壯入主台灣省政，都在意料之中。於大軍未跨海西征前，最少做到政治登陸，否則實難以向七億人民交卷。

本報通訊員柳一權

遠東紡織起飛快速

記者丁徵

中華民國紡織展覽會在台北展出將近一月，前往參觀的中外人仕擁擠踴躍，其中最受各界人仕所注意的，首推遠東紡織股份有限公司的陳列櫥窗，其產品有棉紗，布疋到成衣，毛巾……應有盡有，琳瑯滿目，產品精良，售價低廉，頗獲各界好評。

遠東紡織公司產品的物美價廉，實係該公司生產過程以一貫作業，減低成本所致，該公司洋房牌產品現已遍銷世界各地，風行一時。

遠東紡織公司由該公司董事長徐有庠集資，於民國三十一年在上海首先創立棉織工廠，其產品洋房牌內衣，風行全國，信譽卓著。當時之中國大陸，正處於抗戰最堅苦時期，故一般人民生活水準，並不需求享受，但因工業原料之缺乏，對該公司之發展，因運輸較爲落後而有所阻碍，待抗戰勝利，政府着手輔導各行各業復員培植之時，亦即共產匪黨公開積極叛亂開始，由是交通運輸更覺不便，洋房牌內衣在市場遂有供不應求現象，由於上述種種原因，致無法擴展設備，增加產量以應市場之需求。

民國三十八年，由於共黨擴大叛亂，徐有庠先生鑒于共黨慘無人道殘酷手段之毒辣，毅然跟隨政府播遷台灣，在台北縣之板橋建立針織工廠，當時台灣地區，紡織工業並無基礎，且棉花原料均屬仰賴舶來，限於環境，慘淡經營，維持上海遷台員工，煞費苦心，初時產品，僅限於洋房牌圓領衫，汗背心……等數種，直至民國四十二年始逐漸擴充設備，建造其他有關紡織工業之工廠。

自政府計劃實施長期經建計劃開始時，遠東紡織公司亦開始其從事擴建工程，添購裝置新設備之計劃，該公司上下同仁鑒于創設人之用心良苦，故同心協力，自民國四十二年至五十五年期間，相繼完成紡織工廠（分第一第二第三工場），印染工廠、製衣工廠及毛巾工廠等之建築擴充設備，一躍而爲中華民國最大而完美的一貫作業之紡織工廠。紡織廠所屬各紡織工場共有新式紗錠六萬四千錠，自動布機一千一百四十台，第一工場日式改裝西德製紗錠三萬，比利時布機四百台；第二工場西德名廠紗錠一萬四千錠，瑞士名廠寬式布機一百二十八台；第三工場瑞士名牌紗錠二萬錠，日製布機六百十二台。各工場分別裝置瑞士Luwa及美國Chrysler與Trane等名廠出品空氣調節設備。

印染工廠所有設備均由美國、西德、英國、瑞士及日本等國家名廠製造，計有剪毛機、燒毛機、連續退漿、精煉、漂白機、連續染色機、絲光機、自動染缸、滾筒印花機、網版印花機、高溫處理機、萬能壓光機等爲亞洲地區最新式最完整印染廠之一。以上設備在退漿、精煉、漂白、染色工程上應用甚爲廣泛，混紡及棉織品均能適用。漂白劑可應用Sodium Chloride，漂白織物重量之消失由百分之六減少至百分之二，在印花工程上，因該公司網版、滾筒、印花設備俱全，無論何種花色，如多或具有高度藝術性的花樣均可印出。整理工程方面之西德名廠高溫處理機，除可做Heat Setting外，尙能做樹脂加工，對於各種特別處理，如防縮、防綴、防水、防火等均能達到。

該公司製衣工廠有針織機一百九十四台，縫衣機九百七十六台，及洋房牌PP襯衫製造設備，美國Appar-All高溫高壓機全套。

毛巾工廠則有各式毛巾機一百二十五台，其中法國提花機，瑞士及比利時布機，專織高級提花床單。

該公司自工廠完成一貫作業設備後，所有產品量均躍居首位，五十五年度的營業總額即達四億五千萬元之鉅，外銷的外匯收入亦有美金五百八十餘萬之多，五十六年的營業總收入增加了三分之一，共有新台幣六億餘元，外銷外匯的收入亦在美金七百六十萬元以上，五十七年營業總額的預算爲新台幣七億二千萬元，外銷外匯的收入爲美金九百萬元，可是按照目前的業務狀況來看，到達年終決算，必能超出此數。根據資料統計，紡織工業共有各種不同的公會計十三個，會員有八百餘家之多，全國紡織工業外銷的外匯收入有美金一億二千萬元，棉紡工業公會即佔外匯收入之半數六千萬美元，而遠東紡織公司一家就有外匯收入美金九百萬元之多，應佔全國紡織工業外銷的外匯收入十五分之一強，在棉紡工業外銷的外匯收入佔七分之一，其在全國分類，個別的外銷收入來講，均佔第一位，外銷地區，遍及世界各地，對國家爭取外匯收入的業績輝煌貢獻至大，徐有庠艱辛領導的創業精神，功不可沒。

監察院司法小組檢討會議
對日益嚴重少年罪犯問題亟應採取有效措施
惟識者較監察院之檢討尤爲切實

本報記者公孫館台北消息：日前監察院中央機關巡察司法小組特於檢討會上由張秉智委員指出：「少年犯罪案件，年來迭見增加，少年事件處理法，雖於五十一年一月公佈，所有補助法規亦經先後準備完成。惟已經訓練完成少年案件司法官，並定期將成立之台北、台中、高雄三地方法院之少年法庭、少年觀護所迄今均仍未見成立，認爲未盡妥善。如認少年事件處理法內容有不適宜處，亦應提出修訂或謀補救辦法。對日益嚴重之少年犯罪問題，亟應採取有效措施」。惟社會識者對目前少年犯罪之處理問題，較監察院之檢討尤爲切實，茲彙與各方所悉情況如下：

1十月十六日彰化少年輔育院發生師生集體毆斃逃亡學生楊麗勳慘案後，據被調職之院長陳砥瀾臨去公開痛切陳詞指出：該院經費年僅四百二十萬元，由於經費短絀，十二年來竟無圍墻設備，警衛難周，學生易於逃走，致職員工作繁重，待遇菲薄，優秀人才難以到院服務，現有老師僅留一位大學畢業者，偶爾聘到大學出身教師，看到院裏情形，最多呆三天就走。三、四年來力爭興建工程經費五十三萬元，迄無下文，爲求整個改善，建議請撥七百萬元，只批准一百萬元，但亦無下文，所有學生主副食、醫藥、飲水改善等費均有不足。他希望政府要辦好感化教育，應寬列財源，從設備、師資方面多加改善。否則，空談感化教育無法獲致效果。按陳砥瀾係留學美國專攻少年犯罪法的，在其主持院務三年致發生如斯之結果，無怪其感觸至深，痛憾交迸。慘案發生迄今，尚未聞負主管之責的社會處長傅雲有何自咎，或謀善後之道？亦未見官官有所糾彈，深感遺憾！

2過去台北縣屬之不良少年組織「文山幫」、「竹聯幫」、陽明山之「北聯幫」、士林鎮之「三環幫」，均籍當地之中學爲據點。由於前四年私立勵行中學，及今年省立復興中　所發生之同學殺死同學血案可爲例證。台北市警局刑事主管曾稱：「少年幫大多由學校傳到社會，再由社會傳到學校。先太保後流氓，再由流氓回過頭來結成太保。」循環影響，如滾雪球愈滾愈大，社會安全受嚴重威脅。五十六年台北市警方查獲流氓太保結合幫會四十九個，人數爲六百零七人。五十七年六月以前查獲五十個以上不良少年幫會。又如桃園縣今秋被警方破獲之黑龍幫由其混號「烏秋」之「老大」邱×堂等二十六人，經宣誓解散時稱：該幫係五十六年秋季於桃園農工職校涼亭內結盟組成。而新竹縣之「風飛沙幫」、「光復聯盟」、「三光派」等組成份子，多係中學在校學生。且其滋事犯罪情況，一如台北市警方所稱：「五十四年以前，少年鬧事方式，多以械鬥，約時約地，大搭擂台比武。五十四年以後，則化明爲暗，概不事前通知警告，暗中偸襲殺傷殺死，然後逃逸。」就台北市夏秋以來，所發生之兇殺致死案，迄尚未被警局破獲者有：①大直忠烈祠山右四月中旬，被穿綉有符號之學生兇手活活打死某校初三學生李建台，當時報載既有其他學生在場目睹，何迄今案尚未被偵破。②數月前金門街一位三輪車工友被人殺死，現場目擊者說，兇手是幾名十七、八歲少年，且舉像貌報警。西門鬧區冰菓室被人用木凳打死之命案。警方遲至現在均未能將殺人者捕獲，試問刑警是否尚有破案能力，頗令人置疑！

3當在本年度延長國民義教之初，一般中學有關人士均對國中免除留級或勸令退學事，曾多數反對，以爲不如此「留級」「退學」，就不能表現辦學成績。溯及士林縣立某初中，因其校長變態偏激心理過甚，初任五年期中，因教員看不慣其舉措乖張，異動者幾近百人之多，離去者多改在優良省中任教。其招進之學生成績僅稍遜於台北市中聯考，但每年留級多至每班半數以上，而留級一任校長個人之喜惡爲決，致一時「太保」滋生，多係該校退學者，但其升學比例並未因此增高，最突出者莫於該校長硬性規定「六十分」操行成績者改爲不合格，擅予「勸令退學」處分。此類校長，此類中學即爲製造問題少年場所，其例之一斑！

4四年前創辦之彰化省立進德中學，原爲全省問題少年在學者而設，經費設備均在輔育院之上，編制亦較大，但在敎訓方面，並無特殊內容，各方配合不够，迄入學生人數極少，且有逃課在外鬧事者，本年會被彰化警局查出該校竟有「天龍幫」不法組織，參加者悉爲該校學生，因與當地不良少年幫派，發生兇鬥，被警捕獲。以致該校繼續辦下去，省府乃決定改爲少年訓練中心。是此一特殊教育，亦在「盲人騎瞎馬」擺布下宣告失敗矣。識者認爲問題少年，所需要解決者，悉爲心理之治療，若單憑管訓犯罪教誨式之教育，不但不會發生效果，反而促使問題之擴大，心理病態更見加深。飽家聽教授即爲此呼籲而不能自已也。

旅美觀見
引爲殷鑑！

張起鈞

你罵也好，稱讚也好，反正美國眞是個地道的資本主義國家，一切事業所以如此發達，無不是工商企業之所賜；但一切事業也正緣此而變質，一切都成了工商業的附庸，而受到工商業的控制。報紙當然更不例外。

在清末民初國人的心目中，報紙乃是啓迪民智，敎育國民的神聖工具。那眞是再高尚也沒有了，所以那時國文課本中，甚至連「賣報童子」都成了歌誦的對象。但是今天的美國的報紙，則幾乎全是商業的鋪路機，貨品的推銷單，打開報紙連篇累牘的全是廣告，有時甚至整張全幅都是廣告，只在邊邊上掛一點新聞，象徵象徵，表示不是銷貨傳單而已。尤其到了星期天，廣告一齊出籠，一份報一百多頁，除了廣告外，往往沒有一條正經消息，沒有一段可看的文章，這還叫甚麼報紙。

遺憾的是，中國的報紙，也在亦步亦趨向着這方面發展，甚至中央日報有時也都是整版的廣告（並且多半是日本商人的廣告），而把應登的新聞，塞到別的版面去。使得讀者無不憤怒：「怎麼我們花錢訂報，看廣告？」（因爲中國人並不像美國人那樣愛看廣告）。

但這個問題，不是一家報館自己能解決的，你不登，別人登，生意豈不跑了。我們建議最好由報業公會自己發訂君子協定，相約廣告不得超過半版，廣告費不妨提高，甚至採遞進收費率。比如整版廣告費原爲五十萬元，我們不妨半版就收六十萬元。既然大家一致，誰也不會受損失，而結果卻給中國報業保存一息文化氣氛，報紙保持一點高尚品格，讀者也少受點俗氣薰染，利國利民，一舉數得，何樂不爲呢。

三日春秋

延安考察團的一幕

·厚安·

國際間為共匪邪說所蒙蔽，延安考察團的一幕，有很大的關聯。

延安考察團是由駐重慶的中外記者組成的。當時所以有這樣一個組織的促成，本以為「百聞不如一見」，讓有自由思想的外國記者，到邊區去攷察實況，可以改變他們的錯誤觀點。誰知由如下數點，造成出乎預期的結果：（一）第一流的外籍記者，以重慶為抗戰司令台，不肯離開，去延安的，只是第三，四流，乃至五，六等的記者。他們為了造成他們的地位，只知炫奇獵異，毫無責任感。（二）匪的導演觀察術獲售。（三）其中，有共黨同路人。

結果，少數外國記者，因此造成個人的「名」與「利」，而萬惡的延安，竟被描寫為紅色的天堂。在這些人中，最可鄙的是一個福爾曼。他在重慶時，本來就要被美國的總社「炒魷魚」了。他到了延安，拿了共匪給他的一大堆宣傳品，他一橫心，拍一封密電給報社，說：在延安得到不少珍貴資料，看到不少新奇事物，無法寄回來要求准許回國寫。報社對這種要求，是無有不准的。這小子到延安不到三天，一下就溜回重慶，搭軍機飛回美國，亂寫一通，把共匪捧上天，賺了幾十萬美金的版稅。

對付中國記者，共匪派的招待是殺人不眨眼的匪酋王震。這賊酋把中央日報代表張文伯（現任司法部次長），掃蕩報代表某君「招待」在一個破廟裏，外面圍滿了匪共，他用威脅的口吻，責備「中央」，「掃蕩」兩報，「製造摩擦」，然後向窗外大呼說：「同志們，你們看應該怎樣？」外面的土匪就舉起長刀來大喊道：「殺！殺！」。張文伯兒被他氣得滿面通紅，立即跑到台上，用手指着王匪大聲責罵。雖然他的無錫官話，王匪是否聽得清楚，但王匪卻為他的氣勢所懾住，立即命令外面的匪兵，停止叫喊。第二天，匪方的招待也換了人。文弱的張文伯兒，還有這一手，大家也許還不知道吧？（完）

吳研人的「二十年目睹之怪現狀」

陳宗敏

蘇東坡有兩句詩說：「平生做憂患，久已恬百怪。」東坡所處的時代是宋代太平盛世的時代，但是他一生際遇，仍然是歷盡坎坷，終其身在鬱鬱不得志之中。由此可見，雖生在太平盛世，仍是看到了人世間「百怪」的現狀，只因東坡是詩人，不是小說家，所以他沒有記下那些百怪的現狀。

吳研人生在晚清時代，這是一個衰世的時代，又是一個新舊交替，最是巨變的時代，這樣一個時代的社會、人心，其形形色色的「怪現狀」自然更多。吳研人真可以算是中國的莫泊桑，莫泊桑的短篇小說寫真了法國社會的怪現狀。他們都同樣是掣了一面照妖鏡，毫不留情的照現了人類社會的鬼怪魍魎。吳研人的小說只有這一部，莫泊桑的著作豐富，但是吳研人的「二十年目睹之怪現狀」的材料故事是巨細畢錄的，記事之多，也許比莫泊桑的著作還詳盡。莫泊桑在西洋文學中被視為「最冷酷」的寫實主義大師，吳研人在中國，沒有人這樣稱他，但他對於人性的挖苦的刻劃，也已經接近「冷酷」的程度。

借書中的人物　罵貪吏為狗才

中國在晚清時期，可以說是一段最黑暗，最糜爛，最危險的時期，在這書中，我們看到了有關中法戰爭的記述，及列強幾乎瓜分了中國，可是那時中國的情形是政治的紊亂，家庭的守舊，官僚的萬惡，社會的腐敗。吳研人雖然也像莫泊桑用客觀的描寫來記述這些見聞，但他的心情比莫泊桑更憂憤，更悲恨，他常常借書中的人物，罵這些惡官汚吏劣徒小人為「東西」，甚至替他們起名「狗才」，他在第二回中說：

「只因我出來應世的二十年中，回頭想來，所遇見的，只有三種東西，第一種是蛇虫鼠蟻，第二種是豺狼虎豹，第三種是魑魅魍魎。」

從這幾句話便可以看出他寫這部書時內心的憤懣，所以同樣是客觀的描寫，同樣是寫實的，可是莫泊桑所寫的是較為普遍的人性，但吳研人所寫的，除了人性之外，還偏於中國人的，可以說是較地域性、特殊性的，也正因為如此，吳研人所懷的心情的憂憤悲感，自然比莫泊桑要更深刻，更沉痛，也就使他在下筆時，不能做到莫泊桑那樣冷靜。

看不慣壞風習　有一份愛國心

也許是愛之深，所以責之切，吳研人在這部書中，狠狠的罵中國人，他自己是廣東南海人，但他看到當時廣東人崇洋媚洋及奉承新翰林的壞風習，他更罵廣東人。在二十四回中說：「得那些新翰林同他點了點頭，說了句話，他便以為榮幸的了不得，求着他一副對子，一把扇子，那就視同拱璧，也不管他的字好歹，這個風氣，廣東人最利害，那班洋行買辦，他們向來都是羨慕外國人的，無論什麼，都說外國人好，甚至於外國人放個屁，也是香的，說起中國來，是沒有一樣是好的，甚至連孔夫子也是個迂儒。」

但是吳研人絕對不是一個沒有眼光，沒有見識，守舊頑固的小說家，而且他有一份愛國心，在二十二回中，他就曾經這麼說：「此刻外國人都是講究實學的，我們中國却單講究讀書，讀書原是好事，却被那一班人讀了，便都成了名士，不幸一且被他得法做了官，他在衙門裡公案上面還是飲酒賦詩，你想地方那裏會弄得好？國家那裏會強？那裏能對付那些強國？外國人久有一句話說中國將來一定不能自立，他們各國要來瓜分中國，你想被他們瓜分了之後，莫說是飲酒賦詩，只怕連屁他也不許你放一個呢！」可見他絕不主張讀書只為了做名士，升官發財，他說：「讀書只求明理達用，何必要為了功名才讀書呢？」他看不起科舉，第四十三回說：「我一面走，一面想着，作了幾篇臭八股，把姓名寫到上頭去，便算是個舉人。到底有甚麼榮耀？這個舉人，又有甚麼用處？」這種思想，和儒林外史的思想非常相同。

官僚政治可哀　充份反映出來

這部書所諷刺的對象雖然不止於官僚，但有關官僚的故事也算是寫得夠多的了，第八十九回寫苟才為了巴結制台，竟然和老婆跪自己的媳婦，硬是逼迫剛死了丈夫的媳婦再嫁給制台，那種卑鄙無恥的手段，真叫人嘔心。第九十回寫葉伯芬也是極盡吹牛拍馬之能事，官場上的醜狀，吳研人也把它活現了！吳研人說：「如今兒的官場，只要會逢迎，會巴結，沒有不紅的。」又說：「這個官竟然不是人做的，頭一件要學會了卑汚苟賤，才可以求得着差使，又要把良心擱在一邊，放出殺人不見血的手段，才弄得着錢。這兩件事，我都辦不到，怎樣好做官？」照理說，讀書人「學而優則仕」的出來做官為大衆服務是最正確最應該的路徑，可是古今來做官的却常被正人君子看不起，這中間就足夠叫人感到百惑莫解，也充分反映了古今來腐敗的官僚政治的可憐與可哀！

吳研人是舊傳統下的一個文人，但是他有思想，有見解，他對於舊文化傳統習俗的不良處敢於懷疑，敢於批評。在宗教上他不迷信，在家庭的倫理關係中，他也有極開明極正確的看法。這是這部書的過人之處，雖然它也是一部舊的章回小說，但是在思想見識方面，它遠勝過一般舊小說。現在世界書局出版的「二十年目睹之怪現狀」，書前有一篇敍言，敍言的最後說：「這部書的所以能不朽，因他對於當時的政治、家庭、社會等種種事情，都有深刻批評，合理的建議。吾們不僅可當他小說讀，並可為研究

可當它小說讀　亦為珍貴史料

吾國二十年前社會問題的好材料。至於他文學之清潔，寫意之深遠，我雖舉出幾萬言來，恐還不能喻其萬一。」這幾句話為我們說出這部書的價值。就以「文學之清潔」一點說，這書可以說是百分之百的清潔，吳研人不想以低級的黃色趣味取勝，莫泊桑的短篇小說，還有不少的黃色趣味，當然，這只意味着這兩位中法作家的個性不同，甚至可以說不同正代表着兩民族性的不同，並不代表兩人作品格的高低。就寫作技巧上說，吳研人與莫泊桑，同是寫實主義的寫實方法，但是吳研人到底不是莫泊桑，他是中國舊小說傳統的寫實方法。（完）

吳敬恒先生年譜（卅六）

陳凌海編撰　陳洪校訂

先生家鄉雪堰橋建設電力廠，由公子訴親自前往安裝機器，開始發電，供應全鎮，使其成為現代化之鄉鎮。名數學家胡明復逝世。先生於元月十八日輓之曰：「公最岸然，言力則壯，言身則強，死乃由不足道之微生物；國更痛矣，如水益深，如火益熱，世亦無所復需于大偉人。」中華民國建設委員會成立，張人傑為委員長，先生為委員。先生與張人傑同住建設委員會招待所。常有友好前來向先生及張人傑求法書。先生認張人傑法書，浩瀚淋漓，雄偉俊逸，為當代之大書法家。恐為楷書，無法比稱，乃專寫小篆，使世人無可比較，遂以篆書聞名海內外。先生晚年嘗謂：「書寫篆字，塗鴉而已」。此蓋先生謙虛之詞也。二月十七日，為江蘇省教育經費管理處經費獨立問題，訪晤宋子文（時宋為財政部長）。三月二十八日，先生接見美國哈佛大學政治系主任何爾康（A. N. Holcombe）博士，談政治問題，中央日報在南京創刊，先生撰祝詞。先生偕大學院（教育部前身）提議：「分區設立大學問題」。先生在北京天安門外對萬餘民衆公開演講，聽者動容。五月，先生對張作霖（雨亭）通電，並復馬素電。十八日，先生在南京應王世杰（雪艇）宴。是夜，與胡適（適之），王世杰等討論時局問題。先生對當時局勢之趨勢，憂慮「共產黨還要大得意一番，中國免不了要受共產黨殘暴殺戮之浩劫。」當時胡適却不如此想。但二十五年後，胡適在追念先生紀念文中，則率直承認先生之遠見，而欽佩不已。六月四日，先生發表：「首都與國民會議問題」文。國民政府任命先生為中央大學校長。先生於六月九日致函蔡元培（孑民），辭不就。六月十五日，國民政府宣告全國統一告成。二十九日，先生在鄭州各界歡迎蔣總司令中正與先生等大會中致演說詞。七月三日，先生偕蔣總司令中正由京同抵北京，蔣總司令中正偕馮玉祥（煥章），閻錫山（百川），李宗仁（德鄰）至北平（國民政府七月二十日令將北京改為北平）西山碧雲寺謁總理靈前舉行祭告典禮，蔣總司令中正主祭。先生與閻錫山，白崇禧（健生）等一百餘人與祭。蔣總司令伏讀祭文，回溯往事，極為哀痛。會後，先生赴各大專學校講演，甚為忙碌。八月，對陳公博出席問題發表談話。又答陳公博書——附勸黨員不可趁態為自固黨之地位。九月，蔡夫人因辛勞過甚，又患吐血。九月二十一日，國民政府會議，通過北平大學區組織大綱。為實行大學區制，合併前北京國立九校及天津國立北洋大學為國立北平大學。任命李煜瀛為校長，李書華（潤章）為副校長。撤消河北省教育廳，而以該省教育行政劃歸北平大學管理。原北京大學之第一二三院，改為北平大學文學院，理學院及社會科學院；北京大學學生欲保留北大歷史上之特性，反對分為北平大學三個學院，派學生代表李辛之，趙子懋前往南京向國民政府請願，並向先生及蔡元培陳訴。先生在蔡元培寓所接見李辛之，趙子懋兩代表商談，李、趙兩代表一再向先生表示，北京大學學生之所以反對，祗欲保留北京大學在歷史上之特性，決無政治作用，更不受黨派之慫恿。（未完）

西洋哲人簡介

亞里斯多德（二）

劉長蘭

亞里斯多德發揮得最為完善的推理方法叫做演繹法。這是一個由一般性的原理以斷定個別事實的方法。例如前面說過的「凡人皆死」就是一般性的原理，而「孔子會死」就是個別的事實。三段法就是演繹法的主要論證。當然，較之以觀察與實驗結果為根據的歸納法，這種方法在現代人看來，可能是不正確的。因為演繹的基礎是建立在一個為人所普遍接受的道理上（大前提），如果這個道理似是而實非，那結論就必然是錯誤的了。例如，亞里斯多德相信地球是宇宙的中心，結果以這個道理為大前提的任何推論都不可能正確了。不過我們應該知道，有許多今天可以用來做準確實驗的工具在亞里斯多德的時代都是沒有的，所以按當時環境而論，他能把昔日散亂無章的知識與思想予以系統化，並且發展出一種完備的演繹推理法，使人在思想時，得有一條理路可尋，實在是一個劃世代的偉大貢獻。

亞里斯多德對定義或界說的重視是他為合理的思想方法所定的另一個法例。蘇格拉底在為真理，勇敢，正義以及其他人性品質下定義時，已經體認到定義的重要性，不過亞里斯多德更擴大了範圍。他要給所有的事物一個界說並把牠們分類。為了達到這個目的，他必須把一個物體歸入某一適當組合中，然後再說明此物與其同組各物間之區別。例如：魚可說是屬於魚類，但牠與其它魚類之差別何在也必須說明。在他的論文「動物分類」中，亞里斯多德說：「觀察者必須首先描述一類動物之共同特性，然後再說明各個動物的特點」。這樣將知識分門別類，而予以系統化的法則，就是亞里斯多德式的界說或定義。亞里斯多德有效的使用這法則而創造了生物學和其牠種類的考查工作。

亞里斯多德對後人在學術上的影響是多方面的，當然，最大的影響是在邏輯方面，但是他著述極豐（大學教授之從事著作，可說自他開始）所論說的問題幾乎無所不至。現在我們把他的重要著作逐一介紹於后，就可以看出他在各種科學上，所做的努力與成就以及他的思想對人類普遍的影響。

在哲學方面，亞里斯多德著有「形而上學」一書。在這本書裏，他從事探討「實在」的本質，亦即哲學之基礎。他分析希臘哲學史上各家的學說，特別是他所最熟悉的柏拉圖的觀點；同時也說明了他自己的意見。

他不同意柏拉圖的觀念或形式論。按柏拉圖的意思，人類只能看到實在的投影而已。真的物體乃存在於某一我們所無法認識的地球外之天體中。我們的努力只能使自己較接近完善之境，而獲得略略可以瞥見真理的直覺。亞里斯多德不能不接受這種有關「實在」的虛渺概念。他是更為實際的。在他看來，「實在」就是我們所觀察到的。我們的精力不應一般的用之於臆測這種「形式」，而應用來了解一切有生命和無生命的東西特性和相互的關係。他對抽象品質的定義或界說沒有像對可見的事物的定義那麼重視。柏拉圖的思想是主觀的，一般性和普遍性的；亞里斯多德的興趣却偏向客觀的，個別的事物。

柏拉圖的形而上的世界，是一個使各種成就都受到限制的世界；牠的存在沒有深遠的意義和目的。牠只是由一個對人類問題並不關懷的神祇，譬如宙斯者，來統治的蒼天罷了。亞里斯多德以為這是一個靜止的概念，他不能接受。他的學說是：一切的東西都是有目的的。這是他從自然科學研究中獲得的結論。他說一切形式，都是由某種質料為達到某種目的而發展出來的。（未完）

巨變歷險記！

杜建時主持有方 二十

胡慶蓉

在圍城之下，什麼都是問題，什麼都成問題。

在圍城之下，因外邊的交通完全斷絕。這也就是說，外邊的接濟都來不到了，都不能來了。幾百萬人的吃飯問題，就是個大問題。這裏邊，還有着守城的部隊。這個責任，就落在當時市長杜建時的頭上。

在圍城之下，天津市政府，還是照常辦公，並且可以說比較平時更加努力。杜市長，細長的身條，畧帶黑色的面孔，整齊的服裝，仍然每天到津市政府辦公。天津市政府在一座大樓裏邊。市長室的門前，裝有一盞燈。燈發出的是紅光。人在燈就亮起來，在圍城之下，市長辦公室的燈，白天總常在亮着，夜裡也常在亮着。足見市長夜裏也在辦公。幫助市長的，還有一位非常得力能幹的主任秘書。他在策劃；市府各部份在執行。尤其可貴的，是他同各方面的聯繫，同警備司令部，同軍部，同市議會的聯繫非常好。

國以民爲本，民以食爲天，食對圍城下的人民，更是重要。食對於守城的部隊，同樣的重要。如何調配現有的食糧以維持民食維持軍糧，是一件非常重要的工作。這需要市民的協助。於比，充分顯示出來市民的愛國家愛政府，市民同政府非常合作，一切都能維持圍城前的狀況，沒有屯積居奇，法幣、金圓券，也不見低落。所有賣吃食的商店，正門雖然都關着，但開着旁門，還如平常一樣，進進出出，錢價也不比平常高。

在圍城之下，市民表面的活動減少了，但內裏，百業百行，還是照常進行。尤其是報紙。當時天津的報紙，老的有大公報、益世報，新的民國日報。這三大報紙，沒有因天津的被包圍而不出，而停刊，或有所改變。民國日報，等於中國國民黨的報紙，立場最堅定，益世報，是天主教的報紙，立場也非常堅定。大公報，當時也沒有不同的態度。[?]照常出報，照常分送。

天津雖是在杜建時市長主持之下，上下一德一心，分工合作，共同維護防務不懈。這種沉着鎮定，在擾亂時期，尤其三十七八年，是少見的。

富人列傳（一）

開場閑話

周燕謀

我與「自由報」讀者久違了，靠「煮字療飢」的我，始終爬不出方格紙之外去發財致富。半年以來，仍然在方格紙中兜圈子。年初似乎時來運轉，交了「文運」，零售變了「批發」，努力生產，大量出售。而今終於交了「黑卷」，「無債一身輕」。既然償了「文債」，心情爲之輕鬆，展覽「自由報」這塊美好的「園地」，比前更爲多采多姿，名家執筆，努力灌溉；油然開放瑰麗的花朵，比以前更鮮艷，更可人。筆者不禁爲之一喜。「臨淵羨魚，不如退而結網」；因此，筆者又以「老讀者」，「小筆者」的身份，往「自由園地」中擠，佔據一角，仍操筆耕生涯。由於「久違」之故，敬向本報讀者致歉！

李社長下了一道雖令，要我撰寫「富人列傳」。聞令之下，悚然惶恐。以我這枝禿筆，怎能担此重任！李社長說英雄傳、名人傳、異人傳、以及名女等等，被人寫得太多了，讀者須要換味口。觀舉世之滔滔，似乎「發財致富」，大家「有志一同」。對於世界情勢及國家大事，似乎不感興趣。

李社長之言，我雖不敢百分之百的同意，但至少我不反對。中國知識份子，不甘爲「五斗米而折腰」，更瞧不起「多財善賈」大富翁，商人不得着藍衫，只能穿「白衣」，儼然把「多財善賈」的商人別以顏色，知識份子不屑交往。以爲滿身銅臭，君子不爲。但隨着時代的推移，這種觀念，似已有所改觀。平心而論，人不想發財致富者幾人？因此，太史公老先生說：「農不出則乏其食，工不出則乏其事，商不出則三寶絕，虞不出則財匱乏，財匱乏而山澤不辟矣」。又曰：「此四者，民之所衣食之原也。原大則饒，原小則鮮；上則富國，下則富家。」可喜的太史公爲農、工、商三界，說了幾句公道話。爲商賈富翁吐了一口怨氣。筆者不禁爲之喝采：「偉哉！太史公」！

人不想發財者幾人？發財致富並非一件壞事，「生財有道」，善賈、良工致富，發展工、商業，不僅可以富家，而且是可以富國強兵。取之於社會，用之於社會國家，中國大富翁多類似人，如陶朱公、卜式、桑弘羊皆其中之佼佼者。古人多以「爲富不仁」來衡度富人；其實也不過是富人中之一小撮，不能以偏概全。「爲富不仁」者，只是那些黑心的貪佞，巧取豪奪的民賊；假國家之名，暴歛爲一己之私者，應該曰：「爲富不仁」，實恰到好處。

筆者撰寫「中國富人傳」，此乃古史家所不取，因其人之不取，故爲冷門人物，忍讀者換換口味。辣椒吃多了，換一點甜淡的點心，都助消化，未嘗不是一味佳餚。但是，我得先向「窮人」敬致十二萬分之敬意，縱我只拍富人的馬屁。但是筆者也在「窮人」之林，不是我不想「發財」，「非不爲也，實不能也」！願「自由報」讀者人人發財！

喬治桑外傳（六）

張大萬

這是一所非常精緻的公寓。客廳裏有電視機、電冰箱、電唱機外，還有鋼琴。酒櫃裏放着各色洋酒。一套深藍色的沙發，上面有彩色靠墊。一張柚木大餐枱子，枱上放一個雕花玻璃花瓶，插着鮮花。落地玻璃窗，掛着長長的窗帘。總之，這是一個上等家庭的排場。

喬治桑進門，開門的是一個十八九歲的下女。穿一件綢旗袍，下面卻光着一雙脚。顯得有點不調和。

博士剛一坐下，「小雲雀」便小鳥般從臥室裏飛了出來。一把拉住喬治桑的手，挨身坐在沙發邊上。

「阿嬌，開一瓶可口可樂，把我房間的香烟拿來。」

阿嬌將一杯飲料和一聽三五牌烟放在茶几上。然後退下。

「小雲雀」取了一根烟，塞在喬治桑的嘴裏，用桌上裸體美人頂着的打火機替他打燃了火。

「小雲雀」穿了一套粉紅色綢睡衣，拖着一雙高跟拖鞋。一付梳妝嬌嫩模樣。

「你還沒有吃飯罷？就在這裏吃便飯好不好？」

「哼，妳說的是午飯還是晚飯？」

「喲，我沒有法看錶，現在是不是過了一點鐘了？」

「小雲雀」邊說邊拉着喬治桑的腕錶看了一下。時間是三點十分。

「昨晚與客人到「小銀座」吃宵夜，回來天亮纔睡。連時間都不知道了。真對不起。」

「沒有什麼（洋文），我三點半還有約會。晚上八九點鐘，我在妳們「唐心」請干董事長和兩個日本朋友，請妳代我訂個房間。」

「哎呀，太好了。你替我捧場。你在台灣的女朋友很多，三點半是不是又約好了女朋友？」

「除了妳，那裏還有女朋友？」喬治桑的倒灌老米湯倒是蠻厲害的。

「香港來的[?]，何千嬌夫婦，約我吃茶，聊聊閒天。沒有什麼要緊事，但約好不能不去。」

喬治桑嘴裏叼着香烟，一手摟着「小雲雀」的腰，手指蠕動着。眼睛微閉。

他想：人生何奇怪，剛才還在稠人廣眾前大放厥辭，像煞有介事，現在卻是「日暇作一度，香澤微聞」別有一番滋味在心頭了。

喬治桑到底在美國呆久了，還有一點時間觀念，他一看錶，已到三點半，何千嬌夫婦約定時，再不能泡蘑菇了，只好站起來與「小雲雀」握手說聲「拜拜」。

「綠星」咖啡館是台北最貴的一家咖啡館。去的客人大半是洋人，達官巨賈，名嫒閨秀，歡場嬌出，所以氣氛是很高貴的。柔和的燈光，美妙的音樂，地上舖着厚地毯，難怪咖啡要賣二十四元一杯，而且還要加三成小費，以示觀光特異。

喬治桑匆匆趕到綠星，四處一望，便看到千嬌夫婦正坐在角落裏張沙發裡，千嬌未能免俗，在房間中的戴着太陽眼鏡。

東南亞行脚

泰國御廚館

高學

「吃在中國」是全世界公認。

住洋房，討日本老婆，吃中國菜三個標準，亦男士們認爲生活享受上最高規格。其實泰國女孩子的溫柔服從，並不遜於日本女，尤其對丈夫的愛護，幾無微不至，簡直是丈夫萬歲，「國王與我」對男女間的演出並不過份。

曼谷號稱爲東方威尼斯，居住這水都的人，從小個個就能游泳，因之女孩子的胸部很少不發達和挺拔的，十有五六都生得像朝天椒模樣。泰國的房子，可說從各國學來，流線型，西班牙式，古羅馬式，乃至於中國宮殿式，應有盡有，美不勝收，祇對吃方面比較簡單，嗜辛辣腥臭，可合四川與浙江兩個區域的平民情調，其所採的口味，很像徐悲鴻畫馬，粗獷寫怒和陰惡的一面，泰國菜難臻上乘道理在此。

泰國御廚館開設在曼谷鞣韆架右旁，惜古色古香，門面所設備均太過份保守，可謂跟不上時代了。就台港吃的角度來說，之間的不一定能找到那樣好的名廚，因爲這個關係，生意已傳到第四代未嘗稍衰，以議今日社會講排場，求實際享受的也不少，筆者與泰內政部小部長韓當往吃，對該館的長鼓腳花，乾炸小尤魚，黃炆荷花雀，清蒸河蟹，燒鵝，白切大閘蟹，最感興趣，這六味可稱得之爲御廚館代表菜，其製作上採取了四川，浙江兩地口味之長，一部份很像潮州菜，御廚之所以爲御廚，非偶然也。因當時泰國五世皇朱拉是一位明君，對吃的藝術非常有研究，御廚館的創始人，就是侍候朱拉的御廚師，現在的九世皇雖亦是音樂家，馳名好萊塢的「藍夜曲」就是他的作品，但對吃則有偏重，牛排燒烤之類，筆者向御館東主問：「一九世皇吃過你們的菜嗎？」他答我的很妙：「柴棍（萬歲譯音）沒有五世皇那樣好的福氣。」一切都包涵在內了。

我爲甚麼批評費正清

—本文上接第一版頭條—

但是他還要肯定的指出：『我們不要拋棄成萬焦急期待的人民。我們不能拋棄我們自己。我們決不能破壞我們對自由與前途的承諾。』當然，詹森總統也並沒有低估美國姑息份子的力量。他說：『侵略者不僅在山林城市和鄉村的戰場上作戰，敵人更深入美國人民的心胸中作戰。』他說：『美國外交政策的宗旨，二十多年來未曾作根本上改變，但是這些宗旨，目前卻在越南面臨考驗。』正因爲詹森總統這樣說，美國雖然不會退出亞洲，而美國的政策卻在越南面臨考驗，我們更要對美國姑息份子提高警覺，謹防他們像十八年前一樣再度出賣自由中國。

四、結論

自從人類有歷史以來，這個世界上便有一個民族生存的競賽。這一個競賽到現在還沒有結束。但是到現在爲止，假如就結束的話，卻是我中華民族奪得了錦標。到現在爲止，我中華民族生存這個世界上的有七萬萬人，超過任何其他的一個民族。爲什麼中國人能奪得生存競賽的錦標呢？因爲中華民族有他傳統優良的文化。這個文化的精髓也就是明辨是非忠奸的民族大義。文天祥抗元並沒有成功，但是文天祥的精神，在九十多年以後便推翻了蒙古人的統治。史可法，鄭成功抗清也沒有成功，但是史可法，鄭成功的精神，在兩百多年以後也推翻了滿洲人的統治。我們的敵人——共產黨及其同路人，在五十多年以前便陰謀摧毀中國的文化企圖使中國人失去民族自信心。共產黨知道，有中華民族精神的存在，共產黨的世界革命是永遠不會成功的。毛匪雖然因爲獲得了美國太平洋學會的援助而竊據中國大陸。卻無法消滅中國人的傳統文化。毛匪的反蘇是還就中國人的民族精神。毛匪的文化大革命是企圖澈底消滅中國人的民族精神。但是中國人的民族精神是無法消滅的。共產黨的同路人，美國姑息份子費正清、李普曼所主張的以黃制黃，便是想利用中國人的民族精神使在大陸被共匪奴役的中國人投入共產黨的懷抱。以日本爲背景的台灣獨立運動受着華寬敏的領導，竟想把台灣重歸日本。以美國爲背景的台灣獨立運動竟自稱不是中國人而要符合美國的利益。凡此種種，自太平洋學會出賣中國大陸到現在的台灣獨立運動，均出自共產黨同路人美國姑息份子費正清等陰謀。筆者確認費正清等爲我中華民族國家的敵人，願以民主的方法，根據言論自由的立場，揭發其陰謀以保衛我民族國家。我最高民意機關，對以民主方法保衛國家當可作更大之努力。謹以此一得之愚提請諸位國大代表指教。

（完）

事過境遷

三幕喜劇

熊式一

詩：　是。（望一望這個，又望一望那個，心中猶疑不定。）太太，你要我出去嗎？

包太：阿詩，你也要管我叫宇文太太。包先生叫你出去，你就出去，不必問我。

詩：　是。不過………不過………包先生不肯吃藥………

包太：不要緊，阿詩，你不必管老爺叫包先生；你還是可以管我叫老爺的！

詩：　是。（滿腹懷疑的慢慢出場）

仁：　（馬上又表示很親切的走過來牽他）你方才把我嚇了一跳！

包太：（仍拒絕）包先生，雖然沒有別人在身邊，行爲還檢點一點的好！你的姑老太太說得對，道德更要守重，法律決不可破壞，何況在良心上，又會覺得不安！

仁：　（果然他的良心不安起來了）你………你像變了似的，前後好像是兩個人似的！

包太：我前後本來是兩個人！請坐吧！

仁：　你也請坐。

（兩人生生硬硬，客客氣氣的對坐着，仁翰心神不定，包太則安之若素。她越看仁翰不安，越覺得有味）

包太：包先生，當然我不能勉强你，你爲甚麼不肯吃藥呀？方醫生的藥很靈的，勸勸你還是吃了吧！

仁：　（忍不住了）方醫生活見鬼！

包太：（佯作大驚）包先生講甚麼？

仁：　不說這些吧！剛才你提到姑媽的話，法律和道德的問題，她老人家也教我………（趕快改口，同時伸手到口袋中摸摸那封信，微微的露出一角來偷看一下，馬上又偷看她一眼，看她察覺了沒有。正巧四眼相值，打一個照面，便更不安，趕快把信放進口袋中去）我自己也想到一個最妥善的解決辦法；這樣一來，在法律上，在道德上………

包太：（替他補充）而且在你良心上………

仁：　………而且在我良心上，都可以沒有妨碍，就只有一條路走………

包太：包先生是指那一條？前天我看見一張廣告，畫了兩條路，下面寫着「兩條路問君走那條？一條上天堂，一條入地獄」我希望包先生不是引我入地獄那一條吧！

仁：　不要胡鬧！我是和你談正經事！

包太：我不是胡鬧，我也是談正經事！

仁：　那就請你不要打岔兒，行不行？

包太：包先生，對不住，我不敢再打斷話柄，包先生是要我走一條甚麼路呢？

仁：　你剛才說得對，你還是………在名義上還是宇文太太……（微微的一笑。再想說下去時，她又不顧前言的打起岔兒來了）　（41）

（第九一四期）
（半週刊每星期三、六出版）
督印：黃行齋・社長：李運鵬
社址：香港九龍彌敦道593--601號
劉創興銀行大廈八樓五座
LIU CHONG HING BUILDING
7th FLOOR FLAT 5
593--601 NATHAN ROAD,
KOWLOON, H.K.
TEL：K303831
電報掛號：7191
台灣總管理處，台北市大同街119號
台灣分社：台北市西寧南路110號二樓
承印：景星印刷公司
地址：嘉咸街廿九號地下

我的答辯

林語堂

起鈞按：林先生歸國後，每寫文章，輒有熱烈反應，而爲文討論者更屬不一而足。邇者林先生公佈其英譯尼姑思凡一文，譯事精美自是使人嘆爲觀止。然又多有自社會宗教各端爲文商榷者，足見世人關切林先生之深，而對賢者期望之殷也。而在林先生亦可謂盛名之累矣。以是凡有論列，林先生皆笑而納之，鮮作辯解。十一月廿三日本報刊有陸劍剛居士來文一篇，亦就尼姑思凡一文有所討論，林先生以其立論正大，特投函本報，就其以往譯作加以說明，以解世人之疑。其中「老子的智慧」一書，本人初至美國，在華盛頓大學講授老子，發給諸生之選讀，即係以之爲藍本者。是則林先生介紹祖國文化之功績可見一斑矣。今謹將林先生來函標題刊佈，藉供關心林先生及中西文化交流者之參考云爾。

自由報編者足下：閱十一月廿三日報載陸劍剛先生「評尼姑思凡荒謬」一文，語重心長，不勝錯愕。弟譯尼姑思凡發表以後；對於犯耑犯嗔之文章，概置不理。惟陸先生立論公正，而對於個人介紹我邦文化於西方工作，不無微詞，不敢不辯。文中言及「某君不全心全力的在中國正統「經史子集」文化學術，取精用宏，紹介西方」，而以「閒逸襟懷，介紹這種無補世風的灰色文學」等語，顯係出於誤會。弟介紹中國文化於西方，歷三十年，全心全力出書三十種，只待有心人識者慢慢去讀。所可自負者，三十種書中未嘗有一語拍西洋人馬屁，此則差堪告無罪於國人。恐株守一隅，人不知情形，畧述一二。（一）關於經史子集正統文學，弟所譯有「孔子之智慧」（內有孔子家語，哀公問，學記，樂記及論語分條介紹），「老子之智慧」（道德經全部，且以莊子各節選錄比附，與老子之言互相印證，是「以莊解老」的創格）。此二書俱列入Modern Library。台灣讀者恐迄此書未見。又譯莊子十一篇（世界書局出版）。又「古文小品英譯」（原名The Importance of Understanding）所譯名著，包括司馬遷貨殖傳，伯夷叔齊傳，墨子非攻，韓非說難，黃宗羲原君，宗臣報劉一丈書，王維山中與裴秀才廸書，李清照秋聲慢，金石錄後敘，王闓運秋醒詞序等等一百零七篇。當代學者，反不多來在此上面努力？（二）關於佛經，曾於「中國印度的智慧」一書，介紹不少。內關於佛門之書，尤主大乘，且百幾種梵文古本已絕，獨見於中文譯本。此書現列到爲美國大學課本或參攷書，風行三十年不懈。內有「曇鉢經」（即「法句經」），哈佛大學白璧德極爲賞識，及「首楞嚴經」節選，長至三萬言，今日美國大學生對於佛經精深，辯證細密，絲絲入扣之認識，恐怕由弟書所啓導者不少。弟以爲「楞嚴」「楞伽」二書，乃佛門傑作，故於「古文小品譯英」亦曾列入節選。此李贄之「豫約」極好文章亦曾列入。此偉大作品（是「焚書」），國中讀者尙少注意。總之，弟介紹佛理佛學於西方，可謂聊盡棉薄。國外對佛之翻譯與研究之書極多。西人並非吾國之孤陋寡聞，陸先生不必担憂。至弟個人之重視佛理。俱見於譯文序言，甚且推崇釋迦哲學論理之精密駕乎西方康德，卡笛爾諸人之上。首楞嚴經稱之爲乘 John Locke's Essay in Human Understanding 之雄辯與聖保羅之斧鑿。原書俱在，不難覆案。

十一月廿七晚　弟林語堂

本報評論委員侯瑶先生，與美國總統當選人尼克森握手交談時攝影。

美國總統當選人

尼克森（上）

經過了一度艱苦組織完善的競選運動後，尼克森已爭得了那個曾被舉世稱爲最重要的職位，他將於一九六九年一月二十日宣誓就任美國第三十七屆總統之職。

即使是他的政治敵對派人士，對於尼克森這次競選運動的效率，及其競選的精巧計劃，也無不寄以讚美；尤其對那種團結共和黨內部不同各派別，使其成爲一個融洽熱情之聲[illegible]力，更多讚賞之處。他將會給整個國家帶

選民們明顯業已[illegible]來同樣的團結和[illegible]

當然，尼克[illegible]把他在政府方面和[illegible]界事務上的無數經[illegible]，帶進他即將主持[illegible]白宮。但事情尚不止此，他不僅具有競選和服務的經驗，而且還曾在痛苦和失敗的教訓中，受過磨鍊。

在體格方面說，五十五歲的尼克森身材[illegible]一九六〇[illegible]他在[illegible]一月州[illegible]恐[illegible]眼淚的太太佩德陪同下，承認已在競選中失敗於甘迺迪之時起，迄今並未有多大改變。可是當他於本年一月間宣佈要爭取一九六八年共和黨總統候選人的提名時，嗣後即經常聽到有人提到所謂「新尼克森」的談論，這些談論仍然有其良好理由，因爲他的家人雖曾屢次否定這些談論，聲稱「他仍然與原來的他完全無異」，但實際尼克森確實已經變了。

尼克森之決定參加一九六八年總統競選，並非是一時衝動的結果，而是經過數月的深思熟慮後達成的。一方面，經過一九六〇年競選總統失敗，又於一九六二年競選他的故鄉加州州長再告失敗後，要他放棄紐約律師事務所中最活躍的業務，以重覆這種賭博性的競爭，即使是暫時性的話，也非尼克森之所願爲。可是在另一方面，全國的民意測驗顯示出他的聲望又已再次上昇，同時重要的共和黨人中之促請他出而爭取提名的人數，也在增加。一九六七年年底，達到了轉捩點，當時深信在所有企圖爭取總統寶座的共和黨人中，不僅在爭得提名方面，即使就大選本身而論，也都以他爲最有希望。

直至他因競選加州州長失敗蒙受的初期打擊消失以後，尼克森對於自己的政治地位如何，尚未能遽予肯定。自他於一九六三年開始在紐約執業律師後，他即對一九六四年的共和黨提名不作打算，結果高華德遂獲提名，而高華德則在大選中慘敗。可是這位前任副總統卻仍不倦地爲共和黨工作，並成了該黨團結工作的一位使徒。在一九六六年國會和州長等改選期內，他仍爲共和黨的候選人們大事活動。

尼氏有一種機敏而有條理的心理智，隨時可以在一問一答的會議裏自然地自舌尖上傾吐而出，而且可以不需摘要而發表長篇的演說。他更有一種自動的警覺能力，可以無須草稿或任何暗示，在一次半個小時的電視節目中，恰在二十九分鐘內把演詞發表完畢，剩下一分鐘的時間，讓黨方僱用的報告員在電視節目單上簽上後，尚有時間促請聽衆「投票支投尼克森」。

他形容自己是目前美國政治光譜的中心，但他又警告說：以他本人而言，這句話的意思不應被解釋爲「祇是簡單的保守，或作爲維持現狀，保持原有路線，或使事情不變」等看待。他將會告訴你說：他是一個依照美國第二十六屆總統共和黨西沂圖・羅斯福的傳統，作爲「進步派」的保守人物。（未完）

自由談

地理與人理

馮五先生

人的氣質和個性，每與其家鄉的地理環境大有關係，即寄居已久的地區，亦自然而然使人性在後天上發生變化。地理與人理可謂息息相關，影響至爲深鉅。

咱們中國大陸的地理形勢，大概北方多廣漠平原，山嶺亦雄偉不凡，因而北人的氣質比較開豁而沉着，其弊也不免遲徊。南方山地較多，雖嶔崎而不偉大，止於丘陵起伏而已，加以川澤井佈，整個地形乃表現偏仄參差之象，因而南方人的氣質多見其爲聰穎活潑，然失之浮躁。中國立國以來，數千年間的統治君主盡係北方人，原因固不止一端，但地理環境的關係實佔重要成分。若夫島國之民，大都胸境狹隘，眼光短淺，機巧有餘而渾厚不足，日本便是很好的例證。英國人如其不是殖民地遍及全球，專靠海外的資源營生，而祇是偏促生息於英倫三島之中，他們的族性，就決不會養成「紳士派」，殆可斷言。

談到寄居已久的地區，對人性的後天修養起化學作用一節，最顯著的事實，可以現時流離在台灣的內陸人士來說明無訛。一般的智識份子，無論是搞政治的，從事文教事業的、辦黨，或者經營工商企業的，他們過去在大陸上的氣質與作風，對人接物，多少都能表現着一些落落大方的言行，不失其爲泱泱乎大國民的先天性格。到台灣島國寄居廿年後，人性即不覺丕變了，渺少、忌忮、嫉視、機詐與凶殘等毛病不一而足，遇事爲目的不擇手段，對人爾詐我虞，毫無道義可言。尤其是貪污行爲，大家視爲家常便飯，到了肆無忌憚的程度。例如過去在內地辦理文化教育事業的人，很少有貪污劣迹發生，司法界的風氣亦頗嚴肅，記得四十餘年前的北洋政府時代，湖北夏口地方法院有一法官犯了貪污罪，政府馬上將夏口法院的官員全體解散，連胥吏亦一律遣去，另行組織過。現時在台灣的情形如何呢？大家心裡有數，不必詞費以。

有人指出目前台灣的內地人士，總表現着小氣與洩氣的言行，譏誚其爲姨太太的生活，我認爲不正確，最大原因是受着地理環境的影響所致也，質之專家學者以爲如何？

昨日與明日

夢遊與狂戀

戴高樂鼓足勇氣，以法蘭西的經濟盛衰爲賭注，作震撼世界的聲明：「法郎決不貶值」。一似去年英鎊貶值時之大量拋售黃金與拒絕參加「特別提款權」之「我」行「我」素！

就此硬漢在號出法郎不貶值後，首先要求法人節約，期勒緊褲帶渡過此一金融危機！繼之即宣佈削減赤字，重新實施外匯管制。

即使法人勒緊褲帶，其必也使工業生產萎縮，所謂百分之七的經濟成長率，百分之十的工業率必也因之化爲肥皂泡影——色彩縱眩目奪神也不禁風吹雨打！

可見此一硬漢尙憧憬於「大法蘭西」的夢域中沉緬不醒，也表示出其個人英雄主義的狂戀！

人腦與電腦

在要求法人重視國家榮譽，放棄個人享受，是否能有把握渡過法郎的危機呢？

法國財政現在有廿二億美元赤字，十六億美元貿易赤字，應付這巨額赤字，如僅賴法人之節約，殆殆是乎難！

於是戴高樂尙有一個希望，這個希望則是「馬克昇值」，因爲法郎不貶值，英鎊的地位更難穩定，美元間接亦感到威脅，英美勢必迫使德國調整馬克，於是馬克昇值，而由法郎與馬克間的差距投機消弭於無形，大家太平！

這個想法是人腦作用，確少了其他因素的分析，其中最重要的是時間！如果德國三五年不放慮馬克昇值，那時法國的工業在國際市場上將是大病之身，擠不進去了！

上帝與撒旦

台灣全國的教會領導人聯合發表聲明：呼籲社會切勿假藉慶祝耶誕之名，狂歡取樂或藉機年刊……洋洋灑灑，具見悲天憫人。

其實，任何值得慶祝的日子！給國人一個「歡樂」機會，是值得推廣的，祇是「過份」，甚至造成許多悲劇則不是我們所能「消化」得了的！而耶誕日中這些悲劇的產生不是教會「藉機」加强宗教的意識，逐漸擴展至狂歡縱慾而製造後果！

因此，我們將他們這一場聲明視爲上帝的聲音！

上帝與人間的交通，只有一個變來搭橋，變是一種感受，其深度與角度與客觀環境不容分割，所以任何信仰都信有神祇的存在，亦有其獨特的崇拜儀式，端看其領導人的宣導，對於搭橋的工作做的是否適當！

今日各教會領導人的呼籲，雖嫌稍遲，終還是面對社會勇於搭橋，藉以表示我愛神，硬將馮京作馬涼來的高明！阿門！（則鳴）

約展會場萬源產品

記者丁儆

民國五十年耗資新台幣六千萬元創立的萬源紡織股份有限公司，中華民國政府核准該公司在台北縣五股設立工廠的當時，規定該公司生產量的百分之七十必須外銷，該公司由于產品必需銷於國際市場，故工廠完全精選一流設備，而使生產能量高速，品質精良，配合台灣成本低廉的優越條件，雄視國際市場，經久不衰。該公司擁有精紡機五十八台，紡錠二萬三千二百錠，撚絲機八台，撚錠二千八百八十錠，精梳棉一台，由于公司組織精簡，管理適當，職工合作，製造過程精良，銷售國際市場信用卓著，外銷已增加至該公司產量的百分之八十。根據該公司統計報表指出，民國五十四年銷貨外匯收入折合新台幣四千萬元，五十五年突破新台幣五千萬元，五十六年雖未增加，據估計今年年底外匯收入更將增多，由于該公司董事長杜萬全對公司同仁之福利設施，藥品醫療之顧慮週到，故能上下一心，用命創造事業，該公司更將籌劃擴建織布工廠，以一貫作業減低成本，增加更多外匯收入，貢獻國家云！

富人列傳（二）

陶朱公富甲天下

（二）勾踐復國大功臣

周燕謀

中國商人拜拜的對象，都看中了「財神」，因爲財神爺有招財童子，進寶郞君，手捧「聚寶盆」，爲之聚財。財神的數派也相當的多，最普遍的就有「五路財神」，如果各路財神齊來，保君之家財源滾滾而來，豈不快哉！

其實商人禮拜財神，眞是搭錯了線，找錯了對象。如果眞要崇拜一個發財的偶象，筆者替你提出一位人選，這個人足以代表人們發財致富的偶象，因爲此人不是財神所用的左道旁門而發財，他是腳踏實地去生產致富。生在二千四百五十年後的太空時代，應該效法陶朱公的致富之道，別做「財神爺」的美夢，財源保爲君滾滾而來也。

做生意的老一輩大賈，莫不知道陶朱公這位富家翁，可是知道他的底細者大概不多。因爲陶朱公足以爲商賈的鼻祖，嫡小子——筆者請他出來坐首席。陶朱公乃是他致富之後晚年的別稱。原本姓范名蠡，名少伯，春秋時代的楚國人。如果提到西施小姐的情人，大家便知道那位越國大夫范少伯了。范少伯生當於周敬王至元王之間。周元王三年冬，范蠡去越，勾踐殺文種，乃開始他的「發財致富」的旅程。這一年即公元前四七三年。

范少伯事越拜大夫，他爲什麼離開楚國，而事越國，史書上找不到根據，大概是因政治的關係。如吳之伍員、伯嚭，皆來自楚國，所謂「楚材晉用」是也。當時楚國的人才甚盛，楚才不儘晉用，其他各國都用楚國人材而富強。伍員在吳而吳強，范蠡在越而勾踐復國，皆是其例。

吳越果結世仇，越王勾踐乘吳王伐楚之際，來個「先下手爲強」。范少伯力表反對，越王不聽。結果會稽一戰，越王勾踐大敗，訂定城下之盟，拘越王於吳。范蠡陪了越王在吳國服賤役三年。由於范蠡的賄賂伯嚭，結果越王君臣始回到越國。范蠡爲之畫策，擬定「十年生聚，十年教訓」，勵精圖治，以范蠡爲謀主，計謀雪恥復仇。范蠡訪得美人西施，加以間諜訓練，進貢吳王夫差，由范蠡率了進貢團去到吳國。同時儘量賄賂伯嚭，在吳王面前疏導，佯裝臣服恭順，使吳國不加戒備。西施美人，在吳國受到了寵幸。她的目的在迷惑吳王，同時搜集吳國情報，傳到越國去。「其心雖在吳，而心實在報越；形雖與之伴，而心常欲沼吳」。少伯爲越王謀二十餘年，卒報會稽之恥。

原來范蠡在訓練西施之時，二人早已種下了一段情，計欲復仇之後，名士美人重拾舊歡。就在公元前四七五年，周元王元年，越王以范蠡爲總指揮，三戰而下吳都，吳王夫差自殺。西施美人爲范少伯所獲。越絕書載：「吳亡後，西施後歸范蠡，因泛五湖而去」。杜牧詩云：西子下姑蘇，一舸逐鴟夷」。范蠡以越王只可共患難，不可同富貴。乃絕然求去。蘇軾詩云：五湖問道，扁舟歸去，相攜西子。范蠡成爲越王勾踐雪恥復仇之功臣。「成功身退」。做到了「明哲保身」，且偕了西施美人，做發財事業去矣。（二）

迎財神及其神話傳說

水風

月之初五，財神老爺誕辰，好多想發財的人都在翹首以待，希望這位「吐一口痰是金，撒一堆屎是銀」的神道，能夠光顧一番。所以在祭祀之中，特別道地，務使財神老爺一見心喜，座下來大嚼一番，於是窮氣趕走，財氣盈門。

大陸鄉俗，新年中所玩的各種節日，以祭財神爲最隆重。拜金主義向爲人人所信仰，所以民間一到新年，就忙着祭財神，或到廟堂裏去燒香，或在家中，虔誠供奉。然而這裏有須向趙玄壇理解的，就是凡來膜拜者，並不是景仰你有財，而是希望你使他發財。

祭財神的吉日，北方是初二，南方是初四，這個秩序排得好，財神爺初二在北方接受拜賀典禮之後，初三早晨南來，初四出席受祭，一點也不悞事。

街市上有一種「釣獅子」的把戲，據說與財神是有關係的，一人擎獅頭，一人擺獅尾，隨着還有鑼鈸的鑼鼓伴奏，無論商戶住家，有迎頭放鞭炮者，即是至誠迎接財神之意，那獅子就要起來，迎者以紅紙包鈔，懸放竿頭，高高擎起，這就是「釣獅子」獅子必須攀緣而上，用口啣接，把紙包吃到嘴裡，還須再吐出來，表示並不急於要錢的意思，如是者三吐三納，終於進了要獅者的腰包。

迎財神，古人幷不遜於今人，據吳中歲時記：「正月初五日，爲路頭神誕辰，金鑼爆竹，牲體畢陳，以爭先爲利市，必起早迎之，謂之接路頭」此所以有「隔夜匆匆搶路頭」的吟咏。武進歲時記：「正月初五日，俗謂財神生日，各商店開市，鞭炮之聲，終夜不絕。鄉間農人，有來城掉「龍燈者」蘇春歲時記：「正月初五日俗稱是日爲五忙日，不許動土，動土必有災害，故例必提早一日，于初四日接財神。具三牲看蔬，謂之財神請酒，內設魚頭，茹菇等物，以取吉兆，魚頭曰餘頭，茹菇曰時至，芋召曰運來，奇想天開，頗堪發噱。又羣以香大灼神面，言之「火財神猶言即活財神也。」

祭接財神，比諸春還要趕早的，當首推北平：「正月初二，各家祭財神，其所祭財神，由店舖中購者，有自小兒手中買下者。此類童子大半爲貧苦之家，欲乘此新年機會，撈摸若干錢財，于是做成財神，向各住戶串售，於門口大乎曰：「送財神爺來了」！願意要者，付以一兩枚銅元之代價，則滿意而去，若不要，亦不能回以不要只答以已有，祭時的供品爲雞及活鯉魚。又有在家中祭祀不算，必須赴彰儀門神廟燒香，拜借元寶，惟借一枚，須還十枚，初二日祭財神之日，各家吃餛飩，餛飩形似元寶，即謂元寶湯。」

財神除了五路財神外，尚有文財神武神等分別。每年正月初五日，士庶百工，都備齊了香燭紙馬，三姓祭禮，虔誠地把他接回家。謂從此一年中可以財源廣進，運斗金，開闢，腹便便，自己做個「活財神」。

據說衆人崇拜的財神，姓趙名公明，即趙元壇，又稱趙元帥，豹眼燕頷，黑臉似鐵，手執竹節鋼鞭，跨下黑色猛虎。封神榜說它修道峩嵋，被通天教主邀下山來助陣紂王，太公用桃箭把它射死。武王伐紂，周室大振，太公封公明爲玄壇元帥，被後人尊爲財神。三教搜神大全，則稱趙公明是秦時鍾南山人，避亂在山中，精修至道，公德被玉皇大帝封爲「正」玄壇元帥。執掌除瘟病，剪祛，保平安，禳災禍。遇人間寃抑，公平調解，買賣求財，予人滿足。

一說財神是殷紂諸父。諫紂不聽，爲紂所殺的大忠臣比干。文財是財帛星君，也有說是，文昌君——梓潼帝君的生得眉清目秀唇紅齒白，手執如意，身著朝服，五綹長鬚，飄拂前胸。他有個聚寶盆，盆上站着個招財童子，右手執令旗，左手托元寶，脚踏金銀珊瑚。祇要他老人家肯幫忙施捨你便會財源茂盛，立成鉅富。他和另外一位武財神關公，各有千秋，受人爇香俎豆。想不到我們這位「掛印封金」，義存漢室，熟讀春秋的關夫子，死後竟也被人奉爲財神，這又豈是他生前意料所及。

至于五路財神，總緒東南西北中四面八方的五路財源，他的姓名，據淸嘉錄：五路財神，姓何名五路，元朝末季，禦寇身亡，受後人奉祀。一說是南朝陳黃門侍郞顧希馮的五位公子，當時建祠祭祀之陽，並祀五侯，明初號五顯廟，蘇州上方山的，香火尤盛，號稱五聖。滿淸入關，聖祖康熙時，睢州湯斌，潛庵，以順治進士，工部尚書，巡撫江南。毀上方山五聖祠，正五顯爲五通之，禁人奉祀，江南人，陽奉陰違，更其名曰，「路頭財神」。

慧能的頓悟法門（四）

禪學黃金時代

吳經熊著　吳怡譯

慧能的無念和老子的無爲相似，老子說「無爲而無不爲」，同樣，慧能也強調無念而無不念。這個純淨不染的心，是來去自由，毫無障礙的。

在慧能的眼中，坐禪的目的也是爲了求心的自由。當他聽到神秀教學生要「住心觀靜，長坐不臥」時，便認爲「住心觀靜」是一種病態，而不是禪道；「長坐不臥」是一種壓制內體的苦修，對於精神並無益處。因此他作了一首偈子說：

「生來坐不臥，死去臥不坐，元是臭骨頭，何爲立功課」。

他對坐禪的態度，正像對文字一樣，只是反對其被誤用誤執而已。他一再的提醒學生要明心見性，直了成佛。他的一切都是導致開悟的一種方便，人生的最大悲劇是只執着於方法，而忘了目的。

慧能是宣揚「無住」的大師，對他來說，出家在家都沒有什麼分別，只看你是否執着外在的一切，他說：

「執着外在的，便像水的波浪一樣，有生滅的現象，這就是痛苦的此岸；相反的，不執着外在的一切，就像水的平穩自由的流動一樣，沒有生滅的現象，這就是幸福的彼岸。」

慧能像其他佛家一樣，認爲我們的心不僅要捨惡，而且應離善。這種超越善惡的思想可以說是之於老子的：（未完）

亞里斯多德（二）

劉長蘭

例如鷄蛋就是質料，小鷄就是形式；大理石爲質料，由大理雕刻出的人像就是形式；銅是質料，銅球則爲形式。但小鷄在一盤菜中又成爲質料，菜則爲形式；幾個大理石雕像加以某種安排而成爲一種藝術品時，大理石雕像又成爲質料，藝術品則爲形式；如將銅球用之於某機件中，銅球則爲質料而某機件爲形式。故而一切質料與形式並非不變的；牠們都是由最原始的質料開始，有目的的變成一層層更高的形式，直到最後成爲一種無以名之的最高形式。實際上，亞里斯多德的形而上概念幾乎就是進化論學說，牠是有動力的，非靜止的。不過，亞里斯多德沒有說明那最高形式是什麼，也就是他沒有說出生命的最終目的是什麼。

但是我們必須了解這裡所說的「形式」並不是「形狀」。

特如亞里斯多德說靈魂是身體的形式。他並解釋說靈魂統一身體各部份而使之成爲一個有目的的整體；沒有靈魂則眼不能看，耳不能聽，手脚不能用，身體的存在便沒有目的了。所以身體的質料，使身體成爲有目的的靈魂爲形式。顯然，這「形式」是完全不同於普通所謂的「形狀」的。

亞里斯多德也相信有神，但那不是一個掌握人類命運，無所不能的神。這樣的神當然不是希臘人所崇拜的神。亞里斯多德以爲自然生命的形態，是不斷的在流動變遷，那麼一定有一種力量使最原始的質料變成形式；基本的力量就是神，就是上帝。他認爲上帝是一切質料與形式之本；同時，上帝的生活完全是智的靜思，是一種理想的生活。然而這種理想的生活目的何在？亞里斯多德沒有說明，或者是無從說明，因爲他只是要澄清並組織已有的知識，而無意於制定自己的形而上學的體系。

亞里斯多德還寫了有關天文、物理、地質和生物學的論文：「物理學」、「氣象學」、[illegible]。這是他對[illegible]大知識的[illegible]研究。他所做最[illegible]的工作是在生物學方面。[illegible]持下，他得到有數以千計的人協助他工作，[illegible]物加以描述與分類[illegible]。[illegible]（未完）

吳稚暉致汪精衛函（上）

——揭破共產黨眞相——

大學尺牘

鴻雁

精衛先生執事：弟頓首頓首，死罪死罪！謹再拜書於執事，如以私交言，將出不遜之言，自應求先生恕其冒犯，倘以公爲言，則言之激直，有不敢不盡其詞者。今有慈父，殯於郊，忽以變殭屍鬨，每夜必去殺人，行將裹足，則刻棺而視，白[illegible]然，逼於體，非復慈父狀態，爲之子者其哀痛何如。又有愛子，隔日尙趨庭溫語依依然，忽明日由塾歸來，怒其目，擲書包，趨廚下奪菜刀執之，遂殺家人，不得已鎖於書房，又日夜叫囂，伺隙則破柙出，較劇盜爲猛，非復愛子，爲子父者其哀痛又何如。我輩愛先生，敬禮則如父，期望則如子，而先生今日狀態，已變成殭屍瘋漢，我等哭笑皆不可，苦痛極矣。弟等之所以有此言者，以前不必論，即自今年四月一日相見而後，至於今日，先生之離奇怪誕，眞使人莫名其妙。如先生已歸化共產黨，不過借國民黨爲一種見客之而具，是則先生已服膺陳獨秀而爲之第二矣。先生居武漢三閱月，代共產黨恣意破壞國民黨，亦固其所。又如先生果如淺人之所測，不過好爲領袖，貪聯共之策，植勢可深厚，故至於倒蔣，是二者而果信，則先生僅僅山窮水盡，又必詭言反共，而不忘變爲殭屍，原亦可言不瘋。

但最近一週前，七月十八漢口中央日報發表所謂政治委員會主席團之宣言，詞氣之間，有所謂共產黨「決議案之內容，是對於本黨的生命加以根本的危害。」似乎主席團中的先生，絕非立在共產黨方面，而又灼知利用共產黨之不可能，然而何以又其勢洶洶，如欲率領張發奎之共產軍，圖爲流寇，關擾浙閩兩粵，爲最後之奮鬥，難道目睹共產黨禍湘禍鄂禍贛慘痛不忍正視，復欲率此醜類，再禍鄰境，再禍邦鄉乎？汪精衛復何面目誑昔日之禍粵者，彼時正楚弓楚得，以爭私利而已。而汪精衛乃率赤帝醜類，賣國劇盜，再據海疆，以便指參威之勾通。是先生將爲吳三桂猶不食其肉之舉動，豈非由失心而瘋，且腐氣所積，又變爲殭屍耶？

今且先載七月十八日的中央日報政委主席團之報告於後：「本黨於今年三月開第三次會議，議決本黨與共產黨開聯席會議討論一般的合作辦法，尤其本黨對於共產黨之誠實的表現。[illegible]以後，本黨政治委員會，[illegible]邀集共產黨諸負責同志開聯席會議，或每日一次，或間日一次，[illegible]會時間往往延至四五小時，[illegible]內外一切問題，皆提出討論，以期解決，政委主席團以爲[illegible]必能使容共政策，得更大的效果。」

「不幸六月初旬，忽然由共產黨負責同志[illegible]密決議案來，這決議的內容，是對於本黨的生命，加以根本的危害，[illegible]，不是以秘密形式，[illegible]式，來與本黨商榷。[illegible]布，所可聲明的，這[illegible]一位負責同志的姓名[illegible]了，立即將這一位負責[illegible]然如此瞞神瞞鬼，所[illegible]豈不是一種具文，此[illegible]主席團大爲失望的。」[illegible]決案的內容摘要宣佈如左：

違反公司法雖判罰金 翁明昌早已鴻飛冥冥
十年套、養、殺暴利達十六億 黑幕被揭穿看此事如何了局

本報記者公孫熊台北消息：轟動社會之嘉新水泥公司被控違反公司法案，前由台北地方法院檢察官鍾招榮負責偵訊，查明該公司總經理翁明昌，副總經理蔣起麟，共同將公司資金四百萬元外借利記周敬熙。經鍾檢察官依違犯公司法第十五條規定，提起公訴，由地院刑庭推事張瑞創審理終結，於十一月二十八日宣判。翁明昌、蔣起麟兩被告均被依「共同連續違反公司資金不得借貸與其他個人之規定」，各處罰金銀元五千元，折合新台幣一萬五千元。如易服役以銀元六元折算一日。翁、蔣兩被告，因今年元月至三月間將公司資金新台幣四百萬元，分爲三筆擬借給利記周敬熙。雖然後來周敬熙已經全部償還，但仍無解於刑責，按公司法第十五條規定每人可處銀元四千元之罰金、惟連續犯可加重其刑至二分之一。刑庭所判兩被告各處罰金五千元，是各加重其刑四分之一。

地下律師奔走 得以遠走高飛

自本案被經濟部檢舉後，社會敏感人士指出：這是一種「訊號」，也就是說，翁明昌面前已亮起了「紅燈」，因爲翁明昌近年的若干作爲，直接或間接均對國家經濟發展、社會安定，構成某程度影響。台灣日報曾獨家揭載翁明昌以及該公司之種種黑幕。翁明昌竟於接受一次檢察官偵訊後，對違犯公司法案，固無足畏，但因報載所涉及之種種，如經治安機關查實，不僅翁明昌個人，甚至該公司董事長張敏鈺等，亦將面對事實，難以交代。遂在某一鉄大油商賄案以「長袖善舞」而得脫身之「地下律師」顧問代替策走隨帶下，翁明昌「順利」遠遁美國，作暫避之計。該「地下律師」顧問，復獻策將該公司總經理予以改換，十一月中旬當翁某已離台之後，嘉新水泥公司即宣布：總經理翁明昌請辭兼總經理之職務，遺職由業務董事李中一兼任。翁某此番避走，聞將久居美國，作該公司轉移資金之通所。翁某及「嘉新」諸人所畏懼將待遂漸暴發之事實，台灣日報揭載甚詳，雖屬「明日黃花」但有傳播價值，茲摘錄該報所記大略如下：

當初得力富孀 小股東變巨賈

「嘉新」創辦於民國四十五年，原始資本新台幣一千二百萬元，十二年以來，發展成一個擁有十四、五億的財團，不能不歸功於這一現年五十一歲，出生上海，連小學也沒有畢業，從學生意當學徒，兼在下層社會打滾過的翁明昌，善於盤算的頭腦和詭隨機巧的手法。在短短的十二年中，把「嘉新」樹起了嶄新的摩天大樓，使中山北路遙遙相對的「台泥大樓」自覺遜色甘拜下風。

翁明昌三十七年自滬撤退來台，做點玻璃和電燈泡之類的小買賣，混混生活。據說，運用某種「機緣」獲得了一位來自上海因太平輪失事而成爲富孀的資助，以幾萬元作了某一家織布廠的小股東。自是有憑藉路線，當在「嘉新」創辦時，翁個人投資僅一百八十萬元（內八十萬元，由張敏鈺借墊），作爲八股東之一。另外七股東爲張敏鈺、李中一、徐僑峯、（中途因事退出）朱昌年、吳德徵、徐逢辰等。翁明昌能在八分之一的天下，發展到今天的獨當一面，是經過一番艱苦「奮鬥」的，而其成功的秘訣，則與他後來縱橫股票市場的「套、養、殺」三字如出一轍。

十年以前，翁明昌在台灣工商界自屬默默無聞，其知單憑他們幾個人，是闖不出招牌來的，於是經過三請四邀好容的捧出了工商領袖束雲章出任「嘉新」董事長，並運用束雲章的聲譽「投資」，順利辦理申請美援及向國際金融機關貸款，以及國內金融機關借款保證手續，使「嘉新」能夠以一千餘萬元的資本，獲得價值二億元的生產設備，其他一切均獲到政府的「優先」、「支援」爲一般企業所望塵莫及。立法委員束雲章之功，實在不小。但是，當「嘉新」事業基礎奠定後，而初創局面之董事長束雲章，竟無立足之地，不得不以「人心不古」掛冠而去。結果的代價，名爲一百萬元，除扣所得稅及借支外，實得卅萬元。束雲章就這樣被攆出來。另外一個倒霉的綽號叫「洋臘燭」的楊存國，也是上海幫中有名「辛克力」，當年在港台間經營得手，頗有資金，當翁明昌到處張羅投資時，居然「請君入甕」，使楊存國投下了八百萬元之資金。後來「嘉新」陡發，湊巧楊存國在高雄開設鋼鐵廠週轉甚巨，乃向「嘉新」求援。翁某把握了機會，先以股票抵押了二千萬元，最後因無力償還，股權終於落入翁、張之手，其他尚有塑膠巨子趙廷箴，以及某木業商等，亦吃過翁某之虧不小。

多少人吃黑虧 莫不咬牙切齒

政府爲促進經濟發展，導引資金走向工業建設，希望透過證券市場，匯集民間游資作爲工業投資。因於五十二年正式成立台灣證券交易所，一時營業鼎盛，頗獲民間信心。後因若干「大戶」從中投機套殺，肆行操縱，終使證券市場形成一片混亂，多少人爲此而傾家蕩產，至今尚有因買賣股票弄到窮愁潦倒的人，莫不咬牙切齒。翁明昌對股票市場動態，早已「胸有成符」，儘管各公私營企業爲配合政府財經政策，紛將股票上市，而「嘉新」卻按兵不動。其意一在不使該公司資產資金盈餘公開暴露，再則翁某將謀準備大炒股票，不惜爲一己之私公然向政府挑戰。

翁明昌於五十一年插手於證券市場，五十二年開始大炒股票。他運用「嘉新」財團的生產資金，作爲股票投機的賭本，用「以大吃小」的氣派，用「套、養、殺」的手法，翻雲覆雨，無往不利。雖然股票市場的混亂，除翁某外尚另有財團從中操縱，但風頭之健，卻無人能出翁某之右。據證券市場有資格人士的保守估計：翁在五十二、三兩年間從股票上撈進的新台幣達二億元以上。

據說：翁的炒股票，永遠立於不敗之地。因爲他具備別人所沒有的優越條件，那就是：依照公司法規定，公司可投資於有價證券，惟投資額不得超過公司資本額的百分之廿。在這一「護身符」下，翁明昌可以利用公司資金大做其股票，一進一出之間，賺了歸何人？賠了又歸何人，運用之妙，存乎一心。也因此，股票自五十四年走下坡之後，對翁明昌個人可以說毫無影響。

由於股票做得順手，流動資金像滾雪球一樣，越滾越大，於是很自然的經營類似錢莊的業務，並以證券公司爲對象而予以貸款，享受了股票上漲與貸款利息的雙重暴利。

翁明昌在此票市場的興風作浪，當時曾引起有關方面的注意和調查，雖然翁的神通廣大，能安然渡過風險，但如謂翁與「炒股票」無關，那是連三歲童子也不會相信的。從那個時候起，有關方面對翁某開始「另眼相看」，而這次翁案的突如其來，可能早已埋下伏筆。

「嘉新」是一個賺大錢的公司，這大概連翁明昌本人也無法否認。奇怪的是：外間盛傳政府征不到「嘉新」一文錢的所得稅。工商界人士對此一說，亦均認爲不可思議的事。

如果澈底查賬 必有驚人發現

逃稅，在工商界是很普遍的事，一般而言，其手法不外以多報少，以少報無；但有些公司，則專門鑽法令的漏洞，化暗爲明，公然逃稅。由於公司法規定：公司盈餘轉作增資，或用於投資其他事業，以及捐贈社會福利事業，均可免課所得稅，同時依照外人投資辦法，華僑回國投資，亦可免征所得稅。由於上述有關規定，「戲法人人會變，各有巧妙不同」，乃使長袖善舞之輩，玩法弄法，製造逃稅的藉口，也有人利用旅港商人投進一小筆資金，以擴充設備爲藉口，如此既可免課所得稅，還可藉此「套匯」。

政府爲鼓勵生產事業若干優惠規定，竟成玩法之徒逃稅的漏洞，由此可見若干獎勵投資條例不切實用，需要作全盤的檢討改善。

「嘉新」是否漏稅，欲澄清社會上的傳說紛紜，最有效的辦法是請台北稅捐稽征機關公佈該公司歷年來的課稅資料。嘉新與翁明昌公私賬目，如果從十二年查起的話，必然有驚人的發現。

俗話說：「飽暖思淫慾，飢寒起盜心」，翁明昌由一位名不見經傳的小商人，一躍而爲工商巨子，其對生活的享受，極盡奢華之能事。而一擲數十萬金的風流韻事，亦頗多傳聞，這些都是他個人的「私」事，且不管他。

據傳：嘉新公司的「鉅子」在發了大財以後，爲了所謂「應變」和「安全」，曾將一部份資金流往國外，他們在國外銀行的存款數在美金百萬元以上，並且在南美的巴西取得居留證。此說如果屬實，對人心士氣影響莫大。爲了促進經國內發展的風氣，如今有人在國外發了大財，竟存心「開溜」，其處心積慮，實在太可怕了。

喬治桑外傳（七）

張大萬

一襲迷你旗袍，露着一雙大腿。

電影是「第八藝術」，幹電影這一行的，社會地位似乎比唱大鼓的、唱平劇的、說相聲的要高得多。這大概拜受歐風美雨之賜。美國明星照樣可以競選州長。鮑卜合浦，這位著名的諧角，見了英國駙馬爺插科打諢不誤。因此，我國東施效顰，過去每逢國慶大典，台上星光熠熠，對明星渥遇之隆，蓋亦一矯以往士大夫賤藐倡優陋儒思想之意云爾。

「海啤，喬治」何千嬌招呼桑博士，純粹美國妞兒味。

「海啤，拉娜。」喬治桑也親熱地和何千嬌打個問訊。拉娜是何千嬌的洋名，據說何千嬌最崇拜好萊塢的拉娜透納，故以拉娜爲名。

何千嬌是美人胎子，烟脂鋼行，講起話來聲音像一串銀鈴。眼角已經現魚尾紋，是唯一的老態。除此以外，一切都符合傾國傾城的標準，難怪在中國銀壇大紅大紫達四分之一世紀以上了。

何千嬌丈夫賈西，過去是學武生的，改行從影多年，亦編亦導，又能担任主角，可稱當今影壇全材。

「桑博士來點甚麼？」賈西彬彬有禮，儼然紳士派頭。

「咖啡。」桑博士答。

喬治桑坐下以後，開始清談。好在現在並非東晉時代，清談不致誤國。

「賢夫婦這幾天很忙吧？」喬治桑先打開話匣子。

「和香港一樣，只是應酬更多一點，有些客氣一點朋友，請客不能不去。」

「拉娜人緣好，又是鼎鼎大名的明星，難怪要忙得不可開交了。」

「應酬倒無所謂，剪綵甚吃力。大富製藥廠黃董事長，我根本不認識他，他要請我明天一大早，到他的廠。剪綵廠址遠在南部。不去怕得罪人，去吧實在累得很。」何千嬌順手遞了一張名片「大富製藥廠董事長黃土灶」給喬治桑看。邊問：

「你認不認識黃先生？」

喬治桑搖搖頭，將黃的名片還給何嬌千。

何千嬌用黃土灶名片剔指甲。她的指甲修得很齊整。這是一種下意識的動作。

「妳爲剪綵忙，我爲演講苦。彼此，彼此。」

「哎呀，桑先生，你是有學問的人，我怎能和你比？」

「不要這樣說，你拍一部片子，足供我在美國生活半輩子。這年頭，讀書人最不値錢。」喬治桑竟發了感慨。其實，喬治桑究竟能不能算讀書人，只有他心裏明白。

「聊點別的吧，別老談正經」賈西插口說。

「博士是老風流，在台北有沒有艷遇？」

「誰會愛我這糟老頭子。」千嬌微笑着問。喬治用平劇小丑口吻。

「不過，這兒酒家小姐倒是很不錯的，逢場作戲，倒是另有風味。」

「怪不得你一年總要到台北好幾次，原來泡上酒家女了。」千嬌向來口沒遮攔，說話開門見山。

（未完）

尼姑思凡尾聲 尹雪曼談文風 魏子雲與許逖

最近這一兩個月，台灣文壇熱鬧了一陣子，使一向平靜無波，穩如止水的文壇——文協主持人十餘年總是一人「連莊」——有如古井揚波，看來手風頗順，如果不手下留情，可能還連下去——後顯遠倘。

這幾件事是：

一是博涵中西名揚四岳的幽默大師，藉中央日報發表了一篇「尼姑思凡」英譯；掀起了朝野海外的善男信女，和幾位於看不「過」眼的作家，經過一陣厮殺，清點戰場，兩無傷損，於是鳴鼓收兵，是休息一下再臨陣，或者就此罷戰作罷，尚待下回分解。不過林博士寫了一篇「我的答辯」交給本報發表，措詞委宛，入情入理，可能從此化戾氣爲祥和，對文壇來講總是一件喜事：

尹雪曼談文風

一是文化局的處長尹雪曼在聯合報的副刊上發表了一篇談文風！這篇文章從頭到尾多半談的是有關一位新進女作家蔣芸涉嫌剽竊他人的作品，並且在文句裏多少爲她洗刷抄襲罪名，對年輕的作家如此庇護，可謂用心良苦！

其中談文風的話很少，都是穿着長袍馬褂可以進退於聖廟的……大意是：「喜愛走編譯的年輕人，應該多讀書，多思攷，少批評，少衝動！」這幾句話顧身文化局的官員不說誰說？何況這個調調兒也頗適合於台上的人！

蔣芸剽竊事小，有的大學教授都是整本兒整本兒的化他人之作爲自己的大手筆——她退出文壇也是她自己的事情——她能以輕靜的心情告別文壇，仍是可欽的。她在聲明退出文壇後復以蔣 的筆名係尹曼的大作捧場，則是一件非理智的行爲！這件事使「親者痛」，而「仇者不快」的事情，因爲這件事始終是一個「是」與「非」的論爭，對蔣芸本人來說，一切的不利可說咎由自取，其來自四方八面的責備也未過份苛刻。可是她這一篇捧場的文章，而捧的又是對她維護有加的處長，對蔣芸來講是她最「不智」最「不上路」的事，尤其是在蔣芸爲蔣，使人有諸她雖健於行，何必作持杖狀的感覺！於是「作家」行列裏，她縱是插入隊中，也是很難受的！此一飛捲到是不失爲「獨智」之舉！

魏子雲與許逖

一是魏子雲與許逖的論爭，這是由於魏著一篇論「聲」兒的文章引起，由許逖的一「筆」關題！鑑別古賣兒的假偽不是外行人可以充任的，批評「聲」兒的文章變化多端，也是專家們才能勝任，情人眼裏可以出西施，可是凡是屬於「我」的，都不能套在「藝術」的公式上！總之，台灣文壇已有了生氣，這是可賀可喜的！也是可珍愛的！

（房一鳥）

巨變歷險記！

（十三）　・胡慶蓉

市議會爲民請命

天津市議會，在圍城之下，他也盡了爲民請命的責任，盡了他協助黨政軍學的責任。

天津市議會，在天津被包圍的時候，剛剛正式成立不久。我說剛剛是有一段歷史的。

天津市議會的議員，很久很久就都選舉出來了，但總不能正式成立。當時中央政府在南京，行政院長一度是張勵生。張先生是河北樂亭人。論理，張先生應予幫忙，實際上他恐怕也幫忙了，是不是天不遂人願，天津市的市議會總遲遲不能正式成立。

在天津市議會遲遲不能正式成立的期間，天津市議員丁作韶博士躍居非常重要的地位，實際上也就是領導的地位，無殊於議長的地位。是不是由於他是法國留學生，同張院長有同窗之誼，是不是由於他是天津益世報的主筆，同報界很熟，又是不是由於他是有名大律師，能說善道，又是不是由於他同天津的侯鏡如軍長同鄉，又是小同學，又是不是……由於他是大學教授，是不是……一時很受全體天津市議員的抬舉，成爲天津市議會的中心人物。

當時天津市的市議員，現在在台灣的，還有藍與黑的名作家，現在教育部文化局任顧問的王藍先生，一度在電影界很露頭角的朱玉衡先生，現在麻豆鎮黎明中學任教的余和貴先生。此外，還有李蠱元先生，可惜他不幸患半身不遂症逝世於彰化卦山莊大佛寺之後。此外，是袁紹瑜先生，也患半身不遂症，也不幸逝世於台中五廟巷他太太的府上。此外，還有一位康老先生很久沒有他的消息了，遙祝他身體健康。

當時天津的市議會，份子非常堅強，三教九流，無所不包，上至大學教授，下至販夫走卒，無所不有。開起會來，大家的情緒非常好，都很有幹勁。當林彪包圍天津時，一致堅強反共，保衛天津的大前提下，不但把黨政軍團結起來了。

在保衛天津原則之下，市議會也不甘落後，追隨陳司令、林軍長、杜市長之後，爲天津市民請命，爲天津市民的利益奮鬥。我現在就可告訴大家：市議會同黨政軍民都非常合作。

催眠術研究

（一）開場白

鮑紹洲

「自由報」篇幅很寶貴，可是我的「開場白」也不可少。常言說得好：「麻雀雖小，肝膽不可少」，借用幽默大師之言，正如「迷你裙」，「愈短愈好」；但是不可以沒有。如果「沒有」，就不能成爲「迷你裙」了。

開宗明義，「什麼叫做催眠術」？「催眠術」者，可使人的感受性強，而又容易於感應暗示的一種精神方法是也。這種方法，必須具有兩種條件：一是感受性大、二是暗示感應。導致催眠狀態，使人致於雜念寡少狀態，而感應暗示者。什麼是「暗示感應」？即用施之於治療疾病者是也。暗示爲什麼能夠感應？因其感受性大故也。以感受性之狀態，名之爲「催眠狀態」。

催眠應用的範圍頗廣，此術可以左右人的精神，催眠術又名「左右精神之術」，故能活潑精神的作用。如人的行動向於善的方面，則有一般人幾倍的速力。向於惡的力面，則可遏止之。是術皆得隨意而動。這是催眠術的特色。因此，催眠之術，對於人爲的事，皆得應用之。但是，能夠直接得到效果者，首爲「療病矯癖」，其次爲「用於精神修養」。爲增進心身健康之唯一良法佳術。其他如應用於宗教、教育方面，亦有很大的效果。

催眠術切實可行的方法，對於人類有六七十種之多，對於動物的催眠法，亦有數十種。爲了珍惜這小方塊的寶貴篇幅，在這「紙上催眠室」中，僅談實用的方法，揚棄窮酸的理論和教條。是否有當，且聽本報讀者的高見吧！

海嘯樓談薈

平劇欣賞記

諸葛文佚

最近一個月之間，我在台北的「國光戲院」欣賞過兩次同樣戲曲的皮簧劇——玉堂春。先聽大鵬劇社當家花衫坤角嚴蘭靜的「起解」帶「會審」，次聽明駝國劇隊以程派青衣著稱的坤角古愛蓮所演全本玉堂春。

玉堂春這齣的舊劇，可謂家喻戶曉的玩藝，跟「紅鬃烈馬」相伯仲，社會大衆多會哼幾句的，演出這類舊劇的角色，如果沒有相當的造詣，很不容易使觀衆滿意的。今天在台灣聽平劇，水準固然不必要求過高，但總有七八成兒的工夫纔算夠料，纔可以教一般稍爲懂得皮簧戲的人感覺過癮。因爲現時年紀在三四十歲以下的人，十九皆對此道莫名其妙了，要聽的盡係中年以上的稍識門徑者。

嚴蘭靜的嗓子是夠用的，過去她喜歡模仿張君秋式的唱腔，然令人有畫虎不成之感。這次聽她唱來，完全走的梅派路子，非復當年歐雜不醇的韻味了。據說她近年已拜金素琴爲師，力矯前失，可謂得體矣。是夕她最賣氣力的是「會審」一場，大段西皮慢板和二六轉流水的唱腔，皆落落大方，珠圓玉潤，臉上表情亦能與戲詞相配合，大有進步了。只在做戲方面，有些地方尚待用功琢磨，譬如會審完畢起身時，表示腰腳疲憊酸楚的動作，就欠純熟而有生硬之象。去王金龍的小生程燕齡，的是後起之秀，難得她演來並無女性狀態，朋友說她演「白門樓」更拿手，可惜我尚未欣賞過。

古愛蓮的全本玉堂春，在劇情和唱詞上，有些地方不無缺陷，減少了戲藝的完美性。過去我在內地看過荀慧生的全本玉堂春，「嫖院」一場，沈燕林入院之際，蘇三正在樓上一面梳裝，一面悠然唱四句南梆子，沈燕林在下聽着，更爲心神駘蕩，決意以鉅金購買蘇三作妾，這樣即使劇情美妙而合理化。古愛蓮演的這場，蘇三坐在樓上對鏡梳髮，一句唱詞亦沒有，沈燕林一進院中，急忙把金錠向樓上拋擲，蘇三怒目將金錠投下，厲聲大罵。如此直率的硬幹，劇情乃跟「鐵公雞」的風格相近，未免大煞風景，且與蘇三後來在「會審」時，訴說「他在樓下誇豪富，蔑却公子王金龍」的唱詞不盡吻合了。

古女士以程派青衣相號召，是夕我聽她的唱腔，嗓子固然不賴，似乎並無程派的聲調。老實說，現在台灣的平劇伶工和票友，除却名票高華尚有些程派韻味外，其餘多不足以語此。我希望古女士不必沾沾於程派的名稱，祇要學有根底，工夫到家，不論師承那一派，或者自己獨創一格，都可以成名的。

古女士是夕在全本玉堂春的唱腔中，我感覺並無持殊的造詣可言，平平而已。尤其是會審時唱流水板「拉拉扯扯到公堂」和「頭堂官司審得好……變了心」這幾句，應該要有表情的動作纔行。可是，古女士的琴師却很好，不但托腔絲絲入扣，沒有一點燥聲，手音更美妙悅耳，允屬名手。飾王金龍的楊某，比較程燕齡就差勁了！臉上呆板雖看，會審時的幾次苦笑聲容，皆不像樣，眼神更沒有，祇在嫖院時那種書獃子態度，差堪寓目也。

玉堂春這齣劇，完全是以唱工爲主，重點在「起解」「會審」兩折。全部唱腔必須以悱惻纏綿之聲，方爲上乘。過去大陸上的四大名旦中，以荀慧生最擅長此劇，例如會審出場時的「來在都察院」這段西皮散板，雖梅蘭芳唱來亦不及荀伶之哀感頑艷，使聽衆爲之蕩氣迴腸，早年上海高亭公司灌有荀伶這段唱片，我[illegible]不厭的。這次[illegible]靜、古愛蓮二[illegible]詞，皆不免失[illegible]，味如嚼蠟，[illegible]們細心研究體[illegible]以改進爲是。

事過境遷

熊式一

三幕喜劇

包太：包先生不必道歉，我原諒你，請你往下說吧，我決不再打岔了！

仁：（氣得很）多謝，多謝，糟了，我方才說到甚麼地方呀！給你一再打岔兒打忘了！

（包太眼觀鼻，鼻觀心，用手指指她自已的咀，表示她不敢再說話了）

喂！喂！我問你，你記得我方才說到那兒呢？

包太：（抬頭微笑）還不是我打你的岔兒，這是你自己問我，我要說話呀！

仁：是的，請你告訴我，好不好？

包太：當然好的！你說宇文得標死了，我說我丈夫遭了意外，抛下我去世了，兩樁事還是一樁事，不過我說得婉轉一點兒，好聽一點兒，就在這個時候你發了脾氣………

仁：行了！行了！謝謝你，不必再講了！

（她再微笑，低頭，以手指口）既是你的丈夫遭了意外，把你抛下，去了世，（他很得意的微笑，再把手放到口袋裏去摸摸他姑媽寫給他的那封信。）那也不要緊的，我剛剛想到了一個好辦法！我可以……我可以照應你的！在過去，我們不知道，所以我們所做的事是不合法的！可是現在我們可以同到婚姻註册處去重新註一註册，豈不是人不知，鬼不曉的，就把過去的錯誤改正了嗎？（他居然一口氣把這個極難的問題順順利利的解決，高興之至，不知不覺的歎了一口長氣，揩一揩腦門兒上的汗，坐下來休息休息）

包太：包先生，你的意思是想和我到香港婚姻註册處去再結一次婚，對不對？

仁：（大喜過望）對了，對了！明天一早就可以同你去！最好還是先通知我們的律師，雖然我知道不會發生甚麼大困難，不過手續上總要一切合法………

包太：我想手續上不會發生一點困難的，大家都知道你是太平紳士，誰敢留難你？這個我倒放心………

仁：對了，對了！你放心，決不會有困難的………

包太：不過………不過………

仁：不過甚麼哪？

包太：不過，包先生，你剛一提結婚，明天就想和我去辦手續，未免太快一點吧？

仁：不算快！不算快！假如是時間早，今天和你同去都可以的！可惜手續來不及，今天來不及！

包太：包先生，你誤會了！我不是那個意思，你打算和我結婚，至少也要先向我求一求婚，徵求我的同意………

仁：你還要我先向你求婚？

包太：對了！不說照法律上，照道德上，就按你的良心上要打算和一個寡婦結婚，也要先徵求她的同意，對不對？何況社會的習慣，這種事總要雙方情願的，所以事先求婚的手續，是不可以省的！

仁：不過我的情形不同哪！我們是………

包太：我們的情形不同，更不能免這種手續。你聽，照法律上說，我是宇文太太，你是包仁翰先生！你認識我很久很久，認爲我是你的好對象，有資格做你的太太，那你還不應該先向我求婚，問一問我答應不答應再嫁給你嗎？

仁：（只好陪笑和她敷衍敷衍）我的好太太，你說得有道理………

（四二）

御廚談藪

火腿燕蜜棗

・林泉隱・

火腿燕蜜棗，爲前清御膳房目錄之一，不僅咸豐帝嗜食，慈禧太后且加以改良，增銀杏（白果）湘蓮各廿餘粒，謂可醫頭暈耳鳴及利於婦科，又有滋養作用。

本港及台灣等地，對火腿的吃法，一般的說都不太內行，禮物中火腿是珍品，都有這樣印象，有錢有勢的人，過年過節收到的火腿禮品，往往又轉賣到火腿店，是他們等到賣火腿的錢買米嗎？或者摸火腿須要賭，敢說絕不不是，因感到火腿不甚麼好吃，切起來又不方便，此乃完全不懂火腿的吃法，蓋任何臘肉、封肉、燻肉、鹹肉等，能趕上火腿味的很少，尤其浙江金華火腿，雲南宣威火腿，刀下滿屋香，使人口水自然流。

火腿的看法，將火腿置小缸，用清水泡卡四小時，然後持鑿刀將骨剔除，脚爪掉，以毛筆桿粗的繩子緊密細扎綁好，置鍋加水用木柴煮滾約五分鐘停止，餘薪勿抽，悶一個半到兩個鐘點再滾五分鐘撈出，水氣涼乾可供食用了，火腿皮與肥肉部門很少人吃，這是御膳房烹製火腿的方法。

正宗的吃法是火腿片，要片到薄如紙，會被風吹去，袁世凱喜歡吃鹹三鮮，主肉即爲火腿，李鴻章冬令嘗食小跑（即野兎）肉，春夏秋季節沒有小跑時，廚師將火腿切成小跑肉塊端上，宰相竟是「大智若愚」，吃時尚罵：「入娘，夏天的小跑沒有冬天好吃」這句話是中堂曾孫女李道娟講的，著者姑妄記之。

蝕財患病

司馬喬

台北滬商某君，年初往訪術士，叩問流年。術士一加推算，斷定本年五月，某必蝕財，且患大病。某商聞言，精神驟然頹喪，不克自振，及至五月，其所經營之進出口行果垮，擁資紛罄。懊喪之間，忽又憶及術士之言，「且患大病」乃以體溫表自試，果然[illegible]半度，遂即就醫注射。翌日，升爲一度，連注三針，熱度不減。再向滬籍某醫求診，又針注射，昏迷不醒。其後臥病數月，耗資六萬。術士危言聳聽，害人之深於此可見。

非洲土人殺人製藥

非洲南端的巴蘇陀蘭，乃是英國屬地，交通不便，風氣蔽塞，他們有一野蠻風俗，就是「殺人製藥」。他們殺人製藥全是迷信，目的是想獲得更多土地，或是謀高地位，或爲兒子獲得職業。有了這種迷信的人就去設法殺掉一個人，在他還未死時，把肉割了下來，加上所流鮮血，混藥磨成血漿，煮成一定濃度，塗在想要的人身上，有時還要吃服一點，據土人說這樣便會產生魔力，達到他要求的目標。

據英國指派調查這項風俗的人類學家[illegible]斯報告，有一次殺人的實錄是這樣的：一九四八年一月的一個星期六晚上，一個名叫柯圖的土人，正在一個婚禮宴會裡面，一批土人飲着啤酒，那個部落的女酋長突然和一批人馬闖了進來，對她的手下說道：「要你們殺死柯圖，因我要作一料藥，俾兒子獲得一個職位。」她的手下立刻就把他拖了出去，剝光衣服，把他身上的肉一塊一塊割下來，放在一位負責製藥的巫醫的一塊白布之上，另外一個人拿着罐子去接流下的鮮血，再一個人用刀把柯圖的面孔割下，最後再把咽喉割斷，屍體拋到村子附近的山巖裏去。

他們殺人還有原則：（一）被殺的是殺人者的親屬，至少有相當關係的人，因爲他們相信用親屬血肉作成的藥特別有效。（二）肉一定要在被殺者還活着的時候割下來。（三）他的屍體必須拋在容易被人發現的地方。

踝足踏火

台灣新營鎮民生里有座王爺廟，九月十五日傳係王爺誕辰；除了演戲慶祝之外，還要舉行「過火場」，按照他們迷信說法，參加「過火」之善男信女可得菩薩保佑平安，驅除一厄運。火場長達二十餘尺，鋪滿紅木炭；會中乩童陳萬教等三人，率領男女十五人，全體踝足，引隊踏能火場前進，人人腳底都被炭火燒灼，痛苦難當，霎時慘叫四起，喊聲連天；事後個個燒得皮肉爛，乩童陳萬教等三人也是不能例外，躲在家裡治療，不敢見人。

自由報

中國郵政台字第一…號執照登記爲第一類新聞紙

（第一九五一期）

（半週刊每星期三、六出版）

每份港幣壹角・台灣零售價新台幣弍元

社長李運鵬・督印黃行鷺

社址：香港九龍彌敦道593—601號

廖創興銀行大廈八樓五座

LIU CHONG HING BUILDING
7th FLOOR FLAT 5
593—601 NATHAN ROAD,
KOWLOON, H.K.
TEL: K303831

電報掛號：7191

承印：景星印刷公司

地址：嘉咸街廿九號地下

台灣總管理處・台北市大同街119號

台灣區直接訂戶　台郵劃撥戶

第五〇五六號張萬有（自由報會計室）

電話：五一四〇三三・五五五三九五

台灣分社：台北市西寧南路110號二樓

電話：三三〇三四六・台郵劃撥戶九二五二號

毛澤東掙不脫內在矛盾的壓力（上）

・周文清・

一、

毛共政權內在的矛盾，源於毛共政權的性質，它是隨毛共政權有生以俱來的。毛共政權的性質，基本上是奴隸制度，這只把毛共政權與奴隸制度作一比較，即可明白。

奴隸制度與毛共政權的比較是：

（一）奴隸主佔有一切的財產；奴隸們也是奴隸主財產的一部件，奴隸們沒有自己私有的財產。毛共政權即是毛共佔有一切的財產，全大陸的土地、礦山、工廠、商店及一切生財傢俱，統爲毛共所獨佔；人民一無所有，過去人民所享有的私有財產，也統統被沒收。

（二）奴隸主爲便於管理和監督，奴隸們的生活和勞動都是集體的，而且是強迫的；而勞動成果則完全由奴隸主來支配，奴隸們沒有過問的權利。毛共政權也是一樣：人民要集體生活、集體勞動，強迫勞動（不勞動者不得食），而勞動成果則統由毛共來支配。

（三）奴隸主剝奪奴隸們的人權，奴隸們沒有任何的自由，只等於會說話的工具；一切生殺予奪之權，都操在奴隸主的手裡。毛共政權也是如此：人民失去一切的自由，而且要「洗腦」、「交心」，思想都要被改造。

二、

毛共政權是一十足的奴隸制。由於這一性質就形成共匪內在的三大矛盾，這三大矛盾是這樣的：

（一）社會性質與時空位置之矛盾：在時間上說，是由野蠻的部落社會，發展而來，它比之原始的部落社會是進步的；在空間上說，過去著名的實行奴隸制度的國家，如古埃及、希臘、羅馬等帝國，當其盛時，是當時他們已知的世界文化的中心，環繞他們週圍的是一些更原始、更落後的野蠻部落，它比起它們來，是遠爲強大和文明得多。這就是過去奴隸制度能以在歷史上存在相當時期的原因。但歷史畢竟是在不斷的進化的，奴隸制度早已爲歷史所淘汰，只有極少數的國家，奴隸制雖維持至近代（如俄國，至一八六一年始由官方宣佈解放農奴），或仍保持有奴隸制的殘餘（如中東某些地區仍保有奴隸市場），但潮流所趨，這種殘餘的掃除，也是時間問題。歷史絕不會再倒退到奴隸的時代，卻是必然的。

毛共步俄共的後塵，要在中國實行奴隸制度，這在時間與空間上即造成一無法調和的大矛盾。在時間上說：中國與俄國不同，俄共在俄國實行共產奴隸制度，這是承襲了沙俄所實行的奴隸制，在沙皇的奴隸制度之上，披上一件共產的外衣；它沒有改變俄國人民的奴隸狀態，沒有推動俄國社會進入民主自由的階段，但也沒有造成歷史的倒退。在俄國人民看來，俄共政權也不過僅換換標語口號的沙皇政權而巳，俄共沒有更壞到那裡去。中國與俄國不同。我國是一有高度文明的國家，早在三千年以前即已越過奴隸制度的階段。自儒家興起以後，人格尊嚴，民本思想，忠恕與中庸之道的精神，已深入人心，化入生活。二千多年來，中國人民一直享受着財產、工作、求學、應試參政、居住遷徙及宗教信仰等等的自由。近七十年來，中國又受了三民主義國民革命的洗禮，君主專制被推翻；民族獨立、民權平等、民生幸福，已成爲全民普遍的要求。在這樣社會中，實行奴隸制度，這不是進步，而是歷史的大倒退。

在空間上說：在大陸的週圍，已不是一些落後的部落社會，而是一個民主的世界和自由的中國。過去數十年來的國民革命運動即是受這個民主世界的影響。共匪要在這個世界的環繞中，建立奴隸制度，等於在陽光照耀中堆起一個雪人一樣的困難，這又是一個無法克服的大矛盾。

（二）社會結構與生產方式的矛盾：過去的奴隸制度是以極原始的農業經濟爲基礎的，奴隸主佔有大量的土地與奴隸，即以奴隸用之於原始的農業生產。這種生產只需要簡單的體力勞動，不需要高深的知識與技術；因此，奴隸主們只需要剝削奴隸的勞力，不需要提高奴隸的知識與技術。奴隸們的愚昧無知，也幫助了奴隸制度的維持。

今天是工業經濟的時代，工業經濟之發展，與科學、技術不能分開，而這二者又與人民文化水準之提高不能分開。工業生產需要許多優秀的科學家、發明家，需要許多優秀的管理人才與技術人才，奴隸們是不能勝任這些工作的。以此，現代各國，教育愈發達，人民的文化水準愈高，工業發展的潛力亦愈大；但人民的文化水準愈高，工業愈發達，政治亦愈趨向民主，奴隸制度與高水準的文化人民是不能兩立的。換言之，奴隸制度不能存在於工業經濟的時代。

今天的共產政權，都是在落後的農業國家中建立起來的（這正與馬克思的學說相反），這些國家人民文化水準之低，是共產政權得以建立的原因之一。毛共也是如此。可是共產奴隸主們奪獲政權之後，不能長期寄生於落後的農業基礎上，它必須走工業化的路，它希望以工業經濟來支持自己的存在。

毛共在工業要求之下，不得不要過去的知識份子，更不得不培養新知識份子，不得不大辦教育以提高人民的文化；可是，這與奴隸制度是有害的，奴隸制度需要人民的無知，人民文化水準提高等於自毀奴，制度的基礎。這是毛共的又一大矛盾。知識份子永遠成了毛共的死敵，永遠是反抗奴，制度的急先鋒和代言人。毛共不能不要知識，而又不願放棄奴隸制度，這一死結無法解開。

（三）生產效率與經濟負荷之矛盾：過去的奴隸社會生產效率是非常低的，但那時的社會消費水準與奴隸國家的軍政支出也是非常低的（與今日比較）。奴隸社會之能以維持若干年代，這也是其中的原因之一。今天的共產奴隸制度，由於以上兩大矛盾作用的結果——新奴隸們的反抗與生產不能與科學知識、科學技術相結合，再加上獨佔集團（共黨新官僚）之無能與消滅自由市場等原因，生產效率遠遠低於應有的水準；但今天卻已進入高消費水準的時代，而一般的軍政支出也遠非奴隸時代所能望其項背。這是所有共黨國家一個普遍的大矛盾。

毛共生產效率之低，這是有目共睹的事實，而毛共軍政支出之浩繁，不僅超越中國過去歷代的政府，且比之當代各先進工業國家，亦有過之而無不及。如①爲了鎮壓人民，它維持一個龐大無比的官僚機構與特務組織，並維持一支史無前例的龐大軍隊；②爲了推行所謂「世界革命」，它在世界許多地區，發動顛覆與滲透的活動，經濟耗費之巨，無可估計；⑧爲了政治敲詐，顛倒科學發展的程序，優先發展原子武器。這三項支出，任何一項均已超出奴，經濟所能負荷的限度，而毛共卻要三者同時併進，企圖挹彼注此，但仍無法把它的經濟負荷降至與生產效率能夠適應的程度上。此一矛盾，不廢除奴隸制度即永無解決之望。

（未完）

棘手！

昨日與明日

戴高樂的海派作風

二次大戰後，英法兩國因失去亞洲殖民地，早巳變成三等國家。英國人面對現實，尚能安份守己。戴高樂妄想在美俄冷戰夾縫中壯大，重振當年拿破崙雄風。所以戴高樂的作法甚合蘇俄口胃，卻使以美國爲首的西歐各國同感頭痛。

戴高樂不顧國力，進行核子試爆，已使法國經濟受創甚重。政治方面討好共黨的結果，在本年五六月間引起了全國大罷工，幾乎將政權拖垮。現在法郎發生貶值危機，毋寧是意料中事。

但戴高樂知道法國是歐洲心臟地區，美國和西德不會袖手旁觀，見火不救。於是他在世界各地財經，貿易專家一致認爲法郎非貶值不可的時候，決定不貶值。破落戶耍大爺脾氣，根本是十足海派作風。

事實上法國的經濟危機，必須美國，西德等大力幫忙纔能渡過。形勢比人強，高傲的戴高樂最後也只好向朋友伸手。值得注意的，蘇俄正儘量挑撥美法及德法的感情。美國所看到的是法國經濟問題，蘇俄所注意的卻是戴高樂死要面子的心理。國際政治的運用是非常微妙的，偶一不慎，出錢的美國，收實惠的是蘇俄。法郎貶值不貶對我國關係並不大，我們所關切的倒是由此所引起的政治變化。

票據法應否廢止？

台灣實行票據法已有多年，不見其利反見其害是一項無可否認的事實。當初立法原意，自係鑒於退票滿天飛，非用嚴刑峻法防止不可。可是票據法實行以後情況並未改善。足見市面頭寸拮据，纔是退票主因。

台灣一般銀行，只知緊縮信用，沒再考慮到市面貨幣流通的需要量，退票必然發生。現在銀行法修正案已由立法院通過，今後銀行貸款尺度放寬，倒不失爲防止根本之圖。

由於違反票據法通緝犯的不斷激增，空戶到處都有，影响戶籍整理。其害一。警察爲執行任務，不論煢獨孤寡，都要捉將官裡去，警民感情自難維持。如衡情度理，曲予寬縱，又有收受紅包之嫌。警察原負有除暴安良之責，今以票據法之故，難免良莠不分，社會秩序形成紊亂，其害二。台省實行地方選舉頗著成效，因票據法之故，無形減少若干萬計之選民，實爲自治一大詬病。其害三。

配偶與人通姦，法律規定「告訴乃論」。票據法則不問其是否犯有詐欺騙財行爲，一律視爲觸犯刑章，實屬費解。私人或行號開出支票，並非盡人皆可接受，寃有頭，債有主，何必以票據橫梗其間，豈非治絲益棼？當然，票據法可使法院罰款收入增加。但假使幾萬違反票據法通緝犯都繳不起罰款而情願坐牢的話，現有監獄是容納不下的。票據法是否應予廢止或修正？可以思過半矣。

（易儔）

自由談

談政治訓練

訓練與教育的作用有別，一是注重於技能方面的訓導講習，是短期的，受訓者多係壯年以上的人員，祇能接受治事的技術訓練；至於思想行爲以及意識形態，都已定了型，不易改變。一是致力於學說修養與品性陶冶，爲時較長，受教的盡屬青年子弟。二者在原則上都是爲國家儲蓄人才，但作用迥異，有如軍旅之事，前者是戰鬥列兵，後者乃預備隊也。預備隊一旦正式入伍，必須接受戰鬥的技術訓練，理有固然。

以我個人的經驗爲例：自從離開學校，進入社會從事各項職業以來，直到現在，未曾受過一次政治訓練。但我在過去幾十年間的動亂生活中，始終只以國民黨員的立場，擁護自己的政府和領袖，從無貳心。對於亂七八糟的政治小集團和小派系，皆避之若浼，絕不參加。即如民國五十年前後，美國朋友在香港設置知識份子救濟協會，號召海外一切反共非共的中國知識份子填表加入，我也掉頭不顧，否認自己是需要友邦救濟的政治難民。這決非故作忠貞之態，亦無立異鳴高的意念，乃由於個人的人格和思想行爲已經鑄成定型，沒法改變了。好也罷，壞也能，立身行已的本末就是這樣一套，縱使經過訓練，對於治事的技術或許有所增益，人格思想永遠變不了的。

即就技術訓練而言：施教者應以專家或具有特殊技能和經驗的通才爲適當，再輔以學有專長的人士偶作專題講演，庶幾有豸，而一般在位的達官貴人決非所宜。一則官不能訓練人——不管受訓的是官吏或平民，「作之君，作之師」的時代巳經過去了。二則沒有眞實本領和經驗的官員而要強爲人師，一定引不起受訓者的興趣，甚至發生反感，徒勞無功。

我贊成對一般的公務人員加以行政技能訓練，藉以增進行政效率，卻不必期望在短期訓練之中，能夠改造受訓人員業巳定型的人格與思想，以免枉費心機，尤其不宜教官員來訓練官吏，那是得不償失的事，避之則吉！

馬五先生

雷翁案何厚此而薄彼？
北市兩大報業巨頭 對翁案表現令人嘆惜

本報記者公治長台北消息：台灣工商界「聞人」嘉新水泥公司董事兼總經理翁明昌及副總經理蔣起麟，涉嫌違背公司法第十五條第二項規定，把嘉新公司資金四百萬元，分三次借與翁明昌私人代表周敬熙之「利記」公司一案，經台北地方法院定判，翁明昌，蔣起麟兩被告均被依共同連續違反公司法，各處罰金銀五千元。

按公司法第十五條第二項規定「公司之資金，不得借貸與其股東或其他個人」。翁明昌等違背此項規定，依同條第三項規定，「得各料四千元以下罰金」。再依刑法第五十六條規定「連續數行爲而犯同一之罪名者，得加重其刑至二分之一」。故該案被告翁明昌等可判處銀元六千元以下之罰金。六千元以下罰金對翁明昌來說，等於「九牛一毛」，不足爲道。

翁明昌和蔣起麟被檢察官依公司法提起公訴，這是新公司法實施七個多月來的第一案。但令人驚奇的是：台北地檢處在偵辦被告翁明昌等違反公司法一案的過程中，與承辦其他刑案如雷鳴龍等涉嫌藉勢勒索未遂案之過程，完全相反，因而有人認爲這是一種不公平的做法。

台北地檢處在承辦翁明昌等一案時不但沒有透露案情內容，且朝着「偵查不公開」的途徑邁進，甚至台北地院鍾招榮檢察官於起訴時將全案移送刑庭後，不但未公佈起訴書內容，即「司法記者」採訪起訴案新聞時，亦無可奉告。相反的，台北地檢處於偵辦雷鳴龍案時，上午偵訊的內容，下午的晚報全部刊載；下午偵訊的內容，翌日的日報都有詳盡的報導，甚至把與本案無關的人也不負責的透露，雷案起訴的當天，起訴書便已打字油印並分送各報記者「發稿」了。

名士學人之流 甘受市儈支使

此間有人對新聞界表現得太差勁而隱憂，其實，有錢能使鬼推磨的諺語，不自今始，由來久矣！蓋「聞人」翁明昌，原係出於十里洋場的上海，從小就當學徒，連小學也未畢業，詎料在短短的十二年間，竟成爲擁有十四、五億的所謂「大企業家」；而報壇「鉅子」，以及貴爲「名士」之流的「學人」，亦樂意並甘願受役於這位當年「學徒」出身的「大企業家」，任其使喚而效命，眞使人想不通。

翁明昌等被經濟部控訴違背公司法移送台北地檢處偵辦後，法院與新聞界都經不起考驗，結果是：台北地檢處對該案提起公訴後而無可奉告，於是有人懷疑刑庭在審理時，可能與地檢處一樣，不歡迎新聞記者採訪。而新聞界的表現亦不令讀者滿意，例如以社會新聞起家的報紙，竟隻字不提；致使社會與論對報界表示惋惜不已！

有一家刊物批評「今日台灣報壇」的表現，『欺善怕惡』的表現，『非常令人齒冷。』事實告訴讀者，專門造謠而以誹謗他人名譽爲能事者，非二三流的報紙，多出自一流大報，這種行爲，已引起立監兩院的注意，外國通訊記者，也正研究中。

立法委員溫士源、李公權認爲司法機關偵查刑事案件，沒有做到「偵查不公開」的境界，要司法行政部負起這個責任來。並於主管新聞的行政主管官署，也未盡到每天須審核報紙刊登禁止或限制事項的責任，尤其報紙不得登載禁止公開訴訟事件之偵查內容，地方主管官署首長——新聞處長根本未依法行使此項職權，而任由報紙侵害人權，顯屬失職。

監察院司法委員會亦提案向正在舉行檢討會議的院會建議：要司法行政部制訂辦法，處罰公開偵查刑案內容之人員。並主張把此項意見，列入一般政治設施檢討意見中，送行政院辦理。

最後獎上一番 豈爲遮羞費乎

翁明昌等長袖善舞，週旋於新聞界、文化界與政壇要人之間，其手段之高明，非常人所及，他設了各色各樣的獎學金，並捐款與建若干新村，以及「嘉新新聞獎」，這只是掩護做不法生意之手法，當翁明昌被控違背公司法一案，而檢察官屢傳未到庭應訊之新聞見諸台灣日報、大衆日報後之半個月，本年度第四屆嘉新新聞獎得獎人的名單公佈了，某刊物議評謂：「此乃遮羞費也！」中央社於十一月六日公布翁明昌、蔣起麟起訴新聞後，適逢嘉新新聞獎理事會頒發請柬，邀請各界人士包括海外僑報記者在內，參加其頒獎典禮，「此乃遮羞典禮也」，這種具有副作用之獎金，實我報新聞界之奇恥大辱也。

人頭的祭禮
滇緬邊境的奇俗之一

中緬邊界南段是卡瓦山區，與雲南的瀾滄，孟耿相接壤，半接孟良本邦，綿延二千餘公里，卡瓦區的山勢以孔明山爲最險阻，大有一夫當關，萬夫莫敵之概，該地海拔約在五千尺以上，登山頂向西顧，則卡瓦山十七王地瞭如指掌，第二次世界大戰前，英人曾將此地改爲「公民山」，但該區的民衆仍是用舊名卡瓦，人常說：「我們卡瓦族是諸葛武侯的子孫，諸葛武侯是中國的功臣，卡瓦是中國的百姓」。

相傳孔明南征的時候，曾在卡瓦區宿營數天，留下大鐵炮一門，歷久陷入土中，民間傳說，該區如果遇到事變，或鬥爭的時候，則此炮必先有響聲，而響聲的輕重與久暫，就可知道刀兵的大小，這件事雖然是屬迷信，但也可以證明卡瓦人對孔明的信仰。

這是卡瓦山上，最恐怖，也是最殘忍的一回事——人頭的祭禮。

每年到了三月及八月，那是「人頭祭穀」的季節，野蠻兇悍的卡瓦人便四出找人頭，他們對象不分男女，以漢人爲主，找不到漢人，也可找其他族人來代替，殺頭的方法，一是在半路上就把人殺死，把頭砍下，一是把人生擒活捉以後，囚禁室中，供給豐盛的飲食，使他白而胖，然後以姿容秀麗的女，一絲不掛的與他淫樂，待他笑聲極縱的時候，乘其不備，便在後面一刀，把頭砍下來，殺後面帶笑容，則以爲年可豐收，否則就是不吉利了。

頭殺下來之後，便拿到村口，那裡豎立挖有穴洞的木椿一枝，把頭收在其中，全村男女老少都出動了，圍着圈圓，且歌且舞，一會兒把頭取下，互相拋擲作戲，復紛紛把肉及飯塞入其口中，並頻頻以吻，然後仍放入木椿的洞穴內，這時候，死人的口中都塞滿着飯肉，已大張欲裂，於是羣相更迭撫摩其頰，並笑慰之曰：「你這人還笑得連口都合不攏來，你的家人正掛念你呢！呀，也難怪，你在這裏，我們對你這麼好，飯有得吃，肉也有得吃，還愁甚麼呢？你的家人知道你在這裡過着好日子，不會再掛念你的了，你安心吧」！語畢後繼之歌舞，相與預慶豐年，這種人祭活劇，在春耕秋收的時候演出。

舉行祭禮的時候，人頭下倒置一布囊，參與祭禮的人都要放入幾個銀圓，囊滿方止，這些錢都是拿來贈給殺人取頭者作爲酬金，而這個殺人的勇士，從此遂被全村人士一致認爲富有冒險精神的好漢，也是五穀豐收的功臣，其人沾沾自喜，因以紅布一塊纏在頭上，以示勇敢。

關於人頭祭禮的傳說，是當年諸葛武侯南征孟獲的時候，因卡瓦人最難馴伏，蠻亂敉平，武侯欲滅其人種，遂想出一個方法，適卡瓦人向他要穀種，乃蒸熟與之，種不成芽，繼而復請，武侯說：「非用人頭祭不可」，卡瓦人乃遵照之，更給與生穀種，是年豐收，此後就成習俗了。

在諸葛武侯的意思，是要用他們的頭祭，使他們互相殘殺，以減其種，後來有個聰明的卡瓦人建議說：「我們不要殺自己人，殺漢人好了」！以後就專殺漢人了，這段傳說雖不可盡信，但也可見諸葛武侯威望的一斑了。

盧偉林

立監兩院同時指責 逢甲學院草菅人命

本報記者董倘書台北消息：有關私立逢甲學校糾紛遷延數年教育部未予決案，自監察院兩度提出彈劾，亦被迫保留。高信雖已辭去該院董事長，所推出之繼任董事長爲蕭錚，高信等八位公務員仍任董事。而蕭錚亦因爲現任國策顧問兼土地銀行董事長，當被教育部請示行政院蕭顧問是否算公務員？但蕭錚曾公開表示他絕對不幹。截至現在止，該院究以何人爲董事長，？其糾紛究將如何解決？仍沉於五里霧中，深爲社會各方所不解。十一月二十五日立法委員莊靜曾就教育政策問題以本案事例，舉出教育風氣敗壞法紀蕩然，特向嚴院長提出質詢。陝西籍監察委員曹承德亦於二十八日監察院檢討會上提出逢甲學院本年十月三十日該院教職員私營校車發生車禍案，死四人，重傷十五人，輕傷六人，均屬該院夜間部青年男女學生，情狀至慘！教職員於收費方面且涉嫌貪瀆，影響教育風氣，至深且鉅，當經院會決定交教育委員會處理。據悉立法委員莊靜質詢書指出：（一）逢甲學院車禍案死傷學生，破腦斷肢，慘不忍睹，據中央日報載，該校車乃報廢卡車改裝，僅加鋁皮頂蓋，及長木櫈二條；每人車費月收九十元（高於公車票價），經常誤點超速，前已有小型車禍二次紀錄，此次因車身撞碰脫落，學生多係鋁皮割裂傷亡，民聲日報並載該車係該院某一教職員私營，收入歸己（牌照、駕駛執照均屬逢甲學院名義，並派職員收費）該院教職員均感悲憤，紛紛指出該院五十五年至五十七年夜間部報名費節餘均被該院負責人中飽，所增收學費，對教員鐘點費只增五元，職員月薪只增卅元，及採購營造收取回扣等不法事實。（二）公務員服務法第十四條之規定，公務員不得兼任公私立大專院校董事、董事長或受委托處理校務，教育部亦曾通令各大專院校制止公務員兼任董事、董事長等。逢甲學院董事謝澄宇、蕭一山等即於五十五年十二月，據以聯名致函教育部，檢舉逢甲學院董事會現有十四人中，八位董事均具有公務人員身份，依令必須改組，因教育部不予答復，謝故委員澄宇於五十六年四月二十八日在本院會提出質詢，迄今無答復，行政院本年二月命令教育部貫徹前令，教育部通飭各院校重申前令，但對逢甲學院董事會被檢舉案，仍不依法辦理，不但弁髦上級及本部之命令，抑且違反法律，監察院就本案兩次彈劾，亦被迫保留。自立晚報所載蕭一山致閻振興部長函，且涉冒名行騙及背信詐欺等醜聞。政府究以勵行法治，維持政信爲職責，抑以因人異法，自毀政信爲職責。（三）五十六年教育部閻部長被控僞造河南大學學籍案，報章騰載，遠播海外，且報載治安當局已發現更多之僞造學籍案，今秋教育部長又被控違法核准國際商專立案舞弊案，竟涉及僞造教育廳公文印信問題，業已散見報章雜誌。關於前者，閻部長雖未列名起訴書，但起訴書中指明「閻部長經部屬成秀峯、羅迪誠等三次簽請查辦，擱置二年四月不辦」，確屬事實，顯已構成行政處分之要件。關於後者政府亦應調查僞造文書印信案仍在爭訟之中，竟輕率核准立案之行政責任，行政院負有監督各部會行政責任，迄未聞調查議處，向國人有所交代，政府究以澄清吏治收攬人心爲政策，抑以放縱吏治獎勵舞弊爲政策？應請惠予明教！

喬治桑外傳（八）

張大萬

「那裏，那裏，走馬看花而已。」

「孔子說，『食色性也』，博士對孔子學說向有研究，在台北玩玩，誰來管你。」

「倒不是管不管的問題，我總覺得樂而不淫才是眞的享受。你們年青人是不懂的。」

「你又老氣橫秋了，你的年齡最多當我老阿哥，卻不能當我爸爸。假使我們是年青人，你也是中年人。」何千嬌啜了一口咖啡，燃起一支三五彩色香烟，夾在纖纖玉指中，談話的姿態很不壞。

三人談話的話題一轉，轉入飲食男女，笑聲不絕，扯得很高興。何千嬌有時說溜了咀，浦賈西在旁都覺不好意思，但這正是喬治桑約他們談話的興趣所在。

喬治看了看腕錶，已經將近六點鐘，他付了咖啡賬。向何千嬌夫婦告辭。

何千嬌對銀色夫婦，雖然有錢，卻是出名的刮皮，一錢如命，喬治桑會鈔，也即是對他們了解的表現。

喬治桑跟何千嬌夫婦揮別後，先撥了一個電話給牛董事長。牛董事長告訴他，兩位日本朋友，晚間另有他約，準定九點鐘在「白美人」見面。

喬治桑一想，這才有點糟糕。看電影時間已過，跳茶舞一個人去沒意思。他記得在一張小報上看過台北有「奶色茶座」，何不去觀光一下？他從西裝上衣口袋裏摸出一副太陽眼鏡戴起。這是一般讀書人狎邪游的習慣，就怕旁人認出廬山眞面目。

「昭君音樂室」裡面，燈光幽暗，幾乎伸手不見五指。喬治桑坐下，有個小妹妹端來一盤瓜子，送上小毛巾。一杯咖啡，喬治桑嘗了一下，根本像紅糖開水。「醉翁之意不在酒」，到這兒來的目的，也不在咖啡。所以不會有人批評咖啡好壞。

「先生，要叫那位小姐？」

「隨便，要豐滿一點的。」喬治桑顯然是一個擇肥而噬的老饕。

過了不到五分鐘，小姐來了，依傍喬治桑的身邊坐下，濃厚的脂粉氣沖進喬治桑的鼻子。

「小名芳珠，請問先生貴姓。」

「我姓喬。翹起來的翹。」喬治桑用手摟着芳珠的腰。喬治桑一開口便上大油暈，可見他確有一套，到什麼場合說什麼話。

音樂咖啡室的鴛鴦座是無聲電影場面，動作多對白少。喬治桑爲了銷磨時間，手之舞之，足之蹈之，眞有返老還童之妙。

喬治桑足足在「昭君咖啡室」泡了一個半鐘頭。付了一張一百元台幣大鈔，出得門來已將近八點鐘。

他一個人去吃一頓涮羊肉，喝了二兩白乾。八點三刻到了「白美人酒家」。

房間早已訂好，自有當班小姐，招待他入座，奉上瓜子，香烟，清茶不在話下。

「叫小雲雀來。」他一面用毛巾擦手，一面吩咐「僕歐生」。

小雲雀進房以後，坐在喬治桑身旁，嬲着喬治桑要酸梅吃。

「酒喝多少？」喬治桑問。

（未完）

美國總統當選人尼克森（下）

侯璠

至於他在國內政策方面的核心，則是屬於第一位共和黨行政元首林肯的信條。那就是說：政府立法的目的，在於替公民們做一些「他們覺得需要做，或無法自行做得很好的事情。」可是「在人民能够各別爲自己做的一切事情」方面，政府便不應有所干涉，他不僅反對由聯邦政府概括地干涉美國人的私生活和工商事業，也反對由聯邦政府干涉州政府和地方政府的工作。

他非常關心美國各城市的經濟和種族問題，他告訴聽衆說：「我們必須維持各城市的和平安定，我們也必須有法律和秩序，但我們更應該幫助黑人。事實上我願這樣說：我們必須給予黑人以一些較平等機會爲尤多的東西。」

依他的看法，今天美國的基本需要，不外於推廣教育，增加就業，並爲貧民改善住屋問題，他曾經常支持爲求達成此等目標的立法，同時也贊成在某些其他國內問題上，採取聯邦政府的經濟的措施。

在外交問題上，他所主要關懷的便是越南戰爭。他曾於過去八年內六次親到越南訪問，以獲取第一手資料。他強調指出：美國及其盟國必須繼續援助南越，直至達成一種和平解決爲止。這項解決自不能損及南越人民的自由，也不可鼓勵共黨在東南亞別的地方作任何擴張。他曾說：「我希望越南戰爭結束愈快愈好，問題在於你將如何以及何種條件下予以結束。有人說我們可以在數天內結束這場戰爭。我可以告訴你們怎樣做一一但那是不可想像的事。又有人說，我們應立即自越南退出一一那也是不可想像的事。」

當和平談判在巴黎開始之時，尼克森曾要各候選人暫勿討論越南問題，以免談判的進行被美國的國內政治所搞亂；他本人且曾遵守了這一號召。

至於在遠爲廣泛的規模上，他早曾主張應在一個與共產主義「相對抗的時代」裡，採取一項堅定的辦法以對付國際共產主義。

尼克森係於一九一三年一月九日，出生於加利福尼亞州約爾巴林達的一個檸檬農場裏，是老尼克森夫婦五個兒子中的第二個。他九歲時，這個農場已告失敗，因此，他們一家人便遷居加州的輝梯埃，他父親在該地經營一家雜貨店和汽油站的聯營生意。當時小尼克森便在輝梯埃的公立小學和中學讀書，一面在他父親的店裏工作，他在輝梯埃學院肄業時，仍在他父親的舖子工作。

他在大專學院時即擅長於公開辯論，曾贏得一個地區性的演講冠軍。一九三四年畢業，名列第二，旋獲北加羅納州杜克大學獎學金，三年後以優等成績獲得法律學士學位。

當尼克森尚是一位初出茅廬的律師時，在當地一間戲院的排演中邂逅了棕髮的巴德莉茜亞、賴安。不久之後，他便告訴這位南加利福尼亞大學的優等畢業生說：「巴德，你也許還不知道，但我想要同你結婚呢。」三年後，他倆在一次教友派對的靜靜儀式中結了婚。

一九四二年時，一個美國政府戰時設立的物價管理局內司法科的職務，引起克尼森的興趣，把他自加利福尼亞吸引到華盛頓哥倫比亞直轄區。可是在這裏任職不到一年，他又自動申請到海軍服務，當即被任命爲海軍尉官。在南太平洋服役十五個月後，即被晉級爲海軍少校，一九六四年退出軍役。其後返回輝梯埃，獲選爲衆院議員。翌年，由於他對衆院非美活動委員會的工作等有成績，即成爲一位受全國注意的人物；這個委員會是負責調查美國國內共黨活動的。

就在這個時期內，這位年僅三十四歲的衆議院議員，便以衆議院外援特別委員會委員的資格到歐洲訪問，並協助起草該委員會的建議書，作爲馬歇爾計劃的補充，藉以援助歐洲大陸被戰爭所蹂躪的各國。他在衆議院裏的以及較遲時在參院中的一切投票紀錄，都表明他是一貫支持援外計劃的。

由於尼克森担任公職最初兩年內的優良成績，美國青年商會曾於一九四八年提名他爲美國的十名傑出青年之一。同年十二月間，他又被選爲衆議院議員，兩年後，當選爲參議院議員。

一九五二年艾森豪接受共和黨的總統提名時，經即選擇尼克森參議員爲他的競選伴侶。在該年以及一九五六年的兩次競選中，艾森豪和尼克森兩人都曾容易地戰勝了民主黨以史蒂文生居首的候選人。

在尼克森担副總統期內，尤其在一九五五、五六和五七年三年內艾森豪病重，這曾引起人們非常的注意。在這些時期內，他曾協助主持政府的工作，却沒有使人覺得他在接替患病中的總統。與任何前任的副總統比較，尼克森在政府中所担任的角色，比誰都要更爲積極：他曾參加總統的內閣工作，爲國家安全委員會服務，且曾於艾森豪總統不在華盛時，担任這些機構會議的主持人。在總統的請求下，尼氏曾於一九五三年至一九五九年期內訪問五十六個國家。其中一九五九年的一次訪問中是前往蘇聯，在蘇聯時，他曾同當時的蘇聯總理赫魯曉夫，從事於一次著名的「廚房辯論」。

到了一九六〇年艾森豪總統任滿時，尼克森成了一百二十四年來，獲得其所屬政黨提名爲總統候選人的第一位副總統。他在全美國五十個州中從事競選，結果在其中二十六個州內獲得二百十九張選舉票，而甘迺迪則在二十三州內獲得三百〇三張選舉人票，這種選舉中票數的接近，在表示出若使尼克森能爭得伊利諾州四千四百三十名選的票數，和米蘇里州四千九百九十一名選民的票數，使他們都投在共和黨而不投民主黨的話，尼氏可在這次競選中獲勝的。

可時今年美國的選民，終於選擇了尼克森作爲他們的總統。從他過去對國家的勤懇忠誠的紀錄看，無疑他將會成爲一位美國全體人民所擁護的總統。（完）

官人列傳（三）

周燕謀

陶朱公富甲天下

（二）載美同舟

吳王夫差臨危之際，曾經對范蠡說過幾句話：「我聽人說過，狡兎殺光的時候，獵犬也就無用了。敵國滅了之後，謀臣也就危險了。而今吳國已敗，諸君爲何不給自己留一條後路呢？」夫差之意，欲使范、文二人活他一條老命。可是范蠡、文種沒有遺留後患。夫差結果自刎而死。范蠡有鑑於勾踐爲人，只可以同患難，不可以共富貴。所謂「狡兎死，走狗烹」。范蠡認識勾踐之爲人，也看清了政治權力的獨佔性和排他性。范少伯明哲保身，作「功成身退」之計。那時范少伯並未能提上老莊哲學問世，竟能做到「功成身退」，淡泊權欲，可謂俊傑也。

越王勾踐倘假意挽留了范蠡了一番。少伯說：「昔日君憂臣勞，君辱臣死。而今恥巳雪，仇巳復，越國絕對的勝利了。臣應該隱退，願大王好自爲之」。越王爲了酬勞功臣，「環會稽山三百里，以爲范蠡地」，又以金鑄范蠡形相而禮拜之。

范蠡借了西施小姐，並沒有拘享在他一塊封地之內，他要脫離「政治的拘束範疇」，到理想的自由之地，去泛舟五湖，過着無拘無束，自由自在的生活。范蠡置了數艘船舶，携了越王所賜的金銀珠寶；借了西施美人，實行他的『五湖問道，扁舟歸去，相携西子』。蘇軾詩云：「他年一舸鴟夷去，應記儂家舊姓施」。范蠡載了西施美人，在五湖去渡他們的「水上人家」的生活，眞是令人羨煞！

五湖乃是太湖，並非五湖。集辭云：「五湖，湖名，實一湖，今太湖是也」。王同祖的「太湖考」也說：「歷考傳記所載，五湖即是太湖」。張勃的「吳錄」也說：「五湖者，太湖之別名」。因爲太湖東通長洲松江，南通烏程，西通義興荊溪，北通晉陵隔河，東通嘉興韮溪，水通五道，故謂之五湖也。

范蠡除了西施之外，其餘尚有家人僕從。從范蠡的累次易姓名看來，他是想超然於政治是非圈之外。故自號鴟夷子，這就是蘇軾詩說的「他年一舸鴟夷去」的根據。杜牧的詩亦說：「西子下姑蘇，一舸逐鴟夷」，就是指范蠡偕西施美人而去也。

太湖在蘇州西南，風光明媚，水鄉宜人。不知渡過了多久美好的「水上人家」生活，與西施美人合奏過多少次的絃律。因爲他們巳經無意於仕途。卓識時務。西施也享受過了王宮的生活，那不自由的生活；現在，他倆同舟共濟，泛舟五湖，生活得相當寫意。

范少伯與西施美人過膩了水上人家的生活，結果，他倆選擇了齊國的濱海之地，從事於農業生產，史記說他「耕於海畔，苦身戮力。」西施爲他生三個兒子，偕妻携子「父子治產」，不到幾年，「致產數千萬」。雖然變易了姓名，最後，被齊國朝廷知道了底細，聞其賢名，禮辟爲齊國相。這非范蠡之所欲，他嘗够了政治權力無情的滋味，文種的被殺，難道說還不値得他警覺嗎？變易姓名他就是在逃避現實啊！

（未完）

禪學黃金時代

慧能的頓悟法門（五）

吳經熊著　吳怡譯

「上德不德，是以有德；下德不失德，是以無德」。

然而問題是當我們不執着於物，甚至連善也不執着時，是否我們眞能捨執，或者是否須要連這捨執的觀念也要捨棄呢？慧能對於這問題的回答，有一段極精彩的文字說：

「我們的心即使不執着於善惡，但也不可沉入於空寂，應該廣學多聞，才能認識自己的本心，了解佛所說的道理。我們更應與世俗和諧相處，不囿於人我的差別觀念，唯有這樣才能直達菩提，眞心不動」。

四，見性成佛：

在慧能的眼中，見性就是成佛。他曾說：

「本性是佛，離性無別佛」。

「自性能含萬法是大，萬法在諸人性中」。

「三世諸佛，十二部經，在人性中本自具有」。

在中國思想史上，慧能有關人性的見解，可以上本之於孟子的：

「萬物皆備於我矣！反身而誠，[illegible]大焉」。

（未完）

大學尺牘

吳稚暉致汪精衛函（中）

—揭破共產黨眞相—

鴻雁

（一）關於土地革命，應從下級沒收土地，不用上級機關國民政府下令沒收土地。

（政委案）這種主張，對與不對，姑且勿論。但這決不是本黨的主張，民生主義裡說明『耕者有其田』的意義，但是同時說明『要用政治和法律來解决』。民國十三年八月二十日總理在廣州農民運動講習所演說耕者有其田的意思，再三叮嚀，要求這種主張之實現，必須農民起來，在政府領導之下，以和平方法，得到解決。如今他却主張應從下級沒收土地，不用國民政府下令沒收土地，豈不是與本黨的主張大相違背！倘使共產黨方面在聯席會議上提出這種主張與本黨商榷，甚是爭論，至决裂，尚不失爲相見以誠，光明正大。然而共產黨方面絕不提出這種主張，五月廿一日湖南農民運動所以如此幼稚與錯誤，完全是不受本黨上級機關之指導弄出來的，而這却是共產黨方面的主張，共產黨方面，如今却又以本黨制裁農民運動之幼稚與錯誤爲藉口，而說本黨不要民衆了。

（二）在中央委員會中增加新的領袖，將老中央委員代替了。

（政委案）這種主張，是根本主張破壞中央執行委員會，須知中央執行委員會是由全國代表大會選舉的，如今却將新的來代替舊的，這豈不是根本破壞中央委員會的組織，豈不是根本的破壞中國國民黨？

（三）國民黨現在的構造，必須改變。

（政委案）這種主張，更是荒謬，其破壞本黨之陰謀可謂盡情暴露。

（四）消滅現在不可靠的將領，武裝兩萬共產黨員，加上從兩湖挑選五萬工農份子，組織新軍隊。

（政委案）這種主張是根本破壞國民革命軍，而建設共產軍。本黨自實行總理容共政策以來，在武裝同志中，向來沒有共產黨員與非共產黨員的區別，每每對武裝同志演說，我們生在一塊，死地一塊，無可分析，這是本黨負責同志所諄諄而道的。如今他們却偏要分出誰是共產黨員，誰是非共產黨員，要武裝兩萬共產黨來消滅非共產黨員的軍隊，所謂工農份子，其名則美，既經挑選，其必爲共產份子，不言可知。這種主張，如果實行，則國民革命軍與共產軍戰爭，必不可免，這眞所謂大亂之道。

（五）以知名的國民黨員作領袖，（不是共產黨員）組織革命法庭，處罰反動軍官。

（政委案）這種主張，不値一笑，在共產黨看來，知名的國民黨員，不過是共產黨的劊子手。

（未完）

西洋哲人簡介

亞里斯多德（四）

劉長蘭

他的分類直至十八世紀並沒有實質的改變。即使在現代，也被認爲是準確的。

心理學也是亞里斯多德創立的。他收集並重新鑑定已有的有關人類行爲的知識並分析了習慣之形成，精神的聯想作用，記憶，夢境以及環境對人的影響等。

在科學方面，亞里斯多德最弱的一環在於天文學與物理學。因爲雖然他的推理極佳，但是工具和儀器的缺乏使他接受了錯誤的前提，因而得不出正確的結論。

關於文學與藝術，亞里斯多德的重要著作爲「詩學」和「修辭學」。在這兩本書裏，他試圖澄清人們對美與藝術（美學）的了解。他以爲藝術創作是緣於情感表達慾和製作的本能需要（這理論很接近現代人的概念）。因此他說藝術的功能，不論對觀賞者或創作者都有一種沉澱作用，一種精神的淨化作用。他又說，既然藝術是一種本能的表現，至高的藝術應與自然法則一致。他相信最高的藝術訴諸感情也訴諸才智。他並以爲藝術的結構最爲重要。

另外，他還著有「倫理學」一書以檢討人類行爲與道德問題。他的結論是：人類最大的目標爲獲得幸福。他更進一步說，人類之所以異於別種動物者乃因人類有思想能力，故而要想獲得幸福就必須培植這種能力。而培植思想能力的最好方法爲過一種沉思的理想生活。在這裏他又有一個著名的理論，就是「中庸之道」。他以爲要想把沉思的生活發展至最佳境界必須以中庸之道來予以制衡，一切都不可過份，也不要不足。這與我們中國人所說「過猶不及」的意思相若。從這一點出發，亞里斯多德以爲保守和激進都是錯誤，惟有遵守適中的途徑才能得到最好的結果。有人也許會批評這個「理想」生活太沒有骨氣，沒有光彩，或是太死板。但是亞里斯多德辯解說，如果持久的幸福是我們生活的目的，那麼經驗顯示中庸之道是最佳處方。

亞里斯多德另著有「政治學」一書。在這本書裏，他有許多意見後來證諸數百年的事實都是正確的。

（未完）

巨變歷險記！

天津市黨部一馬當先 十四

胡慶蓉

在林彪野戰軍包圍天津之後，天津市黨部在反共的工作上不甘落後，倒不如說一馬當先。

我所謂黨，是指中國國民黨而言。天津市黨部也就是中國國民黨的天津市黨部。

在當時，在天津活動的黨派很多。首先是匪黨，其次是民主同盟。中國青年黨，中國社會黨，還有其他很多政治組織，都很活躍。

天津，假如說他是中華民國的軍事重地，他同時是中華民國的政治重地。民國建立，袁世凱稱帝後，一直到 蔣公北伐成功，統一中原，建都南京，天津始終保持着他崇高的政治地位。除袁世凱而外，再除吳佩孚不進租界而外，所有民國的要人，如黎元洪、段祺瑞，……幾無不托庇在天津租界，幾無不在天津。天津不啻北平的影子，天津等於北平第二，其政治地位之高，是僅次於北平的。

林彪包圍天津，意義決不單純在軍事，而尤其在政治。天津的得失，絕對影响南京的中華民國國民政府，而且會很大，幾乎有不可形容的大。中國國民黨天津市黨部，對於這一切，有深切的瞭解。如何保衛天津，如何能保存天津，遂成爲他工作的目標。

天津在包圍之下，在戒嚴之下，各黨的活動，自然不能展開。但中國國民黨的天津市黨部，有他特別的地位，有他特別的方便，常保持與天津市政府、天津警備司令部、天津市議會、天津市新聞界、天津各組織各團體的聯繫。

天津市黨部當時最活躍的一位委員，也可能是裡邊的書記長，那就是上邊談過的在台灣彰化逝世的李器元了。他同時是天津市的市議員，同時是國民代表大會的代表。此公身體強健，看來像個胖子，但並不算十分胖，少林拳、青龍拳，他很有幾手。三教九流，他無不往來。自天津被包圍，他最緊張，也最繁忙，眞是夜不安枕，席不暇暖，他同丁作韶博士也堪稱莫逆之交，對於丁博士，他極具影响力。他對於保衛天津，對於天津的艱苦抵抗，貢獻很大，在以黨領政以黨領軍之下，他表現了卓越的成就。（未完）

新二十五經

妒婦經

唐代李益多猜忌，防範妻妾有如防竊盜的樣子，除着心腹輪班巡邏看守於戶外，閨牆內遍散細灰，當時的人都喊他妒痴。又汾陽有妒女祠，建自那個朝代，沒有方法考據，有一天唐高宗鑾駕須經妒女祠，照該地習俗，謂盛服艷裝的人過祠，會引起風雷，護駕的侍從正欲改道，狄仁傑趨前奏曰，天子何避一女郎。

妒婦並不就是壞，有很多先生們常以「有虎在堂」爲苦，若「妒」完全撤銷，一有這種觀點的人，可能是不正確的，講老實話，夫婦之間如果沒有妒，如湖南人吃菜沒有辣椒，上海人炒菜不用糖，山東人離開大葱的情形相彷彿。適當的「妒」不僅無害，而且是一種小情趣，可與衛生小麻將相互媲美。但「妒」的太過份了，會導致不良後果，特別在這人心不古的社會風氣裏，必要提高警覺，事前防範比事後補救容易。

一般的習慣，女人對男人須守貞操，男人對女人應當守情操，乃最合乎標準的丈夫。法國大英雄拿破崙與尤金尼皇后的悲劇，就是當拿破崙在情婦處穿上外衣的時候，每每是尤金尼皇后與少年軍官在一齊正脫去內衣，最後吃虧的是尤金尼皇后。歐美電影商人特別喜歡選擇諸如此類的歷史故事，如「埃及艷后」等，經常能突破國際間票房賣座記錄，以證明觀衆對這些事所寄予的關心，並且不劃分國界或種族，也不分男女或老少。

男女之間的愛情，欲使貞操和情操在一生中一絲不變，沒有半點裂痕，這和燃點一隻洋燭，希望這隻燭的光亮，陪伴自已到永久的希望一樣；因爲這是一件非常不可能的事，論密切「舌」與「牙」相依相用，但牙常會將舌誤咬，明瞭這個道理，男女間就容易處了，否則正如戀愛是痛苦的開始，結婚是幸福的結束。中國古代有一位「陳阿嬌」小姐，這位小姐就是燃一隻燭，希望照耀到永久的角色，阿嬌的丈夫就是我國歷史上漢武皇帝，當他追求阿嬌的時候，除了「千年瓦上霜，觀音瓶中水。」未能辦到外，表示要永遠愛阿嬌，要把阿嬌藏在黃金建築的屋子裏，「金屋藏嬌」的歷史典故，就是這樣形成的。但是漢武帝後來變了，不但沒有貞操，連情操也丟在九霄雲外，並下旨根本就把陳皇后廢除，阿嬌皇后也有阿嬌皇后的一套，曉得用文人的腦袋，以一担黃金買通當時的名學人司馬相如，作了一篇文章題叫「長門賦」，感動了漢武帝，夫婦果得破鏡重圓，這場險劇的上演，無可否認的起因於陳皇后好「妒」，常常使漢武帝尷尬難堪，才會導致將自己被打入冷宮，故適當的妒，是夫婦間一種小情趣，過份了反會演變成災禍。晉劉伯玉嘗誦洛神賦，告訴自己的太太說，如果能夠得到這樣漂亮的女人，就是死也沒有甚麼遺憾了，妻妒憤極，自投於津而死，後來婦女每經過此津，須解去艷麗的衣服，否則必有風波，這位劉太太投津的所在，被後人命名爲妒婦津。

美國一代歷史偉人林肯先生，常年住在旅館不願回家，後來很不幸招致政敵的暗殺，追究起因於家有妒婦。夫婦見面就喋喋不休，而導致成無可挽救的悲劇，中外古今這一類的例子舉不勝舉，林肯對家有妒婦消極抵抗是不回家，有很多人家有妒婦操縱了丈夫公私一切，這樣常會誤了大事，若干女王國家，都已實施「君主立憲」，夫婦間還是民主一點，開放一點比較好，限於篇幅扯到此爲止。（馬騰雲）

御廚談藪

豆豉炸腰花

林泉隱

豆豉最好的是湖南瀏陽豆豉，用綠心黑豆製者猶佳，粒粒黑亮，香鮮可口，豆豉炸腰花爲泰國五世皇朱拉最嗜食的名菜，於今仍可吃到，因第三代御廚還在曼谷秋千架開館，自由中國人去吃過的很多，吃後甚少不稱贊的。

豆豉炸腰花，其實乃料理炸豆豉，用炸好的豆豉烹飪腰花，一個猪腰切成兩半，用滾水泡去餘血備用，另將葱花蒜米豆豉開洋冬菇米五味，以滾油先炸，炸到熟香爲度，撈出置小碗裏備用，另以菜油，花生油也可，四半腰花（即一對猪腰）須半小碗菜油，滾到青烟直冒，將腰花倒入翻滾幾十秒鐘，和炸好的豆豉，再加半兩生抽（就是老醬油）五錢料酒、一點辣椒，江浙朋友放糖，及山東河南的朋友加生蒜，猪腰花都不會反對，吃本來就是一種藝術，隨心所欲，豈不是更愉快嗎？泰國五世皇吃炸腰花，加辣椒的。不過隨心所欲，也得有範圍。朱元璋皇帝，每晨要吃燒餅包油條，故有「燒餅歌」傳世，其愛以紅薯製菜，據說川滇各省，粉蒸肉用紅薯熱底，就是向鳳陽移民學的，假定豆豉炸腰花加入紅薯塊，那就變成煞風景了，食譜者，食也得有「譜」，下期談朱拉皇帝嗜清燉白鰻。

事過境遷

三幕喜劇　熊式一

包太：（改正他）我現在還不是你的好太太呢？

仁：（謝罪）對不住，說錯了，多少年說慣了，一不小心就錯了，還請宇文太太原諒。我說，你眞要我向你求婚嗎？

包太：當然呵！

仁：（一半開玩笑似的）好！立刻遵命！阿哼！阿哼！宇文太太，我仰慕你很多年了，我現在認爲時間已經成熟了，我想正式和你，阿哼，阿哼，宇文太太呀，我可以叫你的名字嗎？老叫宇文太太，怪彆扭的………

包太：（極力鼓厲，馬上示範）仁翰，我正要你叫我的名字！我多久沒有聽過你（改正）聽過甚麼人叫我的名字…………

仁：惠貞，我眞愛你………

包太：仁翰，你說愛誰呀？

仁：你呀！你不是惠貞嗎？

包太：我的名字不叫做惠貞！你仔細想想吧！多少年不叫了，就忘了，叫錯了！

仁：（搔頭苦思）沒有錯呀！你是智慧的慧，她是恩惠的惠，音同字不同………

包太：（微笑）你頭一個太太的妹妹叫做惠貞，是恩惠的惠，一點也不錯！我在我丈夫死後………不對！在我以爲他死了之後，想做尼姑，改名爲慧珠，是智慧的慧，珠寶的珠。

仁：（趕快）抱歉之至！慧珠！慧珠！請你原諒我，我常常說錯………嗳………不是………

包太：不要緊！從前就是因爲你常常會說錯，所以你爲穩當起見，總是叫我做「我的好太太」過去的事，我也不會追究，你接着說下去吧！

仁：慧………慧珠，我眞愛你，我願意和你同諧到老，盡力使得你快樂………享受幸福的家庭生活………阿哼……阿哼……我……我……

包太：好極了，往下說呀？是不是要把一隻手按住心，一隻脚跪下來，說起來更像一點，更自然一點？要是阿詩進來看見你的話，你就低下頭到椅子底下去找東西，我先給你這塊手絹兒，（給他手絹兒）你預先把它藏在椅子底下，防備阿詩回來………

仁：（微怒）請你別打岔兒，行不行？

包太：對不住，我是想帮帮你的忙………

仁：求婚爲甚麼一定要一隻手按着心，一隻脚跪下去？荒謬極了！

包太：我看見舞台上演話劇，求婚總是那個樣子表演的！

仁：我又不是演話劇！慧……慧珠！我乾乾脆脆告訴你我愛你！我希望和你結婚，行不行？

包太：（高興）好！好！這兩句話，倒是出于你的眞心！我聽了高興，非常之高興！愛情至上，愛情神聖！

仁：（更高興）那就好了！愛情至上；愛情神聖！咱們這就一言爲定！明天早一點兒一同下山到中環去，辦完了手續就上一家好館子痛痛快快吃一頓！

包太：好！讓我考慮考慮！

仁：隨便那一家都行，隨你說得了，何必去考慮甚麼？廣東菜，上海菜，四川菜，北方菜，西菜隨便你挑都可以！

包太：我不是說菜說館子，我是說：我們再結婚，應當要先考慮考慮！

仁：何必多此一舉呢？咱們不是一言爲定了嗎？

包太：何必多此一舉？誰跟你一言爲定呀？結婚是終身大事，那有今天晚上隨便提一提，就是這麼一言爲定，明天早上，早點兒一同下山到婚姻註册處辦手續的哪？我一定要考慮考慮！

（四三）

搜異錄

司馬喬

青年迷信自殺

彰化青年葉某，在某食堂司廚，生活相當安適。一日，請一卜者論命，說他壽命最高不會活過二十五歲，青年聽後，信以爲眞，自此終日盡情取樂，生活糜爛不堪。一日夜間，酩酊大醉，吞服安眠藥自殺。留有遺書一封，謂其人生乏味，自願長眠陰間，卜者一言，青年自殺，迷信之害非淺。

一言破胆

某將軍之岳翁，年過而體甚健。一日，往訪術士仇某，請算流年，仇某對翁生平，所言皆驗。並謂其子軍功卓越，聲譽海外，最後仇某告翁：「三十日內必死，無法延續。」翁聞言，面色突變灰白，歸後寢食俱廢，身體急激減弱。將軍憂之，延一名醫診治，一按翁脈，謂已破胆，無法回春。矍鑠壽翁，竟爲術士一言嚇壞，可爲迷信者戒。

燒紅鐵叉烙傷小孩

台北三重鎮，居民李水塗與妻李阿桂，生有兩個男孩，大的已經六歲，小的只有三歲，大孩子[illegible]異[illegible]氣，馴如綿羊，小孩子生龍活虎，猛如野狼，按照普通一般父母都惜，這位小孩必被父母特別寵愛，事實卻是不然。自他誕生以後，家境一蹶不振，他的母親是個極其迷信的人，疑是孩子命乖作怪，遂去請教算命先生，碰巧卜命先生也說孩子「命懸」，衝著她的「八字」，將來會給孩子「尅死。」母親聽後，更是坐臥不安，旋對小孩施用酷刑，每天讓他只吃一頓飯，他因飢餓哭哭啼啼，她就毒打一頓。後來把他寄在親戚家中，但是家運仍然未見好轉，乃再把他抱了回來。用鐵叉在火爐裡燒紅，烙在小孩身上，小孩只會哭叫不會說話，令人慘不忍睹。有人願以二千元代價救撫這位無辜小孩，她卻斷然拒絕，並且聲言定要把他致死爲止。鄰居不得已，聯名報案，請求嚴辦這個兇徒聽迷信失去人性的媽媽。

著名的石受浸盆

太平洋的裴濟群島，是一山明水秀花木繁盛的佳地，但是島上的人，卻是風俗閉塞，兇悍無倫。他們敬拜邪神，殺死兒女作爲祭物。基督教初傳那地之時，教士多被殺害，但是十字架眞道，到底戰勝了那些邪教，後來島上各地都建築了教堂，很多人相信了耶穌。

催眠術研究（二）

鮑紹洲

一、結指催眠法

「結指催眠法」，先使受催眠的人，端坐椅上，挺胸直坐。或仰臥在寢台的時候，則先令其手足伸直，使全身四肢安穩爲妥。若「受術」的人坐在席上的時候，催眠者坐於其側，或站於其側，挺胸直立身體，運起丹田（聚氣入下腹部）之氣，或坐或立於「被術」者之前。先伸兩手，再伸食指與中指至無名指及尾指，再握於掌裡。其次伸右手之食指與中指，輕輕橫搭在左手的食指與中指之上，左手的拇指則壓在右手的食指與中指的背面。右手的拇指則握在掌裏。兩手搭好之後，然後使心力一致，（專念催眠）等到其精神統一。所以此法又名叫「精神統印」，這是催術的術語。如此做法，先使其精神統一。

第二爲「催眠印」，其法：先伸左右手，兩手的食指直立指天，中指，無名指與拇指，三指的尖端相結合，然後兩手相背，以左右尾指互相勾結。於是再使心力備至，而暗示之意：「眠！眠！眠！將眠！」「將要眠」，「即將眠」，「已眠」。而受眠的人便朦朧而眠了。

第三爲「進催眠印」。伸左右雙手，次將兩手的中指與無名指屈在掌內，再以拇指各壓在已屈的中指及無名指之上，然後以兩手的尾指相勾結，兩手的食指伸直，指尖相觸，然後運用心力。此時充實丹田於心中，堅念催眠。心中默念「已深催眠」，更深催眠」。如此默念數遍的暗示，被催眠的人，便徐徐深眠了。

自由報

（第一九六一期）

（半週刊每星期三、六出版）
每份港幣壹角．台灣零售價新台幣弍元
社長李運鵬．督印黃行寰
社址：香港九龍彌敦道593—601號
廖創興銀行大廈八樓五座
LIU CHONG HING BUILDING
7th FLOOR FLAT '5
593—601 NATHAN ROAD
KOWLOON, H.K.
TEL: K303831
電報掛號：7191
承印：景益印刷公司
地址：嘉咸街廿九號地下
台灣總管理處，台北市大同街119號
台灣區直接訂戶　台郵劃撥戶
第五〇五六號張萬有（自由報會計室）
電話：五一四〇三三・五五五三九五
台灣分社：台北市西寧南路110號二樓
電話：三〇三四六・台郵劃撥戶九二五二號

毛澤東掙不脫內在矛盾的壓力（下）

·周文清·

三

這三大矛盾，是毛共與生俱來的致命傷。若干年來，毛共即一直在這些矛盾中痛苦掙扎，尋求能解決這些矛盾的出路。只是由於它方向的錯誤（不是廢除奴隸制度，而是加強奴隸制度），所以這種掙扎，只有使矛盾更爲加深。我們了解了這一點，我們才能了解毛共這些年來種種的作爲，也才了解毛共的種種作爲何以都是以失敗來收場。

現在，我們就對毛共這種無效的掙扎加以伸述。

由於第一個大矛盾，中國歷史與民主世界就成了毛共不能併立的兩大敵人。不消滅中國歷史，同樣也無法維持奴隸制度的存在；因爲在可以比較的狀態之下，人民可以把自己的生活現狀與民主世界作比較，也可以與過去所曾有過的生活作比較；而奴隸制度是不能與民主國家人民的生活或中國過去的生活作比較的。這就是毛共害怕民主世界與中國歷史的原因，也是它必須予以隔絕和消滅的原因。

關於消滅中國歷史方面，毛共自竊據大陸之後，即動員大批御用學者從事篡改中國歷史和歪曲與誣蔑中國歷史的工作。基本企圖就是毀滅中國歷史，企圖使每一中國人都自覺是一野蠻人，只有到了毛共的時代才開始有了文化。只是毛共沒有想到，中國五千年歷史文化的力量，遠比毛共那一小撮鬼魅魍魎之徒的力量強大得多。毛共費了很大的力氣，不止沒有消滅了中國的歷史，而且毛共所有御用學者都掉轉槍頭，對準了毛共，憑藉中國的歷史精神作武器，攻擊毛共的奴隸制度。如吳晗、如鄧拓等，都是取材自歷史。和承襲傳統維護正義的精神與毛共作戰的。毛共統治大陸沒有多久，即已被富有歷史意識的大陸同胞所遺棄，且被傳統的文化力量所壓倒（衆叛親離就是證明），到了所謂「文化大革命」的階段，毛共對篡改歷史和歪曲歷史以爲已用的工作，已完全絕望，遂竟採用轂斡的手段，焚燬我國一切典籍，只留下「毛語錄」，當作人民唯一的讀物。毛共不知道，歷史不僅存在於典籍之中，而且已深入人民靈魂的深處。人之所在之處，就是歷史延伸之處。毛共一切消滅歷史的努力都是徒勞的。

相形之下，俄共對俄國的統治要比毛共輕鬆得多。俄共在國內沒有歷史問題。俄國人民一想起沙皇時期的奴隸生活來，對當前的奴隸生活就比較有了容忍的態度。俄共不怕俄國過去的歷史，且以能繼承恐怖的伊凡大帝與彼得大帝（均俄國暴君，有功於俄國的擴張）爲榮。毛共沒有它的師父——俄共那樣的幸運，它學得了它師父的手段，卻沒有它師父那樣的環境。

關於隔絕民主世界方面，毛共與俄共則完全是一樣的，它們的方法就是在邊境上張起鐵幕，奴隸制度存在一日，這種鐵幕永無撤除之望。

由於第二個矛盾，知識成了毛共的死敵，毛共爲了維護統治，不得不毀棄知識，也不得不放棄工業化的目標。

知識力量之大，毛共也承認。毛共起家，得力於左傾知識份子的幫助者極大。毛共自承起家有「三寶」，「統戰」是三寶之一，「統戰」主要就是欺騙知識份子。毛共竊據大陸後，一方面爲了發展工業，一方面儘量利用舊的知識份子，一方面大量發展教育，培養新的在意識型態上完全屬於毛共的知識份子。殊不知一切知識份子都與奴隸制度不能兩立。到了「鳴放」時期，所有舊的知識份子都公開豎起叛旗。毛共恐怖之餘，一方面以「反右派」運動整肅舊的知識份子，一方面以「又紅又專」要求新知識份子，並以「接班人」誘惑青年；但這些「吃共產黨奶水長大」的青年，其反共的堅決仍不下於上一代的讀書人（如青年畫家李澤浩）。到了「文化大革命」的前夕，所有新舊知識份子，包括毛共的文化官在內，都已成了毛共的反對者。在「文化大革命」中，毛共發動無知的小孩子，「紅衛兵」作奪權的工具；現在諉以「紅衛兵」多少已受過教育，仍然不可靠，毛共轉而又利用工人，組織「毛澤東思想宣傳隊」，管制大專院校，又利用農村的「貧下中農」管制各地的小學和中級學校，同時把中上學校的畢業生驅逐至農村或邊疆，從事最原始的體力勞動。這就是說，毛共不再要教育了。它不要人民再接受任何的知識，它要人民只維持讀通「毛語錄」的水準就够了。在此科學發展日新月異的時代中，毛共要把中國拉回到原始的時代去，它要中國青年都以最原始的體力勞動去從事生產。工業化沒有了，因爲沒有知識的進步，工業化根本就不可能了。今後毛共將以七億人民的勞力去與具有電子、原子生產能力的國家相競爭。這就是這一矛盾作用的結果。

由於第三個矛盾，毛共歷年來就以極力搾取人民的勞動成果與抑低人民的消費水準以資彌補。前者如「合作化」運動，「人民公社」運動，要求人民「生活集體化，組織軍事化，行動戰鬥化」，這都是以加緊搾取人民的勞動成果爲目的的。後者如「按勞分配」，「統購統銷」等都是以抑低人民消費水準爲目的的。不過，搾取勞力和抑低消費都有一定的限度，超過了一定的限度，即發生反效果（人民累死或餓死，則搾取的對象即消失），現在毛共的搾取早已到了邊際的程度，今後毛共搾取上不會獲得更多的收益。而由於這種高度的搾取，使前述的兩大矛盾日益激化，矛盾激化的結果，使毛共的生產效率更爲降低，因而毛共今後在經濟上所受的壓力，亦必更爲沉重。毛共在奪權鬥爭中，左右兩派，都在瘋狂的濫殺異己份子，這也是企圖消除經濟壓力的一種表現。在這種重壓下，毛共有無能力再行「核試」，或以大量物資支援它的「友邦」（如越共）呢？毛共有無能力提高社會儲蓄，提高投資率，以加速它的經濟成長呢？我們的答復是毛共已沒有這樣的能力。至少，它也僅能維持一項，即勉強維持援越、核試，而犧牲經濟的成長，那末，毛共的現有工業，也只有以老牛破車的姿態，苟延殘喘的撐下去，結果，只有越拖越垮，終至徹底崩潰而後已。

四

毛共要解除內在的矛盾，有無其他的路可走？有的，這條路就是廢除奴隸制度，重新回到中國文化的基點上，推動着歷史往前走。具體的說，要廢棄一切俄化的思想和做法，廢棄以階級鬥爭，廢棄以階級專政爲外衣的獨裁制，廢棄冠以「世界革命」之名的軍事擴張觀念。

——以下轉刊第四版

昨日與明日

作家應有之反省

最近爲了少女「首仙仙之死」日記發表後，引出當前文藝學風一大疑問。那就是在多年流行的「明星」主義的文風下所謂「發掘新人才」，推重「老作家」，一股「捧角主義」的旋風，冲激着文藝作家的心理。老作家的一般響亮口號是「交捧」，搬出的貨色，除了幾年前的「舊貨底」之外，實在缺乏新觀念。而新作家的嚮往「登龍」，就不惜依靠「捧角」者，而投老板的所好，「讀者反應」，大量製造淺薄幼稚的作品以爲得意。於是某些成名作家的作品，不問貨色精粗，總是「名列前茅」披露出來。這是捧角主義的「主權」表現。對讀者所生的影響，從不一顧。同時某些新人物，儘管他們還是未成熟的中學生，還沒有任何社會經驗，人生歷練，學問根底，而一位「主權」者發現其天才，即用盡氣力加以捧場，替他鼓吹。由此，近幾年間有不少的新作家「名利雙收」了。由報刊發表，而出書，由出書再被編劇家看中，而登上影劇腳本，上了「銀幕」。於是轟動一時，果然「自古英雄出少年」了。熱心培養新人才，發掘新作家的「主權」階級，因此便可向人展示「交捧」有成了。而自由中國文壇新氣象，由此輩人材之湧現，誠可謂「極一時之盛」。例如「瓊瑤」一出，儼可使十年前的女作家，「六宮粉黛無顏色」了。其實明眼人早已看出，這是文壇的怪風，絕難如明星主義所期許，眞能普照一世而「成大事」。

鴛鴦蝴蝶派的翻新

一如大家所熟知，多少年來我們的文壇，就祇有兩股暗流支撐着場面。一是「武俠」小說的競出，連載不息。一是「言情」小說的多方面發展。有如首仙仙所指出：這些作品的「智慧、見識、經驗」在那裡？恐怕都成疑問吧。說到「武俠」小說已昇華爲武俠電影了，江湖恩仇，刀光血影故事，那裏能見到民族大義，聖賢名教。還不是千篇一律的仇殺、情殺，取材與表現方式對現代社會心理，除了增長少年的走險心理外，還不如美國西部電影有含蓄。如依「反共復國」大義而論，眞是「風馬牛不相及」。再說「言情」小說，這本是一般小說作家的「能事」。從報刊到影劇，千轉百迴，莫非言情。愛情、戀情、痴情、情海情天，數不盡的情變，說不完的情話。這種「鴛鴦蝴蝶」派的翻新文風，果眞有了新內容，新精神了嗎？不，那裏很難找到高級哲理、人生觀爲基礎的文字，也很不易和舊小說如「紅樓夢」，乃至「金瓶梅」般的深藏永恒價值的言情，同提並論。祇是表現方式更新爲現代化而已。讀過三角戀愛權威張資平的言情小說，這些新作家的高手，恐也要甘拜下風吧。那麽，這樣的文壇新氣象，還有什麽值得世人自慰呢？沒有除了引着首仙仙去尋死而外，再沒有什麽可說的好影响了，怎能不使人發生疑問。

速採全面治病方策

前人曾言「雪晨訪三友，夜半看淫書」，爲人生一大快事。現代作家的識見，未必皆可期眞具高雅之胸襟，但佛說有情與染迷，孔言情欲當節制，色情卻是不容濫造的。更何況安定的生活當知禮義而易生淫欲。文壇的「主權」者其所負的教育使命，何竟忽視而一變爲罪惡的引路人。這是應該反省的。在報刊上，諸如「影劇」與「娛樂」，不惜每日以大幅圖文並茂的內容，繪聲繪影，宣染歌星、影星的動態，起居服容，引誘青年男女走向「星夢」，當文化復興高唱入雲之際，卻不見有倫常道德的文字蹤跡。學術文化，時賢時聖的言論文章，如經刊出，則僻如應景，似有不得已而姑一載之勢。不然，即乾脆沈之於字紙籠中。如此以言教育文化的言論，不及什麼「星」之一笑一顰可貴。則當今歌廳酒肆歌女賣弄情色，不足爲恥，良家少女之捨學而登劇壇銀幕，引以爲榮。色情世界，致學者爲之減色，試問教育尚有什麼價值？還是應該反省的。青年學生在校讀聖賢書是一回事，但因耳薰目染於繁華的誘引又一回事，完全背道而馳。沒有判斷力，選擇力的青年人，形成心理矛盾精神分裂，那究竟責任誰屬？不難推想矣。而教育的「心理衛生」置於長期的聲色陷溺之中，那青年還能創時代嗎？這問題實在够嚴重了，首仙仙的死，爲此揭開的文風，學風病態，我們不但應反省，更應檢討，採取全面的治病方策。那才有意義。

好了，我們的話，暫止於此。反共復國的未來命運全寄於當代青年，我們無疑的是在「投小資本，做大生意」。精兵主義，以一當百。我們的「捧角」主義，至少要轉移目標，「明星」主義也要以倫理、科學爲標準。有主權的老板階級，有權捧角，有志製造明星，爲國發掘新人才，應該做全盤打算了吧。阿門。

（公偉）

自由談

拒絕親共份子來台

立法委員李文齋等，聽說美國加州大學教授史卡拉皮諾，將於本月間，應邀來台灣講學，曾向行政當局提出質詢，理由是史卡拉皮諾素來主張美國退出亞洲，贊成台灣脫離中國而獨立親共份子，他和出賣中華民國的美共同路人拉鐵摩爾、費正清、哲裴甫這般人，都是美國「太平洋學會」的重要角色。一九五九年美國參議院發表的所謂「康隆報告書」，主張「兩個中國」之說，起草人就是史卡拉皮諾。似此一貫敵仇中華民國的親共人士，我們以反共救國爲職志的中華民國政府，爲何還要引鬼上門來，邀請他到台灣講甚末屁的學呢？李委員等這一質詢，允屬代表中國人民的共同意志，值得讚許的。

旋據行政當局的書面答覆，說邀請史氏來台訪問而已，並非講學。而這項邀約史氏的始俑作者，乃是我駐美大使周書楷，另又涉牽到兩名應邀赴美訪問的政治人物。周等所持理由，是在「化敵爲友，及化阻力爲助力」，說來冠冕堂皇，善善哉！既然如此，足見我政府當局的恢宏氣度，應該擁護這項政策，徹底實行爲上。

基此，那就不止是要「化」國際敵人史卡拉皮諾爲友人，還得歡迎比史氏更敵視我們的同志如拉鐵摩爾、費正清，乃至於當年設計陷害中華民國最力的范宣德、謝偉志等來台灣訪問，待以上賓之禮，尤爲義所應爾。不特此也，對外既有此寬宏大量的風度，對自己本國人更應該一視同仁纔對，凡有親共言行，或者對政府表示反動態度的，亦不妨「化阻力爲助力」，免予究問。這樣一來，咱們反共救國前途，豈不完蛋也乎？

區區是個反共的死硬派，儘管朝野上下人士都贊成邀請史卡拉諾來華訪問，我依然要大呼「拒絕親共份子史卡拉皮諾來台」的口號。

我跟共黨具有深厚的國恨家仇，對於國內外的共黨同路人，始終深惡痛絕，非摒諸四夷不可。這是中華民國人民應有的權利，也是中華民族一份子的人格與良心表現，誰說我不對，我便要對他臉上唾之以口沫也。

馮丑先生

代購建地涉嫌貪污 北市哄傳驚人巨案

高玉樹主持市政頗多不如理想處 監院總檢會中痛加責難

（本報記者劍聲台北通訊）監察委員們批評台北市在市長高玉樹主持下，尚未完全達到理想，諸如違章建築問題，如攤販整理問題，如不尊重市民權益問題，如不重視制度而以命令變更法律問題，如不肖官員貪污問題，侯天民、鄭景福、吳大宇、金越光等，都在監察院綱檢討會中提出報告及檢討意見。

就處理違章建築問題言，台北市政府未完全做到先建後拆的原則，現有六百多間違章建築被拆除而沒有平民住宅配給違建戶。按照「台北市違章建築處理四年實施計劃」，自五十五年七月一日起，至五十九年六月三十日止，共應拆除違建一萬一千三百七十六間，已拆除者計：第一年拆除二、七七五間，計三、九四三戶（超拆一四一間，計八三〇戶）。第二年拆除三、五八八間，計四、四三五戶，第三年（本年七月一日至目前）拆除一九九間，計二三一戶。

目前總計拆除一〇、六八八戶；六、五六二間，截至今年九月底止，尚有六百多間違建拆除戶無屋可住。

攤販安置問題：台北市城中區攤販有二千多人，自被政府取締之後，政府未妥善安置，使其生活無着。

已整理攤販計三、〇五九攤，分別納入市場者一〇三攤，縮小攤位原地整理者八四六攤，遷入巷道者一、〇七四攤；集中管理者一、〇三六攤，整理後營業受影響最大者爲飲食業、百貨業等。

地上原無物 何由欲補償

一筆貪進三百餘萬 司法機關正偵查中

自從監委鄭景福於監察院綱檢討會議上揭發台北市國民住宅暨社區建設委員會執行秘書儲進等涉嫌貪污補償費新台幣三百五十餘萬元後，已引起各方面的重視。現在正由司法機關偵查中。

據鄭委員說：中央民意代表及公教人員建築住宅，在內湖買了三萬多坪土地，原是行政院授權台北市政府辦理的，但台北市長高玉樹居然不知道行政院授權並撥三千萬元給他購買土地，是國宅會執行秘書辦的，該會負責人丁榕中、儲進均未向高市長報告就私自辦理，出賬地上物補償費三百五十多萬元，事後，高玉樹經監委鄭景福查詢之後，立即派人調查，據說該土地根本就沒有地上物，三百多萬元的補償費被經手人儲進等拿走了。

因此，監委鄭景福在院會中提出來，後由立監兩院及國民大會秘書處共同函請行政院徹查此事，這裡的問題很複雜。

吳大宇委員抨擊台北市政府市長高玉樹不重視人民權益，也不尊重法律和制度。

他說：「關於人民權益不受重視這一點，不一定是高級政府，就是各級政府甚至於連區公所在內，沒有把老百姓當人，人格太不受尊重；如台北市公共汽車司機、車掌都給人臉色看，照理買票坐車就是顧客，故應對顧客尊重。但政府機構的官，一切要聽他的，這種事例太多了。像整理台北市交通秩序，應是台北市政府的責任，行政院下令市政府辦此事，如認市政府力量不夠，可派員督導，但中央不這樣做，要組織一個台北市區交通秩序改進小組，這個小組由有關機關共同決定，這樣，就變成不尊重制度；效果就大打折扣，受害者自然是老百姓。台北市人口在一百五十萬以上，取締三輪車後就應增加公共汽車；去年十二月成立交通秩序改進會報時，決定增加二百輛公共汽車，以應需要，可是台北市到現在爲止，才增加四十六輛公共汽車；明年三月間，增加一百輛公共汽車，即使增加，如何能適應這種需要？」

吳大宇委員批評台北市在地政方面，發生「擾民害民甚至利用法令而發財的不知多少」？他主張：監察院應組織一個專門清理台北市地政措施的調查研究小組，對以開馬路，關新社區，改變都市計劃等當中發財等問題，求一個明白。

例如，台北市忠孝路打通時要經過工礦公司的紡織廠，而市教育局擬在該地建國民中學，這時，工礦公司負責人找高玉樹市長，說要賣地償還台銀債務，如這樣就找你（高市長）拼命，因此，市主管當局就將建國民中學的事擱下來，後來，該地出售時還多賣了二百多萬元；台北市仁愛路土地重劃，從民國五十四年開始，當時，市府把計劃送內政部，市府擱了很久，由內政部轉到行政院，後來，行政院通知市府，該計劃與規定不符，應依法補送，但市府未照辦。據說，市府的計劃尚未知照內政部，仁愛路土地重劃計劃尚未成立，更未完成計算分配工作，地政處負責人簽呈市長停止建築三個月，自此之後，該地區人民土地權益，即受非法剝奪；在停止建築三個月的期內，市府並未實施重劃，而有權勢的人和有辦法的人都可以建築，沒有辦法的人就不能建築，這件事，證明市政府不僅不尊重法律與制度，也漠視台北市民的權益了。

台北市政府爲解決公務員住的問題，在民生路新社區化兩千七百餘萬元興建宿舍，爲此，台北市政府函請台北市審計處同意議價，該審計處正在改選時，案經吳大宇委員發覺而調查，始知這二千七百餘萬元的工程是由陳炳維承包的。

陳炳維與高玉樹市長是甚麼關係呢？吳委員說：三重客運公司的成立之初，台北市議會張祥傳議長和省議員李建和向台北市政府申請而未准，後來，因陳炳維加入三重客運公司而獲台北市政府核准。台北市忠孝路的打通；工礦公司紡織廠的房子出售，均與陳炳維有間接的關係；而二千七百萬元的工程，市府要求市審計處議價而不招標，亦與陳炳維有關。

因此，監察委員認爲這三件事，很顯然的有「勾結行爲」。

十五信用 神通廣大

（台北消息）繼第八信用合作社而停業的第十五信用合作社，不僅未步八信後塵陷於牢獄之憂，相反的決定於最近復業，所謂把戲人人會變，各有巧妙不同，已引起台北人士普遍注意，一般的看法該社總經理蔡水勝這次可歸正果了。（柳一權）

喬治桑外傳（九）

張大萬

「只要妳願意，我當然願意帶妳一同去。」

喬治桑暗想，小雲雀很大膽，才認識不久就要跟成出去。大概我還不曉得老呢。

喬治桑得意了。

「有孤王，打坐在梅龍鎮……」低低哼着四平調。「不作無益之事，何以遣有生之涯」這話是不錯的。

台灣酒家是觀光一大特色，既不同於日本藝術，也不像香港有女招待的飯館，因此，無論是本省人、外省人、美國人、歐洲人、日本人，都喜歡在酒家請應賓客。

兩個當紅小姐以外，加上「小雲雀」，目前房間裏喬治桑雖然低低哼着「梅龍鎮」的調兒，其實正是「三娘教子」的場面。好在博士多子多福，人老心不老，妙語如珠，小雲雀三位小姐笑聲不停。假使喬治桑以這種精神來娛親，就不致讓老萊子專美於前了！

一男三女正在房間鬧得起勁，「小雲雀」介紹的兩位小姐閃入房來。「小雲雀」連忙替喬治桑介紹：

「這是貴妃，這是小鳳，本店的紅牌。」

喬治桑左手摟着「小雲雀」的纖腰，右手端着一杯啤酒。少不了用眼睛上下打量貴妃、小鳳。只見貴妃穿一件黑色滾紅邊旗袍，黑色高跟皮鞋，梳着時新的高髮髻，瓜子臉兒，鳳目經過描畫，眼稍向上，一口雪白牙齒，三圍勻稱，身材纖穠合度，確實不愧叫做貴妃。

小鳳是紅旗袍，紅高跟鞋，戴一副大圓金耳環，大得似乎像是運動家所用的雙環。眉毛畫得很濃，眼睛雖不算美，但靈活得很，鼻子略顯短一點，但不難看。她的胸圍比在座四姐都豐盛，使這位留美博士不禁想起已故艷星珍曼絲菲。小鳳梳的是鬈髮，用一個假象牙髮夾夾牢。右腕叮叮噹噹戴上七八隻細金鐲兒，左腕戴有腕錶，走起路來頗有碧姬芭杜的扭動，是一個到地噴火女郎。（未完）

審計處長卑躬屈膝 爲了自己一棟華堂

台北市政府爲獲得台北市審計處同意二千七百萬元的工程議價，竟非法以新台幣一百六十萬元爲市審計長郭承緒購置官邸一棟豪華大廈。按照行政院規定，政府官吏官邸，最高不得超過三十萬元，是故監察院長李嗣璁的官邸爲三十萬元，副院長張維翰的官邸爲二十五萬元，可是隸屬於監察院三級單位主管郭承緒的官邸爲一百六十萬元，這是極大的諷刺。

台北市審計處是隨台北市改制而成立，其預算按規定列入中央總預算內支出，一年共計一百四十九萬四千四百元的經費，核定員額三十八人。審計處長郭承緒，是一位頗具才幹的人，他極可能於明年初繼汪康培而出任審計部審計長，由於一百六十萬元的官邸風波而埋葬了其前程，也可以說台北市政府害苦了他。

監委金越光檢討時說：「郭承緒處長到任後，由一位醫名狼藉的台北市府職員陪同去拜候各單位首長，豈不是一方面自貶身價，一方面受到機關首長的輕視；郭處長到任後，反客爲主，曾宴請市府單位首長，各單位首長盛情難却而回請一次。郭處長爲監察院行使職權，爲人民看守「荷包」，爲甚麼要請被監察的人吃飯？這個大可不必，因爲自己上任後的作爲是這樣，人家當然格外注意了。」——隨時隨地都被人卑視。

金委員列舉兩件事指責郭承緒「失態」。他說：台北市政府爲興建民生東路宿舍追加預算，要審計處通過；剛好這時候，不知是郭審計處長授意抑或部屬奉承，審計處高級人員向台北市政府爲郭處長要房子，說郭處長現住的房子是聯勤總部的，現因郭某離開國防部審計處，該房子應交回，同時，租約期滿，房東蘇某要收回，是故郭某沒有房子住，請市政府買一棟房子送給郭處長。這是甚麼話？台北市審計處的經費我們都要列入中央預算，爲甚麼郭處長私人去向市府要房子？外界人言嘖嘖，說郭處長太太自己去看房子，看了好幾所，都未中意，最後看中一所就是台北市安東街二一一巷四一號。台北市政主管單位，即秘書室主任徐俠、郭忠恂二人於五十七年十一月五日簽呈說：

「一、關於購置職員住宅一幢，撥借予本市審計處郭處長承緒居住一案，遴經會同參議問作人及台北市審計處易科長致崖四處物色，雖有數處可供應用，但購置價格均在新台幣二百萬元以上，僅覓得本市安東街二一一巷四一號房屋一幢，環境幽雅，格局尚好，尚宜於家居，惟購置價款約新台幣一百六十萬元正。二、前項住宅購妥後，擬借予該處郭處長承緒居住，其購置程序，擬交本府工務局會同地政處派員先行勘估後，依照審計法施行細則第四十一條第四款之規定函請台北市審計處同意並派員以議價方式辦理之，至於所需經費，請財政局、主計處核簽。」

台北市政府財政局長楊經禮、主計處長何大忠於同月七日會簽原文：「一、本案郭處長請配宿舍，二、該項房屋購價款（約新台幣一六〇萬元左右），如屬可行，當由工務局會同地政處派員勘估，由秘書處訂約購，款可在第二預備金項下動支，可否之處，敬請鑒核示遵。」當時由市長高玉樹於同月九日批：「如無其他財源，姑准動用預備金。」

金委員又說：「爲甚麼高玉樹市長出國返國，郭審計處長夫婦衣冠楚楚，恭迎恭送，這亦實在貽人口實；因爲郭處長自己不檢點，外面風風雨雨的閒話很多，大家都說民生東路追加預算之事沒有關係，遲早審計處會通過的。這一類事情，實在對監察院行使職權有大大的妨害。」

金委員並舉出「歷代廉吏錄」之後漢時的郭丹，與明朝時的郭勛，是如何的廉潔，意即希望郭承緒處長效法其祖先之廉風。

監察委員鄭景福現任國民黨政策委員會副秘書長，他對郭承緒之不法行爲也加抨擊，並主張院派委員調查依法糾彈。

鄭委員說：設立台北市審計處的目的，是希望減少台北市政府浪費的情事，如照金委員的說法，不但不能減少，將來有變成違法爲合法之處，只要審計處同意就可以，如此審計處沒有比有好。如無審計處，審計部可派人查；現在有了審計處，審計部不能派人查，故沒有比有好。

鄭委員指出：監察院對公教人員的房屋曾提兩糾正案，房子不准買不准押，且行政院亦三令五申，行政院規定不得超過三十萬，副院長不得超過二十五萬元，而今審計處長要以一百六十萬元購屋，實不應該。現在市政府已批准，但未辦好，因安東街地皮另需繳五十四萬元增值稅，賣主不願負擔，如歸市府負擔，則價款增至二百一十四萬元，故購屋事沒有成功。對於這一個案子處理，監察院一〇八五次會議決定推派陶百川、金越光兩委員調查。

當監委們在院會中提出檢討郭審計處長房子的事情後，台北市政府新聞處曾分別請各報不要刊登這則新聞外，並另外發表聲明說，台北市審計處的辦公房子，和郭審計處長的官邸，是奉行政院指令由市政府負責解決而辦理云云。甚至前任審計長也替郭某向某民營報說項而未刊此消息，故該報「獨漏」。

總之，自從吳大宇委員彈劾高玉樹處理公車處長糾紛不當案擱淺後，台北市長高玉樹可能因本案或另案而被糾彈，這是自食其果！

台北新聞信

「賣身契」在台灣

本報記者柳一權

大家看到「賣身契在台灣」定會嚇一跳，難道董永賣身的事，又在台灣上演嗎？不！比董永賣身還嚴重，因董永是爲了葬父而賣身，照神話的解釋，孝行感動了上天，乃有仙女臨凡的演出。

本報導所指的賣身契，乃完全爲了物質享受，諸如分期付款的華麗屋宇、汽車、電冰箱、冷氣機、電視機等，不一而足，都可以分期，有一位高級公務員說，他月入三千二百元，分期付款須四千元，長年過着以債養債的生活，房子雖然十年後屬爲己有，但這漫長的日子很難捱過，最近風聲很緊，絃外之音，貪污的機會減少，台灣像這種情況乃司空見慣。

「賣身」風氣，乃從歐美傳來，因中國社會從上古起就警告人勿舉債，欠債受人指責，討債指責人，都是傷感情、傷和氣、傷大雅的事，明朝的開國皇帝朱元璋說：「金玉非寶，節儉是寶」，今日台灣社會追求物質享受，已到最高境界，如果是以資產爲本位的社會，尚可原諒，問題在台灣所標榜的是三民主義模範省，一個人爲了追求物質享受，以身爲質，十年後的收入都支付出去了，這是多麼可怕的行爲。

不過話又說回來，一般的人生觀是「做一天和尚，撞一天鐘」，「身」又值幾何錢呢？立法委員能到老朋友家裡脫褲子亮相，尊嚴的司法官能找在押被告的妻子到旅館脫褲子，簡直成了天方夜譚，第一脫既由堂堂國會議員演出，第二脫由神聖尊嚴的司法官担任，希望不要再有第三脫，阿們！

大學尺牘

吳稚暉致汪精衞函（下）

——揭破共產黨眞相——

鴻雁

政委主席團自發現這決議案後，因關係重大，不能不審愼攷慮，既不願輕率的放棄革命聯合戰線，又不能不爲本黨生命及國民革命前途謀安全之保障，乃政治委員會主席團正當審愼攷慮之際，而七月十三日、又有所謂中國共產黨中央委員會對政局宣言，對於本黨，厚誣醜詆，無所不至，並鄭重申明，中國共產黨中央委員會，決定撤回參加國民政府的共產黨員。撤出國民政府，便無異脫離本黨，乃偏說退出國民政府以後，仍在國民黨，於理論上實爲矛盾。且國民革命及各級政府機關，都屬於國民政府統系，既然退出國民政府，則在國民革命軍中，及各級政府機關中，亦無須存在。

『本黨既發見了共產黨方面危害本黨生命的議決案，又發見共產黨方面退出國民政府的宣言，容共政策，已可謂破壞無餘。然本黨仍體念總理遺敎，對於共產黨力求容忍，所以中央執行委員會於七月十五日通過決議案原文，與共產黨七月十三日宣言，兩相比較，誰是極意保持革命聯合戰線，誰是任意諉過他人，藉張攻擊，讀者必能一覽無遺的。』

精衞先生！吳稚暉讀右邊所載之宣言，最爲難過，從頂門起，麻到脚底，肉麻得耐不得者；就是『我們生在一塊、死在一塊；』又就是『既不願輕率的破棄革命聯合戰線。』爲什麼爲了這三句話，肉要麻到這般田地？就是把列甯的恨世認做革命，尤其是把鮑羅庭那班賊強盜，算做革命黨，更十分叫耳朵吃虧，把陳獨秀、李立三那班惡徒，也算做革命黨，同他們結起革命的聯合陣線來，還要生存在一塊，何物共產黨，有如此魔力；能叫白面書生的汪精衞不知如何中了風，着了魔，如醉如狂，並沓以黑白一切顚倒。竟放任何那班惡徒縱惡了三年。中山先生的容共，批示在鄧澤如先生的呈文上，批得淸淸楚楚，正爲他們借共產搗亂，妨害國民革命，所以收容到國民黨裏來，叫他們服從三民主義，停止他們錯認的共產政策。精衞先生！你發什麼瘋，要同他們生在一塊，死在一塊，結起革命的聯合戰線來呢？

所以先生在武漢綜合演講之詞，訂成一小册，不久尙有此間報界的忠厚長者，同你對牛彈琴，什麼馬格斯牛格斯，什麼資產階級民主政體，辯論起來，他還諷示我應當辯駁。豈知在一個月前，便大澈大悟，覺得先生不過癡人說夢罷了。

官人列傳（四）

周燕謀

陶朱公富甲天下

三、富甲天下

齊人聞其賢，強辟爲齊之卿相。做了不久，深覺政治乏味，喟然請辭，范蠡歎道：「我居家則致千金，居官則致卿相。此乃布衣之極品了。如果久居其位，盛名之累，是乃不祥也」！

范蠡舍卿相而不爲，仍然嚮往他的自由企業。乃歸還齊國相印，散其家財，分與知交，恤其鄉黨。然後懷其貴重珠寶，携手西施家小而去。

范蠡是如何的走法，是棄官亡命呢？或是公開拜辭而去，史無明文。從史記上「懷其重寶，間行以去」看來，似乎走得非常倉卒，並沒有准他，或者齊國有強行挽留之意，故作「間行以去」的迅速行動。

范蠡帶了家人，離開了齊國。他早已愼重選擇了一個好的地方——陶山，就是在今山東省肥城縣西北。他以爲那地方是「此爲天下之中，交易有無之通路，爲生產之業，可以致大富也」。

范蠡携了家人及「重寶」，居於陶山之陽，即陶山之北面。范蠡學了一科專門之術，其時名曰「計然之術」。即今之「算術」也。他是在葵丘濮上人辛研那裡學來的一套「計然之術」。辛研字文子，由於他「善計然而精研」，故號其術曰「計然」，「吳越春秋」爲「計倪」，辛研本爲晉國人，乃晉國流亡之王孫也。此人曾事越王，史書評他「陳察好尙，貴流通，尙平均，戒滯停等十策。越用其五而得志」。如此說來，辛研和范蠡爲同僚，在越王「十年生計，十年敎訓」的圖強時期，辛研曾上過十策，越王用其五而得志。在那時候，范少伯已經有心作商致富之打算了。范蠡師事辛研於越王臥薪嘗膽之際。現在退休經商，正得其用。

在陶山定居之范蠡，而今再變易姓名，改爲陶朱公。他深恐惹人注意，又來找麻煩。陶朱公一心經營農業，畜牧以及陶器，布帛等貿易，「候時轉物」，「逐一之利」。他的兒子已經有兩個長大了，做了他的助手。居陶山時，又產了一個少子。陶朱公可謂福祿壽者。在此居無幾年，則致貲累巨萬，他的貿易網遍及各國，京畿，隨着他的商船，商車所到之處，陶朱公之名播於全中國。陶朱公的招牌，獲得諸侯，卿相以及士民等之信任，名噪天下。隨着生產再生產，投資再投資，貿易範圍越來越大了，財富與日俱增。究竟有多少財富，陶朱公自己也不太清楚，天下只聞陶朱富，而不知其爲越國上將軍范少伯也。

陶朱公中子貿易於楚國，因殺人被囚。陶朱公聞之，歎道：「殺人償命，理固然也。然吾聞千金之子，不死於市」。便命其少子往楚國活動，運黃金千鎰，以牛車載之。陶朱公長子亦請行，朱公不聽。

大兒子說：「家有長子曰「家督」，今弟有罪，大人不遣，乃遣少子，是我爲不肖也」。說罷，大兒子要自殺。陶老太太急了，對朱說道：「今遣少子而去，未必能救活中子。如遣，長子自殺，豈不是中子未得救，先喪了長子乎？」

文滙樓札記

袁樹珊算出自己生死

命理起源於軒轅氏，以人的年月日所生謂之命，又將命的吉兇禍福從統計中分出，歸納成類，後來算有成規可循，但一直未著成有系統的專書，到了唐代，袁守成始作指南五星書，呂才作合婚命書，一行禪師作星曆書，五代有轆轤書，宋朝初業有殿駕書，南宋邀僉有喬扴書，元代有耶律楚材書，均以人之生年五行納音所屬身命限度爲主，七曜四餘爲用。

到了明朝有徐子平者，對命書一道，有重大發現，研究出以日干爲主體，月令爲用神，歲與時爲輔佐，至此可謂有完整之命書。較古一點資料，側重六神之名詞，初學無從捉摸，即近本授受，不過謬謬相傳，形同問路於盲，街坊售術，以訛傳訛，使人敢問津者幾稀？樓主研究斯學垂二十年，民國四十一年（壬辰）由海外首次抵達國門，悚然思及一位長者，即鎮江袁樹珊老先生，積四十年之學驗，猶擅醫理道學，數聆教誨，受益殊多，正所謂勝讀十年書。所元五行正謬諸說，及惠贈命理探原等巨著，直覺上袁樹珊老先生，乃近五世紀唯一在這方面思想搞通了的哲人。

其哲嗣紹珊先生，得到尊翁眞傳，不僅對命理有精深研究，醫貫中西，更出預料，著有：「中國針灸醫藥準繩」「婦科精華」「泌癖癌症特效方論」等書。與他作迴異者，對解剖、生理、細菌、化學無所不談，拜讀之餘，衷心崇佩。憶民國三十六年（丁亥），樓主銜命從西南晉京，道經滬濱，蒙上海市參議會，潘議長公展堅留小住，得晤紹珊，其精於命理，自不能放過也。

抑有進者，三年前樓主邀宴樹珊老先生於舍間，在座者有程滄波（立法委員）、馬樹禮（中央黨部三組主任）、南懷瑾（輔仁大學敎授）、張翰書（立法委員）、張起鈞（國立師範大學敎授），席間詢及國運已否算過，樹珊老先生說：「總統　蔣公將大家帶領出來，從總統命造來看，必定還將大家帶領回去，斷然無疑。」他接着又說：「老朽老矣！看不見回大陸了，（時年八十六歲）戊申冬令，一關難度。」事實映證，恰於本年（戊申）冬令逝世，彌留前一個月，始電召紹珊由美歸來，將身後各事交代得清清楚楚，直到彌留，腦子始終清醒。

・文滙樓主・

西洋哲人簡介

亞里斯多德（五）

劉長蘭

對於政府組織，他最贊成立憲政體。他又說，尊重法律是自由之基，同時也是自由的保證。爲了寫這本書，他曾研讀，分析，並寫下關於爲數約一五八個希臘城邦的憲法。在實際政治上，亞里斯多德遵守他的「中庸之道」而趨向保守。他偏愛政府的穩定與漸變。他說：「經常改變法律的習慣是罪惡的。」又說：「遵守法律主要得依靠風俗……輕易改變法律將減弱法律的力量」。

亞里斯多德反對革命。他以爲革命最後的結果和間接的影響都是弊多利少的，因此緩慢，漸變的方式是進步的最佳途徑。在有系統的檢視各式政府後，他發現專制政體的缺點在於君王太易濫用權力，寡頭政治的問題則在於貴族們容易挾權以遂私利。他看出民主政治的力量在於公民因得以親自參加政府而願意効忠，但同時他也看出民主政府的缺點是讓智力低落的人掌握大權，只因他也是多數的原故。所以亞里斯多德的結論是：最好的安排爲寡頭政治與民主政治的合併。這樣可以使智者掌權而又有民主制度對彼等加以牽制，不得過份爲私益着想。

對於柏拉圖在「理想國」裏的理想社會，亞里斯多德認爲不切實際，因爲那個理想是建立在對人性的信心上。也就是說要想建立那樣的理想社會，人性必須是善的，是樂意自動分担勞力和分享物資的。但是亞里斯多德的實際經驗却告訴他：「每個人主要考慮的是私人的利益而不是羣體的利益。」

亞里斯多德有一種貴族的觀點，反映出希臘名門對勞力的輕視。他認爲有人是生而發命的，有人是生而聽命的。他又以爲勞力是奴隸的事，商人與小販稍優於奴隸，也不配做公民。總之他認爲從事賺錢工作的人不配做自由人。

對於女子，亞里斯多德的看法與柏拉圖不同。他以爲女子生來隸屬於次等的地位；她們只適於做些不重要的家庭瑣事並應聽命於男子。他主張男子三十而娶，女子二十而嫁。當然他這種思想與現代精神不合的，因此有人說亞里斯多德只能算是個多才的職業教師而不是有所受意的先知者。

在亞里斯多德六十歲、正當他的學術生命如日中天之時，忽然傳來了亞歷山大的死訊以及其帝國瓦解的消息，因而雅典情勢突變。原來自從紀元前三三八年馬其頓王菲立浦擊敗雅典後，雅典便一直由菲立浦同意之人來統治。亞歷山大死後，雅典人中傾向馬其頓者便立遭驅逐，曾爲亞歷山大之師的亞里斯多德也受到牽連，處境非常危險。人們加給他的罪名和從前加之於蘇格拉底者相同，即不敬神明。但亞里斯多德對此的態度却與蘇格拉底不同，他決定逃離雅典。他說：「以免雅典人再度對哲學犯罪」，這話意味着殺害蘇格拉底是雅典人第一次的罪過。他逃到他母親的故鄉卡兒西斯去，但於第二年隨即病逝。

秦京聯吟

張維翰

神州北望痛秦阬，蒲海咸期克漢京，
文化復興倡領袖，詩風重振仗耆英，
湄南結社羣才盛，天下爲公大道弘，
不佞年過三萬日，猶來求友賦嚶鳴。

禪學黃金時代

慧能的頓悟法門（六）

吳經熊著　吳怡譯

慧能正像孟子一樣，認爲我們的性和眞實合一，即是他所說：

「一眞一切眞」。

在慧能眼中，菩提就是悟，佛就是悟者，正如他所說的：

「我心自有佛，自佛是眞佛」。

傳統佛學都歸依佛、法、僧的三寶，但慧能却歸依覺、正、淨的三寶。這種解釋是一個多麼激烈的革命啊，他描寫自性三寶的作用說：

「內調心性，外敬他人，是自歸依也。」

他在這裡的內外，只是就自性作用的效果而言。其實自性本是絕對的，是超越時空，超越了一切言語所能表達的屬性。人類的言語只是屬於現象的世界，只是應用於相對的事物，而絕對是超越了這一切。當一個神秘家要表達他自己的時候，他所用的言語就像荒漠上很多飢渴的盲獅，到處亂跑去尋求泉水。慧能之所以認爲迷和悟，煩惱和菩提之間沒有差別，以及強調自性是超越了善和惡，也就是爲了打破語言的分別障。他回答中宗的內侍薛簡所問如何是大乘見解時說：

在一般俗人的眼光中，明和暗是兩種不同的現象，可是有智慧的人却了解它們的本性是沒有差別，這個沒有差別的本性，就是實性。所謂實性，就是不因凡愚的人而減少，不因聖賢之人而增多，在煩惱之中而不亂，達禪定之境而不空。它不是斷滅的，也不是不變的，它是不來，也不去的，它不在內，不在外，也不在中間，它沒有生滅的現象，是本性自然如此，而沒有絲毫變遷，這就叫做道。」

假如我說慧能這段話和莊子的說法相同，倒並不是因爲他湊巧的提出了這個道字。事實上，他是融孟子，莊子的思想於一爐。

慧能的哲學在超越方面似老莊，在重視人生方面而似孔孟。他認爲一切經書都爲人而立，並強調自性有般若之智。他說：

「若無世人，一切萬法本自不有」。

因此他以人的自性和自心來解釋佛理，他有關三身的見解正和他的自性三寶一樣的具有革命性，他用自性來說明三身。我們的身體就是如來法身，我們的自性根本是清淨的，一切法都是由自性而生，這即是所謂「清淨法身佛」。當我們的感情慾望被自性所生的般若之光所掃淨後，我們的自性像無雲的青天中所懸掛的一輪明日，光芒萬丈，這即是所謂的「圓滿報身佛。」至於我們信仰自心的力量勝於一切的化身佛。我們了解只有自己的思想才能塑造自己。如果此心想惡的話，便入地獄；想善的話，便進天堂。有毒害之心，便變爲龍蛇；有慈悲之心，便變爲菩薩。因此我們如果執迷不悟，念念起惡，便永遠無法得道，相反的，只要一念向善，便生智慧，這即是所謂的「自性化身佛」。

巨變歷險記！

袁紹瑜經濟長才　十五

胡慶蓉

天津在林彪野戰軍包圍之下，經濟問題特別的嚴重，也特別的急迫。

這是可想而知的。四百多萬人口的大城市，像天津這樣，其所需要的物資，全從國內國際四面八方運來，他本身什麼都沒有，特別是農產品。

一個大的城市，一個現代化的都市，在澄平的時候，各種的工業品充斥，到街上走走，眞是光怪陸離，琳瑯滿目，加上晚上的電光輝煌，令人欣羨不置。在圍城之下，工業品沒人過問，大家往意的，是生活的物資，也就是吃食的東西。

天津人大都吃麵，吃米的不能說沒有，但必覺很少。如何維持全市民食，使不虞匱之，還是當時第一個大問題。兵無糧自散，民無糧也一樣的散，根本談不上抵抗。如何維護民食，就成了當時天津上下共同努力目標之一。

袁紹瑜，在這方面，有他特殊的才能，也有他特殊的供獻。袁紹瑜是天津市的市議員，袁紹瑜也是天津市銀行的行長。說起來，此馬來頭大。他原籍河南，丁博士也是河南。他不但是河南，而且是河南名族的後裔，袁世凱大總統的後裔，袁世凱的本家。他同袁克定，所謂太子的叔伯弟兄。此公幽默之中有莊重，莊重之中有辦法，他握着天津市銀行，同時握着全市經濟的命脈。他同市府的財政局，社會局，同各銀行，各經濟結構，都搞得非常好。袁二爺（即袁紹瑜）一句話，大家無不唯命是從。

袁二爺是當時天津經濟幕後的策動人。市府，警備司令部等於是他的執行者。在消極方面，他主張嚴厲取締屯積居奇及高抬市價。這兩點市政府警備部都執行的非常澈底非常認眞。而天津市民的合作，也是成功的重要因素。自天津被圍的翌日，即民國三十七年十二月十七日起至三十八年一月十五日天津陷落之日止，天津的物價一直保持着原來的狀況，一直沒有屯積居奇的現象，也沒有高抬市價的現象。於此不能不佩服袁紹瑜的策劃，市黨部的執行，市政府的坐鎮，與天津市民的合作。而天津市民的合作，尤其值得表揚。

從「悉如外人」談起

——並示王生一方

張起鈞

昨閱十一月廿八日中央日報副刊，知新衡兄之公子王一方小友館就桃花記之「悉如外人」剖析置疑，提出己見；欣悅不已。夫以一高中學生竟能如此殫精用思，自屬可嘉；況在今日台灣學風淪於「惡補」、「死背」之際乎！眞所謂鶴立雞群，難能可貴。故樂爲之開示指點，以資鼓勵。

王生此疑殆由僅就「男女衣著，悉如外人」八字斷章取義而起。細察桃花源記原文，當自「其中往來種作、男女衣著、悉如外人」。一氣讀下，不可截斷。故「悉如外人」乃統承「往來種作、男女衣著」而言，非僅指「男女衣著」也。且古人爲文皆尚含蓄，辭近而意遠，文淺而思深。此處「衣著」二字不可呆釋爲衣服；殆猶「往來」不可僅視爲走路也。所謂「往來種作、男女衣著、悉如外人」者，乃言其生活方式禮俗文物一如外人也。若自反面引申，蓋即謂其人既非漁獵游牧之族，亦非斷髮文身之輩，而殆全爲我華夏之屬焉。且作者陶淵明固一讀書不求甚解之高士，又安致細察衣服款式，而加比證論斷耶？

實則古人指辭用字，類皆如是，初不止淵明而已也。譬如朱子「大學章句序」中：「……皆入小學，而教之以灑掃、應對、進退之節……」，所謂「灑掃」殆指生活居室，「應對」殆指待人接物，「進退」則指立身處世，蓋皆作人之基本訓練也。豈謂即係掃地、談話、前走後轉耶。凡深通教育旨趣者，皆能一望而知，即使常人，倘能細心體察，亦可摸索而至。蓋灑掃……也者，苟爲掃地談話，前走後轉，則兩週可畢其業，又何待七年大學耶？（按：朱子所述古代學制之小學，自八歲至十五歲，凡七年。）

凡讀中國古籍，勢必如此悉心體會，方易得其正旨，愈有價值，愈稱深刻者愈加如此，殊非僅從字面演繹，或循「概念」、「命題」推演，即可明其眞意也。訓詁章句之士，以及西方漢學家流，用力雖勤，終不能窺其堂奧者，即坐此弊。前者在昔朱子已有「其書雖存、而知者鮮矣」之歎，姑無論矣。而漢學家流則又肆其邏輯分析，科學考證之能，而作隔靴搔癢、盲人摸象之論。不僅無與精華主旨，淪至鄙夷誹謗；不一而足。費正清輩，學非不辨；然謂孔子之道乃封建時物，今日毫無價值……云云，殆即泥於書面字義，而不諳其含蘊之深義也。殊不知，我聖賢代代相承者乃其精神旨趣，而非文字之陳迹。例如朱子講理氣，陽明講良知，試問孔子何嘗道及。而朱王乃皆謂承仲尼之正道，得儒家之眞傳，且妙在世人亦無非之者，何哉？其故即在所承乃其旨趣，而非章句言說也。

推而論之，吾人今日高倡復興中國文化，其在俗儒或竟抱殘守闕，復古是競，而在賢者則無不知！旨在發揚我傳統之卓越精神，以赴救國救世之鵠的。豈謂左攜一捲論孟錄音帶，右抱一包古物文獻之圖片，即爲復興中國文化耶？反之，唯有善能體驗孔孟之旨，提出一套今日可行之辦法，——亦即孔孟生於今世，當如何辦？然後方爲承担道統之大儒，復興文化之大路。

今由王生之疑，拉雜談此，藉爲王生以及一般青年研習中國典籍，理解中國文化之一助。

御廚談藪

清燉白鱔魚

林泉隱

泰國五世皇朱拉，嗜清燉大河鰻，這對泰國人和華僑有很大的影響力，迄今河鰻仍爲各大菜館名菜之一，只七百銖（每銖爲新台幣二元）一桌酒席，八個大菜中必有紅燒白鰻或清燉白鰻。

白鰻產在安徽淮河，夏日既肥且嫩，民國廿六年一元銀幣，可買白鰻二十斤（合秤）因太便宜，沿淮八百里區域，高級人士吃白鰻的很少，謂白鰻是吃死屍成長的，其實那種魚又不吃死屍呢？要吃又有多少死屍可供魚食？吃死屍又有甚麼關係？問題是出嘴太多就會造出一些不三不四說法，共匪最利用時機，十幾年來竟將淮河白鰻，張家口的羊肉，徐州山梨，洋澄湖的螃蟹，奉化水蜜桃，餘姚乾菜筍，金華火腿，廣東香腸，湖南臘肉，蘇州蜜餞等數千種的土產，大量向國外推廣，賺的錢聲明爲消滅「美帝」，而「美帝」呢？又是那樣的天眞幼稚和可愛。本文的題目是，清燉白鰻」，不把問題扯遠，仍言歸正傳，白鰻的燉法，白鱔越大越肥越鮮，洗淨滑涎，除去頭尾，斬爲寸段，先以豬油爆爆，加冬菇，紹興花彫，生薑，葱，精鹽，及一點點茴香或陳皮，以殺腥味，文火徐燉，熟爛爲度。臨吃時加嫩牛蒜花，胡椒粉，這是曼谷御廚的口述，姑誌之，以貢獻自由報讀者。

新二十五經

戀愛經

馬騰雲

風氣是跟着社會轉的，從前的小姐們，不是因社會風氣好而就不懷春，相反的她們內心的春意，比較現在更爲強烈，不過都含蓄不露，埋在心頭，我們可以從唐詩裡看出一部份，例：春詞「新妝宜面下朱樓，深鎖春光一院愁，行到中庭數花朵，蜻蜓飛上玉搔頭」前者形容自己的調脂勻粉面龐的美麗，後者露出用院內數花朵，壓制着自己的奔放情感，指蜻蜓很像小孩子跌，時還慾於人之意味。

談戀愛本是懶散人的忙事，也是忙人閒情，徐志摩和陸小曼，弄得天翻地覆，從國內鬧到國外，本身影響到一般青年分子，大概在大陸的智識四十歲以上的朋友們，未讀過愛眉小札的恐怕很少，其所以會造成這樣一個情勢，尚未被一般人所注意，那就是在戀愛的過程中，一切的障礙，都會挑起很大的熱情。陸小曼有夫的徐志摩，變方爲了要克服擺在眼前的重重障礙，勢必要拿出赴湯蹈火，壯士斷腕的勇氣，才能達到共同目的。故社會上一些不正常的愛，反而會纏得非常的緊，就是這個道理。郭良惠女士寫的「心鎖」在自由中國引起軒然大波，就是因爲描寫的故事，屬於不正常的範圍。不過話又說回來，正常的戀愛又，又有甚麼値得寫或値得還麼多人去注意呢？以老油條魯迅的刻薄，也祇能將結婚的儀式，形成爲宣淫的廣告而已，其他就不必論了。

我不鼓勵青年男女走不正常的路，「孽緣」是人世間一種最痛苦的緣，違反了這個常軌就是「孽」，孽的定義是「妖孽」，罪惡的行爲謂「作孽」，反常男女關係叫「孽緣」。台灣又有一件出自孽緣的因兄妹通姦引起的兇殺慘案，見報紙上渲染得很大，構成爲新聞的因素，就是出自在不正常。戀愛雖是結婚的必經過程，但對象則可遇而不可求。有些人致力於追求對象，凡若干年而難達目的，或可望而不可及；有些人是被糾纏得擺不脫，摔不掉，也有強擺脫造成悲劇的，悲劇中的主角，大多數是被愛神的箭所射傷，或者是跌入愛的陷阱太深，青年朋友們，如果遇有這種情形時，得當機立斷。因爲斷了線的風箏，能夠收回來的很少，爛草鞋亂麻既絆住公雞腳時，脫去也不太容易，以亞聖孟夫子的智慧，他反對「尾生」類型的戀情，他認爲這種痴痴的等待女人硬將自己被洪水滅頂死在橋下，比一根鴻毛還要輕。中國名教授張起鈞（老莊哲學權威的華盛頓大學及夏威夷大學哲學教授）看過了「梁山伯與祝英台」電影時，很感慨地說，如果一個男孩子這樣沒有出息，還早一點死好些。（上）

催眠術研究（三）

鮑紹洲

一、號令催眠法

號令催眠法，就是「被術」的人因「術者」的號令，而作特殊的運動，使人入催眠的方法。其法共有三種：

（一）先使被術人仰臥於牀，或趟在椅上，兩目合閉，使全身位置妥適。次伸兩手與身體成直角狀態。聽術者數一時，即垂直兩手貼於身體，成垂直狀態。號令者呼二，又復前伸，如呼一狀態。如此暗示，往復數次，即呼一伸手，呼二垂手。號令者時而呼快，時而呼慢，或呼一而暫止，或呼二而暫停；但號令者開始呼聲大，逐漸低微緩慢。同時暗示「思眠」，「甚思眠」，「已思眠」，「更思眠」，「更－甚－甚－思眠」。反復呼之，被術人應聲而眠了。

（二）第二法：須告訴被術人，呼一則閉眼，呼二便開眼。如是一、二呼數，開眼閉目，反復十數次，途將號令速度或緩或急，但閉目的時間越後越長，開眼的時間宜短。如此呼到數十次，號令[illegible]動。施術人舉手用拇指與食指輕壓被術人的眼球上，暗示之道：「思眠」，「甚思眠」，「已眠」，「熟眠」，反復默念之，被術人終必眠睡。

（三）第三法：使被術人閉目垂雙手，號令呼一則握拳，呼二便開拳。號令人時急時緩；或呼一即止，或呼二而停，務必依令握拳放掌。且暗示之道：「聽我的命令」，再說「欲眠」，「心覺眠了」，「四面寂然無聲」，「入眠」。反復數十次，被術人自應暗示而催眠了。號令之眠之原理，號令上下其手，開眼閉目，以令其注意於暗示成習慣，而後感應潛導之暗示，便成爲催眠狀態。

毛澤東掙不脫內在矛盾的壓力（下）

（上接第一版頭條）廢棄集體化，廢棄暴民路線的群衆運動，同時必須回到中國之文化的基點上，尊重人性，順應人性，保障中國人民早已獲得的權利和自由，實行三民主義，激發每一中國人民的智慧和才能，保障每一人民的勞動權利及其成果，使人民不僅可以獲得政治的平等，而且更可以獲得經濟的平等，還是毛共唯一可走的路。

但是，毛共能否走這條路，並不是問題的重點，問題的重點是中國必然要走這條路，而且中國人已在走向這條路。這表現在海內外中國人民的反共運動和對三民主義的擁護上。毛共過去利用中國人民思想的混亂，雖曾得逞一時，[illegible]奴隸制度是不可能的，即廢除了奴隸制度，才可以清除前進的大障礙，推動前進的國家走上富強康樂的新境界。（完）

事過境遷

三幕喜劇　熊式一

仁：你要考慮多久呢？

包太：我得先上澳門去，親眼看看我丈夫的死屍，免得下一次他又活了，你姑媽罵我太急于嫁人，不但沒有等我丈夫墳墓上的土乾，也沒有等那上面生青草，連死屍都沒有看看淸楚……

仁：這一次不必，那位史先生說得淸楚極了，我姑媽問過了他，再不會復活的，她早已放了心，暖……暖……慧……珠！我不妨老實告訴你，我姑媽早已許可了我們的事，這本來是她的主意，（他掏出她的信來）要我們不聲不响的，再辦一次婚姻登記的合法手續！

包太：我早猜到了這是姑老太太的主意！不過她老人家雖然放了心，我自己却不十分放心！就算我已經來不及親眼看看他的死屍，至少我也要去看看他的棺材，看不見他的棺材，也要看看他所葬的地方，看看他在澳門死亡證記處所登記的日子和時間……

仁：（他臉上得意的樣子，完全沒有了，後來簡直覺得她的話，每一句像一把刀子一般的鋒利，刺他的耳，刺他的心）惠貞，惠貞，算了吧，千萬別提……

包太：（微笑）仁翰，你又叫我做惠貞？你再把我當做別人，我可要生氣了！

仁：慧珠！慧珠！對不起！對不起！我請求你，再不要提那些事，那是她老人家的話，我並沒有表示同意！我還請了她別說！

包太：這倒是眞的！不過有人說，現在有一班青年——甚至于中年人——一見着一位漂亮的女孩子——甚至于勉強不算難看的中年女人——便想要和她結婚，也不管他自己有沒有結婚的資格！

仁：這不要緊，你知道我的資格，香港的人，誰都知道包仁翰的資格，誰不淸楚，可以打電話去問問港督，或者是去查查香港的名人錄，他馬上就淸楚了！

包太：我不是說那種資格！上午我聽見你說過：一個人的收入，也是他結婚資格之一……

仁：（又得意起來）好得很！好得很！這一點你應該知道，不必去問港督，也不必去查香港名人錄！你知道我有資產、股票、地產房產，每年多少收入？不但我們這一輩子用不完，下一輩子，三輩子，五輩子都用不完。

（四四）

自由報

中華民國內政部內警台報字第〇三一號
中華民國僑務委員會登記證僑台教新字第三二三號
中華郵政台字第一二八二號執照登記爲第一類新聞紙

（第九一七期）

（半週刊每星期三、六出版）
每份港幣壹角・台灣零售價新台幣弍元
社長李運鵬・督印黃行蕾
社址：香港九龍彌敦道593—601號
廖創興銀行大厦八樓五座
LIU CHONG HING BUILDING
7th FLOOR FLAT 5
593—601 NATHAN ROAD,
KOWLOON, H.K.
TEL: K303831
電報掛號：7191
承印：泉星印刷公司
地址：嘉成街廿九號地下
台灣總管理處，台北市大同街119號
台灣區直接訂戶　台郵劃撥戶
第五〇五六號張萬有（自由報會計室）
電話：五一四〇三三・五五五三九五
台灣分社：台北市西寧南路110號二樓
電話：三〇三四六・台郵劃撥戶九二五二號

反共思想鬥爭在美國

・雷震遠・

編者誌：雷震遠神父是國際馳名的反共健將，也是國際問題的研究權威。他原籍比利時，在中國華北傳教多年，曾親受過華北共產黨徒如賀龍等人的迫害，深悉共產黨人的技倆。二次大戰後，曾應聘爲越南吳廷琰總統的高等顧問，對東南亞情勢，瞭解亦深。年來在海外從事反共宣傳，極爲辛勞。台北各大專教授沙學浚（國立師範大學文學院院長）、曹敏（政工幹校教授）、李邁先（國立台灣大學教授）、侯璠（國立師範大學教授）、陳光棣（國立清華大學教授）、張翰書（東海大學教授）、葉祖灝（國立政治大學教授）、張起鈞（國立師範大學教授）、王靜芝（輔仁大學教授）、郭垣（中興大學教授）等，於本年十月十三日曾聯合邀集友好數十人，假台北市立法院第三會議室舉行歡迎茶會。雷神父應邀講演國際反共情勢和報告亞洲問題講演團在美工作概況。茲將其講稿發表如後：

創辦亞洲問題演講團

主席、各位教授、各位先生、各位女士，今天很快樂與各位見面，來報告美國反共情形。在一九六五年自由太平洋協會在美國創辦亞洲問題演講團，在此以前由於美國共產黨在美國宣傳活動都很積極，共黨此種思想戰，因爲美國缺少反共團體反駁其謬論，于總主教到美國見到此情形，認有創辦亞洲問題演講團的必要，就邀請美國大學教授，亞洲問題專家二十五位參加我們工作，以紐約爲中心，經常到各學校及各團體去演講駁斥親共謬論，每月要演講三十次到四十次。以前去演講多是由學校校長出面邀請招待，現在多是由學生會主席出面邀請，所以旅費及一切費用均由自己負担，毫無收入，今年賠去三萬多美元，這些錢都是由朋友幫忙，不用任何政府的錢，不要任何國家政府津貼，我們才是純民間團體，才能有力的去做反共工作。我們的演講主張就不必跟美國政府政策走，所以能夠貫澈我們反共的主張。有一次在奧勒岡大學演講時，有一位教授說我是中國遊說者，我馬上要他寫給我住址，他知道我要請律師提出控告，就走開。我去很多地方演講，演講的人多數是親共者，但是對他們很容易應付，因爲他們沒有到過遠東，不知道遠東情形，我把遠東被共產黨侵畧情形提出事實他們就沒有話說了。每次去演講都要化四小時左右時間，有一次主席是左傾的；聽講學生也多數是親共的，因我答覆了很多問題，指出共黨的荒謬。於是有一個親共學生就起來反對由我答覆問題，我立刻提出抗議，認爲邀請我來演講自然有權答覆問題，應將搗亂學生趕出會場，否則我退席。結果該學生離開會場，後來很順利的結束此演講會。還有一次中國留學生邀請美國參議員毛斯演講，有美國學生參加，因爲毛斯參議員主張承認中共的謬論，我與中國留學生都不鼓掌，表示無聲的抗議，美國人感到我們沒有禮貌，但是我認爲這種無聲抗議是必要的。到毛斯參議員講完離開時，我們起立表示禮貌。

我認爲現在自由世界與共產黨的軍事戰爭在遠東，思想戰爭在美國。共產黨在美國，有職業學生，同時滲透到報館，學校等各方面。共產黨在美國不直接宣傳共產主義，都是用民主、自由、和平動聽的名義，宣傳姑息主義；傳播親共謬論，用各種方法破壞美國反共政策，他們作風與過去中共在大陸一樣。但是美國人民認識不清楚，誤認共產黨是民主人士。共產黨可以在美國隨便活動，另一方面美國人在越南與共產黨作戰犧牲生命，這是矛盾現象，因美國政府沒有正式與共產黨宣戰，所以共產黨可以在美國自由活動。他們可以在美國示威遊行都不犯法。這些主要原因是美國姑息主義抬頭，美國政府、美國人民都想美蘇可以合作，自由世界可以與共產黨共存，這些都是錯誤想法。

美國多數學生是反共的

美國學生眞正親共的只有百分之十，多數學生是自由、民主的思想。但是親共學生是有組織的活動，反共民主思想的學生是沒有組織的。賓州大學有一位學生父親是蘇俄人，他到聯合國去參觀，並拜訪蘇俄駐聯合國大使，那一位學生回到學校後就邀請蘇聯大使去演講，親共學生都先佔位子出席聽講，左傾宣傳很誇大，還有電視傳播。我是被邀演講的，會中親共學生提出美國帝國主義侵畧越南，反對越戰，我當時舉出很多事實說明越南人民很自由，北越不自由，很多人由北越逃出來，蘇聯大使（由參事代表）沒有到過越南，沒有辦法回答這些事實上問題，許多左傾學生擁護蘇聯大使，他們很生氣就要打我，後來我由幾位自由份子保護才離開會場。所以越南戰爭在美國是一種重要的思想戰，情勢很危險，這一次我到越南，建議越南政府派人到美國組織越南演講團，與我們亞洲演講團共同合作，由越南人在美國講越南問題，要壯大聲勢壓倒左傾人士，不要只讓美國左傾人士講越戰問題。

現在有很多美國人已認清共產黨眞面目，最近美國自由基金會訓練自由青年鬥士五百人，與我們亞洲問題演講團合作，共同研究共黨滲透美國問題，利用暑假作澈底研究，我也以五天的時間，與他們共同研究，共同生活。這是一種好現象，使這些青年加入反共陣營，我要他們回去學校組織自由思想青年從事反共。美國共產黨與亞洲共產黨不同，亞洲共產黨有軍隊作戰，美國共產黨沒有軍隊，在美國人認爲共產黨在美國不重要不發生作用，但是美國共產黨組織龐大，力量日增，在美國由鄉局可以自由買槍，將來美國共產黨可能在美國發動游擊戰，來反對美國政府，我要美國人注意共黨的活動。現在美國自由基金會訓練自由青年，我想將來必有很多美國人民社團來訓練自由青年。

影響美國輿論，紐約最重要。

要影響美國輿論，先要影響紐約輿論、在紐約，要以電視影響力最大，我們由一位朋友幫忙，每週化五千元美金買三十分鐘電視時間，三分鐘作他們公司產品廣告，二十七分鐘由我們主持亞洲問題演講及辯論，這是一個很大力量，紐約及其附近人民都可以收看，我們又在華盛頓每週化八百元美金買三十分鐘電視時間，作反共的宣傳。同時我們在二十個廣播電台每天有五分鐘的時間作反共宣傳。因爲美國工人、汽車司機，在工作時可以聽廣播，所以輿論力量很大，我們也常與電台聯繫，電台臨時缺少節目時，我們就去參加，有一次我們帶三位越南女學生去參加節目講越南問題很成功，夜間節目我們也願意去，因爲夜間工作者要聽廣播，這些我們希望有台灣去青年，最好有大陸逃出的青年與我們參加廣播或電視節目，效果更大。我們在美國出版雙環雜誌，有一個出版公司，每月出版一本小冊子，有一本反共書籍，是讀者文摘著名作家尤恩氏，曾居住蘇聯七年，著有「工人的天堂失去了」一本書，原售價每本七元美金，我們化五萬元美金買他版權，每本一元美金，大量印行，普及全美國。我們出版「北平紅衛兵」一本書，現在許多美國大學採用它作教科書。我希望國內各位先生多寄給我們資料，以供出版反共書籍及演講參考之用。

我到過英國、法國。英法人民多認爲越戰是美國侵畧越南，這是由于缺少宣傳，致他們不瞭解眞相，

。我到過紐西蘭、澳大利亞，作多次演講，也在電視辯論。紐澳國家本來相信美國軍事援助，但因爲越戰不能勝利，紐澳都不相信美國，他們要求「自救」、「互助」，來抵抗共產黨的威脅。澳洲是地大物博，中國可以移民去開發，因爲澳國怕日本人，歡迎自由中國人民去開發。由於蘇聯侵畧捷克事件發生，自由國家人民提高警覺，對我們反共宣傳工作有利。蘇聯侵畧捷克前一天，我在澳國演講時，親共學生很多來搗亂。蘇聯侵畧捷克後第二天，我出席演講會，就沒有學生搗亂了，這可以證明蘇聯侵畧捷克對自由世界的影響。我在澳國參加演講二十七次。最後一次演講會，捷克留學生很激烈，他們要求捷克自由，要求自由世界與蘇聯斷絕邦交。

五年內，自由中國就打回大陸。

我曾對美國記者說，在五年內自由中國就打回大陸，大陸共產黨就會滅亡，因爲大陸中國人民喜愛自由民主，不久就會起來推翻中共暴政。共產黨是沒有辦法抵抗的這種自由力量，

最後要求自由中國反共人士，支持我們在美國的反共工作，常給我們寄反共資料，常給我們指教，支持我們促進美國人民反共大業，幫助我們早日消滅中共，回到大陸。（張孝昭記）

自由談

最近台灣省高雄市地方法院檢察官李石祿的所謂「脫褲子」醜聞，鬧得轟轟烈烈，遐邇皆知，不但是法界之羞，也是國家聲譽上的一大玷污，未可等閒視之。

根據台灣各報的採訪消息所述情節，發生本案的基本原因，乃是貪污問題。身爲承辦訟案的檢察官，竟爾蕩檢踰閑，無視紀律，既化裝潛赴當事人的家中，洽商案情，又公然與當事人的妻室在旅社接洽賄賂，且有九千餘元的台幣藏在褲袋內，人證物證俱全，百口莫辯也。台灣行政界的貪污風氣，已呈現着賄賂公行，習以爲常的狀態，李石祿的醜聞，僅係九牛之一毛耳。司法界且如此，其他各界可想而知矣！

貪污者死！

古今萬國皆難免有貪官污吏產生，貴在有犯必懲，毫無假借，譏親議貴，決不瞻徇，加之以輿論摘奸發伏，台諫監察糾舉，庶幾可望減少貪污行爲，不致肆無忌憚。如果構成了「大不必法，小不必廉」的一般習慣，而又不免有「竊鉤者誅，竊國者侯」的紕漏存在，那便是病入膏肓的現象，決非使用尋常的法令紀律所能救藥的。貪風不絀，政治即永無清明之望，政府的威信自然樹立不起來，民衆的向心力乃相應降低。這在平時亦是國家的大患，何況處於國難嚴重的非常時期呢？

因此，我認爲古人所謂「治亂用重」的政策，今日確有實施的必要，而其方法却不宜拘泥於民主憲政的常軌。鄙區愚見，政府應特設懲治貪污的機構，約法三章：一、貪污有據者殺無赦，且無上訴權。二、貪官污吏的財產一律查抄充公。三、賄賂的與受者不同科。由政府聘任一些素無貪污劣迹而賦性剛正的社會人士主持其事——凡在任的行政與司法官員皆不得參預其役，原有的刑法和懲治貪污條例俱不適用。另附以陪審制度，由民意機關與農工商會各派代表十人爲陪審員，以昭信實。果若是，貪污風氣必可消弭大半，否則任何嚴法明令，都是具文而已。

馬五先生

昨日與明日

時代的痛吟

越南副總統阮高祺於赴巴黎前夕，就和談在電台及電視上發表演說，呼籲越南共和國人民團結一致。

演說中有一句話，他說：

「沒有理由，爲了我們一時的軟弱、讓共黨藉談判而達成他們統治越南的夢想。」

這一句話，我們重提出來，並非想憑此作爲追尋其內涵」的線索，而是相信它會成爲歷史的見證。因爲這一縷音響，對我們來講是非常熟悉，雖然它微弱、無力，可是由於它揉合了一個民族的感情，不同人種的血淚，所組成的屬於這個時代的痛吟。

但願這一縷音響，從此永絕。

僵局的和談

現在，越戰終於由戰場搬到桌子上。

這是美國投入近五十萬的軍力，打出來的結局，美國既無意延續，越共也需要獲得一個喘息的機會，在雙方都「倦」在無克敵制勝的情況下，和談於是產生。

越戰能否談的「和」，不容樂觀。談的重心與其癥結，在於十七度以南，所謂「越南民族解放陣線」所控制地區政權的處理！

是「聯合政府」歟？抑是「兩分其政」歟？還是另有它的方法？

這不是什麼立場的問題，而是關係着一個國家的主權、土地、及存亡關係的問題！

擺成四邊式

阮高祺等一行已抵巴黎。美國也已訂定和談的目標，要北越自越南和寮國撤退武力。

北越的代表團是最輕鬆的，他們的思維仍集中在通過「胡志明」小徑的台後人員的動靜，和寮國的烽火重燃！他們祇堅持「桌子」要擺成四邊式的。

所謂四邊式，就是要美國與越南在形式上承認「越南民族解放陣線」的當事人地位！

越戰七載，死傷累萬，多少人家破毀支離，就爲了杜塞共黨的擴張，否認他們侵畧的果實，結果沒有打出了「名堂」，莫非能談出個「名堂」來？

誰背包袱

詹森總統任期尙有四十幾天，打了七年的戰爭，能否在這四五十天的時間談出「和平」是個未知數！而即於明年元月廿日就成爲「白宮主人」的尼克森，希望能在詹森任期內獲得結論，此一包袱誰都不願意背，可是誰也不能放下！

七年，打了一場「不求勝利」也「不能失敗」的戰爭，累積了太多的痛苦經驗，想求得一個「奇跡」般的解脫，桌子上也難承担下這個包袱！（叔予）

豈止漱口盃

旅美散見

·張起鈞·

古語說：「自其同者而視之，天下一家也，自其異者而視之，肝胆楚越也」。眞是一點不假。從大處看，人們都是一樣的，但從小處看，却因爲文化習俗之不同，彼此往往有許多想不到的相異的地方。例如我們以前會說過，在美國找不到漱口盃。大家誰不嗽口，怎想到會沒有漱口盃呢？恐怕不是親臨其境的，誰也想不到吧。其實何止「漱口盃」，找不到的東西多着呢！譬如說「飯碗」吧。在我們中國人想來，飯碗那個地方沒有。唉！你在美國去買吧，包你跑遍了街市店肆都找不到，除非是專賣中國什物的鋪子。原來美國人並不吃米飯，即令吃米飯，甚至是吃湯，也都是用盤子，試問你燒了飯碗，賣給誰？

假如順着這條線推下去，而去找「肝胆楚越也」的地方時，他們的爐子，不論是用電，還是燒煤氣，全都不能炒菜。因爲他們的爐火全是平的，只能放平底鍋，烙餅、煎蛋、炸牛排，全是呱呱叫！就是不能炒菜，你要炒豬肝，準保炒老了，炮變脆更是談不到。就算你從中國帶個炒菜鍋去，不僅這尖底鍋在平爐口上放不穩，並且火力也撲不上來。要炒也可以，只能利用鍋底一點點的地方炒半兩肉好了。

鍋可以不用，炒菜可以不吃，肉絲不能不切，而美國的菜刀却全像水果刀一樣，既沒有分量，又不快，唯一的好處就是不至於割破手，因此奉勸到美國的太太們，千萬不要忘了帶把切菜刀啊！

新官場現形記

推事到旅館·表演脫褲
縣長僱打手·街頭打人

·怪叟·

高雄地院推事李石祿（四十一歲台南縣人），與在押人犯蔡炳堂之妻蔡蘇英蕊（三十七歲嘉義人）互控搶奪、恐嚇、妨害自由及索賄萬元，企圖非禮一案，已進入司法偵查階段，局外人自不應多所置喙，惟此事件發生經過，頗富傳奇意味，爾足令人發噱，爰述之於後，以爲有志撰寫新官場現形記者之參考資料。

緣有蔡炳堂者，以涉嫌公共危險，侵佔及妨害家庭等罪通緝有案，近被警方拘捕移送高雄地院收押偵辦，案由李石祿推事審理。本月二日上午李推事竟隨蔡某之妻進入高市六合二路信東旅社三一六號房間「商談」，脫褲疑案於此爆發。據李推事給高等法院的報告畧以：「查被告蔡炳堂通緝計有三案，其妻蔡蘇英蕊獲悉本案係由職承辦，先後共三次至職宅請求將其夫保釋並判決無罪，由職妻告以如有事向本院聲請。詎蔡婦以其自己于本年七月間違反票據法一案，經判處徒刑並科罰金，其夫亦未保釋，于心不甘，於三日前向高雄市六合二路預訂房間，明陷我每日上下班必過該路探視在該路市立二中（前金國中）讀書之三小孩，乃于二日中午十一時許糾集流氓六人，佯稱有事確商，半擁半推之下，將我扶持至預先安排之該旅舍三一六號房間（按：市立二中與高雄憲兵隊相距不過五六十公尺，信東旅社則在憲兵隊斜對面，相距約廿公尺），職被強行脫去所穿外褲等（按：其場面必極爲緊張），交由被告蔡蘇英蕊持往本院檢察處申告職強暴，職經拘禁該旅社一小時許，嗣經脫出魔掌（頗似弱女子口吻），蔡婦此項串演仙人跳早有預謀，妨害職之自由，並有妨害名譽，搶奪等罪嫌」云云。

又據蔡蘇英蕊向記者說：「李石祿和他丈夫早就認識，她先生被扣的當天傍晚，她到前金區復元街李推事家裏，請求幫忙，李要她留下住址辭去。十一月二十八日早晨七時半左右，李推事到她家裡，進入房間後就問她：『妳很寂寞吧？』于是開始毛手毛腳並對她強吻，彼因李推事願意幫忙，遂逆來順受（按：此成語用來頗盡傳神之妙）。後來李說他個人決定幫忙，但其他有關人員需要應付，所以約定于十二月二日帶一萬元到市立前金國中附近見面，李推事以站在那兒說話不太好，才改在信東旅社，當她進入旅社後，李就來了，兩人見面講了沒有幾句話，李即對她開始不禮貌」云云。

按之蔡炳堂夫婦都有刑事前科，顯係狗男女型人物，已不待言。且說李推事曾受高等教育，更負司法重任，其行爲竟至如此輕率，殊使人驚訝，既身爲法曹，必知愛惜羽毛，何得與當事人妻子在旅館關室「商談」？縱未曾索賄與非禮，則站在公務人員立場，亦屬有失官箴。倘係要人又要錢，則更屬荒乎其唐矣。何況褲子之爲物，不管穿在男人或女人身上，一旦在不應該脫的場合脫下或被脫，都會構成麻煩事兒，尤以法官的褲子「被脫」，更是古之所無，今之罕有的麻煩事兒。宜乎該員之停職了，還眞是「褲」一喪斯文！

另一件事，是因地方選舉官司引起的打人糾紛，亦屬新官場現形記中之精采資料，更不可不記，以免有「遺珠」之憾焉。

據報載：涉嫌毆打律師朱昭勳而被訴的嫌犯楊義雄，本月三日上午在新竹地院刑庭應訊時供稱：「本年六月四日，縣長劉樹煙要他僱人修理縣長選舉官司原告律師朱某，他和楊石松自縣府附近跟蹤，伺機行動，一時無法下手。七月十日上午七時許，有人從縣長公館打電話給他，他趕到縣長公館，劉樹煙一見面就說：『朱某今天要從台北到新竹來，這次一定要交差』！他馬上到延平路通知楊石松，張正輝，曾天來等四人，準備行兇。上午十時許，朱某陪同監察小組人員到縣民政局檢取第一百三十一投票所選舉人名册，他即派楊曾二人分別把守通路，他又到事務股與呂政通等人談天。但朱某却從縣長辦公室門前的樓梯口走下，他只好自己跟蹤，呂政通有到他要跟蹤，即拿一張縣府公庫一千五百元的支票對他說：這是縣長交待給你作大家中飯的錢。後來朱進入縣黨部，到十一時許，朱仍未離開，他要辦私事……，即到岳父家吃飯，以後怎麼打朱某，他不知情」云。

查此事正在司法審理階段，當有水落石出之日。果如楊某所說，係奉縣長之命，當街行兇，則這位縣長可稱爲目無法紀的了，何況他是所謂既得利益的人，已經登上縣太爺寶座了，還這樣無法無天，豈非民主政治之累？

立院對政府預算案 通過增加支出

是否違憲國代將予研究

本報記者龐尙書台北消息：有關立法院於本年五月通過五十八年中央總預算及其他施行條例，曾附帶作成決議問題，決議案內容，甚爲機密，外間多不明瞭，尤對其增加支出之決議，引起「違憲」之「責任」，社會盛傳一時，立法院本會期始曾有某委員向行政院長提出質詢指出香港報紙登載茲事，行政院對本案，迄尙未有答復。據外間傳播，國民大會全國聯誼會會對該項附帶決議查明爲：「立監兩院事務費應按『本年度通案調整』。所謂本年度通案調整者，係機關事務費原按人員編制每人每月二百元，今調整爲每人每月三百五十元。」國大全國聯誼會曾數度愼重研討，認爲「立法院對行政院所提預算案，不得爲增加支出之提議」（憲法第七十條）僉認憲法規定，爲防止立法院濫權，以圖利本身及他人，各國國會莫不以此爲例證。今調整爲「每人三百五十元」而言。究其所爲不僅係增加支出之提議，且進而爲增加支出之決議，實抵觸憲法七十條之規定，況憲法明文規定「法律與憲法抵觸者，法律無效」。國大全國聯誼會幹事會數月以來，曾醞釀簽署舉動，惟對外極度秘密，關係方面曾不斷進行疏解，前日台北報載「國會政治風暴」即對此而發，現國民大會全國聯誼會本年度年會將於十二月二十五日舉行，對上項醞釀是否提出年會討論；抑就簽名方式上書總統。究採何項舉動，目前尚難預料。惟據某法學權威人士告：立法院上項附帶決議，若提出司法大法官解釋，將不免「法律與憲法抵觸者，法律無效」。但料在情勢上似難此途徑，惟立法院既成之「決議」，勢將成爲憲政史上永留一「不明智」之事蹟而已。

草率從事審議外人投資

由於日本車樂美縫衣機公司經中華民國政府主管官署同意在台灣設廠製造裝配的同時，他揭開了台灣縫衣機業者的一段辛酸奮鬥創業的過程，迄至現在蓬勃起飛的情況。

針車是屬于輕工業類，依據台灣工業發展的條件，並不需要外資投入才能刺激起飛，該業如果能得到有關單位的輔導配合以金融的融通，急速增加產量，並非困難，始看十年前台灣針車業經台灣省物資局輔導外銷當時僅一萬台左右，迄今外銷計四十萬台的業績，足見該業業者的創業精神，並且明年能預計生產外銷一百二十萬台的數量，也可看出該業起飛的現象。

台灣針車以較低成本的優越條件，在今日國際市場與日本針車競爭佔盡便宜，日本針車工業由於成本太高步入萎縮，加速台灣針車起飛的時候突聞日本車樂美針車在台製造裝配，並能自日本進口零件十一種，在今日台灣針車生產不敷外銷的情形下，可說是刺激該業的起飛嗎？促使業者起飛增加產量，很明顯的是銷售量的需要，今日台灣針車業的零件生產，自己不敷裝配，而又將以部份供應外人投資的工廠，這不是明明「引狼入室」，「蠶食鯨吞」，剝削自己國人的製造工業嗎？再則日本針車工廠原有二百餘家之多，現在剩餘的十多家，爲了自身的利益，當然會想盡方法與台灣業者競爭，其方法，不是設法降低其自身的成本，就是促使台灣針車業者成本提高，如果車樂美縫衣機公司台灣工廠開始製造裝配之時，玩弄手法促使台灣針車「成本提高」，影響外銷，這不僅是打擊台灣針車製造業的前途，同時也損害了政府的外匯收入！

質之主管審議外人投資的官員，在同意車樂美縫衣機公司在台設廠同意之前，根據台灣針車業者的透露，並未向國內業者作詳細調查及徵求意見的必要步驟，如此草率從事審議批准，將來如果造成惡劣的後果，其將如何交待與國人啊！（曼城）

喬治桑外傳（十）

張大萬

貴妃是東方美人的胎子，小鳳則是十足西洋妹兒，可見東西文化交流之成果豐碩。

「怎樣？」「小雲雀」低聲問喬治桑。

「溫荳腐，」這是一句洋文，表示美妙之意。

「鬆不鬆？」喬治桑追問「小雲雀」。

「甚麼鬆不鬆？」「小雲雀」沒有聽懂，有點迷惑。

「她們的褲帶。」

「呀，你這人眞壞。你不是說你的兩位日本朋友可能要帶她們出去？」

喬治桑點點頭。

「多少價錢？」

「哎呀，這是交朋友嘛，看你們送多少，那有一定價錢。」「小雲雀」到底與「貴妃」「小鳳」是同行，不得不顧一點面子，何況實在也無法開價。

「萬一帶她們走，一個給五十塊少不少？」

「小雲雀」點點頭，哼一聲以示OK。她知道桑博士絕無每人打發五十元台幣之理，說的自然是美元。

愛因斯坦所說的「相對論」是很有道理的，幹正經事覺得時間過得眞慢，在酒家、舞場泡起來，時間似乎特別快。

牛董事長與兩位日本貴賓在九點半鐘翩然光降。

喬治桑慌忙站起來，向前迎候。

牛董事長先用日語嘰哩咕嚕了幾句，向日本朋友介紹喬治桑，然後爲喬治桑介紹：

「這是大塚先生，這是野田先生。」

大塚掏出卡片遞給喬治桑，上面印着：

「日本萬靈製藥株式會社常務取締役」

大塚眞太郎

另一張是野田遞過來的。

「日本應治製藥株式會社常務取締役」

讀者投書

對一人一元運動的看法

楊傳廣先生提倡的一人一元運動，初推行時，各界反應冷淡，目前教育當局及省方發表聲明決以大力支持，並設專戶來收集匯款，如此一來，學生勢必要被強迫樂捐，因此做爲一個學生的我想借貴報來表示一下我個人對這運動的管見。

「一人一元運動」之目的本是想建設一個一流的體育館來發展我們國家的體育運動，其計劃是值得我們讚賞的，但是仔細的想一下我們體育運動不發達是缺少體育館嗎？這實在是令人懷疑。我們且看中華體育館，當初興建的目的是爲了甚麼，還不是想藉此來提高我們的競運水準，但是結果又如何呢？在亞洲我們連前五名都難擠進去。而體育館現在却成了文藝活動中心。再說各縣市的體育場，每天究竟有多少人在那裡鍛練自己？幾乎沒有，還不是空在那裏讓雜草叢生，在這種情形下，即使我們有超世界水準的體育設備，又有何用？只徒增國家的開支而已。

目前我們體育的衰頹結說起來很簡單，就是「考試」問題在作祟，在今日學生們成天被考試壓迫着，幾乎是日以繼夜的在拼命，僅可以廢寢忘食來形容，他們究竟是爲了什麼？還不是想升學，想將來能有點出息。現在小學生不必再爲升學考試煩惱了，可是升高中升大學的問題却一年比一年的嚴重，不但中學生是成天的在爲考試而讀書，就連大學生也難逃此浩劫，其苦讀之程度決不遜於中學生，他們又爲了甚麼？還不是爭取好成績，想出國。就拿筆者所讀的成功大學來說，每天圖書館裏總是座無虛席，有時甚至要於清晨去佔位子，否則就只有向隅了。反觀運動場上，除了上體育課及有比賽時，人稍多外，其餘時間却異常的清靜，跑跳於其上的人寥寥可數，我想其他的學校當也不例外。這並不是意味着學生們對運動沒有興趣，只因一般人不重視體育，認爲要想將來有點出息，還是多讀書爲上策，這不正是「考試」在作怪嗎？因而一般的體育老師上體育課時也是敷衍塞責，大多是先讓學生們繞操場跑上一兩圈，再做做操，就解散去自由活動，因此學生們對於各種運動之規則，常識及姿勢技術等問題一無所知，這在無形中就減低了學生們對運動的興趣了。

還有一個現象是目前在體育方面稍有成績之人，大多是課業成績不很好的學生，而其他的學生爲了功課，也就與體育絕了緣。而這些對體育有興趣的學生，也就是被一般人認爲對體育具有天份的人，於是比賽就成了這些人的事實，「代表」這「代表」那，凡是有比賽，就可見到他們，像這樣運動變成了少數人的職責，如何又能推展全民體育呢？無疑的，又是考試的影響，所以我們不得不承認「考試」才是我們目前體育運動衰落的癥結。我們要想振興我們的體育，不是建設一兩個標準體育館就能成功的，必須從根本處着手，也就是說先要解決「考試」的問題。

再說體育館之設立必竟是有地域性的，外縣市對運動有興趣的人不可能爲了求好成績而跑老遠的路去標準體育館練習。何況體育館建成後一定是派人看守，平常是決不可能開放，普通人又怎能隨便進去呢？這可以各縣市的體育館及其他體育設備推知。再加上以十億台幣所建成的體育館其龐大是可想而知，這樣大的體育館管理員就要十數人，這些管理員的雇用必定會產生體協內的人事之傾軋，加上管理員薪水及保養費之支付，政府之開支又要增加，如此一來勢必又要增加稅捐了。現在我們發展體育目的是全民體育，不是爲少數的幾個人。基於以上種種理由我們不必化上如此龐大之經費蓋一個不合實用的體育館來炫耀自己。何況我們現在所處的環境是一切爲勝利，一切爲反攻的偉大時代，我們要的是全國人民都有健壯的身體，安定的生活，新式的飛機？軍艦，十億元我們可買十數架最新式戰鬥機，數艘新式軍艦，我們更可以拿這些錢辦更多對同胞有利的福利設施，所以我堅決反對建館運動，我們何不拿這些錢辦些像上述的眞正有益國家的事情呢？（成功大學曲雄）

文涯掠影記

丁治磐號啕大哭

丁治磐號啕大哭，哭得極其悲痛，情動全軍，睹者無不下淚！當時的第四方面司令官王耀武眼眶亦感染紅了。

時間是民國三十五年，陸軍第廿六軍駐紮衡陽北門外天主堂，軍長就是後來做過江蘇省政府主席的丁治磐，渠所統率的隊伍，因轉戰南北，幾犧牲殆盡，仗打完後，廿六軍剩下的可能祗是一個完整的番號，丁雖然是民國十年前後山東督軍褚玉璞幕部，但置身諸地，出處光明，一生潔身自愛，手不釋卷，眞所謂戎馬書生，英文也說得相當好，文法和發音，似皆經過名師指點。與共匪「駐緬甸大使」姚仲比較，姚就差得太遠了。學英文最忌漢字注音，姚爲表示「革命」，不僅用漢字注音，且將英文編成爲好幾百句中文歌訣，笨人愚行，死讀硬說，日夜的念，不斷的念，例：「點頭耶死，搖頭鬧，豪杜猶杜是問好。」樓主曾以「出洋相」爲題，在仰光之中國論壇報上，將姚罵得狗血淋頭。丁治磐是一位不折不扣的軍人，但稱丁治磐將軍的並不多，咸稱丁先生，關帝廟的對聯有「英雄幾見稱夫子」也是對丁治磐的寫照，其本人確亦當之無愧。

丁駐節衡陽，適凱歌欲歸之際，因念及全軍的剿匪及抗戰而犧牲的官兵，乃發起開「第廿六軍追悼陣亡將士大會」實含有隨我旌旗同回上國，各認本鄉受骨肉蒸嘗，領家人祭祀的意味，追悼儀式，全部採用古禮，隆重嚴肅，別出心裁，是時第四方面軍司令官乃王耀武經過衡陽，與樓主均參予盛典，丁在追悼會中讀祭文時，號啕大哭，且泣不成聲，大凡久歷戰場的朋友，處於此情此景，即鐵鑄肝腸，亦難抑制情緒，王耀武的靈魂之窗，經過淚的洗滌，驀然慧眼識英雄，在一哭即合之間，力促丁治磐爲第四方面軍副司令官，旣抵京，又保丁爲青島警備司令，及至江蘇省主席，因得何敬之、俞濟時之支持，但均與這場追悼會有很大關聯。

丁旣非出身保定，又未畢業黃埔，爲甚麼官昇得像吹氣似的，戲格的說固由於本身健全條件，實亦命運有以致之，所謂「不信書，信運氣」，查丁的八字是癸巳，乙丑，辛酉，戊子，巳酉丑三合會局，又辛金生於多令，病在寒氣凝冽，救在胎元得丙火，正合命家的：「有救方爲貴，無病不算奇」，逢金水運，均可建功立業，特別是巳未運中的丁亥年，亥子會水方，調長江蘇省主席，對戡亂撤退貢獻殊多。

蘇北小同鄉們有認丁治磐，樹葉落下怕打頭，冰水都恐燙破咀。此乃不懂政治的說法，其實這是一般性，並非丁氏專利，以大政治家諸葛武侯，一生的功業及做法，堪爲政治楷模，賺到的亦祇是「先帝知臣謹愼」而已，能做到謹愼帝知，還愁沒有官做嗎？不過丁治磐的能詩能文，儒雅可風，其兵士說：「老軍長文縐縐的。」始終給人有良好印象，王耀武在山東省主席任內（民卅六年）致樓主信時有：「似庵精誠練達，治事嚴謹，其好學精神，猶足欽道……」這兩句話，包括丁治磐的一切了。

·文匯樓主·

中國哲人簡介

惠施

張起鈞

在先秦諸子中，各家均從事於實際人生的探討，而少及純粹名言的析辯。儒墨兩家後期的學者，雖也曾在推理邏輯方面大下功夫，如墨經及荀子正名篇，在這方面都有過詳盡的討論；但墨辯與正名，不過是一套工具而已，一方面作爲攻擊他家學說的有力手段，一方面則作維護本派學說的重大憑藉。而惠施與公孫龍則不然，他們號稱「辯者」，以辯術風靡一時，名重當代，高談玄妙怪誕的理論，玩弄名言文字的遊戲，只知追求語意觀念的新奇與變化，而不知返回人世間題的本身。他們既沒有組織，又缺乏有系統的理論，實在難以成「家」；但他們的主張，確已與衆不同，自成一家，這一學派，就是所謂的「名家」。

惠施，是宋國人，與大哲人莊子，約略同時。更難得的，他們兩個在思想上，關係異常密切，在莊子一書中，常見他們在一起熱烈的論辯，雖說彼此觀點，大異其趣，卻私交甚篤。在他死後，莊子對他猶念念不忘，有一次經過他的墓地時，不禁大爲感傷，只因爲他不僅失去了一位生前的好友，而且更失去一個學術上足堪辯論的對手了。

宋國夾處兩大強國齊楚之間，所受兵災最爲慘烈，所以自春秋以來，倡弭兵議及和平運動的，大都是宋國人。惠施也講兼愛寢兵，主張魏國應聯合齊楚，對抗西方的強秦，以保持列國之間的均勢。梁惠王（即魏惠王）有一度曾預備大舉伐齊，惠施聽到這個消息，就授計給當時魏國的賢人戴晉人，去勸服惠王。戴晉人見了惠王，就說出惠施的妙喻：「魏齊相爭，有如蝸牛左右的兩個觸角，彼此怒目相向，正大舉自相撻伐一樣的可笑啊！」梁惠王終於打消，興兵攻齊的意念。他曾做梁惠王的宰相，魏齊相王，就是他的傑作。後來縱橫家張儀入魏，主張連橫，認爲魏國應聯合西方的韓秦，來攻打東方的齊楚，惠施跟他意見不合，結果在張儀的構陷下，只好倉皇狼狽地逃離了魏國，奔往楚國，楚王怕得罪「一怒而諸侯懼」的張儀，又把他送往他的故國——宋國裏去。

在政治舞台上，他受到了挫折，但他學識異常廣博，就隨身携帶五車的書籍，到處遊歷。一直到梁惠王死的那一年，張儀入秦爲相，他回到魏國，爲襄王効力。當時爲了覓求五國伐秦後的和平途徑，他奉命出使楚國；其後又爲了聯趙伐齊，以救燕國，而出使趙國。但不久即去世。享年約六十歲左右。

惠施，與莊子一樣，都要打破萬物的差別相，認爲天地一體。但兩人的說法卻顯然不同，莊子是得自於人生的實際體驗，惠施則從思辯理論上導出而出。他們曾有過一次極有趣味的辯論。那時，他們正共同在濠水的石梁上漫遊，莊子說：「魚兒在水裡從容的自來自去，該是何等快活呀！」惠施立即在莊子的話裏，找出毛病：「你不是魚，怎能知道魚是快活的呢？」莊子也不相讓的反問：「你也不是我，又怎能知道我不知魚的快樂呢？」惠施當然不服氣：「我不是你，誠然不會知道你；但你也不是魚，也不可能知道魚的快樂呀！」莊子看他越扯越遠，就說了：「還是讓我們回到原來的問題吧！你既問我怎麼知道魚的快樂，就表示你的心中，也知道魚的快樂了，不然怎麼會這樣的問我呢？事實上我就是在這石梁上體悟到的。」

從這一節答辯裡，可以看出他們思想態度的歧異。惠施的論據，只在語文上的推論，而莊子卻是內心眞實的體悟。莊子已與魚打成一片，所以知道魚的快樂，自不必在文字上去推敲窮究了。事實上莊子也大可作如是反擊：你既不是我，又怎麼知道我就不是魚呢？由此可知，眞理有時並不需要美麗的外衣；合乎邏輯的，也不一定意味著眞實。

思想與莊子頗爲類似

惠施的學說，已大畧失傳。現在我們只能在莊子天下篇裏面，去分析他思想的輪廓。而我們想要探索惠施的思想路線，必得先求了解他「歷物十事」所顯示的意義。

一、至大無外，謂之大一；至小無內，謂之小一。

二、無厚不可積也，其大千里。

三、天與地卑；山與澤平。

四、日方中方睨；物方生方死。

五、大同而與小同異，此之謂小同異。萬物畢同畢異，此之謂大同異。

六、南方無窮而有窮。

七、今日適越而昔來。

八、連環可解也。

九、我知天下之中央，燕之北，越之南是也。

十、氾愛萬物，天地一體也。

其中關於間的有第一、二、三、六、九等五條，關於時間的有第四、七兩條，關於觀念的有第五、八兩條，最後一條，則無異於他的結論。

他的學說重點，就在打破外在現象的差別。一切空間的大小、厚薄、高低、遠近、中外，及時間的久暫、今昔，以及觀念上的同異、成毀，都只是世人妄執的差別相，從無窮的宇宙時空看來，這些表面的差別，都是不存在的，也都是沒有意義的。故歸結到「天地一體」，主張人類應「氾愛萬物」。

他的思想，與莊子頗類似。但莊子雖始於「言」，卻終於「無言」，不僅打破外在的差別相，還更上一層樓，超越了現象界，而上升到忘人我、無死生的境界。故莊子評斷惠施的「歷物十事」，以爲他雖能勝人之口，卻難以服人之心。他著重飾詞巧辯，獨樹一幟，贏得「辯者」的封號，莊子卻大感惋惜，以爲「逐物而不反」，終是離道一間。

不過，他的學說雖重在析辯，但也回歸到現實人生。辯術是他的手段，最後的結論，還是要「氾愛萬物」，也足見他身爲哲人的苦心了。但後起的公孫龍，卻完全摒棄了中國哲人的此一特質，而流於形式上的詭辯了。請看我們下篇的說明。

西洋哲人簡介

亞里斯多德（六）

劉長蘭

據說亞里斯多德在有生之年寫上了千篇的文稿。他辛勤的工作以冀達成他收集，整理前人的知識以爲後人使用的目的。然而不幸他所有的著述均已散失，只有少數他在講習時用的，斷續的筆記由他的學生齊歐夫瑞斯達收集了送至小亞細亞保存起來，又經過了一百五十年才被發現並譯爲拉丁文和阿剌伯文。後來在無可考查的歷史過程中，不知怎樣這些作品又曾一度失蹤，直到紀元後五世紀才重新被發現而由阿剌伯譯成許多別國文字。

從五世紀至十世紀，亞里斯多德被西方各國學者視爲知識之泉源。聖湯瑪士阿奎那斯在十二世紀時稱之爲世間唯一的哲學家；但丁則稱之爲「智者之師」。中古時代，一切教育，文化以及學術性爭議都是以亞里斯多德爲依據。在大學象，他的作品必須熟讀默記。反對亞里斯多德就是異端。爲甚麼要如此的盲信一個人的觀點實在是一件很難解釋的事。部分的原因可能是因爲他的推理的透徹和他的知識之博大所致。或許也是因爲不論人世的或宗教上的統治者都希望藉亞里斯多德的理論以保持穩定的局面。也可能是因爲生活於動亂和充滿迷信恐懼世界裡的人須要有一個確定的信念。或許也是傳統積累的權勢使人無力抗拒使然。

直到文藝復興時，法蘭西斯培根才起而反對亞里斯多德，培根指出亞里斯多德在方法，結論與學說上的一切謬論。現代有些科學家甚至認爲盲目的接受亞里斯多德的錯誤使科學的進展延遲了數百年之久。

然而，既使是如此，亞里斯多德也是無辜的。在他的「形而上學」的首篇裏，他說：「所有的人都是生而有求知之慾的。」在他別的著作裏，他又一再提到「觀察」之重要性。這種結論就是他信學的基本。他以令人難以置信的多才與努力總結了由那時代所有的智識，並發明了一種分析與系統化的優良方法。並可算承先啓後，充分達成了他的時代的任務。在某些方面，他的眼光甚至突破了時代性而直至今天仍不失爲正確的；當然在另外有些方面，他的見解爲時代所限而錯誤了。但無論如何，他從未要向人類說：「我要求知，我曾觀察分析，你們都不必再以觀察的方法來理解，只以我所見者爲定論足矣。」相反的，他的學問是在爲後代學術鋪路，而應該做爲擴展學識的踏板的。後人自己把他研究的成果用的不得其法，未能接着火棒跑下來，卻反來責備這位博學之士，或是因後人有了不同的發現便否認前代人所表現的能力與才華都是不公道的。（完）

富人列傳（五）

陶朱公富甲天下

四、千金之子死於市

周燕謀

朱公在楚國有一故交，名莊生者。此人廉潔可風，家雖貧，素不苟取；自楚王以下，皆師尊其賢。朱公修書一簡，附長子賚金往見，誡其子道：「汝至進千金予莊生，聽其所爲，千萬勿與爭事。」長子至楚，以其多金，私下留百金，餘金獻於莊生。莊生受其金，謂朱公長子道：「汝可速去，切勿留此，乃弟得活，勿問其所以然。」長子不聽莊生之言，私留楚京，以其私金，獻予楚貴人之用事者，意欲賄賂楚王左右，以活其弟。

莊生雖貧，獻千金而不動心。竊其金原封不動，意欲事成之後，原金璧還。朱故受之，以取信也。莊生語妻子道：「此乃朱公之金，不可受也；萬勿動用，事成須原金歸之」。而朱公長子不知其用意，又不忍散其金。故其功敗垂成。

莊生入見楚王，故對楚王言道：「吾夜觀星象，某星某宿則害於楚，當戒愼之」。楚王怪問道：「若此，則將奈何？」莊生道：「獨以德行可以除之也」。於是，楚王乃使使者封三錢之府。楚國貴人用事者知之：凡王封三錢之府，必有赦令。故告朱公長子道：「楚王將大赦矣！」朱公長子驚問道：「何以知之？」貴人道：「楚王欲赦，必封三錢之府。昨晚王使使封之，故知其必赦也。」朱公長子以爲既然即將赦，弟固當釋，而千金之重，豈不是虛擲！乃再見莊生，莊生驚問道：「汝何不去邪？」朱公長子道：「至今未歸者，乃爲弟事之未獲也。今楚王今大赦，弟當自出，故未辭耳！」莊生知其意爲復得其金。乃告朱公長子道：「汝自入室取金可也。」

朱公長子取其金，原封未動，即持金去，暗心歡欣。莊生羞爲此子所賣，乃入見楚王道：「臣前言某星事，王言以修德報之。今臣出，京中皆言道：『陶之大富，朱公之子，殺人囚楚，其家人多持金錢，賄王左右。故王並非能恤楚國而赦，乃以朱公之子而行赦也。』」楚王聞知大怒道：「寡人雖不德也，奈何以朱公之子之故而施惠乎！」於是，下令斬朱公之子，殺次日，楚王乃下赦令。結果，朱公中子被殺，長子運其屍骸以歸陶山。其母及邑人皆爲之舉哀，惟陶朱公無憂容，猶對弔者笑語道：「吾早已預知，長子前往，則不可救也。然長子非不愛其弟，不忍其金也。吾遣少子前往者，長子幼與吾共起居，見苦爲生之難，常重視其財。至少子者，生而見我富，不知稼穡之艱難，乘肥驅僕，逐狡兔，不知財之所從何來，故常輕棄之而不知惜也。吾前欲遣少子往楚營救者，因其能棄財故也。而長子不輕財，故不得其義，卒以不救者，非不愛其弟，而又重其財也。所行而殺其弟。事理之常然也。吾無可悲者，日夜盼其屍骸早還也！」

陶朱公賄賂楚國救子之事，震驚楚國朝野。朱公之富名，不脛遠播中國。結果「千金之子竟死於市」，殊爲朱公之所料。朱公不僅是軍事、政治、外交、企業家；也是人生哲學家。他知功成身退，明哲保身。仕爲卿相，民則富豪，福祿壽考集一身，終老於陶山，故世傳大富者均曰「陶朱公」。（本篇完）

催眠術研究（四）

鮑紹洲

三、望看催眠法(一)

望看催眠法，就是使被術人注視一種東西的某一部份，而使之催眠之法。這種方法的實施，必須注意光線的加減強弱。這種施術時的環境：如在窗戶之下，或窗戶照入的燈光下爲宜。務使被術人的頭部或背部照着光線。這種方法，最普通的有兩種。

（一）望面法：這種方法施行時，是使被術人注視施術人的面部，而達到催眠的方法。即施術人對被術說：「兩眼注視我的臉上，不要左顧右盼！」而被術者兩眼注視施術的人面部，目不斜視。注視漸久，被術人便覺精神恍惚，到了這時候，施術人口念「將催眠」、「更催眠」！連續口念十數徧，這就是暗示。有的人在注視的時候已入催眠狀態者亦有之。

（二）望指法：這種方法，即使被術人注望施術人的手指頭，而使其催眠的一種方法。這種方法又可分兩種：其一是注視一指，二是注視二指。注視二指之法：先是施術人伸右手，以食指及中指直立分開，叫被術人兩眼注視食指及中指，其他三指則緊握在掌內。施術人距離被術人的兩眼約四五公分。兩指可隨時移動，或左或右，忽上忽下，或遠或近。約十數分鐘，被術人自閉雙眼，而達成催眠。有的人不閉兩眼，而精神感到恍惚者，則暗示道：「眼睛閉了睡眠吧！」被術人便入催眠狀態。

（二）望指催眠法的另一種方法，是一指法。即使被術人注視一指。施術人先舉左手，以四個手指頭按在被術人的額頭上，以一食指向下垂指，距離被術人的鼻約二寸，叫被術人注視食指，其他四指仍按在被術人的額上。

還有一種望指法：即施術人舉右手伸食指，屈四指緊握在掌內。食指着被術人兩眼的中央，叫被術人注視食指。施術人的手指距離被術人的兩眼約二三尺許，或將手指距離拉近被術人四五分，時遠時近，如此往復四五次；或者食指在移近兩眼時，作畫圓圈之狀，而後慢慢遠離，最後食指停止在被術人的兩眼中央，約二三分鐘後，將指慢慢下降，暗示被術人雙眼漸閉，終於閉合兩眼而止。

華北匪窟的原始面目（上）

·鄒眼·

譚天雕空集

在閱讀的許多「赤色中國」的書刊中，發現世人對匪軍匪黨怎樣滲入華北的史實，相當隔膜，很少有眞實而全盤之了解。甚至還有誤傳。這是對匪情研究的一大缺憾。憶十幾年前，匪黨曾有所謂保衛「老根據地」的施策。即指華北老巢而言。何以如此？因爲匪黨之攫取大陸，非得力於「江西蘇區」，而是依靠「三北」，即陝北，華北，蘇北而起家。其實這三北之中，在抗戰期中，從葉挺，項英被消滅，那「蘇北」的陳毅，實力有限。在江南，從「平江」事件結束後，那「湘北」的實力更微不足道，只有「陝北」是匪黨的總部所在地。勝利後，經國軍胡宗南將軍一鼓攻入延安張家口，那座匪穴已被搗碎了。所以，三北之中，祇有「華北」，始終是匪軍負固的叛亂最完整的山寨。那就是太行山區北部五台山下，「晉察冀」邊區七十四縣。最初包括察南六縣，晉東北十二縣，冀西，冀中，冀東，五十六縣。名之爲「晉察冀軍區」，行政機構稱爲「晉察冀邊區」，軍區以林彪，聶榮臻所率之一一五師爲主力據冀西，以賀龍的一二○師據冀中。聶爲司令員。邊區以「三三制」形式，國共兩黨無黨無派各三分之一，組成委員會，以彭眞，鄧拓，孫致遠，宋劭文（時昌），張蘇（希賢），彭德懷，賀龍，呂正操等爲委員，以宋時昌爲主席，婁凝先任秘書長。兩機構都潛設於太行山區阜平、唐縣、靈壽、平定間。實施所謂「統一戰線」式的「持久戰」。相機發展。

話要從「西安事變」說起，張、楊陰謀失敗，亦即匪黨的化「硬」爲「軟」。僞裝「民族抗戰」，巧取豪奪，用「聯合抗戰綱領」取到十八集團軍的正規軍番號，與陝北特區的地位。實質上，抗戰前敵軍，匪黨的政治宣傳已控制了山西，時閻百川氏正實施「新政」！公道團設立，代替民意機構。如土地村公有，物價證券，兵農合一，起用新人。同時匪黨的爪牙「民先隊」，公開活動，便成爲閻氏新政的幹部了。部份爲閻所拘捕，到太原失守前夕皆已放出。組織「犧牲救國同盟會」，佯擁閻，實爲匪之內應。太原陷後翌年，匪軍大隊分三路滲入山西，發生所謂「百團大戰」。結果，閻氏的新軍，爲楊澄源、楊愛源、趙承綬、王靖國等部主力，全被共軍吞沒。朱蘊冠等人死難者不計其數，閻氏只有避入晉西「克難坡」了。於是民國廿七年三月一日，朱德設總部於晉東西遼縣，劉伯誠的主力，一二九師駐正太線平陽北山區。再分三路東進河北，察南雁北，北路由王震的一三五旅爲主力，接應宋（時輪）、鄧（華）支隊入冀北，派蕭克入冀東，接應李運昌部，建立「冀東軍區」，分遣賀龍入冀東，煽動呂正操叛變投共，建立「冀中軍區」。派遣劉伯誠入冀南，與楊秀峯，宋任窮合流，建立「冀南軍區」。而徐向前，徐海東同時分遣由冀南進入山東建魯南軍區，膠東軍區。與陳毅呼應。匪黨當時曾發表宣言，表示「服從國民政府」，表示「國民黨第一，共產黨第二」。那篇「告華北邊區民衆書」說得『義軍蠭起，志士雲湧』，眞個官冕堂皇，豈不知這些鬼話，包藏的乃是「化民族革命果實爲階級鬥爭勝利」的全部陰謀。毛匪一連發表了「論持久戰」，「論新階段」，「論游擊戰術與戰略」。毛匪的「僞裝」術，騙死了不少人。他的政略「辦證法」是「退守階段」，「相持階段」，「反攻階段」，對外詐偽「抗日」，對內說即對國民黨。連英美記者的戰地訪問，全被騙的一塌糊塗。

從民國廿一年冬到三十年冬的共匪清黨，匪軍的實力已迅速擴充，劉伯誠的「第二支隊」在外，祇說聶榮臻的「第四支隊」，分冀西爲四個軍分區，冀中爲十個軍分區，晉察軍分區卵成游擊大隊（縣單位爲基幹自衛隊，專區單位爲游擊大隊（國）不計，五萬人。都有整齊之步槍，機槍，少數追擊炮連。而地政治則由北方局支配。置聯合縣或化一縣爲南北東西兩部以適應環境。軍政黨都取流動式的存在，軍區設政治部，司令部，供給部，修械部，糧粉廠，醫院，隱匿山區。政治設察南雁北公署，冀西公署，冀中公署，冀南，冀東公署。各設主任一人。轄於「邊委會」。軍司令員下，蕭鶴亭任參謀長，陳毅任政委。原由閻錫山放出之宋劭文任邊區主席，張蘇任實業廳長，婁凝先任秘書長，而以國民黨之胡仁奎任副主席，劉奠基任教育處長。蔣自力任司法處長。胡劉不敢久留，早已遠走重慶，蔣則被迫脫出。廿九年冬非共份子宣布全部加入匪黨，而「統一戰線」乃告轉入新階段，是爲「解放區」之先聲。因「德蘇友好」一變而爲「德蘇宣戰」，匪黨的反美，反中央，便面目逐加暴露。蓋所謂「爭取相持階段的到來」，時機與實力俱趨成熟故也。

——共黨禍國掌故之一——

附註：鄒眼（筆名）曾任天津益世報主筆，副總經理，京滬特派員，南京益世報主筆，上海新中報副總編輯，台北全民日報總主筆、副社長，中央某單位匪情研究委員。現任輔大哲學教授。

還境過事

三幕喜劇　一式熊

包太：這是你現在對我說，我不大相信你的話，我最近聽見有人說你難免有一天要破產呢？快要破產的人，沒有資格結婚！

仁：（眞好笑）哈哈！這簡直是笑話！我包仁翰破產？你眞不怕笑掉我的門牙！

包太：根據一位可靠的人說，香港的稅，常常的加，差餉常常的漲，東西天天的貴，工價不停的往往上升，你的收入一年比一年少………

仁：（不安）這是我對外裝窮，你何必去相信呢？我們的錢很多，怎樣也用不完………

包太：那就好了！因爲我對于這一層也要考慮考慮，露茜也大了！

仁：露茜！

包太：露茜也大了！叫我去嫁一個人，他家裏邊長住着一個十幾二十幾的姪女，天天見面，叫我嬸嬸，總不免要使得我自己覺得自己太老！假如你並不是那麼窮，可以給她一兩幢房子做陪嫁，也許她早點出嫁…………

仁：還早呢！我看她暫時嫁不了！

包太：那就等她嫁了再說吧！

仁：難道你想逼着我，要我答應把露茜嫁給趙太極才肯答應和我辦手續補行婚禮嗎？

包太：不是這樣說！夫妻之間，彼此總要和諧，假如一個主張早點讓姪女出嫁，一個的意思恰恰相反………

仁：我的意思並不是恰恰相反………只要合理………

包太：我知道！一切總要合理！不過我却以爲兩個人同意更要緊。譬如這幢房子的問題吧？一個主張把它拆了，改建八層樓；至少也把傢具改良，或者換爲舒服一點的，或者加上樹膠軟墊，洗澡間的潔具，全換新式衛生潔具，這並不要化多少錢的事，不管誰說這件事合理，誰說這件事不合理，兩個人同意，都可以做得的。

仁：我不明白你的意思！你到底是說女的應該和男的同意，還是說男的應該和女的同意呢？

包太：這都沒有關係！我們暫時大家考慮考慮，等到彼此同意了再談！

仁：難道你眞不想和我補行結婚的手續嗎？假如事事都不能同意，你眞不肯同我上註册處去辦手續，難道我們就這麼一輩子非法同居下去嗎？（四五）

慧能的頓悟法門（六）

禪學黃金時代

吳經熊著　吳怡譯

在慧能的手中，使佛理變得更加深刻化和普遍化。他打破了僧和俗，聖和凡，佛家和其他各派思想之間的樊籬，譬如任何一位儒家對他下面的這首偈子，都是毫無異議的，這首偈子是：

「心平何勞持戒，行直何用修禪；恩則親養父母，義則上下相憐；讓則尊卑和睦，忍則衆惡無喧。若能鑽木取火，淤泥定生紅蓮，苦口的是良藥，逆耳必是忠言，改過必生智慧，護短心內非賢，日用常行饒益，成道非由施錢，菩提只向心覓，何勞向外求玄，聽說依此修行，天堂只在目前」。

從上面這段話中，可以看出慧能思想體系內是含有濃厚的儒家倫理。同時，由於他的善於辯證，使我們不能否認他和老子之間有着很深厚的關係。老子在道德經的第二章曾寫出了道家的辯證思想，所謂：

「天下皆知美之爲美，斯惡已，皆知善之爲善，斯不善已，故有無相生，難易相成，長短相較，高下相傾，音聲相和，前後相隨。」

上面所說的觀念都是相對的，老子所謂的聖人就是超越了這些相對觀念。

同樣的，慧能在「法寶壇經」最後一章中，曾咐囑學生要以「三十六對法」教人。所謂三十六對，就是明與暗對，陰與陽對，有與無對，色與空對，動與靜對，清與濁對，凡與聖對，僧與俗對，大與小對，長與短對，邪與正對，癡與慧對，煩惱與菩提對，常與無常對，實與虛對，喜與嗔對，進與退對，生與死對，法身與色身對等。他說：

「此三十六對法，若解用，即道貫一切經法，出入即離兩邊；自性動用，共人言語。外於相離相，內於空離空，若全著相，即長邪見，若全執空，即長無明」。

因此在運用上，他說：「問有將無對，問無將有對，問凡以聖對，問聖以凡對，兩道相因，成中道義」。

「設有人問，何名爲闇，答之明是因，闇是緣；明沒即闇，以明顯闇，以闇顯明，來去相因，成中道義」。

這裏所謂的中道就是超越相對的意思，其實也就是自性。在慧能的思想體系裏，中道是絕對的眞。它一方面超越了相對，一方面又「包」括了相對。何穆法官曾認爲一個有深度的人，是不把兩難論法只當作一種邏輯的工具，他認爲任何事不是A，也不是非A，而是超直入的。明白的說，眞理不是像階梯般的一層層的向上爬。慧能的偉大即在於此。尤其是他巧妙的運用兩難法而一超直入，把人的精神發揚入絕對的境界。（本文完全篇未完）

新二十五經

戀愛經

馬騰雲

（續上期）樂天知命，勝於非分之求，英國人有句成語，「誠實的人結婚早，聰明的人結婚遲。」這個原則今天拿到中國社會，可能也很適當。早婚之害，著者曾在台北日晚報討論很多次，詳見生活漫談各集，從略不贅。甚麼樣的小姐是男孩子們的理想對象，甚麼樣的先生是女孩子們的適當目標，這是男女都得上的一課，縫西裝可以試樣，吃館子點菜可以先嘗嘗，祗有男女間既不能試，又不可以嘗；假定男方或女方，硬堅持要試試嘗嘗再說，法令雖沒有明文查禁，那就會演出一些不大不小的笑話和痛苦來，講不講在我，信不信由你。

娶富妻，賣自由[illegible]

[illegible]（下、完）

矮人與奇才

錢一釗著　本報獨家開始連載

對古今中外成功矮人作正確統計，根據生理學與心理學鄭重加以分析與介紹，自信對人類學研究是一種創見，籲請人類學家，醫藥界人士賜予合作。凡身材矮小朋友固不可不看，一般人更非看不可，本書形同勵志哲學，在以資爲本位的社會裏，宜人手一冊。矮人政治家晏平仲、孟嘗君、邱吉爾若干政治絕招，更值得爲政的人參考。

自由報
（第九一八期）
（本港每星期三、六出版）
每份港幣壹角，台灣零售價新台幣弍元
社長李運鵬・督印兼發行
社址：香港九龍彌敦道593—601號
廖創興銀行大廈八樓五座
LIU CHONG HING BUILDING
7th FLOOR FLAT 5
593—601 NATHAN ROAD,
KOWLOON, H.K.
TEL: K303831
電報掛號：7191
承印：泉星印刷公司
總址：嘉咸街廿九號地下
台灣總管理處，台北市大同街119號
台灣區直接訂戶　台郵劃撥戶
第五〇五六號張萬宥（自由報會計室）
電話：五一四〇三三・五五五三九五
台灣分社：台北市西寧南路110號二樓
電話：三〇三四六・台郵劃撥戶九二五二號

恭請 蔣總統恢復國文原名

一、民國十二年北洋軍閥政府教育部依照匪黨頭目陳獨秀痛罵「孔渣孔滓」，與支持「打倒孔家店」的「全盤西化」論者胡適等之「文隨語走」「言文一致」及「從完整語句開始」諸項荒謬主張，宣佈小學「國文」科改稱爲「國語」。此項荒謬措施，不僅違反中華語文常識，而且背叛歷史傳統。五十多年來國家教育受其毒害，創鉅痛深，尤以廢經棄史，自毁文化，爲共黨邪說，開其先路，吾人精神國防既失，尙有何軍事國防之可言？故今日痛定思痛，惟有改正此項謬荒措施，立即恢復小學「國文」科原名。此實爲中華民國革命政府應盡之歷史任務。

二、「國語」一詞有時指「標準國語」，有時指小學「國語」科而言，一詞兩用，易滋混淆。其根本解決之法，請 鈞座宣佈小學「國語」科恢復「國文」科原名，並同時宣佈推行標準國語政策不變，仍照常推行。保留「國語」一詞專指「標準國語」，以避免少數人之疑慮或曲解。

三、現行國語課本名不副實，缺點很多，專家學者及一般輿論無不交相詬病：張其昀教授評爲「淡而無味」。沙學浚教授評爲「文字庸俗拖沓，不精美，難讀難背誦，全無內容，背棄優良傳統教育原則，小學生識字太少（二年級讀完僅學七三四字，四年級讀完僅學一七七四字）國文基礎很薄弱。」李漁叔教授評爲「缺乏中心思想，文字拖沓冗長，語句欠通之處很多……（若干部份）俗惡不堪，類似乞丐所唱之蓮花落。」中華日報評爲「缺少一根『吾道一以貫之』的鏈條似的。」香港自由報更大聲疾呼：「國文程度低落到目前這種地步，不能不歸咎於過去五十年來只知迷信語體文的教育方法之失敗。」因此，現行國語課本，亟應早予廢止。另依六書原則編訂先以識字爲主之國文課本，由淺入深，循序漸進，以提高學童之國文程度。

四、現行國語課本原有編輯委員，國語雖標準，但大都國文修養欠佳，誤人子弟已久，自不容其再參加或負責國民小學所謂「國語」課本之編輯工作，繼續貽害我們的子女。宜乎立法委員徐中齊曾一再對行政院提出質詢：「國民小學國語教育，直接關係國家民族之歷史文化命脈存亡，故必須以學識卓越之士主其大計。苟以不學之徒，濫竽充數，有辱國家名器，破壞教育大計，則不僅誤人子弟，而且危害國家。」

五、鈞座鑑於各級學校國文程度普遍低落，早於民國四十四年即有「國文第一」之訓示。復於今年二月十日手令「革新教育注重事項」中強調「養成民族倫理思想固有文化——即四維八德之習向」「注重本國文」與「着重國文程度之提高，民族文化之發揚」諸點，語重心長，令人萬分感奮。竊以小學「國文」科恢復原名，實爲改進國文教學、提高國文程度之起點，又爲復興中華文化之基礎，恭請 鑒核施行，無任迫切待命之至。

學生家長：

丁治磐 周南 邵鏡人 趙公耆 田誼民
趙振洲 王廣慶 蕭酒 董正之 李文齋
賈維渠 周厚鈞 張浥泉 安輔廷 冉寅谷
許賢謙 白大誠 羅軍右 李啓元 王寒生
李範中 呂漢欽 姜伯彰 黃雲 席金良
李雅仙 杜荀若 謝星曲 張曉古 朱然
韓中石 郭紫峻 曾華英 賈書法 胡自逵
李金城 楊德本 李國勝 黃偉博 馮紀澤
孫曾祥 郭仲寧 陳飛龍 胡士英 郭清寰

江聰平 李霜青 劉基槃 施仁 張鑑元
金受文 郭蘭生 陳秀美 王佩蕙 吳竹貞
郭幸枝 門書雅 丁母印 陳益源 顧煥昌
姜明輝 詹炳椿 龍澤坤 鄒日林 江文光
李遠耀 何善淸 黃春霞 郭行坊 劉楨祥
魏樹棟 朱俊佛 梅祖蔭 蕭天惠 郭佩鑾
周淸芳 胡世英 吳月華 吳鵠丞 朱祥文
楊柳綿 印憲三 施乃普 黃子信 陳敬忠
周東炎 蔡阜南 黃瑞娥 駱富良 葉沈月松
林美英 黃振義 葉經柱 葉永何 曾憲燊
賀慶生 潘明揚 蘇奇筆 崔傳玲 曾森
裴祥瑞 蕭耀鄰 寧榮璋 唐承瓚 黃春江
徐剛平 駱異 杜麟 許春海 劉享霖
何志堅 劉培基 楊征北 顧秉修 林瑞洪
張致中 趙忠興 吳子彝 陳公權 王光富
陳乃翔 宮弼權 游樂蔭 曹世維 廖桃儀
王中源 宋炳希 高雷飛 方俊傑 郭善華
王世厚 張亮明 陳日新 陳景蕙 高守玉
張韻清 吳元培 江金樹 王素蘭 王孟常
吳澤酒 李伯愚 黃光輝 吳瑞卿 黃榮發
熊消賢 黃元度 歐超班 林大健 喬榮發
汪其闓 姚在中 張夢雄 李克昌 王勇江
許岱 袁稚廉 張純良 周華南 袁祖愛
馬志遠 顧孫裔豫 張裕良 吉鳳全 譚竟成
孫殿選 李錫公 徐家旺 劉淑貞 李永祥
錢大瑜 趙亭章 富家瑞 洪海水 黃政德
黃水生 周行勛 洪恭元 李然 洪水晚
王明敦 蔡石莫 劉雨上 李爾祿 游呈興
顏奇勇 李金水 郭木華 梅同慶 李桂堂
黃建國 黃進丁 許枝楨 王玉秀 林哲英
王時宗 李美雪 張金壽 陳水枝 谷訓昭
曾澤浩 簡文德 李榮寶 林海線 題知福
羅春生 賴玉琴 張菊 曾桂淋 姜淮潭
江開河 張慶鑑 泰四海 陳國偉 郭雪芬
林幼 魏炳義 簡玉雲 詹庭興 施仁
王平 朱幼靜 倪奉標 宋志堅 莊季誠

馮全裕 李蘇勵 湯衡秦 任淸 魯庭樹
蔣玉良 蔡孔文 鄭宏根 陳金火 張景壽
施志超 康安田 丁貴三 謝聖光 莊翼添
陳文海 吳大有 劉子鑑 高思谷 陳文惠
劉家榮 馬漢章 高全順 李益興 胡珠傳
黃維賢 曾煥鎭 張耀煊 蔡樞庭 高欽福
蔡文敏 蔡雲鵬 郭麗生 胡鑫波 林明詩

林水生 張黃萬 劉新田 高云龍 李貴生
周安生 宋鑑 楊松年 徐進財 劉興明
曾文進 陳東波 吳鈴 駱繼鼎 陳宗澤
常劍飛 汪耀宗 林秋生 林順昌 高爲炎
邢錫永 胡海標 周濬源 陳書田 梁永年
陳世琦 楊以晨 陳麗娟 曾廣祥 舒鎭中
楊月卿 申靜如 蔡英進 周逢熙 葉燕文
劉駿昌 鄭繼盛 朱永華 蔣春煦 黃冠三
邱顯耀 林季雲 萬廷美 王讓之 武仲瑛
常兆椿 孫翻辰 李振鐸 陳節 鍾然一
馮從新 潘興華 武光昭 劉由疑 李詩耆
李靈通 賈由會 鮑朴德 鄭兆讓 李華軒
趙[illegible]培 金文榮 陳素英 孫翼謀 王金紋
吳阿祥 邵雲嬌 吳乞食 鄒阿海 謝秀蘭
蔣金材 蔣玉 沈柏齡 葛成欽 陳金蘭
幸超羣 吳秀琹 林良藩 吳美玉 宋子瞻
卓福華 蘇春發 許學森 張貞山 潘承貴
熊迪禧 陳德文 謝照玉 葉仙玲 蕭有成
劉金英 林存讃 徐欽堯 黃英懷 羅與
黃忠榮 張昌蘭 呂和 申宗先 潘寶琳
陳進金 林依建 奚南薰 王則森 潘惠霖
劉逸農 張忠泉 張仁傑 金能潤 張寶旺
高鴻相 潘則昌 余立平 黃萬光 陳顯汀
蔡富美 李雲飛 李王玉蘭 陳德旺 李勉進
林敬紅 楊任之 李仲傑 張鳳德 周廣豐
康永生 徐保中 廖月鳳 吳慕適 楊南莉
劉盧吾 王長義 楊成芳 馮光中 楊進審
陳劍峯 楊德威 楊堅毅 周應雄 雷龍慶
關百昌 楊德平 楊鴻澤 滕鵬 鄒君培
楊晉勇 廖崇毅 吳國華 吳奎義 吳自甦
施仁 林順宗等敬上。

連毛吞食！

昨日與明日

「單脫」舞

高雄地方法院推事李石祿，與涉刑被扣×××的妻子，「時盤」議商開脫條件，地點擇定在旅社，進行談判時這位推事竟然「推事醉色，心底春融」，始而毛手毛腳，繼而「脫」個澈底。

未料這位婦人，不甘被他「吃定」，拖了他的褲子，逃出重門深鎖，大呼救命！

一幕「單脫」舞，遂而轟動。

這一幕戲的主角李石祿，已經「脫底」；法院這碗飯吃不下去了，好在他有千萬財產，身列「大戶」，無虞衣食，再說既善動手，習「按摩」、「摸骨」，但亦爲最佳出路，到不會貧志以歿。

部份司法人員不「修」的行爲，久爲社會詬病，出自於民間的「修理」，以這一次表現最爲精采，其方式，手段雖稍失於「厚」，但就除「惡」言，這種方式與手段確具實力。

另一面，我們也看到社會部份人士，對於「法」的認識實太淺薄，對司法的尊嚴也太漠視，所以這位推事使手腳，揩揩油，也可算是應得之「懲」！

正好眠

體協開會檢討世運代表國的墨西哥之「行」！

此「行」，有沒有可以不「行」的人員，藉機出國？

此「行」，有沒有在墨西哥祗「賣宮燈」不辦事的行爲？

此「行」，有沒有不瞭解「規則」的教練？

會後依例發表一篇瀟灑的聲明——行也行的對，有根有據。爲也爲的正常。教練也都瞭解規則。

浩浩蕩蕩的大隊人馬，當然都是該去的，賣宮燈是不知道「銀幣」値錢，只是交換紀念品。選手不諳比賽規則，是歐洲籍的裁判執法太嚴。

至此，塵埃落地，沙澄水清。未負國人納稅錢，皆心安理得，趁會後淸閒，漫渡長夜，擁圓月，正好眠。

炭筆描眉

中興大橋自台北橋整修而禁止通行後，交通流量大增，幾爲之壅塞不通。而其壅積原因之一，則爲收「過橋費」，就擱時間太久！

公路局的官員說：收費所需時間每輛車僅僅半秒鐘！

半秒鐘！，停車、繳費、發動……。在電視上曾有過的中興大橋收費鏡頭，所有觀衆自不會手持「馬」錶計時，但是，憑直覺也知却不只十以上的「半秒」鐘——這是最低的估計——。

不過，我仍相信它祗半秒鐘內完成繳費手續！

因爲，看炭筆描眉，遠比眉筆來的明顯，叫人老遠望去，即知蘆花？楊花？

（叔予）

自由談

人才與官才

眞正的人才，除却有學識、才幹、毅力和勇氣之外，遇事行己有恥，懸居下流，出處進退之間，一是皆以能否施展其抱負爲依歸。明禮義，知廉恥，負責任，守紀律，對上不諂，對下不驕，把個人的毁譽得失，乃至於禍福利害，一概無所容心，而且非其主不事，非其位不濫居。具備了這種資質的人士，無論幹那行職業，都能得到相當的成就。

如果從事政治工作，上焉者是能治國平天下的大政治家，次焉者可以獨當方面之任，表現非凡的績業，最下亦不失爲賢臣能吏，矜式羣倫。

古往今來，人才無代無之，無地無之，但爲政者常興「才難」之歎，因而治世少而亂世多，同時懷才不遇者，又比比皆是，其故安在耶？探索癥結，不外兩對：一是鑑別人才的關係，二是駕馭人才的方法。

鑑別人才有如在市場選購貨品然，買主必須具有識貨的智能，才不致買到贋品或劣貨。否則縱然熱心爲國求賢，而眞正的人才不易入彀，葉公好龍而眞龍不至，羊公好鶴而鶴皆不舞，奈之何哉？駕馭人才之道，貴乎棄短用長，信任不貳，隨時綜覈名實，開誠佈公，信賞必罰，虛僞不齒。這些道理很尋常，可是絕不容易躬行而實踐之，滔滔者多見其爲「官才」而已。

所謂「官才」也者，完全以做官爲目的，無所謂抱負，也沒有事業心，更不知廉恥節操爲何物，三日無官則皇皇如也。朝夕患得患失，對上烟視媚行，祇知揣摩意旨，討取歡心，以期邀寵固位。遇事敷衍塞責，得過且過，喝凉水亦怕燙咀，談問題油腔滑調，不落邊際，唯恐招來麻煩，影響官運，圓滑有如水晶，狡黠勝過狐狸。「官才」遍佈於要津，政治現象便似一池死水，表面平靜美觀，實際日趨腐臭，成爲蕃殖孑孑蚊蚋的溫床，妨害公共衛生。

在國運艱危的憂患生活中，不特需要廣收人才以共赴國難，更需要才智非常，勇於負責的政治人物担當大任，俾奏撥亂反正之功。此時此事，若教一般「官才」者流，好官自爲，勢必將國家和人民送進棺材而後已，可不愼哉！

黃杰下定決心 嚴厲取締貪污

台北消息：台灣省行政會議，於五十七年十一月二十四日至二十八日召開完畢。會議揭幕時，蔣總統特頒訓詞指示說：「此次行政會議，就是要檢討得失，求新求行，以策劃未來更多的工作，爲民衆提供更多的服務」。黃杰主席在閉幕典禮中也要求與會人員重視此次會議所獲致的成果，一定要切實推行，而且要行之有效，革除以往議而不決，決而不行，行而不通的通病。

黃主席特別指示：省府以及各縣市政府，今後務必集中一切力量，辦好九年國民教育。黃主席並希望各級政府主管人員，應領導改善政治風氣，進而使社會風氣歸於淳樸。他說：政治風氣的腐敗，顯而易見的是賄賂公行，於是留難、積壓、拖延、利用權勢、曲解法令等惡習，便隨之而起，行政機關一旦染這些不良風尚，不獨行政效率無法提高，而影響所及，則社會日趨浮薄與奢靡，故取締與管理工作，應繼續加强，俾戢此亂源，安定社會。

黃主席不諱疾忌醫

黃主席的此種指示，是近年中國政壇上罕見的開明作風。因爲，自從中共詆毀國民黨政府貪污腐化，造成大陸的變色。政府遷台後，初期確勵精圖治，使人耳目一新，故一度有廉能政府之譽。惟日子久了不肖官吏則故態復萌，操守欠佳，新進亦起而效尤。政府此時因鑒於大陸變色之慘痛，乃有諱言「貪污」現象。甚至有的報紙，將貪污，推諉爲社會風氣不良所致，這種「倒果爲因」不值識者一笑。今欣見黃杰主席，以行政首長身份，而不諱疾忌醫，針對「賄賂公行」風氣，加強取締，這正是恪遵 蔣總統訓示「檢討得失，求新求行」的開始。

紅帽子常給好人戴

中華民族具有豐富的政治智慧，歷代所能留下的政治榜樣，皆足使後代「觀前人之光耀，與「一言以自壯」。即如 蔣總統北伐成功後的南京政府，就有「好人政治」「賢能政治」美譽。沒有日本的侵略，中國政治不會腐化。因爲戰爭最易破壞道德觀念；大兵到處，要糧要草；兵源補充，有時拉壯丁；搶食糧，這些均非政治常軌。凡事一交由無德無識壞人去辦，自然就變質。這是中國政風丕變之因素。而「最痛心的是目睹共產黨幫助（引誘）國府大員貪贓枉法傍立朝著：現代中國史眞相」。一般貪官污吏，則對批評的正義人士，加給你一頂「思想有問題」的紅帽子。共匪陷國民黨於「除良安[illegible]」，漸使社會人心低沉，對貪污事件，均抱三緘其口學金人。總統指示說：「不怕人批評，祇怕不批評」意義在此。

軍事革新可資取法

黃主席既欲對「賄賂公行」之風將大刀闊斧加强取締。我們願指出：蔣經國將軍昔日領導的軍事革新運動偉大成就，可以引爲借鏡。那時，軍中吃空缺風氣盛行，拿槍桿的人，三句不對，叛志遂生。蔣氏訓練一批革新軍事的政工幹部，集合一批學者專家。先由學者專家研究弊端所在，擬定革新辦法，交由政工幹部切實執行。規定政工幹部必須以身作則，貪污新台幣五元者，軍法從事。一年之內，吃空缺的風氣絕跡。三年之內，軍中做到「經濟公開」「人事公開」「賞罰公開」「意見公開」。黃主席似可向蔣經國將軍看齊，將學者專家聘作顧問，起用當年軍中革新工作幹部，及新加入高普考及格的血輪，以推動政治革新工作，於台灣省政治革新當可收事半功倍之效。未諳黃主席坐而言，能起而行否。（貞蒼）

信華台鐘毛紡織品 外銷可觀信譽卓著

董事長 陶子厚

附圖爲信華毛紡公司設備之一

陳列於中華民國紡織展覽會陳列館的毛紡織品，種類繁多，色澤鮮艷，光彩奪目，象徵人民生活安定，經濟繁榮以及工業發展之迅速。回溯台灣毛紡工業由萌芽、成長至發展起飛，僅十數年之歷史，有今日年銷國外市場達數千萬元美金之鉅額外匯而言，其對經濟繁榮之貢獻不可謂不大，尤以信華毛紡廠暨台鐘毛紡廠，後來居上，外銷數量龐大，外匯收入列居毛紡工業首位，足見該公司董事長陶子厚先生創業之精神與辦事之認眞。（丁徹）

新聞顯微鏡

洋選手在世運龍爭虎鬥 我代表敢下塲比下有餘

·上官槐·

我國參加本屆世運代表團，到了墨西哥之後，竟然是代表不開會；選手不夠格，教練打爛仗，職員不作事，一副觀光遊埠姿態，遂致兩月來備受各界責難。說來這都是老問題了，是所謂早已有之，于今爲烈而已。何況有的代表根本不懂體育，又不懂外文，你如硬着他去參加國際會議，豈非逼牛聽琴，過份殘忍乎？我們大部選手到了競技塲比人家落後廿年，也屬意料中事，反正他們去的目的就是爲了替國家丟臉的，因爲他們的得分原來就不如在國內選拔時的一半！任你嘆聲嘆氣也是百搭。教練不懂規則更屬稀鬆平常，你想想連不懂體育的人，都可以大過體育官癮，設若不懂舉重規則的人，當當舉重教練又有啥個特別呢？至於職員不作事，更屬理有固然，因爲他（她）們都是分贓方式下的保障名額，個個都是大有來頭，台灣省議會推薦的梁許春菊即其明證，他不作事，誰又敢說個不字，好在彼此心裏有數，你遊埠，我觀光，他作生意，大家少囉唆，天下太平！

往者已矣，來者可追，但願我體育諸公，從此激發天良，嗣後代表團之成立，以國家榮譽第一；人事分贓第二；觀光遊埠第三；經商牟利第四自勉，則國家幸甚，民族幸甚！

報載：僑將楊傳廣說：希望我國以後參加世運的代表團，只要有團長、一位總教練、二位秘書、一位教練及選手就可以了。話倒是兩句老實話，無奈等于白說，這也是僑將爲甚麼遭到全國體育權威杯葛的原因之一，這個年月老實話說多了是要吃虧的。

且說我國世運代表團在本月七日召開工作檢討會，歷時兩百七十分鐘，其中自吹自擂，自拉自唱，自打自說自話，乃至自打嘴巴，共用去約莫兩百分鐘，稱得檢討的時間也不過凡十分鐘。檢討的結果之一是：報章雜誌在報導上與事實頗有出入，于是提出了若干點辨正，最精采的是：

（一）我國四位舉重選手被判犯規而無紀錄，據舉重教練說：因爲世運會裁判較爲嚴格，又說選手犯規者甚爲普通，更說他被指爲不懂規則實令人不可思議，我們這位偉大的教練，爲國宣勞之後，還遭此不白之冤，筆者亦不盡爲之叫屈並善意的請其改行！

（二）我國體操屈居一百零一名，體操會議代表說：當然選手不努力，有些國家選手還不敢下塲呢！言下之意，頗以比下有餘而自得。寫到這裡，記起一位某太太教訓女兒；緣某太太出身娼門，豪邁健佑，三句話不離老本行，一日其女赴舞會遲歸，某太太大罵，其女曰：跟隨的某小姐還在跳通宵哩！某太太光火曰：媽特皮，巷子口住的那個女孩子還賣×呢！妳也去？其女默然。如某太太其人，尚有力爭上游觀念，而堂堂國家代表，竟以比下有餘爲榮，實令人有今世何世之感。

（三）拳擊會議代表則公開承認有一名「亞洲水準」選手一和一名體重超過七公斤的選手，不顧影響參加而參加，像如此良[illegible]的人尚不多見！

（四）代表團沒有跑單幫作生意，射擊教練說：實實在在不是買賣行爲，據說連主席都聽得入耳云。偶舅子！眞妙！

隨便舉幾個例子，你就能對于所謂檢討會知道個大概。其餘的結論大都是屬于「吃了飯就能用[illegible]子」「臉向前[illegible]必朝後」，一類的廢話或稱官樣文章。不說也罷。下屆世運會應增設厚臉皮金牌獎，以備此等人士奪魁，豈不大佳乎？

脫案餘波盪漾 推事那事難推

高雄地方法院前任推事李石祿與民婦蔡蘇英蕊之「脫褲」糾紛，經高雄地院及地檢處分別調查竣事。

高雄地院調查報告要點：（一）李石祿自動於本月二日上午九時十五分左右步進信東旅社，由服務生將其帶進三一六號房間。女主角蘇英蕊在八時五十分先李石祿進入三一六號房間。（二）男女主角在三一六號房內發生糾紛是在十時三十分傳出。（按：依時間計算，兩人在房間內曾「和平共處」約七十分鐘，如推事先生脫褲過程如斯緩慢，則必已打破世界紀錄矣）十時四十分報案。（三）李石祿于下午四時到高雄市警察局刑警隊報案。

地檢處調查報告要點：（一）蘇英蕊爲營救其夫蔡炳堂，於十一月二十三日上午由銀行提出存款新台幣一萬元，準備作爲交保之用。當日蔡某即被羈押，未能將其夫保出。（二）蘇氏二十三、四兩日蘇英蕊曾三度到李石祿寓所，李命其留下住址，並回家等候消息。（三）二十八日上午八時許李到蔡家告以其夫可以交保亦可判無罪，不過要送交際費，蘇氏當時欲將一萬元交李，李要她在二日上午九時送到信東旅社，蘇英蕊于八時五十分進入旅社，約二十分鐘左右李石祿也到，並閉門密談云，如此則係除脫褲之外，還曾密談，推事先生忙矣哉！

根據蘇氏供稱：李石祿身上有特徵多處，經指認甚詳，當時李某在房間內赤身裸體云。我們眞不得不佩服蘇氏的膽量，面對着一位赤條條的男人能夠毫無懼色，而且還能把全身的特徵都觀察一清二白，其鎮定功夫可稱養也無雙，推事先生吃癟也宜矣。

脫褲案發展至此似已近入尾聲，但然而不然，信東旅社與女主角蘇婦又各先後接到恐嚇信各一封，揚言要殺害該案證人女服務生鄧嬌雪，並對蔡婦不利；異軍突起，頗富戲劇氣氛，以特錄之于后，以饗讀者：

「敬敬者：有關前發生之事，對貴社是有何等之利益；……請貴社轉變口證……以免對其不利，尤其在社內之服務生鄧嬌雪，要加以當心行動，以免發生性命危險，特此警告，對其絕不可洩露。李石祿外人。」

女主角所接恐嚇信全文是：「賤貨，臭貨，數月公完回高雄，妳要注意，妳還無恥的賤女人，不要臉的害人妖精，高雄人知妳者寄。」信內並附有用衛生紙包刮子刀片一張。（探弋）

喬治桑外傳 十一

張大萬

野田健三 大塚的個子長得很高大，髮際生得很高，兩道濃眉，面容嚴肅，很像電影上的武士。衣着穿得很考究，有歐洲企業鉅子氣息。

野田身材短小一點，戴一付黑邊眼鏡，面上露着笑容，是典型的現代日本商人樣子。

牛董事長牛山濯濯，頭頂已禿得發亮。笑起來咀裡金牙比原齒多，閃閃生光。身體粗壯，一雙手伸出來，五隻手指似乎長得一般齊。牛董事長名字叫興鐘，別號孟語。都很特別。孟子：「有牽牛而過堂下者……將以釁鐘。」不知是不是本此？如果是，無疑是不及喬治桑華名紹孔、栖霞的雅馴多矣。其實亂起一個名字，並不影響發財。據說，牛與鐘在日治時代跟日本人做事，日本人臨走給他一筆很大的物資，多財善賈，現在不是萬貫家財而是億貫家財了。

大塚、野田想在台灣投資設廠製藥，擬請牛與鐘合作。日本是主體，牛與鐘出面，喬治桑挨上來不惜破費請客，目的是想沾光。各人之間利害關係表過，言歸正傳。

牛董事長司機上樓送來三瓶拿破崙白蘭地。這酒是白蘭地中之王，裝置猶如一尊野戰砲，酒瓶是砲身。現在拿上來的正是砲身，砲車沒有隨着帶來，以免累贅。

「小雲雀」喊了僕歐生進來。

「看輪」（算帳之意）

「牛董事長吩咐過了，謝謝。」僕歐生鞠躬如也，恭謹回答。這時牛董事長正在外面打電話。

喬治桑聽了，心中未免一楞。今天是他請客，想不到還要老牛破鈔。

原來，在台北很多大老闆，經常在各大酒家立有帳戶，每月結賬一次，少則幾萬元，多則幾十萬元。因此，到酒家能簽字的不算是頭等客人。喬治桑對於這一行情還沒有弄清楚。

牛興鐘打完電話，滿面帶笑走進房來。用日語向兩位日本客人嘰咕了一陣。

「興鐘兄，安排好了沒有？是不是去北投？你太客氣了，爲甚麼又是你會鈔？」喬治桑只恨當年爹娘讓他只喝西洋水，未喝東洋水。所以聽不懂牛董事長的對話，很感不便。

「你開銷兩個當番小姐和僕歐生好了。我們不去北投，我帶你們去一個好地方。」牛董事長帶有神秘的微笑。

「當番小姐每人給多少？」喬治桑因爲牛董事長的派頭奇大，事雖微細，不得不請示一下。

文滙樓別記

司馬懿「後裔」司馬笑

．文匯樓主．

美國駐華大使館新聞處副處長司馬笑，英文譯音的名是鮑脫洛夫，曾做過美國駐泰國大使館中國事務官，一口的標準中國話，文縐縐的，很像中國社會白面書生，可是毛匪的統戰部，聽到他的名字，頭都會大，因爲他對反共有甚多絕招，使人防不勝防。

司馬笑非常崇拜中國後漢三國誌裡的司馬懿，他認爲司馬懿是軍事家，又是眞正懂得搞政治的人，某次閒談中，他說：「我這位家門，不應當戰時，聽憑你怎樣侮辱，他絕對不戰，守勢堅固得如銅牆鐵壁，到了能戰的時候，儼若生龍活虎，簡直氣吞山河，還有就是不在敵人要戰的地點作戰，結果，統一三國者是司馬懿，曹操的文韜武畧，孔明的足智多謀，有甚麽用呢？

司馬笑因非常崇拜司馬懿的關係，在曼谷時，家裏陳設着，香爐燭枱，足斤重的大紅龍鳳燭，不像今日寺廟，多用小電泡假蠟燭，凡供着神位，上書「司馬先遠歷代一服宗支神位」，到了過舊曆年時，會使客人憧憬着中國農村社會已往歡樂揚溢的可愛氣氛，有人說他出洋相，其實不然，一個中國事務官，這樣做的結果，很容易親近中國人，不過話又說回，今天在台灣讀書的大學生，和卅歲以下青年的一代，對自己國家一些舊禮節，能弄清楚的已不多了。◉

司馬笑是一位堅強反共的美國官員，樓主民國四十三年，僑居曼谷經商，看到當時的新聞界，太不成話了，激於義憤，單獨創辦一家日報「對共匪口誅伐筆，正是中共統戰最成功的那一階段，幾十家報刊，有稱毛澤東爲人民「救星」的，有稱「毛主席者」，各報尙有合訂本爲證，可資查考，祇樓主辦的報，堅決擁護　蔣總統，誓死反共，著論昭告僑胞說：「　蔣總統在甚麽地方，甚麽地方就是中華民國的司令台，復國非能不能問題，而是時間上早與遲……」幾乎每天都在痛斥邪說和孤軍作戰，可是台灣對曼谷的消息，則甚隔膜，謂幾十家華文報刊，都一致反共（包括罵我們爲「匪」的報紙在內），這種敵友不分，是非不明的搞法，眞不知是甚麽政策，及從何說起，司馬笑可能認爲太不成話了，乃挺身直出，予樓主以精神支持。憑良心語，台灣派去的工作人員，也聯合向樓主致敬及慰問過，但避諱將樓主這些九死一生的奮鬥實況報到台灣，所謂：「報喜不報憂」，換句話，就是要向擺打哈哈的喜鵲看齊，有些比較穩重的工作人員，雖對這份孤忠讀物非常同情，但亦祇是同情而已。

自民國卅八年退出大陸後，樓主效法　國父，奔走於黃金半島幾個國家間，鼓吹反共，策動華僑，辦出十幾家日報、晚報、週報、畫報等，共匪將樓主列爲「戰犯」目標，恐嚇打擊，用出最毒辣的方法，赫赫反共功業，照道理國民黨一定會支持了，事實與理想往往相反，十年間中了自己同志的暗箭不知有多少，傷痕累累，不堪回首，司馬笑看到很多，蔣經國部長，和前唐縱秘書長亦知道不少。樓主祇知反共，從未吃過公務員飯．數十年靠硯田筆耕，一般庸人，像當年畏懼周莊似的；多麽不需要！

中國哲人簡介

公孫龍

王邦雄

公孫龍，趙國人。惠施去世，他尚在童年，莊子離開人間，他始成出道，以豪辯名動天下，故能與惠施齊名，成爲「名家」的代表人物。

他初學成，即已嶄露頭角，成爲戰國名公子趙平原君的座上客，備受禮重，前後二十年。他曾力勸平原君在邯鄲圍解之後，不可接受封地，以免樹大招風，反而帶來禍患。

他不僅是平原君座上的高士，在學術界也是國際間引人注意的人物，齊稷下學士的要人物——鄒衍，過趙時，就曾大肆抨擊公孫龍；他又與魏公子牟友善，交往甚密。可見他早已名列戰國名士的英雄榜了。他曾一度前往燕國，試圖勸服燕昭王偃兵，但是時燕國名將樂毅，剛率領燕、趙、魏、秦、韓五國部隊，大破東方的霸主齊國，燕王挾勝利餘威，正高趾氣揚之際，當然不願接受。不久以後，趙惠文王又向他請教何以趙國偃兵十餘年，但事終不成的緣故。公孫龍就回答他說：偃兵的基礎，在於兼愛的心，要有具體事實的表現；而，趙一面派兵入，一面與秦勾心鬥角，偃兵當然要成爲虛名了。可見他頗受墨學的影響，也主張偃兵兼愛：可惜他的學說，却與他這一番主張，完全脫節，終其身也不過以「辯者」名家而已！

公孫龍的著作，留傳下來的有白馬、指物、變通、堅白、名實等五篇。其中以白馬論與堅白論，更是廣爲留傳，聞名於世。

當時，孔子的後代孔穿，到趙國拜會平原君，與公孫龍碰面，就意味深長的說：「我在魯國，即已久聞先生的大名。先生才華過人，鋒芒畢露，向爲世人所欽敬。只是我對先生白馬非馬的論調，實在不敢苟同。假如先生願意放棄白馬非馬論，我就拜在先生的門下學習。」公孫龍聽了這段刺耳的話，就很不高興的回答說：「先生你的話錯了，我的成名，可以說完全建立在白馬非馬論上，假如我絕口不談白馬非馬，那麽我還有什麽動人的學說，可以顯揚天下呢？何況你既要拜我爲師，却先攻擊我的學說，恐怕不太妥當吧！」由這段插曲，可見「白馬非馬」，是公孫龍引爲最得意的學說了。

白馬非馬，馬指形體，白指顏色，白馬是在形體上，又加上顏色的類別，已與單指形體的馬不同；同時，馬還包括其他類別的黃馬黑馬及一切顏色的馬，白馬只是其中的一部份，當然不能代表全體，所以白馬非馬。以柏拉圖的觀念論來詮釋的話，世界上根本沒有「馬」的存在，只有個體的黃馬，黑馬的存在，就好像世界上沒有所謂「人」的存在，而只有一個張三、李四、王五存在一樣。因爲馬是抽象的觀念，泛指一切馬所具有的性質，是所有個體馬的共相或模型，只存在觀念世界裏，而沒有實體的顯現。如此說來，實體的「白馬」也就不能等於模型的「馬」了。

白馬非馬，乍聽之下，簡直駭人聽聞，讓人無法接受。白馬不是馬，難道會是牛是羊？事實上，說「馬非白馬」，遠較「白馬非馬」合理。我們可以說「兒童都是人」，但不能說「人都是兒童」。就因爲白馬是馬的一部份，我們才可以說白馬是馬，意思就是說白馬是屬於馬這一類的，公孫龍的詭辯，就在將白馬與馬之間，本來上下相承的關係，貫下前後並立的等號，結果白馬就不等於馬了。假如白馬非馬，依此類推下去，則馬非走獸，走獸非動物，動物非生物，那麽人類在生物學上所建立的架構，豈不是要宣告倒塌？

其次，再討論「離堅白」。一塊「堅白石」，給我們的整體印象是一塊堅硬的白色石頭。事實上我們略加分析的話，就可發現堅白石不是一體，而是由三種不同的觀念組合而成。堅是觸覺的，白是視覺的，石是具體的形象。當我們以手附在石頭上，所得的只有一塊「堅石」，而毫無「白」色的感覺；當我們以雙眼看着石頭時，所能有的也只是「白石」而已，而完全感受不到「堅」硬的存在：是以堅白本是分離，而不是一體名。事實上這也是賣弄名言的詭辯，誠然視覺不等於觸覺，但吾人面對一個實體，視覺與觸覺所造成的印象，在意識流裏，可以前後貫串，而毫無間隔。同時，堅白石中的堅與白，雖可以說是抽象的共相，但它們是已受界限而落於實體的堅與白了，它們再不能離開這塊石頭而獨立存在，再也不是遊離在外而漫無所指的概念了。所以儘量我們不去摸它，不去看它，但堅與白依然存在，故離堅白充其量也不過是文字的遊戲而已。其餘指物、通變、名實三篇也分別在個體常變而共相不變中，反覆討論，物與實是常變的個體，指與名則是不變的共相。

綜觀上述，惠施喜歡在異中求同，他的特色是「合同異」；公孫龍則喜歡在同中析異，他的特色是「離堅白」。惠施的觀點，重在個體常變，所以他於哲學是屬於變的哲學；公孫龍的觀點，重在共相，而共相不變，所以他[illegible]不變的[illegible]名學邏[illegible]們這一[illegible]能說不[illegible]遠離中[illegible]民的傳[illegible]於各家[illegible]爲他們[illegible]，玩琦[illegible]學上，[illegible]墨家同[illegible]的命運[illegible]施、公[illegible]幸，也[illegible]上，最[illegible]頁。

名[illegible]

吳敬恒先生年譜（卅七）

陳凌海編撰　陳洪校訂

先生與蔡元培與李、趙兩代表談話之後，深鑑兩君之誠懇，爲求學校能早日開學上課，對李、趙兩君之要求，特爲委曲成就，使大學區與北大方面，皆能顧到，遂議定改制辦法，經李煜瀛、李、趙兩代表雙方首肯。同時對於法律系畢業生充任律師資格一節，亦獲得蔣夢麟（孟鄰）、蔡元培之保證。先生將商談結果親函李書華，李書華依照先生所示辦法辦理。並由北平大學聘請陳大（百年）爲北大學院院長，於是北大學院得以開學上課。十月三日，中央政治會議推蔣總司令中正與先生及孫科（哲生）、胡漢民（展堂）、戴傳賢（季陶）、李煜瀛、張人傑（靜江）、蔡元培、王寵惠（亮疇）、譚延闓（組庵）等爲五院起草委員，由先生負責起草。十月八日，國民政府改組，推請蔣總司令中正爲國民政府主席。先生被推爲監察院院長，又未就。後改推蔡元培爲監察院院長。先生擬訓政綱領。十一月，鈕永建（惕生）、葉楚傖、繆斌（丕城）、錢大鈞（慕尹）、陳輝德、張壽鏞、顧祝同（墨三）、張乃燕（君謀）、陳和　（孟釗）、王柏齡、吳蘊華等就任江蘇省政府委員。（指定永建爲主席）先生在就職典禮席上演講。十二日，爲丁仲祜所編說文詁林撰序。十二月，參加國民黨第二屆四中全會。被推爲中央政治會議委員。孫科等提請設立黃河水利委員會，直隸中央政府。經中央政治會議決議，推先生與胡漢民、孫科等七人爲委員，負責審查該會組織條例。是年教育部成立國語統一籌備委員會，聘請先生爲主席。是年北平研究院開始籌備，李煜瀛任籌備主任。

民國十八年，己巳（西曆一九一九年）

先生六十五歲。

禪學黃金時代

石頭希遷門下的五大禪師（一）

吳經熊著　吳怡譯

在這裏，我們要介紹五位重要的禪師，他們不僅是從石頭希遷到雲門文偃和玄沙師備之間的橋樑；而且都有高度的創造精神，對禪宗的傳統都有特殊的貢獻。

第一位是天皇道悟（西元七四八——八〇七年）

他是浙江東陽人，俗姓張。在十四歲那年便想出家。但父母不答應；於是他便每天節食，弄得骨瘦如柴。最後他的父母只好勉強答應了。他二十五歲那年在杭州正式受戒，特別注重苦修。後來到餘杭去拜訪徑山道欽，徑山是屬於四祖道信和牛頭法融的系統。也就由於徑山的關係，他才第一次接觸到禪學。他隨徑山問學了五年，後來又到馬祖那裏住了兩個夏天，最後便去見石頭希遷。

「如果超脫定慧，請問你還能告訴別人什麽法？」

石頭回答：「我這裏本來就沒有奴隸，還談個什麽超脫。」

富人列傳（六）

呂不韋善賈居奇

周燕謀

一、傳奇人物

提到呂不韋，就連想到秦始皇，此二人脫離不了關係，讀者諸君也不難想像。

呂不韋可以說是一個富於傳奇性的人物，細察其一生事蹟，眞不愧爲千古奇人。他生於戰國末期（西元×××——二三五），生於濮陽，（春秋時名帝丘，爲衛國都，戰國始名濮陽，在今河南清豐縣南。）後因貿易於陽翟，故有人說是陽翟人。陽翟於戰國爲韓國都城，即今河南禹縣治，幼有大志，與其父對話言志的話便可知曉。

不韋問道：「耕田之利幾倍？」

其父道：「十倍」。

不韋問：「珠玉之贏幾倍？」

其父道：「百倍」。

不韋問：「立主定國之贏幾倍？」

其父道：「今力田疾作，不得暖衣餘食。今定國立君，澤可遺後世，願往事之。」

中國文化最輝煌的時期則爲春秋以後之「戰國」時期。此時「井田」制度已形破壞，土地私有制大行其道，豪強兼併之風甚盛，「疾力耕田，不得暖衣飽食」。加以在「戰術」上已有了改變，由「車戰」一變而爲「騎戰」。那時秦、楚、齊、韓、趙、魏、燕七雄爭長，不但國際上因政治和軍事的鬥爭，而形趨於統一的趨勢，文化方面也有「百家爭鳴」之風氣。因此，封建王室解紐，瀕臨於崩潰，士人亦逐漸抬頭。各國諸侯皆主張「富國強兵」，以爭雄長。後來因利弊互見，也到了一個綜合評判的時期。不韋看到在他之前的布衣而爲卿相者，比比皆是，如最顯著的范蠡、蘇秦、張儀、范雎、蔡澤等，均以一布衣而成宰相，掌重權，名重一時。不韋對於時代背景及其國際形勢，都非常清楚，眞所謂是「高瞻遠矚」。但是，他認爲做任何事業，必少不了「金錢」爲其基本。走政治路線，更離不了金錢。因此，他決定先打好了經濟的基礎，以爲「立主定國」之張本。他在陽翟經營商業，販賤賣貴，幾年光境，竟成爲「巨富」，足以左右一國之經濟。但是，此時他却着手實行他第二步的「政治投資」；他棄了「士農工商」之末位的商業，要在那混亂的國際政治市場中去撈「立主定國」的「政治投資」，要從末位躍居於有名之顯相。他拍定「願往事之」的願望和決心，去做「立主定國」，以求「無數」的贏利事業。他以商人的投機手段，用之於「政治投資」的陰謀。可以說是一種大膽嘗試。

不韋了解當時「政治市場」的行情。當時七雄之中，秦國是抱有遠大的雄圖的一國。自秦孝公用商鞅變法圖強以還，已具富國強兵之成效。對於有學術的士人，一律破格拔用；加以秦國民風樸素，武功強盛，在他看來，有併吞六國之志，大有「非秦莫屬」之勢。所以在不韋心目中，秦國是一個「政治投資」的最佳市場。不韋以知識的積累和經驗的結果，要在政治市場上作一次冒險的大投資。

催眠術研究（五）

鮑紹洲

四、硬軟催眠法

硬軟催眠法，就是使全身筋肉堅硬，或使致柔軟而催眠的一種方法。

施術時，先使被術人仰臥，四肢伸直，兩拳緊握，兩足指亦盡力屈入，運氣於全身，最後團集在丹田；兩膝頭亦盡力使之堅硬。施術人反復暗示：「用氣力」，「用更大氣力」！約過十分鐘，則又暗示道：「放鬆全身筋肉」，「假想手足如麻木狀態」，「好像沒有了身體，只剩了一顆心」，「頭上的血液逐漸下降到足尖」，「眠了！眠了！」「深眠了！」如此反復暗示，便可催眠了。

這種原理，是使全身筋肉或軟或硬，使血液循環有變更，漸至於雜念不生之地，再至全身麻痺而眠。

五、算息催眠法

算息催眠法，就是令被術人計算呼吸而催眠的方法。算息法共有三種：

（一）先使被術人處於最適宜的姿勢。將口閉着，用鼻孔呼吸，運氣於丹田，使下腹漲開，然後自鼻呼出腹內的空氣，下腹凹下。以張下腹時數一，（默數）下腹凹下時數二，又張下腹時數三，凹下數四，以此數下去，數到五十次，再從一數到五十。到催眠而後止。中途如果數錯或忘記數時，再從一重數。數到昏昏欲眠的時候，就不數了。如不催眠時，繼續再數。

（二）暗示勸呼吸法：就是用極粗極快的強烈呼吸法。以強度的反復呼吸而伸縮下腹部，自己數一到五十，再從一數起，如此數到四次五十之數，然後將數數減緩，一直到呼吸微弱的時候爲止。到此，被術人精神靜定，自然思眠，終於入眠。

（三）呼吸和第一二法一樣，只是加以強度和速度，而胸中自己暗數一至五十，數數時，則致力量於膝頭。數到三次五十之數，便漸漸將呼吸微弱，至於靜寂。此法可使頭部的血液慢慢下降，便成催眠。

注意之點：計算呼吸，必須注意數數，若中途忘了數數，便是被術人心想他念，必須重自一數起，以除去一切雜念。所以施術人又須對被術人說：「注意專心數算呼吸」，「如果數錯，再從一數起」。數數並注意下部，血液便集中於下部，腦血因此減少，注意力凝集，雜念驅除了，便入於催眠。

國父與邵元冲論革命學

孫院長哲生講演「國父的讀書生活」書後

・楊力行・

日前拜讀十一月十二日國父百齡晉三誕辰紀念中央日報特刊所載孫院長哲生所講「國父的讀書生活」一文，文情並茂，當然以孫院長之博學及對 國父瞭解之深切，當爲任何人所不及，尤其我輩後生小子們，根本沒有親近過國父，雖熟讀遺教，亦萬萬不及也。雖然配位杏壇，講授 國父思想及三民主義，總不免有隔靴抓癢之嫌。因此熱望孫院長今後能多講些 國父之生平事蹟，敎請對於 國父遺教有精湛研究者筆記之，整理之，然後交由中央社以「特約專欄」分發各大報章什誌優先刊佈，俾讓國人先睹爲快，並使大家對 國父之革命事業及治學方法等，更有深切之體認，允爲萬世楷模，則其裨益後世之大，實不可限量也。

又孫先生講演「國父的讀書生活」中有「國父讀書，涉獵甚廣，不過他都是有目的的，有一次有人問 國父以：「先生平日所治甚博，舉凡政治、經濟、社會、工業、法律，都在閱讀範圍之內，到底是以那一樣爲專攻呢？」國父答道：「我無所謂專攻。」又問：「那末先生所治的究竟是那一種學問呢？」國父笑道：「我所治的是革命之學問，所治的是一切學術對我革命之知識和能力可以有幫助的，我都用來作爲研究的原料，而組成我的革命學。」以我多年研讀 國父遺教及執教的經驗所瞭解。孫院長引述上列這一段話係民國八年對邵元冲（故立法院代理院長，後在西安事變中殉難）說的，載在「治學雜談」中，與原文畧有出入，其原文爲：「民國八年，邵元冲先生問國父：『先生平日所治甚博，於政治、經濟、社會、工業、法律諸籍，皆篤嗜無倦，畢竟以何者爲專致？』『余無所謂專也。』邵又問：『然則先生所治究何種學問？』國父答：『余所治者乃革命之學問也。凡一切學術，有可以助余革命之智識及能力者，余皆用以爲研究之原料，而組成余之革命學也。』」所謂革命學，乃是 國父革命主義的總稱。 國父畢生治學，悉瘁力於創立他救國救民救世的三民主義。這正是 國父學以致用，學以濟世的明證。更可證明「革命基礎在高深的學問」之重大意義。

論及研究 國父思想，宏揚遺教，探討三民主義，其態度應該是很嚴肅的，鄙見以爲有下列四個方法：一曰根據文獻，融會貫通；二曰參考科學，注重事實；三曰闡明奧義，把握特殊；四曰引伸發展，循定制度。本此基本原則去作，方可收到整理、闡揚和實踐的功效。關於詳細的敎學研究問題請參閱拙作「我們爲甚麼要研讀三民主義」一書，由台北新莊中正路廿三號妙諦齋發行。

振筆至此，又讀自由報第九一二期有許一塵先生之「國父讀書廣博」一文，引據頗詳；可與前文共讀，因併及之，以爲喜歡讀書者，尤其國民黨後起之秀的借鏡焉。

民國五十七年十二月八日寫於台北新莊妙諦齋

遷境過事

三幕喜劇　一式熊

包太：（大驚的樣子）這怎麼可以呢！包先生，從前的事，是出于誤會，現在既然我們大家都知道了，怎麼可以明知故犯呢？不但在法律上，在道德上，說不過去，在良心上，也不能够再做那種非法的，不合理的事呀？

仁：　那末，你打算怎麼辦呢？

包太：（泰然）我不打算怎麼辦！

仁：　我更不明白！你既然不肯同我去辦手續補行婚禮，却又不能繼續同我………同居，我就不知道你所謂的「不打算怎麼辦」倒底是怎麼辦？

包太：就是不怎麼辦！我一個人了我一個人就成了！我從前沒有和你結婚之前………對不住，我說錯了……我從前沒有和你非法同居之前，做事情所積蓄的一點點錢，多謝你替我投資，買股票，這十幾年以來，很可觀了！專管我的吃用是有多的，我想我還可以把傢具換換，把洗澡間裝上抽水馬桶………

仁：　衛生潔具！

包太：對了！全部換上衛生潔具——

仁：　慢來，慢來，你既然知道不可以再和我非法同居，怎麼可以再在我這兒住，還要換傢具換洗臉盆，洗澡盆，一切一切呢？你打算把我放到那兒去呢？

包太：你隨便搬到那兒去住都可以的；好在你的房子很多不一定要住這一幢，我却住慣了，不想搬！可是我們不能同住在一幢屋子裡，以免外邊人在背後說閒話，不怕你多麼規矩，香港人是最喜歡造謠言的！

仁：　你不知道這是誰的房子嗎？這是我的房子呀！

包太：我知道這是你的呀！我又不想買，只是租來住住，我寫信請租務法庭定一個公正合理的租金，我按月上期付給你好了！

仁：　（譏諷口吻）多謝你替我把房屋出租！我不打算把這幢房子租人，要留着自己用！

包太：（不在乎似的）這也是人情之常！房東清業，房客不肯搬——我是不肯的，決不自動搬——這也是香港常見的事！你又得委托你的律師代你清業，恐怕要經租務法庭………

仁：　（大驚）要經租務法庭？　　（四六）

說「誠」

許一塵

自來學者關於「誠」字之解釋，多有發明，各有獨到之處。子思嘗曰：「中庸何爲而作也，子思子憂道之失其傳而作也。」（見「中庸章句序」），故「中庸」一篇，是否出於聖孫子思之手，筆者今無暇考辨，而察其內容，則爲秦漢之交儒者之所作，自無疑義！至此儒家思想才算已臻完備。故其書以天道始，以教化終；凡所涉之問題，若本體論，若宇宙觀，若倫理，政治，教育，往往見其理極，開後世之先河！而綜其全篇大旨，（以「誠」貫之，足見「誠」字可爲儒學之核心。

中庸曰：「誠者，天之道也。」蓋天地之道莫非眞理，可見「誠」亦就是宇宙的眞理。又曰：「誠之者，人之道也。」此「誠之者」，猶云求眞理。故求得眞理，方算是耋到做人的道理。因眞理係出於天，以人而能知之律之，便與萬事萬物所率循之道相同。而人之所以能知天地萬物，正因天地人物原屬一體。此乃知識發生之根基，存立之開鍵！

又人道既出於天道，則人道之「誠」，必源於天道之「誠」。故凡倫理，政治，教育……乃爲天道之行於人事，也爲天道之「誠」見之乎人事。然則，天道之「誠」何自來？曰：「誠者，自成也；而道，自道也。」此猶言眞理之自爲眞理，係出於自致，非受他力所使之如此。而「自道」云者，謂其發動流行，自然而然，非於此道之外，別有他物左右其間。蓋天道若「誠」，乃萬事萬物所率循而不墜之秩序，此即宇宙之本體，其發動流行，純出乎自然。宇宙萬物既一本乎自然，則其動靜成毀皆循自然之法則，非有超自然之主宰，張其造化之機於開闢之前，持演化之柄於關闢之後。若說[illegible]論（Naturalism），泛神論（Pantheism）相通。至其人生觀着重樂天安命，則又與西洋之定命論（Determinism）若合符節。

又因「誠」爲本體，本體發動流行而成宇宙萬物；故曰：「誠者物之終始，不誠無物。」蓋「誠」爲天地之至道定理。物之所以爲物，莫不稟受天地之至道定理，以爲其條理界域；故曰：「不誠無物。」且夫物之成也，必有其所以成之故；其毀也，亦必有其所以毀之因，[illegible]

創業哲學

一位典型特工頭子

楚狂人

創業哲學寫了很久，對象多半指工商界，有人謂：「市儈已經夠壞了，何必再去教呢？」其實講這些閒話的人，似是而又非，但自由報的讀者是多方面的，根據我們的統計，除高級知識份子佔壓倒優勢外，情報人員比農民讀者多，今天擬將希特勒麾下特工頭子姆萊提出談談。

從不被人注意的希姆萊，身材矮小，帶着一副夾鼻眼鏡，若叫他穿上軍服，簡直不像個東西，木頭木腦，典型的小學教員，或者錄事之輩，他和他的妻女，住在郊多簡陋的鄉村，他的夫人佛帶女士燒飯洗衣，從不屑奴婢，不知者都疑爲希姆萊是個商店的小伙計。

李本特洛甫是他最要好的朋友，有一次向希姆萊說：「閣下的權勢在德國坐第二把交椅了，爲甚麼不住大洋房，按照職份享受呢？」希姆萊把單片的夾鼻眼鏡脫下揩揩灰塵說：「我永遠是個單調的人。」這位屠殺猶太人的劊子手，到那裏去跟多少保鑣誰也不知道，不像其他國社黨要員，保鑣們前呼後擁，道恰恰和他的做法相反。

希姆萊是國社黨黑衫隊領袖，國社黨原有兩種武裝組織，一爲S．A．，即褐衫隊，一爲S．S，即黑衫隊，在希姆萊手下，計有四十五萬忠於主義的德國青年，他們都受過精密訓練，並且完全機械化，德國的正規軍，僅僅做了一點不可少的射擊和轟炸動作外，其餘的都歸給希姆萊去幹，他的工作對象是世界各國，僅柏林總部，就有兩百人專管「情報分類」其餘可以推想，希姆萊自己發明，由「骷髏隊」管理（黑衫隊一種組織），專爲拘留猶太人及共產黨人之用，另一組織希姆萊引以自傲的，是分佈在國外的政治秘密警察，人數在五千以上，但希姆萊通過街衢或臨某一國家時，誰也不知道他就是德國第一號特工頭子。

特工如果被對方認識你是特工，你的工作任務勢必全部垮桿，有些恨不得將「特工」兩個字印在額角上，且將甚多術語用於日常談話及做一些不應當做的事，未譜讀完希姆萊道段簡短介紹後，內心有何感想？或者很感到自己錯了。

搜異錄

司馬喬

殺兒童祭神

印度北部有一殺人集團，專門殺害十幾歲的兒童祭神。組成這個集團的，包括十五名十四歲至十八歲的「聖人」，及兩名年齡較大者，[illegible]被捕。他們帶着三個孩子的頭蓋骨，[illegible]架與殺害三個兒童，並且[illegible]喫半熟的[illegible]。

印度北部過去也有過類似的組織，在兩年之內，[illegible]始爲英國當局所消滅，這一次所破獲的組織係過去的組織的復活，[illegible]頭蓋骨當作飲器。

御廚談藪

鮑魚燉老鴨

林泉隱

「常吃鮑魚燉老鴨，壽年活到八十八」，這是西南沿海民間的說法，和湖南老醬燉嫩雞作補品相伯仲，不過都是入冬才注意進補的。

老醬燉嫩雞，不僅皇室御膳房未採用，即湖南鄰近省份如湖北，江西，廣東，四川人，率多未知這種食法能作補品，但湖南朋友則津津樂道。

慈禧太后喜歡吃鮑魚燉老鴨，有時以海參燉老鴨，今天我們談鮑魚燉老鴨，先將鮑魚出水滾過洗淨沙灰，後用薑汁老酒下鍋，爆後取起，再以刮淨老鴨一隻，用油爆炸，起鍋[illegible]加紹酒一大杯和以鮑[illegible]燉至爛熟，所謂上湯[illegible]湯），火腿腳爪豬腳[illegible]，各種鳥肉皆可，食[illegible]味濃厚，鮮補無比。

現在[illegible]南汽鍋燉之汽鍋（即雲[illegible]必再隔水燉爛了。註：[illegible]滌，可用牙刷刷去。

自由報

（第一九一九期）

（逢星期三、六出版）

每份港幣壹角・台灣新臺幣貳元

社長李運鵬・督印兼發行人

社址：香港九龍彌敦道593—601號創興銀行大廈八樓五座

LIU CHONG HING BUILDING 7th FLOOR FLAT 5 593—601 NATHAN ROAD, KOWLOON, H.K.

TEL: K303831

電報掛號：7191

印刷：美豪印刷公司

地址：嘉咸街廿九號地下

台灣總管理處，台北市大同街119號

台灣區直接訂戶 台郵劃撥戶

第五〇五六號張萬有（自由報會計室）

電話：五一四〇三三・五五五三九五

台灣分社：台北市西寧南路110號二樓

電話：三〇三四六・台郵劃撥戶九二五二號

中華郵政台字第一二八二號執照登記爲第一類新聞紙

告對美國外交之期待者

。劉光炎。

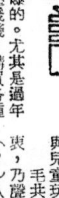

中國人對美國外交期待的殷切，是出乎常理之外的。比如說：這次美國選舉，對於誰人入主白宮，中國人心情的熱切，怕不會下於美國人。筆者那天正在士林某校授課，士林鎮上擠滿人聽美新處廣播，教授休息室更是議論紛紛。人有言，必言美國大選。「皇天不負苦心人」，終於遂了中國人的期望，我們的好友尼克森當選了。大家似乎鬆了一口氣，然而怎樣？美國對華外交會有積極性的加强嗎？

西人常譏笑無知而具有强烈依賴性的人，爲「一廂情願者」（The Wishful Thinker），不幸我們的同胞，正是這一類。

並不是我故意說刻薄話，請看尼克森政府外交的影子。

尼克森政府外交策，大概是：第一、把重心漸漸由亞洲移到歐洲。第二、在亞洲方面，對日本多所期待，想由日本繼承美國援外的担子。換句話說：尼克森政府的亞洲政策，並不比詹森政府對亞洲政策對我們更爲有利，更不必說是更積極，更進步，諸如幫助我們反攻大陸，復國建國了。

最近消息，尼克森政府的國務卿，也許會由前紐約州州長杜威担任。於是有些人又燃起了新的希望。他們的理由是：美國的國務卿，有的時候，是可以替總統當家的，杜魯門政府時代的馬歇爾，即其顯例。而杜威在中國人心目的「中國之友」的資格，似乎又比尼克森老。有了這麼一位人士來當國務卿，我們不是又可大有「盼頭」嗎？

勿因「依賴心」而令智昏

中國有句名言：「利令智昏」，其實「依賴心」照樣也能令「智昏的」。因爲心存「依賴」，就把一切「不可能的」當作「可能」，一切幻想的當作眞實。事實擺得很明顯，即使杜威當了國務卿，美國的外交政策，也不能與上述有什麼距離。因爲：（一）外交政策，乃取決一國的利益，而不是少數人的好惡，美國當前的國運，決定了尼克森政府的外交動向，誰也不能改變它。（二）國務卿的重要性，是隨總統的能力爲升降的。馬歇爾當國務卿時所以能一手遮天，乃是由於當時的總統杜魯門是一個「窩囊廢」。他自稱爲「鄉下人」，所以一切聽馬歇爾胡來。赫爾不也是國務卿嗎？但因當時的總統是以英明著稱的小羅斯福，所以一無作爲。有些重大外交事件，甚至在簽字的前夕，他還不知道。尼克森雖不如小羅斯福的跋扈，但也絕不似杜魯門的窩囊。因此，杜威這個國務卿，一定不是一手遮天式的國務卿。

明乎此，可知我們今後在外援上，對美國已沒有什麼想頭，不必再一廂情願儘把自己生死存亡的大計，寄托在人家身上。

老實說：美國今天的所作所爲，與大陸撤守前並沒有兩樣。在大陸撤守前，我們不是美國所拖累，我們是不會這麼快失去大陸的。這一切已是舊話，提起來只是令人喪氣。在此反攻前夕，我們需要的是「興奮劑」，不是「洩氣丸」，還是不提的好？

由大陸撤退到最近一階段，美國的作爲又何爲？明眼人都可以看出，與前差不多，即是美國對人的幫忙，「幫倒忙的時候多」，「幫順忙的時候少」。

不是嗎？大韓民國是第一個接受美國幫助的人。而美國策動了反李承晚的政變，使韓國幾於混亂而不能自拔。如果不是韓國人自己爭氣，一切從新來過，韓國的遭遇，是不可想像的。

越南是第二個接受美國幫助的人，而由於美國抽腿後，越南的强人吳廷琰氏，才喪失了生命。到了今天，美國又在强迫越南參加「擴大和談」了。而所謂「擴大和談」者，是不是「聯合政府」的影子或是前奏曲呢？在今天已成爲圖騰，是「心可想也而口不可得而言也」的禁物和忌諱。二十世紀七十年代民主世界的諷刺，還有比這更大的嗎？

須注意美國亦自顧不暇

因此有人說：「美國不可靠！誰靠誰倒霉」，這幾句話當然是過份了一點。但是：在這漫天烽火的日子，美國自顧不暇，而且比亞洲遠爲重要的處所要他去照管，則是千眞萬確的事實。而我們亞洲人，尤其是中國人，一味地靠着他，使他困煩不堪。這又那能怪有些美國人要高唱「擺脫主義」！

於是：有些人又要責難美國了！說什麼：「不講道義」「沒有道德勇氣」呵！

其實，這些都是廢話，言之無補。拆穿西洋鏡說，這只是懷有依賴心理失去依賴後的自卑情緒，轉而發爲狂言大論的自尊情緒藉以自慰的心理變態。

最高明的還是國父。他老人家於五十年前，於「中國存亡問題」——這是國父論中國外交路徑的一本書，其所言，鞭辟入裡，入木三分，對於各國的內心，如燃犀燭怪，無微不顯。凡是關心中國命運及當前革命環境的人，不可不讀，更不可不精讀——其中有這樣一段話，記得前此在拙著中曾引證過幾句，現在把一段完全引證在下面，以爲本文的結束：

「有人說：我國既無防衛武力，即使依舊維持中立，何能保他國不以我爲犧牲，不如乘此時機親美國以圖公道之援助。比說非無一理。然而不可不知者。在今日，我國決不能以無端之威脅而屈服。故目前之害可以不言。在他日，美國決不能爲我利害無干之國，與世界至强之國爲敵，故不可博。歐美之人，言公道，言正誼者，皆以白種爲範圍，未嘗及我黃種人也。美國爲平等自由之國，亦即爲最先倡導排斥黃種之國。今日美國與我和好，或間有同情之語調？若在將來英俄德合力謀我，美又焉能與彼抗爭，傾一國以爲異種人正義、公道出力乎？不觀之高麗乎。高麗固中國之屬邦，數千年來未之或改，而有勸高麗獨立者，美國也。及英日既合，高麗合併將成，首撤公使，不應高麗求援者，亦美國也。……雖然，此豈可以咎美國哉。高麗存也，日本有不能發展之志，高麗亡，美國不過商業上間接受極微的損失。以彼美國暫時的同情，敵此日本人存亡得失所關之中心，其不能勝固無惑！」（完）

同歸於盡！

昨日與明日

「黨政考核委員會」趣聞

吾國對日抗戰時期，中樞實施「行政三聯制」，即設計、執行、考核三權聯立，互相配合，以期促進行政效能。因此，乃有「中央設計局」與「中央黨政考核委員會」之新機構產生，體制殊爲崇隆，但績效未著，且多意外的趣事發現。

民國廿九年中央政治學校——即現在的國立政治大學——爲加强學生的政治意識，並使其對現實政治情況多所瞭解起見，曾舉行一次政治檢討會，教諸生各抒所見，暢述觀感，聲明對外不發表，立言者無論得當與否，皆不負責。時有新聞研究生，即本報「文匯樓主」（筆名）發言，指摘中央黨政考核委員會之設置，不特侵犯行政院的職權，亦且疊床架屋，形同太上政府，不正常的搞法……，毋補實際，認爲甚不合理云。

散會後，即有校警來請其到教務處談話，比至，校警將置之於警衛室中，並無人與晤談，實係加以「禁閉」處分也。經過了幾小後，教育長陳果夫傳喚該生入見，詰以爲何作此離經叛道的議論？生謂：主持老師當場說明對外不負責任，亦可開發表，教大家暢所欲言，我幾畧述自對黨政考核委員會這一機構的觀感，絕無其他的意思，請教育長諒察之。」陳詰之曰：「你不知道政治學校的本質末嗎？怎可以這樣隨便說話呢？」生答：「政大的學生如果不能談政治問題，那又何必創辦這所學校呢？」陳呵之曰：「你的思想爲何如此胡塗？眞奇怪。好，你去仔細想想罷！」該生以免除了「禁閉」，乃垂首退出。次日，訓導長張道藩召該生詰問此事，生依然對答如前，張道：「你這樣倔强的性格，將來在社會不知道要吃多少虧呀！」頗示惋惜之意。

抗戰末期，筆者担任戰時首都重慶市教育局長兩年又半，旋奉行政院命，迨交卸職兩月後，接奉市府轉來行政院訓令，內稱：「案據中央黨政考核委員會函達，該會考核重慶市政所得結果，以教育成績最佳等情，合行令仰知照」云云。我當時爲之啼笑皆非，乃將原訓令抄錄一份……的污穢之政治市場中，藉以保持個人的人格尊嚴焉。

中央黨政考核委員會的主持人，是廣西雷渭南（殷）先生，事後我把上述兩項趣聞告訴他，他笑說：「這是玩把戲，戲法拆穿了，不值一文，閣下何必認眞呢？」「不錯，自從抗戰結束後，直至今日，再也沒人談行政三聯制的玩藝了！」

（何如）

自由談

美國的反共策畧

馬五先生

兒童都是喜歡玩鞭爆的。尤其是過年的時候，把家長所給的壓歲錢，購買各種鞭爆玩弄不已，且與鄰居的同輩們比賽，各自持有的爆仗孰多？洋洋自得，興復不淺。可是，實際上却對爆仗之聲怕得要死，每逢點燃一枚爆仗的引線後，即掩耳狂奔，不敢仰視，唯恐火燄飛到身上來，認爲危險之至！

二次大戰後，美國對俄共集團的政策，正與兒童玩鞭爆的心情一模一樣。始也自命擁有優勢的原子彈，大言炎炎，動則說要使用原子武器以制止共黨向外擴張，然又咀硬而手軟，在韓戰之中，吃盡了俄共集團的苦頭，亦不敢放一枚原子彈，且不惜以紙老虎自居，向共黨委屈求和。繼也認定蘇俄已能製造原子武器了，不覺膽戰心驚，而大呼「原子僵局」，希望跟俄共集團和平共存。最後則竭力誇說原子武器破壞力之深鉅，估計美國如受到俄帝洲際飛彈的襲擊，民衆生命有八千萬人以上被毀滅掉，自我恐嚇，變讀難安，却又揚言美國儲存的核武器比蘇俄爲多。這樣情況與兒童玩弄爆仗的怯懦心理有何分別呢？

毛共覷破了美國這種色厲而內荏的隱衷，乃聲言並不怕原子彈，縱然被原子彈毀滅了三億（？）人口，中國有七億人亦不在乎，始終視「美帝」爲死敵，決不妥協。於是乎，美國當局又自作聰明的甚，料定毛共政權的第二代接棒人，必將採取溫和政策，可與美國修睦結交，不妨忍耐等待，而詭詞於「不願上駟對下駟」，聊以解嘲云爾。這便是戰後廿年以來，美國對俄共集團的一套外交策畧，結果即如廣東人所說：「面係人地界，架就自己丟」，弄得自由世界遍地共禍勃發，鋒鏑頻驚。

詎非自由國家若誤信託庇於美國的「原子傘」下，即可高枕無憂，而不知自立自强，有所作爲，前途是凶多吉少的！

企圖染指！

如此世運檢討會？

怕出醜拍桌子限制說話時間

捏表功的報告欲掩世人耳目

本報記者翟光台北消息：參加十九屆世運會代表團，在輿論頗多微辭聲中回國了，直至十二月七日上午，才召開一次有名無實的檢討會。

會議主席由楊森將軍主持，參加者有代表團職員、會議代表、教練二十餘人。會議由上午九時十九分開始，採用報告代替檢討的避重就輕方式進行，始由籌備會的高級職員，楊森團長、林鴻坦、周中勛、焦嘉浩四位報告，估去一小時十三分，其次由會議代表提出參加國際會議的經過報告，郝更生、蕭自誠報告後，已十一時，其後吳文忠、李建人，繼續報告與檢討無關的事項，已到十一時三十一分，與原定會議結束時間，不到半小時，於是主席便規定每位報告只准三分鐘。接着素以敢言的體操會議代表師大教授楊基榮發言，他說體操國際水準高過我國二十多年，今後體操界應該善自檢討，並表示外傳代表團有人在墨西哥賣宮燈圖利是事實。八日台北聯合報稱：「正當楊基榮說得慷慨激昂的時候，楊森團長一拍桌子說：『講了五分鐘，超過時間了，不要再說。』楊基榮看了楊團長一眼，只好坐下來不講。」其後林象賢、顏惠霖報告至十一時四十三分，林鴻坦總幹事宣佈延長開會時間，楊傳廣因故退席，到了黃文海報告足球會議後，正屆中午十二時，才輪到各項教練報告和檢討，但因發言時間只限三分鐘，田徑教練廖演水，游泳教練蒲德克（外籍）都未及說入正題，時間已到。射擊教練劉長泗稱賣宮燈是誤會，是交換不是買賣，講了八分鐘，聯合報云：「楊森也聽得津津有味，沒有制止其發言超過時間。」

此外拳擊教練林忠孚說代表團職員沒有重視拳擊隊，連比賽的結果也不關心，有一次賽後，一高級職員才問他甚麼時候比賽？

會議在下午一時四十三分結束，由楊團長提出十點會前預先安排好的結論後閉會。

如此檢討會，充分表現掩耳盜鈴的天真，想不到六十年代的今日，竟然會導演這種把戲。

從九月代表團遠征起程時，問題就叢生，人家早派隊在墨國高地練習，我們連一份代表團名單都送不出，最後還傳出不讓我們住世運村的消息。這自然是受強有力的人士所包圍的人事糾紛，這是台灣體育出國的通病，然而就因爲把一些不懂體育、不通語言的聾啞，送去墨西哥觀光和圖利，才會造出這麼多丟臉的醜事。

在世運比賽期間，運動員節節敗績，或名列倒數第一第二的消息頻頻傳來，是預料中事，可是竟然有因報名項目錯誤而不能出賽，或教練不知規則，使選手遭受淘汰的事，等到比賽結束，楊傳廣隨代表團回國，把事情引到最高潮，楊說代表團職員不懂語言、不做事，還有出賣宮燈圖利的，紀政出賽前後無人照料，他的美籍教練被冷落等等，因此七日世運代表團正式檢討提出十九點糾正，就是對此而發的，但我們不難看出每一點都是敷衍粉飾，當前體育事業的停滯絕非偶然呀。

新聞顯微鏡

台灣紡織界的魔術

楚材

紡織在中國，是發展最早的工業，政府遷台，也是首先扶持保護的，當年確是一本萬利的生意，然而紡織界卻蛇鼠狐城，藏垢納穢，損人利已無所不用其極。

正當尹仲容先生爲工業嘔血傷神，想盡方法保護扶持的時候，卻天天只見紗布漲價。按理紡織界既是得天獨厚，應多賺錢了，起碼營利事業所得稅，多納一點，也算是對國家一點貢獻，然而不，大多數公司天天在喊虧本，找國家銀行救濟。有一個時期，國營中紡公司僅一萬錠，一年盈餘達一千萬，而兩萬多錠的×元紗廠卻僅有二三百萬元的盈餘，略事點綴，其工業巨子的申×紗廠，則已全賴銀行貸款而在大喊虧本了。然則是真的麼？確是真的，爲甚麼，請聽我道來：他們在香港，都有公司或工廠所謂聯號，當時國內紡織已能自給，政府獎勵出口，他們首先響應，於是以最低價格出口到香港，香港再出售，在香港豈不大賺其錢，台灣乃大虧其本，就這樣國家外匯，在政府獎勵下大量逃掉，台灣又省了所得稅，他們卻反怪政府：不是要出口麼？爲了響應出口，才使我們週轉不靈，非救不可，否則倒給你看，反正自始即未曾拿出多少資本，所有資金全是銀行的，於是政府不能不再貸款！君子可以欺其方，尹仲容先生到死還蒙在鼓裡。

貸了款，再如法泡製，然後找一個機會，再以「僑資」的姿態，向政府申請進口物資，另設他廠，再撈一筆，而且表現的多愛國，良心黑一點的，乾脆把在台灣賺的錢，遠走巴西，或人在香港，把爛攤子交結政府，看你如何？這種作法，即使到現在，多少還在進行中。苦矣，台灣銀行，到頭來老百姓倒霉，君不見復興已有先例。其他廠家又有幾個不是台灣銀行的？更請政府當心。冰淇淋雖不能出國，但汽車可能走老路。

省議員中兩位潔士

拒收洋酒西服賄賂

公營事業某單位東窗事發

本報記者顏碧天台北消息：自公營事業中國石油公司爆出貪瀆案若干涉嫌職員被台北地方法院檢察處收押後，社會頗爲重視中，頃又於台灣省議會閃出另一公營事業某單位，因被議會某一專案小組發現進口之機器而無證明，引起查詢問題，該單位欲求「息事」，乃援例行「交際」，致贈每一位省議員洋酒兩瓶，及洋西裝料兩套，企圖「消災」過去。

詎料這批「禮物」分送於各議員府上之後，竟有兩位議員（一位新任議員）拒絕收受，并將洋酒衣料扔在會館裏，交由該小組召集人退回。但該小組召集人竟圖「協調」勸說起來，落得「兩全其美」。惟未說服下去，且拒收「禮物」議員，曾坦白公開承認此事。惹起輿論指責，有謂：「大部份不够乾淨的單位主管——當然包括這一省營事業的單位主管在內，都深信洋酒與西服料，乃至於類似的物品足以轉禍爲福，化戾氣爲祥和，此爲今日賄賂風行的基本原因。」「該專案小組召集人『受人錢財，與人消災』，所以說，大家收下洋酒、西裝料，某省營事業單位的弊端也不必再提。」「凡接受洋酒與西裝料的人們都必須瞭解：某省營事業單位在此一非進口機器而居然機器進口的案件，所獲必不止於若干瓶洋酒與若干套西裝料。」「倘該專案小組未發現此一進口機器缺少進口證明，則此若干瓶洋酒與若干套西裝料，亦併被沒入該單位主管袋中。只是在東窗事發或有東窗事發可能時，才將其違法舞弊所獲之一部份——可能是極少的一部份與人分潤，這等於是一人踞案大嚼，饞犬援攫，必不饜，已而扔下幾根肉骨頭。」「這兩位議員在義利之分、是非之辨的重大關頭，作了最明智的抉擇，而不忘選民對他們的付託，其價值遠過於兩瓶洋酒和兩套西服料。」打算消災的議員們賭此後，「是退回洋酒西裝料」，「還是吃下幾根被人扔下的肉骨頭呢？」都在不可想象之中。最後仍借輿論希望：「法律對於行賄和受賄都定有一定的刑罰，司法當局和負責風憲的監察委員們，應對此不能輕輕放過。」阿門！

喬治桑外傳（十二）

張大萬

「每人五百够了。」牛董事長伸出五指。

喬治桑連忙掏出一千五百元新台幣。當番小姐每人五百，僕歐生五百。

牛董事長一馬當先，「貴妃」扶着大塚，「小鳳」與野田勾肩搭背。喬治桑與「小雲雀」比較文雅一點，只併排隨在後面。一行善男信女，走出「白美人」酒家。

牛董事長準備了兩輛汽車，一輛西德般斯牌，一輛美國別克牌。牛董事長、大塚、「貴妃」坐的是般斯，喬治桑「小雲雀」、野田「小鳳」坐的是別克。向台北市郊急駛而去。喬治桑根本不知道目的地在那裏。反正他對牛董事長有信心，去的地方一定不錯。

車行半個多小時，到了市郊某地。前面車子撳了喇叭，在一座花園大洋房門口停了一下，有人打開了大門。兩部汽車開了進去，在房屋門前停下。喬治桑一進門陡覺眼前一亮，因爲一切的陳設，在台北都未見過。大廳的當中，有七彩霓虹噴泉。兩旁設有雙人沙發四張，這種沙發是仿羅馬宮殿式。兩邊是兩個廂房，右面一間有供十人進餐的餐桌，上面放的餐具異常考究，比台北第一流觀光飯店又勝一籌。左面廂房，有一座小小的舞池，可供三四對男女起舞。有一個精緻的小酒吧，排着一二十瓶名貴洋酒。有一個小小音樂台，上面放着一具鋼琴。另有一具落地電唱機，幾百張唱片，可以隨意選放。

喬治桑雖然是一個老江湖，這種地方還是第一次來。所以一進門便東張西望一下。

牛董事長引一行進入左面廂房，圍坐在酒排間旁兩個小圓桌旁邊。

這時有兩個妙齡少女，穿着像觀光飯店的制服，滿面含笑，與客人低聲說話。她們與牛董事長說的是台語，與大塚、野田說的是日語，與喬治桑說的是標準國語。可見是訓練有素的女侍。

包括喬治桑在內，都是濯足黃湯，已不勝酒量，因此，各人都叫了熱咖啡。

喬治桑一面啜着咖啡，一面問牛與鐘：

「這是甚麼地方？」

「是私人的別墅，我是打電話跟裘先生接頭的。」

喬治桑聽了點點頭。他來過台北幾次，早已聞裘白瓊的大名。裘在社會各界非常兜得轉，尤其是上流階層的達官巨宦更多來往。他有「雅德」的雅號。

在喝咖啡的時候，「小雲雀」低低告訴喬治桑：要喬治先付「貴妃」「小鳳」的錢。

喬治桑取出兩張美金，每張五十元票額，塞在「小雲雀」手裏。「小雲雀」與「貴妃」「小鳳」打了個眼色，三人一同起身，向客人笑了一下。翩然而出。她們的意思是到「一號」去，事實上是向「小雲雀」拿錢。

這是人類的通病，表面上必須維持正經，背了人，就無所謂了，雖歡場女子亦不能免。「小雲雀」「貴妃」「小鳳」出去不一會工夫，像三隻小鳥飛回房裡。

選舉訴訟毆傷律師案

楊義雄指劉樹燻主謀

本報記者顏碧天新竹縣消息：新竹縣長選舉訴訟牽纏已六閱月，依訴訟日前發展，呈現縣長劉樹燻極不利之形勢。原告縣長競選落選人朱育英律師朱昭勳前被暴徒圍毆案，涉嫌暴徒部份在押，部份交保外傳，部份在逃；十二月三日新竹地院刑庭推事姚錫玖庭訊被告楊義雄，致案情急轉直下，被告楊義雄供稱，兇毆案係受縣長劉樹燻在幕後主使行兇，並有縣府事務股開出票面一千五百元公庫支票作證。楊某供稱：今年六月四日下午，原要「修理」朱昭勳的，因當時新竹市民衆服務站主任王亞庭和朱律師在一起，所以未曾下手。後來他回去向劉樹燻縣長報告，縣長對他說：爲甚麼不連他也一起幹掉。後來在七月十日上午十時左右，縣長公館打電話叫他去，劉縣長又對他說：台北王八蛋要來，今天一定要交差。他聽了縣長吩咐後，便出去找楊石松（在押）、曾天來（在逃）、張正輝（在押）和一位姓游的四人埋伏在縣府附近伺機下手。他本人則躲在縣府事務股辦公室休息。他看見朱昭勳律師經過縣府事務股門口到民政局開啟票匭時。事務股的呂政通，手中拿着一張縣府公庫支票，票面一千五百元支票一張，後面蓋事務股長的私章，呂政通當面交給他說：這係縣長交待給你們吃飯的錢。朱律師離縣府到縣黨部的時候，李勝任（在押）和利富雄（交保隨傳），共坐一輛摩托車，在縣府和縣黨部之間往來巡邏，監視朱律師行動。後來在十一點多鐘，他把這一千五百元支票放在家中，自己先拿出七百五十元現鈔，交給張正輝等人去吃中午飯，毆打朱律師的時候，他本人不在場。本日庭訊僅楊義雄一人，庭諭改期再審。再本縣縣長選舉無效官司，台北高等法院已開過六七次調查庭，將定期宣判云。

旅美散見

名·字·之·累

張起鈞

有一天，同事胡思齊教授，看了我寫的「學人風趣」，問我：「你的英文名字叫康思談諦（Constant）？」我說：「你是看我這樣一個不洋化的人，居然有一個洋名字，是不是？」「不是的，我是奇怪你這個名字，不常見，實在少有的很。」「噢，這是當年我在北大學法文時，法文老師邵可侶教授給取的。這本是一個法文名字，讀作『公斯當』，後來我到美國去教書，英國友人，西門華教授說，我的名字『起鈞』二字，英語很難發音，因此建議我用此法文字，而用英文發音，讀作『康思談諦』，那知後來這一法文各字，竟給我帶來多少啼笑皆非的事。」「怎麼？」「請聽我慢慢道來。」

原來英文中的名字是男女不同判然有別的，並且還總是「約翰」、「瑪麗」、「路易」、「威廉」，幾個字換來換去，從來沒有一個叫「康思談諦」的。不過雖無「康思談諦」，卻有一個類似的字「康思談斯（Constance）」而是女人的名字，因此細心之人士，看了我的名字，自然覺得稀奇，如同胡教授一樣，而粗心的人，便望文生意，以爲是「康思諦斯」；同時又根據「康思諦斯是女人名字」的邏輯，便認爲我是女人，這樣的笑話，不知出了多少。

我在華盛頓大學時，接到一次圖書館催我還書的信，就稱我爲「密斯」張。我還書時說：你看我像不像個小姐呢？彼此爲之莞爾。還有更匪夷所思的：夏威夷大學校長致送聘書的正式公函，秘書小姐竟把信封打成「密賽斯」張。後來我到了夏大，找到那位秘書問她：把我引爲同類，已是令人啼笑皆非了，但何以知道我是「密斯賽」呢？她說：「有這樣高的地位的（按：夏大當時給我的月薪是一千一百多元，列爲該校最高級教授之列），當然年紀不會太青，年紀不太青的，當然是一定結婚的了，所以當然是『密斯賽』了。」眞是一串邏輯的推斷。

不僅形諸文字，並且還見之行動，我去聖路易時，當地的女青年會，竟來函邀我入會。我要眞去入會時，不知她們怎麼辦。最荒唐的是夏大的一件事，夏大是州立大學，因此校中教職員，也比照州屬公務員，享受各項公職人員的福利。有一天我的醫藥公保證發下來了，不僅「康思談諦」寫成「康思談斯」，而且性別欄內還赫然的填了個「女」字，眞叫人不知作何感想，假如我眞要生病，恐怕要到婦產科去就診了。這張女性張教授的公保證，我一直珍存着，作爲茶餘酒後的談助。

文匯樓別記

左舜生隔海掌風

中國青年黨建黨快五十年了，不僅已過青年，中年也快過完，剩下的只有老年了，但不能照這樣解釋，所謂青年者，非以年齡爲限，乃以精神爲主，正如該黨建黨宣言裏說：「苟能奮鬥不懈，則春秋雖高，亦吾黨之同志，若其畏葸無能，則年齡縱幼，實社會之贅民。」

左舜生先生，乃奮鬥不懈之代表，雖春秋已高，其精神完全與青年無異，左舜生有兩件事值得青年黨人作楷模的，不！值得後人作楷模的，一是操守，他對錢看得很淡泊，他一生中也有甚多發財的機會，從未聽說左舜生搞幾個，相反的，當民國三十八年李代總統在廣州撤退時，左舜生分到兩萬銀元的遣散費，據青年黨自己同志說，這筆錢左舜生分文未染指，全部分給須要接濟的黨員了，他自己則在九龍鑽石山開一個士多店（就是像攤販樣的小店），艱苦經營，怡然自得，左是部長階級的官員，朋友經港有時要去看看他，開一瓶可口可樂或維他奶，折一包白錫包香烟，有時還得招待一餐小菜飯（便飯湖南人稱小菜飯），討饒過他的人說，誠摯使人感動，吃過心裏不安。二是氣節，志氣和節操是孿生兄弟，有節操的人必有志氣，有志氣的人亦一定有節操，樓主見過的太多了，一個喜歡搞錢不重節操的人，而能有志氣，眞如聖經裏的話，比駱駝穿過針眼還難。賣政治糖稀飯的毛澤東（湘潭小販在鐵路邊叫喊攬請吃一碗清甜白糖蓮子百果桂元紅棗圓粒糯米稀飯）這其中配料是多麽有誘惑力，其實祗糖精稀飯而已。毛澤東把這一套搬到政治舞台去騙人，見了程潛祇喊一聲「家長」，程的骨頭都酥了，「恭他娘，潤之（毛匪的號）眞知我者也，要老子的心，我會連胆都挖給他。」可是當毛澤東喊出大家四套時，左驀然之間也激動和短暫的高興一下，但很快恢復平靜和理智，換句話就是不吃這一套，其能受蔣總統器重和欽遵者在此，這次左舜生回國去晉謁總統時，總統看到青年黨四分五裂，太不像樣了，乃囑左舜生快將黨團結起來，有任何困難，總統願幫忙解決，可是經過若干回合的週旋，既團不攏亦結不上，左只好悄悄離開。

左舜生究竟是有招數的人，當年曾代表青年黨與國民黨簽約，嚴肅的開始，五馬分屍作結束，不僅感到窩囊，也沒有方法向他自己的黨同志交代，同時總統既叮囑要他對青年黨團結起來，不能說「敝黨無法團結有負總統盛意」，這怎麼能講得出口呢？青年黨之不團結，既爲司馬昭之心路人皆知，外揚青年黨家醜已很久，非青年黨家醜不能外揚，乃毅然打出絕招，一如武俠小說裏的掌風，但這股風是從香港打來的，樓主將他命名爲「隔海掌風」，這「隔海掌風」的內容，就是要請求政府凍結對中國青年黨的補助費，除非另一部份首領「寧爲玉碎，不爲瓦全」，否則，團結工作勢將急轉直下。

・文匯樓主・

吳稚暉答陳公博函——贜與不贜還有問題（上）

・鴻　雁・

大學尺牘

陳先生對於他的出席問題，一再申辯，但贜與不贜，還有問題，分條答之。

（一）監委會送往執委會的公事，也得像前清小百姓上呈子，老爺可以當堂擲於地上，卻還而又斥退的麼？如其無此黨章，可見無論同意不同意，俱當接受，俱當接受，既俱當接受，安用再加接受二字，那末這個接受二字，自然另有解釋，單靠康熙字典佩文韻府辭源去獺祭，濟得事的麼？陳先生既是個學者，應該知道文字有普通用話，有特別用法，某甲到法院去控某乙，法官上批，「留待傳詢」，決不會先加六字曰，「接受你的呈子，留待傳詢」，不過某甲口頭得意曰，「法院接受了我的呈子了。」某甲口頭話，便是普通的用法，是字典查得到的，萬一法官眞批上「接受你的呈子，」那就特別了，必要查看事實，再不解說，譬如說「總理有遺囑我們接受。」這個接受，便是遵照，又如中國通知日本廢約，田中若批曰：「接受中國通知。」這個便是照准，儘管加上留待審查，足見不過文字上的修改，條件上的商榷而已。所如按諸當日的事實，本來你們幾位，廣州軍政長官已經通緝了，政府也不得不照准了。監委會因要保持中央尊嚴，所以由該會檢舉，請執委會阻止政府及廣州軍政長官的通緝，故執委會鄭重地把已經接受監委會檢舉案，電知他們，那末接受的案，是替代通緝，那接受二字，何等嚴重呢？故審查過了，把何香凝等五位情節較輕的，依了監委會之請，送到四中的執監聯席議決，同時嚴格的不准汪陳甘顧情節較重的出席，當時甘乃光逗留上海，沒有半張通知書叫他出席，即是實行接受也，四中的議決的，有記事錄記上了，所以陳先生能夠看到四位的不准出席，已實行了，到第三大會時，執委會必依照監委會的所請，請大會處分，那時第三大會的記事錄，必有一條曰：「汪兆銘、陳公博、甘乃光、顧孟餘四委員，前經中央執行委員會依中央監察委員檢舉，在第三大會前實行阻止出席，茲經本大會公開討論，認爲應……」彼時陳先生拿法院作譬，尤其容易明白，倘相當機關，送一公事於臨時法院的「何世楨先生」說道：送上重犯四名，貴院無權輕縱，應轉送高等法院處分，又輕犯五名，請開庭審訊，如何赦宥，即行開釋，「何先生」批曰：接受貴機關提案，留待審查，並電知上海縣免其通緝，於是某日開第四庭，會審之下，判決五輕犯應當開釋，那四個重犯不提起，不言而喩，便是拘押到待質所，留送高等法院，你想那四位重犯卻爭曰：判決書上沒有我們名姓，我們可以自由，待你們府上去出席吃喜酒，因爲你們推尊做人情，曾有帖子來請我，陳先生，你想說得通說不通？倘然「何先生」從此眞把四位重犯永遠不提，那末輕犯還要審判了才開釋，重犯反可以絕響的自由，那末「何先生」所批的接受二字，難道就不會發生問題麼？所以第三大會時，執委會若無相當的提請大會議決，你愛重黨紀，怎樣叫監委會做立仗馬呢？若照總章第七十六條有「或全部被彈劾時，」恐覓不了那個做法。

（三）把第七十條黨章摘幾句出來，便定出你們要出席，乃是束縛黨紀，絲毫不能想法，內中說：「對於執行委員會之處分，認爲不當時，得上控於上級執行委員會，以及全國代表大會，但未得全國代表大會表示意見以前，此處分仍須執行，」四中會時執委會實行處分，已經不許你們出席，五位情節較輕的，得邀請出席，四位情節較重因接受監委會所請，僅第三大會，而四中會不必過問，於是他意見竟置之不議，只努力不許四位出席，實行執委會的處分，那麼第三大會未開，就是四位認執委會的處分爲不當，也莫可奈何，陳先生謂你原諒，那條總章，我是可以不必查的，忙着『京平漢滬的富貴忙×』好了，你受了我譏誚，拼命查去，查了又不求甚解，眞要命罷。

（四）說到特委會，一是汪精衛先生爲發起人之一，二是十一月初便四面同意開四中，三是用不着遠遠的到廣東去出兵，四是按事實，當時沒有人在那裡割據，卻是你們要把廣東是廣東人的名義去割據，眞叫做無故牘弄兵，引起了廣州的大燒殺，故當時罪狀，「縱租弄兵，釀成共變。」就是一千年一萬年下去，若知道廣州人不是該死的，便一點小小責任，「過也人皆見之」你們要担當的呀，忍心害理說要太乾淨，不是眞革命黨的態度罷。

（五）說我「以爲青年都是搗亂的。」那「都是」兩個字，被蒋我加上的呢！你要挑撥到青年都罵我，於是都來恭維你，我倒了，你才有出頭日子，這還是太看重我的放屁罷，謝謝。

（六）我對陳璧君先生說反對汪精衛，「因爲汪先生在黨有歷史，在會社有地位，非反對不可。」陳公博先生暗暗叫聲何苦也。那末去年四月，我反對他，說道你終有同我相對痛哭的一天，這就是從他的在黨有歷史，不怕苦而勸他的，後來果然他在漢口也淸黨了，廣州燒殺以後，索性要殺盡共產黨了，哭雖還不會哭，痛也痛得夠了，他着了第三國際反共倒蔣的迷，勾結白崇禧與李宗仁，請蔣先生歇歇，又好像騙猴子一樣，把李濟深騙了就走，十一月十九我諷他這的伶俐，他自己也笑到眼淚都出來。

富人列傳（七）

呂不韋善賈居奇

二、異人奇貨可居

周燕謀

任何一個有知識有能力的人物，要成功一種事業，除了以上條件之外，還得要看「機遇」，否則抱負雖大，也難以達到目的。呂不韋具備了知識和能力，他又碰到了好機遇。尤其是走政治路線，非得機遇不可。『立主定國』，談何容易！不韋在賈而富的顛峯狀態中，恰恰機遇來臨。

秦昭王四十年，太子亡故，昭王年事已高，四十二年，立次子安國君爲太子。安國君原配夫人不幸早死，立太子之後，就將他的愛姬立爲華陽夫人。可惜的是華陽夫人竟無所出，安國君一共有二十九個兒子，皆非華陽夫人所生。呂不韋時貿易於趙都邯鄲，遇到了安國君的次子異人（子楚）爲質於趙。子楚之母夏姬又不得寵，故送趙國爲質。客居趙國，很不得意，又無還國之機。住宅車馬都很惡劣，十分窘困。加以秦國時以兵臨侵趙，因此趙國對於異人亦無好感。但是，呂不韋卻看中了異人，認爲此人乃「奇貨可居」，就以異人爲『立君』之目標。這位未來的秦王和未來的丞相第一次見面的對話，是相當有意思的。人與人之間，不怕話不投機，只怕「利不投機」，利害相同，話自然投機，一拍即合。

不韋道：「吾能大子之門」。

異人笑道：「且自大君之門，而乃大吾門」！

不韋道：「子不知也。吾門待子門而大也。」

異人聞聽此言有深意。於是延之上坐。

不韋以三言兩語，敲開了異人之心機，接着便登堂入室的說：

「秦王老了。安國君得爲太子，似已成定局。竊聽人言，安國君寵幸華陽夫人，華陽夫人沒有兒子。能立嫡嗣者，唯有華陽夫人而已。而今公子兄弟二十餘人，公子又居次，不甚見幸，久爲質於諸侯。若大王薨，安國君立爲王，則公子欲得與長子及諸子且暮在前者，爭爲太子乎！」

異人啞然道：「君言誠是也。爲今之計，爲之奈何？」

不韋侃侃而言道：「公子貧困，爲客於此，非有資財奉獻於親與廣結賓客，則不能有幸於親也。不韋雖貧（故意言窮也），願以千金爲公子西游於秦，事安國君及華陽夫人，立君爲嫡嗣子。」

異人聞知，心花怒放，爲之離席頓首拜謝道：「若如君策，請得分秦國與君共之也。」不韋登堂入室之言，說得異人「頑石點頭」，心扉大開。不韋立即給異人五百金，作爲改良生活環境之資，廣交賓客之用，俾以提高其聲譽。同時又以五百金購買奇物玩好，自己帶去秦國。

不韋第一步先「走內線」，求見華陽夫人之姊，託她把這些奇物玩好，以異人之託轉奉給華陽夫人。不韋又對她說異人如何的賢，如何孝敬，把華陽夫人當作親生之母一般恭順，「日夜泣思太子與夫人。」她把不韋這些話，告訴了華陽夫人，華陽夫人收了奇物玩好，又聽了這些悅耳的話，喜不自勝。不韋的「內線」一搭的非常成功。但是，他還得加強利害上的統一。所以又告訴其姊，分析華陽夫人之利害關係，果然一拍即合。

禪學黃金時代

石頭希遷門下的五大禪師（二）

吳經熊著　吳怡譯

道悟再問：

「這樣的話，叫人如何了解呢」？

石頭又說：

「你是否懂得『空』」？

道悟回答：

「這一點，我早就有心得了」。

石頭說：

「想不到你還是從那邊來的過來人呢」？

道悟說：

「我不是那邊的人」。

石頭說：

「我早已知道你的來處了」。

道悟說：

「你怎樣沒有證據，就誣賴我呢」。

石頭說：

「你的身體就是證據」。

道悟說：

「就算你說得有理吧，可是究竟我要拿什麼東西去教導後人呢」？

石頭說：

「請問誰是我們的後人」。

被這一問，問得道悟豁然大悟，至此才眞正了解以前兩位禪師所指導他的一切。

第二位是龍潭崇信（死於西元八三八）。

道悟教人的方法可以從他的學生龍潭的故事中看出。

龍潭出身窮苦，以賣餅過活。道悟從龍潭少時，便知道他具有英才，把廟旁的小屋借給他住，他爲了表示感激，每天都送十個餅給道悟。道悟收了餅，每次都剩一個還給龍潭說：

「這是我給你的，希望你子孫繁盛」。

有一天，龍潭感覺到奇怪，心想：這明明是我送給他的餅，爲甚麼又送還給我，其中是另有深意？於是便大着胆子去問道悟，道悟告訴他說：

「是你送來的，又還給你，還有甚麼不對嗎」？

龍潭聽了後，頗有所悟，便決心出家，追隨道悟。過了一段時期，他對道悟說：

「自從我來到此間，未曾聽過你爲我指示心要」？

道悟卻說：

「自從你來到此間，我沒有一時一刻不爲你指示心要」。

他又問：

「你指示甚麼啊」！

道悟說：

「你遞茶來，我接；你拿飯來，我吃；你行禮時，我點頭，處處都在指示你心要啊」！

龍潭低頭想了好一會。這時道悟又說：

「要是見道的話，當下就能見道。否則，一用思考，便有了偏差」。

龍潭聽了這話，才眞正開悟。接着便問：

「要如何保養這種悟境呢」？

道悟回答說：

「只要順着你的自性，逍遙而遊；隨着一切外緣，放曠而行；本着平常之心，而沒有聖凡之分就可以了。」

巨變歷險記！

四頭沉痛的決策　十六

胡慶蓉

天津上下雖然努力，但在上述的各種情況之下，天津的抵抗，還是很困難的，而且不能無限度，絕對不能無限期。

在林彪方面，乘東北戰勝的氣燄，以閃電式的率軍包圍天津，其志決不在小。也就是說，共產黨與國民政府爭天下，不拿下天津，他是決不甘心的。天津要同共產黨抗，同林彪抗，戰爭決不能避免。天津拿什麼來戰？這是當時防守當局所深深考慮的。

拿什麼來戰？大家開始的希望，是中華民國國民政府的部隊，是侯鏡如的部隊，林偉儔的部隊，以及其他國民政府所有的部隊。天津的得失，決不只是天津上下天津市民的得失，而是關係華北、關係整個中華民國國運的，那麼，中國國民政府理應全力以赴，全力支援，同林彪拼個你死我活才對。在事實上，國民政府不但毫無增兵增援的表示，反而把原有部隊，原來在天津在北平的部隊撤回到青島，撤回到南邊去了。這不啻告訴天津上下天津市民：國民政府放棄了華北，放棄了天津。這天津如何能無限期的抗下去？

其次考慮的是：傅作義能不能來援助？這也是否定的答覆。傅作義，在名義上，他是應該來援助的來解圍的，但由於林彪攔腰將北平與天津隔開，天津與北平已形成首尾不能相顧。傅作義縱會援助有心，事實上也做不到，何況傅作義已有不穩的說法，傅作義將要投到共產方面去。

天津外無援兵，單單靠自己本身的一點力量，決不能長遠的抵抗。圍城的力量也不會讓這樣長遠的拖下去。這是天津四頭——陳司令、林軍長、杜市長、丁議員，他們四位的看法。他們四位，在天津被圍廿天之後，在民國卅八年年初，在陳司令的辦公大樓，舉行了一次很嚴肅的會議。大家平心靜氣的檢討，大家在尋求解決的途徑。

當時天津市民有一個很大的運動，很大的醞釀，那就是要保存天津，不能讓天津燬於兵火之下，不能讓天津作無謂的犧牲。保存天津，也就是保存天津市民的財產，保存天津市民的生命。天津已有一兩百年的歷史，天津有今天的建設非易，倘作無代價的犧牲，誰也不願意。

如何能保存天津市民的要求，仍然可以達到抵抗的目的，這是天津四頭所苦心焦慮的，所不厭其詳研討的。天津一方面抵抗，一方面要保存，極不易做到。天津抵抗下去，就少不了打，打就不能保存，打就不容易保存。那麼，如何是好？最後，還是陳司令提議：「一方面抵抗，一方面談判」。這本是共產的老戰略。何妨以子之矛，攻子之盾。在談判之中，靜觀變化，也或許有奇跡發現。這樣，林軍長、杜市長、丁議員也表示同意。

一代人怪話石崇

命相与夢話

・公陶・

「陛下聖德光被，皇靈啓祚，正位東宮，二十餘年，道化宣流，萬國歸心。今承洪基，此乃天授。至於班賞行爵，優於泰始革命之初，不安一也。吳會僭逆，幾於百年，邊境被其荼毒，朝廷爲之旰食，先帝決獨斷之聰，奮神武之略，蕩滅逋寇，易於摧枯，然謀臣猛將，猶有致忠竭力之效，而今恩澤之封，優於滅吳之功，不安二也。上天眷佑，實在大晉，卜世之數，未知其紀，今之開制，當垂於後，若尊卑無差，有爵必進，數世之後，莫非公侯，不安三也。臣等敢冒陳聞，竊謂泰始之初，及平吳論功，制度名牒皆悉具存，縱不能遠遵古典，尙當依準舊事。」

這是石崇上晉惠帝的奏本，文中對惠帝的封賞濫溢，婉委諷諫；一片愛國之心，躍然紙上！這時的石崇官居黃門郎，時年四十有四，已屆「不惑」近「知命」之年！在這以前，這個聰明好學的青年，官運亨通，積年累昇，一直從基層熬上中高階層了！

石崇上了這奏本，惠帝是不是採納，史無明文記載，不過石崇是從這年官又昇爲南中郎將，接着外放荊州刺史，這一下子，這位籍屬河北南皮，生在俺山鄉山東披縣的石老兒，一旦大權在握，居然打家刼舍，幹起了強盜生涯。

於是「黑心」錢越積越多，官也越做越大，骨頭也越來越軟！

這時候的石崇，便在洛陽建了一座超國際水準的別館——金谷園，園內有山有水，內廳醇酒美人，庫內金銀珠寶，廚內水陸山珍，連廁所內部有侍女輪班伺候，還有當時一部分壞節文人、寡恥驪客及無骨官吏，均以廁身金谷園的座上爲榮，却不分天是藍的，雷是響的了！

說到石崇的暴殄天物，可稱得上媲美商紂，儘是載諸史册的，也該槍斃廿五萬次有餘！

但是天道虧盈，人道惡盈，這位提筆能寫，提刀成刼，站起來像人，摸起來無骨的石崇，終以太「過份」而不見容於孫秀，後藉索石崇愛姬綠珠遭拒，一怒之下，又勾結當道把石崇殺了個寸草不留，石母、石兄、石妻、……凡是與石崇有關係的死的死，散的散，剎那間雲消霧滅，正是天道好還。

按石崇的生辰是甘露四年七月初九日辰時，四柱是己巳、辛未、甲午、戊辰，所謂財庫遇三合之鄉，命中注定其必「一時之富」也。

石崇的造命是土厚木實格，又誕生於仲夏大暑節後，正是得「時」，肥土育木，已具參天巨林氣概，再以四柱均絲絲入扣，交相輔成，具見氣象萬千，論官職也是出將入相，武職做到集團軍總司令，文職做到院會首長。兼又橫征暴斂，刼客剝商，連「紅包」都嫌麻煩，直接伸手到商民的口袋裏；積財之富，買了個笙歌夜夜，金谷春濃！

可是上天給他的雖厚，總還是有一點兒「缺陷」，這個缺陷就是缺「水」，木無水必枯，土無水必瘠！石崇在五十二歲的時候，流年丙運，歲値庚申，小限庚寅，連環尅傷，終於一刀兩斷，赤裸裸的來，赤裸裸的去，留下了千秋臭名！

矮人與奇才（一）

「卜二」皇帝愛麥辛三世

錢一釗

意王愛麥辛三世，在二次世界戰爭前後，就尙存在的幾個帝制國家中，其才智是卓絕的！如果不是另外一個更強有力的矮子——墨索里尼——出現，他可能是意大利傑出的皇帝，並且帶給意大利的也決不是山河殘破的悲慘局面。

這位身長僅五呎三吋的愛麥辛三世，有一部特型的汽車，使他坐在車內仍然有着「出」人頭地的偉大，還有一頂高帽子，使他和身高六呎的愛倫娜王后一齊出現於公共場合時，不會一眼就看出他的「寒傖」相來！

雖然，爲了「矮」他曾作了很多準備，如特製的鞋底加高的皮鞋，頂加高的帽子，不彎腰施禮，極量避免出席國際間的酬酢，可是他與愛倫娜王后，高矮懸殊差了一截兒，仍爲世人所共知！

但，愛麥辛三世卻爲意人所愛戴的國王，並且頗孚衆望，被喻爲「意大利堅強的基石！」

愛麥辛三世，生於一八六九年，他是以祖父的名字爲名字，因爲他的祖父是意國的英明之君，與加富爾及加奧波共同完成意大利的統一，並使之國譽隆日！

愛麥辛三世的幼年，沒有一分鐘享有養尊處優的王子生活，他的父母對他的管教非常嚴格的，待他十二歲時，意大利的有名軍官「奧西奧」上校就做了他的老師，奧西奧上校的一句格言：「發令於人者必先受令於人！」愛麥辛三世就是受的這種教育，有一天他和表兄玩的不對勁兒，這位王儲發了脾氣，怒說：「我有一天做了皇帝，要砍下你的腦袋！」可是這句話被奧西奧上校聽道後，罰他三天只能吃麵包和水！

他的幼年生活教育，可以說完全是軍事紀律化，從早上七時一直到午後三時，他沒有半分鐘的休閒，甚至連遊戲都是按照訓練士兵的方式。（上）

御廚談藪

紅燒荷包翅

林泉隱

魚翅的種類很多，大別爲皮刀翅與荷包翅兩種，皮刀翅適於製鷄蓉翅，十錦翅，荷包翅適於紅燒，上桌很難完整，這一學問，沒有人點破，始終試驗不成，否則只有帶先起鍋，但翅味難出，且有腥氣，後得某一流外交廚師指教（外交廚師各國慣例祇爲外交官員）乃恍然大悟。

將洗淨漂透之荷包翅，出水去腥，先一夜以整隻翅，用鷄鴨湯煨至極爛，在煨的過程中到了五成熟時，加開洋米，冬菇絲，干貝府，火腿細丁，生抽，花雕，葱花，胡椒粉適量，食時裝入大碗。湯中精液，飽吸翅中，翅則完整可愛，使人唾涎欲滴，此爲中國外交家顏惠慶學習光緒皇帝的吃法。

李鴻章，段祺瑞，嗜食膠質肉類，魚翅即爲其中之一。李鴻章每吃魚翅習慣上，總要罵兩句：「入娘的，這種東西離開鷄鴨湯和配料，有甚麼好吃，不是和我們合肥南鄉做的粗粉絲一樣嗎？」但李鴻章很討厭粉絲，（這和四川涪陵人不喜歡吃榨菜一樣），寧願意吃耐煮的油炸散子。

三幕喜劇　還境過事

一式熊

包太：仁翰，難道你會自己動手，把我拉了出去嗎？我恐怕你要委托你的律師出面代辦清業手續！這倒要成爲奇聞，香港各大報的頭條新聞！小報更高興！

仁：　別提小報了！

包太：不只是登我們兩個人的照片，而且這幢山頂上的房子，也要變成大家想看看的名勝了！尤其是美國的遊客！只要這個消息一出去，當天的晚報封面上，就要用特別大號字的標題，登着太平紳士某某某，驅逐漢奸的寡婦出屋，恐怕連曾經非法同居十幾年的事也要提起來的！他們決不肯放過，這是可以大大贈加銷路的好機會！

仁：　（眞生氣了）好了，不要再說了！我明白你的意思，你現在藉着這個機會，用勒索敲詐的手段，要逼着我答應你，讓你胡鬧，買新傢具，翻造洗澡間，還要讓露茜嫁給那個一點出息都沒有的，專畫三角形的雲彩的窮小子，不答應就不肯同我去辦手續！

包太：（點頭微笑）仁翰，你說得不對！我今天一聽見結婚都有一點兒寒心，多一個丈夫，多一分担心，我決不逼着你辦手續！

仁：　（盛怒之下）好！你既然不講道理，再對你講甚麼也沒有用！我走了，讓你自己捫心自問，你所說的話，所做的事，對不對，合理不合理！

（他大踏步的出大廳，用力把門砰然一聲的閉了，包太太微笑搖搖頭，回頭望望窗外遠遠的暮色，萬家燈火，水光接天，美麗極了。她正要自己拉上窗簾子的時候，史健旺躡手躡脚的從暗中鑽了出來，輕輕的聲音向包太打招呼，她打開窗子請他進來）

史：　包太太，包先生走了嗎？我是特別趕回來找你的！

包太：史先生，有事嗎？他剛走，我去找他回來！

史：　千萬別去找他回來！包太太，包先生一下子不會回來吧！

包太：（驚奇）不會的！你有甚麼事？

史：　我趕回來偷偷的到窗戶這兒，遠遠看見包先生出去了，才敢輕輕走過來，希望只有一個人在這兒……

包太：史先生，你有甚麼事找我？

史：　（十分不安的樣子）包先生知道了，一定會生我的氣，我還要求他寫介紹信呢！這只怪得我一時胡塗！怎麼這樣胡塗？

包太：史先生，到底是甚麼事？是不是關於我那個丈夫的事？

史：　對了！包太太，對不住得很……

包太：對我不住？難道他又活了嗎？

史：　不是的！包太太，眞對你不住，請你千萬不要怪我，他姓閒人！

包太：（莫明其妙）誰姓閒人？我那個丈夫姓閒人？

史：　那個人姓閒人！我一回到旅館裏，忽然之間記起來了他姓閒人！

包太：史先生，我丈夫姓宇文…………

史：　對了！他姓宇文，他姓閒人………

包太：我的丈夫姓甚麼，我還不知道嗎？他是姓宇文……

（四七）

催眠術研究（六）

鮑紹洲

五、指眼催眠法

指眼催眠法，即施術人的指腹放置於被術人的兩眼或臉上，而使之催眠的方法，被術人催眠時，先使被術人處在安穩之地位；等他精神鎮定時行之。施術人用食指和拇指按撫在被術人的眼睛或臉上。按撫的時候，宜輕輕按撫，口語暗示被術人道：「閉眼催眠。」，等被術人兩眼閉合後，用食指及拇指按撫在被術人的兩眼球之上，輕輕壓之，口語道：「眠吧！」「安眠吧！」「深深地安眠吧！」

按撫的方法，不要太強，不可太用力；如用力過大，反而使被術人感到不安，妨害施術人催眠的效果。最好施術人自用手指試按自己眼球和臉上，輕重緩急，以感到舒服爲度。

其次，這種方法，在施用其他催眠法時，兼用此法尤佳，其效果更著。這之所以爲催眠法者，因爲當指按其眼部時，被術人的精神盡集中於被按處，因此，其他雜念可消除，便入於催眠了。

在生理方面說，凡是用視力集中，感受集中的催眠法，都是使被術人精神集中，注意力集中，血液因感受，注意力集中而集聚一處，以入於催眠。道理相同。數數的催眠法，亦是使被術人消除雜念，注意力集中，血液亦因此集中，其理相通。因此，催眠術是屬於科學的，合符衛生的一種奇術。

搜異錄

司馬喬

印度人以海鳥爲祖宗

英軍初到印度時，有一英兵在海邊打死一隻海鳥，被一羣印度人看見，便將這位英兵包圍起來，想要把他殺死，因爲印度人以爲海鳥爲祖宗。這位英兵一知來意，情急智生，就對他們說：『你們的祖宗是海鳥，我們的祖宗是魚，因爲你們的祖宗常常啄死我們的祖宗，所以今天我來替祖宗報仇。』他們聽了，各自散去，英兵得以脫險。

埃人認爲貓是祖宗轉生而來

埃及人認爲數種獸與神關連，必須飼養，不可殺害，死了還用香料埋葬。主前四五〇年，有希臘人曾見過他們養鱷魚，耳與足上裝飾黃金寶石。廟中存放許多棺廓，內中全是貓的死骸，到被羅馬統治時代，有人誤殺他們的一隻貓，羣衆就將那人打死抵償。他們以爲貓是他們祖宗轉生而來。

祝英台近

・蔡慕陶・

約沈沈，徒負負，鴻雁斷湘浦。風雨關陽，佳節又慮度。天涯飛絮游絲，茫茫歸路。理還亂，離情愁懷。似哀訴，丹心竟付東流，離歸夢千語，耿耿孤忠、自古惹人妒。彩舟譏渡江心，招魂何處，盼角黍，遠隨伊去。

史地傳記類　PC0285

自由人（十七）

編　　者／陳正茂
責任編輯／邵亢虎
圖文排版／彭君浩
封面設計／陳佩蓉

法律顧問／毛國樑　律師
印製經銷／秀威資訊科技股份有限公司
114台北市內湖區瑞光路76巷65號1樓
電話：+886-2-2796-3638　傳真：+886-2-2796-1377
http://www.showwe.com.tw
劃撥帳號／19563868　戶名：秀威資訊科技股份有限公司
讀者服務信箱：service@showwe.com.tw
展售門市／國家書店（松江門市）
104台北市中山區松江路209號1樓
電話：+886-2-2518-0207　傳真：+886-2-2518-0778
網路訂購／秀威網路書店：http://www.bodbooks.com.tw
國家網路書店：http://www.govbooks.com.tw

2012年12月復刻版
定價：2500元

國家圖書館出版品預行編目

自由人 / 陳正茂編. -- 一版. -- 臺北市 : 秀威資訊科技,
2012. 12-
冊； 公分. -- (史地傳記類)
BOD版
ISBN 978-986-326-020-2(第1冊 : 精裝). --
ISBN 978-986-326-016-5(第2冊 : 精裝). --
ISBN 978-986-326-017-2(第3冊 : 精裝). --
ISBN 978-986-326-018-9(第4冊 : 精裝). --
ISBN 978-986-326-019-6(第5冊 : 精裝). --
ISBN 978-986-326-022-6(第6冊 : 精裝). --
ISBN 978-986-326-023-3(第7冊 : 精裝). --
ISBN 978-986-326-024-0(第8冊 : 精裝). --
ISBN 978-986-326-025-7(第9冊 : 精裝). --
ISBN 978-986-326-026-4(第10冊 : 精裝). --
ISBN 978-986-326-034-9(第11冊 : 精裝). --
ISBN 978-986-326-035-6(第12冊 : 精裝). --
ISBN 978-986-326-036-3(第13冊 : 精裝). --
ISBN 978-986-326-037-0(第14冊 : 精裝). --
ISBN 978-986-326-038-7(第15冊 : 精裝). --
ISBN 978-986-326-039-4(第16冊 : 精裝). --
ISBN 978-986-326-040-0(第17冊 : 精裝). --
ISBN 978-986-326-041-7(第18冊 : 精裝). --
ISBN 978-986-326-042-4(第19冊 : 精裝). --
ISBN 978-986-326-043-1(第20冊 : 精裝). --

1. 報紙 2. 香港特別行政區

059.92　　　　101021409

讀者回函卡

感謝您購買本書，為提升服務品質，請填妥以下資料，將讀者回函卡直接寄回或傳真本公司，收到您的寶貴意見後，我們會收藏記錄及檢討，謝謝！

如您需要了解本公司最新出版書目、購書優惠或企劃活動，歡迎您上網查詢或下載相關資料：http:// www.showwe.com.tw

您購買的書名：____

出生日期：________年________月________日

學歷：□高中（含）以下　□大專　□研究所（含）以上

職業：□製造業　□金融業　□資訊業　□軍警　□傳播業　□自由業

□服務業　□公務員　□教職　□學生　□家管　□其它_____

購書地點：□網路書店　□實體書店　□書展　□郵購　□贈閱　□其他

您從何得知本書的消息？

□網路書店　□實體書店　□網路搜尋　□電子報　□書訊　□雜誌

□傳播媒體　□親友推薦　□網站推薦　□部落格　□其他__________

您對本書的評價：（請填代號　1.非常滿意　2.滿意　3.尚可　4.再改進）

封面設計____　版面編排____　內容____　文／譯筆____　價格____

讀完書後您覺得：

□很有收穫　□有收穫　□收穫不多　□沒收穫

對我們的建議：____

____

____

____

請貼
郵票

11466
台北市內湖區瑞光路 76 巷 65 號 1 樓

秀威資訊科技股份有限公司　　收

BOD 數位出版事業部

（請沿線對折寄回，謝謝！）

姓　　名：__________　　年齡：______　　性別：□女　□男

郵遞區號：□□□□□

地　　址：__________________________

聯絡電話：(日)__________　(夜)__________

E-mail：__________________________